DICTIONNAIRE DES

œuvres littéraires

DE LANGUE FRANÇAISE

Jean-Pierre de Beaumarchais, ancien élève de l'École normale supérieure, agrégé de l'université, est notamment l'éditeur dans la collection « Classiques Garnier » du *Théâtre* de Beaumarchais, son aïeul, et spécialiste de la littérature du XVIIIe siècle français.

Daniel Couty, comparatiste à l'université de Rouen, spécialiste de Gérard de Nerval et du romantisme, est l'auteur de plusieurs ouvrages publiés aux Éditions Bordas, notamment une *Histoire de la Littérature Française* et *le Théâtre* (dirigé avec Alain Rey).

Jean-Pierre de Beaumarchais et Daniel Couty ont dirigé une équipe de près de 100 rédacteurs spécialistes des œuvres, des auteurs, des périodes traités, tous universitaires reconnus.

DICTIONNAIRE DES
oeuvres littéraires
DE LANGUE FRANÇAISE

Jean-Pierre de Beaumarchais
Daniel Couty

Q-Z

BORDAS

Édition	Christiane Ochsner
Secrétariat d'édition	Nora Schott
Préparation	Raymond Leroi
	Ghislaine Malandin
Révision et correction	Ghislaine Malandin
	Didier Pemerle
Recherche iconographique	Nathalie L'Hopitault
Mise en pages des hors-texte	Jeanne Courjeaud
Fabrication	Evelyne Enock
Direction éditoriale	Olivier Juilliard

Ont également participé à l'ouvrage :

Jean-Pascal Hanss, Bernadette Jacquet, Gilbert Labrune,
Lorraine Nicolas, Sandrine Wébert.

Imprimé en France
par I.M.E. - 25110 Baume-les-Dames
N° impression : 9530

Photocomposition : S.C.C.M. Paris

© Bordas, Paris 1994
ISBN : 2-04-027022-1
Dépôt légal : Octobre 1994

Ont collaboré à cet ouvrage :

Lionel Acher
Bernadette Alameldine
Sylviane Albertan-Coppola
Pascale Alexandre-Bergues
Didier Alexandre
Guillaume Alméras
Nelly Andrieux-Reix
Véronique Anglard
Roland Auguet
Olivier Barbarant
Roger Barny
Emmanuèle Baumgartner
Marie-Alice de Beaumarchais
Patrick Besnier
Catherine Blondeau
Emmanuel Bury
Sylvie Cadinot
Christophe Carlier
Yves Chemla
Sylvie Chesnier
Michel Chopard
Gérard Cogez
Dominique Combe
Alain Couprie
Françoise Court-Perez
Michèle Crampe-Casnabet
Michel Delon
Philippe Drouillard
Jean Dufournet
Jeremy Fassolles
Françoise Ferrand
Gérard Ferreyrolles
Pierre Frantz
Michèle Gally
Patricia Gauthier
Gérard Gengembre
Dominique Giovacchini
Jean Goldzink
Marie-Christine Gomez-Géraud
Jean-Paul Goujon
Patrick Gourvennec
Béatrix Guillot
Édouard Guitton
Karen Haddad-Wotling
Franck Hamel
Louis Héliot
Jean-Claude Huchet

Sylvie Huet
Annie Ibrahim
Hédi Kaddour
Line Karoubi
Jean-Marc Lantéri
Chantal Lavigne
Yvan Leclerc
Hélène Lefebvre
Dominique Lorenceau
Hans Peter Lund
Daniel Madelénat
Bernard Magnier
Dominique Malézieux
Pierre Mari
Marie-Thérèse de Medeiros
Christiane Mervaud
Olivier Millet
Élisabeth Moncond'huy
Dominique Moncond'huy
Alain Niderst
Roland Oberlin
Luc Pinhas
Alain Pons
Catherine Pont-Humbert
Axel Preiss
Stéphane Pujol
Lise Queffélec
Pierre-Louis Rey
Jean-Marc Rodrigues
Stéphane Rolet
Jean-Jacques Roubine
François Roudaut
Julien Roumette
Sylvie Rozé
Alain Schaffner
Kurt Schärer
Amélie Schweiger
Brigitte Siot
Valérie Stemmer
François Suard
Pierre Testud
Norman David Thau
Jean-Marie Thomasseau
Béatrice Touitou
Marie-Noëlle Toury
Bernard Valette
Hélène Védrine

À Alain Rey
J.-P.B., D.C.

QU'EST-CE QUE LA LITTÉRATURE ? Voir IDIOT DE LA FAMILLE (l'), de J.-P. Sartre.

QU'IL N'Y A POINT DE DÉSESPOIR OÙ L'AMOUR NE SOIT CAPABLE DE JETER UN HOMME BIEN AMOUREUX. Voir DÉSORDRES DE L'AMOUR (les), de Mme de Villedieu.

QU'ON NE PEUT DONNER SI PEU DE PUISSANCE À L'AMOUR QU'IL N'EN ABUSE. Voir DÉSORDRES DE L'AMOUR (les), de Mme de Villedieu.

QUADRILOGUE INVECTIF. Récit en prose d'**Alain Chartier** (vers 1385-vers 1433), rédigé en 1422 et publié à Vienne chez Jean Solidé en 1474. Ce texte est conservé dans une quarantaine de manuscrits.

Peu de pamphlets politiques connurent un tel succès : rédigé pendant la guerre de Cent Ans, alors que la France, au lendemain d'Azincourt (1415), est en partie aux mains des Anglais, que Bourguignons et parti d'Orléans se livrent une lutte sans merci, ce texte est d'abord le cri du cœur d'un patriote profondément affligé de l'état de la France, qui place ses derniers espoirs dans le Dauphin (le futur Charles VII). Alain Chartier, secrétaire du Dauphin dès 1416, manie aussi bien le latin et le français, la prose politique et le vers amoureux (voir *la *Belle Dame sans merci*). Il se risque même à mêler les genres comme dans *le Livre des Quatre Dames*, écrit peu après la défaite d'Azincourt, à la fois poème d'amour et poème politique : la défaite y est analysée en termes moraux, comme dans le *Quadrilogue*.

S'étant rendormi un matin, accablé à la pensée des malheurs de la France, le narrateur voit en rêve une noble dame en haillons près d'un palais magnifique à moitié en ruine qu'elle essaie de soutenir de son bras. C'est la France, qui, en larmes, avise ses trois enfants – le peuple, le chevalier et le clerc – et leur adresse un discours véhément où elle énumère leurs défauts respectifs. Le peuple, qui gît à terre sans force, répond le premier en se lamentant sur son sort misérable, dont il accuse principalement le chevalier. Celui-ci réplique aussitôt en reprochant au peuple sa versatilité, ses révoltes, en décrivant les peines et les dangers qu'il endure dans la guerre. Le peuple proteste, rappelle la vie dissolue des nobles, leur gaspillage et leurs exactions. Le chevalier dénie ces défauts, accuse le peuple de ne pas rester à sa place, de vouloir imiter la noblesse sans contrepartie. Le clerc prend alors la parole, leur demandant de ne pas ajouter leurs querelles aux malheurs communs. Il démontre que le Prince a besoin de tous : d'hommes savants pour le conseiller, de taxes pour soutenir ses efforts diplomatiques et militaires, d'obéissance pour s'appuyer sur une armée sûre. Tous doivent s'amender et contribuer, surtout les nobles qui doivent retrouver le sens de la discipline chevaleresque. Mais, réplique le chevalier, c'est au plus haut niveau, chez les princes, que celle-ci a disparu. La France intervient alors, les prie de cesser leur dispute, de songer au salut de tous avant de demander au narrateur de mettre ce débat par écrit.

Comme bon nombre de textes politiques depuis le XIVᵉ siècle (voir *le *Songe du verger*), ce dialogue à quatre voix adopte la double forme du songe et du débat. La fiction du songe place le narrateur en position de simple témoin : le rêveur ne fera que transcrire une vision qui, en quelque sorte, le dépasse, s'impose à lui. Un dispositif narratif assez compliqué figure, dans le Prologue, le passage de la réalité au songe et à la vision, lieu de l'allégorie. Au sortir de sa nuit, le narrateur est assailli de sombres pensées, il entame un discours moral à l'adresse de ses compatriotes (la punition divine est sur nous), et se sent soudain envahi par un « léger somme ». Ainsi la vision, sans autre préambule, se déroule aux franges du rêve et de la réalité, et se donne explicitement comme l'expression figurée d'un conflit.

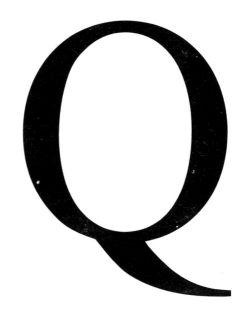

Cet effet est encore renforcé par le débat qui s'articule sur le vieux schéma trifonctionnel : ceux qui labourent, ceux qui combattent, ceux qui prient. Il ne reflète pourtant désormais qu'imparfaitement tous les « états » de la société (voir le *Livre des manières*), mais cette simplification convient à un texte polémique où la passion dicte des paroles pleines de violence et de colère contenues. La France, d'entrée de jeu, donne le ton par la virulence de ses attaques : « Endormez-vous comme pourceaux en l'ordure et vilté des horribles péchiés qui vous ont mis si près de la fin de voz bons jours. » Car ce discours politique est d'abord un discours moral, et la France renvoie dos à dos les trois ordres sociaux : c'est la perte des anciennes valeurs, la corruption des mœurs, l'oubli de la loyauté qui la mettent au bord du gouffre. Alain Chartier trouve des accents dignes d'un Gerson, le plus célèbre prédicateur du XVᵉ siècle. Des raccourcis saisissants : « Ilz vivent de moy et je meur pour eulx », « Je vif en mourant », alternent avec d'amples périodes. Latiniste, Alain Chartier prend ses modèles dans l'éloquence romaine, contribuant ainsi à créer un style oratoire français. S'annonçant comme « un loingtain immitateur des orateurs », s'il multiplie à l'excès les références à l'histoire ancienne, il fait aussi sienne la foi en un pouvoir de la parole, « car autant exaulça la gloire des Romains et renforça leurs couraiges a vertu la plume et la langue des orateurs comme les glaives des combattants ». Ainsi, alors que s'affirme l'idée encore neuve de nation, que s'éveille le sentiment patriotique, le clerc, écrivain et orateur, devient un conseiller du prince et un penseur politique. L'intellectuel est né, conscient d'une responsabilité nouvelle. Une anecdote apocryphe illustre bien cette reconnaissance : Marguerite d'Écosse, épouse du Dauphin, aurait embrassé Alain Chartier, parce qu'elle « voulait baiser la précieuse bouche de laquelle sont issuz et sortis tant de bons motz et vertueuses parolles ».

● Champion, 1923, rééd. 1950 (p.p. E. Droz).

M. GALLY

QUAI DES BRUMES (le). Roman de Pierre **Mac Orlan**, pseudonyme de Pierre Dumarchey (1882-1970), publié à Paris chez Gallimard en 1927.

Après une jeunesse pauvre et vagabonde, Pierre Mac Orlan s'était fait connaître en 1918 par *le Chant de l'équipage*. *Le Quai des brumes* demeure son œuvre la plus célèbre.

En 1911, au Lapin Agile, le célèbre cabaret de Montmartre, échouent, par une nuit de neige, le pauvre Jean Rabe, qui vit d'expédients, Michel Kraus, un jeune peintre allemand illuminé, Jean-Marie Ernst, qui a déserté de l'infanterie coloniale, la belle et misérable Nelly, et le boucher Zabel que poursuivait une bande de « malfaisants », avec lesquels s'échange une fusillade. Tous les hommes content leur triste passé, avant qu'un narrateur anonyme vienne prendre le relais, et, en quelques mots, évoque leur avenir, généralement tout aussi tragique : Zabel est un voleur, il deviendra un assassin et sera guillotiné ; le déserteur s'engagera dans la Légion étrangère ; Kraus se suicidera ; Rabe, convoqué pour une période militaire, sera surpris par la guerre ; il se mutinera et sera tué. Nelly survit, seule ; elle est devenue une « impératrice » de la prostitution : « Ils sont tous morts pour ma santé physique et morale [...]. Naturellement », conclut-elle en 1919, cette année qui exhale encore « l'odeur doucereuse et fade du sang ».

On chercherait vainement ici l'amour fou qui illuminait les personnages incarnés par Michèle Morgan et Jean Gabin dans l'illustre film de Marcel Carné *Quai des brumes* (1938). Située entre 1911 et 1919, l'œuvre de Mac Orlan est emplie, comme tant d'autres, de l'ombre de la Grande Guerre, à peine nommée, à peine décrite, mais présente en filigrane dans presque chaque scène. Ainsi s'expliquent tant d'allusions à l'armée ou à la violence des armes – la Coloniale, le camp de Châlons, la Légion étrangère, les casernes de Toul, la fusillade dans la nuit enneigée qui ouvre le roman. La guerre, élément d'un cataclysme universel, presque métaphysique, broie tous les hommes (les pauvres, les artistes, les criminels). Il ne reste à la fin qu'une prostituée triomphante. Nous sommes bien loin, malgré les apparences, de tout réalisme : ces personnages allégoriques, qui se retrouvent une nuit au Lapin Agile pour y dire ce qu'ils sont, et qui vont vivre des malheurs exemplaires, paraissent des figures de cauchemar. Ce sont toutes les valeurs et tous les hommes qui vont disparaître pour laisser la place (dans ce dénouement d'une incroyable misogynie) à la femme, « grande prostituée », « bête de l'Apocalypse ». À mi-chemin du conte philosophique et du poème, *le Quai des brumes* n'est nullement une chronique pittoresque : il faut y chercher l'expression du nihilisme et des obsessions de l'auteur.

● « Folio », 1972.

A. NIDERST

QUAND LA MER SE RETIRE. Roman d'Armand **Lanoux** (1913-1983), publié à Paris chez Julliard en 1963. Prix Goncourt.

Le Québécois Abel Leclerc a vécu, en juin 1944, le débarquement en Normandie. Seize ans après, il revient à Arromanches, à la rencontre de ses souvenirs. Il y rencontre Valérie, venue élucider les circonstances de la mort de son fiancé, Jacques, ami d'Abel, disparu au cours du débarquement. Alors que la traditionnelle fête du 6 juin bat son plein, Valérie et Abel se rendent sur la plage où débarquèrent les soldats canadiens français (chap. 1). Alors qu'Abel revit en souvenir les moments forts de cet événement, il se refuse, contrairement à Valérie, à considérer Jacques, l'ami disparu, comme un héros : amoureux, à l'époque, de Jennifer (2), Jacques aura vécu l'existence banale de tous les soldats, entre la peur des combats et les intrigues amoureuses, et sa mort (par l'explosion d'un obus) n'aura pas eu l'allure glorieuse que tient à lui prêter Valérie. Après s'être farouchement opposée à la version d'Abel, Valérie, repentante, se rangera à sa vision plus humble du monde (3).

Comme soucieux de ne pas faire mentir sa réputation de « dernier des naturalistes », Lanoux ne restitue que partiellement les données d'un milieu, notion chère à Zola (limitée, ici, à quelques précisions sur l'origine des Canadiens français), et tient surtout à inscrire ses protagonistes dans un décor qui offre prise à sa passion pour la description : « Abel baignait dans l'onctuosité normande, symbiose de mer et de prairie, de travail et de paresse ; la viscosité des laits, des beurres, des camemberts, des sources, des huiles solaires, des goémons, des algues, des varechs qui allaient engraîner les champs, un état crémeux

entre le liquide et le solide. » Dans ce décor sans cesse érotisé, élevé à la dimension d'un mythe – « La grasse Normandie offrait un Olympe plafonnant de déesses nues à multiples appas à la place des Persépolis et des Babylone dispersées » –, deux récits se font écho : celui, présent, du pèlerinage de Valérie ; celui, passé, de la vie partagée par les soldats à la veille du débarquement, le second venant toujours déterminer l'enjeu du premier. Ainsi, les personnages modestes représentés par Lanoux dans les épisodes du souvenir viendront contredire l'enquête de Valérie soucieuse de restituer un Jacques « superbe en libérateur » : « Vous êtes un obstacle entre Jacques et moi », lance-t-elle à Abel. Valérie est peu à peu convertie à la leçon d'humanité prodiguée par son compagnon, une leçon qui n'hésite pas à faire intervenir Dieu (la guerre est comparée à une « danse rituelle de Dieu »), le sens du péché et le remords. C'est à ce prix que la lutte désespérée de la mémoire, qui, selon Abel, porte-parole de l'auteur, fait « respecter l'homme comme s'il était Dieu », peut rejoindre le « pétillement d'exister, la vie charmante » à laquelle la morale de Lanoux semble aspirer.

P. GOURVENNEC

QUAND VIENT LA FIN. Récit de Raymond **Guérin** (1905-1957), publié à Paris chez Gallimard en 1941.

Lorsqu'il est mobilisé en août 1939, Raymond Guérin est assureur à Bordeaux pour l'état civil, maréchal des logis pour l'armée, et pour lui-même écrivain d'un ouvrage, *Zobain*, publié en 1936. Il porte également en lui de considérables projets littéraires : une fiction en cinq volumes, élaborée à partir de sa propre existence, qui deviendra *l'Ébauche d'une mythologie de la réalité*. Avant de partir, il a confié à Gaston Gallimard un manuscrit, qui raconte la vie et la mort de son père. Ce n'est qu'en août 1941, alors que Guérin est prisonnier en Allemagne, que le manuscrit, qui a pris le titre de *Quand vient la fin*, est publié, presque à l'insu de son auteur. Accueilli très favorablement, il manque de peu le prix Goncourt, mais vaut à Guérin de se lier avec Calet, Paulhan et Camus. L'ouvrage sera révisé en 1945, au retour de captivité, et augmenté d'une apostille, « Après la fin ».

Devant son père qui meurt, Raymond Guérin se demande quel homme est ce père. Comment a-t-il vécu ? Qu'a-t-il espéré et réalisé ? De toutes ces interrogations, il reste le canevas d'une existence morne, qu'il faut essayer de retisser. C'est d'un malheureux qu'il s'agit, qui a toujours vécu sous le joug de son métier et qui s'est lentement et égoïstement élevé dans la hiérarchie sociale. Serveur à ses débuts, naviguant entre cuisine et salle, il est le bon chien de garde de ses patrons : humble devant le maître, terrible devant le peu qu'il domine. Haletant dix-sept heures par jour, renonçant à tout, tyrannisant ses subordonnés, il n'est récompensé de sa servilité et de ses années d'un labeur harassant que par quelques jours de vacances. Il devient tour à tour maître d'hôtel, devenu puis directeur d'une des plus grandes brasseries parisiennes. Achetant enfin lui-même un café, devenu « son propre maître », c'est-à-dire plus esclave qu'il ne l'avait jamais été de la société, de sa volonté de s'élever socialement et du travail aveugle auquel il avait une fois pour toutes livré sa vie, il connaît la chute : un cancer de l'anus. C'est alors la lente décomposition d'un destin et d'un corps, apparemment sans un retour sur soi-même, sans un sursaut de révolte. Devant cet homme qui est mort, son fils s'imagine, comme par dérision ou pour lui trouver une excuse, qu'il a peut-être tiré aussi d'étranges joies de sa passion du travail. Quand vient la fin, il y a également un travail de la mémoire à réaliser : étranger à lui-même, le père ne s'en est pas chargé, le fils l'accomplira.

Travail de la vie, travail de la mémoire : ce double mouvement constitue l'enjeu principal d'une œuvre dont le propos n'est pas étranger à celui du roman de Nizan, *Antoine Bloyé*. Chez l'un comme chez l'autre on retrouve en effet le même « roman familial » (origine populaire, existence médiocre, embourgeoisement égoïste), la même scène initiale qui sert de tremplin à la méditation : devant le mort, le fils s'interroge sur la personnalité de celui que fut son père. C'est aussi le même accomplissement complémentaire, liant, au-delà du temps et des divergences profondes, le père et le fils, par une oscillation qui va de la vie réelle mais opaque du père à la patiente élucidation par la reconstruction du fils. Aussi, le récit vaut-il pour l'étonnante description d'un milieu en général délaissé par la littérature : l'hôtellerie, qui formera également la matière de *l'Apprenti* (1946). L'envers du décor Belle Époque est ici saisissant, parce que dépouillé de tout effet de pittoresque. On y reconnaît ce qui fait la trame des romans des années trente : il s'agit de dire la difficulté pour les humbles de vivre d'un métier qui ne sera jamais qu'un gagne-pain, au sens propre du terme, où l'on ne saurait « exiger de la vie tout ce qu'elle peut avoir de plus rare et de moins machinal ». Parallèlement, à travers la réussite matérielle du père est implicitement désignée la faillite d'un homme dupé tout au long de son existence par les fantômes du travail ou du devoir. Pourtant, là où Nizan introduisait clairement une dimension politique dans son roman, Guérin ne tire aucune leçon sociale de son récit, car c'est à l'opacité même de la personnalité de son père qu'il s'attache : si l'on connaît tout de son existence, on ne sait rien de lui. Aux questions initiales : « Qu'a-t-il réalisé ? Qu'a-t-il espéré, exigé de sa vie ? » le récit répond de manière phénoménologique par la minutieuse description des comptes et des actes d'une vie, mais surtout par la relation clinique, et parfois éprouvante, des manifestations physiologiques de la maladie, qui occupe les cinquante dernières pages du récit ; comme si, dès lors que l'on prenait en compte ce qu'on peut savoir d'un homme, rien n'était à rejeter, aucun symptôme à écarter pour comprendre jusque dans les sursauts et les excrétions du corps ce qui pourrait constituer les indices de la présence de l'être. *Quand vient la fin* est, on le voit, un livre âpre : l'enquête y est peut-être entomologique, l'écriture, si l'on veut, cruelle, surtout quand elle touche ici doublement à l'intime, mais uniquement parce qu'elle répugne aux stratagèmes, qu'ils soient ceux de la transposition romanesque (le récit se veut une « confession »), de la virtuosité ou de la bienséance, et ce au nom d'une certaine crédibilité, on aurait dit alors « authenticité », qui n'est pas sans rapport avec une forme de matérialisme désespéré.

J.-M. RODRIGUES

QUARANTE-CINQ (les). Voir REINE MARGOT (la), d'A. Dumas.

QUART LIVRE DES FAITS ET DITS HÉROÏQUES DU BON PANTAGRUEL. Récit de François **Rabelais** (vers 1483-1553), publié à Paris chez Fézandat en 1552. Trois éditions partielles avaient précédé, dont la première à la foire de Lyon, en 1547 : elles comprenaient, outre le Prologue, 11 chapitres qui s'achevaient brutalement, et dont la matière fut redistribuée dans les 25 premiers chapitres de 1552. À la virulence du Prologue initial, où Rabelais attaquait les détracteurs de ses écrits, « mesdisans et calumniateurs », fut substitué, dans l'édition définitive, un Prologue plus serein qui contient la célèbre définition du pantagruélisme : « Certaine gayeté d'esprit conficte en mespris des choses fortuites. » La Sorbonne dénonça le livre au Parlement, mais ce dernier ne s'opposa pas à la mise en vente.

Récit de voyage complexe et touffu, ce quatrième volet du cycle des géants emprunte aux événements de l'actualité autant qu'à la tradition littéraire : depuis Homère et Virgile, jusqu'à l'*Orlando furioso* et *Amadis*, qui embarquaient leurs héros pour le Cathay, la navigation appartient au roman et à l'épopée. Mais l'intérêt de Rabelais pour ce thème a été avivé, surtout, par les voyages successifs de Jacques Cartier au Canada entre 1532 et 1546 : le

Bref Récit publié par le navigateur en 1545, dans un climat d'indifférence générale, n'a vraisemblablement pas échappé à l'auteur du *Quart Livre*.

Le voyage dans les îles imaginaires permet, comme plus tard chez Swift, une satire violente des mœurs du temps. En cette période de tension entre la France et le Saint-Siège, la papauté devient la cible essentielle : dans les chapitres consacrés à l'île des Papimanes, Rabelais se range du côté des humanistes gallicans, qui s'élèvent contre l'amoindrissement de l'autonomie politique et financière de la couronne de France. Il attaque en outre le culte des reliques, l'idolâtrie et le système des indulgences. Plus insistante que dans les trois livres précédents, la satire religieuse s'en prend à toutes les formes du ritualisme aberrant de l'époque.

Pantagruel, Panurge et leurs compagnons s'embarquent pour aller consulter l'oracle de la Dive Bouteille (chap. 1). Ils rencontrent un navire qui revient du pays de Lanternois. Panurge, échappant de peu aux coups d'un marchand de moutons avec qui il s'est querellé, jure de se venger : il achète un mouton qu'il jette aussitôt à la mer, et tout le troupeau s'y précipite à la suite, entraînant marchand et bergers (5-8). Dans l'île de Procuration, Pantagruel et les siens constatent l'« estrange manière de vivre » des Chicquanous, qui « gaingnent leur vie à estre battuz » (12-16). Une tempête éclate et révèle la poltronnerie de Panurge, dont frère Jean ne manque pas de se gausser (18-24). Pantagruel évite l'île de Quaresmeprenant, ennemi juré des Andouilles dodues avec lesquelles il est en lutte perpétuelle (29-41). Les voyageurs font escale dans l'île des Papimanes, adorateurs du pape : Homenaz, évêque du lieu, leur montre les Décrétales, livre sacré qui rassemble toutes les ordonnances papales (48-54). Reprenant leur voyage, Pantagruel et ses compagnons entendent d'étranges clameurs en pleine mer : ce sont les paroles, les cris et les bruits d'une bataille vieille d'un an ; la rigueur de l'hiver les avait gelés, la « sérénité et tempérie du bon temps » les fait fondre (55-56). Dans l'île de Messer Gaster, les voyageurs découvrent le culte dont fait l'objet ce personnage, symbole de la toute-puissance de l'estomac (57-62).

Évoluant entre farce et cauchemar, le *Quart Livre* semble détruire les schèmes antérieurs du récit rabelaisien. *Pantagruel* et *Gargantua*, parodies des romans de chevalerie, adoptaient une progression sans surprise ; le *Tiers Livre* lui-même, si vibrant d'interrogations et de désarrois, se rangeait dans la forme itérative de la quête. Mais que dire du *Quart Livre* ? Nombre de commentateurs ont souligné l'abandon, au moins apparent, du souci structural : le thème odysséen unifie moins la narration qu'il ne la réduit en fragments, à l'image des îles visitées successivement par Pantagruel et les siens. L'itinéraire des personnages semble n'obéir qu'à la logique de l'irruption – archipels fabuleux, peuplades grotesques, monstres marins et tempêtes dévastatrices.

Faut-il croire que l'inspiration rabelaisienne ne parvient pas à trouver un véritable régime narratif, et qu'elle s'essouffle dans une accumulation hétéroclite ? De fait, le *Quart Livre* ne renoue qu'occasionnellement avec la liberté de *Gargantua* ou les audaces épistémologiques du *Tiers Livre* : la violence satirique alourdit le récit, quand elle ne l'immobilise pas purement et simplement (épisode érasmien de l'île des Papimanes), et il faut reconnaître que les allégories se font parfois bien voyantes (Messer Gaster, ou l'estomac qui mène le monde). On ne saurait, néanmoins, parler d'un fléchissement de l'inspiration sans négliger la cohérence profonde de l'œuvre rabelaisienne. Tout le problème, depuis *Gargantua*, est celui de l'exercice de la responsabilité et de la liberté humaines dans un monde qui ne délivre plus de signes certains : Panurge en a fait l'amère expérience, qui n'a trouvé de réponse à la question du mariage ni dans les livres ni dans la parole des hommes. Le *Quart Livre*, de ce point de vue, prolonge et amplifie les désarrois panurgiens du *Tiers Livre* : le défilé grotesque et composite des îles dessine un monde rebelle à toute explication logique, arraché définitivement à la sécurité du sens. Sans doute chacun des archipels imaginaires renvoie-t-il clairement à une sphère de l'activité sociale : la justice (les Chicquanous), la religion (les Papimanes), les arts et les techniques (Messer Gaster). Mais la désarticulation des épisodes et le grossissement carnavalesque du trait transforment toutes créatures en épouvantails inquiétants, plus dignes de l'enfer dantesque que d'un monde organisé.

Cette dissolution des repères trouve son expression la plus frappante dans l'omniprésence de l'océan et dans le thème récurrent de la noyade. Dès les premiers chapitres, moutons, bergers et marchands disparaissent en pleine mer, comme jadis viandes et salades s'abîmaient dans le gosier de Gargantua. Mais l'engloutissement ne renvoie plus, dans le *Quart Livre*, à cette jubilation organique où l'homme excède ses limites. Au contraire, les navigateurs semblent bien petits et désarmés devant la puissance dévoratrice des éléments, comme en témoigne l'épisode de la tempête : « Croyez que nous sembloit estre l'antique Cahos, onquel estoient feu, air, mer, terre, tous les élémens en réfraictaire confusion » (18). Juste retour des choses, Panurge, le bourreau des moutons, devient la principale victime de ce déchaînement : « C'est faict de moy ! Je me conchie de male raige de paour. Bou bou, bou bou ! Otto to to to to ti ! » (*ibid.*). Désarticulation du langage et relâchement du corps vont de pair : « La vertus retentrice du nerf qui restreint le muscle nommé sphincter (c'est le trou du cul) estoit dissolue par la véhémence de la paour qu'il avoit eu » (67). Cette dérive verbale et organique, signe d'une panique incontrôlable que frère Jean ne manque pas de stigmatiser (« Fy ! Qu'il est laid, le pleurart de merde ! »), renvoie à la logique profonde du personnage de Panurge. Homme de toutes les angoisses depuis le *Tiers Livre*, il constitue le maillon faible de la troupe : ses questions sans réponse lui interdisent l'agressive virilité d'un frère Jean, autant que l'inaltérable dignité morale d'un Pantagruel. Il n'est peut-être pas excessif de faire de lui le personnage principal du *Quart Livre* : en sa fragile humanité, Panurge n'assume-t-il pas les actes d'une vie corporelle dont les autres personnages semblent bien éloignés désormais ? Et ne porte-t-il pas sur lui l'essentiel de la surabondance rabelaisienne ? Il n'est pas indifférent, à ce propos, que le récit s'achève sur l'épisode de la déjection, où le personnage se libère en même temps qu'il déclenche, chez ses compagnons, un grand rire cathartique qui fait oublier tous les ennuis du voyage.

Chargé de menaces, l'océan révèle aussi de magnifiques surprises, comme ces paroles gelées que Pantagruel jette sur le pont du navire. Célèbre à juste titre, l'épisode s'inscrit dans la réflexion rabelaisienne sur le pouvoir des mots. N'en est-il pas, au fond, l'épanouissement plastique et dramatique ? Jamais, dans les trois récits précédents, la matérialité du langage n'avait fait l'objet d'une évocation aussi puissante : « Nous y veismes des motz de gueule, des motz de sinople, des motz de azur, des motz de sable, des motz dorez » (56). Bien loin des allégories laborieuses dont le *Quart Livre* n'est pas exempt, l'épisode des paroles gelées possède la force d'un mythe, et déjoue toute signification univoque. Nettement optimiste, le commentaire de Pantagruel s'appuie sur l'autorité d'Aristote et de Platon : il arrive, dit-il en substance, que les discours proférés dans des conditions défavorables « gèlent », et que nul n'en comprenne le sens ; mais d'autres conditions adviennent un jour, qui les font « dégeler » et entendre de tous. L'épisode ne peut-il admettre une autre interprétation, moins confiante dans la fécondité du temps ? En dégelant, les paroles maniées par la joyeuse troupe ne font entendre qu'un « langage barbare », et d'ailleurs la soustraction à leur contexte d'origine les prive de signification : « Hin, hin, hin, hin his, ticque, torche, lorgne, brededin, brededac, frr, frrr, frrr » (56). Une fois dégelées, en quoi ces paroles ont-elles plus de valeur que les onomatopées poltronnes de Panurge ? Cette double interprétation peut au fond s'appliquer au *Quart Livre*. Trop dépendantes du contexte politique et religieux qui les ont inspirées, la satire et l'allégorie ont

pu durcir et geler, ne laissant plus entendre au lecteur moderne que les échos lointains d'un débat qu'il peut à bon droit trouver rebutant. Il n'empêche que ce récit de navigation vibre de trop de peurs et d'exaltations millénaires pour ne pas susciter, indéfiniment, des lecteurs capables d'en réchauffer et dégeler le sens.

● Genève, Droz, 1947 (p.p. R. Marichal) ; « GF », 1993 (p.p. F. Joukovski) ; « Folio », 1994 (p.p. M. Screech). ➤ *Œuvres complètes*, « Pléiade » ; *Œuvres*, Les Belles Lettres, IV ; *Œuvres complètes*, Imprimerie nationale/Nouvelle Librairie de France, IV ; id., « Classiques Garnier », II ; *id.*, « L'Intégrale ».

P. MARI

QUATORZE-JUILLET (le). Drame en trois actes et en prose de Romain **Rolland** (1866-1944), créé à Paris au théâtre de la Renaissance le 21 mars 1902, et publié à Paris dans les *Cahiers de la Quinzaine* en 1902, et en volume dans *Théâtre de la Révolution* chez Albin Michel en 1909.

Le 12 juillet 1789, des menaces de guerre se propagent dans Paris, inquiet à la perspective d'un siège. Le peuple voit dans la Bastille un dépôt d'armes où se concentreraient déjà des troupes ennemies. Marat exige du peuple qu'il se ressaisisse et qu'il compte ses forces pour conquérir sa liberté avant de la donner aux prisonniers. Hoche voudrait que le roi retrouve son peuple ; Hulin, quant à lui, n'attend rien de la populace. Le renvoi de Necker, la lecture de la *Déclaration des droits de l'homme et du citoyen* par Robespierre et Hoche ainsi que la harangue de Desmoulins galvanisent le peuple (Acte I). Tous élèvent une barricade rue Saint-Antoine. Déjà se forment les clubs où se rendent Robespierre, Desmoulins et Hulin. L'idéal libertaire se répand. Le peuple et l'armée doivent s'unir pour lutter contre le despotisme (Acte II). La Bastille est attaquée. Le gouverneur, M. de Launay, ne sait que faire. Arrive Hoche, qui porte sur son épaule une petite fille au prénom rousseauiste, Julie : il tente de parlementer, mais son interlocuteur, le marquis de Vintimille, un aristocrate cynique et désabusé, se moque de l'héritage de Jean-Jacques. Sans savoir pourquoi, on renvoie Hoche. Vintimille ordonne de cesser le feu. Or les Suisses tirent sur le peuple. Les aristocrates capitulent. On met la petite Julie à la place de la statue du roi (Acte III).

Succédant, dans la chronologie de l'action, à *Pâques fleuries* (1926) et précédant *les Loups* (1898), *le Quatorze-Juillet* constitue le deuxième volet du *Théâtre de la Révolution*. En effet, dans les dernières années du siècle, alors que sévissent les mélodrames, jugés grandiloquents et artificiels par Rolland, et le théâtre naturaliste, l'auteur projette d'écrire un vaste ensemble dramatique, épopée nationale du peuple français ; sur les douze pièces prévues, il n'en écrivit que huit. Se situant dans la tradition des Lumières, Rolland veut créer un théâtre populaire qui centrerait le point de vue sur l'action révolutionnaire, des prémices aux convulsions de ce drame historique. Paraphrasant un mot de Napoléon, il affirme que la « politique est la vraie tragédie de notre temps ». En un sens, *le Quatorze-Juillet* participe d'un théâtre d'édification patriotique : il convient de redonner vigueur à la notion de patrie et à l'héroïsme populaire pour que soit perpétuée l'œuvre interrompue en 1794. Rolland reprend donc les principes dramatiques de Rousseau dont il fait le précurseur de la Révolution. Le spectacle dramatique, ou représentation d'une action réelle, aura pour effet, selon l'auteur, d'inciter à l'action une génération en mal d'idéaux. Rolland cherche ainsi à insuffler une énergie nouvelle aux spectateurs, sans les engager dans des méandres psychologiques aux effets délétères. Il sacrifie donc les individus aux types et à la représentation d'un ensemble : Marat le passionné, Hulin le réaliste, Hoche le bon patriote et Desmoulins l'orateur incarnent les différentes manières de vivre la Révolution. Le peuple, lui, est mis en scène à travers les ouvriers et les artisans ; quant à Julie, à la faveur d'un symbolisme transparent, elle incarne l'allégorie de la liberté naissante. Il apparaît d'emblée que la Révolution commence sur une sorte de malentendu : pour Rolland, les aristocrates ont eu le tort de se figer dans une attitude passéiste ; ils ont tourné le dos à la marche de l'Histoire : en témoigne le personnage, très « talons rouges », de M. de Vintimille, antirousseauiste blasé. Ainsi, malgré qu'il en ait, il semble bien que Rolland montre que l'homme est davantage agi par l'Histoire qu'il ne la maîtrise. Aussi son drame, à visée utopique, se trouve-t-il, dans les faits, empreint d'un pessimisme souvent amer.

V. ANGLARD

QUATRAINS VALAISANS (les). Voir VERGERS, de R.M. Rilke.

QUATRE BOUQUETS POISSARDS (les). Voir PIPE CASSÉE (la), de J.-J. Vadé.

QUATRE ÉVANGILES (les). Voir les articles FÉCONDITÉ, TRAVAIL et VÉRITÉ, d'É. Zola.

QUATRE FACARDINS (les). Voir FLEUR D'ÉPINE, d'A. Hamilton.

QUATRE FILS AYMON (les). Voir RENAUT DE MONTAUBAN.

QUATRE SAISONS (les) ou les Géorgiques françaises. Poème de François Joachim de Pierres, cardinal de **Bernis** (1715-1794), publié à Paris en 1763.

Les quatre chants des *Quatre Saisons*, dont le dernier a probablement été composé dès 1748, annoncent avec les **Saisons* de Saint-Lambert l'inspiration nouvelle, descriptive et didactique qui va caractériser la poésie de la seconde moitié du siècle. Elles sont placées, comme l'indique le sous-titre, sous l'égide de Virgile.

Chant I. « Le Printemps ». Les transports de Zéphir, enfin de retour, réveillent Flore et toute la nature, tombée sous l'emprise de Vénus.
Chant II. « L'Été ». Sous les feux du Soleil, triomphant, la Nature devient plus belle et plus féconde.
Chant III. « L'Automne ». La douceur revient, propice aux fêtes et à l'amour, tandis qu'on récolte les fruits de la terre.
Chant IV. « L'Hiver ». Les vents et la neige ravagent les champs, en semant la misère, mais la campagne ne perd pas toute sa beauté.

Rien de plus banal en apparence que les thèmes et les images de ce poème au titre conventionnel. Le galant cardinal y met pourtant beaucoup plus de lui-même qu'il n'y paraît au premier abord. Le déroulement des saisons est prétexte à un véritable défilé amoureux : un Sylphe descend des cieux pour aimer une jeune mortelle au chant I, la belle Aspasie parvient à Cythère avec l'esclave Zulim au chant II, Thémire mûrissante s'unit au jeune Acis qui a besoin d'aimer au chant III. Un tel débordement de sensualité fait dire à E. Guitton que la Mythologie, loin d'être chez Bernis un magasin d'accessoires précieux, « joue le rôle d'un déguisement indispensable sous lequel le poète dissimule les ardeurs de sa chair : le cortège des couples gracieux incarne inlassablement la même obsession d'étreintes, fantômes pudiques et voluptueux ». Mais c'est essentiellement dans le chant IV qu'intervient le lyrisme personnel. L'évocation de la souffrance des pauvres pendant l'hiver a d'émouvants accents de sincérité. Bien plus, le poète relie la description de la rude saison à son état intérieur. Celle-ci est pour lui l'occasion d'un bilan de son existence :

Jadis l'Hiver, loin de Paris,
Effrayait ma folle jeunesse, [...]
Aujourd'hui que l'âge a mûri
Les conseils de l'expérience [...]
L'Hiver n'est plus si rigoureux,
Le désert remplace la ville,
Où je crois vivre plus tranquille
Là je m'estime plus heureux.

Malgré l'hommage au poète latin, par lequel Bernis clôt « en tremblant » ses *Quatre Saisons*, on peut toutefois se demander si elles méritent vraiment le nom de « Géorgiques françaises ».

S. ALBERTAN-COPPOLA

QUATRE VENTS DE L'ESPRIT (les). Recueil poétique de Victor **Hugo** (1802-1885), publié à Bruxelles chez Lacroix en 1881.

Composés entre 1843 et 1875, les 104 poèmes du recueil furent les derniers publiés du vivant de Hugo, mais, leur parution étant prévue depuis 1870, ils ne constituent pas un testament poétique à l'instar de l'**Art d'être grand-père*. Les publications posthumes seront en effet nombreuses, avec la **Fin de Satan*, *Toute la lyre* (1888 et 1893) **Dieu* (1891), *Dernière Gerbe* (1902), *Océan* et *Tas de pierres* (1942).

Structuré en quatre parties, annoncées dans le poème liminaire (« La pensée est un aigle à quatre ailes [...] / Et chacun de ses quatre ailerons, Épopée, / Drame, Ode, Iambe ardent, coupe comme une épée »), le recueil fait se succéder « le Livre satirique. Le Siècle » (44 pièces), « le Livre dramatique. La Femme » (2 pièces), « le Livre lyrique. La Destinée » (56 pièces) et « le Livre épique. La Révolution » (3 pièces plus un Épilogue), séparés par trois « Interludes » et précédés d'un poème "Liminaire" en deux parties. Florilège de formes et de mètres, l'ensemble présente un panorama de la maestria hugolienne et une somme de ses thèmes favoris.

« Le Livre satirique », dont les poèmes se répartissent entre l'exil et le retour, entend ériger la satire en instrument de justice et de vérité. « Le méchant pardonné, mais le mal châtié », elle « poursuit l'infâme et non le ridicule » (5). Dénonçant toujours la peine de mort, le bagne, les fanatiques, Hugo revendique sa singularité et son étrangeté, et assume ironiquement les critiques haineuses des zoïles : « Oui, vous avez raison, je suis un imbécile » (38), qui ne font que redoubler ses cris contre tous les Baal, Judas, Messaline et Caïn : « Ils sont toujours là » (43).

Après un « Premier Interlude » ("Deux Voix dans le ciel") où dialoguent Zénith et Nadir, « le Livre dramatique » (1869) met en scène une double idylle où, sous l'apparence du duc Gallus, Satan montre son pied fourchu. Dans la « comédie » "Margarita", il échoue par bonté devant Nella, une Ève digne de Greuze, et dans le « drame » "Esca", par perversité, pris à son propre jeu devant Lison, une Ève de Watteau. On classe souvent ce diptyque dans le **Théâtre en liberté*.

« Second Interlude » ("Nous") donne la parole aux proscrits assistant « dans l'ombre au vil bonheur d'un crime » et dont les actes, discours et livres « ressemble[nt] à la colère énorme des lions ». Puis « le Livre lyrique », pour l'essentiel écrit pendant l'exil, reprend des thématiques développées dans les **Contemplations* et les recueils antérieurs. Sentiment de la nature, dialogue avec l'invisible, songe, deuil, aspiration à l'absolu, tout participe d'une vision : « Ma vie déjà dans l'ombre de la mort, / Et je commence à voir le grand côté des choses » (33).

Précédé d'un « Troisième Interlude », chant d'espoir (« C'est le champ de l'exil ; semons-y l'espérance »), « le Livre épique » propose une fiction se déroulant en 1793 : où la statue d'Henri IV, s'adjoignant successivement celles de Louis XIII et de Louis XIV, s'achemine vers la place Louis-XV, y trouve la guillotine et la tête coupée de Louis XVI. Récit fantastique, les trois poèmes ("les Statues", "les Cariatides", "l'Arrivée") préfigurent la question de *Quatrevingt-Treize* : comment la violence peut-elle se révéler nécessaire à l'acte messianique inaugurant les temps futurs ? L'Épilogue affirme la venue de l'aurore : « La vie aux yeux sereins sort toujours de la tombe. » Le parcours hugolien se retrouve donc tout entier dans *les Quatre Vents de l'esprit*.

➤ *Œuvres poétiques*, « Pléiade », III ; *Œuvres complètes*, Club français du Livre, XV-XVI (I) et *passim* ; *id.*, « Bouquins », Poésie III (p.p. J. Delabroy).

G. GENGEMBRE

QUATREVINGT-TREIZE. Roman de Victor **Hugo** (1802-1885), publié à Paris chez Michel Lévy en 1874. L'orthographe du titre (un seul trait d'union) est conforme à la volonté expresse de l'auteur.

Initialement prévu pour une trilogie qui aurait compris, outre *L'homme qui rit*, roman consacré à l'aristocratie, un volume sur la monarchie, *Quatrevingt-Treize*, écrit à Guernesey de décembre 1872 à juin 1873, après l'échec de Hugo aux élections de janvier 1872, achève la réflexion de l'écrivain sur la Révolution à la lumière de la Commune (« Nous avons revu ces mœurs ») et tente de répondre à ces questions : à quelles conditions une révolution peut-elle créer un nouvel ordre des choses ? 1793 était-il, est-il toujours nécessaire ? Le roman valut à son auteur la haine des conservateurs.

Première partie. « En mer ». En mai 1793, le marquis de Lantenac, âme de l'insurrection vendéenne, arrive en Bretagne sur la *Claymore*, une corvette anglaise. À bord, il n'a pas hésité à décorer puis à faire exécuter un matelot qui n'avait pas arrimé assez solidement un canon : devenu incontrôlable, ce canon avait failli détruire le bateau et écraser Lantenac, sauvé par l'intervention du coupable. La consigne du marquis est claire : il faut tout mettre à feu et à sang. D'horribles combats s'ensuivent. Lantenac massacre des Bleus et capture trois enfants.

Deuxième partie. « À Paris ». Pour réprimer la contre-révolution, les membres du Comité de salut public nomment commissaire auprès du commandant Gauvain, petit-neveu du marquis de Lantenac mais rallié à la République, l'inflexible conventionnel Cimourdain, ancien prêtre, « conscience pure, mais sombre », dont Gauvain est le fils adoptif et le disciple.

Troisième partie. « En Vendée ». Gauvain parvient à vaincre Lantenac. À l'issue d'un impitoyable combat, le marquis réussit à s'enfuir de la Tourgue, un donjon où il s'est réfugié avec ses derniers partisans, dont le redoutable « l'Imânus » et Grand Francœur, nom de guerre de l'abbé Turmeau. L'un d'entre eux, Halmalo, incendie la tour, où se trouvent encore les trois enfants capturés. Sous les yeux horrifiés de leur mère, Michelle Fléchard, qui, partie à leur recherche, a fini par les retrouver, Lantenac se porte à leur secours. Cimourdain peut alors l'arrêter : « Je t'approuve », lui dit son prisonnier. Le marquis est condamné à mort, mais Gauvain organise sa fuite la veille de l'exécution. Malgré les supplications des soldats, parmi lesquels le sergent Radoub, Cimourdain condamne Gauvain à la guillotine, puis se tue d'un coup de pistolet quand tombe le couperet, « et ces deux âmes, sœurs tragiques, s'envolèrent ensemble, l'ombre de l'une mêlée à la lumière de l'autre ».

Trois héros, trois forces historiques en présence : Lantenac symbolisant le passé, la foi, la royauté ; Cimourdain le présent, la Révolution, la raison ; Gauvain, l'avenir, la République, la miséricorde et le rêve. Pourtant cette répartition se brouille : Lantenac, renouant avec les sentiments humains, sauve les enfants de « la Flécharde » ; Gauvain est noble, Cimourdain fils du peuple est prêtre. Chacun relève d'une double identité, l'une native, l'autre acquise. La double appartenance, cette contradiction dynamique installée au cœur du roman, transpose l'essentielle dualité qui anime toute la création hugolienne.

S'expliquent alors les rapports des personnages. Ils doivent fonctionner par paires, identiques pour un aspect, opposées pour l'autre. « L'Imânus » et le sergent Radoub appartiennent au peuple et sont politiquement ennemis. Cimourdain et l'abbé Turmeau sont d'Église et en repré-

sentent deux tendances radicalement contraires. Le noble Lantenac appelle un Gauvain. À l'inverse, la Révolution réunit Gauvain, Cimourdain et Radoub. L'Ancien Régime s'incarne en Lantenac, Turmeau et les paysans vendéens comme Halmalo et « l'Imânus ». Le trio Lantenac / Gauvain / Cimourdain établit la parenté de Lantenac et Gauvain par filiation naturelle, de Gauvain et Cimourdain par filiation spirituelle ; celle de Lantenac et Cimourdain par leur inflexibilité et leur soumission à la raison d'État : autant de couples homogènes. Le débat intérieur, ce que Hugo nommait dans *les *Misérables* « une tempête sous un crâne », et non le seul jeu des forces historiques, occupe dès lors au premier plan.

Toute l'intrigue dépend d'une aventure : celle des trois enfants. Issus d'un vendéen mort pour le roi, trouvés avec leur mère par le bataillon du Bonnet-Rouge, qui les adopte et fait de Michelle Fléchard sa cantinière, pris en otage par les Blancs, ils sont sauvés par Lantenac. Enfants de la royauté et de la République, ils naissent d'une contradiction imposée par l'Histoire et dont tout laisse supposer qu'ils devront l'assumer, comme un certain Victor Hugo, fils d'une Vendéenne et d'un général républicain qui fit cette guerre.

Si Gauvain et Cimourdain prouvent par leur ralliement la justesse et la valeur de la Révolution, puisqu'ils n'y trouvent aucun intérêt personnel, rien ne prédispose *a contrario* les gens du peuple à rejoindre l'un ou l'autre camp. Soldats bleus et vendéens appartiennent tous à un peuple qui se déchire et se dénature. Seules quelques figures symboliques, comme Michelle Fléchard, type de la mère, ont conservé une innocence encore intacte, insensible aux passions politiques. Profondément humaine, mais obéissant à un instinct animal, elle pousse un cri de bête en voyant l'incendie de la Tourgue. Ce cri provoque le retournement de Lantenac : accédant à la pitié, il devient alors un autre Gauvain. La communauté originelle est refondée entre des hommes touchés par le sentiment : début d'un processus d'humanisation que l'avenir devra favoriser et exalter, notamment par l'éducation, qui rendra possible cette nécessaire métamorphose.

Hugo trace ainsi toute la portée de la Révolution. Elle se définit pour lui comme lutte d'idées et non de classes. Le peuple porte en germe le destin de l'humanité, laquelle trouve son expression politique dans la République. Mais la complexité des enjeux tend, paradoxalement, à déshumaniser les personnages. Si Lantenac se comporte conformément à ses origines sociales, « l'Imânus », son lieutenant, est un monstre bestial. Gauvain et Cimourdain se subliment en surhommes, semblables et opposés à la fois, ce qui les condamne au suicide. La République doit naître d'une convulsion. Conversion des consciences, elle suppose la violence. Ainsi apparaît toute la contradiction de la Terreur. Loin de se réduire à une aberration ou à une déviation de l'Histoire, ce moment paroxystique permet la prise du pouvoir et la mise en place des institutions nécessaires à l'éradication de la misère matérielle et spirituelle. Il constitue la foule informe en peuple, mais il risque en même temps d'être, comme le dit Gauvain à Cimourdain, « la calomnie de la Révolution ». Outil nécessaire, la Terreur prive d'efficacité historique l'idéal même qu'elle promeut et place les individus qui se battent en son nom dans une tragique contradiction.

Si le peuple vendéen se méprend en combattant la Révolution, la Terreur se comporte en effet comme une Vendée à l'envers. La Révolution se trompe sur ses partisans, et fait tuer l'idéaliste Gauvain, dont le crime est au fond d'être proche des idées girondines, ou d'un libéralisme anarchisant, ce que la logique terroriste ne peut que considérer comme une trahison. Le suicide du jacobin Cimourdain, qui ne peut ni soutenir ses propres idées ni les désavouer, parachève alors celui de la Révolution. Indissolublement liées, Terreur et Révolution rendent celle-ci littéralement inconcevable : la Révolution est bien un bloc tragique, épique, sidérant, dans lequel on ne peut innocemment choisir.

L'aporie idéologique du roman ne peut se résoudre que par le passage à un autre plan. Cette mutation s'accomplit de façon triple : par le pari sur l'avenir des enfants, lesquels par la destruction iconoclaste du livre de la vie de saint Barthélemy déchirent à la fois la culture et le passé ; par la dernière conversation de Gauvain et Cimourdain dans le cachot : « La société, c'est la nature sublimée » ; enfin par l'assomption de leurs âmes mêlées qui, se réconciliant dans l'au-delà, y instaurent l'impossible unité de la Terreur et de la Révolution. Fin poétique pour un roman où le poète doit s'exclure d'une Histoire qu'il ne peut autrement transcender.

Affrontement épique, le roman brosse une fresque de l'épisode vendéen (en le situant cependant dans la Bretagne de la chouannerie), et met à l'unisson de la tragédie historique le sublime du style. Les pages consacrées au dialogue entre Danton, Marat et Robespierre dans le cabaret de la rue du Paon (II, 2), ou celles filant la métaphore montagnarde à propos de la Convention (II, 3) élèvent le roman jusqu'aux sommets de l'épopée. La dramatisation des conflits dépasse considérablement les facilités du mélodrame, même si les personnages ne se voient affectés qu'exceptionnellement d'une véritable épaisseur romanesque, tels Lantenac ou Radoub, tandis que Gauvain et Cimourdain restent proches des types du théâtre romantique. Monologues et dialogues, répartition des lieux aboutissant à l'épisode de la Tourgue, concentration de l'intrigue : la référence théâtrale sous-tend le roman, par ailleurs enrichi d'une peinture particulièrement remarquable de l'Histoire et de son décor.

● « Classiques Garnier », 1957 (p.p. J. Boudout) ; « GF », 1965 (p.p. J. Body) ; « Folio », 1979 (p.p. Y. Gohin) ; « Presses Pocket », 1993 (p.p. G. Gengembre). ➤ *Œuvres complètes*, Club français du Livre, XV-XVI (1) ; *id.*, « Bouquins », Romans III (p.p. Y. Gohin).

G. GENGEMBRE

QUE L'AMOUR EST LE RESSORT DE TOUTES LES PASSIONS DE L'ÂME. Voir DÉSORDRES DE L'AMOUR (les), de Mme de Villedieu.

QUE MA JOIE DEMEURE. Roman de Jean **Giono** (1895-1970), publié à Paris chez Grasset en 1935.

Écrit entre le 2 février 1934 et le 19 janvier 1935, *Que ma joie demeure* renoue avec l'inspiration panthéistique de la trilogie inaugurée par *Colline*. Il revêt toutefois une ampleur, tant par son volume que par les multiples réseaux symboliques et mythiques qu'il esquisse, qui le distingue des premiers romans, beaucoup plus brefs et resserrés. Il fait en outre pendant au roman suivant, *Batailles dans la montagne* : « On m'a accusé de pessimisme pour *Que ma joie demeure*. Peut-être, car c'est le livre de la bataille des esprits ; *Batailles* est le livre de la bataille des corps » (*Journal*, 4 février 1936).

Jourdan, un cultivateur d'une cinquantaine d'années qui vit sur le plateau de Grémone, en Haute-Provence, rencontre un homme d'environ trente ans, Bobi, dont les paroles aussitôt l'envoûtent (chap. 1). Jourdan et sa femme Marthe accueillent Bobi chez eux, à la Jourdane ; ce dernier est acrobate et leur montre ses tours (2). Jourdan présente Bobi dans les diverses fermes du plateau : celles de Carle, de Randoulet, de Jacquou et de Madame Hélène, une riche veuve qui vit seule avec sa fille Aurore (3). Bobi invite ensuite Jourdan à répandre son blé sur l'aire, et le spectacle des oiseaux affamés par l'hiver et venus s'assembler devant la ferme émerveille ses habitants et les emplit d'une joie jusqu'alors inconnue (4). Jourdan, qui a planté cette année-là des fleurs sur les terres jadis réservées aux cultures, donne ses économies à Bobi qui revient, au printemps, avec un cerf qu'il a acheté pour eux. Les paysans, ayant aperçu avec émotion l'animal laissé en liberté sur le plateau, se rendent tous à la Jourdane où ils partagent un joyeux repas, ce qui n'était jusque-là jamais arrivé (5-7). Aurore, adolescente ombrageuse, et Joséphine, jeune femme sensuelle mariée avec Honoré, sont fascinées par Bobi. D'un commun accord, les convives décident d'aller chercher des biches pour le cerf et, peu après, les hommes quittent ensemble le plateau et reviennent avec des biches qu'ils lâchent sur le plateau de Grémone (8-11). L'automne passe et Bobi rencontre un jour Aurore dans la campagne ; elle se montre très agressive et il ne semble pas comprendre qu'elle l'aime. Carle donne la liberté à son étalon et Jacquou à ses juments car c'est la période des amours. Quant à Randoulet, il a acheté un immense troupeau de moutons qu'il laisse pâturer librement sur le plateau (12-15). Sa fille Zulma, une innocente transfigurée par sa mission de bergère et devenue la « reine des moutons », vit avec eux dans la grande prairie. La découverte de la liberté apporte bonheur et rêves à tous, mais Madame Hélène et Aurore souffrent de leur solitude. Bobi pense à la jeune fille mais c'est Joséphine qui devient sa maîtresse. Un magnifique métier à tisser, construit pour Marthe à la Jourdane, est l'occasion d'un nouveau repas collectif durant lequel tous décident de récolter leur blé ensemble et de le mettre en commun (16-20). Aurore se désespère et, durant la récolte du blé, qui prend des allures de fête, elle se suicide. Bobi, accablé de tristesse, quitte le plateau et meurt peu après, foudroyé dans la campagne. Chacun rentre chez soi ; c'est la fin de l'œuvre collective (21-25).

Giono explique en ces termes le titre du roman : « J'ai pris pour titre de mon livre le titre d'un choral de Bach : *Jésus, que ma joie demeure*. Mais j'ai supprimé le premier mot, le plus important de tout l'appel, le nom de celui qu'on appelle, le seul qui, jusqu'à présent, ait compté pour la recherche de la joie ; je l'ai supprimé parce qu'il est un renoncement. Il ne faut renoncer à rien. Il est facile d'acquérir une joie intérieure en se privant de son corps. Je crois plus honnête de chercher une joie totale [...] » (*les Vraies Richesses*, 1936, Préface). Puisant son inspiration et ses symboles aux sources du paganisme aussi bien que du christianisme, Giono mêle les allusions à des croyances et à des mythes multiples, créant ainsi un univers romanesque singulier, où cependant, la référence chrétienne demeure : car le personnage de Bobi s'apparente au Messie. Il est attendu avec ferveur par Jourdan qui a le pressentiment de sa venue : « Depuis longtemps il attendait la venue d'un homme. Il ne savait pas qui. Il ne savait pas d'où il viendrait » (chap. 1). Ce qu'attend Jourdan, comme tous les habitants du plateau, c'est que Bobi le guérisse de ses maux, lui donne une raison de vivre : Bobi apparaît donc comme le Sauveur, comme celui qui vient proposer aux hommes une issue à leur misère et à leur désespoir. Sa parole a le pouvoir de captiver d'emblée ceux qui l'écoutent, et il utilise d'ailleurs parfois des tournures qui rappellent le ton prophétique des Évangiles : « Vous croyez que c'est ce que vous gardez qui vous fait riche. On vous l'a dit. Moi, je vous dis que c'est ce que vous donnez qui vous fait riche » (9). Ainsi, bien des aspects du roman justifient cette remarque de Bobi à propos de sa dimension messianique : « Ils m'ont reçu comme le Bon Dieu » (12).

Toutefois, Bobi est fort loin de prôner l'ascèse chrétienne. Le corps, dans le roman, est lesté de son poids de désirs dont se nourrissent la vie et la joie. Grâce au nouveau venu, les habitants du plateau retrouvent cette ardeur du corps qui va de pair avec celle de l'esprit. Bobi lui-même est acrobate, c'est-à-dire une sorte de magicien du corps, et cède à l'empire de la sensualité dans sa relation avec Joséphine. Dépourvu de toute référence religieuse, son message propose à l'homme une vie en harmonie avec les forces naturelles. La libération et le bonheur procèdent de cet accord et l'on a pu voir, dans *Que ma joie demeure*, la présence d'une inspiration dionysiaque, à travers notamment la figure du cerf, qui amorce l'initiation, ou les épisodes des festins. En fait, si la quête que le roman met en scène a bien une teneur mystique, cette dernière revêt une portée universelle qui dépasse la singularité des systèmes religieux. De plus, le bonheur à trouver se situe dans l'immanence : c'est à l'homme qu'il incombe de créer sa propre joie. Bobi n'apporte aucune doctrine aux habitants du plateau ; il leur apprend simplement l'acceptation d'eux-mêmes : « La vie c'est la joie. [...] Elle est basée sur la simplicité, sur la pureté, sur l'ordinaire du monde ! » (12). Il leur révèle les richesses qui sont en eux et dans la nature qui les environne mais qu'ils ne savaient plus voir, aveuglés par la routine, aliénés par la recherche du profit plutôt que par celle du bonheur.

Cependant, le dénouement du roman est pessimiste. Bobi échoue puisque c'est vraisemblablement à cause de lui qu'Aurore se tue et puisque, après ce triste épisode, tous recommencent à vivre comme ils le faisaient avant sa venue. Bobi lui-même est anéanti, et, quoique sa mort prenne la dimension d'une apothéose – « La foudre lui planta un arbre d'or dans les épaules » (24) –, le dialogue intérieur qui la précède montre le déchirement du personnage en proie à un doute qui ne sera pas résolu. Quant à l'avenir sur lequel ouvre la fin du roman, il est des plus ambigus. « Il reviendra [...], j'en suis sûre » (25), se répète un des personnages à propos de Bobi. L'espérance, cette valeur si chère à Giono, voisine ici dangereusement avec le leurre.

La seule qui parvient à édifier un « paradis terrestre » (16), c'est la bergère Zulma, une jeune innocente. Elle demeure toutefois solitaire, incapable de communiquer vraiment avec les autres hommes et reine d'un paradis peuplé seulement d'animaux. Conformément à la tournure du titre, qui formule un vœu plutôt qu'il ne pose une certitude, le roman présente la joie comme une aspiration plutôt que comme un acquis. Fragile et précaire, elle est à la portée de l'homme, mais celui-ci est-il capable de la saisir et de la retenir ? Énigmatique, le dénouement laisse la question en suspens.

● « Le Livre de Poche », 1959. ➤ Œuvres romanesques complètes, « Pléiade », II (p.p. L. Ricatte) ; Romans et Essais, « Pochothèque ».

A. SCHWEIGER

QUELQUE CHOSE NOIR. Recueil poétique de Jacques Roubaud (né en 1932), publié à Paris chez Gallimard en 1986.

Les neuf sections, de neuf pièces chacune, qui composent Quelque chose noir disent une crise terriblement douloureuse : « On ne peut pas me dire : "il faut le taire". » Après la mort d'Alix Cléo Roubaud, le poète se trouve confronté en même temps à la vanité du classique « tombeau » et à la nécessité de donner une forme à sa douleur : d'où le débat (en filigrane, mais permanent) avec Wittgenstein, puisque « ce dont on ne peut parler » est justement ce qu'il ne faut pas taire, à rebours de l'aphorisme célèbre du philosophe. Il s'agira donc, dans le battement de textes en séries (« Méditations » datées, « Portraits » numérotés, « Nonvie » I à V) et de courts poèmes lacunaires et interrogatifs, de cerner l'irreprésentable. Par l'alternance de la seule expression du drame et d'une volonté désespérée d'intellection, le « je » pudiquement voilé sous les nombres et le lexique abstrait, tentera de « se détourner » et de guérir. La parole ainsi le déborde par une pratique du suspens de la représentation, où le « rien », dans un incessant retour, peut s'esquisser. Les 81 textes construisent ainsi une forme alvéolaire et rompue d'où peut s'envoler un dernier poème (sous la rubrique "Rien"), restitué à la mélodie – une pulsation de deux fois trois vers, puis deux vers, jusqu'au goulet d'étranglement trois vers-deux vers-un vers – grâce auquel un « morceau de ciel [...] est dévolu au « tu » omniprésent dans le recueil, et qui, pris en tension entre le « quelque chose » qu'il était et le « noir » devenu, finit par rejoindre, aériennement, son absence.

« Quand ta mort sera finie, et elle finira parce qu'elle parle » : œuvre cathartique, Quelque chose noir occupe une place à part dans les recherches logiques et linguistiques de Jacques Roubaud. Sous une architecture mathématique à quoi l'on reconnaît le membre de l'Ouvroir de littérature potentielle (Oulipo) travaille en effet une parole du malheur, dont elle permet d'éviter magistralement les habituels écueils (épanchement, complaisance, etc.). Le seul titre du poème "C.R.A. Pi-Po" (Composition Rythmique Abstraite pour Pigeons et Poète) permet de comprendre l'écartèlement, éprouvant à la lecture, entre la dérision d'une algèbre pour rien et le cri de douleur qu'elle nappe. Ainsi glacée, faussement mise à distance dans une logique qui se défait sur l'absurde à la manière des méditations des personnages beckettiens, la blessure donne lieu à un lyrisme de l'en-creux dans sa forme la plus accomplie et la plus percutante. Surmontant là son expérience du silence, Jacques Roubaud délivre aussi une prodigieuse « leçon de choses » : si le feuilletage de nos systématiques constructions intellectuelles donne parfois l'illusion d'une irréalité de tout, la douleur constitue cependant un indice d'être, puisque « vous ne ferez pas que le nulle part je ne voie ». Avec le tremblement parfois d'une lumière, des arbres et des photographies sans fin regardées ou la description, minutieuse à en hurler, d'un face-à-face désespéré avec une porte de réfrigérateur, Quelque chose noir culmine alors au-dessus d'une œuvre ailleurs souvent abstraite à l'excès pour retrouver « cette vie qui est cela : / Ton odeur, ton goût, le toucher de toi ».

O. BARBARANT

QUELQUES JOURS AVEC MOI. Roman de Jean-François Josselin (né en 1939), publié à Paris chez Grasset en 1979.

Le narrateur, homme riche et puissant, en visite en province dans les « arrière-boutiques » et les « églises classées », rencontre chez les Fonfrin une bonne à tout faire nommée Francine, qu'il juge « ingrate » mais attirante. Il l'adopte instantanément, l'arrache à sa condition sociale peu enviable, lui loue un appartement qu'elle décore avec mauvais goût, et la séduit malgré elle (chap. 1). Menaçante et insolente, flanquée de sa sœur Georgette et de son ami Rocky, elle terrorise son protecteur qui devient la victime consentante de ses caprices (2). Alcoolique et en proie à un désespoir sans nom, le narrateur décide de lui résister ; dans le même temps, il commence à se maquiller et à se travestir en cachette, mais surpris par Régine – belle-sœur de Mme Fonfrin –, et aidé par ses lettres d'avertissement, il se libère peu à peu de l'emprise de sa maîtresse. Après avoir, ainsi, provisoirement ressemblé à celle-ci, conscient des complexes dont cette mascarade est la manifestation, il liquide l'appartement de Francine, et lorsqu'elle le supplie de la garder auprès de lui, insensible à ses pleurs, il consent seulement à lui rédiger une « chaleureuse lettre de recommandation pour Mme Fonfrin qui était justement à la recherche d'une domestique à temps complet » (3).

Il arbore toujours un sourire « mi-farce, mi-figue » ; il estime, d'instinct, tel dîner assommant ; submergé par des vagues de bonheur et d'angoisse, il parvient rarement à prendre une décision. Il a l'amour en haine et tout lui semble indifférent. Ce narrateur observe, implacable, les « regards humides » de Francine, glissant bientôt, après quelques verres de whisky, dans un « bonheur écœuré » : constatant toujours, éternellement « poisseux » et « désespéré », et ne jugeant jamais. « Je n'aime pas beaucoup l'amour, moi non plus », confie-t-elle. L'élégance froide du style du narrateur contraste avec la maladresse et la hardiesse de Francine, sa distraction du moment : « Elle me bouleversait par la beauté tranquille que je découvrais dans son regard », à quoi elle répond : « Salades de socialo. » De cette confrontation insolite Josselin tire les seuls effets comiques de ce roman sombre, sarcastique et « inhumain ». Parfaitement antipathique, son anti-héros ne livrera son mystère qu'après être apparu maquillé et travesti aux yeux de Régine, celle qui « dissipe les sortilèges ». Celle-ci, en thérapeute providentielle, propose en effet, une « interprétation », dans une conclusion provisoire un peu décevante eu égard aux attaques dont la psychanalyse fait l'objet tout au long du roman : ce héros ne serait-il donc qu'un « schizophrène » dont le souci d'être victime reposerait sur une volonté de puissance et de cruauté mal déguisées ? Le jargon psychanalytique serait-il le seul recours au rituel secret, au cérémonial sado-masochiste auquel se livrent une Francine innocente et un narrateur machiavélique ? Ce serait compter sans la perversité d'un auteur qui, au rebours de toute tentation humaniste, dispense dans ce roman dérangeant une leçon sans espoir, commandée par un narcissisme et un sadisme foncier. « Sa détresse m'ennuyait », confie le narrateur, pour toute réponse aux supplications de Francine. Ce sera son dernier mot.

P. GOURVENNEC

QUERELLE DE BREST. Roman de Jean **Genet** (1910-1986), publié sans mention d'éditeur (en fait, à Décines aux Éditions de L'Arbalète-Marc Barbezat) en 1947.

Contemporain de *Pompes funèbres* et de la création des *Bonnes* par Louis Jouvet, ce quatrième roman (voir *Notre-Dame-des-Fleurs*) réaffirme l'imaginaire sacral de Genet dans une ultime définition du mal et de la beauté qui parachève les autres livres, mais épuise aussi la veine poético-romanesque, ouvrant la voie à la création théâtrale des années cinquante et soixante (Voir les *Nègres*, les *Paravents*), où la glorification du paraître pourra davantage encore s'accomplir.

Matelot archangélique sur le *Vengeur*, Querelle (qui n'est peut-être qu'une projection fantasmatique née du journal de son chef, le lieutenant Seblon) effectue une descente aux enfers réglée avec soin, assassinant, volant et faisant l'amour d'escale en escale dans une apothéose de beauté. À Brest, il retrouve son jumeau Robert, amant entre autres d'une tenancière de bordel, Mme Lysiane, avec le mari duquel Querelle finira par coucher. L'anecdote faussement policière (un double meurtre, et un amour réciproque des assassins, jusqu'à ce que, pour toucher le fond de l'abjection, Querelle décide de trahir son complice) s'étiole dans des descriptions lyriques et érotiques, le roman étant plus que jamais prétexte à une cérémonie de langue par quoi toutes les catégories d'identité et de vraisemblance peuvent s'effondrer : au dénouement, tandis que la mise en page referme le texte en entonnoir, le corps viril de Querelle trouve ainsi son vrai nom dans celui de « tapette » que lui lance à juste titre Mme Lysiane, devenue sa maîtresse.

« L'idée de meurtre évoque souvent l'idée de mer, de marins » : pour l'agencement de son spectacle intérieur (voir *Notre-Dame-des-Fleurs*), Genet combine cette fois son mythe du criminel qui resplendit du Mal au stéréotype homosexuel et poétique du marin. Croisement en forme de sommet, exploitant dans une feinte les clichés – récit policier, Brest et ses brumes, etc. – qu'il transfigure et déplace, s'alimentant d'une rêverie en toc pour la magnifier dans une gloire que toute illusion référentielle interdirait. La gémellité, le palais des miroirs qu'est « la Féria », le bordel de Brest, ajoutent à l'habituel vertige identitaire une mise en abyme des reflets posés face à face, que le théâtre ne tardera pas à exploiter (voir le *Balcon*). Toujours attachée à la sanctification par le bas, la prose de *Querelle* toutefois se déleste du didactisme théoricien qui avait pu précédemment l'empeser, dans une bouillie de « métaphysique à l'envers » un peu « pâteuse ». Le discours passe désormais entièrement dans la description, s'enroulant au corps de Querelle, nouveau « bloc chu d'un désastre obscur ». Quelques moments d'authentique fraîcheur (dans la citation des expressions argotiques prises, une fois encore, dans un sens poétique ; mais aussi dans la scène de cueillette des oranges, dont Querelle revient, le maillot bleu empli de branches) contredisent la répétitive apologie du Mal. À cet égard, il est intéressant de noter que le film de Fassbinder (1982), qui a beaucoup relancé l'œuvre, a totalement délaissé ces respirations pour renchérir sur la manipulation des clichés, y ajoutant par exemple ceux du « cuir » homosexuel américain. Plutôt alors que de prétendre dégager, comme à chaque œuvre de Genet, la « profondeur » philosophique (concernant notamment la notion d'acte, dans son lien à l'irrémédiable), peut-être faudrait-il promouvoir pour une fois une lecture formelle, qui verrait dans la débâcle organisée de toute signification univoque un moyen de laisser resplen-

dir le seul chant d'une langue, envoûtée comme jamais par la machinerie à fantasmes qui la porte.

● « L'Imaginaire », 1981. ➤ *Œuvres complètes*, Gallimard, III.

O. BARBARANT

QUESTION D'ARGENT (la). Comédie en cinq actes et en prose d'Alexandre Dumas, dit **Dumas fils** (1824-1895), créée à Paris au théâtre du Gymnase-Dramatique le 31 janvier 1857, et publiée à Paris chez Charlieu la même année.

Après l'immense succès du *Demi-monde* (1855), Dumas chercha d'autres « tares » sociales à stigmatiser. La dénonciation de l'argent trop facile, gagné grâce à des spéculations boursières ou à des agiotages suspects, était dans l'air du temps : Ponsard venait de donner *la Bourse* (1856). Avec moins de véhémence, peut-être, mais plus de mordant et d'ironie, Dumas fils reprit le sujet en focalisant sur un seul personnage, celui du banquier parvenu Giraud, les ridicules et les travers d'une confrérie dont le mot d'ordre était donné dans une des répliques de la pièce : « Les affaires, c'est bien simple, c'est l'argent des autres » (II, 7).

L'argent est le héros omniprésent de l'intrigue. Il fait le sujet de toutes les conversations. Dans le salon de Durieu, brave bourgeois dont l'âpreté au gain a gâté le tempérament, les hasards de la vie ont rassemblé : la comtesse Savelli, grande dame qui se ruine par négligence ; Roncourt qui s'est ruiné par honnêteté et Élisa sa fille qui, par pauvreté, a déjà raté un mariage ; Cayolle, grand commis de l'État qui croit aux vertus créatrices de l'indigence ; René de Chazay, jeune homme distingué de petit revenu mais de grande intégrité qui nie le pouvoir de l'argent ; Jean Giraud enfin, ancien jardinier devenu agioteur et brasseur de fonds, dont le comportement balance toujours entre la maladresse et la goujaterie, et qui croit que « l'argent est la seule puissance que l'on ne discute jamais ». L'intrigue opposera ainsi Giraud à Chazay qui va s'appliquer à déjouer toutes les menées du spéculateur. Giraud, auquel Durieu et la comtesse ont confié des capitaux importants pour qu'ils fructifient rapidement, souhaite, pour asseoir sa réputation et se ménager un repli en cas de coup dur, se marier avec Élisa. Celle-ci, pour aider son père, accepte d'abord, avant de refuser quand elle s'aperçoit des manœuvres du spéculateur. Après ce refus, coup de théâtre : Giraud disparaît avec l'argent. Tout le monde se retrouve chez Durieu pour rire, plus ou moins jaune, de la mésaventure. Second coup de théâtre, Giraud se présente à l'heure dite pour verser les sommes dues ; sa prétendue fuite n'était qu'une ruse pour abuser le marché. La comtesse et Durieu récupèrent alors leur mise mais refusent les intérêts d'un argent sale et congédient Giraud, qui retourne à ses tripotages et à ses gredineries. Les derniers mots restent au sentiment : la comtesse convolera avec un richissime lord ; Mathilde, fille de Durieu, se mariera à un honnête homme ; René et Élisa, qui s'aimaient en secret, uniront aussi leurs destinées.

À première vue, l'intrigue de la pièce ne paraît pas très bien nouée, mais il semble que ce soit là en réalité une astuce d'écriture. En effet, seule une texture relâchée permettait au dramaturge, d'abord de rendre à l'acte I l'atmosphère d'un salon puis à l'acte V de donner plus de violence et d'inattendu au double coup de théâtre, ensuite de suivre tous les méandres des sentiments et de suggérer leur confusion. On ne sait trop en effet, jusqu'aux scènes finales, qui René de Chazay aime véritablement ; il en est de même pour la comtesse, pour Mathilde ou pour Élisa. D'autre part, l'agioteur ridicule des premières scènes, qui finalement tient sa parole de banquier, laisse aussi espérer, parfois, qu'il pourrait se policer (III, 6). Ainsi, malgré les habituelles formules à l'emporte-pièce et les démonstrations moralistes propres au théâtre de Dumas fils, cette comédie de mœurs est certainement moins manichéenne que l'expulsion de Giraud pourrait le laisser supposer. Peut-être même suggère-t-elle que nul n'est à l'abri de la contagion de l'argent et que celle-ci laisse partout traîner des séquelles.

J.-M. THOMASSEAU

QUESTIONS SUR L'« ENCYCLOPÉDIE », par des amateurs. Ouvrage alphabétique de François Marie Arouet, dit **Voltaire** (1694-1778), publié à Genève chez Cramer de 1770 à 1772 (9 vol.) ; réédition augmentée en 1774.

Au libraire Charles Joseph Panckoucke qui projetait d'éditer un *Supplément de l'« Encyclopédie »*, Voltaire le 6 décembre 1769 répond qu'il a « cent articles de prêts ». Le 31 janvier 1770, il est décidé à regrouper ses articles dans une publication personnelle, car il va « travailler sur un autre plan qui ne conviendra pas peut-être à la gravité d'un *Dictionnaire encyclopédique* ». Il intitule cet ouvrage *Questions sur l'« Encyclopédie »*. Les neuf volumes vont s'échelonner sur deux ans. Les trois premiers, datés de 1770, contiennent les articles du début de l'alphabet jusqu'à « Ciel des Anciens ». Les 4e, 5e, 6e, 7e et 8e volumes voient le jour en 1771 et vont de « Cicéron » à « Supplices ». Le 9e porte la date de 1772 et contient la fin de l'alphabet. Dans l'édition in-quarto de 1774, les *Questions* sont augmentées de nouveaux articles.

Depuis la fin du XVIIIe siècle, cette œuvre n'existe pas sur le plan éditorial. Les éditeurs de Kehl, aux prises avec cette imposante masse d'articles s'échelonnant sur des années, décidèrent de les classer par ordre alphabétique sous le titre général de *Dictionnaire philosophique*. Ainsi se sont trouvés mélangés et regroupés les articles du **Dictionnaire philosophique* proprement dit, ceux des *Questions sur l'« Encyclopédie »*, ceux de *l'Opinion en alphabet*, ceux destinés à l'**Encyclopédie* et ceux rédigés pour le *Dictionnaire de l'Académie*. L. Moland a suivi la tradition de Kehl tout en affirmant que les *Questions sur l'« Encyclopédie »* et le *Dictionnaire philosophique* « n'ont de commun que la distribution par ordre alphabétique ». Il donne en note la date de publication de chaque article. Restituer à cet ouvrage son autonomie, c'est ce que se propose de faire la nouvelle édition des *Œuvres complètes* qui est en cours à Oxford. En attendant qu'elle paraisse, il faut se reporter aux éditions anciennes. La liste des articles des *Questions sur l'« Encyclopédie »* se trouve dans la *Provisional Table of Contents for the Complete Works of Voltaire*, publiée par U. Kölving (Oxford, 1983).

Dans l'édition in-quarto de 1774, les *Questions sur l'« Encyclopédie »* comprennent 442 articles. Le champ couvert par ces textes est très large : arts et lettres ; Histoire ; lois, coutumes ; linguistique, lexicographie ; philosophie ; économie ; religion ; mythologie ; sciences naturelles. Des comparaisons quantitatives établies avec le *Dictionnaire philosophique* montrent que les deux ouvrages ont des orientations différentes. Nous reprenons ici les conclusions de Merle L. Perkins qui a établi ces statistiques. Proportionnellement, dans les *Questions sur l'« Encyclopédie »*, la section « Arts et Lettres » a triplé, l'Histoire et les sciences naturelles ont doublé. La linguistique, absente du *Dictionnaire philosophique*, fait une percée importante. Les pourcentages de la philosophie, de la psychologie, de la politique restent stables ainsi que ceux de la mythologie, des lois, de la morale. La religion reste le groupe dominant, mais elle n'occupe plus la place centrale qu'elle détenait dans le *Dictionnaire philosophique*. Il faut garder en mémoire que du *Dictionnaire philosophique* aux *Questions sur l'« Encyclopédie »*, la masse totale des articles a été multipliée par quatre. Par-delà ces chiffres, il suffit de consulter ces *Questions* pour être frappé par l'étonnante diversité des sujets traités. Tout peut entrer dans l'ordre alphabétique, et parfois sous des titres dont on ne devinerait pas a priori le contenu.

Quand on analyse chacune des grandes sections sous lesquelles ces articles peuvent être rangés, on s'aperçoit que l'information y prend le pas sur les exigences proprement littéraires. C'est là une différence notable avec le *Dictionnaire philosophique* qui prônait une esthétique de la brièveté devant se traduire par un ouvrage « portatif ». Les articles du *Dictionnaire philosophique* sont de longueur variable, mais en majorité plutôt courts. Ceux des *Questions sur l'« Encyclopédie »* sont en majorité plutôt longs ; certains deviennent même de véritables opuscules. Ils sont subdivisés en chapitres, par exemple « Art dramatique » (39 p.), « De l'Histoire » (43 p.). La forme alphabétique accueille détails et digressions. Voltaire, qui brasse

une masse considérable de matériaux, choisit ou élague moins que par le passé ; il se laisse parfois submerger par les faits ou se complaît dans maintes explications et parenthèses. La pensée, plus diffuse, est aussi plus nuancée. Ainsi dans les articles consacrés aux arts et belles-lettres, on voit le critique en action (« Épopée », « Goût »). Il s'interroge sur le langage, sur les dictionnaires (« Alouette », « Dictionnaire », « Orthographe »). En matière historique, il discute d'erreurs d'interprétation (« De Diodore de Sicile et d'Hérodote », « Franc ») ou des incertitudes de l'Histoire (« Ana », « Annales », « Antiquité », « Chronologie »). Il s'acharne à démontrer que bien des croyances chrétiennes ont été empruntées à des mythologies plus anciennes (« Bacchus », « Hermès Trismégiste », « Résurrection »). Il ajoute d'importants articles consacrés à d'autres religions (« Alcoran », « Arabes », « Bracmanes »). Les thèmes philosophiques sont largement explorés. Voltaire discute du finalisme (« Calebasse », « Causes finales »), du matérialisme (« Colimaçons »), des limites du savoir (« Monde », « Matière », « Mouvement ») et dénonce l'irrationnel (« Enchantement », « Vampires »). Il soutient toujours les théories de Newton (« Espace »). Les sciences naturelles sont abondamment traitées (« Coquilles », « Arbre à pain »). Souvent les *Questions sur l'« Encyclopédie »* sont plus concrètes que le *Dictionnaire philosophique*. Voltaire développe la section du droit : il a lu Beccaria et en fait son profit ; les articles politiques s'enrichissent de discussions sur les droits des peuples (« Démocratie », « Venise », « Esclavage »), de remarques acerbes sur le droit international (« Armes », « Généalogie », « Droit de la guerre »). Le patriarche de Ferney a son mot à dire sur l'économie (« Agriculture »), sur la politique fiscale (« Blé », « Impôt »).

Alors que le *Dictionnaire philosophique* est une machine de guerre contre l'« Infâme », offrant le vademecum nécessaire à l'honnête homme qui veut devenir « philosophe », les *Questions sur l'« Encyclopédie »* sont un pot-pourri de philosophie voltairienne. Cette œuvre alphabétique a sa propre originalité ; elle transcrit les réflexions, exclusions, interrogations d'un esprit dont les curiosités sont universelles.

C. MERVAUD

QUÊTE DE JOIE (la). Recueil poétique de Patrice de **La Tour du Pin** (1911-1975), publié à Paris aux Éditions de la Tortue en 1933.

Le premier recueil de Patrice de La Tour du Pin, encouragé par Supervielle, qui fit publier le manuscrit d'"Enfants de septembre" dans *la Nouvelle Revue française*, célébré par la critique, par Gide et par Montherlant, est aussi la première pierre du vaste projet d'une « théopoésie » accompli sous la forme monumentale d'*Une Somme de poésie* (1946), qui reprend *la Quête de joie* dans son cinquième livre.

La Quête de joie, selon son auteur, « est un recueil de poèmes absolument indépendant de l'esprit moderne » autant qu'il « puisse n'en pas subir l'influence », par sa « forme libre », à contre-courant de la « terreur » exercée contre la versification traditionnelle. Quoique strictement contemporain des surréalistes et de Pierre-Jean Jouve, dont l'œuvre est également marquée en profondeur par le religieux, La Tour du Pin recourt en effet à une métrique régulière (jouant sur l'alexandrin, le décasyllabe, l'octosyllabe rimés) qui n'est pas sans rappeler Valéry, que Patrice de La Tour du Pin admire à l'égal de Supervielle.

Le cadre formel correspond très étroitement au projet poétique et spirituel explicité par le titre même. *La Quête de joie*, comme la **Quête du saint Graal* dont elle s'inspire ainsi que des légendes celtiques, se déploie comme un vaste récit initiatique, selon la double acception religieuse de la « quête » – comme prière et comme recherche. La plupart des poèmes se présentent individuellement comme des récits – au passé simple et à l'imparfait –, et s'intègrent à une architecture d'ensemble narrative, qui s'ouvre sur un "Prélude" et se clôt sur un "Épilogue". Plus largement encore, la *Somme de poésie*, préparant et expliquant la *Quête* (livres I-IV) qui en est l'événement central (V) et après laquelle le poète retrouve le monde et les autres (VI-IX), constitue une histoire allégorique. Ce vaste récit de la *Somme* se développe en une véritable fiction animée par des personnages symboliques : Ullin, signifiant le pouvoir critique de l'intelligence, qui détruit pour reconstruire :

> Je suis le Prince Ullin, dont le cœur est désert,
> Fascinant par les nuits du démon de soi-même,
> Un phare prodigieux sur la haute mer,

et son double positif, Lorenquin (dans les deux "Épîtres d'un quêteur de joie à Lorenquin"), ou encore Laurence, amante à qui le poète s'unit comme à la nature :

> Il faut que je délivre vos cheveux, que j'ôte
> L'agrafe qui maintient le voile sur ce corps [...]
> Vers l'orgie dionysiaque de la chair
> Et le désir bouleversant des mâles
> Craquant jusqu'à l'épuisement de l'être.

Ces personnages fondent la « légende » poético-religieuse que le poème veut recréer, en dehors de l'« influence de toute mythologie, grecque ou romantique », puisque, selon les deux premiers vers du "Prélude",

> Tous les pays qui n'ont plus de légende
> Seront condamnés à mourir de froid.

La portée allégorique de ce récit est essentiellement mystique – quête du « jardin secret » où « "Quête de joie" est inscrit sur toutes choses » et où le poète boit le sang du Christ. Le plus célèbre poème, "Enfants de septembre", met en scène le vol migratoire des « Enfants sauvages » de septembre, « fuyant vers d'autres cieux », et la thématique de l'envol, du voyage, du cheminement soustend la poétique de la quête. L'image de l'oiseau y est étroitement liée à la chasse à la sauvagine – chasse spirituelle, comme dans "la Traque" :

> J'avais suivi tes pas perdus au fond des bois [...]
> Et là, je t'ai trouvée, abattue et sans voix [...]
> Je t'ai prise, dormant comme une sauvagine
> Blessée, ou lasse d'avoir volé sur la mer.

Le poète s'identifie tantôt au chasseur, tantôt à la victime qui fuit à l'horizon : « Et je me dis : je suis un enfant de septembre... ». Par un glissement, les oiseaux deviennent des « Anges sauvages », conformément au titre que La Tour du Pin avait initialement retenu pour le recueil. La dimension sacrée, mystique de cette quête est alors clairement explicitée dans une allégorie qui livre sa signification anagogique et spirituelle :

> Il vous faudra forcer au fond de leurs retraites,
> Jusqu'au ciel de la mort, étrangement hanté,
> Tout scintillants comme des joyaux de beauté
> Les Anges sauvages de l'éternelle Fête.

Cette "Chasse à l'ange", relatée dans le poème du même titre, évoque la première *Élégie de Duino*, où Rilke, également célébré par La Tour du Pin, invoque le silence de la cohorte des anges « terribles ». Au-delà de la tradition poétique – de la *Chute d'un ange* de Lamartine aux anges mallarméens – la signification mystique de la « Joie » s'explicite à travers le thème eucharistique ("la Plaie"). Le sang de l'Ange sauvage blessé est bien celui du Christ, versé pour les hommes. Marquée par la lecture de Jean de la Croix, l'œuvre médite sur la Passion, dont elle fait l'objet de la « connaissance » poétique. Car la poésie, « démarche spirituelle », est affaire d'« initiation », comme chez Milosz, auquel on compare souvent La Tour du Pin : « Par la route montante de la connaissance / Vous irez vers le seuil grand ouvert de la mort. »

La critique salua avec la *Quête de joie* la renaissance d'une poésie d'inspiration religieuse, qui s'inscrit dans la grande tradition mystique – de Thérèse d'Avila à Pierre-Jean Jouve. Il est indéniable que des poètes comme Jean Amrouche, Jean-Claude Renard ou, plus récemment, Jean-Pierre Lemaire ou Philippe Delaveau, à cet égard, doivent beaucoup à la *Quête de joie*.

● « Poésie / Gallimard », 1967.

D. COMBE

QUÊTE DU SAINT GRAAL (la). Récit arthurien en prose, composé vers 1230.

Étroitement lié au *Lancelot en prose* – dans la quasi-totalité des manuscrits du cycle, la *Quête* est transcrite entre le *Lancelot* et la *Mort le roi Artu* –, ce texte s'en distingue par son héros, Galaad, par son projet explicite, substituer aux aventures chevaleresques la quête des mystères divins, et par son écriture fondée sur le va-et-vient entre la narration des faits et leur interprétation allégorique.

La veille de la Pentecôte, en l'an 454, Lancelot adoube, dans une abbaye de religieuses, Galaad, le fils qu'il a eu de la fille du Roi Pêcheur [le gardien du Graal]. À la cour d'Arthur, le jour de la Pentecôte, Galaad prend place au Siège Périlleux, refermant ainsi le cercle de la Table ronde et réussit l'épreuve de l'« épée au perron ». Cependant, l'apparition, à la Table du Graal, d'un Graal nourricier, remplit de stupeur et de désir les chevaliers, qui prêtent serment de partir en quête du saint vase pour le « voir » plus distinctement qu'il ne leur a été permis. Cent cinquante chevaliers quittent la cour, ignorant la douleur d'Arthur devant cette séparation, pour se disperser bientôt dans la forêt.

Faisant un premier tri, le narrateur ne relate cependant que les aventures de quelques quêteurs. Une première séquence est consacrée aux aventures de Galaad (histoire de l'écu que lui a destiné Joseph d'Arimathie, aventure du Château des Pucelles), entrelacées à celles de Baudemagu, Yvain, Melian, Gauvain... Les séquences suivantes, série d'épreuves et de tentations, suivent le cheminement physique et spirituel d'autres quêteurs : Lancelot, qui comprend vite, malgré sa confession et son repentir, que sa passion coupable pour la reine lui interdit de mener à bien sa quête ; Perceval, en proie, dans une île, aux assauts du diable (sous forme d'une demoiselle) ; Gauvain et Hector, les réprouvés de la quête ; le chaste Bohort qui triomphe lui aussi des pièges du démon avant de retrouver Perceval.

Ces deux derniers s'embarquent alors avec Galaad et la sœur de Perceval sur une nef merveilleuse où Galaad prend peu à peu possession des objets qui lui sont destinés, l'épée « à l'étrange fourreau », la couronne, le lit aux trois « fuseaux », blanc, vert et rouge, tandis que la voix autorisée du « conte », relayée par une lettre, des inscriptions, des commentaires de la sœur de Perceval, etc., énonce la provenance et le devenir des trois « fuseaux », issus du rameau de l'Arbre de Vie qu'Ève a emporté du Paradis terrestre, et l'origine de la nef, construite par Salomon à l'intention du dernier descendant de son lignage, Galaad.

Après avoir relaté la mort de la sœur de Perceval (qui donne son sang pour guérir une diabolique lépreuse), le récit fait retour à Lancelot qui assiste à Corbenic (au château du Roi Pêcheur), mais dans un état de paralysie totale, à une vision partielle des mystères du Graal. Les élus, eux, auront à Corbenic et au cours des différentes liturgies du Graal des révélations beaucoup plus explicites. Mais c'est au terme d'une autre traversée initiatique – une nef, où ils retrouvent le Graal et la table qui le supporte, les mène à Sarras, près de Jérusalem – que Galaad atteint, juste avant d'en mourir, à la vision transparente des mystères du Graal. Un an après, Perceval meurt à son tour, tandis que Bohort revient à la cour d'Arthur pour y conter les aventures du saint Graal que mettent par écrit les clercs de la cour.

Reléguant à la seconde place Perceval, l'élu du Graal depuis Chrétien de Troyes, la *Quête* choisit comme protagoniste, et en accord avec les données du *Lancelot*, le fils de Lancelot, Galaad. La filiation charnelle père-fils fonde ainsi et image la nécessaire continuité entre la chevalerie selon le monde, illustrée dans le *Lancelot en prose*, et dont Lancelot, l'amant de Guenièvre, a été et reste le plus parfait représentant, et une chevalerie nouvelle, la chevalerie célestielle, qu'anime seul le désir de Dieu et qui ordonne sa prouesse à son service. En écho peut-être à la mission que saint Bernard donnait dès la première moitié du XIIᵉ siècle aux Templiers, ces chevaliers-moines au service de Dieu et de la croisade, l'auteur de la *Quête* fait de la chevalerie nouvelle l'instrument séculier de la justice divine, de la lutte contre les manifestations du mal. Mais cette chevalerie, ici représentée par les trois élus, est aussi l'ordre que Dieu a choisi depuis la Passion, avec l'« invention » de cette relique qu'est le Graal, voire depuis le début des temps (histoire de l'Arbre de Vie et de la Nef de Salomon), pour lui révéler les mystères de la Foi, de l'Incarnation, de l'Eucharistie...

La filiation Lancelot-Galaad, qui noue solidement la *Quête* au *Lancelot en prose*, le roman « mystique » au roman d'aventures et d'amour, illustre aussi un autre aspect d'un récit dans lequel l'ensemble du pré-texte arthurien devient le support d'une écriture qui tente de finaliser le surgissement des aventures, de leur donner un sens puis d'en briser net le déroulement. Le schème narratif de la quête devient ainsi le moyen d'éliminer et de classer les personnages arthuriens. Ne trouvent d'aventures que ceux qui en sont dignes, et le temps de chevauchée ou de navigation des chevaliers en compagnie de Galaad est directement proportionnel à leur mérite. Reprenant aux récits antérieurs toutes les formes possibles d'aventures – joutes, combats, tournois, navigations hasardeuses mais aussi songes, visions, tentations érotiques, etc. –, le narrateur en dépasse systématiquement le sens littéral pour leur conférer, par l'intermédiaire des ermites et des gloses qu'ils élaborent, un sens figuré, qui crée à son tour une hiérarchie entre les aventures et les chevaliers. Les unes, lot des chevaliers les plus imparfaits ou en voie de perfectionnement, prennent une signification morale et forment une sorte de catéchisme à l'usage de la classe chevaleresque. D'autres, allégorisant les motifs-clés du texte arthurien, comme le combat du lion et du serpent ou la libération des captives du Château de Pesme Aventure dans le **Chevalier au lion*, disent le triomphe de la Nouvelle Loi (l'Église) sur l'Ancienne Loi (la Synagogue). D'autres encore, les plus hautes, réservées aux élus, explicitent les grands mystères. Nombre d'aventures attachées à Galaad s'ordonnent enfin autour de la notion d'achèvement : Galaad mène à bien les aventures laissées jusqu'alors en suspens ; héros vierge, sans postérité, il casse net les fils des aventures et tarit les sources et les ressources du récit. Le sens même de la quête est repensé. Il ne s'agit plus, comme dans le récit de Chrétien de Troyes, de relancer un questionnement sur le Graal, un échange langagier qui mimerait le déroulement du temps. Il faut patiemment quêter l'élucidation du mystère, le passage progressif de la « semblance », d'une saisie « littérale » de l'objet, à la « veraie semblance », à la vision de l'essence même du Graal ; une vision aussi transparente qu'ineffable, qui arrache le récit à l'ordre du langage et signe l'arrêt de mort du héros.

Quête des secrets de Dieu, la *Quête* pourrait être aussi bien une réflexion sur les pouvoirs de l'écriture profane qui referait en sens inverse, de l'ouest de la fiction arthurienne vers l'est du sacré, le parcours exégétique du Livre par excellence, la Bible. En doublant chaque fragment narratif, chaque « aventure », d'une glose qui permet de le lire selon l'un ou l'autre ou la totalité des quatre sens de l'Écriture sainte, l'auteur de la *Quête* s'essaierait à produire, à partir du référent arthurien, de la plus fabuleuse des fictions, le livre à lire, comme la Bible, au sens littéral comme dans la multiplicité de ses sens figurés. La tonalité si ouvertement chrétienne du récit ne serait alors que l'alibi d'une écriture où la fiction arthurienne tenterait de s'arroger le statut du *logos* divin.

● Champion, 1923 (p.p. A. Pauphilet). Traduction : Champion, 1979 (trad. E. Baumgartner) ; Le Seuil, « Points Sagesse », 1982 (trad. Y. Bonnefoy et A. Béguin).

E. BAUMGARTNER

QUI EST LÀ ? Voir THÉÂTRE DE CHAMBRE, de J. Tardieu.

QUINTUS AUCLER. Voir ILLUMINÉS (les), de G. de Nerval.

QUINZE JOIES DE MARIAGE (les). Recueil de nouvelles en prose composé à la fin du XIVᵉ ou au début du XVᵉ siècle, et publié quatre fois entre la fin du XVᵉ et le début du XVIᵉ siècle. Il nous a été transmis par quatre manuscrits.

Ce texte dont le titre parodie des prières à la Vierge – les « Quinze Joies de Notre-Dame » – s'apparente à la veine antiféministe qui se développe autour des années 1400. Les « joies », en effet, désignent par antiphrase les malheurs des hommes mariés. S'inspirant de l'esprit de Jean de Meung (voir le **Roman de la Rose*), des *Lamentations de Matheolus* (traduites par Jean Le Fèvre au XIVᵉ siècle), ou encore, quoique l'antériorité de cet ouvrage ne soit pas prouvée, du *Miroir de mariage* d'Eustache Deschamps, l'auteur inconnu anime d'un souffle original les griefs traditionnels portés contre les femmes. Il en fait une œuvre unique, difficile à classer entre le traité didactique, la satire de mœurs et le recueil de nouvelles.

On dit que l'homme aspire à la liberté, rien n'est plus faux. Il n'est qu'à voir comment il se jette dans la prison, piège ou nasse du mariage. Sans croire un seul instant à l'efficacité de son réquisitoire, l'auteur va s'amuser à décrire les « joies » du mariage. Dans la première, le mari ne peut refuser de belles toilettes à sa femme et se ruine ; dans la deuxième, l'épouse court les réceptions et prête une oreille complaisante aux galants ; la troisième voit naître un enfant et les dépenses considérables qui accompagnent l'événement (caprices de la mère, invitation des voisines) ; dans la quatrième, l'homme, harassé de fatigue, ne rentre que pour être querellé ; dans la cinquième, la femme se refuse à son mari, feignant la frigidité tout en se réservant pour son amant ; dans la sixième, elle reçoit mal les relations d'affaires de son époux ; dans la septième, il est sûr de surprendre sa femme avec un amant mais il est déjoué ; dans la huitième, un pèlerinage doit être accompli après une naissance : le mari en revient épuisé et ruiné ; dans la neuvième, devenu impotent, il est tenu à l'écart de ses amis ; dans la dixième, il est impossible à un couple désuni de divorcer ; dans la onzième, on parvient à faire épouser par un jeune homme naïf une fille enceinte ; la douzième « joie » évoque les guerres : que le mari parte ou reste, il se ruine, est trompé et meurt dans la misère ; dans la treizième, il part pour la croisade : sa femme se remarie pendant son absence ; dans la quatorzième, un mariage heureux est interrompu par la mort de l'épouse, l'époux convole en secondes noces... pour son malheur ; dans la quinzième, le mari surprend sa femme avec son amant mais elle le convainc de son innocence par de faux serments.

À travers une suite de courts textes librement ordonnés autour de l'image de la nasse, empruntée à Jean de Meung, où l'homme entre comme un poisson attiré par l'appât, le narrateur nous introduit dans la vie quotidienne de son temps. Il multiplie les scènes pittoresques – celle de l'accouchement et des relevailles au milieu des allées et venues des sages-femmes et des voisines –, dépeint en quelques touches un intérieur bourgeois cossu ou modeste, croque l'arrivée du mari et la mauvaise humeur de la dame, les cris des enfants excités par les nourrices, les stratégies matrimoniales des mères. Certains morceaux rappellent les fabliaux : les manœuvres des jeunes gens, la duplicité et les ruses des épouses, la complicité du confesseur. Cependant, ces moments de farce, où la cruauté est désamorcée par la vivacité des répliques, le comique des situations ou la caricature des attitudes, s'interrompent brusquement, relayés par le discours didactique qui, par une série de chevilles – « il arrive aussi », « par hasard », « peut-être », « par exemple » –, évoque toutes les variantes possibles d'un cas donné. Le narrateur ne nous donne ainsi que des ébauches de récits, autour de personnages types sans individualité précise, évoluant dans un temps et une région indéterminés.

Moraliste plus que conteur, il cherche à illustrer une thèse unique : celle des hommes victimes de la perfidie féminine, partout floués, humiliés et trompés, achevant leur vie dans la misère. Mais sa démonstration est entachée d'ambiguïté, car si le mariage est bien une prison, les hommes s'y sont jetés volontairement, par stupidité. Aussi son ironie les atteint-elle plus que les femmes. Campé devant le bocal où s'agitent ces « respectables benêts », il se rit d'eux mais aussi de lui et de son projet : lui-même esclave d'autres liens (ceux du cloître ?), n'a-t-il pas pris la plume à la demande des femmes et pour leur gloire, ainsi que le laisse entendre l'Épilogue ? Conscient, en outre, de l'inutilité de ses avertissements, il ne veut interdire à personne le mariage, somme toute la meilleure mortification qui soit pour gagner le ciel ! Se moquant ainsi de tout le monde, refusant de révéler, sinon de vive voix, le remède au mariage, il se livre à une satire peut-être plus large de la société, de sa morale et de ses institutions qui empêchent les individus d'atteindre le bonheur. Tous les mariages sont d'abord heureux, mais le temps détruit l'amour, sans que l'on puisse se libérer de ses premiers engagements. Antiféministes, antimatrimoniales surtout, les *Quinze Joies* échappent de fait à une étiquette trop rigoureuse. C'est là sans doute ce qui fait leur supériorité et leur modernité par rapport aux écrits pour ou contre les femmes qui, du débat sur le *Roman de la Rose* jusqu'au XVIe siècle, alimenteront la fameuse « querelle des femmes ».

● Genève, Droz, 1967 (p.p. J. Rychner). Traduction : Stock, 1986 (trad. et comm. M. Santucci).

M. GALLY

QUITTE POUR LA PEUR. Comédie en un acte et en prose d'Alfred de **Vigny** (1797-1863), créée avec Marie Dorval dans le rôle principal à Paris à l'Opéra le 30 mai 1833, et publiée à Paris dans la *Revue des Deux Mondes* le 1er juin 1833, et en volume dans le tome V des *Œuvres complètes* chez Delloye et Lecou en 1838.

Appelée à l'origine « proverbe », cette pièce, qui s'inspire d'un genre cher au XVIIIe siècle (voir **Proverbes dramatiques* de Carmontelle) et plus tard exploité par Musset (voir **On ne badine pas avec l'amour*), reçut un accueil très partagé dans la presse. Le proverbe est jugé « spirituel » et même « délicieux » par certains, tandis que d'autres le considèrent comme l'« erreur d'un homme de talent » ; tous saisissant mal le sens profond de la comédie, qui, après avoir été interdite par la censure en 1847 pour son « immoralité », fut reprise en 1849 avec plus de succès.

Dans une chambre à coucher parisienne, en 1778, une jeune duchesse, négligée par son mari et le trompant comme il la trompe, converse avec sa femme de chambre : elle est souffrante et, redoutant une grossesse, appelle le docteur Tronchin qui en effet, confirme ses craintes. À Versailles, Tronchin en informe le duc qui sort de chez le roi et qui ne pense, apparemment, qu'à sa marquise. Or, le soir même, le duc se rend chez sa femme, qu'il connaît à peine. Après une conversation d'un quart d'heure portant sur les inconvénients du mariage, il sort, au vu et au su de leurs gens ; il a donc pu sauver l'honneur du couple et, selon les apparences, l'avenir de son propre nom.

Dans son manuscrit, Vigny appelle son proverbe « une esquisse au pastel dans le goût de Boucher et de Watteau ». Il est, en réalité, bien plus que cela, et l'auteur nous explique ses intentions dans un « Avertissement » rédigé pour l'édition de 1848 : « A-t-il le droit d'être un juge implacable, l'homme qui lui-même est attaché par une chaîne étrangère et qui a méconnu ou brisé la chaîne légitime ? » Ce thème de l'adultère soulève une foule de questions dont les plus graves sont posées au duc par la duchesse elle-même : « Dites-moi ce que vous savez de la vie réelle de l'homme, si notre vie a tort ou raison ; si le mariage existe ou non. » Le duc admet que la « ruine

fastueuse » des nobles a « nécessité [leurs] alliances calculées », pervertissant ainsi le mariage qui devrait être fondé sur l'amour. Cependant, la décadence de la noblesse (voir **Cinq-Mars*) obligée de s'« échelonner dans une royale antichambre » (sc. 12) n'empêche pas le duc de veiller à la réputation de son épouse, qu'il ne blâme pas. L'adultère de la femme est ainsi justifié par l'auteur qui, par là même, distingue entre les droits de l'amour et les devoirs du mariage.

Tout frivole qu'il soit, le duc prend sa revanche sur une société « qui se corrompt et se dissout chaque jour ». La duchesse elle-même, « âme candide dans son égarement », reste « franche au milieu de la fausseté du monde, sensible dans une société froide et polie, passionnée dans un temps d'indifférence » (4). Par ces mots, Vigny formule une critique cinglante contre son temps et nous révèle ses arrière-pensées, qu'il exprimera de façon plus explicite encore dans **Chatterton* et **Stello*, ouvrages d'une autre envergure datant de la même époque.

● *Chatterton [...]*, « GF », 1968 (p.p. F. Germain). ➤ *Œuvres complètes*, « Pléiade », I.

H. P. LUND

QUOAT-QUOAT. Pièce en deux tableaux et en prose de Jacques **Audiberti** (1899-1965), créée dans une mise en scène d'André Reybaz à Paris au théâtre de la Gaîté-Montparnasse en 1946, et publiée dans le tome I du *Théâtre* chez Gallimard en 1948.

Le public se montra peu enthousiaste et moqueur. Selon un témoin de l'époque, « la grande aventure audibertienne a commencé comme un canular. Un four noir et silencieux dont nous sommes quelques-uns à ne pas nous vanter ».

Sous le second Empire, à bord d'un paquebot en route pour le Mexique, le jeune archéologue Amédée est envoyé secrètement en mission par le gouvernement français pour récupérer le trésor de l'empereur Maximilien. Mais le capitaine l'avertit qu'un règlement de bord draconien interdit à tout agent secret d'entretenir des relations avec une passagère sous peine de mort. Amédée renoue pourtant avec la fille du capitaine, Clarisse, amie d'enfance perdue de vue depuis des années. Le capitaine les surprend lors d'une scène de rêve éveillé où le jeune homme lui dévoile l'emplacement du trésor. Il se prépare donc à faire appliquer le règlement, malgré les protestations d'Amédée qui désire épouser Clarisse (tableau 1). Cependant, le condamné attend dans sa cabine l'exécution qui doit avoir lieu à quatre heures du matin. En l'absence du gendarme qui le surveille, entre une jeune Mexicaine fort peu vêtue, mais armée, qui tente d'obtenir d'Amédée le secret du trésor et lui propose en échange une pierre aux pouvoirs immenses : celle de l'ancien dieu du Mexique, le sanguinaire Quoat-Quoat. Mais à l'arrivée du capitaine, Amédée lui remet la pierre. Surgit alors l'autre voisine d'Amédée, Mme Batrilat, qui démontre preuves à l'appui que c'est elle le véritable agent secret du gouvernement : Amédée n'était qu'un leurre. Néanmoins, celui-ci, s'estimant moralement engagé, refuse sa grâce et, claquant la porte, se jette au-devant des fusils. Le capitaine, enfermé dans la cabine, exprime son dégoût et sa lassitude de ce navire et de ce règlement. Il lève le bras pour jeter la pierre magique qui anéantira tout (tableau 2).

Cette deuxième pièce d'Audiberti était, selon ses propres dires, un dialogue qu'il n'avait pas explicitement conçu pour la scène, mais qui se révéla pourtant susceptible d'être représenté. Elle avait sans doute de quoi déconcerter, tant le mélange de lyrisme et de prosaïsme, de fantaisie et de sérieux qui caractérisera l'ensemble du théâtre audibertien y trouve sa quintessence. De plus, l'absence de tout souci de vraisemblance conduit le spectateur à hésiter (et le héros avec lui) d'un bout à l'autre entre la mauvaise plaisanterie et la tragédie. La pièce – comme plus tard *Pomme, pomme, pomme* (1962) dans un autre registre – se révèle une réécriture très libre du texte de la Genèse. Le paquebot lui-même est bien vite présenté comme un symbole. « Un navire est un monde », déclare le capitaine dont les pouvoirs à bord semblent infinis : « Je possède tout. Je contrôle tout. » Il finit même par dévoiler son identité, comme par mégarde : « C'est moi le... Ah ! bon Dieu ! » Quant à sa fille Clarisse, qu'il appelle tantôt « sa vieille pomme en nougat blanc », tantôt sa « créature », c'est avec la bénédiction paternelle qu'elle entre dans la cabine d'Amédée, nouvel Adam, afin de le tenter : « Innocent ! Comment le serait-il ? J'ai veillé scrupuleusement moi-même à la consommation du délit. » La responsabilité du Dieu-capitaine semble donc largement engagée dans « toute cette pantalonnade », selon l'expression d'Amédée.

Cependant la signification de l'action est plus ambiguë qu'il ne semble de prime abord, ce qui apparaît clairement dans le contraste entre les deux tableaux. Le premier, linéaire, marque l'accomplissement inéluctable du péché originel et la condamnation qui s'ensuit : il met en cause la responsabilité de Dieu. L'autre, haché de coups de théâtre, et au cours duquel Amédée remet au capitaine la pierre qui pourrait le sauver, puis refuse inexplicablement une grâce qu'il a tant espérée, marque la revendication et l'assomption par celui-ci de son destin d'homme : « Il faut que chaque homme élabore dans sa propre chair le bien et le mal. Si les hommes existent, c'est pour ça. » Parallèlement, le capitaine, désabusé et lassé par la répétition de cet étrange jeu (qui semble donc se poursuivre depuis le commencement des temps), est lui aussi « prisonnier de son navire » et, faute de pouvoir réformer son univers, s'apprête à l'anéantir avec la pierre du dieu Quoat-Quoat.

La pièce nous dépeint un monde livré à l'esprit de moquerie (le « ziblume » dont Amédée a tant souffert) et la chute y dévoile sa nature cachée de jeu théâtral. La répétition est partout, dans le nom même du dieu Quoat-Quoat comme dans le monde du capitaine : « Ça s'éternise [...]. Pour moi, c'est toujours pareil [...]. Et ils souffrent. » L'absurdité de ce monde d'universelle irresponsabilité est sans cesse dénoncée. Les personnages parlent des langues différentes (allusion à la tour de Babel ?) et ne se comprennent pas : emphase administrative du capitaine, préciosités d'expression de la Mexicaine, exaltation archéologique d'Amédée, etc. La chute originelle est rejouée par chaque homme à son tour ; elle est sa comédie obligatoire et sa nécessaire tragédie ; il ne peut jouer qu'elle et doit perpétuellement la réinventer. Ainsi la théologie se résout-elle en dramaturgie. Dans un moment de révolte devant l'autorité du capitaine qu'il juge illégitime, Amédée s'attire la réplique suivante : « Ce ne serait plus un bateau, ce serait un théâtre. » Hypothèse absurde ? Pourtant, devant le cruel dieu Quoat-Quoat, l'erreur qui suffit à précipiter l'improvisateur du haut de son escarpolette au fond du puits où brûle un terrible bûcher n'est autre qu'une « faute en prosodie ».

➤ *Théâtre*, Gallimard, I.

A. SCHAFFNER

QUOI ? L'ÉTERNITÉ. Voir LABYRINTHE DU MONDE (le), de M. Yourcenar.

RABAGAS. Comédie en cinq puis en quatre actes et en prose de Victorien **Sardou** (1831-1908), créée à Paris au théâtre du Vaudeville le 1er février 1872, et publiée à Paris chez Michel Lévy frères la même année.

Quelques mois après l'écrasement de la Commune, alors que Thiers est à l'Élysée et les Allemands encore présents sur le territoire, pendant le premier ministère de la IIIe République, *Rabagas* fit l'effet d'un pamphlet politique réactionnaire. Après des comédies sociales à la manière de Scribe : *les Pattes de mouche* (1860), *M. Garat* (1860), *Nos intimes !* (1861), et une comédie épigrammatique qui ridiculisait aimablement les vieilles badernes passéistes, *les *Ganaches* (1862), Sardou proposait avec *Rabagas* une manière de parabole politique qu'il voulut aristophanesque, aux seules fins, semble-t-il, de dénoncer les discours verbeux et bravaches, les agissements intéressés et démagogiques d'un républicanisme de comptoir.

À Monaco, le prince régnant est brocardé ; il reçoit trognons de pommes et tessons de bouteilles dans son jardin ; les caricatures s'étalent jusque sur les murs du palais. Il ne sait que faire devant cette opposition systématique orchestrée par un groupuscule qui a son quartier général au cabaret du Crapaud-Volant. Dans cet établissement, siège de la feuille révolutionnaire *la Carmagnole*, règnent le tenancier Camerlin et surtout le meneur Rabagas, grand « tarisseur de chopes » et « bateleur de phrases ». Eva, une jeune veuve américaine, aimée du prince et devenue sa conseillère, se rend au Crapaud-Volant (Acte I).

Elle y trouve un assemblage d'individus médiocres, aigris, envieux ou intéressés, auxquels Tirelirette et Théréson servent de communes maîtresses. Dans ce repaire, où règnent aussi le désordre, la saleté, la débrouillardise et le laisser-aller, elle tâche de prendre la mesure du « grand homme », Rabagas, qui revient de Nice où il a fait acquitter l'assassin d'un garde-champêtre en montrant que ce n'était pas un délit puisqu'on s'était contenté d'« écraser un principe ». Eva, par ruse, invite Rabagas au palais pour un concert alors qu'il se prépare à soulever le peuple en faisant promener dans les rues un prétendu cadavre (Acte II).

Rabagas s'y rend « en culotte », bien décider à donner le signal d'une émeute qu'il pourrait ensuite calmer, et ainsi être porté à ce poste de gouverneur général qu'Eva lui a laissé entrevoir. Inopinément investi de cette charge, Rabagas est pris de court par l'insurrection qui éclate avant son signal. Il se présente alors au balcon, mais il est hué, servant ainsi de paratonnerre au prince. Dépité, il ordonne que les gardes chargent ces « brutes de démocrates » (Acte III).

Profitant de ces événements et d'une intrigue amoureuse entre la fille du prince et un officier des gardes, il cherche à se faire proclamer dictateur d'une nouvelle république. Avec ses affidés, il organise l'enlèvement du prince. Mais, par une méprise créée par Eva, c'est lui qui est enlevé pour reparaître un peu plus tard en prétendu sauveur du royaume. Il a cependant perdu tout crédit. Devenu indésirable, il sauve la face en décidant de partir vers le pays qui lui semble le plus digne d'accueillir son génie : la France (Acte IV).

En paraissant réduire les républicains à un ramassis d'agitateurs, Sardou souleva un tollé dans une partie de la classe politique, d'autant que, dans le prince de Monaco aux abois, on crut reconnaître Napoléon III et que l'acteur Granier, qui jouait Rabagas, s'était donné, avec des airs de Robert Macaire, l'allure et le regard de Gambetta (qui portait un œil de verre). Cette atteinte au personnage qui symbolisait la défense nationale fit grand bruit ; la pièce fut reçue avec sifflets, applaudissements : elle resta huit mois à l'affiche et connut huit cents représentations.

L'écriture est délibérément incisive, le tempo est heurté et les nombreux effets, démesurément grossis (en particulier à l'acte II lorsqu'il s'agit de réduire à l'état de bamboches lubriques et vénales les pensionnaires du Crapaud-Volant). Cette manière un peu grand-guignolesque explique peut-être que cette parodie fut à son tour parodiée dans une pièce de E. Hermil et H. Buguet intitulée *Rabat-gaz portatif* (1872). Becque, qui appréciait la véhémence du théâtre de Sardou, proposa une explication historique aux succès répétés de son confrère, qui pourrait convenir aux **Ganaches* comme à *Rabagas* : « Il a connu les mœurs qui finissent, écrivait-il, et les mœurs qui commencent : il a fait le tour de deux sociétés. »

J.-M. THOMASSEAU

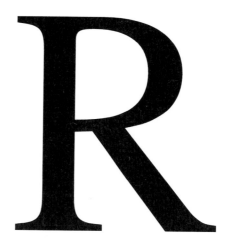

RABOLIOT. Roman de Maurice **Genevoix** (1890-1980), publié à Paris chez Grasset en 1925. Prix Goncourt.

Cette œuvre s'inscrit dans la lignée d'un courant – avec **De Goupil à Margot* (1910) de Louis Pergaud, **Claudine à l'école* (1900), **Sido* (1929) de Colette, ou **Maria Chapdelaine* de Louis Hémon (1916) — inspiré par la nature, les animaux et les hommes qui vivent à leur contact, courant qui exprime, en des temps troublés, un nostalgique besoin de retour aux sources.

Première partie. Automne en Sologne. Sous les ordres de Tancogne (régisseur général du comte de Remilleret), de Volat (dit Malcourtois) et de gardes-chasse qui ne le portent pas dans leur cœur, Raboliot participe au nettoyage d'un étang avec d'autres tâcherons. Plus tard, chez l'aubergiste Trochut à qui il apporte le produit de son braconnage, il manque d'être pris par le gendarme Bourrel. Trochut l'ayant dénoncé, Raboliot, après être passé voir sa femme Sandrine et ses enfants, se réfugie au Bois-Sabot, chez Berlaisier et Sarcelotte, tâcherons et braconniers comme lui, pour se constituer un alibi. Deuxième partie. Hiver. Raboliot est surpris par le garde Tournefier, son cousin par alliance, et Tancogne. Condamné par défaut, refusant de payer l'amende et de se livrer, il se réfugie chez son beau-père, Touraille. Alors qu'il ne cesse de défier ses poursuivants, Raboliot apprend de Delphine (alias « la Souris », fille de Flora qui vit présentement avec Volat) à quel trafic de gibier se livrent celui-ci et Tancogne. Troisième partie. Au plus froid de l'hiver. Un matin, en forêt, Raboliot informe le comte de Remilleret et, peu après, Volat est pris la main dans le sac par les « gars de Saint-Hubert » : il est arrêté. L'étau se resserre de plus en plus autour de Raboliot à qui Sandrine et Touraille conseillent de se livrer. Une nuit de grand braconnage, Raboliot, Sarcelotte, Berlaisier sont surpris par huit gendarmes et gardes : dans la mêlée, Raboliot assomme d'un coup de crosse le gendarme Bourrel et blesse au genou Piveteau, un « Saint-Hubert ». Les « bracos » se sauvent. Quatrième partie. Depuis trois mois, Raboliot erre solitaire dans les bois, n'en sortant que pour assouvir ses désirs avec Flora. Il se languit de plus en plus de sa femme et de ses enfants et, lorsque Tournefier lui remet une lettre de Sandrine lui reprochant le mal qu'il leur a fait, c'en est trop : au vu et au su de tous, Raboliot regagne sa maison. Survient Bourrel, heureux d'avoir cyniquement tout manigancé pour le piéger : Raboliot, ivre de douleur et de rage, tue Bourrel et se laisse arrêter par les gendarmes.

Il paraît outré de voir en Raboliot un personnage mythique. Néanmoins, la figure de Pierre Fouques, dit Raboliot, s'impose comme le modèle le plus accompli du braconnier entraîné malgré lui dans une spirale fatidique qui le mène au meurtre. Raboliot est « futé, remuant, le corps fin, l'œil vif et noir », « malin » mais « pas méchant, pas venimeux », une véritable « bête des bois ». Il ne braconne pas par esprit de lucre, mais pour soulager la misère familiale, pour assouvir l'« instinct de la chasse, le besoin de chasser selon le temps et la saison, d'obéir aux conseils éternels qui vous viennent de la terre et des nuages ». Si l'orgueil le fait s'enfermer, aux yeux des autres, dans l'image d'un « héros factice », sur la fin il découvre sa vérité. Ayant fait l'expérience la plus cruelle de la méchanceté des hommes, dégoûté de son désir sauvage pour Flora, nostalgique de son foyer, il rêve d'une vie normale et se livre, non sans s'être vengé au dernier moment de Bourrel comme tout chasseur élimine les « puants », les carnassiers. En fait, la narration marque cette évolution par un lent glissement d'un regard simplement externe à une part de plus en plus grande accordée au monologue intérieur. Raboliot, « bien en peine de plier son esprit au jeu logique des idées », n'est pas un conceptuel : doué d'une ingéniosité subtile, d'une « aisance merveilleuse pour la conduite de ses actes », pour tout dire d'un « esprit de finesse », il vit et éprouve sa révolte beaucoup plus qu'il ne la réfléchit.

Autour du héros, gravite une société solognote à bien des égards demeurée féodale. D'un côté, les tenants de l'ordre et leurs sbires : le comte de Remilleret, Tancogne son affidé, les gardes, les « gars de Saint-Hubert » (association privée de lutte contre le braconnage), les gendarmes, obsédés par la chasse aux « bracos ». De l'autre, les marginaux, tâcherons, laissés-pour-compte : Volat, espion de Tancogne mû par l'intérêt, rejeté par le village ; Sarcelotte, Berlaisier, amis de Raboliot, tous braconniers « comme tout le monde l'est en Sologne » ; Sandrine, l'épouse pour le pire ; Flora, « femelle toujours consentante ». Au milieu, les indécis, souvent de cœur avec Raboliot, mais socialement dépendants du comte : Tournefier, garde et cousin du héros, Touraille le beau-père, les fermiers et le maire, Trochut l'aubergiste. Enfin, sorte de Raboliot adolescente, Delphine, la Souris, « drôline » qui trahit Volat (qui la bat) et Raboliot (gentil avec elle) « pour la chasse, pour la joie de suivre une trace, d'être la plus futée, la plus "maline". Et elle jouait le jeu pour le jeu ; elle n'allait rien chercher au-delà ». Richesse contre misère ; ordre contre braconnage... N'était l'obstination de Bourrel, ce jeu « de gendarmes et de voleurs » n'aurait aucune fatalité dramatique dans cette société régie par des règles non écrites ancestrales en un *modus vivendi* où chacun, finalement, trouve relativement son compte.

Combien mesquins apparaissent les tenants de l'ordre humain au regard de ces « bracos » profondément enracinés dans leur terre ! Dans une narration par ailleurs très sobre, les nombreux passages consacrés à l'évocation de la nature émeuvent par leur lyrisme. Précis autant qu'ardent, l'auteur-narrateur emprunte lieux ou lieux-dits réels, les redistribue en une géographie imaginaire ; il accorde l'histoire à la respiration des saisons, explore avec minutie étangs, bois, champs, flore de la région, inventorie poissons, gibier à poil ou à plume, prédateurs ; il décrit les habitudes de cette faune, intègre légendes et traditions, émaille son discours de la syntaxe et des mots du cru (à commencer par le héros éponyme : « raboliot » signifie « lapin de garenne »). De plus en plus « unanimes » au fil du temps, le narrateur et Raboliot, son truchement, livrent l'essence d'un terroir où braconniers, flore, faune et cosmos vivent en symbiose, vibrent à l'unisson : la Sologne.

Publié après *Rémi des Rauches* (1922) et suivi de *Rroû* (1931), *la Dernière Harde* (1938), *la Forêt perdue* (1967), c'est surtout *Raboliot* qui, par son réalisme naturel et animalier, par l'exaltation d'un terroir, contribua à créer l'image, parfois péjorative, d'un Genevoix « écrivain régionaliste », ce dont il était fier : « C'est nourrir ce que j'ai écrit, ce que j'écris, d'une réalité vivante, d'une substance chaude et charnelle, de tout ce qui m'a fait ce que je suis et non un autre » (*Jeux de glaces*).

● « Le Livre de Poche », 1961 ; Grasset, 1983.

L. ACHER

RABOUILLEUSE (la). Roman d'Honoré de **Balzac** (1799-1850), publié à Paris en feuilleton dans *la Presse* pour le début, du 24 février au 4 mars 1841, sous le titre *les Deux Frères*, puis pour la suite, du 27 octobre au 19 novembre, sous le titre *Un ménage de garçon en province*, et en volume sous le titre initial chez Hippolyte Souverain en 1842 (2 vol.). Il paraît avec le titre *Un ménage de garçon en province* dans le tome VI de *la *Comédie humaine* (Paris, Furne, 1843), sans division en parties et chapitres. Il y constitue la troisième histoire des *Célibataires* après *Pierrette* et *le *Curé de Tours*. Le titre définitif n'apparaît que sur le « Furne corrigé », exemplaire personnel de Balzac.

Rédigé en deux ans en raison de difficultés rencontrées par Balzac avec les milieux de la presse, ce roman, un des plus noirs de *la Comédie humaine*, présente une véritable somme des thèmes balzaciens.

À Issoudun, Flore Brazier tire son surnom du verbe berrichon « rabouiller » [battre les ruisseaux pour en faire sortir les écrevisses], activité de son enfance. En 1799, le docteur Rouget, un veuf, remarque la jeune fille et, quoique « forcé par son âge de la respecter », l'installe chez lui. Il déshérite sa fille qu'il n'aime pas, la croyant à tort née des amours adultères de sa femme, une fille Descoings, avec Lousteau, et, en 1805, laisse tous ses biens, dont la Rabouilleuse, à son fils, le timide Jean-Jacques. Elle devient la maîtresse du fils et régente tout dans la maison (« Un ménage de garçon en province »).

Un nommé Maxence Gilet, dont la rumeur fait à tort un fils naturel du docteur, revient au pays après s'être conduit en héros à la guerre. Il devient en 1815 l'amant de cœur de Flore, la servante-maîtresse, et prend ses quartiers dans la maison, situation qu'accepte par lâcheté Jean-Jacques. Arrive alors en 1822, en résidence surveillée, un ancien colonel d'Empire, Philippe Bridau, fils préféré d'Agathe, la fille dépouillée du docteur Rouget, et qui a pour frère Joseph, peintre de talent (« les Deux Frères »). Voulant évincer Maxence, il le tue en duel. Il le remplace auprès de la Rabouilleuse et la convainc d'épouser Jean-Jacques. Le couple s'installe à Paris, où Jean-Jacques est poussé dans les bras de Lolotte, célèbre « marcheuse » de l'Opéra, et meurt en quelques mois de ses excès. Bridau épouse la veuve, met la main sur sa fortune et en fait une débauchée, tout en obtenant pour lui-même sa réintégration dans l'armée et un titre de comte. Elle meurt en 1828 dans la misère. Les manœuvres de Bridau pour épouser une aristocrate sont déjouées. Il est tué en Algérie en 1839 (« À qui la succession ? »).

Au départ est le célibat, cet « état contraire à la société » (Préface de *Pierrette*). Comme Rogron par Bathilde de Chargebœuf dans *Pierrette* (1840), Rouget, un vieux garçon, type du célibataire, est épousé par Flore pour son argent, et ce mariage lui est fatal. La succession : voilà le mobile, thème central pour un Balzac auteur en 1824 d'une brochure sur *le Droit d'aînesse*. Pour la famille Bridau, la perte de l'héritage Rouget est un drame, la Rabouilleuse est une captatrice. De fait, le roman raconte l'histoire d'une fortune sur trois générations, fortune fondée sur la reproduction de l'argent, non sur le travail. Corrupteur, l'argent conduit au vice et attise les passions. La fin providentielle ne trompe pas : toute une société et ses lois sont ici exhibées.

Autour de ce thème, Balzac construit un roman où évoluent des figures symétriques : Joseph Bridau, le frère spolié, l'artiste, et Philippe, le bretteur, représentent, comme bien d'autres personnages récurrents (Lousteau, Rastignac, Bixiou...), une génération perdue. Philippe n'est tel que par la guerre et surtout la défaite. Frustré d'un destin, victime de l'Histoire, il tombe dans la déchéance. Quant à Joseph, quoique créateur, il connaît la difficile condition de l'artiste dans une société bourgeoise uniquement préoccupée de ses intérêts.

● « Le Livre de Poche », 1972 (p.p. R. Pierrot) ; « Folio », 1972 (p.p. R. Guise). ➤ *L'Œuvre de Balzac*, Club français du Livre, III ; *Œuvres complètes*, Club de l'honnête homme, VI ; *Œuvres complètes illustrées*, Bibliophiles de l'Originale, VI ; *la Comédie humaine*, « Pléiade », III (p.p. R. Guise).

G. GENGEMBRE

RACINE ET SHAKESPEARE. Pamphlets de **Stendhal**, pseudonyme d'Henri Beyle (1783-1842), publiés à Paris le premier chez Bossange, Delaunay et Mongie en 1823, le second chez Dupont et Roret en 1825.

En juillet-août 1822, une troupe anglaise, qui devait jouer des pièces de Shakespeare au théâtre de la Porte-Saint-Martin, se heurte à des manifestations de chauvinisme de la part des jeunes libéraux. Ce scandale inspire à Stendhal un article publié en octobre dans *Paris Monthly Review*, revue anglaise de Paris à laquelle il collabore depuis le début de l'année. Il donne à la même revue un deuxième article en janvier 1823. Réunis en plaquette en mars 1823, ces deux articles composeront le premier *Racine et Shakespeare*. En 1824, l'Académie française se déchaîne contre le romantisme, notamment par la voix d'Auger, son directeur, qui prononce le 24 avril un manifeste contre les prétentions à l'idéal et à la vérité de la « nouvelle école ». Après avoir envisagé de refondre son premier pamphlet, c'est par un nouvel ouvrage, présenté sous la forme d'une correspondance entre un « classique » et un « romantique », que Stendhal va répondre à Auger. Cet ouvrage sera publié sous le même titre : *Racine et Shakespeare*, en mars 1825.

Racine et Shakespeare (I). Une pièce construite selon les unités de temps et de lieu peut-elle encore intéresser un spectateur du xixe siècle ? Dialogue imaginaire entre « l'académicien » et « le romantique » sur l'illusion : celle-ci est plus parfaite dans les tragédies de Shakespeare que dans celles de Racine (chap. 1). Le rire. Molière inférieur à Aristophane : homme de génie, Molière a eu le malheur de travailler pour une société où l'on se piquait d'imiter un certain modèle. Le public du xixe siècle rit peu à Molière (2). « Le romantisme est l'art de présenter aux peuples des œuvres littéraires qui, dans l'état actuel de leurs habitudes et de leurs croyances, sont susceptibles de leur donner le plus de plaisir possible. » Racine aussi bien que Shakespeare, à leur époque, ont été romantiques. Conditions de l'avènement d'une « nouvelle tragédie française » ; elle ressemblerait à celle de Shakespeare (3).

Racine et Shakespeare (II). Le « classique » s'adresse au « romantique ». Celui-ci répond en prédisant l'avènement de la « tragédie romantique », en prose, qui « dure plusieurs mois et se passe en des lieux divers » (lettres I et II). Le romantique concède que les habitudes entraînent parfois l'adhésion du public malgré le changement des mœurs. Le classique, qui continue d'admirer Racine et Voltaire, ne voit pas venir sur la scène française la tragédie en prose annoncée (III et IV). Le romantique rend à son tour hommage aux gloires immortelles de notre théâtre. Réflexions sur la censure ; une idée politique dans un ouvrage de littérature, « c'est un coup de pistolet au milieu d'un concert », formule que Stendhal réutilisera plusieurs fois dans d'autres œuvres (V). Le romantique défend à nouveau la « tragédie nationale en prose ». Inutilité de l'Académie et nullité littéraire de la plupart de ses membres (VI). Charge contre le *Journal des débats* (VII). Le romantique renvoie dos à dos les censeurs et les libéraux, qui s'opposent à la censure mais ont empêché qu'on joue Shakespeare à Paris (VIII). Le classique est touché de l'hommage rendu par le romantique à Racine (IX).

« J'ai lu continuellement Shakespeare de 1796 à 1799 », affirmera Stendhal dans la *Vie de Henry Brulard*. Mais, même si Racine lui faisait alors l'effet d'un « plat hypocrite », courtisan de Louis XIV, c'est vers lui qu'iront longtemps ses préférences. Peu à peu, cependant, il va, suivant son expression, se « délaharpiser » (néologisme formé sur le nom de La Harpe, l'auteur du très classique *Cours de littérature*, 1799). Il faut aussi savoir que Stendhal fréquente assidûment le théâtre, en Italie jusqu'en 1821, à Paris ensuite ; après avoir vainement essayé d'écrire lui-même des comédies, c'est faute d'y parvenir qu'il se résignera au roman, « comédie du xixe siècle ». *Racine et Shakespeare* s'éclaire enfin par sa fréquentation, en Italie, de jeunes libéraux, assoiffés d'idées nouvelles en politique comme en littérature ; à leur contact, il a appris à associer les deux domaines et à se méfier d'un idéal de beau éternel, pensé hors des conditions du développement de l'œuvre (mode de gouvernement, état des mœurs, goût du public). Mais on reconnaît aussi dans *Racine et Shakespeare* le lecteur assidu de l'*Edinburgh Review* : l'influence des idées répandues en Grande-Bretagne est visible jusque dans l'emploi de ce curieux mot de « romanticisme » (pour « romantisme »).

Présentant, surtout dans la version de 1825, ses idées sous une forme contradictoire, Stendhal échappe à l'académisme qui oppose en France classiques et romantiques. Peu indulgent pour ses romans, Sainte-Beuve lui rendra plus tard hommage d'avoir, dans sa définition du « romantisme », su détruire « des préventions et des routines ». On peut se demander, avec le « classique » : mais où est donc ce théâtre que le romantique appelle de ses vœux ? Parlant toujours de « tragédie en prose », Stendhal n'annonce pas à la lettre l'avènement du « drame romantique », même si certaines de ses réflexions, sur les unités de temps et de lieu notamment, préparent le terrain à la « Préface » de *Cromwell* de Hugo (1827). Mais le *Théâtre de Clara Gazul*, de son ami Mérimée, fournit dès 1825 une illustration plausible des idées que développe Stendhal, et mieux encore, quelques années plus tard, les pièces de Musset, lui aussi admirateur de Shakespeare.

● « GF », 1970 (p.p. R. Fayolle) ; Genève, Slatkine, 1974 (*Recueil factice de manifestes pro- et anti-romantiques*).

P.-L. REY

RACINES DU CIEL (les). Roman de Romain **Gary**, pseudonyme de Romain Kacew (1914-1980), publié à Paris chez Gallimard en 1956. Prix Goncourt.

En 1956, en Afrique-Équatoriale française, l'aventure extraordinaire d'un homme, Morel, qui s'est mis en tête de faire interdire la chasse aux éléphants, est racontée à travers les témoignages et les souvenirs, parfois contradictoires ou incomplets, de ceux qui l'ont connu. Morel, qui a été détenu dans un camp nazi pendant la guerre, se bat d'abord seul, et cherche en vain à faire signer des pétitions. Il est rejoint par Minna, une Berlinoise qui s'est réfugiée en Afrique après avoir vécu les atrocités de l'occupation par les Russes. Puis c'est un vieux chasseur africain, un déserteur américain et un naturaliste danois connu pour ses luttes écologiques. La bande entreprend des expéditions punitives contre les fermes des chasseurs notoires et des trafiquants d'ivoire. Peu à peu, Morel devient célèbre ; la presse s'interroge sur ses motivations. Les nationalistes africains lui apportent leur soutien, même s'il n'est pour eux qu'un prétexte. L'affaire prend une dimension internationale, mais Morel est néanmoins traqué par les autorités. Au terme d'une longue marche dans le désert, après que tous ses compagnons, épuisés, ont été contraints de l'abandonner et ont été arrêtés, Morel disparaît dans la forêt. On ne sait s'il est mort ou si, toujours vivant, il continue secrètement la lutte.

Si le premier livre de Romain Gary, *Éducation européenne*, décrivait la vie des résistants polonais dans le maquis, et celui-ci, la lutte d'un homme dont l'idée fixe est de préserver les éléphants, cela n'a, au fond, rien de surprenant. À travers leurs doutes, leurs colères et leur lassitude, tous les personnages du livre, confrontés les uns après les autres au pari de Morel, sont amenés à se demander si, en ce milieu du xxe siècle, certaines causes ne sont pas plus urgentes que la défense des éléphants, ou si le combat pour les éléphants n'est pas déjà un combat pour l'homme, pour sa dignité, pour ce que Morel, inlassablement, appelle une « marge humaine ». Ce n'est pas un hasard si la conviction de Morel est née dans un camp nazi : au moment où, avec ses compagnons, il faisait l'épreuve de la plus grande aliénation, la seule manière de lutter contre le cynisme des bourreaux était d'essayer de préserver la vie, fût-ce sous la forme d'un hanneton tombé sur le dos. Et, lorsque leur désespoir était trop grand, seule l'idée des grands troupeaux d'éléphants qui, en Afrique, vivent libres et balaient tout sur leur passage, leur permettait d'échapper à leur emprisonnement physique et moral. Ce n'est pas un hasard non plus si Morel trouve son plus précieux allié en Minna, violée par les Russes, prostituée par sa propre famille, et convaincue qu'il faut « quelqu'un de Berlin » aux côtés de cet homme qui croit encore en son semblable. Une des images les plus saisissantes à cet égard est le parallèle établi entre les abat-jour en peau humaine confectionnés par les nazis et ces objets fabriqués à partir de peaux d'animaux, voire de pattes d'éléphant, et destinés à l'exportation.

Mais la barbarie nazie n'est pas seule en cause. La construction polyphonique du roman, empruntée à Dostoïevski, fait alterner souvenirs, anticipations sur le procès qui a conclu l'affaire et monologues intérieurs des personnages ; en révélant les réactions diverses suscitées par l'aventure de Morel, elle fait aussi apparaître en une sorte d'immense défilé tous les malheurs de ce siècle et de la condition humaine en général : les maladies et la famine qui dévastent l'Afrique – promise en outre, lorsqu'elle sera indépendante, à un totalitarisme plus terrible encore, aux yeux de Romain Gary, que le colonialisme –, mais aussi l'atmosphère de la guerre froide, l'imminence apparente d'une troisième guerre mondiale, la peur du nucléaire, la découverte récente du stalinisme sanglant... Les « éléphants » deviennent alors le symbole de toutes les causes, de tous les combats apparemment perdus – ainsi Morel porte-t-il au revers de sa tenue de brousse une petite croix de Lorraine, et son idéalisme est-il comparé à celui du général de Gaulle qui lui aussi, en 1940, défendait « ses » éléphants. Pourtant, dans une Préface écrite en 1980, l'année de sa mort, Gary, rappelant qu'on a vu dans *les Racines du ciel* le premier roman « écologique », affirme que ces éléphants ne sont nullement « allégoriques », mais de chair et de sang. Et de fait, si leur protection est une question de dignité humaine, le livre est aussi un cri d'amour pour cette Afrique-Équatoriale que Gary a bien connue pendant la guerre et dont les nationalistes africains, refusant que leurs pays demeurent plus longtemps un « parc zoologique », voudraient faire une caricature de l'Occident. À une civilisation de l'utilitarisme, Gary oppose l'image, flamboyante et déjà nostalgique, du dernier continent de la démesure.

● « Folio », 1972 ; *Éducation européenne [...]*, « Biblos », 1990 (préf. B. Poirot-Delpech).

K. HADDAD-WOTLING

RACOLEURS (les). Opéra-comique en un acte de Jean-Joseph **Vadé** (1719-1757), créé à Paris au théâtre de l'Opéra-Comique de la Foire Saint-Germain le 11 mars 1756, et publié à Paris chez la Veuve Duchesne la même année.

La pièce se déroule dans le petit peuple de la capitale. Toupet, jeune Gascon qui exerce la profession de « frater » [garçon chirurgien et perruquier] veut épouser Javotte, la fille de Mme Saumon, marchande de poisson. C'est l'argent de la maman qu'il vise en réalité : « Cé sont dé pétites gens, mais il y a de l'argent dans la maison, peu m'importe le reste ! » Mais il ne faut pas en conter à Javotte : « Ma mère f'rait ben d'vous prendre à sa boutique en magnère d'enseigne : un merlan comme vous s'verrait d'loin. » Mme Saumon, séduite par ce perruquier, ne veut pas prendre pour gendre le sergent La Brèche, l'amant en titre de la belle Javotte. Ce dernier conçoit un plan malicieux : il fera enrôler Toupet dans les armées du roi. Deux racoleurs, La Ramée et Sans-Regret, font boire Toupet ; Jolibois, le troisième larron, déguisé en marchand de loterie, fait signer par ruse un engagement au malheureux frater. Comme La Brèche a l'occasion de secourir Mme Saumon attaquée par une cliente mécontente, la marchande vient à composition, tout s'arrange et Toupet, qu'on se prépare à délivrer de son engagement, préfère partir pour l'armée.

Cet opéra-comique est caractéristique de la manière de Vadé qui fut l'auteur à succès de ce théâtre de foire pendant la direction de Monnet, entre 1752 et 1758, et plus généralement le maître de ce qu'on appelle le « genre poissard ». Une intrigue simple, des airs de musique entraînants et des dialogues à la langue savoureuse : telles sont les caractéristiques du genre de l'opéra-comique dans son enfance. Vadé met en scène des personnages du petit peuple citadin, dont il reconstitue les hiérarchies propres, de valeurs et de fortunes. Il fait parler ses héros dans un langage qui reconstitue celui des classes populaires urbaines à partir d'expressions de la langue de Paris et de sa banlieue. En donne-t-il une image vraiment exacte ? On ne saurait l'affirmer tant est grand son goût pour les scènes

où ce langage est lui-même mis en scène, comme dans les « engueulades » imbibées de vin. Mme Saumon est l'image même de la poissarde (poissard qui dérive de *pix*, la « poix », désignait les malfaiteurs mais, dès le XVIIe siècle, par dérivation fantaisiste de « poisson » et peut-être de « pois », les marchands des halles et le peuple des ports mariniers de la Seine) ; elle a le verbe pittoresque. Elle traite sa fille de « buveuse d'ratafiat d'chiendent » et Toupet de « girouette du pilori », s'attirant cette réplique indiscutable et teintée d'accent gascon : « Jé n'ai qué faire dé votre berviage vachique. » Cette inventivité verbale est référée à une sorte de pureté des origines, à une nature populaire d'idylle ou de pastorale. Vadé présente un peuple braillard mais sage, respectueux de la monarchie et aimant le roi (« Ç'prince-là, c'est l'bein-aimé du cœur »).

P. FRANTZ

RADEAU DE LA MÉDUSE (le). Roman de François **Weyergans** (Belgique, né en 1941), publié à Paris chez Gallimard en 1983.

Issu d'un milieu littéraire, François Weyergans s'intéresse d'abord à l'image. Reçu major à l'IDHEC en 1960, il collabore aux *Cahiers du cinéma*, réalise plusieurs films, puis se tourne vers l'écriture. *Le Pitre* (1973), *Berlin mercredi* (1979), *les Figurants* (1980), jusqu'à *la Démence du boxeur* (prix Renaudot 1992) révèlent un romancier qui cherche à appréhender la durée intérieure de ses héros, peuplée de souvenirs fuyants, de velléités, de désirs inassouvis. Mais pour reconstituer ce puzzle psychologique, loin de tomber dans le flou, Weyergans s'oblige à une rigueur qui compense la fragmentation du temps et de l'être par l'exactitude des détails épargnés par l'oubli.

En ouverture, le récit du naufrage de *la Méduse*, qui inspira jadis à Géricault son célèbre tableau (chap. 1). Retour au temps présent. Chargé de préparer une émission télévisée sur *le Radeau de la Méduse*, Antoine Dufour, au lieu de se mettre au travail, se remémore son mariage avec sa seconde femme, Agnès, convertie au bouddhisme, qu'il a quittée pour la Brésilienne Nivea (2). Il traîne de bar en bar toute la nuit, pensant maintenant à Catherine, une jeune violoniste qui fut sa première épouse (3). Alors qu'il est rentré chez lui, c'est Nivea, actuellement absente, qui occupe son esprit, ainsi que ses émissions littéraires passées et son aventure avec une monteuse de la télévision (4-5). Nivea, à son tour, évoque sa vie avec Antoine (6). Au retour de celle-ci, pensant toujours à son émission, Antoine se saoule et, tout en raturant son scénario, en imagine d'autres (7-8). Lors d'une visite d'Antoine, son père se lance dans un long exposé historique (9). En rêve, Antoine se figure d'autres moi possibles, tout en projetant un voyage au Caire avec Nivea (10). Au Louvre, il est saisi d'une angoisse psychomotrice qui s'accroît à mesure qu'il approche du fameux *Radeau* (11). Tout en écoutant de la musique avec Nivea, il mêle à des souvenirs personnels ses connaissances sur plusieurs compositeurs (12-13). Devant la tombe de Géricault, au cimetière du Père-Lachaise, il prend la décision de se mettre enfin à l'ouvrage (14).

Ce récit qui restitue, entre sourire et émotion, les fantasmes et les souvenirs amoureux d'Antoine Dufour, n'est pas sans une certaine ambiguïté. Tout est prétexte au héros pour ajourner la rédaction de son scénario, dont cependant l'inachèvement l'obsède. Conduite d'échec, qui déclenche en lui une angoisse existentielle, voire des hallucinations, difficilement neutralisées par l'humour : telle, rêvée par Antoine errant dans le Louvre, cette rencontre entre les naufragés de Géricault et les odalisques d'Ingres ! Mais le héros se révèle d'autre part fort bien documenté sur la genèse et la facture du *Radeau*, fait étalage de son érudition et envisage sans cesse de nouveaux « trucs » de mise en scène. Le dernier chapitre brusque le dénouement : Antoine prend soudain l'irrévocable décision d'« écrire son scénario et de se débarrasser de Géricault ». Mais cette résolution est surtout l'aboutissement d'une maturation intérieure et le scénario, vu sous cet angle, comblera sa secrète ambition d'accomplir « une œuvre qui lui ressemblerait ».

L'ensemble du récit, aussi bien que son épilogue, souligne ainsi la distance entre savoir et créer. Avant de peindre son chef-d'œuvre, Géricault s'était longuement renseigné, cherchant à rencontrer un survivant du radeau, s'installant près de l'hôpital Beaujon pour examiner des « morceaux de cadavres ». Mais il y a loin de ces enquêtes au célèbre tableau : le *Radeau* est imprégné de la fascination de Géricault pour l'« énergie qui est dans la vie ». D'où la trouvaille finale de l'artiste qui n'a pas « peint des naufragés maigres et malades. Les muscles étaient une métaphore. Il avait voulu peindre la force de la vie ».

Cette esthétique commande la structure du roman. Sur le ton d'une froide et pointilleuse érudition, le narrateur, avant même l'entrée en scène d'Antoine, relate l'histoire du naufrage. Mais progressivement les faits historiques s'intègrent à la subjectivité du héros, tandis que de multiples souvenirs liés au tableau et à la carrière du peintre refont surface : « Devenir Géricault ! », s'écrie-t-il. Non qu'il souhaite aliéner sa personnalité, bien au contraire ; tant il est vrai que, « plus on s'efforce de coïncider avec un autre, de se substituer à lui, plus on se découvre et on s'affirme soi-même ». C'est donc bien l'image d'Antoine, de son âme tourmentée qui sortira d'une telle identification : métaphoriquement, le scénario sera le radeau auquel le héros devra la survie de son moi.

● « Folio », 1986.

J.-P. DE BEAUMARCHAIS

RADEAUX PERDUS. Voir SOLITUDE DE LA PITIÉ, de J. Giono.

RADIOGRAPHIES. Voir POÉSIES (1953-1971), de F. Ouellette.

RAGE BLANCHE. Voir NUIT INDOCHINOISE (la), de J. Hougron.

RALENTIR TRAVAUX. Recueil poétique d'André **Breton** (1896-1966), René **Char** (1907-1988) et Paul **Éluard**, pseudonyme d'Eugène Paul Grindel (1895-1952), publié à Paris aux Éditions Surréalistes chez José Corti en 1930.

Ce recueil collectif, rapidement écrit et organisé, a été composé au début du printemps de 1930. Pour Breton, l'ouvrage est le fruit d'« une collaboration poétique véritablement intime » qui, estime-t-il dans une lettre à Rolland de Renéville, « peut être réalisée à trois mieux qu'à deux, le troisième élément sans cesse variable étant de jonction, de résolution et intervenant auprès des deux autres comme facteur d'unité ». En mars 1930, les trois écrivains se sont retrouvés en Avignon où ils séjournent ensemble jusqu'au début d'avril. Cette période est consacrée à l'écriture poétique et à des promenades en voiture dans le Vaucluse.

Ralentir travaux s'ouvre sur trois courtes Préfaces, signées chacune par l'un des trois collaborateurs. Dans le recueil, au contraire, les voix poétiques se mêlent sans qu'aucune indication ne permette de les distinguer. Les textes, de forme assez brève – ils comportent de vingt-cinq (« À la promenade ») à trois vers (« Ligoté », « l'Autre Poème ») –, sont au nombre de trente. Les titres de certaines pièces évoquent la parole poétique (« Page blanche », « l'Autre Poème », « Sur parole », « Je m'écoute encore parler »). D'autres rappellent la libre errance à laquelle s'adonnent les écrivains durant ce séjour avignonnais (« En retour », « l'École buissonnière », « Découverte de la terre », « À la promenade »). L'écriture de chaque poète garde sa spécificité tout en se coulant dans une sorte de flux poétique commun.

Le titre du recueil « a été trouvé sur la route de Caumont-en-Durance », a écrit René Char. Le choix de cette formule, lue sur un panneau de signalisation, témoigne, tout comme la mention finale qui situe et date le recueil (Avignon, 25-30 mars 1930), d'un souci de lier l'écriture aux circonstances vécues. En outre, il n'est pas dépourvu d'une certaine dérision. Il signale littéralement la volonté de désacraliser la littérature et de la dépouiller de ses clichés. Le surréalisme cherche à décloisonner le langage ; et faire d'une expression du code de la route un titre poétique montre que tous les mots sont libres et vivants.

La poésie naît de la disponibilité et du hasard des mots. L'expression usuelle et utilitaire, ainsi extraite de son contexte, se trouve comme rechargée d'un pouvoir nouveau. Il en va souvent de même dans le recueil : « L'amour s'étendra comme j'aime / Brouillard à couper au couteau » (« L'air se charge ») ; « Le pli du ciel est pris pour toujours » (« En retour »). L'image met aussi le langage en fusion par la réunion d'éléments contradictoires (le feu et le liquide par exemple) ou par le rapprochement inattendu du concret et de l'abstrait : « Les pis de la vache d'ombre / Donnent un lait d'incendie / Que les serpents apprécient quatre à quatre comme un escalier de terreur » (« le Mauvais Sujet »).

Le vers est libre lui aussi, même s'il ne dédaigne pas, parfois, le recours à des procédés poétiques traditionnels tels que la rime, la régularité métrique et divers jeux de sonorité ou effets de rythme, notamment par l'usage de la répétition : « Le jeûne des vampires aura pour conséquence la soif qu'a le sang d'être bu / La soif qu'a le sang d'épouser les formes des ruisseaux / La soif qu'a le sang de jaillir dans les endroits déserts / La soif qu'a le sang de l'eau fraîche du couteau » (« Page blanche »).

Ces ressorts ne sont toutefois pas utilisés sans ironie : le titre du poème « Page blanche », par le truchement de l'expression « vers blanc » auquel il peut faire écho, adresse une sorte de clin d'œil aux alexandrins contenus dans le texte. En outre, ces séductions rythmiques contribuent moins à bercer le lecteur qu'à lui communiquer, sous les dehors du jeu, une lancinante angoisse : « Ils sont fous / Ils sont morts / Ils ont la tête au fond du corps / Nous ne les connaissons pas / Elles sont folles / Elles sont mortes / Leur tête n'est plus en nous / L'obsession bouteille vide » (« Ainsi de suite »).

La récurrence de ces divers procédés, de même que la relative brièveté de tous les textes et l'absence constante de ponctuation confèrent à *Ralentir travaux* une réelle homogénéité. Cette dernière procède également d'une continuité lexicale, voire thématique, qui se tisse au fil des poèmes. Il est vraisemblable que chaque auteur, avant de composer un nouveau texte, prenait connaissance de ce qui venait d'être écrit par le précédent : des effets d'enchaînement s'instaurent ainsi d'un poème à l'autre. Dans les trois poèmes successifs « Commencement et fin », « Autour de l'amour » et « Isolée à ravir », une continuité est par exemple perceptible à travers la récurrence de termes marins, et le trajet des pronoms « elle » et « tu », vecteurs d'une présence féminine.

Les thèmes de la femme et de l'amour constituent un facteur d'unité pour l'ensemble du recueil, auquel ils confèrent parfois une tonalité lyrique. L'expression du sentiment amoureux est souvent douloureuse et semble atteindre son paroxysme dans les accents désespérés du dernier poème de *Ralentir travaux* : « Je serre dans mes bras les femmes qui ne veulent être qu'à un autre / Celles qui dans l'amour entendent le vent passer sur les peupliers / Celles qui dans la haine sont plus élancées que les mantes religieuses / C'est pour moi qu'on a inventé la boîte de destruction / Mille fois plus belle que le jeu de cartes » (« Je m'écoute encore parler »).

➤ André Breton, *Œuvres complètes*, « Pléiade », I ; Paul Éluard, *Œuvres complètes*, « Pléiade », I.

A. SCHWEIGER

RAMUNTCHO. Roman de Pierre **Loti**, pseudonyme de Julien Viaud (1850-1923), publié à Paris chez Calmann-Lévy en 1897.

Raymond, ou, comme on dit en basque, Ramuntcho, est âgé de dix-huit ans. Il vit avec sa mère, Franchita, qui s'est séparée de son époux, appartenant à une sphère plus évoluée, plus sceptique aussi, de la société. Le jeune homme n'a que deux activités : la pelote basque et la contrebande. Toutes deux l'entraînent à une errance continuelle, tantôt brillante et presque glorieuse, tantôt sombre et entourée de périls. Ramuntcho est pourtant simple, naïf, et, malgré l'empreinte de son père, à peu près fidèle à la foi de son enfance. Il est surtout amoureux de Gracieuse. Les deux jeunes gens se retrouvent pour danser le fandango et pour parler le soir, assis sur un banc. Si Arrochkoa, le frère de Gracieuse, aime Ramuntcho et favorise, autant qu'il le peut, cette union, la dure Dolorès, leur mère, méprisant la pauvreté de Franchita et de son fils, semble décidée à ne jamais permettre le mariage des deux jeunes gens. Il y aurait bien une solution : que Ramuntcho aille faire fortune en Amérique, où il a un oncle, qui l'invite à venir le rejoindre. Mais il doit d'abord accomplir son service militaire – trois ans dans l'infanterie de marine. Quand il revient au pays, Gracieuse a pris le voile, contrainte sans doute par sa mère. Il pense à l'enlever. Il la revoit. Mais la jeune fille appartient désormais à un autre univers. Ramuntcho, qui a perdu sa mère, partira seul pour l'Amérique.

L'intrigue est fort simple, et le roman ressemble souvent à un reportage un peu orné sur les mœurs basques. Loti, malgré son éloignement du naturalisme, les observe avec une attention d'entomologiste, voilée toutefois de tendresse : la piété ancestrale et l'autorité des parents subsistent ; les jeunes gens ne connaissent que la contrebande, la pelote et de chastes amours ; une Amérique à demi fabuleuse brille à l'horizon. Comme dans tous les romans de Loti, c'est une civilisation moribonde qui nous est peinte, et son agonie ne semble compensée par aucun progrès. Les villages basques vont donc rejoindre la Turquie d'*Aziyadé* et le Japon de *Madame Chrysanthème*. Un monde déjà mélancolique et hanté de nostalgie se défait, et ce déclin s'incarne dans le lamentable destin de jeunes gens brisés, réduits d'une manière ou d'une autre au désespoir, à la solitude ou à la mort. Le tout, comme à l'ordinaire chez Loti, dans ce style (faussement ?) naïf, qui évoque une sorte de mélopée : les moments heureux sont déjà nimbés de tristesse ; le néant menace de tous côtés. *Ramuntcho* n'est peut-être pas le plus beau, mais c'est le plus populaire des romans de Loti : à cause sans doute de la limpidité de l'intrigue, de toutes les sources d'émotion, et d'un pathétique discret qui partout affleure, mais sans jamais verser dans le réquisitoire ou dans la sensiblerie.

● « Presses Pocket », 1986 (préf. R. Barthes) ; « Folio », 1990 (p.p. P. Besnier). ➤ *Romans*, « Omnibus ».

A. NIDERST

RAOUL DE CAMBRAI. Chanson de geste composée sans doute à la fin du XIIᵉ siècle, et formée de 8 726 décasyllabes.

Tout ou presque dans cette chanson peut trouver une correspondance dans ce que l'on sait des réalités historiques pour la période où les diverses strates de ce texte ont été élaborées (de la fin du Xᵉ siècle à la fin du XIIᵉ siècle). Et si la fidélité à ces fondements a été très contestée, restent, authentifiés par des documents contemporains, les noms de ceux qui ont tenu le Cambraisis et le Vermandois à la fin du Xᵉ siècle, tout comme les problèmes relatifs au statut du fief et aux obligations vassalices.

Des différences de tous ordres opposent deux parties dans *Raoul de Cambrai* : la première (de 5 556 vers), rimée et paradoxalement la plus ancienne, serait la réécriture d'une version antérieure, dont l'existence est attestée dans des chroniques du XIᵉ siècle et qui compterait parmi les premières chansons de geste ; elle est le récit d'une guerre féodale qui aboutit à une mise en cause du roi, tenu pour responsable du différend originel. La seconde partie (de 3 000 vers environ), assonancée, relève de la matière romanesque, plus récente, avec une succession complexe d'enlèvements et de captivités en terre étrangère, de reconnaissances et de retrouvailles finales.

Orphelin de père, l'enfant Raoul se voit enlever le fief paternel de Cambrai, le roi Louis l'ayant donné à un autre de ses vassaux. Aux exigences de Raoul poussé par son oncle Guerri d'Arras, le roi répond par la promesse de la première terre qui deviendra vacante ; et, quand meurt Herbert de Vermandois, la guerre éclate entre les quatre fils de celui-ci et Raoul : promise à l'un par le roi, tenue par les autres comme leur héritage, la terre est l'enjeu du conflit. Bernier, l'écuyer de Raoul, apparenté aux Vermandois, est partagé entre son devoir familial et la fidélité à son maître jusqu'au moment où la cruauté démesurée de ce dernier (Raoul incendie traîtreusement le monastère d'Origny en faisant périr toutes les religieuses, dont la mère de Bernier, supérieure de l'abbaye) lui fait choisir son camp ; c'est par Bernier que Raoul sera tué. Un neveu de celui-ci, Gautier, reprend la lutte ; le débat se poursuit en pleine cour royale, mais s'y retourne brusquement contre le roi : en disposant à son gré de fiefs revendiqués comme héréditaires par ses vassaux, c'est lui la source de tous ces maux. Et les deux clans, réconciliés dans leur opposition commune à leur souverain, mettent le feu à Paris.

Béatrice, fille de Guerri d'Arras, est fiancée à Bernier. Mais le roi continue à vouloir disposer des fiefs, voire des femmes, et, la promettant à un autre, veut enlever Béatrice, que Bernier enlève à son tour. Par la suite, les deux jeunes gens, devenus époux, partent en pèlerinage à Saint-Gilles, où leur naît un fils, Julien (le futur Julien de Saint-Gilles). Arrivent des Sarrasins qui enlèvent séparément le père et l'enfant. Après de multiples aventures, tous finissent par être réunis. Mais lorsque Bernier entreprend un second pèlerinage avec son beau-père Guerri, celui-ci le tue, en souvenir du meurtre de Raoul.

Au premier rang de toutes ces luttes qui occupent entièrement la première partie et traversent la seconde, on trouve Bernier, l'écuyer déchiré entre deux appartenances et qui incarne les difficultés qu'entraîne si souvent, à l'époque féodale, la pluralité des hommages et des vassalités ; le cas de Bernier, bâtard, soulève la question – que, dans la chanson, pose le roi – de savoir si une terre peut lui échoir. Parfait témoin des préoccupations juridiques de son temps, la chanson l'est aussi, moins directement, des aspirations vers une royauté forte et stable, qu'elle exprime à travers les luttes intestines, objet de son récit, et dont elle est restée le symbole. Mais sa célébrité, si grande pourtant au XIIIᵉ siècle où elle est très souvent citée, ne semble pas être allée au-delà.

● La Ferté-Milon, Corps 9, 1986 (trad. R. Berger et F. Suard).

N. ANDRIEUX-REIX

RÂPES (les). Recueil poétique de Géo **Norge**, pseudonyme de Georges Mogin (Belgique, 1898-1990), publié à Paris chez Seghers en 1949.

C'est là sans doute le premier recueil marquant de ce poète connu jusqu'alors par *le Sourire d'Icare* (1936) et ses collaborations à des revues. Il inaugure une inspiration de la « faim et dévoration » ou de la poésie « entrée en matière » qu'illustreront les titres des recueils suivants : *Famines* (1950), *le Gros Gibier* (1953), *les Oignons* (1956), etc.

"Fers, aciers..." inaugure une sorte de poème cosmique qui se transforme en célébration de l'usine sur le mode cubiste : « S'aimèrent dur sous la lune / – Fers, aciers, métaux – / Pas de roses, pas de prunes / En ce pays sans défaut. » "Marche des paysans" chante l'union de l'homme et de la nature sur laquelle il imprime sa marque indélébile. "Capitaine", à travers l'évocation plus que crue d'un soudard : « Il passe et conchie / Avec énergie / Nos anthologies », fait jaillir la poésie du cœur des choses apparemment les moins nobles : « L'enfant est couché / Sur un lit d'orties / Ses souliers ferrés / Encor pleins de brise / Il va piétiner / Les éternités. » Construit sur un dialogue entre le corps et la tête, "Jean Baptiste décollé" constitue une parodie cocasse du lyrisme abusif et grandiloquent ; aux lamentations amphigouriques du corps, la tête répond : « Vas-tu te taire à la fin / Bavard de la carotide. » La trame du recueil est faite de chansons, au rythme parfois ample de l'épopée populaire, comme dans "Chanson des rues", où un couple s'ébat au paradis sur le mode naïf et gouailleur. La plupart cependant sont alertes comme des ritournelles ou des comptines ("Trois Chansons", "Œil pour œil", "Une chanson") mais toujours incisives. La plus caractéristique du genre est "Râpes" : « Je lui dirai mon aucune / – Râpe à vie et râpe à croix – / Ma miel, ma sel et ma lune, / C'est toi. »

Norge ne se contente pas d'utiliser des refrains et des éléments de la mémoire collective, il les pervertit et les plie à sa propre invention. Le poème "Râpes" illustre parfaitement sa manière. On part de l'image, « Râpe à fer et râpe à bois », décalée mais concrète, pour aboutir à une série qui joue sur le concret et l'abstrait : « Râpe à ciel et râpe à noix », « Râpe à songe et râpe à soie. » Cette invention verbale constitue l'armature d'un poème de six strophes rigoureusement symétriques, et de rythme vif, comme presque toujours dans le recueil. D'autres fois ("Trois Chansons"), c'est la rime qui entraîne le poème : « Celui du moignon / chantait : Capitaine, / les affaires de haine, / ça, c'est mes oignons. » Norge allie une prosodie extrêmement élaborée à la fantaisie la plus débridée qui torture le mot, le « défamiliarise » ou l'invente : « À gueuse sa gueuserie / À Dieu dans sa dieuserie / Bonne chance et bon métier / Et bonne pomme au pommier. » Fête du mot donc, constamment sollicité, mais d'où la musique n'est jamais absente, car « la langue, dans son expression la plus haute [...] comporte une très grande part de musique ».

● *Remuer ciel et terre*, Bruxelles, Labor, 1985 ; *Poésies (1923-1988)*, « Poésie/Gallimard », 1990 (p.p. L. Gaspar).

R. AUGUET

RAPHAËL. Pages de la vingtième année. Récit autobiographique d'Alphonse de **Lamartine** (1790-1869), publié à Paris chez Permain en 1849.

Comme *Graziella*, *Raphaël* faisait initialement partie des *Confidences*. Probablement écrit en 1847, il relate, sous le masque transparent du nom d'emprunt, les amours de Lamartine et de Julie Charles (l'Elvire des *Méditations*).

Organisé en un Prologue et 106 sections, l'ouvrage se donne comme manuscrit confié à un ami par un être d'une grande beauté (d'où son surnom, évocation d'un portrait du peintre enfant), doué d'une « sensibilité si exquise qu'elle en était presque maladive en lui » (Prologue).
C'est l'automne en Savoie. Raphaël rencontre une jeune et belle étrangère, toute de « langueur indécise entre celle de la souffrance et celle de la passion » (6), convalescente et mariée. Il la sauve d'un naufrage sur le lac du Bourget, et l'amour naît. Premières confidences, inaccessible vertu : tout appelle le récit d'un destin, celui d'une jeune femme de vingt-huit ans marquée par la mort. Créole, orpheline, épousée par un « vieillard illustre », un vrai père, Julie a vécu, idolâtrée, au milieu de vieilles gloires, dans un « froid bonheur ». Sa plus grande félicité serait de trouver ce « frère de l'âme », figure idéale qui l'a « désenchantée d'avance de tous les êtres réels » (19).
C'est alors l'évocation lyrique de cinq semaines idylliques. Mais Julie doit quitter ce lieu enchanteur. Raphaël se rend à Paris, en passant par les Charmettes (42-44), et la retrouve dans la capitale. Il fréquente assidûment le couple, tout en étudiant et en écrivant dans le dénuement. Après un hiver « délicieux », la ruine de ses parents contraint Raphaël à proposer ses poésies à un éditeur, qui les refuse. Malade, il doit quitter Julie et Paris. Elle promet de le rejoindre en Savoie. Raphaël y reçoit un courrier lui apprenant la fin de Julie, avec ses dernières lettres, toutes d'adoration.

Élevée par un « mari philosophe », Julie ne croit qu'au « Dieu invisible qui a écrit son symbole dans la nature, sa loi dans nos instincts, sa morale dans notre raison » (21), et proclame son amour, refusant par avance toute dégradation. Si cet amour doit demeurer « pensée pure », c'est aussi que la jouissance risque de tuer la jeune femme. Dès lors le récit sera celui d'une double conversion : celle de Raphaël aux délices de l'amour platonique, celle de Julie

à la révélation d'un Dieu sensible (« Il y a un Dieu ; il y a un éternel amour dont le nôtre n'est qu'une goutte », 88).
Célébration d'une communion (« C'était un transvasement continu et murmurant de l'âme de l'un dans celle de l'autre », 77), où l'automne se transfigure en un « printemps ressuscité de l'hiver » (27), description de l'enchanteresse Savoie, lieu mélancolique par excellence, déploiement des charmes lacustres, hymne à la nature œuvre de Dieu, le texte se doit de compenser l'extase des âmes par le drame de la séparation, et par celui de la mort : celle-ci, souhaitée, risquée sur le lac au point culminant de la félicité (35), hante le récit, avant de le clore. En guise d'ultime plénitude offerte à Raphaël, se dessinera désormais sur le paysage savoyard l'empreinte d'une ombre chère. D'ailleurs, les dernières heures passées ensemble n'avaient-elles pas été endeuillées par la mort d'une hirondelle et la détresse de Julie ? Cette tragique prémonition explique un détail du Prologue : l'affection de Raphaël pour ses « derniers amis », les oiseaux.

➤ *Œuvres poétiques complètes*, « Pléiade ».

G. GENGEMBRE

RAPIDES. Poème d'André **du Bouchet** (né en 1914), publié à Paris chez Hachette en 1980.

« Détruire pour éclairer ce que je n'avais pas dit encore » : quelques lignes par page, une syntaxe très elliptique, des segments de phrases précédés de points de suspension, une inflation de tirets, presque pas de majuscules. Le livre semble fait pour décevoir d'emblée le rituel ordinaire de la lecture et se défendre contre les emprises trop faciles du discursif : « Comme je ramène la parole à sa compacité, se sera accrue / quelquefois la part de ce qui la déborde. » Aucune poésie ne tourne à ce point le dos à la communication ordinaire tout en faisant d'une réflexion sur le langage le centre de son propos. Aucune ne fonde des relations si élémentaires avec l'espace, le temps, la matière, tout en accordant autant de soin à sa mise en scène.
Ses principes : écrire non pour « collecter en meule », mais « pour ne pas rester les mains nues », dans une extrême attention à l'élémentaire : « pierre. neige. eau. Si vous êtes des mots, parlez. » L'une des postures préférées du poète semble être celle d'un « forgeron à froid » qui travaillerait dans une permanente stupéfaction.
Aucun repli pourtant sur le formalisme, dans cette poésie écrite « pour raccourcir son ombre » : ces pages sont vouées à une recherche de la présence, mais une recherche qui ne s'achève sur aucune révélation, qui « table sur le vide », et qui ensuite s'astreint à « repousser la table ». D'où une esthétique de l'énigme, de l'oxymore, de la parataxe, du blanc typographique. Tous ces aspects de l'œuvre sont connus, au point qu'on en oublie (sinon ceux qui ont entendu Du Bouchet se lire à voix haute) la remarquable puissance du souffle. Il suffit pourtant de passer n'importe laquelle des pages de *Rapides* au « gueuloir » pour sentir à quel point Du Bouchet possède une amplitude qui n'aurait rien à envier à celle de Hugo ou de Saint-John Perse. Du premier, il a gardé un art de la chose vue, des fentes de l'espace des grands poèmes béants. Avec l'auteur d'*Anabase* et de poèmes faits de rien à partir de l'aire la plus nue, Du Bouchet partage une problématique de l'éclat et une syntaxe de l'éclair ; mais il la débarrasse de sa mythologie d'exil et des refuges trop attendus de la métrique et de la répétition. Il marque que l'éclat est par définition inhabitable, pris entre cruauté et dénuement. « Parole à même l'oubli », cette poésie ne « redit » pas pour célébrer mais pour « déloger » : le pire serait que le langage se referme sur soi. C'est pour y échapper que la voix « traverse l'éclat » de ce qu'elle a « voulu dire », quitte à « l'aveugler ».

Ce que l'on risque aussi d'oublier en accordant trop d'attention à l'austérité de cette poésie, c'est sa violence, son âpreté. Tout se passe comme si Du Bouchet, à l'instar de la physique contemporaine, avait trouvé le moyen d'explorer le monde apparemment inerte des surfaces et d'exhiber le jeu des forces qui le parcourent. Surgit alors toute une crudité d'arêtes, de crêtes, de déchirures : paroi « rêche » du figuier, chemin « rugueux », « râpe » sèche des routes, « rudesse » de l'air, ciel au « ras » ; le regard, la langue, le vide même se font « rugueux », les êtres « raboteux ». On aura reconnu au passage, dans le jeu du [r], le recours à cette raucité des appuis dont Gracq avait déjà repéré l'usage préférentiel chez Claudel. C'est autour de ce [r] que se constitue une esthétique « du premier heurt », du poème « qui effraie comme l'air », et que s'inscrit dans les dernières pages l'oxymore d'une « rapacité de la fraîcheur ». Mais l'apparent désordre du texte se trouve investi d'une fonction particulière : celle de dire la saccade d'une activité qui est toujours « arrachement d'ouvrir les yeux », arrachement d'un « instant à ce jour », arrachement de « l'air à l'air », dans une violence pourtant maîtrisée : l'entreprise ne peut avancer que si, dans cet « atelier aveuglant », au lieu de faire monter des couleurs, on en recherche une « sans encoignure », et si l'on sait « rire, lorsque brusquement l'orage a ouvert la porte, de la flamme qui s'écarte ». C'est à ce prix que peut être respectée la gageure de ce livre qui est de réaliser, dans une esthétique du refus de la domination, ce vieux rêve des cosmogonies poétiques : faire passer la montagne « de l'autre côté de son poids ».

● Saint-Clément-la-Rivière, Fata Morgana, 1984.

H. KADDOUR

RATS (les). Roman de Bernard **Frank** (né en 1929), publié à Paris aux Éditions de la Table ronde en 1953.

Après avoir été choisi par Sartre pour tenir, à l'âge de vingt ans, la chronique des *Temps modernes*, Bernard Frank se fit connaître par ce roman semi-autobiographique qui fut la révélation de l'année 1953.

Quatre jeunes bourgeois paresseux s'occupent à trouver un sens à leur vie, entre le Paris littéraire des années cinquante et la Côte d'Azur. Bourrieu se plaint de n'avoir pas de « passé » ; il se sent dépourvu d'envies réelles. À ses côtés, son ami Philippe Weil, dont « la seule spécificité était d'être juif et pédéraste », rêve de devenir « l'enfant chéri de l'existentialisme ». Pendant que Ponchard joue son argent au casino, François, lui, reste persuadé qu'il sera le seul à devenir un authentique écrivain (« la Côte »). Au hasard d'une rencontre sur la Côte d'Azur, Bourrieu se voit proposer de prendre la direction d'un journal. Mais il échoue, car sa liaison avec Simone, la secrétaire de rédaction, lui fait négliger ses obligations professionnelles. Son ami Weil ne tarde pas à le remplacer à la tête du journal (« le Journal »). Ivre de succès, Weil portera le tirage d'*Images françaises* à 400 000 exemplaires ; Bourrieu publie un livre et devient un espoir des Éditions Gallimard, tandis que François écrit une pièce de théâtre (« le Cocktail »). Ils se retrouvent enfin en Bolivie où la préparation d'un putsch visant à renverser le gouvernement fasciste de Ramirez semble les détourner provisoirement de leur mal de vivre (« Un triomphe »).

Si *les Rats* se referment sur l'engagement inattendu des personnages dans la révolution, l'auteur ne lève pas l'indétermination : s'agit-il pour ces oisifs d'une fuite en avant suicidaire ou d'un sens nouveau donné à leur vie ? Certes, le roman s'est ouvert sous le signe de la fête, en plein carnaval de Nice. Mais l'auteur n'aura de cesse de donner une vision cruellement drôle de chacun des personnages : François accuse Weil de cultiver l'esprit de dérision mais il n'est lui-même qu'un « garçon vague » aux yeux de son amie Michelle. « Vous vous servez du langage comme d'un jouet », déclare Ponchard à Bourrieu ; cette remarque pourrait être reprise par l'auteur lui-même, qui s'attache à montrer les tics de langage et les prétentions littéraires de chacun. La suspicion est dès lors jetée sur leurs

croyances et leurs engouements d'un jour (« Est-ce que c'est l'existentialisme qui vous a appris à parler comme ça aux dames ? », demande une amie). La politesse n'est destinée qu'à masquer un esprit de compétition qui les unit autant qu'elle annonce leurs échecs futurs, et le ton catégorique de certaines de leurs assertions (« Il y a les consciences dures et les consciences molles », « Le roman, c'est un genre mort ») dissimule mal les illusions dont ils se bercent. Plus ces personnages se cherchent, plus ils se perdent. Partagés entre le souci du bien-être et un éternel dégoût de soi, ils cultivent tous une même autodérision et « mijotent des détritus de pensée » : les références culturelles tiennent lieu d'action (« Quelques pages de Sartre, de Malraux, remplaçaient les préliminaires ») et il n'est pas jusqu'à l'amour qui ne soit gagné par ce ton désabusé : « La sexualité est vraiment une passion pour pauvres », avance doctement Bourrieu. Le pathétique discret de certaines pages n'enlève cependant rien à l'humour pince-sans-rire d'un auteur qui emprunte le moule du récit traditionnel pour décocher quelques flèches au monde littéraire des années cinquante. Étonnante galerie de portraits autant que satire sociale, ce vaste roman baroque fit date – et brouilla son auteur avec les dirigeants des *Temps modernes*.

● Flammarion, 1985 ; « Le Livre de Poche », 1988.

P. GOURVENNEC

RAVAGE. Roman de René **Barjavel** (1911-1985), publié à Paris chez Denoël en 1943.

En 2052, la France est un pays entièrement mécanisé à l'exception de « petits villages de haute Provence » comme Vaux d'où sont originaires François et Blanche (I). Un soir, l'électricité disparaît, plongeant le monde dans les ténèbres. François et Blanche décident de quitter la capitale avec quelques compagnons dont Pierre, sa femme enceinte et Narcisse, un sculpteur, pour rejoindre Vaux où ils espèrent pouvoir survivre (II). La plupart succombent en chemin. Blanche et François se marient peu de temps après leur arrivée à Vaux (III). Les années ont passé, l'autorité de François s'est étendue. Âgé de 129 ans, il a désigné son successeur, Paul, le fils de Narcisse. Une cérémonie est organisée durant laquelle la passation de pouvoir a lieu ainsi que le mariage de Paul et de Blanche, l'unique fille de François. Les chefs des villages viennent rendre hommage à François. L'un d'eux, forgeron, fait offrande d'un tracteur. François décide de le tuer pour que l'ambition ne cause pas la perte de l'homme, mais c'est lui qui succombe. Paul tue le forgeron et fait disparaître la machine infernale dans la rivière. Maintenant, la menace est passée... (IV).

Ravage, plus qu'un récit de science-fiction est une allégorie de l'homme moderne et de sa volonté de puissance. À force de modernisme et de progrès, la société est devenue inhumaine et l'individu a perdu toute autonomie. Les objets ont triomphé : « Pour éviter que les salles de café ne prissent un air de maisons abandonnées, pour leur conserver une âme, les limonadiers avaient gardé les caissières. Juchées sur leurs hautes caisses vides, elles n'encaissaient plus rien. Elles ne parlaient pas. Elles bougeaient peu. Elles n'avaient rien à faire. Elles étaient présentes. Elles engraissaient. » Par ses œuvres, l'homme s'est obstiné à nier la nature et la révolte subite et généralisée des éléments va l'obliger, pour survivre, à reprendre conscience de son corps et à retrouver ses instincts primaires. Ayant, par son ambition, conduit l'humanité à sa perte, et ayant détruit la civilisation sous prétexte d'amélioration du cadre de vie, l'homme va devoir tout recommencer, redevenir primitif et respecter les commandements de la tribu : « Les instincts primitifs et les règles premières du clan régnaient seuls : sauver sa peau, veiller à celle des compagnons, obéir au chef. » Le cataclysme qui s'abat sur cet univers et qui entraîne l'échec du pouvoir humain en ravalant l'homme au rang d'animal traqué n'est autre que l'Apocalypse. Le déchaînement des forces naturelles montre la colère divine contre sa créature qui, par la démesure

Rabelais

Portrait de Rabelais. Dessin anonyme, XVIIe siècle.

Musée Carnavalet. Paris Ph. © Bulloz.

Contre les tenants de la culture scolastique et autres sorbonagres, François Rabelais (vers 1483-1553), qui commence à écrire autour de cinquante ans après des études religieuses et médicales et une vie mal connue, élabore une œuvre qui fait constamment appel à une érudition sans bornes et sollicite une interprétation multiple — la « substantificque moelle » restant toujours aussi difficile à atteindre. Roman d'éducation, roman initiatique, écho des théories humanistes et érasmiennes, son œuvre met au centre de l'aventure le langage lui-même, qui charrie les néologismes et les calembours, et emporte les hésitations du lecteur égaré dans un rire ravageur qui

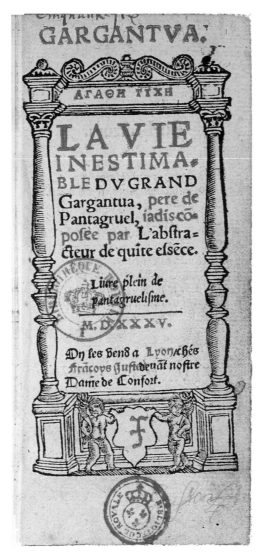

Page de titre de *la Vie inestimable du grand Gargantua*, Lyon, 1535.

est bien le « propre de l'homme ». « Père » de deux géants universellement célèbres (*Pantagruel*, 1532 ; *Gargantua*, 1534 ou 1535), d'un monde vivant et familier (les moutons de Panurge, l'oracle de la « dive bouteille »), Rabelais n'en demeure pas moins l'auteur d'un « chef-d'œuvre inconnu » qui résiste à la diversité des lectures.

« L'Enfance de Pantagruel »,
par Gustave Doré (1832-1883).

Musée d'art moderne, Strasbourg.
Ph. © Musée de Strasbourg.

« Comment fut bâtie l'abbaye de
Thélème ». Galerie rabelaisienne, 1829.

Bibliothèque nationale, Paris Ph. © Bibl.
nat./Archives Photeb.

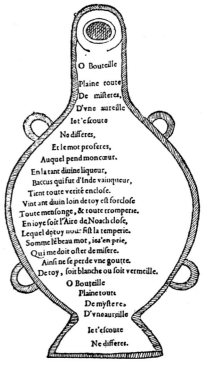

La « Dive Bouteille ».
Illustration pour *Pantagruel*, 1605.

Ph. © Giraudon.

Gravure sur bois de Gustave Doré (1832-1883)
pour les *Œuvres* de François Rabelais, Paris, 1873.

Bibliothèque nationale, Paris. Ph. © Archives L'Hopitault.

« Panurge fait noyer tous les
marchands de moutons ».
Illustration anonyme. Galerie
rabelaisienne, 1826.

Bibliothèque nationale, département
des estampes, Paris. Ph. Jeanbor ©
Archives Photeb.

« Picrochole ». Illustration d'A. Dubout
pour *Gargantua*, Paris, Gibert Jeune, 1935.

Collection Jean Dubout. Ph. J. Dubout © Archives
Photeb © ADAGP, Paris, 1994.

de son désir, s'est crue toute-puissante. Les références bibliques sont omniprésentes dans le récit, le transformant en parabole des temps modernes : le feu qui ravage la capitale n'est pas sans rappeler les flammes de Sodome ; l'obscurité qui enveloppe la capitale auparavant ville de toutes les lumières fait inévitablement songer à la chute de Lucifer ; l'équipée tragique de François et de ses compagnons, est une nouvelle fuite d'Égypte ; la progéniture très nombreuse de François ainsi que sa longévité extraordinaire rappellent encore la figure de Moïse dont la descendance est aussi importante que le nombre d'étoiles dans le ciel ; la naissance de Victor-Pierre en pleine nature et l'arrivée d'un vieux couple de bergers qui vient lui rendre hommage évoquent la naissance du Christ et la visite des Rois mages, et le meurtre de François par le forgeron est une transcription du meurtre d'Abel par Caïn. La Mythologie est aussi intégrée dans le récit et la chute massive des avions provoquée par la disparition de l'électricité se rapproche de la chute d'Icare. Dans ce paysage de jugement dernier il n'y a que du bruit et de la fureur. Dans ce monde de la décomposition et de la destruction méthodique, le lecteur est, magistralement, étourdi par une cacophonie de sons et une symphonie de couleurs. La narration capte des sensations désordonnées qui pour la plupart sont auditives et visuelles.

Le feu qui ravage la France rappelle les flammes de l'Enfer et la tourmente de l'Apocalypse : mais il renvoie surtout au contexte historique de cette année 1942. L'histoire fait inévitablement penser à l'avancée des blindés et à l'exode des habitants loin de la capitale, vers le sud de la France, la zone libre. En définitive, *Ravage* est malheureusement davantage un texte réaliste qu'un récit d'anticipation. C'est une histoire à faire peur, surtout pour le lecteur contemporain qui, lui, connaît toutes les horreurs de la Seconde Guerre mondiale. Le pire n'est jamais sûr et le cauchemar poétique de Barjavel est loin de prendre en compte les atrocités réelles de cette période sombre.

● « Folio », 1972.

B. GUILLOT

RAVAGES. Roman de Violette **Leduc** (1907-1972), publié à Paris chez Gallimard en 1955.

Première partie. Thérèse offre une cigarette à un inconnu dans un cinéma. Puis il la suit, ou elle le suit, étonnée elle-même de cette attirance nouvelle distante, à qui sa mère, chez qui elle vit, a enseigné le dégoût du sexe masculin et l'horreur de procréer ; elle qui aime Cécile, une jeune institutrice qu'elle rejoint le week-end à Auvigny. Les bars, le restaurant, le taxi, la chambre d'hôtel minable : Thérèse, fascinée mais distante, va jusqu'au bout de son attrait pour Marc qui vivote de maigres emplois aléatoires, mais dépense pour elle sans compter. Elle le revoit de temps à autre, lui raconte sa vie. Mais elle tait son existence à Cécile. Un jour, il disparaît.

Deuxième partie. Cécile a été mutée, Thérèse a abandonné ses valises de représentante en dentelles et elles habitent ensemble un pavillon en région parisienne. Thérèse étouffe, souffre, ne dort plus. Ce tête-à-tête amoureux tant attendu lui pèse. Un soir, c'est Marc qui sonne, vagabond famélique que les deux femmes accueillent pour la nuit. Au matin il a disparu. Quelque temps plus tard, Thérèse est appelée au chevet du lit d'hôpital où il se meurt. Marc guérit ; Thérèse le quitte, mais Cécile s'éloigne d'elle. Alors elle quitte Cécile et reprend son travail. Lorsqu'elle revient, Cécile s'est éprise d'une collègue et elle se retrouve seule.

Troisième partie. Thérèse a retrouvé Marc par hasard. Il est photographe ; elle trouve un emploi de secrétaire ; ils s'épousent. Mais Thérèse, possessive à l'extrême, étouffe Marc qui essaie de la fuir. Après une tentative de suicide, Thérèse prend l'initiative de la séparation. Enceinte, elle avorte, frôle la mort et retrouve sa mère.

On trouve dans ce roman autobiographique la plupart des thèmes chers à l'auteur. La mère y tient encore le premier rôle, une mère possessive, exclusive, dont Thérèse ne s'éloigne que pour mettre sa vie en danger et mieux lui revenir. Son discours obsessionnel sur les hommes et son dégoût de la procréation infantilisent littéralement sa fille, l'empêchant d'accéder à son statut d'adulte en l'éloignant de la maternité. Si le roman s'ouvre sur un relatif parfum de liberté, de légèreté, sa fin marque la victoire triomphale de la tutelle maternelle. Dans la logique de cette dimension psychanalytique du texte, le passé surgit à des moments clés pour éclairer les contradictions et les souffrances de la narratrice : la promesse de mariage faite par Thérèse enfant à sa mère, promesse trahie par le remariage de celle-ci et qui lui laisse un goût de paradis perdu, le goût de l'irréparable ; la découverte du trouble sexuel avec le bébé d'une voisine ; l'amour d'Isabelle qui avait répondu au premier détachement d'avec la mère, et que la mère détruit (la figure d'Isabelle reste cependant à l'état d'esquisse, le roman ayant été amputé à sa parution de ses 150 premières pages, parues en 1966 sous le titre *Thérèse et Isabelle*, en tirage limité).

L'une des particularités de ce roman est son schéma systématiquement paradoxal : chacune de ses trois parties forme un tout cohérent et met en place trois situations amoureuses qui vont à l'encontre des conventions et du conformisme bourgeois. Dans la première partie, Thérèse, partagée entre deux êtres, entre deux amours qui ne devraient pas pouvoir coexister sans la détruire, ne souffre pas. Puis elle n'aime pas et souffre d'être aimée. Enfin elle aime et souffre de n'être pas assez aimée. Le personnage de Thérèse, dont l'amour jamais n'existe sans sa part de violence et de haine, est traité, dans ces contradictions, comme un personnage provocant, hors d'atteinte des normes, des condamnations comme des sentiments de pitié.

Et comme c'est uniquement à travers le regard de ce personnage que le lecteur reçoit le monde, le livre trouve un ton personnel très fort. Le thème de la sexualité en particulier est abordé de manière crue, directe, dérangeante, scandaleuse même pour l'époque, d'autant plus que l'auteur est une femme. Cette violence est renforcée par le rythme haché des phrases courtes, sèches, voire lapidaires, qui ne laisse aucun lyrisme s'installer, malgré la profusion d'images très sensuelles et qui témoignent, comme chez Colette, d'un rapport charnel, presque érotique aux choses, la gourmandise en moins, la souffrance en plus.

● « Folio », 1972.

V. STEMMER

RAVISSEMENT DE LOL V. STEIN (le). Roman de Marguerite **Duras** (née en 1914), publié à Paris chez Gallimard en 1964.

Bien que chacune des œuvres de Marguerite Duras se présente comme un tout indépendant, le retour de quelques personnages invite à associer certains livres. Dans *le Ravissement de Lol V. Stein*, on voit apparaître ainsi pour la première fois Anne-Marie Stretter, la « femme du consul de France à Calcutta » dont l'auteur célèbre ici l'élégance inquiétante et la « grâce abandonnée, ployante, d'oiseau mort », et qu'on retrouvera notamment dans *le *Vice-consul* (1965), *la Femme du Gange* (1973), **India Song* (1973) et *l'*Amant* (1984).

Jacques Hold, narrateur sans visage, entreprend de retracer l'histoire de la femme dont il est épris, Lola Valérie Stein. Celle-ci a toujours été atteinte d'une étrange absence, au dire même de sa plus ancienne amie, Tatiana Karl. Lol s'est fiancée à Michael Richardson. Mais, au bal du casino de T. Beach, celui-ci danse longuement avec Anne-Marie Stretter, avec laquelle il part au matin. En les voyant s'éloigner, Lol, qui les a observés toute la nuit, pousse un cri. Quand ils disparaissent, elle tombe évanouie.

Dix ans plus tard, Lol semble avoir tout oublié. Devenue la femme irréprochable d'un mari falot, elle suit un jour un homme dans la rue. Celui-ci rejoint sa maîtresse, Tatiana Karl, qu'il emmène dans un hôtel. Lol les suit. Elle prend ensuite l'initiative de renouer avec son amie d'enfance, dont elle épie la liaison. En compagnie de ce Jacques Hold, qui devient son amant, elle retourne même au casino de T. Beach, « enchantée par ce jeu de revoir ». Dépassant le souvenir de son passé, elle se nourrit de l'amour dont, sous ses yeux, Jacques Hold et Tatiana Karl ne savent que mimer les gestes.

La construction du roman est redevable à la psychanalyse. L'héroïne n'est pas saisie dans le déroulement de son existence, mais telle que la laisse la nuit cruciale du bal. Le récit fait succéder à l'instant du traumatisme, la tentative de l'héroïne de remettre en scène (en « ravissant » Tatiana) cette dépossession de soi qu'une autre lui avait d'abord infligée. Jacques Lacan a observé que le délire de Lol est « cliniquement parfait ». Mais le roman est beaucoup plus qu'une évocation originale d'un état d'absence confinant à la folie, beaucoup plus que le portrait d'une héroïne « constamment envolée de sa vie vivante », dont le nom est symboliquement abrégé et flottant (Lola, Lol, Lol V. Stein). Ce « ravissement » est d'ordre métaphysique et esthétique. Le narrateur cherche à recomposer le monde à partir du vide où se tient Lol : « J'écoute sa mémoire se mettre en marche, s'appréhender des formes creuses qu'elle juxtapose les unes aux autres comme dans un jeu aux règles perdues. » Le style associe d'une manière libre des notations brèves et sèches à des évocations abstraites dont l'auteur n'explicite pas le contenu, restant résolument « dans l'orient pernicieux des mots ».

● « Folio », 1976.

C. CARLIER

RAYONS ET LES OMBRES (les). Recueil poétique de Victor **Hugo** (1802-1885), publié à Paris chez Delloye en 1840.
Comprenant une pièce écrite en juillet 1836 ("Oceano Nox"), neuf en 1837, deux en 1838, alors que Hugo compose *Ruy Blas*, vingt-deux en 1839 et dix en 1840, le recueil s'enracine dans la production précédente des *Voix intérieures* mais annonce aussi les *Contemplations* dont sept poèmes s'écrivent déjà, même si le poète ne publiera plus de vers avant les *Châtiments* en 1853. La Préface insiste sur la continuité, réitérant la double inspiration, humanité et nature.

Le poème inaugural définit en octosyllabes la "Fonction du poète". Voyant, interprète et avant-garde des forces naissantes, ce « rêveur sacré » annonciateur de l'avenir se révèle un mage. Ayant ainsi objectivé le moi subjectif ("le Poète à lui-même"), le recueil laisse la parole à d'autres voix. Un dialogue entre le poète et le monde s'instaure : "la Statue", "Oceano Nox", "Sagesse". Véritable symphonie, l'univers parle ("Que la musique date du XVIᵉ siècle"), et la Création devient une « immense figure ». Truchement de ces voix, le poète, tout en reprenant les thèmes essentiels de son lyrisme – l'enfance, l'amour, la nature –, relie sa fonction créatrice liée à toute l'humanité (« Le poète en des temps impies / Vient préparer des temps meilleurs ») au discours de Dieu, ainsi qu'à celui de la nature ("Sagesse"). Là réside l'unité profonde du recueil.

Cette fois, le poète refuse nettement les stériles jeux politiques (« Maintiens-toi superbe au-dessus des partis », "Au statuaire David") au profit d'une vision supérieure de l'ordre, parfois méprisante ("Sur un homme populaire") ou interrogative ("le Monde et le Siècle"), sans pour autant négliger la misère humaine ("Regard jeté dans une mansarde"), ni la détresse de l'enfance vagabonde ("Rencontre"), ni les drames de l'Histoire ("le Sept août mil huit cent vingt-neuf"), ni surtout omettre de prendre position contre les révolutions, ces illuminations sataniques.
Repoussant provisoirement l'idée du progrès social, s'exprime alors un moi qui se ressource dans son enfance ("Ce qui se passait aux Feuillantines vers 1813"), une conscience devant Dieu, qui « contemple l'éternité » ("Caeruleum Mare"), énonce les préceptes de la "Sagesse", cet immense poème final, se soumet à "Fiat voluntas", entend « dans un

gouffre inconnu tomber le flot des jours » ("Puits de l'Inde ! tombeaux !"), sait que toute larme « lave quelque chose » ("À L."), évoque la mort et les souffrances du deuil ("Dans le cimetière de***", "Écrit sur le tombeau d'un petit enfant au bord de la mer").
« Répands ton esprit », dit Hugo ("À un poète") ; « l'âme est une prunelle », affirme-t-il dans "En passant dans la place Louis XV un jour de fête publique", « Aimons ! prions ! », clame-t-il dans "Mille Chemins, un seul but" : si quelque légèreté anime parfois le recueil en rappelant le romantisme d'avant 1830 ("Guitare", "Autre Guitare"), si le « Spectacle rassurant » de la nature l'éclaire ("Matelots ! matelots !", "Nuit de juin"), s'il s'établit de nouveau son rapport à l'idéal et à l'amour ("À une jeune femme", "Dieu qui sourit"), dont il chante les vertus ("À cette terre, où l'on ploie"), et les plaisirs ("Oh ! quand je dors, viens auprès de ma couche"), si les enfants suscitent l'émerveillement ("Mères, l'enfant qui joue à votre seuil joyeux"), la douleur colore aussi le recueil ("l'Ombre"), ainsi que la mélancolie ("la Statue"), la nostalgie des époques sublimes ("Que la musique date du XVIᵉ siècle"), ou la tristesse ("Quand tu me parles de gloire"), qui est avant tout celle d'Olympio.
Pèlerinage aux lieux où naquit l'amour pour Juliette, "Tristesse d'Olympio" s'ouvre sur une nature souriante (huit sizains en 12/12/6/12/12/6) que contemple un Olympio « triste comme une tombe ». Il clame alors sa mélancolie en trente quatrains d'alexandrins. Amour, souvenir, nature échangent leurs qualités dans une contemplation plus que dans une élégie lamartinienne. Avec "Oceano Nox", au titre emprunté à l'*Énéide*, où se fait entendre le silence de l'univers marin, il s'agit bien d'exemples majeurs de ce que peut entreprendre la poésie. La voix poétique se superpose plus encore qu'elle ne se mêle à celle de l'univers. Pour assumer la mission définie dans la "Fonction du poète", Hugo exhibe une maîtrise de la forme encore plus éblouissante que dans ses précédentes productions. À l'habituelle variété des genres, strophes et mètres, s'ajoutent une rigueur de la période et une structuration des thèmes, pour produire cet idéal romantique : l'harmonie.

● *Les Chants du crépuscule [...]*, « Poésie/Gallimard », 1983 (p.p. P. Albouy). ➤ *Œuvres poétiques*, « Pléiade », I ; *Œuvres complètes*, Club français du Livre, VI ; *Œuvres complètes*, « Bouquins », Poésie I (p.p. C. Gély).

G. GENGEMBRE

REBELLES (les). Roman de Jean-Pierre **Chabrol** (né en 1925), publié à Paris chez Plon en 1965.

Jeune écrivain prometteur surnommé « Cherchemidi », Léon Larguier, après s'être frotté à l'avant-garde littéraire parisienne, revient à Clerguemort, son village natal. Il découvre les paysages et les êtres qui ont marqué son enfance, la montagne, mais aussi la « Léonie de la Gronde », vieille femme hostile à toute intrusion étrangère. En même temps qu'il remonte « sa » vallée, il rencontre « le Dévarié », qui prépare ses suicides avec ténacité, M. von Papen, le nouveau chancelier allemand issu du « Centre catholique » ; Marion enfin, qui offre un baiser au « Parisien ». Après avoir adressé une lettre à Pierre Mac Orlan, notre « écrivain de Paris » prend la route pour Hambourg, où l'attend sa sœur Lisette, qui naguère fit une fugue avec un chef d'orchestre hongrois. Cherchemidi reviendra au village avec son neveu, persécuté par les Jeunesses hitlériennes : entre deux fêtes et deux disputes, les habitants de Clerguemort seront ainsi touchés par l'Histoire et par la montée de l'antisémitisme.

Ode aux puissances de la nature, *les Rebelles* prennent fait et cause pour la campagne des Cévennes : « Les Cévennes, c'est quand le Massif central met les pieds dans le plat. » La puissance mystérieuse de la montagne est évoquée en des phrases vibrantes, aux accents « militants » : car le narrateur se fait volontiers guide et pédagogue pour convaincre le lecteur « étranger » des beautés du

« pays d'ici ». La redécouverte de la terre natale nous vaut un long apprentissage des sens par Cherchemidi, à la fois initiation amoureuse (Marion, « rayonnante de fraîcheur et gonflée de soleil ») et sensorielle (« D'infinies douceurs dans la timide lumière de la lune »). L'humanité singulière que retrouve Cherchemidi détient des trésors de langage et, pour le « Parisien », le patois a désormais tous les charmes d'une langue étrangère : « le Besogneux » devient « le Bésougnous », les soirées sont appelées des « clus ». Elle est aussi attachée à des rituels immuables, que le narrateur déçu par le parisianisme retrouve avec bonheur. Mais elle conduit également à une méditation sur la tragédie de vivre, sur l'enfance et la vieillesse, réunis selon Chabrol dans une même souffrance (« Tous les siècles à venir dans ce petit présent qui renifle, l'avenir dans un enfant, mais mortel déjà. Tous les deuils et tout le sang sont déjà là »), à des accès de révolte aussi bien qu'à une apologie des valeurs attachées au passé et à la terre. Parée de toutes les vertus, cette région légendaire suscite une brillante galerie de portraits menée comme une chronique qui révéla les talents du conteur Chabrol, fervent Cévenol.

● « Omnibus », 1993.

P. GOURVENNEC

RECHERCHE D'UNE ÉGLISE. Voir HOMMES DE BONNE VOLONTÉ (les), de J. Romains.

RECHERCHE DE L'ABSOLU (la). Roman d'Honoré de **Balzac** (1799-1850), publié à Paris dans les *Études de mœurs au XIXe siècle*, tome III des « Scènes de la vie privée », chez Mme Charles Béchet en 1834, puis sous le titre *Balthazar Claës ou la Recherche de l'absolu* chez Charpentier en 1839, avant de figurer au tome XIV de la **Comédie humaine*, première des *Études philosophiques* (Paris, Furne, Dubochet et Hetzel, 1845).

Ce titre éminemment balzacien pourrait coiffer toute une section de la Comédie humaine. Comme dans **Louis Lambert*, le héros brûle sa vie dans une quête déterminée par une conviction, l'unité de l'univers, de la matière et de l'énergie. Au cœur des préoccupations balzaciennes, ce roman s'organise en tableaux déroulant la logique d'une histoire familiale, perturbée et déséquilibrée par le comportement de Balthazar. Menacée de décadence, elle retrouve son assise. Le drame n'aura été qu'un épisode.

La Recherche de l'absolu. À Douai, en Flandre, Balthazar Claës, héritier d'une fortune accumulée au fil des générations, a vécu entouré de sa famille jusqu'en 1809, une vie tranquille et heureuse. Un soir, M. de Wierzchownia, officier polonais de passage, réintroduit cette vie sans histoire la passion de la chimie, que Balthazar avait étudiée avec Lavoisier. Entièrement consacré depuis cette irruption à la recherche de l'« absolu », c'est-à-dire la substance commune à toutes les créations, Balthazar par cette monomanie cause le malheur des siens. Joséphine, sa femme, meurt de chagrin. La fille aînée, affronte dramatiquement son père, et rétablit la fortune familiale, que la quête obsessionnelle de l'absolu détruit de nouveau. Claës meurt désespéré. Marguerite rend à la maison sa « splendeur moderne » et la famille continue...

Scène de la vie privée, ce roman met en scène un passionné comme Grandet ou Gobseck, une épouse effacée, pieuse et dévouée, une fille qui reste longtemps célibataire pour sauver le patrimoine familial. Étude philosophique, *la Recherche de l'absolu* confère au savant Claës une dimension sinon fantastique, du moins exceptionnelle, analogue à celle des autres chercheurs d'absolu de *la Comédie humaine* comme Frenhofer ou Gambara (voir ci-après). Figure prométhéenne (le symbolisme du feu parcourt le texte), Balthazar tombe dans la folie de la monomanie, terrible tentation du génie, conséquence de l'orgueil. Le savant aveuglé par la passion : le thème philosophique rejaillit sur la vie privée.

Absent au monde, Claës opprime son entourage, provoquant les plus grands malheurs domestiques. Abandonnée, mal aimée après quinze ans de bonheur, Joséphine succombe dans l'inégal combat qui l'oppose à cette tyrannique maîtresse, la science. Il ne lui reste qu'à connaître une fin sublime. Si le chimiste s'en soucie peu, l'argent joue un grand rôle et mobilise la très flamande Marguerite. La maison, le cadre douaisien suscitent des éclairages dont l'esthétisme semble provenir des maîtres flamands. Ces valeurs l'emportent finalement sur le désordre et la folle spirale d'une quête passionnée.

Outre *Louis Lambert* et **Séraphîta*, cette quête mystique, plusieurs récits de *la Comédie humaine* traitent une thématique proche, constituant une véritable ligne de force de l'imaginaire balzacien. Fasciné par le pouvoir destructeur de la pensée (voir la **Peau de chagrin*), Balzac l'applique plus particulièrement au domaine de l'art. Si la conception du chef-d'œuvre exprime le génie, son terrible enfantement le trahit. Seule la création réalisée dès le jaillissement de l'idée parvient, elle, à transcrire fidèlement la pensée. Plaidoyers pour l'artiste, volontairement didactiques, ces récits mettent en scène un drame, douloureusement vécu par le romancier lui-même : créer tue.

Il en est ainsi du *Chef-d'œuvre inconnu* (d'abord *Conte fantastique*), publié dans *l'Artiste* de juillet à août 1831, et en volume dans les *Romans et Contes philosophiques* chez Gosselin en 1831, et remanié pour les *Études philosophiques* chez Delloy et Lecou en 1837, avant de figurer au tome XVI de la *Comédie humaine* (Furne, Dubochet et Hetzel, 1846).

Le Chef-d'œuvre inconnu. Le peintre Frenhofer travaille depuis des années à une toile représentant une courtisane, la Belle Noiseuse. En 1612, il finit par la montrer à Porbus et Poussin, pour qui il doit faire le portrait de Gillette, sa maîtresse. Atterrés, ceux-ci n'y voient que des couleurs confusément amassées, à l'exception d'un pied merveilleusement vivant. Les accusant d'être des jaloux, Frenhofer, resté seul, meurt après avoir mis le feu à ses tableaux.

Catéchisme esthétique, le récit, s'il garde des traits du conte à la manière d'Hoffmann, n'exploite guère la veine fantastique : loin d'appartenir au monde surnaturel, Frenhofer n'est qu'un incompris. Évoquant par ailleurs à propos de Poussin la métamorphose, mortelle pour l'amour, de sa maîtresse en modèle, le texte, par un anachronisme volontaire, interroge l'opposition entre la conception académique privilégiant le dessin et l'élan romantique préoccupé de mouvement et de relief. Balzac intègre ces débats contemporains à son système métaphysique.

Gambara, publié dans la *Revue et Gazette musicale de Paris* de juillet à août 1837, et en volume chez Hippolyte Souverain en 1839, puis dans les *Études philosophiques* chez Delloy et Lecou en 1840, avant de figurer au tome XV de la *Comédie humaine* (Furne, Dubochet et Hetzel, 1846), avec pour toile de fond les querelles musicales du temps, reprend le personnage de l'artiste génial aboutissant à l'échec lorsqu'il s'agit de son œuvre la plus méditée.

Gambara. Musicien, inventeur du panharmonicon, Paolo Gambara a connu l'échec avec un opéra, alors qu'il est capable de sublimes improvisations. Échoué à Paris, il végète. Marianna, sa femme, qui l'avait quitté pour un prince italien, lui revient. Ils se produisent comme chanteurs des rues, quand le prince et la princesse de Varèse (voir ci-après) les sortent de la misère.

Proche des personnages des *Contes* d'Hoffmann, victime d'une idée et d'un idéal, Gambara, contrairement à Frenhofer vivant à l'aise en des temps plus favorables à l'art, vivote dans le Paris des années 1830. Artiste humilié, il imposait, dans une première version, la chasteté à sa femme, tentée par le désir. Balzac la fait céder, dans la seconde mouture, pour mieux lui faire accepter le retour à l'idéal. D'où l'importance symbolique de la rencontre entre ce couple, retrouvé dans une communion artistique, avec celui des Varèse qui a tué l'idéal.

Formant trilogie avec ces textes, et directement lié à *Gambara*, *Massimilla Doni*, publié à Paris chez Hippolyte Souverain en 1839, en fragments dans *la France musicale*, puis dans les *Études philosophiques* chez Delloy et Lecou en 1840, avant de figurer au tome XV de *la Comédie humaine* (Furne, Dubochet et Hetzel, 1846), aborde, après la peinture et la composition musicale, l'exécution musicale.

Massimilla Doni. À Venise, la noble et belle Florentine Massimilla Doni, mariée au vieux duc de Cataneo, s'éprend platoniquement d'Emilio Memmi. Celui-ci, trop timide avec Massimilla, découvre l'amour physique en succombant à la protégée du duc, la *prima donna assoluta* Clara Tinti, dont le ténor Genovèse est amoureux fou, au point de rater son duo du *Mosè in Egitto* de Rossini, significatif fiasco (il se rattrapera dans *Sémiramide* après avoir « eu » la cantatrice). Se reprochant son infidélité, Emilio veut se tuer, mais Massimilla l'en dissuade et se donne à lui. Enceinte de ses œuvres, elle épousera Emilio devenu prince de Varèse, titre hérité de Facino Cane (voir ci-après). De passage à Paris, ils secourent les Gambara. On retrouve la Tinti dans *Albert Savarus*.

Célébration de l'Italie et de la musique, à laquelle sont consacrés de nombreux développements, dont l'analyse du *Mosè* de Rossini, qui fait pendant à celle du *Robert-le-Diable* de Meyerbeer dans *Gambara*, cette nouvelle reprend le thème des deux amours traité dans *Louis Lambert*, le *Lys dans la vallée* et *Séraphîta* ainsi que dans *Gambara*. Très subtilement, Balzac montre comment l'artiste, qui, par ses œuvres, procure des jouissances à autrui, doit accepter de se faire l'instrument du plaisir de l'autre dans ce rapport esthétique, comme dans le commerce amoureux, sans s'y engager totalement. À l'impuissance de Genovèse, preuve de l'énergie de la pensée, répond peut-être la force des sens chez Emilio et Massimilla, retournement de la thèse balzacienne sur le suicide par l'art.

Un autre thème unit donc ces trois récits : le rapport entre l'art et l'amour, également au cœur de *Sarrasine*. Gillette, sa maîtresse, quitte Poussin dans le *Chef-d'œuvre inconnu*. Marianna finit par se sacrifier à Gambara. Genovèse échoue pour s'être abandonné au désir. Si la biographie de Balzac se situe en arrière-plan, cette angoissante question soumet l'artiste à un terrible dilemme. Condamné à cultiver sa différence, ayant accès au monde idéal, il s'avère incapable de tout sacrifier à l'amour. S'il cède aux pulsions du désir, il gâche son énergie créatrice. Il n'est d'autre solution que la soumission totale de la femme, se sacrifiant sur l'autel de l'art, ou le renoncement total à la création.

L'intérêt manifesté par Balzac pour la rentabilité romanesque du personnage de l'artiste et de sa problématique philosophique se traduit également, outre *Sarrasine*, dans deux autres nouvelles.

Facino Cane, publié dans *la Chronique de Paris* en mars 1836, et en volume dans les *Études philosophiques* chez Delloy et Lecou en 1837, puis sous le titre *le Père Canet* dans les *Mystères de province*, collectif publié chez Hippolyte Souverain en 1843, avant de figurer dans les « Scènes de la vie parisienne » au tome X de *la Comédie humaine* (Furne, Dubochet et Hetzel, 1844), s'inscrit dans la conception balzacienne de l'énergie, ici concentrée dans les fluides nerveux.

Facino Cane. Un narrateur fort proche de Balzac lui-même rencontre un musicien aveugle qui s'avère être le prince italien Marco-Facino Cane. Doué de seconde vue, ce dernier « sent » l'or et, emprisonné à Venise, a ainsi trouvé un trésor dont, frappé de cécité après son évasion, il s'est fait déposséder à Londres par sa maîtresse. Misérablement échoué aux Quinze-Vingts à Paris, il gagne quelque argent en jouant dans les bals populaires, et propose au narrateur de partir pour dénicher l'or vénitien. Il meurt peu après.

Proche de maître Cornélius (voir *Gobseck*), Facino Cane, musicien italien comme Gambara, trahi par une femme comme le colonel Chabert (voir le *Colonel Chabert*), fou d'or comme Grandet, est bien tué, comme Louis Lambert, par une idée qui lui fait recourir de façon excessive à sa force. Ruiné par son désir immodéré de l'or, Facino Cane est aussi symboliquement frappé par la privation de la vue.

Pierre Grassou, publié dans *Babel*, recueil de la Société des Gens de Lettres, en 1840, puis chez Hippolyte Souverain avec *Pierrette*, avant de figurer dans les « Scènes de la vie parisienne » au tome XI de *la Comédie humaine* (Furne, Dubochet et Hetzel, 1844), parfois reclassé dans les « Scènes de la vie privée », peut apparaître comme une comédie faisant pendant au drame du *Chef-d'œuvre inconnu*.

Pierre Grassou. Fils de paysan, Pierre Grassou étudie la peinture à Paris. Élie Magus, vieux brocanteur, lui achète ses toiles conventionnelles pour les revendre patinées et encadrées. Ayant obtenu la clientèle de la famille royale et le marché proposé par le marchand Vervelle, dont il doit épouser la fille, de faire le portrait de sa famille, il aperçoit chez son futur beau-père des tableaux signés des noms les plus prestigieux : ce sont ses propres œuvres. Au lieu du drame attendu, le dénouement montre le peintre, estimé de ses confrères, menant une vie honnête et heureuse.

Petite réussite, contrastant avec l'échec d'un autre Breton, Z. Marcas (voir *Albert Savarus*), le destin de Grassou illustre le trajet du peintre des bourgeois. Dénonciation de la médiocrité, le récit fait s'accorder récompense d'un piètre talent et modeste quantité d'énergie.

Autre connexion avec l'ensemble de *la Comédie humaine*, le peintre Joseph Bridau (voir *Une fille d'Ève* et la *Muse du département*), antithèse de l'exécrable artiste, figure dans cette nouvelle.

● *La Recherche de l'absolu*, « Folio », 1976 (préf. R. Abellio, p.p. S. de Sacy) ; « GF », 1994 (p.p. N. Satiat). *Le Chef-d'œuvre inconnu*, « GF », 1977 (p.p. M. Eigeldinger et M. Milner) ; « Folio », 1993 (p.p. A. Goetz). ➤ *L'Œuvre de Balzac*, Club français du Livre, II et XII ; *Œuvres complètes*, Club de l'honnête homme, XVIII et XIX ; *Œuvres complètes illustrées*, Bibliophiles de l'Originale, XIV et XV ; *la Comédie humaine*, « Pléiade », X (p.p. M. Ambrière, R. Guise, M. Le Yaouanc) et VI (p.p. A. Lorant, A.-M. Meininger).

G. GENGEMBRE

RECHERCHE DE LA VÉRITÉ (la). Voir DE LA RECHERCHE DE LA VÉRITÉ, de N. de Malebranche.

RECHERCHES DE LA FRANCE. Ouvrage historique d'Étienne **Pasquier** (1529-1615), publié de 1560 à 1621. Le premier livre, publié à Paris chez Vincent Sertenas, vit le jour en 1560, suivi cinq ans plus tard du deuxième livre, chez Claude Senneton. En 1596, parut à Paris chez Pierre Lhuillier un volume composé des deux livres précédents, auxquels s'ajoutaient les livres III à VI. La dernière édition, revue par l'auteur, fut publiée à Paris chez Laurent Sonnius en 1607 : elle comprenait sept livres. Enrichie de trois livres, une édition posthume parut à Paris chez Jean Petit-Bas en 1621.

Œuvre maîtresse d'un magistrat humaniste, les *Recherches de la France* s'appuient sur un énorme matériau documentaire, actes officiels de la monarchie, registres du Parlement de Paris, pièces de procès, bulles du pape, chroniques, textes littéraires, dont il serait vain de prétendre recenser l'extraordinaire variété. L'entreprise s'inscrit dans le puissant courant critique qui renouvelle l'approche du passé depuis le début de la Renaissance : influencé par les méthodes interprétatives d'un Érasme et d'un Budé, Pasquier a trouvé dans l'enseignement juridique de ses maîtres – Baudoin, Hotman, Cujas – l'exigence d'une analyse rigoureuse des documents et du milieu historique qui les a produits. Combinant les méthodes mises en œuvre par les générations précédentes de philologues et de juristes, Pasquier les applique à un domaine nouveau : l'histoire nationale.

Le livre I évoque les mœurs et les institutions des Gaulois, qui n'étaient nullement des barbares comme on l'a prétendu, mais ont eu simplement le tort de ne pas « recommander par escrits leur vertu à la postérité ». Le livre II étudie les institutions dont s'est dotée la royauté française – Parlement, Grand Conseil, Chambre des comptes –, ainsi que les charges d'officiers royaux – maires du palais, connétables, chanceliers – et les titres de noblesse. Le livre III fait un rappel historique des rapports qui ont uni la papauté et l'Église de France, et développe à ce sujet des conceptions nettement gallicanes. Le livre IV analyse quelques points de droit politique français, et le livre V mentionne brièvement l'action de quelques souverains médiévaux (Clovis, Louis le Débonnaire, Charles le Chauve). La naissance et l'affirmation de la dynastie capétienne constituent l'essentiel du livre VI. Le livre VII fait l'éloge de la poésie française depuis le milieu du siècle et rappelle à la suite de Du Bellay, que « nostre langue n'est moins capable que la latine de beaux traits poetics ». Le livre VIII étudie la pratique quotidienne de la langue française : prononciation des mots, utilisation des proverbes et des expressions familières, évolution du vocabulaire en fonction du contexte social. Le livre IX montre que « la Gaule, depuis appelée la France, de toute ancienneté a esté studieuse des bonnes lettres » : en témoignent la fondation et l'extraordinaire rayonnement intellectuel de l'Université de Paris. Quant au livre X, il rapporte, sur le mode anecdotique, un certain nombre de cruautés et d'exactions attribuées aux reines de l'histoire de France.

Ensemble apparemment hétéroclite, les *Recherches de la France* témoignent de la curiosité multiforme et infatigable de leur auteur. L'ouvrage n'a pas de prétention à la synthèse, et reconnaît même qu'il n'obéit pas à une ordonnance rigoureuse : « Il n'est pas dit, écrit à ce propos Pasquier dans la Préface, qu'une prairie diversifiée d'une infinité de fleurs, que Nature produit sans ordre, ne soit aussi agréable à l'œil que les parterres artistement élaborez par les jardiniers. » Les *Recherches de la France* ne se réduisent pas pour autant à une accumulation désordonnée, qui grossirait sans loi au fil des éditions. Loin de brasser la totalité des aspects du passé national, l'approche de Pasquier se concentre sur deux secteurs privilégiés : le fonctionnement juridico-politique et les vecteurs linguistiques de l'évolution sociale et culturelle. À la différence des chroniques médiévales, l'histoire militaire est exclue, au même titre que l'histoire diplomatique. Cette sélection ne comporte aucun arbitraire : elle répond à une question fondamentale qui porte sur l'identité de la France, plus précisément sur la possibilité de définir la continuité nationale autrement qu'en termes territoriaux ou dynastiques. La France, dit en substance Pasquier, ne s'est maintenue comme telle qu'au travers d'une dialectique de la permanence et de la « mutation », qui a constamment activé sa langue et ses institutions : sa spécificité réside à la fois dans un corpus cohérent de lois et dans une créativité linguistique dont le petit peuple est l'artisan au même titre que les poètes et les troubadours.

Cette définition historiciste de la France ne prend tout son sens que dans le contexte du demi-siècle qui en voit l'émergence : le profond ébranlement dû aux guerres de Religion appelle un travail de mise en perspective historique, qui légitime les institutions, les coutumes et les pratiques sociales du présent en leur donnant la caution de l'« ancienneté ». La curiosité de Pasquier pour les « antiquez » françaises s'inscrit et se ressource constamment dans une actualité tourmentée : le nationalisme politique et culturel de l'auteur ne vise à rien de moins que réconci-

lier un peuple avec lui-même, en invoquant la continuité millénaire et l'épaisseur prestigieuse de son œuvre constructive.

Le rejet d'une Histoire « antiquaire » purement vouée à l'érudition – « Il faut fuir cela comme un banc ou écueil en pleine mer » – et l'adoption d'un point de vue qui interroge le passé au regard des nécessités présentes disent assez la modernité des *Recherches de la France*. Le trait le plus novateur de la méthode est l'exclusion de la légende au profit de l'élaboration critique de l'information fournie par les documents : pour la première fois, un historien fait remonter les origines de la France aux Gaulois et analyse *la Guerre des Gaules* dans la perspective d'une histoire sociale et institutionnelle de notre pays. L'honnêteté scrupuleuse qui anime Pasquier (« Je me suis résolu de ne rien dire qui importe, sans en faire la preuve »), le dissuade de construire une philosophie de l'Histoire : il sait trop que les déterminations passionnelles qui pèsent sur le chercheur et les limites de sa documentation l'empêchent de s'élever à de telles hauteurs. Aveu de modestie, où l'historien s'arrête court devant les grandes explications sans renoncer pour autant à son besoin de compréhension : en ce sens les *Recherches de la France* rejoignent les *Essais*, et il n'est pas indifférent que Pasquier ait compté parmi les lecteurs les plus assidus et les plus émerveillés de Montaigne. L'historicisme de l'un et la critique épistémologique de l'autre convergent dans un relativisme vibrant d'exigence.

● *Œuvres complètes*, Genève, Slatkine, 1971 (réimp. éd. Trévoux, 1723).

P. MARI

RÉCITS DE LA DEMI-BRIGADE (les). Recueil de nouvelles de Jean **Giono** (1895-1970), publié à Paris chez Gallimard en 1972. De ces six nouvelles, réunies pour la première fois dans un ordre que l'auteur avait lui-même prévu, « l'Écossais ou la Fin des héros » avait été auparavant publié par le Rotary Club de Manosque le 23 avril 1955. Les cinq autres nouvelles avaient paru dans l'hebdomadaire *Elle* entre 1960 et 1965.

Giono écrivit en premier « l'Écossais ou la Fin des héros », qu'il choisit ensuite de placer au terme du recueil, après avoir terminé *le *Bonheur fou*. L'écrivain avait tout d'abord formé le projet d'un ensemble de treize nouvelles, mais il se consacrait en même temps à diverses autres œuvres et le recueil n'en comporta finalement que six. Le personnage récurrent de Pauline de Théus rattache *les Récits de la demi-brigade* au « cycle du Hussard » (voir *Angelo*). Bien que composés les derniers, *les Récits de la demi-brigade* se situent les premiers dans la chronologie, puisque Pauline n'y a pas encore rencontré le hussard Angelo. Cette œuvre s'inscrit également dans la série des *Chroniques*, dans la mesure où son héros, Martial, n'est autre que Langlois, protagoniste d'*Un roi sans divertissement*, pris à un moment antérieur de son histoire.

Le recueil doit son titre au personnage principal de chacune des nouvelles, un capitaine de gendarmerie nommé Martial. Celui-ci, sous la monarchie de Juillet, se livre à des enquêtes qui toutes concernent, à l'exception de la première, le brigandage légitimiste alors florissant dans le midi de la France.

« Noël ». Martial est la dupe, finalement bienveillante, de la liquidation, par quelques habitants de la région, d'un gredin dont les délits sont notoires mais contre lequel la loi, n'ayant jamais pu le prendre sur le fait, demeurait impuissante.

« Une histoire d'amour ». Martial est confronté aux cruels assassinats d'une bande de royalistes, les Verdets, dirigée par une jeune femme noble. Le capitaine découvre, grâce à certains signes mystérieux, que celle-ci est amoureuse de lui. Il est toutefois contraint de la tuer.

« Le Bal ». En raison d'une invitation pressante lancée à Martial par le préfet de se rendre à un bal de la préfecture le 27 juillet, le héros, qui sait que, ce soir-là, les fonds récoltés par les légitimistes doivent être transportés à Marseille par un certain Costa, comprend que le préfet est complice. Il engage alors un « bon vieillard » qui lui inspire confiance. Ce dernier élimine Costa et disparaît avec l'argent, bernant ainsi tout le monde.

« La Mission ». Martial est officiellement chargé de tuer les occupants d'un tilbury, mais les épargne : il s'agit d'un couple de très jeunes gens. Il rencontre peu après le père de la jeune femme, un noble légitimiste, et tous deux reconnaissent qu'ils ont été l'objet d'une machination. Le vieil aristocrate paie sa dette d'honneur à Martial en faisant assassiner les responsables de la trahison. Quant au préfet, il quitte bientôt son poste.

« La Belle Hôtesse ». Cette nouvelle doit son titre à une veuve connue pour sa beauté et pour être à la tête d'une bande de brigands qui sévit dans la région. Martial tente en vain de la démasquer : elle jouit d'appuis émanant des plus hautes sphères.

« L'Écossais ou la Fin des héros ». Martial enquête sur une attaque de diligence qui s'est soldée par des meurtres d'une sauvage cruauté. Le marquis de Théus et sa femme se présentent à lui pour payer de leur vie ce déshonneur dont ils s'estiment coupables : ils ont dirigé l'attaque, mais n'ont pu maîtriser la violence aveugle de leurs hommes. Martial refuse le marché que lui propose le marquis. Un ami écossais qui accompagnait ce dernier, Macdhui, se donne alors la mort devant tous ; la dette d'honneur est ainsi acquittée.

Bien que, de par ses fonctions, Martial soit censé défendre le pouvoir en place, on le voit, le plus souvent, faisant cavalier seul, tant au sens propre qu'au sens figuré : dans l'ensemble, il ne s'embarrasse guère de sa petite troupe pour agir et préfère la seule compagnie d'un bon cheval ; en outre, il n'hésite pas à aller à l'encontre des ordres qui lui ont été donnés s'il les juge iniques. *Les Récits de la demi-brigade* offrent l'image d'une société pervertie, où les brigands règnent en maîtres et où les autorités n'ont aucun scrupule à se jouer tant de leurs supérieurs – dans « le Bal », le préfet prête la main aux menées légitimistes – que de leurs inférieurs – le préfet de « la Mission » a calculé que, si Martial était tué, il ferait une belle victime.

Fin limier auquel rien n'échappe, Martial s'apparente à Vidocq ou au Dupin d'Edgar Poe, et *les Récits de la demi-brigade*, fondés sur le mystère et le suspense, s'inscrivent dans la tradition du roman policier. Au-delà, Martial incarne une figure de justicier ou de chevalier sans peur et sans reproche. Sa conduite est dictée par son éthique et son sens de l'honneur, non par les lois officielles – c'est pourquoi, après le suicide de Macdhui, dans « l'Écossais ou la Fin des héros », il rapporte à son colonel qu'il n'a « rien trouvé ». C'est aussi un esthète du risque, un dandy policier qui affiche un superbe détachement. Ni orléaniste ni légitimiste, Martial constate cependant davantage de dignité chez les aristocrates que chez ses supérieurs. Il peut ainsi se livrer, d'égal à égal, à une sorte de jeu narcissique avec ses victimes. Il dit par exemple du « petit Verdet » d'« Une histoire d'amour », dont il ignore encore qu'il s'agit d'une femme : « J'étais en face de mon propre reflet. »

À la fois cyniques et nostalgiques, comme leur personnage principal, *les Récits de la demi-brigade* s'achèvent sur un constat ambigu. Martial répond à son colonel, Achille, selon lequel « On devient moderne ! » : « Dans cent ans, il n'y aura plus de héros. » Et il ajoute, froidement : « Ma voix n'exprimait aucun regret » (« l'Écossais ou la Fin des héros »).

➤ *Œuvres romanesques complètes*, « Pléiade », V (p.p. J. et L. Miallet).

A. SCHWEIGER

RÉCITS DES TEMPS MÉROVINGIENS. Ouvrage historique d'Augustin **Thierry** (1795-1856), précédé des « Considérations sur l'Histoire de France », publié à Paris sous le titre *Nouvelles Lettres sur l'Histoire de France* en six livraisons dans la *Revue des Deux Mondes* de 1833 à 1837, et en volume chez Tessier en 1840.

Dédiés au duc d'Orléans, les *Récits* s'inscrivent dans la continuité de l'*Histoire de la conquête de l'Angleterre par les Normands* (1825), où Augustin Thierry, alors jeune saint-simonien, faisait l'une des plus brillantes démonstrations de l'interprétation libérale des races. Il y donnait également l'un des meilleurs exemples de littérature historique où l'entreprise de vérité s'appuie sur une documentation rigoureuse. La résurrection se veut aussi restitution satisfaisante pour l'imaginaire. Contre les « reconstitutions » fantaisistes du genre troubadour, contre la tentative de récupération idéologique du haut Moyen Âge, Thierry retrace les origines tumultueuses de l'Histoire contemporaine, luttes sociales et naissance non programmée de la monarchie chrétienne.

Les six chapitres des « Considérations » brossent l'historiographie des temps mérovingiens en l'ancrant dans les préoccupations idéologiques qui font de la révolution de 1830 l'événement décisif donnant sens aux siècles passés. Ils concluent sur la ligne principale des études historiques : « Romains et Francks, l'esprit de discipline civile et les instincts violents de la barbarie, voilà le double spectacle et le double sujet d'étude qu'offrent les hommes et les choses au commencement de notre Histoire. »
Tableaux organisés en épisodes, les récits nous conduisent de la succession de Chloter Ier à la mort de Chlodobert et Dagobert, fils d'Hilpérik et de Frédégonde, en passant par les histoires de Galswinthe, Merowig, Praetextus, Leudaste, Radegonde, Frédégonde et Chlodowig. Ils prennent comme objet principal les événements de la seconde moitié du VIe siècle, occupée par les règnes d'Hilpérik [Chilpéric], Sighebert [Sigebert], Gonthramm [Gontran] et Charibert, les quatre fils de Chloter Ier [Clotaire], « point culminant de la première période du mélange de mœurs entre les deux races » (Préface). Sont mis en scène les meurtres, les mœurs et cérémonies des cours barbares, la vie des monastères, les proscriptions, les guerres civiles et privées... Ainsi l'on suit les péripéties de l'assassinat par Chilpéric, roi de Neustrie, de sa femme Galswinthe sur les instances de sa favorite Frédégonde, la haine qui va naître chez sa belle-sœur Brunehaut, épouse de Sigebert, roi d'Austrasie. L'on apprend comment Frédégonde, devenue reine, fait tuer Sigebert, comment elle persécute et pousse au suicide son beau-fils Mérovée, qui a secrètement épousé Brunehilde, comment elle dispose du protecteur de Mérovée, Prétextat, évêque de Rouen, alors que Sigebert II, fils de Brunehaut, monte sur le trône d'Austrasie.

Relecture de l'*Histoire des Francs* de Grégoire de Tours, nourrie des chroniques, légendes et poèmes, en particulier ceux de Fortunat cités dans les « Pièces justificatives », les *Récits* privilégient l'histoire narrative. Bien au-delà des retranscriptions onomastiques soucieuses de vérisme (« Franck »), la question du style devient centrale. En effet, rendre compte des événements les plus sanglants et les plus chaotiques d'une Histoire tumultueuse implique d'avoir recours à une langue retenue et claire. Bien écrire, c'est comprendre, c'est tenir, ou contenir, par l'intelligence. L'historien dissipe les illusions et les mensonges entretenus par les faussaires.

Mise en ordre, art de la reconstitution et de la vérité des cadres, choix de personnages originaux – surtout Chilpéric, le barbare qui prend goût à la civilisation, Frédégonde, l'idéal de la barbarie élémentaire, Eonius Mummolus, l'homme civilisé qui se fait barbare, et Grégoire de Tours, l'homme du temps passé et de la nostalgie : les *Récits* confinent au poème épique, inspiré par les **Martyrs* de Chateaubriand. Le sujet offre les séductions de sa sauvagerie (« Retour à l'état de nature »), mais aussi de la couleur locale et historique. Surtout, il permet de remonter aux origines de la Révolution française, pensée comme affrontement social, avènement du tiers état issu de ces temps mérovingiens, effrayants et pittoresques. En domestiquant par la vertu de l'écriture une époque « confuse » mais non « aride », Augustin Thierry, s'il est dépassé par les progrès de l'historiographie, érige l'un des monuments du genre littéraire historique.

● L'Arche double, 1980 (p.p. R. Delort).

G. GENGEMBRE

RECONNUE (la). Comédie en cinq actes et en vers de Rémy **Belleau** (1528 ?-1577), publiée à Paris dans l'édition posthume des *Œuvres poétiques* chez Mamert Patisson en 1578.

Quand il s'essaie au théâtre, Belleau est déjà célèbre pour son recueil des *Petites Inventions* (1554-1555) et pour la traduction qu'il a donnée des *Odes* d'Anacréon (1556).

Antoinette, que ses sympathies pour la religion réformée ont menée hors de son couvent, a été recueillie par un capitaine qui l'a confiée à la garde d'un vieil avocat. Celui-ci, au grand dam de son épouse, tombe amoureux de sa protégée (Acte I). Un de ses jeunes confrères se meurt lui aussi d'amour pour Antoinette, et craint qu'elle n'aime le capitaine. Un autre danger, en fait, menace les amours du jouvenceau : le vieil avocat veut marier Antoinette à son clerc. Ainsi, il mettra fin aux soupçons de sa femme et gardera la belle auprès de lui. La rumeur de la mort du capitaine accélère la réalisation de ce projet (Actes II et III). Malgré ses larmes, Antoinette se résout à son sort (Acte IV). Mais le capitaine revient, accompagné d'un gentilhomme du Poitou : celui-ci reconnaît en Antoinette sa fille et, en père clairvoyant qui devine les sentiments du jeune avocat, lui donne la « reconnue » en mariage (Acte V).

Belleau a emprunté le thème de sa comédie à la *Casina* de Plaute et peut-être à *la Clizia* de Machiavel, qui, lui-même reprend l'argument de Plaute. Comme dans le modèle classique, le vieillard amoureux constitue l'un des ressorts essentiels du comique et, comme dans la comédie érudite, le procédé de la reconnaissance fournit l'occasion d'un dénouement aisé. Belleau, néanmoins, montre sa distance par rapport aux effets faciles quand il laisse le valet Potiron commenter ainsi ces retrouvailles inopinées : voici l'événement « le mieux encommencé / Pour agencer plus proprement / Le plus vray semblable argument, / De la meilleure comédie / Que je vis onques en ma vie ».

Au fil d'une comédie où Belleau s'exerce à donner une épaisseur psychologique à certains personnages par le biais des monologues, ni le portrait d'un ridicule géronte, ni la satire des hommes de loi et des plaideurs n'évacuent l'atmosphère grinçante de son univers théâtral : en toile de fond, les guerres civiles, la crise économique qui justifie que « tout est enchery de moitié », et une crise des valeurs morales dans un monde où la guerre est devenue un moyen comme un autre de s'enrichir ; sur la scène, les plus beaux fleurons d'une bourgeoisie grincheuse, ladre et maladive, assortis de serviteurs obsédés par la faim qui leur creuse l'estomac. Au premier plan, les inquiétudes d'une époque qui vit intensément les questions religieuses et d'un Belleau qui avait embrassé, pour un temps, la nouvelle religion en 1561. *La Reconnue* n'a évidemment rien d'une pièce militante : Enea Balmas n'y voit d'ailleurs « que le "divertissement" d'un humaniste qui veut [...] remettre en honneur dans son pays la comédie antique » ; elle entend toutefois présenter au spectateur une étude de mœurs fortement ancrée dans la réalité du temps. La question occupe si bien les conversations que Jeanne (la servante) « entre les pos / Parle de reformation ». C'est bien sûr le personnage d'Antoinette qui nourrit l'essentiel de ces développements : elle a fui le couvent pour honorer Dieu selon ses convictions, elle qui invoque le Très-Haut en ces termes : « Mon fort, mon tout, mon espérance » (I, 3), et consentirait même à épouser le clerc du vieil avocat pour rester à Paris, où l'on peut vivre « en liberté de conscience ». Belleau innove en abordant de front la question religieuse dans la comédie ; c'est ici que réside essentiellement l'originalité d'une pièce qui, tout en cherchant à imiter les modèles antiques, a aussi emprunté à la farce.

● Genève, Droz, 1989 (p.p. J. Braybrook).

M.-C. GOMEZ-GÉRAUD

RECOURS À L'ABÎME. Voir HOMMES DE BONNE VOLONTÉ (les), de J. Romains.

RECUEIL DES INSCRIPTIONS. Plaquette d'Étienne **Jodelle** (1532 ?-1573), dont le titre complet est : *Recueil des inscriptions, figures, devises et mascarades ordonnées en l'hôtel de ville de Paris, le jeudi 17 février 1558*, publiée à Paris chez André Wechel en 1558.

Pour organiser les fêtes que la municipalité de Paris donna en l'honneur d'Henri II et du duc de Guise après la reconquête de Calais, les échevins firent appel à Étienne Jodelle, que le succès de la représentation de la **Cléopâtre captive* à l'hôtel de Reims en 1553 avait mis à la mode. Le spectacle, monté en quatre jours, tourna à la catastrophe. Jodelle résolut de s'expliquer de cet échec dans le *Recueil des inscriptions*, qui contient le récit des événements et le texte de la mascarade que le poète avait composée en l'honneur du roi.

Après avoir relaté les circonstances qui lui valurent cette commande empoisonnée, Jodelle entame le récit de ses mésaventures : forcé de faire « quasi de tous les mestiers », il a en outre bien du mal à se faire obéir de ses ouvriers. Pourtant, la décoration de la salle du festin, où le poète a cru bon de multiplier allégories, références mythologiques et inscriptions latines, est digne de la pompe royale. Mais la première mascarade représentant la nef *Argo* portée par les Argonautes et célébrant en Henri II un nouveau Jason tourne mal : le navire, trop imposant, entre avec difficulté dans la salle du banquet, et le spectacle est à demi caché aux yeux des assistants. Un second tableau, qui devait mettre en scène Vertu, Victoire, Mnémosyne et trois amours non distribuant des couronnes aux Grands de la cour, ne put compenser l'échec du premier : des enfants trop vêtus plongèrent leurs mains dans des corbeilles trop vides ; on n'avait pas eu le temps de confectionner les rameaux artificiels !

Ce « petit ramas », selon le mot de son auteur, qui ajouta au récit de ses infortunes quelques soixante-quatre « Icônes » des princes de la chrétienté, vaut surtout comme document d'histoire littéraire. Source d'information sur les fêtes où s'exprime le goût de l'époque pour une Antiquité appelée à célébrer la grandeur des princes modernes, ce recueil présente un spectacle d'un nouveau genre : Jodelle introduit la parole dans la mascarade avec son tableau allégorique des Argonautes. Enfin, seul ouvrage que l'écrivain ait jugé bon de publier, ce qui nous reste de ses œuvres ayant été édité par Charles de La Mothe en 1574, ce *Recueil des inscriptions* offre un témoignage irremplaçable sur la personnalité de Jodelle, qui, froissé d'une pareille déconvenue, s'applique à nous apitoyer sur son infortune, non sans mettre en avant son génie quand il accuse « la main des ouvriers [qui] ne peut suivre l'abondance de [ses] inventions ». La mésaventure de l'Hôtel de Ville a inspiré à Florence Delay un roman : *l'Insuccès de la fête* (1980).

➤ *Œuvres complètes*, Gallimard, I.

M.-C. GOMEZ-GÉRAUD

RECUEILLEMENTS POÉTIQUES. Recueil poétique d'Alphonse de **Lamartine** (1790-1869), publié à Paris chez Gosselin en 1839.

Premier recueil lyrique de l'auteur depuis 1830, il rassemble des textes écrits entre 1834 et 1838, toute une production ayant été utilisée pour les *Œuvres* publiées en 1832 et 1834. Six réimpressions se succèdent jusqu'à la reprise dans l'édition des « souscripteurs », avec quelques variantes et l'adjonction de trois poésies, chez Firmin Didot (1849-1850).

Sans unité, les *Recueillements* comportent des pièces fort inégales. Des vers d'album aux remerciements adressés aux auteurs pour l'envoi de leurs œuvres, du "Cantique sur la mort de la duchesse de Broglie" aux "Toasts aux Gallois et Bretons réunis à Abergavenny" (1838), en passant par la première version de l'Épilogue de **Jocelyn*, un fragment du *Saül* et des poèmes dédiés à diverses jeunes filles, les *Recueillements* exhibent leur facture composite. Si, sur un total de vingt-sept, l'on peut négliger aujourd'hui bien des poésies de circonstance, quelques poèmes de 1837 et de 1838 importent pour comprendre l'évolution d'une pensée.

L'"Ode à M. Félix Guillemardet sur sa maladie" (1837) développe le thème de la pitié humaine. Au lyrisme mystique des *Harmonies poétiques et religieuses* répond le lyrisme social du poème "Utopie" (1837, postérieur à l'"Ode"). Les trente et une stances de "À M. le comte de Virieu" (1837), évoquant un ami commun disparu, confient à leurs octosyllabes la traditionnelle tâche consolatrice. L'"Épître à M. Adolphe Thomas" (1838) revient sur la question de la mission du poète. Lamartine, en profonde sympathie avec l'humanité, continue d'en éprouver pour les êtres et les lieux chéris. Ainsi "la Cloche de village" (1838) revient-elle sur les terres de l'enfance. Enfin, le "Cantique sur un rayon de soleil" (1838) aurait pu trouver sa place dans les *Harmonies*.

Ces pièces rassemblent la plupart des thèmes et des préoccupations que Lamartine développe depuis plusieurs années, tout en laissant libre cours à une inspiration cosmique. C'est le poète social qui prend désormais le pas. L'œuvre semble être passée de l'élégie ou de l'hymne à la prédication. Adressée à son « frère », l'"Ode à M. Félix Guillemardet" exprime le remords du poète pour l'attendrissement égoïste dont il a bercé ses émois personnels : « Le temps n'est plus où j'écoutais mon âme / Se plaindre et soupirer comme une faible femme. » La personnalité dolente qui « remplissait la nature » a laissé place au chantre proclamant : « La douleur s'est faite homme en moi pour cette foule. » Les sizains – cinq alexandrins et un hexasyllabe – disent l'unité fraternelle du genre humain. L'ami malade bénéficie d'une sollicitude émue, profonde sympathie pour l'Autre. Cette pitié serait simple sensiblerie si elle ne s'articulait sur une prise de conscience, celle du « pénible travail de sa lente croissance / Par qui sous le soleil grandit l'esprit humain. »

Adressé à un jeune poète qui finissait chaque strophe d'une ode envoyée à Lamartine par ce vers : « Enfant des mers, ne vois-tu rien venir ? », "Utopie" lui répond, inaugurant une première série de dix septains (six alexandrins, un octosyllabe) par : « Frère ! ce que je vois, oserai-je le dire ? » Expression d'un idéalisme généreux (« Élargissez, mortels, vos âmes rétrécies ! »), le poème proclame ensuite sa foi dans le génie humain et dans les temps nouveaux où règnera l'Évangile (treize dizains en octosyllabes) : « Un seul culte enchaîne le monde, / Que vivifie un seul amour. » Enfin, un retour aux septains insiste tout au long de onze strophes sur les dangers de l'impatience et les vertus d'une résolution calme et confiante, force tranquille du progrès : « Eh ! que sert de courir dans la marche sans terme ? » En effet, « Dieu saura bien sans nous accomplir sa pensée ».

Hymne et fervent appel à l'amitié, déploration, écho des souvenirs, recueillement funèbre, "À M. de Virieu" commence par un triste constat (« Nos rangs s'éclaircissent ») et s'achève sur cette définition digne des *Méditations* : « La vie est un morne silence / Où le cœur appelle toujours ! »

Si la fraternité, l'humanitarisme animent les *Recueillements* d'un souffle prophétique et unissent, à la lumière des vertus théologales (foi, espérance et charité), la méditation sur la politique et les événements privés, l'"Épître à M. Adolphe Thomas" expose le plus clairement la mission du poète dans la Cité moderne (« Notre voix qui se perd dans la grande harmonie / Va retentir pourtant à l'oreille infinie ! / Eh ! quoi ! n'est-ce donc rien que d'avoir en passant / Jeté son humble strophe au concert incessant ? » Elle définit le rapport intime entre le poète et la Création : « Ces saints ravissements devant l'œuvre de Dieu, / Qui font pour le poète un temple de tout lieu. »

Le registre intime trouve sa place dans le recueil. Le son de la cloche est « une palpitation du cœur ». Correspondance entre la volée de la cloche et l'âme du poète, "la Cloche de village" chante le deuil en vingt sizains et un envoi. Quant au "Cantique sur un rayon de soleil", qui monte progressivement au tableau le plus familier (« Je suis seul dans la prairie / Assis au bord du ruisseau ») jus-

qu'à Dieu qui appelle tout à lui et redescend de la divinité aux choses puis au cœur (« Oh! gloire à toi qui ruisselles / De tes soleils à la fleur ! »), il déploie au long de ses trente-quatre quintils en heptasyllabes le symbolisme lamartinien dans toute sa splendeur. Il démontre ainsi, s'il en était besoin, l'unité profonde qui organise la création poétique du chantre romantique.

➤ *Œuvres poétiques complètes*, « Pléiade ».

G. GENGEMBRE

RÉFLEXIONS CRITIQUES SUR LA POÉSIE ET SUR LA PEINTURE. Essai de Jean-Baptiste **Dubos**, dit l'abbé Dubos (1670-1742), publié à Paris chez Mariette en 1719.

Déjà connu par des ouvrages d'Histoire, l'abbé Dubos s'acquit avec ses *Réflexions* une audience qui dépassa son siècle. Ses théories sont encore commentées et discutées de nos jours. Le livre, dans sa version définitive, comprend trois parties, et chacune d'elles regroupe une série de remarques, entre lesquelles le lien n'est pas toujours évident.

Première partie. L'art a pour mission de nous arracher à l'ennui en créant des émotions, qui ne peuvent naître que de l'imitation d'objets capables de nous toucher. Le choix des sujets a donc une extrême importance : cela nous amène à nous interroger sur le rôle de l'amour dans la tragédie, sur la nature de la comédie, de la pastorale, de l'épopée, sur la valeur des allégories, à conclure que ni en poésie ni en peinture les sujets « ne sont épuisés » et qu'une carrière immense est ouvertes aux artistes. En tout cas, la vraisemblance doit être préférée à la vérité. La composition importe, mais moins que la poésie du style. La poésie, faite avant tout pour plaire, doit être musicale. À cette argumentation à peu près logique, succèdent des remarques sur la peinture au temps de Racine, sur la récitation et la déclamation, sur le plaisir et la mission du théâtre, sur la musique italienne et française, sur les estampes et les poèmes en prose, sur la primauté du dessin ou du coloris, enfin sur la sculpture et les bas-reliefs.

Deuxième partie. Le génie est défini en général, puis plus précisément en peinture et en poésie. On constate l'existence de « grands siècles », particulièrement brillants dans tous les domaines, et leur éclosion s'explique par des raisons physiques et historiques. La réputation des artistes dépend du public bien plus que des « gens de métier », et le jugement de plusieurs siècles ne peut se tromper. C'est ainsi que la supériorité de l'Antiquité est reconnue : ses créations artistiques résistent au temps, lors même que ses systèmes philosophiques se sont effondrés. C'est l'ignorance qui fait souvent mépriser les Grecs et les Romains. L'auteur conclut en confrontant l'art et le génie.

Troisième partie. Le théâtre : rôle qu'y jouent la musique, la déclamation, la danse ; examen des représentations antiques.

On pourrait croire que l'abbé Dubos suit une démarche originale en confrontant constamment poésie et peinture, et voir en lui un préstructuraliste, capable de retrouver dans des formes différentes les mêmes structures mentales. Mais il ne fait qu'appliquer en l'approfondissant le vieux principe *ut pictura poesis*. Ce qui ne l'empêche pas cependant de noter des nuances, voire des discordances entre les deux arts.

On lui fait gloire d'avoir fondé une esthétique de l'émotion, mais La Motte, Fontenelle, Corneille dans ses discours (voir les *Trois Discours*) et Aristote lui-même, n'avaient rien dit d'autre ; Aristote surtout, puisque selon lui l'émotion exige d'abord la représentation, donc le bon choix des sujets, et la vraisemblance.

S'il fut admiré pour avoir souligné l'existence de siècles bénis, où toutes les activités de l'esprit semblent s'épanouir, ces siècles – ceux de Périclès, d'Auguste, de Léon X, de Louis XIV – étaient connus de tous. Dubos n'est pas non plus le premier à mettre en évidence le rôle de l'air et de la terre, bref du climat, dans l'éclosion du génie : le père Bouhours et Fontenelle, parmi d'autres, l'avaient déjà constaté. Quand il reconnaît la valeur du goût du public (même s'il contredit les « connaisseurs ») et du jugement des siècles, il évoque Boileau et conclut que l'Antiquité est « toujours vénérable ».

Il écrit, a-t-on souvent constaté, dans le goût Régence, accumulant sans trop de suite des notations précises et paraissant se refuser à tout esprit de système. Mais cela l'amène à reprendre bien des idées traditionnelles, auxquelles il donne une fraîcheur nouvelle, et à sacraliser la culture gréco-latine.

Sur tous les plans, son ouvrage témoigne de la même ambiguïté. C'est dans un style « moderne » qu'il fonde, ou refonde, une esthétique d'« ancien ». Il va parfois chercher ses arguments chez ses adversaires naturels (La Motte, Fontenelle). Il leur rend hommage, s'il le faut. Il est exactement un « néo-ancien ». Après la querelle de Perrault et de Boileau, après celle de La Motte et de Mme Dacier, il fallait, pour restaurer l'esthétique aristotélicienne, de nouveaux arguments. Il fallait affecter de refuser toutes les théories et tous les *a priori*, il fallait couper définitivement avec la scolastique (et aussi avec le cartésianisme). La pensée anglaise, qui, avec l'attraction newtonienne, réunifiait l'univers et restaurait l'omniprésence de Dieu, fournissait des armes pour cette entreprise. La démarche de Dubos était fort habile, son livre plein de culture et scintillant d'aperçus neufs ; le critique était courtois et apparemment neutre. Il était en esthétique ce que sera Voltaire (moins poliment) en esthétique aussi, mais également en philosophie. Ainsi se fondait un nouveau classicisme et, au fort de la Régence, l'on commençait d'enterrer, avec beaucoup d'onction et de douceur, l'univers de Fontenelle et de Marivaux.

● Genève, Slatkine, 1967 ; École nationale supérieure des Beaux-Arts, 1993 (préf. D. Désirat).

A. NIDERST

RÉFLEXIONS OU SENTENCES ET MAXIMES MORALES. Ouvrage de François VI, duc de **La Rochefoucauld** (1613-1680), publié à Paris chez Claude Barbin en 1665.

Les *Maximes*, telles que nous les lisons aujourd'hui, ne correspondent pas au livre que le public a découvert en 1665 : les éditions modernes, qui suivent la cinquième et dernière édition parue du vivant de l'auteur (1678), regroupent 504 maximes. Elles donnent toutefois en appendice les « maximes supprimées » que La Rochefoucauld a ôtées de la deuxième (1666, avec 59 maximes en moins) à la cinquième édition (la 3e, qui retranche une maxime, date de 1671 et la 4e de 1675 ; 14 maximes sont supprimées entre celle-ci et la 5e : soit 74 au total). Les éditeurs ont pris l'habitude d'y joindre les maximes dites « posthumes », qu'il faudrait plutôt appeler « écartées » (selon J. Lafond), car elles sont en fait souvent contemporaines de l'écriture de l'œuvre, mais volontairement restées inédites par décision de l'auteur (elles sont 57 en tout) ; on les connaît par les manuscrits (notamment des copies réalisées dès 1663 pour certains amis), par une édition « subreptice » de Hollande (1664) ou par les lettres du duc qui ont été conservées. Dans l'ensemble, les *Maximes* représentent un travail qui s'est étendu presque sur une vingtaine d'années (de 1661 à 1678). Certaines ont été ajoutées d'édition en édition, ou simplement corrigées : le nombre s'en est en fin de compte accru (de 318 à 504, en passant par 302 en 166, par 341 en 1671 et par 413 en 1675). Une telle plasticité correspond simplement à l'attention que portait l'auteur à son public, qui jugeait « à chaud » la portée ou l'efficacité de telle ou telle maxime.

Après une brève série sur l'amour-propre, thème central de l'œuvre, La Rochefoucauld en vient directement à la description des passions qui habitent l'homme ; l'art du contrepoint règne en maître dans cette composition : les thèmes s'entrecroisent et reviennent comme des leitmotive (l'intérêt, l'orgueil, la fausse constance, l'ambition, etc.). Peu de séries longues, plutôt une rapide suite de variations sur un même thème (au plus deux ou trois maximes d'affilée) : on ne s'attarde pas, de peur de lasser, et, lorsqu'on y revient, le jeu d'échos y gagne en force et en pertinence. Cet art de l'impromptu, qui masque l'ordre

sous une apparente improvisation, répond parfaitement à l'idéal social et mondain du genre, qui prétend être un juste reflet de la conversation, avec son naturel et sa juste part de « négligence ». Les maximes sont en général brèves et incisives (sauf la première maxime, qui ouvrait le recueil en 1665 par une longue réflexion sur l'amour-propre, et qui fut supprimée ensuite ; on peut citer aussi la maxime 215, sur le courage, ou 233, sur l'hypocrisie dans la douleur). L'ultime maxime de 1678 (504) conclut sur le terme de toute vie humaine, la mort, et se moque de la fausseté de ceux qui prétendent la mépriser.

Dès le frontispice, le lecteur sait à quoi s'attendre : un angelot narquois, appelé l'« Amour de la vérité », tient en main le masque souriant et serein qu'il vient d'arracher du visage de Sénèque ; l'illustre philosophe, qui incarnait tout un courant de la pensée morale des XVIe et XVIIe siècles, apparaît ainsi dans toute sa vérité, chagrin et triste, derrière sa fausse impassibilité. Le but des *Maximes* est en effet de démasquer les vertus apparentes, telles que les enseignent les « fausses » sagesses de l'Antiquité. Un débat instauré dès les débuts de l'humanisme tentait en effet de légitimer la « vertu des païens », afin d'en tirer tout ce qui, dans les lumières naturelles de l'homme, affermissait et confirmait la morale chrétienne ; il s'agissait de restaurer la *dignitas hominis*, et quelques grands païens semblaient l'incarner tout spécialement, tels Socrate, Cicéron ou Sénèque. La pensée augustinienne, antihumaniste et antistoïcienne, remettait en question cette conception centrale de la Renaissance : le jansénisme s'en fit bien sûr l'écho, et on comprend qu'il ait été aussitôt combattu par les tenants de la tradition humaniste, encouragés parfois par le pouvoir politique (que l'on songe à La Mothe Le Vayer, dont l'ouvrage *De la vertu des païens*, paru en 1642, avait été commandité par Richelieu).

Ce qui fonde ces prétendues « vertus » est, selon saint Augustin, la corruption originelle de la nature humaine, qui se résume en un mot : l'amour-propre. Dans la première édition, un long Avis au lecteur dénonçait ce « corrupteur de la raison ». Et la deuxième maxime de proclamer aussitôt : « L'amour-propre est le plus grand de tous les flatteurs. »

Cet amour de soi, cette « philautie », est la cause de l'oubli de Dieu et de la charité ; il est un tyran qui règne sur la nature humaine corrompue. La première « maxime » (supprimée après la première édition) donnait le ton, comme une ouverture musicale qui expose le thème central de l'œuvre : « L'amour-propre est l'amour de soi-même, et de toutes choses pour soi ; il rend les hommes idolâtres d'eux-mêmes, et les rendrait les tyrans des autres si la fortune leur en donnait les moyens ; il ne se repose jamais hors de soi, et ne s'arrête dans les sujets étrangers que comme les abeilles sur les fleurs, pour en tirer ce qui lui est propre. Rien n'est si impétueux que ses désirs, rien de si caché que ses desseins, rien de si habile que ses conduites ; ses souplesses ne se peuvent représenter, ses transformations passent celles des métamorphoses, et ses raffinements ceux de la chimie. On ne peut sonder la profondeur, ni percer les ténèbres de ses abîmes. » Mais cette trop longue « réflexion », poursuivie sur plusieurs pages, était peut-être mal venue pour l'attaque de l'œuvre, qui prétend à la brièveté et à la densité. On lira donc dès la deuxième édition : « Ce que nous prenons pour des vertus n'est souvent qu'un assemblage de diverses actions et de divers intérêts, que la fortune ou notre industrie savent arranger ; et ce n'est pas toujours par valeur et par chasteté que les hommes sont vaillants, et que les femmes sont chastes » (maxime 1). Cette fois, le lecteur est mis d'emblée en présence du mécanisme fondamental de la « maxime », avec ses mots clés (« vertus » / « intérêts ») fortement articulés dans ce double rapport d'apparence et de dévoilement (« nous prenons »), et la fameuse tournure restrictive « ne... que » qui est le principe dynamique de nombreuses maximes.

Car la force du propos de La Rochefoucauld ne réside pas dans l'originalité d'une pensée : celle-ci était déjà élaborée en profondeur par ses amis jansénistes de Port-Royal. Mais l'auteur a choisi la maxime pour diffuser le débat devant un public moins spécialisé, et sans doute plus sensible aussi aux questions touchant à l'amour-propre. Ce choix s'explique tout d'abord parce que la maxime appartient au jeu mondain : on a même pu parler d'une écriture « collective » des *Maximes*, dans l'entourage des lettrés jansénistes qui fréquentaient Mme de Sablé. En fait, cette collaboration a surtout consisté en un échange fréquent de lettres et de billets entre La Rochefoucauld, l'auteur, et ses deux amis, Mme de Sablé et Jacques Esprit. On y propose, on y reprend ou on commente telle ou telle maxime : reste que l'écriture définitive est bien l'œuvre d'un seul auteur, qui a poussé au plus haut point le souci de la forme, mais sans jamais perdre de vue le souci moral et spirituel. Enfin, le « mécanisme », fait de symétries, d'oppositions ou d'équivalences, souvent soulignées par une tournure restrictive, est idéal pour retourner les apparences : « La passion fait souvent un fou du plus habile homme, et rend souvent les plus sots habiles » (7) ; « La clémence des princes n'est souvent qu'une politique pour gagner l'affection des peuples » (15) ; « L'amour de la justice n'est en la plupart des hommes que la crainte de souffrir l'injustice » (78).

La maxime relève de l'« art de la pointe », dont on fait la théorie ou l'histoire chez les plus grands critiques européens du XVIIᵉ siècle (l'Italien Tesauro, l'Espagnol Gracián, le Français Bouhours) ; cette pointe ne craint pas de rechercher le trait d'esprit, qui apporte la détente d'un rire ou plutôt, d'un sourire : « Nous avons tous assez de force pour supporter les maux d'autrui » (19).

Le choix de ce genre d'écriture est pour ainsi dire lié à l'adversaire même. À la pensée sentencieuse et paradoxale des stoïciens – le style coupé n'est-il pas, par excellence, le style de Sénèque ? –, le moraliste va répondre par une pensée structurée de la même façon, en lui opposant un miroir qui renverse les perspectives. Sénèque fondait l'« exercice spirituel » du stoïcien sur le choix de sentences, que l'on extrait des textes, afin de les méditer (voir *Lettres à Lucilius*, 2). En extrayant ses « maximes » du plus vaste livre du monde et de la nature humaine, La Rochefoucauld propose cette fois une lecture et une méditation à la lumière de la morale chrétienne.

Mais décrire avec précision et en profondeur le mal, selon toutes les modalités qu'il présente dans la société des hommes (amitié, amour, honneur, mérite, louange, etc.), ne conduit-il pas en définitive à un pessimisme radical ? En effet, les notations psychologiques, mises en valeur par le jeu systématique des symétries et des antithèses, qui accentuent l'irrémédiable « contrariété » de la nature humaine, risquent de faire table rase de toute valeur humaine, de conduire au désespoir le plus sombre. La Rochefoucauld s'en expliquait dès 1664 à l'abbé Thomas Esprit (frère de Jacques), pour justifier l'édition de ses *Maximes* (en réponse à l'édition « subreptice » parue en Hollande) : « Il me semble, dis-je, que l'on n'a pu trop exagérer les misères et les contrariétés du cœur humain pour humilier l'orgueil ridicule dont il est rempli, et lui faire voir le besoin qu'il a en toutes choses d'être soutenu et redressé par le christianisme » (lettre du 6 février 1664). Il s'agit donc bien, pour La Rochefoucauld, d'« exagérer » : l'apparente précision d'entomologiste des *Maximes* ne doit pas masquer qu'il s'agit, en fait, d'une remarquable variation du genre rhétorique que l'on appelle « démonstratif », celui qui traite traditionnellement de la louange et du blâme. Dans cette optique, le projet du moraliste, s'il repose bien sur un tableau des mœurs, s'inscrit entre les deux pôles extrêmes des vices (que l'on blâme) et des vertus (que l'on loue). La Rochefoucauld sait que le prix et l'efficacité d'une description éloquente impliquent nécessairement l'élévation de la louange ou l'abaissement de la satire. Certaines maximes illustrent bien cette perspective : « Peu de gens sont assez sages pour préférer le blâme

qui leur est utile à la louange qui les trahit » (147). Le « réalisme » du constat moral ne doit donc pas craindre de forcer le trait ; tout l'art consiste à restreindre, voire à masquer cette accentuation par l'économie du style et le brio des balancements et des antithèses. Cet effet de vérité était bien connu des écrivains du XVIIᵉ siècle, et Lautréamont s'en souviendra encore lorsqu'il jouera à « retourner » certaines maximes : la combinatoire des termes et le jeu de la syntaxe maintiennent le constat sous une même lumière d'évidence.

De ce point de vue, il faut lire attentivement les maximes qui définissent les exigences stylistiques. La recherche d'un équilibre entre l'expression et la pensée appartient à l'idéal « atticiste », poussé à son pôle extrême de *brevitas*, sans confiner pourtant à l'obscurité, qui est le risque (et selon certains la suprême élégance) du style « tacitiste » qu'avaient admiré les premières générations du siècle, et que le théâtre tragique avait prolongé avec le goût des sentences. L'*imperatoria brevitas*, parole des princes et des hommes d'action (auxquels le duc de La Rochefoucauld pouvait légitimement s'assimiler), se voit parfaitement définie dans des maximes comme celles-ci : « Comme c'est le caractère des grands esprits de faire entendre en peu de paroles beaucoup de choses, les petits esprits au contraire ont le don de beaucoup parler, et de ne rien dire » (142), ou « La véritable éloquence consiste à dire tout ce qu'il faut, et à ne dire que ce qu'il faut » (250). Notons cependant que, dans le second exemple, la tournure restrictive exprime autant une équivalence idéale entre la pensée et les mots, qu'une prudence rhétorique : « tout ce qu'il faut » est avant tout, pour le moraliste, ce qui est nécessaire pour emporter la conviction de son lecteur, même si cela exige une mécanique oratoire qui risque d'accentuer le caractère systématique du propos. Parce qu'elles visent à la dévaluation méthodique des valeurs humaines, les *Maximes* doivent leur plus grande force à un style qui, en articulant les convictions morales du jansénisme le plus rigoureux, parvient à les faire passer pour un constat de réalité.

De plus, il est frappant de constater que, s'il veut ouvrir la voie au bien, l'auteur s'attache surtout à décrire le mal avec un soin et un art extrêmes. Car, pour dénoncer les fausses vertus, il faut avant tout les bien discerner : « La fortune fait paraître nos vertus et nos vices, comme la lumière fait paraître les objets » (380). Tout est une question d'optique, et il s'agit pour le moraliste de savoir distinguer les faux brillants de la véritable vertu : « Il y a de certains défauts qui, bien mis en œuvre, brillent plus que la vertu même » (354). Pour ce faire, le guide sera la morale chrétienne, dont l'humilité est le principal ferment : « L'humilité est la véritable preuve des vertus chrétiennes : sans elle nous conservons tous nos défauts, et ils sont seulement couverts par l'orgueil qui les cache aux autres, et souvent à nous-mêmes » (358).

Faut-il comprendre que la vertu purement humaine, celle qui permet d'ailleurs l'accomplissement d'un minimum de sociabilité, est entièrement condamnable ? La Rochefoucauld n'en vient pas à un tel extrémisme, qui sera celui de son ami Jacques Esprit (*De la fausseté des vertus humaines*, traité paru en 1677-1678) ou du Nicole des *Essais de morale* (sur la « civilité chrétienne » notamment) ; il existe pour lui un bon usage des vertus humaines, ne serait-ce que dans l'économie de notre vie sociale, où il peut arriver que le résultat compte plus que le principe qui y a mené : « Le désir de mériter les louanges qu'on nous donne fortifie notre vertu ; et celles que l'on donne à l'esprit, à la valeur, et à la beauté contribuent à les augmenter » (150) ; « La vertu n'irait pas si loin si la vanité ne lui tenait compagnie » (200).

De fait, il existe une véritable « honnêteté » pour La Rochefoucauld, qui définit une sociabilité raffinée et exigeante ; loin de tout idéal érémitique, la morale des *Maximes* invite au commerce des « honnêtes gens », ce dont témoigne l'entreprise même de l'écrivain, puisqu'elle s'inscrit à la perfection dans les genres mondains : « C'est être véritablement honnête homme que de vouloir être toujours exposé à la vue des honnêtes gens » (206). Une telle vision du monde et de la morale explique sans doute les précautions dont s'est entouré l'auteur : il consulte ses proches, en 1663, pour savoir s'il convient de publier les *Maximes*. La question même de la légitimité d'une étude de la nature humaine qui fût fondée sur des termes appartenant à la théologie, c'est-à-dire au domaine de la Parole divine, risquait de faire condamner l'entreprise ; d'autre part, sa divulgation auprès du grand public pouvait prêter le flanc à la critique. En effet, le plaisir que l'écrivain et le public éprouvaient à parler « littérairement » de l'amour-propre était naturellement porteur d'un soupçon : Bossuet ou Le Maître de Sacy ne se privèrent pas de le faire remarquer. Ce dernier considérait que le livre de La Rochefoucauld, où « l'amour-propre [...] se satisfait lui-même en parlant contre lui-même », nécessitait qu'on en fît « un bon usage ». L'ambiguïté fondamentale de l'œuvre la place au cœur de la question que se pose tout le siècle sur les rapports entre littérature et morale. Arnauld d'Andilly, La Fontaine, Bouhours ou Fénelon ont témoigné d'une plus grande sympathie pour l'œuvre, dont le succès mondain fut incontestable : n'a-t-il pas entraîné cinq éditions successives de 1665 à 1678 ? Ce souci littéraire contraste avec l'anonymat qui était de règle pour un duc et pair qui n'eût voulu pour rien au monde être assimilé à un écrivain de profession. La Fontaine, dédiant la fable "l'Homme et son image" à l'« auteur des *Maximes* » ne placera que ses initiales en tête de son poème.

Grand mondain et laïc, La Rochefoucauld n'a pas voulu faire œuvre de prédicateur. Sans aucun doute profondément chrétien, il a pris plaisir à réfracter ses convictions morales et religieuses au sein d'une œuvre hautement sophistiquée. La forme littéraire qu'il a choisie, traditionnellement porteuse de vérité, a su revêtir les charmes d'une éloquence mondaine qui, comme l'honnête homme, « ne se pique de rien ».

● « Classiques Garnier », 1972 (p.p. J. Truchet) ; « Folio », 1976 (p.p. J. Lafond) ; « Bouquins », 1992 (*les Moralistes du XVIIᵉ siècle*, p.p. A.A. Morello). ➤ *Œuvres complètes*, « Pléiade ».

E. BURY

RÉFLEXIONS SUR LA « POÉTIQUE » D'ARISTOTE. Traité de René **Rapin** (1621-1687), publié à Paris chez Muguet en 1674 ; réédité avec un titre modifié par l'auteur en 1675 : *Réflexions sur la poétique de ce temps et sur les ouvrages des poètes anciens et modernes*.

Élaborées à l'académie Lamoignon, les *Réflexions* étaient conçues comme un pan d'un « ouvrage complet de philosophie, de rhétorique et de poétique en exemples » (les *Comparaisons d'Homère et de Virgile, de Démosthène et de Cicéron, de Platon et d'Aristote*), « et en préceptes » (les *Réflexions sur la poétique de ce temps*, celles *sur la philosophie ancienne et moderne*). Plus proches des doctes, par leur facture même, que l'**Art poétique* de Boileau dont elles sont contemporaines, elles devaient aussi pouvoir se concilier un certain public mondain (l'auteur avait consulté Bussy Rabutin) et cherchaient à redonner au « bon goût » de justes fondements. Rapin reprenait les principes essentiels hérités des anciens et condamnait les excès de la littérature « moderne », notamment d'une littérature gouvernée par le goût des femmes et de la cour. Plus profond que l'*Art poétique* sur plusieurs points, l'ouvrage de Rapin eut un succès plus limité.

Après une Préface où il affirme l'absolue nécessité de suivre Aristote (« La nature mise en méthode et le bon sens réduit en principe », dit-il de la *Poétique*), où il justifie son projet (« exercer les esprits » plus qu'instruire) et la forme adoptée (« J'ai pris le parti de faire des

réflexions, parce qu'on y épargne toutes ces paroles qui sont nécessaires aux liaisons dans un discours de suite »), l'auteur se consacre aux « Réflexions sur la poétique en général ». Il définit d'abord le vrai poète, qui a un « génie » particulier ; examine l'objet de la poésie, délasser et purifier les mœurs ; pose la nécessité des règles et de la raison. Il en vient alors au « détail de cet art » : importance du sujet, du vraisemblable, de la juste observation des « mœurs », de l'élévation des pensées et de la noblesse de l'expression qui doit être pure, « claire, naturelle, éclatante, nombreuse ». Louant les grands modèles antiques, il critique les extravagances baroques comme les exagérations et la superficialité précieuses, conclut que les modernes n'atteignent pas « la grande poésie » et en réaffirme les principes. Vient ensuite la « Réflexion sur la poétique en particulier », où, à l'aune des vues précédentes, il examine tour à tour l'épopée et la tragédie avant de faire un bref historique du théâtre ; il s'attarde sur la comédie, aborde rapidement les genres mineurs, rappelle enfin les poètes à une indispensable humilité.

D'une édition à l'autre, Rapin atténue ses critiques à l'égard des écrivains modernes, sans doute par souci de conciliation. La « *Poétique* » d'Aristote laisse place à celle « *de ce temps* », comme pour marquer qu'il ne s'agit pas d'un texte consacré au théoricien antique, mais bien à la poésie dans son essence. Se référer à Aristote (et à Horace), ce n'est donc pas se placer du côté des doctes par principe, mais rester fidèle à une haute idée de la poésie. Rapin, qui écrira un traité *Du grand et du sublime*, s'interroge longuement sur la part du génie et de l'« art » dans la création poétique, souligne l'importance du « don » pourvu qu'il soit contrôlé par la raison et soutenu par l'étude. Seule la raison maintient le génie « dans la justesse et dans la proportion » indispensables ; la « grâce secrète » dont il jouit permet seule d'atteindre la noblesse de l'expression et la « grandeur de pensée » qui font défaut aux écrivains modernes, qui vont d'un excès à l'autre. Au reste, la France est « naturellement galante », ce qui explique l'incapacité des dramaturges à retrouver la pureté de la tragédie antique : ils ne savent pas renoncer à y intégrer l'amour. En dépit des espoirs suscités par quelques pièces et par la création de l'Académie, en dépit même de l'exemple de Molière, miracle d'un homme qui, sans respecter les règles, atteint à la plus haute comédie parce qu'il en a compris l'essence, tout reste à faire. Le principe clef est la vraisemblance : sans elle « tout est défectueux ; avec elle tout est beau ». Exigence absolue, compliquée par le flou qui l'entoure. Tantôt Rapin la définit comme « tout ce qui est conforme à l'opinion du public », tantôt il propose un autre point de vue, d'un tout autre ordre : « Il ne naît rien au monde qui ne s'éloigne de la perfection de son idée en y naissant. » La vérité est donc entachée d'une imperfection essentielle : elle « ne fait les choses que comme elles sont ; et le vraisemblable les fait comme elles doivent être ». Rapin illustre ainsi les ambiguïtés, voire les contradictions de la poétique classique, mais aussi la haute conception qu'elle avait d'elle-même.

● Genève, Droz, 1970 (p.p. E. T. Dubois).

D. MONCOND'HUY

RÉFORME INTELLECTUELLE ET MORALE DE LA FRANCE (la). Essai d'Ernest **Renan** (1823-1892), publié à Paris chez Michel Lévy frères en 1871.

Au cours de ses années de séminaire, Renan, grâce au père Le Hir, découvrit chez Fichte, Kant, Herder, cette pensée allemande profondément religieuse et cependant ouverte à la critique dont il utilisera la méthode dans la **Vie de Jésus* (1863), premier tome de l'*Histoire des origines du christianisme*. Rallié à l'Empire libéral, il se félicite du soutien qu'apporte Napoléon III à l'unification de l'Allemagne ; mais lorsqu'après Sadowa (1866) la situation se tend entre Paris et Berlin, il s'inquiète de la faiblesse de la France. En 1871, indigné par l'annexion de l'Alsace-

Lorraine, il propose à ses compatriotes cette *Réforme intellectuelle et morale*, accompagnée de six « morceaux » déjà publiés, où éclatent sa déception, mais aussi son regret pour le système politique (l'« ancien régime ») prussien dont Bismarck est le fossoyeur.

I. « Le Mal ». Après avoir rappelé, dans une Préface, l'alternance de grandeur et de décadence qui caractérise la marche de l'Histoire, Renan analyse les causes de l'écroulement des institutions françaises. Les contradictions immanentes à l'état de la France rendaient imprudente toute politique belliqueuse alors que la Prusse, demeurée un pays d'« ancien régime », a conservé ses vertus militaires.

II. « Les Remèdes ». En annexant l'Alsace-Lorraine, les Allemands ont peut-être amorcé en France une réaction comparable à celle de la Prusse après Tilsit (1807). Les décisions constitutionnelles étant ajournées, la démocratie républicaine existante pourrait être améliorée par une réforme de la représentation nationale et municipale, par une politique d'expansion coloniale et par une refonte de l'enseignement public et privé. Entre la démocratie à l'américaine et l'« ancien régime » prussien (en voie de disparition), la France cumule les inconvénients du matérialisme et du sectarisme catholique, tous deux fatals au patriotisme.

Les six autres « morceaux », qui annoncent ou reprennent les thèmes du morceau principal, ont pour titres : « la Guerre entre la France et l'Allemagne » (la *Revue des Deux Mondes*, 15 septembre 1870) ; « Lettre à M. Strauss » (16 septembre 1870) ; « Nouvelle Lettre à M. Strauss » (15 septembre 1871) ; « De la convocation d'une assemblée pendant le siège » (1870) ; « la Monarchie constitutionnelle en France » (la *Revue des Deux Mondes*, 1er novembre 1869) ; « la Part de la famille et de l'État dans l'éducation », conférence (19 avril 1869).

La pensée de Renan se meut volontiers entre deux pôles. La *Vie de Jésus* opposait l'esprit de la Galilée à celui de Jérusalem ; la « Prière sur l'Acropole » (écrite en 1865, voir *Souvenirs d'enfance et de jeunesse*), le « miracle juif » au « miracle grec ». Pareillement, la *Réforme* de 1871 fait éclater tout un jeu d'oppositions : la frugalité de la Prusse et le matérialisme opulent de notre pays ; le nationalisme militaire et l'individualisme jouisseur, etc. Renan lui-même, dont la ligne politique d'avant 1870 s'accordait avec son admiration pour la pensée allemande (« ma maîtresse »), se précipite après l'annexion de l'Alsace-Lorraine vers le pôle adverse : cette France peut-être étourdie, légère, mais qui assuma en son temps une vocation universelle. « Les droits de l'homme [...], c'est notre philosophie du XVIIIe siècle, c'est notre Révolution qui les ont fondés » (Préface). Cependant le passage au pôle opposé ne signifie pas l'abandon définitif de l'ancienne position. Dans la *Vie de Jésus*, l'historien niait la nature divine du Christ mais s'exclamait : « Entre toi et Dieu, on ne distinguera plus. » Le même mouvement anime la *Réforme* : désormais, nouvelle antinomie, l'Allemand « inexorable et dur » ayant supplanté l'Allemand « doux, obéissant, respectueux et résigné » (Préface), Renan lui ôte son estime ; mais il prescrit à la France, sur le ton du *Discours à la nation allemande* de Fichte (1807), de modeler sa conduite sur celle de la Prusse après Tilsit.

Cette fusion de deux credo successifs s'accorde avec la philosophie renanienne du devenir. Mais la *Réforme* présente l'« éternel *fieri* » sous un jour dramatique. L'histoire d'une nation est en effet une « résultante vivante », une génération engageant l'autre dans la « chaîne » continue qui unit les morts aux vivants. Qu'un maillon cède, l'Histoire se dérègle, la nation est saisie de convulsions. Ce fut le sort tragique de la France « capétienne » commettant un « suicide » en coupant la tête à son roi ; c'est aussi le scandale avant-coureur des désastres à venir, d'une nation qui a engendré Kant, Fichte, Goethe, et qui renie avec Bismarck sa tradition idéaliste et libérale.

En définitive, le discours de Renan est résolument conservateur. Ses préférences vont à la monarchie constitutionnelle et aristocratique ; il se défie du suffrage universel, qui fragilise les démocraties : « Le hasard de la naissance est moindre que celui du scrutin. » Les pays de la continuité ont l'élasticité d'un organisme vivant avec « de bons poumons, un cœur vigoureux, de solides viscères »,

et s'opposent ainsi aux nations « tas de sable », livrées au « sabbat démocratique ». Inspirée de Kant, la morale de Renan est inégalitaire : « Que chacun fasse son devoir à son rang. » Quant à sa politique coloniale, elle est fondée sur une hiérarchie entre races qui repose non sur la nature (comme le croient les Allemands) mais sur la culture : condamnant les conquêtes entre « races égales », Renan encourage au contraire celle d'un pays moins civilisé par un autre qui l'est davantage.

Le réformateur de 1871 conjugue cet aristocratisme avec un libéralisme qui ménage des poches d'air laissant librement respirer tout homme capable de faire usage de sa raison : universités autonomes, liberté de la presse, liberté de réunion, séparation de l'Église et de l'État garantissant la liberté de conscience. Le microcosme social reproduit ainsi le modèle de développement que le philosophe assigne à l'humanité entière. Les classes inférieures de l'esprit restent groupées autour du curé du village, du noble campagnard (voir « le Broyeur de lin » dans les *Souvenirs d'enfance et de jeunesse*), conservation vivante de la mémoire des siècles passés. L'élite, en revanche, doit disposer du pouvoir dynamique de la raison qui porte l'humanité en avant, vers la « constitution d'une conscience supérieure » (l'*Avenir de la science*). Un dérapage comme celui de 1870 signale un recul momentané de la raison, une « inconséquence » de l'élite pensante. Napoléon III, en particulier, n'a pas mesuré l'impact négatif sur le patriotisme des « progrès de la prospérité matérielle » et des « questions sociales » : thèse que reprendra, mais en l'isolant de son contexte, la « Révolution nationale » de Pétain en 1940.

Ainsi personnalisée, l'Histoire, selon Renan, interpelle le lecteur de 1871. Son art du portrait psychologique (Napoléon III, Bismarck), de l'analyse sociologique convertit en données concrètes des causes abstraites. L'historien des *Origines du christianisme* pensait déjà qu'une doctrine tire son pouvoir d'adhésion, de sa capacité à se transformer en sentiment. Imagée, souvent passionnée, la *Réforme intellectuelle et morale* cherche, elle aussi, à créer une dynamique capable de soulever un pays momentanément affaissé.

● Albatros, 1982 (p.p. A. de Benoist) ; Éd. Complexe, 1990 (introd. L. Rétat). ➤ *Œuvres complètes*, Calmann-Lévy, I.

M.-A. DE BEAUMARCHAIS

RÉFRACTAIRES (les). Recueil d'articles de Jules **Vallès** (1832-1885), publié à Paris chez Achille Faure en 1865.

Daté de 1866, le livre rassemble des textes parus surtout dans *le Figaro* depuis cinq ans, mais aussi parfois dans *le Présent*, *le Boulevard* et *l'Époque*. Il se présente comme une réponse à la bohème trop rose de Murger (voir *Scènes de la vie de bohème*), dont l'enterrement frappa Vallès en 1861. Barbey d'Aurevilly et les Goncourt seront sensibles à l'originalité du livre.

« Les Réfractaires » proposent une collection étrange de déclassés, dont une première section décrit les habitudes générales, les vêtements, la nourriture, les travaux, la solitude et la mort. Ensuite « les Irréguliers de Paris » présentent trois originaux : Fontan-Crusoé raconte sa pauvreté, ses nuits à la belle étoile, ses trois sous par jour ; Poupelin, dit « Mes papiers », se fait établir des certificats ridicules et cherche à rencontrer l'Empereur ; Chaque, orgueilleux de ses campagnes en Grèce, auteur raté, régent de collège, est toujours en uniforme. « Les Morts » rapportent leur destin générique, oublié et pitoyable. « Un réfractaire illustre » fait le portrait de Gustave Planche, écrivain fier et digne, vivant difficilement de ce que lui donne Buloz et lié à Mme Dorval, à Balzac, à Sand. « Deux Autres » parlent de Cressot, au nez agité d'un tic, et de Leclerc, sculpteur suicidé. « Les Victimes du livre » font la liste des lectures qui décident d'une vocation malheureuse, lectures d'enfance ou de jeunesse, qui ne produisent que l'échec dans la vie réelle. « Le Dimanche d'un jeune homme pauvre » raconte l'ennui de cette situation : les créanciers, le silence des rues, la faim, les commerçants. « Le Bachelier géant » propose l'itinéraire d'un personnage à moitié vrai qui abandonne tout pour devenir phéno-mène parmi les saltimbanques, pour aimer et voyager à l'aventure. Enfin, « l'Habit vert », d'un ton différent, est en grande partie une pièce de vers sur un amour de jeunesse.

Le texte liminaire du recueil nous présente ces réfractai-res comme une « race de gens qui [...] ont juré d'être libres ; qui, au lieu d'accepter la place que leur offrait le monde, ont voulu s'en faire une tout seuls, à coups d'au-dace ou de talent ». Il est vrai qu'ils sont tous différents et même uniques tant physiquement que moralement : leur taille, leur maladie, leurs lectures ou leur folie particulière les ont isolés dans le monde social, leur ont enlevé toute ressource. Tous ces originaux ont cependant des traits communs : d'abord et souvent, l'éducation les distingue de la misère habituelle, et leur donne une conscience pro-fonde, malheureuse, de leur échec. Ensuite, un idéal ou un projet, une qualité ou un talent les guident : un livre à écrire ou à vendre, un rêve à réaliser, un amour impossi-ble, par-dessus tout une certaine éthique de liberté. Les réfractaires de Vallès, en effet, ne volent ni ne mentent, ne sont ni désespérés ni violents : ils ont leur générosité envers des débiteurs plus pauvres qu'eux ; G. Planche défend en permanence sa liberté critique et ne veut utili-ser que du beau papier, tel autre se bat en duel pour un mot blessant ou se fait renvoyer pour son attitude altière. Tous aussi utilisent les ressources les plus diverses sans abdiquer : articles mal payés, sermons pour des curés de banlieue, cours à des enfants hydrocéphales ! Au fond, ils sont propres à tout et à rien, obligés à chaque instant de rebondir avec talent.

Pour toutes ces raisons, on peut considérer les réfractai-res comme des modèles de courage et de dignité : eux au moins existent, s'affirment et ne ressemblent à personne, démentent les catégories d'une société qui ne veut accep-ter que les métiers stables, les classes reconnues. Mais ici, Vallès ne fait pas vraiment de politique. Il ne conteste pas : il observe, fasciné, il veut surtout amuser et émou-voir. Comme il le dit lui-même, dans ces chagrins sans grandeur, ces douleurs comiques, ces supplices sans gloire, il a placé la farce près du drame et le bouffon près des martyrs. Et c'est cette ambiguïté, ce double sentiment qui font le charme du livre : un siècle après *le *Neveu de Rameau*, ces êtres ratés sont la matière d'une poésie sociale qui propose au passant, à l'observateur, au lecteur une énigme, une échappée, un parcours improbable.

➤ *Œuvres complètes*, Messidor/Temps actuels, I ; *Œuvres*, « Pléiade », I.

A. PREISS

REGAIN. Roman de Jean **Giono** (1895-1970), publié à Paris en extraits dans la revue *Europe* en octobre 1929, puis intégralement dans la *Revue de Paris* du 1er octobre au 15 novembre 1930, et en volume chez Grasset la même année.

Regain constitue, après **Colline* et **Un de Baumugnes*, le troisième volet de la trilogie de Pan (voir *Colline*). Il fut adapté au cinéma par l'auteur en 1937.

Première partie. Aubibagne est un village provençal qui semble mort (chap. 1), mais où demeurent encore Panturle, la Mamèche, une vieille Italienne, et le forgeron Gaubert. Ce dernier quitte Aubibagne pour se retirer chez ses enfants. La Mamèche laisse entendre à Panturle qu'elle lui amènera une femme et, au printemps, elle quitte à son tour le village (2). Le rémouleur, Gédémus, accompagné d'Arsule, une pauvre fille qu'il a recueillie et qui tire sa carriole, entreprend sa tournée. Sur le plateau, la jeune femme aperçoit une « chose noire ». De plus en plus effrayés, ils perdent leur route et arrivent à Aubibagne (3). Panturle les aperçoit et les suit en cachette. Le soir, alors qu'il les observe, il tombe d'un arbre dans la rivière et Arsule le sauve. Au matin, Panturle emmène Arsule avec lui au village (4).
Seconde partie. Arsule et Panturle sont heureux. Tandis qu'elle fait renaître la maison, il se procure de quoi semer du blé (1). Un jour, il découvre le corps de la Mamèche : Arsule et lui comprennent que la

vieille femme était cette « chose noire » aperçue sur le plateau et qui a été à l'origine de leur union (2). Ils vendent à la foire de Banon le blé que Panturle a battu de ses mains et tous sont émerveillés par la qualité exceptionnelle de ce grain. Ils remontent à Aubibagne où Gédé-mus vient réclamer Arsule. Panturle lui donne soixante francs, c'est-à-dire de quoi s'acheter un âne pour tirer sa carriole, et le rémouleur part satisfait (3). Une nouvelle famille de paysans s'installe au village (4). Au printemps, Arsule attend un enfant. La vie et le bonheur sont revenus à Aubibagne (5).

Le titre du roman manifeste d'emblée l'importance qu'y revêt la nature, puisque le regain est une « herbe nou-velle », et la portée symbolique du récit, ample célébration de la victoire de la vie sur la mort, du bonheur sur le malheur, du bien sur le mal. Profondément humaniste, le texte, à travers Panturle, dont le nom contient celui de Pan, est comme une parabole à la gloire de la nature humaine. À tous les sens du terme, physiquement et mora-lement, Panturle est un « homme énorme ». Ce person-nage, que la civilisation n'a pas atteint ni corrompu, vit en parfaite harmonie avec la nature. Pour camper son portrait, Giono, à la manière du peintre Arcimboldo, recourt à une profusion d'images végétales : « On dirait un morceau de bois qui marche. Au gros de l'été, quand il se fait un couvre-nuque avec des feuilles de figuier, qu'il a les mains pleines d'herbe et qu'il se redresse, les bras écartés, pour regarder la terre, c'est un arbre. Sa chemise pend en lambeaux comme une écorce. Il a une grande lèvre épaisse et difforme, comme un poivron rouge. » Sim-ple et primitif, l'homme se confond avec la terre et se transfigure à son image. Sauvage comme elle au début du roman, il porte sur lui, par le biais des comparaisons asso-ciées à son vêtement, la marque de son évolution vers le renouveau : « Il a ses grands pantalons de velours brun, à côtes ; il semble vêtu avec un morceau de ses labours. »

Le roman dit cette union avec la nature sur un mode éminemment sensuel. Violent ou tendre, le lien qui relie Panturle et Arsule aux éléments engage le corps et mime leur désir amoureux. Ainsi, Arsule perçoit le contact du vent comme une promesse érotique : « Il n'y a plus que le vent pour la caresser, elle est fatiguée. Quand même, elle pense encore à l'homme. Il semble qu'il y a encore les doigts du vent sur elle, cette grande main du vent plaquée à nu sur sa chair. » À l'inverse, le contact physique de Panturle évoque celui de la nature : « Ça fait chaud dans tout son corps comme si, d'un coup, l'été avec toutes ses moissons se couchait sur elle. »

Au-delà de sa dimension sociologique et militante avec la dénonciation de l'exode rural, de sa visée humaniste avec l'exaltation de l'homme simple et naturel, de son lyrisme pittoresque avec la description de la vie et des travaux paysans, la force essentielle du roman réside sans doute dans cette sensualité extrême et ardente, parfois cruelle, qui est comme le principe souterrain de son écri-ture.

● « Les Cahiers rouges », 1992. ➤ *Œuvres romanesques complètes*, « Pléiade », I.

A. SCHWEIGER

REGARD BLESSÉ. Roman de Rabah **Belamri** (Algérie, né en 1946), publié à Paris chez Gallimard en 1987.

D'inspiration autobiographique, *Regard blessé* est le premier roman de Rabah Belamri qui avait précédem-ment publié des contes : *les Graines de la douleur* (1982), *la Rose rouge* (1982), *l'Oiseau du grenadier* (1986), des poèmes : *le Galet et l'Hirondelle* (1985), ainsi qu'un récit autobiographique, *le Soleil sous le tamis* (1982).

Victime d'un décollement de la rétine, Hassan, un jeune garçon, doit se rendre à l'hôpital afin de subir une intervention chirurgicale. Le 12 mars 1962, accompagné de son frère, il quitte son village et se rend à Alger. Opéré la veille du cessez-le-feu, Hassan va subir les consé-quences des troubles et des attentats qui ont suivi l'arrêt officiel des combats. Il ne peut bénéficier des soins post-opératoires nécessaires à sa guérison. De retour dans son village, les guérisseurs profitent de la crédulité de sa mère et décident de recourir aux méthodes tradition-nelles, mais leurs soins se révèlent inopérants et Hassan perd définiti-vement la vue.

Le drame d'Hassan s'inscrit dans une période clé de l'histoire algérienne, de la signature des accords d'Évian aux premiers mois de l'indépendance, obtenue le 1er juillet 1962. Il suit en parallèle la tragédie qui bouleverse sa terre et meurtrit les siens, selon un double mouvement contra-dictoire qui mène un jeune garçon à perdre la vue alors que son pays accède à la lumière de l'indépendance. Si le drame personnel d'Hassan occupe l'essentiel du livre, le romancier décrit aussi l'atmosphère de fin de guerre, avec ses héros et ses traîtres, ses abus et ses règlements de compte. Sans être le narrateur, Hassan conduit le récit et offre son « regard » sur ces hommes qui, à peine les com-bats achevés, aggravent encore, par leur errements, la déchirure du pays. Dans une langue qui ne refuse pas quelques accents poétiques et restitue parfois le rythme du conte, Belamri construit un roman grave qui sait éviter les pièges de la sensiblerie et les facilités du mélodrame.

Fort bien accueilli, *Regard blessé* marque une étape dans l'œuvre de l'écrivain algérien, qui était jusque-là demeurée dans l'univers du récit d'enfance et la transcrip-tion du patrimoine traditionnel algérien.

B. MAGNIER

REGARDS ET JEUX DANS L'ESPACE. Recueil poétique d'Hector **Saint-Denys Garneau** (Canada/Québec, 1912-1943), publié à Montréal à l'Imprimerie dominicaine en 1937 à mille exemplaires, tous retirés de la circulation par l'auteur.

Proche du groupe « la Relève », qui, à partir de 1934, travaille au renouveau de la littérature québécoise, Saint-Denys Garneau envisage la poésie comme la voie de connaissance privilégiée d'une quête morale et spirituelle, animée par un tourment métaphysique et religieux. Écri-vant la plupart de ces vingt-huit poèmes entre 1935 et 1937, il s'accusera d'imposture en 1938 et les reniera, avant de s'enfermer dans le silence. C'est seulement après 1945 que cette œuvre sera redécouverte, et reconnue comme ayant marqué l'entrée de la poésie québécoise dans la modernité.

Placée dès le titre sous le double signe du spectacle et de l'action, l'œuvre s'ouvre sur le besoin d'échapper au malaise causé par une immobilité menaçante (1. « Jeux »). Reconstruisant comme l'enfant un monde à sa mesure, espérant le rendre ainsi habitable, le poète se heurte cependant à l'ordre établi qui interdit la liberté du geste. Pour-tant la contemplation émerveillée de la nature illumine encore son regard ("Rivière de mes yeux"), tandis que les enfants qui cherchent à habiter ce pays (2. « Enfants »), choisissent de s'aventurer dans l'in-connu, afin de fuir la contrainte. Ainsi, dans « les Esquisses en plein air » (3), le poète cherche à recréer par le regard un espace, hanté par une présence féminine, où les arbres s'enracinent au son d'une flûte qui chante la respiration et le ruissellement de l'être. Mais les « Deux Paysages » (4) sont marqués par la rencontre de la mort dans l'indiffé-rence de la nature, rencontre dramatisée, dans « De Gris en Plus Noir » (5), par la présence d'éléments hostiles : le froid et l'étouffement ouvrent la porte à la solitude, à l'ennui et au désespoir. Dès lors, c'est à une perte d'être que le poète est confronté (6. « Faction »): même s'il demeure possible à la parole d'investir un espace stellaire, ce der-nier n'est finalement qu'un « réduit ». Le poète outrepasse désormais les limites d'un dépouillement qui n'a plus de nom (7, sans titre), et se dissout dans une solitude et un malaise métaphysiques irrémédiables, tandis que dans un dernier sursaut, il se signifie à lui même l'échec de la perspective poétique (« Accompagnement »).

Lauréat de concours poétiques en 1926 et 1929, Saint-Denys Garneau renonce en 1935 à une carrière littéraire qu'il considère comme fondée sur une imposture. Étouf-fant dans une société marquée par une éducation qui appréhende le bonheur comme un danger pour l'âme, condamné dès 1934 par les médecins, il perçoit brutale-ment l'irréalité du monde, et prend du même coup conscience de l'impossibilité à vivre en portant l'aiguillon de cette découverte.

Le premier texte expose d'emblée cette souffrance : « Mon pire malaise est un fauteuil où l'on reste. » Se fon-dant sur un décentrement perpétuel, il inscrit son écriture dans l'hésitation et dans l'attente de tous les possibles : « Laissez-moi traverser le torrent sur les roches / Par bonds [...] / C'est là sans appui que je me repose. » Or, loin de trouver le repos, il s'engage sur le chemin de l'er-rance. « Je suis une digression », écrivait-il dès 1931 dans son *Journal*. C'est, d'après Jacques Blais, l'aventure d'Icare que retrouve le poète. Pour échapper à cette errance dont il pressent l'issue catastrophique, à travers le regard des enfants oppressés par le monde pervers des adultes où « dans ce manque d'air [...] / La ville coupe le regard au début », il s'empare des figures solaires de l'en-vol. C'est dans le ravissement extatique qu'il appréhende les beautés du monde, qu'il peut même s'y abîmer dans un arrêt contemplatif ("Rivière de mes yeux"), et qu'il peint d'un pinceau alerte et sûr de son mouvement les arbres des « Esquisses en plein air ». Las ! Cette perspec-tive quasi aérienne lui fait rapidement percevoir aussi la part d'« ombre sauvage » qui découpe les « Deux Paysa-ges », « la vie la mort sur deux collines ». La chute s'accé-lère et s'achève dans l'engloutissement et la dissolution : « C'est la mort qui fait son nid. » Il ne demeure plus, fina-lement que l'infime conscience d'une déperdition d'être, « Avec la perte de mon pas perdu », « comme un enfant qui part en mer / [...] Que la mer à nos yeux déchira ».

Cette thématique icarienne, si elle rend compte de la composition du recueil, ouvre aussi de nouvelles perspec-tives : comme l'écrit Eva Kushner, cette poésie s'appa-rente plus à un « acte de découverte » qu'à une démarche expressive. Pour mener cette aventure intérieure, Saint-Denys Garneau s'appuie sur de nombreuses lectures (Jac-ques et Raïssa Maritain, Claudel, La Tour du Pin, le Supervielle de *Gravitations*), qui inspirent à son écriture une poétique de la conscience lucide, sans oblitérer cepen-dant une exigence d'authenticité qui l'écarte de toute loi esthétique imposée. Cette recherche d'un équilibre aléa-toire, qui l'oblige à contester les conventions linguistiques, l'engage à s'interroger sans cesse sur le bien-fondé de sa démarche. La poésie devient alors son propre objet, et marque aussi par là son impossibilité tragique à rejoindre le réel. Le constat d'échec d'« Accompagnement » le rap-pelle douloureusement : plus le poète cherche à investir la réalité par le regard et le jeu, plus se creuse en lui la pro-fondeur de l'exil, du silence et de la mort.

● *Œuvres*, Presses de l'Univ. de Montréal, 1971 (p.p. J. Brault et B. Lacroix).

Y. CHEMLA

RÈGLE DU JEU (la). Récit autobiographique de Michel **Leiris** (1901-1990), publié à Paris chez Gallimard en qua-tre volumes : *Biffures* (1948), *Fourbis* (1955), *Fibrilles* (1966) et *Frêle Bruit* (1976).

Biffures évoque les moments et épisodes de l'enfance de Leiris, qui, pour la plupart, furent associés à l'apprentissage du langage et de ses principales caractéristiques. L'enfant découvre peu à peu que les mots ne sont pas seulement « vibrations sonores » liées au bon plaisir de chacun, mais qu'ils doivent être prononcés avec précision (« ... Reusement », « Chansons », « Habillé-en-cour »), et il s'ouvre, grâce à la lecture (« Alphabet »), au monde merveilleux des noms. Continuant à relater les aspects essentiels de sa formation (où la musi-que joue un rôle important), l'écrivain mentionne par glissements asso-ciatifs les périodes de sa vie d'adulte qui s'y rattachent (« Per-séphone », « Il était une fois... », « Dimanche »). Dans le dernier chapitre

(« Tambour-trompette »), il tente d'élucider et de définir avec précision l'objet de la quête qu'il a entreprise : une sorte de « pierre philosophale » comme symbole probant d'une transmutation de soi. N'y pouvant parvenir et n'en ressentant plus dès lors la nécessité, il décide d'interrompre ce travail.

Fourbis, pour Leiris qui a fait le point sur les effets, plutôt négatifs, du livre précédent, représente l'espoir nouveau d'une « reprise de soi ». Par le truchement de certains lieux (Saint-Pierre de la Martinique) ou de certaines circonstances (une conférence sur Max Jacob), il essaie de mettre au jour les nombreuses figures, toutes les ramifications mentales de son appréhension de la mort (« Mors »). L'expérience pénible qu'il fit, enfant, de la fréquentation d'un gymnase, ainsi que sa passion d'alors pour les courses hippiques, constituent à ses yeux des éléments révélateurs, d'une part de ce qu'il appelle sa « veulerie », d'autre part de son souhait de n'assumer qu'un second rôle sur la scène de la vie, le tout mêlé à un très vif désir, parfois naïvement manifesté, de « fraternité » (« les Tablettes sportives »). Ce deuxième volume se referme sur la relation amoureuse avec Khadidja, prostituée qu'il connut dans le Sud-Oranais en 1939-1940 pendant les quelques mois de la « drôle de guerre » (« Vois ! déjà l'ange... »). Avec elle il éprouva, sur le moment, le sentiment d'une intense communion, mais il considère avec le recul qu'elle a un peu joué pour lui le rôle d'un « ange de la mort ».

Fibrilles s'ouvre sur la narration d'un séjour en Chine de cinq semaines, effectué en 1955, après lequel son enthousiasme initial s'est vite teinté de scepticisme : c'est l'occasion d'une réflexion sur son engagement politique. Brodant sur le thème du voyage, il réfléchit sur les raisons qui ont pu le pousser à se « promener » par le monde. Ce premier chapitre s'achève sur la relation d'une grave crise d'identité dont l'élément déclencheur fut une « aventure sentimentale » sans issue, vécue sur fond d'intense culpabilité et qui s'est soldée par une tentative de suicide (chap. 1). Il s'ensuivra une hospitalisation et une assez longue convalescence (parsemée de rêves et marquée par le souvenir de sa tante Claire), au cours de laquelle il s'efforcera de se sortir de l'impasse dépressive (2). Il se livre alors à un bilan de sa vie d'écrivain et constate l'opposition qui a toujours existé en lui entre le rationnel et l'émotionnel. Sa « règle du jeu » se résume à quelques principes moraux simples, liste de « coups défendus » pour préserver l'authenticité du dire (3). Considérant l'art et la poésie comme ses « ressources dernières », il croit pouvoir, dans ce volume, mettre un point final à son autobiographie, en notant que vaine fut sa recherche d'un ordre auquel se conformer, mais que c'est peut-être cette exploration même qui lui a permis de vivre (4). Fausse sortie cependant, puisque paraîtra dix ans plus tard un quatrième volume.

Frêle Bruit, recueil de nombreux fragments, accorde une large place à la difficulté de vieillir, à la douleur de devoir admettre le lent déclin de soi. Leiris passe en revue d'un regard teinté de nostalgie l'ensemble des lieux, sites, objets et des êtres qu'il a aimés et qui composent sa « vitrine » personnelle. Dans la tension entre les deux pôles importants de sa vie que furent l'aspiration à l'action et la poésie, il avoue, dans les réflexions que lui inspirent deux séjours à Cuba (en 1967 et 1968), sa préférence pour cette dernière. Parce qu'il a souvent trouvé en elle le refuge dont il avait besoin (« Malikoko roi nègre ») et à cause de son attirance pour une certaine forme de merveilleux, qui « allège et arme contre la crainte de la mort ».

En espérant que l'écriture va « desserrer l'étreinte » d'une angoisse trop souvent présente, Leiris se lance dans une entreprise dont il ignore les proportions imposantes qu'elle finira par prendre. Pour enrayer ce sentiment de « vide contre quoi si souvent [il se sent] acculé », il se propose d'extraire du chaos de sa vie des figures identifiables, qui lui permettront de remonter à la source de son malaise : dans le mot « fourbi », il faut entendre à la fois la confusion, mais aussi l'affûtage des moyens de défense. Il dispose, pour ce faire, d'une somme importante de fiches, sur lesquelles il a noté les innombrables épisodes de son existence qui deviendront le matériau de base du monumental colmatage auquel il aspire. Le langage, « moyen de révélation », doit l'aider à composer l'arrangement dont il attend un soulagement durable, à mieux supporter ce constat qu'il n'aura de cesse de vérifier et de décliner jusqu'à la nausée : la « déroute » de l'être. Entrer dans le jeu des mots (dont Leiris a déjà exploré quelques-unes des ressources), sans s'obnubiler sur la nécessité d'en connaître au préalable les hypothétiques règles, telle est la première crainte à surmonter : la grammaire du soi (et les incessants remaniements et digressions, les « biffures » qu'elle implique) se découvrira peut-être après de longs

tâtonnements, ouvrant sur une sorte de code de la vie, élaboré en même temps que les principes d'un « art poétique ».

Leiris entame ce texte juste avant d'entrer dans la quarantaine (la bien nommée), en proie à la peur d'être « radicalement retranché », hantise qu'il ne sépare pas de celle de la mort. Pour compenser ce douloureux sentiment de fission, il voit une solution dans l'exaltation de toutes les formes de fusion et dans l'aspiration à « briser sa gangue, sortir de soi, se fondre avec les êtres du dehors », le livre étant conçu ici comme une ouverture, un moyen de jonction. Mais de nombreux obstacles se dressent devant qui se propose d'éponger le « chagrin originel » ; et d'abord un sentiment d'impossibilité qui, amené à la conscience, peut provoquer une véritable sensation d'asphyxie. Dans cette optique tendue, qui prend vite la forme d'une exigence absolue, se fait jour sur les trois terrains fondamentaux que sont l'amour, l'art et l'engagement social, toute une signalétique d'échec. Ne parvenant pas à assumer la part rebelle qu'il sent en lui, Leiris se voit comme « un Hamlet au petit pied, un amoureux poule mouillée, un réfractaire à la manque ». Il se sent humilié par le fossé qui sépare ses aspirations de son comportement réel et il éprouve le besoin de le prospecter : « Mon propos est en lui-même de retrouver des circonstances où toutes choses se situaient, soudain, en porte-à-faux et où je sentais que j'étais sur le point de perdre pied. » Considérer « qu'il est important pour chacun d'oser, au moins, rompre en un point quelconque le cercle dans lequel la prudence et le respect des usages nous enferment » et ne pouvoir le faire, lié par la peur de l'anéantissement, tel est le conflit où s'alimente le désir de s'écrire. Avec, comme ultime revendication, la lucidité qui fera de cette autobiographie un remarquable exercice de clairvoyance, où chaque lecteur peut trouver ce qui lui manque, ce qui lui revient comme défaut d'être.

C'est sur le terrain amoureux que, pour Leiris, la défaillance semble se faire jour avec le plus d'acuité, que se révèle avec une intensité croissante la recherche crispante de la gratification narcissique. Tout écart entre rêve et réalité prend en ce domaine une coloration désespérante : « On n'étreint guère de créature en des délices partagées sans que se mêle à l'obscur discours qu'on lui arrache un chuchotement de l'ange funeste. » Tant il est difficile d'admettre pour qui se sent en faute, dès lors qu'il s'autorise à la sexualité, ce symbole même de la séparation qu'est la féminité. La féminité qui vit en lui constitue pour Leiris l'indicible de l'altérité, une béance sans nom, comme une blessure toujours à cicatriser. La peur du châtiment tient à l'ambivalence même du mouvement : désir et refus mêlés d'identifier l'autre en soi. Crainte aussi de perdre son identité en la modifiant et de dévoiler ses faiblesses en voulant s'en défaire.

Le motif qui a présidé à la mise en chantier de son autobiographie est explicitement chez Leiris un désir profond de changement : comme pour parvenir à tirer profit quand même de cette terrible insatisfaction qui le définit. Mais l'assouvissement du besoin de changer, pour se reconstruire autrement, se fait attendre, et l'impatience relance l'angoisse qui rend toujours plus aiguë l'exigence de diversion écrite. Tiraillement incessant entre peur de la séparation et peur de l'intrusion, la règle du je-Leiris est marquée par ce mécanisme d'attirance / rejet aux effets torturants. Ce qu'il appelle « différence de potentiel », c'est-à-dire, au fond, l'énergie même de son écriture, est nourrie des tensions, des clivages entre l'un et l'autre sexe, entre raison et émotion, entre engagement et repli : un duel (le « double jeu ») qui s'intensifie parfois jusqu'au paroxysme entre le désir de libération et l'appréhension à l'idée d'abandonner de confortables habitudes. Parce que la joie est aussi vécue comme une faute à expier. Le corps vécu, corps de soi / corps de l'autre, constitue le théâtre, la scène où peut se lire un tel affrontement. L'autoportrait, chez Leiris, métaphore de réalités enfouies, est toujours un inventaire des dégradations nouvelles apparues depuis le dernier bilan, marques supplémentaires du temps qu'il faudra tant bien que mal accepter. C'est aussi le lieu où se joue la parade, par l'intermédiaire du vêtement par exemple, auquel est dévolue la double fonction de défense et d'exposition de soi. Par sa préoccupation de l'habillement, « constituant de [sa] personne telle qu'elle apparaît aux autres », Leiris s'efforce de sauver la face. La détresse, aussi mordante soit-elle, ne se sépare jamais chez lui d'un souci d'élégance. L'écriture, à ce titre, constitue comme une seconde façon de s'habiller, de refuser le laisser-aller. Ainsi, au fil des années, « ce lent ouvrage [...], né du désir d'abord vague d'apprendre à jouer sans bavures le jeu que règlent mes idées, mes goûts et mes aptitudes, est devenu moins le manuel que le terrain de ce jeu ».

La problématique de l'écriture, avec l'élucidation des mécanismes psychiques qui la rendent possible (dont les multiples fibres finissent par composer un réseau serré), occupe d'un tome à l'autre une place de plus en plus importante. Et de ce point de vue *Frêle Bruit* marque à la fois le plaisir pris à vivre ce temps désormais considéré comme un sursis octroyé, et le moindre souci accordé à la construction, bien que ce quatrième volume repose toujours, mais de manière plus relâchée, sur la technique de l'association d'idées. Entre chaque fragment, le lecteur est maintenant appelé à effectuer lui-même le travail du tissage. Chacun de ces textes est livré comme « un léger bruit : juste ce qu'il faut pour qu'on puisse s'accrocher à quelque chose, au lieu de se croire immergé dans le néant ». Cette forme dans laquelle Leiris publiera désormais ses textes, véritable pulvérisation du motif, établit ainsi le lien entre ce dernier volume de *la Règle du jeu* et les livres suivants (voir *le *Ruban au cou d'Olympia*). La « vitrine » aux objets (anecdotes, circonstances diverses, rencontres) s'enrichit désormais, presque à chaque page, comme pour multiplier les raisons de ne pas sombrer, comme pour enrayer la tentation du mutisme et s'autoriser à poursuivre le jeu, malgré l'âge. Dans cette autobiographie, Leiris sera parvenu à construire ce personnage, entre fiction et réalité, qui admet enfin la perte et à qui « la conscience prise de sa dépossession accélérée », « morceau après morceau », ne propose plus que l'écriture, rêve de délivrance, « sourire complice », « ricochet ironique », comme ultime raison d'être.

● « L'Imaginaire », 4 vol., 1991-1992.

G. COGEZ

RÈGNE DE BARBARIE (le). Recueil poétique d'Abdellatif **Laâbi** (Maroc, né en 1942), publié à Paris aux Inéditions Barbare en 1976.

Publié grâce à Ghislain Ripault, l'« ami d'outre-mer » à qui sont adressées nombre de lettres de prison réunies sous le titre de *Chroniques de la citadelle d'exil* (1983), *le Règne de barbarie* regroupe sept longs poèmes écrits dix ans plus tôt, à l'époque où Abdellatif Laâbi se radicalise et fait évoluer la revue *Souffles*, qu'il a fondée en mars 1966, vers des positions révolutionnaires. Alors qu'elle paraissait en langue française, celle-ci deviendra bilingue en 1968, puis sera publiée exclusivement en langue arabe, sous le titre *Anfas*, avant d'être interdite par les autorités marocaines, tandis qu'Abraham Serfaty et Laâbi étaient jetés en prison.

Les massacres de Casablanca en 1965, la guerre du Viêtnam (1964-1973) puis, surtout, celle des « Six-Jours » (1967), qui pose dans toute son acuité la question palestinienne, sont loin d'être étrangers à une prise de conscience qui, liant lutte des classes et combat pour la révolution mondiale, en appelle au refus idéologique, tout autant qu'à la revitalisation de la culture arabe face à ce qui est perçu comme une entreprise néo-coloniale d'étouffement culturel. C'est de cette situation d'urgence généralisée que rend précisément compte *le Règne de barbarie*.

Par tous ses pores, dans tout son corps, Abdellatif Laâbi éprouve l'« état de violence » qui prévaut et il hurle sa rage face à l'asservissement dont sont victimes ses frères : « Je t'insulte / règne de bouledogues / citadelles policières / de matraques à mon peuple. » Inlassablement il dénonce « le "SCANDALE" de l'anonymat de l'enterrement de l'oppression historique de toute une race ». En tant que poète, il se doit d'être le proférateur « édifiant à l'insoumission / un royaume », le veilleur qui sonne le tocsin et appelle à l'insurrection, tant vis-à-vis de l'Occident qui réduit son peuple à l'exotisme que des potentats locaux qui, de mèche avec le premier, l'exploitent sans merci : « Il est temps de dire / pourquoi je dégueule ce monde. » À la violence, il appelle les siens à répondre par la violence : « Si nos voix se rencontrent / c'est au niveau du cri / avons-nous des mains / si nos mains se rencontrent / c'est au niveau des barricades / avons-nous des armes. » Ainsi, bien que se sachant particulièrement exposé, revendique-t-il de se placer en première ligne pour rendre la parole à ceux que l'on a bâillonnés et faire émerger « l'écume piaffante d'un avenir ».

Dans les recueils qui suivront, *Poèmes oraux* (1966-1971) et *L'arbre de fer fleurit* (1972), l'écriture de Laâbi se fera didactique et méthodique pour dénoncer l'intoxication de l'Afrique et l'exécution de Lumumba, pour crier son adhésion à la cause palestinienne (« Nous sommes tous des réfugiés palestiniens ») ou pour stigmatiser les cohortes de touristes à la recherche d'éphèbes ou de pseudo-plaisirs esthétiques, qui rejettent dans le néant les « damnés de la terre ».

Le Règne de barbarie, pour sa part, se situe dans les prémices de l'engagement révolutionnaire, au moment où le corps se met à vomir, exsude la colère des mots et laisse exploser une révolte pure, non encore canalisée par les constructions idéologiques. Ainsi, le poème se fait sismographe, tandis que la langue vole en éclats qui incendient la page : c'est cette dissémination nauséeuse qui produit du sens, et non la loi de la logique occidentale à laquelle l'écriture de Laâbi tente alors de s'arracher. Cependant, le « je » qui s'exprime dans *le Règne de barbarie* parcourt en un itinéraire tourmenté la distance qui le mène vers le « nous » collectif de la race, et fond la révolte individuelle dans le combat commun. La démarche de Laâbi se voit en effet portée, à cette époque, par un espoir profond dans le pouvoir subversif de la poésie, celle qui s'inscrit dans la filiation de Maïakovski et de Neruda, celle qui, à l'instar du *Cahier d'un retour au pays natal* de Césaire, « remonte les racines » et « s'arme jusqu'aux dents ». Le poète, pour lui, est celui qui « cherche à / sa / tribu / un langage / qui ne soit pas un alliage » et se fait jusqu'au dernier souffle son porte-parole : « À nous deux geôliers de l'espoir / tenez / je vous jette mon stylo / si vous croyez qu'il est seul instrument de ma colère / brisez-le / je deviendrai orateur. »

Mais ce qui, en définitive, constitue le principal enjeu du *Règne de barbarie* est « la cassure de l'homme », enjeu auquel le poète répond en faisant pousser « des astres / d'immenses astres / d'autres possibilités de vie ». Pour Laâbi, comme pour nombre de poètes engagés, transformer le monde apparaît nécessaire, mais ne serait pas suffisant si ne l'accompagnait le « changer la vie » rimbaldien : « Je marche vers les hommes / ceux qui comptent / leur tends une liberté / une torche de fleurs rouges / arrachées à la meule. »

● Seuil, 1980.

L. PINHAS

REGRETS (les). Recueil poétique de Joachim **du Bellay** (1522-1560), publié sous le titre *les Regrets et Autres Œuvres poétiques* à Paris chez Fédéric Morel en 1558.

Avant d'être rassemblés, nombre des sonnets qui composent le recueil circulaient soit en manuscrits, soit imprimés sans l'autorisation de l'auteur. En 1553, le poète avait accompagné à Rome son illustre parent, le cardinal Jean du Bellay, qui lui avait confié l'intendance de sa maison. Même si l'enthousiasme des premiers temps céda la place au désenchantement, le séjour romain fut loin d'être stérile : après avoir quitté Rome, en août 1557, Du Bellay publia coup sur coup, l'année suivante, les *Regrets*, les *Divers Jeux rustiques*, les *Antiquités de Rome*, et un recueil de *Poëmata* latins ; en outre, le poète revenait en France pourvu de substantiels bénéfices ecclésiastiques, et l'avenir se présentait pour lui sous de bons auspices. Il ne faut donc pas faire une lecture trop littérale des sonnets relatifs à la désolation du séjour romain et à l'obligation navrante de « courtiser ».

Les Regrets se nourrissent évidemment de références littéraires : dès le sonnet liminaire ("À son livre"), Du Bellay se place sous l'invocation d'Ovide, dont il traduit plusieurs vers mot pour mot ; mais tandis que les *Tristes* gémissaient sur l'éloignement de Rome, *les Regrets* renversent la perspective et font de la Ville éternelle « le bord incogneu du une estrange rivage ». Au souvenir d'Ovide s'ajoute l'influence décisive de la satire horatienne : paraphrasant dans le deuxième sonnet l'auteur des *Satires*, Du Bellay se réclame d'une simplicité qu'il qualifie de « prose en ryme » ou de « ryme en prose » ; il est ainsi conduit à adopter l'alexandrin, vers prosaïque aux yeux des poètes du temps.

Les 191 sonnets du recueil se répartissent schématiquement en 4 groupes. Le premier, jusqu'au sonnet 127, constitue à la fois un tableau acerbe de la cour romaine, où la dissimulation règne en maîtresse, et une déploration des malheurs du poète, éloigné de son pays natal et condamné à des travaux aliénants (« Flatter un crediteur, pour son terme allonger, / Courtiser un banquier, donner bonne espérance »). Les 11 sonnets suivants (127-138) retracent les étapes principales du retour à Paris : Urbino, Genève, Marseille, Lyon. Suit un ensemble de 13 sonnets (139-151) relatifs à la cour de France, où le poète prodigue des conseils cyniques à celui qui prétend y vivre : « Donques, si tu es sage, embrasse la feintise, / L'ignorance, l'envie, avec la convoitise » (145). Le recueil s'achève par des sonnets élogieux adressés à la fois aux amis poètes (Tyard, Belleau, Baïf, Ronsard), aux grands (Michel de l'Hospital, Odet de Châtillon), et aux membres de la famille royale (Henri II, Catherine de Médicis, Marguerite de France).

Le titre complet de ce recueil apparemment hétérogène pose d'emblée un problème : Du Bellay n'ayant pas pris soin de diviser sa matière, où s'achèvent les « regrets » proprement dits et où commencent les « autres œuvres poétiques » ? Il semble légitime de n'attribuer le titre de *Regrets* qu'aux 127 premiers sonnets. Mais cette division du texte en ensembles thématiques mutile la matière autant qu'elle la clarifie : elle privilégie la succession des événements (l'exil romain, le voyage de retour, la cour de France) au détriment d'une poétique d'échos, de correspondances et de reprises. Comment, en effet, exclure du cycle des « regrets » le sonnet 131, où la réapparition de la figure d'Ulysse forme le pendant et l'aboutissement du célèbre sonnet 31 ("Heureux qui comme Ulysse") ? Comment ignorer que le motif du masque, récurrent dans les sonnets « romains », fait l'objet de nouveaux développements et variations dans les sonnets « français » ? La structure des *Regrets* est plus complexe qu'il n'y paraît d'abord : elle combine la progression linéaire du journal intime, qui enregistre les vicissitudes de l'existence quotidienne – les « papiers journaux » et « commentaires » évoqués au sonnet 1 –, et l'esthétique de la composition musicale, qui amorce des thèmes qu'elle amplifiera ou modulera ultérieurement.

Le titre du recueil pose d'autres problèmes encore, qui constituent de bons tremplins pour l'analyse. Nul doute que Du Bellay n'ait songé aux *Soupirs* pétrarquistes d'Olivier de Magny, publiés l'année précédente, et qu'il n'ait voulu tromper malicieusement l'attente du lecteur,

en substituant à la mélancolie amoureuse la nostalgie du pays natal. L'originalité du recueil tient ainsi à la transposition de certaines formules pétrarquistes dans le contexte tout différent de l'exil ovidien. Le fameux sonnet 9 : "France, mere des arts, des armes, et des loix", en fournit la meilleure illustration, qui détourne les clichés de la rhétorique amoureuse : « Je remplis de ton nom les antres et les bois », au profit d'une douloureuse invocation patriotique. Tout ensemble mère et maîtresse, la France idéalisée s'oppose à une Italie qui généralise et légitime la pratique de la dissimulation. La contagion machiavélique s'étend au poète lui-même, qui souffre d'une telle aliénation : « Je n'ayme la feintise, et me fault deguiser » (39). Le « regret » du sol natal s'exacerbe donc dans la conscience d'un affaiblissement moral.

Si la vertu et les qualités viriles menacent de s'effriter dans la superficialité mondaine : « Las, ou est maintenant ce mespris de Fortune ? » (6), le « regret » ne se réduit pas pour autant à une expérience négative : l'éloignement contient la possibilité d'un recul critique, et permet au poète isolé de définir sa propre voie et ses moyens les plus personnels. Aucun recueil poétique du XVIᵉ siècle ne se développe comme *les Regrets*, en métadiscours d'une telle lucidité volontariste : il est vrai que l'auteur de la *Défense et Illustration de la langue française*, qui multipliait quelques années plus tôt les recommandations et objurgations à l'usage des « poetes françois », ne pouvait faire moins qu'infuser un haut degré de conscience dans sa propre pratique poétique. Remarquable est à cet égard le nombre de sonnets consacrés à la définition négative d'une esthétique personnelle : Du Bellay refuse successivement l'invocation initiale aux Muses ou à une quelconque déité (2), les sujets élevés de l'ode et de l'hymne ronsardiens (1, 3, 60), la sentimentalité pétrarquiste (4, 24), la poésie courtisane (5) et la recherche de l'immortalité (4). De ce refus des codes et thèmes en vigueur découle une esthétique non moins codée de la spontanéité : « J'escry naïvement tout ce qu'au cœur me touche » (21), où l'écriture se fait exutoire et substitut d'une parole entravée : « Les vers chantent pour moy ce que dire je n'ose » (14). S'éloignant, au moins en apparence, de l'innutrition orgueilleuse des traditions littéraires, la poétique des *Regrets* s'offre modestement comme restitution de la voix du poète ; n'en mime-t-elle pas l'imprévisibilité, l'allégeance aux circonstances extérieures ou aux contingences organiques : « Comme il vient à la bouche, / En un stile aussi lent que lente est ma froideur » (21) ?

La « prose en ryme » peut bien être, dès lors, l'objet d'une malicieuse autodépréciation, elle n'en constitue pas moins un instrument d'une exceptionnelle malléabilité. Au premier chef, elle permet cette alternance des registres dont se réclame le discours liminaire « À M. d'Avanson » : « Entremeslant les espines aux fleurs, / Pour ne fascher le monde de mes pleurs, / J'appreste icy le plus souvent à rire. » À proprement parler, la dualité essentielle des *Regrets* est moins celle des « pleurs » et du « rire » que celles de l'intériorité et de l'extériorité, des mouvements de la conscience et du spectacle du monde. Tantôt l'écriture épouse les fluctuations d'une psyché malheureuse, tantôt elle dénonce le ballet mécanique d'une société en proie à l'inanité. Cette oscillation entre psychologie et phénoménologie rythme les 130 sonnets « romains » et conjure le risque du ressassement obsessionnel : la récurrence du verbe « voir » et de ses synonymes (81, 82, 97, 99, 105, 131) illustre la transformation apaisante, quoique momentanée, de la réflexivité en regard et de l'introspection en satire. Poète soucieux de l'unité de son recueil et de la pertinence de son titre, Du Bellay ne manque pas d'ailleurs de souligner que le « rire » ne doit pas jeter le soupçon sur la sincérité des « regrets » : d'abord, parce qu'il correspond au relâchement nécessaire d'une plainte qui ne saurait, sauf à lasser le lecteur, conserver toujours la même intensité ; ensuite, parce que la « satyre » est plus consubstantielle au « regret » qu'il n'y paraît : le sarcasme, comme l'indique le sonnet 77, n'est peut-être que le prolongement et l'exacerbation de la nostalgie.

Le double registre compromet d'autant moins l'unité du recueil qu'une ligne directrice en assure la cohérence : la thématique, sans cesse reprise et modulée, du masque et de la dissimulation. Aucun écrivain français du XVIᵉ siècle, à l'exception de Montaigne, ne s'est interrogé comme Du Bellay sur le jeu des apparences dans la comédie sociale et sur le rapport de soi à soi. Inéluctablement associé aux stratégies de l'argent et du pouvoir, le masque brouille les identités, dissolvant honneur, talent et compétence dans un glissement de simulacres : quiconque sait manier le « fard magicien » peut se faire admirer de tous. Paradoxalement, le masque réel du carnaval autorise le jaillissement d'énergie et de pulsions enfin libérées de l'hypocrisie sociale (120). Une évidence s'impose au poète : dissimulation, contrefaçon et déguisement, loin de se réduire à de perverses excroissances, forment le tissu conjonctif des activités romaines, hors duquel l'édifice social s'effondrerait. Motif éminemment plastique, le masque ne se limite pas cependant à sa fonction satirique : *les Regrets* en intériorisent la portée et l'intègrent à une analyse critique de l'expression poétique. Les poètes ne sont-ils pas passés maîtres dans l'art de se vêtir d'un « pompeux appareil » ? À ce propos, l'amitié respectueuse que Du Bellay voue à Ronsard n'empêche pas l'affleurement de quelques perfidies : la mention de la poétique ronsardienne, celle des *Odes* et des *Hymnes* notamment, apparaît souvent liée, dans le recueil, à la jactance philosophique et à la grandiloquence mythologique. L'un des tout derniers sonnets exprime sans ambages le fossé entre les deux poètes : « Je ne veulx deguiser ma simple poësie / Sous le masque emprunté d'une fable moisie » (188). Nul doute que ces deux vers ne s'appliquent rétrospectivement à la totalité du recueil : délaissant les médiations rhétoriques et thématiques encombrantes, le poète n'a-t-il pas purifié la relation qu'il entretient avec lui-même et le monde ? Et l'effacement des « hauts arguments », l'attention aux vicissitudes du moi n'ont-ils pas engendré une poésie limpide, immanente à son origine vocale ? Il reste que le recueil se distingue moins du mode de création ronsardien que ne le clament ses vers programmatiques. Du Bellay n'a nullement renoncé à l'appropriation des traditions littéraires grecque et latine : l'éthique de la sincérité ne l'empêche pas d'adopter, entre autres masques, celui de l'exil ovidien. Cette fatalité du masque enferme moins le poète dans une contradiction qu'elle ne le voue à un difficile et incessant travail de discrimination : il lui faut refuser les virtualités manœuvrières ou aliénantes du masque, pour n'en cultiver que la fonction d'élucidation du moi, d'épuration des passions et d'organisation serrée du langage. L'autoportrait émerge de l'agencement exigeant des apparences : chez Du Bellay comme chez Montaigne, la revendication de transparence se fonde sur une dialectique de l'aspiration intime et de l'emprunt à autrui. C'est toute la beauté des *Regrets* que de développer une recherche existentielle où le moi, pressé de sollicitations multiformes, se doit d'y puiser en toute rigueur et honnêteté les éléments constitutifs de ses propres masques.

● Genève, Droz, 1966 (p.p. M.-A. Screech) ; « Poésie/Gallimard », 1975 (préf. J. Borel, p.p. S. de Sacy). ➤ *Œuvres poétiques*, STFM, II.

P. MARI

REINE D'ÉCOSSE (la). Tragédie en cinq actes et en vers, avec chœurs d'Antoine de **Montchrestien** (vers 1575-1621), publiée à Rouen chez Osmont en 1604, version notablement remaniée de *l'Écossaise ou le Désastre*, publiée à Rouen chez Petit en 1601. La première version fut jouée à Orléans en 1601 avant d'être interdite à la suite de pressions anglaises.

L'originalité de la pièce tient à son sujet, emprunté à l'actualité récente (il sera plusieurs fois repris au XVIIᵉ siècle), mais aussi à sa construction bipartite, qui donne à cette tragédie statique et purement lyrique un double visage, politique et religieux.

La reine d'Angleterre Élizabeth Iᵉ ne sait quel sort réserver à sa prisonnière, la reine d'Écosse Marie Stuart, qui semble comploter et pourrait provoquer l'intervention de pays ennemis. Son conseiller la pousse à prononcer une sentence de mort, mais elle prône la clémence (Acte I). Le chœur des États l'invite à faire exécuter la sentence votée par le Parlement ; elle paraît céder mais fait volte-face dès qu'elle est seule (Acte II). Davison déplore d'avoir à transmettre l'ordre d'exécution, qu'Élizabeth s'est finalement résolue à donner. En un long récit, la reine d'Écosse rappelle sa douloureuse vie et se dit prête à la mort. Le chœur des Damoiselles se veut rassurant, mais elle refuse tout espoir. Davison vient l'informer de la sentence ; elle s'abandonne à une rêverie apaisée sur l'accueil que Dieu lui réservera (Acte III). Après avoir fait acte de contrition, elle se sépare du monde en un long adieu (Acte IV). Récit de sa mort par un messager : sa beauté et sa sérénité ont suscité l'admiration générale ; ses derniers mots furent pour le Dieu des catholiques. Déploration du chœur (Acte V).

Les deux premiers actes constituent une tragédie politique inaboutie : l'intérêt de l'État rend nécessaire la mort de Marie Stuart ; en dépit du respect qu'elle doit au sang royal, du bénéfice qu'elle tirerait d'une attitude de clémence (qui obligerait sa captive à se soumettre), la reine d'Angleterre, anxieuse et velléitaire, cédera-t-elle aux pressions de ses sujets ? Le débat, vite réduit à la confrontation de positions opposées, tourne court ; sans les ellipses entre les actes I et II (le Parlement a voté la mort), puis II et III (Élizabeth a cédé), sans le revirement avorté de la fin de l'acte II, la pièce s'enliserait totalement.

On épouse alors le point de vue de la reine d'Écosse qui, loin de correspondre au portrait qu'on brossait d'elle au début, paraît vouée à un malheur dont Montchrestien rend son peuple et le destin essentiellement responsables. Ses propos, d'abord émaillés, notamment dans les nombreuses sentences, de connotations stoïciennes et platoniciennes, deviennent ceux d'une fervente chrétienne qui accepte la souffrance comme une voie vers le salut : la pièce tourne à la tragédie religieuse et trouve ses meilleurs moments dans les accents mystiques prêtés à la condamnée, dans ses prières et ses adieux. Politique et religion restent pourtant indissociables : Marie Stuart fait de sa mort une profession de foi catholique contre l'anglicanisme, ce qui n'implique pas qu'il faille voir là une prise de position religieuse de l'auteur.

Cette tragédie dominée par les femmes trouve finalement son unité dans le portrait d'une reine d'Écosse qu'Élizabeth elle-même respecte : elle l'inquiète, mais exerce sur elle un certain ascendant par sa beauté et sa constance ; elle cherche à la comprendre puisqu'elle est femme et reine comme elle et, comme elle, victime de ses sujets, chacune à sa façon. Une reine trop faible, écrasée par le fardeau du pouvoir, une reine qui fait de sa mort un acte exemplaire : deux hautes figures solitaires, en butte aux tourments du monde.

● Paris/La Haye, Mouton, 1975 (p.p. J.-D. Crivelli).

D. MONCOND'HUY

REINE MARGOT (la). Roman d'Alexandre **Dumas** (1802-1870), publié à Paris en feuilleton dans *la Presse* du 25 décembre 1844 au 5 avril 1845, et en volume chez Garnier frères en 1845 (6 vol.). Un drame en fut tiré en 1847, pour l'ouverture, le 20 février, du Théâtre-Historique : la représentation des 5 actes et 213 tableaux dura de 18 heures à 3 heures du matin. Films de J. Dréville (1954) et P. Chéreau (1994).

L'on peut voir dans *la Reine Margot* le premier volume d'une trilogie des guerres de Religion, écrite avec la collaboration d'Auguste Maquet, comportant *la Dame de Montsoreau* et *les Quarante-Cinq*. Avec la collaboration de Paul Meurice, Dumas consacre à la première moitié du siècle *Ascanio* (1843), mettant en scène les aventures parisiennes de Benvenuto Cellini et de son assistant, et *les Deux Diane* (1846-1847), où se retrouve Catherine de Médicis, et qui s'achève avec la mort de François II. Ici, il décrit la fondation de la France moderne. « Chaque race a son point de départ, son point culminant et sa décadence » : cette formule des *Compagnons de Jéhu* illustre la conception dumasienne d'une Histoire comme suite de journées figurant la succession des dynasties et des régimes. La trilogie embrasse la décadence des Valois, dont l'apogée fut le règne de François Ier, comme celle inaugurée par les **Trois Mousquetaires* narre la montée de l'astre Bourbon, dont les **Mémoires d'un médecin* mettront en scène le déclin et la fin.

La Reine Margot. Les 66 chapitres titrés se déroulent pour l'essentiel entre la nuit de la Saint-Barthélemy (24 août 1572, chap. 7) et la mort de Charles IX (30 mai 1574, chap. 65). Deux amis, Annibal de Coconnas et Hyacinthe de La Mole, séparés par la religion, puis réconciliés ; une reine politique, Catherine de Médicis ; une reine amoureuse, Marguerite de Valois : tel se compose le cocktail. Épouse d'Henri de Navarre, la reine Margot sauve La Mole du massacre, et se prend de passion pour ce gentilhomme provincial. Plutôt que de la compromettre, La Mole choisit de mourir sur l'échafaud, où le rejoint Coconnas devenu l'amant de la duchesse de Nevers. Marguerite demande au bourreau la tête de son amant. À cette intrigue superbement romanesque se mêle le véritable enjeu du récit : la lutte désespérée de Catherine de Médicis contre l'inéluctable montée sur le trône d'Henri, prédite par son astrologue. La reine mère cherche à faire disparaître le Béarnais : assassin secret, drogues du Florentin René, pommade empoisonnée pour les lèvres de Mme de Sauve si appréciées d'Henri de Navarre, pages elles aussi empoisonnées du livre qui tue malencontreusement le chien favori du roi Charles et le roi lui-même. Mais Henri le Béarnais parvient à déjouer les pièges grâce à sa propre habileté, à la protection de Charles et à l'aide de Margot, en dépit de leurs relations conjugales problématiques.

La Dame de Montsoreau paraît à Paris en feuilleton dans le *Constitutionnel* du 27 août 1845 au 12 février 1846, et en volume chez Pétion en 1846 (8 vol.). Un drame en cinq actes et dix tableaux en sera tiré et créé au théâtre de l'Ambigu le 19 novembre 1860. Une adaptation télévisée connut un grand succès.

La Dame de Montsoreau. Situés entre le 9 février 1578 et le 19 août 1579, les 98 chapitres titrés s'ouvrent sur la mort de Saint-Luc, ex-amant de la reine Margot et favori d'Henri III, rappelé de Pologne pour succéder à Charles IX. Catherine de Médicis a réussi à éloigner Henri de Navarre, mais le nouveau roi, partagé entre la débauche et une religiosité superstitieuse, a beaucoup d'ennemis : son frère Anjou et les Guise. Ses mignons se battent avec les gentilshommes d'Anjou, et son bouffon Chicot déjoue avec maestria les conspirations, prenant la place de son souverain, se cachant dans un confessionnal, enivrant frère Gorenflot qui lui révèle les machinations des Guise, prêchant, signant même des abdications ! Sur ce fond d'intrigues, se déroule l'histoire des amours de Diane de Méridor, dame de Montsoreau, et du beau Bussy d'Amboise, au service d'Anjou. La jalousie de son maître combinée avec celle du mari cause la perte du fringant Bussy, sauvant ainsi la vie d'Épernon, que l'on retrouvera dans *les Quarante-Cinq*.

Les Quarante-Cinq paraissent en feuilleton dans le *Constitutionnel* du 13 mai au 20 octobre 1847, et en volume chez Alexandre Cadot à Paris de 1847 à 1848 (10 vol.). L'ouvrage ne sera pas adapté à la scène.

Les Quarante-Cinq. Les 91 chapitres titrés se déroulent entre le 26 octobre 1585 et le 10 juin 1586, et mettent en scène cette garde gasconne d'Henri III qui exista réellement. D'anciens personnages réapparaissent sous de nouvelles formes. La duchesse de Montpensier, sœur de Guise et perverse intrigante dans *la Reine Margot*, se déguise ici en page pour sauver son frère. Chicot revient sous l'identité de Robert Briquet. Toujours fidèle à son roi, il est aussi l'ami d'Henri de Navarre, qu'il accompagne au siège de Cahors. Henri y surmonte sa peur à force de volonté et conduit bravement l'assaut. D'autres sièges et batailles émaillent le roman, comme à Anvers, où se distin-

guent Anjou et la flotte de Joyeuse. De retour en France, Anjou tente de nouveau d'obtenir les faveurs de Diane de Montsoreau, qui ne lui a pas pardonné la mort de Bussy. Elle le fait empoisonner. C'est la fin du cycle des Valois.

Vingt ans après son « Introduction à nos feuilletons historiques » (*la Presse*, 15 juin 1836), vibrant hommage rendu à Walter Scott, où apparaissait comme en filigrane un programme, peindre en romans l'histoire de France, ce qui nécessite d'écrire des fresques, Dumas qualifie de « drame de la France » l'œuvre ainsi accomplie (*les Compagnons de Jéhu*). Il s'agit donc bien de construire pierre par pierre un monument. Le lecteur n'en peut contempler que des fragments, mais en saisit cependant le dessein profond.

Mettre en scène l'Histoire implique de réinventer personnages, faits, décors et mœurs. Le Paris du XVIe siècle est habilement décrit, d'auberges en ruelles, d'hôtels en palais. Le Louvre s'y trouve tout particulièrement mis à contribution, comme lieu dramatiquement parfait, parcouru par les allées et venues de la reine mère (*la Reine Margot*) et des Grands, mais aussi par celles des messagers, des amants et des espions, pour qui il y a toujours une tenture commode pour se dissimuler ou un escalier dérobé pour s'esquiver. *La Dame de Montsoreau* nous entraîne aussi en Touraine, alors que *les Quarante-Cinq* nous ouvrent le Béarn. Mais importe surtout le va-et-vient entre le Louvre et Paris, le lieu du roi et celui des Guise. Au couvent investi par la Ligue répond le logement des Quarante-Cinq, aux meurtres du palais les crimes dans la ville.

L'on connaît les nombreuses libertés et licences prises par Dumas avec l'Histoire : elles procèdent de la contrainte romanesque. Il faut ménager des rencontres, tracer des parallèles, établir des rapports, rassembler les héros. Ainsi il faut que La Mole soit le rival de François d'Alençon, le provincial contre le prince de sang royal, il faut que Margot le sauve à la Saint-Barthélemy pour que naisse la passion, etc. De même, il convient de travestir le beau Bussy, dont la chronique établit pourtant quel ruffian il fut. Le résultat essentiel réside en la rémanence des portraits dumasiens, désormais constitutifs de notre imaginaire même. La figure de Catherine empoisonneuse, reine machiavélique assoiffée de pouvoir, s'impose tout au long de la trilogie, dont le fil directeur pourrait bien être sa hantise de voir Henri de Navarre succéder à ses fils. En revanche, Henri III sort relativement épargné, contrairement à l'effet du drame **Henri III et sa cour*. Le jeu qui s'établit entre lui et Chicot, empreint d'humour, est aussi d'une grande force dramatique. Chicot incarne le scepticisme politique, et reflète la pensée du roi. L'un est déterminé par son devoir et sa mission historiques, l'autre obéit à sa loyauté. Sentiment et raison d'État s'équilibrent, offrant ainsi à la trilogie ce point d'orgue profondément historique.

L'architecture des romans confirme leur historicité fondatrice. Chacun utilise et use son couple d'amants magnifiques : Margot et La Mole, Diane et Bussy, Ernauton et Mme de Montpensier. Mais leur destin tragique ne constitue pas la véritable trame du récit, tout en lui conférant sa marge romanesque et feuilletonesque. Les héros authentiques sont les acteurs de l'Histoire, jouets entre les mains de la Providence qui articule le passage de la monarchie féodale à la monarchie absolue. Ainsi la famille des Valois, telle une « tribu œdipienne » (C. Schopp), doit-elle être exterminée. Ainsi le Béarnais doit-il être préservé pour accomplir son destin. Les personnages inventés mettent la fiction au service de l'instance transcendante. Chicot – inspiré d'un personnage historique, Antoine d'Anglerais, gentilhomme gascon qui obtint d'être bouffon à condition de porter les armes et qui fut pleuré du bon roi Henri – assure le relais d'Henri III à Henri IV, et incarne cette nécessité : le bouffon détient la vérité et transmet la couronne. Dépositaire de la sagesse et du droit du peuple, il règne symboliquement : c'est ainsi que la France est grande.

● « Folio », 1973, rééd. 1994 (préf. J. Tulard) ; « Le Livre de Poche », 1994 (préf. J. Laurent, p.p. É. Viennot) ; « Presses Pocket », 1994 (préf. C. Aziza) ; « GF », 1994 (p.p. J. Bony). ➤ *Les Grands Romans d'A. Dumas*, « Bouquins ».

G. GENGEMBRE

REINE MORTE (la). Pièce en trois actes et en prose d'Henry Marie-Joseph Millon de **Montherlant** (1896-1972), créée dans une mise en scène de Pierre Dux à Paris à la Comédie-Française en 1942, et publiée à Paris chez Gallimard la même année.

Dans une Postface intitulée « Comment fut écrite *la Reine morte* », Montherlant raconte que Jean-Louis Vaudoyer, administrateur de la Comédie-Française, lui avait prêté en 1941 trois volumes de théâtre du Siècle d'or espagnol, en lui suggérant de traduire *Aimer sans savoir qui*, de Lope de Vega, ou *Régner après sa mort*, de Velez de Guevara. C'est la seconde pièce qui retint l'attention de Montherlant. Mais le dramaturge décida de n'en conserver que l'armature générale, et de nourrir de sa propre vie intérieure les personnages et les situations : « Bref, *la Reine morte* rentrait dans la règle qui gouverne toutes mes œuvres, auxquelles j'applique le mot de Goethe sur les siennes : qu'elles ne sont jamais, l'une ou l'autre, que des fragments de ses Mémoires. » La pièce fut écrite en quelques semaines, au début de l'été 1942. Après une générale assez tiède et décevante, Jean-Louis Vaudoyer décida de pratiquer d'amples coupures dans le texte. En pleine Occupation, la dimension politique de la pièce ne pouvait guère que mécontenter le pouvoir en place : même si Montherlant se défend de toute référence à l'actualité, il est difficile de ne pas voir dans la dénonciation du « peuple d'adorants hébétés » une allusion au culte du maréchal Pétain.

Après la guerre, l'audience de *la Reine morte* n'a cessé de s'élargir, tant en France qu'à l'étranger.

Au premier tableau de l'acte I, l'infante de Navarre vient se plaindre auprès de Ferrante, roi du Portugal : arrivée depuis quelque temps à la cour pour y épouser Don Pedro, le fils du roi, elle s'est heurtée au refus du jeune homme, qui lui a avoué être lié pour toujours à Doña Inès de Castro. Ferrante convoque Don Pedro, mais aucun accommodement ne semble possible entre le monarque et son fils. Le second tableau se déroule dans la maison d'Inès de Castro. Don Pedro rapporte à la jeune fille l'entretien qu'il vient d'avoir avec son père ; il n'a pas eu la force d'avouer à ce dernier qu'Inès, devenue secrètement sa femme, attendait un enfant de lui. Arrive Ferrante, qui demande à s'entretenir en particulier avec Inès ; apprenant que les jeunes gens sont mariés, il donne l'ordre de mettre Don Pedro aux arrêts.

Au premier tableau de l'acte II, Egas Coelho, Premier ministre, et Alvar Gonçalves, conseiller, incitent Ferrante à user de rigueur en faisant exécuter Doña Inès. Le roi hésite, promet de réfléchir. Recevant ensuite Inès, Ferrante lui accorde la permission de voir Don Pedro et lui demande, sans vraiment y croire, d'essayer de fléchir le jeune homme. Inès et Don Pedro se retrouvent au début du second tableau : ils ne peuvent se parler que sous l'œil des gardes. Après le départ de Don Pedro, l'infante de Navarre surgit et adjure Doña Inès de la suivre en Espagne : l'imminence de son exécution ne semble plus faire de doute. Mais Inès refuse de s'éloigner de Don Pedro.

L'acte III se déroule tout entier dans une salle du palais royal. Ferrante fait part à Inès de l'amertume que lui inspire l'exercice du pouvoir : « Si vous saviez comme je suis loin de moi-même... » Horrifiés par de telles confidences, Egas Coelho et les seigneurs de la cour suivent l'entretien du fond de la salle. Avec cruauté, Ferrante s'efforce de détruire toutes les espérances – amour conjugal, maternité prochaine – dont se berce Doña Inès. Il la renvoie et donne à l'un de ses capitaines l'ordre de la tuer. Épuisé par tous ces événements, Ferrante sent la mort venir : il s'écroule, laissant la cour en proie à la plus extrême confusion. Affolé, Egas Coelho sait que Don Pedro, devenu roi, ne lui pardonnera jamais d'avoir inspiré à son père l'idée de l'exécution d'Inès. Tandis qu'on amène sur une civière le cadavre

de la jeune femme, Don Pedro oblige l'assistance à s'agenouiller devant elle et dépose la couronne royale sur son ventre. Le corps de Ferrante gît à l'écart, sans personne à ses côtés.

Montherlant avoue avoir éprouvé « un sentiment complexe » en relisant *la Reine morte* quelques années après sa création : le lecteur ou le spectateur ne peut que partager cette réaction, même s'il ne se retrouve pas nécessairement dans les justifications qu'en donne l'auteur. De toute évidence, les enjeux de la pièce n'ont pas la transparence tendue qui caractérise d'autres drames historiques de Montherlant, le **Maître de Santiago* ou **Port-Royal*. L'étrangeté de *la Reine morte* consiste essentiellement à déjouer les prévisions et les spéculations qu'une intrigue théâtrale ne peut manquer de susciter : contre toute attente, l'infante de Navarre, dont l'orgueil emplit bruyamment le premier tableau, disparaîtra totalement à la fin de l'acte II et s'effacera derrière la douce Inès ; quant à la confrontation du père et du fils, qui cristallise à la fois des oppositions éthiques et des frustrations affectives, l'acte I ne la met en scène que pour en révoquer aussitôt le principe : l'impasse de leurs rapports devenue patente, père et fils ne se rencontreront plus au cours des deux actes suivants ; Don Pedro se verra d'ailleurs réduit à une présence falote et privé de toute intervention dans la marche des événements. Ainsi se trouve expulsé de la pièce ce que Montherlant appellera quelques années plus tard, en termes dédaigneux, la « mécanique foraine » de l'intrigue : la stratégie d'intimidation destinée à convaincre Don Pedro de la nécessité du mariage ne l'intéresse pas plus que le personnage qui en est la cible. Une autre « pièce » peut alors prendre le relais, que le canevas originel de Guevara ne laissait pas prévoir.

Montherlant a raison de dire à ce propos qu'il a littéralement hanté le texte espagnol, et qu'en y introduisant ses propres interrogations il en a totalement redistribué les données. Dans ce mouvement de réappropriation créatrice, l'axe essentiel de la pièce est constitué par les deux personnages de Ferrante et de Doña Inès : leur confrontation va acquérir au fil des actes une portée décisive, au point de transformer les autres personnages en ombres reléguées au fond de la scène. « Ferrante joue avec Inès comme le chat avec la souris », écrit Montherlant. Inès, dangereusement ignorante des tactiques en usage à la cour, ne comprend pas que le roi adopte avec elle le masque de la sincérité et de la confidence : il ne s'ouvre à elle que pour mieux l'enfermer et la réduire à sa merci. Aveugle à l'entrelacement pervers du mensonge et de la vérité, Inès repousse l'avertissement que lui lance l'ombre de l'infante : « N'écoute plus le roi. Il jette en toi ses secrets désespérés, comme dans une tombe. Ensuite il rabattra sur toi la pierre de la tombe, pour que tu ne parles jamais. »

Mais l'aveuglement d'Inès est d'autant plus compréhensible que le roi, figure éminemment fluente et complexe, évolue dans un clair-obscur qui ne laisse guère de prise à ses interlocuteurs. Peut-être même ce souverain usé se donne-t-il lui-même le spectacle de sa propre virtuosité tactique. Ultime et fascinant sursaut d'un homme qui s'est détaché de toute chose, et que « le monde ne fait plus qu'effleurer » : « Je suis crucifié sur moi-même, sur des devoirs qui n'ont plus pour moi de réalité. Je ne suis plus dans mon armure de fer. » Le dialogue de Ferrante et d'Inès prend alors une étrange résonance : il oppose un homme spirituellement mort, vidé de toute espérance, et une jeune femme chez qui la chaleur de l'espérance suffit à dissimuler l'imminence de la mort. C'est dans cette relation en miroir inversé que la confrontation des deux personnages centraux de la pièce trouve sa plus haute intensité dramatique : y a-t-il eu rencontre, communication affective et réciprocité de l'élan entre la future « reine morte » et le roi « mort » avant la fin de son règne ? Ou bien ne faut-il voir dans leur long dialogue qu'un cérémonial sadique, inventé par une raison d'État aussi lasse d'elle-même qu'avide de jouissances inédites ?

● « Folio », 1975. ➤ *Théâtre*, « Pléiade ».

P. MARI

RELATION D'UN VOYAGE DE PARIS EN LIMOUSIN. Récit épistolaire de Jean de **La Fontaine** (1621-1695), publié pour les quatre premières lettres dans les *Œuvres diverses* à Paris chez Didot en 1729, et pour les deux dernières chez Nepveu en 1820.

Il s'agit de six lettres, datées du 25 août au 19 septembre 1663, qui relatent le voyage jusqu'à Limoges que La Fontaine fit en compagnie de son oncle Jannart (exilé après l'affaire Fouquet) ; les lettres sont adressées à sa femme. Il commence par se moquer du goût que celle-ci a pour les romans de la Table ronde (25 août) et expose la « fantaisie » qui lui a pris de suivre son oncle. Le voyage commence par une halte à Clamart, chez M. de Châteauneuf, dont il célèbre le jardin dans un petit poème de six quatrains. Dans la lettre suivante (30 août), écrite d'Amboise, le poète raconte les incidents traditionnels d'un voyage en carrosse, s'amusant à rêver sur les noms de lieu (Montlhéry) et à décrire les monuments ; quelques pièces de vers viennent rompre la monotonie du récit en prose, soulignant les descriptions ou la rêverie. Un long poème ironique sur la Beauce, expliquant comment elle est devenue plate, ainsi qu'un autre sur les origines de la Loire illustrent la lettre suivante (écrite de Richelieu, le 3 septembre), où se trouve une intéressante réflexion sur l'irrégularité élégante du château de Blois. Au contraire, dans la lettre du 5 septembre, après avoir décrit Amboise, où il visite avec un « triste plaisir » l'ancienne prison de Fouquet, il célèbre l'architecture de la ville nouvelle de Richelieu, tout en déplorant sa mauvaise situation géographique : « Mal située et bien bâtie », écrit-il dans le poème qu'il évoque ; le château de Richelieu fait l'objet de la lettre suivante (12 septembre, écrite de Limoges) et, bien que La Fontaine avoue son ignorance en architecture, il sacrifie au genre, marquant une nouvelle fois chaque émotion esthétique, face à un tableau ou devant une table précieuse, par une pièce en vers. La dernière lettre, datée du 19 septembre à Limoges, raconte la fin du voyage : il parle d'un parent rencontré à Châtellerault, critique Poitiers, qu'il regrette pourtant de ne pas visiter, évoque la singularité de Bellac, à l'abord difficile, et décrit la joliesse un peu rude des filles du pays. Le voyageur conclut, en un dernier huitain ironique, sur le manque d'agrément du séjour à Limoges.

La Fontaine avait peut-être envisagé la publication de ces lettres, à l'écriture très concertée : la mode était à ce genre de relation de voyage, mise au goût du jour par le fameux *Voyage* de Chapelle et de Bachaumont, qui paraît à Cologne cette même année 1663. L'ironie à l'égard de ce qu'il voit, la distance amusée qu'il prend avec sa destinataire prouvent sans doute qu'il espérait être lu dans un petit cercle d'amis, au-delà en tout cas du domaine strictement privé. L'esthétique de ces lettres repose sur la bigarrure, que permettent justement les hasards du voyage, et La Fontaine glisse même quelques éléments indicateurs de cette esthétique au fil du texte, notamment lorsqu'il décrit la mosaïque de saint Jérôme qu'il a vue à Richelieu, « tout de pièces rapportées » : « Il n'y en a pas une qui n'ait été employée avec sa couleur ; cependant leur assemblage est un saint Hiérôme si achevé que le pinceau n'aurait pu mieux faire : aussi semble-t-il que ce soit peinture, même à ceux qui regardent de près cet ouvrage. » Il loue ensuite une table faite de pierres précieuses, dont la beauté le contraint à « invoquer les Muses » : « Le hasard produit des morceaux / Que l'art n'a plus qu'à joindre, et qui font sans peinture / Des modèles parfaits de fleurons et d'oiseaux. » Ce « naturel », cher au poète, fait de hasard apparent et de négligence étudiée, rejoint la « grâce » qu'il définissait dans *Adonis* et qu'il appréciait dans l'architecture irrégulière de Blois (lettre du 3 septembre) : « Il y a force petites galeries, petites fenêtres, petits balcons, petits ornements, sans régularité et sans ordre ; cela fait quelque chose de grand qui plaît assez. »

Tout en sacrifiant aux lois du genre, qui renvoie à la correspondance érudite du voyage culturel, La Fontaine

joue donc, lui aussi, sur la marqueterie des sensations, qu'il accentue grâce à l'alternance savante des vers et de la prose. À la description obligée des lieux de passage (dont il s'acquitte parfois avec désinvolture), il sait joindre en effet la saisie d'une émotion vraie, qui se transforme aussitôt en lyrisme et en vers. Ainsi dans l'évocation du triste cachot de Fouquet à Amboise : « Je vous en ferais volontiers la description ; mais ce souvenir est trop affligeant. [...] Chambre murée, étroite place, / Quelque peu d'air pour toute grâce, / [...] / Vous peindre un tel appartement, / Ce serait attirer vos larmes ; / Je l'ai fait insensiblement : / Cette plainte a pour moi des charmes. » Le passage de la prose au vers correspond bien à l'intériorisation d'un sentiment, à l'effet produit par le spectacle, qui est le « sombre plaisir d'un cœur mélancolique » tant goûté par le poète. Ailleurs, le sentiment est l'ironie, comme lorsqu'il joue à brosser les origines de la Loire ou de la Beauce (lettre du 3 septembre) : « Que dirons-nous que fut la Loire / Avant que d'être ce qu'elle est ? / Car vous savez qu'en son histoire / Notre bon Ovide s'en tait. » De fait, nous dit le poète, ce fleuve n'est pas issu d'aucune métamorphose, il est beau en soi, sans origine divine. La désinvolture est présente aussi dans ses aveux d'ignorance (lettre du 12 septembre) : « Ceux qui chercheront de ces observations savantes dans les lettres que je vous écris, se tromperont fort. Vous savez mon ignorance en matière d'architecture, et que je n'ai rien dit de Vaux que sur des mémoires. Le même avantage me manque pour Richelieu. »

L'admiration et l'amusement constamment mêlés, l'évocation des œuvres d'art qui va de pair avec la confidence poétique, font le charme de ces lettres, auxquelles La Fontaine semble s'être consacré avec plaisir (il avoue souvent avoir veillé plus que de raison pour les achever). La médiation du langage était sans doute indispensable pour que l'épicurisme du poète, par essence peu enclin au voyage (voir "les Deux Pigeons", *Fables*, IX, 2), trouvât son compte dans une telle aventure, dont on oublie presque qu'elle est imposée par une punition politique : à ce titre, les réminiscences qui nourrissent sa vision sont autant de protections contre les dures leçons de la rugueuse réalité. L'allusion initiale aux romans de la Table ronde et la pointe finale sur les « mystères d'amours », qui ont peu d'adeptes à Limoges, indique la distance que le poète juge nécessaire d'interposer entre lui et le réel, dans la quête idéale d'un jardin secret inspiré du *Roman de la Rose* ou de l'*Astrée*.

➤ *Œuvres complètes*, « Pléiade », II.

E. BURY

RELATION DE LA MORT DU CHEVALIER DE LA BARRE. Opuscule de François Marie Arouet, dit **Voltaire** (1694-1778), publié avec la mention « par M. Cassen, avocat au Conseil du roi, à M. le marquis de Beccaria » et daté du 15 juillet 1766.

Dans la nuit du 8 au 9 août 1765, un crucifix placé sur un pont d'Abbeville est mutilé, une autre croix couverte d'immondices dans un cimetière. Les soupçons se portent sur trois jeunes gens, le chevalier Jean-François de La Barre, Gaillard d'Étallonde et Moisnel, auxquels des impiétés étaient reprochées : ne pas s'être découverts, un jour de Fête-Dieu, sur le passage du saint-sacrement, avoir chanté des chansons blasphématoires, avoir profané une hostie. L'évêque d'Amiens, le 8 septembre, préside une cérémonie expiatoire. Le 1er octobre, arrestation des suspects, à l'exception de Gaillard d'Étallonde en fuite. Moisnel avoue tout ce que l'on veut. De sombres haines provinciales interfèrent : Duval de Soircourt, conseiller au présidial, et Belleval, président de l'élection, étaient brouillés avec l'abbesse de Willancourt, tante du jeune La

Barre. La sentence du 26 février 1766 condamne La Barre à faire amende honorable, à avoir la langue coupée, à être décapité, son corps jeté dans un bûcher. Sentence confirmée par le Parlement de Paris, où le chancelier Pasquier se déchaîne contre l'esprit philosophique. Louis XV reste inflexible. Le 1er juillet 1766, après avoir subi la question, La Barre est exécuté. Sur son bûcher, on a jeté un exemplaire du *Dictionnaire philosophique* trouvé dans ses papiers. Voltaire est atterré, mais il se ressaisit et décide d'en appeler à l'opinion publique.

S'adressant au marquis de Beccaria, auteur de l'ouvrage Des délits et des peines, Voltaire pose en préalable deux principes : la torture est injustifiable lorsqu'un accusé a avoué ; il doit y avoir proportion entre les délits et les peines. Suit un historique de l'affaire La Barre : haine de Belleval, amoureux éconduit par l'abbesse de Willancourt ; mutilation du crucifix, intervention de l'évêque d'Amiens, confusion entre la mutilation du crucifix et les autres impiétés, absurdités des dépositions, sentence scandaleuse, récit de l'exécution, horreur suscitée par cette religion et cette justice barbares.

Plus que le détail des faits, car Voltaire ne disposait pas d'informations complètes, ce qui importe dans ce texte courageux, c'est une forme de sensibilité au mal. Voltaire démonte lucidement les mécanismes de ce procès (émotion populaire, sordides règlements de comptes, rituel expiatoire, ressorts politico-religieux). Mais, en fait, il est hanté par l'horreur des scènes de torture, par la cruauté d'une nation de singes-tigres, par la folie du fanatisme.

● *L'Affaire Calas et Autres Affaires*, « Folio », 1975 (p.p. J. Van den Heuvel). ➤ *Mélanges*, « Pléiade ».

C. MERVAUD

RELIGIEUSE (la). Roman de Denis **Diderot** (1713-1784), publié à Paris dans la *Correspondance littéraire* de 1780 à 1782, et en volume chez Buisson en 1796.

Cette œuvre, qui est peut-être le seul véritable roman de Diderot, est curieusement issue d'une mystification. Afin de faire revenir de Normandie le marquis de Croismare dont ils appréciaient la compagnie, les habitués du salon parisien de Mme d'Épinay imaginent l'évasion d'une religieuse, entrée au couvent contre son gré, qui écrit au marquis pour lui demander sa protection. Une correspondance s'engage entre la pseudo-religieuse (en fait Diderot, aidé de ses amis) et le marquis, sans que ce dernier songe à rentrer à Paris. Au contraire, il invite la jeune fille à venir le rejoindre comme femme de chambre de sa fille. Découragés, les conspirateurs décident d'en finir en faisant annoncer la mort de la religieuse par Mme Moreau-Madin, Versaillaise qui est censée l'avoir recueillie. Mais la destinée de sœur Suzanne ne s'arrête pas là ; Diderot, pris au jeu, devait, comme il le confie à Mme d'Épinay, faire de son histoire un roman : « Je me suis mis à faire *la Religieuse*, et j'y étais encore à trois heures du matin. Je vais à tire-d'aile. Ce n'est pas une lettre, c'est un livre... »

Ce roman se compose d'une longue lettre-mémoire adressée par Suzanne Simonin à son protecteur, afin de le déterminer à changer son sort en connaissant toute son histoire, suivie, sur quelques pages, des « réclames [annonces] de ce qu'elle se promettait apparemment d'employer dans le reste de son récit ». Enfin, on compte généralement comme partie intégrante du roman la « Préface-annexe », c'est-à-dire l'ensemble de lettres qui ont réellement été échangées entre la fausse Suzanne et le marquis, de février à mai 1760, précédées d'une présentation de Grimm et d'une relation de la mystification par Diderot (parlant de lui-même à la troisième personne).
L'histoire de Suzanne Simonin telle qu'elle la raconte au marquis dans la lettre-mémoire comporte quatre parties : sa vie chez ses parents, ses séjours successifs aux couvents de Sainte-Marie, de Longchamp et de Sainte-Eutrope.
La mère de Suzanne, l'ayant conçue d'une union adultérine, décide de racheter sa faute par l'envoi de sa fille au couvent de Sainte-Marie, l'empêchant par là de toucher une part des biens de celui qui n'est pas son père. Dans une scène pathétique, Mme Simonin en fait l'aveu

à Suzanne, qui, à force de pressions, accepte de prendre le voile. Voilà donc Suzanne postulante à Longchamp et prononçant ses vœux dans un état second. S'étant ressaisie, elle décide de résister aux réformes qu'impose la nouvelle supérieure, mère Sainte-Christine, qui succède à la bienveillante mère de Moni, et réussit à joindre l'avocat Manouri en vue d'une résiliation légale de ses vœux. Pendant la durée de son procès, Suzanne est persécutée par ses consœurs, mais sa foi chrétienne et le soutien de quelques amis, comme Manouri et sœur Ursule, l'aident à supporter ses maux. Le procès, hélas, sera perdu et Suzanne transférée à Sainte-Eutrope, près d'Arpajon, où, naïve, elle subira, sans en comprendre le sens, les avances de la mère supérieure homosexuelle. Celle-ci connaît alors une mort affreuse, et Suzanne est accusée de l'avoir ensorcelée. Elle s'enfuit du couvent et, privée de ressources, écrit au marquis pour l'intéresser à son sort.

Diderot dira de son œuvre en 1780 : « Je ne crois pas qu'on ait jamais écrit une plus effrayante satire des couvents. » De fait, les chefs d'accusation contre la vie monastique sont nombreux dans *la Religieuse*. Sur le plan social, y est âprement dénoncé l'usage qui consistait à sacrifier le bonheur d'enfants illégitimes au nom d'un terrible code moral et surtout pour défendre un patrimoine. Sur le plan religieux lui-même, Diderot reproche à la pratique des couvents d'être contraire à l'esprit de l'Évangile : « Quel besoin a l'Époux de tant de vierges folles ? » Sur le plan physiologique, enfin, les couvents sont présentés dans *la Religieuse* comme un effroyable creuset de troubles, dont la mélancolie suicidaire est le moindre. Intrigues, cruautés, frénésies et déviations sexuelles se succèdent dans le roman, laissant dans l'esprit du lecteur une image terrifiante de la claustration monacale. Comment oublier cette vision dantesque de malheureux « chargés de chaînes pesantes [qu'ils sont] condamnés à secouer sans cesse sans aucun espoir de les rompre » ? Et cette galerie de mères supérieures exaltées qui font régner dans les établissements dont elles ont la charge l'ordre le plus arbitraire, des excès de la douceur aux sanctions les plus inhumaines ? Suzanne décrit ainsi les méchancetés de ses compagnes, insufflées par mère Sainte-Christine, pendant son procès : « On en vint jusqu'à me voler, me dépouiller, m'ôter mes chaises, mes couvertures et mes matelas ; on ne me donnait plus de linge blanc. Mes vêtements se déchiraient. J'étais presque sans bas et sans souliers [...]. Si je passais sous des fenêtres, j'étais obligée de fuir, ou de m'exposer à recevoir les immondices des cellules. »

Si, dans le *Neveu de Rameau*, Diderot montre l'homme socialement aliéné, *la Religieuse* peut être considérée comme le roman de l'aliénation physique : « Depuis cet instant, dit Suzanne en racontant sa profession, j'ai été ce qu'on appelle physiquement aliénée. » Tous les désordres qui y sont représentés, même les écarts d'ordre moral, apparaissent comme liés à l'enfermement. « L'homme est né pour la société. Séparez-le. Isolez-le. Ses idées se désuniront. Son caractère se tournera. Mille affections ridicules s'élèveront dans son cœur. Des pensées extravagantes germeront dans son esprit comme les ronces dans une terre sauvage », explique Diderot par la bouche de Suzanne. Les vœux perpétuels, « qui heurtent la pente générale de la nature », ne peuvent être observés sans préjudices graves et irréparables pour l'être physique et moral : « La nature révoltée d'une contrainte pour laquelle elle n'est point faite, brise les obstacles qu'on lui oppose, devient furieuse, jette l'économie animale dans un désordre auquel il n'y a plus de remède. » Ainsi l'homosexualité féminine, dont Diderot est le premier romancier à faire, à travers le portrait de la mère supérieure de Sainte-Eutrope, une description précise, presque clinique (voir par exemple l'évocation de son orgasme quand Suzanne joue du clavecin), apparaît comme la conséquence directe de la vie monacale, de même d'ailleurs que toute une panoplie de troubles mentaux.

On ne saurait pourtant interpréter *la Religieuse* comme une œuvre antichrétienne. C'est par suite d'une mauvaise compréhension du texte qu'on s'en servit à la Révolution contre le christianisme. Diderot ne fait pas de Suzanne une impie. Au contraire, c'est au nom de la véritable foi chrétienne, engagement libre à l'égard d'un Dieu de grandeur et de miséricorde, qu'elle lutte contre les contraintes du couvent. La religion lui apporte même un soutien précieux au plus fort de ses tourments : « Ce fut alors que je sentis la supériorité de la religion chrétienne sur toutes les religions du monde ; quelle profonde sagesse il y avait dans ce que l'aveugle philosophie appelle la folie de la croix. Dans l'état où j'étais, de quoi m'aurait servi l'image d'un législateur heureux et comblé de gloire ? Je voyais l'innocent, le flanc percé, le front couronné d'épines, les mains et les pieds percés de clous, et expirant dans les souffrances. Et je me disais : "Voilà mon Dieu et j'ose me plaindre !" » Cela nous vaut d'admirables tableaux de Suzanne en prière, lançant éplorée vers son Dieu de pathétiques cris de souffrance.

On est surpris de trouver sous la plume de l'auteur de la *Lettre sur les aveugles* et des *Pensées sur l'interprétation de la nature* de tels morceaux de spiritualité. C'est que Diderot écrit ici en romancier et non en philosophe. Rares sont dans le roman les digressions philosophiques sur la question des couvents. Diderot a pris le parti, dans *la Religieuse*, de faire passer ses idées par la trame romanesque. C'est en accumulant sur Suzanne tant de malheurs liés à sa condition de religieuse forcée qu'il porte condamnation de la vie monastique : « Une fois, déplore Suzanne, il plut à la Providence dont les voies nous sont inconnues, de rassembler sur une seule infortunée, toute la masse de cruautés réparties dans ses impénétrables décrets sur la multitude infinie de malheureux qui l'avaient précédée dans un cloître et qui devaient lui succéder. » Et l'auteur se coule si bien dans son héroïne qu'il est capable, en véritable romancier, d'en rendre tous les états psychologiques, fût-ce les plus contraires à sa propre nature. Une anecdote révélatrice nous le montre même en pleurs lors de la rédaction de *la Religieuse* : « Qu'avez-vous donc ? lui dit M. d'Alainville ; comme vous voilà ! – Ce que j'ai, lui répondit M. Diderot, je me désole d'un conte que je me fais. »

Cette attitude explique aussi le caractère structurellement flottant de *la Religieuse*. Georges May parle à son sujet de « journal intime subrepticement greffé sur des Mémoires ». L'auteur, en effet, semblant par moment oublier la nature mémoriale de son œuvre, se laisse à ce point emporter par son sujet qu'il fait raconter par Suzanne les événements passés comme elle les a vécus quand ils se sont déroulés. De là proviennent un certain nombre de bévues, que les critiques se sont plu à relever. Ainsi, comment Suzanne peut-elle apparaître aussi naïve devant la mère lesbienne alors qu'elle nous apprend à la fin du roman : « Le voile qui jusqu'alors m'avait dérobé le péril que j'avais couru se déchir[a] » ? Et pourquoi fait-elle au présent le portrait du père Lemoine décédé au moment où elle écrit ?

Certaines de ces inadvertances sont dues également à la genèse échelonnée de l'œuvre : la correspondance et la plus grande partie de la lettre-mémoire sont écrites en 1760, la « Préface-annexe » paraît dans la *Correspondance littéraire* en 1770, enfin Diderot corrige le roman, qui paraît entre octobre 1780 et mars 1782 dans le même périodique. Conscient, avec le recul, des contradictions de l'œuvre, Diderot tente de les résoudre sans toujours y parvenir. Parfois même il aggrave les choses, comme dans ce passage où il cumule deux nouvelles erreurs pour en effacer une : « Cette jeune personne, écrit Suzanne à propos d'Ursule, est encore dans la maison. Son bonheur est entre vos mains. Si l'on venait à découvrir ce qu'elle a fait pour moi, il n'y a sorte de tourments auxquels elle ne fût exposée. » Se rappelant qu'en fait Ursule est morte avant l'évasion de Suzanne, l'auteur prête à la narratrice ce rectificatif : « Voilà ce que je vous disais alors ; mais hélas ! elle n'est plus, et je reste seule. » Or, Suzanne n'a jamais écrit auparavant au marquis ; en outre, ayant quitté le couvent, elle ne peut y connaître la solitude sans son amie !

Devant l'énormité de telles erreurs, on en vient à se demander si Diderot a eu vraiment tant à cœur de gommer les incohérences de l'œuvre. Ces entorses à la vraisemblance et à la chronologie ne sont-elles pas au fond pour lui une manière de marquer, comme dans *Jacques le Fataliste*, sa liberté de créateur ?

● Colin, « Bibl. de Cluny », 1962 (p.p. R. Mauzi) ; Oxford, Studies on Voltaire n° 22, 1963 (p.p. J. Parrish) ; « GF », 1968 (p.p. R. Desné) ; « Folio », 1972 (p.p. R. Mauzi) ; « Le Livre de Poche », 1973 (p.p. J. et A.-M. Chouillet) ; Messidor, 1991 (p.p. M. Delon). ➤ *Œuvres romanesques*, « Classiques Garnier » ; *Œuvres complètes*, Club français du Livre, IV ; *id.*, Hermann, XI (p.p. G. May).

S. ALBERTAN-COPPOLA

RELIGIONS ET LES PHILOSOPHIES DANS L'ASIE CENTRALE (les). Essai de Joseph Arthur, comte de **Gobineau** (1816-1882), publié à Paris chez Didier en 1865.

En août 1861, Gobineau est nommé ministre plénipotentiaire à Téhéran. Pour la deuxième fois de sa carrière (voir *Trois Ans en Asie*), il va s'embarquer pour la Perse. Ce nouveau séjour, d'environ dix-huit mois, lui permettra d'achever un *Traité des écritures cunéiformes* (publié en 1864) et de commencer le présent ouvrage tout aussi rapidement écrit.

Caractère moral et religieux des Asiatiques. Leur conception de la vérité, différente de la nôtre ; ils ont besoin du monde invisible ; ils ignorent le fanatisme (I). L'islamisme persan. Mahomet a voulu rétablir dans sa pureté la foi primitive des Arabes (II). Le chiisme. Il postule un Dieu infini, éternel, unique, qui n'exerce sur le monde aucune action directe ; le Coran existe, pour les chiites, de toute éternité ; hors des imams, il n'est que ténèbres (III). Le soufisme. Les soufis ne sont pas tous panthéistes. Le quiétisme (ou fatalisme), danger pour l'Orient, n'appartient pas en propre à l'islam. Curiosité intellectuelle des soufis, mais trouble où les laisse leur doctrine. Enseignement des mollahs (IV). Les libres-penseurs. Contact avec les idées européennes (V). Origine et développement du babisme (VI-VII). Combats menés par les babis (VIII-X). Conséquences politiques de la mort du Bab. Captivité et mort du Bab. Attentat contre le roi (XI). Influence du babisme auprès des classes cultivées de la Perse. Les livres et la doctrine des babis (XII). Le théâtre en Perse : son inspiration, les représentations (ou taziés), les acteurs (XIII-XIV). Exemples de représentations théâtrales (XV-XVI). Appendice : le Livre des préceptes (texte du Bab).

Dans sa Préface à la troisième édition (1900), Ludwig Schemann présente l'ouvrage comme le « complément » de *Trois Ans en Asie*. Jean Gaulmier le lit plutôt comme un prolongement du *Traité des écritures cunéiformes*, auquel Gobineau travailla huit ans, sans entraîner l'adhésion des spécialistes. Dans l'*Essai sur l'inégalité des races humaines* déjà, il avait tenté de prouver qu'un lien étroit unit l'état des langues et celui des civilisations.

Les Religions et les Philosophies présentent trois parties assez disparates. La première (I-V) met l'accent sur les spécificités de la mentalité orientale, moins rigoureuse que l'occidentale et toujours prête à épouser plusieurs systèmes de pensée à la fois ; Gobineau a procuré à des Persans le *Discours de la méthode* pour juger des réactions que la logique cartésienne produirait sur eux (V). Analysant, en outre, les différences entre les doctrines sunnite et chiite, il traite un sujet fort actuel en cette fin du XXe siècle. C'est pourtant la deuxième partie (VI-XII), consacrée à l'histoire toute récente de la secte babiste, qui attira l'attention des contemporains (Renan en particulier) et valut à l'ouvrage un accueil un peu moins confidentiel que ceux auxquels Gobineau était habitué. En se faisant proclamer à son retour de La Mecque « miroir du souffle de Dieu », Ali Muhammad, le Bab, faillit en effet changer le cours de l'histoire de la Perse et de l'islam tout entier. Il sera arrêté et fusillé en 1850 après avoir provoqué des soulèvements qui aboutirent à un attentat manqué contre le chah. La troisième partie (XIII-XVI) vaut surtout par la traduction que donne Gobineau des *Noces de Kassem* (XV). Lui-même trouvait que ce *tazié* avait quelque chose de *Roméo et Juliette* ; son correspondant, le comte de Prokesch-Osten, l'égalera tout simplement aux *Perses* d'Eschyle.

Les *Nouvelles asiatiques* sont parfois en germe dans cet essai : ainsi les réflexions sur les « habitudes raides et absolues » de la race des Leighis (IV) seront-elles illustrées dans « la Danseuse de Shamakha » ; plus généralement, « l'Illustre Magicien » transposera l'irrésistible attrait de ce monde invisible dont Gobineau, séduit par l'Orient, paraît lui-même saisi.

➤ *Œuvres*, « Pléiade », II (p.p. J. Gaulmier et V. Monteil).

P.-L. REY

REMEMBER RUBEN. Roman de Mongo **Beti**, pseudonyme d'Alexandre Biyidi (Cameroun, né en 1932), publié à Paris à l'Union Générale des Éditions en 1974.

Ce roman marque le retour à la création romanesque de Mongo Beti, brisant ainsi la longue période de silence qui avait suivi la publication, en 1958, du *Roi miraculé*, seulement interrompue, en 1972, par la parution d'un essai virulent, *Main basse sur le Cameroun*.

Première partie. Mor Zamba arrive en étranger dans le village d'Ekoumdoum où il est accueilli. En 1940, il est emprisonné par les forces coloniales dans le camp Leclerc où il deviendra infirmier, tandis que son ami Abéna s'engage dans l'armée. Libéré en 1944, il s'initie aux luttes syndicales et politiques. Une cruelle répression ayant occasionné la mort de plusieurs militants, Mor Zamba décide de recourir à l'action violente. Il se rend à la capitale, Fort-Nègre, et découvre la misère du quartier de Kola-Kola.
Seconde partie. Mor Zamba, devenu chauffeur de camion, participe à la guérilla et joue un rôle de premier plan dans la libération de Ruben, le leader révolutionnaire emprisonné. Plus tard, il retrouve Abéna, qui, sous le nom d'Ouragan-Viet, est devenu un chef révolutionnaire après s'être initié au combat lors des guerres coloniales d'Indochine et d'Algérie. Abéna succède à Ruben à la mort de ce dernier, en 1958, et charge Mor Zamba de ranimer la guérilla dans leur région natale.

Ce roman est, selon l'aveu même de l'auteur, une sorte de mise en pratique romanesque des idées contenues dans *Main basse sur le Cameroun* (qui porte un sous-titre significatif : *Autopsie d'une décolonisation*) et, par conséquent, d'abord un moyen de contourner la censure qui avait frappé l'essai. Reprenant le cadre historique et géographique de celui-ci (le Cameroun du début de la Seconde Guerre mondiale jusqu'à l'indépendance en 1960), Mongo Beti dissimule les noms de lieux sous quelques appellations d'emprunt (Fort-Nègre pour Douala) et mêle à son intrigue romanesque des personnages ayant réellement existé : principalement, le rebelle Ruben un Nyobé qui donne son nom au roman. Les deux trajectoires de Mor Zamba et d'Abéna offrent des parcours opposés, l'un et l'autre exemplaires d'une stratégie de lutte. Abéna succédant à Ruben – après avoir appris dans l'armée coloniale les rudiments qui lui permettront ensuite de le combattre – semble prouver ainsi la supériorité tactique de l'action réfléchie sur la spontanéité rebelle de Mor Zamba. Néanmoins, la sympathie de l'auteur va à ce dernier, véritable héros du livre, qui parvient, malgré son inexpérience, à sauver Ruben, et demeure l'exemple que met en avant le romancier dans ce roman aux évidentes intentions didactiques.

B. MAGNIER

REMPART DES BÉGUINES (le). Roman de Françoise **Mallet-Joris** (née en 1930), publié à Paris chez Julliard en 1951.

Hélène Noris, quinze ans, vit seule avec son père, un industriel un peu distrait, dans la ville provinciale de Gers. Par hasard, elle fait la connaissance de la maîtresse de son père, Tamara, une jeune femme russe à la réputation sulfureuse, qui vit dans un quartier mal famé, le « Rempart des Béguines », et qui la fascine par ses manières audacieuses avant de l'initier à l'amour. Mais Hélène découvre bientôt la violence de Tamara, hantée par sa passion douloureuse pour une autre femme. Après un épisode sordide, Hélène tombe gravement malade. Tamara la soigne tendrement, et lui annonce qu'elle épouse son père. Hélène, révoltée, n'éprouve plus que du dégoût : Tamara est devenue une femme comme les autres, sa liberté n'était qu'un leurre.

Françoise Mallet-Joris, fille de l'écrivain Suzanne Lilar, avait déjà publié, à dix-sept ans, des *Poèmes du dimanche* remarqués. Mais un succès de scandale salua ce premier roman qui semblait une autobiographie déguisée, et où les habitants d'Anvers, sa ville natale, se reconnurent sans peine dans le portrait des hypocrites Gersois. Pourtant, si *le Rempart des Béguines* est le récit d'une initiation à un amour « défendu », c'est surtout son éveil à la réalité même, que raconte Hélène. Habituée à se sentir « en dehors » de tout, à vivre à travers un « dérèglement systématique » de son imagination qui lui semble, sans avoir encore lu Rimbaud, devoir conduire à « de hauts états de conscience poétique », l'adolescente découvre avec Tamara une liberté et une ivresse qui la font échapper à l'âge ingrat. Et sans doute n'est-ce pas l'aspect le moins « scandaleux » de ce roman que l'humour avec lequel est décrite l'influence bénéfique de cette liaison, qui améliore les résultats scolaires d'Hélène, lui valant ainsi les félicitations naïves de son père. De même, c'est avec un grand naturel qu'Hélène décrit son amitié avec l'autre amant de la jeune femme, Max, dont elle est un instant jalouse, avant de comprendre qu'il souffre lui aussi devant la dureté de Tamara. Car telle est l'autre face de l'amour dans ce roman : s'il se présente d'abord comme un « miracle » exaltant, l'aventure se transforme en descente aux enfers, dont la dernière étape est cette nuit où Tamara entraîne Hélène dans une boîte pour femmes, lui dévoilant ainsi un passé douteux. On comprend alors qu'Hélène, au début de leur relation, soit hantée par des vers de *Phèdre* : elle découvre en effet les plaisirs ambigus de la soumission et les compromissions de la passion menacée.

La critique a évoqué, à propos du *Rempart des Béguines*, le nom de Proust. Si son influence est sensible, c'est moins dans le choix du sujet que dans la peinture de l'amour et de sa lâcheté. Ainsi après la première dispute, lorsque Hélène, qui a juré de rompre avec Tamara, en vient à se persuader que celle-ci désire la revoir. Ainsi pour la fin de cet amour, qui peut, par sa brutalité, évoquer celle d'*Un amour de Swann* (voir *À la recherche du temps perdu*) ; en se mariant, Tamara ne trahit-elle pas ce qu'elle a appris à l'adolescente : la haine des femmes, de leur faiblesse ? Hélène a l'impression d'avoir pris à Tamara sa dureté, tandis que celle-ci s'arrondit, se féminise. Il ne reste à Hélène que cet amour de la lucidité qui anime toutes les héroïnes de Françoise Mallet-Joris, et qu'elle conservera dans *la Chambre rouge* (1955).

K. HADDAD-WOTLING

RÉMY FLOCHE, EMPLOYÉ. Roman de Pierre **Albert-Birot** (1876-1967), publié à Paris chez Denoël et Steele en 1934.

Terne employé à la vie grise, Rémy Floche passe ses journées à son bureau « à côté d'une patronne quelquefois gentille et souvent patronne, et en face de quinze tuyaux de cheminée qui bien souvent sont même sans fumée ». Cet être médiocre mais non dénué d'humour ni d'imagination entreprend d'écrire un livre. Il y note les menus détails de sa vie (il rase sa moustache, achète un nouveau complet), relate sa liaison avec une jeune comédienne, Simone, disserte sur la poésie, le tutoiement ou la valeur des chiffres. Il s'invente au besoin une idylle avec la fille du patron, dont il guette l'humeur, et qu'il baptise Ida. Mais il délaisse parfois totalement le concret, se donne « la joie de croire qu'un esclave est à [s]es petits soins », projette de « vivre de tout son long dans la beauté » ou de « bâtir une ville ivre où nous serions moins sur la terre ». Cependant, alors qu'il médite d'épouser Ida tout en restant l'amant de Simone, il connaît une triple déception : les deux femmes partent chacune avec un autre homme, et il perd son emploi.

Le récit de Rémy Floche, fait d'observations infimes ou de rêves sans consistance, semble écrit au jour le jour. Comme dans un journal intime, l'insignifiant voisine avec l'essentiel. Le *crescendo* qui le conduit des chimères à la désillusion relève pourtant d'une construction comique fondée sur une méprise : Floche avait justement remarqué les égards que lui témoignait sa patronne, mais il s'agissait moins d'avances que d'une amicale compassion envers quelqu'un que l'on va devoir renvoyer ; et la dernière page mêle indissolublement tristesse et drôlerie. À propos des femmes qu'il idéalisait, Rémy concède que « Ces deux chameaux-là m'ont tout de même donné mon premier livre. » Il ajoute : « Je ne veux plus penser qu'à en faire d'autres » et l'auteur lui fait écho en annonçant : « Fin de la première partie. » Pierre Albert-Birot n'a cependant jamais publié la suite du roman (qu'il a pourtant composée, sous le titre vibrant de *Splendeurs*). Peut-être parce que l'inachèvement sied à Rémy Floche : cet être fragile a vocation à subir le monde sans autre échappatoire que l'évasion. Son bureau est plongé dans un « demi-jour de purgatoire, séjour de ceux qui attendent ». Son existence est tournée vers un accomplissement qu'on devine illusoire, et elle ne prend sa véritable dimension qu'en demeurant ainsi en suspens.

À l'issue de cette « première partie », on reste sur l'image d'un timide éconduit, touchant par son humilité. Aux yeux de Floche, en effet, si un homme comme lui est capable d'écrire, de donner corps à ses rêves, cela ne prouve pas qu'il a du talent, mais que l'écriture est à la portée de tout le monde : « Moi qui me représentais les écrivains comme des hommes surnaturels, je m'aperçois maintenant que ce sont des gens dans le genre des employés de télégraphe. »

● Éd. de l'Allée, 1987.

C. CARLIER

RENAISSANCE (la). Scènes historiques. Essai de Joseph Arthur, comte de **Gobineau** (1816-1882), publié partiellement à Paris chez Plon en 1877, et dans son intégralité chez Grasset en 1929.

En même temps qu'aux *Pléiades* et aux *Nouvelles asiatiques*, d'avril 1873 à décembre 1874, Gobineau travaille à un ouvrage sur la Renaissance, *la Fleur d'or*, composé de cinq parties comprenant chacune une « exposition » et des scènes dialoguées ; mais il devra sacrifier les « expositions » pour le publier chez Plon, en juin 1877, sous le titre : *la Renaissance. Scènes historiques*. Couronnée par l'Académie, mais discrètement accueillie par le public, *la Renaissance* connaîtra un regain de faveur quand Ludwig Schemann la traduira en allemand, dans son intégralité, en 1913. Les « expositions » seront publiées séparément en 1923 sous le titre : *la Fleur d'or*, et l'ensemble de l'ouvrage paraîtra enfin six ans plus tard, mais dans une édition très imparfaite. Il faudra attendre 1947 pour que Jean Mistler le révèle au public sous son vrai jour.

Première partie. « Savonarole ». Après avoir donné une définition de la « fleur d'or », l'« exposition » brosse un vaste tableau historique qui mène au milieu du XVe siècle, époque d'incrédulité, où l'Italie attire tous les regards. Au cœur de cette civilisation opulente éclate la foi d'un moine frêle, sombre, doué par le ciel d'une autorité hors du commun. Les « scènes » successives montrent l'enchaînement qui conduit Savonarole au bûcher et s'achèvent sur un monologue de Machiavel, réflexion désabusée sur la pureté de la victime et prophétie sur le rôle que joueront bientôt « l'habileté et l'audace corrompues de César Borgia ».

Deuxième partie. « César Borgia ». Celui-ci a su se faire un allié de Louis XII. Les « scènes », où Machiavel et Lucrèce Borgia jouent un rôle important, exposent les intrigues qui mèneront César Borgia jusqu'à sa disgrâce.

Troisième partie. « Jules II ». Peu scrupuleux, à une époque où, à vrai dire, personne ne l'était, Jules II représente la « fibre énergique ». Du Vatican, où il confère avec Bramante, nous sommes transportés dans une assemblée de sénateurs à Venise, à Bologne avec Michel-Ange, avant de revenir à Rome où Raphaël parle d'amour à Béatrice, pour aller plus tard à Milan où les troupes du roi de France fourbissent leurs armes contre le pouvoir abusif du pape. Celui-ci meurt, désespéré de n'avoir rien achevé de ce qu'il avait entrepris.

Quatrième partie. « Léon X ». Futur Léon X, le cardinal Jules de Médicis est la première figure qui n'appartient plus au Moyen Âge. Dilettante, politique avisé, il place l'intérêt de l'Italie au-dessus de la foi religieuse. Les « scènes » évoquent notamment Michel-Ange, dialoguant avec Machiavel du haut d'un échafaudage de la chapelle Sixtine, avant de déplorer la mort de Léonard et de Raphaël. Elles s'achèvent sur les projets de Charles Quint à la suite du décès de Léon X.

Cinquième partie. « Michel-Ange ». L'« exposition » a beau détailler la politique de Charles Quint, les « scènes » font de Michel-Ange le héros de cette dernière partie, et sans doute de tout l'ouvrage. Dans un entretien avec Machiavel, l'artiste exprime son amour pour Florence, puis, constatant la décadence de l'Italie depuis le temps lointain où Savonarole l'animait de sa ferveur, il dit pourtant, au moment de mourir, sa foi dans la vie et les valeurs qui l'ont éclairée.

Que des « fleurs d'or », c'est-à-dire des époques privilégiées comme celles « où l'on bâtit le Parthénon, le Capitole, les dômes de Beauvais et d'Amiens », s'épanouissent en un siècle où le métissage devrait, suivant l'*Essai sur l'inégalité des races humaines*, être depuis longtemps consommé, voilà qui surprend. Une influence aryenne encore pure aurait, selon les « expositions », provoqué cette poussée de sève ; on soupçonnera décidément Gobineau de justifier *a posteriori*, grâce à une vision fantaisiste de l'Histoire, une hiérarchie des civilisations qu'il n'est pas question pour lui de remettre en cause. Il souhaite d'autant plus conserver son prestige à la Renaissance qu'elle marque, dans une période politique troublée, une apogée des beaux-arts. S'adonnant personnellement à la sculpture, plein de mépris pour les mesquines intrigues auxquelles s'affairent ses contemporains, Gobineau trouve en Michel-Ange une figure sublimée de lui-même. Mais à l'optimisme justifié par l'élévation, en pleine décadence, de rares individus d'élite, Machiavel oppose (un peu de la même manière que le Candeuil des *Pléiades*) un sombre contrepoint.

Les « expositions » ressemblent le plus souvent à une fade vulgarisation d'études sur la Renaissance, comme celle de Jacob Burckhardt (1860). Les « scènes » n'ont pas été destinées à la représentation : elles valent par l'« infinie variété » du langage, par la « peinture de personnages hors du commun, qui ressortent sur une toile de fond grouillante et animée », et par le « mouvement irrésistible qui accompagne le déroulement de cette suite de tableaux » (M.-L. Concasty). Mais elles prêtent aussi à sourire quand des personnages historiques, placés dans des situations convenues, prononcent les paroles qui font d'eux des figures de légende.

● Monaco, Éd. du Rocher, 1947 (p. p. J. Mistler) ; « GF », 1980 (p.p. J. Gaulmier). ➤ *Œuvres*, « Pléiade », III (p.p. M.-L. Concasty).

P.-L. REY

RENAUT DE MONTAUBAN. Chanson de geste aussi intitulée *les Quatre Fils Aymon*, composée au début du XIIIe siècle, et formée de 14 000 à 28 000 alexandrins selon les versions.

Chanson des plus populaires dès l'époque de sa composition, appartenant au groupe habituellement dit « des barons révoltés », elle constitue avec *Beuve d'Aigremont* (qui y est généralement soudé), *Maugis d'Aigremont* et *Vivien de Montbranc*, qui peuvent y être associés dans les manuscrits, le cycle « des quatre fils Aymon », autre nom donné à ce seul poème.

Il ne semble pas y avoir eu de modèle historique, ni unique ni précisément circonscrit pour aucune des figures de cet immense poème : même celle de Charlemagne confond, comme c'est souvent le cas dans les chansons de geste, les images respectives de l'empereur et de Charles Martel ; cette dernière se retrouve d'ailleurs partiellement ici dans Renaut. Si la nature de l'opposition entre Aymon et ses fils ou certains lieux des Ardennes et d'Aquitaine affectés aux aventures des rebelles ont pu faire songer à des souvenirs des derniers Mérovingiens, mêlés à ceux de l'époque carolingienne, ces souvenirs sont fondus avec d'autres en une même fiction littéraire qui faisait déjà école (la tradition de la révolte vassalique).

Renaut est l'un des quatre fils d'Aymon de Dordogne (lui-même frère de Beuve d'Aigremont, de Doon de Mayence et de Girart de Roussillon) : tous entrés en rébellion contre Charlemagne et, par voie de conséquence, contre leur propre père, ils sont en butte à la haine de l'empereur qui, sourd aux tentatives de conciliation, les poursuit avec un entêtement souvent entretenu par le lignage de Ganelon. Dans la chanson, Montauban est un château construit sur la Dordogne par Renaut et ses frères, avec l'autorisation du roi de Gascogne qu'ils avaient aidé contre les Sarrasins, alors que, déjà proscrits du royaume, ils avaient dû quitter leur château de Montessor (peut-être Château-Regnault) dans les Ardennes.

Un antécédent à l'opposition entre les quatre frères et Charlemagne se trouve dans *Beuve d'Aigremont* (leur oncle, frère d'Aymon) dont le récit est généralement placé en prologue à celui de *Renaut de Montauban*.

Beuve d'Aigremont. À la cour de Charlemagne, l'absence de Beuve d'Aigremont, frère de Doon de Nanteuil, est remarquée. Sommé de venir faire hommage au roi, Beuve fait attaquer les deux ambassades qui lui sont successivement envoyées, la dernière étant celle de Lohier, le propre fils du roi, qu'il tue. En réponse, Charlemagne dévaste les terres de Beuve, lequel fait appel à ses frères. Après de grandes batailles, la paix est conclue et aurait été maintenue si le lignage de Ganelon n'avait convaincu le roi de tendre un guet-apens à Beuve et de le tuer.

Renaut de Montauban. L'entente est néanmoins rétablie et Aymon conduit ses quatre fils (Alard et Renaut, Guichard et Richard) à la cour où ils seront adoubés. Avec ses armes, Renaut reçoit le cheval « faé » [magique] Bayard, aux bonds prodigieux et dont la croupe peut s'allonger lorsqu'il doit transporter plusieurs cavaliers. Mais une partie d'échecs tourne mal entre Bertolai, neveu du roi, et Renaut qui, injustement traité par le roi, tue Bertolai. Les quatre frères doivent fuir et se réfugient dans les Ardennes où ils construisent en partie eux-mêmes le château de Montessor : après sept ans de tranquillité, ils y sont assiégés par l'armée royale, dans les rangs de laquelle se trouve Aymon, leur père. Quittant Montessor et après avoir, pour un temps, vécu de rapines dans la forêt, ils échouent, méconnaissables, dans la maison paternelle ; mais Renaut est finalement reconnu par sa mère et, après une grande dispute, leur père les chasse. À la nouvelle que le roi Yon de Gascogne est attaqué par les Sarrasins, les quatre bannis vont l'aider ; Renaut, dont les exploits sont désormais indissociables de ceux de son fabuleux cheval, s'illustre à Bordeaux contre les païens et obtient d'Yon, avec la main de sa fille Clarisse, la permission d'élever le château de Montauban, lequel sera aperçu par Charlemagne, au retour de Saint-Jacques. Un nouvel arrivant à la cour, Roland, commence à s'illustrer contre les Saxons : en son honneur, Charlemagne organise un « cours » [concours], mais c'est Renaut, déguisé, qui en emporte le prix. Plus tard, Charles annonce la reprise de la guerre contre les fils d'Aymon : elle est implacable, tout espoir de paix étant longtemps exclu par l'intransigeance du roi : les quatre frères sont trahis et livrés par le roi Yon, assiégés dans Montauban, puis dans Trémoigne [Dortmund] où ils se sont réfugiés, toujours aidés par leur cousin Maugis d'Aigremont, l'enchanteur (fils de Beuve), et par l'astuce de l'extraordinaire Bayard. On aboutit enfin à une négociation : en échange de la paix, Renaut fera pénitence à Jérusalem et livrera Bayard à la justice royale. Tandis que Bayard, condamné à la noyade, réussit à s'échapper et s'enfuit dans la forêt d'Ardennes où il continuerait toujours à apparaître, Renaut prend la route de l'Orient ; il y rencontre Maugis qui s'était fait ermite pour expier les désastres de la guerre : leurs derniers combats ont lieu contre les païens, à Jérusalem, puis, au retour, à Palerme où ils aident Simon de Pouille. Après l'adou-

bement de ses fils (qui ont affronté ceux du lignage de Ganelon), Renaut se retire discrètement du monde et part pour Cologne où il s'embauche comme simple manœuvre sur le chantier de la cathédrale ; mais son zèle désintéressé lui vaut la haine des autres ouvriers, qui le tuent. Des miracles se produisent aussitôt, qui révèlent « saint Renaut ». Cette fin de Renaut est parfois suivie d'un ultime épisode communément appelé « la Mort de Maugis », où l'enchanteur finit par forcer Charlemagne au pardon, après avoir failli devenir pape, termine ses jours dans un ermitage en compagnie de Bayard.

Des « enfances » de Renaut à sa fin édifiante, se trouvent rassemblées toutes les étapes de la vie héroïque d'un chevalier, généralement dissociées ailleurs en autant de chansons distinctes. Ce poème, *a fortiori* sous ses formes les plus longues, apparaît en effet à lui seul comme un cycle, sorte d'« image du monde » épique : il intègre les matières de la révolte vassalique et de l'injustice royale, des luttes intestines entre bons et mauvais lignages, autant que des voyages en Orient, occasions de pèlerinages comme de combats contre les infidèles ; il exploite toutes les caractéristiques du genre (le cheval, double du chevalier ; le couple, ici ennemi, de deux jeunes hommes égaux en valeur ; le merveilleux au service de la justice...), au prix de certains déplacements : le retrait du monde chevaleresque est ici représenté non par un classique « moniage » [entrée au couvent], mais par un compagnonnage maçonnique employé à la construction d'une cathédrale.

En face d'un empereur muré dans son ressentiment et plusieurs fois ridicule (par exemple lorsqu'il se fait ravir imprudemment l'insigne de son pouvoir, sa propre couronne, qu'il doit réclamer lamentablement), se dresse la fière stature de quatre frères toujours unis, très sensibles à l'injustice royale ou paternelle, prompts à la riposte violente, mais qui, au plus vif de leur rébellion, restent fidèles au respect dû à leur roi.

Le prestige de cette geste s'est vite inscrit dans les mémoires et les textes, assurant aux héros, à Renaut surtout, l'égal de Roland en prouesse, une longue survie littéraire : des vies de saint Renaut en latin apparaissent au XIIIe siècle et, dès cette époque, en France comme à l'étranger, des allusions fréquentes sont faites à la légende des « quatre fils Aymon », qui s'accroît d'épisodes nouveaux sur les fils de Renaut, Yvon et Aymon, sur *Mabrien* le petit-fils, qui a donné son nom à cette expansion ; encore remaniée en vers au milieu du XIVe siècle, la légende inspirera au XVe siècle une partie des *Chroniques et Conquêtes de Charlemagne* attribuées à David Aubert ; à la même époque elle est aussi l'objet d'une immense version en prose, qui passera plus tard dans la Bibliothèque bleue. À l'étranger (Angleterre, Pays-Bas, Italie, Espagne, Allemagne, Scandinavie), elle a très vite suscité traductions, adaptations, imitations, éditions et rééditions jusqu'au XVIIIe siècle ; particulièrement réceptive au personnage de Renaut, l'Italie en a perpétué l'image à partir du XVe siècle dans les poèmes de Pulci, Boiardo, de l'Arioste et du Tasse, comme, sous le nom de *Rinaldi*, les chanteurs de rue spécialisés dans les aventures de Renaut. Le souvenir de Bayard émerge encore dans *la *Chartreuse de Parme* (1839) et l'ensemble de la légende a longtemps alimenté le répertoire du théâtre populaire de Belgique. Dans ce dernier tiers du XXe siècle, une chorégraphie de Maurice Béjart porte le nom des *Quatre Fils Aymon*.

● *L'Épisode ardennais de Renaut de Montauban*, Bruges, Rijks universiteite Gent, 3 vol., 1962 (p.p. J. Verelst) ; Genève, Droz, 1989 (p.p. J. Thomas). Traduction : *les Quatre Fils Aymon*, « Folio », 1983 (trad. M. de Combarieu du Grès et J. Subrenat).

N. ANDRIEUX-REIX

RENÉ. Récit de François-René, vicomte de **Chateaubriand** (1768-1848), publié dans le **Génie du christianisme** à Paris chez Migneret en 1802. La cinquième édition, parue à Paris chez Le Normant en 1805, et qui réunit en un seul volume *Atala et René, corrige le texte sur plusieurs points et constitue l'édition définitive.

Ce bref récit, n'excédant pas une quarantaine de pages dans la plupart des éditions, a été composé à Londres, dans les dernières années du XVIIIᵉ siècle, comme un épisode de la grande épopée des *Natchez, mais détaché de celle-ci et inséré comme histoire-exemple dans le Génie, pour illustrer le « vague des passions ». Par ce premier mal du siècle, Chateaubriand entend un état où d'« inutiles rêveries » sans objet font du jeune homme, dès lors qu'il n'a pas l'appui de la religion, un être solitaire, un exclu. Le ton rappelle parfois celui de MacPherson dans les poésies d'Ossian, la plainte celle du Werther de Goethe, le genre celui des *Rêveries du promeneur solitaire de J.-J. Rousseau. Chateaubriand, avec le Senancour d'*Oberman et le Nodier du *Peintre de Salzbourg, instaure ici un Sturm und Drang français, un premier romantisme fondé sur des expériences très précises de l'auteur, enfant solitaire au château de Combourg, voyageur en Amérique et émigré en Angleterre. René a un côté autobiographique évident ; nombre de pages du récit trouveront un écho dans divers passages des *Mémoires d'outre-tombe, bien que Chateaubriand y semble désavouer l'histoire de son héros : « Si René n'existait pas, je ne l'écrirais plus » (livre XIII).

Quoi qu'il en soit, René est un des textes fondateurs du romantisme français ; il établit le mythe du héros romantique, son désir d'infini et sa frustration de voir se fermer, l'une après l'autre, les issues vers un bonheur terrestre. Nombreux sont ceux qui s'y référeront : Alfred de Musset, dans la *Confession d'un enfant du siècle (I, 2) parlera de la « désespérance » que Chateaubriand « avait placée sur un autel de marbre ». Nombreux sont ceux, également, qui se passionneront pour le style poétique de René, pour ses métaphores et ses comparaisons (« Les sourdes clameurs qu'on entendait au dehors [d'une église] semblaient être les flots des passions et les orages du monde qui venaient expirer au pied du temple du Seigneur »), pour son rythme qui souvent s'organise autour d'une césure, formant un contraste ou un paradoxe (« Inconnu, je me mêlais à la foule : vaste désert d'hommes »), ou encore pour la musicalité de l'expression.

Vers 1725, René, qui a été adopté par les Indiens Natchez de Louisiane, raconte au vieux sachem Chactas et au père Souël de la colonie française « l'histoire de sa vie ». Après avoir passé une triste enfance au château paternel avec pour seule compagne sa sœur Amélie, il a visité Rome et la Grèce antique, l'Angleterre moderne et l'Écosse, enfin l'Italie chrétienne, et n'a trouvé ni certitude ni beauté. En France, la ville, puis la campagne ne lui offrent que la solitude et, comme sa sœur évite sa compagnie pour des raisons obscures, il décide de se suicider. Amélie l'en persuade de vivre, mais se retire elle-même dans un couvent. Assistant à la prise de voile, René l'entend murmurer ce terrible aveu : elle a « trop aimé » son frère. Désespéré d'avoir été la cause du destin qui a mené Amélie au couvent, René s'exile en Amérique, où l'attend la nouvelle de la mort de sa sœur. Le père Souël l'exhorte à surmonter le mal dont il souffre et à s'engager dans la vie sociale.

Considéré comme une autobiographie déguisée, René est une confession surprenante, non de sentiments incestueux entre frère et sœur (pourtant formulés clairement dès la première édition), dont on ne sait strictement rien sur le plan réel et qui ne forment pas le nœud des problèmes soulevés par le texte, mais d'un rapport du moi au monde révélateur de la situation de Chateaubriand vers 1800, et qu'il faut comparer à ce qu'il en dit dans les Mémoires. En tant que récit romanesque, cependant, le texte donne à voir une vérité, c'est-à-dire une expérience et des sentiments, qui confère à René une valeur d'un ordre plus général que la seule perspective autobiographique : en effet, en l'insérant dans le Génie, il engage le récit, avec toute son expérience du monde révolutionné et hostile, dans une action à portée sociale et politique. René devient ainsi l'incarnation de la défaite et de l'aliénation de toute une partie des Français à l'époque de Chateau-

briand. Ce n'est pas la seule Régence, cadre de la vie sociale de René, qui est visée, mais surtout l'époque révolutionnaire, qui a vu « la destruction des monastères et les progrès de l'incrédulité », néfastes à un esprit tel que René. Esquissé avant la conversion de Chateaubriand vers 1800, mais publié dans l'ouvrage sorti de cette conversion, René est donc tout à la fois personnellement vrai comme témoignage de ce qu'a ressenti l'auteur dans son désarroi, et idéologiquement voulu en tant que pièce à conviction dans le procès contre l'incrédulité. Chateaubriand assume cette ambivalence en introduisant René, dans le chapitre « Du vague des passions » (Génie, deuxième partie, livre III, chap. 9) par la formule suivante : « La religion chrétienne [...] a fait dans le cœur une source de maux présents et d'espérances lointaines, d'où découlent d'inépuisables rêveries », qui laisse à René les maux, à Amélie les espérances, et au lecteur les rêveries. Cette prise en compte sincère des « maux » suscités par la religion, Chateaubriand l'abandonne en supprimant le passage dans l'édition de 1805, comme si le christianisme ne souffrait plus désormais la moindre remise en cause.

Il reste, selon Chateaubriand, que le vague des sentiments est « répandu chez les hommes modernes »... « On habite, avec un cœur plein, un monde vide ; et sans avoir usé de rien, on est désabusé de tout. » La réaction de René à son retour au château paternel correspond bien aux sentiments de Chateaubriand visitant Combourg en 1791 : « Je me repliai sur moi-même. » Et c'est à ce moment-là qu'il se crée une muse, cette fameuse Sylphide, sublimation poétique de la sœur et d'autres femmes plus charnelles : « Faute d'objet réel, j'imaginai par la puissance de mes vagues désirs un fantôme qui ne me quitta plus », dit le mémorialiste (Mémoires d'outre-tombe, livre III). La « société croulante » que Chateaubriand visita en 1790, où « dans la foule » il se sentit encore solitaire, est reprise dans René, où le héros se sent « isolé dans [sa] patrie ». Enfin, nous sommes bien à l'époque révolutionnaire, où, se plaint le héros, « de la hauteur du génie, du respect pour la religion, [...] tout [est] subitement descendu à la souplesse de l'esprit, à l'impiété, à la corruption ». Le mal de René tient autant au contexte historique qu'à son état psychique ; une double solution est donc proposée pour le guérir du vague des sentiments : l'intégration sociale (voir l'aventure de René dans les Natchez, la lettre d'Amélie dans René et le discours du père Souël) et la prise de conscience de sa responsabilité envers sa sœur : « Amélie me priait de vivre, et je lui devais bien de ne pas aggraver ses maux. » La leçon morale est, en fait, intérieure ; mais qu'elle n'amène pas d'amélioration, cela ressort de la fin de René et de la lettre de René à Céluta, dans les Natchez.

Sainte-Beuve, qui s'identifiait (en 1820) à ce René-là, soutiendra plus tard, en romantique invétéré, dans Chateaubriand et son groupe littéraire (1860), que « le vrai René » finit au moment où il quitte la France et Amélie, avant le discours du père Souël. Mais René n'est pas Sainte-Beuve, et Chateaubriand se parle encore par la bouche du bon Père. Le vrai René n'est pas seulement celui qui s'adonne aux « orages désirés » et à son propre désespoir, mais aussi celui qui reçoit l'invitation à « prendre un état » (l'expression est d'Amélie). Tout est double encore, tout est désaccord, dans ce texte éminemment romantique.

● Genève, Droz, 1970 (p.p. J.-M. Gautier) ; Atala [...], « GF », 1964 (p.p. P. Reboul) ; id., « Folio », 1978 (p.p. P. Moreau) ; id., « Le Livre de Poche », 1989 (p.p. J.-Cl. Berchet). ➤ Œuvres romanesques et Voyages, « Pléiade », I.

H.-P. LUND

RENÉ LEYS. Roman de Victor **Segalen** (1878-1919), publié à Paris chez Crès en 1922 ; réédition dans sa version définitive chez Gallimard en 1971.

En 1910, Victor Segalen s'installe à Pékin et poursuit des recherches sur Kouang-Siu, recherches qui toujours s'en viennent buter sur l'impossibilité de pénétrer dans la Cité interdite. C'est alors qu'il rencontre René Leys, un jeune homme d'origine franco-belge, âgé de dix-neuf ans, qui lui laisse entendre qu'il a accès au palais, où il occupe de hautes et occultes fonctions. Sa mort brutale laisse planer le doute sur la véracité de ses dires.

Trois années plus tard, toujours en Chine et travaillant à la publication de *Stèles*, à *Fils du Ciel*, à *Peintures*, au *Combat pour le sol*, Segalen entreprend d'écrire l'histoire mystérieuse de sa relation avec René Leys.

À Pékin, le 28 février 1911, Victor Segalen se voit une fois de plus refuser une audience au palais impérial et renonce à écrire son livre sur Kouang-Siu. Au fond de lui demeure pourtant quelque secret espoir de pouvoir un jour forcer les portes de la Cité interdite et il entreprend d'apprendre le « mandarin du Nord » à cet effet. Deux professeurs se partagent cette tâche : maître Wang, vieux Chinois Mandchou, et René Leys, jeune Belge professant à l'école des Nobles. Celui-ci devient momentanément l'hôte du narrateur. Avouant au jeune professeur sa fascination pour le « monde du dedans », le narrateur s'attire ses confidences : il a ses entrées au palais, fut l'ami de l'empereur défunt, appartient à la police secrète du palais et tire dans l'ombre toutes les ficelles du destin de la famille impériale, déjouant les attentats contre le régent et devenu l'amant de l'impératrice. Tout ceci se constitue peu à peu en récit, au fil d'aveux différés, interrompus, de rares entretiens confidentiels où se glissent les mystères de la vie secrète du palais. De temps en temps, René Leys entraîne son hôte à ses côtés dans une vie nocturne énigmatique, peuplée de Chinois aux conversations et aux gestes hermétiques. La révolte du Yang-Tseu, en octobre, trouble le personnage, qui donne des réponses embarrassées aux questions dont le presse le narrateur inquiet du destin du pays. Quelques hésitations de René Leys, les insinuations d'un voisin européen sèment le doute dans l'esprit de Segalen, qui somme, en vain, son ami de lever le voile. Sincère ou imposteur, René Leys meurt le lendemain de cet entretien, emportant son secret dans la tombe. Relisant son manuscrit, le narrateur se découvre responsable d'avoir, par ses propres suggestions, conduit René Leys à l'affabulation et à la mort.

Le va-et-vient entre réel et imaginaire, si caractéristique de l'entreprise littéraire de Segalen (voir *Équipée*, les *Immémoriaux*), trouve ici une expression particulièrement riche et complexe car la superposition des deux mondes joue sur deux tableaux.

D'une part, en effet, le livre a pour figure centrale un personnage dont l'itinéraire, les récits sont tantôt présentés comme vrais bien qu'invraisemblables, tantôt comme imaginaires bien que crédibles. D'autre part, le texte oscille entre document et roman, se présentant sous la forme d'un journal (alors qu'il a été composé a posteriori) qui devient le roman que son narrateur se défend précisément de composer (« Ce roman secret et policier – si jamais il m'incombait l'indécente hypothèse de l'écrire »), et qu'il présente, après la mort de son héros, comme son « seul témoin valable : ce manuscrit dont j'aurais voulu "faire un livre", voici dix mois ; et que je regarde avec une défiance lourde de ce qu'il contient ».

Qu'est donc René Leys, témoin tout autant de la puissance de l'imagination (du héros comme du narrateur) que d'une rencontre réelle, que son auteur inscrit délibérément dans la littérature en y faisant entendre le discret écho des querelles littéraires du moment (« J'allais dire "mon roman", si le mot n'était décidément périmé par trente années d'abus et les viols répétés de l'école naturaliste »), sinon le livre même auquel il disait, dans les premières lignes du texte, devoir renoncer faute de pouvoir accéder à des informations vraies : « Le livre ne sera pas non plus [...]. J'avais cru le tenir d'avance, plus "fini", plus vendable que n'importe quel roman patenté, plus compact que tout autre aggloméré de documents dits humains. Mieux qu'un récit imaginaire, il aurait eu, à chacun de ses bonds dans le réel, l'emprise de toute la magie enclose dans ces murs [...], où je n'entrerai pas. » Voilà le paradoxe énoncé (ce livre aurait dû être, ne sera pas et existe

pourtant), définitivement insoluble parce que la frontière entre imaginaire et réel reste indécise.

La seule vérité de cette rencontre mi-réelle, mi-rêvée, c'est donc le livre, le récit d'un véritable combat qui à coups d'images, de rêves et de désirs, oppose le narrateur à René Leys, chacun offrant à l'autre de porter son propre rêve et de le faire ainsi naître à une existence que l'échange seul et la reconnaissance par autrui permettent. Ce sont les mots qui demeurent et le monde qu'à eux seuls ils ont créé, l'image de la Chine mieux que la Chine elle-même : « Toutes ses confidences habitaient vraiment un palais capital bâti sur la plus belle assise. » Cette assise, sans doute faut-il l'aller chercher dans l'imaginaire.

● « L'Imaginaire », 1978.

V. STEMMER

RENÉE MAUPERIN. Roman d'Edmond (1822-1896) et Jules (1830-1870) de **Goncourt**, publié à Paris en feuilleton dans *l'Opinion nationale* en décembre 1863, et en volume chez Charpentier en 1864.

Les modèles du livre viennent de la famille Passy que les deux frères sont allés visiter en septembre 1855 et 1856, à Gisors. Ils y ont découvert Blanche, « un homme, un honnête homme, avec la loyauté, la cordialité d'un homme, des grâces de jeune fille dans cela » (*Journal, Mémoires de la vie littéraire*, 22 septembre 1856). Quant à Henri, il est inspiré de Louis Passy, son frère, ainsi que d'un cousin, A. de Courmont. Après les *Hommes de lettres* (1860, réédité sous le titre *Charles Demailly*) et *Sœur Philomène* (1861), c'est le premier grand roman des Goncourt, qui y font le portrait d'un moment et d'une génération (d'où le titre initialement prévu : « la Jeune Bourgeoisie »). Le livre est salué en particulier par un article de Vallès en avril 1864 qui critique certaines excentricités, certaines longueurs, mais goûte aussi la finesse des scènes et des caractères.

Renée Mauperin est une jeune fille moderne : naturelle et curieuse de tout, sensible à l'art. Son père, ancien officier de l'armée napoléonienne, devenu industriel, se situe politiquement dans l'opposition. Lors des réceptions, les conversations tournent souvent autour des mariages faits ou à faire, et auxquels contribue l'abbé Blampoix, mondain et habile. Henri Mauperin n'agit que par calcul, à l'inverse de sa sœur Renée. Celle-ci répète une pièce avec Noémi Bourjot, la fille de riches amis, sur qui Henri jette son dévolu, alors qu'il est depuis un an l'amant de Mme Bourjot (chap. 1-24). Mais, pour ce mariage intéressé, il faut qu'Henri ajoute une particule aristocratique à son nom. Ce qui lui vaut un duel avec le survivant désargenté et un peu rustre de la famille dont il a emprunté le patronyme. Il meurt, tandis qu'en même temps une maladie de cœur mortelle atteint Renée, qui dépérit progressivement, au désespoir de son père. Le troisième enfant des Mauperin, la sœur très mondaine de Renée, mourra elle aussi, laissant seuls les deux parents (25-65).

L'intérêt premier du livre tient dans la peinture d'une certaine bourgeoisie aisée sous le second Empire. La question d'argent est primordiale, et la grande affaire, la propriété : dots, héritages, maisons, terres et plaisirs, tout est évalué et relève d'une hiérarchie que les parents ou l'époque se chargent d'inculquer aux enfants. Ainsi, Henri calcule son mariage à long terme ; un ami de la famille, Denoisel, par ailleurs artiste et sympathique, où l'on retrouve certains traits des auteurs, mesure ses jouissances à l'aune stricte de ses revenus ; Bourjot, un ancien carbonaro, craint désormais le fisc et les partageux ! Les mondanités elles-mêmes reflètent les stratégies d'intimidation, d'approche ou de domination : les sentiments y sont faux et les êtres factices et égoïstes. La Préface d'Edmond (en 1875) précise que le roman avait pour ambition de proposer « l'analyse psychologique de la jeunesse contemporaine » : Henri est le jeune homme moderne, libéral et arriviste, tandis que Renée montre le résultat de l'éducation artistique et garçonnière des trente dernières années.

Cette figure de l'héroïne incarne cependant autre chose qu'un type sociologique : plutôt une sensibilité, une « mélancolie tintamarresque », un regard intelligent et dolent qui doit beaucoup aux Goncourt et fournit l'occasion de plusieurs tableaux : parfois finement dialogués et précis comme une scène de genre (une réception, une chambre de jeune fille, une vente aux enchères), parfois annonciateurs d'une forme d'impressionnisme (la baignade du début, et les descriptions de certains coins de nature ou de banlieue).

● « GF », 1990 (p.p. N. Satiat). ➤ *Œuvres complètes*, Slatkine, XLII.

A. PREISS

REPAS DU LION (le). Pièce en quatre actes puis en cinq et en prose de François de **Curel** (1854-1928), créée à Paris au théâtre Antoine le 26 novembre 1897, et publiée à Paris chez Stock en 1898 ; réédition dans sa version définitive chez Crès en 1919.

Largement teinté, du moins dans sa première partie, d'une bonne part de souvenirs personnels (Curel était fils d'industriel et resta toute sa vie un solitaire amoureux de la nature), ce drame, à cause même des larges retouches qu'il a subies, est certainement l'un des plus accomplis de l'auteur, du moins celui qui épouse au plus près sa pensée. Il retrace ainsi, dans un style d'une hautaine dignité, l'itinéraire d'un esprit inquiet et épris d'absolu, allant de la méditation solitaire à la fièvre de l'apostolat, pour finalement aboutir à un individualisme farouche et élitiste. Ce drame dont le succès fit suite à celui des *Fossiles* (1892) et de *l'Invitée* (1893), par les problèmes de fond qu'il pose et les grands sentiments qu'il exalte, dépasse largement la portée de la fameuse formule de Sarcey : « Une suite de conférences que termine un coup de fusil. »

Jean, fils du comte de Sancy, jeune homme solitaire, sensible aux harmonies de la nature, apprend avec terreur que des forages sont entrepris sur les terres de sa famille et que les usines de son futur beau-frère, l'intrépide ingénieur Georges Boussard, vont bientôt défigurer le paysage (Acte I). Révolté, il ouvre une vanne d'irrigation qui inonde un puits et noie accidentellement un ouvrier attardé. Devant le cadavre de cet homme que l'on remonte des profondeurs, il jure alors de consacrer sa vie à défendre les ouvriers et à faire leur bonheur (Acte II). Une quinzaine d'années plus tard, l'apostolat chrétien et socialiste de Jean l'a rendu brillant orateur. Il transporte ainsi d'enthousiasme le public des cercles d'ouvriers et défend leurs intérêts alors que Georges est maintenant à la tête de douze mille employés. Tout en entretenant des doutes sur sa propre vocation, Jean reproche à Georges son existence de tueur d'hommes et vitupère les patrons qui se servent « de l'ouvrier comme du charbon que l'on jette à la machine » (Acte III). Toutefois, invité à Sancy par les ouvriers de Georges, il les surprend en réalisant ses avoirs bancaires et en louant les vertus du capitalisme dans un discours qui fait le panégyrique du capitaine d'industrie, « l'homme entreprenant qui fait jaillir les sources nourricières dont le travailleur reçoit les éclaboussures ». La meilleure part que prend ainsi « le lion » au banquet de la vie renvoie les ouvriers au rôle de chacals et de charognards. À la suite de ce discours inattendu et qui provoque un scandale, la grève se déclare et l'on tire sur M. Boussard père (Acte IV). C'est Robert Charrier, le chef des syndicalistes qui a tiré. Il est à son tour blessé par son propre frère, garde-chasse du comte de Sancy. Puis, devant la nouvelle arrogance de Jean qui prétend mieux aider les ouvriers en devenant leur chef qu'en les défendant par des discours, Robert foudroie d'un coup de feu en pleine poitrine ce prédicateur changé en prédateur. Au même moment, la forêt que Jean aimait, dernier espace de liberté encore épargné par les industries, flambe dans un brasier allumé par les grévistes (Acte V).

Devant les réserves suscitées par le cinquième acte lors de la première, Antoine demanda à Curel de le supprimer pour les représentations suivantes. Ce qui fut fait. Toutefois, c'est cette version en cinq actes qui fut reprise dans l'édition de 1898 et jouée au théâtre de la Comédie à Genève en 1911. Quelques années plus tard, en vue d'une édition définitive et d'une représentation à la Comédie-Française, qui eut lieu en 1920, Curel remania sa pièce en

profondeur : il fondit le premier et le deuxième acte en un seul et refit entièrement l'acte du dénouement, lui donnant ainsi une portée élargie et un sens différent. À la fin de l'acte IV, c'est alors Georges Boussard lui-même qui est tué lors de l'émeute par le syndicaliste Robert Charrier. L'acte V se déroule vingt-cinq ans après : Robert le syndicaliste est devenu ministre du Travail ; il retrouve Jean qui de son côté s'est métamorphosé en un impérial capitaine d'industrie. Dans une scène qui sert en somme d'épilogue à l'ensemble, les deux hommes se congratulent à l'envi dans la bonne conscience et le respect mutuel des lions repus.

En fait, ces remaniements de la seconde version prolongent les réflexions engagées dans la première sans les dénaturer. Le personnage de Jean, pivot de la pièce, a certes peu à peu perdu l'idéalisme mystique et confraternel qui le portait au doute, au profit d'un individualisme féroce qui le conforte pourtant dans sa volonté d'aider les faibles. Il a aussi gardé intacte cette volonté intellectuelle qui le pousse cette fois à entrer dans la lice où seuls combattent les lions.

Plus qu'un drame à thèse, la pièce, dans ses deux versions, apparaît ainsi comme un long débat d'idées, fluctuant, mouvant, mais qui au bout du compte, par le biais de belles études de caractères, l'abandon des éclats successifs d'une rhétorique un peu emphatique, dégage peu à peu l'éthique et les droits d'une « aristocratie intellectuelle » (Gide). L'ensemble préserve aussi une vive tension émotionnelle qu'après la guerre on retrouvera tout aussi vibrante dans *Terre inhumaine* (1922).

J.-M. THOMASSEAU

RÉPÉTITION (la) ou l'Amour puni. Pièce en cinq actes et en prose de Jean **Anouilh** (1910-1987), créée à Paris au théâtre Marigny le 25 octobre 1950, et publiée à Paris aux Éditions La Palatine la même année.

Si les catégories « pièces noires » (voir **Antigone*) ou « pièces roses » (voir **Léocadia*) inventées par Anouilh pour classer ses pièces sont aisément définissables, il n'en va pas de même des « pièces brillantes » où se rangent des œuvres plus tardives comme *Colombe* ou *la Répétition*. Au moins dans ces deux pièces le « brillant » est largement celui du théâtre même, du « théâtre dans le théâtre » qui, parant la réalité des chatoiements de l'illusion, agit comme un révélateur sur les personnages mis en scène.

Le Comte, prénommé Tigre, organise en son château de Ferbroques une fête dont le clou sera la représentation de *la *Double Inconstance* de Marivaux : les acteurs, amateurs, sont venus quelques jours plus tôt pour répéter. On trouve là, réunis, la Comtesse et son amant Villebrosse, Hortensia, la maîtresse du Comte, et un ami de celui-ci, Héro. Ce sont tous des mondains désabusés. Pour jouer Silvia, l'ingénue, Tigre a choisi une jeune fille pauvre et pure, Lucile, nièce de M. Damiens, l'homme d'affaires de la Comtesse. L'amour possible de Tigre pour Lucile effraie tous les autres (Acte I). Pendant la répétition, les tensions s'exaspèrent, tant se manifeste l'intérêt du Comte pour Lucile. Elle tombe dans ses bras (Acte II). Pour se débarrasser de Lucile, la Comtesse feint d'avoir perdu une émeraude et veut diriger les soupçons sur elle ; mais le Comte déjoue ce plan (Acte III). L'alcool, le mensonge et l'ignominie aidant, Héro parvient à séduire Lucile et à la dégoûter du Comte (Acte IV). Le lendemain matin, Lucile est partie. Tigre, assure-t-on, se consolera vite d'avoir cru un moment à l'amour. L'important est que la fête se déroule malgré tout (Acte V).

La Répétition est au bord du pastiche, et c'est avec une extrême habileté que le dramaturge inscrit sa pièce dans les marges de Marivaux ; on est tenté de donné à « répétition » non pas un sens théâtral, mais celui de réitération. Ce sont les mêmes forces, les mêmes caractères qui s'opposent, et l'auteur, au lever du rideau laisse planer une incertitude : salon, costumes Louis-XV, langue classique, rien n'indique dans les premières répliques que la pièce se déroule « aujourd'hui ». Cette virtuosité et ces équivoques, que l'on retrouve fréquemment chez Anouilh (voir par exemple *Pauvre Bitos*), donnent à *la Répétition* son incontestable efficacité théâtrale.

Mais de là aussi naît une gêne. S'il établit une continuité entre le monde de Marivaux (où l'on ne voit guère, en 1950, qu'afféteries ingénieuses et « marivaudage ») et le sien propre, Anouilh entend également donner un poids de réalité à ses personnages, montrer des rapports sociaux entre ses héros, ce qui le conduit à forcer le trait. Le tableau se réduit alors aux figures récurrentes du théâtre d'Anouilh : jeune fille très pauvre et très pure, quadragénaire lubrique, inconsolable du petit garçon qu'il fut, et une tendresse marquée pour les aphorismes tranchés et « brillants », ce qu'on nomme au théâtre des « mots d'auteur ».

● « Folio », 1973.

J.-M. THOMASSEAU

REPOS DU CAVALIER (le). Voir ÉCRITS, de G. Roud.

REPOS DU GUERRIER (le). Roman de Christiane **Rochefort** (née en 1917), publié à Paris chez Grasset en 1958.

En province pour un héritage, Geneviève, une jeune femme sage, se trompe de chambre en rentrant à son hôtel et sauve ainsi un homme, Renaud, du suicide. Elle tombe amoureuse de lui, le ramène à Paris et l'installe chez elle. Elle découvre avec lui le plaisir, et l'insignifiance de sa vie passée. Renaud ne l'aime pas, mais elle veut lui prouver que son amour le sauvera du désespoir. Elle s'aperçoit qu'il est alcoolique, va le chercher chaque nuit dans les bars, subit coups et humiliations. Un soir, Renaud disparaît, lui affirmant que son amour est inutile. Geneviève, fragile des poumons, est transportée à l'hôpital. Elle frôle la mort, mais Renaud retrouve sa trace : il a pris conscience qu'il a besoin d'elle. Leur vie d'autrefois reprend dans des conditions différentes. Renaud est un écrivain raté, elle essaie de lui rendre le goût du travail. Lui-même lutte contre son amour pour elle, qui devient peu à peu plus fort que son goût de la destruction. Enfin, il demande à Geneviève, qui attend un enfant, de l'épouser et accepte de subir une cure de désintoxication, dont on ne sait s'il sortira vivant.

Ce premier roman de Christiane Rochefort est avant tout l'histoire d'un amour absolu, qui a pour particularité de naître de la mort. Renaud, dont Geneviève fait échouer le suicide, n'est-il pas constamment présenté comme un mort en sursis ? Du début jusqu'à la fin, le roman se construit explicitement comme une réplique inversée du mythe d'Orphée : une Eurydice, aimée et détestée à la fois, qui s'acharne à chercher un amant pour le moins réticent dans le royaume des Morts (qui prend ici la forme des bistrots parisiens), qui subit une « descente aux Enfers » nullement métaphorique la conduisant à côtoyer la faune des drogués et des prostituées, jusqu'au moment où, menacée de mourir, elle est sauvée par Renaud, qu'elle ramène, sur sa demande cette fois, à la « vie normale ». Ainsi le mythe aurait-il pour une fois une fin heureuse. Comment expliquer, cependant, l'angoisse qui saisit Geneviève quand Renaud franchit la grille de la clinique, et celle qui empreint les premières lignes du livre, lorsque, au « seuil du bonheur », elle se retourne sur son passé ? Sans doute Renaud n'est-il pas supposé mourir de son expérience de désintoxication, mais celui d'autrefois a définitivement abdiqué devant la vie, se résignant à elle et, lorsque son Eurydice retrace les mois d'« enfer » qu'ils ont traversés ensemble, elle cherche autant à « brûler » ce passé qu'à le célébrer. La révolte de Renaud, sa violence, était aussi ce qui faisait de lui un « vivant » parmi des êtres morts en réalité. En ce sens, c'est bien lui qui a donné la vie à Geneviève, et non l'inverse, en lui révélant son corps endormi et l'hypocrisie sur laquelle reposait son existence rangée.

Si le roman, en 1958, a fait scandale, c'est sans doute pour la liberté de ton avec laquelle sont exaltés justement ces « longs éblouissements du plaisir » chez Geneviève, jamais trop chèrement payés, et pour l'ironie brutale avec laquelle sont traités, par exemple, son ancien fiancé ou sa mère, représentants d'une société qui meurt d'ennui.

● « Le Livre de Poche », 1960.

K. HADDAD-WOTLING

REPOS DU SEPTIÈME JOUR (le). Pièce en trois actes et en prose de Paul **Claudel** (1868-1955), publiée dans le recueil *l'Arbre* à Paris au Mercure de France en 1901, et jouée dans une salle de théâtre polonaise en 1929 avant une « création » lors du Katholikentag d'août 1954, à Fulda (Allemagne).

Dans l'empire du Milieu, règnent la sérénité et la justice. Mais les morts ont envahi le royaume des vivants et ne leur laissent aucun repos. Pour percer ce mystère, l'Empereur de Chine a exhumé la statue du premier d'entre les anciens rois géants. Il interroge, mais nul ne répond à sa voix, et il se résout à utiliser les services du Nécromant. Celui-ci évoque l'empereur Hoang-Ti, qui révèle qu'en travaillant la terre, les vivants troublent les morts. L'Empereur décide alors de se rendre aux Enfers pour savoir comment racheter la faute des hommes (Acte I).

Dans la nuit noire de la demeure des morts, l'Empereur rencontre d'abord sa mère, misérable esprit sans corps, qui, cependant, vécut une existence sage et pieuse. Il reste persuadé qu'au centre de tout se trouve la Justice primordiale, la Substance éternelle. Mais l'esprit-fossoyeur lui apprend que, depuis la Chute, le mal naît avec l'homme et dans l'homme, qu'il profite de sa faiblesse, s'établit en lui par la force de l'habitude et par l'effet de sa volonté et, enfin, lui paraît délectable. Le mal, c'est la préférence de la créature pour elle-même, la séparation d'avec Dieu. Mais l'Empereur ne peut admettre que l'homme ne puisse se purifier par la souffrance. Sur sa demande, l'esprit lui révèle que le Très-Haï inflige aux morts le supplice du feu : par ces tortures morales et physiques accordées à leurs péchés, il renvoie les hommes à ce qu'ils ont aimé. Les cercles de l'enfer se rétrécissent de plus en plus à mesure que l'homme n'adore en lui que la seule matière. Mais l'esprit ne peut conduire l'Empereur plus loin. L'Ange de l'empire, envoyé céleste, lui révèle que, oubliant Dieu, les hommes ont transgressé la loi divine du nécessaire « repos du septième jour ». Il faut qu'ils restituent au Seigneur la création et qu'ils le louent (Acte II).

Dans une salle du palais, de nuit, alors que la rébellion gronde, l'Empereur réapparaît. Son bâton royal s'est épanoui en forme de croix, et il va restaurer l'ordre et l'unité. Il ôte son masque et découvre son visage de lépreux. Sur la muraille, il a élevé la croix et l'armée ennemie s'est dispersée. La Vérité n'est pas détenue par Bouddha, mais elle se trouve dans le pacte noué entre Dieu et l'homme. Après avoir divulgué son enseignement, l'Empereur retourne au néant. Il revêt les vêtements pontificaux où se dessinent les symboles de la Création. Son empire doit s'étendre sur la volonté des hommes et la domestiquer afin que soit maintenu l'équilibre primordial, et que la nature de l'homme s'accomplisse dans la fécondité retrouvée (Acte III).

Claudel rédige cette pièce en quelques mois et l'achève le 17 août 1896, alors que ses fonctions diplomatiques l'ont conduit en Chine (Changhai, Fou-Tcheou). Comme toutes les œuvres datées de cette époque, le sujet du drame pose une question à la fois philosophique et religieuse : qu'est-ce que la mort ? Claudel avertit ses contemporains : l'homme ne doit pas s'abstraire de la continuité historique et se constituer en maître absolu. Chacun sait que, dans la Bible, Dieu créa le monde en six jours et se reposa le septième : ainsi, prendre un repos dominical, c'est reproduire le geste du Créateur, s'inscrire dans la continuité des Écritures. Le drame symboliste se présente ici comme une vaste métaphore dont le signifié est métaphysique et le signifiant emprunté à la légende chinoise. Claudel centre son attention sur ce qui constitue le fond primitif de la croyance humaine : en quoi l'homme a-t-il cru, de toute éternité ? En « un Dieu unique, la peur du diable et le culte des morts », répondra l'auteur en 1954. Le poète produit une version syncrétique de la quête de soi au travers d'une descente aux Enfers où la théologie chrétienne s'enrichit d'emprunts à la tradition chinoise.

Le symbolisme de la forme découle de la vision du monde claudélienne : comme la matérialité de l'image dissimule et révèle à la fois la substance secrète de la pensée, la chair de l'homme masque les aspirations de son esprit. Le drame développe l'allégorie de la mort spirituelle de l'homme uniquement préoccupé de sa subsistance matérielle. La question de l'enfer et du châtiment ne reçoit pas ici de réponse claire : dans ce « drame transitoire » (Claudel), l'auteur exprime simplement la nécessité de s'interroger sur la notion de faute, de punition et de rachat. La position de Claudel n'est pas tragique : l'homme retournera à Dieu. D'après les manuscrits, le rôle de l'Empereur était à l'origine tenu par une femme ; la femme, pour Claudel, incarnant la médiatrice qui suscite la communauté des fidèles, l'Église. Cependant, ce personnage incarne aussi la sagesse parfaite, la bienveillance totale à l'égard de ses sujets : nulle dissension n'apparaît au sein de l'Empire. La passation du pouvoir se fera sans difficulté et l'harmonie bien réglée des cérémonies asiatiques répond à un ordre intérieur, souligné par nombre de didascalies. Le drame se rapproche de la célébration des « mystères » médiévaux, empruntant son caractère statique et fantastique aux dramaturgies chinoise et antique.

La composition est claire : l'acte I conduit à la révélation ambiguë de Hoang-Ti, l'acte II évoque la descente aux Enfers et l'acte III met en scène le renouveau de l'Empire sous l'influence bénéfique de l'Empereur, figure de l'Éclairé. Le drame reproduit donc l'initiation des sujets à une vérité supérieure : la nécessité de conserver le sens des vraies valeurs spirituelles, qui s'exprime au travers du repos hebdomadaire. D'emblée, les hommes apparaissent comme des ignorants et s'imaginent abandonnés à eux-mêmes : « Il n'est point d'assistance dans les dieux » (I). Mais l'Empereur témoigne de sa piété en faisant évoquer Hoang-Ti. Ce grand bâtisseur a organisé la vie de la cité et l'a intégrée dans le cycle cosmique. Il révèle que, sortant de son arche, Fou-hi, sorte de Noé asiatique, répandit la semence de toutes choses vivantes ; l'idéogramme de la barque, « huit bouches », trouve alors sa justification ontologique, prouvant que le langage humain est issu de la Parole divine. Comme toujours chez Claudel, l'espace est fortement orienté. L'Empereur règne sur l'empire du Milieu, au centre de toute la Création, et il s'inscrit dans la continuité d'une lignée qui remonte à la nuit des temps. L'homme doit prendre la mesure du monde : soupeser le poids de chacun et répartir les lots selon les principes de la justice distributive. Sur ce repère horizontal, se superpose un axe vertical : le bas est le lieu de la Chute, de la chair et des morts, des damnés. Pour restaurer l'équilibre, l'Empereur frappe le sol de son bâton. Claudel voulait que la descente aux Enfers soit dramatisée et que l'Empereur rencontre trois personnages, de plus en plus proches de Dieu. L'Empereur assume le rôle du Christ : vivant, il pénètre dans le royaume des Morts pour sauver les hommes. La Terre-Mère s'impose comme la matrice de toute science : l'Empereur y est initié à la Connaissance supérieure. Il résiste à la terreur et ne cesse de réaffirmer sa mission ; au démon, il lance : « L'homme qu'on tient ne tombera pas. Tu n'ébranleras pas aisément la clef de la voûte » (II). Traversant les eaux infernales, il renaît à lui-même. En effet, l'Ange lui révèle comment se sauver de la mort : il s'agit là de la mission du Christ parmi les hommes, puisque le Sauveur a vaincu la mort et permis la résurrection. L'Empereur ramènera donc son insigne, la croix, et restaurera l'espace sacré. Il a subi l'épreuve du feu et comme la jeune fille Violaine, il est devenu lépreux : brûlée par le mal mystique, sa chair, purement spirituelle, réalise une union parfaite avec l'âme. Son langage se fait prophétique et emprunte aux formules évangéliques : ce

« pasteur d'hommes » s'avance devant son peuple pour faire son « annonciation ». À la fin du drame, l'Empereur incarne donc le chef politique qui a accompli sa métamorphose en guide spirituel, ambition que n'ont pas su réaliser les personnages de la *Ville.

● Mercure de France, 1965 ; Les Belles Lettres, 1987 (p.p. J. Houriez). ➤ Œuvres complètes, Gallimard, VIII (p.p. R. Mallet) ; Théâtre, « Pléiade », I.

V. ANGLARD

REPOSOIRS DE LA PROCESSION (les). Recueil poétique en prose de **Saint-Pol Roux**, pseudonyme de Paul Pierre Roux (1861-1940), réunissant trois livres publiés à Paris au Mercure de France (la Rose et les Épines du chemin, 1901 ; De la colombe au corbeau par le paon, 1904 et Féeries intérieures, 1906). La plupart de ces textes datent de la période 1885-1900, et vingt-quatre d'entre eux figuraient dans la toute première édition en un seul volume, plus réduite, déjà intitulée les Reposoirs de la procession et parue au Mercure de France en 1893.

Saint-Pol-Roux pratiquant une poétique de la diversité, on chercherait vainement dans son recueil une unité, ou même une forme fixe dominante. Les vrais poèmes en prose, courts et fermés sur eux-mêmes, y sont rares: "Lever de soleil", "les Peupliers", "Soir de brebis", "le Corbeau", "Les deux serpents qui burent trop de lait", "la Carafe d'eau pure", "la Charmeuse de serpents". Une impression de disparate se dégage de l'ensemble, accentuée par la longueur très variable des textes. Le poète déclare avoir voulu inscrire dans son livre des « thèmes philosophiques, symboles d'âme, notations de raisons, peintures d'heures, magies de phénomènes ». L'unité sera donc bien plutôt une unité de vision, un sentiment panique et cosmique de l'univers, conçu comme « la grandiose expansion d'un être ». Cette conception animiste se double d'une tendance conjointe à l'allégorie et à la théorie poétique. Aussi nombre de poèmes en prose ne sont-ils que de simples allégories, où le poète dialogue avec des entités (la Beauté, la Vie, la Mort, etc.), ce qui ne va pas toujours sans artifice ni monotonie: "le Silence", "la Dame en partance", "le Sablier", "le Châtelain et le Paysan", "la Roue de la vie", "la Torche de Ténèbres". Tantôt ces allégories sont empruntées à la vie familière ("les Poupées de ma fille", "Adieux à la chaumière"), tantôt il s'agit de paraboles illustrant des thèses souvent fort proches des idées de Péladan : "le Monstre et le Lutin", "le Panier de fruits", "Gestes" et surtout "Idéoplastie". On descend même à la simple fable : "le Mendiant philosophe", "Vision", "le Val des baisers", "le Fol", etc.

Il est rare que le poème en prose ne soit prétexte à quelque dissertation et ne verse dans la théorie littéraire, esthétique ou morale. Le poète a beau user et abuser des mots Âme et Beauté, il n'évite pas toujours la banalité ou les symboles rebattus, ni une certaine obscurité : « Ayant de par sa pléthore perdu toute influence, la Chose Précieuse, synthèse de la matière et polaire de l'homme, allait de pair avec le gravier des chemins » ("la Monnaie rare"). On peut donc préférer d'autres textes, où tel spectacle familier se trouve transfiguré par le langage: "le Petit Village", "la Charmeuse de serpents", "Soir de brebis". Partant de l'idée que le poète doit énumérer le monde pour le révéler, Saint-Pol-Roux va dérouler de véritables litanies, qui rappellent Corbière et ne sont pas sans beauté : "Ave, Massilia", "Litanie de la mer", "Devant du linge étendu par ma mère, au village", "Sur un ruisselet qui passe dans la luzerne". Ce baroque de style et de vision, fondé sur l'emploi systématique de la périphrase et l'utilisation de refrains, aboutit à une description de la nature en termes humains, qui constitue la partie la plus originale et la plus durable du recueil : « Les coups de ciseau gravissent l'air » ("Alouettes"), « La joue splendide émerge des mousselines d'aubépine » ("Lever de soleil"). Remarquable à cet égard, et véritable tour de force, est "l'Œil goinfre", récit d'un voyage en train de Marseille à Paris et qui nous vaut une métamorphose animiste de la nature : « Voici la langouste d'une haie de rosiers et le saumon des carrières d'argile. / Comme bouillabaisse, une lande safranée de genêts fleuris. / Entrée, rôt : des veaux sur la sauce verte des pâtis ; des porcs au seuil de l'étable ; des moutons parmi, en forme de pommes, les cailloux de la Crau. » Dans d'autres pièces comme "le Carillon de Bruges", le poète oublie tout symbole pour s'abandonner à une pure musique verbale ; ou bien, tel Baudelaire, il exprime une ironie grinçante : "Apocalypse", "Crucifiement", "la Kermesse des asperges". Ailleurs, il se contente de raconter, sur un ton familier, quelque légende folklorique bretonne ou des souvenirs personnels : "le Pèlerinage de Sainte-Anne", "le Pâtre Verlaine", "Grand-père" ; d'autres textes, enfin, brossent des paysages de Bretagne, des Ardennes ou de Provence.

À la variété des tons répondent la variété et la richesse du vocabulaire, qui va de l'héraldique à l'argot en passant par de nombreux néologismes (« inespoir », « tocsinailler », « cariatider », « toquetoquetoquer »). Au total, un recueil profondément divers, inégal mais pittoresque, partout marqué de la personnalité si originale de celui qu'on a appelé « le baroque du symbolisme ».

● Mézières-sur-Issoire, Rougerie, 3 vol., 1981.

J.-P. GOUJON

RÉPUBLIQUE (la). Traité de philosophie politique de Jean **Bodin** (1529-1576), publié à Paris chez Jacques Dupuys en 1576.

Humaniste, professeur de droit à Toulouse et avocat au parlement de Paris, l'auteur avait déjà publié en 1576 un ouvrage important et novateur, le *Methodus ad facilem historiarum cognitionem* : il y proposait une théorie de l'Histoire universelle dégagée de tout horizon théologique et fondée sur l'étude du développement des civilisations. Au moment où paraissent les six livres de *la République*, Bodin est représentant du tiers aux états généraux de Blois : l'unité politico-religieuse du royaume est gravement menacée, et la nécessité s'impose, aux yeux des historiens et juristes, d'une mise en perspective qui réinscrive les institutions dans la continuité de leur génie séculaire. Vaste somme débordant d'érudition, *la République* s'alimente à tous les courants de la pensée politique antique et moderne, d'Aristote et Platon à Claude de Seyssel et François Hotman, en passant naturellement par *le Prince* de Machiavel. *La République* exercera une influence considérable : dès le XVIIᵉ siècle, chez des disciples et continuateurs souvent peu soucieux de nuances, Bodin apparaîtra comme le théoricien de la monarchie absolue ; mais c'est surtout par son ambitieuse volonté de synthèse que l'œuvre inspirera Montaigne, Montesquieu, Mme de Staël, Taine et Michelet.

Si le caractère complexe et parfois touffu de *la République* ne permet pas d'en donner un résumé d'ensemble, les idées maîtresses qui forment la charpente du système n'en ressortent pas moins avec une grande netteté.

La théorie des climats : reprenant une idée d'Aristote, Bodin montre comment certaines caractéristiques naturelles (latitude, régime des vents, composition du sol, étendue du territoire) orientent une communauté vers telle ou telle forme politique : « Il faut que le sage gouverneur d'un peuple sache bien l'humeur d'icelui et son naturel auparavant que d'attenter chose quelconque au changement de l'État ou des lois ; car l'un des plus grands et peut-être le principal fondement des républiques est d'accommoder l'État au naturel des citoyens, et les édits et ordonnances à la nature des lieux. »

La famille, cellule du corps politique : « République est un droit gouvernement de plusieurs ménages et de ce qui leur est commun, avec puissance souveraine. » C'est sur le modèle de la famille et de la « puissance domestique » que le souverain doit régler les rapports avec ses sujets.

La souveraineté : elle est l'autorité – roi, assemblée populaire ou conseil de seigneurs – qui établit la loi et la modifie. Ayant énuméré les marques de la souveraineté (pouvoir de déclarer la guerre, de nommer des fonctionnaires, de faire grâce par-dessus les lois, de battre monnaie et de lever des impôts), Bodin examine les trois formes classiques de gouvernement : démocratie, aristocratie et monarchie. Sa prédilection va à la monarchie légitime, dans laquelle les sujets obéissent au roi, qui lui-même se conforme à la loi naturelle et à la loi divine exprimée dans le Décalogue.

Les limites de la souveraineté : le roi doit naturellement s'entourer de conseillers, et le parlement qui enregistre les édits a le droit de remontrance ; de même, le roi ne doit pas augmenter les impôts directs sans le consentement des états généraux. Il n'en reste pas moins que les conseillers, parlements ou états généraux formulent des avis que le roi n'est nullement obligé de suivre. L'État, dit Bodin dans le dernier livre, n'a pas d'autre visée que le souverain bien de l'homme : il doit réaliser une justice et une harmonie où chacun pourra s'adonner à la vie supérieure de la contemplation.

L'hostilité déclarée de Bodin à l'égard de Machiavel n'empêche pas l'analogie de statut entre *le Prince* et *la République* : chez le secrétaire florentin comme chez le juriste angevin, la perception d'une urgence historique sert de catalyseur à l'investigation théorique, et pose les fondements d'une compréhension renouvelée du politique. Une telle ampleur de vue ne peut s'expliquer, chez les deux penseurs, que par la prégnance d'*a priori* philosophiques (héraclitéisme pessimiste de Machiavel, platonisme de Bodin) profondément ouverts et réceptifs aux développements les plus labiles de l'actualité : l'un et l'autre sont d'éminents représentants de la Renaissance dans la mesure où ils confrontent activement les exigences pratiques du présent et les cadres anthropologiques hérités de l'Antiquité.

Comme Machiavel, Bodin étend son enquête aux aires géographiques et historiques les plus variées : se voulant « géographistorien », selon sa propre expression, il étudie aussi bien les luttes civiles à Rome que les caractères ethnosociologiques des peuplades esquimaudes, dont certains voyageurs polonais venaient récemment de rendre compte. Si les connaissances qu'orchestre *la République* ne sont évidemment pas soumises au filtre d'une rationalité critique, un indéniable souci de la positivité des faits anime Bodin : faisant table rase des interprétations théologiques ou mythologiques de l'Histoire, il part de l'observation des sociétés connues et s'appuie essentiellement sur les informations qui ont su résister aux ravages du temps. Cette attention très concrète aux « affaires du monde » l'amène à prendre en compte les multiples facteurs qui régissent l'organisation d'une société, et à se garder de tout déterminisme simplificateur : exposant par exemple sa « théorie des climats », il n'oublie pas de souligner la capacité de l'homme à relever les défis de la nature et à en relativiser les fatalités. Observateur pénétrant des mutations qui complexifient la France de la Renaissance, Bodin s'intéresse de près aux mécanismes économiques, financiers, juridiques, et développe en bien des chapitres une vision singulièrement fine et dialectique du fonctionnement de la société. Sa méthode intellectuelle ne peut manquer de séduire le lecteur d'aujourd'hui : Bodin se révèle un esprit moderne dans l'arbitrage constant qu'il opère entre l'analyse concrète et l'exigence de généralisation.

S'il apparaît comme l'un des philosophes politiques les plus importants de la Renaissance, c'est qu'il a su prendre la mesure des changements qui ont affecté la structure de l'État depuis le règne de François Iᵉʳ et en dégager avec précision la notion de souveraineté. Il est en tout cas le seul penseur français du XVIᵉ siècle à en saisir l'immense portée : un pouvoir unificateur et législateur s'affirme désormais, contre l'enchevêtrement des droits particuliers acquis et défendus par la force. La souveraineté, dit en substance Bodin, ne saurait se monnayer ou se partager. Elle appartient entièrement à celui qui a le pouvoir de créer, de modifier ou de casser la loi. C'est pourquoi *la République* s'inscrit en faux contre la théorie des formes mixtes de gouvernement développée par Claude de Seyssel dans sa *Grande Monarchie de France* (1519) : en cas de morcellement, une lutte s'engagerait entre les copartageants de la souveraineté, jusqu'à ce que l'un d'eux en devînt le détenteur total. C'est toute la force de Bodin que d'avoir posé une définition dont la clarté et l'exigence allaient être promises à une longue postérité : si le principe de souveraineté a connu pendant quatre siècles des actualisations bien différentes – Roi, Peuple, Nation – il n'en demeure pas moins la référence cardinale des États modernes. Les logiques transnationales qui traversent notre monde et qui semblent relativiser ou battre en brèche l'idée de souveraineté devraient nous inciter à lire ou relire *la République* : retourner aux sources d'une idée-force est souvent le meilleur moyen de mettre en perspective et d'approfondir les débats du présent.

● Fayard, 6 vol., 1986.

P. MARI

RÉPUBLIQUE DES TURCS (la). Traité de Guillaume **Postel** (vers 1510-1581), publié à Poitiers chez Enguilbert du Maine en 1560.

Savant orientaliste, Postel a déjà livré au public, entre autres œuvres, un alphabet en douze langues (1538) et une grammaire arabe. Les observations consignées dans *la République des Turcs* sont le fruit de deux voyages effectués dans l'Empire ottoman en 1537, puis en 1549.

Le traité s'ouvre sur la description minutieuse d'un mariage. Guillaume Postel invite alors son lecteur à suivre les rites de la vie des Turcs, au fil des jours, depuis la naissance jusqu'à la mort (livre I). Suit un court traité des « mœurs et loys de tous muhamedistes » (II). Après avoir tâché d'éclairer la question de l'origine des Turcs, Postel décrit le gouvernement de l'Empire soutenu par l'une des armées les plus puissantes du monde (III).

L'intention de Postel est manifeste. En annonçant, dès les premières pages, qu'il veut faire œuvre de moraliste, en demandant à son lecteur qu'« il vienne nu de toute affection, feignant comme un homme neutre, de ne congoistre personne des deux parties », il entend le conduire à poser un regard neuf sur une civilisation séduisante à bien des égards, tant par son raffinement que ses honnêtes mœurs ; et Postel de pourfendre, à l'occasion, l'erreur diffusée par les écrits des voyageurs à propos des foules qui peuplent les harems, par exemple. Le parti qui consiste à initier le lecteur à la vie des Turcs, à lui faire partager leur intimité, *via* l'espace du livre, procède de la même volonté.

L'aménité entretenue à l'égard de la société ottomane ne dispense pas l'auteur de se livrer à une critique en règle des affirmations de Mahomet qui, « à la mode d'un fin rhétoricien et dissimulateur », a travesti la Bible, « car pour un mot de vérité qu'il en met, il y en a cent de fables ». Dans la pensée de l'orientaliste, en effet, les Turcs sont l'instrument de Dieu susceptible de hâter l'avènement du règne de la chrétienté, fin à laquelle aspire l'« apôtre de la concorde universelle ».

M.-C. GOMEZ-GÉRAUD

RÉPUDIATION (la). Roman de Rachid **Boudjedra** (Algérie, né en 1941), publié à Paris chez Denoël en 1969.

Après un recueil de poèmes (*Pour ne plus rêver*, 1965), Rachid Boudjedra s'impose avec ce premier roman par ses audaces langagières et thématiques : l'inceste, la folie, la bassesse, la dénonciation d'une bourgeoisie algérienne bien-pensante. *La Répudiation* a marqué, par sa violence et sa provocation, toute une génération d'Algériens, et a forcé ses lecteurs à ouvrir les yeux sur un pays étouffé par ses traditions et ancré dans son passé. Publié en France, ce roman a été interdit par la censure en Algérie, où il circula dans une semi-clandestinité.

Rachid, le narrateur, à la lisière du souvenir et de l'hallucination, tente de restituer pour Céline, sa maîtresse française, des fragments éclatés de son enfance et de son adolescence. Enfant, il a vécu avec son frère Zahir et ses sœurs dans l'atmosphère érotique d'une maison peuplée de femmes sur lesquelles régnait le père et chef de la famille, Si Zoubir, seul homme instruit de la tribu. La mère vénérée, « Ma », est répudiée au profit de la très jeune Zoubida, dont la beauté excite la concupiscence de tous les mâles. Rachid grandit à l'ombre de cette humiliation. Il tente, en vain, de reconstituer l'image mythique du père pour mieux découvrir l'univers dégradé des adultes avec ses hypocrisies, ses peurs, ses superstitions, son puritanisme aveugle, sa violence. En devenant l'amant de Zoubida, Rachid accomplit un inceste purement fantasmatique puisque celle-ci n'est ni sa mère ni sa sœur, sans pour autant résoudre l'énigme lancinante du fœtus inventée par son frère Zahir lorsqu'ils étaient enfants : un mythe élaboré dans la recherche du père. En voulant tuer l'enfant à venir de la marâtre maîtresse, c'est « le pays ravalé à une goutte de sang gonflée au niveau de l'embryon » que Zahir, le frère homosexuel et alcoolique, cherchait à exterminer.
Plus tard, après l'indépendance, le narrateur est fait prisonnier par les « Membres Secrets du Clan », sorte de congrégation occulte, anti-révolutionnaire, qui détient tous les rouages de la répression et sert le clan « discret et anonyme des bijoutiers et gros propriétaires terriens » (dont Si Zoubir). En faisant irruption dans la chambre-gourbi où le narrateur se raconte à Céline, ils interrompent le cours de la mémoire, thérapie contre les errances mentales du narrateur qui sombre dans le délire.

La Répudiation est le roman de l'enfance « saccagée », trahie par les adultes, bafouée par le père, un « père phallique mi-réel, mi-apparent, perdu dans ses sortilèges, accaparé par ses nombreuses femmes et dont nous poursuivions l'ombre désinvolte et sûre d'elle-même, sans répit ni espoir ». Rachid Boudjedra s'en prend au mythe du père et des ancêtres, dénonce un monde sclérosé, en lui opposant une sorte de terrorisme verbal, une écriture sauvage qui déferle sans retenue.
Le récit à l'amante étrangère, qui tient lieu d'exorcisme, se situe dans une relation d'amour et de haine dont l'outrance manifeste toute l'ambiguïté du texte : car le narrateur est totalement dépendant de la présence tour à tour désirée et haïe de Céline, de son écoute à la fois passive mais toute-puissante puisque indispensable. La parole s'accomplit dans une chambre qui ressemble à un camp retranché de la mémoire contre la vie extérieure et contre la ville, puis dans un hôpital où le narrateur prétend organiser une « résistance populaire », lieux clos d'une marginalité qui s'accroît au fil du récit. Alger, paradis terrestre pour la Française Céline, est pour le narrateur une ville fétide où s'épanouissent le vice et la corruption. Entre ses transes nocturnes et les électrochocs le jour à l'hôpital-bagne, le narrateur achève, dans un désarroi absolu puisque Céline est retournée en France, son soliloque délirant qui relève à la fois de la dénonciation politique et d'une transgression des frontières entre réel et imaginaire, raison et folie.
On a beaucoup reproché à Rachid Boudjedra sa complaisance pour les rêveries sordides, les sécrétions – ses héros étant obsédés par les odeurs féminines, le sang menstruel, le visqueux, le sexe, l'inceste –, sa prédilection pour les fantasmes névrotiques, son discours réducteur sur les femmes, toujours passives et peureuses ; on a dénoncé le manque d'élévation spirituelle du roman. Boudjedra répondra en affirmant au contraire son refus du « corps sécrétionnel, acception la plus immédiate et la plus horrible de l'homme ». « C'est pourquoi, dit-il, je suis obligé de rattraper ce sordide, ce gluant et ce spongieux par une

vision métaphysique du monde et de la sexualité, par une sorte de mystique du corps. »

C. PONT-HUMBERT

REQUIEM. Voir ÉCRITS, de G. Roud.

RÉSIGNÉE. Roman de Pierre Gustave **Drouineau** (1798-1878), publié à Paris chez Gosselin en 1833.

Après son analyse du malaise social dû à l'éducation dans *Ernest ou les Travers du siècle* (1829), le fondateur du néochristianisme, raillé par Théophile Gautier dans la Préface de *Mademoiselle de Maupin*, avait opposé matérialisme et spiritualisme dans le *Manuscrit vert* en 1831. Avant *les Ombrages*, « contes spiritualistes » (1833), et *l'Ironie* (1834) qui relèvent de la même inspiration, *Résignée* doit « montrer les conséquences déplorables du matérialisme jugé en lui-même » et « peindre les ennuis de la femme dans cet état anormal et inharmonique de la société » avant d'indiquer « par quelles phases physiologiques et réelles une affection profonde peut conduire au spiritualisme, portique du christianisme » (Préface).

Précédés d'une Préface en forme de dialogue entre l'auteur et un vieillard, les 52 chapitres titrés du roman nous présentent d'abord se promenant en Italie Byron et son ami Donald, qui doit se rendre à Paris, puis « trois jeunes filles devant deux corbeilles ». Nous sommes en 1821 : Constance et sa cousine Eudonie vont se marier, alors que leur amie Marie d'Estanceley, la « belle Résignée », préfère à un « mauvais mariage » la vie dans le vieux château familial. Il décide donc de ne rien dire. Or le serviteur Lébao, dont Salvador a « souillé » la fiancée Délahé, rêve de se venger. Parvenu en France, il révèle tout à Résignée lors de ce qui aurait dû être la nuit de noces. Salvador « se lance dans le tourbillon étourdissant du monde », pendant que Marie revoit chastement Donald. Il décide donc de ne rien dire. Or le serviteur Lébao, dont Salvador a « souillé » la fiancée Délahé, rêve de se venger. Parvenu en France, il révèle tout à Résignée lors de ce qui aurait dû être la nuit de noces. Salvador « se lance dans le tourbillon étourdissant du monde », pendant que Marie revoit chastement Donald. Il décide donc de ne rien dire. Donald et Marie peuvent enfin s'unir : un baiser sur le front « pur, calme, virginal » de Marie clôt le roman.

« Ranimer le sentiment du beau moral » et lui adresser un hymne en prose de cinquante-deux couplets alors que « l'époque des crises morales est venue » : l'entreprise de Drouineau doit combiner un idéal et sa mise en fiction. Placé sous les auspices de la vérité (« Je me suis proposé de dire la vérité comme je la sens, d'entourer ma pensée des voiles de la décence, mais de mettre à nu les cœurs »), le roman prend constamment parti contre l'indifférence et l'ironie et multiplie les interventions de l'auteur. Marie s'impose comme modèle féminin : « Lorsque vient à manquer la loi chrétienne, qui compensait ce désavantage [la soumission de la femme à l'opinion] par ses solennelles garanties, que reste-t-il à la femme ? La coquetterie, l'adresse, la ruse, la perfidie au besoin... Il en est quelques-unes qui dédaignent ces moyens de défense. Alors celles-là souffrent, se délaissent elles-mêmes, se perdent, ou se réfugient en Dieu. » Si la résignation est le « devoir de toute femme qui souffre d'une fausse position dans le monde, ou de chagrins cachés », Résignée se définit comme héroïne de l'abnégation.

Chasteté imposée par la loi, souci du salut de l'autre, soupçons, moqueries ou calomnies du monde : Marie, au nom emblématique, est autant une femme menacée qu'une figure de la consolation contre les douleurs et les hideurs de la société. Drouineau entend opposer à l'« amour de l'horrible » l'élévation morale grâce au récit d'un destin édifiant. Si la Préface, que nourrissent les doctrines de la spiritualité romantique, situe le roman dans une « époque organique » et un nouveau « cycle providentiel », si elle évoque la « lassitude des esprits », *Résignée* n'échappe au didactisme de la thèse que par le personnage maléfique de Salvador et la puissance de ses désirs, les angoisses de l'héroïne, la suggestion des tourments de la chair ou les prestiges sulfureux d'une hantise, celle de l'inceste. En somme, les charmes vénéneux du matérialisme sauvent ce roman de la fadeur inhérente à ses intentions morales proclamées.

● Genève, Slatkine, 1973 (réimp. éd. 1833).

G. GENGEMBRE

RESSOURCE DU PETIT PEUPLE (la). Opuscule en vers et en prose de Jean **Molinet** (1435-1507), publié à Valenciennes chez Jean de Liège en 1500.

Molinet, chroniqueur officiel de Marie de Bourgogne, veut célébrer dans ce texte allégorique écrit en 1481 la naissance de Marguerite, fille de Marie et du duc Maximilien, au moment même où la maison de Bourgogne connaît des revers militaires face au roi de France.

Le poète voit se lever un monstre qui met le pays à feu et à sang. Vérité, visitant le pays ravagé par la guerre, aperçoit Justice exsangue, incapable d'allaiter le petit peuple. Elle crie son indignation aux princes belliqueux, insoucieux des désastres, puis adjure Conseil, habile médecin, de venir en aide à Justice et à son enfant. Pour les remettre en bonne santé, il préconise d'administrer la Marguerite fleurie au jardin de Bourgogne « mixtionnée » à la fleur de lys, et déclare qu'il y a bon « espoir que si le petit peuple en povoit gouster la douceur, il oubliroit melancolie ». Pour se rétablir, Justice devra s'appuyer sur Puissance. Vérité, Justice et le petit peuple s'acheminent vers Trèves et Bonne Espérance où l'enfançon adresse à Dieu une prière fervente.

Il n'est pas toujours aisé de chanter la gloire des princes. S'il doit célébrer la naissance de la petite Marguerite qui redonne, pour bien peu de temps, un brin de verdeur aux vieux tronc de la maison de Bourgogne, Molinet ne peut oublier les vicissitudes qui s'abattent sur elle. Cependant, la peinture du désordre du monde est familière aux écrivains de la Grande Rhétorique et, sur le théâtre du poème, elle est le prélude à l'action du prince qui vient rétablir l'harmonie perdue. Ici même, le texte s'achève sur les terres de Bonne Espérance et sur une prière à Dieu, ultime recours qui châtiera les princes impies et indignes, et qui, dans l'épreuve que traverse le petit peuple, lui enseigne l'humilité. Dans un paysage de désastre généralisé, le poème travaille à l'ouverture d'une brèche vers l'espoir, et ce à plus d'un titre. Molinet, qui respecte les modèles en vigueur de la littérature de cour, tant sur le plan de la structure (désastre, guérison, espoir d'un rétablissement de la situation initiale d'harmonie) que dans l'usage des procédés chers à la poésie des Grands Rhétoriqueurs (allégorie et prosopopée, éventail des rimes les plus savantes), impose par un travail consciencieux sur la matière verbale la sensation d'une permanence, au-delà des remous de l'Histoire.

M.-C. GOMEZ-GÉRAUD

RESSOURCES DE QUINOLA (les). Voir FAISEUR (le), d'H. de Balzac.

RÉSURRECTION DE ROCAMBOLE (la). Voir ROCAMBOLE, de P. Ponson du Terrail.

RETENUE D'AMOUR (la). Voir POÉSIES, de Charles d'Orléans.

RETOUR DE CORNUMARAN (le). Voir CROISADE (cycles de la).

RETOUR DE JACQUES CLOUARD (le). Voir COLLAGE (le), de P. Alexis.

RETOUR DE SILBERMANN (le). Voir SILBERMANN, de J. de Lacretelle.

RETRAITE SENTIMENTALE (la). Roman de Sidonie-Gabrielle Colette, dite **Colette** (1873-1954), publié à Paris au Mercure de France en 1907.

L'Avertissement qui figure au début de l'ouvrage précise que la Retraite sentimentale est l'œuvre de Colette seule. En effet, après les quatre Claudine (voir *Claudine à l'école) et les deux Minne (voir l'*Ingénue libertine), romans écrits avec son époux Willy, Colette cesse de « collaborer » avec lui « pour des raisons qui n'ont rien à voir avec la littérature ». Ils sont désormais séparés, et divorceront en 1910. La Retraite sentimentale s'inscrit toutefois dans la continuité des Claudine puisque l'on y retrouve les personnages de Claudine, de Renaud et d'Annie.

Claudine, la narratrice, est l'hôte, dans la belle propriété campagnarde de Casamène, de son amie Annie. Claudine attend avec impatience le retour de son époux Renaud, que la convalescence retient pour l'instant loin d'elle. La jeune femme trompe son ennui en profitant des joies de la nature et en s'occupant de Casamène à la place de l'indolente Annie. Cette dernière livre peu à peu ses secrets à Claudine, fort surprise d'apprendre ce qui se cache d'audace et d'ardeur sous l'apparence sage et réservée de son amie. Annie, qui a eu de nombreux amants, est avide de multiplier les expériences amoureuses. Au contraire de Claudine, pour laquelle amour, plaisir, fidélité et bonheur ne font qu'un, Annie privilégie exclusivement une jouissance indépendante des sentiments. Marcel, le fils de Renaud, vient séjourner à Casamène pour échapper à ses soucis parisiens. Les deux femmes s'accommodent tant bien que mal de cette nouvelle présence et Annie échoue à séduire le jeune homme, qui est homosexuel. Renaud, vieilli par la maladie, rejoint Claudine, qui a, peu après, la douleur de le perdre. La jeune femme vit désormais seule, à l'écart du monde.

La Retraite sentimentale est un roman dans lequel il se passe fort peu de choses. La mort de Renaud est, certes, un épisode décisif mais il survient à la fin, de façon inattendue, et fait l'objet d'une ellipse dans le récit. Dès le début, Claudine est seule, et c'est cette solitude qu'explore l'écrivain. L'histoire est en quelque sorte secondaire et la trame romanesque, qui se nourrit du quotidien de deux, puis trois personnages, épouse le trajet des actes et des pensées de Claudine. Il s'agit donc d'une sorte de journal intime qui nous livre au présent les menus faits de la vie. À travers le personnage de Claudine, Colette peint les plaisirs de la nature, les réflexions et les sentiments d'une jeune femme vive et passionnée qui porte sur les autres et sur elle-même un regard toujours plein d'esprit et de pittoresque, de clairvoyance et d'humour. La narratrice se juge par exemple en ces termes : « Si j'étais homme et que je me connusse à fond, je ne m'aimerais guère : insociable, emballée et révoltée à première vue, un flair qui se prétend infaillible et ne fait pas de concessions, maniaque, fausse bohème, très "propriote" au fond, jalouse, sincère par paresse et menteuse par pudeur. »

Le roman tient aussi de l'essai, dans la mesure où l'argument fictif, très ténu, apparaît comme cadre et prétexte pour un débat confrontant, par le biais de Claudine et d'Annie, deux thèses opposées à propos de l'amour. La notion de péché et les préjugés de la morale ordinaire sont étrangers à cette polémique. Chacune des deux jeunes femmes, comme nombre d'héroïnes de Colette, cherche à se réaliser pleinement ; en dépit de la belle assurance de Claudine et du timide effacement d'Annie, il est difficile de décider laquelle des deux conceptions l'emporte. La profession de foi d'Annie, lue par Claudine « dans les yeux de son amie », n'est pas dépourvue d'une séduisante majesté : « J'irai ! [...] Oui, côte à côte avec mon désir, tout le long d'un chemin brûlant, je marcherai, fière de me donner. » Le ton de tendre compassion dont use constamment la narratrice pour évoquer son amie ne saurait masquer tout à fait la fascination qu'exercent sur elle les confidences d'Annie, reçues avec une évidente complaisance, voire avidement sollicitées. Quant à la défense de l'amour conjugal dont la libre et énergique Claudine se fait le chantre, elle apparaît parfois bien frileuse et conventionnelle : « L'approche du maître... Il vient, et déjà mon cou s'incline vers le collier trop large, vers l'entrave illusoire d'où je pourrais, sans même l'ouvrir, m'évader, si je voulais... Mais je ne veux pas. »

En réalité, Colette, qui s'est éloignée de Willy, a bel et bien voulu cela. La romancière, dans ce dernier roman de la série des Claudine, cherche sans doute, au travers de son héroïne, à sublimer son propre échec conjugal. Elle semble aussi vouloir se désolidariser d'un personnage auquel elle ne souhaite plus s'identifier. En faisant mourir Renaud – l'auteur confiera dans Mes apprentissages qu'elle n'était pas mécontente « d'envoyer ad patres tel personnage dont [elle était] excédée » – et en installant son héroïne dans une retraite définitive au sein de la nature – dont les saveurs et les couleurs sont captées avec gourmandise –, Colette met un point final à ses œuvres de jeunesse.

● « Folio », 1972. ➤ Œuvres complètes, Flammarion, II ; Œuvres, « Pléiade », I ; Romans, Récits, Souvenirs, « Bouquins », I.

A. SCHWEIGER

REVANCHE DE BACCARAT (la). Voir ROCAMBOLE, de P. Ponson du Terrail.

RÊVE (le). Roman d'Émile Zola (1840-1902), publié à Paris en feuilleton dans la Revue illustrée du 1er avril au 15 octobre 1888, et en volume chez Charpentier la même année. Un drame lyrique, tiré du roman (livret de L. Gallet et musique d'A. Bruneau) sera représenté en 1891.

Le seizième roman des *Rougon-Macquart a pu sembler déplacé ou bizarre, mais il a sa place bien particulière dans la série. Selon Zola, il peut assurer un double équilibre, d'une part avec la *Terre, dont il « compense » les violences et les audaces, d'autre part avec la *Faute de l'abbé Mouret, dont il reprend et transforme certains thèmes mystiques. Adoptant le genre de l'idylle, le récit a du mal à se mettre en place entre l'ébauche et les plans : après avoir pensé aux amours d'un quadragénaire et d'une fille de seize ans, Zola en vient à un *Paul et Virginie modernisé ; cela d'abord dans le décor d'un château seigneurial et de ses dépendances, puis autour d'une église, pivot de l'histoire, de la légende et du conte.

Une petite fille de neuf ans arrive à Beaumont dans le froid de l'hiver. Elle est remarquée par un couple sans enfant, Hubert et Hubertine, qui brodent des chasubles dans une vieille maison au flanc de la cathédrale. Ils recueillent Angélique, qui s'est échappée de chez sa nourrice (chap. 1). Élevée dans cette atmosphère religieuse, la fillette lit la Légende dorée, fascinée par les saints, les anges, les miracles qu'elle retrouve dans les statues de la cathédrale et les gravures d'un vieux livre. Elle fait sa première communion et semble touchée par des élans mystiques et moraux. Elle va être quasiment adoptée par le couple qui n'a rien appris sur la vraie mère, Sidonie Rougon (2). Angélique est une apprentie très douée, qui finit par broder à la perfection. Elle rêve d'épouser un jeune homme qu'elle n'a jamais vu, Félicien, fils de l'évêque du lieu né avant que celui-ci ne perde sa femme et n'entre en religion. Il s'agit de la grande famille des Hautecœur, riche et prestigieuse (3). Angélique, chez elle, voit apparaître une ombre qu'elle croit être celle d'un peintre verrier (et qui n'est autre que Félicien), venu sur un échafaudage réparer un vitrail. Une idylle s'engage, qui débouche sur une déclaration réciproque (4-5). Angélique a des remords, mais Félicien insiste en prenant cette fois le prétexte d'une commande de broderie. Angélique est partagée entre l'espoir et l'angoisse (6-7). C'est la procession de juillet et l'on devine qui est Félicien : le fils de Monseigneur. Ils se retrouvent et rêvent de mariage (8-9). Opposition des deux côtés : la mère adoptive d'Angélique s'effraie de ces projets trop ambitieux et le père de Félicien ne peut les accepter, ayant d'autres idées pour son fils (10). Angélique est désespérée, s'acharne au travail et s'affaiblit (11). Séparés quelque temps, les deux amoureux se retrouvent et veulent partir ensemble, mais Angélique s'inquiète ; son mal s'aggrave. Miraculeusement, la mourante semble guérir après avoir été bénie par l'évêque. Mais, malgré sa convalescence et le mariage, finalement consenti et célébré, elle meurt en sortant de l'église (12-13).

Le livre entretient des rapports ambigus avec l'ensemble du cycle. Après la Terre, le public est surpris, déçu ou satisfait, par de longues évocations hagiographiques à propos des sculptures de la cathédrale ou de la Légende dorée de Jacques de Voragine. Quelques éléments, toutefois, pourraient bien rappeler l'auteur de l'*Assommoir ou de *Nana : l'enfance d'Angélique, enfant trouvée, avant qu'elle n'arrive à Beaumont ; ce qu'apprendra Hubert, lors d'un voyage à Paris, sur la vraie mère de l'enfant ; l'influence, aussi, du milieu – religieux, en l'occurrence – sur le comportement et les aspirations des personnages. On pourrait enfin rapprocher l'extrême-onction d'Angélique de celle d'Emma Bovary. Mais tout cela pèse peu par rapport au climat général, calme et recueilli, aux personnages nobles et estimables. Comment comprendre alors le projet de Zola ?

Comme un défi, peut-être, à soi-même, ou alors une manière de prendre le public à contre-pied en réussissant dans la « bluette » comme il a réussi dans l'observation crue et « réaliste ». Mais le défi est sans doute d'une autre nature : il consiste à inverser la logique habituelle des Rougon-Macquart et à rendre alors, en semblant quelque peu y croire, les inflexions du « rêve », dont Zola sait qu'elles sont trompeuses. Et le vecteur de cet onirisme merveilleux, c'est encore une fois la femme, la brodeuse idéaliste qui retrouve les grandes formes inspirées du passé et qui annonce par son talent de dessinatrice, la Clotilde du *Docteur Pascal. Il y a dans la jeune fille un potentiel de fantaisie créatrice qui se réalise ici sous sa forme mystique, un monde pur, fragile et évanescent qui est, paradoxalement, l'essence bien réelle de la vie de certains êtres. En ce sens, le livre n'est pas décevant : il était même nécessaire dans le cycle auquel il donne son contre-point.

● « GF », 1975 (p.p. C. Becker). ➤ Les Rougon-Macquart, « Pléiade », IV ; Œuvres complètes, Cercle du Livre précieux, V ; les Rougon-Macquart, « Le Livre de Poche », XVI (préf. A. Bosquet, p.p. R. Ripoll) ; id., « Folio », XVI ; id., « Bouquins », IV.

A. PREISS

RÊVE DE D'ALEMBERT (le). Dialogues philosophiques de Denis **Diderot** (1713-1784), publiés à Paris dans la Correspondance littéraire en 1782, et en volume chez Paulin en 1830.

Le Rêve de d'Alembert est le titre sous lequel on regroupe une série de trois dialogues intitulés « la Suite d'un entretien entre M. d'Alembert et M. Diderot », « le Rêve de d'Alembert » et « Suite de l'entretien précédent ». Le thème commun en est l'origine de la pensée humaine, dont Diderot fait le degré supérieur de la sensibilité, qualité intrinsèque de la matière. Dans une lettre à

Sophie Volland du 31 août 1769, l'auteur s'explique sur le choix de la forme qu'il emprunte pour le traiter : « Il y a quelqu'adresse à avoir mis mes idées dans la bouche d'un homme qui rêve. Il faut souvent donner à la sagesse l'air de la folie, afin de lui procurer ses entrées. J'aime mieux qu'on dise : "Mais cela n'est pas si insensé qu'on croirait bien", que de dire, moi : "Écoutez, voici des choses très sages". »

La Suite d'un entretien entre M. d'Alembert et M. Diderot. Afin de convaincre d'Alembert que la sensibilité est « une qualité générale et essentielle de la matière », Diderot démontre comment l'on peut passer, en le pulvérisant, d'un bloc de marbre à l'humus, de l'humus à la plante qui s'en nourrit puis à l'homme qui la consomme. À son interlocuteur qui objecte « qu'il y a bien plus loin d'un morceau de marbre à un être qui sent, que d'un être qui sent à un être qui pense », Diderot répond qu'en liant, grâce à la mémoire, organisation physiologique, les impressions qu'il reçoit et en formant de la sorte l'histoire de sa vie, l'être sentant acquiert la conscience de lui-même, il pense.

Le Rêve de d'Alembert. Le lendemain, Mlle de Lespinasse [ici : « L'Espinasse »] rapporte au médecin Bordeu les étranges propos tenus par d'Alembert pendant son sommeil : il y était question de grappes de molécules sensibles constituant par continuité des individus. Bordeu se targue alors de deviner la suite du raisonnement, à savoir qu'il existe entre ces animaux distincts « une unité, une identité générale ». Mlle de Lespinasse raconte ensuite naïvement l'éjaculation spontanée de d'Alembert en train de comparer, endormi, le monde à une goutte d'eau générant sans cesse des animalcules. Comme elle qualifie toutes ces idées de folies, Bordeu s'emploie à lui expliquer comment elle-même a été formée, du « point » au « fil » puis au « faisceau de fils ». Des phénomènes généraux comme la raison, l'imagination, l'instinct découlent, selon lui, du rapport de l'origine du faisceau à ses ramifications, le sommeil étant l'état dans lequel tout le réseau se relâche.

Suite de l'entretien précédent. Dînant chez Mlle de Lespinasse, Bordeu répond à sa question sur le mélange des espèces par un cours sur la sexualité qui discrédite la chasteté et réhabilite l'homosexualité, avant de conclure à l'utilité de l'hybridation (exemple des chèvres-pieds).

Le Rêve de d'Alembert, écrit en 1769, plusieurs fois remanié, constitue un point d'aboutissement dans l'œuvre de Diderot. Après les *Pensées philosophiques (1746) qui prônaient la religion naturelle, le philosophe s'est orienté avec la *Lettre sur les aveugles (1749) vers le matérialisme. Il pose désormais sur l'univers le regard non d'un métaphysicien, mais d'un physicien avec les *Pensées sur l'interprétation de la nature (1753-1754).

À une époque décisive dans l'histoire du matérialisme (le *Système de la nature de d'Holbach paraît en 1770), Diderot expose dans le Rêve de d'Alembert, sous une forme originale, l'essentiel de sa philosophie, tout en se faisant l'écho des discussions qui s'élevaient dans le monde des savants sur les qualités de la matière (polémiques entre Voltaire et le jésuite Berthier aussi bien qu'entre Voltaire et la « coterie holbachique », voire au sein même de celle-ci). Au dualisme cartésien distinguant l'esprit de la matière, énoncé par d'Alembert au début du premier dialogue, le Rêve de d'Alembert substitue en effet un monisme matérialiste dans lequel la matière seule, douée de sensibilité, permet de rendre compte de l'existence du monde. La notion d'âme, fortement contestée, y est abandonnée au profit de celle de sensibilité, conçue comme « propriété générale de la matière, ou produit de l'organisation », sans que cela implique une stricte identité entre les diverses formes de la matière : « DIDEROT. On fait du marbre avec de la chair, et de la chair avec du marbre. – D'ALEMBERT. Mais l'un n'est pas l'autre. – DIDEROT. Comme ce que vous appelez la force vive n'est pas la force morte. » Autrement dit, si Diderot rejette avec force l'idée d'inertie de la matière, il discerne dans la matière en mouvement la sensibilité active des animaux ou végétaux et la sensibilité inerte des minéraux.

Ainsi, bien qu'il n'y ait dans le Rêve de d'Alembert, de l'avis de l'auteur, « pas un mot de religion », on peut voir dans ces dialogues un formidable coup de boutoir contre l'édifice chrétien. En faisant de la pensée, expériences scientifiques à l'appui, le fruit d'une disposition organique, Diderot non seulement s'inscrivait en faux contre les dogmes catholiques de l'immatérialité et de l'immortalité de l'âme humaine, mais encore il ôtait à l'apologétique chrétienne, en dépit de ses erreurs et approximations scientifiques, l'une de ses armes de choix : la difficulté, pour les matérialistes, d'expliquer toute la réalité par la seule matière.

Utilisant, en effet, l'acquis des sciences de son temps, notamment dans le domaine biochimique, Diderot développe dans *le Rêve de d'Alembert* une pensée matérialiste décapante. Le passage sur l'œuf, dans le premier dialogue, offre un bel exemple de démarche expérimentale appliquée à la philosophie de la matière : « Voyez-vous cet œuf ? interroge Diderot. C'est avec cela qu'on renverse toutes les écoles de théologie, et tous les temples de la terre. Qu'est-ce qu'un œuf ? une masse insensible, avant que le germe y soit introduit ; et après que le germe y est introduit, qu'est-ce encore ? une masse insensible, car ce germe n'est lui-même qu'un fluide inerte et grossier. Comment cette masse passera-t-elle à une autre organisation, à la sensibilité, à la vie ? par la chaleur. Qu'y produira la chaleur ? le mouvement. Quels seront les effets successifs du mouvement ? » Diderot, pour répondre, retrace toutes les étapes de la formation du poussin, qui fut d'abord un « point », puis un « filet » et enfin de la « chair ». Il en déduit qu'il est possible de faire naître une matière inerte, disposée d'une certaine manière, sensibilité et vie.

D'une manière générale, Diderot emprunte dans *le Rêve de d'Alembert*, pour rendre compte du réel, le langage de ses amis savants. C'est ainsi qu'il représente, à la manière des anatomistes, le système nerveux comme un « faisceau » dont les « brins de fils » forment les organes sensitifs : « Chacun des brins du faisceau de fils, explique Bordeu à Mlle de Lespinasse, se transforma par la seule nutrition et par sa conformation en un organe particulier. » L'auteur pratique souvent aussi le raisonnement par analogie, qu'il définit comme « une règle de trois qui s'exécute dans l'instrument sensible ». Il compare par exemple, dans le premier et le dernier dialogue, les fibres de nos organes aux cordes vibrantes d'un clavecin ; dans le deuxième dialogue, il recourt à l'image de la grappe d'abeilles pour désigner un agrégat de molécules et à celle de l'araignée pour figurer « le point originaire » de tous les fils de la toile du corps humain.

Mais, si représentatives qu'elles soient des recherches scientifiques de la fin du Siècle des lumières, ces images n'en appartiennent pas moins au registre artistique. Elles contribuent, avec quelques évocations très visuelles, comme celle des deux omoplates que Bordeu a vu « s'allonger, se mouvoir en pince, et devenir deux moignons », et plusieurs tirades au ton inspiré (en particulier sur la germination universelle), à faire de cette œuvre autre chose que l'austère exposé d'une philosophie. Car *le Rêve de d'Alembert* est avant tout une œuvre dialoguée. À ce titre, il a l'attrait de tous ces textes où Diderot réussit, par la magie de son style, à insuffler à l'écrit tous les charmes de l'oral. Entraîné par le rythme d'une conversation dans laquelle s'enchaînent objections, coupures et retours en arrière, diverti par les cocasseries qui sortent de la bouche de la demoiselle ou les contes humoristiques qu'échangent les interlocuteurs, le lecteur suit sans trop de peine les méandres d'une réflexion aux ramifications multiples. Il souscrit volontiers à l'opinion de Mlle de Lespinasse qui répond à Bordeu déplorant la superficialité de ces entretiens dans lesquels « on effleure tout, et l'on n'approfondit rien » : « Qu'importe ? nous ne composons pas. Nous causons. » Est-il certain, du reste, que le plaisir de la conversation exclut la profondeur des idées ? L'apparent délire du rêve est peut-être plus près, aux yeux de Diderot, de la raison véritable que de la folie, thème récurrent de l'œuvre, qu'elle soit objet d'étude, de jugement ou de plaisanterie. Le choix formel du rêve, qui a d'abord pour fonction de camoufler l'audace de la pensée, permet en outre à l'auteur de poser le problème fondamental de la vérité. Qu'est-ce qui permet de distinguer le vrai du faux ? Qui a raison, de l'homme en qui le sommeil libère de fulgurantes idées, ou de ses interlocuteurs, lesquels, comme Mlle de Lespinasse, crient à l'extravagance ou, au mieux, comme Bordeu, tentent d'ordonner, en raisonnant, un matériau quelque peu informe ?

À travers *le Rêve de d'Alembert*, ce qui est en question, c'est la valeur de la philosophie. Étonnée par l'aptitude de Bordeu à poursuivre les raisonnements tenus par d'Alembert pendant son sommeil, Mlle de Lespinasse s'écrie : « Je puis donc assurer à présent à toute la terre qu'il n'y a aucune différence entre un médecin qui veille et un philosophe qui rêve. » Superbe manière d'accréditer la philosophie en lui donnant, malgré ses airs enthousiastes, une assise scientifique. Ainsi cautionnées, les idées les plus paradoxales et les plus avancées en biologie comme en morale (remise en question des notions de liberté, de vice et de vertu, ainsi que des interdits sexuels) ou en politique (critique du despotisme, de l'esclavage) peuvent être exposées sans ambages. « Voilà de la philosophie bien haute ; systématique [c'est-à-dire hypothétique] dans ce moment ; je crois que plus les connaissances de l'homme feront de progrès, plus elle se vérifiera », dit Bordeu à propos du rêve de d'Alembert. Le rêve ici n'est peut-être au fond que l'expression profonde des Lumières.

● Didier-STFM, 1951 (p.p. P. Vernière) ; *le Neveu de Rameau [...]*, Éditions sociales, 1962, rééd. Messidor (p.p. J. Varloot) ; « GF », 1965 (p.p. J. Roger) ; « Folio », 1984 (p.p. J. Varloot) ; « Le Livre de Poche », 1984 (p.p. J. et A.-M. Chouillet). ➤ *Œuvres philosophiques*, « Classiques Garnier » ; *Œuvres complètes*, Club français du Livre, VIII ; *id.*, Hermann, XVII ; *Œuvres*, « Bouquins », I.

S. ALBERTAN-COPPOLA

RÊVE DE SAXE (le). Récit de Michel **Chaillou** (né en 1930), publié à Paris chez Ramsay en 1986.

Le Rêve de Saxe confirme une passion érudite et sensible pour le XVIIIe siècle, que Michel Chaillou avait déjà exprimée en rassemblant dans *la Petite Vertu* (1980) des textes en prose écrits sous la Régence.

Une statuette en porcelaine de Saxe, découverte au marché aux Puces et figurant un couple amoureux (elle, les mains posées sur le clavecin, mais le visage tourné vers celui de son partenaire) sert de point de départ à une rêverie sur le siècle de Louis XV, rêverie érotique souvent, même si le narrateur avoue que l'érotisme l'ennuie, lui préférant « la basse pornographie, la chambre forte du vice ». Rêve de Saxe ou rêve de sexe ? Le maréchal de Saxe était, comme on sait, un rude gaillard... On passe de la boutique du brocanteur à la Bibliothèque nationale, des rues de Paris au domicile du narrateur ; on suit celui-ci à l'université, à la piscine, dans sa maison de vacances du Périgord. Mais le XVIIIe siècle a tout envahi. Son épouse devient la Gaussin, comédienne qui excellait dans les rôles tendres. L'entourage se fait complice de sa passion : ses étudiants sont curieux d'en savoir davantage ; son fils collectionne les soldats de la bataille de Fontenoy. Des joutes nautiques ont eu lieu le 8 août 1736 ; « dans deux mois », souffle l'épouse.

Le narrateur (autant dire, sans plus de précaution, Michel Chaillou) nous instruit de mille détails sur l'époque où il se promène tel un somnambule. Lirait-on *le Rêve de Saxe* comme une « vie quotidienne au siècle de Louis XV », on ne perdrait pas son temps, et on ne contrarierait sans doute pas beaucoup son auteur : prosélyte infatigable auprès de sa famille et de ses amis, il le devient par ricochet auprès du lecteur.

L'essentiel, toutefois, est ailleurs. Écrire un livre, c'est pour Michel Chaillou inventer une langue. Celle du *Rêve de Saxe* n'est nullement un pastiche du XVIIIe siècle, mais le tissu d'une rêverie et de conversations, interrompu de brusques sautes temporelles ; un mot rare, un trait incongru jettent des lumières nouvelles sur les objets de la vie quotidienne, redécouverts par la grâce de l'anachronisme. Le récit est aussi l'histoire du livre en train de se faire, au fil d'enquêtes ou d'entretiens familiers. Un personnage s'esquisse, celui de l'auteur lui-même, harcelant ses proches, jetant un regard ironique sur ses obsessions, et comparant ses rides à celles des séducteurs de la cour de Versailles. *Le Rêve de Saxe* est une chronique du temps qui passe : « Avec l'âge, me dis-je, on devient porcelaine, on y retourne, tout se refroidit, le cœur, les poumons. Trop longtemps qu'on sortit du four. »

● « Folio », 1988.

P.-L. REY

RÊVERIES DU PROMENEUR SOLITAIRE (les). Ouvrage autobiographique de Jean-Jacques **Rousseau** (1712-1778), publié à Genève à la Société typographique en 1782.

Cette suite de dix promenades composée par Rousseau dans les derniers mois de sa vie (octobre 1776 - avril 1778) parut dans le même volume que les six premiers livres des *Confessions*. À l'entendre, Rousseau n'a désormais « plus rien à dire qui puisse le mériter » : les *Rêveries*, simple « registre » des méditations et des abandons quotidiens, seront une sorte de journal intime. Le plaidoyer des *Dialogues* (voir *Rousseau juge de Jean-Jacques*) est devenu monologue dans ce livre inachevé et décousu, né de notes jetées sur des cartes à jouer. Justifications, idées, anecdotes s'entrecroisent, se lient avec une apparente fantaisie. Mais plusieurs thèmes organisent l'ouvrage, donnent une unité de couleur et de sonorité à chaque promenade et se répondent de l'un à l'autre. Le style de ces « Promenades », que l'on peut considérer comme de véritables poèmes en prose, est souvent ce style coupé cher à Tacite ou à Sénèque, qui met en valeur la discontinuité, la volubilité d'un discours qui, par sa brièveté même, veut faire comprendre plus qu'il ne dit.

La « première Promenade » expose l'objet du livre. Seul, calme, « tranquille au fond de l'abîme », « impassible comme Dieu même », Rousseau entend désormais ne plus s'occuper que de lui-même. Il consacrera son temps à s'étudier, préparant ainsi « le compte » qu'il ne tardera pas à rendre devant Dieu. Il reprend donc l'examen « sévère et sincère » des *Confessions*. Son bonheur ne pouvant plus guère trouver d'autre refuge que celui de la conversation avec son âme et son âge lui faisant chaque jour constater davantage la perte des charmantes contemplations qui animent ses promenades, il fait le projet de fixer par l'écriture celles qui peuvent encore lui venir. Il notera ainsi toutes ses idées, comme elles lui viennent et sans autre liaison.

La « deuxième Promenade » a pour cadre un paysage d'automne, entre Charonne et Ménilmontant. Rousseau y raconte son accident du 24 octobre 1776. Un chien le renverse. Il perd connaissance. Un moment, il n'a plus souvenir, plus aucune notion de son identité. Cette amnésie ne lui laisse que le pur sentiment de son existence. Mais le bruit de sa mort se répand et lui revient bientôt.

Dans la « troisième Promenade », Rousseau examine les dispositions de son âme en ce qui touche ses sentiments religieux. Il remonte ainsi le chemin qui l'a conduit à écrire « la Profession de foi du vicaire savoyard » (voir l'*Émile*).

La « quatrième Promenade » est une dissertation sur le mensonge. Rousseau réaffirme son remords d'avoir fait injustement accuser une domestique, à Turin, pour se défendre d'un vol qu'il avait commis (voir *Confessions*, II).

La « cinquième Promenade » est une remémoration du bonheur vécu à l'île Saint-Pierre. Le ton se fait dépouillé, presque mystique ; le regard est perdu dans une confuse et apaisante phosphorescence. Le flux et reflux de l'eau, dont le murmure régulier dédouble le rythme, plonge Rousseau dans une extase ravissante.

La « sixième Promenade » part du constat que nos actions machinales ont souvent des causes cachées. Rousseau donne l'exemple de ce détour qu'il fait sans y penser en allant herboriser le long de la Bièvre, du côté de Gentilly, pour éviter de rencontrer un gamin qu'il a pris l'habitude de cajoler. Cette habitude a fini par lui peser et, surtout, l'enfant l'ayant appelé par son nom, Rousseau en est venu à soupçonner qu'il ait part au « complot ». Dans la suite de la « promenade », Rousseau se livre à un examen de conscience. Il doit le reconnaître, il est incapable de vain-

cre, par devoir, ses penchants. Et peut-être faut-il soupçonner quelque orgueil dans son comportement de fuite à l'égard des hommes. Au fond, il se sent trop au-dessus d'eux pour les haïr.

La « septième Promenade » prolonge la précédente. Le recueil de ses longs rêves à peine commencé, Rousseau sent déjà qu'il touche à sa fin. Un autre « amusement » lui succède, l'herborisation. Avec la connaissance de lui-même, elle est son dernier loisir. Mais quel attrait trouve-t-il donc dans cette vaine étude de la botanique faite sans profit et sans progrès ? Il se souvient de quelques herborisations. Les plantes lui renouvellent l'impression des lieux qu'il ne reverra plus. C'est donc finalement la « chaîne des idées accessoires » qui l'attache à la botanique.

La « huitième Promenade » est un nouvel examen de conscience, dans le style de Marc-Aurèle. Les résolutions de paix intérieure ont une inspiration nettement stoïcienne. Rousseau se convainc, en effet, que la sagesse est de ne plus voir dans le mal et derrière les actes qui le blessent qu'une simple atteinte matérielle et non une intention. Puis, comme à la fin de la « sixième Promenade », Rousseau pourchasse les dernières séquelles d'amour-propre dont il devine encore le murmure en son cœur. L'innocent persécuté ne tend-il pas en fait à déguiser en amour de la justice l'orgueil de son petit individu ?

Dans la « neuvième Promenade », Rousseau se justifie encore une fois de l'abandon de ses enfants (voir *Confessions*, VII). Il dit le plaisir que lui donnent les enfants, notamment à travers les souvenirs d'un jeu avec des petites filles et d'une fête à la Chevrette, chez Mme d'Épinay. Cette promenade consacre l'empire des signes. Signes de joie et d'affection sur les visages d'enfants que bientôt Rousseau, vieillissant et craignant d'importuner et de repousser les bambins, est réduit à chercher chez les animaux. Signes d'abord cordiaux, puis menaçants, des paysans, des invalides de l'École militaire. Le soupçon revient, plus fort que jamais. Rousseau n'ose plus traverser les villages, certain d'y être reconnu.

La courte et inachevée « dixième Promenade » célèbre la mémoire de Mme de Warens, rencontrée tout juste cinquante ans auparavant. Cette première rencontre décida de sa vie et produisit, par un enchaînement inévitable, le destin du reste de ses jours.

En un siècle sensualiste, la rêverie ne peut qu'être directement inspirée par son environnement, suscitée par ses entours. Elle n'a lieu qu'avec le concours d'une impression extérieure. Elle devient le reflet dans l'âme du « paysage », au sens le plus large. Elle est un retentissement : Mme de Sévigné, déjà, avait parlé en ce sens de la noirceur de ses rêveries dans les bois. En même temps, la rêverie est vagabondage de l'âme, abandon au fil de la conscience : c'est ainsi que dans les *Entretiens sur la pluralité des mondes* de Fontenelle, le ciel étoilé favorise la rêverie et un certain désordre de la pensée dans lequel on ne tombe pas sans plaisir. L'originalité de Rousseau est de faire du songe tout éveillé une expérience existentielle.

Il y a deux types de rêveries chez Rousseau. Certaines, les « chimères », suivent un véritable scénario. À la fin de la quatrième des *Lettres à M. le président de Malesherbes*, Rousseau donne un exemple de ces sociétés charmantes que son imagination compose : le maréchal de Luxembourg devient un bon gentilhomme de campagne, etc. C'est ainsi également que la *Nouvelle Héloïse* est née de rêveries. D'autres, comme celles qui le prennent à l'île Saint-Pierre, sont sans objet et inspirent une pure empathie avec la Nature et la Création : alors les limites de l'existence personnelle s'effacent, et le moi connaît à la fois une extension et un oubli de lui-même dans l'espace limpide.

Mais toutes les rêveries sont source de jouissance. Qu'elles s'élaborent en retrait de la vie réelle, pour la récupérer en quelque sorte, ou qu'elles s'évanouissent dans une pure saisie de l'être, elles procurent un sentiment exalté d'existence, de plénitude et de certitude de soi. En elles, Rousseau retrouve sa nature profonde, soit parce qu'elles lui offrent la possibilité de se reprendre dans une vie mieux faite (plus réelle n'hésitera pas à dire Rousseau) et de « songer au prix qu'aurait mérité [son] cœur », soit encore parce qu'elles lui assurent la jouissance d'une pure et immédiate proximité à soi. À la limite, comme l'indique la troisième *Lettre* à Malesherbes, la rêverie est un pur élan, un élancement du cœur vers une jouissance dont il n'a même pas l'idée. C'est alors « un sentiment très vif et une tristesse attirante » qui, prenant appui sur l'inexplicable vide intérieur, nous tourne vers « l'être incompréhensible qui embrasse tout ». Le moi est « accablé avec volupté du poids de l'univers entier ».

Mais pourquoi écrire encore ? Un tel plaisir ne se suffirait-il pas à lui-même ? Rousseau prend soin de préciser qu'il n'écrit ces *Rêveries* qu'à son seul usage. L'extériorisation écrite de ses songes se justifie par la crainte d'un moi à venir diminué, réduit à se souvenir, incapable de renouveler l'acte même qui procure ces rêveries, qu'il s'attend, en conséquence, à voir devenir plus froides de jour en jour, jusqu'à ce que l'ennui de les écrire lui en ôte le courage. L'objet du livre est donc de programmer la mémoire future, de s'assurer d'un bonheur à venir : Rousseau rêve pour vivre et écrit pour revivre. Les *Rêveries* tendent à rien de moins qu'à supprimer la différence entre la parole et ce qu'elle exprime. Les mots doivent fixer le présent sauvegardé, entretenir l'immanence ; l'immédiat restauré assurera le règne d'une valeur personnelle soustraite à la prise de la durée : voilà le seul bonheur vraiment plein qui puisse ne laisser aucun vide dans l'âme (« cinquième Promenade »). La rêverie, ainsi capitalisée, suscitera une rêverie seconde, autorisera d'infinis redoublements. À défaut d'une rêverie immédiate, devenue plus difficile, la lecture répétera indéfiniment la jouissance. L'œuvre, sans destinataire, se métamorphosera en bonheur vécu ; l'art redeviendra nature, vie.

Ce projet est-il atteint ? Rousseau rêve finalement bien peu au cours de ces dix « promenades ». Le climat est souvent sombre. Rousseau se promène dans les chemins de banlieue car il craint les rencontres dans les rues de Paris. Le sentiment de persécution est à son paroxysme : la certitude d'être victime devance maintenant toute preuve, toute argumentation ; la « huitième Promenade », surtout, consacre l'empire des signes : un geste, un coup d'œil d'un inconnu, suffisent à troubler le plaisir de Rousseau, ou à calmer sa peine ; la réalité même est devenue un songe. Comme, dans ses rêveries, l'âme se laisse illuminer, elle se laisse terrifier dans ses rencontres et ne se reconnaît plus pour rien dans l'élaboration des sens. Parce qu'ils oublient ou négligent de le saluer, les invalides de l'École militaire ont sûrement été « prévenus » et montés contre lui : Rousseau a soudain la certitude qu'ils participent au « complot », tout comme cet enfant qui se met à l'appeler par son nom. Le débat des *Dialogues* a pris fin : l'évidence est désormais si grande qu'elle rend inutile toute interprétation. De sorte que les *Rêveries* offrent le désagréable tableau de l'enfermement : Rousseau ne peut plus être à lui que lorsqu'il est seul. À défaut, il est « le jouet de tous ceux qui l'entourent ». Il ne peut échapper à ses impressions, il est emmuré dans l'évidence. Alors, « seul sur la terre », il fait le projet de se suffire à lui-même, « comme Dieu », de ne jouir que de soi, de sa seule existence. Ce sentiment, affirme-t-il, dépouillé de tout autre affection, est par lui même un sentiment précieux et suffisant de contentement et de paix. Mais à mesure que l'âme gagne cette sérénité cosmique, cette jouissance de soi éthérée, le monde quotidien alentour s'assèche et s'appauvrit : la morale de communication et d'« explication » des *Dialogues* est bien loin. Les autres n'apparaissent plus que comme des êtres mécaniques n'agissant que par impulsion (« huitième Promenade ») : ce sont des « masses différemment mues, dépourvues à [son] égard de toute moralité », de sorte qu'il faut calculer leurs actions selon les strictes lois du mouvement et non en leur supposant des intentions ou des passions. Pour Rousseau, les dispositions intérieures d'autrui cessent d'être quelque chose qu'il faut considérer : ce jugement assurera désormais la tranquillité de sa vie. Voilà le dernier mot de celui qui mieux que personne était « fait pour aimer et être aimé ».

● STFM, 1948 (p.p. J. S. Spink) ; « GF », 1964 (p.p. J. Voisine) ; « Le Livre de Poche », 1965 (p.p. B. Gagnebin) ; Genève, Droz, 1967 (p.p. M. Raymond) ; « Folio », 1972 (p.p. S. Silvestre de Sacy) ; « Classiques Garnier », 1978 (p.p. H. Roddier) ; Imprimerie nationale, « Lettres françaises », 1978 (p.p. M.-M. Castex) ; « Presses Pocket », 1991 (p.p. P. Malandain). ➤ *Œuvres complètes*, « Pléiade », I.

G. ALMÉRAS

RÊVEUSE BOURGEOISIE. Roman de Pierre **Drieu la Rochelle** (1893-1945), publié à Paris chez Gallimard en 1937.

À la mort de son père en mai 1934, Drieu, alors essentiellement occupé de politique depuis les événements du 6 février, se consacre immédiatement à la rédaction d'un roman inspiré par son enfance et le mariage de ses parents (comme il l'avait fait en 1929, répondant d'emblée à la mort de Jacques Rigaut par l'écriture du *Feu follet). Peu avant *Gilles, cette mise en forme romanesque de la mémoire et de l'écoulement du temps marque une rupture chez un écrivain jusque-là plus prompt à la nouvelle (voir la *Comédie de Charleroi* où à des récits qui y ressemblent fort (*Une femme à sa fenêtre, l'*Homme couvert de femmes*).

Première partie. Vers 1890, Camille Le Pesnel épouse Agnès Ligneul selon les traditions bourgeoises : jeté dans ses bras par un curé, il ne l'aime pas, ayant vécu jusqu'à trente ans comme un étudiant, à Paris, avec une maîtresse qu'il ne quittera pas.

Deuxième partie. L'argent des Ligneul lui permet d'ouvrir un cabinet d'affaires, qu'il laisse aux mains d'un associé corrompu. Son irresponsabilité et sa liaison provoquent le drame, mais Agnès, sexuellement asservie, finit par rejoindre le foyer.

Troisième partie. Après quelques années, l'annonce de la ruine par un « ami » de la famille qui se propose comme mari, si Agnès divorçait, ne parvient pas à décider les Ligneul à la rupture : de nouveau, le couple se reforme, et le beau-père se dépouille pour couvrir les dettes.

Quatrième partie. La fille d'Agnès, Geneviève, devient alors narratrice pour raconter le destin des enfants : son frère aîné, Yves, se découvre une pusillanimité héritée de son père. Haïssant en lui cette hérédité, il s'engage en Afrique et meurt au front en 1914, découvrant le dépassement de soi dans l'héroïsme. Agnès et Camille meurent à leur tour, laissant Geneviève devenue comédienne – et seule rescapée du naufrage familial.

Dénonciation des mœurs bourgeoises, des mesquineries et lésines, des blessures produites par une structure familiale proprement déglinguée : toute la thématique de Drieu vient irriguer cette minable épopée de la petite-bourgeoisie de 1890 à 1930, que Paulhan saluait comme le « grand roman de Drieu la Rochelle ». L'écriture, doublement aimantée par le travail du deuil et celui du souvenir personnel, parvient à s'adapter à l'ampleur de la forme narrative, réussissant là où *Gilles*, trop abstraitement politique, se brisera. Pour un écrivain dont les déchirures intimes alimentent et animent tout particulièrement l'œuvre, il fallait cet engagement de soi, où l'attention au détail propre à Drieu (ainsi des portraits charges de certains personnages, où la sécheresse stylistique se fait splendidement polémique) sert la description sociale : vue par le petit bout de la lorgnette, c'est bien toute l'histoire de la bourgeoisie qui se dévoile ici, dans ses coutumes et ses passions.

Seule véritable réussite romanesque de Drieu, *Rêveuse Bourgeoisie* met en scène l'enfance de l'auteur, dans une explication qui reprend et développe les analyses d'*État civil* (1921) : si le faible Camille paraît central, son fils Yves, incarnation de l'auteur, pourrait dans ce cas être le véritable moteur du récit. La proximité avec la mère, la douleur incompréhensible, puis le mépris envers le père et l'entourage figurent ainsi autant d'aveux de l'écrivain, sans compter la mort au front, par quoi Drieu accomplit dans le roman son fantasme récurrent (voir la *Comédie de Charleroi*) d'une mort héroïque, qui l'aurait sauvé de la haine de soi. À la description sociale se superpose dans ce cas une lecture physiologique, où se découvre clairement la probable origine de la plupart des « idées » propres à Drieu. La misogynie constante aurait partie liée avec l'asservissement sexuel d'une mère incapable de quitter un mari méprisé ; le mépris de la douceur bourgeoise serait à lire comme la peur panique de la faiblesse paternelle, que Drieu, se reprochant d'être un « intellectuel », redécouvre en soi-même ; et le départ se fait finalement assez mal entre la condamnation d'une société et la répétition compulsive du roman familial. Régal pour analystes, ce récit des origines manifeste, surtout, le défaut du père, qu'en dépit de toutes les réticences, il est impossible de ne pas relier à la hantise de la défaillance sexuelle ou à la permanente recherche d'un chef, « homme à cheval » qui mimerait sur la scène politique cette présence admirable que l'enfant n'a pu connaître.

● « Folio », 1976.

O. BARBARANT

RÉVOCATION DE L'ÉDIT DE NANTES (la). Voir LOIS DE L'HOSPITALITÉ (les), de P. Klossowski.

RÉVOLTE (la). Voir JEAN-CHRISTOPHE, de R. Rolland.

RÉVOLTE DES ANGES (la). Roman d'Anatole **France**, pseudonyme d'Anatole François Thibault (1844-1924), publié à Paris en feuilleton sous le titre *les Anges* dans le *Gil Blas* du 20 février au 19 juin 1913, et en volume chez Calmann-Lévy en 1914.

Comme dans l'**Île des pingouins*, l'anticléricalisme et l'agnosticisme d'Anatole France lui inspirent une sorte de fable parodiant le merveilleux chrétien.

Le mystère règne dans la bibliothèque de la famille d'Esparvieu. Malgré la vigilance de M. Sariette, le conservateur, les livres traitant de sujets religieux sont l'objet de manipulations suspectes : certains disparaissent, d'autres sont mutilés. On les retrouve, tout aussi inexplicablement, dans un pavillon occupé par Maurice d'Esparvieu, fils aîné de la famille et amant de Gilberte des Aubels. Même pendant qu'il l'étreint, les livres continuent à se déplacer tout seuls, comme par magie. Un jour enfin, Arcade, ange gardien de Maurice, apparaît. Il annonce qu'il prépare la révolte des anges contre Dieu. Il avoue qu'il a passé les derniers mois à acquérir dans les livres une connaissance approfondie de toutes les finesses de la théologie et du droit canon.

En effet, un vent de fronde souffle chez les anges qui s'incarnent sous différentes formes humaines, empruntant l'un ou l'autre sexe, se livrant à tous les dérèglements terrestres et prêchant la rébellion. Insensiblement, ils prennent goût à cette existence, tout en soumettant l'histoire chrétienne à une révision burlesque et en préparant la venue de Satan sur le trône céleste, comme s'il s'agissait d'une de ces aventures politico-militaires si familières parmi les hommes. Tout finit de la manière la plus grotesque. Arcade séduit Mme des Aubels et doit se battre en duel avec Maurice. Sariette tue un antiquaire chez qui il a reconnu un livre volé dans la bibliothèque. La folie qui s'empare de lui paraît s'étendre à la société tout entière. Satan touche presque au but. Mais il comprend alors qu'un pouvoir absolu, indépendamment de celui qui l'exerce, engendre fatalement la tyrannie. Il refuse donc de prendre la place de Dieu, craignant de devenir un jour aussi injuste que lui. Mieux vaut combattre Dieu « en l'esprit », par la raison et la connaissance, chez ses créatures, que de le détruire au ciel.

Le roman offre d'abord une satire particulièrement acide de la décomposition de l'aristocratie sous la IIIᵉ République. Repliée dans le libertinage mondain, réduite à un attachement rigide à des principes surannés et obscurantistes, empêtrée dans une conception muséographique de la culture et de l'Histoire, la noblesse perd, selon Anatole France, tout contact avec le réel. Les anges, êtres fictifs et immatériels, semblent plus pragmatiques que les humains, à qui ils doivent enseigner le scepticisme et le sacrilège. Contrairement aux d'Esparvieu qui n'en finissent pas d'attendre, figés dans leurs préjugés, une nouvelle

Restauration, ce sont eux qui découvrent qu'on ne va pas contre le temps, qu'on ne refait pas l'Histoire. Des milliers d'années après, à quoi bon répéter les expériences accomplies aux temps bibliques ?

La quête mystique n'est qu'un prétexte pour mettre en évidence des questions qui sortent largement du cadre d'un simple pamphlet antireligieux. Que ce soit pour les anges ou pour les hommes, la relation à Dieu n'est jamais pensée en termes moraux ou métaphysiques, mais plutôt dans une dimension purement politique. Si Arcade prend le temps, avant sa révolte, de lire et de méditer tous les textes fondamentaux de la dogmatique chrétienne, c'est d'un point de vue strictement juridique, pour légitimer son entreprise de désobéissance. Le Créateur n'est conçu que comme le souverain de l'univers, l'autocrate qui y fait peser des contraintes arbitraires et iniques. L'insurrection qui se trame contre lui n'est pas une révolution, mais une simple rébellion au terme de laquelle on remplacerait le monarque des cieux par un autre, sans remettre en question les formes « constitutionnelles » de son pouvoir. Jusqu'à ce que l'exemple des hommes, dont les problèmes politiques ont bien des ressemblances avec ceux des anges, révèle à Satan les risques d'un tel projet.

De fait, les défauts de l'empire universel ne tiennent pas à celui qui y détient la souveraineté, mais un tel pouvoir se corrompt par lui-même et transforme fatalement en tyran quiconque le possède. Au contraire, le désordre, l'anarchie apparente, l'affaiblissement de l'État constatés dans le régime républicain assurent, paradoxalement, par le renouvellement perpétuel des personnes et les obstacles opposés à l'autoritarisme, un équilibre, voire une harmonie propice au bonheur de chacun. Pourquoi détrôner Dieu, puisque les hommes ont su instaurer un monde qui se passe de lui ?

● « Presses Pocket », 1986. ➤ *Œuvres*, « Pléiade », IV.

D. GIOVACCHINI

RÉVOLUTION (la). Ouvrage historique et philosophique d'Edgar **Quinet** (1803-1875), publié à Paris à la Librairie internationale Lacroix, Verboeckhoven et Cie en 1865.

« La critique de la Révolution au nom de la Révolution » : ainsi Quinet définit-il son projet réalisé durant son exil suisse (lettre à Saint-René-Taillandier, novembre 1865). Se distinguant de Tocqueville, Mignet, Thiers ou Guizot (tous deux dénoncés dans *la Philosophie de l'histoire de France*, 1855), il adhère pleinement à l'inspiration de cette Révolution, adoptant une position radicale dans son *Christianisme et la Révolution française* (1845). Si l'entreprise consiste à « révolutionner la Révolution », comme il l'écrit dans la Préface à la cinquième édition intitulée *Critique de la Révolution* (1867), elle requiert une « âme libre » pour écrire un « livre de liberté », et rejette l'« idolâtrie des individus ». Quinet entend ainsi participer au combat humanitaire et démocratique, en faisant « resplendir » le droit dans l'Histoire. Son livre suscitera un large débat.

Organisé en 24 livres, *la Révolution* parcourt l'Histoire depuis les « Vœux » exprimés dans les cahiers de doléances jusqu'au 18 Brumaire, pour examiner en dernier lieu la « Société née de la Révolution ». Si l'analyse événementielle est présente (« les États généraux » ; « Varennes » ; « Chute de Robespierre »), Quinet n'adopte pas le modèle narratif, mais embrasse la matière historique, groupant les faits, établissant des liens afin de mettre en place une vision synthétique problématisée. Sont ainsi abordées par exemple les questions de la « Révolution civile », de la « Religion », de la « Constitution » ou bien « la Religion sous la Terreur » ou encore la « Théorie de la Terreur ».

L'analyse de Quinet met en évidence le caractère double de la Révolution. Inventant la liberté, elle inspire à l'individu la conscience de ses droits, décuple l'énergie collective, fait naître le sens de la solidarité nationale et

Racine

« Jean Racine ». Dessin attribué à Jean-Baptiste Racine.
Bibliothèque nationale, Paris. Ph. © Bibl. nat./Phoeb.

Jean Racine (1639-1699) partage sans doute avec Corneille et Molière, ses aînés et rivaux, le privilège redoutable d'incarner l'« Âge d'or » du théâtre classique. Son parcours est plus atypique, qui voit cet homme aux origines modestes triompher pendant douze ans, avant de se retirer sur une autre « scène » : historiographe du roi, il revient à l'écriture dramatique pour plaire à Mme de Maintenon — et meurt, peut-être disgracié, enterré à Port-Royal et fidèle aux maîtres qu'il avait jadis reniés en optant pour la littérature. Une dizaine de pièces suffit à lui assurer une gloire qui fascine par sa plasticité et

« Les comédiens-français », par Jean-Antoine Watteau (1684-1721).

« Andromaque et Pyrrhus », 1810, par
le baron Pierre-Narcisse Guérin (1774-1883).

sa longévité : chaque époque a eu son Racine, un rôle comme celui de Phèdre devenant, au fil des interprétations, un véritable mythe littéraire, de la Champmeslé à Rachel et de Sarah Bernhardt à la « Berma » proustienne. C'est aussi d'une polémique sur Racine que naîtra le succès de la « nouvelle critique »... Austérité janséniste ou sensualité orientale, pureté monotone de l'alexandrin ou mélodie pré-symboliste, fatalité antique ou théorie de la grâce, tout semble avoir été dit sur Racine : complexité d'un écrivain qui construit une tragédie sur trois mots de Suétone (*Bérénice*, 1670) ou synthétise l'esprit de l'Ancien Testament et la technique du chœur grec dans ses dernières pièces (*Esther*, 1689 ; *Athalie*, 1691). Qui fait place à la plainte des héros voués à la passion, amants rebutés (« J'ai langui,

Britannicus. « Talma en Néron », par Eugène Delacroix (1798-1863).
Bibliothèque-musée de la Comédie-Française, Paris. Ph. © Hubert Josse © Archives Photeb.

Britannicus, à la Comédie-Française en 1961. Mise en scène de Michel Vitold avec Robert Hirsch (Néron) et François Chaumette (Narcisse). Ph. © Bernand.

Bérénice, au théâtre Montparnasse en 1970. Mise en scène de Roger Planchon, décor et costumes de René Allio, avec Denis Manuel (Antiochus) et Francine Bergé (Bérénice). Ph. © Bernand.

Phèdre, Sarah Bernhardt dans le rôle titre, en 1893,
photographiée par Paul Nadar (1856-1939).

Archives photographiques, Paris. Ph. © Arch. Phot. Paris © SPADEM Paris, 1994.

« Phèdre ». Gouache de Johann Ludwig Fesch (1697-1778).

Bibliothèque-musée de la Comédie-Française, Paris. Ph. Jeanbor © Archives Photeb.

Phèdre, Maria Casarès dans le rôle titre au TNP en 1957,
photographié par Agnès Varda (née en 1928).

Ph. © Agnès Varda/Agence Enguerand.

---

j'ai séché, dans les feux, dans les
larmes ») ou condamnés à vivre dans un
monde vidé par l'absence (« Dans
l'Orient désert quel devint mon
ennui ! ») tout en montrant les forces
destructrices dont ils sont les victimes.
De la passion, de toutes les passions :
pouvoir, vengeance, jalousie, conviction
religieuse — du jeune Néron à la
vieille Athalie, de la furieuse Hermione
à la chaste Junie, tous les héros
raciniens doivent affronter le monstre
qui terrasse Hippolyte.

humaine ; mais, encore fascinée par le passé, incapable de détruire le fondement religieux de la monarchie, elle ne parvient pas à s'accomplir et se trouve de nouveaux moyens de domination.

Voulant instituer la démocratie, elle érige la loi en impératif d'association au bien commun. Créer un nouveau régime équivaut dès lors à concevoir autrement le pouvoir, à faire appel à la vocation de l'homme, à dépasser les contingences héritées de sa condition. Phénomène d'essence religieuse, la Révolution s'oppose radicalement au catholicisme, et promeut une nouvelle loi de liberté et de créativité.

Refusant de distinguer une « bonne » Révolution libérale (1789-1791), ou de privilégier une interprétation socialiste à l'instar de Louis Blanc (*Histoire de la Révolution française*, 1847-1862), Quinet, pourtant très proche de lui, s'éloigne aussi de Michelet en ne reprenant pas à son compte son dessein apologétique. Pour Quinet, la Révolution, confondant philosophisme et foi, a sombré dans le terrorisme. « Legs fatal de l'histoire de France », la Terreur replonge la Révolution dans le passé, et révèle une disposition à la servitude, déplorable trait de la mentalité française. Devant l'ampleur de son projet, on comprend pourquoi Quinet avait d'abord envisagé d'intituler son livre *Philosophie de la Révolution française*. Il s'agit de comprendre le drame même de l'Histoire et d'en mettre en évidence les forces.

Les révolutions paraissent toutes à Quinet d'inspiration religieuse. L'Histoire prend un sens spirituel. Les événements procèdent de véritables matrices symboliques, mais les institutions nées des révolutions politico-religieuses figent le mouvement, jusqu'à ce que se fasse jour l'aspiration à une nouvelle mutation. Ainsi, la Révolution est l'accomplissement du christianisme. Quinet pense qu'elle aurait dû rompre avec le sacré, car le renouveau religieux implique cette rupture. Une religion moderne qui continuerait les pratiques de l'ancienne ou qui en reprendrait les références est impossible. Il faut donc lui substituer autre chose, qui puisse incarner l'indestructible sentiment religieux. La Révolution n'a pu ou su comprendre cette exigence : tel fut le profond motif de la Terreur. Placés devant un vide spirituel, du fait même de leur recul face aux enjeux religieux, les révolutionnaires ont substitué la Terreur à l'action qui eût pu rassembler les acteurs révolutionnaires et faire communier la nation dans une même foi nouvelle : ils ont eu « peur de la Révolution ». La violence fut donc le signe d'une défaillance. Dans *la Révolution religieuse au XIXe siècle* (1857), Quinet exprime ce que doivent être les nouvelles aspirations : l'exigence en l'homme d'une création assumée dans la vie morale et dans sa forme politique, la démocratie.

● Belin, 1987 (préf. C. Lefort).

G. GENGEMBRE

REVOLVER À CHEVEUX BLANCS (le). Recueil poétique d'André **Breton** (1896-1966), publié à Paris aux Éditions des Cahiers libres en 1932.

Les années 1925-1930 correspondent, pour Breton, à une période de grande activité durant laquelle le groupe surréaliste se constitue, se transforme, voire tend à éclater. Les deux *Manifestes du surréalisme* (1924 et 1930) reflètent l'intense maturation qui caractérise ces années et répondent à une volonté de mise au point sur le plan théorique. Breton n'en délaisse pas pour autant la création poétique, ainsi qu'en témoigne la publication du *Revolver à cheveux blancs*.

Le recueil comprend vingt textes pourvus chacun d'un titre. Le premier, intitulé "Il y aura une fois", se distingue des autres par son écriture « prosaïque », sa longueur et le statut plutôt théorique que poétique de son discours (mais les œuvres de Breton semblent souvent tenir

pour non pertinente la discrimination entre théorie et poésie). Ce texte initial peut être considéré comme une sorte d'introduction. *Le Revolver à cheveux blancs* contient en outre deux textes d'une écriture continue et ponctuée qui s'apparentent à des poèmes en prose ("le Verbe être" et "la Forêt dans la hache"). Tous les autres poèmes se présentent sous une forme discontinue et sont dépourvus de ponctuation. La construction des vers n'obéit à aucune règle prosodique.

Le titre du recueil est en accord avec la définition de l'image proposée par Breton dans le premier *Manifeste du surréalisme* : « C'est du rapprochement en quelque sorte fortuit des deux termes qu'a jailli une lumière particulière, *lumière de l'image* [...]. La valeur de l'image dépend de la beauté de l'étincelle obtenue ; elle est, par conséquent, fonction de la différence de potentiel entre les deux conducteurs ». Le titre *le Revolver à cheveux blancs* opère en effet, par le biais de la préposition « à », un rapprochement arbitraire entre deux termes distants et produit ainsi un troisième terme purement gratuit, étranger à toute signification préexistante et à toute possibilité de représentation. À la différence des titres de recueils antérieurs tels que *Mont de piété* ou *Clair de terre*, celui-ci est un pur objet verbal surréel qui ébranle volontairement les repères de la logique et du langage. Pour autant, il n'est pas forcément dépourvu de sens, mais celui-ci demeure indéfiniment incertain et disponible. Ainsi les deux versants d'une mise à mort, l'un actif (le « revolver » est un instrument de mort) et l'autre passif (les « cheveux blancs » sont un signe de mortalité), y sont lisibles. La connotation mortelle contenue dans les deux termes et l'évocation d'une tête chenue peuvent faire penser à l'œuvre destructrice du temps. Mais il n'est pas interdit de faire éclore du titre d'autres suggestions symboliques, même si elles ne lui préexistent pas puisque Breton conçoit l'image comme une production involontaire. On peut y déceler ainsi les signes d'une libération étroitement associée à une mise à mort : revolver / révolution, revolver / rêve.

Les textes, pour leur part, sont dans l'ensemble moins provocateurs que ceux de *Mont de piété* et que certains poèmes de *Clair de terre*. Le flux syntaxique est rarement altéré, et les vers correspondent en général à des unités grammaticales et logiques. La discontinuité graphique des textes et l'absence de ponctuation perturbent toutefois la transmission du sens en instaurant la possibilité de lectures multiples. Les liaisons logiques employées sont d'ailleurs très neutres et ouvertes : beaucoup de propositions relatives aux antécédents indécis, un grand nombre de « et » qui se bornent à juxtaposer les énoncés. La densité poétique naît de cette disponibilité, que vient renforcer une profusion d'images inattendues. Ces dernières sont, le plus souvent, engendrées par les prépositions « de » et « à », dont Breton n'ignore pas le rôle créateur : « Je me suis vivement étonné, à l'époque où nous commencions à pratiquer l'écriture automatique, de la fréquence avec laquelle tendaient à revenir dans nos textes les mots *arbres à pain, à beurre*, etc. [...]. La préposition en question [il s'agit de « à »] apparaît bien, en effet, poétiquement, comme le véhicule de beaucoup le plus rapide et le plus sûr de l'image. J'ajouterai qu'il suffit de relier ainsi *n'importe quel* substantif à *n'importe quel* autre pour qu'un monde de représentations nouvelles surgisse aussitôt » (*l'Amour fou*). La préposition « à » est à l'origine de nombreuses images du recueil : « les belles fenêtres aux cheveux de feu » ("Nœud des miroirs"), « l'ibis aux belles manières » ("Non-lieu"). Mais c'est la préposition « de » qui joue le rôle principal d'embrayeur d'images. On la trouve dans le titre de deux poèmes ("Hôtel des étincelles" et "Nœud des miroirs") et à de multiples reprises dans les textes : « treuil du temps » ("la Mort rose"), « la balance des blessures », « les roues du rêve », « puits des miroirs » ("Non-lieu"), « les bulles d'ombre » ("les Attitudes spectrales"). Parfois même les deux prépositions s'enchaînent dans une sorte de processus d'amplification de l'image : « une banquise aux dents de flamme » ("les Attitudes spectrales").

Le Revolver à cheveux blancs illustre donc assez fidèlement les principes énoncés dans les *Manifestes du surréalisme*. L'imagination, célébrée dans le premier texte du recueil, est la source d'inspiration et le domaine d'investigation privilégiés de cette poésie : « Imagination n'est pas don mais par excellence objet de conquête. [...] Je dis que l'imagination [...] n'a pas à s'humilier devant la vie. [...] L'imaginaire est ce qui tend à devenir réel » ("Il y aura une fois").

● *Clair de terre [...]*, « Poésie/Gallimard », 1966 (préf. A. Jouffroy). ➤ *Œuvres complètes*, « Pléiade », II (p.p. J. Pierre).

A. SCHWEIGER

RHAPSODIES. Recueil poétique de Pétrus **Borel**, dit « le Lycanthrope », pseudonyme de Joseph Pierre Borel d'Hauterive (1809-1859), publié à Paris chez Levavasseur en 1832.

Première œuvre de Pétrus Borel, ce recueil installe la figure du Lycanthrope en littérature, et exprime les « symptômes d'une nature morbide, amoureuse de la contradiction pour la contradiction » (Baudelaire). La Préface, qualifiant les *Rhapsodies* de « bave » et de « scorie », définit l'ensemble comme mélange, pour ne pas dire comme collation ou collage de pièces fort inégales. Peut-être Borel joue-t-il malicieusement sur le sens péjoratif du mot « rhapsodie », attesté par Littré : « Ramas de mauvais vers » ?

Après une Préface et un Prologue, le recueil regroupe 23 pièces, puis 4 villanelles et une série de 6 poèmes intitulée « Patriotes ». Poèmes de jeunesse, vers de circonstances ("Sur le refus du tableau"), poèmes enflammés sur les journées de Juillet, dont un hymne au poignard dans "Sansculottide" et "Patriotes", vers pastichant le style troubadour ("Adroit Refus", "le Rendez-vous", "Au médaillon d'Iseult", "la Fille du baron", "le Rempart", "Odelette", "Agarite", dialogue amoureux), satires politiques ("Boutade"), gammes héroïco-hugoliennes ("la Corse", "Hymne au soleil"), veine érotique ("Origine d'une comtesse"), ode à Napoléon ("le Vieux Capitaine") : le meilleur du recueil réside en fait dans l'élégie ou la frénésie. À "Désespoir" répond "Fantaisie", à "Victoire", répliquent "Doléance", "Isolement" dédié à Nerval, "Heur et Malheur" dédié à O'Neddy, "Ma croisée" ou "Rêveries". S'y manifeste une tension déjà baudelairienne entre la souffrance et l'aspiration au salut, entre les affres de la faim et l'espoir d'un idéal : « Qui donc me rend si veule et m'enchaîne à la vie ? ("Doléance") ; « J'ai caressé la mort, riant au suicide, / Souvent et volontiers, quand j'étais plus heureux » ("Heur et malheur"). Chants d'un désespéré, les *Rhapsodies* se disposent comme autant d'efforts pour exprimer une « poésie bouillonnant dans [la] poitrine » du poète. La deuxième édition ajoutera des « Poésies diverses », parmi lesquelles des sonnets.

Refus de l'ordre social et politique, revendication farouche de l'indépendance artistique, proclamation de républicanisme, « basiléophagie », dégoût des valeurs bourgeoises et matérialistes, la Préface définit autant une philosophie personnelle, la lycanthropie (« Je suis républicain comme l'entendrait un loup-cervier : mon républicanisme, c'est de la lycanthropie ! »), qu'une exigence de liberté absolue. Attitude ironique (« Il me répugne de vendre de la préface »), mais aussi volonté de présenter idées et problèmes (« Je n'ai rien déguisé ; c'est un tout, un ensemble, corollairement juxtaposé, de cris de douleur et de joie jetés au milieu d'une enfance rarement dissipée, souvent détournée et toujours misérable ») : Borel affiche son originalité en multipliant les revendications de singularité ou de « sauvagerie ».

Sa métrique repose sur l'alexandrin et l'octosyllabe, mais ne néglige pas l'impair. Variant les strophes (une des plus intéressantes étant celle de "la Soif des amours" : 7/7/3/7/7 avec retour du vers 1 alternant avec celui du vers 5) et les formes, Borel propose une sorte de florilège poétique, voire un étalage où l'humour le dispute à la violence. Cris parfois emphatiques d'un égaré et d'un solitaire, ses poèmes se présentent comme un combat avec l'inspiration et un langage

rétif : « À ranimer la muse en vain je m'évertue, / Elle est sourde à mes cris et froide sous mes pleurs » ("Léthargie de la muse", « Poésies diverses »). Chaos et exacerbation, langueur et hystérie, hantise du néant et "Chant du réveil", imprécation et plainte, accablement et exaltation, attirance morbide pour le suicide (« Mes pistolets sont là... déjouons le hasard !!! », "Désespoir") : l'apparent désordre s'avère mise en scène romantique, où, malgré les clichés, s'imposent quelques images flamboyantes (« Poignard que mon sang damasquine / Frappe, déchire ma poitrine ! », "le Rendez-vous").

➤ *Œuvres complètes*, Slatkine, II.

G. GENGEMBRE

RHIN (le). Lettres à un ami. Récit de voyage sous forme épistolaire de Victor **Hugo** (1802-1885), publié à Paris chez Delloye en 1842.

En 1838, après l'achèvement de **Ruy Blas*, Hugo entame une excursion qui le mène jusqu'à Vouziers. En 1839 a lieu le premier voyage le long du Rhin, remonté jusqu'à la cataracte et, de là, en Suisse. En 1840, Hugo se rend de Cologne à Mayence. Après les *Impressions de voyage* d'Alexandre Dumas, dont la publication commence en 1835 et où figurent des « Excursions sur les bords du Rhin », le poète entreprend ainsi un voyage romantique qui se métamorphose en voyage hugolien.

Précédées d'une Préface dans laquelle Hugo définit son projet, « voir et observer », 28 lettres datées de 1838 suivent le trajet de Paris à Aix-la-Chapelle (1-14), puis à Heidelberg (15-28). Les lettres 29 à 39 nous mènent de Strasbourg à Lausanne. La lettre 21 narre, à la manière des conteurs allemands, la légende du beau Pécopin et de la belle Bauldour, légende inventée pour la circonstance (qui sera publiée à part en 1855 dans la collection Hetzel et Lecou, chez V. Lecou). La 2e édition (chez Renouard, en 1845) ajoutera le parcours rhénan entre Mayence et Schaffhouse, soit le voyage de 1839, substituant ainsi l'ordre logique à l'ordre chronologique, Hugo antidatant d'ailleurs les lettres de 1840. Une longue conclusion, brossant un panorama de l'état général de l'Europe, termine l'ouvrage. *Le Rhin* se fait alors livre de circonstance, et l'annonce de la Préface – « Cet admirable fleuve laisse entrevoir à l'œil du poète comme à l'œil du publiciste, sous la transparence de ses flots, le passé et l'avenir de l'Europe » – ouvre sur un appel à l'« union de la France et de l'Allemagne », qui serait « le frein de l'Angleterre et de la Russie, le salut de l'Europe, la paix du monde ». Au lieu de les diviser, le Rhin doit unir le lion allemand et l'aigle français, le cœur allemand et la tête française.

« Fixer la marche errante des idées » : la lettre, peut-être fictive, devient pour Hugo le lieu où se rassemble la collecte quotidienne d'impressions et d'idées. Ouvrage « à l'image du fleuve », *le Rhin* adopte la démarche du livre touristique, alternant descriptions, anecdotes, réflexions historiques, méditations et rêveries. Traduction littéraire des choses vues, il se fait aussi grand poème. La tentation épique naît à chaque pas, devant chaque paysage ou monument empreint d'histoire et de légende. Virtuose, l'écriture hugolienne s'élève souvent à la vision, peuplée de héros et d'allégories.

« Noble fleuve, féodal, républicain, impérial, digne d'être à la fois français et allemand » (14), le Rhin réunit tous les fleuves. Il offre à l'écrivain l'occasion d'un art complet, l'unité dans la variété. Si les burgs altiers défilent, hantés de chevaliers fantômes, dessinant le décor des futurs **Burgraves*, composant le tableau des cités médiévales des tableaux, l'atmosphère crépusculaire et nocturne domine, propice aux songes et à la lumière lunaire qui éclaire le pâle horizon de la nuit, « entre ce grand berceau et ce grand tombeau » (9).

● Imprimerie nationale, « Lettres françaises », 2 vol., 1985 (p.p. J. Gaudon). ➤ *Œuvres complètes*, Club français du Livre, IV ; *id.*, « Bouquins », Voyages (p. p. C. Gély).

G. GENGEMBRE

RHINOCÉROS. Pièce en trois actes et en prose d'Eugène **Ionesco** (1909-1994), créée dans une traduction allemande au Schauspielhaus de Düsseldorf le 6 novembre 1959, publiée en français à Paris chez Gallimard la même année, et créée dans sa version française à Paris à l'Odéon-Théâtre de France le 22 janvier 1960.

L'argument de la pièce, tiré d'une nouvelle homonyme parue dans *les Lettres nouvelles* en septembre 1957, sera repris dans *la Photo du colonel* en 1962. Conçue au terme d'une polémique dont *l'Impromptu de l'Alma* (1956) se fait l'écho, la nouvelle, écrite à la demande de Geneviève Serreau, puis la pièce répondent aux détracteurs du « nihilisme » de l'auteur de la **Cantatrice chauve* et des **Chaises*. Surtout, elles s'appuient sur une expérience personnelle traumatisante (le jeune Roumain avait fui la « nazification » de son pays en 1938), partagée par de nombreux contemporains.

La soudaine apparition d'un rhinocéros, sur la place d'une petite ville de province, provoque la stupeur et occupe quelque temps la conversation des passants : Bérenger, plumitif timide et velléitaire, son ami Jean, avec lequel il se dispute, et un chœur de personnages falots que domine un « logicien » ; puis, malgré le passage d'un second animal, tout semble rentrer dans l'ordre (Acte I). Le lendemain, au bureau où travaillent Bérenger et Daisy, une jeune dactylo qui a également assisté à l'incident, employés (Dudard et Botard) et chef de service (M. Papillon) se montrent incrédules. Mais, bientôt, apparaît un nouveau pachyderme que Mme Bœuf reconnaît pour son époux, dont elle était venue excuser l'absence (Acte II, premier tableau). Dans sa chambre, Jean se métamorphose lui-même en rhinocéros sous les yeux de Bérenger (Acte II, deuxième tableau). Traumatisé par ce bouleversement, Bérenger, reclus dans sa propre chambre, découvre l'ampleur de l'épidémie de « rhinocérite » à laquelle, un moment, il aspire à succomber. Abandonné de tous, même de Daisy, pourtant éprise de lui, il vacille un instant puis, s'armant d'une carabine, décide de ne pas « capituler » (Acte III).

Malgré la présence de Bérenger, « double » dramatique de l'auteur, dont les tribulations traduisent les angoisses et les fantasmes d'Ionesco, de **Tueur sans gages* (1954) au *Piéton de l'air* (1963) en passant par **Le roi se meurt* (1962), on observe une solution de continuité entre *Rhinocéros* et un théâtre habituellement peu préoccupé de donner des leçons. Créée en Allemagne, accompagnée de commentaires sur le « processus de nazification d'un pays », la pièce fut d'emblée reçue comme une dénonciation du fascisme. Dans *Notes et Contre-notes* (1962), Ionesco rapproche, d'ailleurs, l'effroi de Bérenger de l'« horreur sacrée » éprouvée par l'écrivain Denis de Rougemont lors d'une manifestation pro-hiltérienne. De fait, la réaction des personnages confrontés à la « rhinocérite » ne laisse pas d'évoquer celle des Français aux premières heures de l'Occupation : attitude craintive (« Les gens s'écartent sur leur passage ») tempérée d'un discours rassurant (« Dans le fond, ils ne sont pas méchants »), prééminence des soucis domestiques (« J'ai eu du mal à trouver de quoi manger »), écoute de la « TSF » (« Faisons marcher le poste, pour connaître les nouvelles »)... Mais le propos de la fable dépasse la dénonciation de la peste brune : Botard, caricature du militant communiste, succombe à la même épidémie que Jean, épris de force et d'ordre ; tous les totalitarismes se confondent pour attenter à l'humaine condition et transformer en monstre le meilleur des hommes.

La métamorphose, comme toute action chez Ionesco, passe par le dérèglement du langage, symbolisé par le discours d'un « Logicien professionnel ». Au premier acte, celui-ci emporte l'adhésion d'un « Vieux Monsieur » à l'aide de sophismes : « Tous les chats sont mortels. Socrate est mortel. Donc Socrate est un chat », usant de prémisses fallacieuses au moment même où il prétend expliquer le principe des syllogismes. La naïveté et l'égocentrisme de son interlocuteur, facteurs de comique (« C'est vrai, j'ai un chat qui s'appelle Socrate »), dénoncent la séduction des « intellectuels, idéologues et demi-intellectuels à la

page » à qui Ionesco attribuera, dans *Notes et Contre-notes*, une grande responsabilité dans la montée du nazisme : « Ils étaient des rhinocéros. Ils ont, plus que la foule, une mentalité de foule. Ils ne pensent pas, ils récitent des slogans "intellectuels". » À l'acte III, le Logicien, reconnaissable à son canotier, figurera, bien sûr, dans la foule des périssodactyles, où il aura rejoint Jean, autre manipulateur de logique, dont les répliques, au début de la pièce, ont maintes fois fait écho aux siennes, renvoyant ainsi dos à dos fausse pensée et fausse culture : « En quatre semaines, vous êtes un homme cultivé. »

Pour battre en brèche cette perversion de l'humanisme traditionnel menacé par les assauts de la rhétorique, Ionesco use de l'absurde et du comique. La mortalité des chats, qui nourrit les sophismes du Logicien, sera prouvée par le meurtre du « pauvre Mitsou », victime d'un rhinocéros, et qui alimentera la rubrique des... « chats écrasés » ; M. Papillon, chef de service volage, suit M. Bœuf dans la voie de la « rhinocérite ». Au contrepoint que fait ce bestiaire humoristique avec la dramatique animalité des rhinocéros, s'ajoute le hiatus entre les situations et leur exploitation dramaturgique. Ainsi, l'apparition des premiers monstres suscite des réactions anormales, tantôt outrées (comme le chagrin de la ménagère qui pleure son chat), tantôt pondérées à l'excès (« Ce n'est pas une raison pour casser les verres »). Avec l'intervention de M. Bœuf, premier monstre identifié, qui détruit l'escalier et contraint les employés de bureau à descendre par la fenêtre pendant que Mme Bœuf regagne le domicile conjugal à califourchon sur son rhinocéros de mari, le burlesque atteint son apogée. Puis, même si la pièce tourne ensuite au tragique avec la métamorphose « à vue » de Jean et l'annonce de l'ampleur de l'épidémie, le comique affleure sans cesse, jusque dans la pusillanimité du héros. Ionesco échappe de la sorte aux démonstrations univoques du « théâtre à thèse » qu'il blâme tant chez Brecht ou Sartre.

La pièce dispose ainsi d'un registre qui échappe à l'allégorie. Le début du premier acte installe, à l'aide de répliques banales, imitées du quotidien, un climat de normalité inhabituel à la fable. L'apparition d'un (ou de deux) rhinocéros y stupéfie le chœur et l'indifférence de Bérenger suscite l'indignation de Jean : « C'est inouï ! Un rhinocéros en liberté dans la ville, cela ne vous surprend pas ? » Or, chacun (y compris les spectateurs) ignore encore la métamorphose. En revanche, quand Mme Bœuf reconnaît son mari dans un pachyderme barrissant langoureusement, les réactions échappent à toute rationalité. Le chef de service sévit : « Cette fois, je le mets à la porte pour de bon ! », et le syndicaliste s'emporte : « Je n'abandonnerai pas un collègue dans le besoin » ; à peine si Daisy, compatissante, s'enquiert : « Vous en êtes sûre ? », auprès de l'épouse éplorée. Dès lors, Jean peut se muer en rhinocéros sous nos yeux et les monstres s'embellir à mesure que la population cède à leur charme ; chacun accepte la nouvelle norme avec placidité : « Quoi de plus naturel qu'un rhinocéros ? » Seul Bérenger échappe à cet univers kafkaïen. Ses certitudes appartiennent à notre monde : « Un homme qui devient rhinocéros, c'est indiscutablement anormal », et son langage, initialement fantaisiste, s'ancre peu à peu dans un fonctionnement cartésien qui annonce la « résistance » finale. Ainsi accède-t-il au statut de « héros », si peu prévisible dans l'œuvre de l'inventeur des Bobby Watson (voir *la Cantatrice chauve*).

● « Folio », 1976. ➤ *Théâtre*, Gallimard, III ; *Théâtre complet*, « Pléiade ».

H. LEFEBVRE

RHUM. L'Aventure de Jean Galmot. Récit de Blaise **Cendars**, pseudonyme de Frédéric Louis Sauser (1887-1961), publié à Paris chez Grasset en 1930. Le titre, modifié lors de la première réédition de 1934 (*la Vie secrète de Jean Galmot*), est restitué dans sa première version en 1960.

Rhum raconte le destin d'un personnage hors du commun, l'écrivain et aventurier Jean Galmot, qui, après avoir fait fortune de manière fulgurante en Guyane et en être devenu le député, a connu la prison et la ruine, et a fini assassiné. Cendars présente Jean Galmot par des extraits d'articles de journaux parus après son assassinat – quand on l'autopsie, son cœur a disparu ! –, par le souvenir de sa rencontre avec lui, par une « fiche horoscopique » et, enfin, par l'un de ses discours politiques où il fait le serment de « lutter, jusqu'à la dernière goutte de [son] sang pour affranchir [ses] frères noirs de l'esclavage politique » (chap. 1). Après avoir ainsi campé son personnage, il fait le récit de ses débuts dans le journalisme au moment de l'affaire Dreyfus et de son mariage avec une riche Américaine ; et, comme « le journalisme mène à tout à condition d'en sortir », de son départ pour « l'Aventure », c'est-à-dire, pour Jean Galmot, la Guyane (2-3). Parti de rien, surmontant tous les obstacles – « En vérité, l'Aventure pour Galmot n'aura été que du travail, du travail, du travail » – il monte sa propre affaire dans ce pays – la forêt tropicale ! –, dont il tombe passionnément amoureux : l'or, le rhum, le bois de rose, les essences. Il écrit un livre prémonitoire sur son expérience, *Quelle étrange histoire* (4). Son affaire prend de l'ampleur, il commerce désormais avec toutes les colonies françaises, ouvre des bureaux à Paris. En 1919, « Papa Galmot », partisan d'une colonisation « douce » fondée sur la prospérité des « petites gens » de Guyane, est élu triomphalement à la Chambre, où il défend avec énergie les libertés guyanaises et participe à de nombreuses commissions (5). Les grands intérêts coloniaux prennent alors peur. Jean Galmot devient dangereux. Tous les moyens sont bons pour l'abattre : campagnes de presse infamantes, procès, l'« affaire des rhums », enfin, en 1921. Son immunité parlementaire est levée. Il est jeté en prison. Mais son moral est intact. Il y écrit *Un mort vivait parmi nous* (6-9). Après vingt et un mois d'attente, dont près de dix passés en détention préventive, qui scellent la faillite des Établissements Galmot, la justice le lave. Son honneur est sauf, mais sa carrière est brisée (10). Il retourne en Guyane pour les élections de 1924, où il est battu – ses ennemis, pour l'emporter, ont fait voter les morts. Galmot proteste puis s'efface, retourne dans son pays natal, la Dordogne (11). Mais son cœur est resté là-bas. Et, décidément, il est trop dangereux. Aux élections de 1928, il se représente, mais, à peine débarqué à Cayenne, il meurt empoisonné. Sa mort provoque un soulèvement du petit peuple, et le lynchage des notables locaux qui l'ont fait tuer (12).

« C'est une étrange histoire... » : *Rhum*, pas plus que *l'*Or, n'est un roman ; il s'agit de l'authentique histoire de l'aventurier et poète Jean Galmot, qui, après avoir été chercheur d'or, trappeur, s'être lancé dans l'industrie du rhum et du bois de rose, fut élu député de la Guyane et jura – « jusqu'à la mort, inclusivement » – de rendre aux Guyanais leurs richesses et leurs droits politiques confisqués par une administration coloniale aux mains de quelques grandes fortunes. Cette extraordinaire histoire vraie était faite pour séduire l'aventurier Cendrars. Il se sent d'emblée en sympathie avec cet homme qu'il a rencontré une fois à Paris alors qu'il lisait, pour le compte des Éditions de la Sirène, qu'il dirigeait avec Laffitte, le manuscrit de *Quelle étrange histoire*.

Le ton est celui du grand reportage. Cendrars est soucieux de la clarté et de la précision de sa démonstration. Autant que possible, il retourne aux sources originales, cite des extraits d'articles parus dans la presse, des passages de discours politiques prononcés devant la Chambre ou le Sénat, des comptes rendus des séances du Palais de Justice, des lettres et encore bien d'autres témoignages, tels que des chansons créoles. C'est que l'enjeu est de taille. Cendrars veut réparer ce qui lui semble une terrible injustice. Galmot a été la victime de la haute finance qu'il avait défiée. Il n'était pas le « requin » que la presse à scandale s'est complue à portraiturer. Méthodiquement, patiemment, Cendrars reprend tous les épisodes de sa vie, sans laisser aucune zone d'ombre, et reconstitue l'image si défigurée de celui qu'il présente comme un don Quichotte des temps modernes, défenseur idéaliste des valeurs fondamentales – la justice, la loyauté, l'honneur –, condamné à l'échec pour avoir voulu rester intègre dans un monde où l'argent règne en maître absolu.

« Je dédie cette vie aventureuse de Jean Galmot aux jeunes gens d'aujourd'hui fatigués de la littérature pour leur prouver qu'un roman peut aussi être un acte. » Ce récit sera donc exemplaire d'une démarche et d'un état d'esprit, celui de l'aventure justement. Car si Cendrars mène et gagne cette longue bataille pour réhabiliter Galmot, c'est bien parce que l'enjeu n'est rien de moins que la possibilité d'être libre dans notre monde moderne. Il érige la vie de Galmot en symbole du refus de la compromission, de l'appel du large, sans rien cacher de la difficulté d'un tel choix, voire de son héroïsme. Car si la lutte de Galmot – et de Cendrars – est désespérée, elle n'en est pas moins la seule dans laquelle il vaille encore la peine de s'engager. Et Cendrars de reprendre à son compte cette phrase de Galmot : « Il faut choisir : être libre ou être esclave. [...] Si vous croyez à la beauté, à la justice, à la vie, tentez votre chance, allez-vous-en... »

● « Le Livre de Poche », 1983 ; « Les Cahiers rouges », 1990.
➤ *Œuvres*, Denoël, III.

J. ROUMETTE

RICHARD CŒUR DE LION. Opéra-comique en trois actes en prose et en vers de Michel Jean **Sedaine** (1719-1797), musique d'André Modeste **Grétry** (1741-1813), créé à Paris à la Comédie-Italienne le 21 octobre 1784, et publié à Paris chez Brunet en 1786.

Cette œuvre fut l'opéra-comique le plus connu et, peut-être, le plus significatif de la fin de l'Ancien Régime. Il demeure célèbre au début du XIXe siècle par sa tonalité nostalgique, admirablement rendue par les airs de Grétry.

La scène se déroule au XIIe siècle dans et devant un château fort en Allemagne, où se trouve détenu le roi Richard. Le troubadour Blondel, qui feint d'être aveugle, a conçu le dessein de libérer son roi. Il rencontre un noble gallois, Williams, qui a souffert, à son retour de Palestine, de l'injustice qui règne dans son pays avant de venir se réfugier là. Sa fille, Laurette, est courtisée par le gouverneur de la prison, Florestan. Arrive encore avec toute sa suite Marguerite, comtesse de Flandre et d'Artois, amante du roi Richard mais qui ignore qu'il est prisonnier dans ce château. Grâce aux bons offices de Blondel, toutes les énergies se conjuguent pour libérer le héros ; Laurette attire Florestan chez elle et l'assaut est donné dans une scène très spectaculaire. Le roi est libre et pardonne à son geôlier.

Incontestablement, le livret de Sedaine correspondait au goût du jour pour les souvenirs du Moyen Âge. La mode troubadour avait peu à peu amené au théâtre des histoires, des images et des thèmes idéologiques dans lesquels la société du temps se reconnaissait. Elle permettait surtout aux décorateurs des prouesses de « mise en scène » qui préfigurent les débauches pittoresques du mélodrame. Le thème du bon roi prisonnier, chargé de toutes les vertus originaires de la chevalerie et de la royauté, pouvait plaire à tous et proposait une image idéale, préservée des tares de la royauté usurpée, incarnée par Jean sans Terre. L'alliance de toute les forces libératrices préfigurait l'union de la Nation autour de son roi. Après les débuts de la Révolution, très naturellement, ce sont les nobles et les émigrés qui assurèrent à cette œuvre une survie de deux décennies. La célébration de l'ancien temps et la volonté d'union autour du roi imprègnent l'air célèbre chanté par Blondel : « Ô Richard ! ô mon roi ! / L'univers t'abandonne / Sur la terre il n'est que moi / Qui s'intéresse à ta personne. » Jean Renoir, dans *la Marseillaise*, le fait chanter aux nobles agenouillés qui vont défendre les Tuileries lors de l'assaut du 10 août 1792. On mesure encore la puissance d'évocation nostalgique de cette œuvre en remarquant que l'air de Laurette : « Je crains de lui parler la nuit, / J'écoute trop tout ce qu'il dit / Il me dit : "Je vous aime" et je sens malgré moi / Je sens mon cœur qui bat, qui bat, je ne sais pas pourquoi », a été repris par Tchaïkovski dans *la Dame de pique*, où il est chanté par la vieille comtesse qui se remémore sa jeunesse.

P. FRANTZ

fait deviner dans ses œuvres. [...] Je vois là les principales caractéristiques du phénomène que nous appelons génie. »

➤ *Œuvres complètes*, Club français du Livre, I ; *id.*, « Pléiade », II ; *id.*, « Bouquins ».

A. SCHWEIGER

RICHARD WAGNER ET « TANNHÄUSER » À PARIS. Essai de Charles **Baudelaire** (1821-1867), publié à Paris dans la *Revue européenne* le 1er avril 1861, et en plaquette chez Dentu la même année ; réédition dans *l'Art romantique* chez Michel Lévy en 1868 (voir *le *Peintre de la vie moderne*).

Durant l'hiver 1860, on joua à l'Opéra de Paris des extraits du *Vaisseau fantôme*, de *Lohengrin*, de *Tristan* et de *Tannhäuser*. Peu après ces concerts, le 17 février 1860, Baudelaire écrivit à Wagner pour lui faire part de son enthousiasme (la lettre est publiée par André Suarès dans *la Revue musicale*, le 1er novembre 1922) : « Je vous dois la plus grande jouissance musicale que j'aie jamais éprouvée », dit-il au musicien. *Tannhäuser* fut ensuite programmé dans sa version intégrale ; la première eut lieu le 23 mars 1861. Après trois représentations, durant lesquelles le public manifesta fort bruyamment son hostilité, le compositeur retira sa partition. Cet échec indigna Baudelaire, qui écrivit alors son étude sur l'œuvre de Wagner. Quoique rédigé de façon quelque peu hâtive, sous la pression des circonstances, ce texte, inspiré par une admiration mûrie durant une année entière, a été longuement médité.

Après avoir vilipendé l'attitude des critiques et du public qui préfèrent trop souvent la polémique à une véritable appréciation de l'œuvre d'art, Baudelaire décrit les premières réactions, à la fois sensibles et intellectuelles, qu'a provoquées en lui la musique de Wagner (I). Une volonté de connaissance plus approfondie succède à l'émotion de la découverte. Baudelaire, s'appuyant sur des études relatives à Wagner et, surtout, sur les écrits du compositeur, montre l'originalité et la beauté de l'entreprise wagnérienne (II). Le poète présente ensuite trois opéras – *Tannhäuser*, *Lohengrin* et *le Hollandais volant*, en insistant sur leur dimension mythique (III). Enfin, Baudelaire, après une synthèse élogieuse portant sur la spécificité du génie de Wagner (IV), évoque la représentation parisienne de *Tannhäuser* et cherche les raisons de cet échec qui ne met nullement en question la qualité de l'œuvre (« Encore quelques mots »).

Si Baudelaire, à travers de nombreux articles, a commenté des œuvres littéraires ou picturales, il ne s'est jamais consacré à la critique musicale, avouant lui-même mal connaître cette forme d'expression. L'essai sur Wagner prend sa source dans l'enthousiasme. La découverte de l'œuvre de Wagner est, pour Baudelaire, une véritable révélation et le ton exalté de son étude, riche en superlatifs, reflète l'intensité de son émotion. Le poète compare l'effet produit par cette musique aux « vertigineuses conceptions » suscitées par l'opium. Tout comme la drogue, elle a le pouvoir d'engendrer un état d'hyperesthésie cher au poète, car il exacerbe le sentiment de l'existence.

Dans cette musique qui amplifie la capacité de sentir, Baudelaire trouve la confirmation de sa théorie sur l'analogie et l'union des sensations exposée dans son poème "Correspondances" (voir *les *Fleurs du mal*). Contrairement à ceux qui pensent que la musique n'est pas un art expressif, le poète affirme que celle-ci, réunissant les sens et l'esprit, est capable de suggérer « des idées analogues dans des cerveaux différents ». Les opéras de Wagner expriment la « partie indéfinie du sentiment que la parole, trop positive, ne peut pas rendre ».

Baudelaire célèbre en Wagner la recherche d'un art total, alliant action et musique, poésie et spectacle, et envisageant, à travers le mythe, le destin de l'homme. Le poète trouve ainsi chez le musicien une sorte de frère spirituel : « Tout ce qu'impliquent ces mots : volonté, désir, concentration, intensité nerveuse, explosion, se sent et se

RICHE ET LÉGÈRE. Roman de Florence **Delay** (née en 1941), publié à Paris chez Gallimard en 1983. Prix Femina.

L'héroïne, dont le métier est de s'occuper de la « célébrité des autres », revient dans l'Espagne de son enfance. Elle retrouve ainsi sa troublante demi-sœur, Dorotea, et sa mère, Christina. Elle écoute, patiemment, son meilleur ami lui narrer le récit détaillé de sa rupture avec Dorotea. Elle éprouve, à l'occasion de ses retrouvailles avec le « docteur », une fascination demeurée intacte à l'égard de ce « maître à penser ». Ces rendez-vous avec les figures de son passé ressuscitent des images douloureuses enfouies dans sa mémoire, notamment celle de l'ami Iñigo Jones, dont elle découvre brutalement le secret : ses rapports sado-masochistes avec les garçons. Après la mort du « maître » et au cours de promenades dans Séville, la narratrice perd progressivement cette « indifférence au temps et à l'amour » qui faisait sa fierté et sa force.

Précipitée presque malgré elle sur cette terre espagnole qui la contraint au souvenir, l'héroïne de *Riche et Légère* fait l'objet d'une initiation rétrospective dont la cruauté est soigneusement dissimulée sous un style élégant, sinon précieux. De manière analogue, l'« air bleuté » de l'Espagne ne saurait faire oublier le rouge sang de la corrida, dont les brèves évocations paraissent rythmer le récit. Pas plus que la baudelairienne apologie du maquillage (« La femme fardée est plus vraie que la femme naturelle, car elle porte sur son visage sa conception de la beauté, tandis que l'autre fait semblant de laisser la nature pour cacher au fond d'horribles secrets ») ne nous détourne des images de la violence sexuelle exercée par Iñigo Jones sur tel de ses amants. Les « scènes interdites » côtoient ainsi les considérations sur la politique espagnole, les conversations élégantes sur la peinture, les séquences de contemplation poétique, ou encore telle remarque sur la saveur symbolique des mots : « Je suis jalouse de *niña*, qui n'est ni fille, *hija*, ni amour, *amor*, bien plus doux, entre la chérie et l'enfant. » Ce récit énigmatique, gorgé de sensations et empreint d'une infinie délicatesse, pourrait être sous-titré « les Intermittences du cœur », n'était la précision de son style altier, volontiers aphoristique jusqu'à la sécheresse : « Connaître m'empêche d'aimer. Mais je n'aime pas non plus aimer. » La formule sur laquelle se referme le roman illustre à sa manière cette hésitation entre « cruauté » et « douceur » : « J'ai la compagnie de l'aube et la décision du jour ne m'appartient pas. »

● « Folio », 1990.

P. GOURVENNEC

RICHEUT. Fabliau en vers d'un clerc anonyme normand, ou natif de la partie occidentale de l'Île-de-France, composé dans la seconde moitié du XIIe siècle et conservé par un seul manuscrit.

Un Prologue de 70 vers présente le personnage de la prostituée Richeut comme une figure emblématique de la ruse. Richeut incarne aux yeux du clerc misogyne une féminité réduite à la « lescherie », au goût de la débauche et de la perfidie. Le récit rapporte deux anecdotes qui illustrent ce penchant et entre lesquelles s'intercale un portrait du fils de Richeut : Sanson. La première (v. 71-616) conte la manière dont Richeut fait successivement endosser à un prêtre, à un chevalier et à un bourgeois la paternité de son fils pour leur soutirer de l'argent ; devenu adulte, l'enfant est le double masculin de sa mère, un parangon de tromperie dont le texte dresse le portrait moral et la liste des méfaits (v. 617-984). La seconde anecdote montre comment le trompeur est victime des ruses de sa mère qui, en bonne entremetteuse, met sa servante déguisée en fille de chevalier dans le lit de Sanson avant de le faire rosser et dépouiller par des sbires (v. 985-1 318).

Le statut générique de ce texte reste incertain : sa thématique, sa misogynie, son goût de l'anecdote scabreuse, voire obscène, ainsi que la recherche d'un style bas, l'inscrivent indéniablement dans la mouvance du fabliau, dont il pourrait constituer un des plus anciens spécimens. La substitution nocturne d'une femme de basse condition et de mœurs légères à la place d'une autre deviendra une situation de fabliau (*Prêtre et Alison*), à cette différence près qu'il ne s'agit pas encore ici de protéger une vertu ou l'honneur d'un lignage, mais de tromper pour tromper. Toutefois, la structure métrique adoptée l'écarterait du fabliau, dans la mesure où le recours au couplet d'octosyllabes (le vers narratif) ne s'y avère pas constant et où un vers de quatre syllabes vient tous les deux, trois ou quatre octosyllabes introduire la rime du couplet suivant. Hétérométrie qui rapproche *Richeut* de *Piramus et Tisbé*. De plus, la part relativement importante allouée au discours, le caractère exemplaire des portraits de Richeut et de Sanson que le récit se contente d'animer, confèrent à ce texte une allure d'*exemplum*, d'illustration d'une leçon de morale où l'exigence du bien se dessine à l'extrême du mal et où le vice devient l'instrument de la punition de celui qui y a voué sa vie. Bien qu'implicite, ce moralisme rapproche *Richeut* du *Livre des manières* d'Étienne de Fougères, avec lequel il partage une attention à la trifonctionnalité et un souci de dénoncer les dérèglements sexuels.

À maints égards atypique, *Richeut* est un texte subversif qui bouscule les normes sociales et morales. La première anecdote s'en prend au schéma trifonctionnel à l'aide duquel l'homme du XIIᵉ siècle structure sa vision du monde : en laissant tour à tour croire à un prêtre, à un chevalier et à un bourgeois que Sanson est leur fils, Richeut abuse et ridiculise les « ordres » et l'organisation sociale qu'ils représentent. Parallèlement, elle situe sa progéniture hors norme : il n'est donc pas étonnant que Sanson ne respecte rien, ni morale ni religion, et ne rentre chez les cisterciens que pour mieux se sauver avec le trésor de l'abbaye et transformer les nonnes en prostituées. Une sexualité sans frein l'amène à s'accoupler avec « la nièce, la tante et les sœurs » d'une même famille. Mais ce dérèglement des sens ne s'avère-t-il pas la conséquence d'une initiation amoureuse donnée par la mère, d'une transgression de la prohibition de l'inceste qu'une lacune du manuscrit voile quelque peu et déplace dans le champ de la parole ? Faute d'un père qui lui désignerait la voie de la chevalerie et de l'honneur, Sanson ne peut se faire que le héraut de valeurs négatives. Indirectement, *Richeut* milite pour une filiation patrilinéaire, dont il dessine en creux l'exigence, au-delà des méfaits que son absence suscite. La perversion corrompt même la parole, et l'usage systématique de la ruse dévoile le mensonge de la littérature, et notamment du roman et des récits généalogiques qui, à la même époque, se veulent toujours peu ou prou réappropriation d'une mémoire familiale dont le père (ou son substitut) constitue la référence ultime (voir le *Roman de Thèbes*, le *Roman d'Énéas* et le *Conte du Graal* de Chrétien de Troyes). Ne peut-on dès lors supposer que le caractère hybride et atypique de ce texte est la manifestation formelle de la perversion qu'affichent les deux protagonistes et le vers de quatre syllabes, irrégulièrement placé, sa traduction rythmique ? La fortune de *Richeut* est elle-même paradoxale. Le personnage est cité par de nombreux textes du XIIᵉ et du XIIIᵉ siècle d'inspiration différente : traité didactique et moral (le *Livre des manières* d'Étienne de Fougères), roman courtois (le *Tristan* de Thomas), le *Roman de Renart* (branche VII) et par plusieurs fabliaux (les *Tresces* et *Auberée*). Le nom de la mère de Sanson y est devenu synonyme d'« entremetteuse », sans qu'on puisse jamais savoir avec certitude

si la référence témoigne d'une connaissance de l'œuvre ou n'est qu'un éponyme lexicalisé.

● Berne, Francke, 1988 (p.p. P. Vernay).

J.-C. HUCHET

RIDEAU CRAMOISI (le). Voir DIABOLIQUES (les), de J. Barbey d'Aurevilly.

RIGODON. Roman de Louis-Ferdinand **Céline**, pseudonyme de Louis Ferdinand Destouches (1894-1961), publié à Paris chez Gallimard en 1969.

Rigodon constitue le troisième volet de la trilogie allemande entamée avec *D'un château l'autre* et *Nord*.

À Meudon, Céline est en butte aux coups de téléphone et aux visites des journalistes. Il souffre de paludisme, croit voir des revenants et prophétise la disparition de la race blanche. En Allemagne, durant les derniers mois de la guerre, Céline et Lili, partis pour Rostock, rencontrent l'*Oberartz* Haupt qui se livre à la sélection naturelle des malades en les laissant mourir de froid. Ils poursuivent jusqu'à Warnemünde, mais ne peuvent prendre de bateau pour le Danemark. Ils reviennent alors à Moorsburg où ils retrouvent Le Vigan et Harras ; celui-ci les envoie à Sigmaringen par le train. Parti de la gare de Berlin (où ils assistent au pillage du wagon du maréchal von Lubb), leur train, coincé sous un tunnel par un bombardement, finit tant bien que mal par rejoindre Ulm. Là, les trois Français rencontrent le capitaine des pompiers Siegfried, qui charge Le Vigan de détecter les plaquettes incendiaires le long d'une avenue. Mais l'acteur se jette en travers du passage d'une voiture officielle. Conduits au poste puis relâchés, les trois Français repartent pour Sigmaringen.

Dès leur arrivée, von Raumnitz annonce à Céline et Lili qu'ils doivent repartir pour une destination inconnue ; Le Vigan, lui, pourra gagner l'Italie. À Oddort, l'assassin professionnel Restif et son commando « Vaillance » assassinent le général Swoboda et permettent à Céline et Lili d'échapper à l'anéantissement de la gare. Parvenus à pied à Hanovre, ils rencontrent Felipe, un briquetier italien. Lors d'un bombardement, Céline est blessé à la tête par la chute d'une brique. Les fugitifs réussissent à se caser dans un train de marchandises. Ils rencontrent alors Odile Pomaré, jeune agrégée d'allemand, chargée d'accompagner une vingtaine d'enfants anormaux qu'elle finit par leur confier. Après un nouveau bombardement au passage du canal de Kiel, Céline et Lili parviennent à prendre le train de la Croix-Rouge suédoise à Flensburg et à confier les enfants à cette institution. Ils arrivent à Copenhague.

À Meudon, Céline imagine l'invasion de la France par les Chinois, arrêtés par l'ivresse dans les caves de Champagne.

Si l'essentiel de l'intrigue de *Nord* se déroulait dans un lieu clos (Zornhof), *Rigodon* est une errance perpétuelle. Renouant avec le titre et le thème de son premier roman, Céline choisit d'unifier en un seul voyage (nord-sud puis sud-nord) l'ensemble de son périple en Allemagne au cours des derniers mois de la guerre, rendant ainsi plus saisissant le spectacle d'un monde en pleine débâcle sous les bombardements. Le nom de *Rigodon*, dans son double sens de danse très vive et de coup au but, fut finalement préféré au titre de *Colin-maillard* qui avait été précédemment choisi pour désigner cette errance les yeux bandés dans un pays en ruines (« une divagation à travers un paysage », selon les termes de l'interview avec André Parinaud). Le pressentiment de la mort (« Je sens les Parques me gratter le fil ») qui emporta effectivement Céline avant qu'il ait eu le temps de revoir son manuscrit, est sans doute la principale raison qui l'amena à restreindre son ambition. L'ouvrage se clôt donc sur l'arrivée au Danemark, qui met fin à l'épopée allemande. On trouvera dans *Féerie pour une autre fois* la description d'une partie de ce que furent ces années d'exil danois que Céline avait eu l'intention de décrire plus longuement à la fin de *Rigodon*.

Rigodon, qui parachève la trilogie, se situe sur tous les plans dans la continuité des romans précédents (même structure alternative Meudon-Allemagne, mêmes personnages, même dialogue avec le lecteur). Néanmoins l'affirmation qu'on y trouve d'un premier séjour à Sigmaringen six mois auparavant n'est pas sans introduire quelque incohérence dans la continuité narrative. Dans la réalité, Céline n'a séjourné qu'une fois à Sigmaringen, où il est resté quatre mois et où il s'est séparé de Le Vigan. Or, si *Nord* manifeste la volonté de bien faire comprendre au lecteur que les événements de Zornhof sont antérieurs à ceux de *D'un château l'autre* (qui devraient logiquement se situer au milieu de *Rigodon*, à l'arrivée à Sigmaringen), ce souci disparaît de *Rigodon*. La « lanterne magique » du romanesque prend alors le pas sur la chronologie des événements, et ce qui a été antérieurement raconté passe pour chronologiquement antérieur. Ce tour de passe-passe se double de quelques incohérences dans l'organisation temporelle, liées à l'inachèvement du roman : on ne sait jamais très bien à quelle époque de l'année on se situe, tant les affirmations à ce sujet sont contradictoires. Néanmoins, cette éviction de l'épisode de Sigmaringen offre l'avantage de conférer au roman l'unité d'un seul mouvement. Et pour le reste, la reprise du récit allemand se situe précisément où on l'avait laissé dans *Nord*, c'est-à-dire à l'autorisation de voyage pour Rostock. L'unification du cycle entier s'opère par une révélation longuement différée : celle de la raison du voyage au Danemark, de cette remontée vers le nord qui aimante l'itinéraire des personnages. « J'en avais parlé à personne mais j'y pensais je peux dire depuis Paris... Même mon idée depuis toujours, preuve que tous les droits de mes belles œuvres, à peu près six millions de francs, étaient là-haut... pas au petit bonheur : en coffre et en banque... » La mystérieuse symbiose phonétique du nord et de l'or se trouve ainsi réalisée (rappelons que la légende scandinave qu'envisageait d'écrire Céline s'intitulait *la Légende du roi Krogold*).

Plus encore que dans les autres romans, les personnages apparaissent ballottés par les événements, tels ces jeunes anormaux qui ne comprennent rien de ce qui leur arrive et dont les fonctions sont réduites à des besoins essentiels. Dans une atmosphère de secret et de conspiration permanente (« Des décisions ont été prises »), la méfiance apparaît plus que jamais nécessaire. Liberté est en effet donnée aux hommes de se livrer à leurs obsessions : la métamorphose christique de Le Vigan, entamée dans *Nord* se poursuit ; Felipe, lui, n'a qu'une idée, retrouver sa briqueterie et son patron ; le « chroniqueur des Grands Guignols », comme Céline se qualifie lui-même, y apparaît dégoûté de l'humanité tout entière, misanthrope sarcastique et désabusé. Le livre est donc dédié aux animaux... Dans un monde peuplé de fantômes shakespeariens, sa prophétie apocalyptique prend alors la forme d'un credo raciste (« Le sang des Blancs ne résiste pas au métissage !... il tourne noir, jaune !... et c'est fini ! ») et antireligieux : « Toutes les églises dans le même sac. » Dans la perspective de la disparition prochaine de l'humanité, le narrateur en vient à se préoccuper de sa propre immortalité (« Déchiffré entre les langues mortes, j'aurai ma petite chance... enfin ! »). Et la prolifération du langage rejoint la prolifération de la maladie – l'image est de Céline – en cette ivresse finale où le narrateur se dissout dans « ces profondeurs pétillantes que plus rien n'existe... »

● « Folio », 1987 (préf. F. Gibault). ➤ *L'Œuvre*, André Balland, V ; *Romans*, « Pléiade », II ; *Œuvres*, Club de l'honnête homme, IX.

A. SCHAFFNER

RIMES DE GENTILLE ET VERTUEUSE DAME PERNETTE DU GUILLET, LYONNAISE. Œuvre poétique de Pernette **du Guillet** (vers 1520-1545), publiée à Lyon chez Jean de Tournes en 1545.

Pernette du Guillet, qui rencontra Maurice Scève en 1536, entretint une courte liaison avec le poète, dont elle fut vraisemblablement la Délie (voir *Délie*). À l'instar des autres poètes de l'école lyonnaise, elle cultive un éclectisme qui réunit les influences néoplatoniciennes, le pétrarquisme et la veine marotique.

Son œuvre poétique, très brève, publiée par les soins d'Antoine du Moulin, humaniste lyonnais, se compose de 57 pièces hétéroclites : des épigrammes – chansons, un long poème allégorique et un « coq à l'asne » proche des fatrasies médiévales. La plupart de ces poèmes chantent les louanges d'un amant « éloquent », riche d'un « hault sçavoir », et insistent sur la nécessité de maintenir l'amour dans les limites de l'honneur et de la chasteté.

Comme Maurice Scève, Pernette du Guillet attribue à l'amour un pouvoir de transmutation morale : « Car quand Amour à Vertu est uny, / Le cœur conçoit un désir infiny, / Qui tousjours desire / Tout bien hault et sainct. »

Conformément aux théories néoplatoniciennes, l'union de l'amour et de la vertu s'épanouit en connaissance : le cœur jouit alors d'un « hault sçavoir » où il trouve, loin du vulgaire, sa véritable assise. Si la perfection de l'amant est source d'émulation littéraire (« Preste moy donc ton eloquent sçavoir / Pour te louer ainsi, / Que tu me loues ! »), elle engendre, plus profondément, le désir d'une fusion spirituelle : « Je tascheray faire en moy ce bien croistre / Qui seul en toy me pourras transmuer. »

Ce souci de pureté, méprisant des aiguillons de l'« Amour vicieux », n'exclut pas çà et là d'étranges jeux pervers : témoins ce poème où l'amante rêve de se baigner nue devant l'amant, pour mieux se refuser ensuite à la hardiesse de ses attouchements. Proscrite par la spiritualité de l'exigence amoureuse, la chair n'en resurgit pas moins sous forme de dénégation.

Si la poésie de Pernette du Guillet se rapproche bien souvent de la thématique scévienne, elle n'atteint que rarement la pureté et la concision de son modèle : l'ensemble du recueil manque d'unité et, surtout, d'une véritable refonte et assimilation des influences ; en outre, la recherche systématique de l'abstraction ne témoigne pas, comme dans *Délie*, d'une concentration exigeante de la pensée.

Il serait injuste cependant de reléguer ces *Rimes* au rang de pures curiosités. Le long et mélancolique poème final, intitulé "Confort", représente sans doute l'une des plus belles réussites de la poésie amoureuse du XVIe siècle. Dans cette épître de consolation, adressée à un amant tourmenté par l'impossible union charnelle et tenté de se réfugier dans la mort, l'amante ne cesse d'en appeler à une éthique endurante et orgueilleuse : « Car le tourment, que tu souffres pour elle, / Estre te doit joye continuelle / À ton esprit, et doulx contentement, / Et au travail très grand allegement. / Car il n'est rien, tant soit grand, en ce monde, / Qui vaille autant que ce mal, qui te abonde. »

● Genève, Droz, 1968 (p.p. U. E. Graham) ; Genève, Slatkine, 1970 (réimp. éd. 1830) ; « Poésie / Gallimard », 1983 (Louise Labé, *Œuvres poétiques*, p.p. F. Charpentier).

P. MARI

RIQUET À LA HOUPPE. Voir CONTES, de Ch. Perrault.

RIRE (le). Essai sur la signification du comique. Essai d'Henri **Bergson** (1859-1941), publié dans la *Revue de Paris* de février à mars 1899, et en volume chez Alcan en 1900.

Définition de la méthode utilisée (Préface). Accompagné d'une anesthésie de la sensibilité du rieur, le rire sanctionne la raideur là où la société attend une certaine flexibilité du comportement (chap. 1). Vérification de cette hypothèse par l'analyse du comique de situation, de mots, dans la littérature et au théâtre (2) et par l'analyse du comique de caractère. En privilégiant la perception de l'utile, la vie en société nous ferme l'accès à une autre réalité et à notre propre intériorité. Est artiste celui qui sait échapper à cette contrainte. Distinction entre le drame et la comédie. Signification de la détente provoquée par le rire (3).

Observant après Rabelais que le rire est le propre de l'homme, et qu'il se produit toujours en société, Bergson en recherche l'origine dans une relation entre celle-ci et celui-là. Il renouvelle donc la position du problème, ne se demandant plus, à l'instar de ses prédécesseurs : qu'est-ce que le comique ? mais : pourquoi rit-on ? Et, comme dans *Matière et Mémoire* (1896), il fonde sa méthode sur l'expérience. En première approche, l'observation montre que tous les effets de la maladresse, de la distraction, en donnant l'impression de « mécanique plaqué sur du vivant » (chap. 1), attirent instinctivement l'hilarité, comme si les rieurs voulaient infliger un châtiment bénin à celui qui, par inattention, omet de se conformer aux normes sociales. Exempt de toute finalité esthétique, morale ou cathartique, le rire fustige aussi bien les effets d'une « vertu inflexible » que ceux d'une passion délirante, à condition qu'ils introduisent de la raideur là où la vie en société requiert de la souplesse. En filigrane, se lit une métaphysique : dans toute forme humaine, Bergson aperçoit « l'effort d'une âme qui façonne la matière » (voir *l'Évolution créatrice*, 1930 ; *les Deux Sources de la morale et de la religion*, 1932). Que la matière réussisse à « épaissir la vie de l'âme, à en figer le mouvement, à en contrarier la grâce, elle obtient du corps un effet comique » (1).

Pour vérifier « scientifiquement » ses inductions, l'auteur s'adresse aux artisans du comique, mais aussi aux plus grands auteurs (Cervantès, Molière, Labiche, Daudet). Brillante collection d'analyses d'où il ressort que le rire éclate lorsqu'un écrivain parvient à transformer ses personnages en pantins, à les faire parler en automates (le « Et Tartuffe ? » d'Orgon), bref à introduire dans les comportements une raideur qui, dans *Tartarin sur les Alpes*, contamine même la vision de la nature machinée comme un décor de théâtre (1).

Ces analyses conduisent Bergson à une méditation sur la création artistique. La comédie avec ses personnages figés en « types » interpelle notre « moi superficiel », coupable d'enfreindre des règles sociales pratiquement utiles. Mais si nous nous détachions de celles-ci, nous pourrions entrer « en communication immédiate avec les choses et avec nous-mêmes » (3). Capacité propre à certains artistes qui savent projeter dans leur création une réalité, si l'on peut dire, virginale : « Le réalisme est dans l'œuvre quand l'idéalisme est dans l'âme » (3). Est-ce à dire que le drame, avec ses héros fortement individualisés (Hamlet), surpasse la comédie ? En fait, il suffirait d'un revirement de l'attention – ou de l'intention d'un metteur en scène – pour qu'émeuvent la détresse du Misanthrope, ou celle de l'Avare dépouillé de sa cassette... La comédie fustige le moi social, mais pourrait aussi laisser entrevoir les abîmes du moi profond.

Le rire punit, mais il détend aussi : ambivalence qui fonde à nouveau la distinction entre nos deux « moi ». Comme le rêve, note Bergson, l'extravagance du comique (voir *Un chapeau de paille d'Italie*) fait glisser le spectateur dans un état d'euphorie où ne comptent plus « ni logique, ni convenances » (3) : le plaisir né de cette vacance de la raison remet celle-ci à sa place et lui fixe ses limites. La fonction du rire devient alors métaphysique, et nous rappelle que l'esprit dépasse infiniment ses outils comme la mémoire dépasse le cerveau (voir *Matière et Mémoire*).

Le Rire constitue l'archétype de la méthode intuitive bergsonienne. Délimitant l'objet de son étude, le philosophe décrit autour de ce centre les circonvolutions de ses raisonnements de plus en plus larges à mesure qu'y sont intégrées les données de l'expérience. Répétitions, redites (fréquentes d'un chapitre à l'autre) s'enrichissent ainsi de nouvelles résonances. Mais en définitive l'objet de l'essai est peut-être moins de résoudre l'énigme du rire que d'envisager, sous un nouvel angle, la relation au monde de notre être spirituel.

● PUF, « Quadrige », 1991.

M.-A. DE BEAUMARCHAIS

RITALS (les). Récit autobiographique de François **Cavanna** (né en 1926), publié à Paris chez Belfond en 1978.

Nogent-sur-Marne, années cinquante. Le narrateur, fils d'un Italien immigré, se remémore le décor de son enfance ; la rue Plaisance et la rue Sainte-Anne, le vieux château autour duquel les bandes se livrent bataille. À la tristesse de la banlieue l'hiver, succèdent les ravages de la tuberculose et le mythe de la vérole. Les trois clochards du Fort de Nogent, en même temps qu'ils inspirent terreur et respect, constituent alors l'attraction préférée des enfants des environs. Aux débuts de la TSF correspondent les premiers émois sexuels du narrateur et sa découverte émerveillée des prodiges du cinéma. Les livres remplaçant peu à peu les frasques de son enfance, le narrateur « oublie tout ce qui n'est pas l'école ». Le récit de sa fugue, à l'âge de quatorze ans, avec son camarade Jojo Vapaille fait place aux dernières pages descriptives sur la « jeunesse saine » de Nogent à laquelle le narrateur n'a pas eu la chance d'appartenir.

« C'est un gosse qui parle. Il a entre six et quatorze ans, ça dépend des fois », précise Cavanna, le turbulent rédacteur en chef du légendaire journal satirique *Charlie-Hebdo*, en exergue aux *Ritals*. Dédié à « tous ceux qui font que la banlieue Est n'est pas la banlieue Ouest », ce récit de souvenirs déroulé en brefs chapitres n'a pas d'autre prétention que de ressusciter la vie des terrains vagues, la pauvreté et les frasques d'un enfant élevé loin de tout confort. Avec un souci constant d'auto-dérision, le narrateur, sans souci de chronologie, s'attache à rendre compte de la condition sociale des « Ritals ». Son appétit – « Je voulais tous les plaisirs » – s'applique aussi bien, sur le mode mineur, au souvenir doux-amer d'un père autoritaire qu'à la condition sociale d'une classe défavorisée : « Pour les Français, Nord ou Sud, pas de détail, tous les Ritals sont des singes, des noirauds crépus [...], des fourbes, des sournois, des feignants, des rigolos pas sérieux, des excités, des parlant avec les mains ! » Autant que le journal d'un apprentissage sexuel, ces souvenirs autobiographiques sont aussi le récit des débuts d'une vie d'écrivain : « Les choses, pour moi, c'est d'abord des mots. Des mots écrits », constate Cavanna avant de déplorer la tyrannie de l'imprimé – « Le vice, c'est l'imprimé » – et de justifier sa propre entreprise d'écriture : « C'est marrant, l'écriture. Ça va où ça veut. » Les portraits abondent, cocasses et rapidement brossés : le maire de Nogent, qui « a fait beaucoup pour l'instruction publique et les belles-lettres », côtoie ainsi « la grosse Denise », rencontrée dans un bordel de la rue de Lappe à Paris. Le comique, ici, le dispute toujours à l'émotion et à l'attendrissement sur soi-même. Quels que soient les chemins empruntés par cette émotion, la complicité voulue avec le lecteur, le style parlé, le français délibérément fautif, les exclamations céliniennes : « Et les catalogues ! Quelles mines ! Quel tremplin à conditionnel présent ! » s'inscrivent dans un courant naturaliste qui fit la réussite et le succès de ce récit.

● « Le Livre de Poche », 1980.

P. GOURVENNEC

RIVAGE DES SYRTES (le). Roman de Julien **Gracq**, pseudonyme de Louis Poirier (né en 1910), publié à Paris chez José Corti en 1951.

À ce livre fut décerné le prix Goncourt, refusé par un écrivain qui se montrait ainsi conséquent avec lui-même puisqu'il avait fait paraître l'année précédente un vigoureux pamphlet pour fustiger les méfaits des prix littéraires et de la « critique officielle » : *la Littérature à l'estomac*.

Aldo, jeune héritier d'une noble famille de la vieille Seigneurie d'Orsenna, s'ennuie dans cette ville moribonde et obtient un poste d'« Observateur » dans la province éloignée et côtière des Syrtes. De l'autre côté de la mer se trouve le Farghestan, ennemi héréditaire contre lequel la guerre effective s'est éteinte depuis trois siècles. La garnison, réduite, est commandée par le capitaine Marino. Celui-ci apparaîtra jusqu'à la fin des événements comme une incarnation de la volonté de maintenir l'état de stagnation régnant dans le pays depuis tant d'années. Le jeune homme mène à l'« Amirauté » une vie retranchée et goûte le charme de ce dépouillement. Ses déambulations dans la forteresse le ramènent souvent vers une salle (la « chambre des cartes ») où la « ligne rouge », précisément tracée sur le papier, des frontières maritimes du territoire, lui donne à songer. La princesse Vanessa Aldobrandi, jeune femme qu'il a rencontrée auparavant à Orsenna, l'invite dans sa résidence de Maremma, ville à demi-abandonnée de la province (la « Venise des Syrtes ») où peu à peu se fait jour et circule une rumeur concernant une éventuelle reprise des hostilités avec le Farghestan. À cette fièvre montante la belle Vanessa, belle « de la beauté souveraine de la catastrophe », semble prendre une part mystérieuse. Comme si elle était chargée, en le prenant au piège du désir qu'il éprouve pour elle, de mener Aldo à jouer un rôle, déterminé par l'invisible auteur de la tragédie qui se noue, dans ce besoin impérieux qui se répand dans tout Orsenna de sortir de l'enlisement : « Le désir que les jours de la fin se lèvent et que monte l'heure du dernier combat douteux. » Aussi inéluctablement qu'il a eu accès à la chair somptueuse de la princesse, le jeune officier sera poussé à franchir, lors d'une patrouille en mer, la ligne fatidique qui va rouvrir les hostilités. Il est convaincu de répondre en cela, en s'en faisant l'instrument, à un puissant souhait de réveil qui parcourt le pays, même si cette sortie de l'anesthésie doit le mener à sa perte. Dès lors Aldo ne cessera de s'interroger sur sa propre responsabilité dans un processus qui, au moment où il le fait ce récit, a effectivement conduit Orsenna à sa ruine. Ayant mesuré la gravité de son acte, il n'en comprendra le caractère inévitable qu'au moment où le véritable instigateur du mécanisme fatal, le vieux Danielo, maintenant maître de la Seigneurie, lui révélera qu'il n'en fut qu'un rouage, trop docile au désir d'en finir manifesté par les quelques forces encore vives d'une civilisation exsangue.

La puissance envoûtante de ce récit, sa force de conviction tiennent paradoxalement à la part d'ombre qui y est savamment entretenue, habilement maintenue jusqu'au dénouement. Même si le parcours du narrateur se subdivise en dévoilements successifs, ceux-ci restent partiels, et la totalité de ces révélations ne suffit pas pour recomposer la trame entière des mobiles du drame, ni surtout pour comprendre par quel cheminement ce grand corps exténué qu'est la Seigneurie d'Orsenna parvient à trouver la ressource du sursaut qui la conduit à rompre avec l'idéologie d'agonisant dans laquelle il s'était enlisé. Selon J. Gracq, « la part, dans un ouvrage, de ce qui est dit explicitement, et de ce qu'il est laissé à la liberté de l'imagination d'achever selon l'élan seul de la lecture, à la manière de la suggestion musicale, est probablement en effet un élément essentiel dans l'évaluation de sa qualité. La fiction – fondamentalement – évoque, et ne désigne pas ». Le « je » qui raconte assume ici, classiquement, la restriction de son point de vue et la limitation de jugement qui lui vient d'avoir été l'un des acteurs du changement considérable qui s'est opéré sous ses yeux.

Mais il n'en reste pas moins qu'il fut aussi un « Observateur » attentif du processus, et il est difficile, par son truchement, de ne pas considérer ce texte comme un long procès-verbal décrivant sous toutes ses coutures, dans ses contours les plus sinueux, les plus sournois, le redoutable travail de la pulsion de mort à l'œuvre dans tout organisme, individuel ou collectif, lorsque le moindre espoir de renouvellement paraît avoir définitivement fui l'état de vieillesse dépassée auquel cet organisme est parvenu. De ce point de vue, ce texte décline avec une intensité inouïe toutes les figures de la décrépitude et Gracq y utilise remarquablement, entre autres sources, les analyses que Spengler développa dans *le Déclin de l'Occident*. Sa description d'une civilisation qui a ainsi atteint une telle « obscénité » de décomposition (il écrit de la ville de

Maremma qu'elle « était la pente d'Orsenna, la vision finale qui figeait le cœur de la ville, l'ostension abominable de son sang pourri et le gargouillement obscène de son dernier râle ») et dont la culture n'apparaît plus que comme une vaste propagation mortifère (même le paysage est soumis à cette contamination), communique au lecteur (et ce mouvement s'amorce dès la première page) répulsion et désir d'entrer dans une autre logique.

Dès lors la perspective de guerre, qui représente assez vite dans le roman le seul objectif capable de secouer vraiment cette inertie létale, y prend paradoxalement une connotation positive. Et le pas est vite franchi, qui consiste à entendre ce champ sémantique de la guerre comme une métaphore de la lutte salutaire que les individus et peut-être les nations ont à mener contre ce qui leur échoit en héritage, contre ce legs anéantissant : « L'assoupissement sans âge d'Orsenna, en décourageant avec une si longue patience le sens même de la responsabilité et le besoin de la prévision, avait modelé ces enfants vieillis dans une tutelle omnipotente et sénile, pour qui rien ne pouvait arriver réellement, ni quoi que ce soit tirer à conséquence. » Cette tension vers une issue qui permette de retrouver le mouvement, au sein d'un ensemble qui semble ne plus souhaiter que l'immobilité de la mort, prend alors tout son sens. Le combat devient celui des forces de vie qui parviennent encore, presque miraculeusement, à croître sur ce terrain pourrissant. Vanessa (« la floraison germée à la fin de cette pourriture et de cette fermentation stagnante ») se fait l'égérie de ce sursaut d'énergie retrouvée ; elle porte en elle ce mouvement comme son enfant et infuse à Aldo la force dont il aura besoin pour agir : « Elle était contre moi, muette, bandée, comme une pesée lourde et nocturne, ses seins durs et nus sous la blouse tendus par la fraîcheur comme une voile étarquée. » C'est cette « voile »-là qui donnera à l'officier le courage, lui procurera la protection dont il a besoin pour affronter la mère archaïque et funeste qu'est devenue Orsenna et franchir les limites que celle-ci parvient encore à imposer grâce à son terrifiant pouvoir d'inhibition. Toute l'œuvre de Julien Gracq est parcourue par ce travail sous-jacent de l'instance maternelle bicéphale, ambivalente, qui, selon la façon dont on l'envisage, détient certes un pouvoir de mort par l'inertie, la paralysie qu'elle peut engendrer mais qui représente aussi la source de toute vie et de toute renaissance. Il aura écrit sans relâche la guerre que se livrent l'une contre l'autre ces deux orientations. Elles se présentent l'une et l'autre dans ses récits sous les formes symboliques les plus diverses (chacune d'elles prises en charge, par exemple, par un élément du paysage), et dans *le Rivage des Syrtes* nul doute que se manifeste à cet égard un antagonisme flagrant entre le marécage cloacal dans lequel Orsenna est embourbée et la pleine mer qui permet de s'en extraire. Mer qui permet à Aldo de retrouver la curiosité de l'autre, grâce à une appétence qui est tout à fait de l'ordre de l'éros, au sens le plus large d'ouverture à autrui et de joie prise à la vie que peut revêtir ce terme. « Il n'y a pour les peuples qu'une seule espèce de... rapports intimes », lui déclare l'envoyé du Farghestan en guise d'avertissement, mais nous devons peut-être retourner cette menace en objectif souhaitable si nous voulons saisir la véritable portée de l'œuvre, si nous voulons comprendre cet élan qui s'empare d'Aldo lorsqu'il s'éveille pour son premier matin dans la demeure de Vanessa : « Il y a dans notre vie des matins privilégiés où l'*avertissement* nous parvient [...]. Dans la mesure intime de la vie qui nous est rendue, nous renaissons à notre force et à notre joie [...] : c'est qu'une brèche s'est ouverte pendant notre sommeil, qu'une paroi nouvelle s'est effondrée sous la poussée de nos songes, et qu'il nous faudra vivre maintenant pour de longs jours comme dans une chambre familière dont la porte battrait inopinément sur une grotte. »

La langue de Gracq elle-même est travaillée dans sa facture par cette opposition que son écriture dynamise lorsque, à de fréquents archaïsmes, à de nombreux mots rares, à toutes ces nodosités de signification que sont les expressions en italiques, à des phrases descriptives longues et ondulantes, sont entrelacés en abondance des éléments plus *alertes* (dans les dialogues ou dans la relation des mouvements), ceux-ci puisant leur vivacité même (ne serait-ce que par contraste) dans le tuf quelque peu intemporel qui les entoure.

● José Corti, 1991. ➤ *Œuvres complètes*, « Pléiade », I.

G. COGEZ

RIVAUX D'EUX-MÊMES (les). Comédie en un acte et en prose de Charles Antoine Guillaume Pigault de l'Épinoy, dit **Pigault-Lebrun** (1753-1835), créée à Paris au théâtre de la Cité le 9 août 1798, et publiée à Paris chez Barba la même année.

La pièce a pour décor la salle commune d'une auberge de village située sur la route de Flandre, à six lieues de Paris. Nous sommes au lendemain de la bataille de Fontenoy, remportée en 1745 par le maréchal de Saxe et les Français, en présence de Louis XV, sur les troupes anglaises, hollandaises et autrichiennes. Précédée par sa suivante Lise (à qui est dévolue la fonction d'exposition de la pièce), Mme Derval, une jeune fille de seize ans, arrive à l'auberge. Mariée alors qu'elle n'était qu'une enfant, elle va à la rencontre de son mari qu'elle ne connaît pas : celui-ci en effet, aussitôt après le mariage qui n'a pas encore été consommé, a pris du service dans un régiment de cavalerie et n'a plus approché de Paris depuis six ans. Les époux se sont écrit cependant et la jeune femme est fort curieuse de découvrir le jeune homme. Elle vient donc incognito se faire séduire par Derval, qui est là, lui aussi, sous une identité supposée. De quiproquo en quiproquo, les époux s'éprennent l'un de l'autre après avoir été « rivaux d'eux-mêmes ».

L'invraisemblance de l'action saute aux yeux mais, après tout, on est dans les conventions de la comédie. Le sujet de la pièce ressemble à toutes les comédies de Marivaux, qui jouent sur les identités et les déguisements, en même temps que la fin morale de la pièce est caractéristique du théâtre bourgeois. Le risque de l'adultère est dans l'esprit de la comédie d'Ancien Régime ; de ce point de vue, cette pièce est typique des comédies en vogue à l'époque du Directoire : on y constate, en effet, à la fois des résurgences marivaudiennes et des synthèses hasardeuses entre la libération des mœurs et le retour à la morale (qui s'institutionnalisera sous le Consulat). De même par le rappel de la victoire de Fontenoy établit un lien entre les soldats de la guerre en dentelles de l'Ancien Régime et les nouveaux héros de la République (le jeune Derval, qui a le bras en écharpe, a gagné le grade de lieutenant-colonel et la terre d'Éricourt), genre de synthèse nationaliste dont on raffolera sous le Consulat et l'Empire.

● « Pléiade », 1974 (*Théâtre du XVIIIe siècle*, II, p.p. J. Truchet).

P. FRANTZ

ROBE PRÉTEXTE (la). Roman de François **Mauriac** (1885-1970), publié à Paris chez Grasset en 1914.

Le roman repose sur l'assemblage de cinq nouvelles publiées précédemment en revue : dans la *Revue hebdomadaire* parurent « le Cousin de Paris » (novembre 1911), « le Paradis » (mai 1913), « Tous les royaumes du monde » (avril 1914), correspondant respectivement aux chapitres 18 à 21, 1 à 7, 10 à 13 du roman final ; dans la *Revue de Paris* furent publiées « Camille » (octobre 1912) et « la Robe prétexte » (octobre 1913), reprises aux chapitres 22 et 23, et 25 à 31. De minimes aménagements furent nécessaires pour constituer le puzzle d'ensemble de l'ouvrage ; il ne semble pas, pourtant, qu'il y ait eu un projet unitaire préalable.

Deuxième roman de Mauriac (*l'Enfant chargé de chaînes* avait paru en 1913), *la Robe prétexte* échappera à la « condamnation » portée par l'auteur sur l'ensemble de ses romans antérieurs au **Baiser au lépreux* (1922), lorsqu'il préfacera l'édition de ses *Œuvres complètes* en 1950. Quoique conscient de « la mollesse du style » et des influences que laisse paraître l'ouvrage, il lui assigne cependant une valeur de « frontispice » en le plaçant en tête du premier volume, tandis que les autres œuvres de jeunesse seront, elles, reléguées au dixième. C'est que, dit-il alors, « j'y ai en partie réussi le portrait de l'adolescent que je fus ». La veine autobiographique s'avoue donc sans détour, et point n'est besoin de forcer le texte pour le faire résonner d'échos personnels : le cadre bordelais, les vacances dans la propriété familiale, la cousine Louise, les fiançailles rompues avec Marianne Chausson...

Jacques, le narrateur, timide orphelin de douze ans, et Camille, sa cousine, « brusque petite fille » d'un an sa cadette, s'éprouvent l'un l'autre au cours de taquineries amoureuses sans conséquences. À la même époque, Jacques prend connaissance de sa véritable histoire familiale : son père, dont on vient juste en réalité d'apprendre la mort, fut un peintre qui n'hésita pas, jadis, à délaisser femme et enfant pour répondre à l'appel des paysages exotiques. Son œuvre insolite commence à être appréciée. Deux années s'écoulent, « lac de brume d'où rien n'émerge » (chap. 1-9).

Au soir du quinzième anniversaire de Jacques, l'« oncle prodigue », le père de Camille, fait irruption, grise l'assemblée de ses fanfaronnades, mais s'échappe bien vite, appelé par une missive « qui sent le musc ». Jacques raccompagne le curé, hôte familier, qui lui parle avec une nouvelle gravité ; pour la première fois, le héros hume la « lointaine odeur venue des jours futurs » et connaît plusieurs semaines de « fièvre » adolescente, vite endiguée par les nécessités scolaires (10-17).

L'été suivant, Camille paraît attirée par la tapageuse prestance de Philippe, le « cousin de Paris ». Elle éprouve toutefois rapidement les limites de sa coquetterie : entre elle et Jacques, l'« amour véritable » se révèle, mais la « belle saison est déjà morte » (18-21).

L'année scolaire qui vient est celle de l'amitié avec un personnage tourmenté, José Ximenes, « prince taciturne » craignant toujours d'« être sa propre dupe ». La correspondance secrète entretenue avec Camille est finalement découverte ; « condamné » à aller passer trois mois à l'étranger, Jacques sent pourtant un « tumulte de joie » l'envahir (22-26). Le voici tout d'abord à Paris, maladroit encore, mais sans doute bientôt prompt à céder aux tentations, lorsque la mort de sa grand-mère le rappelle à Bordeaux. Il retrouve une nouvelle Camille, désormais « étrangère au visage mince », préoccupée de soucis bien matériels (27-29). Les deux derniers chapitres forment un épilogue nostalgique, un adieu à l'adolescence, où se multiplient les indices de clôture : fin de l'été, vente du domaine familial, mort de José Ximenes (30-31).

On trouve dans *la Robe prétexte* plusieurs éléments caractéristiques du « roman de formation » : mise à mal de l'idéalisation familiale ou amoureuse, rencontre d'« initiateurs » (l'oncle, le curé, José Ximenes), dont il conviendra aussi de se démarquer. Le dernier chapitre, où s'explicite le titre, valide cette lecture en présentant un Jacques qui croit avoir atteint l'« âge d'homme », tel un jeune Romain au moment d'abandonner la robe prétexte. À un récit jalonné de morts symboliques ou réelles, répond une écriture progressivement plus caustique, plus âpre à déceler « ce qu'a d'offensant la vulgarité des êtres, l'hostilité des visages ».

Mais des exigences de lecture exclusivement romanesques mutileraient à coup sûr l'intérêt et la portée de l'ouvrage. Comment douter en effet que l'ambition poétique, si proche encore (*les Mains jointes* parurent en 1909 et *Adieu à l'adolescence* en 1911), ne se fasse ici entendre à qui veut bien prêter attention ? Plus que la « poéticité » indéniable de certaines phrases ou images (ainsi du chapeau de Camille qui s'abat sur le sol « comme un oiseau mort »), les structures narratives elles-mêmes sollicitent cette lecture ; car se réduisent finalement à peu de chose les éléments proprement dramatiques, tels les conflits entre les personnages, ou les personnages eux-mêmes, pâles figures sans véritable consistance. La succession des épisodes s'apparente, elle, à la simple juxtaposition d'« évocations », libres de toute impérieuse nécessité narrative.

La Robe prétexte constitue, enfin, une sorte de carrefour d'influences littéraires, ponctuelles (Barrès), probables (*la *Porte étroite* de Gide), ou plus générales et avouées (*Clara d'Ellébeuse* de Francis Jammes). Mais une analyse plus fine montrerait que ces modèles sont tout autant suivis que récusés, au moins en partie, et déjà mis à distance. Ainsi de la toute dernière page, où la tentation de l'épanchement lyrique (« Ô mon enfant perdue, je reprendrai la route ») se trouve contrecarrée, ironiquement suspendue, par de prosaïques préoccupations : « Un homme d'équipe ouvrit la portière et je m'inquiétai de mes bagages. »

➤ *Œuvres romanesques et théâtrales complètes*, « Pléiade », I.

E. BALLAGUY

ROBERT. Voir ÉCOLE DES FEMMES (l'), d'A. Gide.

ROBERT MACAIRE. Voir AUBERGE DES ADRETS (l'), de B. Antier, Saint-Amant et Paulyanthe.

ROBERTE CE SOIR. Voir LOIS DE L'HOSPITALITÉ (les), de P. Klossowski.

ROBESPIERRE. Pièce en trois actes et en prose de Romain **Rolland** (1866-1944), publiée à Paris chez Albin Michel en 1939.

Le 5 avril 1794, Danton est exécuté. Robespierre et Saint-Just dénoncent les nouveaux riches : répartissons, disent-ils, leurs biens pour dispenser le bonheur au peuple. De fait, celui-ci songe davantage à retirer des profits de la Révolution qu'à l'affermir. Minée par la corruption, la nation ne croit plus en rien. Après avoir, en vain, tenté de s'allier à Robespierre, Fouché fomente un complot contre celui qu'il présente, alors, comme un futur dictateur (Acte I). Le 8 juin, Paris fête l'Être suprême sous les yeux enivrés de Robespierre. Les membres du Comité de salut public se saisissent de ce prétexte pour le mettre en accusation : en restaurant le culte d'un principe religieux, Robespierre aurait trahi la Révolution. Saint-Just déplore l'isolement moral dont souffre son ami ; mais lui-même tend à se figer dans son intransigeance. Pour lui, la Convention se déprave, le Comité se déshonore, et il n'envisage de salut que dans une dictature, que Robespierre rejette avec énergie (Acte II). La veille du 9 thermidor, Fouché s'assure de la neutralité du « Marais » et de la complicité des espions à la solde de l'ennemi. Cependant, aux Jacobins, Robespierre prononce son ultime discours et en appelle au peuple pour que soient châtiés les traîtres. À la Convention, le 9 thermidor, le Comité censure son rapporteur, Saint-Just, et accuse Robespierre de vouloir la perte de l'Assemblée. Arrêtés sans possibilité de se défendre, déclarés hors la loi après que leurs amis leur ont ouvert les portes de la prison, Robespierre et Saint-Just sont guillotinés – et la Révolution est perdue (Acte III).

Robespierre représente le point culminant de la série de drames consacrés à la geste révolutionnaire par Romain Rolland (voir le *Quatorze-Juillet*). Le but avoué de l'auteur consiste à mettre en évidence la fatalité de l'usure historique frappant toute révolution. Rolland écrit sa dernière pièce en 1938, à une époque où le pouvoir soviétique exerce une répression inique : ce sont les fameux procès de Moscou. En lutte contre les fascismes et contre toute forme de réaction obscurantiste, Rolland n'ignore pas la fragilité des démocraties ; il aurait, d'autre part, voulu voir se réaliser un authentique communisme en URSS. Ainsi, son *Robespierre* répond à une double intention : représenter le « sommet de la courbe » de la Révolution ; conduire le lecteur à s'interroger sur les fondements d'une éthique révolutionnaire. En effet, du 5 avril au 28 juillet 1794, Rol-

land condense les ultimes instants de la grande Révolution française, dont le peuple a été spolié par les accapareurs de biens publics, ancêtres du grand capital. Dans ce soubresaut de l'Histoire, il réhabilite Robespierre, sensible à l'amitié et, en rousseauiste convaincu, touché par le spectacle de la nature. Ainsi l'Incorruptible, dont on ne retient d'habitude que l'intransigeance ou l'acharnement à organiser et à perpétuer la Terreur, se retrouve-t-il humanisé par un auteur soucieux de respecter la « vérité » morale de ses personnages. Certes, Rolland semble admettre, par la voix des modérés, que Robespierre, usé par les services rendus à la nation, malade de surcroît, et Saint-Just se drapent dans un orgueil qu'ils finissent par préférer à tout. Mais il est clair que, pour l'auteur, ils continuent de représenter l'idéal de 1789. Ils ont voulu réaliser le bonheur du peuple en dépit de lui-même et des démagogues qui flattèrent son goût des jouissances matérielles immédiates. La Révolution sombre non tant à cause de ses débordements sanguinaires que par la faute des puissances obscures de la réaction dont Fouché incarne la figure emblématique, l'agent pernicieux par excellence. Ainsi, le message s'oriente vers la dénonciation, claire, des « traîtres » à la patrie. Cependant, le réalisme de l'intrigue bloque le processus de symbolisation qui transfigurerait la chronique, comme dans les drames historiques de Shakespeare, fort apprécié par Rolland. À une époque où s'imposait un renouvellement de la dramaturgie, *Robespierre* semble beaucoup trop ancré dans une période précise de notre histoire nationale pour avoir une portée véritablement exemplaire.

V. ANGLARD

ROBUR LE CONQUÉRANT. Roman de Jules **Verne** (1828-1905), publié à Paris en feuilleton dans *le Journal des débats* du 29 juin au 18 août 1886, et en volume chez Hetzel la même année. Une suite, intitulée *Maître du monde*, fut publiée à Paris dans *le Magasin d'éducation et de récréation* du 1er juillet au 15 décembre 1904, et en volume chez Hetzel la même année.

Par bien des aspects, les aventures de Robur pourraient apparaître, par les moyens qu'elles mettent en œuvre et le héros qui les domine, comme le simple prolongement de *Vingt Mille Lieues sous les mers*. Mais plus encore que dans la geste de Nemo, la science prend ici un visage équivoque, en fondant des valeurs qui divisent les hommes et en se mettant au service de la volonté de puissance. Celle-ci, déjà éclatante dans le premier titre, *Robur le Conquérant*, triomphe totalement dans le second, *Maître du monde*, qui, dix-huit ans plus tard, en aggrave la connotation de démesure.

Robur le Conquérant. Des phénomènes étranges étonnent l'opinion : on a entendu une trompette dans le ciel, aperçu de mystérieuses lueurs dans les nues, observé un curieux bolide survolant la Scandinavie. Un pavillon noir est découvert au sommet de plusieurs édifices célèbres et dans des lieux réputés inaccessibles. Pendant ce temps, le Weldon Institute de Philadelphie, dirigé par son président, Uncle Prudent, et son secrétaire, Phil Evans, fameux industriels et rivaux de toujours, projette de construire un ballon dirigeable de dimensions extraordinaires : le Go Ahead. L'assemblée est troublée par les propos d'un ingénieur inconnu, Robur, qui dénonce l'absurdité de cette entreprise : selon lui, les engins plus lourds que l'air devraient supplanter les ballons, incapables de braver la colère des éléments. Il échappe de peu à la fureur des « ballonistes », irrités par cette provocation. Peu après, Phil Evans, Uncle Prudent et son valet noir, Frycollin, « poltron comme la lune », sont enlevés (chap. 1-4). Les trois malheureux se retrouvent prisonniers de Robur, sur un prodigieux vaisseau volant : l'Albatros. Utilisant l'inépuisable puissance de l'électricité pour mouvoir une forêt d'hélices suspensives et propulsives, Robur a construit un aéronef capable de se déplacer avec la plus grande agilité dans toutes les dimensions de l'espace. Pour confondre les partisans du plus léger que l'air, l'Albatros entreprend un tour du monde aérien. Aucune tentative d'évasion ne peut soustraire ses passagers involontaires à cette expérience (5-10). Malgré tous les obstacles, rien ne semble pouvoir inquiéter l'extraordinaire appareil de Robur. Uncle Prudent et Phil Evans profitent du survol de Paris pour jeter un message expliquant leur disparition. Leur hôte, cependant, montre une certaine humanité : il secourt des pauvres gens promis à un affreux sacrifice en l'honneur d'un roi du Dahomey et des naufragés perdus dans l'Atlantique. Un ouragan l'oblige toutefois à faire halte dans l'île Chatam pour réparer des avaries. Robur compte regagner ensuite l'île X, son repaire, au milieu du Pacifique. Mais ses prisonniers saisissent l'occasion pour s'évader, après avoir saboté l'*Albatros* (11-15). L'engin et son équipage sont précipités dans l'océan. Recueillis par des sauvages, Phil Evans et Uncle Prudent rejoignent Philadelphie. Ils achèvent le *Go Ahead* et lui font faire sa première ascension. C'est alors que l'*Albatros* resurgit. Robur a échappé à la mort et a pu reconstruire sa machine. En voulant lui échapper, les aérostiers font éclater leur ballon. Mais au lieu de se venger, leur adversaire les sauve et leur rend la liberté. Il disparaît alors, jugeant avoir clairement prouvé la supériorité de son invention, mais persuadé qu'elle représente un progrès que le monde n'est pas prêt à recevoir (16-18).

Maître du monde. Le Great Eyry n'est qu'un médiocre sommet de la chaîne des Appalaches. Ce n'est pas un volcan. Pourtant il commence à émettre des grondements et des flammes. Le policier Strock ne peut expliquer ce phénomène, pas plus que les apparitions d'un mystérieux véhicule amphibie, aussi perfectionné qu'insaisissable. Les gouvernements offrent des fortunes à l'inventeur inconnu de cette fantastique machine. Mais il rejette ces propositions dans une lettre méprisante, signée « Maître du monde » (chap. 1-9). En voulant surprendre l'énigmatique personnage, Strock se retrouve prisonnier à bord de son appareil. C'est le fameux Robur, déjà célèbre en Amérique, qui, après l'avoir créé, s'en sert pour prouver à tous la supériorité de son génie. De fait, il brave impunément toutes les lois : son *Épouvante* est non seulement une automobile ou un navire assez rapide pour ridiculiser tout poursuivant, mais elle peut, à l'occasion, se transformer en sous-marin ou en avion, disposant dans les entrailles creuses du Great Eyry d'une base inexpugnable. Seule la folie de Robur le conduit à la catastrophe : décidant de voler au milieu d'une terrible tempête, il périt foudroyé avec son engin. Strock est le seul survivant du désastre (10-28).

Entre les deux romans, le héros a subi une transformation importante, mais non radicale. Le premier Robur souffre simplement des défauts inhérents à tout génie exceptionnel : un orgueil évident et une intransigeance totale vis-à-vis des principes de son idéal. Mais la rigidité du personnage ne va pas jusqu'à étouffer toute sagesse ni toute humanité en lui. La force qu'il utilise contre Uncle Prudent et Phil Evans est largement justifiée par la haine qu'ils lui portent. Elle est, de plus, tout à fait rachetée par sa conduite généreuse, à la fin du récit. L'énigmatique personnage garde une dimension édifiante et sympathique, capable de servir les causes qui l'occupent dans un sens favorable au bonheur de l'humanité. L'inquiétant démiurge qui, après avoir terrorisé l'humanité et bravé la nature aux commandes de son *Épouvante*, défie Dieu lui-même, n'a certes plus ce visage rassurant. Mais sa mégalomanie n'est-elle pas virtuellement enracinée dans la passion dont lui et ses contradicteurs enflamment dès le début le débat scientifique ?

De fait, dès *Robur le Conquérant*, on perçoit une satire particulièrement vive des préjugés et des obscurantismes que la vérité scientifique peut, paradoxalement, susciter. Uncle Prudent, dont le simple nom symbolise le pire conformisme, et Phil Evans incarnent tous ces travers. Les passions mesquines qui les animent se retrouvent dans tous les aspects du Weldon Institute. À l'image du moyen qui les a départagés pour l'élection à la présidence, une aiguille que chacun devait planter sur une ligne pour en figurer le milieu : « Un écart de trois quinze centièmes de millimètre, il n'en fallut pas plus pour que Phil Evans vouât à Uncle Prudent une de ces haines qui, pour être latentes, n'en sont pas moins féroces. » On ne finit pas d'énumérer les preuves du véritable fanatisme religieux qui caractérise leurs semblables et les englue dans d'absurdes et vaines polémiques, comme celle qui les oppose à propos de la position de l'hélice dont sera muni le *Go Ahead*. Verne y déploie un humour qui rappelle les *Voyages de Gulliver* de Swift, où l'on voit s'affronter de doctes

personnages pour savoir s'il faut manger les œufs par le gros ou le petit bout.

L'orgueil que la science inspire à Robur n'est guère plus positif. L'arrogance provocatrice dont il use face aux membres du Weldon Institute n'est pas faite pour les convaincre, mais pour les mépriser. Quant à sa prétention de vivre et d'agir au-dessus des lois et des nations, elle n'est pas plus éclairée que la fureur de ses adversaires. Il peut même se montrer d'une brutalité révoltante avec ses prisonniers, n'hésitant pas à suspendre Frycollin sous l'*Albatros*, au bout d'une corde, sous le simple prétexte de ne plus entendre ses plaintes. Toutefois, en ne reculant devant aucun moyen, pas même le meurtre, pour faire triompher leur cause, les « ballonistes » se montrent bien pires que Robur, sorte de Titan égaré parmi des Lilliputiens veules et médiocres.

En réalité, en se chargeant de réflexions morales, le roman déborde les limites de la fiction scientifique. La vraie anticipation ne porte pas tellement sur la description d'étonnantes machines ou de découvertes prophétiques. Celles-ci sont au contraire plus ou moins démystifiées, inscrites dans la fatalité inexorable et presque routinière du progrès : « Robur, c'est la science future, celle de demain peut-être. C'est la réserve certaine de l'avenir. » La question essentielle concerne les conséquences de ces conquêtes, leur pouvoir de « modifier les conditions sociales et politiques du monde ». Qu'attendre de bon d'une civilisation où le savoir pragmatique et rationnel de l'ingénieur, loin d'unir les hommes, leur fournit sans cesse de nouveaux motifs d'affrontements, d'autant plus violents qu'ils s'appuient sur des certitudes encore plus inébranlables que les dogmes des anciennes religions ? Le premier roman commence par un duel ridicule entre un Anglais et un Américain, au sujet du morceau de trompette entendu dans les airs : pour l'un, il s'agissait du *Rule Britannia*, pour l'autre du *Yankee Doodle*. Le second récit s'achève en apocalypse, ruinant définitivement toute illusion scientiste.

Maître du monde transforme d'abord le romantique vaisseau des airs l'*Albatros* en véhicule hybride, capable de se mouvoir sur terre, dans le ciel et à travers les eaux, l'*Épouvante*. Il n'est plus question, en réalisant un tel monstre mécanique, de résoudre logiquement un problème pratique de la locomotion humaine, mais de proclamer, jusqu'à l'excès, la souveraineté faustienne de son créateur sur toutes les forces cosmiques. Robur lui-même n'est plus qu'un fou, soucieux de pouvoir impunément enfreindre toutes les lois humaines et naturelles. Il rejoint ainsi l'inquiétante cohorte des déments de la science qui habitent volontiers les dernières œuvres du pessimisme vernien, tels Schultze, le triste personnage des **Cinq Cents Millions de la bégum*, ou Thomas Roch, l'inventeur mégalomane de *Face au drapeau*. Perdant de vue le vrai motif de sa recherche, le savant ne tente plus seulement de comprendre la nature et de la domestiquer : il cède au délire d'une gesticulation, d'un histrionisme destinés à faire croire à son pouvoir démiurgique. Robur, comme Thomas Roch, camoufle son repaire en volcan. Il ne lui suffit plus de faire connaître ses prodiges comme les œuvres d'un homme. Il veut également faire croire qu'il commande à la foudre, aux ondes et aux nuées.

➤ *Œuvres*, Éd. Rencontre, XVI ; *id.*, « Le Livre de Poche », X.

D. GIOVACCHINI

ROCAMBOLE. Série de romans de Pierre Alexis, vicomte **Ponson du Terrail** (1829-1871), publiés en feuilleton dans *la Patrie*, puis dans *le Petit Journal* et *la Petite Presse*, de 1857 à 1870. Regroupées sous le titre *les Drames de Paris*, les aventures de Rocambole comportent sept épisodes : *l'Héritage mystérieux* (1857), *les Exploits de Rocambole*

Rimbaud

« Arthur Rimbaud », 1973. Pochoir par Sonia Delaunay (1885-1979),
pour *les Illuminations*, Paris, Jacques Damase, 1973.

Musée national d'Art moderne - Centre Georges-Pompidou, Paris. Ph. © MNAM-
Centre Georges Pompidou © ADAGP, Paris, 1994.

L'« éternité » de Rimbaud, elle est peut-
être « retrouvée », un instant, dans
l'insolence d'un héros de Godard ou les
couleurs d'un peintre moderne — lui qui
avait su « dire » celles des voyelles.
Rencontre fortuite : derrière ce qui est
très vite devenu le « mythe » d'Arthur
Rimbaud (1854-1891) survit le goût de
l'aventure de l'extrême jeunesse — qu'il
exprime dans la revendication d'une
poétique nouvelle par un obscur
adolescent, ou dans le destin d'un
marchand d'armes raté laissant derrière
lui, avec l'« Europe aux anciens
parapets », son vieux rêve de devenir
« voleur de feu ». Pourtant, le poète
inconnu qui s'enfonce dans le silence à
vingt et un ans avait bien, au terme d'un

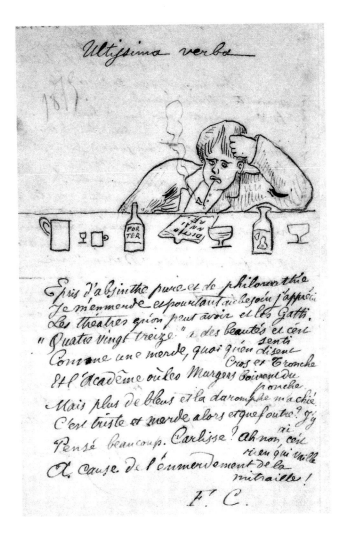

long et sans doute douloureux
« dérèglement », d'une méthodique
« Alchimie du verbe », réussi à forger la
langue « inouïe » réclamée par les
« inventions d'inconnu » : conscient
aussi d'avoir approché l'enfer de la folie,
le vertige de découvrir « l'autre » en soi,
et abandonnant, pour seule trace de son
passage fulgurant, une poignée de
poèmes, vers ou proses, à lire
« littéralement et dans tous les sens »,
qui défient obstinément le commentaire.

(1858), *la Revanche de Baccarat* (1859), *les Chevaliers du clair de lune* (1. *Le Manuscrit du domino* ; 2. *La Dernière Incarnation de Rocambole*, 1860 ; 3. *Le Testament de Grain de sel*, 1862). *Les Nouveaux Drames de Paris* ressuscitent Rocambole dans *le Petit Journal* à partir de 1865 : *la Résurrection de Rocambole* (1865-1866) ; puis dans *la Petite Presse* : *le Dernier Mot de Rocambole* (1866), *les Misères de Londres* (1867-1868), *les Démolitions de Paris* (1869), *Rocambole, nouvel épisode : la Corde du pendu* (1870). À ces très longues séries (de cent à deux cents feuilletons), il faut ajouter quelques épisodes séparés : *la Fiancée de Rocambole* (1866) et *les Rêves de Rocambole* (1866-1867), dans *le Voleur illustré*. Les romans sont ensuite publiés en livraisons illustrées chez Charlieu et Huillery et chez Dentu.

Cette série d'aventures, située dans le cadre du monde moderne, et qui fut sans doute le succès populaire le plus éclatant du second Empire, est loin de constituer l'ensemble de la production de son auteur. Ponson du Terrail, l'un des auteurs les plus lus et les plus vilipendés de son temps, écrivit, entre 1850 et 1871, plus de dix mille pages, soit 84 romans, sans nègre et sans secrétaire, romans qu'il publia dans de très nombreux journaux, quotidiens et journaux-romans (il contribua en particulier au succès de la presse populaire à un sou, dans les années 1860). Cette production comporte de nombreux romans à cadre historique, qui valurent à Ponson du Terrail l'appellation d'« Alexandre Dumas des Batignolles », et des romans de mœurs qui le firent comparer à Balzac, quoiqu'il n'ait l'envergure ni de l'un ni de l'autre. Ses qualités sont ailleurs : dans l'art de la sensation pour la sensation, dans la vitesse événementielle accélérée, dans l'utilisation des lieux communs puisés dans la tradition romanesque moderne, mais « déshistorisés », en partie « désidéologisés », même transformés en simple cartes d'un jeu que *Fantômas* portera à ses ultimes limites, et qui fascinera les surréalistes.

Dans l'**Héritage mystérieux**, premier roman de la série, Rocambole ne joue encore qu'un rôle très secondaire. Il s'agit essentiellement de la lutte entre deux frères ennemis, le vicomte Armand de Kergaz, héros du bien, et son demi-frère Andréa, héros du mal, aidé par la courtisane Baccarat. Andréa cherche à s'approprier un héritage, spoliant et persécutant dans ce but trois couples innocents. Mais Armand réussit à renverser ses plans, et l'aventure se termine par le mariage des trois couples et le repentir de Baccarat. Nous retrouvons les mêmes personnages, quatre ans plus tard dans **le Club des valets de cœur**. Andréa a réussi à capter la confiance d'Armand par un faux repentir. Celui-ci lui donne la direction de la police secrète qu'il a fondée dans le but d'aider les malheureux et de lutter contre l'association criminelle du « Club des valets de cœur ». Or Andréa est justement le chef de cette association et Rocambole, son lieutenant. Aidé de la courtisane Turquoise, il cherche obstinément à récupérer l'héritage qui lui a échappé, quatre ans auparavant, en détruisant les couples qu'il n'avait pu alors empêcher de se former. Il est vaincu dans cette lutte par Baccarat, passée au service du bien et qui s'était toujours méfiée de lui. Andréa est finalement défiguré et embarqué à destination d'une peuplade cannibale. Baccarat épouse le comte Artoff. Rocambole s'enfuit.

Quatre ans plus tard, il revient de Londres, transformé en dandy (ou « gandin », selon les termes de l'époque), dans **les Exploits de Rocambole**, continués par **la Revanche de Baccarat**. Il vole les papiers et le nom du marquis de Chamery, qu'il a abandonné sur une île déserte au cours d'un naufrage, et intrigue pour épouser Conception de Sallandrera, la fille d'un Grand d'Espagne, aidé par Andréa, qu'il a retrouvé dans une foire, sous les traits du chef cannibale O'Penny. Sur le point d'arriver à ses fins, après de nombreux crimes, il supprime Andréa. Mais Baccarat, qui n'a cessé de lutter contre lui, réussit à le démasquer au dernier moment, et à faire épouser à Conception le vrai marquis de Chamery, qu'elle a retrouvé. Rocambole est vitriolé et envoyé au bagne.

Les Chevaliers du clair de lune, qui eurent peu de succès, introduisent cependant dans la série la mutation fondamentale qui va gouverner l'ensemble des épisodes suivants : Rocambole, repenti, revient du bagne pour aider au triomphe du bien. En l'occurrence, il s'improvise le chef d'une association de quatre aristocrates au service du bien, les « Chevaliers du clair de lune », et aide Danièle de Morfontaine, une jeune héritière spoliée de son héritage au berceau, par ses trois

oncles, à retrouver son bien. Pour cela, il n'hésite pas à employer les moyens les plus criminels, chantage, torture, et abuse sans scrupules de ses pouvoirs de médecin et de magnétiseur.

Ces traits se retrouveront dans l'ensemble de la série des **Nouveaux Drames de Paris**. La **Résurrection de Rocambole** donne cependant une version différente du repentir de Rocambole. Celui-ci n'est plus défiguré ; il est devenu, au bagne, le chef des criminels repentis, qui lui sont aveuglément dévoués, et a pour assistante une baronne polonaise, Vanda, qui lui est passionnément soumise, de même que Milon, une refonte du Chourineur (voir *les* *Mystères de Paris*), qu'il a sauvé au dernier moment de la guillotine. Ces personnages se retrouveront dans l'ensemble de la série. Aidé de ses fidèles seconds, Rocambole traque les voleurs d'héritage, protège les jeunes filles persécutées, punit les méchants, avec un raffinement d'invention assez stupéfiant dans la cruauté. **Le Dernier Mot de Rocambole** ajoute une note d'exotisme, en faisant lutter Rocambole contre la secte des Thuggs, étrangleurs de l'Inde, fort à la mode dans les années 1860, et bien sûr alliée aux voleurs d'héritage. De plus en plus, dans cette nouvelle série, le vol d'enfant double, voire remplace, le vol d'héritage, comme motif initial du déséquilibre. Ainsi en est-il en particulier dans **les Misères de Londres** et les deux épisodes suivants, où Rocambole se trouve du côté des indépendantistes irlandais, en lutte contre la « secte » anglicane, tout aussi redoutable que celle des Thuggs. À chaque épisode, depuis *les Chevaliers du clair de lune*, Rocambole est cru mort, pour ressurgir à chaque fois plein de vigueur.

La mort seule de Ponson du Terrail interrompit la geste de Rocambole, qui n'a donc pas de fin (le dernier épisode, interrompu par la guerre de 1870, restera inachevé), et ne peut du reste en avoir, puisque le destin de Rocambole est clos dès le début des *Chevaliers du clair de lune*. Celui qui revient du bagne revient de la mort, investi de pouvoirs héroïques, surnaturels, divins. Il n'a plus d'histoire personnelle, il n'a plus que celles des autres, par nature infinies. La série ne peut que rester ouverte. Avec *Rocambole* s'inaugure donc un nouveau type de roman-feuilleton, qui fonde une lignée dans laquelle on peut situer aussi bien *Fantômas* que *Superman*. Quoique Ponson du Terrail ait explicitement donné comme ses modèles Balzac, Sue, Soulié et Dumas – auquel un intertexte abondant renvoie d'ailleurs dans son œuvre –, les caractéristiques structurelles et stylistiques de son œuvre sont bien différentes de celles de ces prédécesseurs.

Ces différences tiennent d'abord à la nature même du héros et à son rapport à l'intrigue. Avec les premiers *Rocambole*, Ponson a testé, sur lui-même et sur son public, en les mettant en œuvre successivement, diverses solutions. Les premiers romans reposent sur une ambivalence externe absolue : le bon et l'innocent, Armand de Kergaz, contre le méchant, Andréa. Mais le héros entièrement bon, entièrement pur, n'arrive pas à prendre corps dans le roman. Il est sans puissance réelle et sans séduction. Il faut l'intervention de Baccarat, courtisane repentie, qui devient la véritable adversaire d'Andréa, puis de Rocambole, pour que la lutte se fasse à armes égales. Ponson a retrouvé une loi du roman populaire romantique : pas d'ambivalence externe sans ambivalence interne, pas de héros du bien qui ne soit passé par le mal. Ce qui amènera très logiquement Ponson à faire de Rocambole, devenu son héros, un méchant repenti, démon aspirant à redevenir archange.

Cette intervention du repentir, entraînant des changements importants dans l'intrigue, est fréquente dans *Rocambole* : repentir de Baccarat, repentir de Rocambole, mais aussi, à leur suite, repentir d'innombrables courtisanes, repentir de méchants parvenus au seuil de la mort, et tentant alors de réparer leurs forfaits passés. Certes il s'agit d'une cheville facile, amenant des révélations opportunes, et des coups de théâtre appréciés. Mais c'est aussi un motif nouveau par rapport au roman-feuilleton précédent : il a son origine dans le mélodrame, mais ni Dumas ni Sue ne l'utilisent de manière significative. Son caractère obsessionnel dans l'œuvre de Ponson nous semble traduire le conservatisme social d'une époque dominée par une pratique sulpicienne de la religion.

D'autres traits distinguent nettement la série des *Rocambole* de ses modèles antérieurs. C'est tout d'abord la parfaite équivalence qui s'établit entre le clan du bien et le clan du mal, à travers les motifs qui les dessinent. Elle était déjà en germe chez Dumas, Sue ou Soulié. Mais elle se donne à nous, dans *Rocambole*, sous forme d'épure. L'énergie est également partagée entre les héros du bien et ceux du mal, entre les hommes et les femmes. Elle caractérise Rocambole et Baccarat, à tous les stades de leur existence, mais aussi bien Vanda que Wasilika, Karle de Morlux, un méchant qui meurt dans l'impénitence, que Madeleine, la jeune fille qu'il convoite et persécute. La cruauté leur est également commune. Rocambole est souvent décrit comme un homme d'une « énergie cruelle et sauvage ». Cette cruauté se déploie en scènes fantasmatiques, hallucinantes, longuement décrites, et précisément visualisées, dont on ne retrouve d'équivalent, antérieurement, que dans le roman frénétique (qui inspire encore parfois Sue) et chez Sade. On sait combien la fin du siècle s'en délectera (voir par exemple *le *Jardin des supplices* de Mirbeau), ainsi que, par la suite, *Fantômas*. Il faut souligner que cette cruauté est indifféremment exercée par les « bons » et les « méchants », quoiqu'un personnage fasse judicieusement remarquer que seules les passions mauvaises excitent réellement l'imagination. Cette indistinction ultime du bien et du mal, dans leurs moyens, sinon dans leurs fins, a pour conséquence d'installer le lecteur dans une indifférence relative quant aux valeurs. Non pas que celles-ci soient absentes du roman, mais elles sont prises dans un jeu où l'attribution du rôle du « bon » et de celui du « méchant » semble être une simple affaire de « règle du jeu ». D'où l'irréalisme foncier, et affiché, de la série.

Cet irréalisme privilégie le fonctionnement du principe de plaisir. Aussi le roman se donne-t-il pour but de multiplier et de renouveler sans cesse les sensations et les émotions (« Il y a dans le *bien* des émotions que je n'ai jamais connues quand j'étais le génie du *mal* », constate avec satisfaction Rocambole), utilisant pour cela sans vergogne une rhétorique grandiloquente et expressionniste, souvent insupportable, mais qui aboutit parfois à des formules d'une poésie saisissante, et déployant un délire événementiel dont seul *Fantômas* retrouvera la formule. « Il n'y a chez lui qu'un culte, celui des noms, qu'un amour, celui des mots, qu'un principe, l'épilepsie ! – Tous ses personnages sont épileptiques », remarquait non sans justesse un critique de l'époque, Émile Faure. Certes le déploiement fantasmatique et le jeu des émotions sont propres à l'ensemble du roman populaire, mais rarement ils atteignent l'intensité qu'ils ont chez Ponson.

Le but du jeu est toujours le même (autre différence avec ses prédécesseurs : *Rocambole* vit de la répétition, dans ses différents épisodes, alors qu'un roman de Dumas ou de Sue, tant qu'un même héros est concerné, est bâti sur une progression). Les méchants veulent conquérir un nom et un héritage, parfois aussi une femme, qui ne leur reviennent pas légitimement, ils cherchent à se donner une identité qui leur manque. Pour cela ils en dépouillent les possesseurs légitimes. Rocambole intervient pour restaurer ceux-ci dans leur nom et leur fortune, leur position sociale, et punir les coupables. Il restaure donc l'ordre et la légitimité. Toutefois à la différence des héros romantiques, ses prédécesseurs, son intervention est toute désintéressée. Son histoire est finie quand commence celle des autres. Il ne restaure inlassablement les identités et les héritages que parce que lui-même n'a ni identité ni héritage. Il tire son pouvoir de sa radicale asociailté et anhistoricité. Le prince Rodolphe de Gerolstein (voir les **Mystères de Paris*) avait une identité superlative, une richesse territoriale. Monte-Cristo avait conquis un nom et un trésor, et sous Monte-Cristo il y a encore Edmond Dantès. Rocambole, lui, ne réussit jamais à conquérir une identité stable. Vicomte de Cambohl, marquis de Chamery, ces

noms lui sont successivement refusés. Le nom qu'il se choisit au sortir du bagne, le major Avatar (présumé, de surcroît, russo-indien), désigne le renoncement même à tout nom propre. Le nom « Rocambole » lui-même n'est qu'un surnom : enfant adopté, Rocambole n'a jamais eu d'identité. De père et de mère inconnus, il tua sa mère adoptive et son père spirituel. Il n'a ni femme ni famille. Il n'a pas de fortune propre non plus : sa fortune est le trésor du bagne. Enfin il n'a pas de visage propre : vitriolé à la fin des *Exploits de Rocambole*, il renaît dans *la Résurrection de Rocambole* avec un autre visage. Il est l'« homme aux noms et aux visages multiples ». C'est de ce renoncement, de cette absence, de cette négativité qu'il tire son pouvoir. Aussi y a-t-il une hétéronomie absolue de la société projetée par ce roman : les identités et les héritages s'y volent sans difficultés, et seul un héros hors société et hors Histoire, sans légitimité aucune lui-même, parvient à y restaurer l'ordre. On ne peut s'empêcher de voir cette image fonctionner comme un modèle imaginaire que se donne la société du second Empire, qui fit une telle fête à Rocambole.

● *L'Héritage mystérieux*, Éd. Complexe, 2 vol., 1991 (préf. L. Thoorens) ; *Rocambole*, « Bouquins », 2 vol., 1992 (p.p. R. Bazin).

L. QUEFFÉLEC

RÔDEUR (le). Récit de Pierre **Herbart** (1904-1974), publié à Paris chez Gallimard en 1930.

Secrétaire d'André Gide, ami de Cocteau, de Roger Martin du Gard et de Louis Guilloux, Pierre Herbart fut un grand voyageur qui se fit connaître par ses reportages en Espagne pour *l'Humanité*. Directeur de *la Revue internationale* à Moscou, il fut aussi un résistant de la première heure, connu sous le nom de « général Le Vigan », avant d'entrer en 1945 au journal *Combat* et de créer à la fin de septembre de la même année, l'éphémère mais prestigieux hebdomadaire *Terre des hommes*. Le *Rôdeur* est sa première œuvre de fiction.

Première partie. « Cahier de Serge ». Serge, homme seul et désespéré, décide d'aller trouver refuge dans un hameau près de Grasse. Là, il s'installe comme locataire dans un café qui fait office de pension. Il rencontre un personnage énigmatique, Angelo, ancien matelot qui se déclare, aux yeux de tous, l'ami et le défenseur de Serge. Ils se saoulent ensemble ; Angelo nargue Serge, qui tente d'étrangler son compagnon. Ce dernier, qui a promis à Serge une surprise, est retrouvé pendu dans sa chambre le soir même, au grand désespoir de Serge : « Angelo s'est tué pour me démoraliser, par méchanceté. »
Seconde partie. « Le Rôdeur ». À Toulon, la vie de Serge se partage entre Jojo, un jeune marin déserteur, Loulou, une prostituée, et Jean, un délinquant. Loulou est amoureuse de Serge qui n'éprouve pour elle que de la compassion, et reste prisonnier de ses souvenirs : la Russie ou Katia, son ancienne amie... Un soir, Jojo s'installe chez lui ; Serge devient son dieu. Pour lui prouver sa force, Jojo assassine un vieillard, avant de se poignarder. Jean, qui découvre le cadavre de Jojo, veut tuer Serge, qui le persuade de tout oublier. Rendu à sa solitude, Serge se promet de se suicider à son tour ; mais il se laisse vendre un billet de bateau pour la Corse et quitte Toulon.

« J'écris ces lignes par faiblesse. Si j'étais fort, je n'écrirais pas. Je dompterais la vie, je serais le maître de mes désirs et de ceux des autres. » Ainsi commence *le Rôdeur*, sous la plume de Serge, double de Pierre Herbart. Cet aveu d'humilité est à l'image de l'ensemble de ce récit glacé. Le « je » en est le point central, le forum absolu, mais ce « je » est sans cesse altéré : Serge est toujours en proie à un insoutenable malaise physique, à tel point qu'Angelo prétend le guérir de ses « nerfs malades ». « Mourir, mourir, mourir », répète-t-il à l'envi. Parfois cependant la paralysie de ses membres et la terrible lassitude qui s'abat sur lui au milieu d'un monde qu'il imagine hostile, transforment ce malaise en une sorte de jouissance : « J'aurais voulu les martyriser, les tuer après de longues souffrances, brûler leur maison, empoisonner leur bétail. » Jamais dupe de lui-même, Serge reste à l'affût du détail qui doit pouvoir le discréditer aux yeux du lecteur. La rédaction du « cahier » qui compose la première partie du récit ne lui est d'aucun secours, car pour lui l'écriture n'est qu'un symptôme et une sinistre comédie. Sans doute le récit prend-il l'allure d'un lamento généralisé ; la théâtralisation de la douleur empreint cependant chaque geste d'une suprême ironie. Mais les réflexions de la première partie laissent bientôt place à l'action proprement dite, au crime et au suicide. Toujours « prêt à une bassesse », Serge est sous la plume d'Herbart à la fois un saint (« La détresse l'isole du monde comme l'éther nous défend des étoiles ») et un ange exterminateur : « Encore un que j'aurais pu détruire », constate-t-il avec soulagement après avoir laissé partir Jean. Dans cette fable onirique, les accès de révolte succèdent à la résignation, le sentiment d'être aliéné rivalise avec le narcissisme le plus clairvoyant. Livre des excès et des contradictions, de la camaraderie virile et des amitiés masculines ambiguës, le *Rôdeur* aboutit à une glorification du crime (« absent de son crime, innocent de toute la terre », tel apparaît Jojo quelques minutes après son meurtre), qui l'inscrit dans la veine des romans de Genet – un Genet qui ne livrerait pas le secret de ses personnages.

● « L'Imaginaire », 1984.

P. GOURVENNEC

RODOGUNE, princesse des Parthes. Tragédie en cinq actes et en vers de Pierre **Corneille** (1606-1684), créée à Paris au théâtre du Marais pendant l'hiver 1644-1645, et publiée à Rouen et à Paris chez Toussaint Quinet en 1647.

Après la parenthèse que constitue le *Menteur* (et la *Suite du Menteur*, vraisemblablement créée durant la même saison que *Rodogune*), Corneille revient à la tragédie et donne une œuvre terrible, en dépit de sa fin heureuse ; porté par une « suspension » qui suscite une tension croissante, le spectateur assiste au comble de l'horreur provoqué par un « beau monstre ». L'auteur retrouve ainsi, pour une part, l'inspiration qui avait présidé à *Médée*, sa première tragédie. *Rodogune* est imprégnée de la mythologie et du théâtre grecs : c'est sous leur influence que Corneille modifie ses sources historiques pour, finalement, donner à sa pièce une dimension religieuse. Toute tendue vers un acte V dramatique et spectaculaire, cette œuvre que Corneille affectionnait connut un succès durable.

Nicanor, roi de Syrie, a été fait prisonnier par les Parthes. Cléopâtre, sa femme, le croyant mort, a épousé son beau-frère, depuis tué au combat. Des années plus tard, Nicanor, fiancé à Rodogune, la sœur du roi des Parthes, a voulu reprendre son trône. Cléopâtre l'a tué et doit désormais désigner l'aîné de ses jumeaux, Séleucus et Antiochus, pour lui succéder ; il épousera Rodogune, ramenant ainsi la paix. Les deux frères, liés par une forte amitié, sont tous deux prêts à abandonner le trône pour obtenir Rodogune, qu'ils aiment. Mais Rodogune craint encore Cléopâtre, malgré les propos rassurants de Laonice, la confidente de la reine ; elle avoue aimer l'un des frères, sans préciser lequel (Acte I).
Cléopâtre dévoile à Laonice sa haine pour Rodogune et son désir de rester au pouvoir. Ses fils l'incitent à garder la couronne ; mais selon elle, Rodogune est indirectement responsable de la mort de leur père : ils doivent le venger, et le trône ira à celui qui tuera Rodogune. Antiochus tempère Séleucus, révolté par cette proposition (Acte II).
Laonice a averti Rodogune des desseins de Cléopâtre et lui conseille de fuir. Oronte, l'ambassadeur des Parthes, soutient l'avis contraire. Les deux fils s'en remettent à Rodogune pour le choix du roi ; elle leur demande à son tour de venger leur père : elle sera à celui qui châtiera Cléopâtre. Séleucus envisage de fuir, laissant le pouvoir et Rodogune à son frère. Ce dernier croit encore possible de ramener les deux femmes à moins de fureur (Acte III).
Rodogune avoue son amour à Antiochus et attend la décision de Cléopâtre. Antiochus annonce à sa mère que Séleucus et lui aiment Rodogune : ils ne sauraient l'assassiner. Cléopâtre menace ; Antiochus se dit prêt à mourir. Cléopâtre, arguant de l'amour maternel, lui

déclare alors qu'il est l'aîné : elle lui donne le trône et Rodogune. Antiochus se réjouit. Mais Cléopâtre, jouant un double jeu, essaie en vain d'inciter Séleucus à éliminer son frère et Rodogune. Il rejette cette proposition avec horreur, et se retire. Restée seule, la reine envisage alors de tuer ses deux fils pour mieux abattre Rodogune (Acte IV).
Dans un nouveau monologue, Cléopâtre défie le ciel : elle a fait tuer Séleucus et réserve le même sort à Rodogune et à Antiochus, qui viennent prendre de ses mains la coupe nuptiale. Elle annonce publiquement qu'elle leur remet le pouvoir et leur tend la coupe – empoisonnée. Mais on apprend la mort de Séleucus. Cléopâtre défend vainement l'hypothèse d'un suicide ; Antiochus cherche à savoir qui, de Rodogune ou de Cléopâtre, est coupable. Il s'apprête à boire, Rodogune l'arrête par crainte d'un poison. La reine boit elle-même, croyant les engager à l'imiter. Mais le poison agit trop vite et la dénonce. Elle repousse Antiochus, prêt à lui porter secours, maudit son fils et Rodogune (Acte V).

La pièce est un quatuor et repose sur tout un jeu de symétries. Les deux frères forment un duo lié par une indéfectible amitié (ils sont cependant nettement différenciés : tous deux font l'expérience du mal, mais Antiochus conserve longtemps une naïveté et une confiance qui l'opposent à Séleucus, que trop d'horreur pousse à se retirer du monde et, en l'assassinant, Cléopâtre ne fait que lui éviter un suicide possible) ; les deux femmes finissent par exiger d'eux la même terrible épreuve (comme le souligne l'évident parallélisme des actes II et III). Là s'arrête le rapprochement entre les deux personnages féminins : le chantage de la reine est un choix délibéré, celui de Rodogune est le fruit d'une situation, dont Corneille s'explique longuement dans les « Examens » de 1660 : elle agit par nécessité et « haïrait [les deux frères] s'ils lui avaient obéi ». Laonice, deux fois trompée par Cléopâtre et incapable de voir définitivement en elle une mère dénaturée, est là pour marquer la virtuosité de la reine dans le domaine du mensonge. Cléopâtre maîtrise le verbe (voir la grande scène 3 de l'acte II où elle démontre que Rodogune est responsable de la mort de Nicanor) et organise toute la mise en scène de l'acte V : c'est un dramaturge démoniaque, perdu par un poison à l'efficacité trop rapide – trahi par l'accessoiriste ! –, qui jouit de ses manœuvres, aime à se dévoiler comme à se masquer. Cléopâtre ne peut qu'être seule, isolée dans sa rage ou son exultation satanique. *Rodogune* est une pièce de monologues : monologues de Rodogune (Acte III, sc. 3), d'Antiochus (III, 6 ; IV, 2), de Cléopâtre surtout (II, 1 ; IV, 5 et 7 ; V, 1) ; monologues qui s'opposent par leur ton comme par leur sens, monologues symétriques pour mieux ménager les contrastes : les monologues d'Antiochus, à la fin de l'acte III puis quasiment au début de l'acte IV, disent sa confiance dans la « nature » et son espoir ; ceux de Cléopâtre à la fin de l'acte IV et au tout début de l'acte V sont ceux du crime. Ils soulignent la solitude de chacun des personnages, même des deux frères ; Séleucus disparaît sans en avoir prononcé, et ceux d'Antiochus soulignent leur rupture, qui intervient dès la fin de l'acte III : jusque-là, c'est ensemble qu'ils ont rencontré Cléopâtre, puis Rodogune, ensemble aussi qu'ils ont réfléchi aux issues possibles ; après le premier monologue d'Antiochus, ils ne reparaîtront plus en scène que séparés.
La solitude de Cléopâtre est radicale et voulue telle, construite sur des sentiments dévoilés dès son entrée en scène : « Je hais, je règne encor » (I, 1). La reine est tout entière dans cette passion du pouvoir combinée au désir de vengeance qui la conduit à défier les dieux : « Tombe sur moi le ciel, pourvu que je me venge ! » (V, 1). « Seconde Médée », dit l'Avertissement, elle veut entraîner ses fils dans le crime, les dénaturer – se vengeant ainsi de son époux dans sa descendance – et rompre cette amitié, qu'ils ont scellée d'un serment solennel, pour mieux les faire se perdre dans l'abandon de tout sentiment et de toute morale. Rodogune, au contraire, ne leur lance le défi du parricide que pour les voir confirmer leur vertu, la référence au père jouant ici un autre rôle. Cléopâtre a tous les accents du tyran le plus accompli : elle jouit de sa déme-

sure dans le crime, trouve sa liberté et son accomplissement dans le mal où elle atteint une sorte de sublime : « Tous ses crimes sont accompagnés d'une grandeur d'âme qui a quelque chose de si haut, qu'en même temps qu'on déteste ses actions, on admire la source dont elles partent », écrira Corneille dans son *Discours de l'utilité et des parties du poème dramatique* (voir les *Trois Discours*), comme fasciné par ce personnage effrayant mais grand, jusque dans ses imprécations et sa malédiction finales. Avec elle, c'est une voie spécifique de l'héroïsme que Corneille a voulu expérimenter. En elle, la politique se réduit à l'intérêt personnel et au narcissisme : l'État est dénaturé jusqu'à n'être plus que le lieu où peuvent s'exprimer les passions les plus élémentaires.

Face à la noirceur terrible de cette âme damnée, Rodogune et les deux fils semblent apporter la lumière. Mais incarnent-ils vraiment le plus noble visage de l'État ? Antiochus et Séleucus, qui luttent pour préserver leur innocence dans une situation où ils sont poussés au crime (la pièce résonne d'échos empruntés à la mythologie grecque : Électre pressant Oreste de tuer Clytemnestre ; Castor et Pollux, ou Atrée et Thyeste...), ne songent qu'à l'amitié et à l'amour. Leur gémellité même, cette gémellité que leur ardent désir de préserver leur amitié ne vise qu'à renforcer, est comme l'indice d'une inadaptation au pouvoir, comme s'il leur était impossible de se détacher du monde de l'enfance, passée loin de leur mère et de leur père, pour accéder à la nécessaire individualité et à la difficile solitude du souverain. D'un point de vue politique, il faut que l'un s'écarte au profit de l'autre. Or ils ne sont prêts à rompre leur gémellité, tout en préservant leur amitié, que pour vivre leur amour, non pour régner : chacun d'eux est disposé à abdiquer un pouvoir qu'il n'a pas encore. À certains égards, c'est bien plutôt Rodogune qui incarne la grandeur royale, mais Oronte est là pour lui rappeler les nécessités de la politique et l'invite à se servir de l'amour qu'on lui porte pour accéder au trône d'un pays étranger. Ainsi, la politique met la nature en péril et Cléopâtre n'est que l'image la plus radicale d'un phénomène plus général.

Elle cherche à entraîner ses fils dans la spirale du mal, mais Corneille les exempte de la tentation même de la colère : Séleucus se préfère exilé ou noble victime, Antiochus n'offre pas lui-même à sa mère la coupe fatale, contrairement aux données historiques. « La punition de cette impitoyable mère laisse un plus fort exemple, puisqu'elle devient un effet de la justice du ciel, et non pas de la vengeance des hommes ; d'autre côté Antiochus ne perd rien de la compassion et de l'amitié qu'on avait pour lui », soulignera l'auteur dans son *Discours de la tragédie* (voir les *Trois Discours*) : c'est Dieu qui intervient, frappant celle qui le défiait. Cette fin providentielle assure le pouvoir et la dignité d'Antiochus ; elle n'empêche pas Cléopâtre d'imposer sa haute figure, de s'affirmer jusque dans l'échec : celui d'une âme noire, qui reste elle-même jusqu'au paroxysme auto-destructeur, jusqu'à plonger dans la mort pour mieux y entraîner ses victimes.

● Genève, Droz, 1945 (p.p. J. Scherer). ➤ *Œuvres complètes*, « Pléiade », II.

D. MONCOND'HUY

ROI (le). Comédie en quatre actes et en prose de Gaston Arman de **Caillavet** (1869-1915), Robert Pellevé de La Motte-Ango, marquis de **Flers** (1872-1927) et Emmanuel **Arène** (1858-1908), créée à Paris au théâtre des Variétés le 24 avril 1908, et publiée à Paris dans l'*Illustration théâtrale* la même année.

Représentants de l'esprit vif-argent du Boulevard et de la Belle Époque, Flers et Caillavet, qui s'étaient déjà illustrés dans la comédie de mœurs (les *Sentiers de la vertu*,

1903 ; *Miquette et sa mère*, 1906), l'opéra bouffe (le *Sire de Vergy*, 1903), remportent un triomphe avec le *Roi* (en février 1909, on fête la 200e et, en 1921, la 800e), une comédie « aristophanesque » qui brocarde le monde interlope des politiciens de la IIIe République.

Le député socialiste Bourdier, « homme politique, grand industriel, vastes usines de conserves. Sorti du peuple », a épousé en secondes noces une ancienne « bouffeuse de manches », Marthe, jadis surnommée Youyou, devenue depuis la respectable Mme Émile Bourdier. Le député a formé le projet de marier sa fille Suzette, née d'un premier lit, avec Sernin, fils de son rival politique, le marquis de Chamarande, qui doit être prochainement honoré de la visite du roi Jean IV de Cerdagne. Fort de sa morgue nobiliaire, le marquis refuse que son fils déroge. Le mariage ne se fera pas. Fort de son argent, pour venger cet affront, Bourdier souffle au marquis sa maîtresse, Thérèse Marnix, une actrice célèbre (Acte I).
Thérèse, installée par Bourdier dans un hôtel particulier, reçoit dans un raout intime des personnalités et quelques ministres. La conversation court sur la prochaine visite du roi de Cerdagne qui jadis a eu des bontés pour Thérèse et qui souhaite la nouveau la rencontrer. Lors de l'entrevue, le roi se fait tendre. Lorsque Bourdier arrive, trop tard, il ne peut que constater son infortune. Thérèse, qui a le sens de l'à-propos et des compensations, prie alors le roi, qui accepte, d'aller chasser chez Bourdier plutôt que chez le marquis. Devant le roi, le député socialiste fond alors de gratitude (Acte II).
Préparation de la visite du roi et de son bon déroulement auquel veille aussi le policier Blond. Dans la nuit, le souverain, qui ne peut dormir, vient fumer dans le hall ; il y rencontre la maîtresse de maison ; ils font dînette ensemble puis le roi entraîne Mme Bourdier dans le boudoir (Acte III).
Le matin venu, le député constate sa deuxième infortune. Pour apaiser son courroux et éviter un incident diplomatique, le président du Conseil le nomme ministre alors que Marthe obtient de Jean IV la signature d'un traité de commerce. Quant à Suzette, elle épousera Sernin. Bourdier, deux fois cocu, mais père heureux et ministre comblé, est aux anges (Acte IV).

L'écriture de Flers et Caillavet utilise avec dextérité l'art de l'esquive dramatique. Les situations les plus scabreuses à peine provoquées sont éludées, dissoutes dans des compromissions que seule la veulerie politique peut justifier. C'est peut-être là l'ultime leçon de cette satire enjouée qui, à tout moment, baigne dans une atmosphère de sensualité épanouie. Le succès du *Roi* a ainsi probablement tenu à cette nature composite qui mêle habilement un ensemble heureux de détails, de péripéties, de boutades à l'effusion des sentiments et à la description de l'arrivisme politique. Des dialogues aux traits parfois barbelés brochent le tout et telle rosserie pourrait encore écorcher aujourd'hui, comme cette réplique de Bourdier au marquis : « Vous vous considérez, vous, comme le propriétaire de vos biens, tandis que je me considère, moi et mes descendants, comme le dépositaire des miens. Voilà pourquoi votre fortune est une fortune capitaliste, tandis que la mienne est une fortune socialiste » (I, 12).

Enfin, pour parfaire la réussite de l'ensemble, Flers et Caillavet s'appuient beaucoup sur le jeu d'acteurs chevronnés pour lesquels il leur arrive souvent de composer des rôles sur mesure (ainsi le personnage de Blond pour Max Dearly, celui de Marthe pour Ève Lavallière). Cette dernière particularité explique aussi, en partie du moins, la disparition aujourd'hui de ce théâtre de fantaisie satirique, dont le plus grand charme est de professer à l'égard des lâchetés humaines une tendresse amusée.

J.-M. THOMASSEAU

ROI DE BICÊTRE (le). Voir ILLUMINÉS (les), de G. de Nerval.

ROI DES AULNES (le). Roman de Michel **Tournier** (né en 1924), publié à Paris chez Gallimard en 1970. Prix Goncourt.

De toute l'œuvre de Tournier, ce roman est celui qui exprime le mieux l'union de la « Germanistik », héritée de sa famille et de ses études, avec sa mythologie personnelle.

I. « Écrits sinistres d'Abel Tiffauges ». Dans une sorte de journal (du 3 janvier 1938 au 4 septembre 1939), Abel Tiffauges évoque les brimades et humiliations reçues au collège Saint-Christophe et l'étrange protection dont il bénéficie de la part du fils du concierge, Nestor ; son métier de garagiste place de la Porte-des-Ternes ; ses amours malheureuses avec Rachel ; son goût pour les enfants et la fausse accusation de viol portée contre lui par la petite Martine, etc. Il laisse entendre surtout, parmi ses très nombreuses réflexions sur le monde, combien il se sent monstrueux, un « ogre » de plus en plus voué à la « phorie » [en grec, l'action de porter], détenteur d'une « force ténébreuse » qui le lie au destin du monde et lui sauve la vie par deux fois.

II. « Les Pigeons du Rhin ». Mobilisé à Nancy, il devient colombophile militaire avant d'être fait prisonnier en juin 1940.

III. « Hyperborée ». Il se retrouve au camp du Moorhof, dans une Prusse-Orientale avec laquelle il se sent d'étranges affinités, et réussit à se façonner un petit espace de liberté relative.

IV. « L'Ogre de Rominten ». À l'automne, il est transféré au service du pavillon de chasse de Göring, le Jägerhof, et devient valet de chasse du grand veneur du IIIe Reich. En avril, il demande à être affecté à la forteresse de Kaltenborn, une « napola », prytanée pour 400 adolescents de douze à dix-huit ans (les Jungmannen).

V. « L'Ogre de Kaltenborn ». Il s'occupe d'abord du ravitaillement, fréquente le laboratoire du raciologue SS Blättchen, puis devient recruteur de jeunes enfants pour la napola et, après le départ de Blättchen, maître du laboratoire. Il constate, dans ses « Écrits sinistres » dont il reprend la rédaction, que, depuis sa mobilisation, les signes les plus divers n'ont cessé de se multiplier autour de lui. Maintenant il se sent véritablement devenu ogre.

VI. « L'Astrophore ». Abel Tiffauges, hanté par le légendaire roi des Aulnes, a choisi définitivement la Prusse-Orientale. Lors de l'attaque de la forteresse de Kaltenborn par les Russes, Abel s'enfuit, portant sur ses épaules Éphraïm, un enfant juif qu'il a recueilli, et disparaît dans la vase des marécages en voyant « une étoile d'or à six branches qui tournait lentement dans le ciel noir ».

Le livre est à deux voix : celle d'un narrateur omniscient (II, III, IV), celle du héros à la première personne (I), qui finissent par alterner (V, VI), de même qu'Abel Tiffauges a deux écritures : l'une adroite, sociale et masquée ; l'autre, celle des « Écrits sinistres » (avec un jeu évident sur la polysémie de l'adjectif), « déformée par toutes les gaucheries du génie, pleine d'éclairs et de cris ». Ces deux voix tissent progressivement tout un réseau de signes de plus en plus clairs, dont le lecteur perçoit, d'abord confusément, qu'il forme un ensemble allégorique : celui-ci ne se laisse décrypter que pour mieux se crypter à un autre niveau. Tournier ne cache d'ailleurs pas son goût pour la « mise en abyme » polysémique des lectures possibles de ses mythes (voir le Vent Paraclet). Ainsi, les nombreux passages descriptifs (en France : l'affaire Weidmann, les armées, etc. ; en Allemagne : le camp de prisonniers, Göring, le nazisme, la Prusse-Orientale, etc.), les développements didactiques (sur les pigeons, les chevaux, les cerfs, l'aigle du IIIe Reich...), s'ils remplissent une fonction d'ancrage référentiel et sociologique, ont pour intérêt majeur d'être autant de signes à partir desquels Abel Tiffauges construit son parcours initiatique. Car, en définitive, seule la quête du héros (fonctionnant comme une sorte de lecture d'un destin préétabli) constitue le principe unificateur d'un ensemble aussi disparate d'aventures picaresques, de sociétés, de temps et de lieux...

Philippe de Monès montre que le roman « est à lire comme une partition musicale, écrite sur des portées de cinq lignes, mais sur lesquelles l'auteur par délicatesse n'aurait pas placé de clé ; de telle sorte que chacun puisse avoir la liberté de l'entendre à sa façon ». En 1977, dans le Vent Paraclet, Tournier confirme : « Le dessein général, l'ambition originale » vient de l'Art de la fugue de J. S. Bach où « le vieux maître pose les quatre mesures de son sujet, courte et déchirante mélodie dont la simplicité diamantine va mystérieusement s'épanouir en corne d'abondance [...]. Partant du thème phorique [...] j'ai essayé d'édifier une architecture romanesque par un déploiement

purement technique empruntant ses figures successives à une logique profonde ». Cette « phorie » naît de la légende de saint Christophe, se nourrit de l'Atlas mythologique et de l'Adam biblique (porte-femme, porte-enfant), du jeu des cavaliers avec Nestor, des mains, des cerfs phallophores, etc., jusqu'à la mort d'Abel devenu porte-enfant, porte-étoile : elle provoque l'« euphorie », transe érotique, extase. En même temps, Abel est ogre, dévorant (au sens figuré) la chair fraîche : du « Tu es un ogre » initial de Rachel, sa maîtresse, jusqu'à l'identification avec le Roi des Aulnes de Goethe, en passant par l'ogre de Rominten (Göring) et celui, plus gigantesque encore, de Rastenburg (Hitler), Abel s'accomplit au point de devenir lui-même « l'ogre de Kaltenborn », recruteur et dévoreur d'enfants pour la napola. « Monstre féerique, émergeant de la nuit des temps », « vieux comme le monde, immortel comme lui », Tiffauges se sent comme porteur d'une force ténébreuse, dans une « connivence secrète qui mêle [s]on aventure personnelle au cours des choses, et lui permet de l'incliner dans son sens ». Il a un « œil fatidique » propre « à la lecture des lignes du destin ». Le destin a pris « en charge [sa] pauvre petite destinée personnelle », le sauve de la punition (l'incendie du collège Saint-Christophe), de la prison (la guerre) et le conduit vers l'Allemagne, « pays des essences pures », et spécialement la Prusse-Orientale. Car la quête de Tiffauges est recherche d'absolu reliant l'alpha et l'oméga, au-delà des temps. C'est ainsi que l'ogre phorique découvre un atlante au pied de la forteresse de Kaltenborn et meurt en s'enfonçant dans le sol spongieux (terre et eau) comme l'homme des tourbières, le roi des Aulnes. En même temps (comme le dit Tournier sur l'Art de la fugue), « le grand art déploie sa magie et l'œuvre s'édifie par développement, stretto, réponse, inversion, contre-sujet, coda, miroir, etc. » (le Vent Paraclet). Inversion bénigne ou maligne, contresemblance, miroirs et crescendo, échos et signes, etc., tout cela démultiplie thèmes et figures, ne cesse d'interférer. Ainsi les pigeons (II) correspondent aux enfants des parties IV et V ; le Canada mythique des lectures enfantines (J. O. Curwood) devient espace de sécurité (III), mais a pour envers diabolique le « Canada » d'Auschwitz (VI), etc. « Roman quasiment initiatique, cette savante tresse de thèmes ne se laisse pas démêler en quelques lignes [...]. Il faut se perdre jusqu'à l'oubli des données raisonnables dans cette forêt foisonnante de symboles, où fleurissent le maléfice et l'innocence » (Matthieu Galey).

● « Folio », 1972 (postface Ph. de Monès).

L. ACHER

ROI DES MONTAGNES (le). Roman d'Edmond **About** (1828-1884), publié à Paris chez Hachette en 1857.

Situé dans une Grèce dominée par les puissances étrangères, ce roman d'aventures convoque l'exotisme à la mode depuis le philhellénisme du temps de Byron. Usant habilement des conventions, il campe des personnages hauts en couleur, fortement typés, et met en scène des situations à l'efficacité romanesque éprouvée : brigands, captures, pillages, combats, etc., tout en conservant un ton doucement satirique et franchement divertissant. Cela lui vaudra de figurer, tout comme l'*Homme à l'oreille cassée, parmi les ouvrages pour la jeunesse, depuis la « Bibliothèque des écoles et des familles » jusqu'à la « Bibliothèque verte ».

Le roman se présente comme la transcription du récit fait au narrateur, auteur d'une Grèce contemporaine (1854), par Hermann Schultz, voyageur hambourgeois, qui répond positivement à la question : « Est-il vrai, comme on l'a prétendu, qu'il y ait encore des brigands en Grèce ? » (chap. 1). Quinze jours prisonnier du « terrible Hadgi-Stavros », Schultz relate d'abord les circonstances de son séjour, le portrait que lui fait l'Américain John Harris de l'« effroi des gendarmes », sa rencontre avec la jeune Anglaise Mary-Ann et sa mère Mme Simons, et leur périple montagnard, qui les conduit tout droit dans la gueule du loup (2-3). « Beau vieillard », le *pallikare* gère les affaires de sa troupe, organisée comme une véritable société par actions. Il rend des comptes sur son brigandage auprès des actionnaires à l'aide de bilans et de procès-verbaux : « Je laisse parler les chiffres. L'arithmétique est plus éloquente que Démosthène » (4). Marché avec des gendarmes complices, bataille, demande de rançon, évasion manquée (5-6). Hermann pourrait être finalement délivré par John Harris qui tient en otage la fille du roi des montagnes. Mais l'Allemand sauve le roi empoisonné par l'un de ses hommes, et une révolte s'ensuit (7). Enfin libre, Hermann assiste au bal de la cour, revoit Mary-Ann, mais il n'y aura pas entre eux d'histoire d'amour. Réconcilié avec les autorités, Hadgi-Stavros brigue le ministère de la Justice (8). Les deux derniers chapitres apportent un double démenti au récit. Le premier émane d'un correspondant athénien : le roi des montagnes n'est qu'un « être fabuleux », et aucun des personnages cités n'a mis les pieds en Grèce. Le second est le fait de l'auteur qui répond à son ami athénien : « Les histoires les plus vraies ne sont pas celles qui sont arrivées » (9-10).

Le roman joue ouvertement la carte de l'invraisemblance et de la fantaisie, érigées en vérités intrinsèques d'une Grèce caricature d'elle-même : « Savez-vous ce qui nous protège contre les mécontentements de l'Europe ? », demande un gendarme à Hermann, « c'est l'invraisemblance de notre civilisation. » Rapidité des événements, vitesse du récit, rebondissements : le texte affiche tout aussi franchement son appartenance au roman d'aventures débridé, dont il assume plaisamment les codes. Jalonnant les chemins de l'imaginaire, la fiction n'a d'autre but que de plaire et d'amuser. Sa construction rigoureuse, sa montée dramatique jusqu'au dénouement échevelé, l'évocation d'une culture pétrie de passion et de violence l'élèvent cependant jusqu'aux réussites de Mérimée (voir *Carmen*, *Colomba*).

● « Bouquins », 1990 (*Aventures pour tous les temps*, p.p. F. Lacassin).

G. GENGEMBRE

ROI PÊCHEUR (le). Pièce en quatre actes et en prose de Julien **Gracq**, pseudonyme de Louis Poirier (né en 1910), publiée à Paris chez José Corti en 1948, et créée dans une mise en scène de Marcel Herrand à Paris au théâtre Montparnasse en avril 1949.

Éreinté par la critique, le spectacle fut un échec et l'amertume qu'en conçut Gracq le conduisit à écrire son vigoureux pamphlet contre l'institution littéraire, *la Littérature à l'estomac* (1950). La pièce n'a que trop rarement été reprise depuis lors (à Bruxelles en 1984, et à Lyon en 1991 dans une mise en scène de Jean-Paul Lucet).

Dans le château de Montsalvage, enfoui au plus profond de la forêt de Brumbâne, le roi Amfortas, gardien du Graal, est atteint d'une blessure qui saigne en permanence : résultat, semble-t-il, d'une transgression à laquelle sa compagne Kundry est mêlée. Tout son entourage, son escorte de chevaliers en particulier, a sombré dans une torpeur que rien ne paraît devoir secouer, à moins que ne vienne un « Très Pur » qui, remplaçant Amfortas dans sa charge accablante et régnant à son tour sur Montsalvage, entraînerait une Rédemption générale. Entre en scène Perceval, jeune chevalier de la Table ronde, claironnant à qui veut l'entendre qu'il s'est mis en quête du Graal et que rien ni personne ne l'empêchera d'atteindre son but. Le roi l'invite à séjourner au château et Kundry, succombant au charme du jeune homme, se persuade vite qu'il est bien Celui que tous attendent. Tous sauf peut-être Amfortas qui ne peut se résoudre à passer la main : il tente d'abord d'écarter Perceval du château puis, n'ayant pu y parvenir à cause de Kundry qui l'a convaincu de rester, il joue la franchise en expliquant au jeune chevalier la lourdeur de la charge qui l'attend et l'implacable responsabilité qu'il devra assumer. La cérémonie de présentation du Graal se déroule sans que se soit opérée la transmission du pouvoir : Perceval est resté silencieux avant de quitter le château.

À la fin de l'Avant-propos qu'il a écrit pour la publication de la pièce, Gracq déclare que c'est Kundry qui « porte ses couleurs » : l'affirmation n'apparaît pas surprenante, puisque cette femme constitue effectivement le personnage charnière du drame. Elle est à la fois celle qui panse inlassablement la blessure du roi – marque de son indignité – et qui souhaite la destitution de celui-ci avec sa conséquence : le grand renouvellement dont elle tente de se faire la promotrice, même s'il doit la mener à sa perte. Pour l'écrivain, l'identification est aisée avec qui, se sachant atteint et sans doute en partie responsable de la flétrissure qui frappe la communauté (« Montsalvage dit oui à sa déchéance, Montsalvage se couche dans la désertion, Montsalvage dort soûl de son abjection comme dans le jardin des Olives »), conserve néanmoins la ressource et le courage d'agir en faveur d'un sursaut qui rendra une vigueur nouvelle aux forces de vie.

C'est en fait une part essentielle de la thématique qui anime l'ensemble de son œuvre que Gracq porte ici (dans une tentative qui restera unique) à la scène au travers du grand mythe médiéval. Comme dans *le *Rivage des Syrtes*, une collectivité vit figée dans une période d'attente exténuée qui suscite quelques figures majeures : la médiatrice, le héros que son destin dépasse, et le père (Amfortas) dont la faiblesse est à la mesure de sa lucidité bienveillante : « Ce sont des hommes. Le Graal n'est pas fait pour la terre, Kundry... Le Graal est lumière, et une lumière trop vive les effraie. Ils ont besoin d'un peu de clair-obscur. À leur soleil, il faut des taches. Je suis la tache dont ils ont besoin. » Ce théâtre où les répliques sont parfois ciselées comme des aphorismes (où les mots ont peut-être la part trop belle, comme on a pu le reprocher à Gracq), n'en est pas moins porteur de toute la tension que l'écrivain a su faire sourdre de certains de ses grands textes romanesques.

● José Corti, 1992. ➤ *Œuvres complètes*, « Pléiade », I.

G. COGEZ

ROIS MAUDITS (les). Cycle romanesque de Maurice **Druon** (né en 1918), publié à Paris chez Del Duca en sept volumes : *le Roi de fer* (1955), *la Reine étranglée* (1955), *les Poisons de la couronne* (1956), *la Loi des mâles* (1957), *la Louve de France* (1959), *le Lis et le Lion* (1960), *Quand un roi perd la France* (1977).

Après *les Grandes Familles* (voir *la *Fin des hommes*), vouées à la description de la haute société française dans les années trente, Maurice Druon donna avec *les Rois maudits* une autre somme romanesque, fort différente, puisqu'elle ressortit au roman historique et fait revivre, dans le bruit et la fureur, la France du XIVᵉ siècle.

Philippe le Bel, ce « roi de fer », sous lequel « la France était grande et les Français malheureux », fait juger et exécuter les Templiers, dont le grand maître, Jacques de Molay, maudit, avant de mourir, le pape, Marigny, le roi et leurs descendants. Philippe le Bel, la même année, fait emprisonner ses brus, Jeanne, Marguerite et Blanche de Bourgogne, coupables d'adultère. Il meurt des suites d'un accident de chasse. La malédiction se réalise : son fils Louis le Hutin, faible et violent à la fois, fait périr son épouse Marguerite de Bourgogne et Enguerrand de Marigny. Il meurt empoisonné. On invente la loi salique pour déposséder sa fille Jeanne de la couronne. On fait mourir le petit Jean Iᵉʳ, né posthume : ainsi Philippe V peut accéder au pouvoir. Il se montre énergique et capable, mais disparaît bientôt. Tandis que règne en France le troisième frère, Charles IV le Bel, Isabelle, sa sœur, mariée à Édouard II d'Angleterre, semble porter de l'autre côté de la Manche la malédiction de Molay : avec son amant Mortimer, elle détrône son mari, qu'on emprisonne à Berkeley, où il est assassiné. Après la mort de Charles IV et l'avènement de Philippe VI de Valois, commence la guerre de Cent Ans, marquée par les désastres français de Crécy (1346) et de Poitiers (1356). On se demande enfin si la France pourra survivre à tant d'épreuves.

Le rythme est assez régulier dans les six premiers volumes (qui couvrent les années 1314-1328). Le septième contient l'histoire de vingt-huit années (1328-1356), et la technique change : au lieu d'un récit assumé par l'auteur, il s'agit d'un monologue, parfois narratif, parfois lyrique, prononcé par un vieux prélat, le cardinal de Périgord, qui se rend dans sa litière à Metz où l'empereur a convoqué la diète (1356). Maurice Druon a accompagné chacun des six premiers tomes d'un « répertoire biographique », qui atteste le sérieux de sa documentation. Le style est simple et direct, malgré parfois quelque affectation d'archaïsme. Le lecteur est affronté à une suite de tableaux, en général fort violents, et l'écrivain paraît le convier à une vision presque désespérante de l'Histoire. La forme choisie suppose que les individus soient mis en valeur, que leurs passions et leurs intrigues mènent le monde. Dans un Prologue, Maurice Druon livre quelques aspects de sa philosophie de l'Histoire : il ne veut y voir, selon le mot de Daniel-Rops, qu'une « science approximative » ; il rappelle qu'aux yeux de Michelet, ces siècles furent dominés par le combat à mort du « légiste » (Marigny) et du « baron » (Charles de Valois) ; il cite Machiavel et Valéry, qui se souvient de Machiavel. Cette fresque si sombre et si vivante demeure marquée par quelques figures extraordinaires : Philippe le Bel, Charles de Valois, la reine Isabelle d'Angleterre, et surtout Robert d'Artois, qui, au gré de son ambition, tue les rois et ruine les États. C'est une dynastie qui croule, un monde qui se défait. La cause n'en doit pas être tellement cherchée dans l'au-delà ni dans les malédictions de Jacques de Molay, mais dans une frénésie individualiste, qui réduit à néant le sens de l'intérêt général.

● « Le Livre de Poche », 7 vol., 1970-1979 ; « Omnibus », 2 vol., 1993.

A. NIDERST

ROLLA. Poème d'Alfred de **Musset** (1810-1857), publié à Paris dans la *Revue des Deux Mondes* le 15 août 1833, et en volume, dans la partie « Poésies nouvelles » de l'édition des *Poésies complètes*, chez Charpentier en 1854.

Après le succès des *Contes d'Espagne et d'Italie* et le silence de la critique à propos d'*Un spectacle dans un fauteuil*, *Rolla* fut unanimement applaudi. Musset y adoptait un ton exalté et douloureux, contrastant avec la fantaisie désinvolte des *Contes*.

Divisé en cinq parties, comprenant des développements dont la logique doit être reconstruite par le lecteur, mais qui traitent chacun un aspect du problème moral provoqué par la situation du héros, le poème prend comme trame une anecdote : après 1830, un jeune homme, ruiné au jeu, se pend au bois de Boulogne plutôt que de se contraindre à un métier. Le texte comporte d'abord une longue introduction sur la mort des dieux païens et du Dieu chrétien (I). Jacques Rolla, jeune débauché de dix-neuf ans, dissipe sa fortune en trois ans dans les plaisirs (II). Il passe sa dernière nuit chez Marion, prostituée de quinze ans, également appelée Maria et Marie (III). Le narrateur interpelle Voltaire, l'ironique déicide (IV), et c'est le dénouement : au matin, Rolla contemple Marion endormie, puis lui annonce son intention de mourir. Marion lui offre de l'argent, mais il s'empoisonne (V).

Évitant la prolixité, recourant à l'art de la conversation, privilégiant la rapidité, Musset propose un poème qui renonce aux conventions du genre épique ou de la méditation lamartinienne. Rolla rappelle le don Juan de *Namouna* (voir *Un spectacle dans un fauteuil*) et le Mardoche des *Contes*, tout en préfigurant l'Octave de la *Confession d'un enfant du siècle*. Conservant dans la débauche un fond de pureté, il incarne le drame de la foi. Problématique typiquement romantique, la disparition de la religion, réduite à de pures pratiques sociales, livre l'homme au hasard des passions.

Une nuit, une aube, une adolescente vouée au vice, la jeunesse du héros, le poison, le désespoir : tout un arsenal romantique se met au service du propos essentiel, celui du narrateur. Nostalgie d'un passé harmonieux et vibrant de foi, profané par le « hideux sourire » de Voltaire. Hugo, dans "Regard jeté dans une mansarde" (les *Rayons et les Ombres*), s'en prendra lui aussi à « ce singe de génie ». Le

triomphe de la raison desséchante a appris à nier. L'individu reste seul, maître de soi, mais privé d'idéal, anéanti dans l'homme moderne : « Et que nous reste-t-il, à nous, les déicides ? » Les « démolisseurs stupides » ont tué la vertu avec Dieu, et l'homme « parfait », tel que le « vieil Arouet » l'a voulu, « meurt dans [leur] air ». Du Christ le « cadavre céleste en poussière est tombé », laissant une terre « dégénérée ». Tout est « mort avec le temps ». Marie se prostitue et le soleil se lève sur les ténèbres du suicide.

La digression occupe ici une place capitale, par rapport au récit proprement dit. Si elle constitue l'intégralité des première et quatrième parties, elle procède par interrogations et développements dans les autres. Le narrateur intervient constamment, invitant le lecteur à bien considérer tel élément, à bien prendre en compte les questions posées ou à méditer sur les comparaisons introduites. Cette composition par interrogations successives, auxquelles des réponses tragiques se font progressivement jour, va de pair avec une grande maîtrise formelle. L'alexandrin moule une syntaxe fortement articulée par une rhétorique brillante, sans pesanteur, où les images prennent parfois l'allure d'illuminations, voire d'hallucinations, chargées de symboles. Ainsi, cette aurore fatale où « en longs ruisseaux de sang se déchiraient les nues », qui imprime ses sinistres couleurs à un poème douloureux.

● *Premières Poésies [...]*, « Poésie/Gallimard », 1976 (p.p. P. Berthier). ➤ *Œuvres complètes*, « L'Intégrale ».

G. GENGEMBRE

ROMAN BOURGEOIS (le), ouvrage comique. Roman d'Antoine **Furetière** (1619-1688), publié à Paris chez Billaine en 1666.

L'ouvrage compte deux parties, assez disparates. Dans la première partie, il est question de deux histoires dont les intrigues se croisent : d'une part l'histoire de Javotte, la fille belle, mais naïve, du procureur Vollichon, que courtise un certain Nicodème, petit avocat ridicule ; d'autre part, celle de Lucrèce, qui vit chez son oncle, un brave avocat, et sa tante, dont l'ambition est de briller par son salon : Lucrèce, qui rêve d'un beau mariage, est séduite par un jeune marquis qui la quitte très vite pour son régiment et la laisse enceinte, ce qui la contraint à trouver un père pour son enfant au plus vite. Le lien entre les deux histoires est Nicodème, joli cœur plus que de raison, qui, avant de parvenir à être le promis de Javotte, avait signé, par jeu, une promesse de mariage avec Lucrèce. Villeflatin, un procureur ami de la famille de Lucrèce, fait échouer le mariage de Nicodème et de Javotte : Vollichon préfère pour sa fille un vieil avocat, Jean Bedout, barbon avare et peu soigneux de sa personne. Ce qui sauve Javotte est sa fréquentation des salons, où elle s'enthousiasme pour la littérature romanesque du temps, ce qui la fait rêver d'un autre amour. Jean Bedout épousera en définitive Lucrèce, dont la situation devient plus qu'urgente. Javotte, tombée amoureuse de Pancrace, un jeune aristocrate, se laisse enlever par lui.

La seconde partie fait passer au premier plan un personnage apparu dans la première partie : l'écrivain Charoselles. Celui-ci souffre de ses échecs répétés, rencontre Collantine, plaideuse habituée de la chicane, et se fâche avec elle après une brève et grotesque idylle. Belastre, « ridicule magistrat » devenu prévôt par un coup du sort, apparaît alors. Après une longue exposition, on apprend qu'il fut un grand rival de Collantine dans de nombreux procès, et qu'il est tombé amoureux d'elle à force de la rencontrer ; l'histoire roule alors sur la rivalité des deux hommes, qui se disputent la plaideuse. Cette seconde partie est entrecoupée de nombreuses pièces extérieures au récit que Furetière, parodiant la manie des plaideurs, s'amuse à citer en grand nombre : jugement des buchettes (rendu par Belastre), lettre de Belastre à Collantine, inventaire d'un écrivain récemment décédé, Mythophilacte, catalogue des livres de ce dernier, avec lecture d'une « épître dédicatoire » parodique au bourreau Jean Guillaume. L'histoire s'achève brutalement par l'intervention du romancier qui résume en trois pages la fin de l'intrigue : Charoselles épouse Collantine, et ils entrent aussitôt en procès l'un contre l'autre pour « la pointe d'une aiguille ». Furetière conclut sur une petite fable (le chien fée et le lièvre fée « qui courent encore »), image de la rivalité inépuisable entre les deux personnages.

L'ouvrage se présente d'emblée comme un antiroman ; Furetière récuse tout le « galimatias » et les « vaines subtilités » du romanesque à la mode : « Je vous raconterai sincèrement et avec fidélité plusieurs historiettes ou galanteries arrivées entre des personnes qui ne seront ni héros ni héroïnes, qui ne dresseront point d'armées, ni ne renverseront point de royaumes, mais qui seront de ces bonnes gens de médiocre condition, qui vont tout doucement leur grand chemin, dont les uns seront beaux et les autres laids, les uns sages et les autres sots. ». Ce parti pris gouverne tout l'ouvrage, où l'amour, cher au roman, est bien maltraité ; il est en fait remplacé par le souci constant du mariage, symbolisé par le « tarif des partis sortables » qui le réduit à ce qu'il est socialement : une affaire d'argent. Les romans sont en outre critiqués pour leur mauvaise influence : la sentimentale Lucrèce se retrouve dans une situation désastreuse (enceinte et abandonnée) parce qu'elle a trop écouté les galanteries du marquis qui l'a séduite ; Javotte se rebellera contre l'autorité paternelle après avoir lu l'*Astrée* que Pancrace lui a offert. Les romans jouent donc un rôle notable au sein de l'intrigue, ce qui se confirme dans le long débat qui se tient dans le salon d'Angélique, où apparaît le « héros » de la seconde partie, l'écrivain Charoselles. Ce dernier est très critique à l'égard du romanesque galant, et plus particulièrement à l'encontre des femmes qui écrivent : « Car, sous prétexte de quelques bagatelles de poésies ou de romans qu'elles nous donnent, elles épuisent tellement l'argent des libraires, qu'il ne leur en reste plus pour imprimer des livres d'histoire ou de philosophie des auteurs graves. » Le personnage de l'écrivain, ridicule par son entêtement vain à être publié, et hargneux à l'égard de tout ce qui n'est pas sorti de sa plume, indique clairement cette dimension essentielle du *Roman bourgeois* : il s'agit de critique littéraire, et de polémique, particulièrement avec Charles Sorel, l'auteur du *Francion*, et double réel du personnage de Furetière.

Le romancier brise ainsi les nombreuses conventions romanesques – même s'il en conserve certains procédés, comme le retour en arrière, qu'il dénonce, mais qu'il utilise pour exposer l'histoire de Lucrèce. Le désordre apparent de l'intrigue, souligné à plaisir par les commentaires du narrateur, réfute toute composition subtile, qui « écorche l'anguille par la queue » (c'est-à-dire commence par la fin ou *in medias res*) ; de même Furetière juge toute description superflue, et il considère que les conversations passionnées – rapportées contre toute vraisemblance par un confident à la mémoire prodigieuse – sont inutiles à l'intrigue. C'est ainsi qu'il propose au lecteur qui ne connaîtrait pas le quartier de Maubert, où se déroule le roman, d'aller le voir, s'il habite Paris, ou de l'imaginer comme bon lui semble... Le même refus du romanesque « éloquent », où l'invention fabuleuse prime sur le constat de réalité, est réitéré pour la question des conversations. Furetière, qui joue, en juriste, sur l'absence de documents précis (mémoires et témoignages), insiste sur le caractère romanesque de toute conversation amoureuse, même véritable : les galants, tels Nicodème dans la scène initiale, puisent de toute façon leur inspiration dans les romans à la mode. Cela conduit Furetière à renvoyer le lecteur, non plus au référent réel, comme pour le « décor », mais aux sources romanesques elles-mêmes : « Que si vous êtes désireux de voir comme on découvre sa passion, je vous en indiquerai plusieurs moyens qui sont dans l'*Amadis*, dans l'*Astrée*, dans *Cyrus* et dans tous les autres romans, que je n'ai pas le loisir ni le dessein de copier ni de dérober, comme ont fait la plupart des auteurs, qui se sont servis des inventions de ceux qui avaient écrit auparavant eux. » Il ira jusqu'à regretter de ne pas avoir fait interfolier son livre avec des pages blanches, afin que le lecteur y insérât lui-même le passage copié qui lui paraîtrait le mieux en situation : « Ce moyen aurait satisfait toutes sortes de personnes : car il y en a tel qui trouvera à redire que je passe des endroits si importants sans les circonstancier, et qui dira que de faire un roman sans ce combat de passions qui en sont les plus beaux endroits, c'est la même chose que de décrire une ville sans parler de ses palais et de ses temples. Mais il y en aura tel autre qui, voulant faire plus de diligence et battre bien du pays en peu de temps, n'en demandera que l'abrégé. » On voit que la réflexion de Furetière engage le statut même de l'invention romanesque ; à l'affabulation, le romancier oppose une rhétorique de la « preuve extrinsèque ». D'où ce recours constant aux citations de pièces, billets, lettres, mais aussi à l'inventaire, au tarif, au catalogue (les livres de Mythophilacte, dans la seconde partie), comme par mimétisme avec le milieu décrit ici, qui est celui des procureurs et de la chicane, et que Furetière connaît si bien car il en fait partie. Cela a une incidence directe sur l'invention linguistique, qui annonce cette fois le génie lexicographique de l'auteur du *Dictionnaire* : les personnages, une fois que leur a été refusé le « bon usage » de la langue romanesque conventionnelle, sont donc livrés à leur propre langage, reflet fidèle (et souvent amusé) du milieu auquel ils appartiennent. Le réalisme de Furetière se fait alors authentiquement documentaire, ce qui est une conséquence majeure de son parti pris antiromanesque, sans nécessairement tomber dans le burlesque. Vollichon, Bedout ou Javotte, qui ne revendiquent pas le statut de héros de roman (contrairement au galant Nicodème, à Lucrèce ou à la précieuse Hippolyte), parlent avec le langage naïf, procédurier, ou proverbial de leur milieu : Vollichon, lorsqu'il cherche plusieurs partis possibles pour sa fille, veut « avoir (comme il disait) deux cordes à son arc ». La parenthèse commente l'écart linguistique que représente le tour proverbial, pour le lecteur averti et raffiné que vise Furetière. Bedout ne quitte pas le lieu commun sentencieux, même arrangé maladroitement, lorsqu'il veut séduire Javotte : « Cela me serait bien avantageux (reprit Bedout assez haut, croyant dire un bon mot), car nos lois portent en termes formels que qui ne dit mot semble consentir. – Je ne sais quelles sont vos lois (lui dit-elle) ; mais pour moi, je ne connais que les lois de mon papa et de maman. »

Le pittoresque culminera notamment dans le tableau des différends qui opposent Collantine à Charoselles (seconde partie), avec une surabondance de termes de métiers et de procédure ; le réalisme technique aboutit à l'exécution testamentaire de Mythophilacte, en présence de Charoselles, qui commente la liste des biens de l'écrivain, mort dans le dénuement, et le catalogue de ses livres. Par un effet de focalisation progressive, on passe de l'inventaire des biens au catalogue des œuvres, puis à l'examen de la table de l'une d'elles (la « somme dédicatoire »), et enfin à la lecture du dernier chapitre de celle-ci (l'estimation de la valeur marchande des dédicaces). De plus, une pièce est lue *in extenso* : c'est l'« épître dédicatoire » au bourreau Guillaume, qui repose sur le principe de l'éloge paradoxal. Le métier de l'écrivain, les allusions aux réalités du commerce de la librairie plongent cette fois du côté de la vie littéraire – déjà visée dans les considérations que faisait Charoselles, dans le salon d'Angélique, sur le succès et les cabales. Furetière plaide nettement ici pour une reconnaissance sociale de l'écrivain, et le jeu de parodie et d'allusion retrouve l'inspiration de la *Nouvelle allégorique* (1658). La désinvolture avec laquelle il conclut cette seconde partie montre bien que l'essentiel lui semble avoir été dit désormais : « Jugez donc du reste de l'histoire de ces trois personnages par l'échantillon que j'en ai donné ; et sans vous tenir davantage en suspens, voici quelle en fut la conclusion. » Cette étrange notion d'« échantillon » rend bien compte du caractère documentaire d'un réel saisi partiellement, par un écrivain-témoin qui ne prétend pas, apparemment, proposer autre chose que quelques fragments ; il concluait déjà la première partie par le constat qu'il n'est pas de mode « d'écrire la vie des femmes mariées ». Il prend donc et abandonne ses personnages selon son bon plaisir ou les limites de son « information », créant ainsi l'illusion efficace d'une autonomie de ce référent réel, qui n'est pas entièrement réduit et soumis à l'invention « éloquente » d'un romancier. La voie est désormais ouverte, de façon sans doute plus décisive que dans le *Roman comique* de Scarron, à un véritable réalisme, qui n'est pas forcément comique, sans être héroïque ou tragique pour autant, c'est-à-dire qui dépasse la hiérarchie traditionnelle des genres et des styles. Il faudra néanmoins attendre plus d'un siècle pour que la leçon de Furetière soit comprise, et qu'elle débouche sur l'âge d'or du roman qu'est le XIXᵉ siècle.

● « Pléiade », 1958 (*Romanciers du XVIIᵉ siècle*, p.p. A. Adam) ; « Folio », 1981 (p.p. J. Prévot).

E. BURY

ROMAN COMIQUE (le). Roman de Paul **Scarron** (1610-1660), publié à Paris chez Toussaint Quinet en 1651 ; réédition chez Guillaume de Luyne en 1655 (première partie) et 1657 (seconde partie).

Première partie. Le roman s'ouvre sur l'arrivée d'une troupe de comédiens ambulants dans la ville du Mans (chap. 1) ; un personnage s'y distingue par sa tenue hétéroclite et un emplâtre qui lui cache une partie du visage ; son nom (un pseudonyme de théâtre) est « Le Destin ». Pour payer leur écot à l'aubergiste, les comédiens proposent de jouer une pièce, qui dégénère en pugilat (2-3) ; ils sont ensuite accueillis par un lieutenant de prévôté nommé La Rappinière, qui s'enquiert avec insistance de l'identité du Destin auprès du vieillard de la troupe, La Rancune (4-5). Après un épisode burlesque autour d'un pot de chambre, l'arrivée du reste de la troupe se déroule dans une ambiance étrange : mort du valet de La Rappinière, Doguin, qui se confesse au Destin (6), aventure des brancards attaqués par de mystérieux poursuivants (7). La troupe enfin au complet (8) se constitue d'une vieille femme (La Caverne) et de sa fille Angélique, ainsi que de Mlle de L'Étoile (qui était l'objet des mystérieuses poursuites), et du comédien L'Olive, outre La Rancune, Le Destin et l'« auteur » Roquebrune. Une série d'épisodes burlesques se déclenchée par l'arrivée des comédiennes, courtisées par les galants du Mans, parmi lesquels se distingue un nabot ridicule : Ragotin. Ce dernier raconte une histoire espagnole (9. « Histoire de l'amante invisible »), qui interrompt le récit pendant une vingtaine de pages. Dans les chapitres suivants, Scarron s'amuse à raconter les déboires de Ragotin, étouffé par son chapeau (10), poète ridicule (11), pris dans une bagarre nocturne (12). Le Destin, qui relate ensuite ses aventures à La Caverne et à Angélique (13, 15 et 18), est interrompu par l'enlèvement du curé de Domfront (14), par une sérénade grotesque due à Ragotin (15), qui continue à courtiser maladroitement les comédiennes (16-17). On apprend que Le Destin a été élevé comme un jeune noble, avec deux frères, Verville et Saint-Far (13). Que son amitié avec Verville l'a entraîné dans des aventures romanesques, duels et rendez-vous galants. Qu'il est tombé amoureux d'une jeune femme nommée Léonore (fille illégitime d'un homme de condition) lors d'un voyage à Rome. Il l'a protégée d'un importun nommé Saldagne, qui lui tendra une embuscade (15). Il a retrouvé la jeune femme et sa mère (qui l'avait repoussé, ayant appris qu'il n'était pas homme de bonne naissance) à Nevers ; il leur vient en aide, les sauve une nouvelle fois de Saldagne. Après la mort de sa mère, Léonore demeure avec Le Destin et, sous le nom de Mlle de L'Étoile (prétendument sa sœur), entre avec lui dans la troupe de comédiens (18), toujours pour fuir Saldagne. La première partie s'achève sur une autre mésaventure de Ragotin : rivalité amoureuse avec Roquebrune (19), chute de cheval (20), avant une dernière nouvelle espagnole (22. « À trompeur, trompeur et demi »), succédant à une discussion sur le romanesque (21). Le chapitre 23 voit le soudain enlèvement d'Angélique, qui interrompt la représentation d'une pièce et clôt cette partie.

Seconde partie. Le fil principal en est la recherche d'Angélique, entrecoupée tantôt par des épisodes burlesques : vol par La Rancune d'une paire de bottes (2), combats à coup de poings (6), frayeur de Ragotin à la vue d'un cadavre (7), le pied coincé dans un pot de chambre (8) ; tantôt par les récits de La Caverne, qui raconte sa vie de comédienne (3), et de Léandre (valet du Destin) qui se révèle être en fait un gentilhomme amoureux d'Angélique et qui a été blessé par ses ravisseurs (5-6). L'intervention d'un sénateur breton, La Garouffière (8) infléchit le récit : au cours d'un repas comique une grosse dame, Mme Bouvillon, fait des avances au Destin (10). Une fois Angélique retrouvée

(11), l'intrigue est à nouveau centrée sur Le Destin. L'Étoile est enlevée par de mystérieux ravisseurs, qui avaient pris Angélique par erreur ; Le Destin retrouve Verville par l'entremise de M. de La Garouffière (12) et apprend que celui qu'il croyait toujours son ennemi, Saldagne, n'est pas le seul à en vouloir à L'Étoile. Grâce à Verville, il libère L'Étoile ; puis La Garouffière l'aide à démasquer son véritable ennemi : La Rappinière (13-18). Deux longues nouvelles insérées entretiennent l'attente dans ce déroulement final : « le Juge de sa propre cause » (14) et « les Deux Frères rivaux » (19). Le livre se conclut sur une ultime mésaventure de Ragotin, attaqué par un bélier alors qu'il s'était endormi sur sa chaise (20).

La structure complexe du *Roman comique* a pu faire croire qu'il n'était pas composé : la digression l'emporterait en effet constamment sur le fil principal, selon une esthétique fondée sur le hasard et le bon vouloir de l'auteur. En réalité, un examen plus attentif montre que Scarron opère consciemment une série de glissements, de ruptures de ton, qui donnent à son œuvre une « respiration » particulière, aboutissant à une variété apparemment désinvolte, qui est pour beaucoup dans le plaisir de la lecture. Le titre même indique les deux pôles de cette construction : roman et comique. La dualité contrastée de ces termes est constitutive du roman : d'une part, le réalisme comique se déploie dans l'évocation des aventures mancelles de la troupe ; d'autre part, la veine romanesque et sentimentale trouve sa juste place au fil des récits rapportés, qui renvoient tantôt au passé des personnages (Le Destin, La Caverne, ou Léandre), tantôt à l'univers romanesque des « nouvelles espagnoles » insérées (chapitres 9 et 22 de la première partie, 14 et 19 de la seconde partie). La distinction qu'a faite Jean Serroy entre narration directe et narration indirecte est tout à fait éclairante sur ce point. Elle permet de constater l'alternance régulière entre des massifs comiques (par exemple, I, 1-8, 10-12, 14-15, 16-17 et 19-21 : narration directe) et des envols romanesques (I, récit du Destin : 13, 15, 18 ; nouvelles espagnoles : 9, 22). En définitive, l'équilibre réel entre les deux versants est bien la marque d'une composition consciente, qui a l'art de tenir le lecteur en haleine : le narrateur interrompt, au moment crucial, l'intrigue en cours par une autre intrigue (voir, par exemple, II, 13-14 où une révélation attendue est retardée par le récit d'une nouvelle), pour la reprendre au moment où la digression elle-même risquerait de lasser. Si cet art de la composition lui vient sans doute du *Don Quichotte* de Cervantès, qui était lui-même tributaire de la tradition du roman héroïque qu'il parodie, Scarron en use avec une virtuosité et une originalité qui font de son livre un sommet du genre.

Cette virtuosité, faut-il le rappeler, Scarron l'avait acquise grâce à une longue pratique du burlesque, qui est par excellence l'art de mélanger les genres et les tons : le réalisme comique confronté à la réalité épique avait été, depuis 1648 (et encore pendant toutes les années où Scarron compose *le Roman comique*), le procédé qu'il mettait en œuvre dans le *Virgile travesti*. Il est toutefois certain que l'aboutissement était, pour Scarron, le passage d'une forme versifiée à la liberté du genre protéiforme qu'est le roman. Lorsqu'on sait que l'épopée avait été, au moins depuis l'*Astrée*, le genre auquel le roman demandait ses règles, il est intéressant de voir que, pour son romanesque propre, Scarron avait suivi un même parcours. Le souvenir des hauteurs épiques que fréquentaient les romans à la mode est d'ailleurs raillé dans le chapitre 21 de la première partie, où un des personnages se moque des « héros imaginaires de l'Antiquité qui sont quelquefois incommodes à force d'être trop honnêtes gens » et il ajoute plus loin : « Et dans quelles histoires trouverait-on assez de rois et d'empereurs pour vous faire des romans nouveaux ? » Le « conseiller » qui parle ici, et dont nous apprendrons plus tard qu'il s'appelle La Garouffière, semble être le porte-parole de Scarron : il préfère les héros « selon la portée de l'humanité », tels qu'on les trouve dans les « petites histoires » que les Espagnols « appellent nouvelles » (I, 21). Dans le glissement opéré de l'épopée ridicule au roman comique, Scarron a cherché un bon usage du burlesque, en rapprochant les extrêmes : à la hauteur sublime du héros épique répondait, dans le *Virgile travesti*, la brutale trivialité d'un Énée ridicule et d'une Didon grotesque. Au héros plus humain incarné par Le Destin va répondre la caricature – ô combien humaine elle aussi dans son désarroi et dans ses travers ! – qu'est Ragotin. Scarron fait redescendre le romanesque des cimes exagérées du roman héroïque, mais il relève, par contrecoup, le comique burlesque vers un réalisme, certes non dénué d'outrances, mais où perce toujours un trait de vérité à « hauteur d'homme ». Derrière un titre provocateur et paradoxal, du moins pour le lecteur du XVIIe siècle, Scarron offre en fait la tentative d'un romanesque équilibré, fait d'un réalisme qui nous rappelle notre humanité, parfois dérisoire et grotesque (comme le romancier lui-même en faisait l'horrible expérience due à la maladie), mais capable aussi d'élans généreux et de grands sentiments. L'originalité irréductible de ce projet demeure toutefois dans la dichotomie constante de ces deux faces : la fusion se fait par l'alternance, par la dualité de la narration. Le Destin, par exemple, s'il sait se mêler à la réalité comique – la vie d'une troupe de théâtre au Mans – demeure radicalement différent de Ragotin ; ces deux personnages sont les deux faces d'une même réalité, mais Scarron n'a pas voulu les unir dans une seule incarnation. De même, les personnages racontent des nouvelles espagnoles, sans devenir eux-mêmes des héros de nouvelle : l'idéal romanesque prôné par le conseiller (I, 21) demeure, à l'intérieur du roman, un idéal dont on peut se demander si La Caverne, Angélique, Léandre ou Le Destin ont le droit de participer pleinement, marqués qu'ils sont par l'ironie burlesque d'où ils sont nés.

Cela s'explique sans doute par le procédé même de juxtaposition qui organise le récit : la proximité de l'univers comique du Mans, des entreprises sentimentales de Ragotin et du monde où ont évolué Le Destin et L'Étoile, reflété par les intrigues amoureuses des nouvelles insérées, met constamment le lecteur en porte à faux. Aux duels romanesques auxquels Le Destin a pu se trouver mêlé (dans I, 13, par exemple, où il est laissé pour mort) correspondent les doubles grotesques que sont les batailles à coup de poings qui éclatent sans cesse autour de la troupe (notamment, I, 3, 12 ou II, 6, 7). Le même parallèle peut être fait entre les entrevues sentimentales du Destin (I, 13, 15) et les entreprises ridicules de Ragotin (sérénade cacophonique, I, 15, rendez-vous manqué, chute de cheval, I, 20, etc.). Les « disgrâces » de Ragotin, pour reprendre le terme constamment employé par Scarron, ne sont pas des malheurs dignes d'un héros de roman, mais toujours des mésaventures farcesques, autant de preuves de son incapacité à dominer les objets les plus simples : elles sont l'antithèse des grâces du Destin, honnête homme, habile bretteur, bon cavalier et même comédien de talent, alors que nulle vocation ne l'y poussait.

Le lecteur ne manquera pas d'être sensible cependant à la justesse du trait dans l'évocation de la vie théâtrale en province : la critique a volontiers insisté sur l'aspect documentaire de ces pages, où Scarron se souvient sans doute à la fois de sa vie au Mans (il y a vécu sept ans, lorsqu'il était encore jeune et vaillant) et de sa fréquentation du milieu théâtral (puisqu'il était aussi auteur de théâtre). Le récit de La Caverne notamment (II, 3) évoque, non sans humour, la réalité d'une troupe ambulante : « Le bruit se répandit dans le pays qu'une troupe de comédiens devait représenter une comédie chez le baron de Sigognac. Force noblesse périgourdine y fut conviée : et lorsque le page sut son rôle, qui lui fut si difficile à apprendre qu'on fut contraint d'en couper et de le réduire à deux joueurs, nous représentâmes *Roger et Bradamante*, du poète Garnier. L'assemblée était fort belle, la salle bien éclairée, le théâtre fort commode et la décoration accommodée au sujet.

Nous nous efforçâmes tous de bien faire et nous y réussîmes. »

Certes le regard demeure amusé, et cette réalité tenue à distance. Le goût de la province, par exemple, est ridiculisé par Scarron, qui fait dire à La Caverne : « Notre comédie eut l'applaudissement de toute l'assemblée. La farce divertit encore plus que la comédie, comme il arrive d'ordinaire partout ailleurs hors de Paris » (*ibid.*). La constitution de la troupe, rapidement évoquée (I, 8), donne lieu à quelques notations ironiques, concernant « l'auteur » notamment : « Ils avaient de plus un poète ou plutôt un auteur, car toutes les boutiques d'épicier du royaume étaient pleines de ses œuvres tant en vers qu'en prose. Ce bel esprit s'était donné à la troupe quasi malgré elle ; et, parce qu'il ne partageait point et mangeait quelque argent avec les comédiens, on lui donnait les derniers rôles dont il s'acquittait très mal. »

Même le souvenir heureux de la vie mancelle n'occulte pas le regard du Parisien à la mode qu'a toujours été Scarron. Le réalisme glisse donc facilement vers la satire : le mauvais accueil fait à La Rancune dans une hôtellerie (I, 6), la tenancière de tripot qui prend en gage de pauvres habits (I, 2), l'aubergiste qui se plaint des « maltôtiers » (I, 6), tout cela constitue un pittoresque de bon aloi, mais toujours marqué en fin de compte du sceau de l'ironie. Les galants apparaissent comme des gens bien peu dégrossis, tel Ragotin, trop entreprenant avec les comédiennes, qui « voulut un peu patiner, galanterie provinciale qui tient plus du satyre que de l'honnête homme » (I, 10).

Un autre réalisme est celui qui forme la toile de fond du récit du Destin. Son rang social, la rivalité avec le jeune comte qu'on lui a substitué (ce qui préparait peut-être une reconnaissance, si le roman eût été achevé), son éducation chez le baron d'Arques (I, 13), qui « avait une bibliothèque de romans fort amples », son amitié avec Verville et ses aventures en Italie et en France, tout cela n'est plus marqué par le burlesque ou le ridicule : on souffre de la misère ou on y est rejeté faute d'appartenir à une bonne famille, on s'y bat, pour se blesser ou se tuer, on s'aime, malgré tous les obstacles, fussent-ils ceux que la comédie et le roman dressent traditionnellement entre les amants. Mais cette part de convention ne doit pas masquer que cette réalité, parce qu'elle est prise entre le réalisme burlesque du Mans et le romanesque échevelé des nouvelles espagnoles, acquiert un poids et une profondeur véridiques. Là est sans doute la place du roman vrai, fidèle à la diversité du réel, dont semble rêver Scarron, et que certains personnages défendent lorsqu'ils opposent les histoires espagnoles aux *Polexandre, *Artamène*, et autres *Cléopâtre* (I, 21).

Le goût de ces nouvelles n'est pas une nouveauté pour Scarron lorsqu'il écrit *le Roman comique* ; il goûtait Cervantès, dont il avait failli traduire le *Don Quichotte*, et il traduira effectivement une série de nouvelles dans son recueil de *Nouvelles tragi-comiques* (1655-1657). Celles qu'il insère dans le roman sont tirées elles aussi d'originaux espagnols, écrits par Castillo Solorzano (*Los alivios de Cassandra*, recueil de 1640, qui donne I, 9, I, 22 et II, 19) et Maria de Zayas (*Novelas amorosas y ejemplares*, parues en 1634 : II, 14). Leur premier rôle est sans conteste d'apporter un contrepoint romanesque au monde grotesque du Mans : elles sont l'horizon idéal de la galanterie et du sentiment qui font rêver les pauvres personnages. Ragotin parvient à se faire écouter lorsqu'il décide de raconter l'« Histoire de l'amante invisible » (I, 9) ; intermédiaire idéale, par son nom et ses origines, doña Inezilla raconte deux nouvelles (« À trompeur, trompeur et demi », I, 22, et « les Deux Frères rivaux », II, 19) ; enfin, La Garouffière, qui se pique d'être homme de goût et de culture, divertit l'assemblée par le récit du « Juge de sa propre cause » (II, 14). La nouvelle est donc toujours prise comme moment de divertissement et de plaisir : pause matérielle dans le déroulement du fil narratif, elle est aussi pause psychologique pour les personnages du roman. L'univers évoqué ne vaut toutefois pas seulement par le contraste qu'il souligne avec la réalité mancelle ; il est aussi le subtil prolongement des aventures des personnages principaux. « Les Deux Frères rivaux », par exemple, sont l'exact pendant de l'histoire de Verville et de Saint-Far ; Léandre se déguise en serviteur, comme la Victoria de « À trompeur, trompeur et demi » s'était déguisée en duègne. L'enlèvement « détourné » d'Angélique correspond à celui de Sophie, dans « le Juge de sa propre cause » : elle aussi échappe à son amant, don Carlos, grâce à l'intervention d'un autre ravisseur.

La fusion opérée par Scarron entre ces divers tons était une véritable gageure ; elle est rendue possible par son art subtil des transitions. Scarron mêle en effet adroitement la narration et les dialogues : la narration glisse insensiblement vers le discours indirect qui se transforme soudain en discours direct, pour revenir ensuite au récit. L'attention du lecteur n'a pas le temps de se lasser, la variation et la surprise l'incitent toujours à poursuivre sa lecture. À cela s'ajoute le procédé des interventions d'auteur, marquées avec plus ou moins d'insistance : « Cependant que ces bêtes mangèrent, l'auteur se reposa quelque temps et se mit à songer à ce qu'il dirait dans le second chapitre » (I, 1). « Vous allez voir cette histoire dans le suivant chapitre, non telle que la conta Ragotin, mais comme je la pourrai conter d'après un des auditeurs qui me l'a apprise. Ce n'est donc pas Ragotin qui parle, c'est moi » (I, 9).

Ironie, mise à distance du récit, complicité avec le lecteur, tous ces jeux insèrent la raillerie à l'intérieur même du processus de lecture ; ruse suprême d'un roman où domine la ruse, cet « interventionnisme » du narrateur vise à détromper le lecteur au moment même où s'élabore la fiction, trompeuse par excellence.

L'art de Scarron, fait de la superposition des degrés de narration, du jeu constant avec le public, d'allusions ou de clins d'œil amusés (l'attaque du premier chapitre : « Le soleil avait achevé plus de la moitié de sa course et son char [...] roulait plus vite qu'il ne voulait », parodie le roman héroïque), assure une vivacité et un plaisir de lecture qui justifient le succès rencontré, et confirmé par les « suites » qui ont été données à l'ouvrage, inachevé en l'état de 1657 : la plus connue, souvent éditée avec le *Roman comique*, est la suite dite « d'Offray » (1663), qui après avoir rapidement mis fin aux intrigues principales, fixe l'attention sur les mésaventures de Ragotin. Une autre suite sera donnée par Préchac en 1679. Même si leur valeur est moindre que celle de l'original, elles reflètent bien l'horizon d'attente dans lequel le public du temps situait ce romanesque nouveau que Scarron avait mené à son aboutissement. Les faiblesses même de ces continuateurs sont la preuve que *le Roman comique* est la réussite la plus achevée et la mieux équilibrée du genre.

● Les Belles Lettres, 1951 (p.p. H. Bénac) ; « Pléiade », 1958 (*Romanciers du XVIIᵉ siècle*, p.p. A. Adam) ; Imprimerie nationale, « Lettres françaises », 1980 (p.p. R. Garapon) ; « GF », 1981 (p.p. Y. Giraud) ; « Folio », 1985 (p.p. J. Serroy) ; « Le Livre de Poche », 1994 (p.p. Y. Giraud).

E. BURY

ROMAN D'ALEXANDRE (le). Ensemble de récits composés aux XIIᵉ et XIIIᵉ siècles. Ils relatent la vie et les exploits du conquérant macédonien Alexandre le Grand (356-323 av. J.-C.).

Les différentes versions de la geste du héros relèvent de la matière antique, dont la redécouverte en langue vernaculaire reste inséparable de la naissance du genre romanesque. Leur évolution formelle et thématique, qui va de la chanson en courtes laisses monorimes d'Albéric de Pisançon au roman en prose, en passant par des remanie-

ments en laisses de décasyllabes et d'alexandrins et des continuations en vers, retrace la genèse du genre romanesque dégagé progressivement de l'épopée et du récit hagiographique.

L'*Alexandre* médiéval se rattache à une tradition grecque, celle d'un « roman » du IIᵉ siècle avant J.-C., dû à un auteur inconnu, le Pseudo-Callisthène, rassemblant une série de données orales et écrites, légendaires et historiques, concernant Alexandre. Cette matière a pénétré en Occident grâce à des recensions latines : les *Res gestae Alexandri Macedonis* (320-330 après J.-C.), attribuées à un certain Julius Valerius, la *Nativitas et Victoria Alexandri Magni*, traduction d'une branche du Pseudo-Callisthène par Léon de Naples au Xᵉ siècle, et l'*Historia de Preliis* dont il existe plusieurs versions. À cette matière légendaire sont sans doute venues s'ajouter les « sources historiques » fournies par Justin, Orose et Quinte-Curce.

La version la plus ancienne (vers 1130 ?) du *Roman d'Alexandre* est due à Albéric de Pisançon ; il n'en reste que 105 vers rédigés en franco-provençal, répartis en quinze laisses, copiés sur les dernières pages d'un manuscrit consacré à Quinte-Curce. Le fragment rapporte l'éducation du héros jusqu'à son adoubement.

Version d'Albéric de Pisançon. Conforme à la rhétorique de l'exorde, la première laisse livre des considération morales sur la vanité des choses et signale que l'œuvre a été composée pour échapper à l'*acidia* [indifférence]. Les deux laisses suivantes vantent la gloire et la magnificence du héros ; la quatrième s'en prend à la tradition qui faisait d'Alexandre le fils d'un enchanteur ; les quatre suivantes font l'éloge de son lignage et des prodiges qui accompagnèrent sa naissance. Suit un portrait physique et moral du jeune Macédonien (laisses IX-XI). Les laisses XII à XV sont consacrées à son éducation intellectuelle et chevaleresque.

La facture du poème d'Albéric reste archaïque ; son style lapidaire et la brièveté de la laisse d'octosyllabes monorimes (de six vers le plus souvent) le maintiennent dans l'orbe des chansons de geste (le *Roland* d'Oxford [voir *la *Chanson de Roland*], **Gormont et Isembart*) et des Vies de saints les plus anciennes (**Vie de saint Léger*, **Vie de saint Alexis*). Néanmoins, il cherche à définir un type de héros nouveau. Alexandre reçoit bien une éducation à la guerre et à l'exercice du pouvoir, caractéristique du personnage épique, mais elle ne se réduit pas à l'apprentissage du maniement de l'épée ou de l'équitation, de tout ce qui relève de la satisfaction des besoins féodaux ; elle se tourne, de manière nouvelle, vers la connaissance des langues, du droit, de la musique... Au chevalier, dont Roland était l'incarnation épique, se conjoint le clerc et au guerrier, le lettré. Humaniste avant la lettre, l'éducation reçue tourne Alexandre vers une conquête du savoir et du monde, là où le saint ne visait qu'à la découverte intérieure de soi qu'autorise un constant commerce avec Dieu. L'*Alexandre* d'Albéric ouvre une voie profane à la littérature, appelée à goûter comme l'auteur le plaisir d'une découverte de l'antiquité (« Solaz nos faz' antiquitas » [l'Antiquité est source de plaisir], v. 7).

De l'*Alexandre décasyllabique*, composé dans le Poitou vers 1160-1165, il ne reste que 785 vers, répartis en soixante-seize laisses.

Alexandre décasyllabique. Puisant chez Albéric et dans l'*Historia de Preliis*, son auteur anonyme conte les « enfances » d'Alexandre qu'il suit de sa naissance jusqu'à ses premiers exploits et à sa victoire sur Nicolas. Le caractère aristocratique du personnage est fortement affiché ; enfant, Alexandre entend n'être nourri que par une fille de chevalier et il ne se complaît qu'avec les chevaliers, qu'il honore de présents somptueux. Son éducation y est complète ; elle s'ouvre aux arts du *quadrivium*, aux jeux de société et à l'art de courtiser les dames. Héros mondain, Alexandre ne triomphe pas que dans la lice ; sa beauté et son élégance lui assurent quelques succès féminins et font de lui une incarnation de l'idéal courtois, importé de la culture occitane, que le roman arthurien s'approprie également à la même époque.

Formellement, l'*Alexandre décasyllabique* reste encore proche de la chanson de geste, mais l'amplitude variable donnée à la laisse monorime (de six à vingt-huit vers) confère au récit davantage de souplesse. L'auteur aime s'attarder à des descriptions (notamment celle de l'adoubement d'Alexandre) qui relèvent bien de l'art du roman. Son goût du merveilleux, attesté par la présentation des vêtements et des armes du héros, va fournir au *Roman d'Alexandre* une de ses principales caractéristiques.

Deux poèmes, composés entre 1165 et 1175, mais aujourd'hui perdus, semblent avoir constitué des étapes importantes dans l'histoire complexe du *Roman d'Alexandre*. Le premier, l'*Alexandre en Orient*, dû à un certain Lambert le Tort de Châteaudun, prenait le récit là où l'avait laissé l'*Alexandre décasyllabique* et le conduisait jusqu'à l'arrivée à Babylone ; anonyme, le second était une *Mort Alixandre*.

Ces textes perdus nous sont en partie restitués par le roman d'Alexandre de Paris (dit aussi Alexandre de Bernay) qui « rafraîchit », vers 1180-1190, la matière et compose la vulgate médiévale du *Roman d'Alexandre*. Ce clerc, originaire de Normandie, a rassemblé et remanié divers récits parfois autonomes ; il a conscience de synthétiser une matière disparate et d'achever ce que ses prédécesseurs – qu'il nomme – n'ont pu mener à terme. Composée de près de 16 000 vers, regroupés en laisses de dodécasyllabes (qui prendront au xve siècle le nom d'« alexandrins »), l'œuvre d'Alexandre de Paris n'est pas homogène ; on a pris l'habitude d'y distinguer quatre « branches ».

Version d'Alexandre de Paris. La première branche (3 284 vers) conte la naissance, la jeunesse et les premières conquêtes d'Alexandre jusqu'au siège de Tyr. La deuxième (3 100 vers) intègre un récit d'abord indépendant, le *Fuerre de Gadres*, dû à un certain Eustache ; elle rapporte la prise de Tyr, de Gaza, l'entrée dans Jérusalem et la défaite de Darius. De loin la plus longue (7 839 vers), la troisième branche emprunte à Lambert le Tort ; elle relate les conquêtes sur Darius et Porus, les voyages dans les airs et dans les mer, la description des merveilles de l'Inde, les amours avec la reine Candace, la rencontre des Amazones et s'achève sur la trahison d'Antipater. La quatrième (1 701 vers) s'attache à la mort du héros, aux lamentations des douze pairs et aux funérailles d'Alexandre.

Prolixe, l'œuvre d'Alexandre de Paris offre le premier texte complet suivant le héros de sa naissance à sa mort en épousant les vicissitudes d'une vie prodigieuse et exemplaire. Même maladroit, le travail de synthèse opéré par cette version révèle le désir paradoxal tramant le corpus : saisir l'essence du romanesque dans la discordance avec son modèle épique. Pas plus que ses prédécesseurs, Alexandre de Paris ne renonce au moule formel de la chanson de geste ; néanmoins, en recourant à un nouveau mètre, il accentue le caractère de liberté et de modernité de son texte. Liberté et modernité à l'égard du modèle épique mais aussi du roman, déjà figé dans son couplet d'octosyllabes et ses « matières », antique ou arthurienne. L'adjonction du voyage en Orient, qui doit tout à une curiosité encyclopédique, permet aussi des croisements entre les « matières ». Les colonnes d'Hercule, qui marquent l'extrémité du monde, deviennent ainsi les bornes d'Arthur (III, v. 137-147 et v. 179 et sq.) ; le « val perilleus » (III, v. 148-163), dont il manque de rester prisonnier, n'est pas sans rappeler le « val sans retour » du roman arthurien, tout comme les femmes fleurs (III, v. 187-200), dont la beauté s'épanouit à l'ombre des forêts, pendant gracieux des terribles ondines (III, v. 164-166) qui attirent les hommes au fond des eaux, ravivent le souvenir des fées celtiques par qui l'expérience du désir se conjoint à celle de la mort. Échos discrets, qui ne relèvent pas de

l'emprunt, mais constituent la marque d'une liberté d'invention qui reste l'apanage du *Roman d'Alexandre* tel que le donne à lire Alexandre de Paris. De plus, l'expérience de l'Orient montre qu'Alexandre se refuse à être un héros épique dont l'itinéraire uniforme refléterait l'idéal de la féodalité et de l'Église ; c'est un voyageur, dont la prouesse échappe à toute mission sociale, qui résiste à l'idéologie féodale et ne représente pas un parangon de la monarchie ; utilisant la « largesse » au profit de la guerre et non de la pacification des relations féodales, il incarne le despotisme, une voie tierce que la chanson de geste et le roman, habitués à confronter les idéologies féodale et monarchique, n'empruntent guère.

Épousant le cours d'une vie, le récit d'Alexandre de Paris met en scène un destin : celui d'un homme guetté par la démesure, d'un héros qui, sans être un demi-dieu, s'identifie à Hercule dont l'histoire se trouve rappelée sur un des pans de sa tente. Démesure d'un désir de conquête qui le pousse à être le maître du monde, d'un désir à jamais insatisfait, renaissant après chaque triomphe, qui l'amène à visiter les fonds marins, à refaire l'expérience d'Icare, à constater que lui manque toujours quelque chose, à vouloir par exemple soumettre le royaume des Amazones dès que la prise de Babylone lui a offert la royauté du monde... Au-delà de l'orgueil, cible de la tentation morale inhérente à toute fiction médiévale, Alexandre incarne une forme de mégalomanie où la psychologie moderne verrait une composante paranoïaque. Les symptômes ne manquent d'ailleurs pas : mutité brutale à la suite d'un bain, accès de folie durant lequel il veut tuer tout le monde... La traversée des déserts d'Orient et les innombrables rencontres fabuleuses et hostiles (variétés infinies de reptiles et de monstres anthropoïdes agressifs qu'il faut défaire) pourraient être aussi lues comme les chimères engendrées par le délire. La peur pèse d'un poids trop lourd sur ce voyage en Orient pour ne pas inciter à chercher un équivalent littéraire à l'angoisse constitutive de ce comportement psychique. Pour un lecteur moderne, la coïncidence de ces symptômes et de l'histoire familiale d'Alexandre ne laisse pas de frapper. Toutes les versions font planer un doute sur la filiation d'Alexandre : est-il le fils de Philippe de Macédoine ou de Neptanabus, l'enchanteur qu'il a tué ? Même si elles écartent ce soupçon de bâtardise, jusqu'à ce que Thomas de Kent, dans le *Roman de toute chevalerie* (entre 1175 et 1200), l'avère en racontant comment le nécromant a abusé de la reine Olympia, elles donnent à penser que le destin d'Alexandre croise en partie celui d'Œdipe, le parricide. La démesure ne serait-elle pas la traduction, plus morale que psychologique, de ce trouble de la filiation, de cette incertitude de la paternité ? Et le goût pour les aspects occultes et monstrueux du monde, le legs de Neptanabus le magicien ? L'intérêt, presque pathologique, pour la question paternelle rattache le *Roman d'Alexandre* aux autres romans antiques *(le *Roman de Thèbes, le *Roman d'Énéas, le *Roman de Troie)*. Cette question donne une cohérence au roman, trame le fil conduisant des « enfances » à la mort du héros en faisant périr de la main d'Antipater, le bien nommé, celui qui a attenté à la vie d'un personnage paternel. Thomas de Kent ajoutera que le poison fut versé à l'aide d'une plume, suggérant ainsi qu'il n'est d'autre poison que l'encre permettant d'écrire des fictions de meurtres, par lesquels les auteurs médiévaux appréhendent la vérité des structures symboliques qui les régissent.

Alexandre se distingue encore des autres héros romanesques par son peu d'appétence pour les femmes. Symptôme, là encore, de son « roman familial » ? Certaines versions lui donneront une épouse, mais la femme n'est jamais l'objet d'un désir orientant sa quête. L'épisode des amours avec la reine Candace, rapporté par Alexandre de Paris (III, v. 246-271), est à cet égard révélateur. Le héros ne consent à partager l'amour de la reine que parce qu'elle lui renvoie l'image de sa gloire. Il n'entre d'ailleurs dans son lit, pour quelques heures, que sous le nom d'un autre, comme Neptanabus dans celui d'Olympia, dira plus tard Thomas de Kent. Bonne fortune plus que véritable objet d'amour, la reine Candace ne saurait arrêter Alexandre qui, de ce point de vue, n'a rien d'un héros courtois en dépit d'une éducation qui l'avait préparé à faire du commerce avec les femmes un signe d'excellence.

L'objet véritable du désir d'Alexandre est le savoir. Savoir mis au service d'une mégalomanie qui ne confère pas la sagesse, mais pousse à visiter le fond des mers pour découvrir, dans la violence des rapports entre les poissons, la loi qui soumet le plus faible au plus fort (III, v. 18-299), ou à parcourir le firmament attelé à des griffons ailés (III, v. 274-282). Dès Albéric de Pisançon, cette caractéristique du personnage avait été mise en avant, et la « clergie », ajoutée à la « chevalerie » ; elle est devenue la composante essentielle de l'héroïsme alexandrin. Le voyage en Orient, que rapporte la branche III d'Alexandre de Paris, est une épopée encyclopédique, une traversée des livres et de la géographie antiques, où l'imagination pallie le défaut d'information scientifique. Il peut se lire comme la rêverie engendrée par le savoir ; l'imagination y nourrit un merveilleux particulier, non celtique, non religieux, qui représente une manière de délire intellectuel, dénué de tout rapport avec la réalité, engendrant ces hybrides monstrueux, ou cette vermine qui ne semble grouiller que pour qu'on en dresse la taxinomie, ou bien encore le fantastique technologique des automates (III, v. 194-197) où s'inscrit le rêve de maîtriser le mouvement, le temps et de soumettre la nature à l'ordre du savoir. Cette volonté d'embrasser la totalité du savoir se matérialise dans la tente d'Alexandre (I, v. 194-198) : sur les quatre pans intérieurs sont représentés les jours, les mois, les ans, les trois continents, l'histoire d'Hercule et de Pâris... le savoir et les modèles d'Alexandre. Quatre pans à la tente, quatre branches au roman d'Alexandre de Paris. La tente serait-elle aussi métaphore d'un projet romanesque qui aurait pour ambition de rêver tout le savoir antique ?

La fortune du *Roman d'Alexandre* se mesure aux nombreuses continuations dont il a été l'objet. Dès 1190, Jean Le Névelon compose la *Venjance Alixandre* et Gui de Cambrai le *Vengement Alixandre*. D'abord indépendant de la vulgate, le *Roman de toute chevalerie* composé par Thomas de Kent s'y trouve rattaché au XIIIᵉ siècle par des interpolations. D'autres poèmes, la *Prise de Defur* (vers 1250), le *Voyage d'Alexandre au paradis terrestre* (entre 1270 et 1350), les *Vœux du paon*, écrits par Jacques de Longuyon vers 1312 et objets eux-mêmes de continuations, montrent la fécondité de la matière alexandrine. L'*Alexandre en prose* date de la seconde moitié du XIIIᵉ siècle. Conservée par dix-huit manuscrits et plusieurs éditions imprimées du XVIᵉ qui soulignent son succès, la prose suit le roman d'Alexandre de Paris et l'amplifie à partir d'emprunts aux encyclopédies (le *Speculum naturale* de Vincent de Beauvais notamment), tout en cherchant à conférer à la geste du Macédonien un caractère plus historique et moins légendaire. La langue s'y dépoétise, non seulement par l'abandon du vers mais aussi et surtout par une volonté de créer une langue apte à rendre plus « scientifique » le regard jeté sur les merveilles dont s'éblouissait Alexandre de Paris. Animée aussi par un souci d'édification, la prose renouvelle véritablement *le Roman d'Alexandre*. Elle a été largement mise à profit au XVᵉ siècle par l'*Histoire d'Alexandre* de Jean Wauquelin.

● Princeton, 7 vol., 1949-1976 (p.p. A. Foulet et C. Armstrong).

J.-C. HUCHET

ROMAN D'ÉNÉAS (le). « Roman » en vers d'un clerc anonyme, d'origine normande, vivant et écrivant dans l'entou-

rage du roi d'Angleterre Henri II Plantagenêt (1133-1189), probablement composé entre 1155 et 1160 et conservé par neuf manuscrits.

Rédigé dans l'idiome littéraire propre à la Normandie au milieu du XIIᵉ siècle, ce roman de plus de 10 000 octosyllabes recourt au couplet à rimes plates et contribue à la vaste entreprise apologétique de la monarchie Plantagenêt (voir le **Roman de Brut* de Wace) dont il légitime fictivement et rétrospectivement les prétentions sur l'Angleterre en identifiant son histoire à la geste mythique des Troyens. L'*Énéas* forme, avec le **Roman de Thèbes* et le **Roman de Troie*, la trilogie des « romans antiques », chaîne sans continuité dont il est le deuxième maillon. L'*Énéas* est l'adaptation en langue française de l'*Énéide* de Virgile. Adaptation et non traduction, qui cherche, dans l'infidélité au modèle latin, une liberté ouvrant à la littérature en langue vulgaire la voie toute nouvelle du romanesque.

Dépourvu de prologue, le roman s'ouvre sur le sac de la ville de Troie par les Grecs venus reprendre Hélène enlevée par Pâris. Conseillé par sa mère Vénus, Énéas [Énée] échappe au massacre et reçoit des dieux l'ordre de gagner la terre d'où vint son ancêtre Dardanus, le fondateur de Troie (v. 1-91). La tempête fait échouer ses nefs près de la ville de Carthage gouvernée par une femme, Dido [Didon], qui, bientôt séduite par les malheurs du Troyen, lui offre sa terre ; mais les dieux le rappellent à sa mission et l'obligent à reprendre la mer. Désespérée, Dido se suicide (v. 183-2 144).

La deuxième étape de son périple conduit Énéas aux Enfers où son père l'attend pour lui révéler son avenir : le mariage avec Lavine, l'héritière unique du roi de Lombardie, union d'où naîtra une lignée prestigieuse (v. 2 145-3 020).

La troisième étape l'amène en Lombardie (la terre de Dardanus, son ancêtre), où se trouve la femme désignée par les dieux. Lavine a été antérieurement promise par son père à Turnus, un guerrier qui n'entend perdre ni la jeune fille ni le royaume apporté en dot ; il les défendra les armes à la main. Le récit s'emplit alors du fracas des combats où, à côté d'Énéas et Turnus, s'illustrent Pallas (fils du roi Évandre et ami d'Énéas) et Camille (v. 3 105-7 856). L'amour a choisi le camp désigné par les dieux. Saisie par la beauté du Troyen, Lavine l'aime, se déclare à l'aide d'un parchemin enroulé autour d'une flèche et parvient à faire entrer Énéas dans son désir. Indécis, le sort des armes n'est tranché que par un combat singulier entre les deux prétendants. Vainqueur, Énéas, après avoir tué son adversaire, épouse Lavine ; le roman s'achève rapidement sur cet épisode nuptial en rappelant l'illustre descendance de ce couple royal et la fondation de Rome (v. 7 857-fin).

La critique s'est longuement attardée à cerner les rapports du texte roman avec son modèle virgilien ; outre qu'elle permet de saisir le rapport que le Moyen Âge a entretenu avec l'Antiquité, la comparaison des deux textes met en perspective la méthode de travail du clerc médiéval. Il a œuvré avec le texte latin sous les yeux, certains passages étant des traductions en ancien français de l'*Énéide* ; ils restent rares. Le plus souvent, l'auteur a pris de grandes libertés avec le modèle, ajoutant des digressions empruntées aux glossateurs de Virgile appartenant à la latinité tardive : le développement du stratagème par lequel Dido a usurpé Carthage (v. 399-406) provient de Servius (fin du IVᵉ siècle) ; le supplice infligé à Tantale, condamné à mourir de faim et de soif à côté d'une pomme et d'eau, de Fulgence (Vᵉ-VIᵉ siècle) ; l'épisode de la pomme de discorde servant à expliquer l'acharnement de la déesse Pallas contre les Troyens emprunte, dans la forme qui lui est donnée, à un recueil de fables célèbres (le *Second Mythographe*). Il mêle à sa traduction de Virgile des souvenirs de ses lectures poétiques d'Ausone, de Claudien et surtout d'Ovide (Iᵉʳ siècle) : les amours de Lavine et d'Énéas doivent tout à l'*Art d'aimer* et aux *Amours*. Ces multiples souvenirs participent d'un art de l'amplification bouleversant la structure et la signification du poème original. Camille et Lavine n'étaient chez Virgile que des ombres ténues, elles deviennent chez l'auteur médiéval des personnages à part entière. Support d'un fantasme d'androgynat, Camille fournit l'occasion de deux morceaux de bravoure qui figent à dessein le récit : l'un rêve dans un portrait à une beauté féminine liée à l'indécision sexuelle, l'autre introduit dans le texte un merveilleux architectural avec la description de son tombeau. L'épaisseur psychologique conférée à Lavine découvrant l'amour dans la souffrance enrichit la fin de l'épopée latine. L'auteur sait aussi élaguer son modèle : il réduit les interventions divines dans le destin des hommes et condense drastiquement les six premiers chants de l'*Énéide* en à peine trois mille vers. Il réaménage encore la logique du récit. Là où Virgile pratiquait l'« ordre artificiel » et commençait son récit à Carthage, revenant ensuite, par une rétrospection narrative, à ce qui avait forcé Énée à quitter Troie, l'auteur médiéval préfère l'« ordre naturel » permettant à la narration d'épouser l'ordre chronologique des faits, d'ouvrir le roman sur le malheur de Troie et de renforcer la chronologie. Ajouts diserts, suppressions brutales, modifications de la logique narrative, autant de manifestations d'un travail concerté qui visent à faire de l'*Énéas* un texte autonome, un roman à part entière.

Les libertés prises avec le modèle par le remanieur médiéval tiennent à l'émergence du texte dans un contexte idéologique différent. La raréfaction des interventions divines demeure indissociable de la christianisation de la société médiévale ; l'auteur n'est pas allé jusqu'à christianiser les divinités antiques, il a préféré limiter leur présence et réduire leur panthéon. De même, la lutte des deux prétendants Énéas et Turnus pour l'obtention de Lavine et du royaume de son père, qui emplit les deux tiers du roman, n'est pas sans renvoyer à la compétition de ce que l'historien Georges Duby a appelé les « jeunes », ces chevaliers sans terre en quête d'une héritière permettant de satisfaire leurs besoins économiques et sexuels, de pérenniser leur lignage et de nouer des alliances. Au-delà de sa sphère de diffusion immédiate (la cour d'Henri II Plantagenêt), le roman renvoyait ainsi aux petits féodaux un écho de leurs préoccupations. Ces nouveaux substrats idéologiques s'insèrent dans un cadre narratif actualisé. Les héros et les dieux antiques évoluent dans un univers médiéval. Carthage, sur laquelle règne Dido, a tout de la ville fortifiée que protègent tours et donjon. Les costumes qui parent les personnages féminins appartiennent au XIIᵉ siècle, ainsi que les armes et les harnachements des chevaux avec lesquels s'affrontent Énéas et Turnus. Ces anachronismes ne sont pas l'effet de la naïveté, mais le produit d'un travail de réécriture visant à actualiser un texte antique afin de le rendre intelligible à un auditoire peu sensible à l'altérité historique.

C'est la place accordée aux femmes qui inscrit résolument l'*Énéas* dans le champ du romanesque. Indépendamment du culte de la dame instauré par la lyrique troubadouresque en langue d'oc, l'*Énéas* porte un intérêt à la femme préfigurant le développement postérieur de la courtoisie. Les figures féminines sont fournies par l'original latin, mais l'auteur médiéval les tire de l'ombre et les éclaire de manière à conduire une réflexion sur la féminité à travers des types contrastés. Dido incarne la femme sensuelle, vite séduite, qui détourne le héros de la mission assignée par les dieux. En elle se condensent les sortilèges de la féminité et s'affiche la fascination, mêlée de répulsion, de l'homme médiéval s'éveillant à une curiosité dont ne témoignaient pas les premières chansons de geste. À l'opposé : Camille, la guerrière, dont la beauté captive la plume du clerc qui en brosse longuement le portrait. Description en deux temps qui souligne d'abord la féminité de la reine des Volsques puis la virilité de son courage. Héroïne chaste, défendant farouchement sa virginité et incarnant le rêve d'un corps échappant à la différence sexuelle, rêve embaumé dans le mausolée merveilleux que lui construit le clerc. Entre les deux, même si elle apparaît la dernière, Lavine, image presque parfaite de la femme féodale, de l'héritière qui apportera une « terre » avant de donner naissance à une lignée prestigieuse. À l'autre bout du roman, elle répond à Dido ; sa fécondité s'oppose à la stérilité de la reine de Carthage ; moteur de la prouesse

guerrière, elle ne conduit pas à l'oubli des armes pour le plaisir ; elle n'initie pas à la volupté mais met à l'épreuve le désir qui consolide dans la souffrance l'union que le mariage légitime. Elle est l'élue des dieux parce que l'élue du clerc, à qui elle sert à définir un idéal féminin raisonnable, contrastant avec l'idéal impossible incarné par Camille et la fascination dangereuse dont Dido s'avère l'objet. Trois femmes qui répondent aux trois déesses de l'épisode de la pomme de discorde, trois figures du destin du héros et trois visages différents d'une même inquiétude devant la féminité chez le clerc médiéval qui vit traditionnellement à l'écart de tout commerce avec les femmes.

Avec l'*Énéas*, le roman s'ouvre à l'amour. Pleines du fracas des combats contre l'Infidèle, les premières chansons de geste, ignorant (ou presque) les femmes, préféraient les armes à l'amour. L'*Énéas* donne au roman un discours sur l'amour dans lequel il ne cessera plus de puiser. Il ne l'invente pas, mais l'emprunte à Ovide tout en déplaçant sa signification. Comme chez Ovide, l'amour est, dans l'*Énéas*, une maladie ; le registre métaphorique permettant d'en approcher la nature oscille entre la blessure, la brûlure, la fièvre, la rage et le poison (« Mortel poison avoit beü », dit-on de Dido). Énéas, comme Dido ou Lavine, se déclare « navré » [blessé] par l'amour. Le dieu allégorique du sentiment amoureux est un dieu guerrier muni de dards, dont il blesse ses victimes, et d'un baume, avec lequel il panse la blessure. Guérir, c'est blesser l'autre, de la flèche d'un regard qu'envoie Lavine à Énéas qui le lui retourne ; l'amour ne s'oppose plus ainsi à la guerre, il en déplace le vocabulaire et la déclare dans un autre champ clos, celui des relations de l'homme et de la femme.

L'amour est avant tout dans le roman médiéval une affaire de femmes, l'affaire de Dido et de Lavine, avant de devenir celle d'Énéas. Les deux femmes n'opposent pas deux conceptions de l'amour, la seconde vient seulement rectifier l'image qu'en donnait la première. Dido, c'était « Vénus tout entière à sa proie attachée », la passion brutale, dévorante et fatale qui bute sur l'impossible dont les dieux sont les garants ; Lavine propose un amour non moins violent mais qui sait goûter les affres de l'attente, attraper l'autre dans ses rets et fonder durablement la conjugalité. L'intérêt porté au sentiment amoureux va bouleverser l'écriture romanesque. Décrire ses maux avec des mots impose d'ouvrir dans le roman un espace privilégié où le personnage scrute ce qui le fait souffrir, l'espace d'un monologue à l'intérieur duquel il dialogue avec lui-même et concrétise littérairement la division subjective qu'il subit. Parfois longs (v. 8 676-8 774 et v. 8 940-9 099), ces monologues dialogiques sont des morceaux de bravoure, utilisant toutes les ressources de la rhétorique (mise en allégorie de l'amour, anaphores, chiasmes...), appelés à une fortune considérable dans le genre romanesque. Avec l'*Énéas*, le roman médiéval trouve ses préoccupations idéologiques majeures mais aussi une écriture et une esthétique. Aussi la fortune de ce texte est-elle, outre la traduction allemande – *Eneit* – qu'en donne Heinrich von Veldeke à la fin du siècle, l'explosion du roman courtois dans la seconde moitié du XIIᵉ siècle ; le *Roman de Troie* de Benoît de Sainte-Maure le continuera en remontant la mémoire troyenne vers l'origine, *Cligès* de Chrétien de Troyes lui empruntera nombre de vers et son discours sur l'amour.

● Champion, 1925-1929, rééd. 1962-1968 (p.p. J.-J. Salverda de Grave). Traduction : Champion, 1985 (M. Thiry-Stassin).

J.-C. HUCHET

ROMAN D'UN ENFANT (le). Récit de souvenirs de Pierre **Loti**, pseudonyme de Julien Viaud (1850-1923), publié à

Paris dans *la Nouvelle Revue* du 15 janvier au 1er avril 1890, et en volume chez Calmann-Lévy la même année.

En 1889, au moment où il écrit ce volume de souvenirs, Pierre Loti est à la veille de ses quarante ans. Ses romans les plus célèbres sont parus (seul manque encore *Ramuntcho*) et vont lui assurer en 1891 une élection à l'Académie française. Mais il demeure un être inquiet, déchiré entre les deux vocations de marin et d'écrivain, toujours énigmatique à ses propres yeux, dominé par une angoisse majeure, le passage du temps, la course vers la mort. La rédaction de ses souvenirs d'enfance avait certainement pour but premier de chercher un dérivatif, sinon un remède, à cette angoisse incessante.

Se succèdent 82 chapitres brefs (jamais plus de quelques pages, souvent moins : le vingt-cinquième comporte dix lignes), chacun contant un souvenir d'enfance : images, anecdotes, moments d'angoisse ou d'extase. Alternent des portraits (grands-mères ou cousines), des évocations de lectures (la Bible avec l'épouvante de l'Apocalypse, ou Alfred de Musset, poète interdit aux enfants pour sa sensualité si suggestive), des souvenirs de la vie scolaire, toute l'abjection des professeurs, particulièrement l'immonde « Grand-Singe ». Mais c'est aussi la naissance d'une vocation, le désir de partir, inspiré par le spectacle des beaux papillons ou par la présence lointaine du frère marin voyageant en Orient. Le livre se clôt sur la décision irrévocable de partir, qui est aussi décision d'écrire, puisqu'elle se manifeste dans une lettre à ce frère aîné.

La force et la singularité de ce livre tiennent largement au refus de montrer ou de feindre une quelconque maîtrise de la mémoire et du passé. Loti comprend intuitivement que la narration d'une enfance par un adulte, de surcroît sous la forme d'un récit ordonné et continu, est une mise à mort ou au moins une trahison. La cohérence imposée *a posteriori* empêche la part préservée, encore vivante, du passé de se faire entendre. Une histoire, dit-il, « serait fastidieuse », et il se propose de « seulement noter, sans suite ni transitions, des instants qui [l']ont frappé d'une étrange manière ». Loti n'hésite pas, avec une remarquable audace, à décrire et affronter des « images tout à fait confuses », à traquer l'« insaisissable rien », ce qui le conduit à constater, à la fin du chapitre 6, que « tout ce chapitre [est] presque inintelligible », peut-être parce qu'il a « été écrit avec un grand effort de sincérité ».

Paradoxalement, le titre semble nier cet effort ou constater sa vanité profonde : quel sens donner à ce terme de « roman » ? Justement dans la mesure où l'effort de sincérité est total, il faut constater que l'écrivain est toujours prisonnier des mots, que la vie vraie est dans cet « *ailleurs* » en italique dont la présence obsède Loti. En outre, B. Vercier le souligne, ce *Roman d'un enfant* déforme en plus d'un point la vérité. Ainsi entend-on sa camarade de jeux l'appeler : « Pierre ! Pierre ! mon petit Pierrot ! », faisant oublier que l'enfant Loti se nommait Julien Viaud. La présence ici de « Pierre » suffirait à révéler celle du romancier et attester la complexité du livre. Beaucoup plus tard, en 1919, Loti donna avec *Prime Jeunesse* un deuxième volume de souvenirs.

● « GF », 1988 (p.p. B. Vercier).

P. BESNIER

ROMAN D'UN JEUNE HOMME PAUVRE (le). Roman d'Octave **Feuillet** (1821-1890), publié à Paris chez Michel Lévy frères en 1858. Portée au théâtre, l'œuvre fut créée, sous la forme d'une comédie en prose, en cinq actes et sept tableaux, à Paris sur la scène du Vaudeville le 22 novembre de la même année. Le texte de la pièce fut édité chez Michel Lévy frères en 1859.

Auteur de *Scènes et Proverbes* (1851), de *Scènes et Comédies* (1854), Feuillet a fait figure, dans la société du second Empire, à la fois d'écrivain officiel et de « Musset des familles » (J. de Goncourt). Dans le même temps, il s'essayait aussi à l'écriture romanesque (*Bellah*, 1850 ; *la Petite Comtesse*, 1856), dans laquelle il donna sa pleine mesure avec *le Roman d'un jeune homme pauvre*. Après le succès du roman (12 réimpressions de 1858 à 1883), celui de l'adaptation théâtrale tint de l'événement : la salle était entièrement louée pour les dix premières soirées et le 24 novembre la pièce fut donnée devant la cour impériale à Compiègne. En 1896, la reprise fut encore un triomphe. L'œuvre connut plusieurs adaptations cinématographiques ; l'une des plus intéressantes fut celle d'Abel Gance en 1936, où Pierre Fresnay et Marie Bell tenaient les principaux rôles.

Maxime, marquis de Champcey d'Hauterive, n'hérite d'un père dépensier qu'un monceau de dettes qu'il tient toutefois à honorer, gardant ainsi les mains nettes mais vides. Acculé à la misère, pour subsister, il accepte, sous le nom de Maxime Odiot, la place d'intendant de la riche famille des Laroque, en Bretagne. Dans sa manière d'être perce malgré lui son éducation aristocratique : il pianote et dessine à ravir, tient sa place au whist, mate une jument ; enfin, au péril de sa vie, il sauve de la noyade le chien de l'héritière des Laroque. Celle-ci, Marguerite, est une jeune fille qui cache une sensibilité fiévreuse sous des attitudes hautaines. Elle est courtisée par un bellâtre de province, M. de Bévallan, avec lequel elle accepte de se fiancer après qu'une campagne de calomnies a desservi Maxime auprès d'elle. Lors d'une promenade à la tour d'Elven, ruine isolée dans la lande, Maxime et Marguerite sont, à la tombée de la nuit, malencontreusement enfermés dans le donjon. Marguerite croit à un guet-apens prémédité. Maxime s'en désole, et, pour lui prouver l'amour passionné qu'il lui déclare et préserver l'honneur de la jeune fille, il saute dans le vide. Miraculeusement indemne, Maxime décide de quitter le château non sans avoir détruit, par grandeur d'âme, un document prouvant que la fortune des Laroque avait été acquise, dans une aventure de flibuste, par un acte de trahison qui jadis avait lésé les Champcey. La mort de son amie Mlle de Porhoët-Gaël que Maxime avait aidée à rentrer dans ses droits auprès de la cour d'Espagne, le ramène bientôt ; il apprend alors que la très vieille dame lui a légué toute sa fortune. Son honneur et son nom retrouvés, son blason redoré permettront à Maxime, selon le vœu qu'il avait fait de ne se marier qu'à fortune égale, d'épouser enfin une Marguerite contrite et amoureuse.

Feuillet, cherchant à « amuser les hommes sans les corrompre » (Discours à l'Académie), préserve l'emphase amoureuse du romantisme, mais l'inscrit dans l'élan d'un idéalisme pudique et chevaleresque, défini par des codes moraux très stricts. La fiction, aux vertus morales roboratives, cherche ainsi à exalter le sens de l'honneur. Dans une intrigue campagnarde, loin d'un Paris frelaté, les héros, maîtres de leur destin, marchent, sous l'égide de la bonté, vers leur rédemption, en pratiquant les vertus intransigeantes du sacrifice (Maxime, le bien nommé, refuse ainsi de trahir son rival, brûle le papier qui lui permettrait de demander la main de la femme qu'il aime...). D'une manière ambiguë toutefois, le *deus ex machina* final lie indéfectiblement le bonheur amoureux à la possession d'une confortable fortune.

L'écriture théâtrale donna plus de vigueur encore à l'ensemble de ces valeurs que l'écriture romanesque enrobait dans les demi-teintes de carnets intimes. Mais les nuances furent ainsi écrasées, surtout celles du caractère de Marguerite. Quant à l'épisode de la tour d'Elven, il intervenait très tôt, à l'acte II, ce qui allongeait considérablement le temps de la rédemption.

L'esprit antiréaliste de l'ensemble de l'œuvre de Feuillet excitait la verve de Flaubert qui en attribuait l'immense succès à deux causes : « 1. La basse classe croit que la haute classe est comme ça et 2. La haute classe se voit là-dedans comme elle voudrait être. » Au bout du compte, Flaubert remarquait à propos du *Journal d'une femme* (1878), mais cela semble valoir pour l'ensemble d'une œuvre qui pourtant avec *M. de Camors* (1867) avait connu un développement vigoureux : « Après tant de patchouli, on a besoin de se débarbouiller dans du purin. »

● Tallandier, 1976.

J.-M. THOMASSEAU

ROMAN D'UN SPAHI (le). Roman de Pierre **Loti**, pseudonyme de Julien Viaud (1850-1923), publié à Paris chez Calmann-Lévy en 1881.

En septembre 1873, Loti, enseigne de vaisseau, arrive sur le *Pétrel* à Saint-Louis du Sénégal. Il a deux liaisons : avec la femme d'un commerçant français, Cora dans le roman, puis avec celle d'un haut fonctionnaire colonial – ce qui provoque un scandale : le 23 mai 1874, Loti est muté à Dakar et la jeune femme envoyée en Europe, enceinte d'un fils que Loti ne verra, brièvement, qu'une seule fois. Il est très atteint par ces événements.

Jeune paysan cévenol, Jean Peyral sert au Sénégal dans les spahis. Il est très beau et un peu naïf. La mulâtresse Cora le séduit avant de le tromper cruellement. Il se laisse alors aimer par Fatou, petite Noire de seize ans.

Trois ans après (le service est de cinq ans), il vit toujours avec Fatou, ce qui fait obstacle à son avancement. Un jour, il est muté à Alger, occasion de rentrer en permission au pays, de revoir ses parents et sa fiancée, Jeanne. Mais un de ses amis le supplie de le laisser partir à sa place. Presque indifférent, Jean accepte. Il prend alors part à une expédition en Guinée, au retour de laquelle il chasse Fatou, voleuse et paresseuse.

Un an encore : Jean apprend que le père de Jeanne veut lui faire épouser un huissier. Elle résiste, puis cède. Pendant une nouvelle expédition contre les rebelles, Fatou retrouve Jean et lui montre l'enfant dont il est le père. À la première embuscade, il est tué et Fatou étrangle le bébé sur son cadavre avant de se suicider.

C'est le roman le plus désespéré de Loti, où se réfractent les échos de son drame personnel, surtout la paternité frustrée. Ce drame de la solitude – après le mariage de Jeanne, Jean est absolument seul – est aussi celui du déracinement : rien n'a préparé le petit Cévenol à vivre dans ce dur monde africain. À la solitude sentimentale s'ajoute l'absence totale de figure amicale, aucun « frère » (le Noir Nyaor ne remplit pas vraiment cette fonction). En contrepartie, jamais Loti n'a autant insisté sur la beauté virile, celle de Jean, constamment mise en avant, ou celle de ses compagnons.

Le drame de Jean Peyral est de ne pas se résoudre à se laisser dominer par l'Afrique, ses paysages, ses habitants. Il est fasciné, mais résiste ; comme d'un véritable surmoi, les images de France resurgissent : la vieille mère, la fiancée pure, la vie dans les montagnes. Peyral essaie de se raccrocher à ces images positives, et le roman est effectivement ponctué des lettres de la mère ou de Jeanne. Le héros est finalement broyé entre ces deux univers inconciliables : l'austérité cévenole, la violente splendeur africaine.

Loti a-t-il jamais traité un autre sujet que cet impossible mariage des cultures ? La séduction effrayée de l'Afrique engendre ici un récit douloureux, un roman d'apprentissage où l'écrivain met en valeur l'originalité des civilisations noires. Sur le plan littéraire, *le Roman d'un spahi* fait passer « de la littérature post-romantique exotique à la littérature "coloniale" du XXe siècle ».

● « Presses Pocket », 1987 ; « Folio », 1992 (p.p. B. Vercier). ➤ *Romans*, « Omnibus ».

P. BESNIER

ROMAN DE BRUT (le). Récit en vers, en forme de chronique, de **Wace** (seconde moitié du XIIe siècle), achevé en 1155 et conservé par dix-huit manuscrits.

En près de 15 500 octosyllabes, *le Roman de Brut* est une « translation » (une adaptation en langue française) de l'*Historia regum Britanniae* (1137) de Geoffroi de Monmouth, rédigée à l'intention d'Henri II Plantagenêt et d'Aliénor d'Aquitaine. Même si elle respecte assez fidèlement la trame narrative et les données de sa source, l'adaptation de Wace est à plusieurs titres un texte fondateur. Inaugurant en français le genre de la chronique, elle pose les jalons d'une écriture de l'Histoire. Elle vulgarise, à l'intention d'un public laïque, les principaux personnages et motifs de ce qui deviendra la « matière de Bretagne ». Elle circonscrit l'espace-temps de référence à partir duquel s'élabore en amont, avec *le *Roman d'Énéas* et *le *Roman de Troie*, une histoire des origines troyennes de l'Occident tandis que, prenant le relais, *le *Roman de Rou*, du même auteur, et la *Chronique des ducs de Normandie*, de son rival Benoît de Sainte-Maure, poursuivent jusqu'à l'aube du XIIe siècle l'histoire confondue de la civilisation occidentale et de l'Angleterre normande.

I. Le Prologue signé, comme l'Épilogue, « maistre Wace », définit le thème et la structure du récit : l'histoire, ordonnée selon le temps chronique, des rois bretons. Suit un bref rappel de la chute de Troie, du départ d'Énée, de la fondation de Rome, et de la naissance de Brut [Brutus], un descendant d'Énée qui, tuant accidentellement son père, doit s'exiler (v. 1-148).

II. Au terme d'une expédition fertile en exploits guerriers qui le mène de la Grèce à l'île d'Albion, Brut, aidé des Troyens qui l'ont suivi, conquiert l'île en triomphant des géants qui la peuplent. Il donne à cette terre son nom : Bretagne (v. 149-1 250).

III. Wace relate ensuite les règnes des successeurs de Brut en s'attardant sur les amours adultères de Locrin et d'Hestrild, sur l'histoire du roi Lear et de sa fille Cordelia, sur les campagnes victorieuses de Belin et de Brennes qui mettent Rome à sac. Sous le règne de Cassibellan débute la longue période de la domination romaine (v. 1 251-3 826).

IV. Le récit des deux invasions successives de l'île par Jules César ainsi que par ses successeurs et des luttes des Bretons contre les Romains et contre les Pictes et les Scots fait alterner scènes d'ambassades et de combats, relations de trahisons, luttes acharnées de succession. Cette période s'achève sous le règne de Constantin avec le retrait définitif des Romains (v. 3 827-6 468).

V. La mort de Constantin ouvre une nouvelle période de troubles. Son fils Constant abandonne le pouvoir au Gallois Vortigern qui le fait assassiner. Les deux frères de Constant, Aurèle et Uther, s'exilent. Vortigern s'allie avec le Saxon païen Henguist dont il épouse la fille. Henguist se débarrasse par traîtrise des principaux chefs bretons. Chassé par le Saxon, Vortigern (épisode de la tour aux deux dragons) fait appel à Merlin, dont Wace relate la naissance diabolique et les dons de prophétie. De retour en Grande-Bretagne, Aurèle met à mort Vortigern puis Henguist. Sous son règne, Merlin transporte par magie depuis l'Irlande les pierres de Stonehenge (la « carole des géants »). Tandis qu'Uther triomphe en Galles des Irlandais et que l'apparition d'une comète en forme de dragon lui prédit la gloire de son lignage et lui donne son surnom de « Pendragon », Aurèle meurt empoisonné. Devenu roi, Utherpendragon, follement épris d'Ygerne, duchesse de Tintagel, réussit grâce à Merlin à coucher avec elle et engendre Arthur. Il épouse peu après Ygerne. À la mort d'Uther, qui périt empoisonné après avoir remporté une ultime victoire sur Octa, fils d'Henguist, Arthur devient roi (v. 6 469-9 004).

VI. L'histoire du règne d'Arthur, dans le *Brut*, débute par une série d'expéditions contre les ennemis héréditaires – les Saxons, les Pictes – et de guerres de conquêtes (l'Irlande, l'Islande, etc.). Wace situe la période de douze ans de paix qui s'ouvre ensuite l'invention de la Table ronde et le déploiement des aventures merveilleuses où s'illustre la chevalerie arthurienne. Poursuivant ses conquêtes, Arthur envahit la Gaule (« fief » de l'Empire romain), triomphe de son roi, Frolle, en combat singulier et se fait couronner à Paris. Le retour en Angleterre est marqué par des fêtes somptueuses que président le roi et sa femme Guenièvre, mais qu'interrompt l'arrivée d'ambassadeurs romains venus réclamer à Arthur le tribut qu'il doit à Rome. Sur le conseil de ses barons, Arthur passe à l'attaque. Débarquant au Mont-Saint-Michel, il tue un redoutable géant puis engage la lutte en Bourgogne (près d'Autun). Au terme de batailles très meurtrières pour les deux camps (y périssent Keu le sénéchal et Bedoier, le bouteiller du roi), Arthur triomphe des forces romaines et de leurs alliés païens. Mais alors qu'il s'apprête à marcher sur Rome, il apprend la trahison de son neveu Mordred, qui s'est emparé de son royaume et de sa femme. Lors du débarquement en Bretagne, Gauvain, neveu du roi, est tué. Mordred s'enfuit tandis que Guenièvre se réfugie dans une abbaye. Au cours de l'ultime bataille, en Cornouailles, Mordred est mis à mort mais périt également la majeure partie de la chevalerie arthurienne. Mortellement blessé, le roi se fait transporter dans l'île d'Avalon. Wace rappelle, sans prendre partie, la prophétie de Merlin sur la survie du roi et la croyance des Bretons en son éventuel retour (v. 9 005-13 298).

VII. La dernière partie du récit est consacrée aux luttes intestines des Bretons, progressivement refoulés par les Saxons et leurs alliés, le roi africain Gormund et le rénégat Isembard, en Galles et en Cornouailles. La Bretagne de Brutus, désormais appelée Angleterre, échappe définitivement à la souveraineté bretonne. Dans l'Épilogue,

Ronsard

« Ronsard », 1942. Lithographie d'Henri Matisse (1869-1954),
pour le *Florilège des Amours de Ronsard*, Paris, Albert Skira, 1948.
Ph. © Archives Photeb © Succession Matisse.

Inventeur, avec les poètes de la Pléiade dont il est le chef de file, d'une langue française moderne, courtisan qui rêvait d'épopée (*la Franciade*, inachevée, 1572), Pierre de Ronsard (1524-1585) savait-il que la « louange immortelle » irait d'abord au poète des *Amours*, celui qui convie Cassandre (1552), Marie (1552), Hélène (1578), et tant d'autres encore, à cueillir « dès aujourd'hui les roses de la vie », les menaçant d'une vieillesse hideuse et d'une mort trop prompte dont l'ombre hante toute son œuvre ? Telle est la virtuosité d'une écriture qui varie à l'infini l'expression du sentiment amoureux pour mieux célébrer les pouvoirs de la poésie.

« Les Funérailles de l'Amour », par l'atelier d'Antoine Caron (1521-1599).

Musée du Louvre, Paris. Ph. Hubert Josse © Archives Photeb.

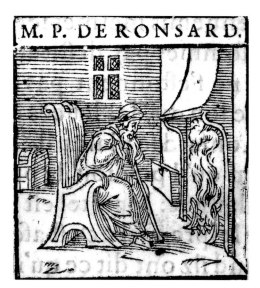

« Ronsard au coin du feu ». Illustration pour la page
de titre de la *Seconde response de F. de la Baronie à messire
Pierre de Ronsard*, 1563, de Florent Chrestien.

Bibliothèque nationale, Paris. Ph. © Bibl. nat./Archives Photeb.

« Vénus piquée par l'épine du rosier »
1556. Gravure de Giorgio Ghisi (1520/1524-1582)
d'après Luca Penni (1500-1556).

Bibliothèque nationale, Paris. Ph. © Archives L'Hopitault.

Wace donne le « titre » de l'œuvre, la *Geste des Bretons*, et la date de sa composition : l'an 1155 (v. 13 299-14 866).

La dénomination de « Geste des Bretons » qualifie avec pertinence un récit qui oscille entre la relation de faits historiques et la vision mythique du passé breton, et rapporte aussi bien l'invasion de la Grande-Bretagne par Jules César que la conquête de la Gaule et la marche sur Rome d'Arthur. Une autre tension parcourt l'œuvre, partagée entre la chronique de l'événement et la perspective romanesque, et qui réserve ainsi une place importante à l'aventure amoureuse (Uther et Ygerne), à la péripétie dramatique (Cordelia et le roi Lear), à la description des merveilles « naturelles » de l'île comme du monde raffiné de la cour d'Arthur ou aux interventions magiques de Merlin le prophète.

Reste que le *Brut* témoigne d'un effort soutenu pour créer en français un véritable discours historique, dont la véridicité mais aussi les failles et les limites sont soigneusement soulignées par le narrateur : les grandes étapes de l'histoire bretonne sont régulièrement mises en synopsis avec l'histoire biblique et avec l'histoire de la Rome antique puis chrétienne ; les indications géographiques assurent un balisage souvent très précis de l'espace ; les listes de noms propres, des barons d'Arthur par exemple ou des villes fondées lors de l'expédition en Gaule, prennent l'allure de véritables documents. Plus profondément, les jeux onomastiques dans lesquels se complaît Wace sont autant de méditations sur les mutations du langage comme trace des mutations et du devenir des peuples. Retrouver la forme première d'un nom, c'est pour l'historien recomposer le passé et énoncer, à la racine même du temps, le mythe d'origine. Ainsi de la vertigineuse reconstitution qui permet de retrouver dans le nom de Londres son nom premier de « Troie Nove » et qui recoupe l'enjeu essentiel du *Brut* : montrer comment la Grande-Bretagne mythique / l'Angleterre normande est le lieu où s'est réincarnée la puissance troyenne. Et il est peu de rois, dans ce récit, qui, à l'image de Brut, le « héros civilisateur », n'apportent leurs contributions diverses (de la musique à l'établissement des lois, à la construction de villes, de ponts, de murs, à la christianisation difficile de la terre) à l'avènement d'une civilisation qui atteint son apogée avec Arthur.

Cette partie du *Brut* projette dans le personnage et le règne d'Arthur (en une répétition générale du règne des Plantagenêts ?) toutes les valeurs qui fondent, dans la modernité du narrateur, le nouvel idéal courtois : la prouesse, l'observance de la justice, l'abolition des tensions, que symbolise la création de la Table ronde (motif dont le *Brut* est la première occurrence), le raffinement des mœurs. Les fêtes à la cour d'Arthur sont ainsi la plus éclatante manifestation de ce modèle courtois où la prouesse du chevalier ne fait sens que si elle s'ordonne au regard de la dame et à la quête amoureuse.

En associant par la rime la « Reonde Table » à la prolifération de la « fable » (v. 9 751-9 752), le *Brut* souligne aussi de manière quasi prophétique le rôle important qu'il a joué dans le développement du récit de fiction. Le cadre arthurien et préarthurien qu'il circonscrit, plus encore que les personnages et les motifs qu'il a mis en circulation, a fourni le cadre de référence des romans arthuriens en vers et en prose, de Chrétien de Troyes au roman de *Perceforest*. Romans antiques, romans arthuriens et récits sur Tristan ont également repris, quitte à en assouplir la raideur, les techniques de description et d'amplification mises au point par Wace, sans retrouver toujours la vivacité, la charge émotionnelle et surtout le réalisme de son style. Tout au plus ont-ils renoncé aux effets un peu archaïques, au goût du clerc pour l'anaphore, la répétition, l'énumération, tous procédés rhétoriques qui donnent parfois un rythme un peu trop mécanique au couplet d'octosyllabes. L'influence du *Brut* sur le genre de la chronique a été également décisive : après avoir éclipsé l'œuvre de son prédécesseur immédiat, Gaimar, auteur d'une *Estoire des Engleis*, le récit de Wace a été imité dès la fin du XIIe siècle en moyen haut anglais par le *Brut* de Layamon, et le nom de « Brut » finit par désigner au Moyen Âge toute chronique traitant du passé breton.

● SATF, 2 vol., 1938-1940 (p.p. I. Arnold) ; *la Partie arthurienne du « Roman de Brut »*, Klincksieck, 1962 (p.p. I. Arnold).

E. BAUMGARTNER

ROMAN DE L'HISTOIRE DU GRAAL (le). Récit de **Robert de Boron** (XIIe-XIIIe siècle), composé au tout début du XIIIe siècle et formé de 3 514 octosyllabes.

Composé à l'intention de Gautier de Montbéliard (qui partit en 1201 pour la quatrième croisade et mourut en Terre sainte en 1212), le texte est conservé dans un seul manuscrit où il est suivi d'un fragment de 500 vers, seul témoin du *Merlin* en vers attribué à Robert de Boron.

Le **Conte du Graal* de Chrétien de Troyes, première apparition littéraire du motif du Graal, ne dit rien de ses origines. Le texte de Robert comble cette lacune en racontant l'« invention » du Graal et en programmant son devenir, de la Terre sainte aux « vaus d'Avaron » (ou d'Avalon, la Grande-Bretagne de la fiction arthurienne).

Après un bref rappel de l'Histoire sainte, depuis la chute de l'homme jusqu'à la venue du Christ, Robert introduit progressivement son personnage central, Joseph [Joseph d'Arimathie]. Disciple secret du Christ et « soudoier », soldat au service de Ponce Pilate, Joseph obtient au soir de la Passion la grâce d'ensevelir le corps du Crucifié dans son propre tombeau et il recueille le sang du Christ dans un « vaissel » qui a également servi, lors de la Cène, à la consécration des Espèces. Après la Résurrection, Joseph est emprisonné par les Juifs. Mais le Christ vient le visiter, l'assure de son amour et lui remet le « vaissel » afin qu'il en assure la transmission sur trois générations, par trois personnes, selon le modèle trinitaire du Père, du Fils et du Saint-Esprit.

À Rome, Vespasien, le fils de l'empereur, souffre de la lèpre. Il apprend qu'il pourrait guérir grâce à un objet ayant appartenu au Christ et il est de fait guéri par le suaire, conservé par Véronique. Il décide alors de venger la mort du Christ en détruisant Jérusalem et il délivre Joseph de la prison où il a miraculeusement survécu. Celui-ci part loin du monde habité avec sa sœur, son beau-frère, Hébron ou Bron, le riche Pêcheur [l'ancêtre des Rois Pêcheurs des romans du Graal] et quelques fidèles. Au désert, Joseph institue, sur l'ordre divin et en souvenir de la table de la Cène, la Table (qui deviendra la table du Graal) où ne peuvent prendre place que les élus désignés par la grâce divine. Un siège y reste vide (il deviendra le Siège périlleux), en souvenir de Judas. Un incrédule, Moysés, qui s'y asseoit, est aussitôt englouti. Un certain Petrus donne alors au « vaissel » son « droit » nom, « Graal », cependant que la voix divine apprend à Joseph que le siège vide ne sera rempli que par le troisième homme issu de son lignage. Bron, le riche Pêcheur, à qui Joseph transmet les secrets du Graal, est alors choisi comme gardien de la relique qu'il doit emporter en Occident, là où il attendra la venue du fils, non nommé (Perceval ?) de son fils Alain.

L'aspect le plus évident du « roman » très édifiant de Robert de Boron, nourri de l'Évangile de Nicodème et de récits comme la *Destruction de Jérusalem*, est de donner au Graal (mais la lance qui saigne n'est pas mentionnée) le statut de relique, le « vaissel » ayant participé au mystère de l'Eucharistie avant de recueillir le sang rédempteur. Ce texte donne également à Joseph d'Arimathie le double statut de personnage historique (évangélique) et de personnage inaugural de la fiction du Graal : Joseph « invente » la relique et en assure la transmission dans ce qui deviendra l'espace arthurien. Mais il devient aussi dans le « roman » de Robert, le premier et le plus saint des chevaliers, des « soudoiers » qui se mettent par amour au service du Christ. Unissant l'Écriture sainte à l'écriture de la fiction, Robert de Boron donne ainsi au monde arthurien, emblématique de la classe chevaleresque historique, sa relique, le saint Graal, et son saint, celui que le Christ a consacré comme tel, en lui accordant son amour et en lui dévoilant ses mystères.

Mais en intégrant le Graal à l'Histoire sainte, l'écrivain mène aussi une réflexion sur le pouvoir symbolique du langage et montre comment la « semblance », l'apparence sensible, concrète, peut se charger d'une « senefiance » (deux mots clés du vocabulaire de Robert). Le Christ donne le modèle, nommant « corporal » le drap qui l'a enveloppé, « patène », la pierre de son tombeau, « calice », le vase où a été recueilli son sang, etc. Nomination que répète le texte, en donnant au « vaissel » le nom de « Graal », puis en fondant sur un jeu de mots, de sonorités, le sens du Graal. Selon Petrus le bien nommé (« Tu es Pierre, et sur cette pierre, je bâtirai mon église »), le « Graal », c'est ce qui « agrée », ce qui est au « gré » de tous ceux qui en tenteront la quête, en feront l'objet de leur désir.

Au terme d'un récit qui déploie le temps de la fiction à venir (voir le *Merlin* en prose) selon la triple filiation des gardiens du Graal, Robert décrit rapidement les quatre parties qu'il devrait maintenant conter pour achever son *Estoire dou Graal*. Mais il leur substitue aussitôt un autre (et cinquième) récit et un autre personnage (Merlin), que rien n'a annoncé jusqu'alors. Aux futurs écrivains du Graal, Robert propose ainsi un modèle complexe du livre, ramifié en « branches », en parties dont on peut à loisir multiplier le nombre, et qui sont apparemment reliées au récit, au tronc commun sur lequel elles se greffent, mais qui s'énoncent en fait sur fond d'absence, de vide initial. Cette absence est ici celle des paroles secrètes échangées entre le Christ et Joseph, par lesquelles se dérobent l'origine, la source du récit, le secret même de toute création. Est-ce alors un hasard si, dans les romans arthuriens en prose du XIII siècle, de la « trilogie » qui lui est attribuée au *Tristan en prose* et à la *Suite du Merlin*, Robert de Boron, relayé par Hélie de Boron, son « compagnon » d'armes et d'écriture, est devenu le nom emblématique et la référence obligée des écrivains du Graal ?

● Champion, 1927 (p.p. W. Nitze).

E. BAUMGARTNER

ROMAN DE LA MOMIE (le). Roman de Théophile **Gautier** (1811-1872), publié à Paris chez Hachette en 1858.

Lorsqu'il écrit *le Roman de la momie*, Gautier n'est pas encore allé en Égypte (il ne s'y rendra qu'en 1869 comme correspondant du *Journal officiel* pour l'inauguration du canal de Suez) ; mais cet Orient rêvé est déjà apparu dans son œuvre avec deux nouvelles, « Une nuit de Cléopâtre » en 1838 et « le Pied de momie » en 1840 (voir *Arria Marcella*). Annonçant le travail de Flaubert pour *Salammbô*, l'auteur s'est largement documenté, utilisant aussi bien les *Histoires* d'Hérodote que Plutarque (*Isis et Osiris*), Champollion (*Lettres écrites d'Égypte et de Nubie*) ou divers égyptologues dont Ernest Feydeau (*Histoire des usages funèbres et des sépultures des peuples anciens*), à qui il dédie le roman. Ses amis Maxime du Camp (avec *le Nil*) et Gérard de Nerval (avec le *Voyage en Orient*) l'ont aussi renseigné pour l'élaboration de ce récit que la critique boudera dès sa parution et qui ne commencera à être vraiment apprécié que vers 1950.

Lord Evandale, un jeune et sémillant aristocrate anglais, suivi du savant allemand Rumphius, entreprend de fouiller une tombe de la vallée des Rois sous la direction du Grec Argyropoulos. Ils découvrent la momie d'une très belle et très jeune femme et, près d'elle, un étrange rouleau de papyrus. La momie est emportée sur le yacht de l'archéologue où le texte énigmatique est déchiffré et livre le récit suivant (Prologue). À Oph [Thèbes], Tahoser, la fille du grand prêtre défunt Pétamounoph, s'ennuie ; Pharaon en tombe éperdument amoureux quand il la voit lors de son triomphe (chap. 1-4). Mais Tahoser aime en secret Poëri, intendant du royaume à l'étrange beauté ; elle se rend chez lui où elle est accueillie avec empressement (5-6), tandis que Pharaon envoie chez elle de somptueux présents (7). Tahoser suit Poëri la nuit, traversant audacieusement le fleuve à la nage, pour s'apercevoir qu'il

est juif et aime la belle Ra'hel (8-9). Elle s'évanouit ; Ra'hel la recueille, devine son amour et la donne comme seconde épouse à Poëri ; mais une servante trahit la cachette de Tahoser et Pharaon l'enlève pendant son sommeil avant de lui déclarer son amour (10-14). Mosché [Moïse] vient demander à Pharaon de libérer le peuple hébreu, accomplit des miracles et envoie les sept plaies sur l'Égypte ; malgré la mort de son fils et les conseils de Tahoser, le monarque poursuit les Hébreux avec son armée jusqu'à la mer Rouge qui se referme sur lui (15-17). Tahoser lui succède et meurt bientôt.

Lord Evandale, amoureux de Tahoser, refuse de se marier (18).

Reprenant le thème de l'amour rétrospectif déjà traité dans *Arria Marcella*, où un jeune homme s'énamourait d'une belle morte, *le Roman de la momie* accentue encore la distance temporelle et ajoute la note fantastique récurrente de l'amour plus fort que la mort (« Et sa pensée arriva peut-être à l'âme inquiète qui errait autour de sa dépouille profanée »), dans un récit dont on a beaucoup souligné l'aspect archéologique sans en considérer vraiment la dimension poétique. Or ces deux aspects sont intimement mêlés : la description, qui occupe une grande part du roman, est, comme toujours chez Gautier, un hymne à la plastique et ne s'attache pas seulement aux personnages, dessinés en portraits parallèles ou antithétiques (la beauté de Tahoser s'oppose à celle de Ra'hel, celle de Pharaon à celle de Poëri), mais aussi à l'architecture et au décor. L'Égypte apparaît bien ici comme un « rêve de pierre », et la figure majeure est alors moins celle de Tahoser, qui trahit son origine et son rang pour un amour impossible, que celle de Pharaon, entouré de granit et de grès, devenu granit lui-même avec son cœur si dur, implacable comme le soleil qui baigne le roman entier. Mais le versant parnassien est contrebalancé par la violence de vaines passions (Pharaon aime farouchement Tahoser qui aime follement Poëri...), qui contribuent à faire de cette œuvre un roman de la cruauté. La froideur minérale est aussi, paradoxalement, témoin de la chaleur d'un amour véritable (celui de Tahoser) ou d'un désir ardent (la flamme de Pharaon à la face éblouissante), voire voluptueux : l'Égypte rêvée rejoint alors cette quête d'un paradis vers laquelle tend toute l'œuvre de Gautier.

● « GF », 1966 (p.p. G. Van Den Bogaert) ; « Le Livre de Poche », 1985 (p.p. M. Eigeldinger) ; « Folio », 1986 (p.p. J.-M. Gardair) ; « Presses Pocket », 1991 (p.p. C. Aziza). ➤ *Œuvres complètes*, Slatkine, VII.

F. COURT-PEREZ

ROMAN DE LA ROSE (le). Roman en vers commencé par **Guillaume de Lorris** (XIII siècle), continué et achevé par **Jean de Meung**, pseudonyme de Jean Clopinel ou Chopinel (vers 1240-avant 1305).

La première partie, l'œuvre de Guillaume de Lorris (octosyllabes 1 à 4 028), a été composée autour de 1225-1230. Jean de Meung, dont nous avons également conservé des traductions d'œuvres latines et d'un texte « moderne » (la *Vie et les Épîtres de Pierre Abélard et d'Héloïse, sa femme*), a rédigé sa continuation (octosyllabes 4 029 à 21 750) entre 1268 et 1282. C'est lui qui nous apprend, aux vers 10 496-10 572 du *Roman*, qu'il a continué le texte de Guillaume, sur qui nous n'avons aucune autre source de renseignement.

L'originalité du *Roman de la Rose* de Guillaume de Lorris ne tient pas au choix du sujet : le récit d'une quête amoureuse que le héros ne peut mener à bien. Elle est dans l'appropriation par la fiction romanesque des ressources conjointes du songe et de l'écriture allégorique, et dans la création d'un roman à la première personne, qui se veut aussi un « art d'amour », et qui s'inspire des motifs et du rituel érotique de la poésie lyrique courtoise.

Le Roman de la Rose, I [Guillaume de Lorris]. Prologue : le narrateur va conter, en l'honneur de celle qu'il aime, et qui peut à juste titre être appelée « Rose », un songe vrai – il l'a fait il y a environ cinq ans – et avéré : tout ce qui lui est arrivé « covertement » [sous le couvert du songe] s'est ensuite réalisé « apertement » [réellement], dans les cinq ans qui séparent le songe de sa mise par écrit. Le récit s'appelle *le Roman de la Rose* où « l'art d'Amors est tote enclose » [tout entier contenu] (v. 1-44).

Rêvant qu'il s'éveille et va se promener dans la campagne un beau matin de mai, le rêveur est arrêté par le mur d'un verger (le verger d'Amour), sur lequel sont représentées dix « images » incarnant les forces hostiles à l'amour courtois. Introduit par Oiseuse, il évolue au milieu des « vertus » courtoises, menées par Déduit, Liesse et Amour, avant de découvrir la fontaine où est mort Narcisse. Tout en y contemplant le reflet du verger, le rêveur y distingue un bouton de rose. Le dieu Amour aussitôt le transperce de ses flèches, et lui donne peu après ses commandements. Le rêveur, devenu l'amant, tente de s'approcher du buisson de roses, conforté par Bel-Accueil. Mais la rose est gardée par Danger, qui met en fuite Bel-Accueil. Désespéré, le héros subit les conseils de Raison, écoute plus volontiers ceux d'Ami, et parvient, grâce à l'aide de Vénus, à donner un baiser à la rose. Ce qui déclenche une riposte de Jalousie et de ses suppôts (Honte, Male-Bouche, etc.). Jalousie construit un formidable château où est enfermé Bel-Accueil sous la surveillance d'une vieille femme. Le récit s'interrompt sur les plaintes de l'amant qui se compare au paysan qui a perdu sa récolte (v. 45-4 028).

Pour retracer l'itinéraire sentimental du rêveur, de l'éveil du désir au choix de son objet, puis au commencement de sa quête, Guillaume a repris à la littérature didactique et morale un cadre narratif dont la fortune sera considérable : le songe. Ainsi est cautionné – « songe n'est pas mensonge » – le caractère novateur de ce récit centré sur un « je » qui fut le protagoniste du songe, qui a vécu dans la « réalité » (mais cette « réalité » n'est jamais racontée) ce que prédisait le songe. Instance énonciative, il relate et rime, à l'intention d'un public qu'il entend séduire, ce songe qui fait encore parfois partie de son présent vif. Abolissant les contraintes du vraisemblable et perturbant les lois qui régissent l'espace et le temps humains, la fiction du songe permet également de donner corps et mouvement, dans l'espace courtois du verger, aux entités abstraites de la lyrique courtoise et d'en projeter les motifs clés dans le temps du récit. À la « reverdie » initiale, qui sert de cadre à l'éveil des sens du rêveur, succède la description statique des « vices », cloués aux murs, tandis que les « vertus », dépeintes en mouvement, entraînent un temps le jeune homme dans les tours et détours des « caroles ». Pour chaque figure, la description tente le passage de l'apparence à l'essence, en évitant au mieux les pièges de la tautologie : Pauvreté est assez pauvrement présentée comme une pauvresse en haillons, mais comment figurer le grand âge de Vieillesse mieux que par une longue digression (lieu commun remontant aux *Confessions* de saint Augustin) sur la fuite irréparable du temps ?

D'autres personnifications ont un rôle plus actif, comme Oiseuse (Oisiveté, Loisir), qui introduit le rêveur dans le verger, et surtout Amour, présenté de manière classique (ovidienne) comme le chasseur décochant ses flèches douces-amères sur le rêveur. D'autres encore, dans la suite du récit, incarnent les sentiments et les mouvements contradictoires de la rose, de son désir d'amour (Bel-Accueil) à ses craintes et ses sursauts de pudeur (Danger, Honte, Chasteté, etc.), et organisent les premières péripéties de la quête, l'alternance des succès et des échecs de l'amant. Jusqu'au moment où le motif courtois de la « prison d'amour », qui retient le cœur de l'amant, et celui de la dame inaccessible se matérialisent dans le château de Jalousie.

Le recours aux figures allégoriques permet aussi de généraliser en un art d'aimer, en écho au *Traité de l'amour courtois* d'André le Chapelain, l'expérience individuelle et subjective du rêveur. Tel est l'objet du discours (bien décevant) et des commandements d'Amour, des sages mises en garde de Raison, des conseils plus ambigus d'Ami. Mais le motif du « verger d'Amour », qui remonte à des sources antiques aussi bien que chrétiennes et qui appartient également à la tradition médiévale latine et

française, est aussi le lieu mythique où la fontaine de Narcisse symbolise non la mort de l'amant épris de son propre reflet, mais la source même de l'amour, le moment où le désir ébloui du rêveur « choisit » ailleurs, élit l'objet de sa quête. Le « miroir périlleux » de la fontaine de Narcisse, métamorphosée par Guillaume en fontaine d'Amour, ouvre enfin une autre quête. Dans les deux « pierres de cristal » qui se trouvent au fond de la fontaine se reflète et s'ordonne, sous les yeux du rêveur, l'univers du verger. Ce miroir imparfait, dédoublé, ne permet cependant d'en saisir qu'une moitié à la fois. Pas plus qu'il ne mène à bien la conquête/cueillette de la rose, la fusion de deux en un, le rêveur ne parvient, à la fontaine d'Amour, à une vision une et parfaite du verger, du monde de l'amour. Lorsque s'interrompt ou s'achève le récit de Guillaume, le rêveur n'a pu devenir l'amant, la graine semée n'a pas fructifié, l'écriture du désir n'a pu éclore et donner « apertement » à voir le mystère de l'amour.

La continuation de Jean de Meung reprend le cadre du songe et la trame narrative proposée par Guillaume, mais l'action proprement dite passe au second plan. L'essentiel du texte est occupé par les très longs discours que tiennent des personnifications déjà présentes chez Guillaume comme Raison, Ami, Amour, Vénus, etc., de nouveaux « types » comme le « mari jaloux » et la « Vieille », sortis tout droit des fabliaux, le personnage de Faux-Semblant, incarnation de l'hypocrisie et plus particulièrement des vices des ordres mendiants, puis les instances supérieures que sont Nature, « servante de Dieu », et son « chapelain » Génius, personnages pour lesquels la source directe de Jean de Meung est le *De planctu naturae* d'Alain de Lille.

Le Roman de la Rose, II [Jean de Meung]. L'amant, désespéré, doit d'abord faire face à un très long discours de Raison consacré aux différentes sortes d'amour, puis à une réflexion sur la nécessité d'employer les termes propres et sur l'arbitraire du signe (v. 4 029-7 200). Suit le discours d'Ami, qui donne des conseils plus immédiats et plus pratiques pour séduire puis garder une femme, et qui évoque un âge d'or de l'amour dépourvu de contraintes (v. 7 201-9 972). S'enchâsse dans le discours d'Ami la longue diatribe misogyne du « mari jaloux », « exemple » à partir duquel Ami reprend *a contrario* le thème de l'âge d'or et revient sur la conduite à tenir avec les femmes.

Après avoir essuyé les refus de Richesse, l'amant retrouve le secours d'Amour et de ses troupes (s'y glisse Faux-Semblant). Amour décide d'assiéger le château construit par Jalousie pour venir en aide à ses fidèles serviteurs, et notamment à Guillaume de Lorris, dont le nom et l'œuvre sont alors évoqués par le narrateur (v. 9 973-10 650). Amour s'assure l'aide de sa mère, Vénus (incarnation du désir féminin), et accepte celle de Faux-Semblant (v. 10 651-10 921). Ce dernier, qui se présente en habit de religieux, afin de mieux tromper le monde, se livre à une très violente et très longue satire des faux religieux (des ordres mendiants), de leur hypocrisie, de leur pratique de la mendicité, et dénonce enfin le rôle diabolique joué par ces ordres dans les querelles qui les ont récemment opposés au clergé séculier (v. 10 922-11 984).

Amour et ses troupes montent à l'assaut. Faux-Semblant égorge Male-Bouche et l'on persuade la Vieille d'endoctriner Bel-Accueil (v. 11 985-12 510). Ce qu'elle fait dans une très longue intervention, qui est plus un art de séduire très détaillé et très cynique qu'un art d'aimer, et qui se termine sur une vibrante revendication des droits naturels des femmes à vivre et à aimer sans contrainte, et à profiter pleinement de leur jeunesse et de leurs appas (v. 12 511-14 516). L'amant croit possible de prendre la rose et d'accomplir son désir, lorsque surgit Danger. Les troupes d'Amour préparent leur intervention, retardée par une digression du narrateur qui présente ses excuses aux lecteurs (et aux lectrices) qui pourraient trouver son livre trop obscur, sa satire trop violente, son art d'aimer trop libre (v. 14 517-15 272). Assaut général du château, auquel participe Vénus qui s'engage, avec son fils Amour, à détruire Chasteté au cœur des hommes comme des femmes (v. 15 273-15 860).

Entre alors en scène Nature, occupée, dans sa forge, à créer les individus qui perpétueront les espèces et à lutter ainsi contre la Mort et la Corruption, cependant que l'Art, « singe de Nature », tente en vain de lui dérober son pouvoir créatif et de s'essayer à l'alchimie (v. 15 861-16 118). Nature, que l'écrivain renonce à décrire, désespérée par la faute qu'elle a commise, veut se confesser à son chapelain Génius, qui tente de la réconforter en se livrant d'abord à des remarques peu amènes sur les vices innombrables des femmes (v. 16 119-16 698). La confession de Nature – sa faute, nous l'apprendrons aux vers 19 166 et suivants, est d'avoir créé l'espèce humaine – est le prétexte à une très ample description du monde qui, l'homme excepté, se soumet entièrement aux lois naturelles, à une réflexion sur le problème de la nécessité et du libre-arbitre, sur les jeux de Fortune et du hasard (celui des naissances, par exemple, nobles ou obscures), à des considérations scientifiques sur la météorologie, les miroirs, les comètes etc. Elle s'achève par l'excommunication des ennemis d'Amour et la promesse de l'indulgence plénière pour ses dévots (v. 16 699-19 375).

Devant Amour et ses troupes (mais Faux-Semblant a alors disparu), Génius délivre son message, maudissant tous ceux qui se refusent à la procréation, et promettant le paradis et l'immortalité à tous ceux qui œuvrent vaillamment à la reproduction de l'espèce. Un paradis qui est alors identifié au parc du Bon Pasteur et à la merveilleuse fontaine de Vie qui y coule, et qui l'un et l'autre s'opposent en tous points au verger d'Amour et à la fontaine de Narcise (v. 19 376-20 637).

Tandis que Génius disparaît, Vénus décoche une flèche (un brandon enflammé) et atteint une châsse qui a la forme d'une statue plus belle encore que celle à qui Pygmalion, dont l'histoire vient alors expliciter la métaphore érotique, donna la vie grâce à son art. Les défenseurs du château s'enfuient. L'amant, figuré en pèlerin muni d'un bâton et d'une besace, s'approche de la statue-châsse et s'ouvre un passage jusqu'aux reliques. Puis, dans une adresse aux jeunes gens, il raconte complaisamment comment il a cueilli et fécondé le bouton de rose malgré Raison et Jalousie et sans le secours de Richesse (v. 20 638-21 748).

Épilogue : « C'est ainsi que j'eus la rose vermeille. Il fit jour, et je m'éveille » (v. 21 750-21 751).

La caractéristique la plus immédiate de ce texte inclassable et protéiforme est sans doute son ambition encyclopédique et totalisante. Ce « miroir aux amoureux », comme le désigne son auteur au vers 10 621, embrasse, interroge, critique, condamne, exalte tour à tour toutes les formes de l'amour. Mais il est aussi, à bien des égards, un « miroir » du monde, une vaste et composite encyclopédie du savoir médiéval qui, rédigée en français, adapte à l'usage d'un public laïc les connaissances d'un clerc, d'un universitaire de la fin du XIIIᵉ siècle. Première manifestation en langue française d'une poésie philosophique et scientifique, la continuation de Jean de Meung véhicule également une réflexion qui, par la métaphore de la quête érotique, aborde et traite la plupart des problèmes philosophiques et moraux qui peuvent instruire et alimenter la réflexion des lecteurs et des lectrices. La leçon qui se dégage, la « definitive sentence » qui est prononcée, semble bien être le nécessaire respect, par l'homme, des lois naturelles, incarnées, à tous les sens du mot, par l'amour. Mais l'écrivain Jean de Meung paraît moins hanté par la volonté de classer un savoir et d'en proposer le bilan que par la tentation de tout dire, de tout épuiser, de ne rien laisser échapper de la complexité du monde.

Ce serait donc une erreur que de chercher à unifier une œuvre, une pensée qui se construisent précisément dans la tension des « contraires choses » (cette expression clé du texte se lit au reste, très ironiquement, dans un contexte érotique), qui joue de la mise en contact, à travers les différents discours, de points de vue multiples, divergents, de savoirs partiels, de propositions contradictoires, de toutes les ressources de l'ironie. La contradiction peut se trouver au sein même des personnages : le mari jaloux et misogyne fait l'éloge de la chaste Lucrèce et de la très sage Héloïse ; la Vieille est la plus cynique des entremetteuses, mais elle révèle et impose la spécificité de la sexualité féminine ; À travers Faux-Semblant, Jean de Meung, ouvrant son texte à l'Histoire récente, stigmatise les vices et la duplicité des ordres mendiants, mais le personnage aide aussi à la victoire de l'amour. On peut enfin longuement s'interroger sur l'orthodoxie du message de Génius, faisant de la procréation le plus sûr, voire l'unique moyen d'accéder au paradis, au nombre des brebis du Bon Pasteur et auprès de la fontaine de Vie.

Que Génius soit sans doute le représentant le plus autorisé des idées de Jean de Meung, que son *Roman de la Rose* puisse être lu comme un « éloge de la sexualité », cela semble ressortir du travail auquel s'est livré l'écrivain

sur le texte de Guillaume, du jeu d'oppositions qu'il a construit, des nombreux exemples mythologiques qu'il a repris et souvent réorientés. Source inépuisable de vie, la fontaine de son paradis s'oppose trait pour trait à la fontaine de Narcisse dont est souligné le caractère imparfait, déceptif, mortifère. Et à la figure de l'amant rêveur de Guillaume, incapable de faire fructifier la graine qu'il a semée et d'achever sa quête, s'opposent la figure mythique de Pygmalion puis celle de l'amant pèlerin, l'un capable, par la force de son amour, de donner vie à sa statue, l'autre d'arriver, par la persévérance de son désir, à pénétrer au cœur du « sanctuaire » et à en dévoiler le mystère. La dimension érotique de cette ultime métaphore, complaisamment, voire lourdement développée, va de soi. Mais elle pourrait aussi signifier la quête de l'écrivain, le trajet même de l'écriture du roman et son aboutissement rêvé : ou comment retrouver, à travers la diversité et l'opacité du monde, l'ambiguïté des mots, des choses et des êtres, la transparence perdue, masquée, du langage ; comment posséder le langage, le dénuder, voile après voile, pétale après pétale, pour l'atteindre au cœur, retrouver l'équivalence des mots et des choses, mimer (car l'art n'est jamais que le singe de Nature) par la métaphore de la cueillette de la rose, l'acte vif de la création littéraire, de l'engendrement du texte.

Le Roman de la Rose est conservé par quelque trois cents manuscrits dont beaucoup présentent une très riche illustration. L'œuvre a été en effet lue, copiée, adaptée ou traduite jusqu'au XVIᵉ siècle, et aux manuscrits ont succédé, à partir de 1481 environ, les éditions imprimées. Dès la fin du XIIIᵉ siècle, un clerc, Gui de Mori, en donne un remaniement. Il en existe deux mises en prose du XVᵉ siècle, l'une anonyme, l'autre, de Jean Molinet, rédigée vers 1500. Chaucer en a donné une traduction en anglais et il en existe deux en néerlandais, et deux en italien. Villon cite le texte mais aussi des auteurs du XVIᵉ siècle, comme Marguerite de Navarre dans l'*Heptaméron (première journée, neuvième nouvelle) et d'autres encore. À partir du XIVᵉ siècle, ce texte a rencontré des admirateurs et des détracteurs également passionnés : il a ainsi suscité la première « querelle » littéraire dont nous ayons gardé des traces écrites, et qui a opposé en 1401-1402 Christine de Pisan et Jean de Gerson, au nom ou sous le prétexte de la défense des femmes, à Jean de Montreuil, Gontier et Pierre Col, défenseurs du *Roman de la Rose*.

Devenu très vite un ouvrage de référence, une « autorité » à l'égal d'un « auteur » antique ou sacré, *le Roman de la Rose* a été pratiqué par des lecteurs et des écrivains plus curieux des savoirs divers qu'il transmettait ou des développements satiriques qu'il proposait, sur les femmes ou les ordres mendiants par exemple, que de la quête d'un sens global, difficile à cerner et peut-être trop subversif. Le cadre du songe, la quête allégorique ont été également abondamment réutilisés dans des œuvres d'inspiration érotique comme le *Dit de la Panthère d'amour* de Nicole de Margival (voir *Bestiaire d'amour*) ou *le Roman de la poire*, mais aussi didactiques ou politiques, comme le *Songe du verger* par exemple. Mais ce n'est guère qu'au XVIᵉ siècle, avec Rabelais, que le message de Génius et l'apologie qu'il fait des forces créatrices du désir semblent avoir été pleinement reçus.

● Champion, 3 vol., 1965-1970 (p.p. F. Lecoy). Traduction : Champion, 5 vol., 1971-1975 (A. Lanly) ; « GF », 1974 (D. Poirion).

E. BAUMGARTNER

ROMAN DE LA ROSE (le) ou de Guillaume de Dole. Roman en vers de **Jean Renart** (début du XIIIᵉ siècle). Si l'on tient compte de l'atmosphère générale du récit (une période de paix entre la France et l'Angleterre) et des personnages historiques qui y figurent, le roman pourrait avoir été écrit vers 1228.

Le nom de l'auteur, dont nous avons conservé un autre roman, l'*Escoufle*, et un récit bref, le *Lai de l'Ombre*, se lit en anagramme au dernier vers.

Dans le Prologue, le narrateur vante la nouveauté de son Roman de la Rose, un « conte d'armes et d'amour » que l'on peut tout à la fois lire et chanter, et sa beauté : les poèmes qui y sont brodés en rehaussent l'éclat, comme la teinture d'écarlate rehausse celui des étoffes (v. 1-30).

Le récit s'ouvre sur la description d'une « fête galante » à la cour raffinée d'un empereur d'Allemagne, Conrad, dont les mérites sont longuement exposés. Dès cette première séquence, s'entrelacent à la narration chansons et rondeaux chantés par des personnages du récit (v. 31-620). Peu après, Juglet, jongleur favori de l'empereur, lui vante les mérites d'une très belle jeune fille, Liénor, et de son frère, Guillaume de Dole. Séduit et déjà amoureux – il chante pour dire son amour la première strophe d'une chanson du *Roman du châtelain de Coucy* – l'empereur envoie son messager, Nicole, pour inviter Guillaume à sa cour (v. 621-930). Le messager est fort bien accueilli par Guillaume, qui demande à sa mère et à sa sœur de chanter pour lui des « chansons d'histoire » (ou « chansons de toile ») (v. 931-1 284).

Le messager et Guillaume arrivent à la cour de l'empereur qui se plaît à écouter Nicole vanter les charmes de Liénor et qui accueille chaleureusement le frère. Celui-ci, après avoir envoyé une lettre enthousiaste à sa mère, se prépare pour le prochain tournoi de Saint-Trond (v. 1 285-1 969). Le tournoi est l'objet d'une très longue séquence qui en détaille les différentes journées, les différentes phases, relate les fortunes diverses des participants (des chevaliers français contre des chevaliers allemands) et le rôle actif qu'y joue Guillaume même si l'issue de la rencontre reste indécise (v. 1 970-2 967). En route pour Cologne, l'empereur avoue à Guillaume son amour et lui expose son plan : réunir ses vassaux à la diète de Mayence et leur demander un don en blanc, puis révéler le nom de sa future femme (v. 2 968-3 126). Mais, pendant que l'empereur se divertit à la chasse et en écoutant chanter ses ménestrels, un sénéchal, jaloux de la faveur subite de Guillaume, se rend à Dole et fait en sorte que la mère de Liénor lui révèle le secret de celle-ci : la « rose vermeille » sur sa « cuisse blanche et tendre ». De retour à Cologne, il laisse alors entendre à Conrad, donnant comme preuve le signe de la rose, qu'il a obtenu les faveurs de la jeune fille. Plein de tristesse, l'empereur retrouve à Mayence Guillaume, à qui il finit par avouer l'inconduite de sa sœur. Le jeune homme se confie à son tour à l'un de ses neveux, qui se précipite à Dole et couvre d'insultes Liénor et sa mère. Après l'avoir convaincu de son innocence, Liénor décide de se rendre à Mayence pour confondre le sénéchal (v. 3 127-4 108). Elle lui fait envoyer, de la part de son « amie », une broche, une étoffe brodée et une aumônière, qu'il doit désormais porter sur lui. Puis, le premier jour de mai, elle arrive à la cour, éblouissante et parée de tous ses atours, et se précipite aux pieds de l'empereur pour demander justice. Accusant alors le sénéchal de l'avoir violée et de lui avoir dérobé sa broche et son aumônière, elle l'oblige à se dévêtir, à exhiber ainsi les objets « volés », puis à se soumettre à un jugement de Dieu... qui lui est naturellement favorable. Mais Liénor tire alors argument de l'innocence du sénéchal pour s'innocenter elle-même et révéler à l'empereur, qui reconnaît immédiatement la « belle Liénor », qu'elle est bien « la jeune fille à la rose ». Aussitôt l'empereur annonce à ses vassaux son intention de l'épouser. Dans l'allégresse générale et alors que se multiplient les chansons, Liénor est revêtue d'une splendide robe où est brodée toute l'histoire de Troie, les noces sont magnifiquement célébrées et le sort de tous les protagonistes vite réglé : le sénéchal doit partir à la croisade ; Guillaume devient un des favoris de l'empereur qui fait venir à Mayence la mère de sa femme. Quant à l'histoire, l'archevêque de Mayence l'a fait mettre par écrit car elle est bien digne de conserver à tout jamais la mémoire du héros de cette aventure (v. 4 109-5 652). L'auteur, qui a perdu son surnom (Renart) le jour où il est entré en religion, entend désormais se reposer (v. 5 653-5 655).

Les péripéties finales du *Roman de la Rose* reprennent le motif folklorique très répandu de la jeune femme injustement accusée (victime d'un pari, d'une gageure) et qui finit par prouver son innocence. Au Moyen Âge, ce motif se retrouve au moins dans *Girart de Vienne*, dans le *Roman de la violette* de Gerbert de Montreuil, ou dans le *Roman du comte de Poitiers*. Le recours à une inspiration autre que le folklore celtique marque déjà l'indépendance de Jean Renart par rapport au roman arthurien. Une autre différence est le choix du cadre spatio-temporel et des personnages. La précision des lieux, des indications de temps, la fréquence des scènes de genre, l'intervention dans le

récit de personnages historiques (ainsi par exemple le célèbre Renaud de Dammartin, comte de Boulogne), la présence de personnages appartenant à toutes les couches sociales, haute et petite noblesse, valets, jongleurs, ménestrels, bourgeois aussi actifs que bien intentionnés, sont autant de moyens de créer et d'entretenir l'illusion réaliste et de faire du *Roman de la Rose* une sorte de roman de mœurs où se croiseraient, de Dole à Mayence en passant par Maëstricht et Saint-Trond (dans le Limbourg belge), scènes de la vie impériale et scènes de la vie de province. Le choix de l'Est, des terres d'Empire, comme lieu du récit est peut-être lié au mécène à qui est dédié le roman, Milon de Nanteuil, et aux protecteurs de Jean Renart, comme le suggère Félix Lecoy ; mais il pourrait tout aussi bien signifier le refus de l'« Ouest arthurien » et de ses fictions fabuleuses.

Dans ce cadre réaliste, se déroule une action qui peut elle aussi passer pour telle : l'ascension sociale d'un jeune noble plutôt désargenté et de sa sœur, d'un « couple » qui mérite les faveurs de l'empereur et sa réussite finale, l'un par sa prouesse et sa courtoisie, l'autre par sa beauté, mais aussi par la vivacité de son intelligence et sa détermination. Sœur de l'Aélis de *l'Escoufle* ou de la Fresne de *Galeran de Bretagne* (un récit que l'on a parfois attribué à Jean Renart), Liénor introduit en effet dans le roman médiéval un nouveau type d'héroïne : la jeune fille qui sait prendre en main son destin et retrouver par elle-même un bonheur perdu ou entrevu. Le déplacement est au reste très net, qu'opère le récit entre un personnage féminin très actif et un héros plutôt passif : l'empereur Conrad, dont le destin amoureux est forgé par les belles paroles de son jongleur et qui, confronté à la « faute » de Liénor, ne fera rien d'autre que de dire ou de chanter sa peine.

La grande nouveauté de ce roman, comme le souligne son auteur, est en effet de faire une très large place à la lyrique française et occitane du XIIᵉ et du début du XIIIᵉ siècle : quarante-six pièces, attribuées ou anonymes, réparties sur l'ensemble du récit. La fonction décorative de ces insertions lyriques est évidente : faire chanter ses personnages est aussi un moyen pour l'écrivain de créer des durées parallèles. Mais il semble aussi que le recours au lyrisme et l'absence, corrélative, des monologues et débats ou des figures allégoriques (le moyen utilisé par l'autre *Roman de la Rose*, peut-être le texte rival, pour exprimer la subjectivité de ses personnages) aient été la solution privilégiée par Jean Renart pour exprimer ingénieusement la vie intérieure de ses héros et leur relation à l'amour. Ce que chante ou écoute Conrad, tout au long du récit, le « je » du trouvère courtois auquel il s'identifie, suit et dessine la courbe de son amour, de l'amour de loin à la joie de l'attente, puis au désespoir. Mais l'on peut tout aussi bien montrer comment, des chansons de toile par lesquelles une voix de femme dit son désir d'aimer et d'être aimée aux poèmes qui célèbrent l'arrivée à Mayence de Liénor, la « reine de mai », puis les noces, se dit sans doute une autre forme de l'amour, fondée sur la quête du bonheur et les joies de l'union. Renvoyant aux deux grands modes du lyrisme, la chanson courtoise, émanant d'un « je » masculin, et la chanson de femme, de formulation plus libre, les poèmes diraient ainsi la parfaite complémentarité de Conrad et de Liénor, l'heureuse rencontre entre la sophistication un peu stérile de l'amour de loin et la franchise du désir féminin.

Très travaillée, parfois obscure, l'écriture de Jean Renart recherche l'inattendu, l'insolite (et déjà dans le choix des mots à la rime), désarticule le couplet d'octosyllabes et brise systématiquement l'allure du récit. L'insertion de poèmes dans la narration recoupe sans doute ce désir de nouveauté et de rupture. Le procédé au reste a séduit, et les imitateurs ont été nombreux, du *Roman de la violette* au *Roman du châtelain de Coucy et de la dame de Fayel* en passant par le *Tristan en prose*. Peut-être est-il aussi une mise à distance du caractère réaliste des passages narrés. En tissant à la forme prosaïque du couplet d'octosyllabes les arabesques du lyrisme, Jean Renart, en qui l'on a cru voir un peu vite le créateur du « roman réaliste », n'aurait-il pas tenté de faire du roman le lieu d'un art total, où la voix humaine se ferait tour à tour parole et chant, et qui s'ouvrirait aussi bien à la musique qu'à la ligne dansante des rondeaux de carole ?

● Champion, 1962 (p.p. F. Lecoy). Traduction : Champion, 1979 (J. Dufournet, J. Kooijman, R. Ménage et Ch. Tronc).

E. BAUMGARTNER

ROMAN DE PARTHENAY (le) ou la Noble Histoire de Lusignan, de Coudrette. Voir MÉLUSINE, de Jean d'Arras.

ROMAN DE RENART (le). Ensemble de vingt-six récits en vers, appelés « branches », composés par plus de vingt auteurs (la plupart non identifiés, hormis Pierre de Saint-Cloud, Richard de Lison et le prêtre de la Croix-en-Brie) entre 1175 et 1250, et réunis dans des recueils collectifs au cours du XIIIe siècle.

De longueur variable (de moins de cent vers à plus de trois mille), sans lien organique entre elles, apparaissant dans les recueils selon un ordre ni chronologique ni logique, les branches se situent dans le monde animal de la fable antique (Ésope, Phèdre et dérivés). D'un recueil à l'autre, l'ordre et la distribution des branches diffèrent. Les auteurs des collections font des choix : ainsi « les Vêpres de Tibert » (branche XII), qu'on peut lire dans les recueils A et B, n'ont pas été reprises en C ; la branche XIII, « Renart le Noir », est connue de la seule collection A. La première place est attribuée au « Jugement de Renart » par A et B, mais non par C qui commence par « les Enfances Renart ». Certaines branches sont dépecées et réparties différemment, en sorte que l'œuvre apparaît mouvante, à jamais ouverte, et qu'il est impossible de découvrir un seul Roman de Renart.

Il faut ajouter tout aussitôt que quatorze branches constituent le tronc commun des principaux manuscrits et comportent toutes la présence de Renart, le goupil, qui a donné son nom à l'œuvre. De surcroît, des rappels rattachent chaque récit à l'ensemble que les manuscrits présentent comme un tout original : ils ne contiennent que des branches consacrées au goupil, et ils le soulignent souvent par le titre et la mention finale, l'explicit.

Si l'on suit la chronologie de Lucien Foulet, qu'il faudrait sans doute rectifier sur certains points, un premier groupe fut composé entre 1175 et 1180.

Le Roman de Renart, groupe I. Le premier auteur, Pierre de Saint-Cloud, qui annonce un nouveau cycle d'aventures, la longue guerre entre Renart et le loup Isengrin, raconte tour à tour de quelle manière le goupil essaie par diverses ruses, mais en vain, de suborner le coq Chantecler, la mésange, le chat Tibert et le corbeau Tiécelin qu'il dépossède toutefois de son fromage ; en revanche, tombant par hasard dans la tanière du loup, il cajole la louve Hersent et maltraite les louveteaux. Isengrin, furieux, décide de se venger et poursuit Renart en compagnie d'Hersent que le goupil viole sous les yeux de son mari, tout en se moquant de celui-ci (branche II).

Isengrin, après avoir rossé sa femme, décide de se plaindre à la cour du roi Noble, le lion, qui essaie d'arranger les choses. Le chameau Musart, légat du pape, donne son avis en un jargon franco-latino-italien. Le cerf Brichemer et le sanglier Baucent parlent en faveur de Renart ; l'ours Brun, s'associant au loup, raconte ses propres malheurs. Brichemer propose que Renart vienne se justifier devant le chien Roonel, qu'Isengrin circonvient pour tromper son ennemi : le mâtin simulera la mort et attrapera le goupil. Mais la ruse échoue, et Renart s'enfuit, poursuivi et mis à mal par une meute de chiens (branche Va, de Pierre de Saint-Cloud).

Renart, parti en quête de nourriture, est malmené par Isengrin qui regrette sa violence ; il réussit à tromper un paysan et le dépossède d'un jambon, que le loup dévore ; il essaie en vain de croquer un grillon (branche V, 1178).

Renart rencontre Tibert, qui réussit à manger seul l'andouille trouvée en chemin ; le chat, pris à partie par deux prêtres, s'enfuit sur le cheval de l'un d'eux qui, terrorisé et blessé, le prend pour un diable (branche XV, 1178).

Renart fait le mort pour pouvoir dérober trois chapelets d'anguilles à des marchands de poissons. Il rentre dans son château. Survient Isengrin alléché par la bonne odeur de friture. Pour qu'il puisse participer au repas, Renart le convainc de se faire tonsurer et lui verse sur la tête un plein pot d'eau bouillante. Puis il l'incite à pêcher dans un étang avec sa queue que l'eau, en gelant, emprisonne : le loup est rossé par les paysans (branche III, 1178).

Le goupil, après avoir dévoré les poules d'une abbaye cistercienne, tombe dans un puits, d'où il réussit à se sauver en y attirant le loup à qui il fait croire qu'il est au paradis : Isengrin est roué de coups par les moines (branche IV, vers 1178).

Renart et Tibert s'introduisent dans le cellier d'un vilain : si le chat réussit à boire tout son soûl de lait, il y perd sa queue, mais il se venge en privant le goupil du coq qu'il s'apprêtait à emporter. Renart se rattrape avec le loup Primaut à qui il fait chanter la messe dans une église et qu'il précipite dans un piège (branche XIX, 1178).

Noble décide de faire juger par sa cour Renart qui a dévoré la poule Coupée. Brun l'ours et Tibert se rendent en ambassade au terrier du goupil : le premier, pour trop aimer le miel, est retenu par le museau dans un tronc d'arbre fendu, et malmené par les paysans ; le second, trop friand de souris, tombe dans le piège du prêtre Martin. Le blaireau Grimbert réussit à ramener devant le roi le coupable qui est condamné à être pendu. Mais Grimbert ayant obtenu qu'il soit envoyé en pèlerinage, il s'enfuit, happant au passage le lièvre Couard, qui parvient à s'esquiver, et se moquant de ses poursuivants (branche I, 1179).

Dès ce premier groupe, *le Roman de Renart* se développera de deux manières complémentaires et concomitantes. D'abord, par arborescence : à partir d'une histoire connue, d'un cadre stéréotypé ou d'un couple de personnages, l'auteur ajoute une nouvelle branche à l'arbre renardien, un nouvel épisode ou un nouveau rôle : c'est ainsi que Renart deviendra jongleur ou médecin, se battra en duel avec Isengrin, asservira un vilain... Cet enrichissement se poursuivra jusqu'au XXe siècle : Louis Pergaud mettra un terme au cycle, en 1910, par *la Tragique Aventure de Goupil*, et Maurice Genevoix, après avoir donné une nouvelle version du roman en 1958, ajoutera, dans *Bestiaire sans oubli* (1971), un ultime chapitre : des chasseurs diaboliques capturent le renard en jouant de son instinct paternel.

Mais *le Roman de Renart* est aussi le texte du ressassement, dans un travail constant de réécriture qui évolue entre la répétition et la variation. Réécriture extrarenardienne, à partir de mythes et de contes qui se situent en amont du roman. Renart le roux est l'homme-animal à la violence et à la sexualité débridées ; comme le loup et l'ours, il symbolise le « desroi » [désordre] à l'œuvre dans la création, une violence antérieure à l'établissement de toute règle sociale ou morale ; poussé par un désir vorace de nourriture et de sexualité, il maltraite, viole, mutile ; il incarne les forces primitives de la nature, un autrefois où l'arbitraire et la démesure régnaient sans contrepartie. Par-delà ces « mythèmes » qui s'effacent au fur et à mesure que se développe le roman, on retrouve, avec le passage de la voix à la textualité, la structure de contes populaires : ainsi dans la branche IX, « Renart et le vilain Liétart », ou « comment éviter les conséquences néfastes d'une malencontreuse promesse » ; la branche XV fait habilement écho à trois contes qu'on pourrait intituler « la Seule Ruse du chat » (qui sait monter aux arbres), « le Chat, le Renard et l'Andouille » et « les Chats sorciers ».

Les auteurs, qui sont des clercs cultivés aussi bien que des ménestrels, ont puisé aux sources littéraires contemporaines. Sources latines : fables de la tradition ésopique en vers et en prose (*Isopets, Romulus*) ; *Ecbasis captivi* (X^e-XIe siècles) ; *Disciplina clericalis* de Pierre Alphonse (vers 1110) ; surtout *Ysengrimus*, épopée animale satirique que le clerc flamand Nivard écrivit au milieu du XIIe siècle autour du couple antagoniste, le loup Ysengrimus et le goupil Reinardus. Sources françaises : Renart trouble les fêtes de la cour comme Méléagant dans *le *Chevalier de* *la charrette* et le chevalier Vermeil dans *le *Conte du Graal* ; il rappelle Tristan qui est lui aussi un « trickster » [filou] – ne dit-on pas de ce dernier qu'il « set moult de Maupertuis », qui est la demeure de Renart ? – et qui est dans une relation triangulaire avec Iseut et son oncle Marc comme le goupil avec Hersent et son oncle Isengrin ; on recherche Renart dans le château de la branche XIII « Renart le Noir » comme Yvain dans *le *Chevalier au lion* ; le loup et le goupil se livrent la même guerre acharnée que les grands féodaux de certaines chansons de geste. Mais à chaque fois le texte noble est « renardisé » avec une désinvolture qui peut être satirique et qui atteint même le culte marial : du sexe féminin il est dit dans la branche VII (« Renart mange son confesseur ») que c'est, comme la Vierge, « la fontaine qui toujours sourd ».

La réécriture s'exerce aussi à l'intérieur du *Roman de Renart*, soit dans une même branche dont on a plusieurs versions, soit d'une branche à l'autre, par une reprise de formules, de motifs, comme la quête de justice, le retour de la belle saison, les « gabs » [plaisanteries méchantes], le double langage, le couple des frères ennemis Renart et Tibert, la faim, la confession, l'ambassade au terrier, la simulation de la mort, le piège caché, etc. ; ou encore par une reprise de la structure : la branche XII est greffée sur la XV, la branche VII sur la IV, avec un jeu subtil d'amplifications, d'inversions et de variations.

Ces deux principes créateurs de l'arborescence et de la réécriture sont à l'œuvre dans le deuxième groupe de branches, écrit entre 1180 et 1200.

Le Roman de Renart, groupe II. Renart, qui s'est joué de deux messagers de Noble, Roonel et Brichemer, vit à l'abri dans son château de Maupertuis. Or le roi tombe malade, sans que ses médecins puissent le guérir. Grimbert conseille de faire appel à son ami et cousin le goupil et vient le chercher. Renart cueille des herbes médicinales, dérobe à un pèlerin l'herbe « aliboron » : il peut faire croire au roi qu'il arrive de Salerne et d'outremer, et il lui propose de le guérir avec la peau du loup, le « maistre nerf » de la corne du cerf et une courroie taillée dans la fourrure du chat. Ce qui est aussitôt accepté et exécuté, mais Tibert s'échappe à temps. Renart retourne chez lui, bien escorté et enrichi de deux châteaux (branche X, entre 1180 et 1190).

De nouveau traduit en justice et accusé de tous côtés, Renart accepte de se battre en duel avec Isengrin, qui l'emporte. Tenu pour mort, condamné à la pendaison, il est sauvé par la venue de frère Bernard qui l'emmène dans son couvent. Mais, sa nature reprenant le dessus, il dévore quatre chapons ; aussi est-il chassé et revient-il à Maupertuis (branche VI, vers 1190).

Le goupil, se repentant de ses péchés, est conduit par un paysan auprès d'un ermite qui, horrifié par sa confession, lui impose d'aller en pèlerinage à Rome pour se faire absoudre par le pape. Chemin faisant, il entraîne avec lui le mouton Belin et l'âne Bernard. Tous trois se réfugient et font bombance dans l'hôtel du loup Primaut, bien pourvu de vivres. Après de rocambolesques péripéties avec les loups qui les ont surpris, les trois pèlerins décident de renoncer à leur voyage (branche VIII, vers 1190).

Par deux fois, Renart se mesure à Tibert, qui réussit d'abord à s'enfuir sur le cheval d'un prêtre et qui, après s'être approprié le fromage mou, après avoir célébré vêpres et complies, se retrouve pendu aux cordes des cloches, trompé et moqué du goupil, pris pour un diable par les vilains qui le rossent (branche XII, de Richard de Lison, vers 1190).

Assiégé dans Maupertuis, Renart attache le lion par la queue et viole la reine Fière ; mais, capturé par le limaçon Tardif, il est condamné à mort et sauvé par sa femme et ses enfants qui apportent à Noble de l'or et de l'argent (branche I-a, entre 1190 et 1195).

Pourchassé par le roi et sa cour, il tombe dans une cuve de teinture jaune. Se faisant alors passer pour un jongleur et baragouinant un jargon franco-anglais, il se venge d'Isengrin qui est émasculé et injurié par Hersent, puis de Poincet qui voulait épouser sa femme Hermeline et qu'il fait tuer par des chiens (branche I-b, entre 1190 et 1195).

Renart, chassé et frappé par des moines dont il a attaqué le poulailler, s'installe sur une meule de foin au bord de l'Oise : au matin, il découvre que la rivière est en crue et que la meule dérive au fil de l'eau. Survient le milan Hubert à qui il demande de le confesser et avoue des forfaits de plus en plus horribles avant de le dévorer (branche VII, entre 1195 et 1200).

Le goupil joue des tours pendables au loup Isengrin, au chien Roonel, à un couple de milans, au moineau Drouin, qui se venge avec l'aide du chien Morhout. Laissé pour mort, il est sauvé par Isengrin et

Hersent. Il tue Tardif, qu'il remplacera comme gonfalonier du roi. Mort de sa femme Hermeline. Noble parti pour la croisade, Renart, fabriquant de fausses nouvelles, s'empare du trône et épouse la reine. Plusieurs batailles entre l'usurpateur et Noble font beaucoup de morts. Le roi finit par pardonner au rebelle qui l'avait guéri de la fièvre quarte (branche XI, vers 1200).

Le vilain Liétart, qui a promis inconsidérément un de ses bœufs à l'ours, reçoit l'aide du goupil pour berner et tuer Brun ; mais, conseillé par sa femme Brunmatin, il refuse ensuite de donner son dû à Renart qui lui vole les courroies de son attelage et évente une ruse de l'âne Timer. Menacé d'une dénonciation auprès du comte de Champagne pour avoir chassé l'ours dans sa forêt, le paysan devient le vassal et le serf du goupil qui s'engraisse à ses dépens (branche IX, du prêtre de la Croix-en-Brie, vers 1200).

Renart, affamé, prend le dessus, après un violent corps à corps, sur le vilain Bertaut qui a essayé de le capturer, et qui, devenant son homme lige, lui donne son coq ; mais celui-ci échappe au goupil en le faisant chanter. Renart rencontre ensuite Noble et Isengrin. Il conchie et noie un vilain. Quand il s'agit de partager les proies – un taureau, une vache et un veau –, la mésaventure survenue à Isengrin, malmené pour s'être réservé le veau, conduit le goupil à octroyer l'ensemble à Noble et aux siens (branche XVI, vers 1202).

Nous voici de nouveau à la cour de Noble où l'on célèbre la martyre dame Coupée et où l'on juge et acquitte un pelletier. Renart joue aux échecs avec Isengrin : il mise et perd tout, y compris ses parties sexuelles que le loup cloue à l'échiquier. Douleurs atroces, évanouissement qui le fait passer pour mort. Aussi célèbre-t-on les vigiles des morts, et, au petit matin, après un vibrant éloge de l'apôtre et martyr Renart par l'âne Bernard, on commence les funérailles. Renart s'esquive. Plus tard, il est vaincu en combat singulier par Chantecler, si maltraité qu'il doit simuler la mort. Il en profite pour mutiler le corbeau Rohart qui s'apprêtait à le dépecer. Pour finir, il décide de faire croire qu'il gît au pied d'une aubépine dans une tombe où a été inhumé un vilain du nom de Renart (branche XVII, vers 1205).

La plupart des branches se structurent autour de quêtes de nourriture, solitaires ou à plusieurs, et de quêtes de justice qui prennent la forme de procès à la cour ou de vengeance, et leur composition tend à être bipartite : à un premier épisode, souvent conventionnel, qui maintient les auditeurs dans un univers familier, succède une seconde aventure, plus longue et plus originale. Les auteurs peuvent à l'occasion raffiner sur ce schéma et le dédoubler, voire le multiplier, en sorte que le roman se renouvelle en une proliférante diversité, qui donne à chaque branche un aspect original. Ainsi, dans la branche IX, le prêtre de la Croix-en-Brie met au premier plan, face à Renart, un paysan briard, Liétart, riche et dynamique, dont il fait le procès, et oppose deux couples, l'un humain (Liétart et Brunmatin), l'autre animal (Renart et Hermeline) tout au long d'une succession de ruses et de contre-ruses, annoncées, réalisées et commentées, et d'un jeu de bons et de mauvais conseils, si bien que la parole, sous toutes ses formes, prend une place prépondérante. En revanche, Richard de Lison sature d'innombrables allusions et références religieuses la branche XII qui, avec Tibert en prêtre, fait écho à la fête des Fous, nommément mentionnée, et par le rire amène à réfléchir sur les insuffisances du clergé campagnard, dont il laisse un portrait buriné à l'acide.

C'est sans doute la ruse qui donne à l'ensemble du roman une certaine unité. Renart, dont on nous rappelle sans cesse la ruse innée, l'« engin », le « barat », la « guile » (ce sont les termes les plus fréquemment employés) et qui ressuscite la *mêtis* [prudence, sagesse] des Grecs, est le maître du bon tour par d'habiles machinations dont il « se porpense » ; il connaît l'art de dissimuler et de simuler ; maître du beau parler, du mensonge et du double langage, il endort ses victimes qu'il humilie ensuite par ses « gabs », les meurtrissant dans leur corps, leurs biens, leur amour-propre et leur dignité, ébranlant l'autorité du roi et de sa cour, remettant en question l'ordre social. La ruse est l'élément constitutif de ce personnage complexe, stratège habile capable de réagir rapidement et de monter de subtiles tromperies, toujours prêt à innover, avocat redoutable, comédien consommé qui organise des mises en scène, simule la mort, masque des pièges, jouant avec le feu et conscient de sa maîtrise au point d'être parfois pris en défaut, en véritable « trickster », par de moins habiles et de plus faibles. Bien plus, par la ruse, il révèle les autres à eux-mêmes, victimes de leur sottise, de leur orgueil ou de leur voracité, ou rivaux dangereux, quelquefois victorieux (comme Tibert), qui le forcent à se surpasser. La sagesse (le sens et le savoir) tend à s'identifier avec la ruse, sur laquelle se fonde l'architecture du récit. Cette ruse, indispensable pour se nourrir, pour se venger, pour se défendre, mais parfois aussi gratuite, participe autant de l'instinct de l'animal que du calcul retors du grand féodal toujours enclin à affronter l'autorité du roi. Elle suscite l'admiration des auteurs, dans la mesure où, sagesse et art de vivre, elle triomphe de la force brutale dans un monde difficile où il faut biaiser ; mais elle inquiète aussi : n'y a-t-il pas un lien entre elle et le mal diabolique ? De là, les malédictions que lancent certains trouvères, car « trop savoit Renart de mal ».

Dans les dernières branches, écrites entre 1205 et 1250, le roman, reprenant un conte populaire, remontera jusqu'à la naissance et aux « enfances » du protagoniste, qui disparaît dans des textes très courts, sortes de fabliaux où d'autres personnages héritent de sa ruse.

Le Roman de Renart, groupe III. Après s'être caché parmi des peaux dans le château du chevalier qui le pourchasse, Renart se teint en noir et devient Chuflet pour tromper, à la suite, la plupart de ses ennemis jusqu'à ce que Roonel le vainque dans un duel judiciaire ; il est sauvé in extremis par le fidèle Grimbert (branche XIII). Après une association malheureuse avec Chantecler, Brichemer et Isengrin qui saccagent le blé qu'ils ont semé, Renart se venge des trois coupables en réalisant, pour plaire au roi Connin, le plus beau con du monde (branche XXII). De nouveau mis en cause à la cour royale par ses accusateurs habituels, pour se tirer d'affaire, il promet à Noble de lui donner comme femme la fille du roi Yvoris. Il apprend la magie à Tolède et revient se venger de ses détracteurs (branche XXIII). Son comportement diabolique s'explique dans la mesure où il est né d'un coup de baguette d'Ève, qui est à l'origine des animaux cruels et sauvages, tandis qu'Adam a créé les bêtes utiles à l'homme. Son premier exploit consistera à déposséder de ses jambons, par une ruse, son oncle Isengrin (branche XXIV). Il croque un héron en se dissimulant sous des fougères qui paraissent glisser au fil de l'eau, et il s'empare de la barque d'un batelier qui voulait se saisir de lui (branche XXV). Pour attraper l'andouille que tient Tibert, il lui crie : « Voici une souris » (branche XXVI). Le prêtre Martin est victime du piège qu'il destinait à Isengrin (branche XVIII) ; lequel loup, trop naïf, est assommé par la jument Raisant (branche XIX), puis par les béliers Belin et Bernard (branche XX), et privé d'un jambon par un vilain (branche XXI).

Le malicieux goupil avait trop de vitalité et de virtualités pour que sa vie littéraire s'arrêtât avec ces dernières branches, assez faibles au demeurant. *Le Roman de Renart* connaîtra de nombreuses métamorphoses, dès le Moyen Âge, dans des œuvres satiriques, comme *Renart le Bétourné* de Rutebeuf et le *Couronnement de Renart* (seconde moitié du XIIIᵉ siècle), *Renart le Nouvel* de Jacquemart Gielée (fin du XIIIᵉ siècle) et *Renart le Contrefait* du Clerc de Troyes, qui transforme tout savoir en simulacre renardien (XIVᵉ siècle), ou encore *le Livre de maistre Regnart et de dame Hersent sa femme*, de Jehan Tenessaux (1466), sans parler des versions néerlandaises, allemandes et anglaises. L'époque moderne n'a cessé d'explorer cet épais massif, à en juger par les adaptations de Paulin Paris (1861, repris par « Folio »), Léopold Chauveau (1924), Maurice Genevoix (1958), Maurice Toesca (1962), Albert-Marie Schmidt (1963), Jacques Haumont (1966), par les marionnettes animées de Ladislas et Irène Starevitch et la musique de Vincent Scotto dans un film de 1929, et peut-être surtout par *le Polar de Renard*, une bande dessinée-série noire de Jean-Louis Hubert et Jean-Gérard Imbar (1979), qui transporte les personnages dans le 5ᵉ arrondissement de Paris, du côté de la rue Mouffetard et de la place de la Contrescarpe : dans un univers d'une violence féroce, d'une sexualité triste et d'une provocante inconvenance, le goupil, brocanteur « anar » à l'enseigne de « Maupertuis », règle ses comptes, en sept manches ou rounds, avec les puissants corrompus, députés (Tibert),

flics (Chantecler le « poulet »), truands (Isengrin). Dernier avatar d'une œuvre qui nous réserve encore bien des surprises.

● Champion, 6 vol., 1948-1963 (collection B, p.p. M. Roques) ; Tokyo, France-Tosho, 2 vol., 1983-1985 (collection C, p.p. N. Fukumoto, N. Harano et S. Suzuki) ; « 10/18 », 2 vol., 1981 (collection A, bilingue, trad. et p.p. M. de Combarieu du Grès et J. Subrenat) ; « GF », 2 vol., 1985 (collection A, bilingue, trad. et p. p. J. Dufournet et A. Méline).

J. DUFOURNET

ROMAN DE ROU (le). Récit en vers, en forme de chronique, de **Wace** (seconde moitié du XIIᵉ siècle), commencé en 1160 et achevé entre 1174 et 1184, et conservé par quatre manuscrits.

Dédié à Henri II Plantagenêt et Aliénor d'Aquitaine, le roman ou « estoire » de *Rou*, présenté par Wace comme la « geste de Rou et des Normanz », est la suite logique et chronologique du **Roman de Brut* dont il poursuit l'œuvre de propagande en faveur des Plantagenêts et de la légitimité de leurs droits sur l'Angleterre. Il relate, à travers environ 16 000 vers, l'histoire des ducs de Normandie du Xᵉ siècle au début du XIIᵉ siècle, de la fondation du duché par Rollon [Rou] à la conquête de l'Angleterre (1066) par Guillaume le Conquérant et s'achève avec le règne du dernier de ses fils, Henri Iᵉʳ Beaucler, et le récit de la bataille de Tinchebray (1106).

I. Le texte s'ouvre sur une « Chronique ascendante » écrite en laisses monorimes d'octosyllabes, qui résume les faits historiques essentiels, en remontant le cours du temps, du règne d'Henri II (le temps de l'écriture du récit) à celui de Rou par lequel débute la chronique proprement dite (v. 1-751).
II. Écrite en laisses monorimes d'alexandrins (la forme usuelle de la chanson de geste), la première partie de la chronique relate l'installation du Danois Rollon et de ses hommes dans l'ancienne Neustrie, le règne de Guillaume Longue-Épée, qui restaura l'abbaye de Jumièges et voulut s'y faire moine, et celui de son fils Richard Iᵉʳ ainsi que les démêlés de ce dernier (récit du siège de Rouen) avec le roi de France (v. 1-4 425).
III. Écrite comme le *Brut* en couplets d'octosyllabes à rimes plates, la seconde partie fait retour sur le règne de Richard puis sur l'histoire de ses successeurs, Richard II, Robert le Magnifique, Guillaume le Conquérant, Guillaume II, Henri Iᵉʳ. L'événement historique majeur de cette partie, le moment culminant de la chronique, est la victoire que Guillaume remporte à Hastings sur le roi Harold (1066), et qui fait des Normands et de leur duc les nouveaux maîtres de l'Angleterre (v. 1-11 440).

Wace ne précise pas pour quelle raison il a abandonné en cours de récit la forme ample et le rythme puissant de la laisse épique, si bien adaptée à l'atmosphère mythique des règnes de Rou et de Guillaume Longue-Épée, au profit de l'octosyllabe, le vers usuel du récit au XIIᵉ siècle. Le changement de forme coïncide toutefois avec une longue intervention du narrateur (v. 1-184) qui rappelle les enjeux de l'écriture : éterniser la mémoire des « faits », des « dits » et des « mœurs » des ancêtres, qui jalonne, à travers le changement des noms, le devenir de l'Angleterre (l'ex-Bretagne) et de la Normandie (l'ex-Neustrie). Il évoque enfin sa carrière et son activité d'écrivain étroitement dépendant de son royal mécène et d'un public admiratif mais trop avare de ses deniers.

Jusqu'à l'avènement de Guillaume le Conquérant, Wace suit avec beaucoup de fidélité ses sources principales, les chroniques latines de Dudon de Saint-Quentin (début du XIᵉ siècle) puis de Guillaume de Jumièges (milieu du XIIᵉ siècle), tout en agrémentant son récit de descriptions, de relations de faits d'armes, d'anecdotes, etc. Le très long récit de la bataille d'Hastings (III, v. 7 313-8 972) entrelace ainsi à l'exposé des faits (les ultimes pourparlers, le comportement opposé des Anglais et des Normands, la disposition des armées et les phases de la bataille), la relation épique des exploits individuels des combattants. L'épopée relaie encore l'Histoire avec l'intervention du jongleur Taillefer, chantant aux côtés du duc Guillaume les hauts faits de Roland et des héros de Roncevaux, et réclamant l'honneur d'engager le combat (v. 8 013 et suivants).

Dans cette dernière partie de sa chronique, Wace a également recueilli, quitte à en critiquer l'authenticité, un nombre important de traditions orales et de récits aux frontières du fantastique et de la légende : vision généalogique d'Arlot, future mère de Guillaume le Conquérant, démêlés de Richard Iᵉʳ avec le diable et ses suppôts, pèlerinage de Robert le Magnifique à Constantinople et à Jérusalem, ou déception du narrateur lui-même dans la forêt de Brocéliande, devant la fontaine de Barenton et ses merveilles enfuies.

Supplanté par « maître Benoît » (Benoît de Sainte-Maure, auteur du *Roman de Troie*) auprès d'Henri II, Wace, dans l'Épilogue, laisse à son rival le soin d'achever sa chronique. De fait, l'œuvre très ambitieuse de Benoît, la *Chronique des ducs de Normandie*, recommence l'histoire à ses débuts, à la création divine et au partage du monde par Noé, avant d'amplifier en plus de 44 000 octosyllabes le récit de Wace, sans parvenir toutefois à dépasser le règne d'Henri Iᵉʳ Beaucler (mort en 1135).

● Picard, 3 vol., 1970-1974 (p.p. A.J. Holden). *Chronique des Ducs de Normandie*, Uppsala, 2 vol., 1951-1954 (p.p. C. Fahlin).

E. BAUMGARTNER

ROMAN DE THÈBES (le). Roman en vers d'un clerc anonyme de l'Ouest de la France (qui appartenait sans doute à ces ateliers littéraires œuvrant pour Henri II Plantagenêt auxquels on doit aussi le *Roman d'Énéas*), composé vers 1152-1154 et conservé par cinq manuscrits. Ces derniers permettent de distinguer une version courte et une version longue : la version courte, probablement la plus ancienne, comporte 10 562 vers ; la version longue a fait l'objet d'additions parfois tardives.

Le Roman de Thèbes est le plus ancien texte romanesque conservé recourant au couplet d'octosyllabes à rimes plates ; il compose avec le *Roman d'Énéas* et le *Roman de Troie* (tous deux postérieurs) la trilogie des romans dits « antiques » dont il définit les caractéristiques littéraires. Il adapte en langue romane la *Thébaïde* de Stace, une épopée latine du Iᵉʳ siècle.

Un Prologue fixe les grandes lignes du récit et définit le public aristocratique auquel il s'adresse (v. 1-32). Il est suivi par un résumé du drame d'Œdipe (v. 33-536), nécessaire à l'intelligence de l'histoire de ses fils, objet de la narration ; il rappelle les composantes essentielles du mythe : l'oracle, le meurtre du père, l'inceste commis avec la mère et la malédiction divine appelée par Œdipe sur ses fils Étéocle et Polynice. Les deux frères ne pouvant s'entendre, la gestion alternative du fief paternel est confiée d'abord à l'aîné, Étéocle ; Polynice rejoint Argos où il épousera la fille du roi Adraste. Étéocle vit ce mariage comme une agression et refuse de rendre le fief ; il tente d'assassiner Tydée, l'ambassadeur de son frère. La guerre ayant éclaté, les Argiens prennent Montflor, un château avancé, et assiègent Thèbes. Le récit rapporte ensuite les escarmouches et les combats opposant les deux camps. Combats entrecoupés par l'évocation des amours d'Antigone et de Parthénopée, d'Ismène et d'Aton, puis par la déploration des « veuves » lors de la mort des deux héros. Une des tours de la cité étant livrée par Daire le Roux, Thèbes sera prise et dévastée par Capanée ; les ultimes combats n'épargneront la vie d'aucun Grec. Étéocle et Polynice s'entre-tueront, leurs cendres continuant à se combattre après leur mort. Le texte s'achève en rappelant que la mort des fils est la conséquence du péché contre nature du père.

Cette adaptation en « roman » du poème épique de Stace s'inscrit dans cet intérêt renouvelé pour la culture antique qu'on a appelé la « Renaissance du XIIᵉ siècle » et qui se manifeste par la volonté de faire connaître, à un public ignorant le latin, les œuvres constituant l'ordinaire des clercs. Le Prologue déclare vouloir ne s'adresser qu'à un public aristocratique, et cette histoire de deux frères s'opposant pour la possession d'un fief, pour hérité de l'Antiquité qu'elle soit, ne devait pas laisser indifférent l'auditoire qu'on peut supposer au texte. La geste d'Étéocle et Polynice, c'est avant tout l'histoire d'un héritage rendu impossible, plus par une gestion alternative annuelle du fief, incompatible avec le système féodal, que par une malédiction divine. Indéniablement, l'auteur a épousé la cause du cadet (Polynice), de ces puînés, de ces « jeunes » exclus de l'héritage paternel et contraints d'effectuer un riche mariage pour s'établir, dans lesquels on a vu le public principal des œuvres romanesques qui leur renvoyaient un écho de leurs préoccupations. Provisoirement exilé, Polynice épouse la fille du roi Adraste, qui a prévu, lui, de partager son fief entre ses deux gendres. Le portrait d'Étéocle, rusé et cruel, campé par l'auteur constitue une dénonciation du droit d'aînesse, mais aussi la reconnaissance du bien-fondé de l'argument qui le légitime : le refus de la partition du fief, à laquelle Étéocle ne feindra de consentir, sur les conseils de Jocaste, que pour mieux la rejeter. L'opposition des deux frères, qui fait aussi écho à celle d'Abel et Caïn, offre un support mythique aux tensions internes à la classe chevaleresque et plaide implicitement pour une pacification des relations sociales que le roman courtois prendra ultérieurement en charge. Ce premier roman définit donc clairement les enjeux idéologiques de l'histoire du genre au XIIᵉ siècle.

À l'histoire des frères ennemis telle que la livrait la *Thébaïde*, l'auteur médiéval a ajouté, outre un court Prologue, un « avant-texte » de cinq cents vers rapportant l'histoire d'Œdipe. Geste significatif qui procède d'un souci de rendre intelligible à un public non averti le malheur des fils en le rapportant à celui du père, en le resituant dans la perspective de la transmission d'une faute, d'un héritage moral. Faute double : un parricide doublé d'un inceste. Deux versants d'une même faute dont les effets sont étudiés à travers des destins individuels et l'histoire collective d'une cité. Paradoxalement, l'inceste en lui-même intéresse peu l'auteur médiéval qui ne semble pas s'effrayer outre mesure de cette transgression sexuelle majeure. Jupiter, le maître des dieux, n'est-il pas l'époux et le frère de Junon (v. 9 459-9 460) ? Si, conformément à la tradition, Œdipe se châtie, Jocaste ne paraît guère en proie à une insurmontable culpabilité qui la conduirait au suicide ; elle recouvre même une forme de dignité morale et sert d'intermédiaire entre les deux frères. L'auteur illustre l'inceste de manière plus anthropologique que psychanalytique ; il s'intéresse au parcours de la faute au fil des générations et à la destruction de toutes formes de sociabilité, à la perte de Thèbes, la ville emblématique prise et « gastée », devenue une « terre gaste », une terre dévastée et stérile. L'inceste dénoue le lien social le plus élémentaire, le lien fraternel, et brouille la parenté. Le discours tenu ici par le roman est celui de l'Église qui, à la même époque, traque l'inceste dans les alliances matrimoniales et annule le mariage d'Aliénor d'Aquitaine et de Louis VII pour consanguinité. Le parricide d'Œdipe semble davantage intéresser l'auteur, notamment parce qu'il souligne l'articulation chronologique et logique (v. 24-25) entre les deux forfaits, parce qu'il fait du meurtre du père le paradigme de toute violence. Le rappel de l'histoire d'Œdipe a pour fonction de cerner la violence inaugurale qui fonde les relations de parenté. Libéré du poème de Stace, l'« avant-texte » du *Roman de Thèbes* articule soigneusement le parricide d'Œdipe et l'agression de Laïos à son égard, comme si le meurtre du père n'était que la réponse, chronologiquement décalée, à un désir de mort à l'endroit du fils, comme si la vie et la mort se conjoignaient en une pulsion paradoxale. L'ajout de l'auteur prend une signification particulière dans la mesure où il vient faire pendant à l'histoire du fils de Lycurgue rapportée par Isiphile (v. 2 113-2 686). Cette dernière qui, contrairement aux femmes de Lemnos, avait refusé de tuer son père, voit mourir le fils de Lycurgue, dont elle avait la garde, tué par un dragon. Pour sauver le père, il faut sacrifier l'enfant et la vie du fils impose la mort du père. Rendu nécessaire par l'oracle et la mise en scène de son implacable logique, le meurtre commis au sein de la parenté constitue la représentation médiévale de la dette qui fonde le report des générations. Il se confond avec la question de l'origine, comme le souligne le rappel de la fondation de Thèbes par Cadmus, à l'endroit où il mit à mort un dragon dont les dents donnèrent naissance à des chevaliers qui s'entre-tuèrent. L'épopée latine et les données mythiques dont il l'enrichit permettent à l'auteur médiéval de cerner une structure anthropologique nouvelle, où le meurtre du père devient le mode de sa reconnaissance (« Si trouveras / un houme que tu occirras / ainsi ton pere connoistras », annonce l'oracle à Œdipe), partant de l'identité, qui a appelé une forme littéraire nouvelle : le roman, à jamais familial. En s'appuyant sur le mythe d'Œdipe, *le Roman de Thèbes* consacre l'entrée de la question paternelle dans la littérature et le triomphe de la filiation patrilinéaire sur la filiation matrilinéaire, caractéristique de l'avènement de la féodalité.

La référence œdipienne possède une valeur emblématique : elle permet de cerner le travail de l'écriture. L'auteur médiéval ne traduit pas la *Thébaïde* de Stace, il l'adapte ; il ne se sent pas astreint à la fidélité, abrège là, amplifie ailleurs à partir d'autres sources, restructure l'œuvre et en change radicalement la signification. Bref, il met à mort le modèle de l'illustre devancier pour asseoir l'autorité de son propre texte. Les suppressions et les ajouts sont révélateurs de la mentalité médiévale et du changement de perception du monde qu'inaugure le roman. *Thèbes* supprime nombre de scènes mythologiques dont se délectait la *Thébaïde*, notamment les conseils des dieux, incompatibles avec la mentalité chrétienne. Encore significatives dans *Thèbes*, les interventions des dieux dans le destin des hommes deviendront anecdotiques dans les autres « romans antiques ». De même ont été sacrifiées les longues énumérations caractéristiques de l'épopée antique : on ne retrouve pas, par exemple, l'évocation des descendants de Cadmus qui figurait dans le modèle latin. L'ampleur des suppressions varie d'une version à l'autre : le chant X de la *Thébaïde* n'a été repris que dans deux manuscrits de la version courte ; parallèlement, des épisodes (la mort de Capanée) n'existent que dans cette dernière. Ce travail d'abrègement a modifié l'économie générale du récit : lorsque les Argiens quittent les terres du roi Lycurgue pour marcher sur Thèbes, nous sommes chez Stace au début du chant VII, soit à la moitié de l'œuvre, mais au vers 2 843 de *Thèbes*, soit à peine au tiers. Les allègements favorisent la concentration du récit sur ce qui paraît essentiel à l'adaptateur médiéval et à son public : la guerre entre Argiens et Thébains. En contre-point, certains épisodes du poème latin sont amplifiés. Le seul chant IX de la *Thébaïde* a été l'objet d'un développement presque aussi conséquent que les six premiers chants ; y apparaissent des épisodes étrangers au poème latin : celui du ravitaillement (v. 6 897-7 286), et surtout celui de la trahison et du procès de Daire (v. 7 287-8 172) qui, dans la version longue, atteint deux mille cinq cents vers. Ces étoffements révèlent les préoccupations de l'auditoire médiéval qui règlent toujours peu ou prou le travail d'écriture ou de réécriture. La trahison de Daire, délié de son hommage par Étéocle, conduit à un procès féodal qui n'était probablement pas sans faire écho aux préoccupations ou aux inquiétudes d'un auditoire de chevaliers souvent empêtrés dans les relations d'homme à homme et les querelles juridico-militaires qu'elles engendraient. Ces ajouts proviennent de sources diverses, ils sont parfois le fruit de l'imagination de l'auteur ou de son observation des mœurs féodales ; ils proviennent plus généralement de ses lectures ; ainsi, le rappel de l'histoire d'Œdipe est issu du *Mythographus secundus*, un recueil latin de récits

légendaires et mythiques. Placée à l'orée du récit, cette synthèse d'un mythe fondateur met en perspective le travail de rééquilibrage du poème latin entrepris par le clerc médiéval. Outre qu'elle s'inscrit dans une perspective généalogique destinée à faciliter l'intelligence du malheur rapporté, elle dégage l'inflexion nouvelle fournie au texte en signalant que le destin des fils relève d'une interrogation plus générale sur la fonction paternelle. Dès lors, certains épisodes du poème latin prennent un relief particulier, notamment celui d'Isiphile, double spéculaire féminin d'Œdipe, qui sert ainsi à explorer un autre versant de la logique œdipienne. L'auteur s'est aussi évertué à souligner les parallèles déjà présents dans le modèle. Le dragon qui tua le fils de Lycurgue est décapité par Tydée, comme le furent la Sphinge et Laïos ; le même Tydée met à mort le « deable » Astarot en répondant à la question déjà posée par Pyn, la Sphinge, afin de suggérer qu'il est appelé à marcher sur les brisées d'Œdipe. Grâce à une comparaison, Tydée devient également un double de Polynice, victime d'une tentative de meurtre d'Étéocle, comme Œdipe le fut de son père. Le travail littéraire de l'auteur médiéval établit une série d'équivalences qui donnent à entendre que le couple fratricide rejoue la relation conflictuelle père-fils ; en laissant deviner un second niveau de signification uniquement accessible grâce à une attention au détail du texte, il délimite en somme un « inconscient du texte » requérant une écoute dont n'avait pas besoin le poème latin.

L'originalité de l'auteur de *Thèbes* se mesure aussi à son souci de différenciation des personnages masculins qui échappent au modèle héroïque de la chanson de geste. Distingué par la préférence de l'auteur, Polynice, plein de noblesse, s'oppose à son frère, cruel et calculateur ; Tydée est un rude et généreux combattant, Hippomédon un vrai stratège, Parthénopée un jeune guerrier séduisant dont la mort tire des larmes même à Étéocle... Autre signe de rupture avec l'épopée : l'apparition de personnages féminins, véritables acteurs au sein du récit. Loin de son modèle mythique, Jocaste incarne la reine mère qui siège au conseil des barons et sert d'ambassadrice auprès des Argiens. Ses filles, Antigone et Ismène, sont bien différenciées : l'une affiche de la réserve, tandis que l'autre se veut plus délurée et proclame en toute liberté la dimension charnelle de son amour. Argia, Déiphilé et Salemandre possèdent moins d'envergure. Les personnages féminins introduisent dans le récit l'amour et une nouvelle façon de le dire, empruntée par les autres « romans antiques » et appelée à constituer bientôt cette rhétorique courtoise qui nourrira le développement du genre. La nouveauté de *Thèbes* vient aussi des portraits féminins, brossés à partir de recettes d'école, qui figent le récit et offrent des moments de contemplation esthétique qu'ignorait l'épopée. Là où il prend de la liberté par rapport à son modèle et à l'épopée, là où il innove, l'auteur de *Thèbes* donne naissance au genre romanesque en lui fournissant une écriture. Et c'est la fécondité du genre, à l'époque médiévale et au-delà, qui constitue la véritable postérité du *Roman de Thèbes*, dont il existe une version en prose tardive. En deçà, les remaniements de la version longue témoignent de son succès, tout comme les emprunts thématiques et formels que lui feront l'*Énéas* et *Troie*, Chrétien de Troyes et ses imitateurs.

● Champion, 2 vol., 1966-1967 (p.p. G. Raynaud de Lage). Traduction : Champion, 2 vol., 1991 (A. Petit).

J.-C. HUCHET

ROMAN DE TROIE (le). Roman en vers de **Benoît de Sainte-Maure** (XIIᵉ siècle), composé entre 1160 et 1165 et conservé par cinquante-cinq manuscrits.

Ce récit de 30 316 vers a probablement été rédigé pour le roi d'Angleterre Henri II Plantagenêt et pour son épouse Aliénor d'Aquitaine. Il constitue avec le *Roman de Thèbes* et le *Roman d'Énéas* la trilogie des romans dits « antiques », dont il est le dernier volet. Bien qu'il raconte pour l'essentiel la guerre de Troie, le clerc normand Benoît de Sainte-Maure ne s'inspire pas directement de l'*Iliade* d'Homère ; les deux premiers tiers de son œuvre adaptent en langue romane le *De excidio Trojae historia* de Darès de Phrygie, et le dernier tiers l'*Ephemeris belli trojani* de Dictys de Crète, textes rédigés à partir de multiples sources grecques postérieures à Homère. Le Prologue de cette œuvre immense souligne qu'elle s'inscrit dans cette entreprise de « vulgarisation » de la culture antique, caractéristique de la seconde moitié du XIIᵉ siècle, destinée à la mettre à la portée de ceux qui ignorent le latin.

Le roman de Benoît s'ouvre par un Prologue (v. 1-144) rappelant les avatars de la matière troyenne depuis Homère et définissant les caractéristiques du travail de l'adaptateur médiéval. Les vers 145 à 714 dégagent les grandes séquences du récit qui ne commence vraiment qu'avec les aventures de Jason (v. 715-2 078), envoyé par son oncle quérir la Toison d'or, obtenue avec l'aide de Médée, aimée puis délaissée. Lors de ce périple, Jason s'est vu refuser l'hospitalité à Troie ; son compagnon Hercule décide d'y revenir pour se venger. Les Grecs enlèvent Hésione et détruisent Troie, reconstruite par Priam dont le fils, Pâris, enlève à son tour Hélène (v. 2 079-4 772). Les sept premières batailles (v. 6 979-12 802), engagées par les Grecs pour récupérer Hélène, voient la mort d'un certain nombre de héros, dont Patrocle, tué par Hector. Briséide quitte Troie pour rejoindre Calcas, son père, qui a changé de camp ; elle abandonne le Troyen Troïlus et s'ouvre progressivement à l'amour du Grec Diomède (v. 13 261-20 340). Pendant ce temps huit batailles ont eu lieu ; de nombreux guerriers y ont trouvé la mort, dont Hector ; Achille est tombé amoureux de Polyxène et a délaissé un temps la cause des Grecs ; il meurt dans un attentat perpétré par Pâris (v. 21 238-22 500). Les huit batailles suivantes amènent à la trahison d'Anténor et d'Énéas qui proposent de remplacer le palladium volé, signe de la protection de la déesse Pallas, par un cheval de bois dans lequel les Grecs ont pris place ; ils s'emparent de Troie, qui est mise à sac (v. 24 396-26 240). La fin du roman réalise la prophétie de Cassandre, qui a appelé la colère d'Apollon sur les vainqueurs, et rapporte le retour et la mort des héros grecs : Agamemnon, Pyrrhus, et Ulysse, tué par son fils Télégonus.

À la différence des auteurs du *Roman de Thèbes* et de l'*Énéas*, qui se mesuraient à des œuvres littéraires connues et admirées, Benoît de Sainte-Maure s'adresse à des sources considérées comme « historiques ». Qu'il prenne des libertés avec elles ne doit toutefois pas faire oublier qu'il cherche dans ces « documents », dans ces « journaux de siège » écrits sur le vif par des représentants de chaque camp (si l'on en croit le Prologue), une caution donnant un semblant de vérité à cette manière de chronique de la guerre de Troie que l'emportement de l'écriture transforme en roman historique. L'historicité du propos tient moins à l'objectivité des faits rapportés qu'à un effet de l'écriture, à un souci disproportionné du détail qui vaut au lecteur de longues énumérations : celles, par exemple, des héros et des héroïnes du conflit (v. 5 093-5 582), ou des chefs de guerre (v. 7 641-8 328). C'est avec la même minutie que sont rapportées batailles et trêves, combats singuliers et mêlées collectives, qu'est soulignée la causalité des événements et que sont mises en valeur les filiations qui peuvent parfois expliquer une vengeance. La juxtaposition des deux sources est à cet égard significative : elle autorise moins un croisement d'informations, garant de l'objectivité du propos, que la mise en fiction des causes du conflit avec Darès, et de ses conséquences avec Dictys qui relate seulement les événements du rapt d'Hélène au meurtre d'Ulysse. La manière dont Benoît de Sainte-Maure situe son projet littéraire par rapport à ses devanciers qui ont traité de la matière troyenne est aussi révélatrice de son tempérament de chroniqueur : Wace évoquait rapidement à l'orée de son *Roman de Brut* (1155) la diaspora troyenne dans laquelle il voyait l'ancêtre de la royauté

bretonne ; l'*Énéas* (entre 1155 et 1160) remontait cette histoire jusqu'à la chute de Troie ; Benoît se porte encore en deçà, aux sources mêmes de l'événement. Mouvement rétrospectif qu'on trouve aussi à l'œuvre dans les récits généalogiques, textes à vocation historique, en quête d'une origine des lignages, qui rencontrent souvent le mythe.

Benoît de Sainte-Maure, comme ses devanciers, ne se soucie guère de la vérité historique ; la geste antique est relue à la lumière des structures mentales du XIIᵉ siècle. Pâris enlevant Hélène est davantage un « jeune » en quête d'épouse qu'un héros troyen poussé par le destin, et la guerre de Troie prend souvent des allures de guerre privée entre féodaux ; Priam et Hécube forment un couple royal qui ressemble à celui d'Henri II Plantagenêt et d'Aliénor d'Aquitaine, et conduisent une politique d'alliances toute féodale. Les interventions des dieux dans le destin des mortels se réduisent au strict nécessaire et, christianisme oblige, ces dieux sont souvent qualifiés de diables. Les vingt-trois batailles de cette guerre interminable obéissent à une stratégie bien médiévale ; les armes de Patrocle, qui fascinent Hector, brillent d'un éclat qui n'a rien d'antique.

La signification du *Roman de Troie* est à chercher dans le travail opéré par son auteur sur ses sources. Le *De excidio Trojae historia* de Darès de Phrygie est un texte lapidaire, composé de quarante-quatre courts chapitres, et l'*Ephemeris belli trojani* est à peine plus consistant ; Benoît de Sainte-Maure en a fait un des plus longs romans en vers du Moyen Âge. S'il respecte la trame narrative de ses sources, il les amplifie toujours, parfois considérablement. Le récit de la deuxième bataille court sur 2 600 vers (v. 7 641-10 186) alors que Darès la contait en quatorze lignes. Le principe de son travail est d'ailleurs défini dans le Prologue : la translation en roman s'accompagne de l'ajout de quelques « bons dits » (« Ne di mie qu'aucun bon dit / N'i mete », v. 142-143). Ces « bons dits » n'ont pas toujours des sources livresques, ils proviennent aussi de l'invention de l'auteur : ainsi ces épisodes courtois entre ennemis (v. 8 919 et suivants, v. 9 102 et suivants). L'amplification est surtout manifeste et significative dans les épisodes amoureux. La « matière de Troie » offrait des couples célèbres, Hector et Andromaque, Pâris et Hélène, Achille et Polyxène... Benoît va en tirer un parti nouveau, révélateur de l'influence courtoise sur le roman antique. Chez Darès, Médée n'était qu'un adjuvant de la quête de Jason : Benoît en fait une amoureuse délaissée ; grâce à lui, Hélène partage la passion de Pâris. Plus significatif encore : il invente de toutes pièces les amours de Briséide pour Troïlus puis pour Diomède, et compose ainsi un roman dans le roman, dont Shakespeare goûtera encore le tragique après Boccace et Chaucer.

L'originalité de Benoît de Sainte-Maure est donc à chercher dans son approche de la question amoureuse. Succombant au poids de la malédiction œdipienne, le *Roman de Thèbes* ne pouvait qu'esquisser quelques intrigues sentimentales vite réglées par le sort funeste des armes ; l'*Énéas*, en opposant Didon et Lavine, proposait de réconcilier l'héroïsme et l'amour en insérant la passion dans un projet conjugal. Benoît s'emploie à décliner toutes les modalités du sentiment amoureux à travers l'histoire de couples complémentaires et contradictoires. Ces amours restent marquées du sceau du tragique et de l'impossible, puisqu'elles lient des partenaires appartenant à des camps ennemis. Médée ravive quelque peu le souvenir de Didon, elle incarne l'amoureuse abusée par l'inconstance d'un héros qui se sert d'elle et l'abandonne. Pour Jason, elle n'est qu'un moyen pour parvenir à la Toison d'or, objet véritable de son désir. Elle est aussi l'image vivante de l'égarement amoureux, de la « grant folie » qui l'empêche de voir l'inégalité des engagements. À l'inverse, les amours de Pâris et d'Hélène célèbrent la réciprocité des sentiments. Le rapt d'Hélène n'est d'ailleurs que la manifestation d'une passion partagée, née d'un échange de regards, d'une fidélité indéfectible en dépit du sort des armes, traduites par un mariage célébré par Priam avec pompe. Là où Benoît aurait pu louer un exemple de piété et d'obéissance filiale en Briséide, qui a rejoint son père Calcas passé chez les Grecs, il dénonce l'inconstance féminine amenant la jeune femme à oublier rapidement Troie et Troïlus, l'homme aimé, pour agréer et partager progressivement la passion de Diomède. Les diatribes misogynes qui scandent l'évolution de Briséide constituent le commentaire clérical inévitable des aléas du cœur et de la plasticité du désir. Au-delà, l'intérêt de l'épisode réside dans l'attention portée à la passion de Diomède, à son éveil brutal, la satisfaction éphémère que procure le vol courtois d'un mouchoir, à l'exaltation de la prouesse suscitée par l'amour... L'évolution de Briséide confirmerait que le « désir est désir de l'autre », du désir qui la prend pour objet et la plie à sa loi, à une loi subjective que Benoît explore grâce à l'entrelacement d'épisodes guerriers opposant les deux prétendants et transforment la geste collective en affaire privée. L'amour d'Achille pour Polyxène est plus radicalement encore placé sous le signe du malheur, il ignore la réciprocité et s'emploie à dénoncer les effets dévastateurs de la passion. Polyxène prend pour Achille la place de Patrocle, aimé contre nature dans la première partie du récit. Sœur d'Hector, tué par Achille, elle est interdite à l'amour que ce dernier lui voue à l'instant même où il l'aperçoit aux funérailles du Troyen. Image qui fascine le regard et s'inscrit dans le cœur, la jeune fille est rencontre de la beauté et de la mort ; l'expérience de l'amour se double d'une expérience esthétique où il est donné au héros d'anticiper sa propre mort à l'aide de multiples références à Narcisse qui doivent davantage à Ovide qu'à Darès ou à Dictys. Achille aide à l'exploration des deux versants du narcissisme : dans le jeune Grec, il contemplait sa propre image magnifiée ; avec Polyxène, il entrevoit l'impossibilité d'un amour voué à une image. Image qui sera l'instrument de sa mort, lorsque Hécube feindra d'accepter de lui donner Polyxène pour l'attirer dans Troie où Pâris l'assassinera. Amoureux d'une image, qui deviendra statue sur son mausolée, Achille est un martyr de l'amour, d'un amour qui ressemble singulièrement à la *fin'amor* des troubadours, dans la mesure où il s'adresse à une femme interdite, où il est expérience de l'extrême désir qui, en l'absence de réponse de la dame, dépouille le sujet amoureux de ses défenses et de ses idéaux. Achille deviendra ainsi « recreant », refusera un temps de combattre Troie où réside l'aimée ; lorsqu'il reprend les armes, Priam jure qu'il n'obtiendra jamais Polyxène. L'amour se révèle ici radicalement incompatible avec les armes. Achille fournit aussi à Benoît de Sainte-Maure l'occasion d'une étude clinique de la passion amoureuse ; la rhétorique élaborée grâce à l'*Ars amatoria* d'Ovide et à l'*Énéas* permet une analyse détaillée des symptômes d'un égarement amoureux qui constitue peut-être la leçon du *Roman de Troie*. Leçon pessimiste, cléricale pour tout dire, qui ne voit dans ces multiples visages de l'amour que les facettes d'un impossible bonheur.

À ces quatre histoires d'amour principales, il faudrait encore ajouter les amours plus anecdotiques de Circé et d'Ulysse, desquelles naîtra un fils qui assassinera son père, la trouble attirance de la reine des Amazones pour Pyrrhus son meurtrier, les amours conjugales inquiètes d'Hector et d'Andromaque dont le couple fait pendant à celui de Priam et d'Hécube. Benoît de Sainte-Maure s'est employé à diversifier ces couples, hérités de la tradition troyenne, afin de conduire une étude exhaustive de l'amour et de renforcer la cohérence structurale d'une œuvre qui empruntait à des sources hétérogènes, voire contradictoires. La mise en série de ces couples montre qu'ils obéissent à un principe d'opposition favorisant l'étude d'une même question sous des facettes différentes. L'inconstance de Briséide reprend au féminin celle de Jason ; l'enlèvement d'Hélène répond à celui d'Hésione

autrefois perpétré par les Grecs ; la réciprocité des amours de Pâris et d'Hélène s'inverse dans la passion à sens unique d'Achille. Jason, à l'orée du récit, comme Ulysse à la fin, sera puni par le fruit de ses amours avec la magicienne Médée qui réapparaît sous les traits de la magicienne Circé, dont le chant séduit un temps Ulysse. Ces reprises et ces oppositions assoient la cohérence du roman ; elles montrent aussi que les différentes modalités du sentiment amoureux intéressent autant Benoît de Sainte-Maure que la guerre de Troie. Même si les combats prennent chez lui une ampleur inégalée, due pour l'essentiel au volume global de l'œuvre, Benoît est le moins épique des auteurs de romans antiques, mais le plus courtois par son attachement à l'analyse de l'amour. En deçà, ces couples, qui tentent d'apparier des hommes et des femmes appartenant à des camps opposés, conduisent la grammaire du récit à épouser celle des alliances. Les données mythiques héritées permettent à Benoît de revisiter les structures élémentaires de l'alliance : le principe d'exogamie, réglé par l'opposition des Grecs et des Troyens, le rapt comme mode primitif d'alliance. La versatilité de Briséide pourrait aussi se lire comme le passage d'une union endogame (Troïlus) à une union exogame (Diomède). De même, l'enlèvement primitif d'Hésione, actualisé par celui d'Hélène, constitue la cause de la rivalité entre Grecs et Troyens. À ce fonds mythique, Benoît imprime sa marque d'auteur médiéval : le rapt d'Hélène se double d'un mariage où Pâris reçoit, des mains de Priam, celle qu'il a déjà prise, mais cette union demeure illégitime puisqu'elle s'est substituée à une autre qui n'a pas été annulée ; le mariage est un don qui consacre le pouvoir du père ou de son substitut. L'histoire des couples peut se relire à la lumière de cette loi : Médée a disposé d'elle-même et son abandon est la punition de cette liberté ; Briséide a obéi à la volonté de son père qui était celle des dieux ; Achille meurt d'avoir négocié Polyxène avec une mère et non avec un père. Grâce à la cohérence de sa structure, *le Roman de Troie* devient un excellent témoin de l'anthropologie médiévale.

Comme les auteurs du *Roman de Thèbes* et de l'*Énéas*, mais avec une intensité plus grande, Benoît de Sainte-Maure aime les belles choses, les corps et les visages dont les atours rehaussent la beauté d'un éclat singulier, les armes, les tombeaux érigés comme de véritables œuvres d'art. Il développe et prolonge une réflexion esthétique entamée par ses prédécesseurs, et qui trouve son point d'aboutissement dans la « chambre des beautés » (v. 14 631-14 958), où il nous convie à découvrir son art du roman. Destinée à accueillir les amours de Pâris et d'Hélène, pour qui elle a été taillée dans l'albâtre, cette chambre dérobe les amants à la vue mais leur livre le spectacle du monde. Elle représente l'univers intérieur de l'amour et les beautés qu'il recèle. Nul n'y pénètre sans avoir été invité par le miroir tenu par un automate à rectifier sa tenue vestimentaire, sans faire preuve d'une rectitude morale et courtoise destinée à écarter les fous et les vilains. La chambre n'entasse pas seulement les beautés (joyaux, soieries, automates...), elle fait du corps et de l'âme des beautés proposées à l'amour. Résurgence d'une influence platonicienne, elle ouvre dans le roman l'espace d'une utopie, non seulement parce qu'elle propose un idéal amoureux, mais aussi parce qu'elle se fait espace d'une transformation réglée de l'homme, et qu'elle soumet la beauté et l'amour à la rectitude d'une ordonnance qui fixe les conditions de leur rencontre. Parmi les merveilles qu'elle recèle se trouvent quatre « ymages », quatre automates (deux hommes et deux femmes, comme pour mettre en abyme la question du couple qui constitue le cœur du roman). L'un d'eux tient un miroir qui réfléchit l'éclat des joyaux et éclaire la profusion des merveilles ainsi que le monde qu'il semble inscrire dans son orbe. Véritable *speculum mundi*, il met le monde aux pieds des amants. Un autre livre à profusion des fleurs de toute nature que fane bientôt le vent produit par le battement des ailes d'un aigle d'or menacé par un satyreau ; les fleurs flétries sont immédiatement remplacées par d'autres, différentes, été comme hiver, deux fois par jour. L'automate crée ainsi l'illusion d'un temps fictif, où le cycle de la vie et de la mort se trouve accéléré et, dans le même temps, régulé, arraché à la contingence ou à la volonté divine. Œuvre d'art, la chambre des beautés, construite par « trois poetes, saives autors » (v. 14 668), renvoie à l'œuvre d'art qu'est le roman, lui aussi à la recherche d'un temps artificiel dû à la mécanique de la littérature. Placée au centre du roman, elle possède, comme le miroir de l'automate, une fonction spéculaire. Le rapport chiasmatique des statues donnerait par exemple à voir l'ordonnancement des couples et des relations amoureuses. De part et d'autre de cet épisode médian, les histoires d'amour se distribuent trois à trois. Avant la description de la chambre sont évoquées les amours de Jason et de Médée, de Pâris et d'Hélène, de Briséide et de Troïlus ; après, celles de Briséide et Diomède, d'Achille et Polyxène, d'Ulysse et de Circé. Elle partage aussi spéculairement en deux la vie de Briséide qui, en changeant de camp, change d'amant. Par rapport à ses sources, Benoît a réglé, avec la perfection d'un automate, le ballet des échanges amoureux. Taillée dans une seule pierre, la beauté de la chambre renvoie l'image de l'unité du roman qui a su conjoindre harmonieusement les emprunts à des sources hétérogènes, à Darès et Dictys. L'œuvre romane homogénéise ainsi deux textes latins distincts et antagonistes ; leur jointure n'est signalée que pour être aussi effacée par une seconde réécriture qui réalise la « conjointure » parfaite du roman grâce à un vers où les deux noms sont réunis. Et les « trois poetes » qui mirent au point les automates ne renvoient-ils pas aux trois personnes évoquées dans le Prologue qui contribuèrent à la naissance de l'œuvre : Daire, Cornélius (son premier traducteur) et Benoît, le second traducteur, qui compare son travail à celui d'un architecte, qui taille, assoit et pose les mots comme des pierres (v. 133-135) ? La chambre des beautés tend au *Roman de Troie* un miroir où il contemple sa propre perfection et où il réfléchit une esthétique du roman à laquelle se référera, par exemple, le *Cligès* de Chrétien de Troyes.

La fortune du roman de Benoît de Sainte-Maure se mesure aussi aux différentes versions en prose qui ont pu en être données aux XIIIe et XIVe siècles. Il n'en existe pas moins de cinq différentes (en partie inédites), connues par quarante-deux manuscrits complets ou fragmentaires, parfois richement illustrés, le plus souvent d'origine italienne, ce qui souligne la percée méridionale de la matière troyenne. Ces versions en prose se différencient en fonction de leur plus ou moins grande proximité du texte de Benoît, qu'elles traitent comme Benoît traitait Darès ou Dictys : elles conservent l'organisation générale du récit mais prennent de la liberté vis-à-vis du détail du texte. Les plus anciennes d'entre elles tendent à l'abrègement de leur modèle en vers. Elles sacrifient généralement les mentions étranges, les notations « scientifiques », allègent les descriptions ; l'évocation de la chambre des beautés se réduit à cinq lignes là où Benoît lui consacrait 327 vers. Le travail de « décapage » porte essentiellement sur la narration ; les discours restent intacts, ce qui change la tonalité générale de l'œuvre qui prend un tour plus didactique, plus moral, qui amortit la courtoisie du texte en vers et fait disparaître la finesse de l'analyse des passions. Un des remanieurs refuse significativement de décrire la chambre des beautés qui lui paraît être une œuvre démoniaque. Les mentions des péchés, les références au Seigneur traduisent un souci de prédication bien étranger au roman de Benoît ; elles sont le signe d'une évolution de la sensibilité littéraire, qui a subi la « révolution de la prose », et d'un changement d'horizon culturel.

Ces cinq versions témoignent du succès de la matière troyenne, renouvelée par le passage à la prose ; la cinquième version est notamment intégrée dans plusieurs versions de l'*Histoire ancienne jusqu'à César*. En Italie se développe, au cours du XIVe siècle, une tradition troyenne en langue italienne, chez Boccace notamment (*Filostrato*, 1341), qui s'appuie sur l'*Historia destructionis Trojae*, adaptation en 1287 par Guido delle Colonne de la deuxième version en prose française. Très répandu dans toute l'Europe, le texte de Guido a été en France l'occasion d'un regain de faveur de la légende de Troie aux XIVe et XVe siècles, qui se manifeste par un mouvement de traduction de son texte à la cour de Bourgogne, en 1380, 1453 et 1459 – l'une de ces traductions a été intégrée dans le *Recueil des troyennes histoires* de Raoul Le Fèvre (1465) – et par une vaste entreprise d'illustration des manuscrits de ses proses. En 1450, la geste des Troyens accède au théâtre grâce à maître Jacques Millet qui donne à Orléans *l'Istoire de la destruction de Troye la grant*. Le succès de la matière troyenne a par ailleurs été assuré grâce à des traductions françaises du *De excidio Trojae historia* de Darès dues à Jean de Flixecourt (1262) et à Jofroi de Waterford et Servais Copale (fin du XIIIe siècle).

● Tübingen, 1963 (extraits, p.p. K. Reichenberger). Traduction partielle, « 10/18 », 1987 (E. Baumgartner). *Roman de Troie en prose* : Genève, Droz, 1979 (p.p. F. Vieillard).

J.-C. HUCHET

ROMAN DU CHÂTELAIN DE COUCY ET DE LA DAME DE FAYEL (le). Roman de Jakemes (fin du XIIIe siècle).

Formé de 8 266 octosyllabes, il a été conservé dans deux manuscrits du XIVe siècle.

Le titre place d'emblée cette œuvre sous le double signe du lyrisme et du romanesque : le châtelain de Coucy est un poète du XIIe siècle, dont les chansons sont insérées dans la trame du récit. Jakemes – qui nous invite à déchiffrer son nom dans un acrostiche – a placé la fin des amours tragiques du châtelain dans le cadre folklorique du « cœur mangé », où un mari jaloux sert à sa femme le cœur de son amant. Il lie ainsi étroitement son récit à la *Vida* (« vie » romancée du XIIIe siècle en occitan) du poète provençal Guilhem de Cabestanh. Outre le lai d'*Ignauré* (voir *Lais anonymes bretons*), de nombreuses œuvres, en allemand, en italien avec Boccace, illustrent ce thème et cela jusqu'en Inde ; elles se répartissent selon deux versions : soit l'amant est tué par le mari, soit il meurt en terre étrangère et son cœur, embaumé, est envoyé à la dame et intercepté par le mari. Il en va ainsi dans ce roman.

Un chevalier, Renaut de Coucy, est épris de l'épouse du seigneur de Fayel. Malgré sa renommée et ses prouesses, la dame le fait longuement languir avant de lui accorder son amour. Une dame de Vermandois, amoureuse du chevalier, découvre le secret de leur liaison et le révèle au mari. Celui-ci est sur le point de surprendre les amants, quand Isabelle, la suivante de l'épouse, prétend être l'amie du chevalier. Renaut se venge cruellement de la dame de Vermandois : feignant d'en être amoureux, il l'insulte alors qu'elle va lui céder et fait croire qu'elle est déshonorée. Les amants se revoient grâce à divers subterfuges : déguisements de Renaut en écuyer blessé, en colporteur, en aveugle, chute de la dame dans l'eau d'un moulin où il se cache. Le mari, toujours jaloux, annonce son intention de se croiser et d'emmener sa femme ; Renaut se croise aussitôt et ne peut se dédire, lorsque le seigneur de Fayel y renonce. Au moment de se séparer la dame donne ses tresses à son amant. Celui-ci, blessé au combat, meurt sur le bateau qui le ramène en France. Suivant ses dernières volontés, Gobert, son écuyer, prend son cœur, le fait embaumer pour l'offrir à la dame. Mais le présent est intercepté par le mari qui demande à son cuisinier d'accommoder le cœur et de le servir à la dame. Apprenant la nature du mets qu'elle a mangé, elle décide de ne plus se nourrir et meurt rapidement.

L'originalité de ce court roman tient à l'entrelacement des motifs narratifs et lyriques d'origine et de sens différents, au sein d'un cadre qui se veut « réaliste » à la manière de Jean Renart (voir l'*Escoufle*), et à la création inédite d'un personnage de chevalier-poète qui compose et chante ses propres chansons. Jakemes a su harmoniser une matière composite et des registres d'écriture variés à la faveur d'un récit alerte, entrecoupé de poèmes (une dizaine en tout) et de dialogues très vivants où se jouent les nuances de la pensée et l'analyse des sentiments.

L'action se situe très précisément dans la région du Vermandois, près de Saint-Quentin. Se complaisant à la peinture de tournois et de fêtes aristocratiques, selon la mode romanesque de l'époque (ainsi le Tournoi de Chauvency de Jacques Bretel, peut-être un de ses modèles), le narrateur décrit, au début de son récit, un tournoi qui pourrait être celui, historiquement attesté, qui se déroula entre La Fère et Vendeuil, vers 1176-1181. À côté de noms prestigieux comme Guillaume des Barres, Geoffroy de Lusignan ou Simon de Montfort, grands personnages du temps de Philippe Auguste, il cite de nombreuses familles picardes du XIIe siècle. Son héros se croise à l'appel à la troisième croisade (1187-1192) lancé par Richard Cœur de Lion, et on a cru voir en lui Guy de Thourotte, seigneur de Coucy (qui participa précisément à cette expédition), identifié au poète qui signe le châtelain de Coucy dans plusieurs recueils. Sur les sept chansons d'amour et de croisade qui lui sont attribuées, deux ne se trouvent que dans notre récit, tandis que la dernière est l'œuvre de Gace Brulé. Doit-on conclure à une supercherie littéraire ? Quoi qu'il en soit, Jakemes renouvelle le modèle de l'insertion lyrique élaboré par Jean Renart (voir le *Roman de la Rose ou de Guillaume de Dole), genre promis à un grand succès aux XIIIe et XIVe siècles. L'étroite correspondance qu'il instaure entre le récit et les chansons – reflets de la situation amoureuse mais aussi messagères entre les amants – produit un jeu de renvois subtils entre un référent réel, les motifs poétiques et les figures romanesques, au point que les chansons du châtelain furent parmi les premières poésies médiévales éditées, dès le XVIIIe siècle, en raison de la célébrité romanesque de leur auteur.

Par ailleurs, la peinture de l'amour ici brossée est révélatrice du système de valeurs de la noblesse de la fin du XIIIe siècle, entre fin'amor (épreuves imposées à l'amant, prouesses chevaleresques) et sensualité, conception qui fleurit dans le cadre d'une société mondaine et brillante, et dont le Guillaume de Dole ou le roman occitan Flamenca sont les exemples les plus achevés. En outre, l'ambiguïté du code amoureux transparaît dans la punition de la dame de Vermandois : les mêmes paroles, les mêmes gestes ne sont ici que faux-semblants, mise en scène cynique destinée à confondre l'indiscrète. L'histoire parallèle des deux dames montre qu'aucun signe, aucun discours ne différencient l'amour sincère d'un amour feint. Le « fin'amant » endosse avec aisance le masque du séducteur et du trompeur. Cette problématique de la duplicité du langage amoureux n'est cependant qu'esquissée, tandis qu'est longuement exploité le thème du déguisement, plus dramatique, emprunté peut-être à la tradition tristanienne, envers laquelle le narrateur multiplie les clins d'œil : le personnage de la suivante, la blessure empoisonnée, le dernier voyage, la mort de la dame. Mais le déguisement désigne aussi cette « communication médiatisée » (C. Marchello-Nizia) dont se nourrit la relation amoureuse et qui est sa fondamentale fragilité : échanges de lettres, de poèmes, de présents, qui la mettent à la merci de complices et de messagers. Le drame final est ainsi soigneusement préparé, et le motif du « cœur mangé » étroitement relié à l'ensemble du roman. À l'instant des adieux, au don métaphorique du cœur répond le don emblématique des tresses de la dame qui orneront le heaume de l'amant, connu désormais comme « li cevaliers [...] / Qui sour son elme porte treces » (v. 7 453-7 454). Un pas de plus est franchi dans la symbolisation de l'objet, quand le chevalier mourant offre son cœur, réel, à la dame. Par son intervention cruelle et maladroite, le mari

provoque l'inversion des signes de vie et de mort : il lit dans ce cœur non le signe de la définitive séparation des amants, mais la survie d'un amour qui l'offense. En le donnant en nourriture à la dame, c'est-à-dire comme ce qui entretient la vie, il scelle à jamais l'union des amants au-delà de la mort et de la vie. Après un tel mets, la dame ne peut que refuser tout autre aliment et, comme Iseut, rejoindre son amant dans la mort par la seule force de son amour.

Ce roman connut un grand succès, dont témoignent de nombreux remaniements aux XIIIe et XIVe siècles, en plusieurs langues (flamand, anglais, prose française, etc.). Le châtelain prend place au rang des amants parfaits sous la plume de Froissart, Eustache Deschamps, Christine de Pisan. Mais surtout les personnages sont bientôt confondus avec ceux de la *Châtelaine de Vergi, en raison de la similitude de certaines situations et de la présence, dans ce récit, d'une strophe du châtelain de Coucy. Les deux récits mêlés passent dans la tradition et inspirent au XVIIIe siècle, des adaptations théâtrales (P.L. Buyrette de Belloy, 1770), les héros devenant Raoul de Coucy et Gabrielle de Vergy, femme du seigneur de Fayel.

● SATF, 1936 (p.p. M. Delbouille). Traduction : La Ferté-Milon, Corps 9 Éditions, 1986 (A. Petit et F. Suard).

M. GALLY

ROMAN EXPÉRIMENTAL (le). Recueil d'articles d'Émile Zola (1840-1902), publié à Paris chez Charpentier en 1880.

Le livre rassemble des textes parus essentiellement dans le Messager de l'Europe (une revue de Saint-Pétersbourg où a été publié notamment l'article qui donne son titre au recueil), ainsi que dans le Bien public et le Voltaire (les sections « Du roman » et « De la critique »).

Le Roman expérimental, qui paraît la même année que *Nana, est évidemment lié aux combats alors menés par Zola, dont le succès s'impose à tous désormais, en dépit de certains adversaires irréconciliables. L'ouvrage a sa place dans la stratégie de l'écrivain, qui, malgré lui, se voit considéré comme un chef d'école. Il s'inscrit aussi dans le débat intellectuel général de l'époque, répondant aux préoccupations dominantes que sont, d'une part, la défaite et la façon de s'en relever pour préparer la prochaine guerre, et d'autre part, les relations entre une science triomphante et une philosophie idéaliste, une littérature encore encombrée de poncifs romantiques et une république doctrinaire ou fanatique. Le livre sera attaqué avec violence, notamment par J. Lemaître et F. Brunetière.

« Le Roman expérimental ». Premier article du recueil, il propose une brève analyse de l'*Introduction à l'étude de la médecine expérimentale de Claude Bernard, en suggérant d'y mettre en place du médecin, le romancier naturaliste. En effet, celui-ci peut vraiment être un observateur et un expérimentateur, cette dernière activité ouvrant la voie au talent ou au génie (Balzac). De plus, certaines lois, comme celles de l'hérédité, permettent de penser l'homme comme soumis au déterminisme. Au romancier d'interroger le « comment » des choses plutôt que leur « pourquoi », et il sera utile aux autres. Ainsi la littérature échappera au statut de simple pratique esthétique et progressera en vertu d'une méthode. Le naturalisme n'est donc pas un moment comme les autres de l'histoire de la littérature, mais l'étape décisive d'un grand mouvement d'idées qui, contrairement à ce que pense Claude Bernard, ne laisse pas de côté le domaine esthétique. Les écrivains et les artistes ont ainsi un rôle à jouer dans le cadre de la recherche scientifique et de l'enquête de terrain.

« Lettre à la jeunesse ». La concomitance d'une reprise de *Ruy Blas et de la réception de Renan à l'Académie française offre l'occasion d'une mise en accusation parallèle : d'un côté, le romantisme et sa rhétorique dépassée, malgré ses innovations verbales ; de l'autre, la timidité idéaliste de Renan, que Zola oppose à la hardiesse de Claude Bernard dont Renan fit l'éloge dans son discours de réception. En fait, si la France veut reprendre l'Alsace et la Lorraine, il faut qu'elle s'inscrive franchement dans le mouvement intellectuel qui conduit vers la vérité.

« Le Naturalisme au théâtre » montre que ce genre s'est rénové dès le XVIIIᵉ siècle et que le drame romantique est un accident de cette évolution. Si le roman a changé avec Balzac, Stendhal, Flaubert et les Goncourt, le théâtre semble en retrait malgré V. Sardou, Dumas fils ou É. Augier. On ne peut expliquer ce phénomène par le poids des conventions dramatiques, alors qu'au contraire la scène, avec ses effets, ses décors, offre un champ idéal à l'enquête.

« L'Argent dans la littérature » oppose la condition servile de l'écrivain d'autrefois au travail qui lui est aujourd'hui offert par les journaux, les éditeurs, les théâtres. Ce nouveau marché est rude aux débutants, mais les plus talentueux réussissent toujours à émerger.

« Du roman » constate d'abord la déchéance de l'imagination par rapport au sens du réel. L'expression personnelle reste cependant possible et souhaitable, comme dans le cas d'A. Daudet. Il faut cependant, ainsi que le fait la critique, appliquer une méthode rigoureuse. Par exemple, la description n'est pas un exercice de peintre, mais une obligation de sociologue qu'ont comprise les Goncourt ou Flaubert. Trois débutants (Hennique, Huysmans, Alexis) permettent d'espérer, tandis que la parution des *Frères Zemganno*, des Goncourt, est accueillie avec enthousiasme.

« De la critique » répond aux attaques contre le naturalisme et le roman, évoque le souvenir de la revue le *Réalisme*, souligne les incertitudes de Sainte-Beuve, met en valeur l'exemple de Berlioz, se moque des adversaires de Balzac, se prononce contre un prix de Rome littéraire, attaque les bassesses de la politique, défend le naturalisme contre l'accusation d'obscénité.

Enfin, « la République et la Littérature » fait le portrait des différents types de républicains, souvent hostiles au naturalisme. Contre la politique politicienne et les intérêts cachés derrière les beaux discours, Zola demande à l'État nouveau de laisser aux artistes leur liberté entière.

Le caractère composite de l'ouvrage est indéniable, mais les articles forment entre eux une doctrine cohérente, dont on peut facilement dégager les traits principaux. Le naturalisme a d'abord des adversaires, malgré son triomphe inévitable : le romantisme, avec ses jeux verbaux sans valeur, son emphase ; l'idéalisme, en particulier religieux, avec ses illusions et ses lâchetés ; les romanciers à l'eau de rose ; les journalistes et les critiques superficiels, ou hostiles. Mais il a aussi ses ancêtres : tous les grands créateurs, appliqués à l'étude de la nature, chacun à travers leur tempérament, le XVIIIᵉ siècle, les grands romanciers, ceux surtout du siècle où écrit Zola – Stendhal et Balzac, souvent honnis à leur époque comme Zola l'est à la sienne, Flaubert ensuite et les Goncourt avant le naturalisme et ses jeunes pousses. À plusieurs reprises, Zola refuse d'être un guide ou même un patron, s'inscrivant au contraire dans la lignée continue des expérimentateurs. Qu'est-ce pour lui, dans ces conditions, que la littérature ? Certes un style, une « expression personnelle », mais d'abord l'œuvre d'un « juge d'instruction de la nature », capable d'atteindre une vérité socialement utile. D'où la référence envahissante à Claude Bernard, figure tutélaire du naturalisme, et plus généralement à la science et à ses processus heuristiques. Le fond doit l'emporter sur la forme, et le roman devenir une sorte d'entreprise sociologique où les préoccupations littéraires passent au second plan, et où la réussite tient à la mise en place d'une méthode efficace. L'ambition peut sembler étrange ou naïve, elle n'en traduit pas moins un projet cohérent et généreux : légitimer le roman par la connaissance à laquelle il fraye la voie, aux antipodes de tout formalisme. Cette thèse ne mérite pas le discrédit dont on l'entoure : elle a le mérite d'exiger du romancier une étude sociale approfondie, de le libérer des clichés et des facilités, d'ouvrir mille routes à sa curiosité ; elle lui donne aussi la possibilité de s'intéresser concrètement aux images d'une science qui en est riche (par exemple dans le cas de l'hérédité) et qui dès ce temps, comme le montre aujourd'hui Michel Serres, dialogue subtilement avec la fiction.

● « GF », 1970 (p.p. A. Guédj). ➤ *Œuvres complètes*, Cercle du Livre précieux, X.

A. PREISS

Rédigé durant l'année du débat concernant le rapport Khrouchtchev sur la dénonciation du stalinisme, publié peu après le difficile XIVᵉ congrès du parti communiste français de juillet 1956, le *Roman inachevé* apparut comme la réponse d'Aragon dans la tempête de la désillusion politique. À partir de ce contexte, mais par-delà le seul enjeu idéologique, cette œuvre charnière introduit à la « troisième période » de la création aragonienne (voir *Elsa, la *Semaine sainte, la *Mise à mort), tant dans son ambition formelle que dans son souci d'explication de soi.

En trois sections de 20, 25 et 30 poèmes allant du pentasyllabe au vers de 16 pieds, le livre reconstitue une existence depuis l'enfance jusqu'aux plus récentes années, en passant par les étapes désormais bien connues de l'« itinéraire » d'Aragon : Première Guerre mondiale, Dada, surréalisme, communisme et vie commune avec Elsa Triolet. Les trois périodes sont scandées par des événements pivots qui trouvent ici le plus souvent leur première énonciation directe : de l'enfance à la guerre (1ᵉ section) ; des années vingt jusqu'à la rupture avec Nancy Cunard (2ᵉ section, voir *la Grande Gaîté*), de la rencontre d'Elsa (1928) aux années cinquante (3ᵉ section), la relance de la mémoire rebondissant chaque fois sur une « chanson » en italique. Insistant sur les ruptures, cette composition semble annoncer un autre renouvellement de soi, de même que le finale ("Prose du bonheur et d'Elsa") définit le déplacement d'accent, dans l'œuvre, du politique à l'amoureux, et préfigure le devenir d'un « cycle d'Elsa » (voir *Elsa, le *Fou d'Elsa).

À l'ambition de dire le roman d'une vie (encore inachevée...), répond dans le livre l'étonnante richesse métrique d'une « canso » rimée propre à Aragon (voir le *Crève-cœur) qui marque, après certains enlisements, la reconquête conjointe d'une dimension intérieure et de sa mélodie. L'inévitable horizon d'attente d'une prise de position d'Aragon concernant le stalinisme (« On sourira de nous d'avoir aimé la flamme / Au point d'en devenir nous-mêmes l'aliment ») a quelque peu occulté à l'époque – qui reconnaissait l'extraordinaire « romance » du poète de la Résistance – d'autres enjeux textuels. Première « grande forme » parfaitement accomplie (voir *les Yeux et la Mémoire*), le *Roman inachevé* inaugure, derrière l'héritage pouchkinien d'*Eugène Onéguine* (roman en vers), la construction narrative de poèmes qui permettent une double lecture, fragmentaire ou continue. La question du genre est ainsi très largement débordée par une problématique de la voix : « Sur le Pont-Neuf j'ai rencontré / *D'où sort cette chanson lointaine.* » Dès les premiers mots, l'écriture apparaît comme le jaillissement d'une musique sans source, l'énigme recouvrant à la fois le travail de la mémoire et celui d'une subjectivité réinventant sans cesse son identité. Après les démêlés avec une enfance problématique qui trouvait sa première énonciation directe (voir *les *Voyageurs de l'impériale, le *Mentir-vrai*), la guerre apparaît, comme dans *Aurélien*, l'un des événements fondateurs de la personnalité : « Je vous dis que nous sommes morts dans nos vêtements de soldats / [...] Compagnons infernaux nous savons à la fois souffrir et rire / Il n'y a jamais eu la paix ni le mouvement dada. » Mais le *Roman inachevé* peut surtout, rétrospectivement, surprendre par l'importance textuelle des diverses périodes : la jeunesse, de l'armistice à 1928, occupe en effet une place centrale, pour une durée de moins de dix ans. Aragon s'y explique pour la première fois avec sympathie sur le surréalisme, inaugurant la grande anamnèse des années soixante qui fera découvrir la chatoyante complexité d'une trajectoire trop souvent élucidée à partir de ses seules ruptures. Retrouvant, non sans douleurs, son territoire le plus propre après les années de la guerre froide, l'artiste parvient donc à se reconfigurer dans le bilan d'une expérience qui retrouve et renouvelle à la fois l'écriture.

● « Poésie/Gallimard », 1978 (préf. R. Étiemble).

O. BARBARANT

ROMAN INACHEVÉ (le). Poème de Louis **Aragon** (1897-1982), publié à Paris chez Gallimard en 1956.

ROMANCE DU VIN (la). Poème d'Émile **Nelligan** (Canada / Québec, 1879-1941), publié par Louis Dantin dans *Émile*

Nelligan et son œuvre à Montréal aux Éditions Beauchemin en 1904. Ce poème clôt un recueil de cent sept pièces distribuées en dix sections, dont il constitue à lui seul la dixième et dernière.

Sa trop courte carrière littéraire ne permit pas à Émile Nelligan, ce « Rimbaud québécois » comme on l'appelle parfois, d'avoir le loisir et la satisfaction de publier ses poèmes en un recueil. En effet, il fait ses débuts à tout juste dix-sept ans, en publiant neuf textes dans le journal *le Samedi* durant l'été 1896, et, s'intégrant dans ce qui est connu comme l'« école de Montréal », il acquiert rapidement une notoriété certaine dans le monde artistique canadien. Mais une psychose dépressive qu'il ne parvient pas à surmonter le conduit dès 1899 à la retraite de Saint-Benoît puis, vingt-six ans plus tard, à Saint-Jean-de-Dieu, où il restera interné jusqu'à sa mort. Il fallut alors tout le dévouement d'un ami, Louis Dantin, pour que ses poèmes, dispersés dans des revues ou inédits, soient rassemblés en un livre quatre ans après l'effacement psychique du poète.

Dans ce contexte, *la Romance du vin*, déclamée lors d'une soirée publique juste avant son silence, apparaît tout à la fois comme un art poétique, comme un testament spirituel, et comme la réponse de Nelligan aux critiques formulées à l'encontre des pièces qu'il avait publiées dans les mois précédents. Se dégageant des influences qui contraignaient parfois sa production antérieure, il trouve en ce poème une voix personnelle pour révéler la fêlure intime qui va le faire sombrer.

L'œuvre poétique connue d'Émile Nelligan compte cent soixante-trois pièces. Nombre d'entre elles sont marquées, dans la forme aussi bien que dans la thématique, par l'admiration vouée à celui qu'il considère comme son maître, Charles Baudelaire, à qui il dédiera explicitement deux poèmes échos d'"À une passante" et d'"Harmonie du soir" : « Hier, j'ai vu passer, comme une ombre qu'on plaint, / En un grand parc obscur, une femme voilée. / Funèbre et singulière, elle s'en est allée, / Recélant sa fierté sous son masque opalin. » Ou encore : « Voici que la tulipe et voilà que les roses / Et les lys cristallins, / pourprés de crépuscule, / Rayonnent tristement au soleil qui recule, / Emportant la douleur des bêtes et des choses. »

D'autres empruntent à Verlaine rythmique et sensibilité saturnienne ; parfois, au contraire, c'est la beauté froide des parnassiens qui sert de modèle, comme dans "Châteaux en Espagne" : « Je rêve de marcher comme un conquistador, / Haussant mon labarum triomphal de victoire, / Plein de fierté farouche et de valeur notoire, / Vers des assauts de ville aux tours de bronze et d'or. »

À d'autres moments encore, Nelligan semble saluer le Mallarmé symboliste : « Parfois, quand l'heure vibre en sa ronde effrénée, / L'éventail tout à coup revit un vieux frisson, / Tellement qu'on croirait qu'il évente au soupçon / Des doigts mystérieux d'une morte émanée, / Dans le salon ancien à guipure fanée. »

Toutefois, c'est dans le sillage du décadentisme qu'en véritable enfant de la fin du siècle, il atteint l'authenticité et rejoint des obsessions où le spectre de la mort et de la décrépitude le dispute à la nostalgie du jardin immaculé de l'enfance – et l'asservissement au réel, à la plénitude des chimères –, cependant que la femme, prise dans les rets de l'ambiguïté, cède la place au rêve d'une « sœur d'amitié » : « Parfois j'ai le désir d'une sœur bonne et tendre, / D'une sœur angélique au sourire discret : / Sœur qui m'enseignera doucement le secret / De prier comme il faut, d'espérer et d'attendre. »

L'inspiration d'Émile Nelligan peut, certes, sembler trop livresque et trop limitée par un contexte référentiel directement issu de la poésie française du XIXᵉ siècle, reproche que s'est vu souvent adresser une œuvre si précoce. Pourtant, si le poète a été, et reste, l'objet d'un véritable culte de la part des écrivains canadiens francopho-

nes, c'est qu'il apparaît, au-delà de ses défauts, comme un véritable libérateur, celui qui, en tâtonnant pour explorer sa sensibilité, ouvre la voie à une poésie d'inspiration authentiquement canadienne : « Son chant était si nouveau alors. On n'avait jamais entendu semblable musique. Après Fréchette et Chapman, et en même temps qu'eux, cela semblait l'apparition de la poésie pure » (Marcel Dugas).

Sans doute l'état d'aliénation dans lequel se trouvait la société québécoise de la fin du siècle dernier, de même que les propres contradictions et frustrations du poète condamnaient-ils Émile Nelligan à ne crier qu'en creux sa révolte et son désarroi. Face au carcan idéologique et religieux qui régnait, confronté à l'angoisse identitaire d'un peuple à la recherche de lui-même et menacé de « colonisation », celui qui affichait ostensiblement sa qualité de poète français apparaît alors comme le symbole d'une revendication et d'une affirmation. Dans cette optique, la morbidité de ses visions nocturnes s'apparente à une tentative de palingénésie que le poète, déchiré, ne put à lui seul mener à son terme : « Les cloches ont chanté ; le vent du soir odore... / Et pendant que le vin ruisselle à joyeux flots, / Je suis si gai, si gai, dans mon rire sonore, / Oh, si gai que j'ai peur d'éclater en sanglots ! »

● *Poésies complètes*, Montréal, Éd. Fides, 1989.

L. PINHAS

ROMANCES SANS PAROLES. Recueil poétique de Paul **Verlaine** (1844-1896), publié à Sens sur les presses du *Peuple souverain* en 1874 ; réédition à Paris chez Vanier en 1887 (la première édition, à tirage limité, n'ayant pas été mise en vente).

Les *Romances sans paroles* ont été écrites entre le début de l'année 1872 et celui de l'année suivante, c'est-à-dire durant la période où le poète partage la vie de Rimbaud. Le recueil, en dépit d'une grande diversité de ton et d'une originalité poétique qui transcende l'anecdote et la confidence, est hanté par la présence de deux figures entre lesquelles Verlaine se trouve écartelé : celle de Rimbaud, le « compagnon d'enfer », et celle de sa femme Mathilde, qu'il a abandonnée non sans connaître ensuite la nostalgie et le remords.

La première section du recueil s'intitule « Ariettes oubliées » et se compose de neuf poèmes dépourvus de titres. La deuxième section, « Paysages belges », comprend cinq poèmes écrits durant le vagabondage en Belgique puis le séjour à Bruxelles de Verlaine et Rimbaud, entre juillet et septembre 1872. Les titres de ces poèmes de l'errance et de la découverte jalonnent l'itinéraire du voyage : "Walcourt", "Charleroi", "Bruxelles. Simples fresques", "Bruxelles. Chevaux de bois", "Malines". La troisième section est formée d'un seul long poème de vingt et une strophes constituées chacune de quatre décasyllabes : "Birds in the night". Ce poème, que Verlaine avait d'abord songé à intituler "la Mauvaise chanson", a un rapport direct et explicite avec l'événement vécu : adressé à la femme aimée, il évoque le souvenir d'une visite effectuée par Mathilde à Bruxelles pour tenter de reprendre son époux, ainsi que la nostalgie, la tendresse et la souffrance de ce dernier. La dernière partie du recueil, « Aquarelles », contient six poèmes aux titres anglais : "Green", "Spleen", "Streets", "Child Wife", "A Poor Young Shepherd", "Beams". Tous, sauf le dernier, ont été écrits en Angleterre, durant le séjour à Londres des deux amis.

Le titre du recueil, primitivement attribué à la seule première section, inscrit ce dernier au sein d'une continuité esthétique. Il jette un pont entre cette œuvre et la précédente puisque « Romances sans paroles » est le deuxième vers d'un poème des *Fêtes galantes* intitulé "À Clymène". En outre, il établit une connivence culturelle plus large et une concordance entre poésie et musique puisque les *Romances sans paroles* sont des pièces pour piano de Mendelssohn. Ce titre en forme de citation pose donc le travail poétique comme primordial et invite sans doute à ne pas privilégier l'anecdote et la confession, pourtant sous-jacentes dans de nombreuses pièces. Sous l'influence de Rimbaud, Verlaine participe alors à la quête d'une « poésie objective » qui échapperait à l'emprise de l'expression subjective. La tournure privative « sans paroles » peut aussi indiquer ce souci d'évincer la confidence et le lyrisme. Essentielle, la mise à distance de l'aveu n'est toutefois que partielle. La référence personnelle est évidente dans "Birds in the Night", mais le poème est isolé dans le recueil, tant par sa longueur que par le fait qu'il constitue à lui seul une section. Cette propension de la poésie verlainienne à glisser vers l'épanchement du moi intime se retrouve également dans des poèmes dont l'inspiration et la facture ne sont en apparence nullement ancrées dans la biographie. Par exemple, le balancement effaré du poète dans la deuxième ariette : « Ô mourir de cette escarpolette ! », peut-il être déchiffré comme celui de Verlaine tiraillé entre l'« aurore future » promise par l'amour rimbaldien, le regret des « voix anciennes » et du « cher amour » connu auprès de Mathilde. La lecture de ces poèmes ne saurait toutefois se limiter à de tels décryptages, même s'ils sont quasi inévitables.

Les titres choisis par Verlaine invitent à établir des équivalences entre la poésie et la musique – « romances », « ariettes » – ainsi qu'entre la poésie et la peinture – « paysages », « aquarelles ». Les notations auditives et visuelles sont abondantes dans les textes, et l'on connaît l'importance attachée par le poète à la musicalité des vers ainsi que son goût pour l'impressionnisme. Univers de l'immédiateté des sensations mêlées, cette poésie, qui s'écrit volontiers au présent et utilise fréquemment la synesthésie, note des impressions fugitives, captées par exemple au rythme d'un train qui passe : « L'avoine siffle, / Un buisson gifle / L'œil au passant » ("Charleroi"). Les choses imposent d'elles-mêmes leur présence que le poète se borne à enregistrer, et le caractère parfois rudimentaire de la syntaxe exprime l'évidence du monde. Ainsi, la phrase est souvent nominale : « Ô bruit doux de la pluie / Par terre et sur les toits ! » (« Ariettes oubliées », III). Ailleurs, une tournure présentative répétée affirme la présence des choses : « C'est l'extase langoureuse, / C'est la fatigue amoureuse, / C'est tous les frissons des bois » (« Ariettes oubliées », I).

Les multiples objets évoqués dans les poèmes ne sont pas véritablement décrits en eux-mêmes. On assiste plutôt à une fusion de l'objet et du sujet, car la poésie verlainienne restitue avant tout l'impression ressentie. Le monde est comme fragmenté, le poète n'en retenant que les détails dont s'empare sa subjectivité, au gré de sa rêverie et de ses désirs : « Briques et tuiles, / Ô les charmants / Petits asiles / Pour les amants ! » ("Walcourt"). Aucune frontière distincte ne sépare choses vues et sentiments éprouvés. L'univers poétique des *Romances sans paroles* mêle étroitement le moi et le monde, selon un processus d'analogie qui se transmue en véritable osmose : « Il pleure dans mon cœur / Comme il pleut sur la ville ; / Quelle est cette langueur / Qui pénètre mon cœur ? » (« Ariettes oubliées », III).

La saisie immédiate du monde qu'effectue le poète est forcément partielle et fugace. Ainsi, cette poésie privilégie le vocabulaire de l'incertain, les nuances plutôt que les couleurs franches : « La fuite est verdâtre et rose » ("Bruxelles. Simples fresques"), « Le soir rose et gris vaguement » (« Ariettes oubliées », V), les contours flous : « L'ombre des arbres dans la rivière embrumée / Meurt comme de la fumée » (« Ariettes oubliées », IX), les formes indécises : « Comme des nuées / Flottent gris les chênes / Des forêts prochaines / Parmi les buées » (« Ariettes oubliées », VIII). Là résident le paradoxe majeur et le pouvoir captivant d'une poésie toujours placée entre saisie et désaisissement, vouant aussitôt à leur perte les objets qu'elle convoque ou retenant un monde au bord de s'éva-

nouir, tout comme la parole est au bord de s'effacer, à l'image de ce « fin refrain incertain / Qui [va] tantôt mourir vers la fenêtre » (« Ariettes oubliées », V).

● *Poèmes saturniens [...]*, « Le Livre de Poche », 1961 (préf. L. Ferré, p.p. C. Cuénot). *Fêtes galantes [...]*, « Poésie / Gallimard », 1973 (p.p. J. Borel) ; *id.*, « GF », 1976 (p.p. J. Gaudon). ➤ *Œuvres poétiques complètes*, « Pléiade » ; *id.*, Vialetay, I ; *Œuvres complètes*, le Club du meilleur Livre, I ; *Poésies*, « Lettres françaises » ; *Œuvres poétiques*, « Classiques Garnier » ; *Œuvres poétiques complètes*, « Bouquins ».

A. SCHWEIGER

ROMANESQUES (les). Comédie en trois actes et en vers d'Edmond **Rostand** (1868-1918), créée à Paris à la Comédie-Française le 21 mai 1894, et publiée à Paris chez Fasquelle la même année.

En 1890, le jeune Rostand avait publié un recueil de vers, *les Musardises*, bien accueilli par la critique. Mais le théâtre surtout l'intéressait : un vaudeville, *le Gant rouge*, n'avait eu aucun succès en 1889 ; en 1890, *les Deux Pierrots*, en un acte, furent refusés à la Comédie-Française qui, en revanche, monta en 1894 ces *Romanesques*, dont la réussite fut incontestable. Comédie légère, elle annonce déjà par endroits le ton de **Cyrano de Bergerac*.

La scène représente deux jardins séparés par un grand mur. Deux voisins, Pasquinot, père de Sylvette, et Bergamin, père de Percinet, se haïssent mortellement. Or, les deux enfants s'aiment, et l'interdit familial leur permet de déployer une imagination romanesque. Surviennent les deux pères, qui, découvre-t-on, sont de vieux amis, rêvant d'unir leurs enfants. Sachant trop que les adolescents refuseraient une union bourgeoisement menée, ils ont donc feint d'être de vrais Capulet et Montaigu ! Pour en finir, ils organisent un faux enlèvement de Sylvette par le spadassin Strafarel. Percinet peut, « héroïquement », la délivrer, « forçant » les pères à accepter le mariage (Acte I).

Un mois plus tard, le même décor, mais le mur a été abattu. On va signer le contrat de mariage. Les deux pères commencent à moins s'apprécier. Ils avouent à Sylvette le stratagème de la fausse haine. De son côté, Percinet trouve la facture du faux enlèvement de Strafarel. Se découvrant ainsi trompés, les adolescents se brouillent : Percinet part chercher sur les routes « du roman, et du vrai ». Sa facture impayée, Strafarel décide de les « rabibocher », pour avoir son argent (Acte II).

Même décor, mais un maçon reconstruit le mur : c'est en réalité Strafarel déguisé qui, par une fausse scène de séduction, dégoûte Sylvette du romanesque. Rentre, en haillons et affamé, le pauvre Percinet, revenu lui aussi de la vie aventureuse : ils tombent dans les bras l'un de l'autre. Strafarel sera payé, et tout finit par des chansons (Acte III).

La légèreté, le ton de fantaisie sont clairement annoncés dans l'indication liminaire : « La scène se passe où l'on voudra, pourvu que les costumes soient jolis. » Si *Roméo et Juliette* est fréquemment mentionné et cité, le modèle de Rostand est moins Shakespeare que Théodore de Banville dont il a le sens du « joli » et le goût de la virtuosité. L'intrigue est conduite avec habileté, surtout au premier acte, où la révélation du complot des pères est un vrai coup de théâtre. Rostand s'amuse tout au long du conflit entre le besoin de romanesque ressenti par les amoureux et les fatalités de l'existence paisible d'une honnête bourgeoisie.

Cette pièce d'un jeune homme de vingt-cinq ans nous intéresse d'abord parce que trois ans plus tard triomphait *Cyrano*. Peut-on le pressentir dans *les Romanesques* ? Le ton héroïque, le souffle ne sont pas encore là, mais apparaissent, par instants, surtout dans le personnage du sbire fantaisiste Strafarel (bien proche du Don César de Bazan de **Ruy Blas*) ; il expose en particulier en une longue tirade, le catalogue des différentes formules d'enlèvements, qui annonce la verve inventive de *Cyrano*. Il en est de même de certaines de ses réflexions : « S'il se pouvait que je rabibochasse / Ensemble ces mignons [...]. » Éclipsée par les chefs-d'œuvre qui la suivirent, cette aimable comédie n'a pas eu la fortune qu'elle mériterait sans doute ; mais on signalera le triomphe qu'elle remporta sous forme de comédie musicale à Broadway, sous le titre de *The Fantastic's*.

P. BESNIER

ROMANTISME ET RÉVOLUTION. Voir ŒUVRES CAPITA-LES, de Ch. Maurras.

ROME. Roman d'Émile **Zola** (1840-1902), publié à Paris chez Charpentier et Fasquelle en 1896.

Dans ce deuxième roman du cycle des *Trois Villes*, après *Lourdes* et avant *Paris*, Zola, dont on connaît l'ascendance italienne, prévoyait de montrer l'« écroulement du vieux catholicisme, l'effort du néocatholicisme pour reprendre la direction du monde : bilan du siècle, la science mise en doute, et réaction spiritualiste : mais échec, sans doute ». Pour nourrir son ouvrage, il se rend en Italie à la fin de l'année 1894. Il y est reçu avec tous les honneurs par les notabilités et les autorités, y compris le roi et la reine ; il manque de peu une audience papale : l'ambassadeur de France, apparenté aux Goncourt, aurait pu la lui ménager sans les excès verbaux d'un de ses hôtes lors d'un banquet officiel. L'œuvre suscita à la fois des réactions idéologiques et des appréciations plus littéraires, celles-ci parfois gênées devant trop de compilations, parfois enthousiastes devant l'ampleur charpentée du livre.

Pierre Froment arrive à Rome pour défendre son livre, *la Rome nouvelle*, contre une mise à l'Index. Ce jeune abbé audacieux veut rénover le catholicisme ; et il a été soutenu par le cardinal Bergerot et le vicomte de La Choue, grand catholique social. Pierre est descendu dans l'hôtel particulier de la famille Boccanera, à laquelle appartiennent un cardinal traditionaliste et aussi Benedetta : mariée d'abord à un Prada, riche spéculateur de l'Italie moderne, elle cherche à faire annuler son union pour épouser Dario. Parmi les prélats influents, figurent également le bouillant cardinal Sanguinetti qui, comme Boccanera, vise la succession du pape, et le cardinal Nani qui manipule tous les esprits et recommande à Pierre l'attentisme, la prudence. Pierre visite alors Rome, ses jardins, ses monuments ; il assiste aux cérémonies officielles, admire les œuvres d'art, en particulier la Sixtine. Mais il traverse également les quartiers pauvres de Rome où vit la belle Pierina, elle aussi amoureuse de Dario. On apprend finalement l'annulation du mariage de Benedetta, chèrement obtenue. Enfin, Pierre reçoit le conseil d'agir. Il rencontre alors les prélats qui vont avoir à juger son livre. Il sent une hostilité générale, due sans doute à une dénonciation par l'un de ses compatriotes, à la haine des autorités religieuses de Lourdes, aux jésuites, et attisée par les thèses radicales du livre sur le pouvoir temporel du pape et l'idée d'une religion « nouvelle ». Au cours d'une fête de mariage, Pierre apprend une condamnation de son livre tandis que Dario est empoisonné chez les Boccanera en raison des sombres machinations entre cardinaux pour succéder au pape Léon XIII, âgé et malade. Benedetta suivra son amour dans la mort. Quant au pape, il reçoit finalement Pierre, qui comprend son échec et se soumet, du moins officiellement. Au moment de quitter Rome, il prend congé de ses différents interlocuteurs, bien décidé en fait à pousser plus loin son désir de renouvellement religieux, peut-être jusqu'au schisme.

Rome est d'abord un décor, un spectacle superbe avec ses monuments de tous les siècles, ses perspectives. Mais surtout, un peu comme dans la *Madame Gervaisais* des Goncourt, la ville est un véritable acteur du récit : elle joue un rôle important par sa beauté même, sa séduction magique, et les esprits les plus vifs y sont en quelque sorte frappés de léthargie. On comprend alors la tactique du cardinal Nani face à Pierre : le laisser s'imprégner de cette Histoire immémoriale que contient le spectacle de la ville, et cela pour le persuader de l'inanité de toute vraie réforme, face à la permanence d'une Église millénaire. En fait, cette ville est trop lourde et trop morte pour bouger, du moins tant qu'on la considère dans sa seule fonction de capitale du catholicisme. Mais Zola s'intéresse aussi au fonctionnement interne de ce centre de pouvoir, avec ses

hiérarchies, ses féroces luttes d'influence, ses secrets, ses flux d'argent : voici la tête d'un corps immense de 250 millions de fidèles. Mais il s'agit là d'un monde obscur, incapable de s'adapter à la modernité en raison de son fonctionnement monarchique.

En revanche, il y a une autre Rome, elle bien vivante : on y trouve des filles au visage admirable, des passions, des spéculations, des affrontements sociaux. C'est la Rome italienne, moderne, tentant péniblement de se construire contre l'influence du Vatican. Pierre, et à travers lui Zola, avoue que c'est là une découverte pour le voyageur : un pays nouveau est en gestation et il trouvera sa place dans le concert des nations. C'est toutefois à Paris, dernière ville de la trilogie, que Pierre discernera le sens véritable de son action et de l'Histoire.

➤ *Œuvres complètes*, Cercle du Livre précieux, VII.

A. PREISS

ROME, NAPLES ET FLORENCE. Récit de voyage de **Stendhal**, pseudonyme d'Henri Beyle (1783-1842), publié sous le titre complet *Rome, Naples et Florence en 1817* à Paris chez Delaunay en 1817.

Après *Vies de Haydn, Mozart et Métastase* et *Histoire de la peinture en Italie*, le troisième livre d'Henri Beyle est le premier signé du pseudonyme de Stendhal. Celui-ci a séjourné plusieurs fois en Italie depuis son arrivée à Milan en 1800 (voir *Vie de Henry Brulard*) ; à partir d'août 1814, il y réside. Aussi, bien qu'il se présente sous la forme d'un itinéraire, l'ouvrage est-il moins celui d'un voyageur que d'un moraliste. Dès qu'il est publié, Stendhal envisage de le refondre et écrit de nouvelles pages, demeurées inédites de son vivant, publiées en 1932 seulement par Henri Martineau et auxquelles Victor Del Litto donnera le titre qu'aurait eu l'ouvrage si Stendhal était allé au bout de son projet : *l'Italie en 1818*. En 1826, Stendhal, qui habite la France, reprend l'ouvrage dans la perspective d'une nouvelle version. Sur les 366 pages de l'édition de 1817, un tiers environ sera conservé, avec des modifications. L'itinéraire du narrateur est remodelé et le but affiché de l'ouvrage (évoquer l'Italie et peindre ses mœurs) plus strictement respecté, aux dépens parfois de la fantaisie.

Rome, Naples et Florence en 1817. Milan, novembre 1816 : « La musique seule vit en Italie, et il ne faut faire, en ce beau pays, que l'amour. » Une heure à Parme pour voir les « fresques sublimes du Corrège » ; Florence, où il entend *le Barbier de Séville* ; Rome, dont il visite la chapelle Sixtine et les théâtres ; Naples enfin, la « plus belle ville de l'univers » : le beau, idéal de la danse, « fondée sur un degré de volupté qu'on admire en Italie », paraît indécent aux Français. Retour à Rome, mars 1817 : l'Église, la société ; Florence : réflexions sur la langue italienne. Bologne, avril : délices du retour à la civilisation. Les tragédies d'Alfieri. Réflexions sur l'ancien Paris ; quelques conséquences fâcheuses de la liberté. Le paysan français aspire au bonheur, l'italien à la beauté. Charge contre l'esprit allemand. Venise, juin : présentation à lord Byron. Milan, juillet : soirées à la Scala. Le lac de Côme. Avenir de l'Italie : le bonheur inspirera aux Italiens des chefs-d'œuvre. Le voyage se termine à Francfort.

L'Italie en 1818. Le gouvernement de l'Église. Compléments aux réflexions sur la liberté et la langue italienne ; déceptions causées au voyageur par l'Italie depuis deux ans, sans doute parce qu'il voit surtout de grands seigneurs partout où il passe. « Portrait du voyageur », qui est plutôt une occasion de dessiner le caractère des Italiennes. Les considérations s'élargissent enfin au christianisme, à l'Angleterre, à l'histoire de l'Italie.

Rome, Naples et Florence (1826). Cette nouvelle version amplifie les pages consacrées à Bologne, dont la société a plus de « racines italiennes » que celle de Milan. Quoiqu'il ait honte de son récit, qui le « fera passer pour égotiste » (premier emploi de ce mot dans l'œuvre de Stendhal à Florence, 23 janvier 1817), le voyageur donne plus libre cours aux impressions produites sur lui par l'architecture (en l'occurrence, le Palazzo Vecchio). De façon générale, les beaux-arts sont assez également traités dans ce volume, alors que le premier donnait de loin la plus belle part à la musique. Peut-être parce qu'il se sent plus libre de les formuler en France qu'en Italie, Stendhal multiplie ses critiques à l'encontre de l'Autriche et ses réflexions sur la politique en Italie ; sans doute aussi l'œuvre profite-t-elle de l'abandon de la Vie de Napoléon, à laquelle Stendhal travaillait en même temps qu'au premier Rome, Naples et Florence : de nombreuses remarques sur l'Empire enrichissent cette seconde version.

« L'auteur, qui n'est plus français depuis 1814, est à un service étranger », lit-on à la fin de l'édition de 1817, dans une note de l'auteur. « M. de Stendhal », se faisant passer pour un officier qui a obtenu un congé des autorités prussiennes, donne ainsi consistance à son pseudonyme. Cette précaution, d'ordre politique, s'accorde bien au goût des masques que cultivait en toute occasion Henri Beyle. On relèvera également de nombreuses contradictions entre les dates de l'itinéraire de « M. de Stendhal » et celui de Beyle et même entre les deux versions de Rome, Naples et Florence.

En même temps qu'il invente son nom de plume, Stendhal trouve son style. Aux descriptions obligées, il préfère les impressions fugitives d'une salle de théâtre, d'une intonation d'un acteur, bref ce qui fait image. L'écrivain est sincère s'il consent à juxtaposer des détails anodins avec des monuments ou des faits historiques ; ainsi fonctionne notre mémoire (la Vie de Henry Brulard en portera témoignage), ainsi se nourrit l'expérience du « touriste », comme le prouve ce premier récit de voyage. La sincérité rend rapide, voire primesautier. Ne pas décrire longuement ce que seule une imagination complice saisira, ne pas développer ce qu'un lecteur intelligent entendra à demi-mot, c'est, déjà, écrire à l'usage des happy few.

Mais obéir à sa pente, c'est aussi exposer sans fin ses partis pris : tout est jugé ici à l'aune de l'Italie, on dirait même (du moins à la lecture de la version de 1817, la plus spontanée) de la musique italienne. N'accordons qu'une importance limitée à quelques hommages rendus à la politique française de l'époque : ils relèvent trop évidemment des précautions d'usage – c'est dans la partie inédite, l'Italie en 1818, qu'il est question du « hideux ultra de 1815 ». Aux impressions de l'âme tendre se superposent pourtant les exigences du théoricien : légiférant d'un trait catégorique sur la vanité ou l'hypocrisie suivant les nations, Stendhal se montre alors sous son vrai jour.

Ces récits méritent d'être lus pour eux-mêmes. Mais comment ne pas y voir aussi un réservoir d'impressions qui nourriront bientôt *De l'amour* et, plus tard, les romans ? Ainsi de la rapide visite à Parme, qui lui permet d'admirer les fresques du Corrège, ou de l'évocation de l'entrée des Français dans Milan (il s'en souviendra trente ans plus tard en composant la *Chartreuse de Parme*), ou encore des réflexions sur les gouvernements hypocrites que Napoléon eut raison de détruire, où se lit en germe l'idéologie du *Rouge et le Noir*.

● *Voyages en Italie*, « Pléiade », 1973 (p.p. V. Del Litto) ; « Folio », 1987 (p.p. P. Brunel). ➤ Œuvres, Éd. Rencontre, I.

P.-L. REY

RONDE DE NUIT (la). Roman de Patrick **Modiano** (né en 1945), publié à Paris chez Gallimard en 1969.

À Paris, au début des années quarante, un tout jeune homme (le narrateur), qui s'est mis au service d'un chef milicien, « le Khédive », et de sa bande, reçoit pour mission d'infiltrer un réseau de résistants, qui le charge à son tour de se renseigner sur l'organisation pour laquelle il opère. Après avoir livré les résistants, il fait feu sur le Khédive.

La Ronde de nuit, c'est ici le nom d'une opérette oubliée, souvenir nostalgique du temps où Paris était la ville-lumière. Aujourd'hui, depuis les quartiers chics, voisins du bois de Boulogne, jusqu'aux abords des Halles, ventre d'où s'exhale une odeur fétide, les voitures du Khé-

dive et de ses complices mènent dans Paris occupé une autre ronde, nocturne, infernale. La ronde de nuit, c'est enfin le parcours accompli par le narrateur dans sa Bentley blanche après qu'il a blessé le Khédive, encadré par des tractions-avant noires, dans un carrousel qui s'achèvera par sa mise à mort. Au terme de cette dérive où l'ont conduit la soif du luxe, le désespoir et le dégoût devant les « essaims de mouches bleues » qui sortent de la bouche des gens, il n'y avait pour ce Lorenzaccio des temps modernes d'autre issue que le martyre.

Si le Khédive a sombré dans l'abjection, c'est pour qu'un jour on le reconnaisse, que par la grâce de l'occupant on l'appelle « Monsieur le Préfet ». À travers d'hypothétiques identifications (le fils de Staviski, le docteur Petiot), le narrateur est lui aussi en quête d'une reconnaissance. Les phrases de Modiano composent par petites touches un univers mouvant, moucheté de silhouettes et de noms improbables. « Je suis la princesse de Lamballe », finit par dire le narrateur aux hommes du Khédive ; c'est le nom que lui avait donné le chef du réseau des résistants. Il craignait qu'on le qualifiât de « donneuse » : plus ridicule encore, le surnom qu'il revendique auprès de ses bourreaux lui ouvrira du moins la perspective d'une incertaine rédemption.

● « Folio », 1976.

P.-L. REY

RONDEAUX. Voir POÉSIES, de Charles d'Orléans.

ROSE DE SABLE (la). Roman d'Henry Marie-Joseph Millon de **Montherlant** (1896-1972), publié à Paris chez Gallimard en 1968.

« Ce fut, en 1930, l'Exposition coloniale de Paris, qui, par contrecoup, me décida à écrire un roman dont un des personnages incarnerait la lutte entre le colonialisme le plus traditionnel et l'anticolonialisme » (Avant-propos). Achevé dès février 1932, il ne fut toutefois publié sous sa forme complète et définitive qu'en 1968, alors qu'il n'était plus, selon l'auteur lui-même, « qu'un document historique ».

Première partie. « Les Cueilleuses de branches ». En mars 1932, le lieutenant Auligny, saint-cyrien, prend à vingt-sept ans le commandement d'un poste du Sud marocain, Birbatine. Les premiers temps, Auligny se dépense avec énergie, mais, au bout de trois semaines, le manque de femmes se fait cruellement sentir. Par l'intermédiaire d'un commerçant arabe, Yahia, il loue les services d'une jeune indigène, Rahma. Dès que ses activités ou les visites qu'il reçoit dans sa solitude de la part de divers officiers, de son ami Pierre de Guiscart, lui en laissent le loisir, Auligny rejoint « Ram » dans un petit local aux confins du ksar. Petit à petit, l'amour naît et grandit en lui et, un après-midi, alors que jusque-là Ram ne lui a autorisé que des caresses, la jeune femme se donne. Alors se produit en lui un grand changement.

Seconde partie. « Mission providentielle ». Auligny, le chef de poste représentant de la force occupante, change moralement de camp, se prend de sympathie pour la population indigène, devient sensible au mépris, aux injustices, voire aux tromperies dont sont victimes les Arabes de la part d'une puissance colonialiste censée apporter la civilisation. Mais, sans parvenir à véritablement susciter la sympathie des indigènes, ses idées, subversives parce que généreuses, le déconsidèrent auprès de ses supérieurs. En même temps, le désert le « mange », l'asthénie le gagne. Grâce à un certificat médical, en octobre, il obtient d'être rapatrié : Ram refuse de partir avec lui. Écœuré de tout et de tous, Auligny retrouve à Fès Pierre de Guiscart qui y possède un de ces nombreux « aimoirs » secrets dont il parsème ses itinéraires. Ce soir-là, une émeute éclate : Guiscart s'en tire de justesse, Auligny est tué par un groupe arabe. Il a de belles funérailles officielles et sa famille (surtout sa mère) entretiendra le culte d'une vie édifiante... mythifiée.

Montherlant ne voulut pas publier ce roman « écrit dans le climat *général* de 1930-1932 [où] Mussolini et le nazisme à ses débuts ne cessaient d'attaquer la France », pour ne pas sembler faire « le jeu de l'ennemi » par « un jugement sévère sur l'occupation française en Afrique du Nord ». Il y développait en effet des idées dérangeantes pour l'époque.

On retrouve d'abord, à la périphérie du thème central mais en rapport direct avec lui, cette « sorte d'alacrité joyeuse » que Michel Raimond se plaît à voir dans la peinture de la société française chez Montherlant. Toute une faune profite de manière parasitaire du fait colonial. À Paris, Mme Auligny s'agite pour que le séjour de son fils au Maroc favorise son avancement. Au Maroc, nombre de personnages (un membre de l'Institut, une fausse comtesse, etc.) jouent des facilités offertes par un régime colonialiste pour essayer de façonner leur réussite. Quant aux officiers de l'armée française, le roman souligne abondamment combien, avant tout soucieux de ne pas se singulariser pour ne pas nuire à leur carrière, ils exercent sans scrupules le droit du plus fort : mépris, injustices, tromperies, voire élimination physique. « Les colonies sont le dépotoir de la France », remarque Auligny. Il est significatif que le médecin lieutenant Bonnel, qui, lui, a une approche humaine et politique de la situation faite aux Arabes, devienne fou...

Rien ne prédestinait Auligny à cette « mission providentielle », si ce n'est son honnêteté. Son amour pour Rahma fait fonction de révélateur et de principe unificateur : « Tous les mouvements de sympathie qu'il a eus pour l'indigène, depuis son arrivée à Birbatine, il fallait qu'une émotion puissante et intime [...] vînt les lier, leur donner l'unité. » Désormais tiraillé entre l'intérêt de la patrie et son sens de la justice, se sentant de plus en plus du côté des indigènes et, en outre, « mangé par le désert », il craque. En fait, Auligny a pour symétrique Pierre de Guiscart, qui de lui-même, par clairvoyance, a jugé l'iniquité faite aux Arabes, mais, entraîné dans sa *Lebensgaloppade* aristocratique par son donjuanisme impénitent, préfère se taire cyniquement, « solidaire de rien ». Lors de l'émeute de Fès, « Auligny ne tuera pas d'indigènes, par conscience morale. Et Guiscart n'en tuera pas, par hauteur ».

N'eût-il écrit que cela Montherlant eût écrit un roman monolithiquement anticolonialiste. En fait, la « charité » d'Auligny n'éveille de la part des Arabes opprimés que suspicion, animosité latente, trahison ou « pelotage », et le lieutenant qui fut l'un des rares à les avoir aimés et à avoir voulu faire quelque chose pour eux, meurt sous les coups des émeutiers indigènes. Cruelle et ironique leçon sur l'impossible dialogue occupant-occupé ! Sans doute faut-il y voir davantage : de même que Mme Auligny, après la mort de son fils, mythifie la vie de celui-ci en un monument hagiographique, de même Montherlant, en laissant paraître en 1968 *la Rose de sable*, alors que la question coloniale est close, semble-t-il, au-delà du « document historique », ériger le récit de cette vie en un monument à la gloire de sa propre lucidité.

➤ *Romans*, « Pléiade », II.

L. ACHER

ROSE ET LE REFLET (la). Nouvelle de Daniel **Boulanger** (né en 1922), publiée à Paris chez Robert Laffont en 1968.

Ce bref récit suit, pendant quelques jours, la vie d'une troupe théâtrale en tournée dans de petites villes de province. Rose, l'« ingénue » vieillissante, rêve du grand amour, et croit le trouver tous les soirs dans les bras d'un nouvel admirateur. À Maurice succède ainsi Raphaël, mais Rose est toujours seule. Par un brutal raccourci, les dernières pages la montrent mariée depuis vingt ans et devenue blanchisseuse.

Daniel Boulanger, romancier et nouvelliste, mais aussi auteur de théâtre, scénariste et acteur pour la nouvelle vague (*À bout de souffle*, *La mariée était en noir*), semble prendre plaisir, pour décrire un univers qu'il connaît bien, à jouer sur les clichés qui lui sont attachés. Pratiquant le collage entre les dialogues, les bribes de rêves des acteurs et les descriptions, le récit abolit constamment la frontière entre la scène et la vie, illustrant ainsi le *topos* du théâtre comme miroir du monde. De même tous les personnages sont-ils alternativement désignés par leurs noms réels et par leurs rôles attitrés : l'« ingénue », la « duègne », le « nain », l'« évêque »... Le lecteur n'est du reste pas la seule victime de ce jeu des apparences, puisque les acteurs eux-mêmes ne peuvent s'empêcher de glisser leurs vieilles répliques dans les conversations les plus banales. Daniel Boulanger reprend plus précisément ici les thèmes traditionnels du « roman des comédiens », depuis *Wilhelm Meister* et le *Roman comique* jusqu'au *Capitaine Fracasse* : le voyage éternel de la troupe, image de l'errance humaine, les jeux croisés de la séduction entre acteurs et spectateurs. Mais il propose en fait la parodie du genre : aux pastiches de la langue théâtrale (Claudel, Ionesco) se mêlent les rêveries plus prosaïques du chauffeur de l'autocar qui conduit les comédiens, l'évocation réaliste des chambres d'hôtel minables. Cependant, l'écriture ludique adoptée par l'auteur lui permet d'échapper au double écueil de la fausse poésie et du naturalisme facile. Car ce n'est pas seulement le monde du théâtre qui est frappé de dérision : à travers une technique empruntée à Joyce, ce sont tous les clichés du langage qui « intoxiquent » les personnages. L'émotion qui pourrait naître est ainsi court-circuitée par un humour fondé sur des jeux de mots, qui s'attaquent autant aux expressions toutes faites qu'aux sentiments qu'elles traduisent maladroitement.

Pourtant, malgré la distance qui interdit au lecteur de prendre au sérieux ces créatures, une dernière ambiguïté demeure dans ce monde où tout, et peut-être aussi l'ironie, n'est qu'une apparence. Le dernier « reflet » que Rose aperçoit, et qui justifie le titre, n'est plus celui de ses rôles successifs, ni celui du succès et de l'amour dans les yeux du public, mais celui, dérisoire, de la vitre dans laquelle elle lit à l'envers l'enseigne de sa blanchisserie. Désormais, face à la réalité, Rose, brusquement vieillie, semble, dans un bref dialogue avec un mari endormi, hantée par l'approche de la mort. Comme si le monde des comédiens, malgré les clichés qu'il véhicule, était néanmoins détenteur d'une poésie capable de transfigurer les destinées les plus ordinaires.

● « L'Imaginaire », 1985.

K. HADDAD-WOTLING

ROSE PUBLIQUE (la). Recueil poétique de Paul **Éluard**, pseudonyme d'Eugène Paul Grindel (1895-1952), publié à Paris chez Gallimard en 1934.

Le recueil rassemble des inédits, à l'exception de quelques poèmes édités dans la *Révolution surréaliste* et de "Oser et l'espoir" qui figurait dans l'ensemble intitulé « Avec les mêmes mots », originellement paru dans un collectif destiné à prendre la défense de Violette Nozières (condamnée pour le meurtre de son père, qui l'avait violée) en 1933, et surtout de "Comme deux gouttes d'eau", rédigé durant l'été 1932, et publié en plaquette chez José Corti en 1933.

Dans l'ensemble, les poèmes sont composés d'assez longues séquences en vers libres, qui tendent parfois au verset ("Une personnalité..."), à l'exception d'un unique poème en prose en fin de recueil ("Par un après-midi très froid..."). Le trait stylistique marquant de *la Rose publique* réside dans les titres qui se présentent souvent comme des poèmes à part entière, ne serait-ce que par une typographie en capitales et une syntaxe de phrase complète. Loin d'annoncer le contenu du poème, d'en donner l'argument, ces titres développent un conte autonome : "ELLE SE FIT ÉLEVER UN PALAIS QUI RESSEMBLAIT À UN ÉTANG DANS UNE FORÊT, CAR TOUTES LES APPARENCES RÉGLÉES DE LA LUMIÈRE

ÉTAIENT ENFOUIES DANS DES MIROIRS, ET LE TRÉSOR DIAPHANE DE SA VERTU REPOSAIT AU FIN FOND DES ORS ET DES ÉMERAUDES COMME UN SCARABÉE", OU, plus souvent, un « proverbe » : "BONNES ET MAUVAISES LANGUES PRÉTENDENT QUE LE MAL EST BIEN FAIT ; AINSI, LE FAUX, LE NÉGATIF OBLIGENT LA VIE À SE HAÏR", ou encore un aphorisme sur la poésie : "L'OBJECTIVITÉ POÉTIQUE N'EXISTE QUE DANS LA SUCCESSION DE TOUS LES ÉLÉMENTS SUBJECTIFS DONT LE POÈTE EST, JUSQU'À NOUVEL ORDRE, NON LE MAÎTRE, MAIS L'ESCLAVE". Outre les *152 proverbes mis au goût du jour* par Éluard et Péret en 1925, ces titres évoquent parfois le style prophétique de René Char, rencontré quelques années auparavant, et avec qui Éluard est alors très lié.

Breton, dans les *Entretiens sur le surréalisme* (1952), n'a pas manqué de critiquer le titre *la Rose publique*, révélateur selon lui du souci esthétique d'Éluard tandis que René Crevel écrivit un article amical, resté inédit jusqu'à sa publication posthume en 1956 dans les *Cahiers du Sud*, pour en rendre compte : « La rose est le symbole du sexe féminin. La femme se trouve donc rendue à la liberté, au regard, à la ferveur de l'homme, de tous les hommes, par le poète dont la critique très justement s'accorde à reconnaître que, depuis Baudelaire, il écrit les plus beaux vers d'amour de la langue française. » Le recueil tout entier est sous-tendu par cette image érotique, qui, comme *Mourir de ne pas mourir* (voir **Capitale de la douleur*), s'inscrit encore dans la tradition du lyrisme amoureux de la Renaissance, sur lequel Éluard fait de nombreuses variations : « Puis une femme au col de roses rouges / De roses rouges qu'on ouvre comme des coquillages / Qu'on brise comme des œufs / Qu'on brûle comme de l'alcool... » Mais comment ne pas lire là en outre – comme chez Ronsard d'ailleurs – une représentation en abyme de la poésie que la rose métaphorise, selon un *topos* bien connu ? Car la rose signifie aussi le « don du poème » par lequel l'échange amoureux s'établit : « Il offrait à / Toutes les femmes / Une rose privilégiée / Une rose de rosée... » Ainsi le titre de *la Rose publique* rejoint celui de *l'*Amour, la poésie*.

"Comme deux gouttes d'eau" montre que le recueil est encore placé sous le signe des « années-Gala » et de l'« amour unique » qui « tendait tous les pièges du prisme », et dont il dresse en somme le bilan en tête de l'ouvrage, rappelant la rencontre au sanatorium de Calvadel, et la naissance de Cécile : « On a brisé le globe alpestre / Où le couple érotique semblait rêver / Une petite fille était figurée / Sur ses flancs pâles / Elle riait d'un mariage ridicule / D'une vie enviable. »

Mais Nusch n'est pas moins présente, notamment à travers le poème "Son avidité n'a d'égal que moi", qui renouvelle l'expérience de l'amour : « Viens là docile viens oublier / Pour que tout recommence. » C'est donc entre un passé à oublier et un présent à construire dans une perpétuelle genèse que le recueil semble tendu. C'est dire que, plus que les précédents recueils, solidement ancrés dans le présent, *la Rose publique* développe une méditation sur le temps de l'amour et ses contradictions. Le passé dans "Comme deux gouttes d'eau" est évoqué à travers de longues séquences narratives à l'imparfait ou au passé composé, où prédomine la troisième personne, qui met à distance le couple : « L'homme / Ses bizarres idées de bonheur l'avaient abandonné / Il imposait sa voix inquiète / À la chevelure dénouée / Il cherchait cette chance de cristal... »

Le passé composé, temps de l'accompli, est par excellence celui du bilan : « De tout ce que j'ai dit de moi que reste-t-il / J'ai conservé de faux trésors dans des armoires vides... » Éluard retrouve alors les accents rimbaldiens du "Bateau ivre" : « J'ai vu le soleil quitter la terre [...] / J'ai vu le sablier du ciel et la mer se renverser [...] / J'ai vu une femme regarder son enfant nouveau-né [...] / J'ai vu mon meilleur ami / Creuser dans les rues de la ville [...] / Et j'ai vu naître l'imperceptible / La nuit rêvée. » L'anamnèse remonte jusqu'à l'année 1924, et au mystérieux voyage autour du monde, « lorsque les tropiques voguaient sur la mer des étoiles / Lorsque le ciel pavé d'oiseaux chantait

dans les banlieues ». Nusch, en revanche, ouvre sur un avenir radieux : « Elle est future » ("À moudre le chemin"). Cette dialectique temporelle est thématisée par les poèmes, qui ne cessent de dire la « naissance perpétuelle » ("le Baiser"), la création d'un temps nouveau, placé cette fois sous le signe d'un « nous » qui exprime le partage : « Nous passons notre vie / À renverser les heures / Nous inventons le temps » ("Son avidité n'a d'égal que moi"). Le temps poétique se forme ainsi dans la répétition indéfinie de l'instant présent.

● *La Vie immédiate [...]*, « Poésie/Gallimard », 1967. ➤ *Œuvres complètes*, « Pléiade », I ; *Œuvre poétique complète*, Club de l'honnête homme, II.

D. COMBE

ROSIER DE MADAME HUSSON (le). Nouvelle de Guy de **Maupassant** (1850-1893), publiée à Paris dans *la Nouvelle Revue* le 15 juin 1887, et en volume chez Quantin en 1888.

Sous un titre calembour, où le mot « rosier » désigne le masculin de « rosière », la jeune fille pure récompensée par un prix de vertu, Maupassant se détourne de l'horreur des contes précédents (*le *Horla*, *la Morte*, *la Nuit*) pour se récréer, semble-t-il, dans une « bouffonne évocation d'un coin de vie provinciale » (Paul Ginisty, *Gil Blas*, 20 avril 1888). Il renoue avec l'inspiration d'anciennes nouvelles où se combinaient, d'une façon singulière, morale et immoralité.

Un accident de chemin de fer permet au narrateur, Raoul Aubertin, de retrouver à Gisors un ancien camarade, Albert Marambot, devenu médecin. Alourdi par la vie de province, il mange et boit beaucoup, fait l'éloge de l'esprit de clocher, énumère les gloires locales et, à propos d'un ivrogne, raconte « une vieille histoire passée maintenant à l'état de légende » : celle du « rosier de Mme Husson ».

Cette dame, animée par « une horreur native du vice, et surtout du vice que l'Église appelle luxure », veut créer un prix de vertu pour récompenser une rosière de Gisors. Aucune jeune fille ne sortant indemne de l'enquête menée par sa servante, elle se résout à couronner Isidore, un jeune homme chaste et niais. On organise une grande cérémonie ; le maire prononce un discours et remet à Isidore cinq cents francs-or et un livret de caisse d'épargne. Pendant le banquet qui suit, le « rosier » découvre des sensations neuves. Il rentre chez lui, mais n'y trouvant pas sa mère, l'esprit « agité par le vin et par l'orgueil », il disparaît. On le cherche en vain. On le retrouve une semaine plus tard : « Isidore était ivre, ivre et abruti par huit jours de soûlerie, ivre et dégoûtant à n'être pas touché par un chiffonnier. » Il devient alcoolique, et meurt d'une crise de *delirium tremens*. Le docteur Marambot continue en égrenant l'histoire de Gisors.

Avec cette nouvelle, Maupassant retrouve le cadre stabilisé du récit encadré avec un double narrateur, une clôture stricte et des correspondances entre le narrateur principal et le sujet de son récit : le docteur Marambot aime manger et boire, comme Isidore.

La nouvelle dénonce à nouveau l'hypocrisie de la morale bourgeoise en mettant à nu le fond d'instinct sur lequel les conventions sociales jettent le voile. Isidore est vertueux par ignorance, chaste par « peur maladive des jupons » : « Est-ce le simple pressentiment de mystères ignorés et honteux, ou bien l'indignation pour les vils contacts ordonnés par l'amour qui semblait émouvoir si fort le fils de la fruitière Virginie ? » La récompense donnée à la vertu (le banquet, l'argent) par une dévote contemptrice de la chair est déviée en moyen de débauche ; ainsi que le dit ironiquement le narrateur : « Un bienfait n'est jamais perdu. » Maupassant reprend dans une nouvelle donne le jeu subtil de la morale : dans **Boule de suif*, il inversait les valeurs entre classes sociales ; dans *la *Maison Tellier*, il filait la métaphore des institutions honnêtes ; ici, il montre un rapport perverti de cause vertueuse à conséquence immorale.

● GF, 1976 (p.p. P. Cogny) ; « Le Livre de Poche », 1984 (p.p. P. Wald Lasowski) ; « Folio », 1990 (p.p. L. Forestier). ➤ *Œuvres com-*

1733

plètes, Albin Michel, II ; *id.*, Éd. Rencontre, X ; *Contes et Nouvelles*, « Pléiade », II ; *id.*, « Bouquins », II.

Y. LECLERC

RÔTISSERIE DE LA REINE PÉDAUQUE (la). Roman d'Anatole **France**, pseudonyme d'Anatole François Thibault (1844-1924), publié à Paris en feuilleton dans *l'Écho de Paris* à partir d'octobre 1892, et en volume chez Calmann-Lévy en 1893.

La Rôtisserie de la Reine Pédauque utilise, selon un procédé fréquent chez l'écrivain, la forme d'un conte philosophique pour mettre en scène la figure du bon abbé Jérôme Coignard, appelé à devenir, avec M. Bergeret, le principal porte-parole d'un humanisme pragmatique tout à fait conforme à la pensée d'Anatole France.

Elme Laurent Jacques Ménétrier, surnommé Jacques Tournebroche, est fils d'un rôtisseur de la rue Saint-Jacques, « à l'enseigne de la Reine Pédauque, qui, comme on sait, avait les pieds palmés à la façon des oies et des canards ». Son destin est bouleversé quand l'abbé Jérôme Coignard, que ses mœurs et son indépendance d'esprit ont réduit à la bohème, accepte de devenir son précepteur (chap. 1-4). L'abbé et son élève entrent au service d'un illuminé, M. d'Astarac, qui dépense sa fortune en travaux alchimiques ou cabalistiques et pour qui ils doivent traduire d'obscurs grimoires grecs. Leur étrange maître loge dans son inquiétante demeure le « rabbin » Mosaïde, auquel il prête d'extraordinaires pouvoirs, et il consacre toute sa science à pourchasser les salamandres, mystérieuses entités qui ne se montrent qu'aux élus de l'esprit. M. d'Astarac est persuadé que Jacques Tournebroche en fait partie. Il l'incite donc à se détourner de toutes les tentations terrestres pour s'investir totalement dans cette quête spirituelle (5-14). Mais la seule créature avec laquelle le jeune homme noue des liens intimes est la belle Jahel, nièce de Mosaïde. Jacques et Jérôme Coignard sont invités à une soirée libertine chez Catherine, ancienne dentellière de la rue Saint-Jacques, devenue la protégée de M. de La Guéritaude, fermier général. Ils y rencontrent M. d'Anquetil, l'amant de la courtisane. Mais l'arrivée inattendue de M. de La Guéritaude trouble la fête. Dans la confusion, Jérôme Coignard assomme le fermier général. Tout le monde prend la fuite (15-17). Au château d'Astarac, M. d'Anquetil s'éprend de Jahel et convainc l'abbé de l'aider à l'enlever. Il faut alors échapper non seulement à la vengeance de M. de La Guéritaude, mais aussi à la colère de Mosaïde. Celui-ci suit les fuyards jusqu'à Lyon, où il poignarde Jérôme Coignard qu'il prend pour le suborneur de sa nièce. Désespéré par la mort de son maître et par la trahison de Jahel, Jacques Tournebroche revient à Paris. Il voit brûler le château d'Astarac et apprend la mort de l'alchimiste et de Mosaïde. Devenu libraire, il reste fidèle au souvenir de Jérôme Coignard, « le plus gentil esprit qui ait jamais fleuri sur terre » (18-25).

Le roman se présente comme l'évocation savoureuse et pittoresque du climat XVIIIᵉ siècle, baigné d'un épicurisme délicat, mêlant curiosité intellectuelle, hardiesse de pensée et hédonisme souriant. Le monde du libertinage et des petits soupers côtoie les débats passionnés de la philosophie critique ou les interrogations fascinantes de l'occultisme. L'époque des Lumières appréciait beaucoup les faux Mémoires, auxquels l'œuvre emprunte malicieusement sa forme comme l'indique la « Note de l'éditeur » en page liminaire : « Le manuscrit original, d'une belle écriture du XVIIIᵉ siècle, porte en sous-titre : *Vie et Opinions de M. l'abbé Jérôme Coignard.* » De fait, tout porte la marque d'un romanesque parfaitement conventionnel et connoté, où l'on reconnaît la parodie de romans picaresques célèbres, comme le *Gil Blas de Santillane* de Lesage, ou de récits illuministes, comme le *Diable amoureux* de Cazotte. Le style sulfureux de l'abbé Prévost et de sa *Manon Lescaut* transparaît dans bien des réminiscences. La coloration générale des aventures de Jacques Tournebroche et de Jérôme Coignard, l'exploration d'univers sociaux très disparates (peuple, noblesse, clergé, haute et petite bourgeoisies) sont bien dans ces tonalités. À l'heure où Paul Bourget fait triompher le roman psychologique, ce recours à une forme archaïque, hors contexte, semble, de la part d'Anatole France, exiger de renouer avec une littérature plus liée à l'action, à l'articulation de la vie

intellectuelle avec l'existence concrète. L'aspect rabelaisien du texte et du personnage central, l'abbé Jérôme Coignard, trouve là sa signification : « Il y a deux meubles que je tiens en haute estime, c'est le lit et la table. La table qui, tour à tour chargée de doctes livres et de mets succulents, sert de support à la nourriture du corps et à celle de l'esprit ; le lit, propice au doux repos comme au cruel amour. »

Il s'agit en fait, d'une œuvre didactique et morale, porteuse de leçons essentielles. Roman d'éducation, *la Rôtisserie de la Reine Pédauque* apparaît comme la satire d'un intellectualisme outré et des spéculations absurdes qu'il inspire. Paradoxalement, et en contradiction avec l'agnosticisme de ses porte-parole habituels, Anatole France place le bon sens et l'esprit critique chez « un prêtre qui croit en Dieu ». Pire : c'est pour mieux les opposer à la démesure insensée de d'Astarac, parfaitement athée. Cette confrontation prouve qu'il est aussi ridicule d'être athée par système comme l'alchimiste, ou mystique par fanatisme à la manière de Mosaïde. Face aux fous et à leurs passions inhumaines, le brave abbé et le jeune rôtisseur exaltent l'attachement à des valeurs qui prennent la mesure de l'homme en s'affirmant à travers des anti-héros.

● « Folio », 1989 (p.p. M.-C. Bancquart). ➤ *Œuvres*, « Pléiade », II.

ROUEN. Voir JEANNE D'ARC, de Ch. Péguy.

ROUERIES DE TRIALPH, notre contemporain avant son suicide (les). Roman de Charles **Lassailly** (1806-1843), publié à Paris chez Silvestre en 1833.

Exemple le plus achevé de la littérature frénétique, à l'instar du *Champavert* de Pétrus Borel ou des *Frénésies* de Paul Lacroix, *les Roueries de Trialph* s'inscrivent dans la production de Lassailly entre ses premiers vers bucoliques ou élégiaques, sa poésie politico-satirique (*Poésie sur la mort du fils de Bonaparte*, 1832) et une période de journalisme mondain suivie, après la déconfiture de son journal, *l'Ariel*, de publications diverses et d'ultimes rêves journalistiques. Représentant typique des « bousingots » et de la bohème, Lassailly, qui finit par sombrer dans la folie, écrit là l'un des plus étranges chefs-d'œuvre des « petits romantiques », un monument de la littérature jeune-France, expression de toute une génération.

Le livre se présente comme les Mémoires d'un blasphémateur arborant un diabolique sourire, et dont le nom signifie en danois « gâchis », comme le précise la Préface. Personnage monstrueux, Trialph a juré de jouer sur « cette terre de déception » « le rôle d'un serpent venimeux qui darde la mort ». Narrant ses drolatiques aventures et ses tentations amoureuses, le texte met en scène la violence lubrique et meurtrière de celui qui a tout « désaimé » et a décidé de se venger. Il tue son meilleur ami et les deux femmes de sa vie, une pure jeune fille de seize ans et une coquette comtesse de trente-cinq ans. Duel, exécution capitale et meurtre scandent ainsi l'autobiographie de ce « poète » et de ce « fou », tout entière agitée de ses anathèmes, imprécations et délires, mêlés de jugements sur la société, la politique, l'art, la religion ou l'amour. Tout conduit le héros au suicide : il se noie dans l'océan.

Déconcertante et enchantée, exubérante, cette œuvre révèle sous ses hyperboles et l'exacerbation de son écriture la cohérence d'une esthétique du choc, qui se veut dénonciation d'une société « vermoulue » ; s'il s'agit d'« esquisser quelques vérités sur le cœur humain » (Préface), de stigmatiser types (la coquette ou l'homme cynique) ou comportements (l'adultère), il importe surtout de faire le procès du siècle, né de ces deux « monstres », l'athéisme et la prostitution. Trialph, porte-parole d'une génération, est à l'image de son temps : « Je suis mon siècle », proclame-t-il. Comme lui, il « pense beaucoup, mais n'agit jamais », sinon à travers la pose, la démesure ou le crime.

Livre du cauchemar, le texte trace ainsi le double portrait, caricatural et désespérant, d'un être « déplorablement malheureux » et d'une société corrompue et déboussolée, privée de foi et de morale. « Je veux parodier par ma mort, au milieu de leur bal, les plaisirs de cette société qui n'était point faite pour moi » : la frénésie vaut comme déclaration de haine, cri de révolte adressé à tous les « anges conservateurs de bonnes doctrines ». Si sa pensée est « trop forte pour [son] âme faible », si son désir n'est qu'un « rêve et non une volonté », Trialph, en cela aussi typiquement romantique, reste hanté par l'aspiration à l'unité. Secrètement épris d'ordre et assoiffé de valeurs (n'a-t-il pas rendu hommage à la perfection et aux vertus du classicisme lors d'une méditation devant les bustes de Racine et de Molière dans le foyer de la Comédie-Française ?), Trialph, épuisé par ses contradictions et ses combats sans espoir, n'a d'autre issue que le suicide : du moins sa lucidité a-t-elle illuminé de ses éclairs le récit d'une traversée fulgurante du siècle.

● Genève, Slatkine, 1973 ; Plasma, 1978.

G. GENGEMBRE

ROUGE ET LE NOIR (le). Chronique du XIXe siècle. Roman de **Stendhal**, pseudonyme d'Henri Beyle (1783-1842), publié à Paris chez Levavasseur en 1830.

C'est dans la nuit du 25 au 26 octobre 1829, à Marseille (et non en 1827, comme voudrait le faire croire l'« Avertissement de l'éditeur »), que Stendhal conçut l'idée de son second roman, qu'il songea d'abord à intituler « Julien ». En cours de rédaction, il va l'appeler le Rouge et le Noir et envisager sans doute de le présenter comme une « Chronique de 1830 ». Il ne l'a pas achevé quand éclate la révolution de Juillet, mais il l'a suffisamment avancé pour ne pouvoir prendre en compte, dans l'intrigue, ce bouleversement que son tableau de la société française faisait espérer au lecteur. Plutôt que « Chronique de 1830 », qui eût paru annoncer un récit de la Révolution, le Rouge et le Noir sera finalement sous-titré « Chronique du XIXe siècle », l'autre sous-titre figurant en tête de la première partie. L'ouvrage paraîtra en novembre 1830 (l'édition originale porte toutefois la date de 1831).

Première partie. Présentation de Verrières (chap. 1). Le maire, M. de Rênal (2). Le vieux curé, l'abbé Chélan. Décision de M. de Rênal d'engager Julien Sorel, le fils du charpentier, comme précepteur de ses enfants (3). Présentation du charpentier et de Julien (4). Caractère de Julien ; sa visite à l'église (5). Sa timidité devant Mme de Rênal ; première leçon aux enfants (6). Pitié de Mme de Rênal ; son intérêt innocent pour Julien (7). Sa jalousie envers Élisa, la femme de chambre, lui fait entrevoir qu'elle aime Julien. Un soir, sous le tilleul, il effleure sa main (8). Le devoir lui impose de recommencer. Sévérités de M. de Rênal. Le portrait de Napoléon caché dans la paillasse ; nouvelle jalousie de Mme de Rênal (9). En guise d'excuse, Julien obtient de M. de Rênal une augmentation (10). L'idée d'« adultère » terrifie Mme de Rênal (11). Julien rend visite à son ami Fouqué (12). Après avoir songé à conquérir Mme Derville, Julien fait une déclaration à Mme de Rênal (13). Ses imprudences ; se jugeant humilié, il songe un instant à modifier ses projets (14). Il pénètre dans la chambre de Mme de Rênal ; sa froideur après la réussite de sa tentative (15). Mme de Rênal est partagée entre le remords et le regret de n'avoir pas connu Julien plus tôt (16). Susceptibilité et méfiance de Julien ; avec le temps, il oublie un peu son ambition pour céder au bonheur (17). Un roi en visite à Verrières : Julien est nommé garde d'honneur ; sa joie et celle de Mme de Rênal. Étonnement de Julien devant les mimiques de l'évêque d'Agde (18). La maladie de son plus jeune fils réveille les remords de Mme de Rênal, mais cette crise augmente l'amour de Julien. Une lettre anonyme (19). Mme de Rênal a l'idée de composer de fausses lettres pour détourner les soupçons de son mari (20). La vanité blessée de M. de Rênal ; le sang-froid de sa femme (21). Julien dîne chez les Valenod ; rivalité de Valenod et de Rênal (22). Une soirée de gaieté grâce aux histoires de Geronimo. Mme de Rênal accepte sans égoïsme que Julien quitte Verrières (23). Besançon. La rencontre d'Amanda Binet (24). Le séminaire. Julien s'évanouit lors de son entretien avec l'abbé

Pirard (25). Grossièreté de ses compagnons du séminaire. Une visite de Fouqué. Julien victime de l'espionnage de l'abbé Castanède et protégé par l'abbé Pirard (26). En dépit de ses précautions, il multiplie les imprudences (27). Une procession ; Julien entrevoit Mme de Rênal (28). Le jour de l'examen, il est victime du jansénisme de son protecteur, l'abbé Pirard ; la tendresse que celui-ci inspire à Julien ; politesse de l'évêque (29). Le marquis de La Mole accepte, sur le conseil de l'abbé Pirard, d'engager Julien comme secrétaire. Julien retourne à Verrières, de nuit, pour revoir Mme de Rênal (30).

Seconde partie. Recommandations de l'abbé Pirard à Julien avant sa présentation à l'hôtel de La Mole (1). Courtoisie du marquis ; Mathilde de La Mole, sa fille, déplaît à Julien (2). Les bontés du fils du marquis (3). Julien s'initie aux subtilités de l'étiquette de l'hôtel (4-5). Un malentendu le conduit à provoquer un chevalier en duel, et donne à M. de La Mole l'idée de le faire passer pour le fils naturel d'un gentilhomme (6). Familiarité croissante de M. de La Mole (7). Lors d'un bal donné à l'hôtel de Retz, Julien scandalise des jeunes gens bien élevés et s'attire l'admiration de Mathilde (8). Dans la bibliothèque ; Mathilde froissée de l'indifférence de Julien, puis effrayée par la violence de ses propos (9). Elle porte le deuil de son ancêtre, Boniface de La Mole. « M'aime-t-elle ? » (10). Les pensées de « l'héritière la plus enviée du faubourg Saint-Germain » : « J'aime, c'est clair » (11). De ce moment, elle cesse de s'ennuyer (12). Elle écrit à Julien ; craignant d'être victime d'un complot, celui-ci prend ses précautions (13). Échange de lettres ; le rendez-vous (14). Julien hésite à s'y rendre (15). Quand Mathilde s'est donnée à lui, Julien éprouve plus d'étonnement que de bonheur ; elle-même a le sentiment d'avoir accompli un devoir (16). Julien la menace d'une épée ; bonheur de Mathilde (17). Son mépris soudain désespère Julien (18). Il s'introduit dans sa chambre ; un bonheur indescriptible. Nouvelle froideur de Mathilde (19). Le vase brisé ; tourmenté par son amour, Julien est de plus en plus malheureux (20). La note secrète : Julien, homme de confiance du marquis de La Mole, dans une conspiration d'« ultras » (21-23). À Strasbourg ; les conseils de stratégie amoureuse du prince Korasoff : Julien fait la cour à Mme de Fervaques et lui adresse une correspondance assidue (24-28). Mathilde vaincue (29-31). Elle annonce à son père qu'elle est enceinte (32). M. de La Mole hors de lui ; les projets de Mathilde (33). Les dispositions du marquis : M. Julien Sorel de La Vernaye, nommé lieutenant de hussards. Joie sans bornes de Julien (34). Une lettre de Mme de Rênal dénonce l'ambition de Julien ; celui-ci se précipite à Verrières, et, dans l'église, tire sur elle deux coups de pistolet (35). La prison. Mme de Rênal est vivante. « Elle vivra pour me pardonner et m'aimer », pense Julien (36). Visite de l'abbé Chélan et de Fouqué (37). Les menées secrètes de l'abbé de Frilair (38). Julien éperdument amoureux de Mme de Rênal ; ses projets pour l'enfant que porte Mathilde (39). Mme de Rênal écrit aux jurés pour tenter de sauver Julien (40). Le procès ; Julien condamné à mort (41). Malgré les supplications de Mathilde, il refuse de faire appel (42). Les larmes de Mme de Rênal (43). M. Sorel rend visite à son fils. Résolution de Julien devant la mort (44). Mathilde jalouse jusqu'à l'égarement de Mme de Rênal. Elle ensevelit la tête de son amant. Mme de Rênal ne survit que trois jours à Julien (45).

Stendhal s'est inspiré d'un fait divers récent : Antoine Berthet, fils d'un maréchal-ferrant, avait passé quatre ans au petit séminaire de Grenoble avant d'être engagé par M. Michoud comme précepteur d'un de ses enfants. Devenu l'amant de Mme Michoud, Berthet fut renvoyé. Quatre ans plus tard, dans une église, il tire sur son ancienne maîtresse. Celle-ci survivra à ses blessures, mais Berthet sera condamné à mort et exécuté le 28 février 1828. Stendhal a en outre songé au meurtre de Thérèse Castadère par Adrien Lafargue qui sera condamné, en mars 1829, à cinq ans de prison. Commentant ce meurtre dans *Promenades dans Rome* (à la date du 25 novembre 1828), Stendhal note que l'énergie semble désormais réservée aux classes inférieures : « Probablement tous les grands hommes sortiront désormais de la classe à laquelle appartient M. Lafargue. Napoléon réunit autrefois les mêmes circonstances : bonne éducation, imagination ardente et pauvreté extrême. »

Aux yeux de Julien Sorel, Napoléon était bien l'« homme envoyé de Dieu pour les jeunes Français ». Julien lisait le *Mémorial de Sainte-Hélène* quand son père, l'apostrophant avec brutalité, a fait choir dans le ruisseau ce livre où il rêvait à un père idéal. Il va se croire officier d'ordonnance de l'Empereur quand on le nomme garde d'honneur. Mme de Rênal, enfin, a des raisons de se montrer jalouse du portrait qu'il tient caché dans sa paillasse : ce portrait n'est pas celui d'une rivale, mais de l'homme qui lui inspire tous ses actes, y compris bientôt – comment le devinerait-elle ? – sa résolution de forcer la victoire en pénétrant dans sa chambre. L'habit rouge, qu'il eût revêtu sous l'Empire grâce à ses seuls mérites, étant sous la Restauration interdit à un homme du peuple, Julien n'a d'autre solution que l'habit noir de l'Église. On peut trouver d'autres harmoniques au titre du roman : « noire » était la tyrannie imposée à Henri Beyle enfant par son précepteur l'abbé Raillane (voir *Vie de Henry Brulard*), « noire », comme la soutane, l'ambition de Julien. Rouges sont les rideaux de l'église où il pénètre à l'orée de sa destinée ; la sentence d'exécution de Louis Jenrel (anagramme de son propre nom), qu'il lit sur un papier déchiré, et le reflet rouge qu'il prend d'abord pour du sang annoncent le dénouement tragique du roman. Au noir de l'hypocrisie, Julien préférera en effet le rouge du sacrifice.

Stendhal a limité, dans son tableau de la Restauration, le nombre de références précises. Le renversement d'alliances qui fait de M. de Rênal un « libéral de la défection », renvoie à la situation électorale de 1827, où des monarchistes hostiles à Villèle joignirent leurs suffrages à ceux de l'opposition. La « note secrète », complot auquel Julien est malgré lui mêlé, désigne à la lettre un projet des « ultras » qui voulurent, en 1817, contraindre Louis XVIII à renoncer à sa politique libérale ; mais P.-G. Castex signale que, après l'arrivée de Polignac au pouvoir (septembre 1829), un complot de même inspiration visa à asseoir, en recourant aux puissances étrangères, l'autorité menacée de Charles X. À défaut de laisser la révolution de 1830 infléchir son intrigue, Stendhal la fait prophétiser par Julien : celui-ci prédit en effet qu'un bouleversement peut conduire, comme dans l'Angleterre de 1688, à un changement de dynastie. Cette idée, il est vrai, « courait les rues » depuis la nomination de Polignac (Talleyrand, *Mémoires*). En aucun cas, Stendhal ne mêle, suivant l'exemple de Walter Scott, personnages réels et fictifs. Si Polignac est évoqué, c'est sous le nom de l'imaginaire M. de Nerval. On ne précise jamais qui règne au « Château » (comme dit M. de Rênal pour désigner les Tuileries). Prudence oblige : *le Rouge et le Noir* n'est pas un roman historique, mais un roman d'actualité, de la plus brûlante qui soit. Seule figure historique, Napoléon est désormais un mythe. Quant à la congrégation des jésuites, qui intervient d'un bout à l'autre du roman (depuis la destitution de l'abbé Chélan jusqu'au procès de Julien), elle constitue, malgré la mention de l'abbé de Frilair, un pouvoir occulte et anonyme.

Plus qu'au contexte politique, le lecteur s'intéresse aujourd'hui à l'itinéraire de Julien. Dans une société régie par l'hypocrisie, s'appliquer à être hypocrite relève, de la part d'un jeune homme pauvre, d'une légitime défense. S'il avait été, par nature, doué pour la dissimulation, Julien n'aurait pas besoin de garder toujours en mémoire l'exemple de Tartuffe. Mais, disciple de Rousseau (on sait quel amour Stendhal lui-même vouait aux *Confessions*), il sera infidèle aux leçons du faux dévot. Chez les Valenod, déjà, il ne peut retenir ses larmes devant le malheur des prisonniers ; le séminaire, école de sournoiserie et d'ambition rampante, confirme avec éclat son inaptitude ; au procès enfin, quand il sauverait sans doute sa tête par un discours cauteleux, il choisit de témoigner en faveur de ses frères d'infortune. Surtout, le meurtre manqué de Mme de Rênal, qu'on y voie un geste impulsif ou le fruit d'une froide résolution, prouve que Julien est à l'opposé du modèle qu'il s'était donné. Doté, même après la lettre dénonciatrice, de dix mille livres de rente par le marquis et assuré de l'amour de sa fille, on imagine comment il pourrait satisfaire son ambition s'il était un héros de Balzac. À cette ambition, il préfère le martyre.

Les deux séjours (en province chez M. de Rênal, à Paris à l'hôtel de La Mole), séparés par l'intermède au sémi-

naire et marqués chacun par une aventure amoureuse, confèrent au roman une composition binaire. La présence de M. de La Mole à la cérémonie de Bray-le-Haut sert toutefois lointainement d'amorce à la seconde partie. La simplicité vestimentaire du marquis, placé tout près du roi, devrait avertir Julien que la vraie noblesse ne se mesure pas à l'ostentation et à l'arrogance, comme le lui fait croire le comportement de M. de Rênal : il devra attendre de fréquenter le faubourg Saint-Germain pour compléter son apprentissage des castes sociales. Les prévenances du marquis constitueront alors une menace pour l'intégrité de sa résolution ; mieux vaut, quand on est un révolté, ne pas risquer d'être amadoué par un ennemi de classe, surtout si la carapace offre des zones de tendresse. Mais mieux que cette discrète préparation à l'entrée en scène du marquis, la confrontation indirecte, dans la prison, des deux maîtresses de Julien donne au roman son unité en même temps qu'elle achève la destinée de son héros.

Ses conquêtes amoureuses ne font, au départ, nulle place au sentiment. Elles justifient pleinement le recours à un vocabulaire militaire dont la tradition littéraire use plutôt par jeu. Hésitant d'abord sur l'objectif (Mme de Rênal ou Mme Derville), Julien ne retire de sa première nuit d'amour d'autre plaisir que celui du devoir accompli. Mais, surpris par sa conquête au point de tomber bientôt « éperdument amoureux », il se trouve livré à un sentiment dont les progrès échappent aux analyses d'un auteur qui semblait en avoir, dans *De l'amour*, étudié tous les cas de figure. « Chose étonnante, il l'en aima davantage » : le romancier, créateur du personnage, s'arrête ici au seuil de son mystère. Tandis que l'amour de Julien pour Mme de Rênal, accru par le danger, sera plus que « l'admiration pour la beauté » et que « l'orgueil de la posséder », admiration et orgueil résument au contraire son amour pour Mathilde. « Est-il possible d'être plus jolie ? », se demande-t-il quand il se croit le plus épris d'elle. La succession des deux épisodes épargne, jusqu'à la tentative de meurtre, tout vrai dilemme à Julien. Mais en prison, où il se trouve sans fard face à lui-même, le conflit entre un amour-passion qui lui a fait oublier jusqu'à son devoir et un amour de tête pour celle qui demeure obscurément son ennemie va tourner en faveur de Mme de Rênal.

Le lecteur entretient une étroite connivence avec Julien. Par monologues intérieurs nous est dévoilée d'emblée sa touchante et fragile application à être hypocrite. Le procédé repose sur une convention : quand Julien délibère trois pages durant s'il se rendra ou non au rendez-vous fixé par Mathilde, faut-il admettre qu'il se parle aussi longuement à voix haute, ou qu'il formule en lui-même des phrases aussi bien ciselées ? Stendhal, qui use de formules comme « pensa » ou « se dit » dans les incises, mais transcrit l'accent gascon plaisamment adopté par Julien, est peu préoccupé par ces contingences. Le monologue intérieur convient, au reste, à ce héros qui conspire contre la société, cache son ambition à ses maîtresses et même à son meilleur ami (Fouqué) et ne se trouve vraiment lui-même que dans la solitude, au sommet d'une montagne ou en prison. Il n'est pourtant pas réservé à Julien ; il permet de soupçonner, avant qu'elle-même en ait conscience, la naissance de l'amour de Mme de Rênal, d'épouser à un moindre degré les revirements de passion de Mathilde et jusqu'aux souffrances de M. de Rênal.

Les intrusions dans le cœur et l'esprit des personnages, même secondaires, ne contribuent guère à l'unité de perspective. Mais peut-être jugera-t-on que celle-ci est assurée par le ton du narrateur, qui intervient fréquemment auprès du lecteur pour plaider la cause de Julien ou de Mathilde, voire de M. de Rênal : « Cet homme vraiment à plaindre », lit-on au milieu de son monologue, aparté qui permet à Stendhal d'atténuer le manichéisme avec lequel sont opposés, par la description et les dialogues, les âmes nobles et les êtres vulgaires. Cette désinvolture semble imitée des romanciers anglais du XVIIIe siècle.

Stendhal, pourtant, se reprochera de ne pas avoir mieux suivi leur exemple : « Vrai, mais sec », dit-il du début du roman. « Il faut prendre un style plus fleuri et moins sec, spirituel et gai, non pas comme le *Tom Jones* de 1750, mais comme serait le même Fielding en 1834 » (*Journal*, 26 septembre 1834). Cette gaieté commande au romancier d'aller de l'avant (ainsi le veut la « chronique », qui enchaîne sans retour les événements). S'il court trop vite, les oublis seront réparés chemin faisant. A-t-il poussé trop loin la familiarité du marquis avec Julien ? Qu'à cela ne tienne : « Nous avons oublié de dire que depuis six semaines le marquis était retenu chez lui par une attaque de goutte. » Son immobilité forcée explique qu'il n'ait pas mieux à faire que converser avec son secrétaire. Stendhal, qui invente ce motif après-coup, n'est pas homme à remodeler son chapitre pour ménager d'avance la vraisemblance de la scène. À plus forte raison le narrateur ne s'attarde-t-il pas dans des descriptions. Stendhal s'en justifiera dans un compte rendu du roman dont il dictera les termes à son ami italien Salvagnoli : Walter Scott devait donner une idée des réalités matérielles de la période qu'il ressuscitait, mais quel besoin de décrire, pour un lecteur de 1830, la robe de Mme de Rênal ou de Mathilde de La Mole ? On lui trouvera volontiers d'autres excuses : l'action est pour l'essentiel observée par Julien qui, sauf à Vergy dont la campagne le fait rêver, ne se soucie guère de pittoresque. Si son arrivée à Paris n'est accompagnée d'aucune ligne de description, quoi de plus naturel ? À la différence des jeunes provinciaux de la *Comédie humaine*, qui y repèrent un théâtre des mondanités, Julien ne voit dans la capitale qu'un champ de bataille, d'avance circonscrit à l'hôtel de La Mole.

Le Rouge et le Noir fut remarqué dès sa parution par Goethe, qui s'en entretint, quelques mois avant de mourir, avec Eckermann. Les caractères de femmes « un peu trop romanesques » n'effaçaient pas, à ses yeux, « un grand esprit d'observation », et « une profonde intuition psychologique ». En France même, l'accueil fut plus mitigé. En 1852 encore, Flaubert le jugera « mal écrit et incompréhensible, comme caractères et intentions ». Quant à Sainte-Beuve, on sait en quelle estime il tenait Stendhal ; en 1857, il considéra une fois pour toutes ses romans comme « détestables ». La vogue du réalisme en littérature et du scientisme en général vaudra une meilleure fortune au roman au cours de la seconde moitié du XIXᵉ siècle. Taine, en particulier, préfère *le Rouge et le Noir* à la *Chartreuse de Parme* parce qu'on y voit des « visages de connaissance » : « Nos souvenirs nous servent alors de contrôle. » Faut-il penser qu'on a pris à la lettre la définition que Stendhal prête à Saint-Réal et qu'il place en exergue d'un de ses chapitres (I, 13) : « Un roman : c'est un miroir qu'on promène le long d'un chemin » ? Nous savons bien que tout dépend de la nature du miroir et de la main qui le promène. Ainsi l'entendent Léon Blum ou Alain, qui chercheront dans *le Rouge et le Noir*, plutôt qu'un tableau fidèle de la société de l'époque, un avatar du « beylisme », manière de sentir réservée aux *happy few*, voire de l'égotisme (au « Pourquoi suis-je moi ? » de Julien, fait écho l'interrogation initiale de la *Vie de Henry Brulard*). Les imperfections mêmes du style de Stendhal le rendent plus familier, et s'il échoue à décrire le bonheur de Julien dans la chambre de Mathilde, remplaçant les mots attendus par une ligne de points, on s'attendrit de trouver dans une mise en œuvre romanesque la même sincérité qui le conduira, à la fin de *Henry Brulard*, à suggérer que le silence seul est à la hauteur de certaines émotions. Au demeurant, la spontanéité qui se moque des règles peut bien enrichir la réflexion sur le genre romanesque et devenir à son tour un modèle : on le mesure à lire l'ouvrage de Georges Blin (*Stendhal et les Problèmes du roman*, 1954) qui, en des termes qui ont fait école, met au jour une science du récit dont Stendhal eût été étonné de se voir créditer.

● « Le Livre de Poche », 1972 (p.p. V. del Litto) ; « Folio », 1972 (préf. C. Roy, p.p. B. Didier) ; « Classiques Garnier », 1973 (p.p. P.-G. Castex) ; « GF », 1975 (p.p. M. Crouzet) ; « Presses Pocket », 1990 (p.p. P.-L. Rey). ➤ *Romans et Nouvelles*, « Pléiade », I ; *Œuvres*, Éd. Rencontre, VII ; *le Rouge et le Noir* [...], « Bouquins ».

P.-L. REY

ROUGON-MACQUART (les). Histoire naturelle et sociale d'une famille sous le second Empire. Cycle romanesque en vingt volumes d'Émile **Zola** (1840-1902), publié dans divers journaux, et en volume à Paris chez Lacroix de 1870 à 1872 et chez Charpentier de 1873 à 1893.

Les Rougon-Macquart sont l'œuvre d'une vie, et leur chronologie se confond avec celle de leur auteur. Au moment où il commence à penser à son grand cycle, en cette fin de second Empire, Zola n'est pas un inconnu : il est déjà l'auteur de plusieurs volumes de critique et de récits, contes et romans, dont *Thérèse Raquin* (1867). Mais son projet est cette fois plus ample : il s'agirait d'une vaste saga familiale où joueraient les forces épiques de l'Histoire et de la nature. Grand lecteur de Balzac, son modèle littéraire malgré les différences qu'il affirme avec orgueil, lecteur aussi, et très attentif, des biologistes et des médecins (C. Letourneau, P. Lucas, Darwin, Claude Bernard [voir *Introduction à l'étude de la médecine expérimentale*]), journaliste enfin et témoin lucide de son temps, Zola, pense-t-il, a en mains les éléments d'une œuvre radicalement nouvelle. On y montrera les quatre mondes qu'il distingue (peuple, commerçants, bourgeois et « monde à part » !), mais qui seront en même temps liés par les nœuds de l'hérédité et de l'Histoire récente (le second Empire moribond que l'écrivain est en train de vivre).

L'aventure littéraire plaît à l'éditeur Lacroix qui fait paraître *la Fortune des Rougon* (feuilleton en 1870-1871, volume en 1871) avant *la Curée* (1871 et 1872) entourée d'une aura de scandale. Changement d'éditeur ensuite : Zola se retrouve chez Charpentier qui publiera désormais la série (*le Ventre de Paris*, 1873 ; *la Conquête de Plassans*, 1874) et sera le compagnon indispensable d'une vie de labeur. Car Zola, avec application et régularité, aligne les titres : *la Faute de l'abbé Mouret* (1875), *Son Excellence Eugène Rougon* (1876), enfin l'*Assommoir* (1876 et 1877) qui va montrer toute l'efficacité de la méthode : ennuis avec la justice, mais aussi succès extraordinaire qui, après *Une page d'amour* (1878), se retrouvera avec *Nana* (1879 et 1880) et *Germinal* (1885) succédant à *Pot-Bouille* (1882), *Au Bonheur des Dames* (1883) et à *la Joie de vivre* (1884). Toujours une méthode similaire : l'imagination, qui fournit le schéma initial de l'intrigue, se nourrit de lectures, d'enquêtes, d'interviews, et débouche sur un scénario – moins fluide, plus étayé que le premier – enfin sur une rédaction continue. C'est ce travail toujours angoissant qu'on peut suivre aussi dans l'*Œuvre* (1886), où le peintre est dépassé par sa folie créatrice. Mais Zola, lui, devenu chef d'école et phénomène d'édition, ira jusqu'au bout : *la Terre* (1887) fait le portrait des paysans et, après la douceur merveilleuse du *Rêve* (1888), *la Bête humaine* (1890) renouvelle la violence lyrique de l'*Assommoir* ; l'*Argent* (1891), enfin, montre les outrances et la corruption qui expliquent *la Débâcle* (1892). Le *Docteur Pascal* (1893) achèvera le cycle par une sorte de sommaire qui en même temps énonce sa philosophie biologique et sa morale.

Le premier intérêt des *Rougon-Macquart*, c'est leur variété et leur diversité. Si le grand public a surtout en mémoire les rouges et les noirs sinistres de l'*Assommoir*, de *la Bête humaine* ou de *Germinal*, le lecteur plus curieux connaît et apprécie d'autres gammes : l'or des champs de blé où travaillent les paysans de *la Terre*, les chairs rosées des courtisanes de *Nana*, le vert bleuté des algues festonnant les falaises de craie de *la Joie de vivre*, la boue grise et brune de *la Débâcle*. Mais cette grande variété chromatique n'offre pas seulement les charmes de la nouveauté à chaque livre, elle marque aussi la richesse d'une palette homogène, pour filer la métaphore (zolienne) du peintre, la richesse d'un art qui donne à ce monde une unité. Qu'on reprenne les grandes descriptions météorologiques d'*Une page d'amour* et l'on découvrira, dans un paysage urbain, complexe et variable au gré des saisons, des éclairages, les éléments d'une harmonie. Qu'on relise encore les pages du *Ventre de Paris* où Zola, de façon tout aussi grandiose, présente les marchandises accumulées des pavillons spécialisés : à chaque fois, l'inventaire produit en camaïeu une sorte de petit cosmos gourmand, destiné lui-même à n'être qu'un point dans un univers alimentaire plus large ; les multiples senteurs et splendeurs des fromages, poissons, gibiers et légumes composent une symphonie, suscitent une sorte de vertige sensoriel : toutes les couleurs et saveurs du monde résumées, offertes à une ville qui les mange.

Naissant souvent de cette exploitation intensive d'un registre, l'unité peut surgir aussi de quelques formes particulières, de certains thèmes repris et travaillés pour leur signification symbolique : les flammes, par exemple, détruisent et animent en même temps une matière qui devient alors mouvement ou objet d'une alchimie singulière. C'est la locomotive exaltée de *la Bête humaine*, ou l'incendie du *Docteur Pascal* qui incinère une vie de travail. Ailleurs, ce seront plutôt les grands horizons, les paysages amples (ceux de *Germinal*, infiniment plats et décevants, ou les champs de *la Terre*) qui donnent à la scène rapprochée et précise un arrière-plan cosmique. Ailleurs, ce seront ces grandes foules qui composent presque, elles aussi, des paysages : masses humaines pétries par Zola en autant de flux déferlants capables de faire l'Histoire et de la défaire ; soldats de *la Débâcle*, acheteuses d'*Au Bonheur des Dames*, émeutiers ou grévistes, tous ces groupes, ces classes et ces peuples sont souvent les vrais protagonistes, malgré leur anonymat collectif. En fait, il y a là autant d'images fortes et récurrentes qui donnent au naturalisme zolien plus que son unité esthétique : sa qualité visionnaire et épique. Quand le puits du Voreux se transforme en bête dévorante, quand tant d'hommes deviennent des fauves et qu'un corps imprégné, imbibé d'alcool, se consume spontanément, c'est bien l'imagination qui l'emporte, et pas seulement le pittoresque. On comprend mieux alors le personnage de Claude, dans *l'Œuvre*. Zola écrivain est peintre, homme d'images en tout cas, rêvées, ou photographiées peut-être, mais à condition de comprendre que le photographe (que fut, passionnément, Zola) compose toujours une scène, dirige ses acteurs, dispose les formes et les couleurs de façon concertée et imaginative. Certains feront ici le rapprochement avec Courbet, avec la force et l'audace de Manet ; moins avec Cézanne, plus avec les impressionnistes dont le projet pictural n'est pas si loin de ce réalisme visionnaire.

Dans les deux cas, il s'agit d'abord de faire apparaître une réalité nouvelle, jusqu'à présent ignorée ou occultée. En leur accordant une dignité littéraire, le roman s'ouvre ainsi, avec Zola et quelques autres, sur les territoires nouveaux de la physiologie, en particulier de la sexualité, du peuple, avec éventuellement son vocabulaire argotique, de tout un monde inédit de travailleurs, de marginaux... De même qu'en peinture, on voit désormais des nudités concrètes et prosaïques, des gares et des banlieues, le temps est venu où les livres peuvent parler de la sueur, des pots de chambre, des accouchements ratés, de l'odeur des cuisines sales, de la vapeur des trains, des vomissures d'ivrogne, du fer des machines et de la fonte des architectures modernes. D'où, bien sûr, l'accusation de produire une littérature putride et dégoûtante, de préméditer toute une stratégie de scandale. Cependant, si l'on dépasse ce plan polémique, ce qui demeure pour le lecteur moderne, c'est surtout le sentiment (parfois euphorique comme chez

Rabelais ou Balzac, parfois douloureux comme chez Baudelaire) d'un élargissement du monde, d'une ouverture. Mais la rupture ne réside pas seulement dans le motif choisi ; on peut même dire que le choix de ce motif est le résultat d'une recherche esthétique qui le dépasse. Pour Zola, comme sans doute pour Flaubert et les Goncourt, il y a d'abord un défi à relever dans ces sujets banals ou sordides, qui ne peuvent être rendus précieux que par une écriture puissante capable d'esthétiser un terrain vague ou un coron, plus généralement toutes les laideurs modernes. Mais la vraie spécificité de Zola est probablement ailleurs, dans le dessin et l'animation d'un monde à la fois construit et vivant.

Construit d'abord, c'est-à-dire doté d'un certain nombre de structures intelligibles, de régularités fonctionnelles. L'hérédité, sujet central des *Rougon-Macquart*, permet ainsi de retrouver, tout au long du cycle, certains phénomènes constants, notamment ces tares et ces folies présentes dès l'origine de la famille et qui se transmettront de génération en génération. *Le Docteur Pascal*, dernier roman de la série, reconstitue *a posteriori* les circuits génétiques, avec les collisions, les amalgames, les clivages et les variantes qui font l'identité individuelle de chaque personnage (en même temps que son appartenance familiale) ; fiches, figures, schèmes et récits, outils usuels du savant, deviennent alors, ou plutôt étaient dès l'origine les instruments et les pistes du romancier. On aurait donc tort de négliger tous ces rêves de science en n'y voyant qu'une illusion d'époque, scientiste et dépassée, une impasse de la littérature que certains de nos contemporains prennent plaisir, un peu facilement, à dénoncer. En réalité, l'idée fausse est un fait vrai, et elle constitue pour le moins un modèle de représentation fécond, qui permet d'inventer, et aussi, mais seulement dans un deuxième temps, de légitimer ce qu'on vient de découvrir.

À côté de l'effet massif et de la diversité subtile des *Rougon-Macquart*, dans ce monument varié, on sera donc sensible aux lignes de structure, aux découpages, aux filières, aux subdivisions qui organisent le monde, orientent le regard, cadrent, en les faisant voir, les choses et les êtres. Par exemple, les villes sont toujours des agencements de quartiers, ayant chacun leur spécificité, leur place à part dans la variété des atmosphères sociales ; les quartiers eux-mêmes sont composés de maisons et d'immeubles divisés à leur tour en appartements, dotés chacun d'un habitant spécifique qui jouit à sa fenêtre d'une perspective singulière ! C'est l'histoire de *Pot-Bouille*, ce sera aussi le sens de certains passages de *l'Assommoir* où la ville est ainsi repérée, balisée ; même chose encore pour les quartiers de Plassans, les rayons d'*Au Bonheur des Dames*, les secteurs spéculatifs de *la Curée*, les bataillons de *la Débâcle* : à chaque fois, le romancier range, organise, règle, il lui faut des listes, des énumérations, des places et des cases, tout l'arsenal taxinomique d'une encyclopédie qui, pour dire, est obligée à la méthode, à la rigueur. Tout dire, tout montrer, tout expliquer : en fait, dans ce monde plein comme un œuf, infiniment saturé, le romancier est notre guide. Un dernier exemple, avec ces pages denses de *la Faute de l'abbé Mouret* où l'érudition botanique se fait aussi foisonnante que la jungle du Paradou : on y découvre le bonheur d'un écrivain maîtrisant, parce qu'il le parcourt et le nomme techniquement, un univers riche comme celui de *l'*Île mystérieuse* de Jules Verne. C'est par les mots et les classements qu'on peut ne pas se perdre, comprendre et donner à voir.

Mais ce monde n'est pas seulement construit, et les descriptions zoliennes n'ont pas pour but de figer la réalité, de produire une nature morte. Elles sont au contraire le lieu privilégié d'une cosmogonie vivante, dynamique et inventive. D'où l'importance des naissances, des enfances, des accouplements, sordides ou dionysiaques, des agonies même ; d'où ces chantiers et ces ruines, ces projets qui fermentent, ces ambitions, ces spéculations de tous ordres.

Quel que soit le thème, on dirait que Zola veut toujours faire sentir une transformation organique, initier son lecteur aux métamorphoses d'une vie qui passe toujours par des genèses, des croissances et des dégénérescences. C'est par exemple le ministre ourdissant ses complots (*Son Excellence Eugène Rougon*), le paysan accroissant sa terre, Gervaise passant de la misère à l'opulence avant de tomber de sa splendeur (*l'Assommoir*) ; c'est Saccard passant, dans *l'Argent*, de la ruine à la fortune avant de se ruiner encore... On dira que tout romancier développe ainsi une histoire qui avance et se déploie ; mais la particularité de Zola, c'est d'orchestrer, de poétiser avec ampleur ces débordements d'énergie. Un ouvrage important de Michel Serres (*Zola, feux et signaux de brume*, 1975) explique même que le cycle entier serait finalement comme une illustration symbolique de ce que peuvent les flux et les souffles quand ils circulent selon des modalités thermodynamiques. On expliquerait ainsi, à un premier niveau, les halètements de la locomotive dans *la Bête humaine*, ou encore les effets pervers de l'alcool lorsqu'il alimente – mal – et rouille la machine humaine ; sur un plan plus large, on comprendrait aussi la chaleur des villes, la violence des folies et des crimes, la frénésie solaire des amours et des enrichissements : en fin de compte, la vie n'avance que par ces pulsions flamboyantes, ces germinations, ces appétits, ces corruptions.

Dès lors, la vraie morale, si l'on tient à ce mot, consisterait moins ici à critiquer les passions qu'à en admirer les catastrophes paradoxales, toujours productives, comme dans *Germinal*, d'une naissance à venir, d'un prolongement à attendre. En fait, l'hérédité et la sociologie zoliennes sont toutes d'imagination, et d'une imagination qui croise deux modèles : celui du classement qui repère les individus et les lignées, qui impartit à chacun sa place dans un ordre ; mais aussi celui d'une dynamique qui fait bouger ces classements, les intègre dans une évolution (biologique ou historique). Le monde social de Zola, ses personnages, sont donc à la fois déterminés, prévisibles à certaines conditions et dans certaines situations, mais ils sont aussi libres, et cette liberté peut être identifiée à leur capacité de se transformer et de transformer le monde autour d'eux.

Logiquement, on en vient alors à parler de l'Histoire : *les Rougon-Macquart* sont, comme l'indique le sous-titre, l'« histoire naturelle et sociale d'une famille sous le second Empire ». Cette famille est d'abord le microcosme d'une société globale qui connaît des lois générales d'évolution. Ainsi paysans, ouvriers, bourgeois, ministres et prostituées forment-ils un organisme vivant dont les Rougon-Macquart sont un sous-groupe homogène, un échantillon plus ou moins représentatif. En particulier on y retrouvera l'affrontement éternel, l'épopée si l'on préfère, des Gras et des Maigres (*le Ventre de Paris*), des puissants et des pauvres, des tueurs et des victimes. Plus spécifiquement, on y remarquera aussi la violence, l'incandescence particulière d'une époque où les appétits de sexe et d'or s'exaltent sous la férule d'un aventurier (Napoléon III) qui fut aussi un viveur et un vorace. Reparaît ici le paradoxe biologique déjà signalé : si le second Empire voit le règne décadent de la corruption et de l'immoralité, il accomplit en même temps une transition inévitable, féconde à long terme, promesse de renaissances à venir ; les monstres biologiques ou sociaux, les luxures et les dépravations servent sans doute une évolution qui passe par eux et dont la ligne doit être perçue ; la mort fait donc partie de la vie et le pessimisme, comme dans *la Joie de vivre*, doit s'effacer devant l'adhésion à ce qui est, à ce qui a mérité d'être et possède donc une beauté. Ces deux temps du raisonnement, ces deux temps du processus (souffrance et apaisement) sont sensibles dans le cycle lui-même, d'abord riche en dénonciations violentes, puis de plus en plus serein au fur et à mesure qu'on s'achemine vers la fin, vers un « tout est bien » synthétique qui peut passer pour une philosophie.

Mais cette philosophie ne doit pas nous tromper : *les Rougon-Macquart* ne sont pas l'illustration d'un *a priori* biologique ou historique, et il ne faudrait pas voir dans ces personnages de simples supports démonstratifs, malgré les théories du **Roman expérimental*, et Zola n'a pas échangé les clichés du roman noir ou du roman bourgeois pour ceux du positivisme. Il n'a jamais aimé les romances fades, les mystères gratuits, les rebondissements trop prévus, tout ce qui sonne faux en littérature comme dans la vie (par exemple les scénarios fabriqués de l'affaire Dreyfus). Mais ce n'est pas pour retomber dans les illusions d'une littérature sociologisante qui parlerait d'un homme moyen fictif, ou encore d'une littérature militante qui refuserait les nuances de la réalité et verrait dans l'Histoire une providence ou une bonne nouvelle à annoncer. Ce qui nous retient au contraire chez Zola, c'est son attention au détail précis que sa formation de journaliste lui avait appris à repérer : notations singulières sur les odeurs, sensations nouvelles de nausée ou de détresse, remarques médicales, géographiques ou techniques, tous éléments d'une enquête menée avec précision, rigueur et lucidité.

▶ *Les Rougon-Macquart*, « Pléiade », 5 vol. ; *Œuvres complètes*, Cercle du Livre précieux, I-VI ; *les Rougon-Macquart*, « Le Livre de Poche », 20 vol. ; *id.*, « Folio », 20 vol. ; *id.*, « Bouquins », 5 vol.

A. PREISS

ROUSSEAU JUGE DE JEAN-JACQUES. Dialogues. Ouvrage autobiographique de Jean-Jacques **Rousseau** (1712-1778), publié à Lichfield (Grande-Bretagne) chez Jackson en 1780 (premier dialogue), et intégralement dans la *Collection complète des Œuvres de Rousseau* (t. XI) à Genève à la Société typographique en 1782.

Moins lu, moins étudié que *les *Confessions* ou les **Rêveries*, plein de redites et de longueurs, ce texte, pourtant, est sans doute l'un des plus originaux et l'un des plus émouvants de notre littérature.

En plusieurs endroits, Rousseau avoue que la rédaction (1772-1776) de tels dialogues a été particulièrement pénible. Les « serrements de cœur » qu'il éprouvait en les écrivant l'empêchaient d'y consacrer plus d'un quart d'heure par jour. Les longueurs, les redites s'expliquent ainsi, à l'entendre, par l'incapacité où il fut de rapprocher deux phrases, deux idées de son texte : le rôle humiliant de sa propre défense était trop au-dessus de ses forces. Sans doute Rousseau n'exagère-t-il pas. On n'a pas manqué de souligner le caractère kafkaïen de l'univers de peur qui envahit ces *Dialogues* décrivant un procès dans lequel l'accusé ne connaît ni l'accusation ni ses juges.

Par rapport aux *Confessions*, la réflexion autobiographique s'infléchit et s'approfondit. Il ne peut plus suffire, pour Rousseau, de mettre au jour son passé et d'en appeler au jugement impartial du lecteur. La connaissance d'autrui – le texte ne cesse d'y insister – est pleine de malentendus. L'apparence falsifie, invertit le jugement. De sorte que Rousseau doit maintenant plaider pour innocenter Jean-Jacques. Or le dialogue paraît bien être la forme privilégiée à la fois de l'apologie et de la défense. Pourtant, la conclusion de ces *Dialogues* est nettement sceptique : à mesure qu'il instruit le dossier de Jean-Jacques, Rousseau se lasse de convaincre, persuadé que la connaissance d'autrui est un abîme dont seul pourrait venir à bout un témoin omniprésent et d'une lucidité aussi bienveillante que celle du Wolmar de *la *Nouvelle Héloïse*.

Dans une brève Préface (« Du sujet et de la forme de cet écrit »), rédigée en 1775, Rousseau affirme qu'il n'a plus l'espoir de recevoir justice, mais qu'il s'attachera au moins à rechercher les fondements de cet accord unanime de toute l'Europe contre lui. Il épuisera tout ce qui se peut dire en faveur de ses persécuteurs : c'est le seul moyen de trouver ce qu'ils disent en effet. Car Rousseau ignore ce qu'on lui reproche et ne peut comprendre les motifs de la haine qui l'accable. Il va donc, par la voix d'un interlocuteur, le « Français », accumuler contre « Jean-Jacques » toutes les charges imaginables, non sans rougir quelquefois des raisons qu'il est ainsi obligé de prêter à ses ennemis.

Le « premier Dialogue » reconstruit l'œuvre du complot et défend les droits de l'accusé Jean-Jacques. Le « deuxième Dialogue » pose le problème de la connaissance d'autrui, soulignant la duplicité du portrait que l'on peut faire de Jean-Jacques. Car un tel individu demande une analyse à part : il ne ressemble à personne d'autre. De plus, « Jean-Jacques [a] toujours difficilement paru ce qu'il vaut », « il ne sait pas mettre son prix en montre », il étale plutôt sa maladresse. Si les gens qu'il fréquente ne savaient pas qu'il a écrit des livres, ils ne lui trouveraient ni goût, ni vocation pour ce métier. Les hommes, qui ne peuvent juger autrui que par ce qu'ils en aperçoivent, ne verront rien en lui que de médiocre et de commun. Qu'il les éclaire, et ils lui en voudront de s'être trompés sur son compte. La situation est donc presque sans issue. Dans le « troisième Dialogue », Rousseau essaie d'envisager les chances de restauration de sa mémoire en prophétisant des temps nouveaux. Ce qui soutient Jean-Jacques, c'est désormais la seule certitude que le Ciel ne permettra pas que l'injustice perdure : un jour, les honnêtes gens béniront sa mémoire et pleureront sur son sort.

L'« Histoire du précédent écrit » (1776), qui achève l'ouvrage, raconte l'épisode de Notre-Dame (voir plus bas). Rousseau confie ensuite son manuscrit à Condillac. Il attend qu'il le lise et le commente, enfin. Mais Condillac se tait et ne trouve à faire que des remarques de forme. Rousseau veut alors distribuer son texte aux passants ; il s'étonne que ceux-ci le refusent et, finalement, paraît envisager sans révolte l'idée d'être à jamais défiguré parmi les hommes.

Face à ses ennemis, Rousseau avoue dans la Préface qu'un silence fier et hautain aurait été plus de son goût, mais n'aurait pas rempli son objet. Il fallait qu'il dise de quel œil il verrait un homme comme lui.

Avant Rousseau, sans doute, personne n'avait osé faire du moi une quête si absolue et si inachevée. Au fond, c'est une excuse et une justification que son narcissisme insensé trouve dans l'idée d'un complot qui le cernerait de tous côtés. Les Confessions, déjà, montraient parfaitement que la vanité du souci de soi est immédiatement inquiète, tourmentée, et c'est tout le *pathos* de la modernité dont Rousseau a ainsi tracé les grandes lignes : l'ennui, la sensation « affreuse » du vide intérieur, l'impuissance, la « mélancolie » et l'hypocondrie font le quotidien de la belle âme préoccupée de soi. Mais les *Dialogues* vont plus loin : d'emblée, cette fois, la plongée dans les profondeurs de l'existence rencontre l'angoisse. C'est elle qui pousse Rousseau à entretenir le dialogue : écrire permet littéralement d'user l'angoisse, de la défier. Le but de l'écriture déborde la littérature. Il est vital.

Peu importe de démêler jusqu'à quel point Rousseau délire. Il vit dans la crainte des agissements des libraires, du vol et du détournement de ses lettres et de ses manuscrits, se plaint d'être surveillé ; peut-être est-ce moins invraisemblable qu'il n'y paraît. Quoi qu'il en soit, l'angoisse n'est pas liée à tel ou tel acte, imaginaire ou réel : c'est une tonalité existentielle, globale. C'est une quasi-perception, c'est la séparation des consciences, c'est ce silence qui a suivi la lecture publique des *Confessions*, dont le premier préambule prévoyait pourtant le bruit hostile qui s'ensuivrait, le provoquait même. Or, leur lecture achevée, « tout le monde se tut ».

Pour Jean-Jacques, le mystère est l'antithèse même de « son caractère ouvert jusqu'à l'imprudence ». Le sentiment de persécution naît précisément de cette aversion. Le mystère autorise le mal, le sens détourné, la trahison. Mais, aux abois, face au silence, Rousseau préfère encore percevoir le bruit du complot plutôt que l'indifférence ; il réclame un jugement, plaide le droit de l'accusé à être instruit des charges qui pèsent contre lui et à se faire entendre. Tout, plutôt que le silence qui l'emprisonne et qui offre, comme le dira la « cinquième Promenade » des *Rêveries*, l'image même de la mort. C'est exactement là que naît la possibilité d'une aliénation : Rousseau voudra, jusqu'au délire, trouver un sens au moindre regard, au fait le plus futile. Dans l'univers magique et terrifiant du persécuté, tout hasard a disparu : il n'y a plus d'insignifiance,

de contingence ; l'angoisse est à la fois imposée et recherchée, éprouvée et suscitée.

En face du mystère, pour le dissiper, il faut parler, sans fin, sans craindre les inlassables redites ; il faut entretenir le foyer du sens, montrer qu'un sens peut encore et toujours surgir, être découvert. Rousseau cesserait-il un instant de croire ce sens présent, caché, constitué hors de lui, pour y reconnaître la part de ce qu'il projette, les *Dialogues* n'auraient plus d'objet. Mais il est finalement prisonnier de lui-même, de cette évidence du sentiment qui est pour lui la marque propre du vrai : sa conscience est prise au jeu de son immédiateté, esclave de son propre reflet. Les *Dialogues* sont ainsi le pathétique témoignage d'une lutte pour retenir le sens, d'un débat insensé avec soi : Rousseau juge Jean-Jacques et lui donne la parole. Le « Rousseau » du texte rapporte au Français que « Jean-Jacques », lui aussi, a écrit « en forme de dialogues un jugement assez semblable à celui qui pourra résulter de nos entretiens » (« deuxième Dialogue »). Et Rousseau introduit encore des notes dans le texte qui commentent et prolongent ce que dit « Rousseau ».

Mais l'œuvre est aussi et surtout profondément morale. Le premier, Rousseau confère une importance pathétique et centrale aux rapports humains : au fond, toute sa morale tient dans la possibilité d'une intelligence commune, d'un échange, d'un dialogue. C'est une éthique moins de la communication que de l'explication, du sens consenti : dans un dialogue les autres doivent cesser de se taire, mais leurs arguments seront respectés, défendus, puisqu'ils les exposeront eux-mêmes. L'œuvre, enfin, n'est pas seulement morale, elle est aussi édifiante. On se tromperait à prendre pour de la mégalomanie la revendication si affirmée par Rousseau d'un droit à l'exception : si cette revendication est délibérément exagérée, c'est surtout pour dénoncer, en regard, l'incapacité d'une société, dans laquelle chacun s'isole dans son amour-propre, non pas tant à lui reconnaître qu'à lui consentir ce droit.

On a rarement ressenti un tel besoin d'écrire, sans doute, et l'on a rarement accordé une telle confiance et une telle portée à la littérature. Car les *Dialogues* sont bien plus qu'un livre : ils sont un acte, une conjuration, que Rousseau finira par vouloir porter sur l'autel de Notre-Dame de Paris. Le silence serait-il enfin rompu par le roi, par la Providence ? Le 24 février 1776, lorsqu'il se rend à la cathédrale pour déposer sur l'autel le manuscrit des *Dialogues*, Rousseau trouve fermées les grilles du chœur.

● Colin, 1962 (p.p. M. Foucault). ➤ *Œuvres complètes*, « Pléiade », I (p. p. R. Osmont).

G. ALMÉRAS

ROUTE DES FLANDRES (la). Roman de Claude **Simon** (né en 1913), publié à Paris aux Éditions de Minuit en 1960.

Ce roman fait suite à l'**Herbe* et appartient à la même période. On y retrouve Georges, l'époux de Louise, Pierre et Sabine, ses parents ; on y découvre Corinne, épouse du capitaine de Reixach qui apparaîtra encore dans **Histoire*, dans la **Bataille de Pharsale* et dans **Triptyque*. Chaque nouveau roman semble ainsi venir se greffer sur le précédent, pour mettre en place une complexe généalogie que symbolisera l'acacia, l'arbre familial (voir *Histoire*, incipit ; *l'Acacia*, clausule).

N'est-ce pas une gageure que de vouloir donner une cohérence à une histoire dont le narrateur-personnage recherche précisément la cohérence ? La Seconde Guerre mondiale vient de s'achever. Dans une chambre d'hôtel, Georges et Corinne font l'amour. Les sensations présentes – l'obscurité, le bruit d'une respiration, le poids d'un corps, l'odeur de la chair féminine associée à celle de la terre – transportent Georges dans son passé, proche (la guerre) ou lointain (son enfance).

Il revit ainsi son expérience dans les Flandres et sa captivité, dominées par la mort énigmatique du capitaine de Reixach, époux de Corinne, gourmé, anachronique, attaché à un idéal chevaleresque périmé. Georges, dans le présent, comme il le fit avec le juif Blum, son compagnon de captivité, cherche à comprendre les raisons de ce qui eut toutes les apparences d'un suicide. Cette enquête trouve dans les circonstances passées sa matière : la dispute de deux paysans, au sujet d'une femme, dans un village où l'escadron bivouaque, suggère une infidélité ; les réponses arrachées au jockey Iglésia font croire à une liaison brève de celui-ci et de Corinne, que pourrait confirmer le désir du capitaine de Reixach de monter sa pouliche en course et de se montrer ainsi à la hauteur du jockey ; les récits de Sabine, sur un ancêtre Reixach, général conventionnel vaincu par un Espagnol, se suicidant pour avoir trouvé à son retour, selon Blum, son épouse dans les bras du palefrenier. Cependant, de même que dans leur errance les cavaliers passent devant la dépouille d'un cheval mort, obsédante, de même Georges voit défiler ses souvenirs, conscient du désir que suscitait en lui Corinne, durant la guerre et sa captivité. Dans la chambre d'hôtel, Corinne comprend combien Georges cherche à travers elle autre chose que l'amour. Les amants se séparent dans la nuit, et lui reste seul, se demandant ce qu'il était venu chercher en elle. « Comment savoir ? »

Comme *la Corde raide*, *la Route des Flandres* doit beaucoup à la biographie de son auteur : l'expérience de la Seconde Guerre mondiale constitue et constituera toujours un tuf où se nourrit l'œuvre et auquel elle retourne volontiers (voir les **Géorgiques* et *l'Acacia*). « Pour ce qui est de l'image mère de ce livre, je peux dire que tout le roman est parti de celle-là, restée gravée en moi : mon colonel abattu en 1940 par un parachutiste allemand embusqué derrière une haie : je peux toujours le voir levant son sabre et basculant sur le côté avec son cheval, comme au ralenti [...]. Ensuite, en écrivant, une foule d'autres images sont naturellement venues s'agglutiner à celle-là. » La biographie invite donc, de manière pressante, à l'écriture, qui, par son travail, transforme le souvenir en roman.

Comme dans *la Corde raide*, le lecteur a affaire à un roman du temps retrouvé par bribes et fragments. Claude Simon l'a décrit en termes de géologie : des couches de terrain se disposent harmonieusement autour d'un puits artésien, si bien que chacune, même lorsqu'elle n'affleure pas, est toujours présente. Les différentes strates temporelles (présent, enfermement dans le camp, dans le wagon, errance dans les Flandres, etc.) se recouvrent, s'appellent, se répètent : la chair laiteuse de la paysanne est associée à celle de l'épouse de l'ancêtre Reixach, Virginie, à celle de Corinne possédée par Iglésia (?) puis par Georges. Le suicide de l'un, l'ancêtre révolutionnaire, suggère le suicide de l'autre, l'officier de la Seconde Guerre mondiale. Les amours hypothétiques d'Iglésia font entrer en scène un palefrenier – complaisant – dans les bras de Virginie. Les histoires se répètent, se reflètent, se complètent mutuellement, nourries de rumeurs et de ragots, de désirs et de fantasmes, de clichés aussi empruntés à la gravure du XVIIIe siècle (« l'Amant surpris ») ou aux journaux de mode du XXe siècle.

La totalité, s'il en est une, est donc bien fragile. Autour d'un vide central, la mort énigmatique du capitaine représentée par ce puits artésien, vide, sont assemblés des éléments empruntés à des époques diverses par divers narrateurs (Georges, un narrateur, Blum, le double de Georges qui ose transgresser la respectueuse tradition familiale colportée par Sabine). L'errance de Georges sur la route des Flandres mime cette autre errance dans le récit. La dépouille du cheval mort devant laquelle les cavaliers passent cinq fois, symbolise le corps mort et énigmatique du capitaine : chaque passage marque un retour au point de départ, mais aussi donne une perception nouvelle de la charogne que la terre absorbe non pas progressivement, mais en une « transmutation accélérée ». Le devenir, bien qu'il semble répéter les mêmes événements, n'offre aucune continuité : seules subsistent les traces d'une totalité (impossible à concevoir) livrée « à l'incohérent, nonchalant, impersonnel et destructeur travail du temps ».

En ce printemps 1940, où la nature verdoyante et indifférente déploie ses fastes, la mort sème ses cadavres dans le paysage. Claude Simon constate la solitude et la misère de l'homme plongé dans un lieu où il ne fait que passer, tel un figurant de théâtre, et dans une Histoire qui se joue de lui. Ce ne sont pas les exploits individuels qui font l'Histoire (pelleter un « historique tas de charbon » selon Blum) : la dynamique des périodes historiques, faite de heurts sans logique apparente, est sans commune mesure avec le résultat affiché dans les manuels d'Histoire. Claude Simon constate le divorce du vécu et de l'écrit. Que les trésors de « la plus précieuse bibliothèque du monde » soient détruits dans un bombardement importe bien moins que ce qui est immédiatement nécessaire à la survie d'un prisonnier. Ainsi est fait le procès d'une culture – les idées rousseauistes sont fatales à l'ancêtre Reixach – qui éloigne l'homme de son être primordial : bien qu'elle soit une terrible épreuve, la guerre révèle à l'homme sa vérité.

Ce ne sont pas les relations à autrui qui pourront l'aider à sortir de cette solitude et de ce face-à-face avec la mort. En proie au « Souci » heideggerien, Georges ne trouve en Blum qu'un compagnon, caustique (voir Maurice dans *la Corde raide*). Corinne, pareille à une carte à jouer, reine de hasard, symbole de l'imprévisible qui organise le monde humain, l'illustre parfaitement. Quoique possédée par Georges, elle conserve son secret et n'apporte pas de réponse aux questions de son amant. Leurs étreintes, hors de toute convenance (ils sont parents), sont frénétiques et illusoires. L'érotisme simonien est désespéré : un instant il est illumination et laisse espérer la victoire sur la mort et l'issue hors de soi. Mais l'homme revient à sa finitude et à l'expérience du temps, déchiré entre des aspirations sans objet et des limites infranchissables.

La question ressassée par Georges (« Comment savoir ? ») témoigne de l'échec de son enquête. Le récit est-il donc vain ? Il l'est, si le lecteur s'en tient à des critères de cohérence hérités du roman traditionnel, balzacien, selon Claude Simon. Il ne l'est pas, si son attention se reporte sur l'écriture et son aventure. Le roman se fait et pense son faire sous les yeux du lecteur : les conquêtes formelles et syntaxiques de *l'Herbe* (métaphores structurelles, selon Jean Ricardou, qui unissent deux lieux ou deux époques ; accumulation des parenthèses qui égarent le lecteur ; participes présents qui ralentissent et détemporalisent l'action) font de *la Route des Flandres* un roman de la mémoire en exercice, tiraillée entre son passé et ses obsessions.

● Éd. de Minuit, « Double », 1982 (postface L. Dällenbach).

D. ALEXANDRE

RUBAN AU COU D'OLYMPIA (le). Recueil de fragments narratifs de Michel **Leiris** (1901-1990), publié à Paris chez Gallimard en 1981.

Ayant choisi comme motif de base le célèbre tableau de Manet avec une focalisation sur le détail qui lui confère l'intensité d'une présence presque réelle, Leiris égrène, dans ce livre composé de textes souvent assez courts, les menus faits de sa vie qui peuvent receler la même force d'authenticité. Sont ainsi entremêlés descriptions (choses vues au spectacle, dans la rue, à la campagne, rencontres diverses, incidents, courts dialogues), bilans récapitulatifs d'une période donnée, souvenirs, rêves, comme autant de broutilles qui jouent le rôle de déclencheurs pour la formulation d'une leçon, la construction d'un sens. La toile de fond de toutes ces « aventures dérisoires » reste celle à laquelle nous a habitués cet écrivain : la hantise de la mort, la lente déconfiture infligée à l'être par le vieillissement, la honte de s'être montré si souvent insuffisant et le recours à l'écriture comme diversion propre à éviter l'effondrement.

Le réel est en nous et hors de nous comme une menace qui pourrait parfois faire « obscènement irruption », par exemple sous la forme d'un cri irrépressible. Plutôt que de l'aborder de front, mieux vaut biaiser et se livrer à partir de lui à des notations apparemment anodines en utilisant toutes les ressources de la métonymie et de la litote. Telle est la raison d'être de l'écriture de Leiris : prendre du monde ses « rognures d'ongle », et si quelques-unes d'entre elles peuvent fournir une occasion de « chanter », c'est bien assez leur demander, puisque, ce faisant, elles auront entraîné la mise au jour plus ou moins nette d'émotions singulières, différenciées, après passage au tamis d'un certain « cérémonial verbal ». Aussi sombre soit-elle, la réalité peut donc, selon Leiris, être « rédimée » (« En fabriquant – sans maquillage – un peu d'or avec une de ses parcelles »), et donner à l'écrivain le soulagement, réel même s'il reste temporaire, de constater qu'il est parvenu pour un temps à surmonter l'aphasie. En prenant ainsi Olympia par le ruban, il jette un pont entre fiction et réalité, et trouve la possibilité de s'accorder du même coup de ces « petits bonheurs » qui éludent provisoirement l'angoisse et qui transforment, par un habile tour de passe-passe, un objet de parure en une parade d'une efficacité momentanée. Susciter par un détail qui fasse « levier » une qualité de « présence », tel est le but avoué de Leiris. Et c'est souvent de cette manière qu'il procède : en s'appuyant sur la représentation fidèle de la réalité extérieure, s'efforcer d'y apparenter par un « effet d'intime résonance » les paysages qui composent son monde intérieur et parvenir ainsi à une « exacte considération de soi ».

Le ruban devient donc le symbole d'une sorte de sauvetage : il s'agit d'un objet certes bien ténu mais dont la modestie même peut être source de réconfort, comme le signe que la fragilité peut entraîner un basculement salutaire. La lecture de ce livre apparaît de ce point de vue très tonifiante, puisqu'elle nous dit que le moindre événement de notre vie quotidienne peut être tiré avantageusement de l'insipidité dans laquelle nous le laissons croupir le plus souvent : l'écriture sollicitant le réel pour lui insuffler une force nouvelle et transformant par exemple le plus petit recoin de paysage en un motif de joie. Leiris nous fait don, avec *le Ruban au cou d'Olympia*, d'un vigoureux hymne de vie, constitué d'une connivence avec les choses qui se double d'une complicité puissante avec le lecteur, par une juste considération de tous ces « riens » « dont la vue pacifie » et qui nous aident à continuer notre route. La démonstration leirisienne tient en ce constat stimulant : malgré un bagage émotionnel encombrant et parfois invalidant, le sentiment que la vie est un cadeau inestimable et « l'idée que l'existence humaine vaut qu'on lutte afin de la prolonger » peuvent être préservés et transmis avec la plus grande force.

● « L'Imaginaire », 1989.

G. COGEZ

RUE DE JÉRUSALEM (la). Voir HABITS NOIRS (les), de P. Féval.

RUE DES BOUTIQUES OBSCURES. Roman de Patrick **Modiano** (né en 1945), publié à Paris chez Gallimard en 1978. Prix Goncourt.

Le narrateur, qui a travaillé huit ans pour un détective privé après avoir perdu la mémoire, tente de reconstituer son passé, et d'abord de savoir qui il était. Un émigré russe, une danseuse apatride qui s'est suicidée, un vieux pianiste, tant d'autres encore, sont les témoins d'une époque lointaine ; certains se réduisent à des photos jaunies sur lesquelles le narrateur croit se reconnaître et qui lui donnent à penser qu'il servit jadis à l'ambassade de la République Dominicaine. L'enquête le mène jusqu'à Bora-Bora ; il se rendra ensuite rue des Boutiques obscures, à Rome, où il a peut-être habité.

Le roman se compose d'une succession de courts chapitres (certains réduits à une adresse et à un numéro de téléphone), fragments du puzzle que le narrateur tente de reconstituer : « Des lambeaux, des bribes de quelque chose, me revenaient longuement au fil de mes recherches. Mais après tout c'est peut-être ça, une vie... » Modiano donne plus que jamais libre cours à son génie d'invention de noms étranges. Une mystérieuse complicité, de la part des inconnus qu'il aborde, permet au narrateur d'assembler les pièces de l'enquête. Photos sorties d'une boîte métallique, confidences à demi-mot, gestes furtifs : tous (y compris les chauffeurs de taxi) s'empressent de servir ses desseins.

Du moment où il croit tenir son identité, une vague intrigue se noue. Commence-t-il à retrouver la mémoire ou cède-t-il à son imagination ? Quelle différence, au fond ? Pour le moins, écrire un roman, c'est toujours composer avec des mots, à partir du néant, pour procurer une illusion de réalité. Peut-être le point de départ de l'intrigue (une « vraie » amnésie du héros) est-il plus artificiel que celui des premiers romans de Modiano, et, par l'accumulation des fiches, celui-ci use un peu indiscrètement de son pouvoir magique de suggestion, sans créer un univers aussi poétique que celui, notamment, de *Villa triste*.

● « Folio », 1982.

P.-L. REY

RUE CASES-NÈGRES (la). Roman de Joseph **Zobel** (né en 1915), publié à Paris chez Froissart en 1950. Film par Euzhan Palcy en 1983.

I. Chaque soir José accueille M'man Tine, sa grand-mère, qui rentre des champs de canne, devant leur misérable case. Et chaque matin, après le départ de la vieille femme, il rejoint ses camarades de jeux pour une grande journée de liberté. Le samedi, jour de paye, Petit-Morne s'anime avec le marché. Le dimanche, pendant que M'man Tine fait sa sieste, José court chez son ami le vieux conteur M. Médouze. En mettant le feu au jardin de M. Saint-Louis, les enfants déclenchent un tohu-bohu de colère. M'man Tine menace José de l'envoyer en ville chez sa mère, M'man Délia. Désormais les enfants ne resteront plus seuls rue Cases-Nègres. José suit M'man Tine au champ de canne. Mais tandis que ses camarades travaillent dans les « petites-bandes » pour quelques sous, José est épargné. Sa grand-mère a d'autres ambitions pour lui : il ira à l'école. Un jour M. Médouze n'est pas dans sa case. On le trouve mort.

II. Le grand jour est arrivé. M'man Tine emmène José à l'école de Petit-Bourg. À midi, il déjeune dans le corridor de Mme Léonce. Raphaël devient son ami, mais, peu à peu, en échange de son accueil, Mme Léonce lui fait faire toutes les corvées et il n'a plus le temps de jouer. Un jour, il s'enfuit de chez elle, ne déjeune plus et M'man Tine n'en sait rien. L'école finie, José retrouve à regret le champ de canne à sucre. Lorsque M'man Tine apprend l'histoire avec Mme Léonce, elle décide d'aller s'installer à Petit-Bourg. Désormais la vie de José est totalement transformée. Il se fait de nouveaux amis. Lorsqu'il entre en première classe, il a un maître. Bientôt il prépare l'examen et il est reçu. Le maître veut lui faire passer le concours des bourses. M'man Tine l'accompagne à Fort-de-France. José est reçu au concours.

III. M'man Délia, bonne chez des Blancs créoles, complétera en faisant les lessives le quart de bourse obtenu par José. L'enfant a quitté M'man Tine pour vivre avec sa mère dans le quartier Sainte-Thérèse. Au lycée, il est seul et personne ne le remarque dans ses pauvres vêtements de petit Nègre. Quand enfin il se fait un camarade, ses résultats s'améliorent. José découvre les livres. Pour les vacances, il retourne à Petit-Bourg et voit avec des yeux nouveaux la pauvre condition de M'man Tine. M'man Délia accepte une nouvelle place à l'autre bout de la ville. José vit seul avant de rejoindre sa mère à la Route-Didier. M'man Tine meurt sans que José la revoie. La passion des livres occupe désormais toute sa vie.

Les œuvres du Martiniquais Joseph Zobel sont généralement répertoriées sous l'appellation « roman de mœurs » et *la Rue Cases-Nègres* est considérée comme le chef-d'œuvre du roman réaliste antillais. Récit d'initiation, il met en scène la transition du mythe à l'Histoire, de l'oralité à l'écriture. *La Rue Cases-Nègres* s'ordonne entièrement selon le mouvement d'un exode : de la campagne au bourg, puis à la ville. Récit des origines, il relate autant une destinée individuelle qu'un destin collectif en remontant aux sources d'une identité culturelle première.

En s'éloignant physiquement de la sphère familiale, José traverse trois espaces qui constituent les trois parties du roman : Petit-Morne, Petit-Bourg, Fort-de-France, et cette traversée des lieux est due à une promotion entièrement basée sur le savoir. C'est par l'école qu'est assuré le mouvement, celui de José mais aussi le mouvement de l'Histoire : l'acculturation des colonisés vécue comme une libération. En changeant de lieu, José passe de l'immuable à l'incertain, du sacré au profane. La société traditionnelle incarnée par M'man Tine, M. Médouze et les habitants de la rue Cases-Nègres est en effet dominée par le mythe et le rituel : tout y semble préservé par une sorte d'éternité qui plane sur les choses et les êtres, chacune et chacun étant à sa place. *La Rue Cases-Nègres* en dresse un inventaire comme on le fait d'un temps révolu, dont on répertorie les traces et les souvenirs. Au fur et à mesure que José avance dans la vie, cet univers s'estompe.

Au centre de ce monde trône M'man Tine, la mère exemplaire : nourricière, protectrice, industrieuse, gratifiante, sévère, dévouée, elle fait don de sa personne à celui qui est à la fois son fils et petit-fils. De l'autre mère, Délia, la mère génitrice, José n'a qu'une vision floue ; elle lui restera au fond toujours étrangère. Face à ses deux mères et dans un univers dont toute référence paternelle est exclue, José devient homme, c'est-à-dire savant, et acquiert son indépendance. Son histoire n'est pas seulement celle d'un changement de classe, c'est aussi celle d'une prise de conscience de l'injustice d'un état social auquel il est en train d'échapper. Lorsqu'il revient dix ans plus tard sur les lieux de son enfance, José est choqué par la misère de la case qu'habite M'man Tine et qui fut la sienne, et ne voit dans les habitants de Petit-Morne qu'un « ramassis d'êtres puants, aux couleurs de fumier » auxquels il ne trouve rien à dire.

En même temps que s'effectuent le mouvement de l'exode, le déplacement géographique, et que s'accentuent l'évolution et la promotion sociale par le savoir, un second mouvement se dessine : le sentiment d'une remontée aux origines qui ne cesse de se préciser et de s'accroître. Car, avec le savoir, José acquiert la lucidité. Si le second mouvement n'annule pas le premier, il le double d'un regard amer. C'est grâce à la distance établie avec son univers d'origine que José peut le décrire tel qu'il est ; n'étant plus partie prenante, il peut enfin « voir » la rue Cases-Nègres et le roman s'achève sur une ouverture : José se promet de raconter à son tour l'histoire que nous venons de lire. « C'est aux aveugles et à ceux qui se bouchent les oreilles qu'il me faudrait la crier. »

● Présence Africaine, 1974.

C. PONT-HUMBERT

RUINES (les) ou Méditations sur les révolutions des empires. Ouvrage philosophique de C. F. **Volney**, pseudonyme de Constantin François Chassebeuf (1757-1820), publié sous le nom de M. Volney, député à l'Assemblée nationale de 1789, à Paris chez Desenne-Volland-Plassan en 1791.

Déjà connu par son *Voyage en Égypte et en Syrie* (1787), Volney, disciple des Philosophes, pamphlétaire dans *la Sentinelle du peuple* de Rennes (1788), connaît une immense célébrité européenne avec ce livre où se mêlent décor antique, souvenirs du périple en Orient, digressions philosophiques, dénonciation de l'obscurantisme et apologie du déisme opposé à l'intolérance. Réflexion sur la philosophie de l'Histoire et la politique, *les Ruines* s'imposent aussi par des pages emblématiques du premier romantisme français.

Si l'Avertissement indique que le projet du livre, fruit « d'un amour réfléchi de l'ordre et de l'humanité », remonte à « près de dix ans », et le situe dans une période où les « vérités morales » doivent freiner les passions, l'invocation initiale (1) salue les « ruines solitaires, tombeaux saints, murs silencieux ». Organisé en vingt-quatre chapitres, l'ouvrage commence par une rêverie devant les ruines de Palmyre (2) qui le rattache au *Voyage*. Plongé dans une « mélancolie profonde », le narrateur voit apparaître un fantôme, le Génie des tombeaux (3). Un dialogue s'installe et, entraînant le narrateur dans les airs, le Génie dégage le sens de l'univers, de la condition humaine et de l'histoire des sociétés (4-11). Contemplant l'horrible spectacle d'une guerre (12), les interlocuteurs débattent du progrès (13-14), et de la Révolution française (15-18). Se déploie alors une vision utopique où l'« Assemblée générale des Peuples » entend s'opposer les tenants des religions et « l'orateur des hommes » qui recherche « l'origine et la filiation des idées religieuses » (19-23). Les législateurs enfin concluent qu'il faut « ôter tout effet civil aux opinions théologiques et religieuses », et entreprennent de développer « les lois sur lesquelles la Nature elle-même a fondé son bonheur » (24).

Livre complexe, *les Ruines*, ancrées dans l'expérience de leur auteur, se présentent comme une apocalypse rationaliste. À la prose poétique du préambule, « aux planes rives de l'Euphrate » succède un style d'inspiration biblique chargé de toutes les séductions de la rhétorique, tantôt didactique, tantôt « inspirée ». Célébration d'une ère nouvelle, l'ouvrage entend démystifier aux yeux des hommes les causes de leur misère millénaire, qui les ont incités à créer des religions. L'Histoire se définit comme une suite d'obstacles placés sur le chemin de la perfectibilité. Régi par des lois naturelles, l'homme, être sensible, a fondé la société selon des « mobiles simples et puissants » qui le firent s'élever au-dessus de l'état sauvage : l'amour de soi, le désir de bien-être, l'aversion pour la douleur. Ces thèses, héritées de D'Holbach et d'Helvétius, interprètent la suite de l'évolution historique comme le produit de la cupidité, qui inspire le despotisme, et de l'ignorance, qui explique la soumission des faibles à la tyrannie et à l'imposture religieuse. Contre ces illusions tragiques, la morale, « science physique, composée, il est vrai, d'éléments compliqués dans leur jeu, mais simples et invariables dans leur nature », permet l'avènement des Lumières, grâce auxquelles les hommes pourront construire rationnellement des sociétés où règneront égalité, justice et liberté.

Partie essentielle du texte, les chapitres 21 à 23 développent en une monstrueuse litanie les billevesées métaphysiques qui encombrèrent et obérèrent toujours l'esprit humain au long des siècles de ténèbres, dont ces pages écrivent la légende noire. Tyrans confondus, prêtres avouant leur imposture en se traitant mutuellement de menteurs, abusant tous de la crédulité des nations ignorantes pour les subjuguer : ce triomphe philosophique ne peut pourtant vaincre l'impression funèbre que les mélancoliques pages inaugurales laissent planer. « Ah ! malheur à l'homme, dis-je dans ma douleur ! une aveugle fatalité se joue de sa destinée ! » Tout en proclamant une foi optimiste dans le progrès des esprits, *les Ruines* conservent l'aura de leur titre. Du passé fondateur, il ne reste que la « cendre des peuples ».

Mais une telle lecture occulte le véritable projet de Volney qui annonce explicitement une suite, le texte s'achevant par « Fin de la première partie ou des Ruines ». Publiée en 1793, *la Loi naturelle ou Catéchisme du citoyen français* apparaît comme la seconde partie, que les *Œuvres complètes* feront succéder aux *Ruines*. Volney y exprime son athéisme, y expose un système proche du stoïcisme et s'y montre comme l'un des fondateurs les plus rigoureux de l'idéal de laïcité. À ce cadre éthique où se définit l'homme éclairé et maîtrisant les lois de son être individuel et social, les *Leçons d'Histoire* données à l'École normale en 1795 (publiées en 1826) apportent leur scepticisme quant aux enseignements de cette pseudo-science et leurs perspectives sociologiques qui permettraient d'envisager les civilisations comme des organismes vivants. Volney restitue alors à l'humanité son environnement, que l'édification d'un homme nouveau avait réduit à la longue succession de ses errements.

● *Œuvres*, Fayard, 1989, I (p.p. A. et M. Deneys).

G. GENGEMBRE

RUINES DE BABYLONE (les) ou le Massacre des Barmécides. Drame historique en trois actes et en prose de René Charles Guilbert de **Pixerécourt** (1773-1844), créé à Paris au théâtre de la Gaîté le 30 octobre 1810, et publié à Paris chez Barba la même année.

En 1810, au moment de la représentation des *Ruines de Babylone*, Pixerécourt s'était définitivement imposé comme le « Corneille des Boulevards ». Depuis le succès de **Victor ou l'Enfant de la forêt* (1798) et de **Coelina ou l'Enfant du mystère* (1800) surtout, qui définissait en somme la poétique d'une nouvelle forme d'expression dramatique, le mélodrame, il avait, avec *l'Homme à trois visages* (1801) et *Tékéli* (1803), exploré le versant historique du genre, avec la **Femme à deux maris* (1802) son versant « bourgeois », alors qu'avec l'extraordinaire succès de la *Citerne* (1809) et du personnage de Picaros, il avait donné le premier rôle à un « niais » en même temps qu'il continuait à jouer délibérément la carte du spectaculaire, de l'« oculaire » dira Gautier. Ce travail sur la précision de la mise en scène (le mot naît à cette époque) et la séduction des costumes, Pixerécourt le reprendra dans les *Ruines de Babylone* en lui adjoignant la recherche d'un climat exotique qui avait fait le succès de *Robinson Crusoé* (1805), en poussant aussi jusqu'à l'extrême, avec son personnage de tyran sanguinaire qui se repent à la dernière scène du dernier acte, une des ressources essentielles du mélodrame : le pathétique de persécution et de situation.

L'action se déroule à Bagdad en 796. Le calife Haroun-al-Raschid, très attaché à sa sœur Zaïda et à son vizir Giafar, les a mariés, mais avec la solennelle promesse que ce mariage resterait blanc pour éviter que le sang barmécide ne se mêle au sang abbasside que d'éventuels descendants ne briguent le trône. Cependant, à la vue de Zaïda, Giafar n'a pu que trahir le serment fait au souverain. Un fils, Naïr, est né en secret de cette union. Giafar l'a d'abord caché à La Mecque et le fait passer maintenant pour un orphelin qu'il a recueilli. Le drame commence au retour d'une victoire de Giafar sur les Arabes. Pour rencontrer son épouse, Giafar s'est introduit déguisé en esclave dans le palais. Aidé du Français Raymond, chargé de l'organisation de la fête, il parvient à voir Zaïda puis à s'échapper alors que le traître Isouf, chef des eunuques, après avoir découvert un message codé de Giafar qui prouve que celui-ci a trahi son serment, apprend tout au calife. Ce dernier se contient lors du triomphe de son général, mais se promet de surprendre les coupables en leur offrant l'occasion d'une rencontre avec leur fils (Acte I).

Giafar a caché l'enfant dans un réseau de souterrains au cœur d'une forêt. À l'entrée de ces souterrains a été bâti sur ses conseils un pavillon dans lequel Zaïda a l'habitude de se retirer pour y rencontrer son fils. Giafar révèle cet ingénieux dispositif à Raymond mais Isouf, caché, surprend leur conversation et découvre le signal qui donne au gardien de l'enfant l'ordre d'ouvrir le souterrain : un chant accompagné de luth. Malgré l'astuce de Raymond auquel le calife demande de chanter avec son luth et qui réussit à retarder la catastrophe, les deux époux réunis dans le pavillon sont surpris par Haroun avec leur fils. Malgré leurs supplications, le tyran ordonne le massacre de Giafar, de Zaïda, de Naïr et de tous les Barmécides (Acte II).

De peur que Haroun ne se repente de l'arrêt de mort qu'il a prononcé, Isouf s'assure la complicité d'un parti de Bédouins, qui attaquera la caravane transportant les prisonniers vers une forteresse non loin des ruines de Babylone. Arrive, misérable, aux portes de cette forteresse, Zaïda qui est secourue par Hassan, fils du calife. Raymond, de son côté, a gagné les Bédouins avec beaucoup d'or et quand Isouf arrive avec Naïr qu'il croit conduire à la mort, c'est Raymond qui lui fait un rempart de son corps. L'enfant retrouve alors sa mère qu'Haroun un peu plus tard cherche à lui arracher, mais Hassan intercède pour eux. Grâce à Raymond, Giafar a retrouvé son armée ; avec le renfort des Bédouins, il tient alors Haroun à sa merci. Mais, après s'être assuré de la fidélité de ses soldats, il les prie de lâcher leurs armes et de faire avec lui allégeance à Haroun qui, devant tant de magnanimité, pardonne (Acte III).

Un critique du *Journal d'indications* (fructidor an X), dès les débuts du mélodrame, définissait ainsi l'esthétique du genre : « Il exige une grande connaissance de la scène, l'emploi du terrible et du pathétique, l'art de produire des effets. » *Les Ruines de Babylone* répondent exactement à ce projet et à ces exigences. Donnant une large part à la pantomime, au chant, à la musique, au picturalisme et au symbolisme des décors, à un jeu scénique précis et méticuleusement réglé par l'auteur, ce mélodrame, comme tous ses semblables, cherche à être un spectacle total. Parfaitement décrit par des didascalies minutieuses, cet amoncellement de péripéties visuelles emporte de nouveaux spectateurs « qui ne savent pas lire » (Pixerécourt) dans le monde de l'illusion, et leur offre, avec l'assurance d'une justice immanente et distributive, l'exemple d'une morale roborative qui fait la leçon aux Grands et aux méchants en préservant les valeurs civiques. Le jeune Hugo, en route vers l'Espagne, assista à Bayonne, avec son frère, à plusieurs représentations de cette pièce jusqu'à connaître le texte par cœur. Quand on sait que ce mélodrame s'ordonne autour d'un couple tyran/bouffon, d'un bouffon qui prend aussi le rôle d'ange tutélaire, d'un grand qui empêche un mariage, on pourrait être enclin à quelques rapprochements. Malgré les apparences, ils seraient sans doute non avenus. En effet, si le drame romantique emprunte beaucoup au mélo, surtout dans le magasin aux accessoires, il apparaît comme son épreuve en négatif dans l'esthétique de son discours et son éthique pessimiste : peu de commune mesure, donc, entre **Hernani* ou **Le roi s'amuse* et les *Ruines de Babylone*.

➤ *Théâtre choisi*, Slatkine, III.

J.-M. THOMASSEAU

RUSSIE EN 1839 (la). Récit de voyage d'Astolphe Louis Léonor, marquis de **Custine** (1790-1857), publié à Paris chez Amyot en 1843. L'ouvrage sera réédité sous divers titres : *la Russie*, *Lettres de Russie*, *Voyage en Russie*.

Vraisemblablement composé en 1840, au retour du voyage effectué par Custine l'année précédente, l'ouvrage est une suite de lettres fictives, écrites en principe sur le vif, en fait soigneusement élaborées à partir de notes. Réquisitoire contre le despotisme et tableau de la spécificité russe, il tient du reportage, du livre politique et cultive un savant impressionnisme. Le voyage se définit pour Custine à la fois comme une « douce manière de passer la vie » et comme « l'Histoire analysée dans ses résultats », avant de devenir un « drame ». *La Russie en 1839* illustre cette conception.

Précédées d'un Avant-propos, les lettres suivent la chronologie du voyage de juin à octobre 1839. La présence de Custine en Russie est motivée par un charmant réfugié polonais, Ignace Gurowski, installé chez lui depuis quatre ans, et dont il veut plaider la grâce auprès du tsar. L'ouvrage se veut entreprise de vérité : descriptions, relations de rencontres, démarches et conversations scandent le parcours. Traversant l'Allemagne, où il rencontre Tourgueniev, Custine débarque à Cronstadt, puis se rend à Saint-Pétersbourg, où il a une longue conversation avec le tsar Nicolas Ier. De là, il poursuit jusqu'à Moscou, où il séjourne et visite le Kremlin. Puis il repart jusqu'à Zagorsk, au monastère de Troïtza – lieu d'une nouvelle rencontre avec Tourgueniev –, Iaroslavl, Nijni-Novgorod. Il entend aller jusqu'à Kazan en descendant la Volga, mais tombe malade, et doit retourner à Moscou par Vladimir. Nouveau séjour à Moscou, puis à Saint-Pétersbourg, et c'est le retour par la Prusse-Orientale pour éviter la Pologne. La dernière lettre est datée d'Ems, le 22 octobre.

Révélant une « discipline de camp substituée à l'ordre de la cité » et un « état de siège devenu l'état normal de la société », la Russie tsariste convertit Custine aux bienfaits des constitutions et des gouvernements représentatifs. Découverte de l'autocratie, d'une société où « nul bonheur n'est possible parce qu'il y manque la liberté », d'un « pays des passions effrénées ou des caractères débi-

Rousseau

« Jean-Jacques Rousseau ». Pastel de Maurice-Quentin de La Tour (1704-1788).
Musée Antoine-Lécuyer, Saint-Quentin. Ph. Jean Tarascou © Archives Photeb.

Pour mieux dénoncer les dangers de la civilisation, il fait une entrée fracassante en littérature (*Discours sur les sciences et les arts*, 1750, *Discours sur l'inégalité*, 1755) ; à l'usage d'un peuple corrompu par les romans, il perfectionne le genre épistolaire, en écrivant *la Nouvelle Héloïse* (1761) ; contre l'opacité de la parole trompeuse, et l'obsession d'un ruban volé, il élabore une rhétorique impeccable et forme une « entreprise qui n'eut jamais d'exemple », livrant à Dieu et au lecteur le « cœur transparent comme du cristal » d'« un homme dans toute la vérité de la nature » (*Confessions*, 1778)... Paradoxes ou logique d'une

vie conforme à une pensée ? Jean-Jacques Rousseau (1712-1778), défenseur de la bonté originelle de l'homme, s'est heurté toute sa vie à une « malignité » réelle et imaginaire, à l'égale hostilité du clergé et des philosophes, à la foule de ses « persécuteurs » — mourant seul, entouré de son herbier, de ses partitions, et des êtres « selon son cœur » nés de ses rêveries... Au despotisme universel (« L'homme est né libre, et partout il est dans les fers »), il avait opposé un projet politique et pédagogique (*Du contrat social, Émile*, 1762), et sut faire lui-même sa « réforme », troquant le costume du mondain pour celui du « citoyen de Genève » — renié par sa patrie —, et de l'éternel piéton en quête d'un refuge.

« Rousseau dans son ermitage à Ermenonville », 1764.
Lithographie de Jean Houel (1735-1813).

Page de l'herbier de Jean-Jacques Rousseau.

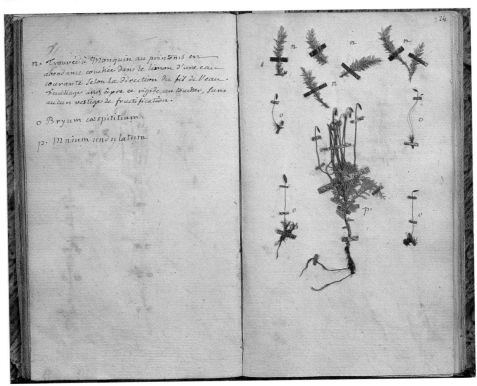

« Émile vainqueur à la course ». Gravure de Bonnet (1736-1793),
d'après Jean-Frédéric Schall (1752-1825) pour *Émile ou De l'éducation*.

Bibliothèque publique et universitaire, Genève. Ph. François Martin © Archives Photeb.

« Julie de Wolmar et Saint-Preux sur les rochers de la Meillerie ».
Dessin de Claude-Louis Châtelet (1753-1794).

Musée du Louvre, cabinet des Arts graphiques, Paris. Ph. © RMN.

Frontispice par Charles-Nicolas Cochin le Jeune (1715-1790),
pour *les Confessions*, in *Œuvres*, Paris, Defer de Maisonneuse, 1793.

Bibliothèque nationale, Paris. Ph. © Bibl.. nat./Archives Photeb.

Discours sur l'origine et les fondements [...]. Gravure de
Nicolas Delaunay (1739-1792) d'après Moreau le Jeune (1741-1814).

Bibliothèque nationale, Paris. Ph. © Bibl. nat./Archives Photeb.

« L'Ile des peupliers et le tombeau de Jean-Jacques Rousseau »,
Dessin anonyme, XVIIIᵉ siècle.

Inventeur, contre l'optimisme des
Lumières et presque malgré lui, de
quelques-uns de nos mythes modernes
(le « bon sauvage », le retour à la nature,
l'affirmation de la subjectivité...), il est
aussi le prophète d'une nouvelle
« sensibilité », d'une écriture qui sait
transcender le temps pour ressusciter le
paradis d'une innocence perdue.

les », d'une ambition immense, loi d'une « nation essentiellement conquérante » : le regard de Custine, singulièrement décapant, évoque, *mutatis mutandis*, celui d'un autre légitimiste, Tocqueville (voir *De la démocratie en Amérique*). Custine connaît le succès dès la parution de son livre. Il sera mis à contribution pendant la guerre froide, puisque son analyse semble caractériser à travers le régime tsariste certains aspects de la dictature stalinienne.

Document irremplaçable, *la Russie en 1839* est aussi un texte brillant, saturé de formules pénétrantes. Tirant une part de son efficacité des circonstances et du moment de sa rédaction, il s'impose comme modèle de récit, où se mêlent habilement tableaux et portraits. Art du mouvement, du trait, de la couleur : le voyageur sait peindre. Excellant à transcrire les conversations, il sait aussi écouter. On retrouve ici toutes les qualités de style déjà déployées dans *Aloys* : rigueur, précision et souplesse mises au service de l'acuité du regard et d'une prodigieuse intuition, Custine pressentant le potentiel tragique d'un pays promis à toutes les convulsions. Il découvre une mystique de la servitude qui lui semble caractériser le peuple russe, quitte à être démenti par l'évolution récente de l'Histoire, écueil ordinaire des analyses psychologisantes : « L'obéissance politique est devenue pour les Russes un culte, une religion. » La cruauté du jugement ne procède pas seulement d'une rancœur née de l'échec de ses démarches en faveur de son protégé : elle résulte d'une mobilisation de tout l'être face à son objet et d'une volonté de dire, car dire c'est montrer et donc dénoncer.

Nourries d'informations précises et d'une culture supérieure, ces pages sont autant un réquisitoire contre l'autocratie qu'un journal de voyage romantique qui adopterait un style classique. Elles sont constellées d'aphorismes, de sentences, de pensées : « Des hommes ont adoré la lumière ; les Russes adorent l'éclipse : comment leurs yeux seraient-ils jamais dessillés ? », et aussi d'instantanés, de raccourcis saisissants ou de fulgurances : ainsi les clochers de Moscou deviennent-ils une « phalange de fantômes qui planent sur une ville ». La pertinence du propos, la fermeté de l'accusation, les éclairs du style : tout contribue à faire de ce maître livre l'un des chefs-d'œuvre d'un siècle préoccupé de la différence autant que de l'universel, du génie national aussi bien que de la nature humaine.

● *Lettres de Russie*, « Folio », 1975 (anthologie p.p. P. Nora) ; Sorlin, 2 vol., 1989 ; « Bouquins », 1990 (*le Voyage en Russie*, p.p. C. de Grève).

G. GENGEMBRE

RUY BLAS. Drame en cinq actes et en vers de Victor **Hugo** (1802-1885), créé à Paris au théâtre de la Renaissance le 8 novembre 1838, et publié à Leipzig chez Brockhaus et Avenarius la même année.

Après la bataille d'*Hernani*, Hugo s'efforce de s'attirer un public tant bourgeois que populaire. L'échec de *Le roi s'amuse*, le triomphe de *Lucrèce Borgia*, que *Marie Tudor* ne confirma pas, le succès d'*Angelo* convainquent les auteurs-phares Dumas et Hugo de créer un théâtre où le drame romantique serait chez lui. Le théâtre de la Renaissance sera ce lieu, et, pour son ouverture, Hugo écrit *Ruy Blas*.

Un salon dans le palais du roi, à Madrid. Don Salluste de Bazan, disgracié par la reine d'Espagne, Doña Maria de Neubourg, médite sa vengeance. Il veut se servir d'un cousin dévoyé, Don César, qui refuse dans un sursaut d'honneur. « Ver de terre amoureux d'une étoile », Ruy Blas, valet de Don Salluste, resté seul avec Don César, lui avoue son amour pour la Reine. Ayant tout entendu, Don Salluste fait enlever Don César, dicte des lettres compromettantes à Ruy Blas et, le couvrant de son manteau, le présente à la cour comme son cousin César. Il lui ordonne de plaire à la Reine et d'être son amant (Acte I. « Don Salluste »).

Un salon contigu à la chambre de la Reine. Délaissée par son époux et prisonnière d'une étiquette tyrannique, la Reine s'ennuie. Restée seule pour ses dévotions, elle rêve à l'inconnu qui lui a déposé des fleurs et un billet, laissant un bout de dentelle sur une grille. Entre Ruy Blas, devenu écuyer de la Reine, porteur d'une lettre du roi. Grâce à la dentelle, la Reine reconnaît en lui son mystérieux amoureux, que Don Guritan, vieil aristocrate épris de cette dernière, provoque en duel. Mais la Reine, prévenue, envoie le jaloux en mission chez ses parents à Neubourg, en Allemagne (Acte II. « La Reine d'Espagne »).

La salle du gouvernement dans le palais royal. Six mois plus tard, les conseillers commentent l'ascension de Ruy Blas (portant toujours le nom de Don César), devenu Premier ministre, et se disputent les biens de l'Espagne. Ruy Blas les fustige de sa tirade méprisante : « Bon appétit, messieurs ! » La Reine qui, cachée, a tout entendu, lui avoue son amour et lui demande de sauver le royaume. Resté seul, Ruy Blas s'émerveille de cette déclaration quand paraît Don Salluste habillé en valet, qui, humiliant son domestique, lui commande de se rendre dans une maison secrète et d'y attendre ses ordres (Acte III. « Ruy Blas »).

Une petite chambre dans la mystérieuse demeure. Ruy Blas envoie un page demander à Don Guritan de prévenir la Reine : elle ne doit pas sortir. Dégringolant par la cheminée, Don César, tout en se restaurant, raconte ses picaresques aventures. Un laquais apporte de l'argent pour le faux Don César : le vrai le prend. Une duègne vient ensuite confirmer de la part de la Reine le rendez-vous, organisé en fait par Don Salluste. Don Guritan vient pour tuer Ruy Blas en duel : Don César le tue. Arrive Don Salluste, inquiet. Don César lui apprend la mort de Guritan et la confirmation du rendez-vous. Don Salluste s'en débarrasse en le faisant passer pour le bandit Matalobos auprès des alguazils, qui l'arrêtent (Acte IV. « Don César »).

La même chambre, la nuit. Ruy Blas croit avoir sauvé la Reine et veut s'empoisonner. Elle paraît cependant, ainsi que Don Salluste, qui, savourant sa vengeance, prétend la faire abdiquer et fuir avec Ruy Blas, lequel se découvre pour ce qu'il est aux yeux de son amante. Révolté, le domestique tue Don Salluste, avale le poison et meurt dans les bras de la Reine, qui, se jetant sur son corps, lui pardonne et l'appelle de son nom, Ruy Blas (Acte V. « Le Tigre et le Lion »).

Datée du 25 novembre 1838, la Préface du drame expose la loi du genre : il « tient de la tragédie par la peinture des passions, et de la comédie par la peinture des caractères ». À cette définition générale, Hugo ajoute une caractéristique particulière de *Ruy Blas* : suite d'*Hernani* (où la noblesse lutte contre le roi avant l'installation de la monarchie absolue), la pièce met en scène la scission de la noblesse, née de la décadence monarchique. D'un côté, des pillards de l'État uniquement préoccupés de leur intérêt personnel (Don Salluste) ; de l'autre, des aventuriers bohèmes dégoûtés de la chose publique (Don César). Dans l'ombre remue « quelque chose de grand, de sombre et d'inconnu » : le peuple, qui « a l'avenir et qui n'a pas le présent ». Dépositaire de l'honneur, de l'autorité et de la charité, il s'incarne en Ruy Blas. Au-dessus, une « pure et lumineuse créature, une femme, une reine ». Doublement malheureuse, comme épouse et comme reine, toute de pitié, elle regarde « en bas pendant que Ruy Blas, le peuple, regarde en haut ».

Proposant d'autres lectures, le dramaturge suggère une interprétation psychologique (Salluste, l'égoïsme absolu et le souci sans repos, César, le désintéressement et l'insouciance, Ruy Blas, le génie et la passion bridés par la société, la Reine, la vertu minée par l'ennui) aussi bien qu'une piste allégorico-générique : Salluste serait le drame, César la comédie, Ruy Blas la tragédie. Hugo distingue enfin les sujets : philosophique, c'est « le peuple aspirant aux régions élevées » ; humain, « c'est un homme qui aime une femme » ; dramatique, « c'est un laquais qui aime une reine ». La portée idéologique semble primer : alliance du peuple et de la royauté, promotion du peuple comme sujet de l'Histoire. La logique dramatique dément cet apparent optimisme historique.

Autant que la tradition comique et picaresque, le mélodrame imprègne le drame, lui prêtant l'un de ses lieux d'élection (la maison secrète, peuplée de Nègres muets), l'arsenal des situations (complots, déguisements, enlèvements, duels, reconnaissances, évasions, quiproquos, pièges, etc.), l'horlogerie dramatique des rencontres, départs, retours, la répartition entre le sublime pathétique et le grotesque picaresque, qui régit tout l'acte IV. Surtout, il détermine la psychologie des personnages, construits antithétiquement.

En Don Salluste, l'incarnation du mal, s'opposent la dignité et la noirceur de l'âme. Véritable traître de mélodrame, il ourdit une trame complexe. Aristocrate cynique, il manipule avec art les êtres, quitte à changer de tactique quand la réponse espérée déçoit. Maître du langage efficace, metteur en scène du drame, il en distribue les rôles et sait bien en régler les mouvements.

Déchiré entre sa noblesse morale et la bassesse de sa condition, Ruy Blas vit un rêve, qui se brise sur le rappel d'une contrainte : l'identité du laquais et celle de César sont incompatibles. Le masque qu'il doit porter compromet à la fois son discours politique, dû tant à l'amour qu'à une certaine idée de l'Espagne, et sa parole amoureuse. Ni l'un ni l'autre ne peuvent s'exprimer pleinement. Seule la mort lui restitue son nom, vil et noble à la fois.

Don César, de son côté, s'impose comme prince du verbe. Truculent, grand seigneur devenu le brigand Zafari, il reste homme d'honneur, champion d'une parole libre, mais aussi un exclu, deux fois déporté. Poète du grotesque, être du refus et instrument involontaire de mort, il joue à son insu le jeu diabolique de son cousin.

Figure romantique par excellence, la Reine incarne le sublime de l'amour, auquel jeunesse, beauté, caractère, tout la destine. Femme délaissée, amoureuse passionnée, mais aussi tête politique, elle n'a besoin que d'un homme pour accomplir son destin. Pure victime, elle accède à la douleur tragique.

La couleur locale ressortit avant tout à l'Histoire. L'Espagne de Charles II, vers 1695, la cour étouffante, régie par l'étiquette glacée (sujet traité par Latouche dans sa *Reine d'Espagne* en 1831), les brigands, la cupidité des Grands, un royaume à l'encan : « Dans *Hernani*, le soleil de la maison d'Autriche se lève, dans *Ruy Blas*, il se couche » (Préface).

Jouée quarante-neuf fois de novembre 1838 à juillet 1839 en alternance avec des opéras-comiques, la pièce connut, malgré une critique désastreuse, un grand succès populaire, le dernier du drame romantique à la scène, salué par une parodie de Maxime de Redon, *Ruy Bras*, en novembre 1838 et, plus tard, par un *Don César de Bazan* de Dumanoir et Dennery, en 1844, qui inspira un opéra à Massenet en 1872. Frédérick Lemaître, monstre sacré du mélodrame, créa le rôle-titre. Il le reprit quarante-huit fois en 1841 à la Porte-Saint-Martin. Le drame, après une interdiction de Napoléon III en 1867, ne fut redonné qu'en 1872 à l'Odéon – Sarah Bernhardt jouant la Reine – avant d'entrer au répertoire de la Comédie-Française en 1879.

● Les Belles Lettres, 1971 (p.p. A. Ubersfeld) ; « Le Livre de Poche », 1987 (préf. J. Vilar, p.p. G. Rosa). ➤ *Théâtre complet*, « Pléiade », II ; *Œuvres complètes*, Club français du Livre, V ; *Théâtre* « GF », II ; *Œuvres complètes*, « Bouquins », Théâtre, II (p.p. A. Laster).

G. GENGEMBRE

RYTHME À TROIS TEMPS ou le Temple de Ségeste. Voir POÈMES À JOUER, de J. Tardieu.

SA VIE À SES ENFANTS. Mémoires de Théodore Agrippa d'**Aubigné** (1552-1630), publiés sous leur forme définitive, d'après un manuscrit de la bibliothèque du Louvre, à Paris chez Lalanne en 1854, après deux éditions très fantaisistes en 1729 (sous le titre d'*Histoire secrète*) et 1731 (sous le titre de *Mémoires*).

Ces Mémoires, probablement rédigés pendant les dernières années de la vie de l'auteur, se présentent comme le pendant de l'**Histoire universelle*, somme historiographique publiée par d'Aubigné en 1618 et 1619 ; l'adresse liminaire de l'auteur à ses enfants marque à la fois la continuité et la différence des deux ouvrages : « Voicy le discours de ma vie, en la privauté paternelle, qui ne m'a point contrainct de cacher ce qui en l'*Histoire universelle* eust été de mauvais goust. »

L'auteur raconte comment, dès son plus jeune âge, il fait serment à son père de ne pas trahir la cause protestante, et voit ses études humanistes constamment troublées et interrompues par les guerres de Religion. Très tôt entré dans la carrière des armes, il suit Henri de Navarre et, par chance, quitte Paris peu de temps avant le massacre de la Saint-Barthélemy. Il relate la longue série des « exercices de guerre » auxquels il participe, les intrigues des Guise et de la Ligue, et ses vaines tentatives pour empêcher l'abjuration du roi de Navarre.

Après la paix, trop fidèle à sa foi pour briguer, comme tant d'autres, les faveurs et les récompenses du nouveau monarque, il se vante de la rudesse avec laquelle il sermonne à l'occasion Henri IV. Proscrit en 1620, sous le règne de Louis XIII, il se réfugie à Genève, où il n'attend plus, dans les dernières années, qu'une « honorable mort ».

Ces Mémoires n'échappent pas à l'allure rhapsodique qui caractérisait les **Aventures du baron de Faeneste* et la **Confession catholique du sieur de Sancy*. L'histoire politico-religieuse du temps se mêle à l'histoire individuelle du narrateur, les hauts faits de guerre et les négociations entre partis alternent avec les anecdotes galantes ou scatologiques. Cette variété formelle et thématique n'empêche pas le récit de s'ordonner fortement autour de la figure du narrateur et de trouver une unité éthique dans l'affirmation et le maintien de la fidélité à la cause protestante. Tous les épisodes en témoignent : mieux vaut, pour Agrippa d'Aubigné, rompre des fiançailles « sur le différend de la religion », perdre tout crédit auprès du roi et connaître l'exil, plutôt que de se rendre parjure. L'événement fondateur d'une telle vie, c'est incontestablement, à l'âge de sept ans, la vision des suppliciés d'Amboise, que son père lui fait jurer de venger sous peine de malédiction : « Mon enfant, il ne faut pas que ta teste soit épargnée après la mienne, pour venger ces chefs pleins d'honneur. » De cette fidélité qui s'exacerbe en mépris de l'existence, toutes les actions et passions d'Agrippa d'Aubigné porteront la marque. La mort ne cesse donc de hanter le récit, sous forme de maladies, de massacres ou de tentatives d'assassinat ; elle en constitue même la scène inaugurale et fantasmatique, par l'apparition de cette « femme fort blanche » qui donne au narrateur, dès son plus jeune âge, un « baiser froid comme glace ». La fureur paternelle devant les corps suppliciés et le baiser glacé dessinent, dans leur juxtaposition narrative, le paradigme de cette vie : se vouer à l'exaltation d'une cause, c'est accepter l'imminence et le commerce quotidien de la mort.

Absolu dans ses convictions, le mémorialiste met en scène des chefs de guerre à l'éthique souvent lâche, qui lui servent de repoussoirs et favorisent discrètement son dessein d'apologie personnelle. Le couple qu'il forme avec Henri de Navarre est à cet égard très révélateur : le monarque transige, cherche des biais et des détours, là où le conseiller s'érige en défenseur d'une foi qui ne souffre pas de compromis. À mesure que le récit progresse, l'opposition des deux personnages prend une importance croissante et s'organise en grandes scènes de « remontrances », où d'Aubigné délivre au roi des vérités « aigres mais utiles » : « Sire, j'ayme mieux quitter vostre Royaume et la vie, que de gagner vos bonnes grâces en trahissant mes frères et compagnons. »

Ayant tenté en vain de dissuader Henri de Navarre d'abjurer la foi protestante, d'Aubigné pourrait sombrer dans une solitude amère et délaisser toute entreprise politico-religieuse. Il n'en est rien. Les dernières pages du récit nous montrent un homme acharné à défendre son parti dans les tentatives les plus hasardeuses, et déployant, jusque dans ses années d'exil en Suisse, une farouche inventivité militaire et pamphlétaire. On a pu parler, non sans raison, de la stature hugolienne du personnage. Effervescence et énergie multiformes, tels sont, au fond, les maîtres mots d'une vie qui n'a jamais accepté que la « fureur » des prescriptions intérieures s'émousse au contact du monde social et politique.

➤ *Œuvres*, « Pléiade ».

P. MARI

SABBAT (le). Souvenirs d'une jeunesse orageuse. Récit autobiographique de Maurice **Sachs**, pseudonyme de Jean-Maurice Ettinghausen (1906-1944 ou 1945), publié à Paris chez Gallimard en 1946.

L'ouvrage fit, à sa parution, l'effet d'une bombe. « Singulier testament à laisser que ce livre », écrivit l'auteur en 1942. « Un pauvre livre qui raconte un bien misérable héros. J'aurais voulu pouvoir décrire un autre homme : exemple plutôt que repoussoir. Ce petit ouvrage pouvait-il échapper à mon destin ? » Connu ensuite pour ses aventures sordides et ses bassesses au cours de l'Occupation (vol, délation), Sachs n'est encore, au moment où il envoie son manuscrit chez Gallimard, qu'un esthète menant sa vie avec effronterie. Livre de formation, *le Sabbat* tente une réhabilitation de son auteur dont le Paris littéraire gardera en mémoire les exactions et la frivolité maladive plutôt que le talent d'écrivain.

Déterminé à rechercher dans le « labyrinthe de [sa] conscience » le « fil conducteur » d'une « dignité qui [lui] est devenue aussi chère que la vie », Maurice Sachs revoit les premières années de son enfance à l'ombre d'une « famille maudite » qui, à ses yeux, favorisa son goût précoce pour le vol. Au collège il découvre la volupté et connaît sa première passion forte avec Octave. Dans le Paris fiévreux des années vingt, ébloui par les écrivains et les artistes de l'époque, Sachs fréquente le salon des Delle Donne et fait la connaissance de Jean Cocteau, qui devient sa seule raison de vivre. Introduit chez Jacques Maritain, il se fera baptiser avant de se retirer, près de Juan-les-Pins, dans un séminaire, et de lier amitié avec Max Jacob puis André Gide. Décidé néanmoins à conquérir le faubourg Saint-Germain, Sachs rencontre Mlle Chanel avant de s'embarquer pour New York, où il donne des conférences d'économie, se fait protestant, se marie. Il revient en France avec un nouvel amant. Il reçoit les encouragements de Pierre Fresnay, voit son théâtre enfin joué, participe aux comités de lecture de *la Nouvelle Revue française* et, après avoir renoncé à l'alcool, se promet de mener une existence sage et studieuse.

D'une forme mouvante et n'obéissant qu'à une vision fragmentaire de la réalité, le Sabbat est à l'image de son auteur qui, conscient de la partialité et de la fragilité de son entreprise, avoue sa préférence pour les formes mineures et l'anecdote : « Ce petit livre dont le dessin et le dessein n'apparaîtront ni très nets ni très solides [...] suit comme il peut les sentiers difficiles de ma vie, parallèles à des routes beaucoup plus grandes et plus belles. » Portrait sans concession d'une génération, peinture acerbe du Paris littéraire des années vingt, riche de ses historiettes et de ses indiscrétions, le Sabbat est un document littéraire irremplaçable. Les portraits souvent cruels de Cocteau, de Maritain ou de Gide sont ceux d'un observateur d'une lucidité intransigeante. Émaillé de nombreuses citations, ce texte n'a qu'un seul moteur : l'admiration, et son complément indispensable chez Sachs, le désir de brûler les idoles jadis adorées. Mais, quelles que soient ses dénégations (« Voici ma vie close à jamais. Elle est vécue, confessée, expiée »), Sachs ne dit jamais vraiment adieu à son existence tumultueuse pour entamer celle, conforme à son idéal littéraire, dont ces figures légendaires lui envoient l'image insaisissable. Récapitulation précoce de toute une vie, le Sabbat livre plusieurs visages de Sachs, et le visage intime et poétique apparaît tout aussi tourmenté que le visage historique. « J'avais soif de malédictions nouvelles », se plaît à répéter l'auteur, après s'être dit « louche, fuyard, combinard, ivrogne, prodigue, curieux, affectueux, généreux et passionné ». Si Sachs cultive avec volupté ses différences (homosexualité, mais aussi style « aristocratique » vibrant de l'esprit fin de siècle), il souffre en retour de son goût du paradoxe : « L'arbre de la connaissance avait poussé en moi mille ramures, mille ramilles qui s'enchevêtraient follement les unes aux autres et parmi lesquelles je ne savais pas du tout me reconnaître. » Après avoir célébré le caractère sacré de la nature, Sachs s'abandonne aux mondanités ; épris d'introspection, il se laisse aller à des futilités, et lorsqu'il se sent une envie de fermeté, de continence et de chasteté, c'est le corps encore chaud de caresses. Si bien que cette vaste entreprise de justification, riche en mots d'auteur (« Je me considère comme un mauvais exemple dont on peut tirer de bons conseils »), illustre la contradiction sous-jacente à son titre : le Sabbat, à la fois « jour de repos » et « agitation frénétique ».

P. GOURVENNEC

SABINA D'HERFELD ou les Dangers de l'imagination. Lettres prussiennes. Roman épistolaire de Jacques Antoine **Révéroni Saint-Cyr** (1767-1829), publié à Paris en 1797.

Sabina d'Herfeld est le premier roman d'un officier du génie qui publie, dès l'année suivante, son œuvre la plus connue, *Pauliska ou la Perversité moderne*, et qui achève sa carrière romanesque, un quart de siècle plus tard, avec *Taméha, reine des îles Sandwick*. Ces noms de femmes – Sabina, Pauliska, Taméha – se veulent respectivement prussien, polonais et océanien, mais leur assonance indique assez qu'une même sensibilité gouverne les vies des trois personnages.

Éduquée avec sa sœur dans la haine des hommes, la jeune Sabina contracte un mariage de convenance, peu fait pour lui ôter ses préjugés contre la gent masculine. Se refusant obstinément à son mari, elle investit toute sa passion dans la musique et dans la littérature. Elle devient ainsi une proie idéale pour le major Lormer, un libertin qui veut la conquérir : elle sait résister aux pièges du scélérat, mais se défend plus maladroitement contre l'amour éperdu du chevalier de Versen, jeune homme sensible qui accepte toutes ses conditions. Elle est prête à renoncer à son vœu de chasteté, lorsque les manœuvres du libertin provoquent le drame. Versen tue ce dernier en duel et ne survit à un suicide manqué que pour sombrer dans la folie. Sabina veut le rejoindre et meurt dans un champ de neige.

On retrouve dans cette intrigue les principaux ingrédients du roman sensible de la fin du XVIIIe siècle. Le major Lormer est un roué qui s'inscrit dans la tradition du duc des *Malheurs de l'inconstance* de Dorat, du Valmont des *Liaisons dangereuses* de Laclos ou du président de Blamont dans *Aline et Valcour* de Sade. Comme le duc mis en scène par Dorat, il se fait fort de jeter l'insensible Sabina dans les bras du jeune Versen pour tirer tout le bénéfice ultérieur de cette première faiblesse. Il observe en naturaliste et analyse en philosophe les gradations du sentiment entre les jeunes gens ; il ricane de leurs délicatesses, s'impatiente de leurs lenteurs, mais ne peut s'empêcher d'envier les jouissances de la sensibilité. Il avoue à un complice sa jalousie : « Que la sagesse est libertine ! Quel abandon dans sa retenue ! Quel raffinement dans ses demi-faveurs ! » Lui qui se voulait expert en analyse psychologique, découvre les nuances du sentiment.

Le thème de la folie qui emporte les âmes trop délicates pour le monde réel est également récurrent dans les romans qui reflètent la crise de l'Ancien Régime, les remous de l'âge révolutionnaire et les contradictions de la société nouvelle. Sabina d'Herfeld s'achève dans la solitude d'un décor alpin, près du lac de Constance : cadre sublime, à la dimension des excès qui viennent d'être vécus. « Voilà les passions fortes ! Elles survivent aux obstacles, à la démence même. Malheur à qui les éprouve ! Malheur à qui ne les plaint pas ! »

La forme épistolaire souligne les contrastes entre sensibilité et libertinage. Le roman juxtapose trois correspondances parallèles, celles de Sabina, de Versen et de Lormer à leurs confidents respectifs, avant que s'engagent le duo amoureux entre les amants puis les dialogues transversaux qui rendent compte au lecteur de la catastrophe finale. Le rationalisme froid des libertins est condamné, mais l'enthousiasme déréglé des jeunes idéalistes n'est pas moins dénoncé. La France de l'an VI cherche encore son équilibre entre des excès contradictoires.

M. DELON

SABINES (les). Voir PASSE-MURAILLE (le), de M. Aymé.

SAC AU DOS, de J.-K. Huysmans. Voir SOIRÉES DE MÉDAN (les).

SAC DU PALAIS D'ÉTÉ (le). Roman de Pierre-Jean **Rémy**, pseudonyme de Jean-Pierre Angremy (né en 1937), publié à Paris chez Gallimard en 1971. Prix Théophraste Renaudot.

Première partie. « Les Vivants ». Simon, sur le point d'être expulsé de Chine, parcourt Pékin où se déchaîne la Révolution culturelle. Au fil de son errance, qui forme la trame cachée du roman, se succèdent des instantanés mettant en scène des dizaines de personnages aux destins entrecroisés. Des contemporains de Simon, diplomates ou journalistes épris de la Chine, de plus jeunes aussi, marqués par la guerre d'Algérie comme Guillaume, le double de Simon. Au centre, l'aventure mythique de Victor Segalen, dont le roman *René Leys* est constamment cité en contrepoint.
Seconde partie. « Et les morts ». Les trahisons, les meurtres, les atrocités, perpétrés à Pékin, mais aussi à Oran ou Agrigente, se multiplient. Peu à peu, tous les amis de Simon meurent ou rentrent en Europe ; c'est la fin de l'aventure. De tout cela cependant naîtra un livre, reflet du roman lui-même : celui qu'écriront Guillaume ou Chessman, tandis qu'en Chine de nouveaux aventuriers comme l'ambassadeur Blondel ou l'ancien tortionnaire Patrick perpétuent à leur tour le destin de leurs prédécesseurs.

Ancien élève de l'ENA, diplomate, Pierre-Jean Rémy a vécu à Pékin de 1964 à 1966. Fasciné par la capitale chinoise, cet « univers clos », il a voulu rendre hommage aux livres qu'il admirait, *Stèles, René Leys* de Segalen, mais aussi l' *Ordre* de Marcel Arland. Ces jeux intertextuels n'ont pas manqué de frapper la critique : ainsi Jean d'Ormesson qui célèbre dans le livre un retour au « romanesque » doublé d'une réflexion sur l'écriture. Ces « retrouvailles avec le romanesque », que Pierre-Jean Rémy appelle de ses vœux reposent avant tout sur la notion de « foisonnement ». Foisonnant, ce roman l'est en effet, et son titre contribue à étendre le champ de la narration. Outre les trois périodes évoquées par l'auteur (la Chine de Segalen, la République populaire d'avant 1957 et celle de la Révolution culturelle), l'allusion à l'entrée des Occidentaux dans Pékin en 1860 renvoie à une époque fabuleuse où les termes de « Cité interdite » avaient tout leur sens.

Foisonnement ne signifie cependant pas désordre : un fil directeur s'impose, celui du départ. Pourquoi partir ? Parce que, comme le dit le poète Shinder, « ce refus de s'arracher à un monde fermé qui est le sien » est semblable à un « inceste », mais aussi parce que, selon la formule de Rémy, l'« Histoire est le pivot même de l'Aventure ». Partir, c'est rencontrer la violence du siècle et la mort. Face à cette épreuve, certains sont emportés par une folie meurtrière, tel Patrick, tueur au compte de l'OAS, tel Mario, bourreau fasciste d'Agrigente. Pour d'autres, c'est l'apprentissage de la lucidité. À ce titre, le livre est un roman de la jeunesse blessée, de la déchirure. Car l'exil est un leurre s'il n'est qu'une fuite : aussi chaque départ est-il une quête de soi-même. Il n'est pas étonnant de découvrir une filiation imaginaire entre l'un des personnages d'écrivains et Rimbaud, figure emblématique de la rupture totale, de l'identité recréée. On songe à "Départ" dans *Illuminations* : « Départ dans l'affection et le bruit neufs ! » Mais la figure de Segalen est plus significative car, avec *René Leys*, l'écrivain a trouvé la loi de la création romanesque, le « jeu alterné du réel et de l'imaginaire ». Tels sont les principes de l'écrivain Chessman, mêlant les vies de ses amis à celles de figures historiques, les principes de Guillaume qui, au retour de Chine, écrira un livre « à facettes, à images multiples », et ceux, bien sûr, de Rémy lui-même. En faisant du « retour » le moment de la création, le roman dévoile les clés de sa propre conception. Aussi, plutôt que de foisonnement, faudrait-il parler d'« emboîtement » des existences, à l'image des enceintes de l'ancienne ville impériale qui fascinaient tant Segalen. Si l'action est dispersée, toutes les aventures convergent vers la Chine. Si chaque personnage est le reflet d'un double plus âgé, tous sont liés à la figure de Simon, synthèse de toutes les autres, confident de tous les récits, et peut-être véritable narrateur en fin de compte, à qui renverrait le mystérieux « je » des dernières lignes : « Londres où j'ai retrouvé les éléments épars de ces vies. »

● « Folio », 1988.

K. HADDAD-WOTLING

SACRE DE LA NUIT (le). Voir THÉÂTRE DE CHAMBRE, de J. Tardieu.

SACRIFICES DE L'AMOUR (les). Lettres de la vicomtesse de Senanges et du chevalier de Versenay. Roman épistolaire de Claude-Joseph **Dorat** (1734-1780), précédé d'« Idées sur les romans », et publié à Paris chez Delalain en 1771.

Le Neveu de Rameau place Dorat dans la « ménagerie » de Mlle Hus et de Bertin, entre Fréron et Palissot, parmi tous les pauvres diables prêts à décrier la philosophie pour obtenir de quoi manger (voir *le *Neveu de Rameau*). L'œuvre de Dorat mérite pourtant mieux que cette mention méprisante. Ses romans, en particulier *les*

Sacrifices de l'amour et *les *Malheurs de l'inconstance*, constituent une étape à ne pas négliger entre Crébillon et Laclos. Dorat s'est sans doute dispersé entre contes et fables, héroïdes et poésies didactiques, tragédies et romans, il n'en a pas moins réfléchi aux enjeux et aux significations de chacun de ces genres.

Il accompagne sa *Lettre de Valcour à son père* (1767) d'une *Apologie de l'héroïde*, le recueil *Mes fantaisies* (1768) d'un discours sur les pièces fugitives, et sait justifier sa décision de nommer sa pièce *les Deux Reines* (1770) « drame historique » plutôt que tragédie. *Les Sacrifices de l'amour* sont pareillement précédés d'« Idées sur les romans » qui ont sans doute inspiré à Sade sa propre *Idée sur les romans*, accompagnant *les *Crimes de l'amour* (1800). Ce bref essai théorique entend marquer « les influences respectives des mœurs sur les écrits, des écrits sur les mœurs », et donne au roman la fonction de « faire l'histoire du moment ». Puisque la société du XVIIIe siècle a substitué aux valeurs de la chevalerie le cynisme du libertinage, Dorat, à la suite de Crébillon, « peintre profond de la frivolité », montre les sacrifices que l'amour doit consentir aux entraînements de la mondanité et de la sensualité. Son sens de la relativité historique explique le pluriel du titre (« Idées ») auquel Sade a préféré un singulier moins tolérant.

Le chevalier de Versenay est lié à l'intrigante marquise d'Ercy, mais s'éprend de la vicomtesse de Senanges, mal mariée et séparée de son despote de mari. Il hésite entre la liaison mondaine et le sentiment profond, entre les conseils libertins d'un marquis et les leçons morales d'un autre ami. Il donne rendez-vous à la vicomtesse à la campagne et s'oublie jusqu'à abuser d'elle. Elle finira pourtant par accorder son pardon et le roman s'achèvera heureusement.

Dorat exploite les ressources du roman épistolaire pour illustrer le décalage entre les consciences et montrer le double langage de l'hypocrisie libertine. La ville et ses faux-semblants s'opposent à la campagne où les cœurs atteindraient à la vérité, mais où le chevalier de Versenay se comporte comme une brute. Le héros tient souvent le langage de Saint-Preux ; il s'écrie ainsi : « Au milieu de la foule, je suis seul », écho aux plaintes du personnage de Rousseau, perdu à Paris (voir *la *Nouvelle Héloïse*). Les obstacles que multiplie le libertinage empêche la transparence des âmes. Le marquis se veut professeur de cynisme. Il annonce les roués de Laclos. Mme de Merteuil entend que Valmont publie ses « Mémoires » (*les *Liaisons dangereuses*, lettre II) ; dix ans plus tôt, le marquis de Dorat déclare : « Cette lettre est une espèce de code que je compte publier un jour, pour l'encouragement des dames et l'instruction des hommes. »

Grimm ne fut pas tendre pour ce roman qu'il proposait d'intituler « les Sacrifices du bon sens de l'auteur à la pauvreté de son imagination », mais l'œuvre de Dorat suscita l'engouement du public qui voulut trouver les clés des personnages. Ce succès encouragea le romancier qui, dès l'année suivante, construisit sur le même schéma, mais avec un dénouement sensiblement assombri, *les Malheurs de l'inconstance*.

M. DELON

SACRISTAIN (le). Voir BARBIER DE SÉVILLE (le), de Beaumarchais.

SAGESSE. Recueil poétique de Paul **Verlaine** (1844-1896), publié à compte d'auteur à Paris à la Société générale de librairie catholique en 1880 (sous la date de 1881) ; réédition revue et corrigée à Paris chez Léon Vanier en 1889.

Le recueil, qui comprend des poèmes écrits entre 1873 et 1880, ne trouve que tardivement son principe d'unité et son titre. Verlaine avait en effet tout d'abord songé à regrouper dans un volume unique les poèmes écrits durant son séjour en prison (de juillet 1873 à janvier 1875) consécutif à la dispute survenue en Belgique avec son ami Rimbaud, qu'il avait légèrement blessé d'un coup de feu. Le recueil se serait intitulé *Cellulairement*. La disparité des textes conçus en prison conduit toutefois le poète à renoncer à son projet et à disperser les poèmes dans divers livres, parmi lesquels *Sagesse*. Durant sa détention, Verlaine connaît, en 1874, un véritable élan mystique dont *Sagesse* se fait l'écho. Converti, le poète joint une Préface, datée du 30 juillet 1880, à la première édition du recueil. Il y présente l'ouvrage comme un « acte de foi public » inspiré par le « devoir religieux » et une « espérance française ». L'œuvre, en général dédaignée par la critique et l'ensemble du monde littéraire – sauf Mallarmé –, ne reçut pas davantage les suffrages du parti catholique qu'espérait l'auteur.

Sagesse comporte trois parties, chiffre symbolique renvoyant sans doute à la Trinité, qui contiennent respectivement vingt-quatre, neuf et vingt et un poèmes, tous dépourvus de titre.

Les poèmes de la première partie concernent, dans l'ensemble, le passé : celui du poète surtout, mais aussi parfois celui de la religion catholique (I, 9 et 10). Ils tracent un parcours qui mène au moment de la conversion, mise en scène dans la deuxième partie. Ce parcours est jalonné de multiples combats livrés contre la tentation. Les deux premiers textes ont, à cet égard, valeur de programme : le premier montre le poète blessé puis sauvé par un « bon chevalier » (I, 1) ; dans le deuxième, la prosopopée de la Prière se termine par cette injonction adressée au poète : « Toi, sois sage » (I, 2).

La deuxième partie constitue à la fois le centre et le sommet, tant thématique que dramatique, du recueil. Elle s'ouvre sur un poème qui rapporte l'instant de la conversion et la ferveur d'un acte de foi : « Ô mon Dieu, vous m'avez blessé d'amour » (II, 1). Dans les trois premiers textes, le poète s'adresse à des figures sacrées (Dieu dans II, 1 et 3, Marie dans II, 2) et reçoit une réponse dans le quatrième poème, formé d'une longue succession de sonnets que Verlaine divise en neuf parties mais qui comporte, formellement, dix pièces. Ce grand poème présente un dialogue entre Dieu et le poète, le principe de numérotation des textes choisi par l'auteur correspondant à la répartition de la parole entre les deux interlocuteurs. Dieu guide le poète sur la voie de l'amour et la dernière section, composée d'un simple hémistiche, détache l'instant où l'expérience mystique atteint son paroxysme et où la conversion s'est opérée : « – Pauvre âme, c'est cela ! » (II, 9), dit Dieu au poète.

Dans la troisième partie du recueil, le poète est donc « Désormais le sage [...] » : « Le Sage peut, dorénavant, / Assister aux scènes du monde » (III, 1). Certains poèmes de cette section, plus anciens, échappent toutefois à ce principe de cohérence et rappellent, par la métrique ou les images, l'esthétique verlainienne antérieure, plus moderne et audacieuse, celle des *Poèmes saturniens*, des *Fêtes galantes* et, surtout, des *Romances sans paroles*.

Le titre du recueil désigne une vertu atteinte au terme d'un cheminement dont la conversion est le point culminant. Le mot de « sagesse » met cependant l'accent sur l'éthique plus que sur la religion, sur une morale du quotidien, parfois formulée d'une façon quasi enfantine : « Sois sage » (I, 2), plus que sur un élan mystique. Fulgurant, cet élan est aussi fugace et se circonscrit à la série des sonnets (II, 4). La rencontre et l'échange direct avec Dieu ne durent guère, et le poète semble en quête de figures susceptibles de relayer cette instance privilégiée. C'est ainsi que l'ardeur mystique s'assagit et s'affadit, se soldant par un ralliement au parti catholique et monarchique, avec l'adresse aux « Fils de l'Église » (I, 12) et aux « Pères saints » (I, 14), et l'éloge des « Français d'autrefois » (I, 12) et de la « France ancienne » (II, 13).

Plus personnels et intimes, certains poèmes sonnent comme des confessions dans lesquelles il est possible de reconnaître, notamment lorsque « la chair se rebiffe » (I, 2), des allusions de Verlaine à son passé, au « farouche ami » (I, 2) ou à « l'espèce d'ange » (I, 3), formules qui peuvent désigner Rimbaud, ou bien à la « sœur » qui représente sans doute sa femme Mathilde : « Ô ma sœur, qui m'avez puni, pardonnez-moi ! » (I, 15). Dans tous les cas, le passé est renié : « Ces souvenirs, va-t-il falloir les retuer ? » (I, 7), objets d'anathème, d'exhortation à l'amendement et de résolution à la pénitence.

Principe éthique, la sagesse est aussi principe esthétique : « Et comme sa morale [celle de l'âme] est claire !.../ Écoutez la chanson bien sage » (I, 16). En effet, après les audaces des *Romances sans paroles*, Verlaine renoue ici avec des formes poétiques traditionnelles. Les mètres les plus fréquents sont l'alexandrin et l'octosyllabe. La forme des poèmes est régulière et le sonnet, abondamment représenté. Les rejets : « Vous, la Rose / Immense des purs vents de l'Amour, ô Vous, tous / Les cœurs des Saints [...] » (II, 4, 4), ou les coupes asymétriques : « Et que sonnent les Angélus roses et noirs », « Et l'extase perpétuelle et la science » (II, 4, 7), viennent seuls rompre la classique ordonnance des vers. Les images, elles aussi, sont souvent conventionnelles, avec notamment le recours à l'allégorie médiévale comme, par exemple, le « chevalier Malheur » (I, 1) ou la « dame » Prière (I, 2), et la présence d'une rhétorique convenue : « Car étant ton Dieu tout-puissant, je peux *vouloir*, / Mais je ne veux d'abord que *pouvoir* que tu m'aimes » (II, 4, 3).

Certains poèmes toutefois, essentiellement situés dans la troisième partie et écrits avant 1874, rappellent le Verlaine antérieur à l'acquisition de la sagesse, celui, par exemple, du vers impair, du désespoir doux-amer dont le balancement est l'emblème favori : « D'une agonie on veut croire câline / Et qui ravit et qui navre à la fois » (III, 9). La réclusion transfigure l'espace et, à partir d'un fragment de ciel aperçu « par-dessus le toit » (III, 6), le poème s'ouvre sur un univers sans limite, à la fois intérieur, symbolique et imaginaire : « Mouette à l'essor mélancolique, / Elle suit la vague, ma pensée, / À tous les vents du ciel balancée » (III, 7). Surprenante et riche, l'image se trouve alors lestée d'une polysémie et d'un pouvoir de séduction : « L'espoir luit comme un brin de paille dans l'étable » (III, 3), dont l'engagement religieux prive par ailleurs bien des poèmes de *Sagesse*.

● *La Bonne Chanson* [...], « Le Livre de Poche », 1964 (préf. A. Blondin, p.p. C. Cuénot) ; « Poésie/Gallimard », 1975 (p.p. J.-H. Bornecque) ; « GF », 1977 (p.p. J. Gaudon) ; Genève, Slatkine, 1983 (réimp. éd. originale, préf. E. Delahaye). ➤ *Œuvres poétiques complètes*, « Pléiade » ; *id.*, Vialetay, I ; *Œuvres complètes*, Club du meilleur Livre, I ; *Poésies*, « Lettres françaises » ; *Œuvres poétiques*, « Classiques Garnier » ; *Œuvres poétiques complètes*, « Bouquins ».

A. SCHWEIGER

SAGOUIN (le). Roman de François **Mauriac** (1885-1970), publié à Paris en feuilleton dans *la Table ronde* de janvier à février 1951, et en volume chez Plon la même année.

Paule de Cernès, née Meulière, se reproche d'avoir cédé au mirage de la noblesse, ce monde inconnu qui devait lui offrir une autre vie. Affligée d'un époux répugnant, Galéas, elle ne lutte plus contre le dégoût que lui inspire son fils, Guillou. Ce petit « sagouin » s'est fait renvoyer de toutes les pensions. Et voilà que sa belle-mère la baronne n'a pas su convaincre M. Bordas, l'instituteur socialiste rescapé de Verdun, de s'occuper de l'enfant. A insinué… qu'a-t-il laissé entendre, sinon les ragots de Cernès ? Cette histoire vieille de douze ans, cette faute qu'elle n'a pas commise, mais dont on la charge à cause de ses conversations avec un jeune prêtre solitaire comme elle. L'orage gronde. Paule persuade l'instituteur, qui accepte de suivre Guillou. L'enfant pénètre dans la chambre du fils Bordas, comme dans un royaume enchanté. Mais le maître d'école écoute à peine ce petit garçon disgracié lire avec exaltation l'*Île mystérieuse*. Il revient sur sa décision. Guillou et son père disparaissent dans « l'eau endormie de l'écluse ». Malade, Paule retourne chez les siens et meurt à son tour. Quant à la baronne, elle se laisse peu à peu dépouiller par sa fille, la comtesse d'Arbis. L'instituteur a failli à sa mission.

Avec *le Sagouin*, Mauriac revient au roman après s'être désintéressé du genre pendant une dizaine d'années. Il remanie un ancien manuscrit, condense l'action sur le drame et centre la perspective sur la figure de l'enfant que tous pensent débile mais qui aurait pu s'ouvrir à la vie s'il avait pu bénéficier d'une once d'amour. Dans ce bref récit, le romancier bordelais évoque le monde conformiste de son enfance, dominé par des figures de « genitrix » impitoyables. La mère, Paule, et la vieille baronne orientent en effet l'ensemble de l'action : de leur affrontement naissent les disputes qui terrorisent l'enfant tapi dans l'ombre. Le père, défaillant, semble relégué dans les territoires de la mort : il vaque à ses occupations dans le cimetière, incapable d'échanger un propos quelconque avec son fils. Ainsi, dans ce conte sur l'enfance malheureuse, le « Sagouin » devient la victime d'un double conflit, familial et social. Paule s'oppose à sa méprisante belle-mère, figure d'un monde qu'elle hait parce qu'elle n'aime pas son mari et se déteste encore plus de l'avoir épousé. Dévoré d'ambition, l'instituteur socialiste ne veut pas se commettre avec les représentants d'un monde qu'il juge condamné. Travaillée par une sexualité inassouvie, Paule est torturée par le destin qu'elle subit et s'est infligé : elle livre un combat à mort contre ce qui la déchire. Dans un style épuré, Mauriac évoque le combat de ces âmes qui semblent perdues dans un monde sans amour. Mais, en vertu du principe de la réversibilité cher à Pascal, qui dira si Paule, qui cuve sa haine dans les vapeurs d'alcool, est une criminelle ou une martyre ? Et le Sagouin, cette figure souffrante et désespérée de l'enfant, ne vit-il pas son supplice d'enfant dégénéré pour être, finalement, régénéré ?

● « Presses Pocket », 1977. ➤ *Œuvres romanesques et théâtrales complètes*, « Pléiade », IV ; *Romans. Œuvres diverses*, « Pochothèque ».

V. ANGLARD

SAGOUINE (la). « Pièce pour une femme seule » en seize tableaux et en prose d'Antonine **Maillet** (Canada/Acadie, née en 1929), publiée à Montréal aux Éditions Leméac en 1971.

Long monologue d'une vieille femme qui « ne s'est jamais mirée ailleurs que dans la crasse des autres » et qui, au crépuscule de sa vie, livre dans une langue savoureuse, la « langue populaire de ses pères descendus à cru du XVIe siècle », son existence de misère et de peine, *la Sagouine* est d'abord, avant d'être un livre, une pièce dont le succès retentissant a consacré le talent de conteuse d'Antonine Maillet. En même temps, il a révélé au grand public la réalité de ce pays lointain, fascinant mais rude qu'est l'Acadie francophone, dont la tragique histoire, entre le « Grand Dérangement » imposé par le vainqueur anglais, et le retour obstiné vers la terre d'élection, sera narrée, plus tard, dans *Pélagie-la-Charrette* (1979).

La « Sagouine » a passé sa vie les mains dans l'eau, à « forbir » pour les riches qui l'employaient comme femme de ménage (« le Métier »). Fille de mortier, puis femme de pêcheur d'huîtres et d'éperlans, elle s'est faite également, autrefois, fille à matelots pour se nourrir (« la Jeunesse »). Les fêtes, qui ne lui permettent que de regarder « acheter pis jouer les autres », manifestent l'étendue de son dénuement (« Nouël »), que vient seule tempérer, parfois, une année d'élections propice aux générosités (« la Boune Année »). Le regard qu'elle porte sur son monde, quoique exprimé en termes frustes, ne se nourrit guère d'illusions, qu'elle évoque le gros lot dont se voit vite dépouillé Frank (« la Loterie ») ou l'emprise rigide de la religion (« les Prêtres »). Si l'odyssée de l'espace, comme l'actualité lointaine, la laissent songeuse (« la Lune »), en revanche la vente à l'encan des places à l'église retient son attention (« les Bancs d'église »), tandis que son seul souvenir de la guerre est celui des soldats qui lui donnaient de l'ouvrage (« la Guerre »). Lorsqu'on est pauvre, ne serait-ce qu'avoir des funérailles dignes devient un problème majeur (« l'Enterrement »), de sorte que la Sagouine en vient à s'interroger sur sa foi (« Le bon Dieu est bon ») et sur sa destinée (« les Cartes »). Le retour des beaux jours avive sa mémoire douloureuse (« le Printemps ») et renforce son appréhension de l'autre monde vers lequel elle avance (« la Résurrection »). Et en effet, pour la laïque, comme elle, ne sait plus nommer sa langue, pas plus que sa religion, sa race, son pays ou sa terre (« le Recense-

ment ») ; pour qui a lutté avec obstination sa vie durant à seule fin de survivre, il ne peut être qu'un souhait à l'ultime moment : trouver enfin la paix (« la Mort »).

Au travers de la voix forte et étonnante de la Sagouine qui, même si elle l'ignore, est « à elle seule un glossaire, une race, un envers de médaille », c'est tout un peuple délaissé qui cherche à s'exprimer et à manifester une identité trop longtemps niée. Si cette vieille femme de la mer, face à la mort, ne sait plus trop qui elle est ni à quel tout elle appartient, elle n'en oublie pas, pour autant, qu'elle parle « avec les mots que j'avons dans la bouche ». Et ce sont ces mots justement, humbles mais remplis de sève, leurs archaïsmes, leur syntaxe, leur rythme, que travaille et magnifie avec passion Antonine Maillet, en s'inscrivant consciemment dans la tradition orale qui assure l'existence fragile des Acadiens : « Une parsoune est ben obligée de ressembler au pays qui l'a nourrie et mise au monde. »

Le livre, cependant, vaut également par le point de vue adopté qui, comme dans la plupart des ouvrages d'Antonine Maillet, est celui d'une femme et d'une mère, en même temps que celui d'un témoin à qui l'âge a donné une distance lucide. Si « la varité a plusieurs faces », la Sagouine n'a aucun complexe à nous livrer la sienne, qui trouve ses fondements dans le bon sens et atteint souvent, l'air de rien, à la satire. À son point ultime, elle rappelle, et sans doute n'est-ce pas inutile, « qu'une parsoune qu'a pas de choix, c'est quasiment comme si elle avait point de liberté pantoute ».

● Grasset, 1976.

L. PINHAS

SAIGNÉE (la), d'É. Zola. Voir SOIRÉES DE MÉDAN (les).

SAINT GENET, COMÉDIEN ET MARTYR. Voir IDIOT DE LA FAMILLE (l'), de J.-P. Sartre.

SAINT-GLINGLIN. Roman de Raymond **Queneau** (1903-1976), publié à Paris chez Gallimard en 1948.

Tel qu'il se présente en 1948, le roman est le résultat d'un travail de réécriture mais aussi d'achèvement : selon Queneau, le projet initial remonterait à 1933, et devait comprendre cinq parties, les trois premières ayant été rassemblées dans *Gueule de Pierre*, paru en 1934, la quatrième dans *Temps mêlés*, paru en 1941 ; la cinquième, « Saint-Glinglin », donnant son titre à l'ensemble. Entre-temps, les versions des deux premiers volumes ont été profondément modifiées, les noms des personnages presque tous changés, la forme théâtrale de *Temps mêlés* abandonnée et les poèmes y figurant insérés dans *Bucoliques* (1947). Il s'agit donc non d'une simple compilation d'œuvres antérieures, mais du redéploiement d'un récit en fonction d'une continuité narrative dont le sens est donné par le titre général : la « saint-glinglin », dans son acception populaire, est la fin des temps.

Maire de la Ville Natale, où le beau temps persiste depuis des années grâce au chasse-nuages, le grand Nabonide a trois fils : Paul, qu'il garde auprès de lui, Jean, le cadet qui vagabonde dans les Collines Arides, et Pierre, envoyé à la Ville Étrangère pour en apprendre la langue. Or, Pierre délaisse ses études pour se consacrer à sa vérité : le mystère double de la Vie, qu'il a compris en observant l'existence aveugle, silencieuse et sourde des poissons cavernicoles. Mais cette vérité, il a beau l'expliquer aux Urbinataliens, personne ne l'écoute. De rage, il veut tuer son père et le poursuit dans les Collines, où celui-ci s'est enfui en apprenant la découverte qu'y a faite Jean : il a trouvé la trace d'Hélène, une sœur secrète et demi-folle, que Nabonide a séparée des hommes pour lui construire un destin heureux. La poursuite s'achève par la chute du père dans la source pétrifiante qui le statufie.

1751

Redescendu à la Ville Natale, où il a fait dresser la statue de son père pour en instaurer le culte, Pierre est devenu maire. Quatre touristes, dont l'ethnographe Dussouchel et la star de cinéma Alice Phaye, qui deviendra l'épouse de Paul, sont venus assister aux fêtes de la Saint-Glinglin, où l'on célèbre le beau temps fixe en cassant force vaisselle. Mais engagé par Dussouchel à des réformes, durant la fête de Midi, Pierre fait détruire le chasse-nuages. Il se met alors à pleuvoir, la statue se dissout, avec elle le cadavre du grand Nabonide, et Pierre, révoqué, est condamné à en sculpter une réplique en marbre. Son frère Paul le remplace comme maire. Partout ses importations de l'Étranger rendent la Ville Natale méconnaissable, tandis que les habitants se désespèrent sous une pluie incessante. Le rite de la Saint-Glinglin est également changé : le bris de vaisselle est remplacé par le spectacle des évolutions nautiques d'Alice dans le Trou d'Eau. Cependant Jean, revenu en compagnie d'Hélène, fait adopter la décision de reconstruire le chasse-nuages. Hissé à son sommet, Jean finit par mourir d'inanition, ainsi que Pierre, de dépit devant sa statue mutilée ; Hélène s'enfuira dans les Collines Arides, Paul et Alice à l'Étranger. Mais sur la Ville Natale de nouveau règne le beau temps fixe tandis que sont renouvelées les fêtes de la Saint-Glinglin.

Saint-Glinglin est un roman à tiroirs multiples, parmi lesquels le plus plein, et le plus plaisant, est sans doute celui de la fable ethnologique (faut-il rappeler l'amitié qui liait Queneau à Leiris ?). Si bien qu'on a pu dire du roman qu'il « cannibalisait » l'*Essai sur le don* de Marcel Mauss. De fait, la Ville Natale se révèle un véritable conservatoire des mœurs et des coutumes d'une ethnie urbaine : on y boit du « fifrequet » ou du « trapu », on y mange les jours de fêtes de la « brouchtoucaille » (dont la recette est scrupuleusement notée), la monnaie se divise en « turpins » et « ganelons », l'unité de mesure est la « lieue urbinatalienne » (1, 50 m). Comme dans toute ethnie endogène, les objets venus de l'« Étranger » sont détournés de leur fonction d'origine. Ainsi, du club de golf offert à Zostril : « C'est les trucs de là-bas. On ne sait jamais trop avec ces gens-là. Il paraîtrait que ça sert à faire des trous dans le gazon. » Enfin, le tribalisme ne s'exprimant jamais mieux que dans les fêtes, la Saint-Glinglin constitue le moment anthropologique le plus fort du roman, le bris de vaisselle correspondant au « potlatch » des ethnologues, ce don ostentatoire par lequel le propriétaire détruit rituellement ses richesses. Toutefois, le regard ethnologique est l'objet d'une remise en question caustique par le personnage de Dussouchel, dont l'enquête est au mieux hypertrophie touristique, et au pire le ferment d'une dissolution des traditions, puisqu'il est à l'origine du bouleversement atmosphérique qui va mettre en cause les conceptions urbinataliennes du monde.

Cependant, on aurait tort de prendre *Saint-Glinglin* pour une fable superficielle, où Queneau se serait plu à mêler érudition et parodie, vague critique des méthodes ethnologiques et satire à la Swift. C'est d'un roman tissé d'angoisse qu'il s'agit. Annoncée dès les premières pages par la méditation de Pierre sur les poissons, l'angoisse est constitutive de l'existence, encore nommée l'« ogresistence », l'« hainesistence » ou « l'aiguesistence ». Hors l'espace rassurant de la ville, où, d'après Paul, seul l'homme peut s'accomplir (en ce sens le roman réaffirme l'attachement de Queneau au déchiffrement urbain plutôt qu'au défrichement rural), il n'y a plus que l'inconscience du biologique, « l'Épouvante, le Silence et les Ténèbres ». Ainsi, face à la raie, au homard ou à la moule, Pierre connaît le même vertige, et la même nausée, que celle du Roquentin de la **Nausée* face à une racine proliférante : « Lorsque je réalise le fait de cette aiguesistence, je défaille. Lorsqu'on a dépassé ce premier rapport [...] on constate qu'il signifie la réalité même, c'est-à-dire l'Inhumain. » Aussi le roman tend-il à montrer de quelle origine heureuse et végétative l'homme s'est éloigné et comment il essaie de la réintégrer. D'où la répartition de l'espace du roman en trois lieux, qui sont trois points d'origine : l'aquarium, où se manifeste dans le silence, l'immobilité et l'obscurité, le vrai sens de la vie, face à l'opacité bavarde et turbulente du monde des hommes ; les Collines

Arides, où une minéralité pétrifiante assure une forme d'éternité surhumaine, que redouble la forme incantatoire des versets qui les décrivent (« le Caillou ») et qui ne sont pas sans faire songer au lyrisme d'*Ainsi parlait Zarathoustra* ; la Ville Natale enfin, où le beau temps qui règne est la métaphore d'un âge d'or vécu ici par une communauté humaine. Aussi n'est-il pas indifférent de noter que l'année précédant la publication de *Saint-Glinglin*, Queneau avait réuni et publié les leçons d'A. Kojève sur *la Phénoménologie de l'esprit* de Hegel. Comme la *Phénoménologie*, *Saint-Glinglin* manifeste l'intention de faire le récit de l'Histoire, à partir d'un au-delà qui l'achève ; mais dans la mesure même où l'œuvre de Hegel est inscrite dans l'Histoire tout en assumant le risque d'en affirmer l'accomplissement, *Saint-Glinglin*, racontant les efforts de trois personnages pour sortir de l'Histoire et leur échec, assume celui de dire, malgré l'apparent « beau temps fixe » d'une forme d'éternité, l'impossible achèvement du devenir, au-delà duquel il n'y aurait que la mort.

● « L'Imaginaire », 1975.

J.-M. RODRIGUES

SAINT LOUIS ou le Héros chrétien. Poème de Pierre **Le Moyne** (1602-1671), publié à Paris chez Du Mesnil en 1653.

Parmi toutes les épopées qui virent le jour dans les années 1652-1655, figurèrent plusieurs poèmes à la fois chrétiens et nationalistes, destinés à célébrer de grandes figures, en général de princes ou de rois, de la France catholique. À côté de l'*Alaric* de Georges de Scudéry, de *Clovis* de Desmaretz de Saint-Sorlin, a sa place le *Saint Louis* du père Le Moyne, un jésuite fort galant, connu pour ses conflits avec Pascal et ses multiples liens avec la société précieuse (Mme de La Suze, Montausier, etc.).

Saint Louis a repris Damiette et combat les Sarrasins (livre I). Alphonse de Poitiers vient le rejoindre et écoute le récit de ses victoires (II et III). Après un tournoi, où le roi triomphe d'un assassin (IV), l'armée française attaque. L'ombre de Saladin apparaît au sultan et lui promet la victoire en échange du sang de son fils ou de sa fille (V). Le sultan expose sa fille Zahide, qui accepte de mourir, mais est sauvée par son frère. Le Nil inonde la vallée et les Français se réfugient sur une colline (VI). Les infidèles sont repoussés (VII). Louis prie, un ange le rassure, lui fait voir le ciel et lui montre sa victoire, ses souffrances futures, et les rois qui lui succéderont (VIII). Le Nil une fois dompté par l'ange, les Français attaquent : Archambaut de Bourbon ramène au camp Zahide et sa compagne, Almasonte, dont il s'est épris (IX). Un dragon protège les Sarrasins ; une « sainte solitaire » révèle qu'Archambaut est destiné à le tuer (X) ; elle lui demande de libérer Zahide et Almasonte, ce qu'il fait ; les deux princesses combattent par erreur deux princes arabes venus les délivrer ; ils meurent tous deux, ainsi qu'Almasonte ; Zahide regagne Le Caire (XI). Archambaut vainc le dragon, et les ruses ennemies n'empêchent pas les Français d'avancer (XII). Lisamante, prisonnière du sultan, est une nouvelle Judith, qui lui coupe la tête. Les démons tentent d'arrêter les Français ; une prière de Louis les fait tomber dans le Nil (XIII). Les Français, aidés par l'ange, traversent le fleuve ; Robert d'Artois meurt au combat et est ravi au ciel (XIV). Le géant Elgasel est défait par Louis, qui attaque les éléphants dont les Sarrasins se servent comme de boucliers ; le roi est blessé (XV). Pour qu'il guérisse, il faut l'eau de la Maturée, que vont puiser Bourbon et Brenne (XVI). Louis se rétablit ; Zahide se convertit ; Robert d'Artois apparaît et annonce la victoire française (XVII). Dans le combat final, le lion et le géant qui gardaient la sainte couronne d'épines sont tués. Louis conquiert et ceint la couronne (XVIII).

Dans cette épopée chrétienne, Le Moyne a appliqué les principes qu'il développait dans la *Dissertation du poème héroïque*. Il préférait Virgile à Homère, qui lui semblait parfois s'endormir sur son ouvrage. Il admirait le Tasse, quoiqu'il lui reprochât la mollesse dissolvante des amours de Renaud et d'Armide. Il souhaitait que l'épopée fût située dans un lieu « lointain » et dans un temps « ni trop ancien ni trop moderne », et que par une fable où la vraisemblance et le merveilleux fussent étroitement unis, la valeur et la pitié d'un héros exemplaire fussent exaltées.

Il a donc choisi Saint Louis, voilé sa triste mort en Tunisie et glorifié sa conquête de la sainte couronne d'épines. Il s'est souvenu parfois de Virgile : Saint Louis, transporté au ciel, ressemble à Énée descendant aux Enfers, comme la « sainte solitaire » rappelle la Sibylle. Il s'est surtout souvenu du Tasse : les Bourbons et la famille de la marquise de Rambouillet (Vivonne et Angennes) sont célébrés, comme les Este dans la *Jérusalem délivrée* ; les anges secourent les croisés, et les démons les infidèles ; il y a des magiciens, des lions, des éléphants.

Rien de tout cela n'est aberrant ni maladroit. Le poème est fortement construit, et il est vrai, comme le voulait le poète, que les épisodes sont « bien liés » à l'action principale. L'invention et la composition sont finalement assez heureuses, et Le Moyne aurait pu nous donner une grande épopée baroque, comparable aux chefs-d'œuvre italiens. Mais son œuvre manque trop souvent de puissance poétique, et un auteur anonyme aura d'ailleurs l'idée, en 1770, de la mettre en prose... Cette épopée n'est donc qu'un beau canevas, par trop privé, malheureusement, de couleurs, d'images et d'émotion.

A. NIDERST

SAINT-SATURNIN. Roman de Jean **Schlumberger** (1877-1968), publié à Paris chez Gallimard en 1930.

Élisabeth Colombe s'éteint à Saint-Saturnin. Ses enfants, Louis, l'aîné, Nicolas, le cadet, et Jourdaine, la fille, restent dignes. Mais William, leur père, affiche une surprenante indifférence. Son esprit semble touché par les ténèbres et il fustige la pusillanimité de Nicolas, demeuré sur la propriété familiale. Les enfants s'effraient de l'influence pernicieuse que pourrait prendre sur leur père une cousine honnie, Mme Tavernier. Louis a succédé à son père et il tente d'obtenir de lui une juste répartition de ses biens. Le vieillard résiste ; les enfants parviennent à évincer Mme Tavernier. L'atmosphère se tend. Dans le pays, les louches tripotages de Cibar, homme d'affaires commandité par William, ainsi que les ambitieux, voire délirants projets de rénovation de Saint-Saturnin commencent à faire jaser. L'autorité des fils est ébranlée et Jourdaine, abreuvée d'humiliations en présence de Mme Ménerba, sa gouvernante. Le vieillard tente de fuir. Louis lui fait avouer qu'il a donné procuration à Cibar. L'homme d'affaires véreux a liquidé tous les avoirs et détruit l'œuvre de William. Les enfants, seuls, demeurent à Saint-Saturnin.

Saint-Saturnin, le titre, désigne le sujet du roman, l'éternelle lutte d'influence menée par les pères contre les fils pour la demeure qui symbolise la perpétuation de la race. L'évolution de l'action trouve son rythme dans la description d'un terroir dont la permanence défie les conflits d'argent, thème éternel de la littérature réaliste. L'ancêtre, chez Zola, est étouffé sous des oreillers par ses implacables rejetons (voir la *Terre). L'angoisse, la terreur inspirée par les générations montantes, rongent William Colombe. Il étouffe, mais se confine dans son mutisme, obsédé par les renoncements et les sacrifices que lui valut une vie vouée à l'accroissement de ses biens et à la fidélité conjugale. Schlumberger rompt la continuité de la narration en y insérant les méditations des enfants et les réflexions du père ; mais, en dépit de la multiplicité des témoignages, l'ambiguïté demeure. Certes, dès l'incipit, la mort de la mère met en branle un mécanisme inéluctable en brisant l'unité de la cellule familiale : la disparition d'Élisabeth catalyse un malaise qui préexistait depuis des années. Dès lors, il semble difficile de faire la part des responsabilités. Le narrateur mauriacien du *Nœud de vipères*, que *Saint-Saturnin* paraît annoncer, manifestera une cruauté que légitime la veulerie des enfants ; dans le roman de Schlumberger, écrit à la troisième personne, la folie de William, son obstination sénile auraient pu

peut-être se trouver conjurées si les siens avaient montré plus d'humanité et de compréhension.

● *Œuvres*, Gallimard, IV, 1959.

V. ANGLARD

SAINTE FACE (la). Recueil poétique d'André **Frénaud** (1907-1993), publié à Paris chez Gallimard en 1968.

Ce recueil reprend des textes écrits, et diffusés pour la plupart en plaquettes à tirage limité, entre 1938 et 1965 : « Poèmes de dessous le plancher » (1944-1948) et "la Noce noire" (1944-1945), publiés chez Gallimard en 1949 ; « Poèmes du petit vieux » (1944-1948), « Excrétions, misère et facéties » (1939-1949), "Le petit vieux adhère au PC" (1948), "La vie n'a pas main chaude" (1946), "Agonie du général Krivitski" (1941-1942), « Civiques » (1938-1943), « la Nourriture du bourreau » (1945), « le Matin venu » (1948-1966), "le Silence de Genova" (1961-1962), « la Secrète Machine » (1963-1965), "le Miroir de l'homme par les bêtes" (1963-1964), « Chuchotements aux oliviers » (1962-1963), "la Sainte Face révélée dans les baquets" (1965).

Dans une « Réflexion sur la construction d'un livre de poèmes » adjointe à *la Sainte Face*, Frénaud revient sur la composition d'un recueil qui permet de « faire apercevoir quelque chose des géographies secrètes d'un labyrinthe personnel » et laisse apparaître le « cheminement d'un être-en-quête » dans une « forme vivante ». Ce souci de cohérence, grâce auquel *la Sainte Face* échappe au « recueil d'inspiration diverse », présidait déjà à la composition d'*Il n'y a pas de paradis* (1962). Formés de poèmes écrits à la même époque, les deux recueils diffèrent cependant par l'inspiration.

Frénaud explique comment les « Poèmes de dessous le plancher », originellement destinés à *Il n'y a pas de paradis*, ont dû finalement être retirés en raison de leur « autonomie », pour constituer le noyau d'un nouveau recueil auquel devaient se joindre les plaquettes d'une « tonalité parente », parmi lesquelles les « Poèmes du petit vieux », l'"Agonie du général Krivitski", les « Civiques », « le Matin venu », « la Secrète Machine » et, surtout, "la Sainte Face révélée dans les baquets", qui donne son titre à l'ensemble. L'unité de l'œuvre, qui fait pendant à *Il n'y a pas de paradis* en un diptyque, est assurée par la trivialité délibérée de ses sujets, empruntés à la vie quotidienne dans sa version sordide, ainsi qu'en témoigne un impitoyable "Autoportrait" :

Triste et gras, l'œil gonflé par une perle opaque,
le verbe alourdi par les venaisons,
touffu comme une étoile louche,
tout fou comme un veau sous la lune court [...]

La poésie de circonstance elle-même montre la guerre non pas, comme chez Éluard ou Aragon, du point de vue des martyrs, mais des bourreaux ("la Nourriture du bourreau"), l'engagement politique et le communisme du point de vue des « traîtres » ("Agonie du général Krivitski"). Les valeurs esthétiques et morales sont bafouées dans un pessimisme cynique : « Excrétions, misère et facéties » mettent en scène la laideur et la veulerie. La religion, dont l'engagement politique est pour Frénaud la forme laïque, est violemment attaquée dans "la Sainte Face révélée dans les baquets" avec une sorte de rage blasphématoire :

Chair à pâté, piété dorée.
Du sang remonte par les piliers.
Hosanna ! Hosanna !
Le bois doré est vermoulu, les rats
sortiront de l'autel par le cul.

C'est en réalité la poésie que vise ce nihilisme, « parce qu'elle ne délivre pas l'homme du malheur ». Certes, *Il n'y a pas de paradis* est également traversé par la négativité, mais celle-ci s'inscrit encore noblement dans la tradition philosophique et poétique, hégélienne et mallarméenne, d'une idéalisation hantée par le manque. Ici, au contraire, la poésie est bafouée au nom d'un « prosaïsme » provocateur, comme en témoignent les « Poèmes du petit vieux », voués à la démystification ironique par un langage trivial, voire ordurier :

> Ma fille est culottière,
> le fils boit du vin blanc,
> ma femme fine fleur de cimetière
> et ne m'emmerde plus.

> ("Fin de vie")

Le poète plonge au plus profond de la médiocrité et de l'abjection « pour railler cette voix trop émouvante de la poésie », « se retourner contre soi en ricanant », dénoncer l'imposture du lyrisme. Par là, le recueil présente la « version noire » de l'idéalisme à l'œuvre dans *Il n'y a pas de paradis* : le néant, cette fois, n'est plus paré du prestige de la pureté. La tension est ainsi accrue entre l'aspiration à l'unité et, selon l'exergue à « Chuchotements aux oliviers » emprunté à Hegel, « la patience, la douleur, le labeur du Négatif ». De l'« image tragique de l'homme, surgie de ce remuement dans le prestige de la parole poétique », qui évoque la dialectique des **Fleurs du mal* entre « spleen » et « idéal », naît l'unité paradoxale de l'œuvre.

● « Poésie/Gallimard », 1985.

D. COMBE

SAISIR. Graphismes et commentaires d'Henri **Michaux** (1899-1984), publiés à Montpellier aux Éditions Fata Morgana en 1979.

Dès **La nuit remue* (1935), le poète commentait des dessins achevés « quelques mois auparavant » ; dans la suite de son œuvre, il avait consacré des réflexions à la peinture (*En pensant au phénomène de la peinture*, 1946). Cependant *Émergences-Résurgences* (1972) ouvre une nouvelle période dans sa réflexion sur le graphisme : le commentaire est tantôt postérieur au dessin, tantôt simultané ; au fil des pages se succèdent l'acte pictural et l'acte scriptural, le geste qui s'accomplit en un signe unique et la parole qui confronte ce signe à l'ordre du verbe, la calligraphie pleine de vie et le sens conventionnel (sur ce point, voir aussi *Idéogrammes en Chine*, repris dans *Affrontements*, 1986).

Les graphismes réalisés à l'encre de Chine, par grandes masses, alternent avec les commentaires qui définissent le projet pictural ou en analysent les réalisations. L'ensemble possède une forte unité : l'œuvre future s'actualise pour être commentée, le langage advient et génère le métalangage. Les dessins composent un bestiaire (insectes, quadrupèdes) et un tableau humain ; mais ces figures, de plus en plus tronquées, fantomatiques, perdent toute ressemblance avec le réel. La mimésis est remplacée par l'expressivité d'une intériorité et d'un dynamisme (action de monter, mouvement de la matière). L'œuvre, où se confrontent différents types de caractères, s'appuie sur ce devenir du graphisme pour définir la saisie comme annexion, puis ressemblance, puis geste pur qui désire et refuse l'annexion, puis acte qui accapare le sujet et le définit. Le dessin devient ainsi traduction d'une double intériorité, de l'objet et du sujet.

Henri Michaux opère constamment dans ses ouvrages un retour sur lui-même. La distance de soi à soi permet au regard et à la pensée de rechercher l'intention qui menait le moi passé. Dès 1927, le poète écrivait *Qui je fus*. *Saisir* est aussi exemplaire à cet égard : il multiplie les confrontations possibles, entre les dessins / les signes et la réalité / le référent, entre les dessins et le projet passé (« Le bestiaire d'abord. Et du mouvement, car je ne veux pas d'immobile »), entre les dessins et le résultat (« curieux », « surpris », « énigme »). Mais le lecteur, quant à lui, peut aussi avoir cette démarche comparative, et participer à cette lecture incessante ouverte par le poète et jamais terminée.

Les enjeux de ce retour sont multiples. Ils révèlent une sensibilité inquiète qui ne peut se satisfaire du spectacle familier. Cet univers cauchemardesque d'insectes et d'humains difformes exprime l'étrangeté du monde environnant. Henri Michaux refuse de réduire l'homme à son apparence corporelle : il le transperce pour retrouver son intériorité – sa sauvagerie. Cette vision de l'humain resterait banale si elle ne se doublait d'une interrogation lucide sur le créateur lui-même. En effet, dans ces mutations graphiques, le « je » narre ses propres métamorphoses « vers l'accomplissement ». Le dessin fait le portrait de l'artiste en insecte : « Me faire insecte pour mieux saisir avec pattes à crochets. » Le graphisme devient mode d'être : le geste se grave dans ce qu'il représente et acquiert, en sa singularité, parce qu'il ne peut être utilisé par autrui dans une situation identique, le statut de lettre d'un « abécédaire » unique qui diffère des pictogrammes et des idéogrammes reproductibles à l'échelle d'une culture. Le discours second, en précisant au fil de questions, de mots d'ordre (infinitifs) et de constats (phrases nominales), la nature même du langage pictural, définit une esthétique. Michaux fait du refus de la mimésis le moteur de sa gestualité. Il faut « désobéir à la forme », aller au-delà des formes convenues : « Un dessin sans combat ennuie. » Cette déconstruction épure l'individu et le rend à l'originel. Le dessin est une ascèse qui, à force de dématérialisation et d'abstraction, provoque la jonction au rythme fondamental toujours recherché par le poète, ici exprimé dans des figures de danse et des représentations de la matière. Jouant sur les frontières de l'écriture et de la peinture, Henri Michaux rappelle combien la poésie est création du corps : dans le corps du texte, la chair se fait ligne, « abrégé de cent gestes et attitudes et impressions et émotions ».

D. ALEXANDRE

SAISNES (les). Chanson de geste en vers de **Jean Bodel** (?-1210), composée à la fin du XIIe siècle, et formée de 7 838 alexandrins rimés.

Cette geste a pour sujet les guerres menées par Charlemagne contre les Saisnes [Saxons] qui ont occupé une longue partie de son règne. Cette réalité historique a été adaptée aux modes littéraires d'un âge qui avait déjà accueilli les rôles féminins.

Depuis longtemps les Saxons manifestent des prétentions au trône de France : leur roi, Justamont, a été tué par Pépin, père de Charlemagne, et le fils de Justamont, Guiteclin, reprend la lutte au moment où Charlemagne se trouve affaibli par ses expéditions en Espagne. Les troupes ennemies se rassemblent de part et d'autre de la Rune [rivière frontalière d'identification hasardeuse], quand la reine Sebile, épouse de Guiteclin, suggère d'attirer et de vaincre les Français par la séduction ; à la suite d'un neveu de Charlemagne, Baudouin, (dont Sebile elle-même s'est éprise), beaucoup de barons français traversent la Rune malgré l'interdiction de l'empereur. Les combats, d'une très grande violence, assurent le triomphe de Charlemagne ainsi que, grâce à la mort de Guiteclin, le mariage de Sebile avec Baudouin. Une nouvelle guerre est provoquée par des fils de Guiteclin : les Français en sortent vainqueurs, mais Baudouin y est tué. À l'emplacement de la dernière bataille, Charlemagne fait fonder une abbaye où Sebile se retire. La Saxe sera gouvernée par l'un des fils de Guiteclin, qui s'est converti.

La place est faite à divers points juridiques (droits de succession au trône, « chevage » [tribut] contesté par certains vassaux), aux épisodes galants, plus que courtois, qui font partie de la stratégie guerrière, au merveilleux (avec l'apparition d'un cerf blanc qui indique l'endroit où construire un pont sur la Rune) : autant de traces de préoccupations contemporaines et de matières littéraires qui ont déjà commencé à influencer la tradition épique. Mais, fidèle dans l'ensemble à l'esprit des premières gestes, qui lui fait assimiler les Saxons aux musulmans, la chanson se clôt sur l'apothéose de Charlemagne dont le triomphe est dit gravé dans la pierre à Trémoigne [Dortmund]. À ce titre, elle se retrouve, considérablement amplifiée, dans les *Chroniques et Conquêtes de Charlemagne* (milieu du XVe siècle), attribuées à David Aubert.

Un intérêt comparable pour les guerres impériales menées ailleurs qu'en Espagne se trouve dans la chanson d'*A(i)quin* (environ 3 000 décasyllabes assonancés et rimés, sans doute du début du XIIIe siècle) où, avec l'aide des Bretons, Charlemagne reconquiert la Bretagne sur le roi sarrasin A(i)quin dont prétendra descendre la famille de Du Guesclin.

● Genève, Droz, 1989 (p.p. A. Brasseur).

N. ANDRIEUX-REIX

SAISONS (les). Poème de Jean-François, chevalier, puis marquis de **Saint-Lambert** (1716-1803), publié à Paris chez Didot aîné en 1769.

Un « Discours préliminaire » donne la nature comme l'unique source d'inspiration du poète moderne : « la Philosophie a pour ainsi dire agrandi et embelli l'univers ; on peut le regarder avec plus d'enthousiasme que dans les siècles d'ignorance. » Le génie est la faculté de ressentir avec profondeur et étendue la puissance de la nature, et l'art de renouveler l'expression, à l'image d'une perception transformée. Après une invocation à Dieu (sans doute de pure convention), « le Printemps » est consacré à l'éveil de la campagne, aux fleurs, aux chants des oiseaux et à l'amour, énergie de vie. « L'Été » voit l'épanouissement dans la lumière, les joyeuses moissons, l'accablement de la canicule. Les orages eux-mêmes offrent un spectacle agréable quand ils ne détruisent pas les efforts d'une agriculture dont le poète fait l'éloge, tout en réclamant les réformes fiscales qui la libéreront. « L'Automne », saison de la mélancolie et de la rêverie, connaît aussi les joies des vendanges, avec leurs danses paysannes. Les vents et les pluies de « l'Hiver » plongent l'âme dans la tristesse : mais le paysan travaille en pensant aux récoltes qu'il prépare ; et le Seigneur, dans son château, s'adonne aux sciences et aux arts, atteignant « un plaisir réfléchi, le calme et le bonheur ».

L'œuvre s'inscrit dans une mode séculaire : Vivaldi donne les *Quatre Saisons* en 1725, avant *les Saisons* (1726-1730) de l'Écossais James Thomson que Joseph Haydn adaptera en oratorio en 1801. Le Lituanien Duonelaïtis (1714-1780) pimente les idylles de ses *Saisons* d'épisodes réalistes qui représentent la misère des paysans et la brutalité de leurs maîtres. En France même Bernis publie *les *Quatre Saisons* en 1763 ; il y prodigue les esquisses rurales colorées et sans prétention. À cette vogue « saisonnière » s'ajoutent les œuvres consacrées aux époques de la nature (dans le sillage de Buffon), aux mois, aux heures (Parini, *le Jour*, 1763-1765) : le poème descriptif et didactique aspire à remplacer une épopée en déclin, mais sans le secours d'une intrigue et d'une action ; la narration cède la place à la représentation et à l'enregistrement de la réalité. Mutation qui signale le passage de l'idéalisme à l'empirisme : le poète ne doit plus intervenir avec ses fables et ses fantasmes, mais se soumettre, en une féconde passivité, au monde qui l'entoure.

Le succès de la formule vient de sa souplesse littéraire : elle offre un cadre commode, à remplir de scènes et de tableaux, d'esquisses ou de panoramas ; s'y rejoignent l'observation du quotidien, les traditions de l'idylle ou des « géorgiques », et des accents plus nouveaux de réflexion philosophique ou de critique sociale. L'absence de contraintes syntaxiques, thématiques et même stylistiques, permet une composition additive (d'aucuns y voient un fourre-tout, une sorte de tourniquet) où alternent le sublime et le familier, le grandiose et le sentimental, avec des effets de chromatisme ou de « fondu-enchaîné » pour harmoniser la variété des registres.

Entre la fadeur bucolique (Gessner, *Idylles*, 1756) et la brutalité réaliste – qu'illustre, en Angleterre, George Crabbe avec *le Village* (1783) ou *le Registre paroissial* (1807) –, le poème descriptif est un genre périlleux ; car l'union de l'âme sensible et de la nature, état de grâce qui fut toujours le lot des grands poètes, ne se décrète ni ne se systématise à longueur de « saisons ». Saint-Lambert n'échappe pas au piège, même s'il veut rompre avec les conventions anciennes et le mécanisme didactique : « J'avais la passion de peindre », écrit-il dans son « Discours préliminaire » ; et c'est en peintre qu'il caractérise les tonalités dominantes de chaque période : « La nature, au commencement du printemps, est sombre et majestueuse ; bientôt elle est aimable et riante. Elle est grande, belle et touchante en été ; mélancolique en automne ; sublime et terrible en hiver. J'ai voulu ne donner à chacun de mes chants que le caractère de la saison que j'avais à peindre. » Malheureusement l'effet ne suit pas l'intention, les tableaux n'atteignent pas l'ampleur aimable qu'ils avaient chez Thomson, l'emphase tient lieu d'émotion, un vers sans souplesse empile des hémistiches trop réguliers.

À cette esthétique picturale, Saint-Lambert superpose une fin sociale et morale, très proche de l'idéal physiocratique ; il réévalue la vie rurale et l'agriculture aux yeux d'un public de cour et de salons : « Il est utile, surtout dans ce moment, d'inspirer aux premières classes des citoyens le goût de la vie champêtre. » L'éloge de la campagne regarde le château plus que la chaumière ; la bienfaisante activité d'une existence seigneuriale éclairée s'oppose à la fade oisiveté des anciennes pastorales : la noblesse française commence un mouvement de « retour à la terre » qui se poursuivra au XIXe siècle.

Malgré leurs défauts formels et stylistiques (objets de polémique dès la parution), malgré leur froideur, *les Saisons* obtinrent un vif succès qu'attestent de nombreuses rééditions : elles répondaient (sans le satisfaire vraiment) au besoin d'une poésie pittoresque et colorée où un sentiment vrai de la nature remplacerait conventions mythologiques et imitations de l'antique. Delille (*les *Jardins*) et Bernardin de Saint-Pierre (*Paul et Virginie*) combleront mieux ce désir d'innovation : à une crise de civilisation, Saint-Lambert ne répond que par un dessein poétique et politique trop sage.

D. MADELÉNAT

SALAIRE DE LA PEUR (le). Roman de Georges **Arnaud**, pseudonyme d'Henri Girard (1918-1987), publié à Paris chez Julliard en 1950. Film de H.-G. Clouzot, avec Ch. Vanel et Yves Montand (1952).

La Crude and Oil fore des puits de pétrole au Guatemala : l'un d'eux explose. Pour acheminer la nitroglycérine qui permettra d'éteindre l'incendie, les Yankees recrutent quatre chauffeurs parmi les aventuriers échoués à Las Piedras, une ville morte. Attiré par un salaire conséquent, Gérard Sturmer et son équipier, Johnny, se relayent au volant du camion. Le moindre choc ou une élévation soudaine de la température peuvent, en plein désert, faire exploser le véhicule de la mort. Les deux hommes luttent contre la peur qui s'installe en eux et entre eux. Les deux autres chauffeurs sont pulvérisés lors d'un accident. Impavide, Gérard tente de pallier les insuffisances de Johnny, paralysé par l'effroi et qui finit par mourir rongé par la gangrène qui attaque sa jambe blessée. Gérard parvient à destination. Mais son camion dérape sur le chemin du retour.

Le Salaire de la peur évoque l'affrontement de l'homme à ses limites, à cette peur qui l'habite et qui révèle son substrat archaïque et bestial. Loin de célébrer les vertus héroïques du courage, le dénouement accentue le caractère pessimiste de cette lutte dérisoire : mission accomplie, Gérard succombe à un accident stupide. Le destin oriente l'action dans un monde sans Dieu, livré à l'humaine déréliction. La narration se développe en suivant un schéma tragique qui s'abstrait de tout pittoresque. En effet, l'action se situe en Amérique latine, en plein désert. Le Prologue évoque l'incendie du puits, où disparaît le chef de chantier. Dès lors, la mort rôde, s'impose comme une incarnation tangible de la finitude humaine. Avec une objectivité cruelle, l'auteur évoque le dénuement moral de ces êtres tarés, livrés à des instincts primaires parce que cantonnés dans une ville transformée en un lieu d'exil, hors du monde réel, une prison au sens pascalien. Puis, la narration se concentre sur le camion de la mort. Dans cet espace confiné, les personnages sont à la fois actifs et passifs, témoins angoissés d'une nature où tout devient danger : pour diminuer les coûts, la compagnie américaine n'a voulu ni recruter des spécialistes ni faire l'acquisition de camions sûrs. Mais les deux personnages principaux n'incarnent en rien un idéal éthique, et le roman s'attache à souligner les faiblesses humaines : Gérard vit des charmes de Linda ; terrorisé, Johnny abandonne la conduite du véhicule dès que le danger s'accroît. Tendu par la volonté de survivre, Gérard triomphe sans gloire, dans une semiconscience où il se dédouble, en proie aux fantasmes de son inconscient en déroute. Rédigé dans un style âpre et réaliste, *le Salaire de la peur*, roman paradoxal de l'acharnement viril, s'impose comme une anti-épopée moderne.

● « Presses Pocket », 1984.

V. ANGLARD

SALAMMBÔ. Roman de Gustave **Flaubert** (1821-1880), publié à Paris chez Michel Lévy en 1862.

Rédigé entre septembre 1857 et avril 1862, ce roman est immédiatement postérieur à *Madame Bovary*. Flaubert, après s'être imposé l'ascèse d'un sujet moderne et d'une écriture ancrée dans la réalité quotidienne, choisit cette fois une « histoire qui se passe 240 ans avant Jésus-Christ » (lettre à Charles d'Osmoy, 22 juillet 1857) et à Carthage. L'écrivain se livre à un considérable travail de documentation : le roman s'inspire d'un récit de l'historien grec Polybe, mais Flaubert lit en outre de nombreuses études archéologiques et des ouvrages anciens ; d'avril à juin 1858, il se rend sur les lieux mêmes de son roman. Toutefois, la compilation érudite et l'examen topographique sont plutôt prétextes à rêveries que garants d'une exacte reconstitution. En effet, Flaubert a souvent été tenté par des sujets antiques et orientaux, comme en témoignent *Smarh* (1839), les trois versions de la *Tentation de saint Antoine* (1849, 1856 et 1874) ou encore ce projet caressé lors de son voyage en Orient et qui annonce déjà *Salammbô* : « L'histoire d'*Anubis*, la femme qui veut se faire baiser par le dieu » (lettre à Louis Bouilhet, 14 novembre 1850). Mais ce qui l'attire cette fois avant tout, c'est l'absence presque totale de documents sur Carthage : « Il y a des fois où ce sujet de *Carthage* m'effraie [...] par son vide » (lettre à Jules Duplan, 9 mai 1857), et donc la possibilité de se livrer à une entreprise littéraire inédite : « Moi, j'ai voulu fixer un mirage en appliquant à l'Antiquité les procédés du roman moderne » (lettre à Sainte-Beuve, 23 septembre 1862). Si la critique accueillit dans l'ensemble le roman avec réticence, de nombreux écrivains, Gautier, Hugo et Michelet notamment, témoignèrent à Flaubert leur admiration. *Salammbô* connut un grand succès commercial et engendra même toute une mode dont témoigne, entre autres, l'opéra de Moussorgski (1863).

Lors du festin offert par Carthage à ses mercenaires après la première guerre punique, Mâtho, un « Libyen de taille colossale », aperçoit Salammbô, la fille d'Hamilcar. Spendius, un esclave libéré par les mercenaires qui, échauffés par le festin, saccagent les jardins d'Hamilcar, veut pousser Mâtho à prendre la tête d'une révolte contre Carthage (chap. 1. « Le Festin »). Les Barbares vont finalement attendre à Sicca

le paiement de leur solde mais le suffète Hannon, venu leur annoncer que la cité ne peut acquitter sa dette, les met en fureur et échappe de peu à la mort. Quant à Mâtho, il est obsédé par un furieux désir de posséder Salammbô (2. « À Sicca »). À Carthage, la jeune fille souffre aussi dans son amour mystique pour la déesse lunaire Tanit, protectrice de Carthage, dont elle est la prêtresse (3. « Salammbô »). Les mercenaires assiègent Carthage et le rusé Spendius pénètre dans la ville avec Mâtho en passant par l'aqueduc (4. « Sous les murs de Carthage »). Ils volent le voile sacré de Tanit : le zaïmph (5. « Tanit »). Le chef numide Narr'Havas s'allie aux mercenaires dont l'armée, dirigée par Mâtho, écrase celle des Carthaginois (6. « Hannon »). Le suffète Hamilcar Barca revient à Carthage et prend le commandement des forces puniques (7. « Hamilcar Barca »). Il remporte la bataille du Macar (8. « La Bataille du Macar »). Toutefois, son camp est bientôt encerclé par les mercenaires (9. « En campagne »). Schahabarim, grand prêtre de Tanit, ordonne à Salammbô d'aller récupérer le zaïmph, symbole magique de la puissance de Carthage (10. « Le Serpent »). Elle s'offre à Mâtho, s'empare du zaïmph puis rejoint son père qui la donne à Narr'Havas dont l'armée s'est ralliée aux forces puniques (11. « Sous la tente »). Hamilcar parvient à regagner Carthage, de nouveau assiégée par les mercenaires qui détruisent son aqueduc (12. « L'Aqueduc »). La cité, accablée par la soif, la faim et les épidémies, sacrifie ses jeunes fils au dieu Moloch (13. « Moloch »). Hamilcar sort de la ville avec son armée et parvient à enfermer puis à exterminer les mercenaires partis à sa poursuite dans le défilé de la Hache. L'armée de Mâtho est à son tour écrasée devant Carthage (14. « Le Défilé de la Hache »). Mâtho est livré au lynchage des Carthaginois, qui célèbrent leur victoire et le mariage de Narr'Havas avec Salammbô ; cette dernière meurt brusquement lorsque le Libyen s'effondre à ses pieds, au terme de son atroce supplice (15. « Mâtho »).

Tout d'abord énigmatique, le titre du roman installe distance et différence. L'orthographe est étrange, dépayse et le signifiant impose son pouvoir d'envoûtement. Opaque et chantant, avec l'assonance en « a », l'allongement et l'ouverture de la deuxième voyelle produits par la double consonne puis la chute brève et comme suspendue dont l'accent du « ô » propose une équivalence visuelle, il s'apparente à une formule magique et fascine avant de faire sens. À cet égard, il est en parfaite harmonie avec le personnage féminin qu'il désigne. Toujours lointaine et mystérieuse, Salammbô est comme le pôle secret et sacré de ce roman dominé par la guerre et les figures masculines. Ainsi, bien que relativement peu de pages lui soient directement consacrées, hormis le troisième chapitre qui porte son nom, c'est à elle que le titre rapporte toute l'histoire. Elle n'agit guère, sauf lorsqu'elle se rend dans le camp des mercenaires pour récupérer le zaïmph, et encore la décision de cette entreprise appartient-elle à Schahabarim, mais elle est à l'origine des actions essentielles du roman : c'est pour elle que Mâtho veut conquérir Carthage ; c'est parce qu'il croit les bruits insinuant que sa fille s'est donnée à Mâtho la nuit où il a dérobé le zaïmph qu'Hamilcar accepte de prendre le commandement de l'armée carthaginoise.

Le roman souligne cette force captivante de Salammbô par une topographie symbolique. La fille d'Hamilcar est presque toujours saisie dans une position de surplomb, comme lors de sa première apparition durant le festin des Barbares : « Le palais s'éclaira d'un seul coup à sa plus haute terrasse, la porte du milieu s'ouvrit, et une femme, la fille d'Hamilcar elle-même, couverte de vêtements noirs, apparut sur le seuil. » À la fin du roman, cette supériorité de Salammbô acquiert une dimension universelle : « Ayant ainsi le peuple à ses pieds, le firmament sur sa tête, et autour d'elle l'immensité de la mer, le golfe, les montagnes et les perspectives des provinces, Salammbô resplendissante se confondait avec Tanit et semblait le génie même de Carthage, son âme corporifiée. »

En choisissant pour titre le nom de son héroïne, Flaubert suggère également la portée cosmologique et mythologique du roman. En effet, à travers Mâtho et Salammbô, entre lesquels les noms, par la sonorité et l'orthographe, tissent déjà un lien secret, se joue l'impossible union du principe masculin et du principe féminin, du feu et de l'eau, du soleil et de la lune, ou encore de Moloch et de Tanit. De même que Salammbô apparaît comme une incarnation de Tanit, déesse lunaire de la fécondité – « Elle se confondait avec la déesse elle-même » –, Mâtho s'identifie à Moloch, dieu solaire et destructeur – « À présent, le génie de Moloch l'envahissait », « Elle avait peur de Moloch, peur de Mâtho ». Ce processus de sacralisation est mis en place dès le début du roman. Après la première rencontre, le désir de Mâtho et de Salammbô est exprimé dans un registre qui excède l'humain : « Non ! s'écria Mâtho. Elle n'a rien d'une autre fille des hommes ! » ; quant à Salammbô : « Des voix m'appellent, un globe de feu roule et monte dans ma poitrine, il m'étouffe, je vais mourir ; [...] et je me sens écrasée comme si un dieu s'étendait sur moi. »

Les liens qui se tissent entre les deux personnages confèrent au roman sa portée tragique. Leur rapprochement est tout aussi nécessaire qu'il est impossible. Dès le début, un geste rituel les unit : « Elle lui versa dans une coupe d'or un long jet de vin pour se réconcilier avec l'armée. » Un Gaulois, le choix de cette nationalité correspondant sans doute à une volonté de mettre l'épisode en relation avec le mythe occidental de Tristan et Iseut par le biais du philtre magique, interprète ainsi le geste de Salammbô : « Chez nous, dit le Gaulois, lorsqu'une femme fait boire un soldat, c'est qu'elle lui offre sa couche. » À partir de là, le destin s'accomplit jusqu'à cette scène finale dans laquelle, le cœur de Mâtho ayant cessé de battre à l'instant même où le soleil a disparu dans la mer, Salammbô meurt avec en main une autre coupe, symbole de son mariage avec Narr'Havas : « Salammbô se leva comme son époux, avec une coupe à la main, afin de boire aussi. Elle retomba, la tête en arrière, par-dessus le dossier du trône, blême, raidie. » Unie à Mâtho jusque dans la mort, Salammbô ne saurait appartenir à un autre.

La guerre occupe cependant le premier plan de ce roman historique. Hormis Mâtho et Salammbô, peu de protagonistes se détachent d'une scénographie qui déploie avant tout de grandes masses humaines : d'un côté les Barbares et, en face, les Carthaginois. De part et d'autre, les figures de Spendius et d'Hamilcar sont les plus dessinées, avec celle de Narr'Havas qui oscille entre les deux camps. Plus lointaine encore, la silhouette de quelques personnages se détache parfois de la foule : celles du Gaulois Autharite ou du suffète Hannon par exemple. Pour le reste, l'écriture romanesque s'attache essentiellement à des entités collectives. Ainsi, la masse anonyme des mercenaires domine le texte à travers les « ils » : « Ils ne savaient que répondre à tant de discours », « Ils défilèrent par la rue de Khamon et la porte de Cirta », « Ils étaient joyeux de se retrouver », « Ils criaient, sautaient », le pronom indéfini « on » ou les tournures passives : « On rencontrait, à des intervalles réguliers, de petits temples quadrangulaires », « Puis les cultures se firent rares. On entrait tout à coup sur des bandes de sable. » À l'intérieur de ce grand ensemble, bigarré et pittoresque, des groupes encore s'isolent, des « malades », des « ivrognes », « les plus gais », « les uns », « les autres », surtout ceux formés par les nationalités diverses dont le texte se plaît à différencier les rites : « Les Grecs alignèrent sur des rangs parallèles leurs tentes de peaux ; les Ibériens disposèrent en cercle leurs pavillons de toile ; les Gaulois se firent des baraques de planches ; les Libyens des cabanes de pierres sèches, et les Nègres creusèrent dans le sable avec leurs ongles des fosses pour dormir. » Ces variations internes, exotiques et archéologiques, confèrent une singulière magie au roman. Elles valent moins pour leur exactitude savante que pour leur envoûtante répétition, qui fait de la matière romanesque une sorte de grande masse mouvante et colorée.

Le conflit qui oppose les mercenaires à Carthage est, à première vue, celui du désordre contre l'ordre, de la force primitive contre la rationalité, de la barbarie contre la civilisation. Face à la troupe inorganisée et instable des mercenaires, Carthage offre l'image d'une cité riche, puissante et raffinée. Toutefois, le texte démontre le caractère factice et erroné d'une telle opposition. Lors du sacrifice des enfants à Moloch, les Barbares, qui aperçoivent de loin la scène, sont « béants d'horreur ». D'ailleurs, la sauvagerie du peuple soi-disant civilisé se manifeste à maintes reprises, bien avant ce supplice que le désespoir, même aux yeux des Barbares, ne justifie pas tout à fait ; voici par exemple le traitement réservé aux mercenaires restés dans la ville après le festin : « On fit à leurs corps d'infâmes mutilations ; les prêtres brûlèrent leurs cheveux pour tourmenter leur âme ; on les suspendit par morceaux chez les marchands de viande ; quelques-uns même y enfoncèrent les dents. » Dans l'autre camp, le traitement réservé par les femmes puis les hommes aux prisonniers puniques est tout aussi horrible : « Elles les déchiraient sous leurs ongles ; elles leur crevèrent les yeux avec les aiguilles de leurs chevelures. Les hommes y vinrent ensuite, et il les suppliciaient depuis les pieds qu'ils coupaient aux chevilles, jusqu'au front, dont ils levaient des couronnes de peau pour se mettre sur la tête. » Le roman ne prend parti ni pour Carthage ni pour les mercenaires, ni pour l'ordre ni pour la révolte. Théâtre de la cruauté, il met en scène la barbarie inhérente à l'humanité et la vanité de l'Histoire qui, de destruction en destruction, se répète : l'œuvre se termine certes sur la victoire de Carthage, mais elle contient aussi implicitement sa défaite car le lecteur, s'il ignorait l'épisode retracé dans *Salammbô*, connaît l'avenir de Carthage qui sera rasée par les Romains. Avec l' **Éducation sentimentale*, Flaubert proposera, dans un contexte moderne, une vision de l'Histoire à bien des égards proche de celle de *Salammbô*.

● « GF », 1964 (p.p. J. Suffel) ; « Classiques Garnier », 1969 (p.p. E. Maynial) ; « Folio », 1974 (p.p. P. Moreau). ➤ *Œuvres*, « Pléiade », I ; *id.*, Éd. Rencontre, X ; *Œuvres complètes*, Club de l'honnête homme, II.

A. SCHWEIGER

SALOMÉ. Voir MORALITÉS LÉGENDAIRES, de J. Laforgue.

SALOMÉ. Drame en un acte et en prose d'Oscar **Wilde** (Irlande, 1854-1900), publié à Paris à la Librairie de l'Art indépendant en 1893, et créé à Paris au théâtre de l'Œuvre le 11 février 1896.

Lorsqu'il entreprend *Salomé*, Wilde ne choisit pas un sujet original : depuis un demi-siècle, en effet, écrivains et artistes ont abondamment brodé sur les quelques versets correspondants des Évangiles (Luc, III, 19-20 et IX, 7-9 ; Matthieu, XIV, 3-12 et Marc, VI, 17-29). Heine, dès 1841, avait imaginé dans *Atta-Troll* que la haine d'Hérodiade (ou Hérodias), femme d'Hérode Antipas et mère de Salomé, puisait ses racines dans une impossible passion pour Jean Baptiste : « Car elle avait jadis aimé le prophète. [...] La Bible ne le dit pas, mais le peuple a gardé la mémoire des sanglantes amours d'Hérodiade. » Plus tard Flaubert, s'inspirant des tableaux de Gustave Moreau exposés au Salon de 1876 (*Salomé dansant devant Hérode*, *l'Apparition*), élabora avec son « Hérodias » (voir **Trois Contes*) un véritable roman historique aux décors somptueux et aux enjeux politiques déterminants. Mallarmé, lui, avait été fasciné par le nom même d'Hérodiade (voir **Hérodiade*), mais c'est davantage Salomé, vierge farouche, qu'il avait en l'esprit lorsqu'il « allégorisait » la Poésie. Quant à Jules Laforgue, il supprima purement et simplement Hérodiade, faisant de Salomé non plus la belle-fille mais la fille d'Hérode Antipas avec lequel Hérodiade s'était remariée (après avoir divorcé d'Hérode Philippe, l'un des frères du tétrarque), et l'héroïne d'un étrange récit de travestissement néoburlesque (voir **Moralités légendaires*). Enfin l'on n'oubliera pas la présence de Salomé chez Swinburne (*Poésies et Ballades*,

1866), Huysmans (voir *À rebours*), Théodore de Banville, Jean Lorrain, etc. Quand Wilde commence *Salomé*, le problème est donc moins pour lui celui du « que dire ? » que du « comment dire ? ». Achevé en français à la fin du séjour parisien de 1891, relu et corrigé par Marcel Schwob, Stuart Merrill, Adolphe Retté et Pierre Louÿs, auquel il est dédié, le drame devait être monté à Londres en 1892 avec Sarah Bernhardt dans le rôle-titre mais la censure interdit la représentation, et c'est donc à Paris que Lugné-Poe créa la pièce en 1896. L'Angleterre avait pris connaissance de l'œuvre en 1894 dans une traduction de l'amant de Wilde, lord Alfred Douglas, et avec des illustrations d'Aubrey Beardsley. Mais c'est l'opéra qu'en tira Richard Strauss (création à Dresde le 9 décembre 1905), sur un livret de Hedwig Lachmann très fidèle au drame, qui assura à *Salomé* sa réputation et son retentissement mondial.

Tandis que le tétrarque Hérode Antipas et sa seconde épouse, Hérodias, donnent un festin, sur une terrasse du palais surplombant la salle, Narraboth, un capitaine syrien, s'abîme dans la contemplation de la princesse Salomé. Des soldats commentent la fête. Monte, du fond de la citerne qui lui sert de prison, la voix d'Iokanaan, annonçant la venue d'un sauveur. Arrive Salomé, que les regards insistants d'Hérode, son beau-père, ont poussée à quitter la salle : tandis qu'elle admire la lune, s'élève de nouveau la voix caverneuse. Salomé demande à lui parler, puis à voir le prisonnier. Mais les soldats lui opposent les ordres du tétrarque. Usant de sa séduction sur Narraboth, elle obtient finalement que l'on fasse sortir Iokanaan : celui-ci tout aussitôt injurie Hérode, Hérodias, Salomé elle-même qui, fascinée, crie alors son désir hystérique au prophète, provoquant ainsi le suicide de Narraboth. Mais, indifférente au drame, Salomé poursuit sa déclaration malgré les rebuffades du prisonnier, qui regagne bientôt son cachot. Entre Hérode, suivi d'Hérodias et de la cour, qui tente en vain de gagner les faveurs de Salomé. Retentit une nouvelle fois la voix d'Iokanaan. Hérodias demande qu'on le livre aux Juifs, mais Hérode s'y oppose, prétextant que c'est « un homme qui a vu Dieu ». S'ensuit un débat théologique entre Juifs et Nazaréens, où il est question d'un homme qui fait des miracles et ressuscite les morts, propos qui finissent d'effroi le tétrarque. Celui-ci, pour échapper à son trouble, demande à Salomé de danser pour lui et promet en échange tout ce qu'elle demandera. La princesse exécute alors la danse des sept voiles et réclame ensuite son dû : « Dans un bassin d'argent [...] la tête d'Iokanaan ! » Effondré, Hérode refuse d'abord, propose des pierres précieuses, le manteau du grand prêtre, le voile du Temple... Inflexible et soutenue par sa mère, Salomé obtient enfin le trophée auquel elle répète les déclarations enflammées de tout à l'heure ; puis elle baise longuement la bouche morte sous les yeux horrifiés d'Hérode qui demande à ses soldats de « tuer cette femme ».

Bien que rédigée à la fin du XIX⁰ siècle, la pièce de Wilde pourrait à merveille illustrer la dramaturgie classique française : en quelques heures d'une nuit orientale et en un lieu unique (Wilde concentre les trois espaces autour desquels Flaubert avait organisé ses trois chapitres, la terrasse ouvrant sur la salle du festin tandis qu'à l'opposé la citerne-prison permet au Baptiste d'être présent de la voix), une action chargée somme toute de « peu de matière ». Et qui fait songer au quadrille infernal d'*Andromaque* : Narraboth désire Salomé qui désire Iokanaan qui est absorbé dans sa passion pour l'au-delà... Bien que Wilde l'ait baptisée « drame », *Salomé* apparaît davantage par sa rigueur comme une tragédie : tragédie de la fascination à travers une succession de regards sur lesquels pèsent autant d'interdits. Regard amoureux de Narraboth qu'un jeune page tente de prévenir (« Il ne faut pas la regarder... Il peut arriver un malheur »), regard morbide de Salomé auquel répond le refus de Iokanaan (« Je ne veux pas te regarder, je ne te regarderai pas »), regard libidineux du tétrarque, qu'Hérodias ne cesse de dénoncer (« Je vous ai dit de ne pas la regarder »). Et Salomé dans son hystérie finale résumera le drame à ce regard refusé par Iokanaan qui, s'il eût été consenti, aurait permis l'impensable union : « Ah ! pourquoi ne m'as-tu pas regardée, Iokanaan ? Si tu m'avais regardée, tu m'aurais aimée. » Mais cet interdit du regard se double chez Iokanaan d'un interdit moral – toutes ses imprécations se réduisent à

maudire la « fille de Babylone », la « fille de Sodome » –, qui force Salomé à la « monstruosité » : tenter, comme le dit Hérode, de commettre à travers le prophète un « crime contre un Dieu inconnu » en un simulacre d'union *post mortem*. Ainsi Wilde renouvelle-t-il le conflit traditionnel d'éros et thanatos en même temps que l'histoire de Salomé, faisant de la fille d'Hérodiade une héroïne à part entière et non plus le simple jouet des ambitions de sa mère. À l'ensorcelant corps de la tradition, il ajoute une parole envoûtante, faite d'incantations et de sarcasmes, violente en ses mots, musicale par son rythme saccadé et répétitif. Plus que Jean Baptiste, réduit ici à la pure apophétie, Salomé apparaît ainsi comme la véritable prophétesse du drame : « Je baiserai ta bouche, Iokanaan », crie-t-elle au prisonnier en un lancinant refrain. Prophétesse d'un érotisme très « décadent », qui fascinait déjà, sur les toiles de Moreau, l'esthète Des Esseintes « par son charme de grande fleur vénérienne, poussée dans des couches sacrilèges, élevée dans des sphères impies » (*À rebours*).

● Les Pavillons-sous-Bois, Éd. Resouvenances, 1984 ; *Œuvres complètes*, Mercure de France, 1992, I ; « GF », 1993 (p.p. P. Aquien). Pour l'opéra de Strauss : texte du livret en version bilingue dans l'*Avant-Scène Opéra*, janv.-fév. 1983.

D. COUTY

SALON DU WURTEMBERG (le).
Roman de Pascal **Quignard** (né en 1948), publié à Paris chez Gallimard en 1986.

Le narrateur, Charles Chenogne, se rappelle les années soixante, son service militaire avec son camarade Florent Seinecé, marié à Isabelle (« Ibelle »), leur petite fille, Delphine, et les week-ends passés chez Mme Aubier, professeur de musique (I. « La Maison de Saint-Germain-en-Laye »). Souvenirs d'août 1964 : comment, après avoir rejoint les Seinecé en Provence, le narrateur a succombé aux charmes d'Ibelle (II. « Le Cabanon au-dessus de Bormes »). 1965 : les Seinecé divorcent. Delphine est confiée à son père. Charles et Ibelle mêlent leur orageuse passion aux brumes normandes, puis soudain se séparent (III. « La Villa de Saint-Martin-en-Caux »). 1965-1975 : c'est l'époque de la solitude, puis de la dépression. Le narrateur se retire dans une maison de campagne et se consacre à ses activités de musicien (IV. « La Muette sur les bords de la Loire »). 1977 : sa sœur meurt en Allemagne, comme leur mère, des suites d'un cancer. À Paris, il retrouve Seinecé. Celui-ci s'est remarié avec une des anciennes élèves de Charles. Ils ont deux enfants dont l'un se prénomme, lui aussi, Charles (V. « Quai de Tournelle »). 1979 : mariage de Delphine. Charles voyage en Europe, notamment dans le Wurtemberg. Il rencontre Ibelle, devenue alcoolique, mais toujours désirable. Seinecé meurt accidentellement (VI. « La Route des grandes Alpes »). Mai 1983 : le narrateur a maintenant quarante ans. La veuve de Seinecé s'est remariée. Delphine a divorcé. Elle invite Charles dans la maison de Saint-Germain-en-Laye ; puis, en 1985, elle réunit Ibelle, la seconde épouse de Seinecé, leurs enfants et le narrateur pour d'ultimes retrouvailles (VII. « Bergheim »).

Présenté sous la forme d'une minutieuse autobiographie, *le Salon du Wurtemberg* laisse une large place à la description de la vie affective, du temps intérieur, des rapports complexes qui se tissent entre le narrateur et les personnages dont se nourrit son « rêve éveillé ». Sans jamais sombrer dans la complaisance narcissique, tentation du genre qu'il dépasse avec ironie, Charles Chenogne se situe naturellement au centre d'un microcosme sentimental constitué par son milieu familial, son double héritage culturel allemand et français, ses diverses compagnes, enfin, autour desquelles gravitent parfois mari et enfants. Ainsi, dès le début du roman, la personne du narrateur, qui était alors un tout jeune homme, apparaît comme inséparable de ceux qu'il côtoie : par-dessus tout, Seinecé et Ibelle. À partir de cette situation triangulaire, Pascal Quignard va orchestrer une série de variations sur le thème des désordres du cœur et de l'esprit.

Tout-puissant, omniprésent, le désir est en effet le fil conducteur du livre. Apparemment destructeur, il conduit à la rupture des liens sociaux, aux déchirements névrotiques ou à la projection d'images délirantes. Mais il est aussi ce non-dit, cette nébuleuse de souvenirs incertains, de comportements indéfiniment répétés, sur la base desquels s'édifient les mythes fondateurs de la personnalité. Dans ce roman musical où l'écoulement du temps semble rythmé par la chronologie spatiale (chaque partie s'organise autour d'un lieu privilégié que souligne le sous-titre), il n'est d'autre vérité que celle des événements intimes. Comment l'appréhender ailleurs que dans le langage de la mémoire qui transforme la réalité plus qu'il ne la déforme ? « J'avais l'impression de revenir sans cesse, l'impression d'être un perpétuel revenant – qui hallucinait de sempiternels souvenirs. » C'est à travers cette patiente alchimie, voire en jouant avec les mots, que l'être se cherche, tâtonne et peu à peu se construit, non sans hésitations. Le salon de Saint-Germain était-il bleu ou rose, de la couleur du couchant, teinte qui s'est gravée dans l'univers mental du narrateur ? Le biscuit de la cheminée représentait-il un satyre qui poursuit une nymphe ou Psyché qui cède à Éros ? Cette mise en scène de fantasmes actuels se superposant aux plus lointaines configurations maternelles du salon de musique – le salon du Wurtemberg – résume de façon symbolique la problématique du désir : l'amour est fuite autant que conquête ; l'écriture, un éternel retour au paysage de l'enfance.

● « Folio », 1988.

B. VALETTE

SALONS. Écrits de critique picturale de Denis **Diderot** (1713-1784), publiés à Paris dans la *Correspondance littéraire* de Grimm entre 1759 et 1781, et séparément et souvent imparfaitement dans divers recueils et revues entre 1795 et 1857. Ils ont été réunis dans l'édition Assézat des *Œuvres complètes* de Diderot, à Paris chez Garnier en 1875-1877.

Les *Salons* rassemblent les jugements critiques portés par Diderot, à la demande de Grimm, sur les œuvres d'art présentées aux expositions organisées tous les deux ans par l'Académie royale de peinture et de sculpture de 1759 à 1771, puis en 1775 et en 1781. Ils sont donc au nombre de neuf, de dimensions très inégales, et leur forme est calquée sur celle du livret de l'exposition, où les tableaux étaient rangés par ordre hiérarchique décroissant, allant des « officiels » de l'Académie aux simples « agréés ». Les plus importants sont le *Salon* de 1765, accompagné à sa parution d'un *Essai sur la peinture*, et le *Salon* de 1767. Au *Salon* de 1781 étaient jointes des *Pensées détachées sur la peinture*.

Salon de 1759. Rapport à Grimm, sur un ton primesautier, qui dénote déjà, sinon le spécialiste, du moins l'amateur d'art éclairé. Salon de 1761. Ayant pris goût à la critique, Diderot commence à ébaucher sa théorie sur la peinture. Salon de 1763. Le « salon » est devenu un exercice littéraire, Diderot s'efforçant d'atteindre à « une variété de style qui répondît à la variété des pinceaux ». Salon de 1765. Désormais, l'écrivain se pose en rival du peintre en tâchant de rendre par sa plume la nature représentée dans le tableau. Salon de 1767. Ce salon très riche commence par une adresse à Grimm ouvrant la réflexion sur le beau qui passe dans tout le livre. Salon de 1769. Renonçant à ses ambitions littéraires, Diderot revient à la forme épistolaire pour se livrer à un bref compte rendu critique. Salon de 1771. Texte hétérogène, constitué d'une lettre cérémonieuse et de notes lapidaires entrecoupées de pointes irrévérencieuses. Salon de 1775. Dialogue qui oppose Diderot au peintre Saint-Quentin, très sévère à l'égard des œuvres présentées par l'Académie. Salon de 1781. Suite de notations rapides de Diderot, accompagnées de « quelques notes de son copiste ».

Cet inventaire des *Salons* est révélateur : il nous livre l'évolution de Diderot, des réactions primaires devant les œuvres à un engagement critique de plus en plus marqué, qui culmine en 1767 et qui sera suivi d'un désintérêt progressif, traduit par les négligences formelles d'écrits s'apparentant plus au collage qu'à l'essai critique. Diderot, peu à peu, fait son apprentissage de critique d'art, acquérant des notions techniques de plus en plus précises, et, dès 1765, on peut trouver chez lui des analyses fines et nuancées de l'œuvre de peintres comme Van Loo ou Falconet. Au fil des *Salons*, on voit ainsi naître et prendre forme les idées esthétiques chères à Diderot sur le rôle de l'unité, de l'émotion et de la vérité en art, à l'occasion de cas particuliers, tel ce site peint par Vernet : « Ce ciel orageux et obscur, ces nuées épaisses et noires ; toute la profondeur, toute la terreur qu'elles donnaient à la scène ; la teinte qu'elles jetaient sur les eaux ; l'immensité de leur étendue ; la distance infinie de l'astre à demi voilé dont les rayons tremblaient à leur surface ; la vérité de cette nuit, la variété des objets et des scènes qu'on y discernait ; le bruit et le silence ; le mouvement et le repos ; l'esprit des incidents ; la grâce, l'élégance, l'action des figures ; la vigueur de la couleur ; la pureté du dessin ; mais surtout l'harmonie et le sortilège de l'ensemble » (*Salon* de 1767).

Les *Salons* sont intéressants aussi parce qu'ils constituent un genre littéraire hybride, qui pose les problèmes originaux des rapports entre la peinture et le théâtre, entre la peinture et la poésie. Sous la plume de Diderot, de manière étonnante, la peinture se dramatise et se poétise, tout comme son œuvre littéraire a tendance à se picturaliser : « Théâtre dans un fauteuil, dira R. Lewinter, les *Salons* sont aussi, et avant tout, poésie. » Mais si Diderot dialogue avec les principaux artistes de son temps, notamment Chardin et Greuze qu'il affectionne particulièrement, si de la sorte il entre en familiarité avec les mouvements profonds de la sensibilité contemporaine, on ne voit pas qu'il ait pressenti, à travers ses impulsions contradictoires, l'évolution de la peinture du XVIIIᵉ siècle, encore moins qu'il ait défendu des positions novatrices susceptibles de l'encourager.

● Oxford, Clarendon Press, 1957-1965 (p.p. J. Seznec et J. Adhémar). ➤ *Œuvres esthétiques*, « Classiques Garnier » (extraits) ; *Œuvres complètes*, Club français du Livre, *passim* ; id., Hermann, XIV-XVI (p.p. E. M. Bukdahl, M. Delon, A. Lorenceau, G. May).

S. ALBERTAN-COPPOLA

SALUT (le). Voir MÉMOIRES DE GUERRE, de Ch. de Gaulle.

SALUT GALARNEAU ! Roman de Jacques **Godbout** (Canada/Québec, né en 1933), publié à Paris aux Éditions du Seuil en 1967.

« Cahier numéro un ». François Galarneau, le « roi du *hot dog* » tient un snack-bar sur le bord de la route. Il a très tôt abandonné ses études alors que l'un de ses frères, Jacques, partait en France poursuivre les siennes et que l'autre, Arthur, entrait au séminaire. En plus de faire « les meilleures saucisses grillées à dix milles à la ronde », François écrit, encouragé par sa compagne Marise. Derrière son stand, il se sent libre de refaire le monde à sa guise. D'abord serveur, il a été commis dans un magasin d'appareils ménagers à Lévis, où il a vécu son premier grand amour et sa première blessure amoureuse avec Louise. Jacques, qui écrit des textes pour Radio-Canada, est d'accord pour corriger les fautes du livre à venir. Reste à déterminer le contenu. Marise voudrait une histoire policière : « C'est dans *Écho-Vedettes* qu'elle prend toutes ces idées. » François voudrait devenir ethnographe (« Mon snack-bar, c'est peut-être le carrefour idéal pour faire un baptême de coupe dans la populace »). Il se souvient de son père qui vivait le jour en buvant de la bière sur son bateau, de sa mère qui vivait la nuit en mangeant du chocolat et en lisant des romans-photos, du grand-père Aldéric. Nerveusement, il suce sa « *ball-point* » tous les soirs dans la salle à manger pour remplir les deux cahiers achetés par Marise. Le premier est fini.

« Cahier numéro deux ». Marise a eu un accident, elle est à l'hôpital, mais quand François arrive, elle est déjà partie avec Jacques. Une brouille met fin à l'histoire avec Marise. François fait venir les maçons pour murer la maison et demande au notaire de vendre son établissement. Emmuré, il s'écrit des lettres, mange des biscuits, enterre Marise sous les mots, dialogue avec un des personnages de son roman. Dehors les enfants jettent des pierres en criant « Galarneau le fou ». Il regarde la télévision, étudie les spots publicitaires qui lui parlent du monde de l'autre côté du mur. Entre vivre et écrire, il ne veut pas choisir : il veut « vécrire ».

D'un roman à l'autre, Godbout ébauche par touches successives un portrait type du Québécois. Dans cette galerie de portraits, François Galarneau est sans aucun doute le plus truculent. Ethnographe depuis son stand de *hot dogs*, il dissèque avec verve la société québécoise, l'instruction qu'elle dispense « qui ne vaut pas un déplacement à bicyclette », la foi où excelle son frère Arthur (« Il a fait de la charité un système commercialement rentable »), les publicités de sa télévision calquée sur celle des États-Unis qui traduisent une obsession de l'hygiène. Ces trois domaines, cibles de choix pour l'exercice de ses talents de polémiste, incarnent aux yeux de Galarneau l'obscurantisme et les discours didactiques qu'il exècre.

L'œuvre est une variation sur le thème de la séparation, les amours contrariées formant le sujet principal des romans de Godbout. Galarneau répète l'échec sentimental du *Couteau sur la table* (1965) : raté du « cours classique », il est aussi un raté du cœur, trahi par les deux femmes, Louise et Marise, qui croisent sa vie. Le couple parental est lui aussi séparé. L'image du père apparaît entièrement dominée par l'irresponsabilité ; sa défection vis-à-vis de la mère autorise pleinement la passion de François pour cette femme délaissée, abandonnée à elle-même.

À l'époque où paraît le roman, la littérature romanesque du Québec met fréquemment en scène le personnage de l'écrivain. Mais Galarneau n'a au départ aucune vocation particulière. Fonctionnelle et utilitaire, l'œuvre à venir lui apparaît d'abord très prosaïquement comme une publicité possible pour son petit commerce. Cependant il se prend au jeu de l'écriture, en connaît les transes et en découvre bientôt le revers : la coupure avec la vie. Mais l'écriture est aussi un refuge, un rempart – au sens propre du terme, représenté par le mur –, contre la vie, contre les trahisons et les échecs. Roman initiatique à plusieurs titres, *Salut Galarneau !* dessine l'itinéraire vers la « vécriture », le cheminement vers la maturité et l'accomplissement de soi. François construit sa propre libération à coups de mots ; protégé par son mur, il peut instaurer une distance avec le monde.

Le roman se conclut sur un thème universel : celui de la contradiction apparemment irréductible entre vie et écriture. Un écrivain est né à la fin de *Salut Galarneau !*, qui reconstitue l'histoire de sa naissance ; une naissance qui se veut l'allégorie de l'éveil du peuple québécois. La recherche d'identité, chez Jacques Godbout, ne va pas sans une définition du collectif. La question nationale québécoise est au cœur de son œuvre comme un passage obligé : « Il n'y a au Québec qu'un seul écrivain : nous tous. La littérature québécoise est un texte unique », écrivait Godbout dans un article intitulé « Écrire » paru en novembre 1971 dans *Liberté*. Son œuvre dit la vanité de tenter une création littéraire personnelle dans un pays sans identité qui condamne l'écrivain à faire d'abord et avant tout œuvre collective, à participer au « texte national », à se soumettre au « service littéraire obligatoire ».

La narration légère, vivante, emprunte à l'esthétique du journal intime, à la technique du montage cinématographique. L'écriture, nerveuse, refuse l'introspection, la psychologie et livre bruts des personnages dont les bons mots, les calembours et les facéties dissimulent souvent une conscience aiguë du tragique. Godbout a le sens de la formule, de la phrase lapidaire, de l'impertinence pour aborder les sujets les plus graves.

Ce roman d'inspiration typiquement québécoise est une des réussites de la production littéraire de la « Belle Province » au cours des années soixante.

● « Points », 1980.

C. PONT-HUMBERT

SAN FRANCESCO A RIPA. Voir CHRONIQUES ITALIENNES, de Stendhal.

SANG ET LUMIÈRES. Roman de Joseph **Peyré** (1895-1968), publié à Paris chez Grasset en 1935. Prix Goncourt.

Après six années de triomphe, Ricardo, malade, vieilli, ne ressemble plus à la vedette des arènes qu'il fut jadis. Le sort l'accable : malversations de son fondé de pouvoir ; mort prochaine de sa femme dans un sanatorium ; et, surtout, exigences de Marilena, qu'il adore sans parvenir à s'en faire aimer. La coterie de Ricardo tente, en vain, de le persuader de reprendre l'habit de lumière. Mais, dans Madrid menacée par la révolte du communisme libertaire, se confirme la nouvelle de l'incendie de sa propriété par les ouvriers. La ruine menace et Marilena accumule les dettes. Subjugué par la jeune femme, Ricardo signe deux contrats avec Noguera, un homme d'affaires véreux. Début mars 1934, la réouverture de la vieille Plaza se révèle funeste au Niño, petit torero à peine remis d'une blessure, qui, sous les huées, s'embroche sur les cornes du monstre. La presse mène une campagne de dénigrement contre Ricardo. Il achève sans gloire son premier combat. Lors du second, le public s'acharne sur l'ancienne idole, accusée de voler ses victoires. Désespéré, affaibli, Ricardo retrouve, dans un sursaut, son ancienne prestance, puis s'effondre, éventré par la bête.

À l'inverse des récits qui célèbrent l'énergie virile et les vertus tauromachiques, *Sang et Lumières* est le roman d'une déchéance, celle du torero qui ne croit plus au combat, et celle de l'homme qui succombe à une passion aliénante et dégradante. Les deux intrigues se mêlent étroitement : Marilena, la dévoreuse, accule Ricardo dans l'arène. Très vite, le narrateur-acteur soupçonne le drame : Ricardo a perdu la maîtrise de son destin. Le sens symbolique du récit s'impose à l'évidence : miné par sa relation avec une femme immorale, Ricardo ne parviendra plus à s'imposer dans un monde impitoyable qui ne s'incline que devant la force. La mythologie taurine cède la place à la lutte éternelle de Samson et Dalila. Bien éloigné des évocations fastueuses de l'arène et de la transfiguration du héros, Peyré évoque les tracasseries, les obligations multiples de Ricardo et la collusion de ses proches, qui le pillent sans pitié. Le monde taurin navigue entre les bars où l'on boit, où l'on écoute des flamencos, et le cirque où s'engage une mise à mort fatale pour ces hommes que leurs précédents combats ont déjà insidieusement détruits. Dans l'arène où le public se déchaîne contre Ricardo, le tragique naît de l'affrontement du torero à sa condition mortelle, aux forces obscures qui le hantent. Une mécanique implacable se referme sur lui et il ne peut satisfaire Marilena qu'en renonçant à ce qu'il est et à ce qu'il fut. L'idole ne parvient plus à se conformer au modèle de l'énergie virile et du dépassement de soi. Dans l'Espagne de 1934, les prémices des luttes futures constituent l'arrière-plan historique de cette déchéance, qui semble anticiper la décadence des valeurs humanistes.

● « Les Cahiers rouges », 1988.

V. ANGLARD

SANG NOIR (le). Roman de Louis **Guilloux** (1899-1980), publié à Paris chez Gallimard en 1936.

Classé dans la catégorie des « romanciers à idées », Guilloux s'inscrit aussi dans la tradition populiste d'un Jules Vallès : *le Sang noir*, dont l'action se situe en 1917, reste à cet égard significatif de l'attachement de l'auteur aux luttes idéologiques du temps. Le scepticisme cynique de Cripure (dont le pessimisme et l'individualisme trouvent leur origine en Georges Palante, penseur libertaire qui exerça, jusqu'à son suicide en 1925, une influence déterminante sur Guilloux) semble prémonitoire, puisque c'est seulement en 1936, un an après la publication de ce roman, que Guilloux effectua avec André Gide un voyage en URSS : il en conçut une immense amertume qui correspond, *a posteriori*, au prophétisme désenchanté de Cripure. Antiscolaire, antimilitariste et antichauvin, le vieux professeur de philosophie du *Sang noir* aux yeux de qui toute croyance est suspecte (« Je détruis toute idole… Les paradis humanitaires, les édens sociologiques, hum ! »), eut un tel retentissement que Guilloux rédigea une version scénique de son roman sous le titre de *Cripure* (1962), qui fut créée en 1967 dans une mise en scène de Marcel Maréchal.

Un matin de 1917, M. Merlin, surnommé Cripure (allusion à la *Critique de la raison pure* dont il parle beaucoup en classe), est une nouvelle fois victime des brimades de ses élèves, qui ont dévissé les écrous de son vélo. Vieil homme bougon aux pieds difformes, il partage son existence misérable entre sa maîtresse et servante Maïa (qui le trompe avec Basquin), ses petits chiens, le lycée et le bordel. La visite de son fils Amédée, de retour du front, réveille en lui le souvenir demeuré intact du jeune homme et ancienne épouse de Cripure, dont celui-ci espère encore le retour, vingt ans après leur séparation. La petite ville de province se prépare à décorer Mme Faurel pour les soins apportés aux blessés de guerre. Lucien Bourcier refuse quant à lui d'assister aux réjouissances ; cet ex-lieutenant d'infanterie trouve en Cripure un allié solide que le dégoût de soi mène, comme chaque après-midi, au bistrot où il monologue quand il ne revit pas à voix haute les épisodes malheureux de sa vie passée avec Toinette, époque où ses espoirs n'étaient pas encore déçus. La cérémonie de la décoration bat son plein, mais une émeute de soldats, menée au cri de « À mort Poincaré ! », donne bientôt raison à l'antimilitarisme du professeur. Un collègue, Nabucet, se promet de « mater » les mutins, ce qui lui vaut d'être giflé par Cripure, qu'il provoque aussitôt en duel. Gagné aux arguments de Moka, son fidèle répétiteur et ami, Cripure accepte pourtant après que ses chiens ont dévoré la *Chrestomathie du désespoir*, le grand ouvrage de sa vie, humilié d'avoir été privé d'une occasion de témoigner de son courage, se donne la mort d'un coup de revolver.

En 1917, alors qu'à l'Est la révolution russe éclate et qu'à l'Ouest les soldats se mutinent, un vieil ours idéaliste, anarchiste et rêveur, crève lentement de ses contradictions : lorsque ses élèves s'en vont rejoindre Lénine ou quand ils partent au front, peut-il encore rédiger son essai philosophique et vivre en reclus ? L'enseignant-philosophe du *Sang noir* incarne toute la haine éprouvée par Guilloux vis-à-vis de l'École. Associé à une culture de gauche, l'accès au savoir, espérance d'avant 1914, n'est-il pas devenu l'allié de l'injustice quotidienne ? Les collègues de Cripure, Robillard et sa provision de sujets de compositions patriotiques, Bobinot qui fait rimer « madrigal » et « général », l'abject Nabucet et sa haine de l'étranger, sont-ils autre chose que d'odieux fantoches ? Cripure, figure de l'intellectuel pédagogue, n'est pas mieux loti : l'« anti » est aussi un nanti (« Le vieil anarchiste, il a tout de même des économies en banque, et c'est aussi un propriétaire »), dont la lutte contre la morale bourgeoise ne va pas sans compromission. L'« original » aux idées subversives n'est au fond qu'un imposteur, n'enseignant, selon ses propres mots, que « philosophia, blagologia, hypocritologia ». Cette ambivalence se retrouve au sein du roman dans l'opposition entre Lucien Bourcier et Cripure. Lorsque Lucien, se libérant de l'emprise de ses parents, refuse d'assister à la cérémonie en l'honneur de Mme Faurel, il se réfère à Lénine, à un contexte militant et doctrinal qui valut à Guilloux un éloge appuyé d'Aragon (Marcel Maréchal, dans sa mise en scène de *Cripure*, insista pour que, sur la bande sonore du spectacle, les chants révolutionnaires fussent interprétés par les chœurs de

l'Armée rouge). Mais la Russie léniniste est à Lucien ce qu'est Java pour Cripure : un projet inabouti, qui fait écho au ralliement à la cause des bolcheviks, en 1917, de nombreux anarchistes, syndicalistes et révolutionnaires – lesquels, pour beaucoup, quitteront le PC dans les années vingt, Lénine n'étant pas le libertaire qu'ils avaient cru.

Ces débats idéologiques, que Guilloux prend soin de laisser sans réponse, sont tous enracinés dans une réalité sociale précise, centrée autour d'un événement (la décoration de Mme Faurel, occasion de discours dont le traitement ironique, au style indirect libre, s'apparente à l'épisode des comices agricoles dans *Madame Bovary*) et d'un lieu, la cathédrale. Mais la célébration patriotique devient sous la plume de Guilloux une cérémonie funèbre, et la cathédrale est comparée à un « bœuf vautré ». Car ces scènes de la vie de province, âpre critique d'un monde qui se désagrège (Mme de Villaplane, aristocrate déchue, Kaminsky, jouisseur dostoïevskien, Nabucet – contraction de « nabot » et « poucet » ? –, Monseigneur et l'inspecteur d'académie représentent tous l'étroitesse et le conformisme d'une bourgeoisie en déclin), valent surtout comme projections de l'univers mental de Cripure. Transfigurée par le regard démystificateur du héros, la ville devient ainsi « Mortgorod », ville des morts-vivants dont les habitants ont tous des « âmes mortes », enterrés qu'ils sont dans la grisaille de leurs « maisons bourgeoises », précédées de jardinets clos par des grilles de fer ». Car le personnage de Cripure n'est pas simplement intégré à l'ensemble romanesque, il le détermine : *le Sang noir* superpose au naturalisme d'une comédie humaine où la vie apparaît comme un sinistre jeu social (au théâtre des opérations de la Grande Guerre se trouve substitué l'arrière-théâtre de cette ville livrée à des divertissements chauvins), un climat humaniste dominé par la figure tragique du professeur, ce « géant difforme à la tête trop petite », cet « orang-outang paralysé ». « Je veux couler jusqu'à l'extrême fond de la bassesse », confie Cripure qui se dit ailleurs « comme enfermé au fond d'un cachot ». C'est cette chute que le roman accompagne durant vingt-quatre heures, de frustrations en accès de désespoir, de moments de lucidité en crises de paranoïa, vingt-quatre heures au terme desquelles Cripure découvre la dissolution de tous les liens qui l'attachent au monde et à la vie. Ce « grand fantôme infirme » aux yeux de qui la pureté ne se retrouve que dans la mort, n'échappera à sa vie de « cloporte » que par la mort volontaire. Grâce à Cripure, le fantastique fait ainsi irruption dans le réalisme (l'apparition du personnage du Cloporte revient comme un leitmotiv), mais c'est toujours pour servir l'expression profonde d'un mal de vivre (« Où ne s'ennuie-t-on pas ? ») et d'une remise en question globale du monde. Le roman du « cas Cripure », savant chassé-croisé de thèmes et d'événements qui rompt la structure temporelle du récit chronologique, roman de l'échec (« La vérité de cette vie, ce n'est pas qu'on meurt, c'est qu'on meurt volé ») et de la conscience politique déçue, est bien, avant tout, le roman atypique des vérités antagonistes.

● « Folio », 1980.

P. GOURVENNEC

SANS. Voir TÊTES-MORTES, de S. Beckett.

SANS FAMILLE. Roman d'Hector **Malot** (1830-1907), publié à Paris chez Hetzel en 1878.

Parmi ses soixante-dix romans, *Sans famille*, couronné par l'Académie française, reste, avec *En famille* et *Romain Kalbris* (1869), le plus célèbre. Hector Malot s'était fait une spécialité de ces romans édifiants destinés à la jeunesse, aux côtés de P. J. Stahl (pseudonyme d'écrivain de l'éditeur Jules Hetzel), Paul d'Ivoi, et la comtesse de Ségur, sans oublier l'auteur du célébrissime *Tour de France par deux enfants* (1877), de G. Bruno, pseudonyme de Mme Alfred Fouillée.

Sans famille. Précédé d'une Dédicace à Lucie, la fille du romancier, organisé en deux parties, le roman met en scène Rémi, un enfant trouvé. Recueilli par la brave mère Barberin, il est acheté par le « signor Vitalis », ancien chanteur qui possède une troupe d'animaux savants (trois chiens, dont le caniche Capi, et le singe Joli-Cœur), et les accompagne sur les routes. Un jour, après bien des vicissitudes inhérentes à la condition de pauvres saltimbanques ambulants, Vitalis meurt de froid dans les carrières de Gentilly, et Rémi se trouve alors d'autres maîtres : un jardinier, avec une fille muette, Lise. Mais ces temps heureux ne durent guère : le jardinier, ruiné par la grêle, est emprisonné pour dettes. Rémi part avec Capi pour une existence nouvelle. Il fait équipe avec Mattia, un jeune Italien violoniste. Après de nombreuses péripéties, pathétiques ou drôles, Rémi retrouve sa mère à Londres sous les traits d'une charmante dame anglaise et épouse Lise, délivrée de son infirmité. Rémi est enfin « en famille ».

Roman populaire, *Sans famille* emprunte au mélodrame nombre de ses ressorts. Plus profondément, il en adopte l'une des structures obligées : l'on va du drame familial initial à la réinsertion du héros exclu dans la société, au terme d'un parcours initiatique orienté par les merveilleux hasards jalonnant l'itinéraire d'un être voué aux rencontres prédestinées. Ce trajet prend en outre ici la forme d'un voyage éducatif. Rémi, le jeune orphelin en quête d'une famille, est entraîné sur les routes de France à la recherche de son identité. De la jungle des villes à la mine (l'un des lieux emblématiques du roman, d'autant que l'on y assiste à une catastrophe), en passant par les campagnes et leur artisanat, Malot brosse un tableau didactique de la France.

Le thème de l'enfant perdu par le péché ou l'erreur de ses parents, et qui retrouve, après une série d'épreuves, famille, richesse et bonheur fournira au roman populaire une innombrable descendance (*les Deux Gosses* de Pierre Decourcelle, *les *Deux Orphelines* de Dennery). Mais la force du roman d'Hector Malot tient avant tout à sa forme. Comme le Jacques Vingtras (voir *l'*Enfant*) de Vallès, ami fidèle de l'auteur, Rémi est le narrateur qui raconte ses aventures à la première personne. « Je suis un enfant trouvé » : l'incipit lance un récit où domine le passé simple. Faire naître l'émotion en favorisant l'identification du jeune lecteur avec le héros : ce principe efficace entraîne également l'adhésion implicite aux valeurs illustrées par le roman. Procédant d'une réelle sympathie pour la condition populaire et pour ses victimes, ancrant son récit dans un parti pris réaliste qui lui évite de tomber dans la mièvrerie, *Sans famille* orchestre le mythe du bonheur familial, modèle du bonheur social. L'on comprend que l'école primaire l'ait pendant si longtemps érigé en œuvre exemplaire et moralisatrice. Mais ses qualités proprement littéraires (simplicité d'une langue châtiée, alternance des scènes, des descriptions et de la narration, savant dosage des clichés, etc.) justifient également ce statut privilégié.

Après le garçon, la fille. S'il n'atteint pas tout à fait le degré de popularité de *Sans famille*, *En famille*, publié à Paris chez Flammarion en 1893, adopte avec la même efficacité ses procédés mélodramatiques. Une enfant abandonnée, son parcours dans un monde difficile, l'affection pour les animaux, le travail à l'usine, les retrouvailles avec la famille : Perrine est bien la sœur romanesque de Rémi.

En famille. Organisé en deux parties, le roman met en scène la petite Perrine, dont la mère meurt, la laissant sur le pavé parisien. La vaillante petite fille, qui a dû vendre l'âne Palikare pour soigner sa mère malade, prend à pied la route du Nord. En chemin, si elle a la joie de revoir Palikare, elle rencontre toute une humanité déclassée, hostile, endurcie par la misère. Elle devient employée dans les usines de textile de M. Vulfran, à Maraucourt, berceau de sa famille. Elle vit seule dans

une hutte, se réfugiant dans ses rêves et dans la nature pour oublier le dur labeur, la faim et le froid. Mais son intelligence et ses capacités lui permettent de devenir interprète, et donc de voir souvent M. Vulfran, sur qui elle exerce de l'influence, ce qui lui vaut de nombreuses jalousies. Elle fait améliorer les conditions de vie des ouvriers avant de découvrir que M. Vulfran n'est autre que son grand-père. Et, comble de bonheur, on rachète Palikare. Il ne s'agit plus alors que de trouver un mari à Perrine pour que tous vivent « heureux… en famille ».

« La misère de l'existence n'enlevait cependant rien à la fierté de l'attitude de celle qui la portait » : tout est dit. Contrairement à *Sans famille*, le récit est ici l'apanage d'un narrateur omniscient. Il s'agit de laisser progressivement deviner au lecteur que Perrine est un être paré de toutes les vertus, et que cette victime est destinée à réintégrer le monde auquel elle appartient de naissance. Mais ce roman édifiant n'en offre pas moins que *Sans famille* un tableau de la condition ouvrière où s'exprime la compassion de l'auteur pour les humbles méritants. Si Perrine affronte rancœurs et haines, nées de l'aliénation des hommes et des femmes, elle dessille les yeux de M. Vulfran en lui faisant visiter les logements de prolétaires. Mais un dernier regard embrasse « des toits neufs à l'entour des hautes cheminées » : l'ordre paternaliste règne, la famille est restaurée, la morale et la justice triomphent.

● *Sans famille* : « Folio junior », 1980 ; « Le Livre de Poche jeunesse », 1988 (avec les illustrations originales). *En famille* : « Folio junior », 1980.

G. GENGEMBRE

SANS LA MISÉRICORDE DU CHRIST. Roman d'Hector **Bianciotti** (Argentine, né en 1930), publié à Paris chez Gallimard en 1985. Prix Femina.

Les ouvrages précédents de l'auteur (notamment *le Traité des saisons*, prix Médicis étranger 1977) avaient été écrits en espagnol. Il s'agit ici de son premier roman composé en français.

Un narrateur entreprend de retracer les derniers mois de la vie d'une femme. Âgée d'une cinquantaine d'années, Adélaïde Marèse a vécu à Paris dans le même immeuble que lui, au cœur du quartier populaire du faubourg Saint-Denis. Tous deux ont assisté un jour dans un café à une scène terrible : poussé par sa femme, le patron a tué l'employé qui répondait aux avances de leur fille Rosette, une adolescente délurée et malsaine. Dès lors, une étrange intimité s'installe entre Adélaïde et le narrateur auquel elle confie par bribes une vie de réserve et de soumission, tourmentée par l'inquiétude métaphysique. Dans ses derniers temps, Adélaïde fait doublement l'épreuve de la passion : en s'attachant à un homme modeste rencontré dans un train, M. Tenant, puis en recueillant « ce petit animal sans Dieu de Rosette, égaré depuis sa naissance, et comme acharné à se perdre ». Mais elle ne parvient pas à retrouver la trace de M. Tenant, et Rosette trahit sa confiance en organisant chez elle un cambriolage qui tourne mal. Rosette meurt ; transportée à l'hôpital Saint-Louis, Adélaïde succombe au bout de quelques jours. Le narrateur décide d'emporter ses cendres dans le village dont sa famille était originaire.

Dans la lignée de ces romans construits sur un personnage ténu, presque insignifiant, et glorifié par un narrateur qui projette sur lui ses doutes et sa violence, *Sans la miséricorde du Christ* est une réussite remarquable par la densité et la richesse, mais aussi le dépouillement janséniste de son style, par la tension morale qui s'instaure entre la tentation de l'accablement et la recherche du salut, enfin par le poids des destins qui s'y croisent. L'humanité est dessinée de manière à la fois précise et allusive : le monde interlope du café, les femmes de la terre natale, vouées à l'« hébétude immémoriale de la plaine », ou la fière Mme Mancier-Alvarez, l'aveugle qu'accompagne Adélaïde, sans qu'on sache laquelle des deux veille sur l'autre. Nombreux sont ceux qui trébuchent sur leur chemin, et s'interrogent : « Où était-elle la Rédemption ? Où, la miséricorde du Christ ? »

Adélaïde Marèse, double lointain du narrateur, exilée d'Argentine comme l'est Hector Bianciotti lui-même, est une des figures les plus abandonnées qui puissent être. En recueillant la jeune Rosette, aussi désarmée qu'elle malgré son aplomb de gamine, elle croit trouver la signification d'une vie qui a toujours hésité entre dévouement et révolte. Le narrateur, en retraçant l'existence d'Adélaïde, accepte à son tour de prendre en charge le destin d'un être qu'il connaît à peine, mais dont la vie semble détenir, de manière inexplicable, l'énigme de la sienne. Dans cette perspective, l'écriture devient un acte de foi : nourrie d'images religieuses, attentive aux tressaillements aigus de la souffrance comme aux infimes épreuves quotidiennes, elle sert la communion des âmes auxquelles elle rend un poignant hommage funèbre.

● « Folio », 1987.

C. CARLIER

SANS TITRE. Recueil de maximes et fragments de Xavier **Forneret** (1809-1884), publié à Paris chez Duverger en 1838.

Le titre, humoristique, désigne parfaitement l'entreprise de Xavier Forneret, qui intitule l'un de ses recueils poétiques *Vapeurs, ni vers, ni prose*. Mélange de pensées, *Sans titre* illustre de manière emblématique l'une des manières favorites de ce « petit romantique » exemplaire.

Sans titre, par un homme noir blanc de visage. Agencé selon l'ordre chronologique d'une année, le recueil propose une série d'aphorismes, dont les thèmes privilégiés sont la femme, l'homme, la solitude, la mort, la nuit. De « L'Idéal est un bienfait de la solitude » au « Génie, qui, comme le diamant, brille dans l'ombre », se met aussi en place par touches successives et disparates une définition de l'écrivain et de sa déréliction. Mais si « Le silence de la Nuit, c'est la pensée du ciel », une autre inspiration, noire et morbide, est à l'origine de formules telles que celle-ci : « Le cercueil est le salon des morts, ils y reçoivent des vers. » Un humour parfois grinçant donne également le ton : « Le mariage crève les yeux. » Ultime pirouette, vingt pensées – « Encore » – sont ajoutées après le mot « fin ».

En 1840, un second recueil paraît chez le même éditeur :

Encore un an de sans titre, par un homme noir blanc de visage. Le recueil reprend le même principe et rassemble les maximes de l'année 1839, de façon plus succincte. Se retrouvent des thèmes identiques, traités d'une plume plus acerbe et plus désabusée, s'il se pouvait, mais aussi plus énigmatique et sous une forme encore plus éclatée : « Journal : quel grand papier que la terre ; quels caractères que le jour ; – quelle encre que la Nuit ! – Tout le monde imprime, tout le monde lit ; – personne ne comprend. »

Parfois le sens reste en pointillé (« L'honneur est presque le remords »), parfois il brille de toute sa densité concentrée. Mais Forneret, cet « homme noir blanc de visage » (il reprend ainsi, tel un blason, le titre de sa pièce qui, le 10 mars 1837, donna lieu à Dijon à une bataille d'*Hernani* manquée : *l'Homme noir*, drame en cinq actes, 1835) privilégie l'originalité de l'expression, ciselant ses phrases comme autant de poèmes minuscules, retrouvant, dans ses meilleures réussites, l'art de La Rochefoucauld. Si l'ensemble demeure composite, il offre au lecteur le loisir de prélever des échantillons, d'établir des liaisons, de goûter tel bijou, comme : « L'Homme commet une faute en naissant, – celle de naître », qui annonce Cioran, ou : « Pour aller au but, il faut aller de côté », qui semble résumer le propos du recueil.

● *Œuvres choisies*, Arcanes, 1952 (préf. A. Breton) ; Vanves, Thot, 1978.

G. GENGEMBRE

SAPHO. Roman d'Alphonse **Daudet** (1840-1897), publié à Paris en 1884.

Jean Caussin, un jeune Provençal, rencontre à Paris chez le libertin Déchelette une très belle femme, Fanny. Cette ancienne viveuse, modèle connu sous le nom de Sapho, s'éprend de lui. Jean vit tout d'abord cette conquête avec exaltation ; puis, découvrant le passé de sa maîtresse, il s'enferre peu à peu dans le piège de la jalousie, alors que Sapho, qui n'est plus jeune, s'accroche désespérément à lui, l'enfermant dans les mailles d'une sensualité dévorante dont Jean, fasciné, ne parvient pas à se déprendre. Repoussant un mariage avec Irène, qui aurait pu le libérer, Jean décide de partir avec Fanny pour l'Amérique, où il doit trouver un emploi ; cependant au dernier moment, se sentant trop vieille, Fanny refuse de le suivre.

Sapho retrace le lent processus d'imprégnation psychologique qui mène Jean à sa perte, au terme d'une totale dégradation morale. Dédié par Daudet à ses fils « quand ils auront vingt ans », le roman avoue son projet moralisateur sans pour autant tomber dans la démonstration. Certes, l'auteur intervient pour souligner les progrès de l'asservissement de son héros, mais il ne lance pas un réquisitoire contre la faiblesse de la jeunesse. Il se borne à produire un témoignage sur un « collage » de cinq ans. Sapho incarne la femme perdue, rencontrée lors d'une fête travestie, symbole de l'aliénation du jeune provincial. Innocent et sérieux, Jean manifeste une faiblesse psychologique qu'elle exploite à la faveur de perpétuels retournements de situation révélant une constante oscillation de leurs relations de pouvoir. En effet, Jean souffre d'une jalousie rétrospective. Daudet souligne le travail de la représentation amoureuse qui transforme cette femme beaucoup plus âgée que son amant : elle a trente-sept ans au début de leur relation. Jean ne la voit plus telle qu'elle est, mais telle qu'il l'imagine dans les bras de ces artistes qui hantèrent son existence avant lui. Dès lors s'impose une contamination de la réalité et de l'imaginaire. Le nom de guerre de Fanny, Sapho, désigne toutes les perversions auxquelles elle s'adonna. Mais, contrairement à ce que laisse supposer le titre, le récit n'évoque pas d'amours homosexuelles : le temps n'est pas encore venu où Colette pourra célébrer le saphisme. Le roman centre la perspective sur l'emprise psychologique grandissante de la femme perdue sur les esprits masculins. En effet, l'histoire de Jean s'inscrit dans un contexte plus général : l'intrigue d'un certain de Potter avec l'horrible, la vulgaire Rosa, le drame de Déchelette, constituent autant d'avertissements pour Jean, qui refuse de voir dans ces hommes déchus sa propre image. Et Sapho semble d'autant plus fragile qu'elle vieillit, d'autant plus vulnérable qu'elle s'est toujours trouvée en position de faiblesse vis-à-vis de ses amants, qu'elle ne cessa d'obséder de ses avances. Bien que conscient de son esclavage, Jean peut, dès lors, toujours imaginer qu'il pourra se reprendre. Mais Sapho pervertit son esprit jusqu'à salir le pur souvenir de la tante, qui l'éleva, et qu'elle soupçonne d'éprouver une attirance coupable pour le jeune homme. Ainsi se déstabilise son assise psychologique. La narration met en abyme deux lieux, Paris, capitale de la perdition, et Castelet, dans le Midi, qui représente l'enfance, la pureté perdue. Les venues de l'oncle Césaire, précédent fâcheux dans l'austère tradition familiale, brouillent les références de Jean. Mais la rencontre avec Irène paraît lui assurer une victoire contre Fanny. Il cèdera non tant à la passion qu'à la jalousie, car, reconstituant une intrigue dont il fut la dupe, il ne peut supporter d'être évincé dans l'esprit de celle qu'il prétend quitter. Aussi Fanny finit-elle par obtenir une victoire morale que sanctionne l'abandon total de Jean. Le roman évoque donc les périls que font encourir des liaisons dangereuses.

V. ANGLARD

SARA. Voir DERNIÈRE AVENTURE D'UN HOMME DE QUARANTE-CINQ ANS (la), de Rétif de La Bretonne.

SARRASINE. Nouvelle d'Honoré de **Balzac** (1799-1850), publiée en feuilleton dans la *Revue de Paris* les 21 et 28 novembre 1830, et en volume dans les *Romans et Contes philosophiques* chez Gosselin en 1831, avant d'être intégrée aux « Scènes de la vie parisienne » de *la *Comédie humaine* chez Furne, Dubochet et Hetzel en 1844.

Complexe, étrange, cette nouvelle aux allures de conte adopte l'un des procédés favoris de Balzac : un récit attribué à un narrateur et enchâssé dans un cadre formé d'un décor et d'un dialogue.

Le lendemain d'une réception donnée à l'hôtel de Lanty, où ils ont vu un mystérieux vieillard, le narrateur raconte à la marquise de Rochefide l'histoire de Sarrasine, fils d'un procureur et destiné à la magistrature, mais qui, doué pour les arts, obtient un prix de Rome en sculpture. En 1758, en Italie, Sarrasine éprouve une passion pour la cantatrice Zambinella, lui déclare son amour, mais constate lors d'une réception à l'ambassade de France que celle-ci, habillée en homme, est en fait un castrat, « protégé » du cardinal Cicognara. Il veut se venger et enlève Zambinella pour la tuer, mais les sbires du cardinal l'assassinent. Auparavant, il avait eu le temps de faire une statue du castrat, que Cicognara fit reproduire en marbre. Le vieillard aperçu dans le somptueux hôtel parisien n'est autre que Zambinella, l'oncle de Mme de Lanty. Profondément troublée par ce récit, Mme de Rochefide se refuse au narrateur qui avait espéré, en satisfaisant sa curiosité, obtenir ses faveurs.

Si l'intertexte rapproche ce récit de plusieurs œuvres, dont un épisode de l'*Histoire de ma vie* de Casanova, l'ambisexualité et le portrait d'un artiste l'inscrivent dans les grandes préoccupations balzaciennes. Par ailleurs, la nouvelle met en évidence de profondes analogies entre Balzac et ses doubles, le narrateur et Sarrasine. Tout en présentant au sein de *la Comédie humaine* des caractères uniques (seul récit constitué de deux actions séparées par soixante ans, seul exemple d'une égale ampleur entre le texte-cadre et l'histoire proprement dite), la nouvelle, qui doit pour une part sa célébrité actuelle à l'étincelante « micro-lecture » que Roland Barthes lui consacra (*S/Z*, 1970), met d'abord en scène la déchéance de l'artiste perverti par l'amour. La passion qui se trompe d'objet et qui entraîne la mort du héros, l'ambiguïté sexuelle, la projection saisissante du passé dans un présent qui en devient inquiétant : *Sarrasine* confronte le regard lucide d'un narrateur distancié et les vénéneuses séductions du fantasme. Ce récit aurait sa place dans les *Études philosophiques*, où Balzac traite aussi le thème de la création contrariée par la passion (*le Chef-d'œuvre inconnu*, voir *la *Recherche de l'absolu*).

● « GF », 1989 (postface M. Serres). ➤ *L'Œuvre de Balzac*, Club français du Livre, XII ; *Œuvres complètes*, Club de l'honnête homme, IX ; *Œuvres complètes illustrées*, Bibliophiles de l'Originale, X ; *la Comédie humaine*, « Pléiade », VI (p.p. P. Citron).

G. GENGEMBRE

SATIRES. Recueil poétique de Nicolas **Boileau**, dit Boileau-Despréaux (1636-1711), composé de douze pièces regroupées dans l'édition procurée par Brossette des *Œuvres complètes* publiées à Genève chez Fabri et Barrillot en 1716.

L'ordre chronologique adopté dans cette dernière édition ne correspond pas à la date de composition et de publication de chaque satire. Du vivant de l'auteur, les Satires II et IV paraissent en 1665, tant séparément que dans le *Nouveau Recueil de plusieurs et diverses pièces galantes de ce temps*. 1666 : publication à Paris chez Claude Barbin des *Satires du sieur D****, comprenant les Satires I, III, V à VII (avec reprise des deux précédentes). 1668 : chez le même éditeur, seconde édition des *Satires*, augmentée des numéros VIII et IX. 1694 : Satire X, publiée d'abord seule, puis reprise dans les *Œuvres diverses*, chez Denis Thierry. 1701 : nouvelle édition, toujours chez Denis Thierry, des *Œuvres diverses* comprenant la Satire XI. 1711 : éditions « subreptices » de la Satire XII.

Satire I (164 vers) : sous le nom et le rôle d'emprunt de Damon, le poète renonce à vivre à Paris où « le mérite et l'esprit ne sont plus à la mode », où dans ce « pays barbare » l'innocence, l'honnêteté et la franchise sont ignorées et ridiculisées. Dans la Satire II (100 vers) dédiée à « M. de Molière », « rare et fameux esprit », Boileau évoque sans prête-nom ses difficultés à écrire et à enchaîner la rime et la raison. La Satire III (236 vers) renouvelle le thème traditionnel du repas ridicule par le portrait féroce des convives, tous gens de lettres présentés comme médiocres. Satire IV (128 vers) : adressée à l'abbé Le Vayer, fils du philosophe, elle prend la forme d'un discours sceptique renvoyant dos à dos le pédant et le blondin, le bigot et le libertin, puis l'avare et le prodigue. Satire V (144 vers) : dédiée au marquis de Dangeau (après avoir été primitivement destinée à La Rochefoucauld ?), elle développe le thème de la dégénérescence de la race, avec la « mollesse » d'une descendance abâtardie qui « n'a rien pour s'appuyer qu'une vaine noblesse ». Satire VI (126 vers) : étourdissante évocation des embarras de Paris et de vingt-quatre heures de la vie d'un citadin. La Satire VII (96 vers) est une défense et illustration du genre satirique : « Mais, quand il faut railler, j'ai ce que je souhaite / Alors, certes, alors, je me connais poète. » Satire VIII (308 vers) à M. M***, « docteur en Sorbonne » : long réquisitoire contre l'homme, inférieur aux animaux. Satire IX (322 vers) : développant les idées esquissées dans la Satire VII et répondant aux reproches d'adversaires comme Cotin et Chapelain, Boileau, s'adressant à son esprit qui, contre toute « prudence », s'acharne à « satiriser », précise sa conception de la satire et de la critique en matière littéraire ; n'attaquant jamais l'homme, mais les auteurs qui « ont bien ennuyé le roi, toute la cour », la satire « détrompe les esprits des erreurs de leur temps ». Satire X (738 vers) : contre les femmes, précieuses, savantes, fausses bigotes ou « bigote[s] altière[s] ». La Satire XI (206 vers) à M. de Valincourt traite de l'« honneur » opposé à l'« orgueil, au « point d'honneur » et à la fausse dévotion, mais conforme à l'Évangile car « ce n'est qu'en Dieu seul qu'est l'honneur véritable ». La Satire XII (346 vers) porte sur « l'Équivoque », responsable tant du galimatias que, dans le domaine moral, des contorsions casuistiques et des hérésies.

Les neuf premières satires, que précède un « Discours au roi », s'apparentent peu ou prou à des œuvres de jeunesse. Bien qu'elles s'inspirent de Juvénal (I) ou qu'elles empruntent à Horace et à Régnier l'idée du « repas ridicule » (III) ou le lieu commun que « la folie est générale » (IV), elles retiennent d'emblée l'attention par leur ton, celui d'une franchise si brusque qu'elle devient insolence : « Je ne puis rien nommer, si ce n'est par son nom / J'appelle un chat un chat, et Rolet un fripon » (I). Ce ton révèle un tempérament personnel, inapte à l'éloge, mais prompt à l'indignation. S'agit-il de dresser un panégyrique ? « La plume et le papier résistent à ma main » (VII) ; alors « tout fait me déplaît, et blesse mes yeux » (*ibid.*). « Ainsi, dès qu'une fois ma verve se réveille / Comme on voit au printemps la diligente abeille / Qui du butin des fleurs va composer son miel, / Des sottises du temps je compose mon fiel. / Je vais de toute part où me guide ma veine, / Sans tenir en marchant une route certaine / Et, sans gêner ma plume en ce libre métier, / Je la laisse au hasard courir sur le papier » (« Discours au roi »).

La facilité n'est pourtant pas son lot. Se dépeignant dans la Satire II aux prises avec une rime rétive, toujours prêt à renoncer, Boileau élabore, par-delà des confidences personnelles, soigneusement contrôlées, un idéal de perfection, annonciateur des théories de l'*Art poétique* : « Mais un esprit sublime en vain veut s'élever / À ce degré parfait qu'il tâche de trouver ; / Et, toujours mécontent de ce qu'il vient de faire, / Il plaît à tout le monde, et ne saurait se plaire, / Et tel, dont en tous lieux chacun vante l'esprit, / Voudrait pour son repos n'avoir jamais écrit » (II).

Le recueil est aussi une apologie du genre. Étrangère à l'attaque *ad hominem*, la satire ne saurait se confondre avec la médisance. Revendiquant, comme n'importe quel lecteur, le droit de juger, Boileau lui assigne une mission utilitaire et morale : « La satire, en leçons, en nouveautés fertile / Sait seule assaisonner le plaisant et l'utile / Et, d'un vers qu'elle épure aux rayons du bon sens / [...] / Va venger la raison des attentats d'un sot » (*ibid.*). Ses victimes, observe-t-il ironiquement, devraient plutôt le remercier, car « la satire ne sert qu'à rendre un fat illustre : / C'est une ombre au tableau, qui lui donne du lustre » (*ibid.*). Toutes n'eurent pas cette élégance, ni cette intelligence. La publication du recueil de 1666 vaut à son auteur une vive querelle : Perrin lui réplique par *la Bastonnade*, Cotin rédige, ou anime, le *Discours satirique au cynique Despréaux*, la *Critique désintéressée sur les satires du temps*, voire la *Satire des « Satires »*. Répondant à son tour par la *Satire IX*, Boileau se voit de nouveau pris à parti par Coras dans son *Satirique berné*, puis par Boursault. N'épargnant aucun « fat » du « Parnasse », le recueil de Boileau gronde des échos de toutes les fureurs. Les satires de la vieillesse soulèvent autant de passions : celle contre les femmes, qui connaît pourtant un immense succès, déchaîne la tempête de la part de Perrault, de Pradon, de Fontenelle et suscite la désapprobation de Bossuet dans son **Traité de la concupiscence*.

Par-delà ces réactions, demeure une œuvre qui se caractérise par la variété de ses thèmes et par leur actualité. Si, compte tenu des lois du genre et des acquis de l'intertextualité, le réalisme n'y est peut-être pas aussi évident qu'on l'a parfois dit, les *Satires* constituent en revanche un précieux témoignage sur le climat moral de l'époque : sur la ruée que provoquent les gratifications royales, sur le comportement de la noblesse, sur les débats philosophiques qui agitent les salons (comment ne pas rapprocher la *Satire VIII* du "Discours à Mme de La Sablière" de La Fontaine ?), sur la préciosité, l'éducation des femmes, le libertinage. Soutenant la réflexion du satirique, l'alexandrin, unique mètre dont se sert Boileau, se prête à des souplesses et à des trouvailles que Hugo, loin d'inventer, redécouvrira. La *Satire VI* évoque à merveille l'animation de Paris, par ses sonorités, parfois cacophoniques, par ses ruptures rythmiques. Un sens évident de la formule, du grossissement, épique ou burlesque, des éclairs fantastiques, l'ironie toujours prompte à jaillir, font de cette partie de l'œuvre de Boileau un texte alerte, décapant, alliant la fureur à la méditation.

● Les Belles Lettres, 1966 (p.p. C. H. Boudhors) ; « Poésie/Gallimard », 1985 (p.p. J.-P. Collinet). ➤ *Œuvres complètes*, « Pléiade » ; *Œuvres*, « GF », I (p.p. J. Vercruysse).

A. COUPRIE

SATIRES (les). Recueil poétique de Mathurin **Régnier** (1573-1613), publié à Paris chez Toussaint du Bray de 1608 à 1613. Dix satires dédicacées, suivies d'un « Discours au roy » en guise d'épilogue, parurent en 1608 dans le volume des *Premières Œuvres* à Paris chez Toussaint du Bray. Malgré un succès vif et immédiat, le poète semble s'être désintéressé des éditions ultérieures, dont il abandonna l'agencement à la discrétion de son libraire. Deux nouvelles pièces virent le jour dans l'édition des *Satires* de 1609, chez le même imprimeur, et une treizième satire fut ajoutée dans l'édition de 1612. En 1613, Du Bray recueillit dans une nouvelle édition, probablement posthume, trois satires supplémentaires dont deux restaient inachevées. Une dix-septième satire fut publiée longtemps après la mort de l'auteur, à Leyde chez Elsevier en 1652.

C'est vraisemblablement à partir de 1603 que Régnier, alors attaché au jeune cardinal de Joyeuse, commença à écrire ses premières satires. Peu pratiqué par la Pléiade, le genre n'avait connu en France, depuis le XVIᵉ siècle, qu'un lent et laborieux développement : il n'affirma son autonomie qu'avec les *Satires françaises* de Vauquelin de La Fresnaye, en 1605. La satire poétique de Régnier s'inspire d'abord d'une tradition latine illustrée par Horace et Juvénal. Mais elle se réclame également de la *maniera bernesca*, du nom du poète italien Francesco Berni, dont les *Capitoli* (1534) peignaient des tableaux de

mœurs à la fois réalistes et outranciers. Les satires philosophiques et morales témoignent manifestement d'une lecture de Montaigne et de Rabelais : nombre de formulations gnomiques évoquent aussi bien le pantagruélisme que la morale sans arrogance ni présomption des **Essais*.

Les Satires se distribuent schématiquement en trois catégories, qui parfois se recoupent :
– les satires littéraires, qui prônent le naturel de l'inspiration et dénoncent tantôt les « mauvais poetes » avides de reconnaissance sociale (III), tantôt les critiques tâtillons, occupés à brider la beauté par de « sauvages loix » ; ces satires sont émaillées d'attaques à peine voilées contre la poétique de Malherbe, jugée trop rigide et systématique : Malherbe et les siens ne sont bons qu'à « rimer de la prose et proser de la rime » ;
– les tableaux de mœurs, qui déploient le vaste éventail des tares et des ridicules sociaux : hypocrisie et frénésie d'ambition qui règnent à la cour (III, IV), négation cynique de l'honneur (VI), comportements intempestifs des fâcheux (VIII, XI, XII), fausse dévotion (l'entremetteuse Macette, XIII) ;
– les satires psychologiques et morales, où le poète énonce un art de vivre personnel fondé sur le refus de l'aliénation (III), la résistance à la perversion des valeurs (V) et l'égale indifférence au plaisir et à la douleur (XVI).

Tout classement thématique des *Satires* n'a guère qu'une valeur indicative et révèle aussitôt ses limites. L'étymologie commande d'ailleurs cette résistance du texte à la caractérisation univoque : conformément au latin *satura*, la satire est « mélange », « macédoine », et peut accueillir toute matière sans considération de hiérarchie ou d'unité. À cet égard, les titres attribués à chacune des 17 satires dans l'édition de 1729, et souvent repris depuis par les éditions contemporaines, ne rendent qu'imparfaitement compte d'un discours essentiellement fuyant et multiforme : considérations philosophiques et morales, saynètes truculentes, anecdotes et fables, éléments d'autobiographie et confidences personnelles se mêlent selon la loi d'une « verve » qui « s'egaye en la licence ». Loin de témoigner d'une quelconque maladresse ou négligence, cette absence de souci structural s'inscrit dans une poétique réfléchie, consciente de ses objectifs et de ses moyens. Plusieurs fois revendiquée, l'hétérogénéité du discours apparaît comme l'heureuse résultante de la « raison » et du « caprice » : tirant les conséquences de son incapacité à accéder aux grands genres poétiques, l'auteur se replie, avec une modestie non dénuée de malice, sur une pratique de l'écriture régie par le seul jeu des humeurs (« Discours au roi »). Le « caprice » de la « bigarrure » s'appuie sur l'auto-évaluation lucide d'une aptitude créatrice vouée aux intermittences et aux chutes d'intensité : « Je vais haut dedans l'air quelquefois m'eslevant, / Et quelque fois aussi, quand la fougue me quitte, / Du plus haut au plus bas mon vers se precipite » (*ibid.*). Le « pot-pourri » n'est donc pas seulement le meilleur mode d'appréhension d'un réel hétéroclite. Il est aussi l'expression d'une philosophie de soi, où liberté et nécessité se réconcilient, où l'impulsion au vagabondage et l'acceptation raisonnée des limites s'appellent réciproquement.

Si la dialectique de la « raison » et du « caprice » est assurance d'intégrité, leur dissociation ouvre la voie à toutes les perversions : la « raison » se dégrade alors en formalisme vétilleux, le « caprice », en appétit brutal et déréglé. Tel est l'axe essentiel de la critique morale de Régnier : la société se dote d'un appareil de règles formelles – code de la bienséance, normes imposées à l'écriture poétique – derrière lesquelles prolifèrent à l'envi les instincts les plus méprisables. Le courtisan hypocrite (III), le critique-censeur (IX) et la fausse dévote (XIII) ne font, à cet égard, que décliner différemment un même paradigme social : ils étouffent les meilleurs élans, les leurs et ceux des autres, sous un corset d'impératifs où se lit leur volonté effrénée de domination. Si *les Satires* ne cessent de moduler le constat selon lequel « notre siecle est tout perverty », c'est que le jeu des tactiques sociales a fini par brouiller toute lisibilité psychologique et morale : « Par vice ou par vertu acquerons des lauriers, / Puisqu'en ce monde icy on n'en faict differance » (IV). Indissociablement éthique et esthétique, la perversion des valeurs a détruit tout critère de jugement ou d'appréciation.

Dans une confusion si générale, la satire peut-elle encore se prévaloir d'une visée pédagogique et corrective ? Cette question, constamment sous-jacente, exclut naturellement toute perspective rigoriste de remontrance morale : le poète est trop lucide pour oser s'ériger en censeur d'un monde dont il partage les incertitudes et les fragilités (« Nous vivons a tatons », III). Il croit moins aux recommandations abstraites qu'au pouvoir exemplaire de sa propre liberté : « Car, parlant librement, je pretens t'obliger / A purger tes deffaux, tes vices corriger » (XV). C'est pourquoi le mouvement du discours opère de si fréquentes focalisations sur le « je » du locuteur. Les proclamations répétées d'indépendance : « Quelque part que ce soit je ne me puis contraindre » (XV), et le rejet des rôles sociaux aliénants : « Je ne suis point adroit, je n'ay point d'eloquence » (III), sont les vecteurs d'une pédagogie qui se conçoit comme l'appel d'une liberté à une autre liberté.

Cet appel résonne moins, en définitive, dans les formules gnomiques d'essence montaignienne que dans l'éminente plasticité rhétorique du discours : la succession des points de vue, la multiplication des paradoxes, distanciations ironiques et ambivalences, invitent le destinataire à abandonner toute raideur sociale, à user librement des ressorts les plus vifs et les plus déconcertants du langage. Accepter d'être surpris par le flux irrépressible des mots et renoncer à toute maîtrise illusoire, telle est la condition première de la liberté : « Nous ne pouvons faillir suivant nostre nature » (XV).

Ce refus de l'ordre et de la rigueur systématiques fait des *Satires*, malgré leur date de publication, un texte profondément enraciné dans le régime d'écriture du XVIᵉ siècle : une vérité s'y cherche qui exclut toute norme éthique ou esthétique préétablie.

● *Œuvres complètes*, STFM, 1982 (p.p. G. Raibaud).

P. MARI

SATYRE MÉNIPPÉE. Pamphlet politique collectif, publié sous le titre *la Vertu du catholicon d'Espagne. Avec un abrégé de la tenue des estats de Paris convoquez au X de février 1593 par les chefs de la Ligue*, à Tours en 1594. Le titre courant de *Satyre Ménippée* n'a été ajouté qu'à la deuxième ou troisième édition de 1594 : il fait référence à Ménippe, philosophe et poète grec de l'école cynique, auteur d'écrits bouffons où se mêlaient la prose et les vers.

Œuvre collective due aux chanoines Pierre Leroy et Jacques Gillot, à l'érudit helléniste Florent Chrestien, au jurisconsulte Pierre Pithou, au magistrat Nicolas Rapin et à l'humaniste et poète Jean Passerat, la *Satyre Ménippée* naît dans la France des guerres civiles. La situation politico-religieuse du royaume est alors des plus confuses. Depuis l'assassinat d'Henri III par le moine fanatique Jacques Clément en 1589, l'héritier légitime du trône, Henri de Navarre, chef du parti protestant, voit ses droits violemment contestés par les ligueurs, catholiques fanatiques. Au début de 1593, Mayenne, frère du duc de Guise assassiné par Henri III et chef de la Ligue, convoque à Paris des états généraux dans le but d'élire un roi catholique et d'écarter du trône Henri de Navarre. L'intransigeance des ligueurs, leur collusion trop évidente avec la couronne d'Espagne favorise le parti des modérés ou « politiques », hostile aux immixtions étrangères et attaché aux lois fondamentales du royaume. C'est à cette tendance, favorable à un rapprochement avec l'héritier légitime du trône, qu'appartient l'équipe des auteurs de la *Satyre Ménippée*, bourgeois humanistes qui

maient aussi bien l'éloquence juridico-politique que la parodie et la dérision rabelaisiennes.

La *Satyre Ménippée* se présente comme un compte rendu à la fois circonstancié et cocasse de la session des états généraux du 10 février 1593.

Le Prologue, intitulé « la Vertu du catholicon », se déroule dans la cour du Louvre. Deux charlatans, l'un espagnol et l'autre lorrain, vantent au public les vertus d'une drogue merveilleuse, le « catholicon », censée accorder tous les pouvoirs à son possesseur et le laver de toutes les infamies.

Après ce Prologue vient l'« Abrégé des estats de Paris », qui commence par la procession grotesque et désordonnée des députés : hommes d'Église et magistrats ne se gênent nullement pour arborer des pistolets, casques, hallebardes et autres instruments guerriers. Suit alors une description détaillée des « pièces de tapisserie dont la salle des Estats fut tendue » : l'évocation des sujets allégoriques ou historiques qu'elles traitent permet de mettre indirectement et malicieusement l'accent sur les turpitudes de la Ligue.

Lorsque chacun a pris sa place, une série de harangues est prononcée par plusieurs députés : Mayenne, lieutenant général du royaume, le cardinal de Plaisance, légat pontifical, le cardinal de Pelvé, avocat de l'Espagne, l'archevêque de Lyon, le recteur Roze, représentant de l'Université, et Rieux, représentant de la noblesse. Dans ces six discours burlesques, chacun des orateurs dévoile comme à son corps défendant le cynisme profond de ses motivations. Le contraste n'en est que plus frappant avec la harangue de d'Aubray, député du parti modéré : dans un discours solennel, ce dernier invoque les principes de la souveraineté nationale et de la continuité dynastique.

L'Épilogue contient une description des tableaux qui ornent l'escalier de la salle, ainsi qu'une quinzaine d'épigrammes satiriques dont le nombre fut augmenté dans les éditions ultérieures.

Œuvre composite, marqueterie de pièces jointes sous la pression de l'actualité, la *Satyre Ménippée* n'obéit évidemment pas à un plan rigoureux : conformément à l'étymologie latine *satura*, elle s'offre comme pot-pourri, accueillant indifféremment la prose et les vers, l'emphase rhétorique et la charge burlesque, la philippique cicéronienne et la fantaisie scatologique la plus débridée. Cette bigarrure des formes et des registres atteste le scandale d'un monde social et politique où s'estompent les repères les plus sûrs, où la subversion des valeurs et des institutions devient la loi commune : « Nos privilèges et franchises anciennes vont à vau-l'eau, notre hôtel de ville que j'ai vu l'être le refuge assuré du secours des rois en leurs urgentes affaires, est à la boucherie ; notre Sorbonne est au bordel, et l'Université devenue sauvage. » Comme d'Aubigné dans le second livre des *Tragiques*, ou Ronsard dans les *Discours des misères de ce temps*, les auteurs de la *Satyre Ménippée* développent la thématique du monde renversé, qui devient le vecteur privilégié de leur indignation : l'homme d'Église fait l'éloge des tueries, le recteur de l'Université vante l'abandon des idéaux humanistes et la désertion des lieux du savoir, les grandes dames se laissent aller à de honteuses flatulences, les harangues des uns et des autres sont ponctuées de rots. D'une manière générale, l'irruption du pulsionnel et de l'organique renvoie les détenteurs du pouvoir politique religieux et intellectuel à leur inanité : fantoches désarticulés, ils demeurent prisonniers de leurs appétits les plus bas, et incapables de formuler aucune option stratégique à un moment crucial de l'Histoire.

Cette grotesque et sinistre parade sert naturellement de repoussoir à la harangue de d'Aubray, pièce maîtresse qui occupe la moitié de l'œuvre et en articule vigoureusement la signification politique. Dans une rhétorique savamment concertée, qui multiplie les interrogations et exclamations affectives, le porte-parole du tiers état dénonce le viol de l'intégrité nationale : « Ô Paris qui n'est plus Paris, mais […] une citadelle d'Espagnols, Wallons et Napolitains, une asile et sûre retraite de voleurs, meurtriers et assassins, ne veux-tu jamais te ressentir de ta dignité, et te souvenir de ce que tu as été, au prix de ce que tu es ? » Ces accents patriotiques se prolongent tout naturellement en un hymne à la continuité dynastique : « Nous demandons un roi et chef naturel, non artificiel ; un roi déjà fait, et non à faire ; et n'en voulons point prendre conseil des Espagnols, nos ennemis invétérés. » La thématique de la dénaturation, corollaire du *topos* du monde renversé, joue un rôle central dans l'argumentaire de d'Aubray. À la subversion sophistique des ligueurs, il oppose un processus historique qui tire sa légitimité de son évidence naturelle, comme en témoigne le recours aux métaphores végétales : « Le roi que nous demandons est déjà fait par la nature, né au vrai parterre des fleurs de lys de France, rejeton droit et verdoyant de la tige de Saint Louis. » En un sens, d'Aubray prononce un « discours de la méthode » politique : il essaie de frayer une voie pragmatique et de clarifier des principes embrouillés par trente années de guerre civile. L'article le plus novateur de cette méthode, celui qui permet d'échapper aux impasses de la situation, insiste sur la nécessité d'une relativisation de la question religieuse. La religion du monarque ne doit plus être un critère discriminant : « Mais quand il persisterait dans son opinion, pour cela le faudrait-il priver de son droit légitime de succession à la couronne ? » Quelle que soit la différence de registre qui sépare la *Satyre Ménippée* du *Discours de la servitude volontaire* de La Boétie ou de la *République* de Bodin, le pamphlet de ces bourgeois modérés s'inscrit dans la mouvance des grands textes de la Renaissance française qui affirment l'autonomie croissante du politique.

● Genève, Slatkine, 1971 (réimp. éd. 1877-1881, p.p. E. Tricotel).

P. MARI

il s'en prend à Dieu, qui, dit-il, « me fit sacrer roy » et « me haussa exprès / A fin de m'enfondrer en mil malheurs apres ». Cependant, pour l'auteur protestant, la véritable déchéance de Saül réside dans son endurcissement au péché. Le récit biblique ne laissait pas entrevoir la possibilité du pardon : Jean de La Taille fait au contraire de cette résistance du personnage à la miséricorde divine qui finira par provoquer sa chute, un élément moteur de l'action dramatique. La question théologique, discutée à l'acte II dans les termes mêmes employés par Calvin, comme le remarque E. Forsyth, est abondamment soutenue par l'exemple : Saül accuse Dieu de l'avoir abandonné et cherche à faire valoir ses raisons humaines, au lieu de se souvenir de son amour, et de souffrir avec constance et confiance des épreuves qui lui vaudront peut-être le pardon. L'appel à la sorcière d'Endor constitue bien sûr la transgression la plus spectaculaire : dans sa folie, Saül s'en remet à celle qui « fait trembler, s'elle veut l'univers » et entend concurrencer le pouvoir divin. Curieusement, son suicide, signe évident qu'il a désespéré de Dieu, n'est pas considéré comme la faute suprême : David se rangeant à une attitude stoïcienne, ne le blâme pas, mais le chœur déplore cependant l'attitude du roi qui va « rompre à force l'harmonie / Que Dieu a formee en toy ». La folie de Saül est œuvre de désordre et de mort, et, à n'en pas douter, dans la perspective de l'écrivain protestant, allégorie du péché.

● STFM, 1968 (p.p. E. Forsyth).

M.-C. GOMEZ-GÉRAUD

SAÜL LE FURIEUX. Tragédie en cinq actes et en vers de Jean de **La Taille** (vers 1535-1611 ?), publiée à Paris chez Fédéric Morel en 1572, et probablement créée à Amiens en 1594.

C'est sans doute sous l'influence de l'érudit Muret que, pendant ses années de formation au collège de Boncourt, Jean de La Taille a commencé à s'intéresser à la littérature dramatique. En 1562, il rédige *Saül le Furieux*, sa première création théâtrale, mais il ne la publie que dix ans plus tard, en lui donnant pour Préface son *De l'art de la tragédie*. La Taille avait demandé à faire représenter sa pièce devant le roi. *Saül* n'aura pas les honneurs du public curial ; on croit cependant que la tragédie fut jouée en 1594 à Amiens, à la paroisse Saint-Jacques, puis en 1599, au collège jésuite de Pont-à-Mousson.

Saül, roi d'Israël, en proie à la folie, est désormais incapable d'assumer les charges du règne. Ses fils décident de mener eux-mêmes le combat contre les Philistins, malgré des présages peu favorables (Acte I). Saül comprend que Dieu a cessé de lui dispenser ses grâces depuis qu'il lui a désobéi en laissant la vie sauve à Agog, roi des Amalécites ; mais il se refuse à implorer le pardon divin. Bien plus, puisque Dieu lui ôte le don de clairvoyance sur l'avenir, il ira consulter les nécromanciens (Acte II). La sorcière d'Endor, convoquée sur son ordre, évoque l'esprit de Samuel : il révèle que David, qui vient de battre les Amalécites, succédera bientôt au roi furieux dont les fils sont eux aussi promis à une mort prochaine (Acte III). Saül apprend la défaite de son camp devant les Philistins, il veut mourir, et se jette au combat (Acte IV). David apprend sa mort : Saül s'est suicidé en voyant les cadavres de ses fils sur le champ de bataille (Acte V).

Le protestant Jean de La Taille a trouvé la source essentielle de sa tragédie dans la Bible (I, Samuel, 27-31 ; I, Chroniques, 10), mais s'est aussi inspiré des *Chroniques* de Zonare et des *Antiquités judaïques* de Flavius Josèphe. L'*Hercule furieux* de Sénèque a pu fournir le modèle du personnage de l'écuyer. La Taille, dans *De l'art de la tragédie*, pose la « ruine piteuse des grands seigneurs » comme le sujet tragique par excellence. De ce point de vue, le personnage de Saül fournit un exemple admirable : l'oint du Seigneur, abandonné, vaincu, est devenu, pour le roi des Philistins, objet de risée. Dans son désespoir, et assimilant implicitement la figure divine à celle de la Fortune,

SAULSAYE, Églogue de la vie solitaire. Poème de Maurice **Scève** (1500 ?-1560 ?), publié à Lyon chez Jean de Tournes en 1547.

Si la date de composition du poème est difficile à déterminer, la *Saulsaye* n'en constitue pas moins l'une des premières grandes églogues françaises, après celles de Lemaire de Belges et de Marot. L'opposition entre la sérénité oisive de la vie rustique et l'agitation de la vie citadine provient, pour une large part, de l'*Arcadie* de Sannazzaro, qui fournit au poème son cadre bucolique. À l'influence italienne s'ajoute vraisemblablement celle du traité d'Antonio de Guevara, *Mépris de la cour et Éloge de la vie rustique*, traduit en 1542.

Le poème rapporte un dialogue entre deux bergers, Philerme et Antire. Philerme, amant malheureux de Belline, est venu se réfugier dans la solitude pour apaiser ses tourments amoureux : « Ainsi voyant ma totale ruyne, / Deliberay du tout de m'absenter / De sa presence, aussi de m'exempter / De peine, ennuy, cure et solicitude » (v. 108-111). Antire, après avoir raconté à son ami l'histoire de la saulaie où ils se trouvent tous deux – les nymphes, affolées par les assauts libidineux des satyres, ont été transformées en saules par le dieu de la Saône –, tâche d'ébranler ses résolutions en lui énumérant les inconvénients de la solitude (v. 285-412). À tous ces arguments, Philerme oppose l'éloge de la « Simplicité » et le poème s'achève sur un portrait parallèle du citadin et de l'homme qui a choisi la solitude rustique : seul ce dernier connaît en ce monde un « delectable sejour » (v. 567), source d'inépuisables profits moraux.

Loin de la densité hermétique qui caractérisait *Délie*, la *Saulsaye* offre une suite de tableaux et d'évocations d'une remarquable transparence. Les 730 décasyllabes du poème se distribuent en trois moments à peu près équivalents : le récit lyrique des amours de Philerme, le déplorable récit mythologique des nymphes, dont la valeur dissuasive n'ébranle pas la décision de Philerme, et la définitive supériorité des arguments de ce dernier en faveur de la simplicité rustique. Le dialogue réussit dans l'ensemble à orchestrer habilement lyrisme, narration et spéculation, même si l'histoire des nymphes, empruntée à Marguerite de Navarre, fait figure d'insertion un peu artificielle.

Tout le mouvement du texte est orienté vers la tirade finale de Philerme, véritable manifeste scévien, et les assauts d'Antire ont à cet égard une indéniable valeur stimulatrice. La situation dialogique ne relève ni de la commodité ni de l'artifice : elle pousse le solitaire dans ses retranchements, l'obligeant, d'argument en argument, à objectiver sa situation éthique et à en préciser les articles de foi. D'une manière significative, la longue conclusion abandonne l'emploi de la première personne ; elle souligne ainsi que l'éloge de la solitude ne procède pas d'une psyché perturbée par la douleur, mais, d'une vision générale de la société et des rapports humains : l'homme des prés et des forêts, dit Philerme, « vit seulement à la raison conforme, / Qui le conduit soubz paisible union, / Et non subject à mainte opinion » (v. 386-388). Même si les positions des interlocuteurs restent nettement tranchées, le poème est moins statique qu'il y paraît au premier abord : le douloureux lyrisme initial, sans se dissiper à proprement parler dans la suite du dialogue, connaît une série de déplacements et s'élève jusqu'à la méditation enthousiaste.

Une profonde affinité unit la *Saulsaye* et *Délie*, par-delà la dissemblance des écritures : dans ces deux recueils, où solitude et retraite occupent une place essentielle, émerge la possibilité de transformer la souffrance en affirmation éthique.

➤ *Œuvres poétiques complètes*, Slatkine ; *Œuvres complètes*, Mercure de France.

P. MARI

SAVANNAH BAY. Pièce en prose de Marguerite **Duras** (née en 1914), publiée à Paris aux Éditions de Minuit en 1982, et créée dans une version « augmentée » à Paris au théâtre du Rond-Point Renaud-Barrault le 28 septembre 1983.

Le rôle de la comédienne illustre et prénommée Madeleine a été créé par Madeleine Renaud, qui l'a inspiré à l'auteur. C'est à elle autant qu'à l'héroïne que s'adresse Duras, quand elle écrit, dans un court texte introductif à la pièce : « Tu es la comédienne de théâtre, la splendeur de l'âge du monde, son accomplissement, l'immensité de sa dernière délivrance. » La représentation propose ainsi une émouvante célébration de l'actrice dont on ne sait plus si elle joue, ou si elle est elle-même.

Dans un appartement que l'éclairage transforme parfois en une scène de théâtre, deux femmes dialoguent. La plus âgée, Madeleine, a joué partout dans le monde, mais ses souvenirs se confondent. L'autre (sa petite-fille ?) va lui faire raconter presque rituellement l'histoire d'un amour passionné qu'elle a connu jadis. Une image revient lentement à la conscience de Madeleine : sur une pierre blanche qui émerge de la mer, à Savannah Bay, un homme crie, une jeune fille le rejoint : « Ils s'aimaient plus que tout au monde, d'un amour entier, mortel. » Une autre image lui succède. L'homme évoque sa jeune épouse, qui, âgée de dix-sept ans, s'est tuée, une nuit, à Savannah Bay. On ne saura rien de plus de cette histoire qui ne sera jamais écrite, sinon qu'elle est « ce qui arrive tous les jours [...] qui est à la fois sans importance et si terrible ».
Dans la version créée en 1983, la jeune femme est explicitement désignée comme la petite-fille de Madeleine. Dans la journée qui aurait suivi sa naissance, sa mère aurait nagé jusqu'à la pierre blanche et serait morte d'épuisement. Son amant ne serait pas parvenu à mourir à ses côtés « dans la mer chaude de Savannah Bay ».

La pièce est d'un dépouillement extrême : un décor imprécis, deux personnages, pas d'événement. Les répliques se détachent dans un silence « pendant lequel les deux femmes seraient à l'affût du sens de ce qui est en cours sur la scène ». Le rythme hésitant du dialogue suit celui de la mémoire « fragmentée qui sans cesse se perd, s'ensable ». De ce monde sans certitude émerge une histoire aux contours indécis, mais à l'intensité bouleversante. Qu'importe ce qui a eu lieu ce jour-là à Savannah Bay, la vision inoubliable des amants est inscrite en chacun de nous comme elle est derrière toutes les pièces qu'a interprétées Madeleine : « On aurait pu croire que je jouais différentes choses, mais en fait, je ne jouais que ça, à travers tout je jouais l'histoire de la Pierre Blanche. » Histoire qui a pris la dimension d'un mythe de l'amour impossible.

C. CARLIER

SCANDALE (le). Pièce en quatre actes et en prose d'Henry **Bataille** (1872-1922), créée à Paris au théâtre de la Renaissance le 30 mars 1909, et publiée à Paris dans l'*Illustration théâtrale* le 9 octobre de la même année.

À Luchon, la soirée s'illumine des feux de la fête. Maurice Férioul, maire de Grasse, conseiller général, évoque les plaisirs d'une paisible retraite et envisage avec réticence une candidature au Sénat. Charlotte, son épouse, tient des propos passionnés à Artanezzo. Mais cet aventurier roumain avoue ses pertes au jeu et elle lui abandonne une bague (Acte I). Dans sa villa, Mme Férioul, dévorée par le remords, est sous le coup d'une inculpation : Artanezzo a fait un emprunt sous son nom à un bijoutier. Imaginant qu'il va tout révéler à son mari, elle se confie à un ami, qui avertit le procureur de la République. Le Roumain se repent, mais l'affaire suit son cours. Charlotte doit déposer à Paris dans l'anonymat (Acte II). Elle tente d'éviter le scandale. Mais son mari exige des explications de son « complice ». Il promet le secret, mais les journaux locaux s'emparent de l'affaire (Acte III). Jadis coupable lui-même d'une faiblesse, Férioul décide de pardonner. Il renonce à toute fonction officielle et accueille avec humanité sa femme, qui a évité à Artanezzo d'être condamné (Acte IV).

Le Scandale reprend le sujet traditionnel du mélodrame pour le transformer en drame psychologique. Loin de célébrer l'inconduite de l'épouse et de dénigrer le mari trompé, l'intrigue se centre sur les conséquences d'un instant d'égarement. L'action repose sur la fatalité née d'un hasard : naguère irréprochable, Charlotte a succombé aux charmes d'un aventurier. Mais, au moment où la pièce commence, sa liaison appartient au passé et ne saurait susciter que la prise de conscience rétrospective de son erreur. Le duo amoureux se mue en monologue lyrique lorsque la jeune femme exprime sa passion récente, mais son interlocuteur la ramène cruellement aux réalités de la vie en évoquant son dénuement. Ainsi, la pièce s'en prend à la société bourgeoise, au secret dont elle recouvre les liaisons extra-conjugales et à la manière dont elle avalise l'hypocrisie. La passion de Charlotte trahit ses aspirations intimes, les insuffisances d'un époux aimé mais incapable de la faire rêver. Pourtant, Férioul, parfumeur bien installé à Grasse, sort grandi de la comparaison avec Artanezzo : dépassant le rigorisme d'une morale de convention, il triomphe de lui-même et surtout de la société qui excuse les liaisons masculines et fustige les écarts féminins. L'auteur ne charge pas non plus l'amant, qui, plus faible que méchant, exprime un désarroi sincère. Renouvelant la conception traditionnelle, « boulevardière », du trio classique, Bataille montre le développement inexorable d'une affaire que contribue à susciter le mécanisme judiciaire et que la presse gonfle démesurément. Surtout, il dénonce le goût du scandale dans les milieux journalistiques et son retentissement dans le milieu politique, deux faits de société toujours d'actualité.

V. ANGLARD

SCÉDASE ou l'Hospitalité violée. Tragédie en cinq actes et en vers d'Alexandre **Hardy** (1572 ?-1632 ?), créée entre 1605 et 1615, et publiée à Paris chez Jacques Quesnel en 1624.

Justifiant les craintes d'Archidame, roi de Sparte, que la richesse ne provoque la décadence morale de sa ville, se moquant d'un vieillard qui les met en garde contre les dangers de l'amour, Charilas et Euribiade, deux jeunes Spartiates, disent leur impatience de posséder Evexippe et Théane, les deux filles du Thébain Scédase (Acte I). Profitant de son absence, Charilas et Euribiade s'introduisent chez Scédase dont ils tentent de séduire les filles (Acte II). Exaspérés par leur indifférence, ils finissent par les violer et les tuer (Acte III). À son retour, Scédase découvre leurs cadavres dans un puits et démêle peu à peu la vérité grâce aux témoignages de voisins (Acte IV). Il se rend alors à Sparte pour demander justice. Mais Agésilas, l'autre roi de la ville, lui objecte l'absence de preuves et de témoins directs. Comprenant qu'il n'obtiendra pas réparation, Scédase, désespéré, se suicide (Acte V).

La pièce est caractéristique du genre tragique à l'aube du XVIIᵉ siècle : aucune des règles qui s'imposeront vers 1640 n'y est respectée. Le temps de la fiction s'étire sur plus de trois jours ; les lieux sont aussi nombreux que l'exigent les déplacements des personnages ; les bienséances sont ignorées puisque le viol et le meurtre des jeunes filles se produisent sur scène. Ni les deux sœurs, ni les deux rois, ni les voisins, ni les trois éphores ne sont véritablement différenciés. Quant à l'action, elle obéit à un lent déroulement linéaire, étranger au futur idéal de concentration classique. La moitié de la pièce est en effet consacrée à la montée des périls : faite de monologues et de conversations où s'expriment la violence et le désir sexuel des deux Spartiates, elle tend à rendre inéluctable l'agression. L'autre moitié exploite sur le plan pathétique et judiciaire le drame, en soi quasi instantané. Le tragique repose ainsi davantage sur l'émotion suscitée que sur un conflit de valeurs ou sur la présence de la fatalité.

Car le tragique ne provient pas ici des dieux ; il surgit de la banalité même d'un fait divers : minutieusement préparée, l'entreprise de séduction tourne au drame sous l'effet du désir qu'exacerbe la beauté de deux jeunes filles sans défense. Drame du quotidien, la pièce s'élargit progressivement à des considérations sociales et politiques. Scédase est un paysan relativement pauvre, soumis politiquement, comme toute la Béotie, à Sparte ; les coupables sont, eux, riches et puissants. Aucune justice n'est possible dans ces conditions. En dépit de son style rocailleux et de ses archaïsmes ronsardisants, la pièce tire sa force de cette dimension sombrement réaliste.

● « Pléiade », 1975 (*Théâtre du XVIIᵉ siècle*, I, p.p. J. Scherer).

A. COUPRIE

SCÈNE. Voir HÉRODIADE, de S. Mallarmé.

SCÈNE. Voir ÉCRITS, de G. Roud.

SCÈNES DE LA VIE DE BOHÈME. Récits d'Henry **Murger** (1822-1861), publiés à Paris en feuilleton dans *le Corsaire (-Satan)* de mars 1845 à avril 1849, et en volume sous le titre *Scènes de la bohème* chez Michel Lévy en 1851. Le titre définitif apparaît lors de la troisième édition en 1852.

De la vingtaine de feuilletons que Murger donna au satirique *Corsaire-Satan* (devenu *le Corsaire* à partir de mars 1847), une petite partie, consacrée aux amours malheureuses de Jacques et de Francine (chap. 18), fut adaptée à la scène par l'auteur, assisté de Théodore Barrière, sous le titre *la Vie de bohème* (théâtre des Variétés, 22 novembre 1849). Le succès considérable du drame incita l'éditeur Michel Lévy à regrouper les feuilletons en volume, sous réserve que Murger ajoute un « commencement » et une « fin » à l'ensemble. Ce qui fut fait (chap. 1, 22 et 23), Murger rédigeant même en ouverture une Préface, véritable petite physiologie de la bohème.

Sommé de libérer la mansarde dont il ne peut régler le loyer, le musicien Schaunard part en quête de la Providence... et de l'argent de son terme. Mais ses amis, habitués à ses pratiques, se dérobent tous avec humour. L'heure du dîner venue, Schaunard entre dans un bouchon où il se lie avec le philosophe Colline qui l'invite à terminer la soirée au café Momus : le duo s'adjoint le poète Rodolphe. Passablement éméché, Schaunard invite ses nouveaux compagnons à passer la nuit chez lui, oubliant qu'il a été congédié et ignorant que sa « turne » est désormais occupée par le peintre Marcel. Surpris, celui-ci offre néanmoins l'hospitalité au trio : ainsi « fut institué le cénacle de la bohème » dont le livre rapporte les aventures (chap. 1). Comment Schaunard procure un habit à Marcel (2). Rodolphe entame une amourette avec Louise (3) et, séquestré par un oncle, parvient à se sauver grâce à la complicité de l'actrice Sidonie (4). Rodolphe et Marcel se procurent de l'argent pour organiser une petite fête (5). Les amours de Marcel et de Musette (6). Comment ne pas faire d'économies et néanmoins dépenser un « pactole » en moins de deux (7). Rodolphe trouve en un instant de quoi séduire une grisette (8) et gagne de quoi acheter des violettes à sa cousine (9). Pour échapper au terme, Rodolphe devient l'amant de Mimi (10). Les bohèmes et leurs maîtresses font bombance chez Momus aux frais du romancier Barbemuche (11) avant de l'intégrer au cénacle (12). La crémaillère que Rodolphe et Mimi offrent à leurs amis (13), et ce qu'il advient de leur orageuse liaison (14) comme des « amours mal enterrées » de Marcel et de Musette (15). Marcel vend un tableau et ce qui s'ensuit (16). Comment les bohèmes offrent des robes à leurs maîtresses (17). Histoire des amours malheureuses de Jacques et de la grisette Francine (18). Comment Musette met cinq ans pour rejoindre Marcel (19) et comment Mimi devient vicomtesse (20). Où Rodolphe joue les Roméo pour une Juliette de rez-de-chaussée (21). La fin misérable de Mimi (22). Les bohèmes « installés », « la jeunesse n'a qu'un temps » (23).

À la différence de Balzac qui organise autour de son héros, Édouard de La Palférine, une véritable histoire (*Un prince de la bohème*, voir *la *Muse du département*), Murger se refuse à soumettre les aventures de ses personnages à une quelconque structure unificatrice : « historien ordinaire de l'épopée bohème », il juxtapose des « scènes » mais ne construit pas un roman. Certes le lecteur suit bien quelques fils romanesques, les amours de Rodolphe et de Mimi (chap. 10, 13, 14, 20 et 23) plus que celles de Marcel et Musette ou de Schaunard et Phémie, et des épisodes, ici ou là, se font écho, tels la vente du tableau de Marcel et les agapes qui s'ensuivirent : mais l'ensemble donne l'impression du décousu (la chronologie est lâche sinon fautive) et du répétitif (on se préoccupe beaucoup du gîte, plus encore du couvert, et l'on passe l'essentiel du temps à quêter de quoi survivre). Il y a donc une parfaite adéquation de la forme et du fond, et la structure cahotique des *Scènes* n'est, en fait, que la transposition littéraire de cette « existence accidentée et fantastique » dans laquelle se complaisent les héros de Murger. Pourtant celui-ci ajoute au bout de ses feuilletons deux chapitres qui sont bel et bien la conclusion d'un possible roman : incohérence imposée par les nécessités du passage en livre ? Pas seulement : l'adieu à la bohème et l'« entrée dans le monde officiel » marquent moins l'aboutissement d'une intrigue que l'achèvement de ce moment particulier de l'existence qu'est la bohème.

Car la bohème n'est pas une fin en soi, et, comme le suggère Marcel à l'avant-dernier chapitre, « l'heure est venue d'aller de l'avant ». Aller de l'avant : on ne saurait mieux dire que la bohème c'est le temps figé, voire nié, s'agissant d'un Rodolphe qui n'accepte de pendule que « seulement comme objet d'art ». Comme si la halte du temps signifiait l'arrêt des contraintes sociales (voir le couplet de Rodolphe sur « l'heure des affaires »). Mais, quoi qu'ils fassent pour s'émanciper du réel et du temps, ceux-ci s'imposent aux bohèmes : les termes et créances de toutes sortes leur tiennent lieu de calendrier et les divers repas rythment leurs journées aussi précisément qu'un coucou. Le lit est la table, dormir et manger : les naturalistes puiseront dans de tels sujets matière à de désespérantes « tranches de vie » ; rien de tel avec Murger, qui trouve moyen d'écrire une « épopée pleine d'éclats de rire ». Car tout, ou presque, est ici prétexte à rire, du jeu de mots approximatif (« Je le crains... de cheval ») dont raffole

Colline aux astuces plus relevées qui transforment un demi-verre de champagne en... « hémistiche », en passant par les artifices les plus loufoques permettant de gruger propriétaires et gargotiers. C'est que la bohème est davantage une manière de voir le monde qu'une volonté de le transformer : et si transformation il y a, elle ne relève que de la stylistique : « Enfer de la rhétorique et paradis du néologisme » (Préface), telle est cette bohème où l'on affecte un parler néoprécieux pour traiter des sujets potachiques.

Pourtant, « ce n'est point gai tous les jours la bohème », et l'éclat de rire farcesque finit souvent par se noyer dans le mélodrame. C'est d'ailleurs ce qu'ont retenu, d'après l'adaptation dramatique, Giacosa et Illica, les librettistes de l'opéra de Puccini *la Bohème* (Teatro Regio de Turin, 1er février 1896) en concentrant l'action autour des amours tragiques de Rodolphe et de Mimi (une Mimi qui, hormis son nom, doit tout à la Francine du chapitre 18 des *Scènes*). Non que l'amour bohème soit par essence triste : on y trouve tout, des amourettes d'un soir aux passions les plus fortes, des situations cocasses aux moments pathétiques ; mais l'amour est ce par quoi la vie réelle s'introduit dans l'univers bohème, sans qu'il soit possible de tricher avec lui. Jacques, Rodolphe et leurs amis l'apprendront à leurs dépens. Alors la jeunesse sera passée, et avec elle la vie de bohème !

● « Folio », 1988 (p.p. L. Chotard). Pour l'opéra de Puccini : texte du livret en version bilingue, dans *l'Avant-Scène Opéra*, mars-avril 1979.

D. COUTY

SCÉVOLE. Tragédie en cinq actes et en vers de Pierre **du Ryer** (vers 1600-1658), créée sans doute par l'Illustre-Théâtre en 1644, puis jouée à Paris au théâtre de l'hôtel de Bourgogne en 1646, et publiée à Paris chez Sommaville en 1647.

Avant-dernière tragédie de l'auteur, cette pièce du patriotisme sublime, inspirée principalement de Tite-Live, connut un vif et durable succès (elle fut jouée et rééditée jusque dans la seconde moitié du XVIIIe siècle), dû pour partie au rapprochement d'emblée opéré avec le théâtre cornélien. Après sa *Lucrèce* (imprimée en 1638), Du Ryer revient aux sources de la République romaine pour peindre l'émergence d'un nouvel ordre politique.

Chassé de Rome, le roi Tarquin a reçu l'aide du roi d'Étrurie, Porsenne, qu'il pousse à prendre Rome assiégée. Junie, fille de Brutus, est prisonnière ; Arons, le fils de Porsenne, lui dit son amour et la mort présumée de Scévole, un Romain auquel il doit la vie (Acte I). Junie pleure Scévole, qu'elle aime. Mais il survient, déguisé en soldat étrusque pour tuer Porsenne ; il temporise à la demande de Junie, qui veut amener le roi à changer de camp. Tarquin, se moquant des présages funestes qui impressionnent Porsenne, s'oppose à lui violemment (Acte II). Arons invite son père à venger cet outrage en libérant Rome. Junie lui parle inutilement ; elle permet à Scévole de passer à l'acte (Acte III). Arrêté après avoir échoué, il brave Porsenne, qui l'envoie à la torture (Acte IV). Admiratif, le roi raconte comment Scévole s'est lui-même brûlé la main ; Arons lui apprend sa dette envers le prisonnier. Porsenne le libère et lève le siège, laissant Tarquin à son arrogance. Arons « donne » Junie à Scévole (Acte V).

L'antithèse politique entre les deux rois et l'émulation morale font la trame de la pièce ; son enjeu consiste à réunir éthique et politique en une nouvelle harmonie – Porsenne fera une première tentative en proposant à Junie d'être reine d'Étrurie. Sensible d'entrée, le contraste entre l'impie et cruel Tarquin, plus soucieux de châtier ses anciens sujets que de retrouver son pouvoir, et le sage Porsenne, rend le dénouement vraisemblable. Si les autres personnages se distribuent en duos ou en trios (Porsenne, son fils et Marcile, le conseiller machiavélique par pragmatisme ; Junie, dont l'amour pour Scévole est lié à l'estime – elle ne le lui avoue qu'au moment où il va mourir pour la patrie – ; Junie et Arons, partagés entre la dette

de sang, le devoir filial et l'amour), Tarquin est seul dès le début, stéréotype théâtral, jusque dans ses haineuses imprécations, du tyran dont il est historiquement l'une des figures emblématiques. Plus proche de la vertu romaine, Porsenne l'abandonnera en admettant qu'un *modus vivendi* est possible avec une république qui prétend, par la bouche de Junie – personnage inventé –, défendre les rois légitimes en chassant Tarquin. À une alliance entre souverains, le roi substitue une alliance éthique qui fait la fin heureuse de la pièce ; « entre ses fondateurs », Rome comptera « et Scévole et Porsenne », conclut-il. Curieux paradoxe qu'un roi s'associant à la fondation d'une république, mais qui permettait de concilier l'admiration pour les « grands Romains », théâtralement et moralement traditionnelle, et l'éloge d'un roi magnanime.

● Bologne, Patrón, 1966 (p.p. G. Fasano).

D. MONCOND'HUY

SÉBASTIEN ROCH. Roman d'Octave **Mirbeau** (1848-1917), publié à Paris chez Charpentier en 1890.

Ce troisième roman est celui qui se rattache le plus fortement à la veine d'inspiration autobiographique. En effet, on ne peut que rapprocher Sébastien Roch de Mirbeau lui-même et cette identification, revendiquée, est si forte qu'elle interdira par la suite tout autre récit de ce type.

Livre premier. En 1862, Sébastien est envoyé par son père, quincaillier, au collège de jésuites de Vannes. S'il est désespéré d'abandonner son monde familier et son amie Marguerite, il est aussi soulagé d'en quitter la médiocrité (chap. 1). Mais tout de suite il se sent rejeté par ses camarades, tous riches et nobles (2). Il finit cependant par s'habituer aux brimades et, après l'échec d'une amitié avec un jeune aristocrate, se lie avec Bolorec, élève renfermé et révolté (3). Deux années se sont écoulées. Le jeune père de Kern s'intéresse à l'éducation de Sébastien (4). Mais son dévouement cache de noirs desseins : une nuit, il viole Sébastien (5). Traumatisé et anéanti, Sébastien sent son âme pervertie par les sens (6). De Kern, craignant une dénonciation, fait renvoyer Sébastien et Bolorec en les accusant d'homosexualité (7).

Livre deuxième. 1870 : Sébastien mène une vie végétative chez son père, qui se sent humilié par l'échec de son fils. La guerre menace (chap . 1). Depuis un an, Sébastien écrit un journal auquel il confie son ennui et ses troubles. Bolorec lui écrit un jour de Paris, où se prépare « une Grande Chose » (2). Sébastien découvre enfin l'amour avec Marguerite, qui le libère de sa haine et de ses dégoûts. Mais la guerre est déclarée (3). Au front, Sébastien retrouve Bolorec. Au cours d'une attaque, il est tué. Bolorec le charge alors sur son dos au milieu de la mitraille (4).

Dans ce roman, Mirbeau s'attaque aux jésuites, à l'armée et, au-delà, à tout ce qui provoque une soumission de l'esprit au dogme et à l'arbitraire : « Le sentiment religieux et le sentiment militaire [...] sont les plus grands ennemis [du] développement moral » (II, chap. 2). Cette dénonciation se fait sans grande distance, ce qui rend difficile toute analyse idéologique : Mirbeau ne théorise pas, n'intellectualise pas, et il faut se résoudre à suivre les méandres d'un récit sous-tendu par l'affectivité.

L'accusation portée à l'encontre des jésuites se résume en un double viol. Viol de l'esprit, d'abord, qui se sent humilié d'un enseignement « déprimant et servile [...] lâche devant l'idée », perçu comme une entreprise d'uniformisation et d'assujettissement. Une scène est exemplaire à ce sujet : Sébastien rêve que le père supérieur broie et pile les âmes des enfants pour en faire une pâtée pour chiens... Cette éducation est donc frappée du sceau de la stérilité car elle détourne l'âme de deux ferments : la nature (« On l'arrachait à la nature toute flambante de lumière »), et aussi, paradoxalement Dieu, le vrai Dieu, le « Dieu charmant » auquel s'oppose « ce démon sanguinaire » créé par les jésuites.

Ce viol intellectuel ne peut aboutir qu'au viol physique (I, 5). Les jésuites déforment ainsi non seulement l'esprit mais aussi le corps et la sensualité. Ce viol, au milieu du roman, est un moment de rupture, une faille définitive représentée dans la page par une ligne en pointillés. Cependant cette rupture apparaît aussi comme un moment initiatique. En effet, Sébastien passe brusquement de l'innocence à la connaissance mais cette connaissance est celle de la perversion, et d'une perversion morbide. Tout désir désormais sera pour lui désir de mort. Sa relation avec Marguerite est d'abord un appel à la flétrissure (« Il accumulait l'ordure sur elle ») et à la destruction (« Un désir où il y avait du meurtre encore »). Son premier acte sexuel avec Marguerite ne sera qu'une répétition, sorte d'exorcisme salvateur, de la scène de viol. On trouve là l'origine de l'érotisme morbide qui hantera Mirbeau, surtout dans son roman suivant, le *Jardin des supplices*.

Ce double viol produira chez Sébastien un écroulement de tout l'être, souligné, dans le roman, par un procédé d'intériorisation. Le narrateur confie la plume à Sébastien (en citant des passages entiers de son journal intime), au moment où celui-ci ne peut dire que l'ennui et le vide. La révolte, aussi, mais celle-ci demeure ambiguë. Au renvoi du collège succède une prise de conscience politique et sociale, mûrie grâce à Bolorec. Ce dernier, durant tout le roman, sera le symbole, trop évident peut-être, d'une contestation sourde et obstinée, dénonçant les injustices et les inégalités. Sébastien tentera de se situer par rapport à lui, mais son attitude sera toujours ambivalente : même lorsqu'il glorifiera son appartenance rurale pour résister aux brimades de ses camarades, il ne pourra se défendre d'un sentiment de mépris pour les paysans, « tiraillé entre l'amour et le dégoût que lui inspirent les misérables, entre la révolte où le poussent ses instincts et ses réflexions et les préjugés bourgeois de son éducation ». Au bout du parcours, surgit l'évidence que toute révolte est inutile, que la société est paralysée par une redoutable force d'inertie. À ce fatalisme s'oppose l'activisme de Bolorec qui, en 1870, promet la « Grande Chose », « la Justice » : rêves d'égalité brisés (ou accélérés ?) par la guerre.

Mirbeau fait montre d'un violent antimilitarisme, dénonçant l'absurdité du sentiment patriotique, l'amour d'une Patrie pour laquelle les hommes ne sont que des numéros : le dernier chapitre du roman est consacré à la description des horreurs de la guerre. Là encore, pourtant, il joue de l'ambiguïté, mêlant vision de terreur et pages d'espoir. Certes le front est le lieu de l'humiliation, de l'avilissement de l'homme réduit à l'animalité ; mais la guerre permet aussi de briser les barrières sociales. Ainsi, Bolorec profitera d'une attaque pour abattre un officier, réalisant son vieux rêve de détruire la noblesse. La scène finale reste la plus étonnante : à la mort de son ami, Bolorec emporte le corps de Sébastien, se chargeant ainsi de toute cette douleur inexprimée et de sa révolte inaboutie.

● *Les Romans autobiographiques*, Mercure de France, 1991.

H. VÉDRINE

SECOND ENFER (le). Recueil poétique d'Étienne **Dolet** (1509-1546), publié à Troyes chez Nicolas Paris en 1544.

Cette version de l'ouvrage étant très fautive, Dolet procède à une deuxième édition qu'il réalise dans ses ateliers de Lyon la même année. Il la fait figurer à la suite de la traduction de deux dialogues qu'il croit pouvoir attribuer à Platon, l'*Axiochus* et l'*Hipparque*.

Dolet s'adresse à de grands personnages pour se justifier d'une grave accusation portée contre lui (il aurait essayé de faire entrer à Paris des livres interdits) et d'un délit d'évasion (il a faussé compagnie à ses gardiens lors d'un transfert). Il en appelle tour à tour à François Iᵉʳ, au duc d'Orléans, au cardinal de Lorraine, puis à la maîtresse du roi. Deux épîtres viennent ensuite, qui visent à lui attirer les bonnes grâces du Parlement de Paris et de la cour de justice de Lyon. Marguerite de Navarre et François de Tournon sont priés d'intercéder pour

lui auprès du roi. Un poème à ses amis clôt ce recueil composé suivant l'ordre chronologique de rédaction des pièces.

On imagine aisément la stratégie de Dolet quand il élabore cet ouvrage : la publication de ces épîtres situe l'éditeur persécuté dans un réseau de relations susceptibles de l'aider à échapper à la justice. Les arguments développés pour organiser sa défense se répètent de poème en poème. Tantôt l'imprimeur plaide le non-lieu, en cherchant à prouver qu'il est victime d'un complot grossier, tantôt il joue sur l'émotion des lecteurs, tantôt il s'applique à vanter les qualités qu'il a mises au service de la France où il cultive le jardin des Lettres, tantôt, « comme chrétien, catholique et fidèle », il proteste de sa bonne foi :

> Fauteur ne suis d'hérésie ou erreur
> Livres mauvais j'ai en haine et horreur
> Et ne voudrais ou vendre ou imprimer
> Un seul feuillet pour la loi déprimer
> Antique et bonne, ou pour être inventeur
> De sens pervers et contre Dieu menteur.

Si, dans le poème qui clôt le recueil, il affecte un air détaché et déclare se rire « de ces incidents », il use peu de ce badinage qui valut à Clément Marot, en des circonstances comparables, la faveur du roi. L'imprimeur humaniste ne joue guère sur le registre de l'humour (sauf quand il faut éluder le délicat problème de son évasion). Ces épîtres, d'où sont bannies les fleurs de rhétorique, distilleraient plutôt l'aigre saveur du ressentiment, et le *Second Enfer* apparaît le plus souvent comme une « manière de psychodrame où Dolet s'efforce de faire taire ses angoisses, de conjurer les forces mauvaises du destin et de conduire lui-même son procès » (Claude Longeon).

● Genève, Droz, 1978 (p.p. C. Longeon).

M.-C. GOMEZ-GÉRAUD

SECOND MANIFESTE DU SURRÉALISME. Voir MANIFESTES DU SURRÉALISME, d'A. Breton.

SECOND VOLUME DES ŒUVRES POÉTIQUES. Voir PREMIER LIVRE DES ŒUVRES POÉTIQUES, d'A. Jamyn.

SECONDE SEMAINE (la). Poème de Guillaume de Salluste, seigneur **du Bartas** (1544-1590), publié à Paris chez Pierre Lhuillier en 1584. Considérablement remanié, annoté et augmenté par l'auteur jusqu'à sa mort, le texte fit l'objet de plusieurs éditions posthumes, dont celle à Rouen de Raphaël du Petit Val en 1608 : le poème demeurant inachevé, toutes ces éditions offrent l'intégralité des deux premiers « jours » de la Seconde Semaine, ainsi qu'une série de fragments destinés aux cinq « jours » suivants (« les Pères », « la Loy », « les Trophées », « la Magnificence », « l'Histoire de Jonas »).

Suite de la *Semaine ou Création du monde, le poème se propose de « représenter l'estat du monde, depuis Adam jusques au dernier jour, y adjoustant mesme la description du Sabat eternel » : vaste glose du texte de la Genèse, il s'inspire aussi bien des auteurs chrétiens (saint Augustin, saint Jean Chrysostome) que des traités de l'Antiquité païenne (la *Géographie* de Strabon ou l'*Histoire naturelle* de Pline).

Le « Premier jour » comprend 4 livres : "Éden", "l'Imposture", "les Furies" et "les Artifices". "Éden" évoque l'innocence première de l'homme, et sa « familière communication avec Dieu ». "L'Imposture" dépeint la puissance multiforme de Satan et le « complot du Diable contre l'homme » : chassés du Paradis terrestre, Adam et Ève sont éloignés à tout jamais de l'arbre de vie, « puissant contre-venin, plante toute divine ». Dans le troisième livre, les Furies appelées par le péché originel viennent tourmenter le genre humain : elles lui infligent la faim, la guerre, les maladies du corps et de l'âme. Évoquant la « piteuse condition » de l'humanité, "les Artifices" reproduisent le long discours adressé par Adam à sa descendance : tous les événements jusqu'au Déluge y sont racontés.

Le « Deuxième Jour » contient également 4 livres : "l'Arche", "Babylone", "les Colonies" et "les Colonnes". Dans "l'Arche", Noé reçoit de Dieu, en signe d'alliance, la promesse qu'il n'y aura plus de déluge universel. Après un exorde consacré aux bons et aux mauvais princes, "Babylone" évoque le personnage de Nembrot et la construction de la tour de Babel. Suit un discours de l'auteur sur l'origine des langues et une vision dans laquelle lui apparaissent toutes les langues de l'humanité, dans leur infinie richesse et variété. Dispersés par la punition divine, les peuples se répandent à la surface de la Terre ("les Colonies") et inventent des arts et des techniques qui témoignent de l'ingéniosité humaine ("les Colonnes").

La seule présentation formelle du poème trahit d'emblée la différence qui le sépare de la première *Semaine* : aux quelque cinq mille alexandrins s'ajoute en effet un impressionnant appareil critique, annotations marginales, gloses sous forme de notes, arguments préliminaires, qui élargit considérablement la portée descriptive et exégétique de l'œuvre. S'inscrivant dans une tradition illustrée par la *Vita nuova* de Dante, *la Seconde Semaine* fait alterner prose et poésie selon un système d'éclairages réciproques : tandis que les vers densifient en autant de formules fulgurantes les épisodes essentiels de la Genèse, la prose remplit une fonction permanente de scansion et d'explication de l'histoire biblique. L'alternance est d'autant plus précieuse qu'elle évite une linéarité naturellement contraire au projet encyclopédique et religieux : brassant, rassemblant et comparant, le texte se développe selon une efflorescence baroque où la glose la plus anodine peut devenir soudain une ample et imprévisible digression. La première *Semaine* paraphrasait le récit de la Création, et déployait ses inventions poétiques dans le cadre prédéterminé des premiers versets de la Genèse ; *la Seconde Semaine*, tout en conservant le lien qui l'unit aux épisodes bibliques, leur impose une structuration originale – chaque « jour » est désormais le produit d'un découpage poético-religieux – et multiplie les ruptures anticipatrices qui brouillent toute progression temporelle.

Régie par la logique de l'étoilement, l'œuvre rappelle à bien des égards les *Théorèmes* de La Ceppède : autour des Écritures, Ancien ou Nouveau Testament, se constitue un réseau serré de correspondances, profanes et sacrées, qui finit par briser la stricte allégeance au texte biblique. Mais les *Théorèmes* parvenaient à instaurer une réelle dialectique des plans céleste et terrestre, aussi bien que des vers et de la prose, de la métaphore poétique et de sa glose érudite. La Ceppède convertissait en liberté et principe dynamique la profusion des références, tandis que Du Bartas s'enlise peu à peu dans des juxtapositions et rapprochements infinis. L'inachèvement de *la Seconde Semaine* témoigne peut-être du caractère désespéré de l'entreprise : est-il encore possible, au seuil du XVIIᵉ siècle, de rassembler, dans l'espace d'un poème et de sa glose, une exégèse biblique et une interrogation sur les pouvoirs de l'*homo faber* ? Le morcellement et l'affinement croissants des savoirs n'ont-ils pas déjà relégué un tel projet au rang des rêveries les plus caduques ?

➤ *The Works*, Univ. of Carolina Press, III.

P. MARI

SECONDE SURPRISE DE L'AMOUR (la). Comédie en trois actes et en prose de Pierre Carlet de Chamblain de **Marivaux** (1688-1763), créée à Paris à la Comédie-Française le 31 décembre 1727, et publiée à Paris chez Prault en 1728.

Marivaux n'était donc pas d'humeur résignée : malgré l'échec d'*Annibal* (1720) et celui de l'*Île de la raison* (sep-

tembre 1727), il ne renonce pas à s'imposer sur la scène prestigieuse du Français. Et il choisit, exercice de virtuosité et parallèle affiché, de jouer une variation sur l'italienne *Surprise de l'amour* (1722). En fait, les dates sont trompeuses : la *Seconde Surprise* était reçue dès janvier 1727, avant *l'Île de la raison*, lue en août et montée en septembre. La *Seconde Surprise* ne fut ni un échec ni un triomphe (14 représentations), mais ne quitta pas le répertoire durant tout le siècle (234 représentations jusqu'en 1809). Dès 1759, un critique note qu'elle « est, de toutes les pièces de cet écrivain, celle qui reparaît le plus souvent au Théâtre [-Français] ». Mais elle perd cette position aux XIXᵉ et XXᵉ siècles. C'est Adrienne Lecouvreur qui créa le rôle de la Marquise.

Veuve un mois après son mariage, la Marquise s'abandonne depuis six mois à la mélancolie, malgré sa suivante Lisette, mais accepte de recevoir le Chevalier, qui, singé par son valet Lubin, pleure une maîtresse entrée au couvent et demande à la Marquise de lui remettre une dernière lettre ; ils décident de se revoir. Le Chevalier traite froidement le Comte, qui courtise la Marquise, ainsi que Lisette, qui lui parle en faveur de sa maîtresse : la Marquise ne serait donc « qu'une femme comme les autres », prête à se remarier ? (Acte I). Lubin, en passe d'aimer Lisette, décide d'œuvrer au mariage de leurs maîtres. Hortensius, philosophe chargé des lectures de la Marquise, et inquiet pour sa fonction, lui révèle que le Chevalier a refusé sa main devant les domestiques. Elle s'en irrite (« Je ne veux point me marier ; mais je ne veux pas qu'on me refuse ») et s'en prend à Lisette. Comme celle-ci soupçonne le Chevalier d'être jaloux du Comte, la Marquise ne voit qu'un moyen de réparer un « affront presque public » : il faut que le discours du Chevalier « n'ait été qu'un dépit amoureux » ; « me voilà dans la triste nécessité d'être aimée d'un homme qui me déplaît ». Elle s'explique avec lui et leur entretien, interrompu par une scène comique avec Hortensius, prend un tour de plus en plus tendre, sous couvert d'une déclaration d'amitié réciproque, scellée par le congé d'Hortensius et du Comte (Acte II). Hortensius, ennemi des passions, apprend son renvoi, tandis que le Comte interroge les domestiques et sonde le Chevalier en feignant de s'être déjà déclaré à la Marquise. Furieux, le Chevalier, en présence du Comte caché, déclare à la Marquise qu'il épouse la sœur de ce dernier, et la Marquise lui répond que le Comte ne lui déplaît pas. La Marquise en pleurs ne sait où elle a « été chercher tout cela », mais le Chevalier la sauve (et se sauve lui-même) d'un mariage abhorré en libérant son aveu dans un billet… d'adieu (Acte III).

Les deux protagonistes de la première *Surprise* sympathisaient dans le refus d'aimer ; ici, la Marquise et le Chevalier se rencontrent dans la douleur et la nostalgie d'amours brisées. Il y avait, chez Lélio et la Comtesse, quelque chose de raide, d'amer et d'orgueilleux, qui s'emportait contre l'espèce humaine et ses folies, qui tendait à une guerre des sexes ; la Marquise et le Chevalier de la *Seconde Surprise* sont des âmes tendres et aimantes. La lettre d'amour et d'adieu du Chevalier à Angélique cloîtrée bouleverse la Marquise et n'a guère d'équivalent dans le théâtre marivaudien, qui se garde bien (sauf dans le *Prince travesti*) des accents pathétiques de la *Vie de Marianne* ou des *Journaux*. C'est pourquoi la surprise de l'amour se doit d'emprunter d'autres détours dans ces cœurs sensibles, qui, conformément à la philosophie du genre comique, s'exagèrent la fidélité au malheur et la constance de la douleur (car Marivaux ne se prive pas, dans l'histoire de Tervire qui clôt *la Vie de Marianne*, d'évoquer sans ironie une vie entièrement vouée au malheur). La défaite des deux héros de la première *Surprise* passait d'abord par le désir inné de séduire un cœur « qui ne se soucie pas de vous ». Dans la seconde pièce, l'amour se faufile sous le masque de l'amitié, mais d'une amitié sensible, exigeante, jalouse, qui a toutes les marques et toutes les délicatesses de l'amour, sauf le nom. C'est au nom de l'amitié que le Chevalier obtient le renvoi du Comte son rival et du pédant Hortensius. Car c'est là une autre différence avec la première *Surprise* : la jalousie et le dépit, sans vraiment cristalliser l'amour, le révèlent, et, pour la première fois dans le théâtre marivaudien, entraînent les héros dans les surenchères incontrôlables du défi, dont on sait quel parti, avant Musset, Marivaux tirera dans l'*Épreuve*. Dès la *Seconde Surprise*, les cœurs amoureux se retrouvent pris au piège de leurs manigances, promis par eux-mêmes à des mariages qu'ils détestent pour forcer le partenaire à l'aveu et masquer sa propre souffrance.

Le passage des « italiens » aux « français » posait la question du comique. Marivaux maintient le parallélisme des maîtres et des valets, remplace Arlequin par un Lubin qui lui doit beaucoup, garde Lisette, et se croit tenu d'ajouter le personnage du philosophe Hortensius. Cet ennemi des passions et des « Modernes » entend calmer le cœur de la Marquise par les livres – raisonnables et anciens. Les configurations marivaudiennes, au théâtre du moins, nous habituent peu à ce genre de rôle ; mais que fera d'autre Beaumarchais avec son Bazile, dans *le *Barbier de Séville* ? La réussite, en l'occurrence, dépend avant tout du jeu de l'acteur, et de l'exacte articulation des registres comiques. Il est en tout cas intéressant de voir que pour cette nouvelle tentative à la Comédie-Française, placée si ostensiblement, et peut-être ironiquement, sous le signe de la réécriture, Marivaux éprouve le désir d'une incursion dans un comique plus traditionnel, plus adapté aux habitudes des comédiens-français. Personne, bien entendu, ne lui en sut gré.

● *La Surprise de l'amour [...]*, « Le Livre de Poche », 1991 (p.p. F. Rubellin). ➤ *Théâtre complet*, « Classiques Garnier », I ; *id.*, « Pléiade », I.

J. GOLDZINK

SECRET (le). Pièce en trois actes et en prose d'Henry **Bernstein** (1876-1953), créée à Paris au théâtre des Bouffes-Parisiens le 22 mars 1913, et publiée à Paris dans *la Petite Illustration* le 29 novembre 1913, et en volume chez Fayard en 1917.

Avec *le Secret*, Bernstein semble pour la première fois abandonner la violence psychologique et la rudesse de ton qui, depuis *le Marché* (1900), avaient fait son succès. En 1910, *Après moi*, dans les derniers soubresauts de l'affaire Dreyfus, avait même provoqué un scandale ; lors de la représentation à la Comédie-Française, une violente cabale avait harcelé, jusqu'à lui faire retirer sa pièce, celui que les Camelots du roi appelaient le « Juif déserteur ». Certes, à partir du *Secret*, les compromissions, les bassesses, les vilenies suscitées par l'argent et les passions restent toujours au centre des intrigues de Bernstein, mais l'auteur les affiche avec moins de brutalité et les étudie avec tant de soin qu'une critique de l'époque (P. Gilbert, de *l'Action française*, il est vrai) n'hésita pas à qualifier cette pièce, qui en fait relève de la comédie de caractère, de « pièce pathologique ».

Gabrielle et Constant Jannelot vivent depuis onze ans une lune de miel sans nuages. Leur couple semble irradier autour de lui un bonheur sage qui enveloppe de son aura leur famille, en particulier une tante de Gabrielle, Mme de Savageat, « vieille toupie » fantasque et hypocondriaque, et leurs amis, en particulier Henriette Hozleur, jolie veuve sur le point de se voir demander en mariage par Denis Le Guenn, un amoureux timide mais excessif et jaloux. Henriette demande à Gabrielle de faire comprendre au jeune homme qu'elle est prête à accepter sa demande ; mais, celui-ci désire, avant tout, savoir si Henriette avait eu un amant avant de le rencontrer. Gabrielle le rassure, mais conseille pourtant à Henriette d'avouer à Le Guenn l'aventure qui l'a liée un temps à Charlie Punta Tulli avec lequel, sous l'amicale pression d'Henriette, elle a définitivement rompu. Henriette ne parvient pas à se résoudre à un tel aveu. Devant le bonheur des deux amoureux, Gabrielle ne peut alors s'empêcher de révéler à son mari le secret de son amie (Acte I).

Dans une villa de la côte normande, on retrouve, jouant aux cartes avec Denis et Henriette, Punta Tulli qui a été invité par Mme de Savageat. Denis semble s'être entiché de Punta et il ne le lâche pas d'une semelle, ce qui rend Henriette morose et nerveuse. Elle demande à Gabrielle de prier Punta de déguerpir ; celui-ci s'en étonne, évoquant la douleur de sa rupture avec Henriette. Survient alors Denis que Gabrielle inquiète en laissant planer des doutes sur les intentions de Punta à l'égard d'Henriette. Pendant une absence de Denis, Henriette

et Punta Tulli se retrouvent pour la première fois en tête à tête : ils finissent l'un et l'autre par découvrir que leur rupture de naguère a été sciemment provoquée par Gabrielle. À ce moment surgit Denis qui les surprend. Harcelée, Henriette finit par avouer à Denis qu'elle a eu Punta comme amant. Denis, fou de douleur, va provoquer Punta. Les yeux d'Henriette se dessillent : c'est à l'instigation de Gabrielle, qui souhaite voir à nouveau son bonheur détruit, que Punta a été invité à la maison (Acte II).

Constant a réussi à séparer Punta et Denis, qui se battaient, et à éviter le pire. Gabrielle avoue alors à Constant qu'elle est une « méchante femme », jalouse du bonheur des autres qu'elle s'ingénie à détruire. Constant retient Denis et lui confie son malheur maintenant plus grand encore que le sien ; Denis revient à Henriette à qui il redit un amour fortifié par l'épreuve alors que Gabrielle et Constant pleurent, désespérés, dans les bras l'un de l'autre (Acte III).

La composition de la pièce sert au mieux l'exploration psychologique, donnée essentielle de cette écriture dramatique, qui a pu paraître comme l'expression ultime d'un théâtre bourgeois dont la vocation serait l'étalage morbide et impudique des sentiments les plus secrets. Chaque acte porte ainsi un éclairage différent sur Gabrielle, personnage pivot du drame, et sur la stratégie, masquée de candeur et d'honnêteté, d'une jalousie continuellement aux aguets. Au premier acte, Gabrielle, dont on apprend incidemment qu'elle a même réussi à séparer Constant de sa sœur, ne parvenant pas à provoquer la rupture entre Denis et Henriette, lancera hardiment au deuxième acte Punta Tulli dans le jeu. Cette nouvelle donne lui sera fatale, mais permettra au troisième acte d'étudier la texture particulière de la douleur intime de chacun des personnages. Tout dans ce « théâtre de paroles » (Cocteau), qui mêle cérébralité et sensualité, passe par la substance des mots, du badinage de la première scène au désespoir pantelant de la dernière. C'est aussi par le biais du langage que les personnages côtoient les abîmes jusqu'au vertige et restent sur le bord du tragique sans y tomber.

À la création en 1913, le personnage de Gabrielle fut interprété par Mme Simone, actrice fétiche de Bernstein. Lors de l'entrée de la pièce à la Comédie-Française le 27 septembre 1932, Marie Ventura reprit le rôle accompagnée de Madeleine Renaud (Henriette), Pierre Bertin (Le Guenn), Victor Francen (Constant). *Le Secret* fut ainsi représenté 74 fois de 1932 à 1936. Il fut repris en 1987 au théâtre Montparnasse, un an après le succès de l'adaptation cinématographique de *Mélo* par Alain Resnais. L'attention se porta ainsi à nouveau sur l'ensemble d'une œuvre frémissante et nerveuse à propos de laquelle, au milieu de commentaires flatteurs (sur *la Galerie des glaces*, 1924), Mauriac écrivait « qu'au théâtre la sagesse est de viser un peu bas ».

● *L'Avant-Scène Théâtre*, n⁰ˢ 819-820, déc. 1987.

J.-M. THOMASSEAU

SECRETS DE LA PRINCESSE DE CADIGNAN (les). Voir ÉTUDE DE FEMME, d'H. de Balzac.

SEIZE JUILLET (le). Voir FOURMI ROUGE (la) ET AUTRES TEXTES, de Ch.-A. Cingria.

SÉLINONTE ou la Chambre impériale. Roman de Camille **Bourniquel** (né en 1918), publié à Paris aux Éditions du Seuil en 1970. Prix Médicis.

À l'hôpital de Redgrave, aux États-Unis, un narrateur sans consistance partage sa chambre avec un inconnu. Cette rencontre va bouleverser sa vie. Il entreprend de recomposer l'histoire de cet homme, Géro. Celui-ci a un passé confus. Jeune, il possède une situation mondaine enviée. Toutes les possibilités semblent s'offrir à lui. Il les néglige. Puis, dandy devenu ascète, il se lance sur les traces d'un archéologue qu'il admire, Atarasso. La fille de celui-ci, Sandra, devient sa maîtresse et lui dérobe les feuillets d'un manuscrit. Publié à la mort d'Atarasso comme son dernier ouvrage, le livre connaît un immense succès. Géro, stupéfait et furieux, recherche celle qui s'est enfuie après cette imposture. Plus tard, il la retrouve à Venise. Mais aucune explication n'a lieu entre eux. Avant de quitter Sandra, Géro laisse entre ses mains un second ouvrage : qu'importe qui s'empare du texte une fois qu'il est écrit. L'auteur doit s'effacer devant son œuvre. Géro reprend la route.

Deux mouvements inverses s'affrontent dans ce roman. L'un procède de la construction, l'autre de la destruction d'une identité. Le personnage de Géro, présenté d'emblée comme une énigme, est recomposé par les investigations du narrateur fasciné. Celui-ci, comme dans un roman policier, reconstitue les étapes d'une vie dont le mystère n'est pourtant jamais percé à jour : au fil des pages, il n'établit « rien d'autre qu'un constat négatif, mais assorti de preuves multiples ». Plusieurs procédés servent à dresser le portrait de cet être insaisissable : souvenirs, témoignages écrits, commentaire des mots qui reviennent au hasard sur ses lèvres (« Sélinonte », « chambre impériale »), passage au style direct (certains chapitres donnent la parole à Géro), ou narration libre. À l'aide de ces sources incertaines, le lecteur forge lui-même une image du héros. Toutefois, cette représentation est dénoncée comme imparfaite : car, à peine recomposée, cette identité se désagrège. L'éternel nomade est « un homme dont la seule réussite effective aura été de se rendre inexistant ». Est-il réellement auteur de l'ouvrage attribué à Atarasso, ou simplement mythomane ? À quelle époque se déroule son histoire ? Le narrateur opère d'abord un retour en arrière, mais on ne sait plus ensuite où l'entraîne son récit. Retrace-t-il le passé ou anticipe-t-il ? Le nom de Géro, phonétiquement si proche de « zéro », trahit une curieuse affinité avec le néant. Mais une identification, fût-ce avec le vide, serait encore trop précise : « Le signe creux de la numération devient aussi bien le symbole d'un manque (absence de chiffre, donc de valeur) que celui d'une plénitude (les décimales) et peut devenir ainsi le symbole de l'infini. » Ce personnage n'est peut-être qu'un mirage né de l'éblouissement d'un narrateur qui multiplie en vain les rapprochements et les hypothèses. *Sélinonte ou la Chambre impériale*, en célébrant un héros réduit à une projection floue de la conscience, se présente comme la quête vibrante d'une figure détruite. C'est pourquoi, dans ce livre, l'aventure véritable est finalement vécue, non par le voyageur aux mille masques, mais par le narrateur sans visage : « Les choses commencent en nous et [...] c'est en nous qu'elles finissent. »

C. CARLIER

SEMAINE (la) ou Création du monde. Poème de Guillaume de Salluste, seigneur **du Bartas** (1544-1590), publié à Paris chez Gadoubleau et Février en 1578 ; réédition posthume quelque peu différente à Genève chez Jean Chouet en 1593, qui reproduit le dernier état du texte revu par l'auteur.

« Catalogue romancé d'une grande bibliothèque », selon la formule peu amène d'A.-M. Schmidt, *la Semaine ou Création du monde* rassemble et résume toutes les connaissances philosophiques et scientifiques de l'époque. Lecteur de la Bible, des *Hexaméron* de saint Basile et saint Ambroise, de Pline, Lucrèce et Ovide, Du Bartas a subi l'influence des poètes du XVIᵉ siècle soucieux d'ordonner en une cosmologie les résultats épars de la philosophie naturelle et de la mystique spéculative : les **Hymnes* ronsardiens lui servent constamment de modèles, tout comme le **Microcosme* de Maurice Scève et l'**Amour des amours* de Peletier du Mans, qu'il paraphrase ou plagie à plusieurs reprises.

Ayant soumis le brouillon du poème à son coreligionnaire Agrippa d'Aubigné, Du Bartas fut vivement encouragé à le publier. L'œuvre connut d'emblée un succès extraordinaire, dont témoignent les 42 éditions de 1578 à 1632. Pendant un demi-siècle, les traductions se succédèrent à un rythme exceptionnel : en anglais, en italien, en espagnol, en suédois, en hollandais, et même, honneur suprême, en latin. Dans une époque que ne satisfaisaient plus les productions de la Pléiade, l'auteur de *la Semaine* fut érigé en rival prestigieux de Ronsard. Cette gloire ne résista pas néanmoins à l'apparition des dogmes classiques : l'hétérogénéité stylistique et thématique du poème fut dénoncée dès le siècle suivant. C'est en définitive à l'étranger que *la Semaine*, reconnue et admirée par Milton, Goethe et Byron, exerça son influence la plus profonde.

L'argument du poème est celui du début de la Genèse. Ample paraphrase de l'Écriture sainte, les sept chants évoquent les premiers jours du monde et développent chacune des phases de l'œuvre créatrice : la matière et la lumière (« Premier Jour »), les eaux séparées du firmament (« Deuxième Jour »), la séparation de la terre et des eaux (« Troisième Jour »), les luminaires célestes (« Quatrième Jour »), les poissons et les oiseaux (« Cinquième Jour »), les animaux terrestres et l'homme (« Sixième Jour »), le repos divin et la contemplation de la Création achevée (« Septième Jour »).

La gloire de *la Semaine* en son temps n'a d'égale que la désaffection moqueuse et dénigrante de la postérité : didactisme morne, puérilité des assertions scientifiques, mauvais goût des harmonies imitatives, les critiques n'ont pas manqué à l'égard d'un poème qui prétendait unir, dans un même souffle, la louange de la Création divine et l'exposé des lois qui en régissent l'apparent désordre. De fait, la mobilisation d'un vaste savoir ne participe pas, comme chez d'Aubigné, d'une réelle dynamique poétique qui en orchestrerait les éléments et les fondrait dans une coulée unique : huguenot militant, Du Bartas veut « émouvoir les affections » et « instruire les hommes » en discourant des « choses naturelles », mais la visée d'édification morale et religieuse reste trop extérieure au texte pour faire réellement office de principe ordonnateur.

Il y aurait cependant quelque injustice à ne pas reconnaître dans *la Semaine* l'exemple grandiose, à peu près unique dans notre littérature, d'une lecture structurante de l'univers : « Le monde est un grand livre ; où du souverain maistre, / L'admirable artifice on lit en grosse lettre. / Chaque œuvre est une page, et chasque sien effet / Est un beau charactere en tous ses traits parfaict » (« Premier Jour »). La métaphore du livre de la Nature, traditionnelle au Moyen Âge et à la Renaissance, soumet la description à un parcours analogique qui réveille les correspondances et similitudes inaperçues : les eaux reflètent le ciel, et « La mer a tout ainsi que l'element voisin / Sa rose, son melon, son œillet, son raisin, » (« Cinquième Jour »). L'enroulement de la Nature sur elle-même ne se réduit pas à un redoublement indéfini des choses, il les inscrit dans un puissant rapport érotique où l'univers entier trouve une fécondité permanente : « Le Ciel masle s'accouple au plus sec Element : / Et d'un germe fecond qui toute chose anime / Engrosse à tous moments sa femme legitime / La terre plantureuse » (« Deuxième Jour »). Écho et résumé du cosmos, l'anatomie humaine fait l'objet d'une description aussi minutieuse que vibrante de louange : en un étonnant développement, le poète s'engage dans le « dédale subtil » du corps et s'attache à rendre compte de son organisation et de sa beauté internes.

Le verbe poétique apparaît ainsi comme le concurrent du geste créateur : par la répétition des syllabes évocatrices – le « ba-battement » de l'aile, le « flo-flottant séjour » de la mer –, il suscite l'objet considéré autant qu'il en décrit les particularités. Aux taxinomies empruntées à l'histoire naturelle se mêle l'usage invocatoire du signifiant, comme si le poète recréait à proprement parler le sens et la fonction des créatures dans l'univers. Un rôle essentiel à cet égard est dévolu aux comparaisons et métaphores inattendues, qui réactivent la perception du monde chez le lecteur et tissent entre les choses des harmonies déconcertantes : l'une des plus belles expressions de ce système baroque de redoublements se trouve dans la vision du firmament, « moucheté [...] et parsemé d'estoiles », semblable à un paon qui fait sa cour et veut offrir à la terre le « doux fruit de son embrassement ». La démiurgie verbale restitue alors la concaténation des créatures dans un sens propice à la louange et à l'admiration.

Si la mise en scène de l'univers ne saurait rivaliser avec la cosmologie tragique et chaotique d'un d'Aubigné, la singulière audace de l'entreprise rejoint à certains égards les ambitions totalisantes et encyclopédiques de la littérature moderne : à la fois philosophie de l'ordre du monde et vaste glose baroque du texte biblique, la Semaine ne se pose-t-elle pas en émule de la Nature et de l'Écriture ?

● Nizet, 2 vol., 1981 (p.p. Y. Bellenger) ; Arles, Actes Sud, 1988 (p.p. V. Bol). ➤ The Works, Univ. of Carolina Press, III.

P. MARI

SEMAINE SAINTE (la). Roman de Louis **Aragon** (1897-1982), publié à Paris chez Gallimard en 1958.

Rédigé durant l'année 1957-1958, le roman tel qu'il nous est donné à lire, ayant pour motif principal la participation de Théodore Géricault à la fuite de Louis XVIII durant les Cent-Jours, succède à un projet plus vaste, travaillé de mai 1955 au début de 1956, qui aurait pris pour héros David d'Angers et couvert quarante-deux ans, de 1814 à 1856. Si l'intérêt pour Géricault allait croissant dans la réflexion esthétique d'Aragon dans les années 1949-1957 (ainsi publiait-il « Géricault et Delacroix ou le Réel et l'Imaginaire » dans les Lettres françaises du 21 janvier 1954), la parution de l'étude Géricault et son temps en 1956 n'est sans doute pas étrangère à ce changement de personnage principal et, par là, de perspective romanesque : renonçant à une fresque immense – comme il le fit pour les *Communistes, réduits de toute la Seconde Guerre mondiale à la seule période 1939-1940 –, le romancier abandonne surtout un républicain aux allures de « héros positif » pour un artiste aux préoccupations moins évidemment proches de celles du militant Aragon. Cette métamorphose fait passer le roman du réalisme didactique à la peinture, qui intéressa toujours l'écrivain, de la genèse d'une conscience politique (voir Catherine dans les *Cloches de Bâle, Armand dans les *Beaux Quartiers). Le projet s'ouvre ainsi à une réflexion sur l'ambiguïté de l'Histoire, qui tire les leçons du désenchantement consécutif aux événements de Hongrie en 1956 et fait de ce premier roman indépendant du cycle du « Monde réel », l'inauguration de ce qu'il est convenu d'appeler la « troisième période » (voir le *Roman inachevé, *Elsa) de l'écrivain.

Au « Matin des Rameaux », Théodore Géricault se trouve mousquetaire gris du roi, dans le désordre parisien lié à l'annonce de la remontée de Napoléon le long du Rhône, depuis son débarquement de l'île d'Elbe. « Quatre vues de Paris » nous font circuler dans l'agitation du 19 mars 1814, qui produit, chez l'engagé volontaire Géricault, une absolue désillusion : rencontrant au soir le jeune Augustin Thierry, admirateur passionné de sa peinture, Théodore décide de ne pas suivre le roi dans sa possible fuite, soudain assailli du désir de renouer avec un art qu'il croyait avoir abandonné pour toujours. Malgré cette résolution, ému le soir même par la harangue du roi impotent, il accompagne le cortège de cette « monarchie qui se déglingue » dans sa remontée vers le nord. À Poix, il assiste à une réunion de conjurés (« la Nuit des arbrisseaux ») et comprend leur indifférence à la bataille politicienne, quand le problème qui se pose à eux relève de l'économie à naître, et de la formation d'un autre règne dans la cité : cette sorte de bouffée d'avenir, commentée dans un songe éveillé par le narrateur, semble une autre voie de l'Histoire, contredite aussitôt par l'épouvante d'un crime individuel. Tirant plus tard la leçon de cette nuit (« le

Vendredi saint »), Géricault suivra néanmoins jusqu'au bout Louis XVIII, jusqu'à ce que l'ordre soit donné de se disperser, à Béthune. À la fin de cette « Passion » de la politique (« Demain Pâques »), muni d'un laisser-passer et d'une fausse identité, Théodore refera le chemin à l'envers : « C'est drôle, la route n'est plus du tout la même, avec le soleil. »

L'hésitation de la conscience dans une débâcle de boue et de pluie fait de l'Histoire une fuite éperdue, un roman du désastre. L'immense travail de documentation accompli par Aragon, qui lui permet de donner consistance à l'intégralité de ses personnages, ne fait en rien de la Semaine sainte un « documentaire » animé par une vague trame narrative : si, comme la presse de l'époque l'avait noté, il « ne manque pas un seul bouton de culotte » à la reconstitution, c'est que le détail le plus infime permet seul la compréhension d'une époque, que le particulier le plus matériel est un tremplin pour l'universel. Aussi le roman n'est-il pas tout à fait « historique », comme le proclame (non sans provocation) un encadré initial de l'auteur, puisqu'il s'agit pas de réanimer seulement le révolu, mais de donner à lire, dans une construction savamment maîtrisée (correspondance de la semaine symbolique et de l'itinéraire géographique des troupes royales), une métaphore générale de la temporalité et de la politique. Par là, Aragon réarticule les figurations du temps qu'il avait déjà développées (la plate-forme filant vers le néant des *Voyageurs de l'impériale, le fleuve mortifère d'*Aurélien), et précise leur portée politique : jusqu'ici en effet, le pessimisme « historial » de l'artiste cohabitait vaille que vaille avec l'optimisme historique requis par l'idéologie. La tragédie des années cinquante (découverte du stalinisme, XXe congrès du PC soviétique) semble fondre les deux tendances, non pour un fatalisme désabusé, mais pour obliger à une relecture de l'Histoire, où l'exigence morale ne prendrait plus ses souhaits pour d'immédiates réalités. Tant du point de vue esthétique (un savoir convoqué pour être « rêvé » par l'imaginaire, dans un réalisme « sans rivages » qui préfigure le *Fou d'Elsa) qu'idéologique (une analyse qui intègre le fond sombre des tableaux de Géricault dans ses propres représentations), la Semaine sainte constitue autant un prolongement qu'une métamorphose : la critique de l'époque s'y est quelque peu trompée, encensant ce livre prodigieux pour l'opposer à ce qui le précédait, sans voir que le discours comme la méthode déplaçaient le marxisme plutôt qu'ils ne le reniaient. Correction non pas idéologique, mais esthétique (ainsi Aragon s'inspire-t-il des visions picturales, coulant sa phrase sur la déroute militaire, en longues traînées vertigineuses de deux pages quelquefois, qui se réveillent au sursaut d'une lumière, d'une chandelle de tableau) après l'échec des Communistes, réinvestissement de l'idéologie dans une nouvelle direction d'analyse, travail de tressage métaphorique de la débâcle du roi et de celle de 1940, incarnation splendide de l'Histoire dans une fresque réaliste et lyrique qui hurle sa douleur, la Semaine sainte constitue sans aucun doute un chef-d'œuvre. Mais sur d'autres plans que les célébrations empressées de 1958 pouvaient l'imaginer sommairement, trop heureuses de prendre (à tort) Aragon en défaut avec lui-même, quand il renouvelait et son militantisme et sa création pour les œuvres de la maturité (voir les Poètes, la *Mise à mort, *Blanche ou l'Oubli).

➤ Œuvres romanesques croisées, XXIX-XXX.

O. BARBARANT

SEMAINIER (le). Roman d'Anne-Marie **La Fère** (Belgique, née en 1940), publié à Bruxelles aux Éditions les Écrits du Nord en 1982.

C'est le premier roman de cette enseignante familière de l'Afrique, connue surtout comme essayiste et par ses responsabilités à la rubrique culturelle de la RTBF.

Anaïs Clément, créatrice du théâtre Réseau, écrit son testament en classant, dans sept tiroirs de son semainier, des papiers personnels et professionnels groupés en fonction des personnes qu'ils concernent. Deux jours après, elle meurt accidentellement sur l'autoroute. Un de ses meilleurs amis, l'avocat Baruk, charge un juriste *free-lance* (le narrateur) d'inventorier le semainier et de remettre son contenu aux intéressés. Intrigué et fasciné par ce qu'il entrevoit de la vie d'Anaïs, le narrateur, ex-avocat qui vit dans « la solitude et la médiocrité », s'invente des vies imaginaires aux côtés de la morte ou de ses amies (chap. 1). Il échafaude en particulier toutes sortes de fantasmagories autour de Colette, cousine et intime d'Anaïs, qu'il doit rencontrer (2). Le narrateur piétine dans ses rêves. En parlant d'Anaïs : « Je ne supporte pas bien mon absence de son histoire » (3). Après avoir vu plusieurs de ses proches, il avoue : « Je patauge dans la vie d'Anaïs. Les morceaux ne collent pas. » Quels amants a-t-elle eus ? Sa mort ne fut-elle pas un suicide ou un meurtre (4-5) ? Il trouve un scénario de film laissé dans un tiroir, avec un roman pornographique écrit en collaboration avec Colette : le premier est « humanitariste et mal ficelé », le second « bon chic, bon genre ». Nul, juge le narrateur (6). Le semainier ne lui a finalement rien appris sur Anaïs, mais, à travers une chanson qu'ils aimaient tous les deux, lui permet un retour sur son enfance et les raisons de son propre échec : il se tuera lui-même sur l'autoroute, bourré de barbituriques. Rubrique : faits divers (7).

Le roman est construit sur l'alternance, à l'intérieur d'un même chapitre, de documents (interviews, écrits d'Anaïs ou de ses amis) et d'interventions à chaud du narrateur. Celles-ci mêlent, selon une technique inspirée du Nouveau Roman, les photographies impitoyables de la vie quotidienne d'un raté, et ses rêveries compensatoires, par lesquelles il s'intègre à l'univers frelaté et brillant d'Anaïs, devenu obsessionnel par l'intermédiaire du semainier. Le narrateur en effet se trouve un peu dans la même position que le policier de *Laura*, le célèbre film d'Otto Preminger (1944), fasciné par la disparue sur laquelle il enquête. Mais l'originalité de la démarche tient à ce que cette fascination romantique est mise en cause par une critique sociale cinglante. Voyeur mais pas dupe, authentique prolétaire, le narrateur reçoit comme autant d'injures les effluves de cet univers snob de progressistes bien-pensants, qu'il ressuscite avec férocité. Anaïs s'entichait de « démarches confidentielles », fascinée par la nostalgie gauchiste et le « ton hégélien des situationnistes ». Elle et son amie Colette n'étaient que des pipelettes mondaines revêtues d'une chasuble révolutionnaire, emblématiques de la génération des années soixante-dix.

R. AUGUET

SEMAISON (la). Carnets de Philippe **Jaccottet** (Suisse, né en 1925), publiés à Lausanne chez Payot en 1963 ; réédition augmentée à Paris chez Gallimard en 1971. Ces carnets, qui couvrent les années 1954-1962, reparaissent chez Gallimard en 1984 avec le texte de *Journées* (carnets 1968-1975, publiés chez Payot en 1977) et les carnets 1976-1979, inédits.

La semaison est une « dispersion naturelle des graines d'une plante », indique la citation du Littré à l'exergue du texte : ainsi l'auteur, qui faisait figurer dans *l'Effraie* (voir *Poésies 1946-1967*) un texte intitulé « la Semaison », a-t-il toujours fait preuve d'un intérêt pour la forme brève et décousue du recueil de notations, qui compose un sens aéré en respectant la fragmentation du réel, la dispersion des jours et des émotions. Loin du journal intime et de son égotisme (« L'attachement à soi augmente l'opacité de la vie »), les carnets font alterner proses de réflexion, maximes discrètes et une « écriture du regard » modelée sur le passage des apparences, qui débouche parfois sur des amorces de poème, enfin des phrases marquées au cours de lectures. Souvent picturale, cette déambulation dans de légers éclats de vie restitue ainsi les instants où « une fleur s'ouvre au versant des montagnes », lie l'éblouissement à sa perte, dans des « croquis » d'une beauté toujours instable, frêle, entr'aperçue. Aussi le carnet est-il, bien au-delà de tout engouement

« moderne » pour le fragmentaire, l'instrument privilégié d'une poétique mise en forme par l'écrivain, requis par des « choses réelles, vraies, oui, mais lointaines et presque insaisissables, étrangères – imméritées peut-être ? », qui contraignent à la plus légère et friable diction, dans une brièveté qui construit, comme le haïku, un « chant qui est à lui-même sa faux ». La délicatesse de l'écriture capte alors les plus infimes modulations d'une journée, la teinte d'un ciel, attentive le plus souvent aux images de fraîcheur : « Le petit pêcher rose, dans la distance, sur un coin de pré clair. Rien que cela, flèche qui creuse au plus profond de nous. » Si l'on peut être moins sensible au spiritualisme hésitant qui parcourt certaines pages, au regret des dieux ou aux condamnations des temps modernes virant parfois à la délectation morose, l'essentiel de ces « graines légères » que le poète voudrait destiner à « replanter la forêt spirituelle » demeure cependant dans leur dissémination : ainsi jetées au vent, elles semblent davantage s'attacher à la grâce d'un instant qu'à figer les amorces de « signes » que le monde fait mine d'adresser au regard.

Accomplissement aérien d'un phrasé toujours exact dans l'incertitude, les carnets accomplissent ainsi, dans leur esquisse même, la parfaite honnêteté d'un projet poétique qui voudrait « ne pas tricher », se situer dans une région « entre Beckett et Saint-John Perse qui sont aux deux extrêmes, et tous les deux systématiques ». Entre l'« Innommable » et la perpétuelle célébration, il reste alors pour dire le monde une modestie très précise : la « poésie pourrait être mêlée à la possibilité d'affronter l'insoutenable » parce que l'« expression juste, oui, si elle éclaire, ouvre la voie ».

O. BARBARANT

SENS DE LA VIE (le). Roman d'Édouard **Rod** (Suisse, 1857-1910), publié à Lausanne chez Payot en 1889.

Œuvre la plus célèbre d'Édouard Rod, *le Sens de la vie* marque l'aboutissement littéraire de son spiritualisme, qui a succédé à la veine naturaliste (voir *Palmyre Veulard*), puis à la découverte des romanciers russes, et qui s'exprimera sous forme d'essai dans *les Idées morales du temps présent* (1891), proches des thèses de Paul Bourget. Suivront des « études passionnelles » et des romans rustiques célébrant un « rêve alpestre » (*les Roches blanches*, 1895).

En quatre livres, un narrateur raconte, sous forme de journal intime, l'histoire de son mariage et son évolution spirituelle.

I. « Mariage ». Le premier livre nous entraîne dans un voyage de noces en Italie, puis nous ramène dans le « tumulte du monde » parisien. Après la découverte émerveillée de l'amour conjugal, le narrateur s'interroge sur le « sens de la vie », alors que sa femme est enceinte.

II. « Paternité ». La naissance d'une fille s'accompagne de la lecture des romanciers russes. La petite Marie tombe gravement malade, mais en réchappe finalement.

III. « Altruisme ». Le troisième livre met en scène la tentative de sortie du cocon familial alors que grandit « Bébette », et la tentation de rapprochement avec l'humanité.

IV. « Religion ». Ce rêve généreux s'effondre au contact rebutant des foules. Retour vers l'affection privée. Le héros songe à écrire un traité de philosophie ou un roman, dans lesquels il rassemblerait ses expériences, réflexions et conclusions. Mais, à Saint-Sulpice, il ressent les premières manifestations d'une foi qui n'ose encore s'avouer. L'ouvrage s'achève sur cette ultime lutte « contre l'esprit qui nie ».

Récit d'une conversion qui se prépare, *le Sens de la vie* répond à la question posée d'entrée : « Y a-t-il donc, dans les détails misérables qui me conquièrent [...], un sens mystérieux que je n'avais pas compris ? » Agnostique lui-même, mais marié à une femme croyante, le narrateur va progressivement élucider cette énigme. Un moment fourvoyé dans l'amour désintéressé du prochain que lui inspirent les auteurs russes, il perçoit les vertus d'un individualisme bien compris. Cette attitude, aux antipodes de l'égoïsme, s'avère adhésion personnelle à l'ordre du monde, dont l'amour sincère et les joies de la paternité permettent au héros de dépasser les trivialités. Ainsi le dernier chapitre annonce-t-il l'« heure décisive », celle où « Paul fut frappé sur le chemin de Damas ». Comme *la Course à la mort* (1885), autre journal intime d'un dilettante qui, dans une longue plainte, expose le résultat de ses investigations dans tous les domaines (lectures philosophiques, vie sentimentale, curiosités artistiques, etc.), *le Sens de la vie* fait figure de récit initiatique. Mais il apporte de surcroît une révélation finale qui le métamorphose en roman à thèse, où s'expose – assez lourdement, il faut en convenir – une doctrine de la régénération spirituelle.

● Genève, Slatkine, 1973 (réimp. éd. 1889, préf. M.-C. Lerner).

G. GENGEMBRE

SENS PLASTIQUE. Recueil d'aphorismes de Malcolm de **Chazal** (île Maurice, 1902-1981), publié à Paris chez Gallimard en 1948.

Avec *Sens plastique*, c'est une voix aux accents prophétiques venus d'ailleurs, de l'île Maurice, qui s'impose à Paris en 1948. Découvert par Francis Ponge, préfacé par Jean Paulhan, salué et fêté par André Breton – qui écrivait alors : « Je n'hésite pas à voir le plus grand événement de nos jours dans la publication de l'œuvre de Malcolm de Chazal » –, le livre révélait un écrivain singulier qui vivait, retiré de tout, près de Curepipe, mais descendait, depuis ses origines foréziennes, d'un disciple de Swedenborg, secrétaire du comte de Saint-Germain.

« Occultiste sans tradition », mais non sans prédispositions, Malcolm de Chazal envisage la poésie comme une recherche des « réalités spirituelles » qui permet d'atteindre le « stade où, en pensant, le monde extérieur est aboli, et où seule subsiste la vie intérieure » : démarche dans laquelle entraîne, de façon troublante et fascinante, *Sens plastique*.

Le recueil se compose de deux à trois mille textes brefs – aphorismes de deux phrases ou pensées contractées en quelques lignes, une quarantaine peut-être pour les plus longues d'entre elles – et provocants, que ne vient ordonner nul classement apparent. Correspondances et métaphores se bousculent, jouant avec les sensations et accumulant les sens. Les unes paraissent énigmatiques dans leur forme lapidaire : « Le regard est le plus long râteau. » D'autres sont d'un baroquisme exquis : « Toutes les fleurs sur la plante, ayant leur forme vivante, esquissent des *oh !* en permanence, pour ne jeter les *ah !* émouvants des mourants que dans le vase où elles meurent, la bouche grande ouverte. » Toujours, cependant, elles rassemblent et confrontent le concret et l'abstrait, le matériel et le spirituel. Les fleurs, les animaux, les éléments s'y marient aux couleurs, aux odeurs, aux bruits, aux mouvements, aux attouchements, pour atteindre à la surréalité où se résolvent les contradictions. « Carrefour universel des sens, de l'esprit, du cœur et de l'âme », la volupté y occupe une place de choix : « La volupté est païenne au départ, et sacrée vers la fin. Le spasme tient de l'autre monde. »

L'ambition que se donne Malcolm de Chazal dans *Sens plastique* n'est rien de moins que de construire « une cosmogonie de l'Invisible », qu'il définit comme une « intégration totale du monde vivant au monde de l'âme ». Aussi s'efforce-t-il, par le jeu des correspondances et des synesthésies, de mettre au jour les liens cachés qui, au-delà des apparences, unissent l'homme, le monde et les choses, et creusent des souterrains entre les différentes sensations, les plus matérielles comme les plus volatiles. Ainsi que l'analyse Jean Paulhan, si l'image occupe ici une place essentielle, c'est qu'« en jaillissant elle s'accompagne d'une sorte de combustion (comme pour les fils électriques). Au lieu de deux objets, elle n'en laisse qu'un. Plus moyen de distinguer entre le précis et le confus, entre le plastique et le non-plastique ». Surréaliste et théosophique, cette œuvre l'est au plus haut point (et Breton ne s'y est pas trompé), puisqu'elle entreprend de résoudre les

antinomies, de combler l'écart entre le physique et l'esprit comme entre le sujet et l'objet et, finalement, vise à atteindre l'Un en une universelle harmonie cosmique.

● « L'Imaginaire », 1985 (préf. J. Paulhan).

L. PINHAS

SENTIMENT DES CITOYENS. Pamphlet de François Marie Arouet, dit **Voltaire** (1694-1778), publié à Genève en 1764.

Depuis des années, le contentieux entre Voltaire et Jean-Jacques Rousseau n'avait cessé de s'alourdir. Voltaire n'avait certes point oublié la déclaration de guerre de Rousseau du 17 juin 1760 : « Je vous hais, enfin, puisque vous l'avez voulu. » Mais voici que ce « fou », ce « faux frère », commet un crime impardonnable : dans ses **Lettres écrites de la montagne* (octobre 1764), en réponse à deux brochures du procureur général Jean-Robert Tronchin (*Lettres écrites de la campagne*, 1763) qui justifiaient la condamnation à Genève de l'**Émile* et de **Du contrat social*, Rousseau se fait son propre avocat et dénonce l'anonymat des hommes de lettres qui débitent impunément des ouvrages punissables. À preuve Voltaire, auteur des chapitres antichrétiens de l'**Essai sur les mœurs* et du *Sermon des Cinquante*. Fureur de Voltaire alors que le **Dictionnaire philosophique* scandalise. Il remet à François Tronchin, parent de Jean-Robert, une note qui relève dans les *Lettres écrites de la montagne* des passages condamnables, et envisage les mesures à prendre. Le 27 décembre, paraît une brochure anonyme de 8 pages, *Sentiment des citoyens*, qui cite les mêmes passages.

Les citoyens affirment qu'un fou dangereux doit être mis hors d'état de nuire. Or la « démence » de Jean-Jacques est devenue fureur. Il sape les fondements du christianisme, outrage les ministres du saint Évangile, veut fomenter des troubles à Genève. La conclusion s'impose : « Il faut lui apprendre que si on châtie légèrement un romancier impie, on punit capitalement un vil séditieux. » Sous prétexte de montrer leur bienveillance passée, les citoyens rappellent l'indigne passé de ce fou : celui de l'écrivain, réduit au rôle d'un bouffon, celui de l'homme privé, marqué par la débauche, responsable de la mort de sa belle-mère et coupable d'avoir abandonné ses enfants.

Texte féroce. Voltaire a-t-il cherché à faire exécuter Rousseau ? Le critique Henri Guillemin répond par l'affirmative. Or Voltaire sait que Rousseau est hors d'atteinte et qu'il dispose de solides appuis genevois. Il s'agit plutôt de démasquer ce faux homme de bien, de l'écraser, de le terroriser. Sa mort sociale importe plus que sa mort réelle. Rousseau fait imprimer, dès le 6 janvier 1765, une version annotée de ce texte. Sur sa prétendue vérole, il en appelle au témoignage de ses médecins, il proclame que sa belle-mère est en bonne santé. Mais l'abandon de ses enfants n'était point une calomnie. Il prend le parti de nier : « Je n'ai jamais exposé ni fait exposer aucun enfant à la porte d'aucun hôpital, ni ailleurs. » Du bon usage de l'équivoque : ses enfants ont été remis à une sage-femme qui les remit aux Enfants-trouvés, dira-t-il plus tard. Trompé par le « style pastoral » du *Sentiment des citoyens*, Rousseau s'obstine à croire que l'auteur est Jacob Vernes, un pasteur qui avait publié en 1763 des *Lettres sur le christianisme de M. J.-J. Rousseau*. Ces pages cruelles eurent pour Voltaire valeur cathartique ; pour Rousseau, elles ne furent pas sans influence sur sa décision d'écrire ses **Confessions*.

➤ *Mélanges*, « Pléiade ».

C. MERVAUD

SEPT COULEURS (les). Roman de Robert **Brasillach** (1909-1945), publié à Paris chez Plon en 1939.

1926 : Patrice et Catherine alimentent leur amour de jeunesse de leurs errances parisiennes (« Récit »). Ils connaissent la « possession de la pureté ». Devenu précepteur, il lui adresse, de Florence, des lettres tendres qui disent aussi son intérêt pour le fascisme (« Lettres »). Elle modère ses effusions, lui reproche sa légèreté et lui annonce son mariage avec François. Après cinq ans de légion, Patrice se trouve en poste à Nuremberg (« Journal »). Le IIIe Reich commence. Patrice part en mission en France. Suivent des « Réflexions » sur la trentaine ainsi que sur les bouleversements internationaux. Acquis au fascisme, François propose à Catherine de s'installer en Allemagne ; elle refuse (« Dialogue »). Elle renoue un moment avec Patrice. François passe en Espagne et s'engage dans les rangs franquistes (« Documents »). À Madrid, il est blessé. Catherine le rejoint, sûre, désormais, d'avoir oublié Patrice, le rêveur, pour François, l'homme de chair (« Discours »).

L'histoire d'amour fournit la trame romanesque de cette double investigation qui porte aussi bien sur les différentes formes du récit que sur l'instauration des dictatures du XXe siècle. En effet, l'auteur prétend explorer les « sept couleurs » de discours possibles en adaptant la technique narrative à la situation évoquée. Quoique ce parti pris semble parfois bien formel, le style se modèle sur la psychologie des personnages : d'une tonalité naïve, propre à rendre la candeur première des personnages dans le « Récit », il s'affermit à mesure que les convictions des trois héros prennent de la consistance. L'intrigue passionnelle suit la progression de l'initiation politique : jeune homme exalté, Patrice s'imagine vivre un amour romanesque, dans la continuation de Tristan et Iseut ; mais la raisonnable Catherine refuse de céder au mirage. En cette période de trouble qui s'étend sur dix ans (de 1926 à 1936), elle incarne un principe de stabilité alors que les hommes « ont toujours quelque grand destin qui s'interpose entre eux et le bonheur ». En effet, les deux personnages masculins évoluent vers le fascisme et se jettent dans l'action par désespoir sentimental, comme s'ils acquéraient une conscience nouvelle de leur « devoir » à la faveur de quiproquos amoureux (en tête de chaque chapitre, se trouve une épigraphe suggestive empruntée à *Polyeucte). D'abord peu convaincu par le courant humaniste des années vingt, Patrice manifeste un intérêt croissant pour l'Italie alors que, un moment tenté par le communisme, François se rapproche des franquistes. Selon l'auteur, cette attirance pour les régimes forts tient à la décadence des démocraties, incapables désormais d'insuffler l'enthousiasme à la jeunesse. À l'inverse, il existe une « joie fasciste ». Sous la plume de Brasillach, qui optera bientôt pour la collaboration avec l'occupant, le fascisme témoigne de la grâce retrouvée par le peuple italien ; porté par un chef charismatique, le nazisme s'impose en réaction contre les turpitudes berlinoises et la défaite allemande ; le franquisme soumet l'Espagne à une révolution nécessaire. Le fascisme au sens large devient ainsi la foi moderne, en lutte contre la léthargie et l'affadissement des valeurs. Pour Patrice, les « offices » hitlériens instaurent une « religion nouvelle », qui s'établit sur les ruines de la civilisation européenne. Mais c'est François que Catherine choisira, l'homme de la croisade espagnole, qui a préféré l'action à l'exaltation lyrique.

● Plon, 1985.

V. ANGLARD

SEPTENTRION. Roman de Louis **Calaferte** (1928-1994), publié à Paris au Cercle du Livre précieux en 1963.

De chambres d'hôtel sordides en cafés sinistres, le narrateur de *Septentrion* mène une existence paisible jusqu'au jour où il rencontre Mlle Nora Van Hoeck (chap. 1-2). Riche, elle dispense le narrateur de travailler à l'usine et l'entretient sans scrupule. Mais cet amant choyé, qui rêve de rédiger un livre sur lequel il fonde tous ses espoirs, refuse bientôt le « royaume d'Insouciance qu'elle [lui] ouvre à deux battants » (3), et quitte sans pitié sa maîtresse toujours plus accaparante (4-5).

Condamné à errer dans les rues et dans les couloirs du métro parisien, il devient à nouveau un vagabond désœuvré. Il tente de solliciter ses amis, mais son camarade Desmarchy lui refuse son secours et Livonnier l'éconduit poliment. Le narrateur trouve alors réconfort et compréhension dans les dancings où le conduit son ami Sicelli. Le compagnon de toujours, Gaubert, se propose de devenir son mécène, car le narrateur est à ses yeux la réincarnation de son rêve d'écrivain. Cette rencontre providentielle est l'occasion pour le narrateur de se retrouver en situation de « fils aîné de l'Insouciance » (6).

« Au commencement était le Sexe », annonce d'emblée Calaferte dans *Septentrion*, qui ne fut autorisé, en 1963, qu'en édition dite « hors commerce ». C'est en effet dans un débat entre l'omniprésence du sexe (« C'est la vie du corps qui compte ») et l'accomplissement esthétique auquel aspire le narrateur que se situe l'enjeu de cette autobiographie déguisée. La part sexuelle du roman est entièrement dévolue à Nora, qui représente pour le narrateur une véritable « descente aux Enfers ». « Pieuvre amoureuse, filament de convoitises sexuelles », « vampiromane » ou encore « mante hermophile » : le narrateur n'a pas d'expressions assez imagées pour décrire cette maîtresse qui le plonge dans une « tristesse morne ». L'observation clinique sera dès lors le recours favori du narrateur : « Nous nous suffisons à nous-mêmes en tant qu'entrailles carnivores. » Face à l'horreur et à la fascination que lui inspire cette « force destructrice » de la femme, il dénonce les excès de la « fatalité sexuelle » et, cultivant des visions apocalyptiques, se bâtit une morale qui sera la « fibre même de la vie vivante ». La lecture, de la Bible aux philosophes allemands, sera la clé de cet édifice qui, dépassant la fatalité du dégoût de soi (« Je suis un pou »), permet à l'auteur de s'inventer une nouvelle liturgie de la création. Ne vivant plus que pour la méditation et la réflexion, ce janséniste à la rigueur éthique autoproclamée allie ainsi les débordements de sa subjectivité aux affres d'un Kierkegaard, les ruptures syntaxiques d'un Céline au moralisme cinglant d'un Joubert et à la misanthropie d'un Chamfort ; autant de contradictions qui permettent à ce livre classique et baroque à la fois de trouver sa place entre Dieu et le Sexe, entre « les profondeurs et les sommets » : « Je crée. C'est à la fois l'accomplissement de mon propre miracle et de ma propre damnation. »

● Denoël, 1984 ; « Folio », 1990.

P. GOURVENNEC

SÉQUENCE [ou Cantilène] DE SAINTE EULALIE (la).
Poème anonyme de vingt-huit vers, composé en 881-882 dans la région de Valenciennes. Il constitue le plus ancien texte littéraire français connu. Le manuscrit unique, qui a conservé au verso d'un feuillet la séquence romane, dans une langue où se mêlent latinismes et expressions picaro-wallonnes, contient au recto une séquence latine sur la même sainte dont l'esprit et le style s'avèrent sensiblement différents. Les deux séquences étaient probablement chantées en alternance ; la musique en a été perdue.

Une jeune fille, Eulalie, résiste au diable qui l'invite à renier Dieu. Le roi des païens, Maximilien, lui intime l'ordre d'abandonner le nom de chrétienne. Eulalie préfère les tourments au sacrifice de sa virginité. Les flammes du bûcher ne l'atteignent pas ; elle sera finalement décapitée. Son âme s'envole au ciel. L'auteur demande à la sainte d'intercéder en faveur des chrétiens auprès du Christ.

Composée d'une série de clausules de deux vers, la séquence se présente comme un triptyque où le drame humain de la martyre se trouve encadré par l'intervention diabolique et la présence d'un dieu rédempteur. La cohérence de l'ensemble se voit renforcée par le fait que l'action de Maximilien traduit celle du diable, comme l'intervention divine fournit l'équivalent spirituel du sacrifice de la sainte.

La classification générique de la séquence (longtemps appelée cantilène) a été l'objet de controverses et reste problématique. En dépit de sa brièveté et de son hiératisme formel, le poème d'*Eulalie* est déjà une vie de sainte dont il possède plusieurs caractéristiques. C'est le récit d'une vie, réduite à l'événement qui lui donne sens, un récit qui progresse en plusieurs étapes jusqu'à sa résolution finale dans le martyre. L'intercession réclamée dans la conclusion deviendra aussi un élément constitutif des quelque deux cents récits hagiographiques français produits entre le IXᵉ et le XIVᵉ siècle. La séquence romane possède, au même titre que les *exempla* et les vies de saints, une fonction d'édification morale et religieuse ; elle rappelle, aux fidèles ignorant le latin, les manœuvres du Malin, la magnanimité de Dieu, la fonction de la sainteté qui invite à l'imitation du Christ par une conduite calquée sur celle de la Passion, où le sacrifice du corps met sur la voie de l'esprit. Autre constante d'une partie de l'hagiographie française : le modèle spirituel est cherché dans la période de fondation du christianisme, aux temps de l'Église persécutée et primitive. *La Séquence d'Eulalie* pourrait ainsi être lue comme la plus ancienne vie de sainte, celle qui inaugure l'ensemble des vies de vierges sacrifiées, auquel fait pendant celui des pécheresses repenties.

● Turin, Corsi universitari, 1966 (p.p. D'A.S. Avalle).

J.-C. HUCHET

SÉQUENCES DE L'AILE. Voir POÉSIES (1953-1971), de F. Ouellette.

SÉQUESTRÉS D'ALTONA (les). Pièce en cinq actes et en prose de Jean-Paul **Sartre** (1905-1980), créée à Paris au théâtre de la Renaissance le 23 septembre 1959, et publiée à Paris dans *les Temps modernes* en octobre et novembre 1959, et en volume chez Gallimard en 1960.

Après **Nekrassov* (1955), farce satirique qui vitriole l'anticommunisme, Sartre revient pour la dernière fois au théâtre avec une œuvre longue, touffue et noire, qui, d'après Simone de Beauvoir, fut celle de toutes qui lui coûta le plus d'efforts. Dans l'intervalle, il a subi le contrecoup de la répression soviétique en Hongrie, approuvée par le parti communiste français, dont il s'éloigne politiquement, mais aussi celui de la répression française en Algérie. Années de guerre, années d'engagement pour l'écrivain, qui interrompt la rédaction de la *Critique de la raison dialectique* pour aborder un sujet politique : situé dans l'Allemagne de l'après-guerre, selon un canevas qui emprunte parfois au genre boulevardier, le sujet des *Séquestrés* n'en renvoie pas moins, selon Sartre lui-même, à la « décomposition d'une famille, du fait du silence observé par un rappelé à son retour d'Algérie ». De fait, la pièce a pour raison première de dévoiler au public bourgeois son vrai visage : celui d'un bourreau pris dans les contradictions de sa mauvaise foi et de sa responsabilité historique. Ainsi, le contexte de la guerre d'Algérie, loin d'épuiser le sens de la pièce, n'en est que la cause occasionnelle.

Atteint d'un cancer, le vieux von Gerlach, un grand armateur allemand, désigne son fils cadet Werner pour lui succéder, malgré son inaptitude et l'opposition de la femme de celui-ci, Johanna. Tous deux devront demeurer dans la maison familiale pour une raison que Johanna apprend bientôt : tenu officiellement pour mort, le fils aîné, Frantz, vit en reclus dans une chambre depuis la fin de la guerre, treize ans auparavant. Ex-officier, il est toujours vêtu de son uniforme en loques et enregistre sur un magnétophone des monologues délirants et des plaidoyers en faveur de l'Allemagne, adressés à la postérité – les « crabes » du trentième siècle. Sa sœur Leni, seule à être reçue dans le grenier, et qui l'aime d'un amour incestueux, l'entretient dans l'idée que l'Allemagne est en ruines, saccagée par les vainqueurs.

Aussi prétend-il s'être séquestré pour ne pas assister à l'effondrement de son pays. Mais Johanna, qui est progressivement entrée dans son intimité pour le convaincre de renoncer à sa séquestration, découvre peu à peu les raisons profondes de cette réclusion volontaire : Frantz a caché jadis un Juif que son père a dénoncé aux nazis, celui-ci obtenant l'impunité pour son fils à condition qu'il s'engage dans l'armée. Sur le front russe, Frantz a tué des paysans sous la torture. Le découvrant tortionnaire, Johanna, qui se sentait attirée par Frantz, le rejette avec horreur, alors même qu'ayant renoncé à son tribunal imaginaire des crabes, il attendait d'elle seule un salut possible. Sa comédie de la folie n'a plus de sens, non plus que son rôle de témoin de l'Allemagne martyre dès lors qu'il apprend la prospérité de son pays et de sa famille. Il rencontrera donc son père qu'il avait jusqu'alors refusé obstinément de revoir. Ce sera pour qu'ils accomplissent ensemble un double suicide.

Là où **Huis clos* plaçait les personnages en dehors du temps, dans un conflit somme toute métaphysique dont l'issue (« L'enfer c'est les autres ») pouvait passer à bon droit comme une vérité transhistorique, *les Séquestrés d'Altona*, tout en reprenant le thème de la réclusion (la demeure d'Altona a quelque chose de l'enfer de *Huis clos*, ou d'un palais de Trézène hyperboréen, voir **Phèdre*), s'appuient au contraire sur une confrontation pleinement historique. Le ressort de la tragédie tient en effet dans une dialectique simple : « L'Histoire fait les hommes et les hommes font l'Histoire. » Aussi, par-delà l'Allemagne du nazisme et de l'après-guerre, l'époque est-elle présente dans la pièce dans toutes ses dimensions et ses contradictions, comme le souligne Frantz : « Siècles, voici mon siècle, solitaire et difforme, l'accusé. » En ce sens, *les Séquestrés d'Altona* sont bien une pièce « datée », car y courent en filigrane aussi bien la guerre d'Algérie, les conséquences du rapport Khrouchtchev sur le stalinisme, la menace atomique. Ainsi, évoquant les vainqueurs de 1945, Frantz s'exclame : « Des juges ? Ils n'ont jamais pillé, massacré, violé ? La bombe sur Hiroshima, est-ce Goering qui l'a lancée ? S'ils font notre procès, qui fera le leur ? » Or l'Histoire ne présente aucune intelligibilité suffisante pour les personnages. Ils ne peuvent y découvrir, hormis les contradictions de leur propre drame, aucune possibilité de trancher avec le passé, d'entreprendre cette métamorphose qui fut celle de Goetz dans le **Diable et le Bon Dieu*. Renvoyés à leurs solitudes (Leni prendra la place du séquestré dans la dernière scène), ils sont finalement broyés parce que l'Histoire aboutit elle-même à une impasse. C'est le sens même de l'ultime réplique du père, figure de « salaud » pathétique et non satirique, parce que lucide, annonçant sa décision de se suicider : « Je suis l'ombre d'un nuage ; une averse et le soleil éclairera la place où j'ai vécu. Je m'en fous : qui gagne perd. L'Entreprise qui nous écrase, je l'ai faite. » Dans l'échange qui marque leur seule rencontre à la fin de la pièce, chacun atteste que l'autre est un néant : « Ta vie, ta mort, de toute façon ce n'est *rien* », lance le père au fils et celui-ci lui renvoie : « Vous n'avez retrouvé *personne*. Même pas vous. » Tous deux n'ont plus qu'à mourir, parce qu'ils ne sont rien ou qu'ils sont « de trop ». Pour la première fois dans le théâtre sartrien, une pièce s'achève sans perspective positive : la liberté des personnages est niée aussitôt qu'apparue. Dorénavant l'Histoire s'accomplira avec une inexorable monotonie, mettant hors-jeu celui pour qui elle devait s'accomplir, l'homme.

Mais, bien évidemment, tout ceci ne saurait être suffisant pour constituer la dynamique théâtrale de l'œuvre. La pièce articulera sa dimension historique sur un double conflit individuel. Ainsi, d'une part, Sartre médiatise-t-il le malaise historique de Frantz par le conflit personnel avec le père. Pour Frantz, en effet, « il y avait des coupables et des innocents, mais ce n'étaient pas les mêmes... Les innocents avaient vingt ans, c'étaient les soldats ; les coupables en avaient cinquante, c'étaient leurs pères ». Aussi la pièce se déroule-t-elle sur le double registre de l'Histoire et des relations personnelles, dont le développement n'est pas sans rapport avec les réflexions de Sartre dans *les* *Mots : « Eût-il vécu, mon père se fût couché sur moi de tout son long et m'eût écrasé. » Frantz sera cet Énée portant son Anchise jusqu'à leur disparition commune, parce que le père a voulu faire de son fils un autre lui-même à qui « on permettait tout parce qu'il ne comptait pour rien ».

Une particularité intime de l'Histoire permet de déplacer l'interrogation totalisante vers son pôle existentiel, à savoir la torture. Pour Sartre, l'Histoire passe toujours par l'individu, qui la constitue en corps-à-corps dramatique. Certes, Frantz n'a été qu'un agent de l'Histoire (« La guerre on ne la fait pas, c'est elle qui vous fait »), mais, une fois la guerre finie, il reste un homme, qui a accompli des meurtres. D'où la comédie qu'il se joue de l'Allemagne exsangue : en immobilisant, du fond de sa chambre, l'Histoire de l'Allemagne, Frantz tente de nier ce qui le condamne. C'est le sens de sa réplique : « Il faut que l'Allemagne crève ou que je sois un criminel de droit commun. » Ainsi, ce n'est pas l'Histoire qui condamne Frantz aux yeux de Johanna, c'est son choix : il a été un bourreau. Même si Johanna se comporte en « belle âme », méconnaissant le déchirement de Frantz et tranchant en faveur d'une morale abstraite qui condamne le bourreau en ignorant ce qui l'a rendu possible, il n'en reste pas moins que ce choix est porteur jusque dans sa brutalité d'un certain sens de l'homme. C'est ce qu'assume « l'Argument de la défense » enregistré par Frantz et qu'on entend à la fin de la pièce : « J'ai surpris la bête, j'ai frappé, un homme est tombé, dans ses yeux mourants j'ai vu la bête, toujours vivante, moi. » En d'autres termes, l'homme est impossible dans notre monde : croire à l'Homme revient à haïr l'homme réel, concret, du fait qu'il ne correspond pas à l'idée de l'Homme. Et la torture se « justifie » par l'ignominie foncière de l'homme prouvée conjointement au bourreau et à sa victime. Aussi, à travers le personnage de Frantz, Sartre a-t-il voulu montrer l'engrenage qui, partant d'une idée abstraite de la dignité humaine (Frantz a tenté de sauver un rabbin, moins par générosité que parce qu'il se croit porteur du salut du monde), et passant par l'expérience concrète de la violence généralisée du monde (il était officier sur le front russe), aboutit à une surenchère de la violence par la torture.

De fait, ce que remet en cause la pièce, c'est l'ambiguïté fondamentale de la morale, déjà soulignée dans *Saint Genet, comédien et martyr* (1952, voir *l'***Idiot de la famille*) : « Le "problème" moral naît de ce que la Morale est pour nous tout en même temps inévitable et impossible. » À cette aporie de la morale répond la vérité contradictoire qui surgit de « l'Argument de la défense » : personne n'est coupable et personne n'est innocent, mais chacun est responsable. Responsabilité que Frantz, après l'avoir contournée par la « folie », assume pleinement : « J'ai pris le siècle sur mes épaules et j'ai dit : j'en répondrai. » C'est dans cette mesure que, tout en étant totalement négatif, le personnage de Frantz compromet le spectateur. Comme le confiait Sartre : « Frantz, quand il meurt, ce bourreau, c'est nous, c'est moi » (« Entretien avec Madeleine Chapsal »). Frantz est donc exemplaire jusqu'au paroxysme de cette fonction que Sartre reconnaissait à Genet, certainement aussi à lui-même, et sans doute aux exigences de son théâtre lyrique : « Il pousse à l'extrême cette solitude latente, larvée qui est la nôtre, il enfle nos sophismes jusqu'à les faire éclater, [...] il exagère notre mauvaise foi jusqu'à nous la rendre intolérable » (*Saint Genet*). De sorte que si la pièce s'achève sur une question non résolue (le suicide n'étant ni à proprement parler le dernier mot du personnage, ni surtout une manière de le réconcilier avec lui-même), c'est bien que la tragédie, considérée ici dans son étape négative, a elle-même pour fonction de renverser le processus classique de la catharsis et d'inquiéter le public, de l'empêcher de se réconcilier avec ses propres interrogations et de se réfu-

gier dans l'attitude des « belles âmes » qui, comme Johanna, disent : « Il n'y en a qu'une [vérité] : l'horreur de vivre. Je n'en veux pas ! Je n'en veux pas ! Je préfère me mentir. »

Tout comme *Huis clos* s'éclairait par la phénoménologie de la mauvaise foi développée dans *l'Être et le Néant*, les *Séquestrés d'Altona*, représentatifs du « second Sartre », s'articulent donc sur la réflexion menée dans la *Critique de la raison dialectique* : l'insertion, et l'aliénation consentie, de la subjectivité dans l'Histoire. Impuissants, les personnages de la pièce sont à la fois les victimes d'un processus historique qui les dépasse et pleinement responsables de ce processus. En ce sens, la pièce pose au public, comme l'a souligné Sartre, « la question principale : qu'as-tu fait de ta vie ? »

● « Folio », 1978.

J.-M. RODRIGUES

SÉRAPHÎTA. Roman d'Honoré de **Balzac** (1799-1850), publié dans la *Revue de Paris* de juin à juillet 1834 (le début seulement), et en volume dans *le Livre mystique* avec *les Proscrits* (voir ci-après) et *Louis Lambert chez Werdet en 1836. Repris dans *le Livre des douleurs* (*Études philosophiques*, Werdet, 1840), il paraît avec *Louis Lambert* chez Charpentier en 1842, avant d'entrer au tome XVI de *la* *Comédie humaine (Paris, Furne, Dubochet et Hetzel, 1846).

Roman swedenborgien, mettant en forme des préoccupations anciennes, *Séraphîta*, souvent présenté comme l'un des plus étranges romans de Balzac, connut une rédaction difficile. Son auteur, qui évoque dans sa dédicace à Mme Hanska la lutte de Jacob avec l'ange, voulut en faire le sommet de son œuvre.

Séraphîta. Immobilisé en Norvège pendant l'hiver de 1800, le jeune et tumultueux Wilfrid fait la connaissance du pasteur Becker, de sa fille Minna et d'un androgyne de dix-sept ans, Séraphîtüs-Séraphîta. Minna aime Séraphîtüs sa forme masculine (chap. 1), Wilfrid tombe amoureux de Séraphîta (2). Le pasteur leur raconte alors (3) que cet être, issu de l'union d'un disciple de Swedenborg, le baron Seraphitz, et de sa femme, qui se sont éteints alors que leur enfant avait neuf ans, n'est pas de ce monde, mais un « ange arrivé à sa dernière transformation et brisant son enveloppe pour monter aux cieux » (lettre de Balzac à Mme Hanska). Cet ange complète l'initiation des deux jeunes gens en leur révélant les correspondances universelles et leur enseigne le « chemin qui mène au ciel » (4-6). Son âme s'élève dans les airs, où elle est accueillie par les séraphins. Wilfrid et Minna découvrent, grâce au sentiment que cet ange de pureté leur a fait connaître, la sublimité de l'amour qui les lie l'un à l'autre. Après avoir assisté à cette transfiguration et entrevu les plus hauts mystères, ils peuvent, eux qui ne sont encore « que sur les confins de la première sphère », parcourir la route qui les mènera jusqu'à Dieu (7).

Si l'androgyne combine les héros des deux *Falthurne* (romans de jeunesse de Balzac, voir **Annette et le Criminel*), tout en évoquant aussi la *Fragoletta de Latouche, avant d'être autrement présenté dans *Sarrasine, et si cet être séraphique se rapproche de l'Éloa de Vigny, son nom rappelle aussi la dualité d'Animus et d'Anima. L'androgynie résout, de manière fantasmatique l'un des conflits qui déchirent le monde réel, celui entre les sexes. Manifestation de l'incomplétude de la nature humaine, la différence sexuelle s'éprouve comme un manque, la rupture d'une idéale unité. *Séraphîta* transpose sur un plan mystique cette quête de l'harmonie perdue, dont *la Comédie humaine* décline les réalisations romanesques, de l'indépendante et forte Béatrix (voir *Béatrix) au doux Lucien de Rubempré aimé des femmes et de Vautrin (voir **Illusions perdues*).

Poème des immaculées montagnes scandinaves, intégrant un exposé de la doctrine de Swedenborg et empruntant à Saint-Martin l'esthétique de *l'**Homme de désir, *Séraphîta* interprète le monde selon les ordres hiérarchisés, échelonnés de la matière à l'esprit. Peu importe que Balzac n'ait de Swedenborg qu'une connaissance pour l'essentiel de seconde main : il en retient que la science humaine n'analyse que les formes, alors que le Royaume du ciel est celui des fins. Une dynamique informe la démarche balzacienne : le swedenborgisme lui apporte, sinon une clé, du moins une métaphore du progrès vers la perfection. Dieu ne peut être un principe d'immobilisme.

De là l'amour entre Wilfrid et Minna. Si se trouvent au terme de leur initiation Wilfrid, ce révolté ambitieux qui choisit l'amour et non le triomphe de la puissance (au contraire de Vautrin, son symétrique démoniaque), et Minna, idéalisation de Mme Hanska mais surtout être pur, c'est moins grâce à une protection angélique qu'à leur capacité à réaliser le mouvement vers l'absolu. Ces deux êtres imparfaits, puisque humains, ne peuvent refaire l'unité par leur union, pas plus qu'ils n'auraient pu accomplir leur amour avec la part de l'androgyne qu'ils aimaient ; néanmoins ils entrent sur la voie du désir, donc du progrès, en un dépassement, une assomption, ou plutôt une conquête, idéal de toute *la Comédie humaine*.

Les Proscrits furent publiés dans la *Revue de Paris* en mai 1831, et en volume dans *Romans et Contes philosophiques* chez Gosselin, puis dans *le Livre mystique* en 1835 et *le Livre des douleurs* chez Werdet en 1840, avant d'entrer dans *la Comédie humaine* (Furne, Dubochet et Hetzel, 1846). Placés à l'ombre d'une cathédrale, comme *Notre-Dame de Paris* de Hugo, *les Proscrits* se donnent comme le conte situé à l'époque la plus reculée de *la Comédie humaine*, le XIVe siècle ; ils reprennent la théorie de l'unité de l'être et des échelons menant de la matière à l'esprit dans un mouvement continu. Le conte swedenborgien et martiniste se fonde sur le système des correspondances.

Les Proscrits. En 1308, à Paris, un mystérieux vieillard et Godefroid, un jeune homme, assistent en Sorbonne au cours de Sigier, professeur de théologie mystique. Décrivant les sphères régies selon les lois d'une hiérarchie secrète, Sigier leur permet de discerner leur nature et leur vocation. Godefroid pénètre le mystère de son illustre naissance et le vieillard se révèle être Dante, qui peut retrouver l'accès à sa patrie perdue.

Deux exilés aspirant à vivre dans un univers spirituel qui leur échappe, le créateur d'un univers terrible, auteur d'une *Divine Comédie* symétrique de *la Comédie humaine*, et une figure angélique, comme Séraphîta, ou comme Étienne d'Hérouville (*l'Enfant maudit*, voir *Louis Lambert*) et qui manque de mourir victime de la force d'une idée : *les Proscrits* s'inscrivent au cœur de la métaphysique balzacienne.

➤ *L'Œuvre de Balzac*, Club français du Livre, XII ; *Œuvres complètes*, Club de l'honnête homme, XXI ; *Œuvres complètes illustrées*, Bibliophiles de l'Originale, XVI ; *la Comédie humaine*, « Pléiade », XI (p.p. H. Gauthier et R Guise).

G. GENGEMBRE

SERMENTS INDISCRETS (les). Comédie en cinq actes et en prose de Pierre Carlet de Chamblain de **Marivaux** (1688-1763), créée à Paris à la Comédie-Française le 8 juin 1732, et publiée à Paris chez Prault la même année.

Reçus à la Comédie-Française le 9 mars 1731, *les Serments indiscrets* attendirent donc plus d'un an dans les coulisses, peut-être parce qu'il était audacieux de proposer cinq actes sans le support de l'alexandrin, et qu'on craignait de lasser le public. Le fait est qu'on siffla « depuis le commencement du second acte jusqu'à la troisième scène du cinquième », et que la pièce, durement attaquée par Voltaire, ne s'en releva pas. Marivaux lui portait une affection particulière, qui n'a pas, depuis deux siècles, trouvé de véritable écho sur la scène, et rédigea un précieux « Avertissement » pour la défendre.

Lucile, cherchant à rompre un projet de mariage avec Damis, accepté par pure complaisance filiale, s'aperçoit que le bel inconnu ne tient pas plus qu'elle à cette union. S'engage alors entre eux un assaut verbal qui mène Damis « au désespoir » et Lucile aux soupirs mélancoliques, car Lisette leur fait jurer de ne s'épouser jamais (Acte I). Orgon, père de Lucile, cherche à comprendre, auprès des valets, pourquoi Damis se plaint de la froideur de Lucile et courtise sa sœur Phénice. Lisette et Frontin s'entendent, par intérêt et malgré leur attirance, pour s'opposer au mariage de leurs maîtres, et provoquent ainsi la colère de Lucile, masque de sa « douleur ». Lucile et Damis, mis en demeure de « terminer [leurs] débats », n'osent se dire leur inclination, tout en poussant l'autre à l'aveu (Acte II). Les deux pères décidant de presser le mariage de Phénice et Damis, sous peine de les déshériter, Lisette et Frontin changent de tactique et poussent les amours de Lucile et Damis ; mais le tête-à-tête se termine mal (Acte III). Point découragé, Frontin révèle à Phénice qu'elle a servi de « prétexte » à Lucile et Damis, et qu'ils s'aiment ; Phénice, pour se venger et se raccommoder « en les inquiétant », obtient de Damis une déclaration d'amour, surprise par les deux pères et par Lucile. Sous couleur de punir l'« impertinent orgueil de [sa] sœur », Lucile charge Lisette de pousser Damis à l'aveu, quand celui-ci, pour l'éprouver, lui annonce son mariage avec Phénice (Acte IV). Alors que les valets se démènent, Lucile s'en prend à Lisette, tout en avouant son amour à celle-ci, à son père, et à sa sœur, qui met Damis aux genoux de Lucile et les laisse ouvrir leur cœur (Acte V).

Les éclaircissements de Marivaux sur son théâtre sont assez rares pour qu'on lui laisse ici la parole. D'où vient que deux personnes supposées d'« un caractère extrêmement raisonnable », toutes deux opposées au mariage, et disposées à se l'avouer franchement pour se « tirer d'embarras », se retrouvent dans un tel imbroglio sentimental ? Tout tient apparemment à un cabinet d'où Lucile écoute la sortie de Damis contre le mariage : « Lucile, de son cabinet, écoute impatiemment ce discours, et dans le dépit qu'elle en a, et qui l'émeut sans qu'elle s'en aperçoive, elle sort du cabinet, se montre tout à coup pour venir se réjouir avec Damis de l'heureux accord de leurs sentiments, à ce qu'elle dit ; mais en effet pour essayer de se venger de sa confiance, sans qu'elle se doute de ce mouvement d'amour-propre qui la conduit. Or, comme il n'y a pas loin de prendre de l'amour à vouloir en donner soi-même, son cœur commence par être la dupe de son projet de vengeance » (Lisette profite de ce dépit de la vanité pour sceller des serments indiscrets). « Voilà donc Lucile et Damis qui s'aiment à la fin du premier acte, ou qui du moins ont déjà du penchant l'un pour l'autre. Liés tous deux par la convention de ne point s'épouser, comment feront-ils pour cacher leur amour ? Comment feront-ils pour se l'apprendre ? car ces deux choses-là vont se trouver dans tout ce qu'ils diront [...]. Comment feront-ils pour observer et pour trahir en même temps les mesures qu'ils doivent prendre contre leur mariage ? C'est là ce qui fait tout le sujet des quatre autres actes. » C'est pourquoi Marivaux réfute énergiquement l'accusation de refaire la *Seconde Surprise de l'amour* : « Dans cette pièce-ci, il est question de deux personnes qui s'aiment d'abord, et qui le savent, mais qui se sont engagées de n'en rien témoigner, et qui passent leur temps à lutter contre la difficulté de garder leur parole en la violant ; [... qui] savent ce qui se passe en eux, mais ne voudraient ni le cacher, ni le dire. » Bref, qui se sont pris eux-mêmes au piège du langage.

➤ *Théâtre complet*, « Classiques Garnier », I ; *id.*, « Pléiade », I.

J. GOLDZINK

SERMONS. Recueil des sermons de Jacques Bénigne **Bossuet** (1627-1704), publié par Dom Déforis à Paris chez Antoine Boudet en 1772.

On ne saurait exagérer le rôle de la prédication dans l'instruction religieuse et morale des populations françaises au XVIIe siècle. Alors que la liturgie impose une distance entre les fidèles et la célébration des « mystères sacrés », alors que l'accès direct des catholiques au texte biblique est limité par crainte d'interprétations hérétiques, c'est la parole du prêtre qui vient rétablir la communication et dispenser la nourriture spirituelle. Cette prédication prend des formes très variées en fonction des publics qu'elle atteint : prédication populaire au sein des « missions » (ainsi, Bossuet collabore à la mission de Metz donnée par les lazaristes), prédication de charité dans le cadre des œuvres d'assistance, prédication mondaine aussi. Elle se répartit en divers genres, au nombre desquels l'oraison funèbre, le panégyrique des saints, le prône et le sermon. Ce sont les deux derniers que l'on aurait tendance à confondre : or, si le prône consiste en avis et recommandations énoncés dans un style simple et familier au cours de la messe paroissiale, le sermon a lieu à part de la messe, « se prononce en chaire » (*Dictionnaire de l'Académie*) et donc adopte un style plus relevé, explique enfin longuement – une heure au moins – un passage de l'Évangile, chez les catholiques, l'extrait d'une épître apostolique, chez les protestants. Le sermon peut trouver son analogue dans les grandes conférences de carême prêchées de nos jours à Notre-Dame de Paris. En tout cas, il représente, au XVIIᵉ siècle, un événement social autant que religieux. À Paris, il est annoncé par la *Gazette* et provoque aux portes des églises les plus importantes de véritables embarras de carrosses. Il était même prudent de faire réserver sa place la veille par un laquais. Bossuet achoppera-t-il à l'obstacle de la mondanité ?

À la différence d'un Bourdaloue, Bossuet n'a jamais été un prédicateur professionnel. Ses dispositions sont cependant évidentes, comme en témoigne l'anecdote qui le montre à seize ans improvisant un sermon nocturne pour l'hôtel de Rambouillet : « Je n'ai jamais ouï prêcher ni si tôt ni si tard », aurait prononcé Voiture. Avant 1660, le jeune docteur en théologie réside le plus souvent à Metz : pour la période 1652-1656, nous possédons une vingtaine de sermons ; mais le plus célèbre est donné à Paris en 1659 : le *Sermon sur l'éminente dignité des pauvres dans l'Église*. La grande époque de Bossuet prédicateur se situe dans la décennie 1660-1670. Il prêche sa première « station » (série de sermons prononcés par un même prédicateur en un même lieu pendant tout un carême ou un avent) en 1660 : le Carême des minimes, dans l'église du couvent de la place Royale ; en 1662, c'est la première station à la cour avec le Carême du Louvre, qui égrène les sermons les plus illustres de Bossuet (*Sermon du mauvais riche, sur la Providence, l'ambition, la mort, la Passion de Notre Seigneur*) et sera suivi de l'Avent du Louvre en 1665, du Carême de Saint-Germain en 1666, enfin de l'Avent de Saint-Germain en 1669, dernière station à la cour. De 1670 à 1680, Bossuet est accaparé par sa tâche de précepteur du Dauphin, qui ne l'empêche pas, au demeurant, de donner au Grand Carmel le sermon pour la *Profession de Mademoiselle de La Vallière* (1675). Nommé à l'évêché de Meaux en 1681, il pratique deux formes d'éloquence : le discours d'apparat, dont le modèle est donné, si l'on met de côté les oraisons funèbres, par le *Sermon sur l'unité de l'Église* (1681), seul sermon de Bossuet publié de son vivant ; le discours pastoral surtout, prononcé soit en l'église cathédrale, soit au cours de nombreuses visites à ses diocésains. Les deux dernières prédications connues de Bossuet datent de 1702, deux ans avant sa mort.

Comment Bossuet prêchait-il ? Parfois il rédigeait entièrement son sermon, parfois il n'en jetait sur le papier qu'une esquisse – le plan, les citations, des arguments. De toute façon, en chaire, il ne lit rien ; il n'apprend pas davantage son texte par cœur. L'ultime préparation consiste en une méditation prolongée. Une fois en chaire, l'orateur suit sur le visage des auditeurs l'impression produite par son discours et il se règle sur leurs réactions pour infléchir, supprimer ou enrichir tel développement prévu. C'est bien pourquoi il faut se résigner à ne pas posséder le texte des sermons tels qu'ils ont été prononcés par Bossuet. En revanche, même si « l'Aigle de Meaux » n'a pas publié ses sermons (à la différence des *Oraisons funè-*

bres), nous possédons le manuscrit autographe d'une bonne proportion d'entre eux. D'autres sont connus seulement à travers l'édition suspecte procurée par Dom Déforis en 1772, ou par des notes d'auditeurs. Au total, il nous reste environ deux cents sermons, accessibles dans la remarquable édition critique de Lebarq, Urbain et Lévesque, parue dans le premier quart du XXᵉ siècle. On présentera ici le contenu des principaux sermons donnés pour le Carême du Louvre en 1662.

« Sermon du mauvais riche », sur l'Évangile selon saint Luc, chapitre XVI, verset 22. Premier exorde : il s'agit de détourner les auditeurs d'une vie licencieuse qui conduit à une mort désespérée. Second exorde : l'existence d'un mondain s'écoule dans les plaisirs et les intrigues ; lorsque survient sa dernière heure, il n'a plus le temps ni la force de se convertir, si bien qu'il arrive « à la plus grande séparation sans détachement, à la plus grande affaire sans loisir, à la plus grande misère sans assistance ». Premier point : le pécheur meurt dans l'attache à ses passions ; quand bien même leur objet serait licite, il est condamnable de s'y abandonner tout entier. Deuxième point : les mondains vont à l'abîme parce que le tumulte de leurs intérêts et de leurs ambitions terrestres ne leur laisse jamais de temps pour considérer « la grande affaire du salut ». Troisième point : l'amour des plaisirs engendre la dureté de cœur envers les pauvres ; le riche mourant ne peut compter sur leurs prières, bien au contraire, ils le défèrent au tribunal de Dieu. Péroraison : que les courtisans écoutent le cri de ceux qui meurent de faim à la porte de leur hôtel, et que le roi soulage les misérables de tout son pouvoir.

« Sermon sur la Providence ». Loin que le désordre des affaires humaines témoigne contre l'existence d'une Providence, il la prouve. Si en effet le reste de l'univers est réglé, comme nous le voyons, selon un ordre admirable, il faut conclure non point que le hasard règne mais que même ici-bas l'ordre est appelé à régner. Il sera établi définitivement au jour du Jugement, lorsque Dieu mettra « la justice et l'impiété dans les places qui leur sont dues » ; mais déjà cet ordre se construit, puisque les biens dont les méchants sont pourvus servent à leur condamnation par le mauvais usage qu'ils en font, tandis que les justes tournent à leur avantage spirituel, le sel qui compte vraiment, les maux temporels qu'ils ont à endurer. La foi en la Providence nous inspire de n'admirer rien (les biens présents n'ont guère de valeur, que Dieu donne même à ses ennemis) et nous délivre de la crainte.

« Sermon sur l'ambition ». Réprimer son ambition est le devoir essentiel du chrétien. Nous courons sans cesse après la fortune, mais elle nous joue de toutes les manières : elle nous leurre de « peut-être » que nous achetons au prix d'injustices dont il faudra un jour payer la peine ; et quand elle nous donne de pouvoir ce que nous voulons, elle nous ôte le seul pouvoir véritable, qui est de régner sur soi. Nous perdons la liberté où nous croyions trouver la puissance. Au total, les « complaisances de la fortune ne sont pas des faveurs, mais des trahisons ». L'ambition exprime le « désir avide d'éternité » qui est en l'homme, mais il est fou de penser le satisfaire avec des biens périssables : « Si tu aimes l'éternité, cherche-la donc en elle-même », c'est-à-dire en Dieu.

« Sermon sur la mort ». « Les mortels n'ont pas moins de soin d'ensevelir les pensées de la mort que d'enterrer les morts mêmes. » Malgré l'horreur qu'elle nous cause, ouvrons les yeux sur elle pour connaître notre nature et l'estime que nous lui devons. L'homme est méprisable en tant qu'il passe. Il aurait beau multiplier ses années au-delà de mille, un dernier instant vient qui « détruit tout, comme si jamais il n'avait été ». Mais l'homme est grand par l'origine céleste de son âme, dont il garde les marques jusque dans sa corruption. Cette âme ne meurt point, et le Christ lui ouvre les portes de la félicité éternelle. Quant à notre corps, il est promis à la résurrection : certes, « il entrera pour un peu de temps dans l'empire de la mort, mais il ne laissera rien entre ses mains, si ce n'est la mortalité ».

« Sermon sur la Passion de Notre Seigneur ». Comme un testament ne prend effet que de la mort du testateur, les promesses de rédemption contenues dans le Nouveau Testament s'accomplissent par la mort de Jésus-Christ. C'est pour notre salut qu'il prodigue son sang au jardin des Oliviers, dans « toutes les rues de Jérusalem », au Calvaire enfin. Le Christ prend sur lui nos fautes et s'offre à la justice du Père qui les punit, mais « pendant qu'il délaisse son Fils innocent pour l'amour des hommes coupables, il embrasse tendrement les hommes coupables pour l'amour de son Fils innocent ». Unissons-nous à la mort du Christ en mourant au péché.

La prédication de Bossuet repose sur deux principes, que l'on trouve exposés dans les *Sermons* eux-mêmes. Le premier est l'analogie entre l'autel et la chaire : de l'un, le prêtre parle à Dieu de la part du peuple ; dans l'autre, il parle au peuple de la part de Dieu. De ces deux places, il distribue aux fidèles une nourriture céleste : la vérité du corps du Christ, la vérité de sa doctrine. La parole du sermonnaire est, à sa façon, eucharistie ; elle se hausse quasiment à la dignité d'un sacrement et à l'efficace des paroles de la consécration : comme par celles-ci « se transforment les dons proposés au corps de Notre Seigneur Jésus-Christ », par celle-là « doivent être secrètement transformés les fidèles de Jésus-Christ pour être faits son corps et ses membres » (*Sermon sur la Parole de Dieu*). Mais, second principe, qui parle dans le prédicateur, et qui prêche dans le cœur de l'auditeur ? Celui que Bossuet appelle le « prédicateur invisible » (*Profession de Mademoiselle de La Vallière*), le Saint-Esprit, seul capable de douer le discours humain du pouvoir de convertir. La parole du sermonnaire ne sauve que si elle n'est pas sa parole, mais celle de Dieu.

De là, la liberté de Bossuet par rapport aux Grands et au roi. Sans manquer au respect qui leur est dû, il sait les rappeler fermement à leurs devoirs. Devant Louis XIV, Bossuet n'est pas un particulier qui présenterait une requête à son prince, il est le truchement de la « Sagesse éternelle » qui proclame : *Per me reges regnant* [Les rois règnent par moi] (*Sermon sur les devoirs des rois*). Quand, au cours des années 1665-1669, les liaisons du monarque avec Mlle de La Vallière et Mme de Montespan deviennent officielles, la menace de damnation se fait explicite. Mais le rappel des préceptes évangéliques n'est jamais plus insistant que sur l'obligation de venir en aide aux pauvres, images du Christ : « Ils meurent de faim dans vos terres, dans vos châteaux », s'exclame le prédicateur en présence de la cour, avant de prévenir que « si l'on n'aide le prochain selon son pouvoir, on est coupable de sa mort, on rendra compte à Dieu de son sang » (*Sermon du mauvais riche*). La morale cependant est toujours, chez Bossuet, subordonnée à la doctrine. Il n'hésite pas, et ceci devant tous les publics, à entrer dans les hautes spéculations théologiques et spirituelles touchant les mystères de la religion : péché originel, Incarnation, Rédemption, Trinité. Ces spéculations n'auraient aucune chance de retenir l'attention du public si elles se présentaient dans l'appareil austère de la scolastique. Dans l'état de nature corrompue, la vérité passe le plus souvent par la médiation d'une rhétorique.

Bossuet, sur ce point comme tant d'autres, suit saint Augustin, qui avait défendu dans le *De doctrina christiana* la légitimité du recours aux séductions de l'éloquence pourvu qu'elles visent à l'instruction de l'auditeur. La rhétorique doit se reconnaître servante de la Sagesse, moyennant quoi lui est accordée la jouissance de son héritage païen. Bossuet ne se prive pas d'y puiser, qui reçoit de Cicéron la grande phrase périodique où s'enchâssent les subordinations. Mais il tire par ailleurs de la Bible, à côté de son inspiration substantielle, nombre de formules hardies (« Dans leur graisse [...] il se fait un fonds d'iniquité qui ne s'épuise jamais ») et d'images familières ou brutales (« La mort sera noyée dans l'abîme »), qui éclatent salutairement dans l'ordonnance parfois monotone du discours classique. Ce sont encore les deux Testaments, avec leur révélation d'un Dieu à la fois tout proche et tout autre, transcendant et incarné, qui ouvrent à Bossuet la carrière du sublime et définissent par là le lieu rhétorique de sa prédication : la grandeur sans la grandiloquence.

● *Sermon sur la mort et Autres Sermons*, « GF », 1970 (p.p. J. Truchet). ➤ *Œuvres*, « Pléiade ».

G. FERREYROLLES

SERMONS. Recueil de sermons de Louis **Bourdaloue** (1632-1704), publié à Paris chez Rigaud de 1707 à 1716 (11 vol.)

Le texte des sermons de Bourdaloue pose de grands problèmes : nous ne disposons que de l'édition originale posthume procurée par le P. Bretonneau, qui compte 16 volumes publiés de 1707 à 1734, et dont les onze premiers volumes contiennent les sermons (Avents, 1 vol., 1707 ; Carêmes, 3 vol., 1707 ; mystères, 2 vol., 1709 ; panégyriques, 2 vol., 1711 ; dimanches, 3 vol., 1716). Bourdaloue a prêché de 1665 à sa mort, et nous conservons 131 sermons, dont le texte manuscrit original est perdu ; E. Griselle, au début de ce siècle, a tenté de reconstituer un texte nouveau à partir de notes de tachygraphes et de copies diverses, mais son travail, malgré tous ses scrupules philologiques, n'est pas satisfaisant ; en outre, il est demeuré inachevé. Bourdaloue avait désavoué les éditions qu'on avait faites de son vivant (1692), et Bretonneau affirme qu'il édite « les vrais sermons, et non point des copies imparfaites » ; dans la mesure où le public du temps y reconnut volontiers l'art et l'éloquence qu'il avait pu apprécier de vive voix, cette édition demeure, si ce n'est la plus parfaite, en tout cas la moins infidèle (malgré les réserves de Griselle). Des 131 sermons qui restent, et qui constituent sans doute la plus grande part de ceux qui ont été réellement prononcés, se dégage une éloquence particulière et puissante, très méthodique, fidèle à tous les lieux de la prédication classique : le sermon de l'Avent « Sur le respect humain » par exemple, passe en revue les conséquences de ce sentiment pour la vie chrétienne ; il ne faut pas être esclave du respect humain par rapport à nous-mêmes, par rapport au prochain, et il faut condamner ceux qui entretiennent le scandale du respect humain. Le sermon « Sur la prédestination » est clairement articulé en deux parties, qui traitent des deux écueils que rencontre l'esprit humain concernant la prédestination, à savoir la présomption et la défiance : il ne faut ni oublier le soin de notre salut, ni renoncer au salut par désespoir. Prononcés à l'occasion de l'Avent, du carême, ou simplement lors d'une prise d'habit ou d'une profession, ces sermons, qui ont éclipsé alors l'art de Bossuet, témoignent de la grande éloquence sacrée qui a séduit le public du dernier quart de siècle.

Bourdaloue a longtemps enseigné les belles-lettres et la rhétorique dans les collèges provinciaux de la Compagnie de Jésus avant de venir à Paris en 1669 : il y prêche l'Avent avec succès. Mme de Sévigné témoigne des premiers enthousiasmes du public de la cour à l'écoute de ses sermons, et elle décrit le dynamisme de l'orateur dans une lettre de mars 1680 : « Nous entendîmes, après dîner, le sermon du Bourdaloue, qui frappe toujours comme un sourd, disant des vérités à bride abattue, parlant contre l'adultère à tort et à travers. Sauve qui peut ; il va toujours son chemin. » Il reste malheureusement peu de chose de l'éloquence du « Grand Pan » (comme l'appelait Mme de Sévigné). Les éditions dont nous disposons transmettent l'impression de sermons très didactiques, tout en subdivisions et en subtitles : « Pour cela, j'avance deux propositions : écoutez-les, parce qu'elles vont faire le partage de ce discours. Malheureux celui qui cause le scandale : c'est la première ; mais doublement malheureux celui qui le cause, quand il est spécialement obligé à donner l'exemple : c'est la seconde. [...] Dans la première partie, je vous donnerai sur cette importante matière des règles et des maximes générales, qui conviendront à tous. Dans la seconde, je tirerai de la différence de vos conditions des motifs particuliers, mais motifs pressants, pour vous inspirer à chacun sur ce même sujet, et selon votre état, tout le zèle et toute la vigilance nécessaires » (*Sur le scandale*).

La précision de l'analyse, liée à une exposition très méthodique, avait le mérite de guider le public : il ne faut pas oublier que toutes ces subtilités n'étaient prévues que pour la parole, et que les redites ou les rappels ne sont pas des procédés de l'écrit. La force de son éloquence venait sans doute de cette maîtrise constante du sujet et de l'attention des auditeurs. D'autre part, le public du temps était sensible à l'exploration des cœurs, sur laquelle il fondait une spiritualité exigeante et approfondie ; la minutie de l'orateur allait dans le sens de ce goût, et cela est sensible dans les analyses de l'intériorité que nous propose Bourdaloue, comme, par exemple, dans le sermon *Sur le respect humain* : « Qu'y a-t-il de plus servile que d'être réduit, ou plutôt que de se réduire soi-même à la nécessité de régler sa religion sur le caprice d'autrui ? de la pratiquer, non pas selon ses vues et ses lumières, ni même selon les mouvements de sa conscience, mais au gré d'autrui ? de n'en donner des marques et de n'en accomplir les devoirs, que dépendamment des discours et des jugements d'autrui ? en un mot, de n'être chrétien, ou du moins de ne le paraître qu'autant qu'il plaît ou qu'il déplaît à autrui ? Est-il un esclavage comparable à celui-là ? Vous savez néanmoins, et peut-être le savez-vous à votre confusion, combien cet esclavage, tout honteux qu'il est, est devenu commun dans le monde, et le devient encore tous les jours. »

La rigueur de l'analyse, l'art du suspens et la précision des portraits font de Bourdaloue un auteur de son temps, et cela explique l'incontestable succès qu'il rencontra ; comme le notait La Bruyère pour défendre son projet de moraliste, « un Bourdaloue en chaire ne fait point de peintures du crime ni plus vives ni plus innocentes » (*Discours de réception à l'Académie*). Cela place nettement l'orateur du côté des observateurs attentifs et pertinents de la nature humaine ; de fait, lorsqu'il attaque par exemple la « fausse prudence du monde », il rejoint les critiques des moralistes les plus vigoureux, tels Nicole ou La Rochefoucauld : « Voilà pourquoi saint Paul, dans l'abondance de son zèle, ne croyait pas insulter plus vivement les païens de son temps qu'en leur adressant ces paroles : *"Ubi scriba, ubi sapiens, ubi conquisitor saeculi ?"* ; où sont vos sages, vos philosophes, vos grands génies ? comme s'il leur avait voulu dire qu'il leur était inutile de les chercher, parce que Jésus-Christ les avait anéantis. De là vient que le même apôtre disait encore qu'il ne s'y fallait pas tromper, que pour être sage devant Dieu, il fallait renoncer à cette sagesse apparente qui plaît et qui paraît aux yeux des hommes, pour devenir saintement fou et ignorant » (*Sur la fausse prudence du monde*).

Bourdaloue demeurait ainsi au cœur des vrais débats du temps, ce qui explique l'intérêt de son public et ce qui justifie la valeur de son témoignage : le succès attesté de ses sermons prouve qu'ils sont l'écho fidèle des attentes et de la spiritualité du règne de Louis XIV. Si l'*elocutio* nous échappe en partie, faute d'avoir les écrits autographes du prédicateur, l'*inventio* demeure intacte, et reflète bien l'image de la foi qui animait une Mme de Sévigné ou un La Bruyère. Sainte-Beuve se plaisait d'ailleurs à préférer, comme peintre de mœurs, le jésuite à l'auteur des **Caractères*. En effet, que ce soit à propos de la médisance ou à propos de l'ambition, l'orateur sait trouver le juste trait pour stigmatiser le comportement vicieux qu'il condamne : « Ne croyez pas que le médisant ose attaquer son ennemi en sa présence ; tant qu'il le verra devant ses yeux, tant qu'il trouvera des gens qui prendront son parti, il ne dira mot ; mais dès le moment qu'il rencontrera une occasion, un silence, ou une absence favorable, il vomira insensiblement le poison de sa calomnie » (*Sur la médisance*).

La triste comédie du *theatrum mundi* n'est jamais loin de l'évocation suggérée par Bourdaloue, les « ressorts » et les « machines » appartiennent bien à l'anthropologie dérisoire et critique que partage, avec l'orateur, un portraitiste comme La Bruyère ; l'alliage réussi de la formule heureuse et de la conviction sincère place naturellement Bourdaloue du côté des moralistes et des anatomistes du cœur humain que Mauriac se plaisait à trouver dans la tradition classique de la littérature française.

E. BURY

SERMONS. Recueil des sermons de Jean-Baptiste **Massillon** (1663-1742), publié à Paris chez la Veuve Estienne et fils et Hérissant en 1745.

De 1699 à 1718, Massillon prêcha dix-neuf Carêmes, dont deux à Versailles et trois à Notre-Dame, dix Avents (à Saint-Honoré et à Saint-Germain-en-Laye). Devenu évêque de Clermont en 1717, il prononça en 1718 dix brefs sermons à la chapelle des Tuileries (le célèbre « Petit Carême »). Parmi ses sermons les plus connus, il faut citer « Des exemples des Grands », « Sur les tentations des Grands », « Sur l'humanité des Grands envers le peuple », « Sur la fausseté de la gloire humaine »,

« Sur les écueils de la piété des Grands », « Sur les obstacles que la vérité trouve dans le cœur des Grands », « Sur la parole de Dieu », « Sur la Samaritaine », « Sur le mauvais riche », « Sur l'enfant prodigue », « Sur l'impénitence finale », « Sur le petit nombre des élus ».

Dernier des grands représentants français de l'éloquence sacrée, après Bossuet et Bourdaloue, l'oratorien Massillon a eu le singulier destin d'être particulièrement estimé, au XVIIIe siècle, par ceux qui semblaient le moins bien préparés à l'admirer, c'est-à-dire les Philosophes. D'Alembert, Buffon le louent, et surtout Voltaire, pour qui il est « le prédicateur qui a le mieux connu le monde, dont l'éloquence sent l'homme de cour, l'académicien, l'homme d'esprit ». Ce qu'appréciaient en lui ces mécréants, c'était la magie d'un style tour à tour véhément, apaisé, enveloppant, musical et d'une douceur fiévreuse. C'était aussi le moraliste et le psychologue capable d'analyser mieux que quiconque les passions du cœur humain, de dévoiler les mobiles inavoués, de saisir les petitesses, les envies et les rancunes. Celui que Voltaire appelait le « Racine de la chaire » séduisait son auditoire mondain non par ses complaisances, mais par la subtilité avec laquelle il analysait le malaise spirituel dans lequel l'humanité pécheresse se trouve : « Nous, sans consolation du côté de Dieu que nous ne servons pas, sans douceur du côté des plaisirs qui ne nous touchent plus, sans repos du côté du cœur, qui est devenu le théâtre de nos remords et de nos inquiétudes, [...] nous flottons entre la lassitude des passions et le peu d'amour pour la justice ; entre l'ennui des plaisirs et de la vertu. » Sans méchanceté, mais sans indulgence, il savait railler la demi-conversion de ces femmes qui « veulent encore plaire, quoiqu'elles soient fâchées d'avoir plu ». Il savait distinguer la « prudence chrétienne, qui nous fait ménager les Grands, afin qu'ils favorisent l'Église », et l'« ambition secrète, qui ne veut que se les rendre favorables à soi-même ». Aussi ne ménageait-il pas ces Grands qui « ne croient être nés que pour eux-mêmes ».

Mais le prédicateur savait abandonner la finesse pour la grandeur et la force, quand il le fallait. Tout le monde connaît la manière dont il entama l'*Oraison funèbre de Louis le Grand, roi de France* (1715) : « Dieu seul est grand, mes frères, et dans ces derniers moments surtout où il préside à la mort des rois de la terre. » Mais son art semble avoir atteint son sommet avec le fameux sermon *Sur le petit nombre des élus* (Carême de l'Oratoire, 1699) qui, selon Voltaire, contenait « un des plus beaux traits d'éloquence qu'on puisse lire chez les nations antiques et modernes » (**Dictionnaire philosophique*, article « Éloquence »). Massillon, après avoir imaginé que l'heure du Jugement dernier était arrivée et que Jésus lui-même allait paraître pour juger tous ceux qui étaient présents, demanda : « Croyez-vous que le plus grand nombre de tout ce que nous sommes ici fut placé à sa droite ? » Et il termina en s'adressant directement à Dieu : « Ô Dieu, où sont vos élus ? Et que reste-t-il pour votre partage ? » Le sermon eut un effet prodigieux sur l'auditoire, qui n'était autre que la cour, rappelée à sa petitesse face à la terrible justice divine. Louis XIV lui-même, raconte un témoin, « pâlit, demeura muet et posa, pendant quelques minutes, les deux mains sur ses yeux, laissant ainsi à l'assemblée le temps de revenir de sa frayeur et prenant celui de se remettre lui-même ».

A. PONS

SERRES CHAUDES. Recueil poétique de Maurice **Maeterlinck** (Belgique, 1862-1949), publié à Gand chez Louis Van Melle en 1889.

Maeterlinck entame sa carrière littéraire par la poésie avec *Serres chaudes* ; suivront le recueil *Douze Chansons* (qui deviendront *Quinze Chansons* en 1900), puis le silence : Maeterlinck abandonne alors définitivement cette forme d'écriture.

SERTORIUS

Ce recueil mûrit dans les serres d'Oostakker où son père, longtemps avant lui, s'interrogeait sur l'intelligence des fleurs. Dans *Bulles bleues*, en 1948, Maeterlinck dira de *Serres chaudes* qu'elles n'eurent « d'autre retentissement qu'un coup d'épée dans l'eau ». Verhaeren fit pourtant dans le *Mercure de France* un compte rendu élogieux du recueil, où il saluait l'auteur de « n'avoir pas eu peur de son inspiration adolescente ».

La solitude, la captivité et la douleur de l'âme dominent l'ensemble du recueil : « Ô serres au milieu des forêts / Et vos portes à jamais closes ! » Mais à travers la prison transparente de la serre, le poète perçoit parfois l'activité du monde ; il lui vient alors des regrets : « Ô mon âme vraiment trop à l'abri », et des désirs de sentir la vie pénétrer son univers clos : « Mon Dieu, mon Dieu, quand aurons-nous la pluie, / Et la neige et le vent dans la serre. » Son renoncement au monde, imparfait, ne lui apporte pas la sérénité escomptée et la serre lui est un lieu aussi inconfortable que le monde des hommes : « Seigneur, les rêves de la terre / Mourront-ils enfin dans mon cœur ? / Laissez votre gloire seigneur / Éclairer la mauvaise serre. »
À côté des poèmes réguliers, composés d'octosyllabes à rimes le plus souvent croisées, *Serres chaudes* contient également des proses poétiques et des vers libres, où des images hétéroclites renvoient une vision chaotique du monde extérieur : « On dirait une folle devant les juges, / Un navire de guerre à pleines voiles sur un canal... » Ces vers qui témoignent d'une extrême sensibilité, disent aussi la peur d'autrui, de l'homme en général : « Oh ! j'ai connu d'étranges attouchements ! Et voici qu'ils m'entourent à jamais. » Et plus loin : « Il y avait des figures de cire dans une forêt d'été... / Oh ! ces regards pauvres et las ! »

De tous les recueils du symbolisme, *Serres chaudes* est sans doute le plus fidèle à cette école. Seule l'âme du poète habite ces pages ; aucune passion forte, malgré l'expression d'une souffrance et d'une pitié pour le genre humain, aucun homme tangible ne peuplent ces vers. Le « je » qui se plaint dans ces poèmes monotones est une âme solitaire, gagnée par la mélancolie. Maeterlinck a la tête dans les étoiles ; il est épris de comètes, de nébuleuses, de nuages, mais il s'enferme aussi dans des lieux clos dont les serres sont sans doute les plus étouffants qu'il ait jamais imaginés. Elles symbolisent ici la captivité de l'âme, la prison transparente ; elles évoquent les touffeurs et les langueurs de l'ennui. Déjà toute la mythologie du théâtre de Maeterlinck est en place : princesses évanescentes, vierges pleurant au fond des grottes humides, petites filles solitaires dans un univers hostile.
À travers ces poèmes de l'introspection décadente, traversés d'images fulgurantes qui jouent d'une savante et délicate musicalité, Maeterlinck veut par le surnaturel appréhender la nature même de la condition humaine. Le symbolisme chez lui est une réponse à la vie et non un simple décor.

● Bruxelles, la Renaissance du Livre, 1962 ; Bruxelles, Jacques Antoine, 1980 (p.p. M. Quaghebeur).

C. PONT-HUMBERT

SERRURE (la). Voir THÉÂTRE DE CHAMBRE, de J. Tardieu.

SERTORIUS. Tragédie en cinq actes et en vers de Pierre **Corneille** (1606-1684), créée à Paris par la troupe du Marais le 25 février 1662, et publiée à Rouen et à Paris chez Courbé et de Luyne la même année.
Cette tragédie politique librement inspirée de Plutarque constitue un tournant dans le théâtre de Corneille : l'héroïsme y apparaît sous un nouveau jour qui marquera les dernières pièces de l'auteur. La mise en scène d'un héros déjà vieux, Sertorius, que sa valeur ne parvient pas à soustraire aux vicissitudes du temps et de l'amour, témoigne du « déclin du héros » (S. Doubrovsky) ; comme en écho, Pompée incarne un héroïsme fragile dont les motivations ne sont ni pures ni désintéressées, et le souci de la gloire est parfois terni, chez les personnages féminins, par les moyens de l'assurer. Sombre tableau auquel le public réserva néanmoins un vif succès, tant pour ses qualités dramatiques que pour les allusions à la Fronde encore toute récente.

Avec ses troupes et son lieutenant Perpenna, Sertorius tient tête à Rome depuis l'Espagne, une Rome à ses yeux dénaturée par la dictature de Sylla. Il s'est allié à la reine de Lusitanie, Viriate, qu'il aime. Elle s'appuie sur lui dans sa lutte contre l'hégémonisme romain mais, bien qu'elle soit plus jeune, paraît sensible à cet amour. Perpenna songeait à le tuer pour commander à sa place ; il y renonce et lui avoue son amour pour Viriate : en dépit de sa passion, Sertorius parlera pour lui et dit vouloir accepter l'offre de mariage que lui fait Aristie, épouse de Pompée répudiée sur ordre de Sylla ; elle entend se venger ainsi de son époux, qu'elle aime pourtant encore (Acte I). Viriate s'offre à Sertorius, qui fait l'éloge de Perpenna. Par dépit et par politique, elle envisage maintenant de se servir de ce dernier (Acte II). Pompée, envoyé par Sylla, négocie vainement la paix avec Sertorius. Avant de repartir, il revoit Aristie qu'il aime toujours, mais il est remarié (Acte III). Sertorius avoue son amour à Viriate, qui espère le mariage et envisage la conquête de Rome. Sertorius temporise en alléguant la haine des Romains pour les rois. Perpenna le soupçonne de s'opposer à son amour (Acte IV). On annonce alors que Sylla renonce au pouvoir, et que Pompée est veuf. Aristie se réjouit de son arrivée imminente. Mais Sertorius est mort, assassiné par Perpenna. Pompée survient, ordonne la mort du traître, conclut la paix avec Viriate et assure de dignes funérailles à Sertorius (Acte V).

Le public de 1662 a pu voir dans *Sertorius* de nombreuses allusions aux événements récents de la Fronde (la question que pose finalement la pièce est de savoir quelle conduite adopter dans un État divisé par la guerre civile). Ce n'est pourtant pas ce qui frappe le lecteur d'aujourd'hui, d'abord sensible à la violence des affrontements entre les personnages, qui transforme les dialogues en véritables duels dans les quatre derniers actes : Sertorius, vieil amoureux digne et touchant, affronte Viriate (II), puis Pompée (III) ; Viriate et Aristie se font face à l'acte IV avant que Perpenna ne se heurte au mépris de celle pour qui il est devenu un meurtrier (V). Ces temps forts, dont l'acte III constitue le sommet par son ton violent et ironique et par le fond même de la discussion – qui est le meilleur défenseur de la liberté romaine ? –, révèlent l'équilibre des rôles. De fait, aucun des personnages ne possède le pouvoir de dénouer l'action à lui seul, et un réseau d'intérêts particuliers bloque la situation : Aristie souhaite se venger de Pompée qui l'a répudiée sur ordre de Sylla ; Viriate, se libérer de la tutelle des Romains ; Perpenna, épouser Viriate ; Sertorius, libérer Rome, tout en songeant à Viriate. Or c'est précisément Rome qui fait avancer l'intrigue vers son dénouement. Pompée n'est que le messager de Sylla et le célèbre vers prononcé par Sertorius : « Rome n'est plus dans Rome, elle est toute où je suis » (III, 1), cristallise l'écart spatio-temporel sans lequel l'action s'enliserait.
Si Corneille a respecté l'unité de lieu en faisant que Pompée se rende en Espagne contre toute vraisemblance, ce qu'on lui a reproché, il utilise habilement le « hors scène » pour unifier son action. La présence-absence de Rome donne l'impression que les personnages sont manipulés et ainsi déchus de leur héroïsme : Perpenna connaît une fin infamante et Pompée ne convainc pas lorsqu'il affirme : « Je suis maître, je parle, allez, obéissez » (v. 1 868). La grandeur finale de Viriate, inventée de toutes pièces par Corneille, ne parvient pas à faire oublier que Sertorius lui-même est déchiré par un amour toujours prêt à favoriser le triomphe de la passion sur les raisons politiques, jusqu'à lui faire déclarer, ultime constat d'un héroïsme décidément bien ébranlé : « Ah ! pour être romain, je n'en suis pas moins homme » (IV, 1). « Ah ! pour être dévot... », répétera en écho le Tartuffe de Molière.

● Genève, Droz, 1959 (p.p. J. Streicher). ➤ *Œuvres complètes*, « Pléiade », III.

P. GAUTHIER

SERVITUDE ET GRANDEUR MILITAIRES. Recueil de nouvelles d'Alfred de **Vigny** (1797-1863), publiées à Paris dans la *Revue des Deux Mondes* les 1er mars 1833 (« Laurette ou le Cachet rouge »), 1er avril 1834 (« la Veillée de Vincennes ») et 1er octobre 1835 (« la Vie et la Mort du capitaine Renaud ou la Canne de jonc »), et en volume chez Bonnaire en 1835. Le premier projet du livre date de 1830 ; dès 1834, Vigny rédige, pour l'édition en volume, des chapitres d'introduction et de conclusion aux trois nouvelles.

Le narrateur présent dans ces chapitres, ancien militaire et autoportrait de l'auteur, rapporte les récits de trois personnages différents, illustrant le thème inclus dans le titre du livre. Ce thème, à travers toutes ses variations, permet au narrateur de dégager de l'ensemble quelques idées générales – l'Obéissance, le Devoir, le Sacrifice – qu'il discute alors dans les chapitres constituant le texte-cadre. La forme du récit à tiroirs est ainsi exploitée dans un but philosophique et éthique.

Souvenirs de servitude militaire. Livre premier. Le narrateur présente, dans les trois premiers chapitres, sa propre histoire : celle d'un homme qui a grandi sous Napoléon, puis son projet de faire un tableau de la servitude militaire. La première histoire est consacrée à l'obéissance passive et à l'abnégation, la seconde à la simplicité de mœurs dans l'armée.

« Laurette ou le Cachet rouge ». Remontant à sa propre « enfance militaire » en 1815, où il servait le roi dans les gardes rouges, le narrateur nous fait rencontrer, sur la route des Flandres, un vieux commandant qui raconte comment, capitaine de la marine marchande sous le Directoire, il avait reçu l'ordre de faire exécuter, en pleine mer, un déporté condamné pour avoir écrit quelques couplets contre le régime. Malgré sa sympathie pour le jeune homme, qui était accompagné de sa femme, il l'avait fait fusiller. Plus tard, il était devenu chef de bataillon sous Napoléon, tout en se chargeant de la jeune femme, devenue folle après la mort de son mari.

Livre deuxième. Après un chapitre de réflexions sur la première histoire et l'exemple du devoir qu'elle illustre, le narrateur s'arrête à l'année 1819, passée en garnison au château de Vincennes. Suit l'histoire de « la Veillée de Vincennes ». Accompagné d'un ami, le narrateur rend visite à un vieil adjudant responsable du dépôt de munitions, qui leur raconte sa vie : tout jeune encore, il s'était fait soldat, alors que son amie, la petite Pierrette, avait été découverte par la reine Marie-Antoinette qui l'avait fait débuter comme chanteuse, afin qu'elle pût elle-même gagner sa dot. Cependant, la jeune femme mourut en couches peu après. L'histoire terminée, les deux militaires se retirent. Or le vieil adjudant, « scrupuleux sur son honneur », veut s'assurer une dernière fois de l'état des munitions, et provoque une explosion qui le tue. Les autres soldats, faisant preuve d'une grande bravoure en éteignant le feu, sont gratifiés par le roi Louis XVIII de quelques pièces d'or.

Souvenirs de grandeur militaire. Livre troisième. L'obéissance et le dévouement comportent aussi leur grandeur, ce dont témoigne une troisième histoire « la Vie et la Mort du capitaine Renaud ou la Canne de jonc ». En 1830, pendant les Trois Glorieuses, le narrateur rencontre le vieux Renaud qui, par un sentiment d'honneur, a réintégré l'armée au moment de l'insurrection, mais qui est armé seulement d'une petite canne de jonc. Entraîné par son père, raconte Renaud, il avait été ensorcelé par Bonaparte qu'il avait servi comme page, lorsque son père eut été fait prisonnier en 1798. Par hasard, il assista alors à un entretien entre le futur empereur et le pape à Fontainebleau, mais, renvoyé à cause de cette faute involontaire, il dut faire la guerre contre les Anglais. Fait prisonnier, l'honneur lui défendit de s'évader. Combattant plus tard dans l'armée impériale, il tua, dans une attaque peu glorieuse, un enfant russe de quatorze ans, dont il garde encore la canne de jonc. Dans la journée suivant ce récit, le capitaine est tué par un gamin de quatorze ans. Assistant à sa mort, le narrateur admire la « grandeur passive » de ce soldat fidèle à son honneur.

Le travail de composition s'étale sur presque cinq ans, et les différentes parties ne découlent pas d'une seule idée qui aurait déterminé l'ensemble (la « pensée » notée dès septembre 1830 concernant « le martyre d'un soldat » ne vise guère que « la Canne de jonc »). C'est ainsi que le lecteur n'est pas sûr de bien saisir l'intention de « la Veillée de Vincennes » : s'agit-il d'illustrer les valeurs simples du peuple ou l'obéissance militaire ? De son côté, Vigny se plaint, dès 1836, du manque d'unité de son ouvrage, songeant peut-être aux styles différents des trois histoires ; en effet, les scènes à la manière de Greuze qui se trouvent dans « la Veillée de Vincennes » jurent avec celles, martiales, de « la Canne de jonc ».

Il faut donc chercher ailleurs l'unité du livre. Elle est repérable dans les chapitres d'un contenu plus personnel ajoutés par Vigny à l'édition en volume : à travers les expériences du narrateur (1815, 1819, 1830), et grâce à ses réflexions sur les valeurs morales mises en jeu dans les trois nouvelles, se dessine la voie qui mène le narrateur-soldat, s'apercevant de la « longue méprise » que fut sa carrière militaire, au narrateur-poète, mettant en lumière la présence du sentiment de l'honneur. Cette évolution est corroborée, au niveau de la fiction, par une logique qui conduit des thèmes de l'abnégation (« Laurette ou le Cachet rouge »), du dévouement et de la simplicité du soldat (« la Veillée de Vincennes »), à celui de l'obéissance aveugle fortifiée par l'Honneur, cette « religion sans symboles et sans images » qui transfigure les peines subies par le militaire (« la Canne de jonc »).

Sans doute le soldat chez Vigny doit-il assumer son destin de « paria », à l'instar du noble dans *Cinq-Mars* et du poète dans *Stello*, et cela sans gloire certaine. Mais le militaire en vient ainsi à symboliser l'homme moderne, subissant la vie dont le sens demeure caché sous une série d'ordres impénétrables (telle la lettre, dans « Laurette ou le Cachet rouge », ordonnant l'exécution), ou encore assistant à la déchéance du christianisme qui abandonne la terre « à l'égoïsme et au hasard », ainsi qu'aux premières « noirceurs de roué » perçant sous le masque du « commediante » Napoléon, naguère une figure divine. L'homme blessé dans ses croyances cherche alors une morale tout humaine, au travers et en dépit des servitudes et sacrifices que lui impose l'existence. C'est cette recherche d'une éthique personnelle qui fait l'unité de *Servitude et Grandeur militaires*.

Les qualités morales sont, seules, susceptibles d'acquitter le soldat des devoirs honteux et des actes barbares qu'il doit accomplir. L'acte du commandant faisant exécuter le déporté n'a rien d'honorable ; son seul sens réside dans son mobile, qui est l'abnégation. L'adjudant de Vincennes tire toute sa gloire du sentiment d'avoir bien servi. Quant au capitaine Renaud, c'est le respect de soi-même, et de ses camarades, donc l'honneur, qui le pousse de nouveau à endosser l'uniforme. L'honneur devient un nouveau « tabernacle pur » dans une époque qui assiste au « naufrage universel des croyances ». C'est aussi l'idée de l'honneur qui permet au narrateur, dans ses réflexions finales, de se dégager des marasmes de la vie militaire et de la barbarie de la guerre et de s'élever, par une dialectique serrée du devoir et de la conscience, à un accord de l'homme avec lui-même. « C'est la guerre qui a tort et non pas nous », peut conclure Renaud sur son lit de mort. Et Vigny lui-même, se détournant résolument de Joseph de Maistre et de ses *Soirées de Saint-Pétersbourg*, déclare que « la guerre est maudite de Dieu et des hommes qui la font ».

Œuvre de poète, non d'historien, quoique partant de faits historiques, le livre devait dérouter certains critiques de l'époque, qui reprochaient à Vigny d'être trop « littéraire ». Le mélange inhabituel de morale, d'Histoire, de souvenirs et de fiction invitait à cette méprise. Et pourtant, c'est là un des traits typiques de la production littéraire de Vigny, qui méditait déjà un roman philosophique (voir *Daphné*) et allait se consacrer à des « poèmes philosophiques » : *les *Destinées.

● « Classiques Garnier », 1965 (p.p. F. Germain) ; « Le Livre de Poche », 1988 (p.p. G. Vannier).

H.- P. LUND

SÉTHOS. Histoire ou Vie tirée des monuments, anecdotes de l'ancienne Égypte, traduite d'un manuscrit grec. Roman de l'abbé Jean **Terrasson** (1670-1750), publié à Paris chez Jacques Guérin en 1731.

Disciple de Fontenelle, ami de La Motte, admirateur de Fénelon, Terrasson se proposa dans *Séthos* d'imiter le *Télémaque*, c'est-à-dire de présenter une fiction narrative où puissent être mises en évidence toutes les vertus d'un héros et éventuellement une conception précise de la vraie sagesse et du bon gouvernement. L'écrivain prétend toutefois, selon une banale convention, qu'il publie simplement la traduction d'un manuscrit de la période hellénistique et que le véritable auteur est « un Grec d'origine, vivant à Alexandrie sous l'empire de Marc Aurèle ».

Après une généalogie des rois de Memphis, on en vient à Osoroth, époux de Nephté et père de Séthos. La reine choisit le sage Avedès pour élever le prince. Elle meurt, et c'est l'occasion d'une longue description des tombes, des pyramides, et des fastueuses obsèques qui lui sont dédiées (livre 1). L'artificieuse Daluca parvient à épouser Osoroth, qui lui laisse le pouvoir. Tableau des sciences, des arts, des doctrines philosophiques qui fleurissent en Égypte, des académies où elles sont enseignées, et de la soigneuse éducation que reçoit Séthos de son précepteur (2). Le premier exploit du jeune homme est de combattre et de capturer un énorme serpent qui ravageait le pays. Daluca a deux fils, et elle jalouse la valeur de Séthos. Il part avec Avedès pour les pyramides, où il est initié aux secrets d'Isis : épreuves physiques et morales longues et parfois cruelles (3.). Un jeune Carthaginois survient au temple : il croit avoir tué son jumeau Giscon et veut expier ses forfaits. C'est l'occasion pour Séthos de lui expliquer ce qu'est la vraie vertu : l'amour zélé du genre humain, et non la valeur qui n'est qu'une funeste gloriole. Mais Giscon n'est pas mort ; il arrive au temple, et retrouve son frère (4). La guerre éclate contre Thèbes. La reine Daluca fait nommer général le flatteur Thoris, qui est un incapable. Séthos gagne par des voies souterraines Thèbes, où il rencontre les prêtres. Revenu guerroyer, il est blessé ; on le croit mort ; il est pris par les Éthiopiens, qui le soignent, et il décide de partir sur un vaisseau phénicien (5). Appelé désormais « Cherès », il vogue vers l'Arabie, puis le golfe Persique, remporte une victoire navale sur les insulaires de Tabropane, puis double Madagascar et fait délivrer des esclaves (6), contourne l'Afrique par le Cap, où il fait élever une forteresse. Il entre en rapport avec des sauvages du Congo, qu'il aime et comprend ; il les délivre d'un maître cruel, et leur dispense une instruction morale et religieuse, puis il approche du pays des Hespérides [le Maroc] (7). Au port de Lixus, il écoute le long récit d'un Atlante : les Carthaginois, conduits par Giscon, sont en guerre avec le roi Antée. Celui-ci est parvenu à gagner Giscon en lui donnant la main de sa fille : exemple frappant de la déchéance d'un homme vertueux. Pris de honte, Giscon a regagné Carthage assiégée, où le sénat l'a obligé pour sa peine à chercher du secours. Chez les Atlantes, règne une organisation merveilleuse, qui maintient une sorte d'âge d'or. Séthos retrouve son précepteur Avedès, qui lui donne la main de sa fille (8). Il décide de secourir les Carthaginois, tue en duel Antée dont le fils Tygée fait la paix avec Carthage. On apprend qu'un faux Séthos dévaste l'Égypte, et « Cherès » est donc contraint de regagner sa patrie (9). Le faux Séthos est un Arabe, Aserès. « Cherès » rencontre une princesse dont il s'éprend, la quitte pour guerroyer contre Aserès, qui est fait prisonnier. Osoroth abandonne le trône à Séthos, mais celui-ci, s'élevant à la plus haute sagesse, laisse le royaume à l'aîné de ses demi-frères, et sa maîtresse au cadet. Il ne sera ni roi ni amant, mais le « conservateur » de l'Égypte : il résidera chez les prêtres, où le roi viendra le consulter (10).

L'œuvre est fort savante. Terrasson cite ses sources : Plutarque, Hérodote, Appien d'Alexandrie, Strabon, Polybe, Diodore de Sicile… Comme Ramsay, dont il se réclame dans sa Préface, l'avait fait dans les *Voyages de Cyrus*, il nous présente un tableau assez exact et complet des mœurs, de la politique, de la religion, des nations antiques. Mais il admire Fénelon plus que Ramsay, et veut, à la manière de l'archevêque de Cambrai, de manière plus précise même, décrire une initiation et conduire jusqu'à une morale supérieure. Des banalités certes – le dévouement au peuple qui transcende la valeur militaire, la belle-mère fielleuse, les longs discours moralisants –, mais jointes à un message d'une singulière élévation : les rites égyptiens conduisent Séthos jusqu'à une sainteté qui transcende toute foi particulière ; il faut évidemment songer à la franc-maçonnerie, dont l'idéal, sinon les pratiques, sont ici célébrés. *Séthos*, comme la IIIᵉ République a présenté ses colonisateurs, civilise les sauvages, les arrache à leurs mœurs barbares et les détourne de la polygamie.

Dans l'oubli de soi, il participe à la raison universelle et en rehausse l'éclat.

Érudit, parfois émouvant, le roman est fort bien construit, malgré quelques invraisemblances et d'étranges gaucheries (ainsi le double récit, par l'Atlante et par Avedès, au livre 8, des aventures de Giscon au Maroc et à Carthage). Le plus faible demeure le style, trop académique et empesé, ne retrouvant jamais la fluidité poétique du *Télémaque* et bloquant l'épopée qui, malgré tant d'aventures, paraît demeurer presque immobile.

A. NIDERST

SEUIL DU JARDIN (le). Roman d'André **Hardellet** (1911-1974), publié à Paris chez Julliard en 1958.

Arpenteur de la banlieue parisienne rêvant ses souvenirs d'enfance (il est né à Vincennes), André Hardellet a fait sienne dans *le Seuil du jardin* cette affirmation d'Éluard : « Il est un autre monde, mais il est dans celui-ci. » Aussi y aurait-il quelque injustice à réduire son œuvre (treize livres) à une poignée de chansons-épithalames exaltant les bals musettes, comme "Bal chez Temporel", dont le titre initial, "le Tremblay", figure dans son premier recueil poétique, *la Cité Montgol* (1952). Encore que ses chansons constituent une image réduite de cet univers marqué par l'obsession de la fuite du temps et le pouvoir de l'imaginaire à le restaurer. Nourri à la fois d'un certain « réalisme fantastique » et de références à Georges du Maurier et à Proust, *le Seuil du jardin* se veut, sous couvert de la fiction romanesque, voire policière, l'exégèse des lieux perdus de la mémoire, mais aussi une « méthode » pour en dire l'approche. On comprend pourquoi André Breton fut des tout premiers à saluer le charme d'une œuvre qui venait rôder autour de ces « barricades mystérieuses » que lui-même avait explorées.

Par aversion pour la bohème artiste, le peintre Stève Masson a trouvé refuge chez Mme Temporel, qui tient pension dans un pavillon de Montrouge. Dans ce milieu anodin, Masson se demande toutefois où peut bien se rendre chaque jour Hélène Jeanteur, une jeune femme très discrète. Que signifie également ce ronronnement intermittent dans la chambre du vieux professeur Swaine ? Masson travaille à une toile, « le Seuil du jardin », dont le sujet obsède ses rêves, mais dont l'exécution ne le satisfait pas. Cette paix surnaturelle au « Seuil du jardin » entrevu dans le rêve conserve son énigme ensoleillée que le peintre ne parvient pas à traduire complètement. Sa toile pourtant achevée, Masson en vient à s'intéresser à son entourage : il découvre d'abord en Hélène Jeanteur une prostituée de haut vol avec qui il se lie. Puis il est sollicité par des individus louches qui en veulent à Swaine au point qu'un soir celui-ci manque d'être enlevé. Sauvé par Masson, le professeur apprend au peintre qu'il est traqué par une organisation occulte qui cherche à mettre la main sur l'invention qu'il est enfin parvenu à mettre au point : une machine à matérialiser les désirs et les rêves. Ainsi s'expliquent ces ronflements de moteur. Dans une longue confidence, Swaine explique sa théorie de la mémoire se perpétuant hors de l'espace et du temps, en une réserve inépuisable, et la possibilité de la rejoindre grâce à sa machine. Masson, invité à tenter l'expérience, franchit en effet le « Seuil du jardin » de l'enfance et atteint l'« éden ouvert dans la profondeur immatérielle de la toile ». Pourtant, cette félicité du temps aboli, Masson n'aura plus jamais l'occasion de la connaître : Swaine mourra et son invention, dérobée par l'organisation occulte, sera détruite. Le peintre enfin célèbre, mais indifférent à son succès, partira en Amérique pour se survivre dans la nostalgie d'un paradis perdu.

Hésitant entre la veine du *Mystérieux Docteur Cornélius* de Gustave Le Rouge et celle de *Touchez pas au grisbi !* d'Albert Simonin, l'intrigue n'est pas l'essentiel du premier roman d'Hardellet, qui avoue en effet des emprunts quelque peu désordonnés à la fois au roman populaire, au travers de la machine géniale et de l'organisation secrète qui cherche à s'en emparer, et aux recettes éprouvées du « polar » avec ses caïds du milieu, ses quartiers interlopes et ses maisons de passe clandestines. De fait, l'intention d'Hardellet est d'affirmer, par le biais d'une fiction délibérément convenue, le pouvoir subversif de la mémoire et de manifester la présence, au sein du réel, de domaines contigus. L'épigraphe, empruntée à Proust, est de ce point de vue significative des véritables enjeux du roman : « Cette incompréhensible contradiction du souvenir et du néant. » Car, c'est bien à une recherche du temps perdu que s'emploient les protagonistes du *Seuil du jardin*, que ce soit au moyen de la peinture avec Masson ou de l'hypnose avec Swaine (autre hommage, indirect, à Proust). Mais si l'un pratique la « mémoire involontaire », selon le schéma proustien, et l'autre la « mémoire dirigée » à la suite d'Hervey de Saint-Denis, tous deux conçoivent l'être se survivant dans la continuité du souvenir. Souvenir qui va bien au-delà du cercle enchanté de l'enfance, pour atteindre les gisements profonds d'une mémoire collective. C'est pourquoi les deux moments essentiels du roman sont constitués par deux tableaux : « le Seuil du jardin » se veut la représentation d'un souvenir d'enfance, mais saisi dans une intensité qui crée une béance dans le temps. Après l'expérience de la machine de Swaine, la seconde toile, « les Baigneuses d'Idalie », matérialise le passage par les « portes de corne et d'ivoire ». Ici, les images et les sensations éprouvées dans une région intérieure, où les choses continuent, font coexister dans un même lieu des scènes de jadis avec celles de naguère dans une temporalité suspendue. Ainsi s'explique la lecture fervente d'André Breton, qui écrivait à Hardellet : « Vous abordez en conquérant les seules terres vraiment lointaines qui m'intéressent ». Dans *le Seuil du jardin*, Hardellet, à la suite des surréalistes, atteste que certains lieux et certains objets peuvent être les sémaphores d'une vérité enfouie, les « grands serruriers » possesseurs des clés d'un monde à ouvrir.

➤ *Œuvres complètes*, Gallimard, I.

J.-M. RODRIGUES

SEUIL INTERDIT (le). Recueil de récits de Georges **Henein** (Égypte, 1914-1973), publié à Paris au Mercure de France en 1953.

Pour qualifier ces fictions, le plus souvent à la première personne, à mi-chemin entre le poème en prose et la nouvelle, Georges Henein parle de « nouvelles lyriques », de « poèmes romancés ». Fondateur d'un groupe surréaliste au Caire dès 1937, étroitement lié à Michaux et à Bonnefoy, proche de Bataille, Henein s'attache à une transgression des genres héritée de l'esthétique symboliste aussi bien que de Rimbaud et de Lautréamont, dont il partage la violence purificatrice, à telle enseigne qu'il finira par abandonner la littérature pour se consacrer au journalisme politique, à *Jeune Afrique* en particulier, où il défendra ardemment les luttes tiers-mondistes.

D'une exigence impérieuse d'accéder à l'essentiel par la voie, toute mallarméenne, d'une « théologie négative », témoignent les courts récits du *Seuil interdit*, traversés par une obsession mystique de la violence qui confinerait au nihilisme, si elle ne cherchait à atteindre le « règne qui est au-delà de la destruction » : l'un des personnages, si l'on peut qualifier ainsi des figures emblématiques, désincarnées, de « Rigueurs du malentendu » se nomme allégoriquement « Antinéa ». Le plus important de ces récits, « la Déviation », représente la force « déviante » qui emporte les protagonistes et les dépossède de leurs facultés. Cette volonté de détruire, cette négativité référée à Hegel, à Lénine, mais aussi à Max Stirner, dont l'anarchisme fascine Henein, ou encore à Nietzsche, prend des résonances sociales et politiques : bon nombre de ces récits mettent en scène de mystérieux complots – ainsi « Il n'y a personne à sauver » – qui évoquent l'atmosphère dostoïevskienne des *Possédés*. Le terrorisme est érigé en principe, à travers les figures héroïques de Fabre d'Églantine, à qui l'un des personnages est comparé, et surtout de

Robespierre et de Saint-Just : en 1945, Henein avait d'ailleurs publié un pamphlet intitulé *Prestige de la terreur*. Cette violence est aussi dirigée contre la religion, en particulier contre le christianisme dans lequel il avait été élevé, dans sa famille de la grande bourgeoisie copte francophone : ne consacre-t-il pas, en 1953, un éloge vibrant à Julien l'Apostat et au « snobisme métaphysique » ?

Cette violence sacralisée, proche de l'univers poétique de Bataille et de Leiris, qui puise chez Lautréamont un humour corrosif, comparé par Henein à la « vivisection », atteste l'impossibilité d'une relation harmonieuse avec le monde et les êtres. Symboliquement, le thème central de ces récits est celui de la distance. Dans « Nathalie ou le Souci », la relation amoureuse ne peut exister que dans la « distance propice », en deçà de l'union charnelle : « C'est alors que je commis l'erreur de lui saisir la main. Ce brusque désir d'anéantir à jamais nos deux vanités, d'empoigner l'instant de chaos affectif surgi entre nous, ne pouvait d'aucune manière déboucher dans la durée. » Les deux personnages de « En vue du rivage » se contentent de vivre parallèlement (« J'ai passé le plus clair de ma vie à côté de cette femme »), sans jamais se rencontrer, jusqu'à ce qu'une fleur tendue brise cette union à distance. Le narrateur de ces récits parle de lui à la troisième personne pour rompre avec toute tentation narcissique.

C'est cette impossibilité d'établir une relation autrement que par la violence qui fonde l'écriture, et du même coup la rend vaine. Le soupçon pèse sur le langage lui-même, en raison de l'inadéquation fondamentale des mots au monde. Fréquents sont en effet dans ces récits les lieux et les choses innommables : « Il devenait impossible de nommer les pays par leur nom », parce que la réalité est insaisissable, à l'instar de cette île qui disparaît dans « la Vigie », mais aussi parce que la parole est irrémédiablement finie et, comme le disait Mallarmé, entachée du « défaut des langues ». La violence et la destruction représentées par les fictions du *Seuil interdit* apparaissent alors comme des allégories – ce que suggère bien l'atmosphère raréfiée du décor et les personnages abstraits – de l'écriture, qui se retourne contre elle-même, jusqu'à effacer ses propres traces dans le sable du désert, sous le signe duquel Henein avait fondé les Éditions de la Part du Sable, après la guerre. « La parole est une plaie dont on ne peut se défendre que par un grand silence noir ou par la falsification forcenée de tout ce qui est contenu verbal, prétention à la signification », notait Henein dans un de ses carnets.

● *Notes sur un pays inutile*, Le Tout sur le Tout, 1982.

D. COMBE

SEULS DEMEURENT. Voir FUREUR ET MYSTÈRE, de R. Char.

SEXE FAIBLE (le). Comédie en trois actes et en prose d'Édouard **Bourdet** (1887-1945), créée à Paris au théâtre de la Michodière le 10 décembre 1929, et publiée à Paris chez Stock en 1931.

Représentée deux mois après le « jeudi noir » d'octobre 1929, la pièce n'enregistre pas encore les contrecoups de la crise économique (voir *les *Temps difficiles*, 1934), mais simplement ceux de la révolution soviétique (voir **Tovaritch* de Jacques Deval, 1933), qui a déversé sur l'Occident une marée d'émigrés équivoques : « Pour s'y reconnaître aujourd'hui, dans les Russes... C'est la bouteille à l'encre », déplore Antoine, le maître d'hôtel. On y voit aussi les conséquences de la guerre de 1914-1918, qui a largement ouvert la société européenne à ceux et celles que la comtesse Polaki nomme amèrement les « personnes à change favorable » : Argentins, Américains. Conjonction parfois malheureuse, témoin Boni de Castellane, auteur désabusé, en 1924, de *Comment j'ai découvert l'Amérique* – en l'occurrence, son éphémère épouse, la milliardaire Anna Gould.

Ce sont les femmes qui doivent faire vivre les hommes, et non l'inverse : en vertu de ce principe, Isabelle Leroy-Gomez a entretenu son mari tant qu'elle avait de l'argent, puis l'a jeté dans les bras d'une milliardaire américaine. Aujourd'hui, alors que sa fille Lili s'échine à diriger une maison de couture (rue Cambon, comme Coco Chanel), ses trois fils, scrupuleusement oisifs, lui donnent du souci. Manuel, l'aîné, accomplit avec zèle ses devoirs d'époux de femme riche, mais refuse de prêter un centime à sa mère ; Philippe, le deuxième, trompe sa femme Cristina avec une Russe désargentée, et Jimmy, le troisième, encore célibataire, semble préférer la gentille et pauvre Nicole à l'Américaine Dorothy. Isabelle tente d'arranger les choses, avec l'aide d'Antoine, l'officieux maître d'hôtel du palace parisien où se déroule toute l'action (Acte I).

Philippe doit trouver trente mille francs d'ici au lendemain pour sauver Louba, sa maîtresse, de la prison. À cette fin, alors que Jimmy a emmené Dorothy au bal après avoir piqué une jalousie grâce à la serviable Nicole, Antoine ménage à Philippe un rendez-vous avec la vieille et riche comtesse Polaki. Mais Cristina offre généreusement la somme, et Philippe lui ouvre son cœur : s'il l'a trompée, c'est qu'il ne peut aimer une femme riche ! Attendrie, Cristina emmène Philippe dans sa chambre et la comtesse, dépitée, va se coucher (Acte II).

Le lendemain matin, Antoine suggère à Cristina, à nouveau follement éprise de son mari, de se prétendre ruinée. Le stratagème réussit, Philippe lui revient et... Mme Leroy-Gomez se désole. Quant à Dorothy, elle propose un contrat de mariage en or à Jimmy, lequel demandera à Nicole de l'attendre, le temps pour lui de faire fortune – et de divorcer. Dernière scène : Manuelito, le fils de Manuel, exige de sa sœur cinq francs pour jouer avec elle. « Déjà sérieux comme un petit homme », commente Antoine (Acte III).

Ainsi qu'il le fera dans *la Fleur des pois* (1932), où l'homosexualité, promue règle officielle du « gratin » parisien, soumet les hommes « pour femmes » à l'exclusive qui frappe alors les invertis, Bourdet présente ici comme normal un comportement, celui de gigolo, communément jugé atypique ou scandaleux. C'est en effet le naturel avec lequel la famille Leroy-Gomez applique ses principes qui constitue le principal ressort comique de la pièce : les seules obligations de Jimmy se limitent à rencontrer sa manucure ou son tailleur ; il refuse de coucher avec Dorothy avant de l'avoir épousée, et se cache pour embrasser Nicole, son amante de cœur. Mme Leroy-Gomez s'indigne d'apprendre que Philippe entretient Louba (« Antoine, vous vous rendez compte de ce que vous dites ? »), et, d'une façon générale, que ses fils aient l'intention de travailler. Bref, le « sexe faible » n'est plus celui qu'on croit.

Plus subtile toutefois est la satire qui consiste à installer cette faune typique des Années folles dans un palace, lieu du paraître, du clinquant et de l'éphémère, où se croisent, ballet réglé par l'ineffable Antoine, les accents anglo-saxon, espagnol et *Mittel Europa* (Marguerite Moreno fit dans le rôle de la comtesse Polaki une création inoubliable, à grand renfort de « r » roulés : « Morne soirée, Antoine, morne soirée ! »). Car l'hôtel n'est plus ici, comme chez Feydeau, une soupape de sûreté pour bourgeois momentanément fatigués de la vie conjugale (voir l'*Hôtel du Libre-échange*, 1894), mais l'espace emblématique d'une société désormais sans traditions ni racines.

J.-P. DE BEAUMARCHAIS

SGANARELLE ou le Cocu imaginaire. Comédie en un acte et en vers de **Molière**, pseudonyme de Jean-Baptiste Poquelin (1622-1673), créée à Paris au théâtre du Petit-Bourbon le 28 mai 1660, et publiée à Paris chez Pierre Ribou la même année.

Après le succès certain, mais houleux, des *Précieuses ridicules*, Molière évite prudemment de mettre en scène un sujet d'actualité. Avec le cocuage, il est de tous les temps : point de source unique et désignable donc, mais un fonds commun agrémenté de souvenirs pris à Sorel (le

Berger extravagant, *Francion*) et à Scarron, qui montrait en 1646, dans *Jodelet duelliste*, un protagoniste hésitant, comme Sganarelle, entre l'honneur et la poltronnerie. Molière obtiendra pour sa pièce une réussite sinon éclatante, du moins constante : chaque année jusqu'à sa mort, il la reprend et, finalement, l'aura jouée plus souvent qu'aucune autre de ses comédies (123 fois). Pour empêcher *Sganarelle* de tomber dans le domaine public, l'auteur en diffère la publication, mais Ribou prend les devants avec une édition pirate imprimée avant la fin de l'année 1660.

Gorgibus a décidé de marier sa fille Célie non plus à Lélie, mais au riche Valère. Célie, dans sa douleur, s'évanouit et laisse échapper le portrait du beau Lélie. Le voisin Sganarelle, venu à son secours, tente de la ranimer en la prenant dans ses bras : jalousie de sa femme, qui surprend la scène sans la comprendre. Arrivée sur place, elle ramasse le portrait de Lélie, et c'est au tour de Sganarelle de se croire trompé. Celui-ci prend le portrait. Passe Lélie qui le voit et en déduit que Célie a épousé Sganarelle. Désespéré, il tombe en faiblesse. La femme de Sganarelle le recueille alors, transformant en certitude les soupçons de son mari. Ce dernier, n'osant se venger par la force, clame du moins sa disgrâce et convainc ainsi Célie de l'infidélité de son amant. L'imbroglio se dénoue grâce à la suivante. Et puisque Valère, apprend-on, s'est engagé ailleurs, Lélie et Célie sont libres de s'épouser.

Molière joue ici fort plaisamment du contraste entre les deux traditions qui l'ont formé. *Sganarelle* appartient à la farce par sa forme (un seul acte), le nom de plusieurs de ses personnages (Gorgibus et Villebrequin se trouvaient déjà dans *la *Jalousie du Barbouillé*, Gros-René et Sganarelle dans *le Médecin volant*) et la moitié de son sujet (la querelle conjugale). Mais l'action farcesque est simple et n'aboutit presque jamais à un mariage. En la circonstance, l'intrigue, sans être « implexe », repose sur une quadruple méprise et s'achève avec une promesse d'épousailles : c'est la part de la comédie italienne. Un couple se désagrège, un autre se constitue. Entre la scène de ménage et le dépit amoureux, un point commun : l'illusion. Du faux cocu de 1660 au faux malade de 1673, le théâtre de Molière ne vivra quasiment que d'« imaginaires ».

➤ *Théâtre complet*, Les Belles Lettres, I ; *Œuvres complètes*, « GF », I ; *id.*, « Pléiade », I.

G. FERREYROLLES

SI LE GRAIN NE MEURT. Récit autobiographique d'André **Gide** (1869-1951), publié à 13 exemplaires en 1921-1922 ; réédition à Paris chez Gallimard en 1924 (mis en vente en 1927 seulement).

Si le grain ne meurt, qui relate une période s'étendant de l'enfance aux fiançailles de l'auteur, fait partie des nombreux écrits autobiographiques d'André Gide (*Journal*, *Feuillets d'automne*, 1949 ; *Et nunc manet in te*, 1951 ; *Ainsi soit-il*, 1952), et permet d'apercevoir la part de réalité vécue que recèlent les récits plus élaborés – c'est-à-dire où le moi se masque davantage – que sont l'*Immoraliste* et la *Porte étroite*.

Première partie. Gide conte son enfance et son adolescence. Fortement marquée par une éducation puritaine, sa prime jeunesse se déroule dans un climat d'austérité religieuse et morale. Gide évoque le souvenir des séjours dans sa famille paternelle, languedocienne, et dans sa famille maternelle, normande. Il retrace le cours chaotique de sa scolarité, perturbée par la mort de son père et une fragilité nerveuse maladive. L'auteur décrit son goût très vif et précoce pour la lecture et la musique (à travers l'étude du piano). Il brosse le portrait des parents, des maîtres ou des amis qui ont compté dans la formation de son caractère et de son esprit. Convaincu depuis longtemps que l'écriture est sa vocation, il compose, à vingt ans, sa première œuvre (les *Cahiers d'André Walter*). Un amour profond et chaste, quasi mystique, le lie à sa cousine Emmanuèle (pseudonyme de Madeleine Rondeaux) qu'il se promet d'épouser plus tard.

Seconde partie. Éveil au plaisir et conquête de la liberté. Le jeune homme s'affranchit peu à peu de l'emprise religieuse et de l'autorité maternelle. Un long périple en Afrique où Gide, atteint par la tuberculose, frôle la mort, constitue l'étape décisive de cette évolution. Il découvre en lui l'empire du désir et se livre à ses premières expériences sexuelles. Comprenant que c'est dans l'homosexualité que sa sensualité trouve son vrai épanouissement, il brave progressivement les interdits de sa conscience puritaine et, sans parvenir tout à fait à faire taire la honte et le remords, il s'adonne au plaisir avec ardeur et bonheur. De retour en France, il a la douleur de perdre sa mère. Peu après, il se fiance avec sa cousine.

L'ouvrage, tout comme plus tard *la Porte étroite*, doit son titre à une formule biblique. À travers l'image du grain qui germe pour produire un nouvel épi, Gide souligne qu'un processus de maturation forme la trame de son livre. Récit d'éducation, *Si le grain ne meurt* rend compte d'une évolution féconde au terme de laquelle un jeune homme a trouvé sa voie, tant sur le plan de la vocation littéraire que sur celui de la vie amoureuse. La mort, présente elle aussi dans le titre, atteste que ce trajet n'alla pas sans difficultés ni périls. C'est bien en effet à l'issue d'une maladie qui aurait pu être fatale que Gide eut la révélation de son homosexualité.

Ce trajet initiatique se caractérise essentiellement par un refus progressif de la macération puritaine et par l'affirmation d'une euphorique et universelle volonté de goûter le plaisir d'être au monde ; *les *Nourritures terrestres* porteront témoignage de cet élan. Le sentiment de culpabilité ne peut toutefois être tout à fait banni et la confession autobiographique s'apparente à un acte de contrition : « Mon récit n'a raison d'être que véridique. Mettons que c'est par pénitence que je l'écris. » Mais le péché et son aveu font l'objet d'une spécieuse mise en scène qui vise à attiser, chez le lecteur, une perverse curiosité et, d'une certaine manière, à lui faire partager le frisson et le plaisir troubles de la faute.

D'emblée, en effet, le livre est placé sous le signe du péché originel : le premier souvenir d'enfance évoqué porte sur les jeux, qualifiés de « mauvaises habitudes », auxquels se livre le jeune André, dissimulé sous la table de la salle à manger, en compagnie d'un « bambin de [son] âge ». Le commentaire vient immédiatement guider l'interprétation de cette scène inaugurale : « Pour moi, je ne puis dire si quelqu'un m'enseigna ou comment je découvris le plaisir ; mais, aussi loin que ma mémoire remonte en arrière, il est là. » Or, bien que *Si le grain ne meurt* raconte un trajet menant à l'acceptation et la revendication de ce plaisir, le Gide narrateur garde une certaine distance à l'égard du Gide personnage. En mettant ainsi son enfance sous le sceau d'un mal originel, l'autobiographe se juge et se condamne : « À cet âge innocent où l'on voudrait que toute l'âme ne soit que transparence, tendresse et pureté, je ne revois en moi qu'ombre, laideur, sournoiserie. » Il affirme toutefois son souci d'impartialité, preuve d'une modestie intellectuelle et garant de l'authenticité autobiographique : « Les faits dont je dois à présent le récit, les mouvements de mon cœur et de ma pensée, je veux les présenter dans cette même lumière qui me les éclairait d'abord, et ne laisser point trop paraître le jugement que je portais sur eux par la suite. D'autant que ce jugement a plus d'une fois varié et que je regarde ma vie tour à tour d'un œil indulgent ou sévère suivant qu'il fait plus ou moins clair au-dedans de moi. » En début de la seconde partie du récit, c'est dans l'usage des tournures verbales d'anticipation, à travers l'utilisation du présent ou du futur, que s'instaure la distance entre temps de la narration et temps narré : « Par quels détours je fus mené, vers quel aveuglement de bonheur, c'est ce que je me propose de dire. [...] Mais assurément j'anticipe, et vais gâcher tout mon récit si je donne pour acquis déjà l'état de joie, qu'à peine j'imaginais possible, qu'à peine, surtout, j'osais imaginer permis. » Ici, cette distance est moins au service d'une condamnation morale que d'une subtile stratégie textuelle qui vise à éveiller la curiosité du lecteur. Celui-ci est placé dans l'attente d'une révélation d'autant plus désirée qu'elle est donnée comme capitale et en même temps différée : ainsi remis à une date ultérieure, le jugement est évincé du livre et la lecture se fait dévoilement des mystères d'un texte qui se cache et se livre tout à la fois, au rythme de la découverte du plaisir effectuée par le personnage.

Si le grain ne meurt, œuvre de l'aveu, proclame, conformément à la loi du genre, une exigence de totale sincérité : « Ce n'est pas un roman que j'écris et j'ai résolu de ne me flatter dans ces Mémoires, non plus en surajoutant du plaisant qu'en dissimulant le pénible. » L'écrivain est cependant tout à fait conscient des limites de son entreprise : « Les Mémoires ne sont jamais qu'à demi sincères, si grand que soit le souci de vérité : tout est toujours plus compliqué qu'on ne le dit. Peut-être même approche-t-on de plus près la vérité dans le roman. » L'on ne s'étonnera donc pas que, dans une œuvre vouée essentiellement à l'élucidation de soi, la fiction occupe une part sensiblement égale à celle de l'écriture autobiographique, sous les diverses formes qu'elle emprunte.

● « Folio », 1976. ➤ *Journal (1939-1949)*. *Souvenirs*, « Pléiade ».

A. SCHWEIGER

SI TU T'IMAGINES (1920-1948). Recueil poétique de Raymond **Queneau** (1903-1976), publié à Paris chez Gallimard en 1952. Sous ce titre, emprunté à la chanson que l'interprétation de Juliette Gréco rendit célèbre, Queneau a rassemblé et réaménagé superficiellement trois recueils précédemment parus chez différents éditeurs : *Chêne et Chien* (Denoël, 1937), *les Ziaux* (Gallimard, 1943) et *l'Instant fatal* (Aux Nourritures terrestres, 1946).

Chêne et Chien. Indissociable de son activité romanesque, la pratique poétique procède chez Queneau d'une même origine, d'où le sous-titre de « roman en vers » attribué à *Chêne et Chien*, où la confusion des genres se trouve revendiquée comme projet d'écriture, alors que l'œuvre s'inscrit dans un cycle autobiographique précisément romanesque inauguré par *les Derniers Jours* (1936) et poursuivi avec *Odile* (1937). Toutefois, loin de s'envelopper dans les détours et les masques du romanesque, la part autobiographique se révèle ici traitée avec une nudité arrogante, tandis que la structure en trois parties – des souvenirs d'enfance et de jeunesse, la relation d'une analyse psychanalytique et enfin « la Fête au village » – ne se développe pas selon la dialectique supposée de l'ordre romanesque non plus que selon les codes attendus du « pacte autobiographique ».

Chêne et Chien se rapproche de la forme du « roman familial » tel que la psychanalyse le décrit. De fait, si le récit convoque une histoire personnelle et collective : « Le couronnement du roi George V / fut un événement », « Le lycée du Havre est un charmant édifice, / on en fit en quatorze un très bel hôpital », il est aussi anamnèse psychanalytique déroulant depuis le centre maudit de la petite enfance les pulsions refoulées ; la métaphore obsédante de l'ordure, si présente dans l'œuvre de Queneau (qu'on relise la première page de **Loin de Rueil*) s'avouant ici constitutive du mythe personnel : « Certes j'avais du goût pour l'ordure et la crasse, / images de ma haine et de mon désespoir : / le soleil maternel est un excrément noir / et toute joie une grimace. » D'où la longue paraphrase, dans la deuxième partie, de *la Science de Dieu* (1857) de Pierre Roux, un de ces « fous littéraires » étudiés dans *les Enfants du limon* ; par sa théorie du « soleil excrémentiel » (on songe aussi à *l'Anus solaire* de Bataille avec qui Queneau était alors lié), elle informe les relations qu'entretient Queneau entre recherche intellectuelle et préoccupation intime. Elle manifeste également de quelle part obscure – le rapprochement morbide entre sexe et ordure – est travaillé l'écrivain qui se donne pour blason bipolaire le chêne et le chien : « Chêne et chien voilà mes deux noms, / étymologie délicate : / comment garder l'anonymat / devant les dieux et les démons ? » Du côté du chêne, la noblesse et la spiritualité, du côté du chien, le goût pour l'ordure. Du coup, il s'agit peut-être moins de mettre à nu les raisons du refoulement, de reconnaître « l'affreux soleil / féminin qui se putréfie », que de manifester une ambivalence fondatrice traitée sur le mode narquois. Car si l'entreprise analytique de la deuxième partie s'achève en impasse (« Tout ça c'est du psychanasouillis »), c'est qu'elle est marquée par la double tare de l'esprit de sérieux et de la prétention thérapeutique. Or le récit est traversé par une série de démystifications burlesques qui affectent systématiquement non seulement tous les poncifs (le récit de l'enfance malheureuse, le mythe de la Belle Époque, la vulgate psychanalytique), mais aussi la forme même du récit. Discontinu, fragmenté dans son organisation, ce « roman » l'est autant dans ses procédures expressives. Détissant les liens qui le rattachent à son enfance, Queneau les retisse, en les malmenant, avec des formes poétiques disparates : alexandrins, hexamètres ou séquences de versets sont combinés à des banalités, astuces faciles (« Je cherche le silence et cherche après Titine »), citations parodiques (« Je t'apporte l'enfant d'une nuit bitumée »), paronymies approximatives (Seine – Citroën), lexique familier, élisions inopportunes. Ainsi la dégradation systématique de la forme poétique corrode en retour l'autoportrait, que l'apparente purification dionysiaque de « la Fête au village » ne saurait sauver, puisque alors le discours autobiographique se dissout dans une fête du langage d'où le moi s'absente. De sorte que, ni fictif comme un roman, ni authentificateur comme une autobiographie, le recueil se situe dans cet espace intermédiaire (entre chien et loup ?) où le recours au burlesque dénonce l'inanité d'une littérature fondée sur le moi, où le parasitage des codes narratifs conteste les genres traditionnels. Que reste-t-il dès lors, sinon peut-être ce couple emblématique, chêne et chien, indissociable et dérangeant, qui fonde l'ambiguïté narquoise des œuvres de Queneau ?

Les Ziaux. Donnant son titre à l'ensemble, le dernier texte du recueil, "les Ziaux", repose sur la vieille alliance métaphorique entre les yeux et les eaux, ici concrétisée par la composition d'un de ces mots-valises fréquents chez Queneau. Omniprésent, le thème de l'eau assure d'abord la cohésion d'un recueil, qui, à première vue, déconcerterait plutôt par l'éparpillement des motifs et la diversité des moyens expressifs.

S'étendant sur plus de vingt ans (1920-1943), l'écriture multiplie les variations dans les tons – fantaisiste avec "Don Évané Marquy", méditatif avec "Veille", burlesque avec "le Repas ridicule", dramatique avec "Renfort II" –, comme dans les formes, qui vont de l'alexandrin ponctué de "l'Explication des métaphores" en passant par l'emploi incantatoire de la structure anaphorique ("Ombre descendue", "Sourde est la nuit"), jusqu'à l'utilisation de cette langue orale, le « néofrançais », exigence nouvelle sur l'utilisation de laquelle Queneau s'est expliqué dans *Bâtons, Chiffres et Lettres* ("l'Homme du tramouai", "le Repas ridicule").

Plus encore que la cohérence de l'ensemble, le thème de l'eau assure la dynamique même de ses représentations. « Élément de l'imagination matérialisante », l'eau est d'abord conçue comme origine, puisque le premier texte (dans l'ordre du recueil et de la composition, daté de 1920), intitulé "Port", ramène Queneau à sa naissance havraise, tandis que se construisent dans les poèmes suivants les linéaments d'une autobiographie discrète envisagée comme dérive de ville en ville (Paris avec "Sous les toits", Londres avec "Ville étrangère", les faubourgs avec "Grande Banlieue"). Dérive au sens strict, car, associée au thème de l'ombre, l'eau constitue un principe de dissolution généralisée qui guette la solidité des choses apparemment les plus stables : « Le silex mollit le calcaire est une pâte / Il y a des marécages de gneiss et de plomb » ("Muses et Lézards"). De même les topographies urbaines disparaissent dans le « magma de brume » ("Muses et Lézards"), les bâtisses « dégorgent vers les égouts » ("les Joueurs de manille") ; quant à l'horloge, son « cadran flotte sur le mur / incertaine dérivation » ("l'Horloge"). Farceuse dans "Il pleut", convoitée dans "À partir du

désert", débordante dans "Citernes", l'eau s'insinue donc dans la plupart des poèmes par analogie ou métonymie pour constituer un vaste réseau métaphorique où ce qui est véritablement menacé, ce n'est pas tant le décor – il est « D'ailleurs inexistant » ("l'Explication des métaphores") – que l'horizon même du langage, incessamment travaillé par une thématique de la disparition :

> Si je parle du temps, c'est qu'il n'est pas encore,
> Si je parle d'un lieu, c'est qu'il a disparu,
> Si je parle d'un homme, il sera bientôt mort,
> Si je parle du temps, c'est qu'il n'est déjà plus.
>
> ("l'Explication des métaphores").

Sans mésestimer la part faite au jeu et à l'humour, l'angoisse, sinon la mort qui sera la lumière noire éclairant *l'Instant fatal*, est dans *les Ziaux* partout rôdante : « Une ombre est cette vie et seule la misère / est solide et sans ombre un cristal de lumière » ("Misère de ma vie [...]"). Mais cette débâcle n'est pas pour autant le dernier mot du recueil. Menacée par le silence et la mort, investie par une puissance négatrice, la poésie de Queneau n'en indique pas moins la voie d'une réconciliation possible par cette patiente conquête d'un langage qui surmonte ses propres ferments de dissolution et affirme que, malgré la nuit de l'être, les yeux du poète sont ceux d'un « guetteur affiné par la veille et le froid » ("Veille").

L'Instant fatal. Dans sa première version le recueil ne comporte que trois parties (« l'Instant fatal », « Un enfant a dit », « Marine »), la première donnant son titre à l'ensemble et indiquant par là même la perspective générale du volume, marqué par une conscience de la mort déjà présente dans *les Ziaux*. Pour l'édition de *Si tu t'imagines*, la distribution est réaménagée ; étoffé, le volume comporte désormais quatre parties, les dates entre parenthèses signalant les années de composition des poèmes : I. « Marine » (1920-1930) ; II. « Un enfant a dit » (1943-1948) ; III. « Pour un art poétique » (initialement paru dans le volume *Bucoliques*, 1947) ; IV. « l'Instant fatal » (1943-1948).

Ainsi recomposé, le volume présente une diversité de tons analogue à celle observée dans *les Ziaux*, puisqu'une fois encore, Queneau réunit des textes d'époques variées. L'empreinte surréaliste se manifeste avec force dans l'ensemble des poèmes de « Marine », où le brouillage du sens, la rupture avec l'enchaînement logique, mais non les règles prosodiques, correspondent aux mots d'ordre de cette sténographie de l'imaginaire en liberté que prônait le surréalisme. Plus ici qu'en aucune de ses autres compositions, Queneau, qui fut collaborateur de la *Revue surréaliste* où fut d'ailleurs publié initialement "le Tour de l'ivoire" figurant dans « Marine », semble s'être rallié à la fameuse définition de « la lumière de l'image » selon Breton : « C'est du rapprochement en quelque sorte fortuit des deux termes qu'a jailli une lumière particulière, la lumière de l'image » (voir *Manifestes du surréalisme*). Si la luxuriance des images n'est pas, tant s'en faut, la seule clé de l'authenticité poétique, même pour les surréalistes, elle n'en forme pas moins le tissu, tissu qui tend dans « Marine » à se déployer comme puissance lyrique et réalisatrice d'un « réel » plus profond, qui trouve son matériau dans le rêve, comme l'indique la fin de "le Tour de l'ivoire" : « Encore une fois le crépuscule s'est dispersé dans la nuit / Après avoir écrit sur les murs : DÉFENSE DE NE PAS RÊVER. » Pourtant le rêve, dans *l'Instant fatal*, apparaît au mieux comme un recours, au vrai comme une opération conjuratoire, car là où Breton cherche l' « or du temps », Queneau en surprend surtout la violence et l'angoisse : « L'ennui de ce jour s'est assis / Couvert de secondes comme un prêtre de poux » ("le Tour de l'ivoire"). Derrière l'apparence d'un langage laissé à ses propres dérives (ceci valant encore une fois pour « Marine », les autres parties du recueil renouant avec une lisibilité sans feinte), particulièrement sensible dans "Materia garulans", qui signifie littéralement « la matière qui débite des sottises », s'avoue en effet la hantise d'une suffocation ou d'un manque, condensée en quelque sorte dans la densité étouffante de ce vers : « Nuit : une syllabe » ("Nuit"). Au fond, c'est peut-être moins à la royauté solaire de Breton que Queneau fait allégeance qu'à la nudité mallarméenne et à ses tourments : dans "Lampes taries", dans "L'aube évapore le nouveau-né", on retrouve le même vertige, sans cri, du « vide papier que la blancheur défend », le même constat, sans pathos, d'une mutilation où « l'alphabet blessé za mort / s'évanouit dans les bras d'une interrogation muette » ("Cygnes"). Est-ce à dire que ce qui rôde à l'horizon du recueil, c'est le silence ? Certes, Queneau avoue qu' « un poème, c'est bien peu de choses », mais simultanément il reconnaît que « ça a kékchose d'extrême / un poème » ("Pour un art poétique"). Bref, en dépit de la certitude taraudante qu'il faudra « brusquement boucler le cercle élémentaire / qui nous agrège aux morts » ("l'Instant fatal"), malgré les figures repoussantes des poèmes de la quatrième partie, où l'on reconnaîtra les voix machinées des grands sermonnaires de la mort (Villon dans la "Ballade en proverbe du vieux temps", Ronsard dans "Si tu t'imagines", Jean-Baptiste Chassignet dans "l'Instant fatal"), Queneau manifeste, malgré tout ou à cause de « cela », qu'il a conquis sa voix, et sans doute aussi un art. Ce dont témoignent certes les poèmes regroupés dans « Pour un art poétique », mais surtout cette langue drue, où le « mot vulgaire » est l'exact contrepoint d'un désastre intime et qui recourt aux ellipses ("Dans l'espace") comme elle plonge dans les vastes cadences d'alexandrins ("Je crains pas ça tellement"), tandis que s'affirme par-dessus tout l'humour. Car si l'humour est bien la politesse du désespoir, alors *l'Instant fatal* est un recueil véritablement désespéré. L'humour est en effet la carapace derrière laquelle se dissimule un Queneau méfiant à l'égard de toute forme de confidence. Sa carapace ou plutôt son scaphandre : « On a droit d'aller en scaphandre / Quand le cœur devient trop tendre » ("Tous les droits"). Incongruités, bouffonneries, dérision, familiarités : tout est bon à Queneau pour tordre son cou à l'éloquence métaphysique, comme à l'effusion lyrique :

> Si la vie s'en va
> adieu la prochaine
> si la vie s'en va s'écoulant
> faut plus demander si ça vaut la peine
> le soleil se lève et la brosse à dent
>
> ("Si la vie s'en va").

L'humour constitue une sorte de précipité qui rompt subitement la dynamique forcément plus lente de la méditation : se surajoutant aux rythmes propres de la prosodie, il impose une vitesse au poème. Aussi, tout en assumant une tradition revendiquée, *l'Instant fatal* manifeste-t-il dans leur pleine maturité les traits de cette simplicité retorse fondée sur une sagesse railleuse, où par la vertu d'une parole gouailleuse se trouvent conjurés « le malheur et le deuil et la souffrance / et l'angoisse et la guigne et l'excès de l'absence » ("Je crains pas ça tellement").

● *L'Instant fatal* précédé de *les Ziaux*, « Poésie/Gallimard », 1966 (préf. O. de Magny). *Chêne et Chien*, « Poésie/Gallimard », 1968 (préf. Y. Belaval). ➤ *Œuvres complètes*, « Pléiade », I.

J.-M. RODRIGUES

SICILIEN (le) ou l'Amour peintre. Comédie en un acte et en prose de **Molière**, pseudonyme de Jean-Baptiste Poquelin (1622-1673), créée à Saint-Germain-en-Laye le 14 février 1667, et publiée à Paris chez Pierre Ribou en 1667.

De décembre 1666 à février 1667, se déroulèrent à Saint-Germain les fêtes dites du « Ballet des Muses ». Le poète Benserade avait, à la demande du roi, composé un ballet à treize entrées dans lequel la troupe de Molière

vint s'insérer à plusieurs reprises. Le 2 décembre, jour de la troisième entrée, consacrée à Thalie, muse de la Comédie, elle donne *Mélicerte*, pastorale héroïque inachevée, dont Molière a trouvé le sujet dans un roman précieux de Mlle de Scudéry, *Artamène ou le Grand Cyrus*. À partir du 5 janvier 1667, *Mélicerte* fut remplacée pour la troisième entrée par *la Pastorale comique*, dont les dialogues ne nous sont pas parvenus. Une quatorzième entrée fut ajoutée le 14 février : elle introduisait *le Sicilien*. Cette dernière pièce est la seule des trois que Molière ait reprise à Paris et qu'il ait fait imprimer.

Adraste est un gentilhomme français amoureux d'Isidore, l'esclave affranchie du Sicilien Dom Pèdre. Secondé par son valet Hali, il offre une sérénade à l'élue de son cœur, mais le maître, jaloux, fait bonne garde. Dom Pèdre, le matin, reproche à Isidore d'être sensible aux hommages rendus à ses charmes. Une tentative d'Hali pour s'introduire dans la maison, sous prétexte de présenter à Dom Pèdre des esclaves chanteurs et danseurs, fait long feu. Adraste prend alors son relais : il s'est substitué au peintre chargé de faire le portrait d'Isidore, ce qui lui permet de voir sa belle, de lui adresser – malgré la présence de Dom Pèdre – quelques galanteries et même grâce à une diversion d'Hali, d'obtenir qu'elle consente à s'enfuir au plus tôt avec lui. De fait, une esclave voilée, envoyée par Hali, vient se réfugier chez Dom Pèdre, mais c'est Isidore qui, sous le même incognito, parvient à quitter sa maison. Dom Pèdre réclame en vain justice auprès d'un sénateur.

On reconnaît dans *le Sicilien* le motif traditionnel de la belle recluse gardée par son jaloux, dont un jeune blondin réussit cependant à déjouer la surveillance. Mais il s'ajoute ici des éléments nouveaux : le barbon n'est pas un grotesque, il est capable de saisir les paroles à double sens, capable aussi d'un geste chevaleresque ; le galant a troqué l'attirail classique du médecin contre le chevalet du peintre. Et comme il est, de plus, véritablement doué pour le métier qu'il feint, il permet à la pièce, constamment mêlée de chants et de danses, d'atteindre cette fusion des arts que Molière a souvent recherchée. L'éloignement du lieu (où se combinent fantasmatiquement l'Italie, l'Espagne, la Grèce et l'Orient), joint à l'irréalité du temps (le théâtre s'ouvre sur la nuit : « Le ciel s'est habillé ce soir en Scaramouche »), plonge le spectateur dans une atmosphère d'authentique poésie.

➤ *Théâtre complet*, Les Belles Lettres, IV ; *Œuvres complètes*, « GF », III ; *id.*, « Pléiade », II.

G. FERREYROLLES

SIDO. Recueil de souvenirs de Sidonie-Gabrielle Colette, dite **Colette** (1873-1954), publié à Paris chez Ferenczi et fils en 1930. Une première version, plus courte, avait été publiée chez Kra en 1929, sous le titre *Sido ou les Points cardinaux*.

Dans le prolongement de *la *Maison de Claudine* et de *la *Naissance du jour*, *Sido* est consacré à l'évocation de l'enfance de Colette. L'ouvrage, placé par son titre sous les auspices maternels, rend hommage à Sidonie, la mère de l'auteur. Dans le cadre tutélaire de la maison de Saint-Sauveur-en-Puisaye, Colette met en scène la vie de sa famille, pittoresque et attachante.

Première partie. « Sido ». Colette dresse le portrait de sa mère, femme intelligente et sensible, dont la largeur d'esprit fait fi des préjugés. Amie des plantes et des bêtes, Sido perçoit les rythmes secrets de la nature et en transmet le respect à sa fille.
Deuxième partie. « Le Capitaine ». Portrait du père de Colette, dont les exploits militaires se sont soldés par la perte d'une jambe. Profondément épris de sa femme, et timide à l'égard de ses enfants, il reste un personnage un peu lointain, mais tendrement chéri, que sa fille regrette de ne pas avoir connu davantage.
Troisième partie. « Les Sauvages ». Ce titre désigne les enfants de Sido et du Capitaine : la demi-sœur aînée, Juliette, accablée par le poids d'une monstrueuse chevelure et inaccessible car abîmée dans l'univers imaginaire de ses incessantes lectures ; l'« aîné sans rivaux », Achille, beau, gai, inventif et que son métier de médecin épuisera ;

Sarraute

Nathalie Sarraute en 1973.
Ph. © Gisèle Freund.

Portrait d'un inconnu (1948) : c'est avec ce titre emblématique que Nathalie Sarraute (née en 1902), après un long refus de publier, posait les fondements d'une œuvre où elle met à mort le personnage classique, son état civil, sa psychologie, et même son discours, trop artificiellement détaché de la « sous-conversation ». Elle qui allait célébrer l'entrée dans l'« ère du soupçon » créait ainsi, avec quelques autres, un « Nouveau Roman » qui est d'abord un constat de l'impossibilité d'écrire encore des romans... D'une enfance déchirée entre deux pays, la Russie natale et la France d'adoption, entre deux langues, elle avait

Devant les Éditions de Minuit,
de gauche à droite : Alain
Robbe-Grillet, Claude Simon,
Claude Mauriac, Jérôme Lindon,
Robert Pinget, Samuel Beckett,
Nathalie Sarraute et Claude Ollier.
Ph. © Mario Dondero.

Pour un oui, pour un non, au théâtre du Rond-Point en 1986.
Mise en scène de Simone Benmussa avec Jean-François Balmer et Samy Frey.
Ph. © Bernand.

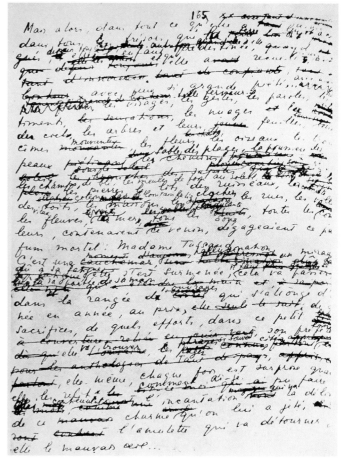

Le Planetarium. Page manuscrite.
Ph. © Archives Photeb.

retenu les blessures causées par les mots
et l'envie de découvrir ce qu'ils cachent.
C'est à l'exploration de ces « tropismes »,
de ces frémissements imperceptibles d'où
surgit la parole, que s'attache une œuvre
trop consciente de la valeur du silence
pour employer jamais les mots des autres.

Léo, le second frère, « vieux sylphe » rêveur, inadapté, qui restera éternellement prisonnier de l'univers de son enfance ; « Minet-Chéri » enfin, c'est-à-dire Colette elle-même, évoluant en plein bonheur dans le sillage de tous ces êtres hors du commun dont l'originalité, la subtilité et la tendresse ont durablement marqué son existence.

Œuvre nostalgique et joyeuse en même temps, *Sido* fait revivre le paradis perdu de l'enfance. Remparts dressés contre le temps et la mort, le souvenir et l'écriture restituent un univers que son irrémédiable abolition a rendu idéal et intelligible : « Il faut du temps à l'absent pour prendre sa vraie forme en nous. Il meurt – il mûrit, il se fixe. "C'est donc toi ? Enfin… Je ne t'avais pas compris." » Il n'est jamais trop tard, puisque j'ai pénétré ce que ma jeunesse me cachait autrefois. » L'entreprise littéraire, qui participe d'un « prurit de posséder les secrets d'un être à jamais dissous », répond à une volonté de reconstruction, de déchiffrement et de conquête de l'identité des autres et de soi-même : « J'épelle, en moi, ce qui est l'apport de mon père, ce qui est la part maternelle. » Ainsi, l'évocation des figures parentales permet à Colette de mieux saisir la singulière alchimie de sa propre personnalité : « Lyrisme paternel, humour, spontanéité maternels, mêlés, superposés, je suis assez sage à présent, assez fière pour les départager en moi, toute heureuse d'un délitage où je n'ai à rougir de personne ni de rien. »

Cet univers enchanté de l'enfance n'est pourtant pas sans comporter quelques failles inquiétantes que l'humour et la grâce du trait ne masquent pas tout à fait. La vie du cercle familial s'apparente à un conte merveilleux, mais la réalité reprend parfois ses droits pour manifester la part d'inadaptation au monde, voire de frustration, qui habite tous ces êtres. Ainsi, l'envers de la belle passion de Jules-Joseph Colette pour son épouse, c'est le renoncement à un rêve de gloire jamais accompli (« Pour "Elle", il avait d'abord aimé briller, jusqu'au jour où, l'amour grandissant, mon père quitta jusqu'à l'envie d'éblouir "Sido" ») dont il réserve le secret à ses anciens compagnons d'armes. Quelque chose de poignant se cache derrière la belle voix du Capitaine qui chante volontiers ou entonne son « fredon défensif » : « Sauf cette mélodie qui s'élevait de lui, l'ai-je vu gai ? Il allait, précédé, protégé par son chant. » Quant aux enfants, ils ont, chacun à leur manière, d'évidentes difficultés à s'adapter à la vie : la sœur aînée vit totalement dans le monde imaginaire de ses lectures et fera un mariage malheureux ; le passe-temps favori du petit Léo est de parsemer le jardin d'épitaphes pour le transformer en cimetière et, devenu adulte, il a pour métier une « modeste besogne de scribe » : « Tout le reste de lui, libre, […] revole à la rencontre du petit garçon de six ans […]. Il parcourt un domaine mental où tout est à la guise et à la mesure d'un enfant qui dure victorieusement depuis soixante années. » Mais cette victoire n'est pas sans revers : « Il n'est pas – quel dommage !… – d'enfant invulnérable. Celui-ci, pour vouloir confronter son rêve exact à une réalité infidèle, m'en revient déchiré, parfois. » Seule Colette semble avoir réussi à sortir sans trop d'encombres de l'éden enfantin pour parvenir à vivre. Grâce à la littérature, elle a su conserver et dépasser la merveille originelle de l'enfance.

Tout cela, l'écrivain le suggère mais ne l'explique pas, car *Sido* n'est pas un essai. À la fois sobre et lyrique, dépouillé et pittoresque, mélancolique et humoristique, pudique et libre, nostalgique et tendre, ce recueil de souvenirs mêle descriptions, portraits, dialogues, analyses et anecdotes avec une magistrale maîtrise. Tout l'art de Colette se révèle dans cette œuvre concise et émouvante.

● « Le Livre de Poche », 1961 ; CNRS/Bibliothèque nationale/Zulma, « Collection Manuscrits », 1994 (manuscrit des trois premiers chapitres, p.p. M. Delcroix). ➤ *Œuvres complètes*, Flammarion, VII ; *Œuvres*, « Pléiade », III (p.p. M. Delcroix) ; *Romans, Récits, Souvenirs*, « Bouquins », II.

A. SCHWEIGER

SIÈCLE DE LOUIS XIV (le). Essai historique de François Marie Arouet, dit **Voltaire** (1694-1778), publié à Berlin chez Henning en 1751.

C'est en mai 1732 que Voltaire songe à écrire une histoire du règne de Louis XIV. Il rassemble des documents, mais ne s'attelle à l'ouvrage qu'en juin 1735 à Cirey. En décembre, il en est à la bataille de Hochstedt. Il communique un manuscrit à Frédéric de Prusse en 1738, envisage une publication en Hollande. À titre d'essai, il intercale deux chapitres dans un *Recueil de pièces fugitives* en 1739. La police en opère la saisie, le conseil d'État en ordonne la suppression. Il a défini son propos, qu'il expose dans une lettre à l'abbé Dubos : faire « l'histoire de l'esprit humain, puisée dans le siècle le plus glorieux de l'esprit humain ». Il écrit des *Anecdotes* en 1746, emporte tous les matériaux qu'il a accumulés lorsqu'il part pour Berlin en juin 1750. Il y travaille « soir et matin » et, en mai 1751, il a achevé ce « grand bâtiment ». Le *Siècle* sera publié à Berlin, chez le libraire du roi, Henning, et sous la direction d'un conseiller aulique, M. de Francheville. Voltaire fut mécontent de cette édition, où il avait imposé une nouvelle orthographe. Il s'efforce d'obtenir au moins une permission tacite pour une publication en France. Il envoie maintes corrections, demande même en avril 1752 qu'on empêche l'édition Henning d'entrer en France. Ses efforts sont inutiles. Une nouvelle édition, plus ample que la première, commencée en avril 1752, est confiée à Walther à Dresde. La Beaumelle, avec lequel Voltaire s'est brouillé, publie une édition accompagnée de notes critiques. Dès 1753 paraît le *Supplément au « Siècle de Louis XIV »*, où Voltaire répond à son détracteur. De nouvelles éditions avec des additions importantes, surtout en ce qui concerne les affaires religieuses, paraissent en 1756, puis en 1768.

D'emblée, Voltaire annonce son intention de peindre « non les actions d'un seul homme, mais l'esprit des hommes dans le siècle le plus éclairé qui fut jamais » (chap. 1). Puis, en guise de préliminaires, il évoque la minorité de Louis XIV, la Fronde, l'état de la France jusqu'à la mort de Mazarin en 1661 (2-6).
Les débuts du règne sont marqués par des problèmes de prestige. À la mort de Philippe IV d'Espagne, Louis XIV réclame le Brabant et la Franche-Comté qu'il va conquérir. La paix d'Aix-la-Chapelle en 1668 l'amène à se contenter d'avantages limités (8-9). La guerre de Hollande se clôt en 1678 par la paix de Nimègue. La France a soutenu une guerre générale : belle campagne de Turenne, dernière bataille de Condé à Seneffe (10-13). Le déclin de la prépondérance française commence avec la guerre qui se termine en 1697 par la paix de Ryswick (14-17), puis continue avec la guerre de la Succession d'Espagne (18-24). En 1709, le territoire français est envahi (défaite de Malplaquet) ; en 1712, le maréchal de Villars remporte une brillante victoire à Denain. Après la paix d'Utrecht (1713), Voltaire trace un tableau de l'Europe jusqu'à la mort de Louis XIV. Quatre chapitres sont consacrés à des « particularités et anecdotes » : magnificence de la vie de cour, histoire du Masque de Fer, disgrâce de Fouquet, passion du roi pour Mlle de La Vallière, politique de mécénat, triomphe de Mme de Montespan, mort d'Henriette d'Angleterre, histoire de la marquise de Brinvilliers, supplice de la Voisin, destinée singulière de Mme de Maintenon, deuils à la cour et portrait du roi (25-28). Suit un aperçu de la politique intérieure : gouvernement, police, commerce, lois, armée, finances, qui rend hommage aux mérites de Colbert (29-30).
La vraie gloire du « Siècle de Louis XIV » éclate dans les quatre chapitres consacrés aux sciences et aux arts (31-34), qui évoquent les découvertes, les grandes œuvres littéraires, musicales, artistiques de ce règne. Le tableau s'assombrit avec les quatre chapitres suivants, qui traitent des disputes ecclésiastiques, du calvinisme, du jansénisme, du quiétisme et déplorent la révocation de l'édit de Nantes, les horreurs des dragonnades et de la guerre des camisards (35-38). L'ouvrage se clôt avec les intrigues des missionnaires jésuites en Chine, où ils se sont rendus odieux (39). La « Liste raisonnée des enfants de Louis XIV », celle des « Souverains contemporains » et des grandes personnalités du XVIIe siècle, le « Catalogue de la plupart des écrivains français », celui des artistes célèbres, constituent des appendices importants.

Au début de son ouvrage, Voltaire définit les « siècles » comme des « âges heureux où les arts ont été perfectionnés ». Il distingue quatre siècles, tous dominés par des personnalités d'envergure : Philippe et Alexandre, César et

Auguste, les Médicis, Louis XIV. S'il n'a pas inventé ce concept de « grand siècle », il lui a donné un poids tel qu'il a marqué la vision du XVIIᵉ siècle français. La grandeur du souverain ne se dissocie pas de celle de son temps : Voltaire a élargi son point de vue depuis l'*Histoire de Charles XII*, conçue comme une biographie dramatique. Le portrait du roi trouve place dans un siècle qui témoigne des progrès de la raison et où s'est fait « dans nos arts, dans nos esprits, dans nos mœurs, comme dans notre gouvernement, une révolution générale ».

On doit à cette orientation les parties les plus neuves : les chapitres sur les sciences et les arts, les catalogues des écrivains et des artistes. On lui doit aussi un élargissement des perspectives, sensible dans bien des pages, même celles qui sont événementielles. Voltaire ne néglige pas le rôle déterminant des individus, mais il s'efforce de saisir des collectivités humaines, de faire revivre la cour, le monde ecclésiastique, d'analyser les succès de l'administration, les développements des manufactures, de la marine, du commerce. Ces vues philosophiques coexistent avec des histoires de négociations, de guerres, des récits de bataille qui occupent plus de la moitié de l'ouvrage. Doué d'un sens aigu des réalités, Voltaire sait bien qu'il est impossible de faire l'histoire de l'esprit humain sans tenir compte des événements politiques. Il aborde l'histoire de ce règne en homme de lettres et pense qu'il faut « une exposition, un nœud et un dénouement dans une histoire comme dans une tragédie ». La grandeur, puis les défaites de Louis XIV, donnent au récit un rythme dramatique.

Voltaire, qui a jeté l'anathème sur les détails, cette « vermine qui tue les grands ouvrages », est pourtant animé par la passion du détail vrai – à condition qu'il soit significatif. Il se documente avec soin, obtient communication d'écrits manuscrits, sollicite les témoignages afin de rectifier des erreurs. À ce sens de l'enquête se rattache sa volonté démystificatrice : elle fait merveille dans le célèbre passage du Rhin (1672), célébré comme un prodige et qu'il réduit à de plus justes proportions. Là où l'opinion commune imaginait une armée passant le fleuve à la nage sous les salves, Voltaire rétablit les faits : la sécheresse de la saison avait formé un gué, la forteresse tenue par les ennemis, le Tholus, n'était qu'une maison de péage. Voltaire ne cède ni à la mythologie qui s'était constituée autour du Roi-Soleil, ni à la vague de dénigrement qui avait vu le jour à l'aube des Lumières : son jugement apparaît remarquablement pondéré. Le portrait du roi ne tait ni ses petitesses, ni ses duretés, ni sa hauteur, mais rend hommage à ses grandes qualités. Gouverné par des jésuites ou mû par l'ambition, il commit de graves erreurs, mais il eut le sens de la gloire, il sut mettre de l'ordre dans l'État et encourager les arts. Même modération en ce qui concerne les querelles religieuses : la conclusion polémique du dernier chapitre sur les cérémonies chinoises ne sera ajoutée qu'en 1768. La passion ne l'aveugle point, qu'il évoque la papauté ou qu'il fasse une mise au point sur les biens du clergé, moins importants qu'on ne le dit.

Sans doute la perspective historique de Voltaire n'est-elle plus la nôtre. Nous ne partageons plus certains de ses préjugés, inséparables de son goût, mais le Siècle de Louis XIV marque une date dans l'historiographie française.

● « GF », 1966 (p.p. A. Adam). ● *Œuvres historiques*, « Pléiade ».

C. MERVAUD

SIÈGE DE CALAIS (le). Tragédie en cinq actes et en vers de Dormont de **Belloy**, pseudonyme de Pierre-Laurent Buirette (1727-1775), créée à Paris à la Comédie-Française le 13 février 1765, et publiée à Paris chez la Veuve Duchesne la même année.

L'action se déroule à Calais, qu'assiègent les troupes anglaises commandées par Édouard III. Eustache de Saint-Pierre, son fils et quelques bourgeois de la ville envisagent avec Aliénor, fille du comte de Vienne, le gouverneur de Calais, la défaite inéluctable qui livrera la ville aux Anglais. Aliénor propose de ne livrer aux ennemis qu'une ville réduite en cendres. Eustache de Saint-Pierre propose une négociation qui au moins conserve au roi de France ses sujets. Alors que le comte d'Harcourt, qui aime Aliénor mais qui a trahi son roi par dépit pour rejoindre Édouard, se ravise après avoir vu son frère mort sur le champ de bataille dans le camp français, Mauni fait connaître les conditions anglaises : le dévouement de six bourgeois de Calais. Eustache de Saint-Pierre se présente aussitôt, suivi par son fils. Le troisième acte oppose successivement Édouard aux bourgeois de Calais, à Aliénor et à d'Harcourt. Le roi serait disposé à la clémence s'il pouvait les rallier. Mais ils restent intraitables et le représentant de l'armée anglaise lui-même prend leur parti. Après plusieurs péripéties supplémentaires, Édouard se laisse toucher par tant d'héroïque vertu.

L'intérêt de cette pièce, assez mal conduite et lourdement versifiée, est largement lié aux circonstances historiques. Belloy a écrit et créé le Siège de Calais deux ans après la fin de la guerre de Sept Ans. La France est encore fort éprouvée et en proie à un réel désarroi idéologique. Belloy propose un sursaut moral contre la défaite et la réunion de tous les ordres de citoyens autour de leur fidélité au monarque et à la monarchie traditionnelle (il présente la loi salique comme une sorte de constitution fondamentale du royaume). Certains, dans la noblesse, ne virent pas sans colère que le seul traître de la pièce fût précisément un noble, mais l'héroïsme bourgeois était à la mode et le succès de cette pièce « nationale » et patriotique fut immense à Paris comme en province, dans les garnisons et dans les colonies, comparable, toutes proportions gardées, à celui de *Cyrano de Bergerac* après la défaite de 1870. Le pouvoir ne se priva pas d'exploiter ces succès dont l'idéologie lui convenait d'autant plus qu'elle s'inscrivait dans la réaction antiphilosophique des années 1760 (voir les *Philosophes* de Palissot). Belloy s'est vanté d'avoir créé la tragédie nationale, et il est vrai qu'il affermit le style « troubadour » par un souci d'exactitude historique et une ambition politique réelle.

● « Pléiade », 1974 (*Théâtre du XVIIIᵉ siècle*, II, p.p. J. Truchet).

P. FRANTZ

SIÈGE DE CALAIS (le). Roman de Claudine Alexandrine Guérin de Tencin, dite Mme de **Tencin** (1682-1749), publié à La Haye et à Paris chez Néaulme en 1739.

L'on peut à bon droit ironiser sur les anachronismes et les fantaisies d'un roman qui mêle une intrigue sentimentale à des événements tels que la défaite de Crécy (1346) ou le dramatique siège de Calais (1347). Au prix en effet de rares touches de couleur locale (les carrosses redeviennent « chariots »...), de quelques emprunts ponctuels aux *Chroniques* de Froissart (le défi personnel lancé après Crécy par Philippe VI à Édouard II d'Angleterre ; Eustache de Saint-Pierre et les « bourgeois » de Calais ; l'influence modératrice exercée sur Édouard par la reine et les chevaliers anglais), l'auteur qualifie de « nouvelle historique » un récit d'amours contrariées qui confond allègrement la « sensibilité » du XVIIIᵉ siècle et la courtoisie médiévale, et qui déguise le passé aux couleurs de sa propre fiction. Car la tradition restant muette sur l'identité de deux des six « bourgeois », Mme de Tencin distribue ces rôles vacants à ses héros MM. de Châlons et de Canaple ; celui-ci, de surcroît, se fera passer pour le fils adoptif d'Eustache de Saint-Pierre, tandis que sa maîtresse, Mme de Granson, s'habillera en homme pour rejoindre la valeureuse cohorte ! C'est dire, symboliquement, que le roman peut non seulement trouver dans l'Histoire une caution réaliste, mais revendiquer avec elle un lien de filiation. N'est-il pas, du reste, aux yeux de la « féministe » Mme de Tencin, le plus véridique par la juste place qu'il accorde aux femmes, systématiquement oubliées par les historiens ? De cette « greffe subtile » (G. May) entre les deux genres, le *Cleveland de Prévost offre alors un bon exemple ; le dramaturge Dormont de Belloy la pratiquera à son tour en 1765 avec sa tragédie le *Siège de Calais, non plus pour célébrer le martyre des cœurs sensibles, mais pour dénoncer le cosmopolitisme apatride des philosophes.

Première partie. Délaissée par un mari peu aimé, Mme de Granson lutte contre son inclination pour le séduisant et insensible M. de Canaple. Une nuit, le hasard les réunit dans le même lit ; ils deviennent amants avant que lui ne l'ait reconnue, tandis qu'elle le prend pour son mari. Mais, au petit jour, Canaple s'esquive en oubliant sa bague : Mme de Granson comprend tout, et lui manifeste dès lors la plus vive répulsion alors qu'il éprouve pour elle, à son tour, une passion violente, mais respectueuse, et de plus lui sauve la vie. Désespéré, Canaple se rend en Picardie menacée par les Anglais. Il y rencontre son ami M. de Châlons. Celui-ci est blessé : sans nouvelles de sa fiancée, Mlle de Mailly, persécutée par une odieuse marâtre, et la croyant éprise de l'Anglais milord d'Arundel, il est allé une nuit rôder à Calais autour de chez elle et y a surpris un accouchement clandestin ; convaincu de son infortune, il a enlevé l'enfant, puis a été attaqué dans la rue et a tué un de ses agresseurs. Peu après, il a reçu une lettre de Mlle de Mailly l'accusant, lui, d'infidélité ! Il presse Canaple de se rendre à Calais (dont le gouverneur est M. de Vienne, père de Mme de Granson), pour éclaircir ce mystère.
Deuxième partie. À Calais, Canaple apprend que Châlons a tué le fils de la marâtre, qui rumine sa vengeance ; quant à Mlle de Mailly, elle l'accuse du rapt d'une jeune fille. Interrogé par Canaple, il s'en disculpe aisément ; néanmoins Mlle de Mailly, sans cacher au messager son amour pour Châlons, refuse de le revoir. À Paris, puis à Calais, Canaple retrouve Mme de Granson, toujours aussi sévère ; jaloux du mari, il pique à son tour la jalousie de sa maîtresse qui l'imagine amoureux de Mlle de Mailly. Sur ces entrefaites, la guerre a éclaté, et M. de Granson est mortellement blessé à Crécy ; son épouse est à nouveau sauvée par Canaple, cette fois de la capture par les Anglais. Alors que ceux-ci investissent Calais, on revient à M. de Châlons : lui aussi blessé à Crécy, prisonnier, il n'a dû la vie qu'aux soins d'Arundel qu'il croit toujours l'heureux amant de Mlle de Mailly.
Troisième partie. Mais Arundel révèle son amour pour Mlle de Roye, cousine de Mlle de Mailly, l'obstination de Mme de Mailly (la marâtre) à faire prendre le voile à sa nièce, et l'opposition du roi d'Angleterre à leur mariage ; par un stratagème, il s'est introduit dans le couvent et a conclu avec Mlle de Roye un mariage secret. Arrêté à son retour en Angleterre, il a appris la grossesse de sa femme ; la politique anglaise ayant changé, il a recouvré la liberté, est passé en France avec l'armée d'invasion et, depuis lors, cherche en vain son épouse – dont il sait seulement qu'elle a accouché dans la chambre de Mlle de Mailly... Châlons comprend alors sa méprise, fait remettre l'enfant à Arundel son père, puis, libéré, tente de pénétrer incognito dans Calais assiégé.
Quatrième partie. Mlle de Mailly et Mme de Granson sont en effet demeurées dans la ville. Canaple réussit à y faire entrer du ravitaillement : alors qu'on le traite en héros, seule Mme de Granson lui fait froid – car elle est jalouse (à tort) de Mlle de Mailly, laquelle de son côté pleure la (fausse) mort de Châlons. Plus heureux, Arundel a retrouvé son épouse dans un couvent des environs. Cependant, M. de Vienne doit livrer Calais affamé. Le roi d'Angleterre exige la tête de six bourgeois parmi lesquels, héroïquement, se rangent Canaple et Châlons. Mme de Granson, qu'une lettre d'adieu a enfin rassurée sur les sentiments de son amant, se déguise en homme et va supplier le roi Édouard de la faire périr à sa place. La reine, attendrie, obtient une grâce générale ; Canaple et Châlons retrouvent leurs maîtresses et les deux mariages sont célébrés dans l'allégresse.

Raconter une histoire d'amour en partant de son point d'arrivée, telle est la première originalité du Siège de Calais. Il faudra en effet aux deux amants, M. de Canaple et Mme de Granson, surmonter une longue série d'épreuves et de malentendus – sans oublier la présence d'un mari, opportunément disparu au cours de la deuxième partie –, pour accorder enfin leurs sentiments. Mais les mêmes obstacles intérieurs et extérieurs séparent M. de Châlons et Mlle de Mailly, d'abord persuadés de leur mutuelle inconstance puis isolés par la guerre ; quant à milord d'Arundel et à Mlle de Roye, sûrs de leur amour, ils doivent affronter un triple interdit, familial (moins implacable toutefois que celui des *Mémoires du comte de Comminge), religieux, politique. Ces péripéties imbriquent habilement, par une cascade de récits enchâssés, les destinées des trois couples. Enfin les lieux communs du romanesque traditionnel (retrouvailles miraculeuses, sauvetage de l'aimée, mariage secret, naissance clandestine) sont équitablement répartis entre chacun.

Cette savante architecture ne laisse guère de place au pittoresque ni aux considérations politiques, réduites à un bref parallèle entre la « discipline » anglaise et la vaillance brouillonne des Français (voir Muralt, *Lettres sur les Anglais et les Français, 1725). Les malheurs de la guerre ne servent qu'à enrichir la palette des malheurs de l'amour, et le siège de Calais n'est qu'une barrière de plus entre les protagonistes, ou l'occasion d'éprouver leur grandeur d'âme ; la reddition de la ville préfigure symboliquement celle des deux héroïnes qui s'y trouvent. Toute l'adresse de Mme de Tencin vise à retarder un dénouement d'autant plus attendu que « les cœurs sensibles se devinent les uns les autres », en contrariant cette intuition initiale par des doutes, des inquiétudes, une incommunicabilité (« Je ne puis vous dépeindre l'état où je me trouvais ») qui peut aller jusqu'à l'aphasie : « Enivré de son bonheur, il ne lui tenait que des discours sans suite et sans liaison. » Désordre qui contraste, sur le lointain modèle de la *Princesse de Clèves, avec les analyses sereines d'un narrateur omniscient, et attentif, trop peut-être, à dépouiller les « cœurs » et les comportements de toute ambiguïté.

● Desjonquères, 1983 (préf. P.-J. Rémy).

J.-P. DE BEAUMARCHAIS

SIEGFRIED. Pièce en quatre actes et en prose de Jean **Giraudoux** (1882-1944), créée à Paris à la Comédie des Champs-Élysées le 3 mai 1928, et publiée à Paris chez Grasset la même année.
Alors directeur de la Comédie des Champs-Élysées, Louis Jouvet, en quête d'auteurs, rencontre Giraudoux en juillet 1927 et accepte – sous réserve d'importantes modifications – le manuscrit de Siegfried, pièce tirée du roman *Siegfried et le Limousin. En six mois, l'auteur réécrit et corrige à cinq ou six reprises chaque acte, simplifiant et cherchant le ton juste. La première représentation est un triomphe et inaugure une longue et fructueuse collaboration entre les deux hommes.

À Munich, dans la maison de Siegfried, qui ignore tout de son passé puisqu'il a été découvert, frappé d'amnésie, sur un champ de bataille pendant la guerre de 1914. Grâce aux soins attentifs d'Éva, son infirmière, il a réappris à parler et à vivre. Un visiteur se présente : le baron von Zelten, cousin d'Éva, est aujourd'hui l'adversaire politique de Siegfried et de la nouvelle Constitution que ce dernier, juriste hors pair, a fait adopter. Profitant du moment où Siegfried est sorti recevoir des visiteurs qui espèrent retrouver en lui un fils, Zelten accueille Geneviève et Robineau, la maîtresse et l'ami d'un Français, Jacques Forestier, disparu pendant la guerre. Les deux hommes, qui ont été séparés par le conflit, se retrouvent avec émotion, puis Zelten apprend à ses amis pourquoi il les a fait venir de France : « Siegfried et Jacques Forestier sont le même homme. » Peut-être pourront-ils lui rendre la mémoire. Siegfried, de retour, ne les reconnaît pas, mais accepte de se plier au subterfuge imaginé par Zelten : Geneviève passera pour une institutrice canadienne chargée de lui donner des leçons de français, langue qu'il désire apprendre (Acte I).
Geneviève confie à Robineau ses doutes sur la possibilité de guérir Siegfried, mais s'y emploie pourtant dans une première leçon, interrompue par une visite importune. Profitant de l'absence de Siegfried, le général de Fontgeloy vient la menacer : si elle parle, Siegfried mourra. Coup de théâtre : on apprend que Zelten a pris le pouvoir. Siegfried quitte Geneviève à regret (Acte II).
Nouveau coup de théâtre : Siegfried a retourné la situation ; Zelten, vaincu, part pour l'exil. Dans son amertume, il laisse échapper la vérité : Siegfried, le sauveur de l'Allemagne, est un Français. Éva et Geneviève ayant confirmé ces dires, Siegfried se trouve cruellement partagé entre les deux pays et les deux femmes qui s'affrontent (Acte III).
Siegfried a choisi la France et s'apprête à passer la frontière ; les généraux, ses collaborateurs, échouent dans leur dernière tentative pour le retenir. Geneviève vient alors le retrouver : elle l'aidera de tout son amour dans son retour au pays natal (Acte IV).

Le succès de la pièce tient d'abord à une construction dramatique rigoureuse. En quatre actes, quatre journées, le destin de Siegfried se dénoue : le spectateur assiste d'abord à son identification (I), puis à la révélation de son identité pressentie mais différée par des obstacles successifs (II), à l'hésitation de Siegfried entre les deux pays (III) et enfin à son choix de la nationalité française (IV). Cette progression dramatique résulte aussi bien de l'affrontement entre Zelten et Siegfried, partisans d'une Allemagne que l'un voit comme une « conjuration poétique et démoniaque », l'autre comme « un édifice pratique », de l'opposition entre Geneviève et Éva, que tout sépare, que de la connivence qui unit Robineau, Geneviève et Zelten. Les personnages secondaires ne restent pas en dehors de cette lutte : ainsi Fontgeloy, qui ne peut concevoir Siegfried qu'Allemand ou mort. La pièce voit la naissance d'un type littéraire, celui de l'amnésique qui interroge son propre mystère, « son image dans la glace », à la recherche, comme Œdipe, de son passé, de « ce fardeau des années d'enfance, d'adolescence, de jeunesse ». S'il soupire qu'« un prénom suivi de son nom […] c'est la réponse à tout », s'il se plaint des « ténèbres où [il] vit », il trouve cependant des « charmes » au pays du « néant ». C'est avec les mots qu'il tente de comprendre « ce qu'il y [a] en [lui] d'insoluble » ; ainsi de l'adjectif « ravissant », qu'il révèle à Geneviève comme son « secret » ou du nom « neige » qui revient dans sa bouche comme un refrain délectable.

Siegfried donne à la pièce un caractère mélodramatique, voire par instants tragique, mais Giraudoux veut que « tous les genres se mêlent dans le théâtre moderne » ; *Siegfried* est donc aussi une pièce optimiste, au dénouement heureux. Le héros y choisit la France sans rejeter l'Allemagne car « il serait excessif que dans une âme humaine […] seuls le mot "allemand" et le mot "français" se refusent à composer ». La mission de Siegfried sera de témoigner de ce « cœur nouveau » capable d'aimer les deux pays ; il manifestera ainsi qu'au-delà des nationalités, il a choisi le « pays de l'amour ou de l'amitié » qui est le « vrai passé », la vraie terre des hommes.

● « Le Livre de Poche », 1991 (p.p. J. Body, contient aussi le roman).
➤ *Théâtre complet*, « Pléiade » ; *id.*, « Pochothèque ».

D. LORENCEAU

SIEGFRIED ET LE LIMOUSIN. Roman de Jean **Giraudoux** (1882-1944), publié à Paris chez Grasset en 1922.

C'est dans les événements de sa propre vie que Giraudoux trouve le point de départ de son troisième roman : la découverte de l'Allemagne lors du séjour de 1905, la perte de son ami André du Fresnois disparu en 1914, les retours de 1920 dans le Limousin quand il se rend au chevet de son père. Le germaniste qu'il est désire de plus « attirer l'attention d'un certain public français sur la nécessité de reprendre contact avec l'Allemagne littéraire » après la fracture de 1914-1918. Un premier manuscrit, achevé en avril 1922, sera très rapidement enrichi et réécrit à deux reprises pendant l'été.

Jean, le narrateur, s'aperçoit en lisant la *Frankfürter Zeitung* qu'un mystérieux chroniqueur, qui signe SKV, plagie son ami Jacques Forestier, écrivain français disparu pendant la guerre. Intrigué, il enquête, lorsqu'il retrouve à point nommé un ancien ami allemand, le comte Zelten (chap. 1), qui lui apprend que SKV, Siegfried von Kleist, a été découvert amnésique sur un champ de bataille et, après rééducation, est devenu un des premiers penseurs politiques de l'Allemagne nouvelle. Jean part donc pour Munich où vit Siegfried, et reconnaît en lui son ami Forestier (2). Il tente de lui faire retrouver la mémoire en lui donnant des leçons de français (3), mais se heurte à l'hostilité d'Éva, l'infirmière francophobe qui a soigné Siegfried et veille jalousement sur lui (4). Il est alors rejoint par Geneviève, l'ex-épouse française de Zelten (5). Siegfried, accompagné par Jean, Éva et Geneviève, se rend à Berlin puis à Sassnitz ; son cœur balance entre les deux femmes (6), quand il doit rentrer précipitamment à Munich : Zelten a pris le pouvoir.

Les deux hommes s'affrontent avec violence et, pour le neutraliser, Zelten apprend à Siegfried qu'il n'est pas allemand (7). Geneviève, qui est tombée malade, va à son tour le rééduquer : elle lui lègue avant de mourir sa mémoire de Française. Jean ramène alors son ami dans son Limousin natal, où il pourra lui révéler son nom (8).

C'est gageure que de vouloir rendre compte d'un roman foisonnant qui s'affranchit de toutes les règles habituelles du genre. L'auteur y occupe en effet une place exorbitante au détriment de ses personnages ; si c'est Jean, l'ami de Siegfried qui parle, il n'est que le masque derrière lequel se cache Giraudoux lui-même ; ni Siegfried, ni Geneviève, ni Éva n'ont davantage de personnalité, ni même Zelten, le plus typé de tous. *Siegfried et le Limousin* n'est guère davantage un roman d'intrigue : événements fortuits, rencontres et déplacements s'y succèdent sans que l'auteur prenne la peine de les enchaîner ou de les préparer. Le lecteur apprend ainsi au début du chapitre 6 que Siegfried se trouve pour la première fois à Berlin, sans plus amples explications. Enfin le monde dans lequel se déroule cette intrigue n'est pas davantage un monde réel. Giraudoux s'ingénie à évoquer Paris, Berlin ou Munich sous un aspect déconcertant et imprévu : il retient ainsi de la capitale de l'Allemagne que s'y déroule une « conférence sur la nudité » au milieu « d'un troupeau de femmes nues » ! Plus qu'au genre romanesque, *Siegfried* s'apparenterait au genre du discours littéraire dans lequel l'auteur fait une démonstration étourdissante de virtuosité rhétorique, incluant de brillants exercices de style. C'est ainsi que surabondent, entre autres, les antithèses comme celle qui oppose les « endormis » aux « éveillés » à la fin du chapitre 6, les comparaisons souvent humoristiques (Jean est « comme le chien auquel on a coupé à droite la moustache-antenne qui lui donne sa seconde vue et sa seconde ouïe »), les jeux de mots quand « un dîneur » réclame « du bœuf gros sel et du bœuf gros poivre », ou quand Éva coiffe un « casque Walkyrie-Reboux » (nom composé qui associe le personnage légendaire à un chapelier fort couru), les accumulations et répétitions, les images bouffonnes : les Français sont des « Archanges de la table de multiplication, Trônes du juste état civil, Séraphins du froment et de la vigne indigène ». Surabondance aussi de pastiches et de parodies : échos journalistiques, rédactions et manuels scolaires, langage des guides touristiques, des Canadiens, des Allemands parlant mal le français, prières, lettres, discours…

Ce goût de la profusion et de l'ornement, qui explique qu'on ait qualifié Giraudoux d'auteur baroque, n'est cependant pas factice ; il correspond bien en effet à un voyage au pays de l'esprit, voyage riche de méandres et de divertissements, voyage souvent humoristique conçu par l'esprit d'un intellectuel nourri de culture classique et germanique, marqué par son enfance et ses études, voyage au pays du souvenir, livresque ou vécu. Ainsi apparaissent tour à tour, comme autant de lieux de mémoire, une chevauchée fantastique à la manière de Goethe, les Nibelungen, une allusion au cheval de Troie, une évocation des mystères médiévaux, une scène de distribution des prix, la description du carrefour Raspail-Montparnasse. De même le discours abonde en rétrospectives, retrouvailles de personnages ou de lieux connus autrefois, plongées dans le passé historique de la France et de l'Allemagne ou dans celui plus récent de la guerre et de l'après-guerre. C'est sa mémoire que Geneviève a léguée à Siegfried, c'est sa mémoire d'homme et d'humaniste que Giraudoux nous livre.

● « Le Livre de Poche », 1991 (p.p. J. Body, contient aussi la pièce de théâtre). ➤ *Œuvres romanesques complètes*, « Pléiade », I.

D. LORENCEAU

SIENNE LA BIEN-AIMÉE. Voir VOYAGE DU CONDOTTIERE (le), d'A. Suarès.

SILBERMANN. Roman de Jacques de **Lacretelle** (1888-1985), publié à Paris chez Gallimard en 1922. Prix Femina.

Après les déchaînements de l'affaire Dreyfus, l'antisémitisme se cristallisa autour du problème de l'assimilation, que les plus extrémistes des maurrassiens ne concevaient qu'au prix du sang versé pour la patrie, version atténuée de la vieille formule selon laquelle le seul bon Juif est un Juif mort. Dans une telle atmosphère, le roman de Jacques de Lacretelle apparut comme un ouvrage humaniste et modéré, exprimant une volonté de tolérance et de compréhension de l'autre.

Silbermann. Entrant au « grand lycée », le narrateur, fils d'un petit juge protestant, retrouve son ami Philippe Robin, ancien élève de la très catholique école Saint-Xavier. Celui-ci lui conte ses vacances gâchées parce qu'il « y avait trop de Juifs ». Et, disant cela, il montre du doigt leur nouveau condisciple, Silbermann (chap. 1). D'un physique disgracieux, d'un tempérament défiant, le jeune israélite brille en classe ; au cours d'une récréation, il révèle au narrateur le magique pouvoir des mots. Séduit par cette intelligence sensible, le narrateur devient l'ami de Silbermann (2), qui le reçoit chez lui, le présente à ses parents, riches antiquaires, et lui confie sa farouche volonté de s'intégrer à la France (3). Tandis que ses parents s'inquiètent de l'ascendant pris par son nouvel ami sur leur fils, le narrateur est mis en quarantaine par ses camarades de lycée et Silbermann victime de brimades (4). Au retour des vacances (5), alors que son père est accusé de trafic d'objets volés, il demande au narrateur d'intervenir auprès du sien qui est chargé de l'affaire ; loin d'obtenir gain de cause, le narrateur ne peut que constater l'hostilité de ses parents à l'encontre du jeune juif, qu'ils font chasser du lycée (6). Tandis que celui-ci, aigri, fait part de son intention d'émigrer aux États-Unis (7), son père obtient un non-lieu, le juge cédant à diverses pressions politiques : pour le narrateur, c'est l'effondrement des valeurs sur lesquelles était fondée son éducation (8), prélude à sa propre lâcheté qui lui permettra de réintégrer le groupe de ses anciens camarades (9).

En réduisant ce court roman aux seules mésaventures d'un jeune juif dans une France travaillée par les droites, on risque d'effacer toute l'originalité de Lacretelle (dont, il est vrai, la vision du juif n'échappe pas aux poncifs les plus traditionnels, tant dans les portraits physiques que dans les approches morales ou intellectuelles) et de transformer un véritable roman d'éducation en aventure mélodramatique. Certes, c'est à Silbermann que le livre emprunte son titre ; mais c'est un autre qui nous raconte son histoire, engagé à ses côtés, à la fois juge et partie. Certes, le roman suit chronologiquement les étapes de l'exclusion, sourde d'abord, franche ensuite, du lycéen israélite ; mais cette relation factuelle se fait au rythme du retentissement des événements sur la conscience du narrateur. Certes, les propos antisémites des uns comme le plaidoyer *pro domo* de l'autre orientent vers une lecture « idéologique » du roman qui est sans aucun doute à l'origine du succès de l'œuvre ; mais c'est amputer celle-ci d'une bonne moitié de sa signification que de ne regarder que l'histoire de l'enfant juif et d'oublier le chemin du protestant.

Car, à la manière de Meaulnes débarquant dans la vie calme de Seurel (voir le *Grand Meaulnes*), l'arrivée de Silbermann bouleverse l'univers bien ordonné du narrateur dont les certitudes, au terme de ces deux années scolaires, ne seront plus que « ruines » : l'autorité familiale, la morale protestante, le respect de la loi, tout s'effondre. « Il me parut qu'on avait abusé de ma crédulité d'enfant. » Jugement sans indulgence au terme d'une expérience d'amitié volontariste (« Il me fallait non seulement l'aimer, mais prendre son parti contre tous »), vécue comme une « mission » (le terme revient comme un leitmotiv tout au long du texte) et qui prend souvent l'allure d'une passion christique : « Mon rôle n'était-il pas de me consacrer entièrement à son bonheur et de racheter par cet acte les actes des méchants ? » Mais le narrateur n'est qu'un homme, et si « tendue à la sainteté » que soit son âme, il ne pourra éviter l'apostasie au bout du chemin.

Huit ans après, le narrateur rencontrera incidemment un cousin américain de Silbermann qui lui donnera des nouvelles de son ancien condisciple : tel sera le début du *Retour de Silbermann*, qui sera publié chez Gallimard en 1930.

Le Retour de Silbermann. Rejeté de France, Silbermann a été contraint d'aller « en Amérique faire de l'argent ». Mais, incapable de s'adapter à la vie outre-Atlantique, il revient à Paris, démuni de tout, finir une vie misérable dans une soupente en compagnie d'une maîtresse dévouée dont le récit forme la seconde partie du roman.

Ainsi s'achève l'histoire de Silbermann, ce « juif romantique » dont le seul idéal était « d'être juif et français ».

● *Silbermann*, « Folio », 1973. *Le Retour de Silbermann*, « Folio », 1982.

D. COUTY

SILENCE DE LA MER (le). Roman de **Vercors**, pseudonyme de Jean Bruller (1902-1991), publié à Paris aux Éditions de Minuit en 1942.

Pierre de Lescure avait demandé à l'auteur de composer une nouvelle pour la revue communiste *la Pensée libre*, qui souhaitait accueillir des écrivains de toutes tendances et représenter ainsi tout l'éventail de la Résistance. Lorsque la Gestapo arrêta l'imprimeur et détruisit son matériel, Jean Bruller fonda lui-même, avec Pierre de Lescure, une maison d'édition clandestine, les Éditions de Minuit, dont ce roman fut la première publication. Il choisit le pseudonyme de Vercors, « plein d'âpre hauteur », rappelant le nom du massif où il avait songé à prendre le maquis pour préserver sa liberté. *Le Silence de la mer* est dédié à la mémoire de Saint-Pol Roux, « poète assassiné » par les SS.

Pendant la Seconde Guerre mondiale, un homme qui vit avec sa nièce se voit imposer l'hébergement d'un officier allemand, Werner von Ebrennac. Francophile, courtois et cultivé, il vient les saluer chaque soir, et se heurte à leur silence. Cette réserve ne le désarme pas : « Je suis heureux, leur dit-il, d'avoir trouvé ici un vieil homme digne. Et une demoiselle silencieuse. » En affrontant quotidiennement leur mutisme, il réussit à faire naître chez l'oncle une estime mêlée de sympathie, et, chez sa nièce, un sentiment proche de l'amour. Un séjour dans le Paris de l'Occupation ouvre pourtant les yeux du jeune Allemand sur les objectifs et la mentalité de ses compatriotes : leur bassesse, leur mépris, leur désir de domination. Conscient cependant que son devoir lui prescrit de lutter aux côtés de son peuple, il demande à rejoindre une division sur le front de l'Est. Quand il vient prendre congé de ses hôtes et leur explique les raisons de son départ, la jeune fille sort pour la première fois de son silence et murmure « Adieu ».

Les circonstances de publication, le nom de Vercors et la dédicace du livre ont d'emblée consacré l'ouvrage comme un manifeste de la résistance à l'envahisseur. *Le Silence de la mer* enseigne en effet qu'il n'est pas de compromission admissible avec l'occupant, que l'estime même ne peut s'exprimer qu'à travers une hostilité de principe, et que le plus cordial des soldats allemands est complice ou dupe d'une idéologie odieuse. Le texte s'abstient pourtant de toute simplification polémique. Werner von Ebrennac n'a rien du « boche » caricatural. On reprocha même à Vercors, notamment dans la presse communiste clandestine, d'avoir rendu son officier trop urbain. Mais l'œuvre doit justement à ce personnage nuancé sa tenue et son efficacité. Elle « avait pour but de faire comprendre », précisera l'auteur dans *À dire vrai*, « qu'il ne fallait pas se laisser séduire, même par un Otto Abetz "grand ami de la France", ni par un Drieu la Rochelle et sa *Nouvelle Revue française*, ni par un Ernst Jünger, auteur d'un livre, *Jardins et Routes*, plein d'amabilité et d'amour pour notre pays ». La présence de cet Allemand sympathique s'explique donc par un souci de combattre moins la personne de l'occupant que la séduction qu'il pourrait déployer.

Cette intention n'est pas sans conséquence sur la facture du roman. Celui-ci n'a rien d'un réquisitoire. On y perçoit moins une thèse qu'une mise en garde émanant de la vérité des personnages et de l'intensité de leur face-à-face. Aucune figure annexe ne divertit le lecteur de cet obsédant huis clos. Le style est d'une simplicité extrême. Son dépouillement laisse deviner la lutte des sentiments contraires « comme, sous la calme surface des eaux, la mêlée des bêtes dans la mer ». La sobriété de l'ouvrage lui assure la force des œuvres qui échappent au contexte dont elles sont pourtant issues. Le resserrement de l'intrigue et la confrontation de trois personnages dans un lieu unique rappelle l'esthétique classique : l'imbrication de la réflexion politique et de l'univers passionnel est un des thèmes de la tragédie ; les lèvres de la jeune fille esquissent « la moue tragique des masques grecs » ; son attirance pour un homme qu'elle repousse comme son ennemi est cornélienne par excellence, et elle évoque le combat intérieur de Chimène dans le *Cid ou de Camille dans *Horace.

En 1947, Jean-Pierre Melville tira de la nouvelle de Vercors un film qui lui valut plus tard d'être consacré comme précurseur de la « nouvelle vague ». La faiblesse du budget dont il disposait s'accordait à l'austère pureté du texte. Tourné sans l'autorisation de l'auteur, le film lui fut présenté une fois monté et recueillit alors son approbation sans réserve. J.-M. Robain jouait le rôle de l'oncle, Nicole Stéphane celui de la nièce et Howard Vernon celui de l'officier allemand.

● « Le Livre de Poche », 1953 ; Albin Michel, 1986.

C. CARLIER

SILENCES DU COLONEL BRAMBLE (les). Roman d'André **Maurois**, pseudonyme puis patronyme d'Émile Herzog (1885-1967), publié à Paris chez Grasset en 1918.

Trois romans d'une facture originale, que rapproche une unité de personnages et de ton, ont été inspirés à André Maurois par son expérience d'officier de liaison auprès de l'armée britannique lors de la Première Guerre mondiale. Aux Silences du colonel Bramble succèdent en effet les Discours du docteur O'Grady (1922), suivis des Nouveaux Discours du docteur O'Grady (1950). Mais l'intérêt profond de l'auteur pour l'Angleterre excède largement ce cadre. Il apparaît notamment dans ses biographies (Ariel ou la Vie de Shelley, la Vie de Disraëli, Byron), dans son Histoire d'Angleterre ou dans des ouvrages de critique littéraire (Études anglaises). Le romancier a révélé plus tard qu'il avait d'abord hésité à publier les Silences du colonel Bramble, puis envisagé d'en limiter la diffusion au cercle de ses proches. Il fut surpris du succès de cette première publication qui lui assura d'emblée la notoriété.

Entre 1914 et 1918, dans la plaine flamande, sympathisent des officiers britanniques et français. Le colonel Bramble, écossais, comme le révérend Mac Ivor, a un « humour sec et vigoureux ». L'Irlandais O'Grady, qui est dans le civil médecin aliéniste, se lance parfois dans des conférences « dans un style intermédiaire entre celui de M. Shaw et celui de la Bible ». Le major Parker devise volontiers avec le Français Aurelle, officier de liaison. Le soir, la conversation porte souvent sur les différences de conception de l'existence entre les peuples. Puis Bramble met sur son gramophone un disque de Caruso. Un jour, un obus tue le révérend et blesse Aurelle.
Plus tard, les hasards de la guerre remettent en présence les anciens amis. Bramble est devenu général et Parker « brigade major ». Ils évoquent leurs rencontres passées avec nostalgie, « car il y avait déjà un bon vieux temps de cette guerre, qui n'était plus dans la fraîcheur de la jeunesse ».

Malgré les interludes que composent des poèmes semblables à des chansons d'amour, ou une incursion dans le journal d'Aurelle, le corps de ce bref roman est constitué par les échanges des Britanniques et du Français. Quand celui-ci défend sa conception de la liberté, ils lui répondent avec sérieux que « les droits imprescriptibles de l'homme sont le droit à l'humour, le droit aux sports et le droit d'aînesse ». Leur fatalisme et leur scepticisme semblent parfois confiner au cynisme : « Nous n'allons pas au collège pour nous instruire », affirme Parker, « mais pour nous imprégner des préjugés de notre classe sans lesquels nous serions dangereux et malheureux ». Mais on sent, à travers de ponctuelles interventions de l'auteur, une chaude estime pour la dignité et la tolérance de ces hommes : « Dans l'effroyable méchanceté de l'espèce, les Anglais établissent une oasis de courtoisie et d'indifférence. » Leur assurance ingénue semble une grâce venue de l'enfance. Plus qu'un livre de bons mots ou une méditation sur le génie des peuples, André Maurois amorce une réflexion sur la supériorité morale que confère, au sein des périls, le sens de la mesure et de l'humour. Le terme « gentleman » prend ici une portée universelle. Il suppose un mélange d'orgueil et d'humilité qui résume à lui seul les leçons de stoïcisme que délivre toute guerre.

● « Le Livre de Poche », 1954.

C. CARLIER

SILVANIRE (la) ou la Morte vive. Tragi-comédie pastorale en cinq actes et en vers de Jean **Mairet** (1604-1686), vraisemblablement créée à Paris au théâtre de l'hôtel de Bourgogne en 1629, et publiée à Paris chez Targa en 1631.

Pour sa troisième pièce, Mairet persiste, après sa *Sylvie, dans la voie de la pastorale tout en s'engageant dans celle de la « régularité ». Première pièce française à se soumettre à ce qu'on appellera les règles classiques, accompagnée d'une Préface-manifeste, l'œuvre fit date en dépit d'un accueil fort mitigé. Directement inspirée d'une pièce d'Honoré d'Urfé (que ce dernier avait lui-même tirée de son *Astrée), très longue, la Silvanire paraît être l'occasion pour Mairet de s'abandonner aux plaisirs de l'abondance et d'une langue où, dans le sillage de Malherbe, la mesure se veut loi. Ce furent les derniers feux de la pastorale.

Aglante, un berger, brûle pour Silvanire, qui se montre indifférente (Acte I). Elle refuse de révéler qu'elle l'aime et redoute le projet paternel de la marier à Théante. Tirinte, un autre berger, lui dit sa flamme ; elle le repousse, se jouant de lui en affirmant qu'« on » l'aime, avant d'avouer qu'elle parle de son amie Fossinde (Acte II). Celle-ci se déclare à Tirinte, qui use des mots qu'il emploie pour s'adresser à Silvanire ; elle rejette ses avances, et il emprunte cette fois les expressions de Silvanire pour repousser Fossinde. Puis il donne à Silvanire un miroir magique qui doit susciter son amour (Acte III). Prise de langueur, Silvanire est au bord du trépas ; Aglante s'évanouit. Elle avoue enfin ses sentiments et obtient de ses parents de pouvoir l'épouser (Acte IV). On croit Silvanire morte, et Aglante se rend à son tombeau en parlant de suicide. Tirinte s'en prend à Alciron, qui lui avait fourni le miroir, mais Alciron annonce que Silvanire n'est qu'endormie et il brise le charme. Réveillée, elle rejette Tirinte, qui veut l'enlever ; Aglante l'en empêche. Un chœur de bergers condamne les agissements de Tirinte. Il sera jugé. Théante renonçant à Silvanire, elle épousera Aglante. Tirinte est condamné à mort. Un mariage peut le sauver : Fossinde s'avance, il finit par accepter. Un chœur de bergères entonne un chant nuptial (Acte V).

Prise de position fracassante en faveur des unités et des bienséances suivant l'exemple de certains dramaturges italiens et, à travers eux, des Anciens, la « Préface en forme de discours poétique » s'avère décevante : long préambule de caractère général, réflexion inexistante sur le genre de la tragi-comédie. Sa véritable originalité tient à l'insistance portée sur la notion de plaisir, substituée à l'argument d'autorité : selon l'auteur, c'est le plaisir des spectateurs – habituellement allégué par les partisans de l'irrégularité – qui implique l'illusion, donc la vraisemblance. Suit un examen de la Silvanire, où l'on insiste sur la « bienséance des choses et des paroles », sur le refus de la « vicieuse affectation de pointes et d'antithèses » et des descriptions inutiles.

La pièce cependant paraît longue, corsetée dans des formes archaïques et ostensiblement littéraires : un Prologue qui met en scène l'« Amour honnête » ; un chœur qui conclut chaque acte, passages lyriques qui exhibent par ailleurs le dessein moral de l'œuvre ; une écriture qui cherche à faire valoir sa bienséante mesure et cultive les échanges amoureux stéréotypés. Les éléments spectaculaires eux-mêmes (le miroir, le tombeau, la barque grâce à laquelle Alciron évite la colère de Tirinte) permettent le pittoresque plus que de véritables effets dramatiques. L'extraordinaire longueur de l'acte V (plus de 950 vers), où les événements s'accumulent plus qu'ils ne se précipitent, confirme cette complaisance au discours, au poétique plutôt qu'au dramatique. Le refus de Silvanire de céder à ses sentiments bloquerait tout sans l'intervention de Tirinte (moralement condamné, théâtralement nécessaire), comme si le dramaturge, à vouloir suivre scrupuleusement l'« honnêteté » la plus stricte, aseptisait jusqu'à l'antithéâtral l'univers de la pastorale. Même Tirinte, même Hylas, personnage tiré de *l'Astrée*, sans utilité directe, qui souligne, par son inconstance militante et sa revendication des plaisirs de l'instant, la vertueuse retenue d'une Silvanire, gardent un ton relativement mesuré. Il faudra d'autres pièces pour convaincre qu'unités et bienséances peuvent n'être pas ferments de sclérose.

● « Pléiade », 1975 (*Théâtre du XVIIᵉ siècle*, I, p.p. J. Scherer) ; Rome, Bulzoni, 1976 (p.p. D. Dalla Valle).

D. MONCOND'HUY

SIMON LE PATHÉTIQUE. Roman de Jean **Giraudoux** (1882-1944), publié à Paris chez Grasset en 1918 ; réédition dans une version définitive chez le même éditeur en 1926.

La genèse de *Simon le Pathétique* fut longue et fertile en remaniements successifs : de 1911 à 1926, Giraudoux élabore quatre versions dont trois furent publiées. Il travaille à la première de 1911 à 1914 : du 4 juillet au 5 août paraissent en feuilleton dans l'hebdomadaire *l'Opinion* cinq chapitres d'un *Simon* dont on ignore s'il était achevé, la prépublication ayant été interrompue par la guerre. Dès 1915, Giraudoux se remet à son roman et apporte la première version à Grasset en mai 1918 ; cependant, de mai à septembre, il la remanie profondément en supprimant un chapitre et en effaçant partiellement le personnage d'Anne au profit de deux autres figures féminines. Cette deuxième version est publiée le 10 octobre 1918 chez Grasset. Giraudoux n'en a pourtant pas fini avec le personnage de Simon : il le fait apparaître dans **Suzanne et le Pacifique* et donne en 1923 aux Éditions Crès une troisième version qui rend à Anne le rôle d'héroïne principale. Ces remaniements seront conservés dans la version définitive d'avril 1926, qui revient en outre à l'ordre de la première.

À l'âge de dix ans, Simon quitte son père et ses premiers professeurs pour entrer comme interne au lycée : travaillant sans relâche, toujours premier, il y accomplit des études exemplaires (chap. 1). Renonçant à la carrière de professeur, il voyage aux Pays-Bas, en Allemagne et dans les pays scandinaves, puis devient secrétaire d'un homme politique influent grâce à qui il connaît une rapide consécration sociale (2). Pour Simon, cette réussite serait complète s'il se trouvait une épouse (3). Avant même de rencontrer la belle Anne, il sait qu'il va l'aimer (4), et jouit sans arrière-pensées de leurs premières entrevues, au cours desquelles ils se racontent, se provoquent et se cherchent. Mais ce bonheur fait place aux tourments lorsque Simon découvre fortuitement la sensualité de celle qui lui paraît de plus en plus énigmatique (5-6). Il se déclare pourtant et lui demande de l'épouser (7-8). Anne avoue qu'elle a eu un amant ; le chagrin terrasse un temps Simon (9-10), puis il réitère sa demande. Le refus d'Anne l'accable sans pourtant lui ôter tout espoir (11).

La dimension autobiographique de *Simon le Pathétique* ne peut être contestée, même si l'auteur s'y montre fort pudique : comme Simon, le jeune Giraudoux fait de brillantes études classiques, voyage de 1905 à 1907 dans les pays visités par le héros ; comme lui il rencontre des jeunes filles, Lilita Abreu en 1910 puis Suzanne Boland-Pineau en 1913. Pourtant c'est le personnage et non l'auteur qui narre au lecteur ses amours déçues. Ainsi Giraudoux retrouve la tradition du roman d'éducation sentimentale et déroule suivant l'ordre chronologique les *topoi* du genre : formation du personnage, attente de la rencontre, « jeu de cache-cache » des amants, aveu de la faute, tortures de la jalousie, rupture. Le rythme du récit, rapide dans les premiers chapitres, se ralentit dans les scènes décisives et suit symboliquement les saisons : l'amour de Simon naît au printemps, s'épanouit durant l'été et se trouve repoussé en automne ; cette construction rigoureuse où la crise est concentrée en quelques mois semble annoncer l'œuvre théâtrale. L'auteur ne se prive pas non plus de pasticher le romanesque traditionnel : le rossignol chante près des amants, la duègne-chaperon veille sur eux et la lecture indiscrète d'un carnet intime révèle la face cachée d'Anne. Mais l'essentiel tient à la peinture des états d'âme du jeune homme et à ses errances dans des lieux familiers : rues de Paris, Panthéon et Luxembourg, campagnes avoisinantes, gares et trains. Le lecteur, son confident, éprouve envers lui la sympathie et surtout la pitié qu'appelle son surnom : comment pourrait-il comprendre cette Anne énigmatique et changeante ? Comment échapper aux sentiments qu'elle fait naître, se délivrer des rêves et cauchemars obsédants qu'elle suscite ? Giraudoux s'en tire par la pirouette de la phrase finale : « Demain tout recommence... »

➤ *Œuvres romanesques complètes*, « Pléiade », I (p.p. G. Teissier).

D. LORENCEAU

SINGULARITÉS DE LA FRANCE ANTARCTIQUE (les). Récit de voyage d'André **Thevet** (vers 1516-1592), publié à Paris chez les héritiers de Maurice de La Porte en 1557.

Le moine cordelier, qui a déjà livré au public la *Cosmographie de Levant* (1554), évoque ici, au retour de sa navigation au Brésil (1555-1556), le monde des cannibales et des légendaires Amazones, dont il fera encore mention dans la *Cosmographie universelle* (1575), et dans l'*Histoire de deux voyages [...] aux Indes australes et occidentales*, rédigée en 1487-1588 et restée inédite à ce jour.

Outrepassant largement les frontières de la « France antarctique », cette petite colonie française établie durant quatre ans (1555-1559) sur le site où s'élèvera plus tard Rio de Janeiro, les *Singularités* entraînent le lecteur le long des rivages de l'Afrique, avant de le faire aborder dans la baie de Guanabara où il découvre, outre les merveilles singulières et colorées d'une nature inconnue, les mœurs d'Indiens nus et anthropophages. Le récit du retour est interrompu par la description des terres qui abritent cannibales et Amazones, des territoires conquis par les Espagnols, puis du Canada. Le voyage cosmographique s'achève aux Açores.

Pour reprendre l'expression de Frank Lestringant, le « manque patent de la Raison unificatrice fait tout le prix de l'ouvrage de Thevet ». De ce point de vue, le terme de « singularités » qui figure dans le titre dénote, à lui seul, la perspective dans laquelle travaille le cosmographe : le monde américain est un réservoir de merveilles dont on ne finit pas d'épeler le chapelet admirable – « animal assez étrange » au visage d'enfant qui ne se nourrit que de vent, ou « herbe de pétun » qui soulage de la faim. En outre, l'Amérique du cordelier, dans l'entrelacs inattendu des chapitres où se croisent incessamment les préoccupations à caractère naturaliste ou ethnographique, s'élabore dans la luxuriance d'un univers mental dépourvu de fermes catégories descriptives.

En cette « France antarctique », envers de la France métropolitaine, règne l'Indien anthropophage – cet ancêtre un peu fruste d'un bon sauvage dont la figure prendra de plus aimables, voire de plus fades contours, une fois passée au polissoir d'ouvrages comme ceux de Léry et Montaigne. Thevet ne se soucie pas de donner une image unifiée des « Amériquains », saisis dans leurs aspects les plus contradictoires, enfoncés qu'ils sont dans les ténèbres du paganisme et pourtant capables de vertu. C'est dans une perspective similaire que le cosmographe rend compte du rite du banquet anthropophage, saisi dans une « déconcertante familiarité » (F. Lestringant) : à l'image du cannibale assoiffé de sang véhiculée par les premiers récits des Espagnols se substitue celle de l'Indien, homme d'honneur qui dévore ses ennemis pour satisfaire aux lois de la noble vengeance. Dans ces usages, au demeurant fâcheux et barbares, se manifeste néanmoins avec éclat la blessure du péché originel, même si, aux yeux du cordelier engagé dans la polémique religieuse de son temps, « nos pauvres Amériques » restent « beaucoup plus tolérables et sans comparaison que les damnables athéistes de notre temps ».

● Le Temps, 1981 (fac-similé éd. 1558, prés. J. Baudry) ; La Découverte, 1983 (choix anthologique, p.p. F. Lestringant).

M.-C. GOMEZ-GÉRAUD

SIX MILLIONS HUIT CENT DIX MILLE LITRES D'EAU PAR SECONDE. Voir **6 810 000 LITRES D'EAU PAR SECONDE**, de M. Butor [classé à la fin de la liste alphabétique].

SINCÈRES (les). Comédie en un acte et en prose de Pierre Carlet de Chamblain de **Marivaux** (1688-1763), créée par les comédiens-italiens le 13 janvier 1739, et publiée à Paris chez Prault la même année.

À partir des *Fausses Confidences* (1737), Marivaux n'écrit plus que des pièces en un acte : *la Joie imprévue*, jouée par les Italiens le 7 juillet 1738, *les Sincères* en 1739. Lassitude ? Épuisement créateur ? Il est vrai qu'il se consacre aux dernières parties de la *Vie de Marianne*. « Fort applaudie à la première représentation », la pièce ne fut jouée que quelques fois, faute, dit un jugement contemporain, de « consistance » dans l'action : « si l'on retranchait tout ce qui n'est que conversation, il ne resterait pas de quoi faire deux ou trois petites scènes » (*Mercure*, février 1739). Elle ne reparut qu'en 1891, à l'Odéon.

Frontin et Lisette, qui aiment ailleurs, décident de brouiller leurs maîtres, Ergaste et la Marquise, qui « s'imaginent sympathiser ensemble, à cause de leur prétendu caractère de sincérité ». Ergaste déclare effectivement à Araminte qu'il lui préfère dorénavant la Marquise, plus franche, et fait assaut de sincérité médisante et d'admiration réciproque avec celle-ci. Frontin propose à Lisette de jouer la brouille des valets pour séparer les maîtres, et ils offrent leurs services à Dorante, amoureux de la Marquise, et à Araminte, outrée par leur impertinence. La Marquise se moque des déclarations passionnées de Dorante, mais sa vanité s'irrite tant des rudes sincérités d'Ergaste, avivées par Lisette, qu'ils se séparent. Lisette flatte l'amour-propre blessé de la Marquise, qui demande le même service à Dorante et s'enchante de le voir mêler compliments et tendres reproches, tandis qu'Araminte obtient d'Ergaste l'aveu de son amour et de ses puérils défauts. La Marquise épouse Dorante, Ergaste Araminte, en reconnaissant qu'ils n'avaient jamais cessé de les aimer.

« Cette pièce est écrite avec bien de l'esprit et de feu, mais elle n'a presque rien de théâtral. C'est plutôt un ingénieux dialogue qu'une comédie. Dans une comédie, il faut une action, il faut une intrigue, un nœud et un dénouement » (*la Bibliothèque française*, 1739). C'est beaucoup demander pour une pièce en un acte et certains hausseraient volontiers les épaules devant cette profession de foi aristotélicienne. Force est pourtant de constater que les petites pièces les plus célèbres de Marivaux, *Arlequin poli par l'amour*, l'*École des mères*, l'*Épreuve*, la *Dispute*, les *Acteurs de bonne foi*, suivent une ligne plus dynamique et mieux liée que *les Sincères*. L'idée brillante

de valets qui s'entendent, contrairement à l'habitude, pour refuser de s'aimer, et donc pour briser la sympathie naissante de leurs maîtres, caractérise bien l'ingéniosité inventive et géométrique des schémas marivaudiens ; mais une fois acquittée la charge initiale de deux superbes portraits de « sincères », Lisette et Frontin ont bien du mal à s'insérer dans une action qui n'a pas besoin d'eux. Marivaux le sait d'ailleurs fort bien, et s'en amuse : FRONTIN· – Je ne saurais expliquer mon projet ; j'aurais de la peine à me l'expliquer à moi-même [...]. Je verrai clair à mesure ; à présent je n'y vois goutte. » Il est certain aussi qu'Araminte et Dorante répondent plus à une esthétique du contraste si rebattue dans la dramaturgie du XVIIIe siècle, qu'à une nécessité de l'action. Il est vrai qu'on évite ainsi, joliment, et dans un crépuscule doux-amer d'inconstance effacée, le désert final du *Misanthrope*.

Mais quel magnifique couple de « sincères » ! Elle, toute de vanité masquée, et lui, moins vaniteux que défiant vis-à-vis de soi et balourd avec autrui, qui appelle sincérité l'absence de délicatesse et de maîtrise du langage, l'inattention aux autres, la rude insociabilité d'un adulte resté enfant : « ARAMINTE. – Un enfant sait mieux ce qu'il veut, se connaît mieux que vous ne vous connaissez. » On s'étonne que si peu de critiques méditent cette rêverie sur Alceste.

➤ *Théâtre complet*, « Classiques Garnier », II ; *id.*, « Pléiade », II.

J. GOLDZINK

SIX SEMAINES DE LA VIE DU CHEVALIER DE FAUBLAS. Voir FAUBLAS, de J.-B. Louvet de Couvray.

SIXIÈME JOUR (le). Roman d'Andrée **Chedid** (née en 1920), publié à Paris chez Julliard en 1960.

Troisième roman d'Andrée Chedid, *le Sixième Jour*, qui évoque l'épidémie de choléra qui frappa l'Égypte en 1948 et fit 10 000 victimes en un mois, est sans doute son œuvre la plus célèbre.

Première partie. De retour, après sept ans d'absence, dans son village natal touché par une épidémie de choléra, Om Hassan, haute silhouette de paysanne égyptienne, ne découvre que des morts, un paysage de désolation, des maisons brûlées. En rentrant au Caire, elle n'a qu'une idée : retrouver son petit-fils Hassan au plus tôt et reprendre sa vie de laveuse. Le jeune maître d'école est déjà frappé par la maladie. Très vite on parle d'une seconde poussée de l'épidémie et les ambulances reprennent leur sinistre ballet à travers la ville. À son tour le petit Hassan est atteint. Om Hassan entreprend alors de lutter pour l'arracher au choléra et le soustraire aux rafles de la police sanitaire qui emporte les malades pour les faire mourir loin de la ville. Elle fuit (« Ni les hommes, ni la mort ne nous rattraperont ») espérant entraîner l'enfant vers la guérison. Dans une buanderie aménagée sur la terrasse d'une maison, elle le cache jalousement en attendant ce sixième jour où, lui a-t-on dit, le malade meurt ou ressuscite.

Deuxième partie. L'épidémie est pour certains, comme Okkasionne, le montreur de singes, l'occasion de gagner un argent facile : il suffit de dénoncer les cas de maladie. La vieille femme lutte contre la résignation, et contre la peur grandissante de l'enfant qui se voit mourir. Om Hassan, trop occupée par l'idée de la mort, ne s'étonne pas de la soudaine prospérité du montreur de singes. Lorsqu'elle comprend, et de peur d'éveiller ses soupçons, elle se contraint à le suivre à travers la ville. La vieille femme demande à Okkasionne de l'aider : elle doit retourner au village ; il lui faut un voilier qui descende vers la mer et le montreur de singes connaît tous les bateliers. Om Hassan fuit de nouveau, emportant dans ses bras l'enfant : « Hassan est à peine un corps, elle pourrait ne rien tenir entre ses bras que ce serait pareil. »

Troisième Partie. Alors que la felouque quitte la rive, Okkasionne surgit pour réclamer son dû. Une fois à bord, il est trop tard pour débarquer, la felouque est au large. Le bateau descend le Nil. « Plus qu'un jour, plus qu'une nuit et l'enfant surgirait de l'ombre », songe la vieille femme, mais Okkasionne découvre sa cachette et le corps bleu de l'enfant. Entre la vieille femme et le montreur de singes la lutte s'engage. Furieuse et déchaînée, Om Hassan triomphe de la lâcheté et de la peur de l'homme. Mais au sixième jour, l'enfant succombe juste avant d'arriver à la mer et la vieille femme le suit dans la mort.

Ce roman dit l'histoire d'un être si pur et si passionné qu'il croit pouvoir réclamer et accomplir un miracle. Om Hassan, animée d'une volonté farouche et d'un amour infini, incarne la foi dans la vie, l'espoir dans le salut qui caractérisent les personnages d'Andrée Chedid. Par la simplicité de son sujet, le Sixième Jour va à l'essentiel : les sentiments humains dans ce qu'ils ont à la fois de plus évident, de plus ordinaire et de plus complexe, de plus grandiose, un peu à la manière des récits bibliques.

Mais Andrée Chedid perpétue et renouvelle aussi la tradition de la tragédie grecque en conciliant l'exaltation et le dépouillement. La tragédie vécue par la vieille Om Hassan est suffisamment authentique pour qu'il ne soit pas nécessaire d'en amplifier la portée par des effets de style ; un trait bref et percutant suffit pour faire saillir l'angoisse et la douleur. Le récit du combat de cette vieille femme est conduit avec une extrême rigueur et lorsque le lyrisme intervient, parfois, il apparaît comme lissé et épuré : Andrée Chedid semble vouloir tout embrasser grâce aux mots les plus usuels, prendre possession des êtres et du monde en douceur.

L'histoire individuelle apparaît ici plus comme une version dramatisée de l'Histoire universelle que comme une expérience psychologique ou sociale. Les personnages d'Andrée Chedid, au-delà de l'émotion qu'ils inspirent, possèdent une dimension symbolique, sans que pour autant l'abstraction du mythe l'emporte sur l'épaisseur humaine. L'auteur entretient avec eux un lien presque physique, elle participe pleinement à leurs peines, à leurs joies, elle semble les accompagner entre l'imaginaire et le vécu, et surtout les soutenir entre la vie et la mort qui se disputent à l'infini le dernier mot. Mais il n'y a pas ici de point de non retour. Tout se passe comme si le désespoir et l'espoir confondus s'alliaient pour provoquer et relancer la vie plutôt que pour la retrancher. Car c'est à la vie qu'appartiennent les enfants, dont la présence dans les romans ou la poésie d'Andrée Chedid est si fréquente ; ils représentent l'homme dans ce qu'il a de plus innocent et de plus vulnérable, cette fragilité que l'auteur sait parfaitement exprimer. Et lorsque la vieille femme suit l'enfant dans la mort, à la fin du roman, c'est sans laisser l'impression d'une défaite, mais plutôt d'un triomphe où la réalité d'une survie transcende les apparences et les séparations.

● « Le Livre de Poche », 1976 ; Flammarion, 1986 ; J'ai lu, 1989.

C. PONT-HUMBERT

SIXTINE. Roman de la vie cérébrale. Roman de Remy de **Gourmont** (1858-1915), publié à Paris chez Albert Savine en 1890.

L'année 1890 est décisive dans la vie de Gourmont, qui n'avait jusqu'alors publié que des ouvrages de vulgarisation et un roman, Merlette (1886). Cette année-là commence à paraître le Mercure de France, où il va vite prendre une place prépondérante, et il publie avec Sixtine son premier livre important.

Au cours de vacances en Normandie chez la comtesse Aubry, l'écrivain Hubert d'Entragues rencontre Sixtine Magne, dont il s'éprend. Lui est un intellectuel, un « cérébral » pour qui le plaisir de l'analyse de la pensée est une occupation essentielle. Elle est une femme un peu évanescente et mystérieuse. Ils se revoient à Paris. Sixtine se laisserait volontiers aimer par Hubert qui se déclare, mais ne se décide jamais au geste qui la ferait céder. Il semble se plaire davantage à étudier les effets de l'amour sur son intelligence. Lorsque pourtant le désir se fait trop obsédant, il cherche à s'en défaire chez une prostituée. Mais l'énigme demeure. Que veut Sixtine, qui dit l'aimer et pourtant le repousse ? Un autre prétendant survient, Sabas Moscowitch : Russe, barbu, séduisant. Écrivain lui aussi, il a sur Hubert l'avantage de l'exotisme (la littérature russe est à la mode) et d'un tempérament plus ardent. Sixtine devra choisir entre eux, bien qu'elle s'y refuse. Un soir Hubert l'emmène à l'Odéon où se donne une pièce « idéaliste » qui suscite l'hostilité du public, mais les marque fortement. Ce « frisson

esthétique » partagé les rapproche, et il est persuadé qu'elle cédera bientôt, même si elle se refuse encore à lui. Ils se retrouvent à un bal où paraît aussi Moscowitch. Sixtine donne rendez-vous à Hubert le lendemain soir, mais elle part dans la nuit pour Nice avec le Russe triomphant. Dépité, Hubert tue le héros du roman qu'il écrivait et se retire dans sa bibliothèque. Il y retrouvera le bonheur.

Sixtine est un des livres les plus représentatifs de la crise littéraire dans la France fin de siècle. Son sujet est le désenchantement et l'impossibilité de vivre pleinement dans le monde moderne. En ce sens, il se situe dans le prolongement direct d'*À rebours, Hubert d'Entragues figurant un Des Esseintes sorti de sa thébaïde et cherchant à retrouver le monde extérieur.

L'anecdote promène les personnages dans les salons, mais aussi dans le monde littéraire : Gourmont évoque précisément le travail d'Hubert (avec d'abondants exemples de son œuvre, le récit étant entrecoupé de contes, de poèmes et même d'un roman dont il est supposé être l'auteur), et les bureaux de la revue où il rencontre d'autres écrivains. En cela, Sixtine est un roman à clés où l'on reconnaît René Ghil, Paul Bourget et d'autres, de même que l'héroïne emprunte bien des traits à Berthe de Courrière, l'excentrique compagne de Gourmont. Mais c'est tout le contraire d'un roman réaliste – Zola est anathémisé au passage –, puisque Remy de Gourmont se réclame explicitement de la philosophie idéaliste : le monde n'a d'autre réalité que celle que le moi lui accorde. Hubert est « le maître absolu d'une réalité transcendante dont la domination pleine de joies ne lui laiss[e] pas le loisir d'une vulgaire vie et de préoccupations humaines ». En appliquant systématiquement les conséquences de cette philosophie, Gourmont se trouve, plus que de Hegel ou de Kant (qu'il cite), le disciple de Villiers de L'Isle-Adam. Celui-ci est le héros caché du livre : sans qu'elle soit nommée, la pièce à laquelle assistent Hubert et Sixtine, au moment décisif de leurs relations, est facilement reconnaissable : c'est la Révolte de Villiers, mort en 1889, pendant la rédaction du livre. Villiers fut certainement l'une des grandes admirations de Gourmont, et l'on pourrait comparer Sixtine à l'*Ève future : à sa façon, Hubert tente de créer la femme, d'inventer Sixtine comme Edison et lord Ewald le font chez Villiers.

S'il prolonge ainsi À rebours ou l'Ève future, Gourmont annonce plus encore deux écrits majeurs de la décennie suivante : *Paludes (1895) de Gide et « la Soirée avec Monsieur Teste » (voir *Monsieur Teste) de Valéry, où la tendance à la désincarnation, nette chez Hubert d'Entragues malgré ses efforts pour aimer, s'accentuera jusqu'au moment où, faute de corps, le roman ne pourra plus exister. Ce qu'annonce le sous-titre de l'ouvrage, un « roman de la vie cérébrale » est-il possible ? Sixtine n'échappe à l'abstraction pure que par l'ironie constante, les allusions littéraires multiples et la dimension parodique des écrits attribués à Hubert d'Entragues.

En 1921, après la mort de Gourmont, ses lettres à B. de Courrière furent publiées sous le titre de Lettres à Sixtine.

● « 10/18 », 1982 (préf. H. Juin).

P. BESNIER

SMARRA ou les Démons de la nuit, songes romantiques. Conte de Charles **Nodier** (1780-1844), publié à Paris chez Ponthieu en 1821.

D'après la page de titre, l'auteur serait « Maxime Odin », et le texte traduit de « l'esclavon » par Charles Nodier. Sous le nom d'Odin se cache celui de Nodier, et les journaux de l'époque n'en font pas un secret. L'écrivain s'inspire de l'Âne d'or d'Apulée (125-180 environ) pour certains épisodes, et du Voyage en Dalmatie de l'Italien Fortis (traduction française en 1778) pour le thème des superstitions ; le mot de « smarra », signifiant « cauchemar », lui vient d'un article de Giovanni Lovrich sur le livre de Fortis. Plus généralement, l'ouvrage se rattache à l'« école frénétique » représentée par le Vampire de Polidori, le secrétaire de Byron (traduction française en 1819), auquel Nodier avait consacré un article, ainsi qu'à Lord Ruthwen ou les Vampires de Bérard (1820), édité avec une Préface de Nodier en 1820. Il faut songer aussi aux deux tableaux de cauchemars par le peintre Füssli (1781-1791), témoignages merveilleux de l'importance du thème dès la fin du XVIIIe siècle.

Dans le « Prologue », le jeune Italien Lorenzo s'endort auprès de sa fiancée Lisidis, après une soirée de bal. Il entre dans l'« univers illimité des songes » où, dans le « Récit » suivant, et stimulé par sa lecture d'Apulée, il rêve qu'il est Lucius, jeune Grec de l'Antiquité chevauchant d'Athènes à Larisse en Thessalie pour rejoindre ses esclaves et surtout la belle Myrthé. Dans une hallucination, Lucius voit des spectres tombés sous la vengeance des sorcières ; il reconnaît son ami Polémon qui, transporté subitement à Larisse, raconte, dans l'« Épisode », comment la sorcière Méroé avait déchaîné contre lui le monstre Smarra, et lui avait arraché le cœur. Lucius fait un nouveau rêve, où il est décapité (« Épode »). Il se réveille dans l'« Épilogue », et retrouve sa chère Lisidis.

Dans sa Préface à l'édition de 1832, Nodier se sert de Smarra pour ébaucher une théorie du fantastique. Comme dans son essai fondamental « Du fantastique en littérature » (1830), il se réclame des traditions séculaires de l'imagination exploitant toutes formes du surnaturel ; les « illusions du sommeil » donnent lieu à de nombreuses références littéraires, telle la descente d'Ulysse aux Enfers. En 1831, Nodier avait proposé, dans son essai « De quelques phénomènes du sommeil », la théorie de la « modification » de la vie dans les rêves qui peuvent nous récompenser des « désenchantements de la vie sociale ». Il cherchera donc, dans ses contes fantastiques des années 1830 (voir la *Fée aux Miettes*), à échapper à une réalité décevante – ou à enrichir celle-ci par l'imagination.

Nodier n'en est pas encore là dans Smarra, texte fantasmatique non seulement puisé à plusieurs sources – et les lectures de Nodier sont considérables –, mais aussi dominé par la hantise de la mort (écho de scènes vues pendant la Révolution), et par le thème de l'amour qu'il ne cesse de problématiser (voir *Franciscus Columna*). Cœurs arrachés, têtes tranchées, la mort suscite des variations lugubres jusque dans ses Souvenirs et Portraits de la Révolution parus de 1829 à 1831. Quant à l'image de la femme, Smarra offre toute la gamme de celles qui hanteront le XIXe siècle : de la fiancée bourgeoise (Lisidis), à la sorcière castratrice (Méroé), en passant par les esclaves, belles et reposantes (Myrthé). Les symboles pullulent dans ce texte que Nodier a sans doute voulu provocateur, et qui deviendra un gibier de choix pour la critique « freudienne », tant sont clairs les symboles de castration, d'inconscient, de libido...

Mais le texte est aussi d'une construction rigoureuse ; cinq parties, inspirées aux dires de l'auteur, de la tragédie classique, permettent à celui qui s'aventure dans le domaine incertain du rêve, de mieux trouver son chemin à travers diverses étapes initiatiques : plongée dans le rêve, rêve inspiré d'une lecture, puis rêve venant de l'inconscient et provoqué par une hantise, culminant dans un fantasme (la tête tranchée), enfin lente remontée vers une réalité rassurante, mais aucunement capable d'apaiser les affres de la mort et de la sexualité. Tantôt le texte s'explique lui-même, comme lorsque le premier rêve « devient une voix de votre âme » ; tantôt il reflète les brusques ruptures qui nous font passer d'un rêve à un autre. Clairvoyant et hallucinant, tel est ce premier texte de Nodier conteur fantastique.

● Contes, « Classiques Garnier », 1962 (p.p. P.-G. Castex). La Fée aux Miettes [...] « Folio », 1982 (p.p. P. Berthier). ➤ Œuvres complètes, Slatkine, III.

H.- P. LUND

SOCIÉTÉ APOLLON (la). Voir THÉÂTRE DE CHAMBRE, de J. Tardieu.

SOCRATE CHRÉTIEN. Essai de Jean-Louis Guez de **Balzac** (1597 ?-1654), publié à Paris chez Antoine Courbé en 1652.

Œuvre de vieillesse, cette méditation morale et religieuse se ressent du désir de Balzac de se mettre en règle avec sa conscience, et, secondairement, de répondre une nouvelle fois à l'accusation d'impiété et de narcissisme naguère lancée par le général de l'ordre des Feuillants lors de la publication de ses *Lettres*. Il ne s'agit pas pour autant d'une conversion soudaine ou politique. Le *Prince*, écrit vingt ans plus tôt, témoignait déjà des convictions religieuses de l'auteur, et ses Dissertations morales et chrétiennes avaient montré un esprit fidèle au catholicisme. Son Socrate (du nom de l'ami dont il est censé rapporter les propos) s'inscrit dans leur lignée. Avec l'âge, avec la fin de multiples polémiques, quand ses « muses [sont] devenues tout à fait chrétiennes », Balzac fait dans cette dernière œuvre l'apologie du christianisme.

Les quatre premiers discours, sur les douze qu'elle comporte, retracent succinctement l'essor de la religion chrétienne : depuis l'« entreprise de cet Homme-Enfant » qui a « ruiné l'Idolâtrie », qui « a ôté la parole aux philosophes » pour tout plier à ses « commandements » (discours 1) jusqu'à l'affermissement de l'Église universelle, en passant par l'évocation des premiers martyrs (2 et 3). La suite obéit à un plan moins cohérent. Réflexion sur des lectures personnelles, réaction à l'actualité et aux pratiques religieuses de son temps, elle enchaîne des « considérations » sur quelques « paraphrases nouvelles » (7) à d'autres « sur quelques paroles des Annales de Tacite » (8-9) et à l'invocation des « saints » (12).

Balzac se montre tout au long de ce livre d'une parfaite orthodoxie. Bien avant que Mascaron parle d'un « Évangile de la cour », d'« altérations bizarres de la loi de Dieu », il dénonce les dangers de la casuistique : « Il est venu [...] une autre théologie plus douce et plus agréable qui se sait mieux ajuster à l'humeur des Grands [...]. La cour a produit de certains docteurs qui ont trouvé le moyen d'accorder le vice avec la vertu et de joindre ensemble des extrémités si éloignées [...]. On leur fait accroire [aux Grands] que la fondation ou la dorure d'une chapelle les dispenseront de toutes les obligations du christianisme et de toutes les vertus morales. » Favorable à l'emploi du latin contre les « réformistes » partisans de la langue vernaculaire, Balzac s'arrête longuement sur deux points essentiels : les commentaires, voire les disputes théologiques, et le rôle de l'éloquence dans la prédication. Concernant le premier point, il sépare le fond de la forme : refusant de « toucher » à la vraie doctrine, puisée aux « anciennes sources », il borne le rôle du prédicateur et des docteurs à celui d'un guide adaptant la Vérité à son auditoire, sans la trahir. Quant à l'emploi de l'éloquence, ce maître en la matière, reconnu par tous, en préconise un usage modéré ; seule doit faire impression sur les fidèles la parole biblique, non celle du prédicateur. Car la « connaissance des secrets [de la religion] n'a point été exposée à la curiosité des beaux esprits. Il en est comme de cette rivière merveilleuse dont les Anciens ont parlé : elle est basse aux petits et modestes, et profonde aux grands et aux superbes ; les brebis y passent à gué et les éléphants s'y noient ». C'est combattre l'éloquence artificielle, les gloses, au nom de la clarté, de l'ordre classique... et divin. Par ces prises de position, le Socrate chrétien ne se présente pas comme une méditation coupée de la vie. Même si sa verve et son ironie se sont assagies, l'homme qui est intervenu, depuis sa province, dans presque toutes les polémiques et les combats parisiens, prend encore parti. Chrétiennement, mais fermement.

➤ Œuvres, Slatkine (réimp. éd. 1665), II.

A. COUPRIE

SODOME ET GOMORRHE. Pièce en deux actes et en prose de Jean **Giraudoux** (1882-1944), créée à Paris au théâtre Hébertot le 11 octobre 1943 sur une musique de scène d'Arthur Honegger, et publiée à Paris chez Grasset la même année.

Les malheurs publics et privés, la défaite de 1939 et la mésentente conjugale, conduisent Giraudoux à la relecture de deux épisodes sombres de la Bible. Dans la Genèse (18 et 19), Abraham s'aventure dans un marchandage célèbre avec Yahvé : Sodome et Gomorrhe, les villes pécheresses, seront sauvées s'il s'y trouve cinquante, puis vingt, puis dix justes. Ce nombre ne pouvant être réuni, elles périssent sous un déluge de feu. D'autre part, le livre des Juges (16) raconte comment Dalila extorque à Samson le secret de sa force et profite de son sommeil pour lui couper les cheveux, le réduisant ainsi à l'impuissance et à la servitude. Sans se soucier de la chronologie biblique, l'auteur rassemble les deux passages en les réinterprétant très librement. Ébauchée dans l'hiver 1938-1939, la pièce est remaniée en 1940-1941, puis achevée en 1942.

L'Archange des archanges explique au Jardinier pourquoi la colère divine menace les habitants de Sodome et Gomorrhe : ils ne respectent pas « la seule base que Dieu ait glissée sous leur vie, [...] celle du couple ». Il ne reste qu'un espoir de trouver le couple heureux qui les sauverait : puisque Samson et Dalila sont en voyage, il faut s'en remettre à Jean et Lia (Prélude). Ceux-ci ont invité leurs amis Jacques et Ruth et les deux femmes se font des confidences : elles n'aiment plus leurs maris. À l'arrivée des deux hommes, Lia, sur sa lancée, accuse violemment Jean d'esquiver toute explication. La présence de l'Ange, venu les épier, le pousse cette fois à accepter la discussion ; mais c'est pour constater, et l'échec de son union, et son penchant pour Ruth. La réponse de Lia ne se fait pas attendre : elle déclare qu'elle veut le quitter pour vivre avec Jacques. Jean tente alors vainement de la retenir et, humilié à son tour, part avec Ruth, tandis que Lia cherche auprès de l'Ange une alternative à son amour déçu pour les hommes. Mesurant vite ce que cette tentative a d'impossible, elle se rabat sur Jacques. La catastrophe approche : tout doit mourir, même dans le jardin, sauf une rose rouge que le jardinier obtient de sauver (Acte I).
Que faire de cette rose ? Le jardinier s'interroge sur sa mission. Cependant Ruth a décidé de se sacrifier pour le salut de tous ; il ne lui reste qu'à persuader Jean de revenir à Lia. Le retour inopiné de Samson et Dalila vient ranimer l'espoir. Mais l'épreuve des faits infirme leur renommée de couple heureux : Dalila a fait de son époux son esclave. Jean et Lia, qui restent le seul recours, constatent sans le comprendre l'échec de leur amour. C'est l'Ange qui, dans une dernière tentative, persuade Lia de se réconcilier avec son époux ; mais, blessée une fois encore, elle refuse d'attendre la mort à ses côtés. Hommes et femmes se séparent sans cesser de se déchirer tandis que s'abat sur eux le déluge de feu du châtiment divin (Acte II).

Amalgame de deux passages de la Bible centrés sur le rapport entre les sexes, la pièce foisonne d'allusions au couple – Adam et Ève (I, 3) ou Abraham et sa « brave Sarah » (II, 7) –, associées au Déluge (I, 4), au Cantique des cantiques (II, 2), sans oublier les prénoms des compagnes de Lia : « Judith », « Ruth », « Salomé », « Athalie », « Noémi », toutes fameuses héroïnes bibliques. C'est dire la permanence du conflit entre époux, que l'auteur analyse dans la scène 2 de l'acte I : « Et voici le couple humain : un homme capable de tout mais qui n'a pas ses armes ; une femme qui les a toutes, et qui, par son enfance et sa folie, s'y meurtrit sans profit et sans gloire. » Permanence qui constitue en quelque sorte le dénouement puisqu'à la question de l'Archange : « Qui parle, alors ? », l'Ange répond : « Eux. La mort n'a pas suffi. La scène continue » (II, 7). *Sodome et Gormorrhe* marque ainsi l'aboutissement de l'évolution de la pensée de Giraudoux, depuis le couple heureux d'*Amphitryon 38*, sauvé par la perfection toute humaine d'Alcmène, jusqu'au couple déchiré dans une lutte sans fin dont les protagonistes se jettent à la figure d'éternels reproches. « Hypocrisie d'homme et horreur des batailles » (II, 8) dans la bouche de Lia, auquel répond « préjugé... rabâchement... ressassement » (II, 8) dans celle de Jean. Cette faillite, comment ne pas voir que l'auteur la rapproche de celle d'un autre couple dont il a espéré l'entente dans son œuvre antérieure (voir en parti-

culier *Siegfried* et *Bella*), la France et l'Allemagne ? À la tragédie annoncée de *La guerre de Troie n'aura pas lieu* (« Elle aura lieu ») répond ici le présent de la catastrophe : « Dans la tourmente, l'inondation et la guerre des guerres, il ne subsiste plus que la faillite, la honte, un visage d'enfant crispé de famine, une femme folle qui hurle, et la mort » (Prélude). C'est pourquoi on trouve peu de suspense, peu d'action dans cette pièce dont le dénouement est déjà contenu dans l'ouverture. Elle se présente plutôt comme un lamento accompagné par la musique de Honegger, une suite de duos désespérés où les rôles d'agresseur et de victime s'inversent : quand Jean tente de reconquérir Lia, elle se refuse (I, 3), et quand elle fait les premiers pas, il la repousse (II, 8). Dans ce monde où règnent les symboles du noir et de l'orage, quand « les œillets sentent la mort, les cèdres sifflent sans vent » (I, 5), ne subsiste qu'une unique note de couleur, symbole de beauté, d'amour et de vie : la rose rouge du jardinier-poète. Il parle au nom de l'auteur en définissant ainsi sa mission : « Être dans ce désarroi où le sang des hommes va couler en plaies, en caillots, en rigoles celui dont il jaillit en une fleur, et en parfum... » (II, 1).

▶ *Théâtre complet*, « Pléiade » (p.p. É. Brunet et W. Ready) ; *id.*, « Pochothèque ».

D. LORENCEAU

SODOME ET GOMORRHE. Voir À LA RECHERCHE DU TEMPS PERDU, de M. Proust.

SŒURS RONDOLI (les). Nouvelle de Guy de **Maupassant** (1850-1893), publiée à Paris dans *l'Écho de Paris* du 29 mai au 5 juin 1884, et en volume, dans le recueil auquel elle donne son titre, chez Ollendorff en 1884.

Entre les romans *Une vie* et *Bel-Ami*, Maupassant compose quelques nouvelles développées (ou romans écourtés), tels que *Miss Harriet* ou les *Sœurs Rondoli*. Dans ces deux derniers cas, la situation narrative est la même : un homme raconte, à la première personne, une aventure amoureuse singulière ; mais tout oppose l'Anglaise puritaine à la prostituée italienne.

Pierre Jouvenet explique comment il n'a jamais pu visiter l'Italie. Bien que n'aimant pas les voyages, il était parti avec son ami Paul Pavilly, très amateur de femmes, pour Florence et Rome (chap. 1). Dans leur compartiment, s'installa une jeune femme jolie mais d'allure commune, et renfrognée. Ils parvinrent difficilement à entrer en conversation avec elle. Mais à l'arrivée à Gênes, elle proposa très directement de les accompagner à l'hôtel, et choisit Pierre, au grand désarroi du séducteur Paul. Après beaucoup d'hésitations, Pierre se décida à coucher avec Francesca Rondoli. Le « lien mystérieux de l'amour bestial » le retint quinze jours auprès de cette fille dont il ne savait rien. Elle partit un matin en lui donnant une adresse où venir la chercher ; mais Paul, impatienté, décida Pierre au départ (2). Un an plus tard, Pierre retourna seul à Gênes. Poursuivi par le souvenir, il voulut revoir Francesca Rondoli. Il se rendit à l'adresse indiquée : il y trouva la mère, qui lui parla du chagrin de Francesca, du grand amour qu'elle vivait désormais à Paris avec un peintre, et proposa au voyageur son autre fille Carlotta pour lui tenir compagnie le temps de son séjour. « Et je compte, un de ces jours, retourner voir l'Italie, tout en songeant, avec une certaine inquiétude mêlée d'espoirs, que Mme Rondoli possède encore deux filles » (3).

Un grand charme sensuel imprègne toute cette nouvelle : il émane de la « terre chaude » du Midi, des parfums du « paradis des roses », de l'ardeur des lucioles, de la jeune Francesca bien sûr, « ferme et fraîche », qui donne au narrateur ces « petits frissons d'attente que la perspective d'une nuit d'amour vous font passer dans les veines », et enfin des mœurs d'une Italie de rêve, où une mère désargentée prostitue ingénument ses filles aux touristes sans le moindre scrupule moral. Terre d'exotisme (on en rapporte des

« banalités artistiques ») et d'érotisme, l'Italie, que Maupassant ne connaissait pas encore à cette époque, a pour intercesseur un certain signore Amoroso et pour guide une fille au nom prometteur, Rondoli : jouant sur le mot, le texte insiste sur l'importance que le narrateur accorde à son lit, « sanctuaire de la vie », puis il fait le portrait de Francesca endormie, toute nue, sur le lit de l'hôtel, en la comparant à la « Vénus au repos » de Titien.

Mais, chez Maupassant, l'érotisme est inséparable de l'inquiétude. Elle se manifeste ici sous la forme de la peur « qui nous gâte les rencontres charmantes, les caresses imprévues, tous ces baisers cueillis à l'aventure ». Le train favorise de tels hasards heureux ou malheureux ; on pense à d'autres nouvelles qui s'y déroulent : « En voyage » (le Gaulois, 10 mai 1883), « Rencontre » (Gil Blas, 11 mars 1884), « Ce cochon de Morin » (Gil Blas, 21 novembre 1882), « Idylle » (Gil Blas, 12 février 1884), etc. Mais le spectre de la « vérole » menace... Et puis il y a le mystère de la femme boudeuse et ennuyée, opaque, longtemps fermée sur son énigme (comme la prostituée funéraire des « Tombales ») : « Qui était-elle ? D'où venait-elle ? Que faisait-elle ? Avait-elle un projet, une idée ? ou bien vivait-elle, à l'aventure, de rencontres et de hasards ? »

● « Le Livre de Poche », 1992 (p.p. P. et R. Wald Lasowski).
➤ Œuvres complètes, Albin Michel, II ; id., Éd. Rencontre, IV ; Contes et Nouvelles, « Pléiade », II ; id., « Bouquins », I ; Œuvres, Club de l'honnête homme, VI.

Y. LECLERC

SŒURS VATARD (les). Roman de Charles Marie Georges, dit Joris-Karl **Huysmans** (1848-1907), publié à Paris chez Charpentier en 1879.

Le roman, dédié à Zola, a été en effet écrit grâce aux conseils de ce dernier, lorsque Huysmans eut intégré le groupe naturaliste.

Céline et Désirée Vatard travaillent dans un atelier de brochage (chap. 1). Si Désirée est sage, sa sœur est délurée (2) : elle fréquente Anatole, un jeune voyou qu'elle entretient. Le père de Céline ferme les yeux, suffisamment tourmenté par la paralysie de sa femme et rassuré par la sagesse de Désirée (3). En effet, celle-ci ne rêve que d'un joli mari et d'un coquet intérieur bourgeois (4). À l'atelier, un nouvel ouvrier arrive, Auguste, qui remarque Désirée : honnête mais peu dégourdi et médiocre travailleur, il n'ose l'aborder (5). Un dimanche, à la foire, Désirée croise Auguste et ils font connaissance (6). Désirée et Auguste se fréquentent assidûment (7). Céline a pris pour nouvel amant Cyprien, un peintre (8). Mais elle le trouve trop convenable et s'en agace. Désirée fait de longues promenades dans Paris avec Auguste (9). Céline devient enfin la maîtresse de Cyprien qui se révèle d'une grande perversité (10). Elle pousse Auguste à demander Désirée en mariage (11). Céline parle de ce projet à son père qui s'y oppose (12). Désirée n'en aime que plus Auguste et ils se revoient souvent (13). Céline, quant à elle, se lasse de son peintre, trop peu attentionné (14). Lors d'un rendez-vous, Auguste se fait pressant et Désirée se fâche : leurs relations se tendent (15). À cause de sa mère, Auguste doit déménager. Les rendez-vous avec Désirée deviennent compliqués et fastidieux (16). Céline se lasse de Cyprien et regrette Anatole (17). Désirée manque certains rendez-vous. Auguste la presse de s'expliquer et elle décide de rompre (18). Pour se consoler, Auguste fréquente la belle-sœur d'un couple d'amis : il lui propose un mariage qu'elle accepte. Le père Vatard pousse Désirée à épouser un jeune contremaître (19). Auguste et Désirée rompent donc définitivement en s'avouant leurs mariages respectifs (20). Céline renoue avec Anatole et quitte spectaculairement Cyprien (21). L'atelier se réjouit du mariage de Désirée, même si la patronne regrette une si bonne ouvrière (22).

À sa sortie, le roman fit scandale. Huysmans ne reçut que le soutien de Zola, qui donna un article à son propos dans le Voltaire, le 4 mars 1879. En effet, les Sœurs Vatard, plus que *Marthe, possèdent les caractères de l'écriture et de l'esthétique naturalistes, fondées sur la reproduction univoque du monde réel et moderne dans une perspective idéologique. De même la thématique choisie par Huysmans se rattache-

t-elle pleinement à celle des naturalistes : description du monde ouvrier dans un Paris populaire.

Le milieu ouvrier et, plus précisément, celui des ouvrières, se scinde peu ou prou en deux : les sages, comme Désirée, et les « grisettes », comme Céline, de mœurs légères et à la recherche d'un riche amant. Ce monde a su fasciner Huysmans comme il a fasciné Zola. La force de cette attraction se manifeste surtout dans les scènes d'atelier : ambiance lourde et moite, odeurs corporelles, propos orduriers mais aussi complicités, érotisme trouble et vulgaire. Cette attirance pour le peuple se double d'un amour pour la ville par excellence, Paris. Huysmans nous livre ici un tableau du Paris populaire digne de Balzac. Sans doute le sens du roman se nourrit-il de cette topographie parisienne : de Saint-Sulpice à la rue Lecourbe, du boulevard Saint-Michel à Montparnasse, ces parcours toujours répétés enferment peu à peu les personnages dans un labyrinthe social (les rues qui conduisent à l'atelier) ou amoureux (celles qui mènent aux rendez-vous).

Certes, cette observation minutieuse du milieu ouvrier parisien suffirait à rattacher Huysmans au naturalisme. Mais elle est un peu suspecte dans la mesure où elle n'a aucune visée pédagogique et idéologique : le destin des deux sœurs n'est à aucun moment présenté comme une fatalité héréditaire, et jamais le récit n'est alourdi d'une quelconque morale. Au contraire la légèreté semble présider à ce roman, et Huysmans s'attache plutôt à détailler les formes modernes de la Ville ou de la Femme. Nous retrouvons le Huysmans du *Drageoir aux épices, enivré par les parfums gras et écœurants du Paris canaille, de ce Paris de la misère et de la boue, qui flatte ses sens assoupis. On peut le soupçonner de décrire Paris plus pour satisfaire un esthétisme complaisant que par souci sociologique. De plus, la description des deux ouvrières obéit au désir de montrer, grâce à deux figures contrastées, l'essence immuable de la Femme : toutes deux ont en commun une fondamentale vénalité. La femme, en effet, demeure essentiellement dominée, selon Huysmans, par des intérêts triviaux, incapable d'élévation et de passion. Comme un animal, elle recherche avant tout son confort, que ce soit dans le plaisir, comme Céline, ou dans l'aisance bourgeoise pour Désirée.

Ainsi, même au sein du naturalisme, Huysmans développe une esthétique du raffinement qui se parachèvera dans *À rebours. Le personnage de Cyprien, éminemment ambigu, le prouve. Celui-ci est une sorte de copie, manquée, des figures de dandies et de décadents : comme Léo dans Marthe, comme Des Esseintes dans À rebours, il préfère l'artifice à la chair réelle, l'art à la nature, ce qui est une façon, au cœur même du roman, de contester un naturalisme dans lequel l'écrivain lui-même est finalement peu à l'aise : le style de ce roman en est un indice. Son écriture perd ici de sa couleur, de son inventivité et surtout de son étrangeté. Si elle garde une certaine ampleur, c'est pour imiter les périodes rythmées de Zola : « La presse haleta et mugit plus fort, les massicots grincèrent, les couteaux de bois firent entendre leur sifflement doux sur le papier : les petits blancs qui tombent, les ballots qu'on jette sur la table, retentirent interrompus par le jet vibrant des gaz, par le bourdon du poêle. » Elle ne retrouve son caractère sinueux, contourné et baroque que lors de l'apparition de Cyprien : « Il dessinait avec une allure étonnante les postures incendiaires, les somnolences accablées des filles à l'affût et, dans son œuvre brossée à grands coups, éclaboussée d'huile, sabrée de coups de pastel, enlevée souvent d'abord comme une eau-forte, puis reprise sur l'épreuve, il arrivait avec des fonds d'aquarelle, balafrés de martelages furieux de couleurs, s'invitant, se cédant le pas ou se fondant, à une intensité de vie furieuse, à un rendu d'impression inouï. »

Il semble donc que ce roman, d'apparence résolument naturaliste et reconnu comme tel, détourne avec une certaine perversité les principes zoliens. L'aveu viendra plus tard, lorsque Huysmans écrira en 1905 dans la Préface à la réédition d'*À rebours*, que le naturalisme est une « littérature sans issue ».

● *Marthe [...]*, « 10/18 », 1985 (préf. H. Juin).

H. VÉDRINE

SOIF ET LA FAIM (la). Pièce en trois puis quatre « épisodes » et en prose d'Eugène **Ionesco** (1909-1994), créée en allemand à Düsseldorf au Schauspielhaus en décembre 1964, puis en français à Paris à la Comédie-Française le 28 février 1966, et publiée à Paris chez Gallimard en 1966 et 1981.

La version qui fit scandale dans la maison de Molière se présentait sous la forme d'un triptyque (« la Fuite », « le Rendez-vous » et « les Messes noires de la Bonne Auberge ») de textes dramatiques au lien assez lâche, publiés dans *la Nouvelle Revue française* en 1965 (nos 146, 147 et 148) et réunis dans la première édition du *Théâtre* (t. IV) en 1966. Cette même année, Ionesco conçut un quatrième élément, « le Pied du mur », qui parut dans *la Nouvelle Revue française* en 1967 (no 178). Il fallut attendre, en 1981, la deuxième édition du *Théâtre* pour que les quatre épisodes soient enfin réunis, le dernier en date venant s'intercaler entre « le Rendez-vous » et « les Messes noires de la Bonne Auberge ».

Éternel insatisfait, Jean ne goûte guère la compagnie de sa femme, Marie-Madeleine, de leur bébé, Marthe, et de la tante Adélaïde, qui, refusant d'admettre qu'elle est morte, s'obstine à les hanter. Pour échapper à l'enlisement du quotidien, il « arrache l'amour de son cœur » et s'enfuit sans avoir vu quel éden recelait son foyer (Ier épisode). Parvenu au faîte d'une montagne illuminée, devant l'entrée d'un musée, il attend en vain une femme (II). Ailleurs, face à un mur, un homme et une femme parlent architecture pendant que des jumelles anglaises se séparent à cause d'un jeune homme qui finira par les abandonner toutes deux. Survient Schaëffer, cynique protéiforme et en rabbin, qui mène à la mort une troupe d'enfants juifs. Devant l'insistance de Jean, qui veut poursuivre sa route, le mystérieux Schaëffer, magicien à ses heures, fait disparaître le mur placé sur son chemin (III). Harrassé et vieilli, Jean parvient à un « monastère-caserne-prison » où, servi par le frère Tarabas, il boit et mange sans étancher sa soif ni sa faim. On lui offre, en outre, le spectacle de la double « éducation-rééducation » d'un athée, Brechtoll, et d'un croyant, Tripp. Prié de narrer ses aventures en paiement, Jean ne sait que balbutier quelques banalités. Il est condamné à servir à son tour les frères, pendant que Marie-Madeleine et Marthe, maintenant adolescente, l'attendent dans un jardin semblable à celui qu'il n'avait pas su percevoir dans son foyer (IV).

Pour son entrée au répertoire de la Comédie-Française, Ionesco renoua avec la provocation et choqua les habitués de la maison de Molière, confrontés à une œuvre de structure très éclatée, à la signification énigmatique et qui parfois sentait le soufre (dans la scène de l'« éducation-rééducation », un moine détourne le « Notre Père » pour torturer ses victimes et leur infliger un lavage de cerveau). De fait, ce polyptyque, inspiré du journal intime de l'auteur, juxtapose des visions disparates selon une structure plus habituelle aux cauchemars qu'à la scène. Invité à commenter son œuvre dans une interview au *Nouvel Observateur* (février 1966), Ionesco se déroba avec son humour habituel : « J'attends que les critiques expliquent ma pièce pour l'expliquer moi-même », avant d'apporter l'ébauche d'un éclaircissement : « Le héros de ma pièce, Jean, a soif et a faim. De quoi ? Il n'en sait rien lui-même. C'est une quête inutile, un Graal irrationnel sans but. »

De fait, le recours à la mystique judéo-chrétienne, rappelée par le Graal, est patent dans cette pièce dont le titre évoque plusieurs paraboles. Le héros, frère cadet de Bérenger (voir *Tueur sans gages, *Rhinocéros et *Le roi se meurt*) et, comme lui, double d'Ionesco, porte le nom de l'apôtre préféré de Jésus, son épouse, celui de la pécheresse repentie, et sa fille, celui d'une des sœurs de Lazare ; quant au frère Tarabas, il ne laisse pas d'évoquer le bandit Barabbas libéré à la place du Christ. Les symboles de l'amour absolu (« De ton cœur tu ne peux l'amour

arracher, la plaie serait trop grande ») et de l'obscurité où errent les hommes à la recherche de la lumière de la Révélation (« Montre-toi dans ma nuit, toi, vive, éblouissante intense, ardente, apaisante ») proviennent également de la Bible. Quant aux frères de la Bonne Auberge, même s'ils ne portent aucun emblème religieux, leur existence semble soumise à une règle monacale, qui codifie vêtements et fonctions au sein de la confrérie. Enfin, le lieu de tortures où parvient le héros « par des chemins qui descendent » mêle l'enfer et le purgatoire sans que l'ultime réplique : « Je t'attendrai tout le temps qu'il faudra, je t'attendrai infiniment », permette de prévoir si l'époux fautif aura à nouveau accès à l'Éden où sa famille l'attend.

Toutefois, l'échec du parcours initiatique de Jean provient peut-être moins d'un péché originel (il a arraché de son cœur une branche d'églantier) que des interventions répétées du Malin, protéiforme comme son affidé, Schaëffer. Personnage ambigu, celui-ci se vêt en rabbin pour convoyer des enfants juifs à la mort ; dans un pays sans indulgence pour les croyants (« Si on pratique la religion, on vous coupe la tête puis on vous envoie au bagne »), il développe une habileté de casuiste : au lieu de psaumes, ses élèves chantent des passages du *Manifeste du parti communiste* qu'il a fait traduire en hébreu car, les enfants ne comprenant pas l'hébreu, « ça ne peut nuire à leur religion non plus ». Cette duperie doublement subtile trouve un écho dans la représentation proposée, en abyme, à la Bonne Auberge où parvient Jean. Tripp et Brechtoll, forme syncopée de Bertolt Brecht (voir *l'Impromptu de l'Alma*), incarcérés pour des convictions inverses (catholicisme et athéisme) doivent tous deux se défaire de leurs « vieilles habitudes ». À la dimension mystique de la pièce s'ajoute donc une critique véhémente de toute forme d'aliénation de la pensée, sous-tendue par la haine des totalitarismes quels qu'ils soient : c'était déjà le sujet de la *Leçon* (1953) et de *Rhinocéros* (1959).

➤ *Théâtre*, Gallimard, IV ; *Théâtre complet*, « Pléiade ».

H. LEFEBVRE

SOIRÉES DE MÉDAN (les). Recueil de nouvelles d'Émile **Zola** (1840-1902), Guy de **Maupassant** (1850-1893), Charles Marie Georges, dit Joris-Karl **Huysmans** (1848-1907), Henry **Céard** (1851-1924), Léon **Hennique** (1851-1935) et Paul **Alexis** (1847-1901), publié à Paris chez Charpentier en 1880.

Médan : une « cabane à lapins » dans un « trou charmant » que Zola a pu acquérir grâce aux droits d'auteur de l'*Assommoir*, en fait un logis agréable où vivent sa mère et sa femme, où il accueille aussi ses amis et leur offre le couvert et le gîte. Ces amitiés vont se concrétiser en un livre qui deviendra, aux yeux du public, le manifeste d'une école : Zola a lancé l'idée d'un ouvrage collectif où ils évoqueraient tous « leur » guerre de 1870, et Céard, selon le récit de Hennique, aurait trouvé le titre en s'inspirant de celui d'un ancien proverbe dramatique, *les Soirées de Neuilly*. Les textes sont rapidement rédigés, on tire au sort leur place dans le livre, qui paraît le 1er mai 1880, avec quelques lignes de Zola auquel cet ouvrage, accompagné la même année de la parution du *Roman expérimental*, va donner une stature de chef d'école. Mais, malgré le caractère stratégique d'une telle publication dans le champ littéraire de l'époque, malgré les propos de Zola parlant d'une « idée unique », d'une « même philosophie », elle réunit en fait un groupe peu homogène, dont les personnalités les plus intéressantes sur le plan littéraire (Huysmans, Maupassant) ne peuvent être définies par leur seul « naturalisme ».

L'Attaque du moulin (Zola). Le père Merlier, riche meunier et maire de son pays, a une fille qu'il désire marier à un jeune homme étranger, venu s'installer dans la contrée. Lorsque les envahisseurs prussiens arrivent, le fiancé se bat contre eux. Fait prisonnier et prêt à être exécuté, il s'échappe, et l'on prend le meunier en otage. Il revient alors, est fusillé et une balle perdue provoque la mort du meunier.

Boule de suif (Maupassant). Voir à l'article *Boule de suif.*

Sac au dos (Huysmans). Le narrateur, jeune étudiant en droit, devient garde mobile. Bientôt malade, il erre d'hôpital en infirmerie dans le désordre d'un itinéraire chaotique, avant de parvenir à retourner finalement chez sa mère.

La Saignée (Céard). Le général commandant Paris, pendant le siège de 1870, a une liaison avec Mme de Pahauën, courtisane de haut vol, mais sur le retour. Elle quitte son amant pour se rendre à Versailles, où elle se refuse à un officier allemand. Revenue à Paris, elle pousse le général à une sortie inutile et meurtrière, une « saignée ».

L'Affaire du Grand 7 (Hennique). Exaltés et rendus féroces par la mort de l'un des leurs, les soldats d'une garnison attaquent la maison de tolérance dont le patron est le meurtrier. Ils détruisent tout et assassinent les pensionnaires du lupanar. L'affaire sera étouffée par l'autorité militaire.

Après la bataille (Alexis). Un jeune blessé, dont on apprend qu'il est prêtre, est recueilli sur la route par une femme jadis mal mariée, mais dévouée à son mari dont elle ramène le corps en traversant les combats de la guerre. Elle soigne ce blessé de rencontre, ils s'aiment avant de se séparer.

Le premier thème commun à la plupart des textes est évidemment celui des ravages de la guerre : elle détruit les ordres sociaux, les appartenances, les identités, les vies et les biens. La famille et la maison du meunier sont anéanties en quelques heures, le narrateur de « Sac au dos » se perd au milieu de la désorganisation générale, les événements de « la Saignée » font d'une courtisane le vrai chef de la place de Paris, « l'Affaire du Grand 7 » débouche sur une tuerie absurde : on comprend alors le sens cruel et ironique du premier titre envisagé pour le recueil, *l'Invasion comique*... La guerre est en fait une sorte de fête noire et sordide, où les repères disparaissent en libérant des pulsions de meurtre, de haine et de destruction. D'où sans doute la récurrence du deuxième thème, celui de la prostitution, présent de « Boule de suif » à « l'Affaire du Grand 7 » en passant par « la Saignée » : la « fille » est le symbole de cette destruction générale des normes, elle qui prolifère sur la corruption ; mais elle est aussi la victime prévisible, innocente, noble même, des vengeances et sacrifices nécessaires pour sortir de ce vertige national. On peut donc prendre *les Soirées de Médan* comme un témoignage sur la crise de société qui, selon Zola et les naturalistes, a produit la guerre et la défaite de 1870. Cette défaite est sans doute le résultat de l'incurie des militaires, mais aussi et surtout celui de la maladie d'un peuple partagé en classes égoïstes (« Boule de suif »), même si, d'un autre côté, la guerre change, voire illumine pour un temps des destins trop prévisibles (« Après la bataille »). Reste à savoir si, au-delà du témoignage moral et social, le livre propose vraiment une esthétique commune. Si l'on met à part le cas de « Boule de suif », on découvre d'abord la construction solide, linéaire, du récit de Zola dont les effets lyriquement dénonciateurs semblent caricaturés chez Hennique et Céard, un peu atténués chez Alexis. Le texte de Huysmans se distingue par son point de vue autant que par son organisation : alors que les autres récits ont une certaine unité logique, « Sac au dos » présente des notations « sur le vif », relevées par un héros-narrateur perdu dans la tourmente : moins ordonnée et homogène, la nouvelle est aussi moins « fabriquée » que les autres (pour reprendre un mot d'Armand Lanoux à propos du texte de Zola).

● Le Livre à venir, 1981 (p.p. C. Becker).

A. PREISS

SOIRÉES DE MÉLANCOLIE. Recueil de nouvelles de Joseph-Marie **Loaisel de Tréogate** (1752-1812), publié en 1777.

Fils d'un petit magistrat dans la justice seigneuriale de Bretagne, Loaisel prit le nom à résonance aristocratique de Tréogate et tenta comme ses contemporains Baculard d'Arnaud ou Bernardin de Saint-Pierre d'imposer sa noblesse littéraire. Son modeste statut social et l'échec d'une carrière militaire le prédisposaient à une littérature du sentiment et du malheur. Il débuta en 1776 par deux nouvelles, auxquelles succéda dès l'année suivante un recueil dont le titre a valeur de programme : *Soirées de mélancolie.*

Les onze textes présentent des personnages livrés à eux-mêmes dans la solitude : « C'est là qu'on jouit de la nature et de soi ; que la sensibilité se développe tout entière et s'abandonne à toute son énergie. » Certains y trouvent l'apaisement (« la Vision », « le Vieux Laboureur »), la réciprocité conjugale (« l'Innocence protégée du ciel », « Nisa ») ; d'autres y revivent un passé douloureux ou bien y cultivent la mémoire d'un être cher (« le Remords », « les Regrets », « le Songe », « l'Empire de la beauté », « le Port », « À ma Julie »), tandis que libertins et incrédules sont frappés (« le Crime puni »). Le bonheur près de qui nous aimons tend à se confondre avec le doux regret de qui nous a quittés, car le bonheur loin du monde est sans éclat ni excès et le regret dans un cadre naturel prend une coloration douce.

L'épigraphe du recueil est empruntée à Ovide : « *Est quaedam flere voluptas* » [il est une volupté dans les larmes]. La plupart des épigraphes de chacun des textes viennent aussi de poètes latins (Virgile surtout, Horace et Tibulle également), et sont autant de variations sur le même thème. Les références modernes sont Marmontel, dont les **Contes moraux* avaient lancé une véritable mode, et Rousseau bien sûr. Les textes rassemblés dans les *Soirées de mélancolie* se présentent comme de « petits contes moraux » ou comme des « rêveries ». La volonté morale y est équilibrée par le sens du décor et par quelques formules bien frappées.

La scène se passe dans un Orient imprécis ou bien dans une campagne plus familière. Quand il fournit quelques détails, Loaisel parle d'« Irak persienne », d'Orient musulman, des bords du Tigre ou bien d'une province méridionale de la France. Quelques silhouettes d'arbres sont communes à ces divers pays : sycomores, oliviers, cyprès. Le décor semble être celui d'un paradis perdu ou d'une enfance évanouie. Une ruine ou un tombeau occupe le centre du tableau. La mélancolie célèbre une figure paternelle ou une compagne arrachée à l'affection ; elle rappelle la fragilité de nos attachements. L'allégorie classique est traversée de quelques trouvailles d'expression : le libertin n'en finit pas de payer la « volupté affreuse d'avoir vu ses mains ensanglantées » et « les secousses du remords et de la douleur viennent électriser ce cœur ». Le dépressif avoue : « Je ne peux plus respirer sous un ciel de fer. »

Les récits à la première personne alternent avec les narrations à la troisième. L'Avertissement et le liminaire « Au lecteur » mettent en scène l'auteur qui reparaît dans les deux derniers textes : « À ma Julie », « le Port ». Son engagement dans sa création, ses souffrances deviennent garants de l'authenticité de la fiction. La littérature ne se définit plus par quelque obéissance aux règles du bien dire, elle est chargée d'exprimer sans médiation formelle l'intensité du sentiment ; une nouvelle rhétorique de l'exclamation pathétique et de la répétition vient bousculer la langue de Boileau. La critique a pu parler de préromantisme pour caractériser cette alliance d'une allégorie encore abstraite et d'une complaisance nouvelle dans le pathétique. Nous parlons plutôt aujourd'hui d'un premier romantisme.

M. DELON

SOIRÉES DE SAINT-PÉTERSBOURG (les) ou Entretiens sur le gouvernement temporel de la Providence. Ouvrage philosophique et politique de Joseph de **Maistre** (1753-1821), publié à Paris à la Librairie grecque, latine et française en 1821.

Ambassadeur de Piémont-Sardaigne auprès de la cour de Russie de 1803 à 1817, le théoricien contre-révolutionnaire des *Considérations sur la France*, qui vient de couronner sa doctrine par le principe d'une théocratie papale et une vibrante apologie de l'ultramontanisme (*Du pape*), livre ici une sorte de testament philosophico-politique, qui ne connaîtra qu'une publication posthume. Restés célèbres par leur glorification du bourreau, ces *Entretiens*, publiés avec un « Éclaircissement sur les sacrifices », rassemblent en formules saisissantes l'essentiel de la pensée de Joseph de Maistre.

Les 11 entretiens se déroulent pendant les longs crépuscules de l'été 1809, dans une petite maison de campagne sur les bords de la Néva entre un comte (l'auteur), un sénateur russe et un chevalier français. Réfutant les principes fondateurs de la philosophie des Lumières, la discussion porte sur la définition du pouvoir. La Providence dirige les hommes en dépit d'eux-mêmes. Toute l'Histoire se résume en une suite d'événements qui ne trouvent leur sens qu'à la lumière de la Révélation (« Cet ordre de choses est juste par des raisons que nous ignorons »), et s'épuise en un permanent sacrifice où l'humanité expie le péché originel, « dégradation primitive ». Guerres (« Les fonctions du soldat sont terribles, mais il faut qu'elles tiennent à une grande loi du monde spirituel »), calamités (« Tout homme, en qualité d'homme, est sujet à tous les malheurs de l'humanité »), mort de l'innocent, tout doit se comprendre comme un rachat et une purification. La peine de mort et l'office du bourreau valent non seulement comme châtiment d'un crime particulier, mais surtout comme celui d'un forfait plus général et plus abominable : la non-reconnaissance de la puissance divine. La circulation du sang versé témoigne de la gestation d'une théocratie, gouvernement parfait selon la loi de Dieu. Essentiellement tragique, l'Histoire manifeste une tension entre la tentation du mal et le travail mystérieux de la Providence, douloureux trajet vers la rédemption. Le monde s'avère un immense autel constamment souillé de sang sacrificiel.

La pensée de Maistre est une apologie du mal nécessaire, conçu comme manifestation divine du châtiment. Celui-ci n'est plus arbitraire. S'il reste terrifiant, il est justifié, et compréhensible, à condition de s'en remettre à une Providence omnisciente. Le pouvoir se révèle intrinsèquement répressif, et le bourreau est bien un exécuteur des « hautes » œuvres. La puissance divine définit la répartition et l'équilibre du bonheur et du malheur. À Dieu, l'on ne peut qu'adresser une seule prière : que sa volonté soit faite, et elle est alors efficace comme cause seconde. Lisible dans le sang dont le perpétuel épanchement rythme l'Histoire, le christianisme est mystiquement fondé sur le sacrifice sanglant du Christ. La Passion fut régénération, « salut par le sang ». Sang et sens : là est la clé du monde. L'horreur s'avère instance de vérité.

Paradoxales ou rageuses, élégantes ou impitoyablement raisonneuses, les propositions maistriennes tiennent du sophisme provocateur, de l'article de foi et de la démonstration imparable. Si, selon le mot de Cioran, « la justification de la Providence, c'est le donquichottisme de la théologie », Maistre est le chantre du Dieu terrible, et ses âpres accents exhortent l'homme à aimer ce qu'il ne comprend pas et qu'il doit servir aveuglément, puisqu'aussi bien il n'y peut rien changer, sauf à désespérément s'illusionner. Une « loi éternelle » confère la liberté à l'homme : « Ayant été créé libre, il est mû librement. » La créature humaine ne peut pourtant exercer cette liberté ontologique que dans sa seule sphère, sans pouvoir déranger les plans généraux de la Providence.

On devine la fascination que purent exercer une telle vision traduite dans un style éclatant, de telles perspectives cosmiques, de tels anathèmes. Pour un Baudelaire qui avoua sa dette, combien d'écrivains la turent, alors qu'ils fécondèrent leur imaginaire de ces fulgurances ?

● Éd. du Vieux-Colombier, 1960 (p.p. A. de Grémilly et P. Mariel) ; Éd. de la Maisnie, 1980 ; Éd. du Trident, 1986 ; « Presses Pocket », Agora, 1994 (p.p. J.-L. Scheffer, seulement les Entretiens II et IX). ➤ Œuvres complètes, Slatkine, V.

G. GENGEMBRE

SOL ABSOLU. Recueil poétique de Lorand **Gaspar** (né en 1925), publié à Paris chez Gallimard en 1972.

Le titre de ce troisième recueil, composé à Jérusalem (où Lorand Gaspar a longtemps exercé en tant que chirurgien), qui succède au *Quatrième État de la matière* (1966) et à *Gisements* (1968), introduit encore à un univers minéral. Le thème central du recueil, comme des précédents, est en effet le désert, représenté par les collines de la Judée, les immenses étendues du Hedjaz, ou encore les montagnes du Sinaï, où l'auteur a souvent voyagé durant son séjour en Palestine. Le recueil est ainsi dédié : « Au chant nu des montagnes de Judée qui se fit entendre à ma soif sur les pistes d'Arabie pétrée, déserte et heureuse. »

Les poèmes célèbrent la beauté aride et abrupte des rocs, la lumière éblouissante, l'horizon illimité, qui sont autant de métaphores de la poésie elle-même. Lorand Gaspar, qui dans son essai *Approche de la parole* (1978) souligne les affinités entre la poésie et le discours scientifique, évoque le règne minéral en géologue, n'hésitant pas à convoquer, par de longues citations, les textes des savants, des géographes, des voyageurs, mais aussi des historiens de l'Antiquité, en particulier des naturalistes comme Pline : le vocabulaire technique des géologues, qui décrit les plissements ou les minéraux, celui des botanistes et des zoologistes, qui dresse un inventaire de la flore et de la faune des zones désertiques, appartiennent ainsi pleinement au langage poétique où alternent la prose et le vers libre. Mais l'homme est également présent dans cet univers minéral, à travers l'histoire des anciens Empires – akkadiens, égyptiens – ou encore celle des Bédouins.

La poésie, selon une idée développée dans *Approche de la parole*, ne se distingue aucunement du « sol » qui porte l'homme, ni de la vie en général dont participe déjà le règne minéral. Si l'objet privilégié du poème est la pierre, le « jardin de pierres », c'est que la parole poétique appartient au minéral, est le minéral. Par un chiasme métaphorique sans cesse réaffirmé, Lorand Gaspar établit une correspondance analogique entre la « langue aux rythmes innombrables » du sable et des pierres dans le désert – dont la « grammaire » est décrite, la « voix », amplifiée, les « mots », recensés – et le poème. La poésie vise ainsi à une « dilatation sans entrave », à une fusion de l'homme dans le désert, comme dans la méditation mystique des anachorètes, ou encore des Bédouins qui, sillonnant l'espace illimité, sont la meilleure image du poète :

> Et certes
> l'immensité est en moi
> joie d'aller dans le clair du rythme
> qui accorde et sépare les cellules sonores
> à vitesse de l'espace basculant par-delà
> son envergure de lumière

L'idéal poétique consisterait, par conséquent, dans l'inscription rupestre, dans ces textes gravés dans la pierre des antiques cités nabatéennes ou égyptiennes. *Sol absolu*, par la disposition typographique, la mise en page, le jeu sur la taille des caractères, tente de retrouver cette forme primitive de la poésie, qui n'est pas sans rappeler les *Stèles* de Victor Segalen. De là encore l'intérêt accordé à l'écriture, dans ses formes originelles en particulier : le poème accueille des caractères cunéiformes, hébraïques et arabes, qui affirment l'unité, tout orientale, des cultures et des religions.

Car le désert, qui invite à une ascèse propice à la poésie (« Vivre de peu / sans mesure / dans la lumière à fendre l'œil »), vouée à la quête de l'essentiel (« Être présent à l'abandon à l'absence »), est aussi le lieu où convergent les grandes civilisations orientales et où s'enracine l'Occident. *Sol absolu* revient, en somme, aux origines de la culture occidentale et ressource la poésie à l'Orient perdu. Outre le désir d'ouvrir la poésie à d'autres traditions – alors que, traducteur de Rilke, de Séféris, du Hongrois Janos Pilinski, admirateur de Saint-John Perse, proche d'Yves Bonnefoy, Lorand Gaspar est au cœur de la culture européenne et méditerranéenne, ne serait-ce que par son itinéraire, qui l'a conduit de sa Transylvanie natale à Paris, puis à Jérusalem et à Tunis, en passant par Patmos –, *Sol absolu* montre l'unité polyphonique des religions et des cultures dans l'Orient primitif. L'univers minéral se trouve ainsi sacralisé par de nombreuses références aux religions du « Livre », à l'Ancien Testament et aux Évangiles aussi bien qu'au Coran.

● « Poésie/Gallimard », 1982.

D. COMBE

SOLAL. Roman d'Albert **Cohen** (Suisse, 1895-1981), publié à Paris chez Gallimard en 1930.

Premier roman de Cohen, fonctionnaire international à Genève, né à Corfou et auteur d'un recueil de poèmes peu connu (*Paroles juives*, 1920), *Solal* obtint un succès considérable en 1930, mais retomba ensuite dans un oubli presque complet dont il ne fut tiré que par le triomphe de **Belle du Seigneur* (1968). Appartenant à un ensemble de quatre romans, souvent considérés comme « un seul et même livre », regroupant les aventures du héros éponyme et de toute sa famille (voir **Mangeclous*), mais seul de la série à être véritablement autonome, *Solal*, œuvre singulière et parfois déroutante, roman d'aventures, d'amour et d'éducation, est surtout une vaste interrogation sur l'identité juive dans la société occidentale contemporaine.

Première partie. Sur l'île méditerranéenne de Céphalonie, Solal, fils unique du rabbin Gamaliel, fête à treize ans sa majorité religieuse (chap. 1-2). Trois ans plus tard, il s'enfuit avec Adrienne de Valdonne, l'épouse du consul de France, mais l'abandonne dès que son oncle Saltiel les retrouve à Florence, et termine ses études à Aix-en-Provence (3-6).

Deuxième partie. Cinq ans plus tard, Solal renoue à Genève avec Adrienne (7-8) qui lui présente sa nièce, Aude de Maussane. Le père de celle-ci l'engage comme secrétaire (9) et devient six mois plus tard président du conseil (10-11). Envoyé à Londres, Solal dépasse largement les limites de sa mission (12) et revient passer une semaine à Céphalonie (14). Pendant que Saltiel et ses amis, les « Valeureux », entreprennent de se rendre à Paris (16, 18, 19), Solal séduit Aude (11, 13, 15, 17). Mais l'arrivée au ministère de la « cohorte » de Juifs entraîne une rupture brutale et Solal s'enfuit (19-20). Retrouvé par Adrienne (21-22), il enlève Aude au moment où elle allait épouser Jacques de Nons, le frère de *Nons* (23).

Troisième partie. Solal, à vingt-cinq ans, est désormais directeur de journal et député socialiste (24). Maussane lui propose le ministère du Travail (25). Lors d'une grande réception, Solal, qui a épousé Aude, renie publiquement son père (26), mais le lendemain il achète un château à Saint-Germain et un mois plus tard Aude découvre que son mari, pris de remords, a installé son innombrable famille dans les souterrains (27). Dégoûtée, malgré sa bonne volonté, par cette « ville biblique » (28), Aude somme son mari de choisir, puis s'enfuit (29).

Quatrième partie. Après une disparition de deux mois, Solal, qui s'est converti au catholicisme, revient à Genève, mais n'a plus le « courage de rentrer dans la vie ». Ne supportant pas leur misère morale et matérielle, sa femme, enceinte, le quitte (30-31). Parallèlement, les Valeureux se sont établis en Palestine : Saltiel meurt lors d'une attaque arabe et les survivants repartent (32). Solal, devenu clochard, erre dans Paris (33-34), retrouve Aude à Saint-Germain ; il se suicide après avoir été repoussé par elle (35), ressuscite et chevauche vers d'autres aventures (36).

Délibérément « romanesque », centré sur les aventures d'un héros en tout point extraordinaire – « prince » juif, descendant de la plus illustre famille du ghetto, portant comme prénom le nom de famille, séducteur irrésistible, poète admirable, brillant homme d'affaires, ministre à vingt-cinq ans –, *Solal*, jouant des variations autour du nom (soleil, sol, solitude), raconte une ascension vertigineuse suivie d'une chute non moins rapide.

Or le roman est en fait constitué essentiellement d'une suite de « scènes » plus ou moins longues, le récit des actions qui mènent d'une étape à l'autre se trouvant systématiquement rejeté dans de brefs retours en arrière toujours insérés après des débuts de partie ou de chapitre *in*

medias res : à chaque moment crucial, le héros dialogue ou se heurte avec les autres personnages, ou bien revoit et commente son parcours. Toute l'action est ainsi réfléchie dans la conscience du héros (voir par exemple le malaise de Solal parmi les aristocrates anglais, perçus comme d'effrayants « Babyloromains »). *Solal* est donc d'abord l'histoire d'une conscience déchirée, placée devant un choix aussi nécessaire qu'impossible. D'un côté, le monde du ghetto, historiquement condamné, la famille et les Valeureux (voir *Mangeclous* et *les *Valeureux*) : une vie misérable, « inutile », « grotesque » comme le sont les vêtements des Valeureux à Paris, vie dominée par l'« habitude ignoble du malheur », mais aussi le paradis de l'enfance, de l'innocence et de l'inaction. De l'autre côté, l'Occident (Genève et surtout Paris) : l'attrait mais aussi le dégoût du pouvoir et des femmes.

Plutôt discrètement évoqué (on notera la brièveté, par exemple, du rappel [chap. 3] d'un pogrom qui a traumatisé Solal à dix ans), l'antisémitisme est pourtant omniprésent dans les attitudes et pensées des personnages (« [Maussane] était suffisamment antisémite pour ne pas douter de la capacité » de Solal). Pour le héros toute intégration ne peut passer, objectivement, que par le rejet de sa famille : « Pas d'ambiguïté. Français, uniquement français et tout ce que cela comporte » (25), lui dit M. de Maussane, et surtout, subjectivement, par la transgression d'interdits aussi bien personnels que culturels. La problématique très nettement œdipienne du départ – Solal chasse l'« image interposée de sa mère » (4) lorsqu'il fait l'amour avec Adrienne – est renforcée par l'interdiction, majeure dans le judaïsme, de l'exogamie que viennent régulièrement rappeler l'oncle et le père.

Ainsi le parcours de Solal est-il jalonné de revirements brusques et d'affrontements violents. À seize ans, il repousse « avec violence » son père, qui lui avait ordonné : « Méprise la femme et ce qu'ils appellent la beauté » (2), pour aller voir Mme de Valdonne. Sur le point d'épouser Aude et fort déjà du consentement de M. de Maussane, Solal, dans son bureau, est « envoûté » et irrésistiblement entraîné par la prière de ses amis, provoquant ainsi la rupture avec Aude, effrayée et dégoûtée (19). Quatre ans plus tard, lors d'une réception au ministère, ayant expliqué longuement à Saltiel l'horreur que lui inspire désormais son peuple, il fait le signe de croix devant son père, qui, de honte, s'aveugle. Le château de Saint-Germain matérialise son échec : « Le jour au ministère [...]. Et la nuit, je vais dans mon pays. Et de jour et de nuit je suis triste, si triste » (27). La possibilité d'une tierce solution est récusée d'un côté par l'épisode des Valeureux en Palestine : « Trop de fils de Jacob par ici [...]. Le sel doit être répandu et non concentré » (32), et de l'autre par le récit de l'impossible repli sur le couple, qui signifie pour Solal l'abandon aussi bien de ses racines que de ses ambitions. La conversion n'apporte aucune solution. Le récit se termine par l'errance explicitement christique de celui en qui ses coreligionnaires espéraient « l'Attendu » (5). Solal, au point de croisement de deux cultures, est condamné à la solitude et au suicide. Reprenant et bouleversant les structures du roman d'éducation et d'ascension, l'interrogation sur l'identité juive s'achève ainsi en aporie.

Pas plus qu'une autobiographie, même romancée – lecture que certains rapprochements factuels tendent à induire –, *Solal* n'est donc un roman à thèse. Certes la dualité fondamentale est « rationalisée » sous l'opposition nature/culture c'est-à-dire entre le monde des Gentils, de la beauté, mais aussi de la force, et le monde de la Loi, donc de l'humanité, mais chaque pôle garde son pouvoir d'attraction ou de répulsion ; le roman adopte souvent le regard des personnages féminins, et l'usage constant du style indirect libre efface la frontière entre les réflexions du personnage et celles du narrateur.

Le pessimisme de l'intrigue est cependant largement contrebalancé par l'humour et la vitalité de l'œuvre.

Roman d'amour qui, avant la déchéance inévitable, célèbre les joies de la passion et les plaisirs des sens. Roman de la parole surtout, placé dès le début sous le signe des Valeureux, ces « inutiles » qui « sont le condiment de la terre » (16), ces rêveurs qui « dégustent » inlassablement le récit de leurs imaginaires exploits. Plaisir que Cohen partage avec ces « fils de la Loi et des oignons crus » (12) : le « conteur oriental » (« Les paupières de l'Éternel ont battu trois fois et trois ans ont passé ») affectionne les attelages associant l'abstrait et le concret, les tournures archaïques, les inversions syntaxiques, les mots-valises ou les apartés (l'édition originale comportait après la fin du récit une brève Adresse au lecteur) et, multipliant les participes présents, déploie une langue ample qui enchaîne de brèves phrases nominales et de longues périodes jubilatoires. La puissance joyeuse de ce discours rend « acceptable » pour le lecteur le coup de force de la résurrection finale, ouvrant ainsi à la fois l'espoir d'une pérennité de l'identité juive envers et contre tout, et la perspective d'une suite qui sera constituée par les autres romans de Cohen (en particulier *Mangeclous*).

● « Folio », 1981. ➤ *Œuvres*, « Pléiade », II.

N. D. THAU

SOLEIL AU VENTRE. Voir NUIT INDOCHINOISE (la), de J. Hougron.

SOLEILS BAS. Recueil poétique de Georges **Limbour** (1900-1970), publié à Paris aux Éditions de la Galerie Simon en 1924.

Cette plaquette, illustrée par André Masson, témoigne d'une complicité entre le peintre et le poète qui devait s'affirmer après la Seconde Guerre mondiale, dans deux essais critiques : *André Masson et son univers* (1947), *André Masson* (1951). Il faut rappeler combien Limbour était exigeant à l'égard de ses écrits, dont beaucoup finirent dans la corbeille, pour apprécier l'importance de *Soleils bas* dans l'ensemble d'une œuvre rare et dispersée, que le poète, peu soucieux de gloire littéraire, ne chercha guère à rassembler de son vivant.

De 1919 à 1949, l'écriture de Georges Limbour s'affranchit des formes fixes et codifiées. Des quatrains de décasyllabes ("les Défroques d'Arlequin", 1919) aux accents verlainiens, au long poème "le Manteau rouge" (1949), récit d'une déambulation hallucinée dans Paris, rappelant Apollinaire et certains textes des surréalistes, que le poète rencontra et fréquenta dans les années vingt, le rythme oscille entre deux pôles, l'un soumis aux impératifs d'une poésie fin de siècle, l'autre délibérément moderne, où le souffle épouse le cours d'un songe ardemment projeté sur la réalité. Dans *Soleil bas*, le retour des rythmes réguliers – alexandrins ("Motifs"), octosyllabes ("la Noble Fleur de feu") – est brutalement rompu par un vers plus bref ("Motifs") ou plus ample ("la Noble Fleur de feu") : la rupture correspond alors à un décalage entre réalité et songe, et dénonce avec expressivité l'opposition patente de deux mondes inconciliables ("Motifs", par exemple).

Les personnages qui apparaissent dans *Soleils bas* appartiennent à un monde merveilleux (« princesses des Karpathes ») ou marginal (bohémiens, bandits, amants, criminels), rejetés ou suspectés par les habitants du monde quotidien, banal. Le poète se situe à la frontière de ces deux espaces (voir "le Manteau rouge") : tantôt son regard retrouve la vérité disparue cruellement ("Motifs") et dénonce l'oppression quotidienne ("les Bergers sans moutons"), tantôt il s'approche d'un monde féerique où il joue sa vie. Deux structures répondent, dans les poèmes, à ce double mouvement : ou l'opposition entre les acteurs

("Motifs"), ou la concentration autour d'un motif suivie d'une rupture, explosion ou dislocation ("Faux Château", "Musiciens en voyage", "Quand tu cueillis [...]").

Le motif du cerf-volant concentre en lui les traits essentiels qui définissent l'objet de la poésie de Limbour : vertical, il est une feuille de papier soumise au souffle du vent, à quoi s'attardent des débris du monde. Le poème s'élève sans toutefois atteindre l'azur. Ce mouvement mallarméen génère le « soleil bas », astre dont l'essor est vain ("les Bergers [...]"), démentant le succès de la fumée pythique qui, elle, atteint les dieux dans "la Brûleuse de café" (1919). Le poème est donc appelé à retomber sur terre et à se superposer à un monde empli de tristesse et de pleurs. Les métaphores de la voilette ou de la toile tissée ("Quand tu cueillis [...]"), de la noyade qui guette l'émigrante ("Près des rivages" : voir Apollinaire, *Alcools*, "l'Émigrant de Landor Road"), du ramage ou de la guenille, résument cette imposition au monde de signes poétiques qui l'encombrent. Il n'est nul besoin de corde tendue pour retenir l'être ("Motifs") : à la fixité, il faut préférer le mouvement (nomadisme, marginalité, rejet des vêtements par Arlequin, dont la mort est la figure la plus tragique, et dont la déambulation dans Paris, initiation au mystère qui se dérobe, est la version la plus moderne ("le Manteau rouge").

Le vécu, où le sujet prend toujours conscience de son néant, appelle au départ toujours recommencé. Cette poésie de crise rimbaldienne ne saurait se passer de lucidité. Si la mort rencontre l'amour sans fin (dans "la Noble Fleur de feu" apparaît le motif apollinarien du phénix ; dans "Près des rivages [...]", la figure symboliste et décadente d'Ophélie) et promet une renaissance, bien éphémère, l'opération ne s'accomplit que dans le poème, à travers des symboles conventionnels. Georges Limbour se plaît à rappeler que le monde des signes est illusoire et que la littérature est un jeu. Habitant d'un monde poétique, horrifié par l'arrivée des nazis dans un monde d'où s'absente la poésie ("Quand tu cueillis [...]"), le poète cherche des traces, qu'il sait fausses, de la femme-poésie. En cela, il est héritier d'Apollinaire, qui fit de la rupture et de l'entrée dans le monde factice de l'art l'une des composantes essentielles de l'esthétique moderne.

● « Poésie/Gallimard », 1972 (préf. M. Leiris).

D. ALEXANDRE

SOLEILS DES INDÉPENDANCES (les). Roman d'Ahmadou **Kourouma** (Côte-d'Ivoire, né en 1927), publié à Montréal aux Presses de l'Université en 1968.

La place d'Ahmadou Kourouma au sein des littératures négro-africaines est particulière, et ce à double titre. D'une part *les Soleils des indépendances* furent sa seule production pendant plus de vingt ans ; il a en effet fallu attendre 1990 pour qu'il publie un second roman, *Monnè, outrages et défis*. D'autre part, *les Soleils des indépendances* figurent parmi les dix romans les plus importants du continent. Ce texte, généralement considéré comme le modèle du renouveau romanesque africain, est assurément devenu un classique, accueilli avec la même ferveur par la critique, l'Université et le grand public.

Le manuscrit commencé en Côte-d'Ivoire en 1961 et achevé en exil en 1965, fut dans un premier temps refusé par les éditeurs parisiens. Lauréat du prix littéraire annuel de la Francité décerné par la revue montréalaise *Études françaises*, publié à Montréal, il ne le sera à Paris que deux ans plus tard, par les Éditions du Seuil.

Première partie. Le roman retrace les « soleils », métaphoriquement la succession des jours, de Fama. Authentique prince malinké, dernier descendant des princes Doumbouya du Horodougou dont le totem est la panthère, Fama, dépossédé de son pouvoir, réduit à la misère, n'est plus qu'un charognard courant de funérailles en palabres. Il connaît l'ultime déchéance de ceux que les indépendances ont ruinés et qui ne savent plus à quel destin se vouer. Susceptible, méprisant, il n'a d'autre pouvoir que celui des mots pour dire son amertume. Fama a le verbe haut et sait se faire entendre, se querellant et invectivant à loisir. Mais il se bat contre des moulins à vent (chap. 1). Le négoce et la guerre, gloires de ses ancêtres, lui ont été retirés ; quant à la chefferie, les colons l'en ont dépouillé au profit d'un cousin, Lacina. Fama déambule dans les rues de la capitale avec pour tout viatique la carte d'identité nationale et celle du parti unique ; comble de la déchéance, il doit s'en remettre à sa femme, Salimata, pour assurer sa survie (2). Chaque jour, elle emporte ses gamelles de riz au marché, assaillie par les nécessiteux. Salimata, aux fesses « rondes et basses », à la senteur de goyave, est pourtant entachée d'une malédiction : sa stérilité. Malgré prières, sorciers, marabouts, gris-gris et médicaments, son ventre reste sec (3).

Deuxième partie. Lorsque Lacina meurt, Fama retrouve la chefferie et Togobala, berceau de sa famille. Mais Lacina laisse aussi quatre veuves dont l'une, Mariam, jeune et jolie, attire d'autant plus Fama qu'elle a donné la preuve de sa fécondité. Togobala n'est plus que ruines et lamentations. Les pouvoirs traditionnels y sont en péril (chap. 1-4). Après les funérailles de Lacina, malgré les mauvais présages, Fama quitte le village en compagnie de Mariam. Il veut annoncer à Salimata son désir de vivre définitivement à Togobala (5).

Troisième partie. Arrêté pour une raison absurde, Fama est condamné à vingt ans de réclusion criminelle. Un coup de théâtre met fin à son incarcération, et on le couvre d'or d'une cérémonie de réconciliation où manquent ses deux femmes : Salimata lui a préféré Abdoulaye, le marabout, et Mariam, un chauffeur de taxi. Alors qu'il est en chemin pour rejoindre Togobala, décidé à mourir près des tombes de ses aïeux, il est déchiqueté par un crocodile en tentant de franchir la frontière de l'état moderne qui le sépare de son village natal.

Fama, laissé pour compte de l'Histoire puisque sa qualité de prince n'a plus de sens, connaît la douloureuse expérience du déclassement social. La cause profonde de son malheur est clairement désignée : « Comme une nuée de sauterelles les indépendances tombèrent sur l'Afrique à la suite des soleils de la politique. » Le roman d'Ahmadou Kourouma se présente comme une fable sociale et politique sur le régime post-colonial, dont « les deux plus viandés et gras morceaux sont sûrement le secrétariat général et la direction d'une coopérative ». Pourtant, le roman n'est pas un simple pamphlet tourné contre des dirigeants et des institutions – bien qu'il critique durement ces nouveaux venus qui n'ont eu de cesse, sitôt la liberté conquise, de créer des partis uniques, de se partager les premiers rôles et de se répartir la richesse au détriment des pouvoirs traditionnels et du petit peuple vite oublié. Ces indépendances « ont trahi, elles n'ont pas creusé les égouts promis et elles ne le feront jamais » : les égouts sont symboliques du miroir aux alouettes, de ces progrès promis aux Africains colonisés et abandonnés sitôt qu'ils sont devenus indépendants. Le village lui-même, apparemment garant de la permanence avec son fromager, ses vautours, ses cabris, n'est plus qu'un mirage ; il a perdu toute authenticité. C'est l'âme de l'Afrique qui est entamée, sa grandeur passée, dont Fama est l'héritier, qui est en état de décomposition. La ville, qui a tenté de reproduire les modèles occidentaux, comme le village, qui ne vit plus que de souvenirs, sont deux espaces révélateurs de l'effondrement d'une société qui a perdu ses repères sous la pression du colonialisme d'abord, puis de ceux qui lui ont succédé.

Les outrages, mépris et injures subis par Fama sont ceux de l'Afrique tout entière, un continent qui ne se relève pas d'avoir conquis une fausse liberté qui l'a plongé dans la corruption. La mort plane sur ces « soleils » prometteurs qui se révèlent trompeurs et cruellement amers. C'est elle qui confère au roman son rythme intérieur ; tout meurt dans *les Soleils des indépendances*, les hommes bien sûr, mais aussi une société qui est en train de perdre son visage humain. Car l'arrivée des indépendances a, sur le plan individuel, suscité l'exacerbation des convoitises ou la frustration. C'est de ce second sentiment qu'est animé Fama, personnage faible et dérisoire dans sa révolte. À travers lui, Ahmadou Kourouma met en lumière les tares d'une société en pleine mutation, et accuse les institutions, anciennes comme récentes, génératrices d'injustice et de misère.

En essayant de jeter un pont entre l'art du griot et l'écriture moderne, plusieurs écrivains africains ont tenté d'inscrire leur écriture dans la lignée des récits, contes, épopées ou légendes légués par la tradition. Ahmadou Kourouma est de ceux qui ont poussé le plus loin cette expérience en opérant une véritable greffe de sa langue natale, le malinké, sur le français. *Les Soleils des indépendances* marquent son originalité par une rupture dans l'écriture et dans la narration. En brisant la facture classique de la langue française, l'écrivain essaie de restituer le rythme africain par des procédés tels que les répétitions et accumulations, les intrusions d'auteur propres au conteur lors des veillées, les incantations, l'emploi des proverbes, très fréquent dans le discours africain. Il restitue ainsi une couleur à la langue, au français tel qu'il est employé en Afrique, émaillé d'images, de formules, de tournures grammaticales et de néologismes aux échos souvent poétiques. Là réside la grande originalité d'Ahmadou Kourouma : il a su résoudre dans une heureuse synthèse les difficultés, voire les déchirements, des écrivains africains qui ne savent dans quelle langue écrire.

● Seuil, 1976.

C. PONT-HUMBERT

SOLILOQUES DU PAUVRE (les). Recueil poétique de Jehan **Rictus**, pseudonyme de Gabriel Randon de Saint-Amand (1867-1933), publié à Paris au Mercure de France en 1897.

Chansonnier, Jehan Rictus (qui emprunta son pseudonyme à Villon) connut le succès en chantant ses compositions populaires, éditées peu après (telle la section « Hiver » des *Soliloques*) par le célèbre cabaret des Quat'z'Arts. Les publier (repris en 1903 dans une édition définitive, ils parurent enrichis de poèmes et de 110 dessins par Steinlen) était leur donner un autre statut, littéraire, qui en valorise la recherche formelle, et tenter, selon l'Avertissement de l'auteur, de « faire enfin dire quelque chose à quelqu'un qui serait le Pauvre, ce bon pauvre dont tout le monde parle et qui se tait toujours ».

En huit sections d'alexandrins ou d'octosyllabes rimés, le livre compose une lamentation en monologue proférée par le « Pauvre ». « Hiver » glacial pour le sans-logis, « Impressions de promenade » où il croise la richesse repue, trilogie du « Songe », de l'« Espoir » et de la « Déception », tristesse du « Printemps » pour qui n'a pas les moyens d'aimer, description enfin des « Maisons des Pauvres », les *Soliloques* désignent une désespérance gouailleuse, où le ton ne s'élève qu'avec le poème central, « le Revenant », rêve avorté d'un retour du Christ permettant la formulation d'un étrange mysticisme des faubourgs.

« On réfléchit, on a envie / D'beugler tout seul miserere / Pis on s'dit : Ben quoi, c'est la Vie ! / Gn'a rien à fair, gn'a qu'à pleurer » : s'il s'en prend violemment à Hugo, Zola, Richepin, à tous « les ceuss qui s'font "nos interprètes" / En geignant su' not' triste sort » après « fortun' faite », et se prétend ainsi le vrai porte-parole de la misère dont il fait mine de respecter la langue, Rictus aujourd'hui se rangerait aisément au placard des folklores fin de siècle, où la démagogie populacière faisait le bonheur des habitués des Quat'z'Arts. Rien de moins authentique en effet que la reconstitution d'une gouaille en fade reprise de François Villon : le pauvre, que l'on prétend faire enfin accéder au discours, y est vêtu de guenilles théâtrales, et sa plainte évoque un Moyen Âge de café-concert bien plutôt que la révolte du monde ouvrier naissant. Saynètes sans danger du *Lumpenproletariat* que la bohème adore, parce qu'elle peut s'y retrouver : on conçoit l'engouement pour Rictus de consommateurs qui s'encaillent, sans aujourd'hui être dupe d'un prétendu message « politique », d'autant qu'y règne une démagogie anarcho-boulangiste : si « plaind' les Pauvr's c'est comm' vendr' ses charmes / C'est un vrai commerce, un méquier ! », il n'y a rien à faire, quand « on croit s'battr' pour l'Humanité / J't'en fous... c'est pour qu'les Forts s'engraissent », et l'éructation révoltée se résout en sage abandon, où s'avoue peut-être, historiquement, le traumatisme de l'échec de la Commune (« On n'donn pus dans la Politique »). « Socialiss » ou « Communeux », tous sont à fuir, donc, pour tenter de survivre entre l'amour impossible et le rêve de trouver un traversin... Mais, désencombrée de son alibi social, reste une écriture orale, pleine d'apocopes sur les mots d'argot, une utilisation virtuose des possibilités de la gouaille qui crée des images rapides et fortes, dissimulant sous l'ironie (« Notre dâb qu'on dit aux cieux / C'est y qu'on n'pourrait pas s'entendre »), une plainte subtile, une férocité sympathique (« Merd' v'la l'Printemps ! Ah ! Salop'rie ») et une forme de foi sentimentale que les chansons du XXe siècle reprendront, où le genre fleur bleue en langue vulgaire touche soudain à une profondeur inattendue.

● Plan-de-la-Tour, Éd. d'Aujourd'hui, 1976.

O. BARBARANT

SOLITAIRE (le). Roman de Charles Victor Prévot, vicomte d'**Arlincourt** (1789-1856), publié à Paris chez Le Normant en 1821.

Né en Angleterre vers 1760, le roman gothique fut l'objet d'un engouement sans égal dans la dernière décennie du XVIIIe siècle lorsque parurent les récits d'Ann Radcliffe ou de Matthew Gregory Lewis, rapidement traduits sur le Continent. En France, le *gothic novel* influença surtout le roman populaire et le mélodrame. Mais, dès 1820, la veine gothique parut épuisée, relayée par le romanesque à la Walter Scott. Pourtant, certains ne renonçaient pas encore aux effets du roman noir et tentèrent de revigorer le terrifiant par l'historique. Hugo en tirera une sorte de chef-d'œuvre : **Han d'Islande* (1823). Arlincourt, lui, en avait tiré, deux ans plus tôt, un énorme succès commercial avec son *Solitaire*.

Orpheline du comte de Saint-Maur, jadis assassiné par Charles le Téméraire, la pure Élodie a été élevée dans la retraite du monastère helvétique d'Underlach par le vieux baron Herstall. Là ses jours s'écoulent paisiblement, au milieu des montagnes, au pied du mont Sauvage qu'habite un personnage solitaire, en qui les paysans du lieu voient un être surnaturel aux pouvoirs mystérieux. Or le Solitaire s'est, de loin, épris d'Élodie au point d'imposer au preux comte lorrain Ecbert de Norindall de renoncer à demander la main de la jeune fille. Plus tard, c'est Élodie elle-même qui sollicitera l'aide du Solitaire pour échapper aux entreprises amoureuses de l'impétueux prince Palzo qui, avec l'appui du roi Louis XI, a entrepris de conquérir la Lorraine. Désormais le destin de la « vierge d'Underlach » semble lié à celui du « Solitaire » qui n'est autre que... Charles le Téméraire, que tous croyait mort à la bataille de Morat. Mais le bonheur se refusera : alors que Charles et Élodie se présentent à l'autel pour être unis, le célébrant jette l'anathème sur l'ancien duc de Bourgogne, déchaînant ainsi les éléments. Élodie en mourra, suivie dans la tombe par le Solitaire.

Le Solitaire, apparaît comme le contraire du *Moine*, tant il est vrai que, contrairement au roman de Lewis, le merveilleux ne sert pas ici une quelconque démonologie mais chante les mérites d'un être « à la bienfaisance renommée », aussi terrible et secret que le Dieu biblique. Pourtant l'effet recherché est le même : par des coups de théâtre multiples, susciter la terreur chez les personnages, retenir l'attention du lecteur. Mais à trop répéter les mêmes séquences (la mystérieuse protection dont est l'objet Élodie) et à trop user des mêmes formules (l'abus des périphrases pour désigner les différents protagonistes) l'intérêt s'effrite. Et le succès prodigieux du roman lors de sa publication – 11 éditions françaises en 1821, des traductions immédiates dans toutes les langues européennes, de l'anglais au russe, du suédois au portugais –, succès dont témoigna une mode éphémère – on s'habilla en « bleu Élodie » et l'on tendit ses murs de « brun Solitaire » ! – retomba bien vite. Quelques années plus tard, Girault de

Saint-Fargeau notait dans sa *Revue des romans* qu'« il est aujourd'hui presque impossible de le lire sans s'endormir, ou tout au moins sans bâiller à se rompre la mâchoire ». Pour nous, *le Solitaire* témoigne de ce que fut la mode gothico-historique : un zeste d'Histoire, médiévale de préférence, avec quelques notes en appel pour faire sérieux, un soupçon de merveilleux, quelques stéréotypes du roman terrifiant (les souterrains, les orages, etc.), un psychologisme manichéen... Que le tout fût pétri par un plumitif laborieux au style surchargé de périphrases précieuses (« Le char de la nuit roulait silencieux sur les plaines du ciel ») ou mythologiques (à qui ne maîtrise pas la géographie et la généalogie olympiennes, le roman paraîtra très obscur) montre clairement que pour rencontrer le public il faut soit avoir du talent, soit flatter ses goûts du moment. À défaut d'avoir l'un, Arlincourt sut faire l'autre : « Il faut avouer qu'on est quelquefois heureux de venir en temps opportun », notait encore perfidement Saint-Fargeau.

● Genève, Slatkine, 1973 (réimp. éd. 1821).

D. COUTY

SOLITAIRE (le). Voir « MON FAUST », de P. Valéry.

SOLITAIRE PREMIER et SOLITAIRE SECOND. Dialogues philosophiques de Pontus de **Tyard** (1521-1605), publiés à Lyon chez Jean de Tournes en 1552 et 1555. Parus sous les titres respectifs de *Solitaire premier ou Prose des Muses de la fureur poétique* et *Solitaire second ou Prose de la musique*, les deux textes furent réunis par l'auteur dans ses *Discours philosophiques*, volume publié à Paris chez Abel l'Angelier en 1587.

Le *Solitaire premier* s'inspire largement du *Phèdre* et de l'*Ion* de Platon, et surtout des commentaires néoplatoniciens de Marsile Ficin, qu'il traduit ou paraphrase à plusieurs reprises. Le *Solitaire second* se réfère ouvertement à Boèce, « lumière de la latine philosophique » : Pontus de Tyard emprunte l'essentiel de ses conceptions au *De musica*, traité technique du VIe siècle consacré à une codification de la théorie musicale.

Solitaire premier. Le Solitaire s'entretient avec Pasithée qui lui demande pourquoi il s'obstine à vivre seul. C'est, dit-il, qu'une fureur « engendrée d'une secrette puissance divine » l'empêche de se mêler aux autres hommes. L'âme, poursuit le Solitaire, s'est emplie de « discordes » en s'incarnant, et a perdu la contemplation de l'Unique qui lui donnait sa cohésion ; il faut donc qu'elle soit « remise en sa première unité », et il existe pour cela quatre moyens essentiels : la fureur poétique, la participation aux secrets et mystères de Bacchus, la vaticination et l'amour. Dans la suite du dialogue, le Solitaire expose à Pasithée l'origine et les effets de la fureur poétique : « La seule divinité est libérale inspiratrice de ce don », que ne peuvent suppléer ni le hasard ni l'application technique. Après un entretien consacré aux « nombre, ordre et noms des Muses », les deux interlocuteurs décident de se retrouver le lendemain pour parler de musique.

Solitaire second. Ce dialogue s'attache à décrire et expliquer les pouvoirs divins de la musique : force supérieure, elle transporte l'âme de l'auditeur dans des régions inconnues lorsqu'elle s'unit à la poésie ; tirant sa beauté des mélodies célestes et de leur infinie perfection, elle contient les germes de toute science et de toute morale. Le Solitaire et Pasithée, rejoints plus tard par le Curieux, débattent successivement de cinq grands thèmes : l'histoire de la musique, y compris ses origines mythologiques ; les théories ancienne et contemporaine de la musique (calcul mathématique des intervalles, étude des modes) ; les effets de la musique (mentaux, physiques, moraux et métaphysiques) ; l'harmonie des sphères célestes et la cosmologie musicale ; les relations qu'entretiennent la musique et la poésie, dont l'union semble désormais moins prisée qu'elle ne le fut jadis.

Les deux textes semblent chercher leur voie entre dialogue et exposé théorique. Si le Solitaire est à la fois narrateur et interlocuteur principal, le premier dialogue n'en offre pas moins à Pasithée un rôle actif, où alternent interrogations, réticences, et demandes d'éclaircissement : versée dans la musique, la poésie et les mathématiques, la jeune femme possède le ressort intellectuel qui empêche l'entretien de se figer en monologue technique. L'éminente dignité du personnage explique le sentiment amoureux sous-jacent dont il est l'objet : selon une optique toute platonicienne, la relation pédagogique se nourrit d'affects et l'exposé théorique s'en trouve à chaque instant personnalisé. La consistance des interlocuteurs et le caractère dialectique de l'entretien s'affaiblissent nettement dans le *Solitaire second* : si Pasithée continue d'orienter la discussion par ses questions, les explications du Solitaire prennent la forme d'une leçon longue et détaillée qui suscite elle-même ses propres relances ; il est significatif que l'auteur ait introduit dans ce second dialogue le personnage du Curieux, comme pour insuffler au texte un semblant de dynamisme polémique.

Compromise par les excès didactiques, la forme dialoguée n'en échappe pas moins à l'accusation d'artifice. Elle procède d'une conception aristocratique et platonicienne du savoir, qui réserve à une élite cultivée l'intelligibilité des vérités les plus difficiles : les théories sur le caractère sacré de la poésie et de la musique s'accommoderaient mal d'un souci de vulgarisation, et ne peuvent être propagées et débattues qu'au sein d'une humanité choisie, loin de la « vilté et facilité ». En convoquant une académie restreinte, les deux dialogues donnent à leur argumentaire philosophique et scientifique des conditions d'écoute et de réception actives qui en scellent la dimension ésotérique.

Si les théories développées par le Solitaire – fureur religieuse du poète, imitation de l'harmonie des sphères célestes par le musicien – ne brillent guère par l'originalité en ce milieu du xvie siècle, il faut reconnaître à Pontus de Tyard le mérite de les avoir fixées dans leur forme la plus complète et la plus cohérente. Sans doute ce désir d'exhaustivité logique entrave-t-il le mécanisme dialectique de la contradiction : à l'opposé du *Cymbalum mundi* ou de l'*Heptaméron*, les deux dialogues ignorent la dynamique qui passerait par une acceptation de la relativité des discours. Il appartiendra aux dialogues ultérieurs de Pontus de Tyard, le *Premier* et le *Second Curieux*, de trouver un équilibre fécond entre exposé doctrinal et conflit des interprétations : les deux *Solitaires* ne sont qu'une première étape dans cette recherche qui fraie les voies d'un platonisme à la française.

● *Solitaire premier*, Genève, Droz, 1950 (p.p. S. Bandon). *Solitaire second*, Genève, Droz, 1980 (p.p. C. M. Yandell).

P. MARI

SOLITUDE DE LA PITIÉ. Recueil de nouvelles de Jean **Giono** (1895-1970), publiées à Paris dans l'*Intransigeant* de 1928 à 1932, et en volume chez Gallimard en 1932.

L'ordre d'apparition des vingt textes dans le recueil correspond à peu près à celui de leur rédaction. Ils figurent parmi les premières productions de Giono, qui les écrit, pour certains, parallèlement à *Naissance de l'Odyssée* et les considère comme des « récréations d'Ulysse », tant en raison de leur forme brève – deux à trois pages le plus souvent – que de leurs sujets, plus proches que l'Antiquité à laquelle l'écrivain consacre son premier long récit.

Dans « Solitude de la pitié », un curé n'offre que « dix sous » de récompense à un vagabond qui, au péril de sa vie et pour nourrir son compagnon malade, est descendu dans le puits du presbytère pour le réparer. Les villageois de « Prélude de Pan », sous l'influence d'un mystérieux individu, entrent soudain dans un état de transe qui dure toute une nuit. Dans « Champs », un paysan raconte comment un beau Piémontais lui a ravi l'amour de sa femme et tout son bonheur. « Ivan Ivanovitch Kossiakoff » relate une amitié intense mais brève durant la guerre de 1914. « La Main » est le récit des amours d'un aveugle. Annette, dans « Annette ou Une affaire de famille », a été placée à l'orphelinat car personne, dans

sa famille, n'a voulu s'occuper de l'enfant. Le narrateur d'« Au bord des routes » rend visite à Gonzalès, son ami aubergiste, et tous deux causent de leur vie. Le vieux Jofroi (« Jofroi de la Maussan ») meurt peu après avoir vendu son verger dont il n'a pu supporter que les arbres soient abattus. Dans « Philémon », on est contraint d'égorger un cochon malade le jour même de la noce de la fille de la ferme. Le vieil homme de « Joselet » explique au narrateur sa conception de l'existence. Dans « Sylvie », le narrateur aime en secret la fille de ferme, revenue au pays après avoir fui la ville avec un amant. La bergère de « Babeau » conte le suicide de Fabre, dont elle a été le témoin passif. « Le Mouton » décrit un paysage à travers l'image d'un animal vivant que l'homme domine et torture. « Au pays des coupeurs d'arbres » évoque la vie passée d'une ferme désormais en ruine. Le narrateur de « la Grande Barrière » veut réconforter une hase qui agonise, mais il s'aperçoit que sa présence cause à l'animal une horreur plus terrible que la mort. « Destruction de Paris » offre une vision à la fois satirique et compatissante de la vie du Parisien, alors que « Magnétisme » montre que les habitués du café d'un petit village connaissent le vrai sens de la vie. « Peur de la terre » évoque la terreur de l'homme face à la nature et « Radeaux perdus » l'expérience de la mort dans les villages reculés. Enfin, dans « le Chant du monde », le narrateur songe à un livre qu'il souhaite écrire et qui porterait ce titre.

En dépit de la diversité des nouvelles qui le composent, le recueil comporte certains traits récurrents qui fondent son unité. Ainsi, tous les récits, à l'exception du premier, émanent d'un narrateur qui parle à la première personne et que bien des aspects invitent à confondre avec l'auteur : il s'appelle Giono dans « Ivan Ivanovitch Kossiakoff » et, dans plusieurs nouvelles, il répond au prénom de Jean. Certes, les deux instances demeurent distinctes, mais Giono se plaît à les rapprocher, comme pour lester de réalité les fictions qu'il relate et pour matérialiser dans les textes la genèse de l'acte créateur. Le « je », disponible, sait accueillir les multiples histoires qui viennent à lui et trouver la voix (le ton des récits est en effet plutôt celui de l'oralité) propice à leur restitution. Le cadre rural des nouvelles est également un facteur d'unité et annonce le climat de nombre d'œuvres futures.

Le titre du recueil allie deux notions d'une manière *a priori* énigmatique. La nouvelle qui donne son titre à l'ouvrage et l'inaugure présente la solitude de celui qui connaît la pitié comme une conséquence de la cruauté du monde. Rares en effet sont ceux qui ont d'autres motivations que leur propre égoisme, et le curé lui-même, censé, par sa fonction, pratiquer la charité, est incapable d'apercevoir autre chose que son intérêt et son confort. Cette postulation constitue le fondement du recueil : « Celui qui s'abstrait de l'égoïsme de la masse est seul capable de pitié », explique Giono (entretien avec P. Citron, avril 1969), mais chaque nouvelle propose une mise en rapport singulière des deux notions du titre.

La tonalité d'ensemble de l'œuvre est pessimiste, dans la mesure où la pitié est peu souvent présentée comme positive et efficace. Le syntagme « solitude de la pitié » signifie alors que sujet et objet de la pitié ne sauraient se rejoindre : celui qui éprouve la pitié et celui qui l'inspire demeurent le plus souvent radicalement seuls. Ainsi, dans « la Main », la pitié est inutile parce qu'elle est le fruit d'un malentendu ; l'aveugle Fidélin conclut sa poignante histoire par une étrange formule qui semble lui retirer sa crédibilité : « Il faut bien dire quelque chose pour rire. » Dans « Jofroi de la Maussan » et dans « Sylvie », l'être qui inspire la pitié est incapable de s'en apercevoir car il est coupé du reste du monde, muré dans une idée fixe ou des illusions : Jofroi, qui ne pense qu'aux arbres qu'il a plantés et qu'on veut détruire, ne voit pas la patience et les efforts dont les autres font preuve à son égard ; Sylvie, perdue dans des souvenirs idéalisés, ignore l'amour vrai et profond qu'elle inspire à son confident de tous les jours. « La Grande Barrière » montre que la pitié peut être une torture et non un réconfort : « La bête mourait de peur sous ma pitié incomprise ; ma main qui caressait était plus cruelle que le bec du freux. »

Dans ce recueil, bien des existences se croisent sans parvenir à se rencontrer, bien des personnages sont voués à une destinée qui demeure énigmatique, du fait notamment que les nouvelles n'en captent que des instantanés et ne dévoilent ni leur passé ni leur avenir. L'incommunicabilité qui, dans bien des récits, sépare les personnages est d'autant plus poignante pour le lecteur que lui-même, faute d'informations suffisantes, est confronté à des êtres qui restent opaques, qui le touchent au vif sans qu'il puisse totalement les déchiffrer. C'est alors à sa propre solitude qu'est renvoyé le lecteur, invité à méditer sur son appartenance à l'universel égoïsme et sur les limites de sa propre faculté de compassion.

● « Folio », 1973. ➤ *Œuvres romanesques complètes*, « Pléiade », I (p.p. P. Citron).

A. SCHWEIGER

SOLITAIRE SECOND. Voir SOLITAIRE PREMIER, de P. de Tyard.

SOLITUDES (les). Recueil poétique de René François Prudhomme, dit **Sully Prudhomme** (1839-1907), publié à Paris chez Lemerre en 1869.

« Chaque solitude a son propre mystère », proclame le poète, qui semble s'être proposé, dans ces quarante et un poèmes, de décrire tour à tour celle de l'enfant, de l'amoureux, de l'artiste, de l'exilé, du voyageur, de la femme célibataire, du vieillard, de l'agonisant et, bien entendu celle du poète. Chaque catégorie comporte des subdivisions : c'est ainsi que, pour l'amoureux, Sully Prudhomme distingue l'amoureux timide ("Scrupule"), l'amoureux incompris ("la Reine du bal"), l'amoureux séparé de sa bien-aimée ("Jaloux du printemps"), l'amoureux maudit ("Couples maudits"), l'amoureux résigné ("Soupir"), l'amoureux veuf ("le Dernier Adieu"), l'amoureux vainqueur de sa passion ("Combats intimes"), etc. La nature elle-même n'échappe point à cette fatalité de la solitude : les arbres, les fleurs, la mer, les bois, les étoiles, tout en est imprégné. Sully Prudhomme a fréquemment recours à la prosopopée ("Déclin d'amour", "la Voie lactée"), mais son "Cygne" ne fait oublier ni Baudelaire ni Mallarmé. En fait, la nature que contemple le poète se contente de renvoyer à la solitude humaine, qui devient la réalité suprême : « Vous êtes séparés et seuls comme les morts, / Misérables vivants que le baiser tourmente ! » ("les Caresses"). La société prend alors figure de spectacle fantomatique : « Dans un flot de gaze et de soie, / Couples pâles, silencieux, / Ils tournent, et le parquet ploie, / Et vers le lustre qui flamboie / S'égarent demi-clos leurs yeux » ("la Valse").

Dans tout le recueil, Sully Prudhomme se présente à nous comme « le poète naïf qui pense avant d'écrire » et dont le front est perpétuellement « lourd de pensées ». Mais cette pensée si encombrante s'accorde parfois un peu de relâche : « Qu'il fait bon regarder la Seine lente et noire / En silence rouler sous les vieux ponts sa moire, / Et les reflets tremblants des feux traîner sur l'eau, / Comme les pleurs d'argent sur le drap d'un tombeau ! » ("Le peuple s'amuse"). La poésie semble alors prendre sa revanche : « Une eau croupie est un miroir / Plus fidèle encor qu'une eau pure, / Et l'image la transfigure, / Prêtant ses couleurs au fond noir » ("Déception"). Toutefois, le ton est généralement des plus prosaïques, et Sully Prudhomme ne craint pas de confectionner une poésie pédestre d'une incontestable banalité, parfois involontairement comique : « Un soir, vaincu par le labeur / Où s'obstine le front de l'homme, / Je m'assoupis, et dans mon somme / M'apparut un bouton de fleur. / C'était cette fleur qu'on appelle / Pensée ; elle voulait s'ouvrir... » ("la Pensée"). Loin d'avoir la bonhomie et le pittoresque d'un Coppée, certains vers évoqueraient plutôt la plus fâcheuse Anaïs Ségalas : « J'ai mal placé mon cœur, j'aime l'enfant d'un autre, / Et c'est pour m'exploiter qu'il fait le bon apôtre, / Ce petit traître, je le sais » ("Passion malheureuse"). Rien d'original dans la versification : ce sont des vers de coupe classique, où l'auteur se permet seulement quelques rejets. On note cependant une tendance à l'am-

plification ("Le peuple s'amuse", "Damnation", "les Écuries d'Augias"), qui annonce les grands poèmes philosophiques que donnera plus tard le poète.

Gravité et mélancolie semblent être les traits distinctifs de cette poésie, dont le souci exclusif est la réflexion, non la forme, et qui ressasse la nostalgie de l'Idéal, une certaine fatigue de la vie, et la volonté de comprendre. S'il est difficile de suivre Jules Lemaître lorsqu'il écrit de Sully Prudhomme que « son imagination est des plus belles, et sous ses formes brèves, des plus puissantes qu'on ait vues », il serait injuste de refuser aux vers des *Solitudes* le mérite de la sincérité.

J.-P. GOUJON

SOLVUNTUR OBJECTA. Voir VICTOR-MARIE, COMTE HUGO, de Ch. Péguy.

SON EXCELLENCE EUGÈNE ROUGON. Roman d'Émile Zola (1840-1902), publié à Paris en feuilleton dans *le Siècle* de janvier à mars 1876, et en volume chez Charpentier la même année.

Ce roman, le sixième de la série des *Rougon-Macquart*, explore l'histoire politique du régime impérial dont Zola a suivi les avatars dans les dernières années avant la guerre. Mais l'écrivain a aussi consulté de nombreux ouvrages sur l'esprit et les mœurs de l'époque, dont celui d'E. Hamel, ainsi que des revues et des journaux pour certains détails à propos de la cour ou de la vie parlementaire. Épars dans le livre et sans qu'il faille donner trop d'importance aux clés, certains traits sont authentiques : notamment ceux empruntés à Rouher, ministre d'État de Napoléon III, pour construire le personnage d'Eugène Rougon, figure centrale à côté de laquelle l'auteur installera un caractère féminin très subtil, ainsi qu'une bande de parasites peu fidèles, le tout évoluant selon un plan qui va progressivement rejoindre les flux et reflux du bonapartisme autoritaire.

On s'entretient, parmi les députés, d'Eugène Rougon, président du Conseil d'État. Son remplacement est prévu, au profit de son rival Marsy. La Chambre va voter avec enthousiasme un budget important pour le baptême du prince impérial avant d'apprendre la confirmation du départ de Rougon (chap. 1). Rougon range ses dossiers, tandis que les membres de sa coterie viennent successivement aux nouvelles : Delestang et Du Poizat, ses créatures politiques, Kahn, député et homme d'affaires, ainsi que d'autres « complices » comme les Bouchard, les Charbonnel, qui visent un héritage contesté, Mme Correur, une intrigante (2). À l'hôtel de la comtesse italienne Balbi, sa fille Clorinde intrigue aussi au milieu d'un monde douteux et frivole, également lié à la politique : Rougon s'y mêle sans déplaisir (3). C'est la fête du baptême impérial et un imposant cortège se rend à Notre-Dame. Il est observé par la coterie de Rougon parmi un grand concours de peuple (4). Clorinde est venue chez Rougon, qui tente en vain d'abuser d'elle. Elle désire le mariage, mais Rougon, vite revenu de son égarement, lui propose Delestang, qu'elle accepte. Rougon, lui, fait un mariage moins voyant (5). Malgré quelques projets peu solides, Rougon est désormais oisif ; il ne peut plus aider ses amis, ce qui les inquiète (6). Il est cependant invité au château de Compiègne. Il parle même à l'empereur et on devine qu'il va rentrer en grâce, compte tenu de la disgrâce de Marsy, provoquée par l'intervention d'une femme jalouse (7). La bande de Rougon est de plus en plus déçue par l'échec de son patron, mais Gilquin, une connaissance douteuse de ce dernier, vient lui apprendre qu'un attentat se prépare. Celui-ci aura lieu sans que Rougon soit vraiment intervenu : il peut alors remplacer aux affaires le libéral Marsy (8). Rougon mène à présent une politique de répression sévère et en profite pour avantager ses amis (9). Venu à Niort, il inaugure une voie de chemin de fer demandée par Kahn et donne des instructions qui aboutissent à la mort d'un opposant (10). Mais, au Conseil des ministres, sa position devient fragile. Delestang, poussé par Clorinde, le critique, et l'empereur lui reproche d'avantager indûment ses amis (11). Dès lors, son crédit baisse au profit de Marsy et de Delestang (12). D'autant que Rougon s'en est pris à des religieux et que ses créatures abusent de la situation. L'empereur, qui a fait de Clorinde sa favorite, va accepter la démission que Rougon lui offre par défi (13). Trois ans plus tard, l'Empire s'est engagé désormais dans la voie du libéralisme politique : répondant à un député d'opposition, Rougon se fait à nouveau le défenseur du trône, se remettant ainsi en selle pour un avenir ministériel (14).

Les clés du livre (Rougon-Rouher, mais aussi Marsy-Morny, Clorinde-la Castiglione, Kahn-Fould) permettent d'y lire d'abord un roman de la politique. Le décor est planté : la Chambre, les ministères, la résidence impériale de Compiègne. Les figures habituelles du personnel politique et administratif interviennent aussi à leur heure : députés de base, préfets et sous-préfets, maires, commissaires et, au sommet, l'empereur, devenu personnage de fiction, incertain et rusé. Mais l'intérêt réside ici dans le contraste entre la scène et les coulisses. Le pouvoir a en effet une apparence, mais aussi des ressorts secrets. Son apparence, c'est celle des décisions administratives, des cortèges officiels, des nominations réglementaires. Mais sa réalité, c'est la résultante des intérêts individuels et collectifs, le jeu des rapports de force, des pièges et des ambitions. Derrière les options idéologiques, se dissimulent des affaires d'argent et de femmes, la rapacité de ces bêtes de proie que sont Marsy et Rougon, les opérations financières de Kahn, les intérêts des bonnes sœurs de Plassans.

Apparaît alors un autre enjeu du roman : il s'agit aussi de montrer le fonctionnement, non pas d'un parti, mais d'une coterie politique. Car la disparition des formes politiques anciennes (y compris celle de la tribune à la Chambre !) a laissé place à des meutes qui s'affrontent : la curée à Compiègne, après une chasse, en témoigne symboliquement. Rougon est le chef de sa meute parce qu'il est le plus fort – fort physiquement parce que chaste –, le plus capable de nuire ou de rapporter des proies pour ses affidés. Aucun dévouement à attendre en la matière : on ne le soutient que pour les bénéfices qui en sont attendus (appui dans un procès, dans une combinaison financière, dans l'obtention d'un poste), et il se peut qu'en cas de faiblesse, on envisage de passer à l'ennemi. L'économie du roman se fonde justement sur ces alternances : perte de pouvoir, retour aux affaires, démission, espoir... Quant à Rougon, il n'existe presque qu'en imposant les siens contre toute justice, dans une arène sans pitié.

Mais le clan Rougon n'est qu'un exemple révélateur du régime tout entier, de l'immoralité qui triomphe partout, du crime qui en est le vrai ressort. Comme le dit un orateur de l'opposition à la fin du livre, le 2 Décembre fut un crime, et, à partir de là, tout appartient au même registre : Rougon ne dénonce pas le projet d'attentat, et donc s'en fait complice, ses protégés se déconsidèrent dans des faits divers sordides, tandis que Clorinde se prostitue pour faire triompher Delestang. Derrière l'histoire politique et officielle se cache encore une fois une histoire « naturelle et sociale » ; si l'époque est une foire aux places, une curée d'argent et d'ambition, ce sont donc les grands fauves politiques qui vont gagner par la ruse et la violence, entourés d'une foule de parasites : mais ils ne font qu'imiter leur maître, l'aventurier en chef.

● « GF », 1973 (p.p. E. Carassus). ➤ *Les Rougon-Macquart*, « Pléiade », II ; *Œuvres complètes*, Cercle du Livre précieux, III ; *les Rougon-Macquart*, « Le Livre de Poche », VI (préf. P. Barbéris, p.p. P. Hamon) ; *id.*, « Folio », VI (préf. M. Agulhon) ; *id.*, « Bouquins », II.

A. PREISS

SONATE ET LES TROIS MESSIEURS (la). Voir THÉÂTRE DE CHAMBRE, de J. Tardieu.

SONGE D'ENFER. Poème narratif de **Raoul de Houdenc** (fin XIIe-milieu XIIIe siècle), conservé dans deux manuscrits des XIIIe et XIVe siècles.

Auteur d'un autre texte allégorique, *le Roman des ailes*, sur les vertus chevaleresques de largesse et de courtoisie, et d'un roman arthurien, *Meraugis de Portleguez*, Raoul se met en scène pour un voyage allégorique dans l'au-delà, qui annonce à la fois *le *Roman de la Rose* et *la Divine Comédie*. Son récit est en effet le premier exemple d'une fiction tout entière comprise dans un songe. Scandé par des étapes qui suivent une progression dans les vices, le trajet du narrateur rappelle la quête du chevalier errant, mais ici la représentation spatiale se simplifie à l'extrême : point de forêt profonde, la voie est large, les toponymes transparents disent l'antithèse du bien et du mal, et c'est sans difficulté, sans égarement ni doute, que le pèlerin parvient au but.

Le narrateur sent en rêve le désir de devenir pèlerin : il part tout droit vers la cité d'Enfer. Il fait une première halte dans la cité de Convoitise, en terre de Déloyauté, où il loge chez Envie et festoie en compagnie de Tricherie, Rapine et Avarice. Le lendemain, il parvient à Foi mentie, dont le seigneur est Tollir, puis traverse le fleuve de Gloutonie, arrive à Vile Taverne, dont la tenancière, Roberie, l'accueille avec Hasard, Mécompte, et Mauvais Coup. Le narrateur lutte avec Versez, fils d'Ivresse, qui le vainc aisément, avant de se retrouver à Château Bordel. Le voici enfin, après le château de Désespérance, à Mort subite, porte de l'Enfer. Il monte au palais dont les portes sont largement ouvertes. Pilate et Belzébuth le reçoivent gaiement et l'invitent à un festin où l'on mange des usuriers entrelardés, des assassins en sauce, des rôtis d'hérétiques..., arrosés d'ignominie. Après le repas, Belzébuth montre à son hôte un livre où sont consignés les vices et les crimes des hommes, il lui demande de lire les « vies des fols ménestrels ». L'assemblée se lève bientôt pour revêtir ses armes. Raoul se réveille.

L'antiphrase domine cette allégorie des vices pleine de verve et d'ironie : le pèlerin est partout bien accueilli, il ne tarit pas d'éloges sur ses hôtes et l'agrément de son voyage. Le roi d'Enfer n'est-il pas un modèle de « largesse », la vertu courtoise par excellence, lui qui dîne « à portes ouvertes », contrairement aux habitudes françaises ! Les étapes passent en revue les lieux mal famés selon les vices personnifiés qui les habitent. Aux principales figures se joint une série de personnages complémentaires qui animent des scènes de genre : réception dans un château, beuverie et bagarre d'ivrognes dans une taverne... Mais, au fur et à mesure, le motif du repas, lieu d'une sociabilité chargée d'ambiguïté, s'amplifie jusqu'à devenir l'essentiel de l'épisode infernal. À la description de l'Enfer, brièvement évoqué comme « un palais tout bâti de ciment », se substitue celle d'un repas anthropophagique grandiose, les supplices des damnés devenant des mets délicieux : détournement burlesque, et peut-être sacrilège, de la Cène, que n'oseront pas les imitateurs de Raoul. Renonçant en effet à toute leçon de morale, l'auteur entremêle à ses scènes fantasmatiques des accents satiriques, à la faveur d'une nouvelle perversion des voyages dans l'au-delà, généralement quêtes de la perfection (voir *le *Voyage de saint Brendan*). Ici au contraire, le voyageur confirme aux vices et aux démons leur pouvoir sur la terre et leur donne des nouvelles de leurs disciples. Il passe des généralités (échec de charité et largesse) à la satire des groupes régionaux (Poitevins tricheurs, Anglais ivrognes), et cite des noms de contemporains. Le réel pénètre ainsi l'allégorie qui devient une tribune où l'on règle ses comptes. Aussi Raoul se plonge-t-il avec délice dans « la vie des ménestrels », prenant soin de retenir « par cœur les noms du livre et les faits et le récit dans l'espoir de tirer de beaux contes sans égard pour personne » (v. 648-651). Texte ambigu, provocateur et humoristique, ce *Songe* semble, paradoxalement, la parodie de ceux qui le suivent et dont les auteurs, peut-être effarouchés par les audaces de Raoul, choisissent un registre sérieux, didactique et moral, pour leurs « voies d'Enfer et de Paradis ».

La première *Voie de Paradis* a longtemps été attribuée à Raoul sur la foi de ses derniers vers : « Après orrons de Paradis / Dieu nous i maint et nos amis », mais la lourdeur des procédés, la maladresse dans la mise en scène des vertus, et surtout le retournement final du narrateur qui renie le songe comme médiateur de la vérité et désavoue son modèle allégorique pour se lancer dans un sermon, laissent supposer que l'on a affaire à un pâle imitateur, rempli de bonnes intentions mais dépourvu du brio de son prédécesseur.

Cet effet de distanciation s'accroît encore avec les poèmes de Rutebeuf et de Baudoin de Condé, où les discours des personnages prennent le pas sur la narration. L'antithèse des deux voies – la gauche agréable et plaisante vers l'Enfer, la droite étroite et épineuse vers le Paradis – suffit à structurer l'ensemble du texte de Rutebeuf (aussi appelé la Voie d'humilité, 900 octosyllabes) : après un bref trajet qui le mène chez Pitié, le narrateur écoute un long discours de son hôte sur les deux chemins, leurs étapes, les vices ou les vertus qui les hantent. L'annonce supplée ainsi à l'aventure. Le récit tourne court et le voyage reste virtuel. Reprenant la trame formelle du pèlerinage, Baudouin de Condé est arrêté au premier carrefour par un personnage mystérieux, venu du ciel, qui lui fait un long sermon. L'allégorie reprend avec la poursuite du voyage vers Satisfaction, puis Pénitence. Mais la vision finale, rêve dans un rêve, éloigne le narrateur de la réalisation, même onirique, de sa quête (Dit de la Panthère d'amour, voir *Bestiaire d'amour).

Le modèle des « voies », cependant, reste vivant au siècle suivant et jusqu'au XVe siècle : ainsi Jehan de La Motte et surtout Guillaume de Digulleville méritent d'être cités. Dans le Pèlerinage de l'âme (1355), ce dernier décrit le sort de l'âme après la mort, condamnée à mille ans de purgatoire avant d'être admise au Paradis. Mais son ouvrage le plus célèbre, qui fut l'un des très grands succès du XIVe siècle (plus de soixante manuscrits conservés), est le Pèlerinage de vie humaine (1330-1332), de plus de treize mille vers octosyllabiques, récit d'un voyage spirituel vers la Jérusalem céleste. L'originalité de cette quête allégorique de la perfection est de se construire autour de la figure de l'anamorphose : le narrateur-pèlerin aperçoit dans un miroir le reflet de la cité idéale et décide de s'y rendre.

Au XIIIe siècle encore, un texte reprend sous une forme différente mais en se réclamant de lui, le récit de Raoul dans l'intention de lui donner une suite. Huon de Méry écrit vers 1234 son Tournoiement Antéchrist (3 544 vers), à partir d'une idée originale. Se plaçant sous le double patronage de Raoul de Houdenc et de Chrétien de Troyes, il combine leurs œuvres respectives, abandonne la fiction du songe, mais projette son récit dans un univers de représentation littéraire : le point de départ en est la forêt de Brocéliande et la fontaine enchantée du *Chevalier au lion.

Le Tournoiement Antéchrist. Chevauchant avec les armées de Saint Louis, le narrateur veut voir la fontaine de Brocéliande. Il y déclenche la tempête. Après l'accalmie, survient un chevalier noir qui le vainc : c'est Fierabras, prince de Fornication, chambellan d'Antéchrist, chargé de préparer le logement de son maître venu combattre le Christ et ses anges. Prisonnier, le narrateur le suit dans la ville de Désespérance, où Antéchrist donne un festin. Le lendemain, on court aux armes, vices et dieux antiques mêlés. En face, l'armée du Christ se compose des anges, des vertus et des chevaliers de la Table ronde. Les vices sont battus, mais le narrateur est blessé. Les démons s'enfuient tandis qu'Antéchrist est prisonnier de saint Michel. Raphaël, Confession et Pénitence soignent les blessés. Antéchrist s'évade, le Christ remonte au ciel, pendant que Religion conduit le narrateur dans l'abbaye de Saint-Germain-des-Prés.

Huon renoue avec un autre schéma allégorique, celui de la Psychomachia de Prudence, représentation de la lutte de l'âme contre les tentations, qui s'adapte aisément au cadre chevaleresque des tournois. Mais l'auteur traite avec humour ses modèles – les chevaliers arthuriens ont déclenché pour s'amuser une telle tempête qu'ils ont tué une centaine de leurs gens –, il retrouve le ton et le regard ironiques de Raoul auquel il se réfère constamment. Plus encore que

lui, il brasse tous les plans du récit : allégorique, historique et réel, littéraire et mythologique. Il multiplie les allusions satiriques à ses contemporains, laisse deviner son hostilité aux albigeois placés aux côtés de l'Antéchrist. Le narrateur s'offre franchement comme un acteur, même modeste, du drame. Il évolue ainsi de plain-pied avec les personnages littéraires et allégoriques. Son poème se place sous le signe de l'aventure personnelle, à la fois « réelle » et intérieure, puisqu'il abandonne, après une si extraordinaire expérience, la carrière des armes pour devenir moine et espérer de cette façon entrer au Paradis.

Ainsi, l'allégorie domine la production littéraire de la fin du Moyen Âge, et le cadre privilégié dans lequel elle s'élabore, le songe, devient une forme littéraire à part entière où se coulent tous les discours – religieux, érotique, politique – qui jouent, chacun selon ses enjeux, des effets de vérité que le rêve met en œuvre.

● Raoul de Houdenc : Genève, Slatkine, 1974 (réimp. éd. 1908, p.p. Ph. Lebesgue). Huon de Méry : Univ. Mississippi, 1976 (p.p. M.O. Bender). ➤ Rutebeuf, Œuvres complètes, A. et J. Picard, I ; id., « Classiques Garnier », I.

M. GALLY

SONGE DE VAUX (le). Récit en vers et en prose de Jean de **La Fontaine** (1621-1695), publié partiellement dans les *Contes à Paris chez Barbin en 1665 et dans les *Fables nouvelles en 1671 ; réédition intégrale dans les Œuvres diverses chez Didot en 1729.

Le texte, rédigé vers 1659, se compose de neuf fragments, traditionnellement repris par les éditeurs dans l'ordre où ils furent publiés en 1729. L'Avertissement et les trois premiers chapitres parurent en 1671 : ceux-ci racontent la visite d'Acante, le songeur-narrateur, au palais du sommeil (chap. 1), le débat des fées de l'Architecture, de la Peinture, du Jardinage et de la Poésie (2), l'« Aventure d'un saumon et d'un esturgeon » (3). Le chapitre 9 figurait parmi les Contes de 1665 (« les Amours de Mars et de Vénus »). Les fragments 4 à 8 traitent successivement de la mort du cygne (4), de la visite des Muses à Acante (5), de la « Danse de l'Amour » (6), du rêve d'Acante auprès d'une cascade (7) et de la rencontre de Neptune et de ses Tritons (8). Il ne reste guère d'éléments narratifs permettant de retrouver la cohérence qui relie ces épisodes les uns aux autres, et une remarque finale, à la fin de l'ultime fragment (publiée telle quelle dans le recueil des Contes) souligne l'inachèvement de la pièce. Descriptions et dialogues alternent, en vers ou en prose, mêlant l'évocation de la beauté du lieu aux réminiscences mythologiques, rendues nécessaires par le subterfuge du songe qui, rappelle l'Avertissement, a surtout pour rôle de « prévenir le temps », car Vaux était inachevé lorsque La Fontaine entreprit de le décrire. Il y mêle les styles lyrique et héroïque, et joue déjà de la variation métrique (9 dizains d'octosyllabes pour la fée Hortésie, 6 sizains d'heptasyllabes et 78 alexandrins à rime plate pour Calliopée, 85 vers libres pour le récit de l'esturgeon, etc.).

Ce travail fut entrepris sur commande, pour célébrer le château que le surintendant Fouquet, protecteur de La Fontaine, avait fait édifier à Vaux ; il fut interrompu par la chute du mécène en 1661. La Fontaine explique son dessein dans l'Avertissement : « Je feins donc qu'en une nuit du printemps m'étant endormi, je m'imagine que je vais trouver le Sommeil, et le prie que par son moyen je puisse voir Vaux en songe. » Il affirme toutefois d'emblée que son projet demeure inachevé, faute d'être dans le goût du temps : « Je reprendrais ce dessein si j'avais quelque espérance qu'il réussît, et qu'un tel ouvrage pût plaire aux gens d'aujourd'hui ; car la poésie lyrique ni l'héroïque, qui doivent y régner, ne sont plus en vogue comme elles étaient alors. J'expose donc au public trois morceaux de cette description. Ce sont des échantillons de l'un et l'autre style. »

On a donc le sentiment d'entrer dans l'atelier du poète, et ces quelques esquisses qu'il propose rejoignent explicitement la constante fascination que La Fontaine a nourrie pour la poésie héroïque, dont témoignait *Adonis (1658) et que confirmera le *Poème de la captivité de saint Malc (1673). Il faut aussi remarquer que cet ouvrage appartient à la « pension poétique » que La Fontaine avait promise à son protecteur ; le caractère mondain et galant de certaines pièces, que le poète juge nécessaire « pour égayer » son poème, appartient nettement à ce type d'inspiration, et il reflète la sociabilité lettrée qui régnait à la cour de Fouquet. De surcroît, le poète ne craint pas de voir rechercher quelques « clés » : Sylvie (6) n'est-elle pas Mme Fouquet, si souvent célébrée dans d'autres pièces de la même époque, odes ou ballades ? Aminte (1, 7) représente sans doute « une personne particulière », avoue La Fontaine, et il ne trouve pas mauvais qu'on cherche derrière ce nom une femme véritable, car « cela rend la chose plus passionnée, et ne la rend pas moins héroïque ».

À cette règle acceptée s'ajoute le « programme » mythologique attaché à l'évocation de Vaux, qui fait de ces quelques fragments un véritable Parnasse, où les Muses se disputent le poète. Il semble d'ailleurs s'étonner de les voir en un tel lieu, dont la séduction a su les attirer : « Vous aimiez, disait-on, le silence des bois ; [...] / D'où vient que ce palais commencent à vous plaire ? »

Le débat qui oppose Calliopée, Hortésie, Apellanire et Palatiane (2) illustre parfaitement les enjeux poétiques d'une telle entreprise : chaque « fée » défend son art, et notamment Hortésie, qui règne sur les jardins, et qui se fait Nature poétesse d'elle-même, le temps de neuf dizains d'octosyllabes. Mais c'est Calliopée (la Poésie) qui paraît emporter la palme, puisqu'elle peut rivaliser avec tous les autres arts (qui d'ailleurs se servaient d'elle pour exposer leur défense) : « Je peins, quand il me plaît, la Peinture elle-même. / Oui, beaux-arts, quand je veux, j'étale vos attraits : / Pouvez-vous exprimer le moindre de mes traits ? » De fait, le débat, demeuré fragmentaire, reste en suspens : La Fontaine ne décide rien. De toute façon, Apollon ne règne pas sans partage sur ce Parnasse, il le dispute constamment à Vénus, puisque les « descriptions d'histoire » alternent avec la galanterie. Cela est sensible dans le fragment 6 (« Danse de l'Amour »), dont le cadre est Cythérée, et, bien sûr, dans « les Amours de Mars et de Vénus » (9), pièce qui décrit une tapisserie : « Voyez combien Vénus, en ces lieux écartés, / Aux yeux de ce guerrier étale de beautés ! / Quels longs baisers ! La gloire a bien des charmes ; / Mais Mars en la servant ignore ces douceurs. » Aminte détourne un instant le poète de son projet lorsqu'il l'aperçoit, belle endormie, à l'ombre d'un arbre (7) et qu'il décrit cette beauté abandonnée au sommeil.

Véritable topique de l'univers lafontainien, puisqu'il évoque même le futur univers des *Fables* (le saumon et l'esturgeon, 3), *le Songe de Vaux*, bien qu'inachevé, est porteur de toutes les aspirations du poète : goût pour une nature euphorique, revue et corrigée par la poésie et le songe, évocation sensuelle de l'amour et de ses plaisirs, synthèse de la mythologie du Parnasse et de Cythère, tout cela est déjà lié à une forme libre, volontiers mixte, qui semble héritée de Voiture et de la poésie galante (l'esturgeon ne rappelle-t-il pas la fameuse « Lettre de la carpe au brochet » ?) La synthèse achevée viendra avec les *Fables* (et dans une moindre mesure, avec les *Contes*), mais la plupart des éléments essentiels sont déjà là. Peut-être ne manque-t-il vraiment que le sentiment de la force injuste, dont témoignent les *Fables*, et qui éclatera avec l'arrestation de Fouquet. À cet égard, le *Songe* est peut-être un « paradis perdu » pour La Fontaine, qui ne pouvait le dévoiler qu'avec prudence et regret en 1671.

● Genève, Droz, 1967 (p.p. E. Titcomb). ➤ *Œuvres complètes*, « Pléiade », II.

E. BURY

SONGE DU VERGER (le). Traité politique anonyme composé dans l'entourage de Charles V, daté de 1378 ; régulièrement réédité dès la fin du XVe siècle (1491-1500) jusqu'au XVIIIe siècle. Il est connu par son manuscrit original conservé à Londres et par plus d'une vingtaine de copies en France et à l'étranger.

Il s'agit de la traduction d'un texte latin, le *Somnium viridarii*, récemment achevé (16 mai 1376), vaste compilation d'œuvres philosophiques assez maladroitement organisée, qui semble être la première mouture d'un projet auquel la version française a donné son tour définitif.

Ce double travail, en latin et en français, s'est accompli sous l'impulsion directe du roi et dans le milieu « préhumaniste » de savants, de traducteurs et de juristes dont il s'entourait. Ce roi, cultivé et « idéologue », eut à cœur de compléter et d'organiser sa bibliothèque (ancêtre de la Bibliothèque nationale), riche de près d'un millier d'ouvrages à sa mort, et de poursuivre le travail de traductions commencé sous le règne de Jean le Bon. S'intéressant tout particulièrement aux ouvrages philosophiques et politiques, il fit traduire les *Éthiques*, la *Politique* et les *Économiques* d'Aristote par Nicole d'Oresme, le *Policraticus* de Jean de Salisbury (XIIe siècle) par Denis Fouchelat et *la Cité de Dieu* par saint Augustin par Raoul de Presles : tous ouvrages abondamment cités dans le *Songe*, qui s'inscrit très directement dans ce contexte à la fois de vulgarisation et d'affirmation du pouvoir royal.

Dans le Prologue, l'auteur présente au roi le rêve qu'il fit après avoir assisté à de nombreux débats sur les pouvoirs temporel et spirituel : transporté dans un verger, il y vit le roi assisté de deux reines, la Puissance spirituelle et la Puissance séculière, qui se plaignaient à lui des querelles qui les déchiraient. Le roi accorda à chacune un avocat : un clerc et un chevalier.

Dans le premier livre, après avoir évoqué le « bestournement » [renversement, bouleversement] du monde, le clerc entame la discussion, d'abord sur la question centrale des limites et prérogatives des pouvoirs du pape et du roi. Puis le débat glisse vers d'autres problèmes : l'onction et le couronnement, la tyrannie, les impôts ou l'éducation des princes, la noblesse, les guerres, les armoiries et les duels. Les deux orateurs parlent de l'usure et des Juifs, de l'astrologie et de la divination, polémiquent sur le statut, brûlant d'actualité, de la Bretagne et de la Guyenne, du pape et de Rome. Le livre comprend cent quatre-vingt-six chapitres.

Dans le second livre, le chevalier relance la dispute. Les mêmes questions sont reprises au long des deux cent quatre-vingt-deux chapitres, avec une insistance sur les problèmes de juridiction. S'y ajoutent les sujets du célibat et du mariage, des ordres mendiants et de l'Immaculée Conception.

Dans l'Épilogue, l'auteur se réveille et offre son livre au roi.

Malgré la difficulté et le sérieux des questions débattues, malgré les citations et les références constantes aux autorités philosophiques et morales (la Bible, Aristote, saint Bernard, etc.), l'auteur a su recréer l'animation d'une discussion prise sur le vif. Cette qualité tient non seulement au ton très polémique des répliques (d'où les effets d'ironie, de reprises, d'interpellations, etc.), mais aussi à la souplesse de la présentation : de longues répliques alternent avec de brefs échanges, les mêmes thèmes sont repris à des moments différents et sous des angles divers (ainsi de l'astrologie et de la divination). Dès le Prologue, l'auteur déclare parler « grossement et plainement » et le chevalier demande au clerc d'adopter un style « moins obscur » et plus « entendible ». Le ton se fait volontiers familier et les proverbes abondent. Par ailleurs, en donnant à son manifeste la forme d'un débat entre un clerc et un chevalier et en l'inscrivant dans la fiction d'un songe, il le rattache à la littérature courtoise et érotique. Son titre même, « du verger », renvoie au *locus amoenus* des poètes et des romanciers, au lieu privilégié du jeu amoureux. Une série de textes, connus sous le nom de *Débats du clerc et du chevalier* (XIIe-XIIIe siècle), opèrent la transposition inverse en déplaçant sur le plan de la compétence érotique la rivalité sociale et politique des religieux et des laïcs : deux jeunes filles y débattent des mérites respectifs de leurs amants avant d'être départagées par un combat d'oiseaux dans le verger du dieu d'Amour. Ce thème poétique et romanesque, qu'on peut voir comme une dérision de la

Sartre

Jean-Paul Sartre en 1939.
Ph. © Gisèle Freund.

De l'enfance au milieu des livres (*les Mots*, 1963) à l'art comme salut (*la Nausée*, 1938), le parcours des élites républicaines : Normale, l'agrégation de philosophie. Après la guerre, Jean-Paul Sartre (1905-1980) se confond avec l'« écrivain engagé » : flirt avec le parti communiste, lutte anti-coloniale, journalisme (*les Temps modernes*). Images multiples : la vie avec Simone de Beauvoir, le « pape de l'existentialisme », le prix Nobel refusé et *la Cause du Peuple*. Et l'œuvre qu'elles masquent : à côté du discours philosophique, un « théâtre de situations » aux formules incisives (« l'Enfer, c'est les autres », *Huis clos*), des romans, des biographies fascinées par leur modèle, l'écriture multiforme d'« un homme, fait de tous les hommes, qui les vaut tous, et que vaut n'importe qui ».

Le Diable et le Bon Dieu, à la création au théâtre Antoine en 1951.
Mise en scène de Louis Jouvet avec : en haut, Pierre Brasseur (Goetz)
et Jean Vilar (Heinrich) ; en bas, Pierre Brasseur et Maria Casarès (Hilda).
Ph © Lipnitzki-Viollet.

Huis clos, à la création au théâtre du Vieux-Colombier en mai 1944.
Mise en scène de Raymond Rouleau, avec, de gauche à droite, Gaby Sylvia
(Estelle), Michel Vitold (Garcin) et Tania Balachova (Inès).
Ph. © Sipa-Press-Lido.

Arrestation à Paris en 1970
de Jean-Paul Sartre,
qui diffusait la Cause du peuple,
interdit par la censure.
Ph. © Gilles Peress-Magnum.

lutte entre les deux pouvoirs, reste vivant jusqu'au XVe siècle (voir *Jehan de Saintré).

La « fiction-cadre » du songe a également une longue histoire à la fin du XIVe siècle. Mis à la mode par la littérature allégorique, religieuse et courtoise, depuis le *Roman de la Rose, le rêve envahit la littérature politique au XIVe siècle. Notre auteur en donne une justification très proche de celle de Guillaume de Lorris : rêver est un moyen d'accéder à la vérité. Derrière cette idée, que contrebalance la rime souvent reprise « songe/mensonge », se profile un texte important pour la pensée médiévale, le Songe de Scipion, récit perdu du De republica de Cicéron, transmis par Macrobe au XIVe siècle, dans lequel Scipion Émilien reçoit de son ancêtre Scipion l'Africain (le vainqueur de la deuxième guerre punique) une leçon politico-philosophique.

Mais la fiction du songe est aussi une manière de mettre à distance les propos que l'on tient. L'auteur insiste dans le Prologue sur sa neutralité : il n'est que le greffier d'une « dispute », à chacun d'en juger ! Personne n'est dupe, mais dans les remous de la guerre de Cent Ans (reprise en 1377 avec la reconquête de la Guyenne par le duc d'Anjou), à la veille du Grand Schisme (1378), ce traité d'inspiration gallicane, où le roi de France définit et affirme son droit avec force, devait, pour conserver toute sa portée, couvrir ses enjeux du voile de l'objectivité (voir le *Quadrilogue invectif).

Puisant aussi ses modèles d'écriture dans la littérature religieuse et poétique, Philippe de Mézières composa en 1389 un traité politique en forme de songe et de voyage allégorique : le Songe du vieux pèlerin. Cet ancien conseiller de Charles V combattit dans sa jeunesse aux côtés du roi de Chypre dont il fut le chancelier, et tenta vainement de lever une nouvelle croisade. Il finit sa vie au couvent des Célestins à Paris où il rédigea, outre le Songe, un livre sur le mariage qui offre une version de Griselidis (voir *Contes de Perrault).

Le Songe du vieux pèlerin. En rêve, le vieux pèlerin, devenu Ardent Désir, part en quête de la perfection chrétienne et de la reine Vérité en compagnie de Bonne Espérance. Ils parcourent le Moyen-Orient en discutant des différents gouvernements et des grands problèmes contemporains : la guerre de Cent Ans, le schisme... Le second livre, situé en France, passe en revue les « états du monde » (voir *Livre des manières), tandis que le troisième livre est plus directement un « miroir du prince », c'est-à-dire un manuel d'éducation politique et morale destiné au jeune Charles VI, où sont repensés les pouvoirs de l'État et ses rapports avec l'Église, et se trouve proposée une définition du bon roi.

Adressé à Charles VI, appelé « faucon blanc au bec et aux pieds dorés », « Moïse », « jeune cerf volant couronné », ce songe en prose obéit à une mise en forme littéraire complexe et soignée, où chaque figure, chaque élément, correspondent à une signification symbolique précise : Ardent Désir « pris en figure pour le vieux pèlerin » est vêtu d'une nuée couleur de ciel et doté d'ailes de feu tandis que sa sœur Bonne Espérance, parée d'une tunique verte, possède des ailes mi-blanches mi-noires. Dès les premières lignes, le texte se présente en effet comme l'exploitation simultanée de plusieurs codes symboliques, dont l'emblématisme des couleurs si prisé à la fin du Moyen Âge. Chemin faisant, il adopte la manière des récits de voyage (voir le *Devisement du monde) avec la description des peuples orientaux, se fait l'écho des débats politiques qui agitent le monde intellectuel, pour se clore sur un « art de gouverner » qui donne une vision idéalisée de la monarchie. Au milieu de tant de sujets variés, l'auteur a su maintenir une cohérence de ton et de registre remarquable. Somme des savoirs et des expériences accumulés au cours d'une vie, ce traité politique original se hausse au rang des grandes œuvres allégoriques du XIIIe et du XIVe siècle, en offrant l'exemple d'un travail de création métaphorique soutenu tout au long de ses trois livres.

● CNRS, 2 vol., 1982 (p.p. M. Schnerb-Lièvre).

M. GALLY

SONGE DU VIEUX PÈLERIN (le), de Philippe de Mézières. Voir SONGE DU VERGER (le).

SONGES DES HOMMES ÉVEILLÉS (les). Comédie en cinq actes et en vers de **Brosse** (?-1651), sans doute créée devant le roi en 1645, jouée au théâtre de l'hôtel de Bourgogne, et publiée à Paris chez la Veuve Nicolas de Sercy en 1646.

Cette pièce, la troisième d'un obscur dramaturge qui en composa cinq et réussit surtout dans la comédie, connut un réel succès. Usant très habilement du décor à compartiments, Brosse multiplie les spectacles enchâssés, conduisant le spectateur au cœur du rapport ambigu entre réalité et illusion.

Lisidor et Cléonte se lamentent : Isabelle, aimée du premier, a péri ; Clorise dédaigne le second. La chasse a échoué à divertir Lisidor, mais Clarimond, frère de Clorise et maître du château où se déroule l'action, ne renonce pas à y parvenir. Survient un paysan ivre, Du Pont, qui fait une brillante apologie du vin (Acte I). Cléonte s'étant endormi, on s'amuse à ses dépens : on crie au feu, on fait disparaître, puis réapparaître son lit... (Acte II). Après l'avoir vêtu de riches habits durant son sommeil, on fait croire à Du Pont qu'il est gentilhomme (Acte III). Clorise se joue de Lucidan, son amant, grâce à une porte dérobée : tantôt elle lui tient des propos galants dans sa chambre, tantôt elle se réfugie chez elle et l'éconduit (Acte IV). Isabelle survient, miraculeusement sauve. Lisidor ignore encore son retour. On va jouer une pièce devant lui : Lucidan sera Lisidor ; Isabelle, prétendue nièce de Clarimond déguisée en homme, jouera Isabelle. Elle raconte son aventure et finit par se faire reconnaître de son amant (Acte V).

Tout repose, dans cette comédie, sur le désir de divertir Lisidor. Maître du jeu, même lorsqu'il délègue son pouvoir, Clarimond est démiurge (la pièce n'est pas sans rappeler l'*Illusion comique), acteur et spectateur (Clorise et Lucidan occupent également ces fonctions). Il est encore mentor de Lisidor-spectateur, qui commente comme au théâtre. Le public se rit avec lui des trois supercheries qui reposent sur le même principe : faire croire au mystifié qu'il rêve en le plongeant dans l'invraisemblable. À l'acte V, il s'agit d'une pièce annoncée comme telle par Clarimond, qui fait l'éloge de l'art dramatique. Il y a alors mise en abyme : on joue devant Lisidor sa propre vie. Les enchâssements précédents répétaient qu'illusion et vérité peuvent se rejoindre ; le dernier va plus loin : spectateur jusque-là tenu à distance – parfois derrière une vitre ménagée dans un dispositif scénique complexe –, Lisidor devient spectateur impliqué. Parce qu'on l'empêche de rompre l'illusion, il en vient à douter de sa propre réalité, à accepter l'idée qu'Isabelle n'est pas Isabelle. Extrême vertige pour lui comme pour le public, dont les mystifiés sont l'image : si le retour d'Isabelle n'était pas avéré dans le « réel » théâtral, ne croirait-on pas que le mélancolique est à son tour trompé ? N'était la fin, ostensiblement théâtrale (retour annoncé du frère d'Isabelle, lui aussi miraculé ; mariages), on resterait sur ces retournements presque inquiétants. Mais la vérité et la joie passent par le théâtre : l'illusion ramène la paix.

● STFM, 1984 (p.p. G. Forestier).

D. MONCOND'HUY

SONNETS et **ÉLÉGIES.** Œuvres poétiques de Louise **Labé** (1522-1566), publiées à Lyon chez Jean de Tournes en 1555 dans les Œuvres de Louise Labé, lyonnaise.

Celle qu'on surnomma la « Belle Cordière » appartint, comme Maurice Scève et Pernette du Guillet, au cénacle des poètes lyonnais. Appartenance toute géographique, qui n'impliquait pas de véritables affinités littéraires ou spirituelles. L'œuvre poétique de Louise Labé, composée entre 1545 et 1555, comprend 3 élégies et 24 sonnets : si les élégies demeurent un peu engoncées dans la manière marotique, la perfection formelle des sonnets intègre et dépasse la tradition pétrarquisante.

Les trois élégies illustrent l'impossibilité de se soustraire à l'amour, et la violence de cette passion chez ceux qui se targuent le plus d'y échapper : « Telle j'ai vu qui avait en jeunesse / Blâmé Amour : après en sa vieillesse / Brûler d'ardeur [...] » (élégie 1). Quant aux vingt-quatre sonnets, ils martèlent la douleur de l'absence (IV, XXI, XXII), l'impossible réciprocité de l'amour (I, IX, XV) et le désir d'une fusion qui ne peut s'accomplir qu'en rêve ou en imagination (VIII, XII).

C'est incontestablement dans les sonnets qu'éclate le génie élégiaque de Louise Labé. Dans les trois élégies, la poétesse cherche encore sa voie, entre une rhétorique précieuse et un désir d'expressivité qui confine au prosaïsme.

Qu'importe que Louise Labé ait aimé le poète Olivier de Magny, amant volage, ingrat, et peut-être indélicat. La biographie est négligeable, comme l'est cette prétendue sincérité féminine à quoi l'on a réduit trop longtemps les *Sonnets*. Loin du témoignage psychologique, la poésie de Louise Labé vibre d'une interrogation sur le désir et l'identité du moi amoureux. Dans le « long travail » et les « soucis ennuieux » de la passion, l'être se désarticule, éclate en projections contradictoires : « Je vis, je meurs : je me brule et me noye, / J'ay chaut estreme en endurant froidure : / La vie m'est et trop molle et trop dure. » Aimer, c'est chercher une vaine coïncidence du moi avec lui-même, ainsi qu'en témoigne le débat du « cœur » et de l'« œil » au sonnet X. Thème cardinal de cette poésie élégiaque, l'absence de l'autre équivaut à une déperdition de substance, à une dissociation de l'âme et du corps : « On voit mourir toute chose animee, / Lors que du corps l'ame sutile part : / Je suis le corps, toy la meilleure part : / Ou es tu donq, ô ame bien aymee ? » (VI). Plus qu'une donnée conjoncturelle, l'absence est signe d'une fatale et irréversible disjonction des « cœurs » : aucun principe d'harmonie ne peut, à l'instar des lois du cosmos, régler ou accorder les désirs des amants (XXI). L'échange amoureux n'existe pas chez Louise Labé : c'est en vain que le « tourment » de l'un s'efforce d'embraser la « froidure » de l'autre.

Cet état de scission engendre un cri, un appel à la volupté unificatrice : « Baise m'encor, rebaise moy et baise : / [...] / Ainsi meslans nos baisers tant heureus / Jouissons nous l'un de l'autre à notre aise » (XVII). Impossible union, qui ne peut s'effectuer que dans le « mensonge » du sommeil : « Mon triste esprit hors de moy retiré / S'en va vers toy incontinent se rendre » (VIII), ou dans le désir, fort peu équivoque, d'une extase érotique mortelle : « Si de mes bras le tenant acollé, / Comme du lierre est l'arbre encercelé, / La mort venoit, de mon ayse envieuse : / [...] / Bien je mourrois, plus que vivante, heureuse » (XII).

Des élégies aux sonnets, un travail de concentration poétique s'est accompli. La clôture formelle du sonnet interdit les sinuosités du sentiment : elle exacerbe et porte à incandescence les plaintes et les lamentations.

● « Poésie/Gallimard », 1983 (p.p. F. Charpentier). ➤ *Œuvres complètes*, Droz ; *id.*, « GF ».

P. MARI

SONNETS ET MADRIGALS POUR ASTRÉE. Voir AMOURS (les), de P. de Ronsard.

SONNETS POUR HÉLÈNE. Voir AMOURS (les), de P. de Ronsard.

SOPHA (le), conte moral. Roman de Claude Prosper Jolyot de **Crébillon**, dit Crébillon fils (1707-1777), publié clandestinement en 1742.

La publication du *Sopha* – qui circulait depuis longtemps sous le manteau – ne plut pas aux autorités, qui imposèrent à son auteur un exil à trente lieues de Paris. Levée au bout de trois mois, la sanction vaut plus comme exemple, dans une conjoncture peu favorable aux romans, que comme preuve d'une particulière audace, satirique ou érotique. On aurait cependant bien tort de se priver du plaisir de lire une des œuvres les plus fines du XVIIIe siècle, qui fit les délices de Stendhal.

Schah-Baham, sultan des Indes, d'une rare bêtise et non moins exceptionnelle ignorance malgré sa subtile sultane, réclame des contes qu'il tient à commenter. Amanzéi, sectateur de Brama et donc de la métempsycose, et qui fut sopha après avoir été femme, lui raconte ses souvenirs. Il entre d'abord chez une fausse prude, Fatmé, s'ennuie chez une jeune femme vertueuse, se réfugie chez une fille entretenue, Amine, s'envole chez Phénime, amante délicate, atterrit chez Almaïde, prude de quarante ans, qui, à force de rivaliser de vertu avec un prêtre, Moclès, se retrouve dans ses bras. Il passe ensuite dans la « petite maison » de Mazulhim, brillant séducteur malgré toutes ses défaillances, où défilent la raisonnable Zéphis, et Zulica l'évaporée qui se livre à Zâdis, s'abandonne et se raconte à Nassès, avant de s'apercevoir qu'elle a été le jouet des manigances perverses de Mazulhim. Il ne reste plus à Amanzéi qu'à tomber amoureux à son tour avant d'assister à l'abandon réciproque de deux jeunes gens vierges, qui fixe le terme de son incarnation en sopha.

Il est tentant de rapprocher *le Sopha* de l'**Écumoire*, en songeant au cadre oriental et à la fonction narrative des deux objets, prétexte d'analyses psychologiques à la fois raffinées et ironiques. Mais la comparaison s'avère aussitôt décevante et de pure apparence ; ou plutôt, elle révèle, chez Crébillon un évident souci de ne pas se répéter, signe d'une ambition créatrice qu'on n'accorde pas volontiers à ce subtil et trop secret artiste. L'*Écumoire* fondait sa leçon sur une structure en miroir, où chaque sexe affrontait à son tour l'épreuve, mortifiante et libératrice, de l'expérience sexuelle, qui est toujours, chez Crébillon comme dans le théâtre de Marivaux, la figure extrême du rapport social. *Le Sopha* propose une tout autre formule, nullement inspirée du conte de fées et d'une transposition burlesque de l'actualité. La référence orientale n'est pas ici un leurre, comme le prouve la fort savoureuse figure du sultan, qui révèle chez Crébillon un véritable don comique. Ses commentaires saugrenus ravivent la situation d'énonciation orale, mais aussi la conscience ironique et critique du procès d'écriture, qui est une constante de l'art de Crébillon et du roman des Lumières. De la vogue des *Mille et Une Nuits* relève également l'enchaînement scandé des histoires successives. Analogie plutôt qu'imitation, car les *Mille et Une Nuits* ne proposent évidemment pas l'homogénéité thématique et idéologique appuyée des aventures du *Sopha*, toutes consacrées aux égarements des sens et de l'esprit. La structure cumulative est au demeurant impulsée par un principe dynamique qui fait culminer le roman sur le personnage de Mazulhim (chap. 10 à 19), où d'aucuns ont vu sans grand risque le duc de Richelieu cher à Voltaire, tandis que l'histoire de Zulica (12 à 19) redouble cet effet de concentration narrative et de dramatisation thématique. Concentration et dramatisation masquées, puisque le lecteur peut croire, comme le sopha, qu'il a quitté Mazulhim au profit de Zulica, et ne découvre la machination sadique du libertin impuissant qu'avec sa victime, au chapitre 19. Rien de tel, on s'en doute, tout libertinage mis à part, dans ces *Mille et Une Nuits* qu'on feint de suivre (Schah-Baham est présenté comme le petit-fils de... Schéhérazade) pour mieux s'en défaire. Ou les refaire à la mode française.

La force de l'*Écumoire* reposait sur deux séquences parallèles : le corps à corps du jeune Tanzaï avec l'horreur du sexe (la fée Concombre) ; la découverte du plaisir, par Néadarné, contre les interdits. Rien, dans *le Sopha*, ne répond à cette double et qualifiante épreuve d'initiation. L'ironie ne se donne même plus, comme dans les **Égarements du cœur et de l'esprit*, pour un retour adulte et éclairé sur l'inexpérience et la sottise juvéniles. Elle ricane sur un monde aveugle, hypocrite, perfide, pervers. L'on commence par sourire, puis le sourire se fige, et l'on finit dans la pure horreur d'une méchanceté qui se repaît d'elle-même, comme pour suppléer au vide d'un désir impuissant. Une fin magnifique, dont rien n'approche, ni chez Laclos, ni chez Sade, incapables de concevoir, par excès de raison et d'énergie, le désespoir de l'impuissance, qui fait la grandeur douloureuse de Crébillon.

● Desjonquères, 1984 (p.p. J. Sgard). ➤ Œuvres complètes, Slatkine, I ; Œuvres, François Bourin.

J. GOLDZINK

SOPHONISBE. Tragédie en cinq actes et en vers de Pierre **Corneille** (1606-1684), créée à Paris au théâtre de l'hôtel de Bourgogne vraisemblablement le 12 janvier 1663, et publiée à Paris chez Guillaume de Luyne la même année.

Amplement contés par Tite-Live, plus brièvement par Polybe et Appien d'Alexandrie, les malheurs de la reine Sophonisbe avaient été maintes fois portés à la scène tant en Italie (par Trissino en 1515, Caretto en 1546) qu'en France où Montchrestien en 1596, Montreux en 1601, et surtout Mairet en 1634 avaient connu, avec ce sujet, de durables succès (voir articles suivants).

L'action se passe en Numidie, à Cyrthe, capitale du royaume de Syphax. Fille du général carthaginois Asdrubal et reine de Numidie, Sophonisbe pousse le vieux Syphax, qu'elle a épousé par raison d'État, à rejeter les conditions de paix, favorables à la Numidie mais défavorables à Carthage, que proposent les Romains. Son indéfectible fidélité à Carthage autant que la crainte de voir sa prisonnière, Éryxe, reine de Gétulie, épouser Massinisse, autre roi de Numidie, qu'elle a naguère aimé, expliquent son intransigeance (Acte I). La bataille se livre donc ; vaincu, Syphax se fait prisonnier ; Éryxe, libérée par Massinisse, allié des Romains, triomphe ; Sophonisbe, qui ne redoute désormais rien tant que de figurer parmi les captives de Scipion, regagne par sa beauté le cœur de Massinisse, s'offre à divorcer de Syphax et à l'épouser (Acte II). À la maigre consolation de Syphax – à qui Sophonisbe reproche hautement d'avoir préféré la « honte des fers » à la mort –, les Romains n'approuvent toutefois pas le mariage de Sophonisbe et de Massinisse (Acte III). Lélius, lieutenant de Scipion, ordonne l'arrestation de Sophonisbe et fait comprendre à Massinisse, désespéré, qu'il doit s'estimer heureux que le sénat romain agrandisse son royaume de celui de Syphax (Acte IV). Dans l'impossibilité d'éviter à Sophonisbe de compter parmi les prisonniers de marque qui accompagneront le triomphe de Scipion au pied du Capitole, Massinisse lui fait parvenir du poison. Après avoir un instant feint de se résigner à son triste sort et cependant qu'Éryxe renonce définitivement à Massinisse, Sophonisbe se suicide (Acte V).

La pièce traite du même thème que *Nicomède* et *Sertorius* : la politique de la République romaine envers les rois qui lui sont, peu ou prou, alliés ou soumis. La décadence des royaumes tient avant tout à la faiblesse morale de leurs rois, face à Rome sûre d'elle-même et de ses valeurs. Seule Sophonisbe pousse, parfois jusqu'au cynisme, la vertu patriotique. Indifférente à ce qui n'est ni sa gloire ni Carthage, elle est prête à tout pour sauver l'essentiel. Malgré de bons débuts, *Sophonisbe* ne remporta pas un succès considérable. Attaquée par l'abbé d'Aubignac, qui, dans ses *Remarques sur la tragédie de « Sophonisbe »* (1663), reprochait à Corneille d'avoir créé le personnage d'Éryxe, de ne pas avoir atténué la mollesse de Massinisse et de ne pas avoir fait mourir Syphax avant que Sophonisbe ne décide d'épouser Massinisse, la pièce fut défendue par Donneau de Visé (qui avait d'abord été fort critique). Elle illustre une fois de plus (après le *Cid* et *Horace*) la volonté de Corneille de préférer la vérité de l'Histoire aux bienséances du siècle.

➤ Œuvres complètes, « Pléiade », III.

A. COUPRIE

SOPHONISBE (la). Tragédie en cinq actes et en vers de Jean **Mairet** (1604-1686), créée à Paris au théâtre du Marais en 1634, et publiée à Paris chez Rocolet en 1635.

Sixième pièce de Mairet, la Sophonisbe est sa première tragédie. Il s'y inspire de la Carthaginoise ou la Liberté de Montchrestien (1596) et plus particulièrement des faits rapportés par Tite-Live, Polybe et Appien d'Alexandrie, tout en modifiant certaines données de l'Histoire. Cette pièce, qui répond aux exigences formulées dans la Préface de la *Silvanire* (respect des unités de temps et de lieu, souci des bienséances), apparaît comme la première tragédie « classique ». Elle connut un vif succès, que n'atteignit pas la *Sophonisbe* de Corneille (1663) malgré le désir de celui-ci de rivaliser avec Mairet, et sera adaptée par Voltaire en 1770. Le dénouement romanesque, aboutissement logique d'une structure linéaire, ajoutait à la simplicité de l'action l'attrait de la « commisération » du spectateur qui voyait en Massinisse un héros tragique parfait dont la mort – invention de Mairet – résolvait, beaucoup plus dignement que sa vieillesse réelle, le dilemme entre son amour et son devoir de loyauté.

Syphax, roi de Numidie, a découvert une lettre de son épouse Sophonisbe dans laquelle elle le trahit pour Massinisse, ennemi de Syphax et allié des Romains, qui assiège la ville de Cyrte. Réellement amoureuse de Massinisse, elle prétend que la lettre était destinée à le retourner contre les Romains. Syphax n'en croit rien et maudit son ennemi avant de partir au combat (Acte I). On annonce la mort de Syphax. Sophonisbe envisage de se tuer pour ne pas participer au triomphe romain, mais sa confidente Phénice l'engage à tenter de conquérir Massinisse (Acte II). Celui-ci paraît, et exprime le souhait qu'elle soit livrée aux Romains. Sophonisbe doute de pouvoir séduire Massinisse, et, comme on lui annonce son arrivée, adresse une prière à l'Amour pour qu'il l'assiste dans ce projet. Touché par sa douleur, puis par sa beauté, Massinisse tombe amoureux d'elle, lui promet le mariage et s'engage à tout faire pour lui éviter la captivité (Acte III). À peine le mariage célébré, Scipion vient demander Sophonisbe à son allié en lui rappelant qu'elle appartient à Rome. Loyal mais amoureux, Massinisse espère que Lélie, un lieutenant de Scipion, parviendra à fléchir celui-ci en faveur de Sophonisbe (Acte IV). Face au refus de Scipion, Massinisse, fidèle à la promesse faite à son épouse, lui envoie du poison. Elle l'absorbe et Massinisse se tue pour la rejoindre dans la mort (Acte V).

La Sophonisbe frappe surtout par la clarté de son déroulement. Il semble qu'un souci constant d'efficacité ait guidé l'auteur et l'ait conduit à épurer son texte de certains procédés caractéristiques du théâtre « baroque ». Les songes (V, 4) et les déclarations prophétiques (I, 2) sont encore très présents, mais parfaitement intégrés à l'action, et se justifient par une volonté de souligner le pathétique de la situation bien plus que par une facilité propre à la faire progresser. Quand Syphax souhaite à son ennemi d'avoir Sophonisbe pour femme, c'est en effet la dernière fois qu'il apparaît sur scène et ses ultimes paroles portent d'autant plus qu'elles émanent d'un vieil homme trahi, attendu au combat et plein d'amertume. Elles ont donc une vertu psychologique et aident à faire de Syphax un personnage à part entière, bien qu'il n'apparaisse qu'au premier acte. Ces derniers mots permettent également d'annoncer le dénouement et contribuent à la clarté de l'ensemble. Cette « prophétie » de Syphax ne suffit pourtant pas à placer toute la pièce sous le signe d'une fatalité qui en exacerberait le pathétique. Car Sophonisbe assume elle-même la responsabilité de son destin (l'influence de Phénice est négligeable). Son vœu à l'Amour (III, 3) prétend donner à son comportement des raisons politiques – en séduisant Massinisse, elle protégerait l'Afrique de la domination romaine –, mais le spectateur n'est pas dupe. En fait, l'action évolue selon deux forces, présentes dès l'acte I : l'amour, mais surtout la puissance de Rome. Cette dernière détermine le dénouement, le souci de Sophonisbe étant d'abord de ne pas participer au triomphe des vainqueurs. Quant à Massinisse, d'abord l'ennemi de Sophonisbe (III, 1), il est immédiatement conquis et ses sentiments évoluent selon une progression nette, sans hésitation.

Le spectateur est entraîné dans cette évolution rapide mais claire, aussi efficace que l'exposition. La psychologie des personnages, ni sommaire ni manichéenne, s'accorde aux stéréotypes romanesques et Massinisse trouve dans sa mort l'occasion d'une pointe précieuse (V, 8). Le vraisemblable – et non le vrai comme chez Corneille – emporte le spectateur, séduit par une pièce où tout se tient (peu d'événements dans un lieu unique et en vingt-quatre heures) et qui respecte la bienséance (à l'exception du baiser de Massinisse, III, 4). Une ère nouvelle s'offre ainsi à la tragédie.

● Nizet, 1969 (p.p. C. Dédéyan) ; « Pléiade », 1975 (*Théâtre du XVIIe siècle*, I, p.p. J. Scherer).

P. GAUTHIER

SOPHONISBE. Tragédie en cinq actes et en vers de Nicolas de **Montreux** (1561-vers 1610), publiée à Rouen chez Raphaël du Petit Val en 1601.

Quand il traite le sujet de Sophonisbe sous le pseudonyme du « sieur de Mont-Sacré », Montreux s'est déjà exercé à la pastorale dramatique avec des pièces comme *Athlète* (1585), *Diane* (1594) et *Arimène* (1597), et à la tragédie (*Cléopâtre*, 1594, et *Isabelle*, 1595).

> Scipion chante la gloire de Rome, cependant que Siphax, roi des Massésiliens, entonne une déploration sur le sort de sa patrie vaincue. Siphax et Sophonisbe, son épouse, sont tombés aux mains de Massinisse, à qui la reine avait été jadis promise et qu'il envisage désormais d'épouser (Acte I). Sophonisbe asservie nourrit le projet d'un suicide qui la sauvera du déshonneur : elle redoute que Massinisse ne la livre aux Romains (Acte II). Malgré un mouvement de révolte contre Rome qui exige Sophonisbe en tribut, malgré sa décision de livrer combat aux Romains, Massinisse s'exécute (Acte III). Mais Scipion craint qu'il ne trahisse par amour la cause romaine. De fait, il a procuré à la reine le poison qui la délivrera d'une vie honteuse (Acte IV). Sophonisbe se tue, suivie dans la mort par sa nourrice et sa servante (Acte V).

Sans doute Appien d'Alexandrie et Plutarque, auteurs évoqués à la fin de l'Argument, ont-ils fourni à Nicolas de Montreux les sources de sa tragédie. Sophonisbe n'est pas inconnue du public français : la pièce de l'Italien Trissino publiée en 1515 a été traduite, par les soins de Mellin de Saint-Gelais (1559), puis de Claude Mermet (1584), avant que Montchrestien ne donne une tragédie originale sur le sujet (1596).

Montreux n'a pas voulu bâtir une tragédie régulière, comme les dramaturges des décennies précédentes en avaient parfois fourni le modèle : s'il respecte les unités de temps et d'action, il ne s'attache pas à l'unité de lieu ; s'il fait intervenir le chœur à la fin des actes, c'est de manière irrégulière. L'unité de chaque acte repose moins sur l'encadrement choral que sur une disposition particulière des répliques : de longues tirades, suivies de stichomythies, précèdent un enchaînement de tirades plus brèves, qui donnent à l'ensemble du poème tragique son souffle rythmique.

À une époque où la France sort du long cauchemar des guerres civiles, la thématique de la mutabilité de Fortune chère au genre tragique, tout comme les interrogations qui surgissent dans cette *Sophonisbe* sur le sens des tribulations politiques et les obligations des princes, prennent une résonance particulière. Si l'« estat d'un prince est de donner la loy » (v. 1 311), rien cependant ne garantit plus le pouvoir des grands : comment l'instabilité politique ne triompherait-elle pas dans un monde où « rien durable ne vit que la seule inconstance » ? Dans cet univers inquiet de l'automne de la Renaissance où germe le baroque, la thématique tragique s'enrichit des tourments de l'être convaincu de sa propre instabilité car : « Nostre vie ressemble à l'ombre qui finist / Soudain que le Soleil à nos

yeux se ternist. / Elle passe en un rien » (v. 2 767-2 769). Elle s'enrichit encore des tourments d'une conscience qui voit dans le péché attaché à la nature humaine le sens du changement permanent. La tentation était forte, dans pareil contexte, de faire de la mort le lieu du repos, en entretenant le mirage de la tradition stoïcienne : l'auteur n'y échappe pas, qui laisse le vocabulaire religieux contaminer l'épisode du suicide de la reine, suicide devenu paradoxalement, sous la plume du « ligueur » Montreux, un « dévot sacrifice » (v. 2 550). Sur la scène tragique devenue lieu d'expression d'un monde à la recherche de ses repères, la conscience inquiète avoue ainsi sa confusion.

➤ Genève, Droz, 1976 (p.p. D. Stone Jr.).

M.-C. GOMEZ-GÉRAUD

SORCIÈRE (la). Essai de Jules **Michelet** (1798-1874), publié à Paris chez Dentu et Hetzel en 1862 ; réédition à Bruxelles chez Lacroix en 1863 précédée d'un Avis et rétablissant deux passages de l'Introduction supprimés en 1862.

Alors qu'il vient d'achever le tome XIV de son *Histoire de France*, Michelet, qui se sent plus que jamais « fils de la femme », entreprend de poursuivre son apologie de la féminité développée dans *l'Amour* (1858) et dans la *Femme* (1859). Se consacrant à « l'histoire de ceux qui n'ont pas eu d'histoire », soucieux de mettre au jour la souveraineté de l'autre sexe (*Jeanne d'Arc*, 1841 puis 1853 ; *les Femmes de la Révolution*, 1854), il lit désormais l'Histoire, du Moyen Âge au Grand Siècle, comme une « tragédie dont l'héroïne serait une femme à la fois révérée et persécutée » (P. Viallaneix) : la sorcière. L'ouvrage connaîtra un succès de scandale et suscitera l'incompréhension des amis de Michelet, avant d'être à juste titre considéré comme un texte fondateur.

> L'Introduction associe sorcière, fée, sibylle, magicienne et femme (« C'est le génie propre à la Femme et son tempérament »), puis définit la sorcière : « Elle a déjà les traits du Prométhée moderne », en l'inscrivant dans l'Histoire et en l'opposant à « l'impuissance de l'Église pour engendrer ». La première partie, en 12 chapitres, de « la Mort des dieux » à « Satan s'évanouit », érige la sorcière médiévale en envers de la société féodale écrasée par l'oppression de l'Anti-Nature. Écrivant la légende de cette figure de la révolte, Michelet évoque de superbes pages les pratiques sataniques, charmes, philtres, messes noires et sabbats. Prince de la nature, Satan délivre le corps en le réhabilitant et affranchit le serf le temps d'une nuit.
>
> La seconde partie nous conduit en 12 chapitres de la Renaissance aux grands procès en sorcellerie du XVIIe siècle. La Renaissance redéfinit le statut de la sorcière : « Le Diable est maintenant populaire et présent partout. » Il gagne en substance sous l'aspect nouveau de la Révolte scientifique, mais perdure aussi comme Esprit ténébreux. L'Église entreprend alors de reconquérir le terrain perdu. Michelet examine tour à tour l'affaire Gauffridi, celles des possédées de Loudun, de Louviers, de la Cadière, pour montrer que « Satan triomphe au XVIIe siècle ». L'historien instruit le procès d'une Église où « Satan s'est fait directeur. Ou si vous l'aimez mieux, le directeur s'est fait Satan ». Subtile dialectique qui veut prouver que l'Église est la véritable possédée.
>
> Un Épilogue conclut sur une prophétie : « Les dieux passent, et non Dieu. Au contraire, plus ils passent et plus il apparaît. » Le temps de la réconciliation approche, et la science peut enfin contempler ses origines ténébreuses.

Sociologue de l'Histoire, ethnologue, psychologue des sociétés, anticipant sur les conceptualisations de l'anthropologie moderne, Michelet fait de la sorcière le révélateur de la mise en place successive des pouvoirs : Église, magistrature, État, science. Incarnation de la nature féminine, la sorcière dépend de la société, qui l'investit d'une fonction. Ressuscitant le fait historique de la sorcellerie, l'inscrivant dans les mentalités et les croyances, Michelet le relie à la crise aliénante du Moyen Âge. Face au servage, au règne de l'or, aux maladies, le paysan ne trouve dans le message de l'Église, qui ne se réfère pas à la

Nature mais au contraire la méprise, ni secours ni point de repère. La révolte des campagnes, nourrie de chimères, confie à un individu sorti du peuple l'exercice des magistratures naturelles de la collectivité : guérison, consolation, culte des morts, fêtes.

Reine des « temps du désespoir », prenant la relève du prêtre et du seigneur, la sorcière apparaît comme une victime idéale de l'oppression, puisque cumulant les misères du serf et celles de son sexe. Offrant des compensations aux misérables, elle est vouée à la clandestinité, puisque la révolte se voit interdite, comme le culte satanique. Si la Renaissance, avec ses perspectives libératrices, semble rendre caduque la fonction symbolique de la sorcière, la sorcellerie se survit comme pratique professionnelle tolérée ; mais l'Inquisition inaugure ses terribles procès. C'est que l'Église, selon Michelet, est elle-même assujettie au Malin, comme le prouvent les possédées de Loudun ou de Louviers. Par son refus du corps, de la Nature, par son culte stérile de l'Esprit et de la pureté, elle s'est condamnée aux fantasmes. Traquant le satanisme chez la sorcière, elle révèle involontairement sa propre possession.

Réhabilitant une figure où se rassemblent les forces vitales, lançant un réquisitoire contre une Église répressive, l'œuvre révolutionnaire de Michelet est traversée de développements fulgurants. Poésie de l'obscur, chant du faible, contre-Histoire, elle exalte un satanisme moderne, celui de la science, dressé contre l'obscurantisme. « Entassement de révoltes », la vie moderne repose désormais sur « trois pierres éternelles : la Raison, le Droit, la Nature » (Épilogue). Annonciatrice, la sorcière devait périr par le progrès même qu'elle avait suscité. Être nocturne de liberté, elle laisse la place à la Femme future, à qui son « vrai sacerdoce », salutaire et consolateur, assurera sa vraie place dans les sciences, où elle « apportera la douceur et l'humanité, comme un sourire de la nature ». L'avenir, cette « aube religieuse », verra l'éclipse définitive de l'Anti-Nature, sourdement préparée par la Sorcière, cette bienfaitrice oubliée.

● STFM, 2 vol., 1952-1956 (p.p. L. Refort) ; « GF », 1966 (p.p. P. Viallaneix).

G. GENGEMBRE

SORELLINA (la). Voir THIBAULT (les), de R. Martin du Gard.

SOUFFLEUR (le). Voir LOIS DE L'HOSPITALITÉ (les), de P. Klossowski.

SOUHAITS RIDICULES (les). Voir CONTES, de Ch. Perrault.

SOULIER DE SATIN (le) ou Le pire n'est pas toujours sûr. Drame en quatre journées et en prose de Paul Claudel (1868-1955). La « Première journée » fut publiée en 1925 dans le Roseau d'or, n° 5 ; la version intégrale, à Paris chez Gallimard en 1929. La pièce fut créée le 27 novembre 1943 à la Comédie-Française, dans une mise en scène de Jean-Louis Barrault, avec une musique d'Arthur Honegger : cette version « pour la scène », considérablement abrégée, parut chez Gallimard en 1944.

« La scène de ce drame », précise l'Annoncier, « est le monde et plus spécialement l'Espagne à la fin du XVIᵉ siècle, à moins que ce ne soit le commencement du XVIIᵉ siècle. » Attaché au mât d'un vaisseau en perdition au milieu de l'océan Atlantique, un père jésuite supplie Dieu de détourner son frère Rodrigue du péché (Prologue).

Première journée. En Espagne, Don Pélage, austère juge du Roi, court au chevet de sa cousine mourante, mère de Doña Musique. Sa femme, Doña Prouhèze, converse avec Don Camille. Ce Castillan au teint basané, cet aventurier, aime la jeune femme : il lui demande de sauver son âme et lui propose l'aventure du néant en Afrique. Prouhèze refuse. Elle a adressé une lettre à Rodrigue, qu'elle aime depuis qu'elle l'a recueilli après un naufrage sur les côtes d'Afrique. Rodrigue est celui qui la définit comme elle l'est : celle qui lui apporte la « joie » essentielle. Elle remet son soulier de satin à la statue de la Vierge et lui demande protection : « quand j'essayerai de m'élancer vers le mal, que ce soit avec un pied boiteux ! » Dans son palais, sur les bords du Tage, le roi d'Espagne médite : son royaume réunit le double espace de l'Europe et de l'Amérique. Mais des troubles agitent le Nouveau Monde et il faut y envoyer un homme de passion, Don Rodrigue. Doña Musique s'est réfugiée au bord de la mer, dans une auberge ; elle se croit destinée au roi de Naples. Prouhèze est parvenue dans la même auberge. Les poursuivants de Musique s'apprêtent à attaquer l'auberge. Prouhèze s'est sauvée et son ange gardien l'accompagne. Les attaquants prennent l'auberge d'assaut mais Musique vogue vers Naples sous la conduite d'un pittoresque « Sergent napolitain ».

Deuxième journée. Prouhèze s'est rendue au château de Doña Honoria, la mère de Rodrigue, où celui-ci, blessé dans un combat, a été conduit. Don Pélage avoue à Doña Honoria qu'il a aimé dans son épouse la lumière qu'elle irradie. « C'est vous qui la retranchez de Dieu », lui répond Doña Honoria. Don Pélage, face à Prouhèze, la justifie de son éloignement pour lui. Il doit, cependant, continuer la Croisade, et la nomme gouverneur de Mogador, place forte africaine où règne Don Camille. Il ne la reverra jamais. Dans la campagne romaine, au coucher du soleil, le vice-roi de Naples se considère comme le gardien du lieu central de la Chrétienté. Dans la nuit, la figure gigantesque de saint Jacques occupe tout l'espace : l'espace infini figure l'universalité catholique, réunit l'Afrique et l'Amérique, le passé et le présent, le visible et l'invisible. Dans son palais de l'Escurial, le roi d'Espagne annonce à Don Pélage que Rodrigue n'accepte de partir en Amérique que si Prouhèze revient. En pleine mer et face à Mogador, Rodrigue imagine que Prouhèze, qu'il a suivie, a cédé à Camille. À l'intérieur de la forteresse, Camille et Prouhèze se déchirent. En Sicile, Doña Musique rencontre, par hasard, le vice-roi de Naples, qui entend la petite « musique » qui émane du cœur de la jeune femme : « Mon chant est celui que je fais naître. » À Mogador, Don Camille remet à Rodrigue la réponse de Prouhèze : « Je reste. Partez. » Camille reproche à Rodrigue de s'être, d'emblée, donné la tentation comme interdite. Mais Rodrigue demande plus que l'amour humain ; il veut l'union pareille des âmes et des corps. Prouhèze restera avec Camille, comme une figure de la destinée de ce dernier. La lune éclaire « l'ombre double » des amants ; Prouhèze sait que leur séparation physique ne peut empêcher leur union mystique dans l'absence essentielle qui définit la créature. « Jamais je ne pourrai plus cesser d'être sans lui et jamais il ne pourra plus cesser d'être sans moi. »

Troisième journée. Dix ans plus tard, peu après la bataille de la Montagne-Blanche (1620). En hiver, dans l'église de Saint-Nicolas, à Prague, Doña Musique, enceinte, prie Dieu et le loue. Les Saints défilent et s'expriment chacun à leur tour ; les Saxons et Luther incarnent la contradiction vivante de l'Europe, la négation qui entraîne les soldats du Christ ; car l'ordre parfait, l'harmonie ne se trouvent qu'en Dieu. Doña Musique attend, certaine que l'avenir se déroulera selon l'ordre du Grand Livre. Au large de l'Amérique se déroule une scène burlesque : Don Léopold Auguste remet en cause toutes les découvertes. Son interlocuteur, Don Fernand apporte la lettre de Prouhèze à Rodrigue, qui ne lui est jamais parvenue (voir Première Journée). Au large de l'Orénoque, Don Rodrigue, vice-roi des Indes, envoie Almagro prendre par l'épée l'Amérique du Sud, en franchissant l'isthme de Panama. Dans une longue scène, Prouhèze ou plutôt l'âme de Prouhèze, guidée par son ange gardien, voyage aux confins de la vie et de la mort. Elle aspire à rejoindre le néant mais l'appel secret de Rodrigue la retient – « Sans mains, sans yeux, il y a quelqu'un qui m'a rejointe amèrement dans le désert ! » –, passion qui, par la tentation même du péché, les rapproche de Dieu. Prouhèze se métamorphosera en étoile, en guide spirituel de son époux mystique, Rodrigue. Celui-ci a relié l'Ancien au Nouveau Monde ; mais, au-delà de l'isthme de Panama, franchissant l'Océan Pacifique, il devra aussi parcourir l'Asie pour faire naître au seul Dieu les populations ignorantes de la bonne parole. Derrière Prouhèze et l'Ange, un écran géant renvoie l'image du Ciel où se dessine l'image de l'Immaculée Conception. Dans son palais de Panama, Rodrigue reçoit, enfin, la lettre écrite par Prouhèze dix ans plus tôt. À Mogador, après la mort de Don Pélage et lors d'une révolte des troupes, Prouhèze s'est mariée avec Camille. Sa fille, Doña Sept-Épées, ressemble à Rodrigue. Camille, surnommé Ochiali le renégat, a embrassé l'islam et renie le Christ : « Je suis la brebis bien perdue que les cent autres à jamais ne suffisent pas à compenser. » Rodrigue arrive devant les côtes de Mogador. Prouhèze vient en ambassadrice lui transmettre le message d'Ochiali : si Rodrigue retire ses troupes, elle partira avec lui ; sinon, elle mourra avec les Mores dans l'incendie de la citadelle. Elle demande à Rodrigue de la délier de la promesse qui les unit, de la laisser renaître en esprit, purifiée de l'amour qui l'empêche d'atteindre l'au-delà. Il ne dit pas le mot qui l'aurait retenue et elle laisse sa fille sous sa garde.

Quatrième journée. « Sous le vent des îles Baléares ». Dix ans plus tard, alors que Prouhèze est morte, Rodrigue, à bord d'un vieux bateau, fabrique et vend des images saintes après la disgrâce royale que lui valut son départ du Nouveau Monde. Il a perdu une jambe au Japon. Quant à Doña Sept-Épées, avec son amie la gentille Bouchère, elle projette de délivrer les Espagnols captifs des pirates barbaresques en Afrique. Le Roi a déjà envoyé Jean d'Autriche, le fils de Doña Musique, combattre les Turcs. Sept-Épées et Jean semblent devoir s'aimer d'un amour impossible. Le Roi met à profit les rumeurs de victoire de l'Invincible Armada pour tromper ce Rodrigue infirme dont la superbe l'indispose : il imagine un subterfuge pour le convaincre de prendre en charge le gouvernement de l'Angleterre. Rodrigue, circonvenu par l'Actrice, semble se laisser tenter, quand Sept-Épées l'appelle à l'aide en évoquant le douloureux souvenir de Prouhèze. Mais, par l'offre du Roi, il se sent appelé à une plus vaste tâche : « élargir le monde », restaurer l'harmonie cosmique. Dans sa cour figée et hypocrite, le Roi remet à Rodrigue la charge postiche de vice-roi d'Angleterre. Sept-Épées se sauve à la nage du vaisseau de son père. La même nuit, Rodrigue, enchaîné à un mât, subit les moqueries du soldat auquel il appartient après avoir été fourvoyé par le Roi. Sept-Épée lui a écrit une lettre : quand elle atteindra le vaisseau de Jean d'Autriche, sur le point de livrer la bataille de Lépante elle fera tirer un coup de canon. Rodrigue se plaint de sa destinée au père qui maria Prouhèze et Camille : « Tout cela un jour vous sera expliqué », lui réplique ce dernier. Une vieille religieuse achète Rodrigue, déchu, pour qu'il serve, au plus bas degré, les œuvres de sainte Thérèse. On entend un coup de canon.

Paul Claudel écrit le Soulier de satin de mai 1919 à décembre 1924. Sur le double plan de l'action et de la dramaturgie, la pièce accomplit l'œuvre tout entière de Claudel, qui y voyait son « testament sentimental et dramatique » (1926). Le drame du sacrifice, qui sous-tend l'ensemble de son œuvre, trouve enfin son explication et sa justification : Rodrigue et Prouhèze réunis malgré, voire à cause de leur séparation ; ils donnent un sens à la contradiction essentielle qui déchirait Mesa et Ysé dans *Partage de midi* et Sygne dans l'*Otage*. Dans le Soulier de satin, se rejoignent toutes les expériences dramaturgiques déjà réalisées dans une perspective anticlassique, dans la continuité de Shakespeare ainsi que de Calderón et par le recours à des techniques cinématographiques. Le Soulier de satin les réunit, les résume et les dépasse en une somme qui suggère l'invisible au travers du visible frappé d'illusion – comme en témoigne le caractère délibérément artificiel de la mise en scène.

Le nœud de l'intrigue et l'évolution de l'action sont contenus en germe dans la tirade initiale du jésuite, (Prologue). L'exposition lance les grands thèmes de l'œuvre : la poésie des éléments naturels (l'eau, le souffle, le feu et le ciel) et la grande pulsion primordiale de la mer rythmant l'ouverture et l'unification de l'espace (les continents, l'océan, le ciel et les constellations). Crucifié – tel le Christ sur sa croix – sur la mer, figure de l'illimité et milieu originel, le jésuite veut intercéder en faveur de Rodrigue. La forme dramatique renvoie à la messe : le jésuite célèbre la Création ; choisir le mal, c'est se séparer de la Création, choisir le bien, c'est la célébrer poétiquement. Tout désir traduit un manque révélateur d'une quête de l'Être. Tel est le sujet du drame : c'est bien par les voies détournées de la passion pour une femme interdite que Rodrigue ira vers le spirituel. Au dénouement, il se retrouvera enchaîné, lui aussi, à un mât. L'action est donc encadrée par ces deux épisodes, où les deux frères complémentaires, le jésuite et le conquérant, sont crucifiés.

Quand la pièce commence, le destin des personnages est déjà scellé : Rodrigue et Prouhèze se sont déjà rencontrés et ils s'aiment de toute éternité. Ils veulent trouver la Joie mais ils comprendront que le corps demeure impuissant à la leur accorder : leur mariage mystique se réalisera dans l'au-delà. La progression de l'action suit le dépouillement de Rodrigue qui épure sa passion pour

Prouhèze. Dieu utilise la femme et le désir pour guider l'homme selon ses voies : Rodrigue aime dans Prouhèze son essence, donc Dieu. Elle incarne la promesse du Christ qui est venu annoncer la Bonne Nouvelle : au terme du pèlerinage qu'est la vie, l'homme réintégrera l'Éden, le lieu de la suprême harmonie dont il fut chassé à cause du péché originel. Au cœur de la pièce, l'intensité dramatique culmine dans la troisième journée (scène 13). Dix ans se sont écoulés après leur première séparation ; Rodrigue répond à la fameuse lettre de Prouhèze et la revoit une dernière fois avant sa disparition. Triomphant de sa jalousie et de ses rancœurs contre Ochiali, il la reconnaît pour ce qu'elle est et il accepte que la femme médiatrice soit aussi la femme interdite, l'« étoile » à jamais inaccessible. Elle lui demande de la délier de la promesse charnelle pour lui ouvrir les voies du spirituel. Ainsi se clôt la montée vers le drame passionnel mais dix ans seront à nouveau nécessaires à Rodrigue pour qu'il atteigne l'état d'abaissement le plus total. À l'inverse des héros de *Partage de midi*, Prouhèze et Rodrigue ont compris qu'ils ne pouvaient être l'un à l'autre que dans l'absence et le sacrifice. La théologie claudélienne impose donc une vision résolument optimiste des Écritures : l'amour sauve l'homme ; comme l'amour du Christ, il possède une fonction de médiation vers le spirituel.

À l'image de Violaine (voir l'*Annonce faite à Marie*), Prouhèze apparaît d'abord comme une jeune femme fraîche, amoureuse de la vie et de Rodrigue. Elle n'a rien d'un modèle de vertu quand elle remet son soulier à la Vierge et lui demande protection. Comme Ysé dans *Partage de midi*, elle suscite l'amour de trois hommes, incarnation de trois points de vue différents sur le monde : Don Pélage, l'homme du passé, Camille, l'anarchiste proche d'Avare (voir la *Ville*) et Rodrigue. Mais elle a déjà choisi de ne cesser d'entretenir avec Rodrigue un dialogue d'âme à âme. À mesure que l'action progresse, elle se leste de la densité dévolue à toutes les femmes claudéliennes. Quand son Ange Gardien lui fait percevoir l'au-delà (III, 8), Prouhèze comprend que la conquête du monde doit aboutir à l'établissement parfait de la chrétienté dans l'ordre du sens. En outre, l'Ange Gardien lui apprend que son désir n'allait pas contre la loi, qu'il entrait dans les desseins de Dieu : car il existe deux sortes d'âmes, les âmes simples, en harmonie immédiate avec la Création (Musique, Sept-Épées), et les âmes complexes (Prouhèze et Rodrigue), qui atteignent le divin par des voies obliques. Initiée aux mystères de l'au-delà, Prouhèze abandonne la conception austère, janséniste, du péché, pour se convertir à une autre tradition, plus humaniste, celle de François de Sales. L'ange la baptise alors dans les eaux primordiales de la connaissance, les eaux de la naissance, de la mort et de la résurrection : « C'est l'effervescence de la source qui s'empare de tous mes éléments pour les dissoudre et les recomposer. » Alors que dans la première partie de la scène, le dialogue entre l'ange et Prouhèze progressait en stichomythie calquant l'instruction du néophyte, dans le deuxième mouvement, le verset claudélien exprime le paroxysme de l'exaltation atteint par l'héroïne. Il reproduit le souffle de l'âme qui se connaît enfin elle-même, ou mieux qui se reconnaît en passant de l'autre côté du miroir. Si Rodrigue appelle la symbolique chrétienne de la Passion, la figure féminine de Prouhèze est liée à l'élément liquide, à la régénération du baptême. À l'inverse de Tête d'or, Rodrigue ne cherchera plus à conquérir le monde ; il connaît tous les degrés de la déchéance terrestre jusqu'à l'humiliation finale en passant par la création spirituelle. Au début de la pièce il n'a rien d'un saint, bien au contraire ; il vit la contradiction du conquérant de l'impossible : il veut tout, le pouvoir absolu et l'amour. Sa destinée reproduit donc le parcours du catholique qui doit se déprendre des biens de ce monde pour aller vers le spirituel, puisqu'il finira comme serviteur de sainte Thérèse d'Avila.

Quels sont les principes qui ordonnent la composition de la pièce ? D'une part, la volonté de totalité oriente le déroulement de l'action : l'espace géographique symbolise la quête spirituelle. D'autre part, la nature encyclopédique du drame met en scène toutes les expériences possibles. En effet *le Soulier de satin* est un drame « catholique » – adjectif à prendre dans le sens d'« universel » que lui donne Claudel. L'homme tend à détruire l'harmonie originelle. Le conquistador doit restaurer l'ordre catholique perdu. Le couple constitué par Prouhèze et Rodrigue donne à voir une destinée catholique, emblématique de la condition humaine pour deux raisons : selon Claudel, le chrétien pousse le Désir à son paroxysme ; en outre, l'espace de la chrétienté désigne le lieu où s'accomplit la Création continuée de Dieu. Rodrigue est séparé de Prouhèze dans l'espace qui définit le lieu de la conquête du visible. Le dramaturge élargit donc les données spatio-temporelles à l'ensemble du cosmos et met en récit l'entrelacs des destinées, de l'Europe au Nouveau Monde, en passant par l'Afrique et l'Asie, sur tous les champs de bataille où Rome affronte l'Hérésie ou le Paganisme. L'action s'accomplit en un siècle, même si l'ordre de la fiction bouleverse parfois celui de l'Histoire : de 1522, moment où Cortez fut nommé capitaine général et gouverneur de la Nouvelle-Espagne par Charles Quint, à 1620 où eut lieu la bataille de la Montagne Blanche (qui, près de Prague, opposa les Tchèques aux partisans des Habsbourg et vit la victoire de ces derniers ainsi que de la Contre-Réforme) en passant par 1571, année de la bataille de Lépante, et par 1580, date de la défaite de l'Armada. Plusieurs rois d'Espagne se sont succédé : Charles Quint puis Philippe II et III. Claudel se moque des mauvais politiques, de la morgue ridicule des Grands et du Roi, qui sont représentés, dans la quatrième journée, sur un ponton en équilibre instable (image probable des gouvernements de la IIIᵉ République). La mégalomanie criminelle du souverain et de son immense Armada est évoquée avec une ironie cruelle. À l'inverse, même si des troubles, des massacres et des pillages se produisent, les conquérants s'imposent comme des êtres de passion, des idéalistes forcenés comme Almagro : « C'est à toi, lui dit Rodrigue, qu'il est réservé de fermer les portes de l'Inconnu et dans la tempête et le tremblement de terre de poser le mot FIN à l'aventure de Colomb » (III, 3). En un sens, le conquistador justifie la politique colonialiste des souverains de la Renaissance et leurs ambitions démiurgiques. Comme Colomb, figure du Christ, Christophe-Christophoros, le conquistador a pour mission d'apporter la bonne parole aux infidèles. Dans l'Europe de la Réforme, il faut que les Saxons protestants se défassent de leur esprit procédurier et acceptent de ne rien attendre d'autre de la vie que son néant. En Afrique, les musulmans méconnaissent le message du Christ. Le conquistador rassemble les peuples et les maintient sous une autorité politique unique : « C'est pour qu'il n'y ait pas de trou que j'ai essayé d'élargir la terre. Le mal se fait toujours dans un trou » (IV, 8). Rodrigue est donc à la fois le conquistador, l'amant et l'artiste. Mais la femme réunit le charnel et le spirituel : elle s'impose comme le principe d'unification, ainsi qu'en témoigne la vocation de Doña Musique, incarnation de l'harmonie cosmique : « Qu'importe le désordre, et la douleur d'aujourd'hui puisqu'elle est le commencement d'autre chose » (III, 2). Elle permet à l'âme du vice-roi de Naples d'exprimer sa nature. Leur couple symbolise le principe de l'unité dans la transparence.

Revenons, à présent, à la nature encyclopédique du drame. Pour réparer la perte du sens, le poète selon Claudel doit tendre « l'immense rêt de [s]a connaissance », rassembler tout ce qui est, pour faire renaître le monde à sa vraie nature. *Le Soulier de satin* constitue l'aboutissement de la pensée claudélienne : le poète catholique a pour vocation de recenser l'ensemble de la Création pour louer Dieu, célébrer la Création et chanter le « credo des choses

visibles et invisibles ». Plus que de connaissance, Claudel parle de « co-naissance » : exprimer la totalité du monde, c'est la faire naître à ce qu'elle est, retrouver le sens que Dieu a voulu lui donner. *Le Soulier de satin* s'impose alors comme un drame baroque qui intègre la réflexion sur l'amour et sur les conditions mêmes de la représentation poétique de la Création. Il répond donc à la question fondamentale du dramaturge catholique : peut-on dire l'Œuvre de Dieu ? Et il résout ainsi la contradiction essentielle de Claudel en instaurant un système complexe de reflets. La multiplication épique des personnages historiques et allégoriques ne conduit pas à l'éclatement de l'intrigue, mais permet de réunir tous les fils des destinées. La construction se creuse en abyme : non seulement la pièce se désigne elle-même comme artificielle pour suggérer ce qui appartient au domaine de la représentation, mais l'espace scénique s'ouvre sur un « troisième lieu », la mise en scène fait appel à la musique et au cinéma. La musique ponctue les prises de parole déclamatoires des politiques ou commente les tourments des acteurs du drame. L'écran de cinéma ouvre sur l'espace cosmique. L'unité globale résulte de l'intégration des données les plus diverses : l'être humain incarne à la fois le simple, comme individu, et le multiple, dans la société qui se calque sur la communauté des saints. La multiplication des plans se fonde donc sur une esthétique du dévoilement : le lecteur ne comprend pas toujours l'importance immédiate de tel ou tel personnage, de telle ou telle donnée ; il les intègrera dans une relecture rétrospective de l'ensemble. En outre, Claudel diversifie les genres : il convoque sur scène le merveilleux chrétien avec l'apparition des saints et de l'ange gardien de Prouhèze, il alterne les scènes dramatiques et les épisodes burlesques. Le verset donne l'unité de rythme mais pas de ton ; il n'exclut pas la diversité des modulations, du prosaïque au mystique. *Le Soulier de satin* intègre toutes les formes de comique et porte la dérision sur la pièce elle-même ; l'humour résorbe les tensions et relativise l'importance des enjeux. La multiplication des points de vue et des esthétiques traduit l'insuffisance de l'art à reproduire la réalité telle qu'elle est vraiment, et trahit l'illusion du référentiel unique : pour le dramaturge catholique, le visible, ce n'est pas le réel mais seulement une image. Le drame consiste dans la nécessité d'aller au vrai au travers de l'artifice. *Le Soulier de satin* s'impose à la fois comme un drame historique puisque Claudel ancre ses personnages dans un décor réaliste inspiré par ses propres voyages au Portugal et en Espagne et comme une pièce qui révoque en doute la notion même de réalité.

Ainsi, la multiplication des indications scéniques (*a priori* superfétatoires pour un lecteur qui n'imagine pas vraiment sur scène un texte de quelque six cents pages) repose-t-elle sur une vision du monde. Outre les nombreuses didascalies qui renvoient au travail du régisseur, des machinistes et des acteurs, certaines figures allégoriques interviennent sur le plateau : la première journée s'ouvre sur l'intervention de l'« Annoncier » et l'ultime entrevue de Don Pélage et de Prouhèze est précédée par un « déménagement général » sur scène orchestré cette fois par « l'Irrépressible » : « vous savez qu'au théâtre nous manipulons le temps comme un accordéon, à notre plaisir, les heures et les jours sont escamotés » (II, 2). La distance introduite est affirmation d'un ordre tout humain, celui de la création artistique. Elle ne se moque pas de la représentation : elle la désigne pour ce qu'elle est, l'imitation de la réalité qui est, elle aussi, la scène d'un théâtre. Ainsi la création artistique mime le mouvement de la Création divine. On comprend mieux, dès lors, pourquoi Rodrigue transparaît dans les images de saints qu'il vend à la fin de sa vie : il se projette dans ses dessins et l'expression artistique est ici conçue comme le portrait de l'artiste. Quant à sa fin dérisoire et tragique, grandie par son humiliation, elle incite à renouveler la conception du héros ; il semble moins moqué qu'apaisé. Dans les fers, Rodrigue sera sauvé par son humour. « C'est le sentiment de mon insuffisance complète au terme d'une longue carrière qui anime d'un sentiment ironique et bouffon mes dernières œuvres », écrit Claudel en 1931. *Le Soulier de satin* donne ainsi à voir la complexité de l'humain au travers de ses grandeurs et de ses faiblesses ; en restituant avec diversité et cohérence un panorama symbolique de la destinée humaine, il accomplit la promesse virtuelle de toute l'œuvre.

● « Folio », 1972 ; Les Belles Lettres, 1987 (p.p. A. Weber-Caflisch).
➤ *Théâtre*, « Pléiade », II ; *Œuvres complètes*, Gallimard, XII (p.p. R. Mallet).

V. ANGLARD

SOUHAITS RIDICULES (les). Voir CONTES, de Ch. Perrault.

SOUPER DE BEAUCAIRE (le). Dialogue politique de Napoléon **Bonaparte** (1769-1821), publié en Avignon en 1793.

Capitaine au 4ᵉ régiment d'artillerie cantonné dans l'Avignonnais pour participer à la répression du soulèvement du Midi contre la Convention, Bonaparte prend parti pour la Montagne, qui contrôle alors l'Assemblée révolutionnaire. Peut-être cet opuscule signala-t-il à l'attention des autorités le futur vainqueur du siège de Toulon. Paradoxalement consacré par la postérité comme son œuvre principale, *le Souper de Beaucaire*, avant son tout dernier texte, **Clisson et Eugénie* (1795), met pourtant pratiquement fin à la production littéraire de Bonaparte, qui avait été tenté par l'écriture, comme le prouvent une *Réfutation de Roustan* (1788), un *Discours sur le bonheur* (ou *Discours de Lyon*, 1791), un *Dialogue sur l'amour* (1791) ainsi que trois nouvelles de 1787 et 1789, dont *le Masque du prophète*, « conte arabe », influencé par Montesquieu et Voltaire.

Réunis par hasard autour d'une table d'auberge, le narrateur, militaire de l'armée républicaine, un Nîmois, un Marseillais et un fabricant de Montpellier discutent des affaires présentes. Le Marseillais, fédéraliste anti-conventionnel, croit aux chances de l'insurrection et dénonce le despotisme révolutionnaire ; le militaire, lui, démontre la supériorité stratégique et tactique de son armée et défend la légitimité constitutionnelle. Le Nîmois, ex-girondin, s'est rallié au pouvoir, et le Montpelliérain se déclare montagnard : « Le centre d'unité est la Convention ; c'est le vrai souverain. » Tous deux soutiennent le militaire, et accusent la contre-révolution. Acculé à la défensive, effrayé, le Marseillais avoue que ses amis sont résolus à faire appel aux Espagnols. Le militaire assure que cette trahison ne leur serait d'aucun secours et conclut : « Secouez le joug du petit nombre des scélérats qui vous conduisent à la contre-révolution, rétablissez vos autorités constituées, acceptez la Constitution. »

Témoignant d'une orthodoxie et d'un manichéisme sans faille, tout en sachant dissocier habilement les « égarés » des vrais comploteurs ou manipulateurs, fondé sur une analyse précise des options politiques, le raisonnement étale son implacable rigueur en s'appuyant sur des métaphores militaires : « Celui qui reste derrière ses retranchements est battu : l'expérience et la théorie sont d'accord sur ce point. » Le militaire, transparent porte-parole de Bonaparte, en appelle donc à la raison, déplorant la guerre civile, où « l'on se tue sans se connaître ». Tout est dit, même si le *Souper* se termine sur l'annonce d'une nouvelle conversation « au déjeuner du lendemain ». Sans atteindre à la concision des Bulletins de la Grande Armée, la prose du futur Empereur, exempte de la rhétorique ampoulée du temps, confirme le jugement de Sainte-Beuve : « Napoléon, quand il écrit, est la simplicité même. »

● *Œuvres littéraires et écrits militaires*, Société encyclopédique française, 1967 (p.p. J. Tulard) ; *Œuvres littéraires*, Nantes, Le Temps singulier, 1979 (p.p. A. Coelho).

G. GENGEMBRE

SOUPIRS (les). Recueil poétique d'Olivier de **Magny** (vers 1527-1561), publié à Paris chez Jean Dallier en 1557.

En 1555 et 1556, secrétaire de Jean d'Avanson, Olivier de Magny accompagna son maître nommé ambassadeur auprès du Saint-Siège ; il retrouva à Rome Joachim du Bellay, dont la situation d'exilé commis à des travaux paperassiers lui rappelait à maints égards la sienne.

La matière des *Soupirs* n'est pas originale : la moitié environ des sonnets est entièrement ou partiellement traduite de l'italien ; le recueil emprunte dans l'ensemble les figures de rhétorique et les thèmes conventionnels brassés par les épigones du pétrarquisme. Admirateur passionné des poètes de la Pléiade, Magny a-t-il subi l'influence de Du Bellay comme il avait subi celle de Ronsard dans les **Gaietés* ? La simultanéité de conception des **Regrets* et des *Soupirs*, ainsi que la présence d'échos presque littéraux, ne constituent pas à proprement parler des preuves. Plutôt que d'une influence unilatérale, il faut parler d'un jeu de correspondances conscientes, que les deux poètes se sont plu à prolonger jusque dans les titres de leurs recueils.

Les *Soupirs* comprennent 176 sonnets, en alexandrins ou en décasyllabes. Les sonnets amoureux sont de loin les plus nombreux : ils chantent l'*innamoramento*, source d'« ennuy », de « peine » et de « douleur » (56), les effets contradictoires de la passion (3, 59), l'incomparable beauté de la dame (35, 47, 91) et la frustration douloureuse de l'amant (56, 85, 95, 135). Dans d'autres sonnets, le poète se plaint des tâches aliénantes auxquelles sa charge l'oblige (13) ; il se lamente alors sur l'« orage cruel » du séjour romain (72), et se prend à rêver d'une vie simple, éloignée des fièvres citadines (34). Mais l'exil ne lui inspire pas seulement des pièces élégiaques : il stigmatise, dans des sonnets satiriques, les intrigues et les stratégies mesquines dictées par la vanité (74, 122, 148) ; dans ce climat de calomnie généralisée, il lui faut à l'occasion se défendre contre les médisants et faire l'apologie de ses propres vers (132, 136).

La lecture parallèle des *Soupirs* et des *Regrets* suscite une remarque paradoxale : l'effacement de tout contenu substantiel, chez Du Bellay, loin de compromettre l'unité du recueil, la nourrit et la renforce sans cesse, tandis que la continuité de l'inspiration amoureuse, chez Olivier de Magny, n'aboutit qu'à une marqueterie assez artificielle. C'est que les *Soupirs* ne parviennent pas à transformer leur thématique pétrarquiste en projet structurant, comme l'avait fait Du Bellay dans l'**Olive* quelques années plus tôt : le recueil ressemble ainsi à un florilège du pétrarquisme le plus exsangue, où les lieux communs attendent vainement la cohérence qui saurait les réactiver. *Les Soupirs* n'échappent pas au défaut essentiel qui marque les œuvres précédentes d'Olivier de Magny : si le poète est capable de brillantes réussites ponctuelles, il ne sait pas orchestrer ni fondre les influences qu'il reçoit de ses contemporains et de la tradition ; il ne fait le plus souvent que juxtaposer ses dettes. Le recueil souffre à cet égard d'une hésitation entre *canzoniere* et journal poétique : tantôt il obéit à une temporalité intérieure, modelée par la seule loi du désir et de la souffrance : « S'amour est si doubteux, où pren-je mon espoir ? / Et s'il est ung plaisir, que n'a-t-il en moi place ? » (59), tantôt il déroule, en une chronique douce-amère, le fil des humeurs et des circonstances quotidiennes : « Selon les passions où j'ay esté submis, / Ou bien, ou mal, d'amour, ou de mes ennemys, / J'ay descrit chacun jour la cause toute telle » (176). C'est indiscutablement à cette seconde veine qu'appartiennent les sonnets les plus intéressants des *Soupirs*. Magny y brosse le tableau de ses activités prosaïques : « Mon principal estat c'est d'estre secrétaire » (13), et décrit en couleurs à la fois bariolées et inquiétantes les personnages de courtisanes, d'entremetteurs et d'intrigants dont regorge le monde romain (53, 74, 122). Délivré momentanément du carcan pétrarquiste, le poète retrouve des accents spontanés, humoristiques, dignes de la meilleure veine marotique : « Je crains la verolle, et la crains à bon droit » (53).

Par-delà ces réussites isolées, le recueil ne peut guère aspirer aujourd'hui qu'à une fonction d'utile repoussoir : mieux que toute démonstration, la lecture parallèle des sonnets de Du Bellay et de Magny illustre la nécessité, pour le poète, d'inventer à chaque instant le langage qu'il reçoit des autres.

● Genève, Droz, 1978 (p.p. D. Wilkin). ➤ Œuvres, Slatkine.

P. MARI

SOUS L'ŒIL DES BARBARES. Voir CULTE DU MOI (le), de M. Barrès.

SOUS L'ORAGE. Roman de Kouyaté Seydou **Badian** (Mali, né en 1928), publié en Avignon aux Presses universelles en 1957.

Daté de 1954, *Sous l'orage* est le premier roman de Seydou Badian, qui s'intéressera ensuite au théâtre, publiera un essai (*les Dirigeants africains face à leur peuple*, 1964), puis s'engagera dans la carrière politique et ne reviendra au roman qu'en 1976 avec *le Sang des masques* et en 1977 avec *Noces sacrées*.

Benfa souhaite marier sa fille Kany avec Famagan, un riche commerçant polygame. Il avertit ses proches de sa décision et entreprend les préparatifs de la noce. Mais Kany s'oppose à ce projet et se heurte violemment à son père car elle aime Samou, un camarade d'enfance. Les frères de Kany sont divisés : Birama soutient sa sœur tandis que Sibiri prône l'obéissance au père. Afin de faire entendre raison à ses enfants, Benfa envoie Kany et Birama auprès de leur oncle, le vieux Djigui, dans un village au bord du fleuve Niger, pour que ce dernier les amène à de meilleures dispositions. Mais le vieux Djigui prend le parti de Kany et de Samou auquel il écrit une lettre d'encouragements. Djigui conseille à Benfa de recevoir Samou. Tout semble devoir s'arranger mais Benfa refuse de céder. L'insistance de Djigui et les conseils de quatre anciens finiront néanmoins par le convaincre de renoncer à son projet. Famagan se retire et Kany peut épouser Samou.

L'intrigue amoureuse, au demeurant assez mièvre et banale, n'est ici que prétexte à développer un conflit de générations dont les passions antagonistes dépassent très largement le cadre du seul mariage de l'héroïne. Seydou Badian souhaite avant tout montrer les doutes et les craintes d'une société en pleine mutation qui se voit contrainte de choisir entre modernisme et tradition. Si le romancier prend résolument parti pour la jeune génération, il semble toutefois préconiser une solution mesurée. Le village, une fois de plus opposé à la ville, est encore ici le lieu de la sagesse et, si la jeune génération l'emporte, elle doit sa victoire à l'appui qu'elle a pu recevoir de quelques aînés clairvoyants.

● Présence Africaine, 1963.

B. MAGNIER

SOUS LA HACHE. Roman d'Élémir **Bourges** (1852-1925), publié à Paris en feuilleton sous le titre « Ne touchez pas à la hache » dans *le Parlement* du 8 juin au 12 août 1883, et en volume chez Giraud en 1886.

En 1793, l'officier Gérard est chargé de la répression en Vendée et il recherche plus particulièrement le Maraîchain la Goule-Sabrée ainsi

que sa mère la Grande-Jacquine. Gérard affronte le Vendéen et le tue, mais, blessé, il est obligé de fuir et trouve refuge chez la Grande-Jacquine. Celle-ci, engagée par un vœu, ne peut le tuer. La femme de la Goule-Sabrée meurt en couches. Rose-Manon, la sage-femme, intéresse Gérard. Peu après, la troupe de Gérard le retrouve et fait prisonnières les deux femmes (I). Par amour pour la sage-femme et par reconnaissance envers la Grande-Jacquine, Gérard veut les sauver. Il est nommé président du Comité révolutionnaire mais ne réussit à faire acquitter que Rose-Manon. Celle-ci exige de Gérard qu'il fasse évader Jacquine. Pour gagner du temps, ils volent la guillotine – « la Hache » –, et l'évasion réussit (II). Ils se réfugient dans la maison de la Grande-Jacquine mais celle-ci, ivre de vengeance, revient au péril de sa vie pour accuser Gérard du vol de la guillotine : il est arrêté en même temps que la délatrice. Rose-Manon rassemble des Vendéens pour enlever Gérard, mais celui-ci est exécuté juste avant la Grande-Jacquine. Rose-Manon se suicide (III).

La façon dont Bourges a travaillé pour élaborer ce roman montre qu'il est assez loin de Barbey d'Aurevilly, lequel prit position en faveur des gens du bocage. Trouvant que les documents sur la guerre de Vendée et les Vendéens manquaient, il s'est « avisé que ceux-ci étaient des gens du XIIIᵉ et du XIVᵉ siècle et [qu'il] pouvai[t] très bien les recomposer [s'il] arrivai[t] à connaître des Français des temps de Saint Louis et de Philippe le Long » (lettre à sa fiancée du 2 novembre 1876). Se souciant donc peu de la vérité historique, Bourges s'intéresse surtout aux individus. Aussi accumule-t-il les paradoxes qui insistent sur le sens du devoir et de la vertu, commun aux deux camps. Lorsque les vendéens attaquent les républicains, la Goule-Sabrée décide d'incendier l'église où se sont réfugiés ces derniers : les partisans vendéens interprètent cette décision comme un blasphème et laisseront leur chef se faire tuer en duel. De même, la Grande-Jacquine est liée par un vœu qu'elle a fait avant de voir entrer chez elle Gérard : croyant que c'était son fils, elle a appelé la protection divine sur le nouvel arrivant ; aussi ne pourra-t-elle assouvir sa vengeance, allant même jusqu'à défendre Gérard face aux « Blancs ». Cette loyauté, cette humanité des combattants, Gérard la porte aussi en lui et il fera tout ce qui est en son pouvoir pour s'affranchir de sa dette envers la Grande-Jacquine. La fin du roman n'est donc pas à interpréter de façon négative mais comme le paroxysme du sentiment de l'honneur et de la gloire.

À cette humanité intense, Bourges oppose l'inanimé, l'objet maléfique, la guillotine ou plutôt la hache, qui semble posséder une vie autonome et un pouvoir absolu : « La Vorace exerçait sa sinistre influence : c'était elle qui le [Gérard] tuait. » Finalement, la position de l'auteur est assez peu équitable, car Bourges tient avant tout à mettre en parallèle les deux partis ; ce qui n'exclut pas la violence du propos, comme le montre ce discours de Jacquine sur les républicains : « Les bleus sont pareils aux anciens païens. Ils renient Dieu pour leur mâle aventure et lui ont juré grande haine et entendent le remplacer par une idole qu'ils nomment "Raison". » C'est dire également l'influence du modèle médiéval sur le style de Bourges, dont l'ensemble du roman tend souvent d'ailleurs vers l'épopée : confrontation de personnages quasiment symboliques et récit de la destinée d'un peuple à travers quelques héros.

P. BESNIER

SOUS LE SOLEIL DE SATAN. Roman de Georges **Bernanos** (1888-1948), publié à Paris chez Plon en 1929. Film de Maurice Pialat en 1987.

Rédigé de 1919 à 1925, ce roman composite où alternent récit biographique, lettres, digressions philosophiques et narration proprement dite, valut un vif succès à son auteur, jusque-là inconnu. L'ordre de composition des différentes parties est vraisemblablement le suivant : « le Saint de Lumbres », « Histoire de Mouchette », « la Tentation du désespoir ».

SOUS LE SOLEIL DE SATAN

Prologue. « Histoire de Mouchette ». Germaine Malorthy [Mouchette] a seize ans. Elle révèle à ses parents qu'elle est enceinte (chap. 1). Son père va demander réparation au marquis de Cadignan, hobereau local, qu'il soupçonne d'avoir séduit sa fille (2). Mais il n'en obtient rien et retourne sa colère contre Mouchette. Celle-ci s'enfuit, va trouver Cadignan et se heurte aussi à son incompréhension. Désespérée, elle le tue (3), se donne au docteur Gallet, député pusillanime qui refuse de la faire avorter. Elle lui avoue son crime, sombre dans une crise de démence, est emmenée dans un asile d'où elle reviendra « guérie » après une fausse couche (4).

Première partie. « La Tentation du désespoir ». Au cours de la nuit de Noël, l'abbé Donissan discute avec son supérieur, l'abbé Menou-Segrais. Ce dernier, conscient de la valeur du jeune prêtre, refuse d'accéder à la demande de Donissan qui se sent moralement trop faible pour accomplir correctement sa tâche pastorale (chap. 1-2). Il le maintient dans ses fonctions et lui confie de surcroît une mission à Étaples. Sur la route, Donissan s'égare, et, rencontrant un étrange maquignon, se trouve face à face avec lui-même – ou le Diable. C'est alors que, errant dans la nuit du côté du château de Cadignan, Mouchette surgit devant lui. Il lit en son âme le combat que Satan livre à l'esprit du Bien (3). Lorsqu'on apprend que Mouchette vient de se suicider mais que, moribonde, elle a trouvé la foi, l'abbé Donissan l'enlève et la porte, en dépit du scandale, sur les marches de l'église (4).

Seconde partie. « Le Saint de Lumbres ». Cinq ans plus tard, après un séjour à la Trappe, Donissan, devenu curé de Lumbres, apparaît comme un véritable ascète, prêtre d'exception, toujours simple, sauvage, mais visiblement habité par un pouvoir surnaturel (témoignage du curé de Luzarnes ; lettres de l'évêché...) : est-ce un saint ou un réprouvé (chap. 1-4) ? Appelé auprès d'un jeune enfant mort, il tente de le ressusciter et le miracle semble bien près de se réaliser (5-8), mais ce nouvel éclat inquiète la hiérarchie religieuse tandis que l'opinion populaire reconnaît en Donissan un authentique saint (9-10). Les conversions, les pèlerinages se multiplient. Incarnation même du scepticisme laïque, le savant Saint-Marin (caricature d'Anatole France), vient lui rendre visite (11-14). Mais ce positivisme triomphant est ébranlé en découvrant brutalement l'image de la mort : l'abbé Donissan foudroyé par une crise cardiaque dans son confessionnal, comme un soldat tué au combat (15).

Tard venu à la littérature narrative, Bernanos a trente-huit ans lorsque paraît ce que l'on s'accorde à reconnaître comme son premier véritable roman. Celui-ci annonce les principaux thèmes auxquels il restera fidèle jusqu'à son dernier récit, en 1936, *Nouvelle Histoire de Mouchette* : révolte contre le pharisaïsme bien-pensant, expérience du Mal, détresse des humbles. Les personnages auxquels il accorde son attention se situent en dehors des normes sociales ; qu'ils soient saints ou criminels, ce sont toujours des êtres d'exception qu'il est impossible de juger à l'aune d'une morale traditionnelle.

Ainsi de Germaine Malorthy dont le surnom, Mouchette, évoque la fragilité, la simplicité, le dénuement affectif. Son père, médiocre brasseur de bière, est à la mesure des paysages de Campagne (là même où Bernanos enfant passait ses vacances) : limité et triste comme l'horizon artésien. Victime de l'incompréhension de ses parents – ils sont les premiers à la tenir pour folle –, ayant pour amants un nobliau déchu et un médecin à l'ambition politique lourdement assise sur les préjugés républicains, comment la jeune Mouchette, assoiffée d'idéal, pourrait-elle rencontrer sur sa route une autre lumière que celle de Lucifer ? Menteuse, mythomane, perverse, elle trouvera dans l'érotisme, le péché, l'autodestruction enfin, les seules armes qui lui permettent de braver les adultes et d'affirmer sa liberté : elle appelle Satan par un don innocent d'elle-même ; elle attire le Mal par amour pour celui qu'elle ignore : Dieu.

Donissan est à la fois l'opposé et le double de Mouchette. Il s'abandonne avec une identique maladresse, avec autant d'ingénuité et d'humilité à son destin : « La sainteté ! Dans sa naïveté sublime, il acceptait d'être porté d'un coup du dernier au premier rang, par ordre. Il ne se dérobait pas. » C'est dans leur soumission même à une force transcendante que ces personnages hors du commun hurlent leur révolte et bouleversent la société. Leur silence sera encore une provocation : la dernière image du livre est la bouche muette du prêtre dans l'ombre du confessionnal, de même que la première partie se terminait sur le suicide de Mouchette, signes de l'effacement, de la pudeur, de l'abandon absolu, au Mal ou au Bien. Ambivalence qui prolonge le paradoxe contenu dans la figure oxymorique du titre : « Soleil » de « Satan ».

Mais l'Ordre redoute les défis ; qu'elles soient religieuses ou civiles, les institutions souhaitent accroître les privilèges de leurs membres et perpétuer une confortable routine. Il n'est rien de plus dérangeant que l'héroïsme. Et Bernanos retrouve les accents du pamphlétaire pour cribler de traits vengeurs la médiocrité des notables comme la prudence cauteleuse de l'Église. Caricature de l'officier de santé Gallet, « nourri du bréviaire Raspail, député de l'arrondissement » ; portrait charge de tous les Anatole France résumés dans la figure de Saint-Marin, académicien sénile : « L'illustre vieillard exerce, depuis un demi-siècle, la magistrature de l'ironie. » Satire enfin du clergé en la personne du curé de Luzarnes, « un bon prêtre, né fonctionnaire et moraliste et qui prédit l'extinction du paupérisme par la disparition de l'alcool et des maladies vénériennes, bref, l'avènement d'une jeunesse saine et sportive, en maillots de laine, à la conquête du royaume de Dieu » ! Aux yeux du polémiste, l'abbé, le médecin, l'écrivain, se confondent dans une égale pitrerie : ils vivent à ras de terre, aussi loin des égarements du vice que de la foudroyante présence de la Joie. Celle-ci est réservée à ceux que le surnaturel habite.

Contempteur des mœurs de l'immédiat après-guerre, Bernanos est aussi le peintre du fantastique. À travers une écriture tantôt riche en images, tantôt hésitante, toujours tendue vers l'ineffable, *Sous le soleil de Satan*, enfant chéri de l'auteur, est de son propre aveu un « feu d'artifice tiré un soir d'orage, dans la rafale et l'averse ». Le divin est indicible, mais l'au-delà s'introduit à travers les fractures du texte : conversion miraculeuse de Mouchette, fulgurante résurrection de l'enfant malade et, bien sûr, rencontre du Diable en la personne du maquignon, cet étrange « petit homme, fort vif » qui trottait sur la route d'Étaples aux côtés du futur saint de Lumbres. Mais cette rencontre a-t-elle réellement eu lieu ou s'agit-il d'une simple hallucination liée à la fatigue du chemin ? La souplesse et la complexité des points de vus narratifs (celui du sujet d'abord, puis la même scène racontée par un témoin, enfin la confession de Donissan à Menou-Segrais) laissent planer le doute. La psychologie des personnages ne sert d'ailleurs qu'à introduire une problématique théologique – celle de l'ange tentateur – et plus encore métaphysique : l'intrusion de l'Esprit, fût-il du Mal, dans les mécanismes naturels prouve que la réalité ne se limite pas au seul témoignage des sens. Le mystère romanesque se confond ici avec l'expression du mysticisme, et si le modeste prêtre de campagne est universellement reconnu comme le soldat de Dieu, c'est parce qu'il témoigne par son attitude (partiellement calquée sur celle du curé d'Ars) d'une médiation possible avec un autre royaume, infiniment plus riche, celui de la spiritualité.

Mouchette, jeune animal farouche, orgueilleusement dressée contre un univers dont elle découvre la bassesse et l'hypocrisie ; Donissan, saint malgré lui, montrant aux hommes la voie de la rédemption tout en accumulant les échecs. Derrière cette maladresse, ces tâtonnements aveugles, ce désordre que réprouve la morale (celle de la bourgeoisie laïque comme de l'aristocratie pieusement conservatrice), Bernanos, catholique non conformiste, écrivain de droite en rupture avec l'Action française, peint de façon moins pessimiste qu'il n'y paraît des personnages violents, attachants, en quête de Dieu ou, ce qui est sans doute la même chose, de leur propre humanité.

● Plon, 1982 (p.p. W. Bush) ; « Points », 1987. ➤ *Œuvres romanesques*, « Pléiade ».

B. VALETTE

SOUS LES TILLEULS. Roman d'Alphonse **Karr** (1808-1890), publié à Paris chez Gosselin en 1832.

C'est avec ce roman qu'Alphonse Karr connut le succès auprès du public des cabinets de lecture, ce qui l'encouragea à poursuivre une carrière féconde de romancier. En partie autobiographique, l'ouvrage fait montre d'un romantisme effréné, où l'intrigue, apparemment simple, d'un amour contrarié se pare des prestiges de l'étrange.

Les 145 courts chapitres mettent en scène Stephen dans une douce Allemagne romantique.

Première partie. Pour échapper à un mariage de convenance, le héros s'installe chez un rentier, M. Müller, qui a une charmante fille, Magdeleine. Celle-ci entretient une abondante correspondance avec une amie, Suzanne, qui lui apprend que Stephen a sauvé un homme de la noyade, et a cueilli après cet exploit un bouquet de « Ne m'oubliez pas ». Ce qui devait arriver se produit : sous les tilleuls du jardin, un « baiser de feu » sur le front à la suite d'un « regard électrique » se conclut évidemment par l'échange de serments. Mais M. Müller, grâce à une lettre reconstituée, comprend tout, et signifie par écrit son congé à Stephen. Rage violente, serments réitérés au cours d'une nuit où est préservé l'honneur de Magdeleine. Stephen s'en va, et s'installe dans une autre famille, d'où il se fait de nouveau chasser. Cependant un vieux parent célibataire lui donne quelque argent, et Stephen s'installe à Goettingue, où il mène une modeste vie d'étudiant bohème, égayée de pauvres aventures en compagnie de son ami Edward. Les lettres entretiennent le feu de la passion, mais Suzanne fait figure de mauvais génie, et présente Edward à Magdeleine, alors que Stephen a rétabli sa fortune.

Seconde partie. Edward épouse Magdeleine, et Stephen, caché derrière un pilier, assiste à la cérémonie. Il se jette alors dans une vie de plaisirs aux multiples rebondissements, dont l'enlèvement de l'actrice Clara, et veut se venger diaboliquement de celle qui l'a trahi. Il tue Edward en duel, et possède enfin Magdeleine pour mieux la rejeter. Elle se suicide, et Stephen recueille son fils. Le roman s'achève sur une scène de nécrophilie dans le cimetière où est enterrée Magdeleine, celle-ci ayant demandé à Stephen d'embrasser son cadavre. « Un an après », Stephen sent encore sur ses lèvres l'impression de cet horrible baiser, mais espère ardemment que les amants seront « réunis au sein de Dieu ». Une adresse à « Mme ***, née Camille » clôt le roman, reliant la fiction à la réalité d'un amour de l'auteur.

Mêlant habilement structure épistolaire entrecroisée entre plusieurs correspondants, interventions de l'auteur, récit accumulant les péripéties et les histoires annexes, parodiant les procédés du roman noir, Karr multiplie les audaces. Il nourrit son roman de la passion qu'il est en train de vivre, et utilise savamment le mariage de Camille pour écrire sa rage et son désespoir, avant sa liaison avec Juliette Drouet, dont il fera l'héroïne de son roman suivant *Une heure trop tard* (1833). Alors que la première partie exhale une certaine fadeur, marquée par les fleurs bleues du myosotis et les conventions de l'idylle amoureuse, la seconde éclate de toutes ses savoureuses outrances. Sous les auspices de citations fantaisistes en vers attribuées à Goethe, Klopstock ou Schiller, farci de digressions, se moquant de la vraisemblance, le roman peint alors un héros romantique conforme aux canons du type : beauté, jeunesse, sentimentalité, énergie. Référence à *Unter den Linden*, la célèbre promenade berlinoise quatre fois mentionnée comme titre de chapitre, *Sous les tilleuls* se veut aussi évocation élégiaque de la nature, « où l'on apprend combien il y a de variétés de jacinthes ». Passion champêtre et passion romanesque : le roman s'affirme poétique et magique, même si les scories d'un style convenu en gâchent quelquefois les effets.

● Genève, Slatkine, « Ressources », 1980 (rééd. éd. 1860, p.p. L. Virlogeux).

G. GENGEMBRE

SOUS VERDUN. Voir CEUX DE 14, de M. Genevoix.

SOUS-OFFS. Roman militaire. Roman de Lucien **Descaves** (1861-1949), publié à Paris chez Tresse et Stock en 1889.

Après la défaite de 1871, toute une littérature a exalté le patriotisme et les vertus militaires. Vers les années 1880, se produit un recul critique (voir « Sac au dos » de Huysmans dans les *Soirées de Médan*), et la seconde génération naturaliste, à laquelle appartient Lucien Descaves, va mettre l'accent sur la stupidité de la vie de caserne et l'ennui généré par la conscription. *Sous-offs* déchaînera l'indignation de tout un secteur de l'opinion, et, malgré une protestation signée par 54 écrivains (Zola, Daudet, E. de Goncourt, Ohnet, Richepin, Banville...), parue dans *le Figaro* du 24 décembre 1889, Descaves sera traduit devant les Assises de la Seine en mars 1890 sous l'inculpation d'injures à l'armée et d'outrages aux bonnes mœurs. Défendu notamment par Millerand, il sera acquitté.

Précédées d'un Prologue, « Chrysalide », qui présente les personnages en situation et donne leur feuille de route, les trois parties du roman suivent de garnison en garnison les deux héros. De Dieppe à Paris en passant par Le Havre, nous accompagnons Favières et Tétrelle, deux gars du contingent qui accomplissent leurs quatre années de service. Soldats de 2e classe, caporaux, sergents, ils deviennent, l'un sergent-fourrier (Favières), et l'autre sergent-major. Autour d'eux, présentés sous un jour peu flatteur, évoluent tous les types du personnel régimentaire de la fin du XIXe siècle, du « troufion » au colonel, et jusqu'au général lui-même, un jour de revue. Outre les corvées, les visites au bordel, les activités quotidiennes de la caserne, la seule véritable péripétie du roman se situe à la fin, quand Tétrelle se suicide, après être passé en conseil de guerre. Aveuglé par la passion qu'il voue à sa maîtresse, il a volé. Favières, lui, se détache de la sienne et retrouve avec soulagement la vie civile.

Comme les Goncourt, Descaves distille un récit biographique en détaillant avec minutie la monotonie des tableaux quotidiens. Deux anti-héros, prisonniers de l'institution militaire, soumis à ses rythmes et ses rites, se consacrent pour l'essentiel à la satisfaction de leurs besoins élémentaires. La faim, le sexe, le sommeil, la fête, l'oisiveté, l'oubli scandent une morne vie, « exemplaire machine à répétition », pleine de ganaches galonnées, de vin, de luxure et de minable esprit de lucre, source de multiples trafics sordides, une vie dont le quartier de l'École militaire décuple les occasions de mornes jouissances.

Qualifié d'« analyses de laboratoire » dans la Dédicace « À tous ceux dont la Patrie prend le sang non pour le verser, mais pour le soumettre, dans l'obscure paix des chais militaires, aux tares du mouillage et de la sophistication », *Sous-offs* tient à la fois de la galerie de portraits, du roman de mœurs militaires, du documentaire naturaliste à tonalité pessimiste, de l'itinéraire nauséeux à la Huysmans à travers une quotidienneté bête, laide et triste, au détour de casernes qui sont comme autant de cités en réduction, et du carnet de choses vues. Descaves oppose ses deux sergents, qu'il traite comme deux destins typiques. Tétrelle, rongé par la passion et la débauche, fidèle à Delphine, une prostituée, se laisse acculer au déshonneur et au suicide. Il n'a pas su rompre à temps. Favières, lui, sait ménager un détachement salutaire. Il est vrai qu'il est parisien. S'il connaît l'ennui, s'il cède aux tentations, il laisse sa maîtresse au prénom révélateur (nommée Généreuse Couturier, elle s'avère être la mère de Delphine) s'enfoncer dans la prostitution de bas étage, avant de changer lui-même de peau et d'habit. Il ne s'est d'ailleurs guère ému quand la petite fille qu'il a faite à Généreuse est morte, bien évidemment d'une maladie vénérienne héréditaire. C'est son regard jouisseur et désabusé qui imprime au roman sa marque la plus cynique.

« Une trompeuse activité de taon butinant les Trois Couleurs vénéneuses » : ce thème central se décline en sensations, en métaphores, en cadences qui composent, dans la plus pure tradition naturaliste, un impressionnisme stylistique relevé à la manière « artiste ». Le spleen de la vie de caserne est enchâssé dans une langue à la syntaxe chantournée, au lexique varié, du plus recherché au plus trivial, digne encore une fois des Goncourt, tandis que certaines scènes, comme la partie carrée des sergents et de leurs maîtresses ou le passage devant le conseil de guerre, confinent au grandiose.

● Genève, Slatkine, « Ressources », 1980 (p.p. H. Mitterand).

G. GENGEMBRE

SOUVENIRS. Mémoires de Charles Alexis Clérel de **Tocqueville** (1805-1859), publiés à Paris chez Calmann-Lévy en 1893.

Écrits en 1850-1851 par un homme essayant de mettre de l'ordre dans ses impressions au sortir de la tourmente de la révolution de 1848, ces *Souvenirs* expliquent l'itinéraire de Tocqueville. À l'évident intérêt historique de ces pages, s'ajoutent les éminentes qualités d'écriture déployées par un écrivain au sommet de son art. Se rapprochant des *Mémoires de Retz, ces *Souvenirs* politiques analysent un rôle et une expérience personnels en même temps qu'ils proposent une vision éclairante des événements, de leurs modalités, de leurs causes et de leur inscription dans une Histoire plus large.

Les trois parties de l'ouvrage (comprenant 5, 11 et 4 chapitres), avec leurs commentaires, notes infra-paginales et marginales, sont consacrées à la révolution de 1848. Des journées de Février à octobre 1849, date à laquelle Tocqueville quitte le ministère des Affaires étrangères du fait de la démission du gouvernement Odilon Barrot, se déroule dans l'ordre chronologique la suite événementielle des dix-huit mois de référence (Février, élections, fête de la Concorde, journées de Juin, etc.). Au récit s'ajoutent des jugements (II, 1), la relation de la candidature de Tocqueville dans la Manche, la description de la vie parlementaire et de ses leaders, celle de l'activité de l'écrivain au sein de la commission de Constitution, la présentation du cabinet auquel il appartient à partir du 3 juin, enfin un panorama de la politique étrangère.

Frappe d'abord l'art du portrait. Ainsi, exemplaire, celui de Louis-Philippe : « Sa conversation prolixe, diffuse, originale, triviale, anecdotière, pleine de petits faits, de sel et de sens, procurait tout l'agrément qu'on peut trouver dans les plaisirs de l'intelligence quand la délicatesse et l'élévation n'y sont point » ; ou celui de Louis Napoléon : « Sa dissimulation, qui était profonde comme celle d'un homme qui a passé sa vie dans les complots, s'aidait singulièrement de l'immobilité de ses traits et de l'insignifiance de son regard. » Férocité du trait, précision des mots, élégance de la phrase : le regard de Tocqueville se révèle impitoyable dans sa sérénité. Cette attitude désabusée ne s'explique pas seulement par son éloignement du pouvoir. Elle relève aussi d'un jugement général sur les hommes, victimes des événements et du cours des choses, en quelque sorte irresponsables et dépassés par leur rôle.

Quoique rétrospective, l'écriture de Tocqueville maintient l'illusion de la chronique, rédigée au jour le jour par un témoin ou par un journaliste supérieurement informé et clairvoyant. Tout est digne de mention : menus incidents, rencontres, conversations, retenus au nom d'une « âpre curiosité ». Les *Souvenirs* mettent en scène cette passion de voir, dont l'une des marques est la récurrence d'expressions comme « Je descends aussitôt », « Je sentis aussitôt »... Cette boulimie se trouve favorisée par les nombreux déplacements pédestres, promenades autant qu'explorations, à la fois reportages et investissement du lieu parisien auxquels se livre un infatigable arpenteur.

Œuvre de sociologue autant que d'homme politique, les *Souvenirs* accumulent les observations. Certes, on peut regretter la quasi-absence de notations sur les réalités économiques, pourtant décisives dans l'évolution de ces quelques mois. Pour Tocqueville, c'est la société, « assiette de la vie politique », qui commande tout. La monarchie de Juillet fut bien le triomphe des classes moyennes, mais, par leur impérialisme, elles détruisirent l'équilibre de cette

société, et Louis-Philippe fut l'« accident qui rendit la maladie mortelle ». Mais Tocqueville ne croit pas que « le gouvernement républicain [soit] le mieux approprié aux besoins de la France », et l'irruption de la violence le range encore plus du côté de l'ordre, contre un « malade, méchant et immonde », Blanqui, ou un Ledru-Rollin « dépourvu de principes et à peu près d'idées ». La dernière partie du livre voit la métamorphose du témoin en acteur. Plus politicienne et apologétique (il s'agit de montrer comment Tocqueville reste fidèle à sa ligne de conduite : servir les intérêts essentiels du pays en s'accommodant d'une situation difficile), elle est aussi plus directement idéologique, et intéresse l'historien, sans perdre pour autant ses qualités littéraires. S'il reste avare de confidences sur son rapport personnel au pouvoir, ses charmes et ses poisons, Tocqueville nous offre une analyse qui, sur le plan politique, soutient la comparaison avec les pages que Marx a consacrées à la même période.

● « Folio », 1978 (préf. F. Braudel, p.p. L. Monnier et J.-P. Mayeur).
➤ *Œuvres complètes*, Gallimard, XII (p.p. L. Monnier).

G. GENGEMBRE

SOUVENIRS D'ÉGOTISME. Récits autobiographiques de **Stendhal**, pseudonyme d'Henri Beyle (1783-1842), publiés à Paris chez Charpentier en 1892.

Stendhal, qui s'ennuie à Civita-Vecchia, décide en 1832 de raconter la période de sa vie qui s'étend de juin 1821 (retour de Milan) à novembre 1830 (nomination comme consul à Civita-Vecchia). Pendant ces neuf ans, il a vécu à Paris en effectuant de fréquents voyages en Italie, deux séjours en Angleterre (1821 et 1826) et un voyage dans le midi de la France (1829). Après avoir écrit d'affilée, du 20 juin au 4 juillet 1832, un récit qui mène aux alentours de 1823, Stendhal s'interrompt.

Qui suis-je ? Mon désespoir quand je pris congé de Métilde en 1821 (voir *De l'amour*). La laideur de Paris insultait ma douleur (I). Le baron de Lussinge (de son vrai nom : Adolphe de Mareste), compagnon de ma vie de 1821 à 1831 (II). « Fiasco » à l'occasion d'une « partie de filles » (III). L'idéologue Destutt de Tracy, « l'homme que j'ai le plus admiré à cause de ses écrits ». Début d'estime pour Paris en 1830 (IV). Ma vie dans les salons ; M. de La Fayette, « poli comme un roi », mais sans « idée littéraire », Charles de Rémusat etc. Je choquai la bonne société par l'outrance de mes opinions (V). « Je n'ai aimé avec passion en ma vie que : Cimarosa, Mozart et Shakespeare ». « Errico Beyle, milanese » : « À Milan, en 1820, j'avais envie de mettre cela sur ma tombe. » Séjour à Londres en 1821 (VI). Quelques traits de mon caractère : comment je peux passer de la passion sincère au froid machiavélisme. Amour de l'opéra italien (VII). On me prenait pour un « exagéré sentimental ». Quelques portraits (VIII). Maisonnette [Joseph Lingay] ; son amour pour « le mot de Roi », ses qualités. Le comte Gazul [Mérimée], « meilleur de mes amis actuels ». Le salon du docteur Edwards. La bêtise des Bourbons (IX). Correction des épreuves de *De l'amour*. Folle envie de retourner à Milan (X). Le célèbre Laclos (XI). Société de M. de l'Étang [le critique d'art Étienne-Jean Delécluze]. « Je n'ai jamais rien rencontré, je ne dirai pas de supérieur, mais même de comparable » (XII).

Pour Stendhal, l'égotisme (néologisme emprunté à l'anglais) signifie tantôt l'« impudeur de parler de soi continuellement », tantôt une manière de se protéger du vulgaire et d'approfondir la connaissance de son moi. Les deux acceptions du terme alternent ici, et parfois coexistent. Suscitant chez l'autobiographe scrupules et repentirs, l'égotisme donne sa couleur, mais aussi son rythme au récit, troublé de questions et toujours sur le point d'être suspendu. Le « Qui suis-je ? » formulé d'emblée et qui revient à intervalles irréguliers au fil de la rédaction se double d'une interrogation sur l'œuvre elle-même. Si Stendhal interrompt son récit vers l'année 1823, les sept années suivantes ne sont pas totalement absentes des *Souvenirs*, mais elles sont mentionnées allusivement, au bénéfice de la récapitulation. Pour la première fois, Stendhal dit non seulement « je suis », mais « j'ai été », note Jean Prévost dans la Création chez Stendhal. Au total, l'œuvre apparaît fort cahotique. Deux semaines à peine pour rédiger deux cent soixante-dix feuillets (cent pages environ dans les éditions courantes) : c'était peu pour effacer les traces d'hésitation, les directions avortées de la narration. Plus que tout autre ouvrage, les Souvenirs d'égotisme persuaderont les détracteurs de Stendhal que, décidément, il écrit « mal ». La liberté d'allure, les traits de sincérité crûment exprimés font au contraire le prix de son style aux yeux des « beylistes ». Du reste, dans ses romans aussi le narrateur va de l'avant, prenant le lecteur à témoin de ses incertitudes et de ses dérapages.

On s'étonnera qu'après avoir idéalisé l'Italie, notamment dans *Rome, Naples et Florence* et De l'amour, Stendhal, résidant à nouveau dans sa patrie d'élection, se penche avec complaisance sur neuf années de vie parisienne. C'est qu'à Civita-Vecchia, il a dû s'avouer que dans la société d'une petite ville, les Italiens ne ressemblaient que de loin à l'image qu'il s'en était formée. Au demeurant, rêver de l'Italie, c'est d'abord pour lui rêver de Milan. Il peut bien dire qu'il ne fut qu'après la révolution de juillet 1830 sensible à l'esprit des Parisiens, à qui il continuera de reprocher leur affectation, les portraits pris ici sur le vif dans la bonne société de la Restauration sont empreints de sympathie, voire de nostalgie.

Commencé au lendemain de la rupture avec Métilde, le récit s'interrompt au début de la liaison avec Clémentine Curial, qui s'achèvera douloureusement en 1826. Ainsi s'encadre-t-il entre les deux plus grands chagrins qu'ait connus Stendhal (« Clémentine est celle qui m'a causé la plus grande douleur en me quittant. Mais cette douleur est-elle comparable à celle occasionnée par Métilde qui ne voulait pas me dire qu'elle m'aimait ? », *Vie de Henry Brulard*, chap. 2). On rapprochera cet aveu de celui qui s'inscrit au premier chapitre de Souvenirs d'égotisme : « Je craignais de déflorer les moments heureux que j'ai rencontrés, en les décrivant, en les anatomisant. Or, c'est ce que je ne ferai point, je sauterai le bonheur. » Les Souvenirs ont, aussi bien, sauté le malheur. Ils racontent une période où, mal guéri de sa passion pour Métilde, Stendhal trouve dans les douceurs de l'amitié et les divertissements du monde de médiocres consolations. Mais cherche-t-il dans une maison de passe un succédané de l'amour, le plaisir même se dérobe à ses vœux.

Ces Souvenirs étaient destinés à être lus par des « âmes » que Stendhal aimait, comme Mme Roland ou Gros, le géomètre. Ils seront publiés pour la première fois par les soins de Casimir Stryienski en 1892.

➤ Œuvres, Éd. Rencontre, X ; Œuvres intimes, « Pléiade », II.

P.-L. REY

SOUVENIRS D'ENFANCE. Autobiographie de Marcel **Pagnol** (1895-1974), publiée en quatre tomes à Monaco chez Pastorelly (la Gloire de mon père et le Château de ma mère, 1957 ; le Temps des secrets, 1960) et à Paris chez Julliard (le Temps des amours, 1977).

Le succès d'une nouvelle qui relatait une mésaventure survenue à la famille Pagnol au début du siècle, publiée en épisodes dans le magazine Elle en décembre 1956 et janvier 1957, incita l'académicien « arrivé », que le théâtre et le cinéma avaient comblé de gloire (voir *Topaze et *Marius), à conter les menus faits qui avaient marqué son enfance. Rédigés avec enthousiasme, les Souvenirs foisonnèrent, s'épanouirent en deux tomes, publiés conjointement et qui connurent un accueil triomphal. Trois ans plus tard, l'auteur revenait à son récit et, comme pour Marius et Manon des sources (voir l'*Eau des collines), lui donnait une suite. Mais il s'en désintéressa progressivement, pour apporter une forme romanesque à la tragédie de Jean de

Florette, qu'il avait filmée en 1952. Aussi, malgré la publication du vivant de Pagnol d'un troisième volume, les chapitres consacrés aux années de lycée demeurent-ils incomplets et en rupture avec la thématique annoncée (« le Temps des secrets » et « le Temps des amours »).

La Gloire de mon père. Marcel grandit avec son frère, le « petit Paul », et sa jeune sœur, Germaine, dans une école de Marseille dirigée par leur père, un parangon des vertus laïques de Jules Ferry. Un jour, la famille décide de louer une « villa », « la Bastide neuve », dans la garrigue des environs d'Aubagne et d'y passer les vacances en compagnie de l'oncle Jules, de la tante Rose et de leur bébé. Un doublé de bartavelles lors de sa première partie de chasse assure à l'instituteur une « gloire » sans égale.

Le Château de ma mère. La rencontre d'un petit paysan, Lili, transforme la vie de Marcel : plus que l'apprentissage de l'art de piéger ou des secrets des garrigues, l'enfant fait la découverte de l'amitié, des affres de la séparation et des joies des retrouvailles. Un jour, celles-ci sont douloureusement entachées par la confusion de la famille Pagnol, surprise à traverser une propriété privée pour abréger la longue et pénible équipée entre l'école marseillaise et la « villa ».

Le Temps des secrets. L'été suivant, Marcel s'éprend d'Isabelle, une fillette qui se plaît à l'humilier. Sa passion se trouve vite emportée par l'excitation de l'entrée au lycée, où chahut et bagarre supplantent la morale de la communale.

Le Temps des amours. Les nouveaux camarades, leurs complots et leurs amours, absorbent désormais l'attention du narrateur. Il retourne pourtant dans les collines, le temps de rencontrer M. Sylvain, un étrange personnage qui lui fait le récit d'une aventure survenue au XVIIIe siècle, quand la peste dévastait Marseille.

En 1957, quand il publie la Gloire de mon père, Marcel Pagnol doit sa fortune littéraire à des dialogues (de théâtre ou de cinéma). Dans un Avant-propos, il met lui-même l'accent sur l'importance de ce passage de la « langue du théâtre », dictée par le personnage et l'action, à celle du mémorialiste : « Ce n'est plus Raimu qui parle : c'est moi. » De fait, ce récit de menus événements vus avec les yeux d'un enfant paraît conforme à la tradition de l'autobiographie attendrie, telle qu'elle se pratiquait au début du siècle, et bien loin de la truculence des répliques de César ou de la pathétique tirade du boulanger qui retrouve son épouse infidèle (voir le scénario du film la Femme du boulanger, 1938). Le trait, vif et caricatural dans les pièces, se fait délicat et ému pour évoquer le passé familial. Les personnages y gagnent une épaisseur psychologique que ne pouvaient permettre les planches, et les paysages provençaux, jusqu'alors réduits à de simples décors, donnent lieu à des descriptions très évocatrices.

Pourtant, les réseaux thématiques qui, de Topaze à l'Eau des collines, traversent l'œuvre de Pagnol (morale laïque de l'instituteur opposée à l'emprise du clergé, cruauté naturelle de l'homme, méfiance envers l'« étranger »...), semblent converger vers ces Souvenirs. Même les humbles personnages de ce récit évoquent à maintes reprises, par leur caractère ou leur situation, les héros des pièces et des films. Et si leur vie paraît bien banale, ils la mythifient par le récit (« exploits » des chasseurs ou des joueurs de boules) ou la théâtralisation (jeu des enfants qui miment les coutumes indiennes ou les épreuves imposées par la dame à son chevalier). De Fenimore Cooper à Walter Scott, les réminiscences littéraires affleurent sans cesse, par des citations ou des pastiches. La technique des points de vue, qui mêle constamment le regard naïf de l'enfant et le discours de l'adulte, l'affabulation et son commentaire, participe également de cette dramatisation des plus menus faits. De la sorte, après avoir prêté plus d'un trait de ses proches aux figures grandioses des personnages de ses comédies, Pagnol puise cette fois aux mythes littéraires pour raconter la vie réelle dans l'évocation qui en est faite, par la littérature.

● Éd. de Fallois, 4 vol., 1988. ➤ Œuvres complètes, Club de l'honnête homme, XI et XII.

H. LEFEBVRE

SOUVENIRS D'ENFANCE ET DE JEUNESSE. Essai d'Ernest **Renan** (1823-1892), rassemblant des textes parus dans la *Revue des Deux Mondes* de 1876 à 1882, et publié à Paris chez Calmann-Lévy en 1883.

En cette même année, Renan vient de faire paraître le septième volume de sa monumentale *Histoire des origines du christianisme*, qui s'est ouverte en 1861 sur la *Vie de Jésus. Simultanément, il compose des *Drames philosophiques* (voir l'*Abbesse de Jouarre), réunis et publiés en 1888. Dans leur diversité, ces écrits révèlent un même désinvestissement politique. Déçu par le programme d'ordre moral mis en œuvre par le président Mac-Mahon, l'ancien réformateur (voir la *Réforme intellectuelle et morale, 1871), devenu sceptique, se convertit à un dilettantisme dont ses drames reflètent les fantasmes. Patriarche honoré (membre de l'Académie française, 1878 ; administrateur du Collège de France) en dépit des controverses suscitées par son œuvre, il s'évade aussi du vacarme public avec ses *Souvenirs*.

> Les « six morceaux » qui évoquent la jeunesse de Renan seront aussi l'expression de la théorie de l'univers qu'il porte en lui (Préface). Enfance de l'auteur à Tréguier, sa ville natale : éducation chrétienne dispensée par sa mère et par de vertueux prêtres ; foi enfantine baignant dans le merveilleux (I, 1) ; récit de l'étrange destinée de la fille du « broyeur de lin », un noble appauvri de la région (I, 2-3). Après la parenthèse de la « Prière sur l'Acropole » (II, 1), rédigée en 1865 lors d'un premier séjour en Grèce, Renan analyse la dualité de son caractère, résultant d'idées celtes par son père et gasconnes par sa personnalité (II, 2). Évocation de saints bretons légendaires, puis souvenirs attachés à la mémoire de ses proches (II, 3-4), ainsi que du « bonhomme Système », un dévot de l'Être suprême (II, 5). Le souvenir d'amours enfantines (II, 6) le ramène au caractère double de sa personnalité (II, 7). Remportant tous les prix au collège de Tréguier, il est admis comme boursier au séminaire de Saint-Nicolas-du-Chardonnet, dirigé par Mgr Dupanloup, dont il trace le portrait (III, 1-2). Surmontant sa nostalgie, l'écolier s'éveille à la culture du siècle (III, 3). Accueilli au séminaire de Saint-Sulpice, l'adolescent étudie la philosophie à l'annexe d'Issy. La stricte orthodoxie doctrinale de ses maîtres ne restreint pas sa liberté intellectuelle. Il adopte personnellement la philosophie du « devenir » (IV, 1-2). Études théologiques, ensuite, à Saint-Sulpice (Paris), où le philosophe Le Hir l'initie à la philosophie allemande et aux langues sémitiques (V, 1). Hostilité à la théologie scolastique (V, 2). L'exégèse des Évangiles jette le doute sur le dogme de la Révélation (V, 3). Lutte entre foi et raison (V, 4), rupture avec le catholicisme et départ du séminaire en 1845 (V, 5). Soutenu par sa sœur Henriette, il mène une vie austère d'enseignant et se lie avec le physicien Marcelin Berthelot (VI, 1-2). Enfin, Renan dresse un bilan optimiste de sa vie ultérieure, s'interroge sur sa conduite morale, résume une dernière fois sa métaphysique (« Le monde [...] est plein d'un souffle divin »), et juge celui où il a vécu « le plus amusant des siècles » (VI, 3-5). Quatre lettres de Renan à l'abbé Cognat sont placées en appendice.

La série d'articles autobiographiques publiés de mars 1876 à novembre 1882 dans la *Revue des Deux Mondes* intrigue « beaucoup de personnes » (III, 2) : comment Renan a-t-il pu adhérer dans sa jeunesse à un credo si éloigné de ses positions ultérieures ? En 1883, précédé d'une Préface, un volume réunit l'ensemble des « six morceaux ». On pourra dès lors suivre d'une traite l'itinéraire intellectuel du jeune Breton, dont le séminaire a fait un spécialiste de la méthode scientifique en histoire sacrée, un « clerc défroqué » (VI, 5) et finalement un incroyant. Cette progression donne à l'ouvrage l'allure d'une confession, dans laquelle l'auteur sacrifie les éléments factuels à une création poétique où la vérité globale importe plus que la minutie des « renseignements ». Et le Renan qui avoue à Maurice Barrès (voir *Huit Jours chez M. Renan, 1888) : « J'ai appris à faire des plaisanteries », reconnaît avoir écrit son livre « *cum grano salis* » (*ibid.*).

On sourit, en effet, de cette antique société bretonne décrite avec la plume enjouée d'un sociologue qui éprouverait une tendre nostalgie à l'égard de ce microcosme, assemblant les « survivants d'un autre monde » quasi mythologique (I, 2). Le narrateur traite ses maîtres parisiens avec une verve également imagée mais moins indulgente. Dosant ironie, respect, voire affection (voir les portraits de Mgr Dupanloup, III ; de MM. Gosselin, IV, et Le Hir, V), il risque tantôt une caricature (M. Gottofrey « a la ravissante figure d'une miss anglaise », IV, 2), tantôt une remarque iconoclaste : à Issy, jadis résidence de la reine Margot, « on retoucha légèrement les peintures. Les Vénus devinrent des Vierges » (IV, 2).

Ces traits satiriques émaillent le récit de ce qui fut une « terrible lutte » (VI, 2). Car les *Souvenirs* relatent avant tout une aventure spirituelle, vécue à huis clos entre les murs du séminaire. Elle se développe sur le modèle d'un conflit dramatique dont la « Prière sur l'Acropole » fournirait l'archétype. La « Prière » oppose éloquemment le « miracle grec », cette religion païenne de la Raison symbolisée par Athéna, au « miracle juif » pressenti sur les bords du Jourdain. Mais ces moments privilégiés ne sont que les figures éphémères d'une Histoire ouverte : « Les dieux passent comme les hommes, et il ne serait pas bon qu'ils fussent éternels. La foi qu'on a eue ne doit jamais être une chaîne. On est quitte envers elle quand on l'a soigneusement roulée dans le linceul de pourpre où dorment les dieux morts. »

Une confrontation similaire sous-tend le récit des *Souvenirs* : le narrateur est écartelé entre le dieu exigeant de la Raison et la nostalgie de sa foi enfantine figée à Paris en cette théologie scolastique que professent les sulpiciens. L'art de Renan se révèle dans la transposition de ce débat philosophique en un drame à suspense que le séminariste finit par dénouer au prix d'un travail surhumain. On connaît l'argument du « tout ou rien » qu'il opposa au dogme de la Révélation : si les Livres saints sont divinement inspirés, ils ne souffrent aucune contradiction. Or les trésors d'érudition philologique déployés par le jeune chercheur en relèveront plusieurs... À la rigidité de l'apologétique sulpicienne, il substitue dès lors une philosophie du devenir (« Un éternel *fieri*, une métamorphose sans fin me semblait la loi du monde », IV, 2) que lui ont inspirée l'histoire naturelle sur le plan scientifique, et, sur celui de la philosophie, la croyance de Malebranche en une « Providence générale » qui gouvernerait l'univers (IV, 2). Ainsi deviennent compatibles la fidélité à l'éminente personnalité de Jésus et une réintégration du christianisme dans le temps, ouvrant à Renan les perspectives de son grand œuvre : l'*Histoire des origines du christianisme*.

Le narrateur excelle à faire revivre les angoisses du passé : d'innombrables métaphores traduisent sa hantise de l'étouffement, « gaîne », « corset », « chaînes », « couvercle de plomb », contraignant sa « passion du vrai » (VI, 2) exaspérée par l'isolement. Au fil du récit, la pratique répétée de l'« examen de conscience » trahit aussi l'angoisse de la justification. Renan ne cesse en effet de mesurer ses défaillances à l'aune de l'idéal moral de ses maîtres, dont il répudie les croyances mais respecte profondément la conduite : « Je n'ai connu que de bons prêtres » (III, 1). Bien plus, il rattache sa propre démarche intellectuelle aux principes mêmes qu'il a hérités de leur enseignement : « L'amour de la vérité, le respect de la raison, le sérieux de la vie » (II, 1). Il souffre de la déception infligée à certains d'entre eux, et à sa mère, et s'excuse – à moitié ironiquement – d'avoir « contribué au triomphe de M. Homais sur son curé » (III, 2). De même, s'il envisage ses « péchés véniels » avec une sérénité tempérée d'humour, le pénitent sur un point demeure inflexible : la « pureté de mœurs », la fidélité à l'exemple de Jésus. Car il importe de proclamer bien haut que seuls des motifs philologiques l'ont conduit à abandonner la soutane.

À la lumière de la Préface de 1883, les *Souvenirs* peuvent se lire, en définitive, comme une fable symbolisant, à l'échelle d'une vie humaine, le processus macroscopique de l'évolution historique, voire cosmique. À l'inverse d'Auguste Comte, Renan a une vision continue de l'Histoire : « Tous les siècles d'une nation sont les feuillets d'un même livre » (Préface). D'où la récapitulation en abyme, dans l'unité de sa propre destinée, des changements du monde. De sorte que si les monastères de Tréguier figurent l'obscurantisme – et le merveilleux – du Moyen Âge, dont la foi jadis naïve s'est figée en scolastique, le rationalisme critique du jeune homme préfigure le triomphe d'une religion de la science pratiquée dans les domaines de l'Histoire et de la physique : l'amitié de Renan et de Berthelot en porte témoignage. Pénétrant le récit des *Souvenirs*, le devenir dynamise aussi bien la métamorphose que le développement des institutions : une même instabilité latente entraîne personnes privées ou morales vers le changement. Renan mentionne complaisamment la prometteuse complexité de sa « formule ethnique » (II, 2). De même il voit dans le dogme chrétien une pensée « qui s'est faite lentement, peu à peu, par une sorte de végétation intime » (V, 2). Mais le « souffle divin » dont il espérait une évolution vers plus de raison et de liberté produit aussi de décevantes alternatives d'anarchie et de despotisme... Les *Souvenirs* révèlent ainsi le scepticisme qui colore la réflexion du patriarche vieillissant. Revenu de la politique, il confie désormais les destinées de l'univers à une finalité biologique transcendant les efforts individuels : « Courage, courage, Nature ! Poursuis comme l'astérie qui végète au fond de l'océan ton obscur travail de vie... Vise encore le but que tu manques depuis l'éternité » (Préface). Les tribulations passées du jeune séminariste sont ainsi remises à leur humble place, dans l'immense travail qui entraîne la planète vers une destinée incertaine.

● « GF », 1973 (p.p. H. Psichari et L. Rétat) ; « Folio », 1983 (p.p. J. Pommier) ; « Presses Pocket », 1992 (p.p. J. Balcou). ➤ *Œuvres complètes*, Calmann-Lévy, II.

M.-A. DE BEAUMARCHAIS

SOUVENIRS DE VOYAGE. Recueil de nouvelles de Joseph Arthur, comte de **Gobineau** (1816-1882), publié à Paris chez Plon en 1872.

Plus de vingt ans après *Mademoiselle Irnois* (1847), Gobineau revient au genre de la nouvelle. Sa mission en Grèce (1865-1868) a joué un rôle décisif dans ce retour. « J'ai inventé à Athènes cette manière de nouvelles que j'ai la prétention de donner pour originales et bien à moi », écrit-il le 24 septembre 1872 à Marika et Zoé Dragoumis, les « sœurs athéniennes ». Cette lettre fait allusion au « Mouchoir rouge » (daté du 25 mai 1868), à « Akrivie Phrangopoulo » (automne 1869) et à « la Chasse au caribou » qui, composée sans doute avant « Akrivie », clôt les *Souvenirs de voyage*. Publié en 1872, le recueil n'aura aucun succès : le premier tirage de mille exemplaires n'est pas encore épuisé quarante ans plus tard.

Le Mouchoir rouge (Céphalonie). Le tout-puissant comte Lanza entretient depuis longtemps des liens privilégiés avec Mme Palazzi, mais, sa favorite ayant engraissé, il tourne son intérêt vers sa fille, Sophie Palazzi. Le jeune Gérasime Delfini ayant commis l'imprudence de confier au comte son amour pour Sophie, celui-ci décide d'éloigner de Céphalonie la famille Palazzi. Sophie fait alors remettre à Gérasime un bouquet de violettes, un poignard et un mouchoir rouge : en clair, elle lui ordonne d'assassiner le comte. Gérasime n'a pas l'âme très guerrière, mais comme sa bien-aimée joint bientôt les menaces à la prière, il s'exécute. Le comte, du reste, ne s'était pas privé, jadis, d'éliminer un rival... L'histoire s'achève avec le mariage de Gérasime et de Sophie, à la manière d'un conte de fées.

Akrivie Phrangopoulo (Naxie). Le commandant de l'*Aurora*, Henry Norton, débarque à Naxie. Il découvre les beautés de l'île et goûte l'hospitalité de la famille Phrangopoulo. Leur fille Akrivie l'émeut par sa simplicité et sa beauté ; une excursion en sa compagnie à l'île d'Antiparos et au volcan de Santorin l'en rendra amoureux. Akrivie est effarouchée quand cet étranger lui demande sa main, mais la résolution de Norton de s'établir à Naxie vaincra ses dernières résistances.

La Chasse au caribou (Terre-Neuve). Contrarié par son père dans ses projets amoureux, Charles Cabert décide d'informer le monde de son désespoir. Il part donc chasser le caribou dans l'île de Terre-

Neuve, où les habitants lui réservent un accueil plus chaleureux que distingué. Son âme de dandy s'émeut de la grossièreté des mœurs indigènes. Pour tromper son ennui, il courtise la candide Lucy, qui prend aussitôt pour un engagement ce qui n'était que marivaudage. Les hôtes de Charles sont des gens rudes, mais honnêtes ; ils feront comprendre au jeune séducteur que la vraie distinction est d'abord celle du cœur.

Gobineau a visité Céphalonie et Naxie à l'occasion de son séjour en Grèce. Ses souvenirs de Terre-Neuve sont plus anciens : il y avait été envoyé pour une courte mission en 1859 et en avait rapporté un récit (*Voyage à Terre-Neuve*, 1861) dont les impressions mitigées nourriront la dernière pièce de *Souvenirs de voyage*. Les sous-titres géographiques des trois nouvelles indiquent leur vrai sujet. Mais c'est parce qu'une intrigue illustre l'âme de chacune des trois îles que Gobineau prétendait à l'originalité.

L'île protège des influences extérieures : les trois jeunes filles des *Souvenirs* sont, chacune à sa façon, des modèles d'intégrité. Mais le caractère d'Akrivie, vraisemblablement inspiré par Zoé Dragoumis, est plus attachant et plus nuancé que ceux de Sophie et de Lucy. De même l'évolution sentimentale de Norton, vérifiant le phénomène de la cristallisation tel que l'avait décrit Stendhal dans *De l'amour*, relève-t-elle d'une psychologie romanesque où s'ébauche le meilleur des *Pléiades*. En regard du commandant anglais, que son origine insulaire a également protégé du pire méfaits de la civilisation, le Méditerranéen Delfini et le Parisien Charles Cabert font piètre figure. Ce dernier, préoccupé des seules apparences au point de ne pas savoir discerner la vraie vertu sous les traits de la naïve Lucy, est le contraire exact de Norton (de même dans *les Pléiades* s'opposeront, avec plus de nuances il est vrai, l'Anglais Wilfrid Nore et le Parisien Louis de Laudon). Quant à Gérasime Delfini, sa tiédeur à exécuter le dessein de sa bien-aimée le désigne comme un héros dégénéré. Aussi bien la première et la troisième nouvelles du recueil se distinguent-elles par cet humour, tantôt détaché, tantôt ouvertement satirique, qui avait valu à Gobineau l'hommage de Mérimée : « Vous avez la bosse de l'observation comique. » Si la drôlerie est souvent marquée par le commentaire du narrateur, il arrive aussi qu'elle dépende du dialogue et de la « mise en scène » : admirateur de Molière, Gobineau se souvient assurément de l'*École des femmes* dans le passage où Gérasime choisit son rival pour confident de ses amours. Non que l'humour soit absent d'« Akrivie Phrangopoulo » : dans la description de la grotte d'Antiparos, Gobineau laisse percer sa propre frayeur des lieux escarpés. Mais de tels éléments autobiographiques nous aident surtout à lire la retraite de Norton à Naxie comme la confidence émouvante, à peine transposée, du diplomate vieillissant qui eût aimé finir ses jours en Grèce si la plus jeune des « sœurs athéniennes » le lui eût permis. Gobineau reprochera à Zoé d'avoir accueilli aussi froidement cette nouvelle qui lui était visiblement dédiée ; sans doute avait-elle jugé l'hommage un peu trop appuyé.

● *Le Mouchoir rouge et Autres Nouvelles*, « Classiques Garnier », 1968 (p.p. J. Gaulmier). *Mademoiselle Irnois [...]*, « Folio », 1985 (p.p. P.-L. Rey). ➤ *Œuvres*, « Pléiade », II (p.p. P. Lésétieux).

P.-L. REY

SOUVENIRS PIEUX. Voir LABYRINTHE DU MONDE (le), de M. Yourcenar.

SPECTACLE DE LA NATURE (le). Traité de Noël Antoine, dit l'abbé **Pluche** (1688-1761), dont le titre complet est : *le Spectacle de la nature ou Entretiens sur les particularités de l'histoire naturelle qui ont paru les plus propres à rendre* *les jeunes gens curieux et à leur piquer l'esprit*, publié à Paris chez la Veuve Estienne de 1732 à 1750.

Le Spectacle de la nature fut un succès de librairie, comme en témoigne le nombre prodigieux de rééditions et de traductions dont il fut l'objet : cet ouvrage de vulgarisation scientifique, orné de planches et de gravures, répondait à l'engouement des contemporains pour les sciences de la nature.

Un jeune homme de qualité, le chevalier du Breuil, se trouve à la campagne, pendant les vacances, chez un ami de son père, le comte de Jonval, qui essaie de former son esprit au bon goût et à la philosophie. Sont associés à leurs conversations le prieur-curé du lieu et Mme la comtesse. À travers ces entretiens, soigneusement consignés, le chevalier va faire son éducation, apprenant à regarder le monde qui l'entoure. Le tome I passe ainsi en revue les animaux et les plantes ; le tome II examine les dehors et l'intérieur de la Terre ; le tome III s'intéresse au ciel et aux liaisons des différentes parties de l'univers avec les besoins de l'homme ; le tome IV considère l'homme en lui-même ; les tomes V à VII le situent dans la société ; enfin le tome VIII, plus proprement apologétique, l'envisage dans ses rapports avec Dieu : il s'agit d'un véritable traité, qui établit la nécessité d'une Révélation divine et l'authenticité du christianisme, appuyé sur des témoignages.

Ces gros volumes scientifiques sont en fait un catéchisme déguisé. Sous couvert d'instruire la jeunesse sur l'univers environnant, l'abbé Pluche tente de lui inculquer la foi chrétienne. Son livre n'est en effet qu'un vaste développement de la preuve traditionnelle de l'existence de Dieu par les merveilles naturelles. Convaincu que « la vue de la nature est [...] une théologie populaire où tous les hommes peuvent apprendre ce qu'ils ont intérêt de connaître », le savant ecclésiastique ne ménage pas ses efforts pour piquer la curiosité du lecteur et provoquer son admiration. La tête d'une mouche devient sous sa plume un assemblage de fleurs et de diamants, l'aile chiffonnée d'un moucheron se transforme en miroir brillant tel un arc-en-ciel, et l'écorce terrestre est présentée comme une mine de richesses, placées là spécialement à notre intention par le Créateur. Pareil finalisme semble quelquefois bien naïf à nos esprits contemporains : « Il y a d'abord un très grand nombre de fleurs qui ne paraissent avoir d'autre emploi sur la terre que de présenter à l'homme un bouquet », s'exclame la comtesse, mais il était sans aucun doute de nature à flatter le goût du public du XVIIIᵉ siècle.

L'effort apologétique de Pluche ne se borne cependant pas à ce splendide étalage. Au fil des pages, l'abbé s'attache à déterminer l'usage qui doit être fait de la raison, en stigmatisant les savants libertins qui soumettent tout à son examen. Ainsi le prieur réplique à des philosophes se querellant sur les couleurs : « Jouissons de la lumière et des couleurs sans trop approfondir ce qu'elles sont en elles-mêmes ; ou, si nous voulons raisonner, que ce soit selon notre capacité. » La raison est, en effet, jugée seconde par rapport à la foi : « Après la foi qui nous apprend sans raisonnement ce que nous avons à croire, à faire et à espérer, nous n'avons point de trésor plus précieux que la raison. » L'abbé Pluche apparaît ainsi comme l'un de ces apologistes éclairés qui ont tenté en ce Siècle des lumières d'adapter leurs méthodes aux intérêts des lecteurs et de concilier foi et raison pour mieux défendre la religion.

S. ALBERTAN-COPPOLA

SPECTATEUR FRANÇAIS (le). Voir JOURNAUX, de Marivaux.

SPICILÈGE. Recueil de notes de Charles-Louis de Secondat, baron de **Montesquieu** (1689-1755), publié à Paris chez Flammarion en 1944.

Le *Spicilège* (du latin *spicilegium*, « glanage »), publié d'après un manuscrit de 800 pages, nous fait entrer, comme *Mes pensées*, les *Voyages* et les *Geographica* (dont seul le tome II subsiste), dans le laboratoire de Montesquieu : c'est là qu'il transcrit des extraits de lecture (livres et journaux, surtout les cinq gazettes hollandaises en français), des conversations, des anecdotes, des notes de voyage (sur l'Italie et l'Angleterre), des réflexions, parfois fort soignées. La première partie du manuscrit compile un recueil prêté à Montesquieu par le père Desmolets. Le manuscrit s'achève sur la lecture, interrompue par la mort, des *Mémoires* de Sainte-Palaye sur la chevalerie.

C'est entre 1716 et 1720 que Montesquieu a pris l'habitude, capitale, de se constituer des dossiers, qu'il utilisa dès la rédaction des *Lettres persanes*. S'il se moque, dans la lettre 130, de l'« impertinence des nouvellistes », ce n'est pas faute de s'y intéresser : les extraits de presse occupent environ 120 pages du manuscrit sur 800 et témoignent, entre 1718 et 1749, d'une impressionnante diversité d'intérêts. « Première représentation d'*Inès de Castro* » [d'Antoine Houdar de La Motte] ; « Statistique des naissances et décès à Londres » ; « Invention pour mesurer la vitesse d'un navire » : ces trois extraits se suivent. Mais on trouve aussi, quelques lignes plus bas, diverses recettes d'« eau pour les yeux », avec cette note marginale émouvante : « Je me sers de celle-là » – sans oublier la politique, inséparable de l'Histoire, et les questions religieuses dont le présent ouvrage confirme, s'il en était besoin après les *Lettres persanes*, l'acuité aux yeux du philosophe. Le premier et essentiel plaisir de l'indiscret lecteur tient évidemment à cette curiosité mobile, aiguë, imprévue, qui ne fait pas du *Spicilège* un véritable journal intime, mais le carnet de bord intellectuel d'un de nos écrivains les plus intelligents et les moins poseurs : « Mystère de la Grâce. On voit dans la même chaire Dieu tendre la main au pécheur le plus endurci et réprouver le juste pour quelques fautes » ; « Il y a dix ou douze tragédies de Corneille et de Racine qui ne permettent jamais de décider : celle qu'on voit représenter est toujours la meilleure » ; « L'argument de M. Pascal : "Vous gagnez tout à croire et ne gagnez rien à ne pas croire", très bon contre les athées. Mais il n'établit pas une religion plutôt qu'une autre. »

● *Pensées [...]*, « Bouquins », 1991 (p.p. L. Desgraves). ➤ *Œuvres complètes*, « Pléiade », II .

J. GOLDZINK

SPIRIDION. Roman de George **Sand**, pseudonyme d'Aurore Dupin, baronne Dudevant (1804-1876), publié à Paris en feuilleton dans la *Revue des Deux Mondes* les 15 octobre, 1ᵉʳ et 15 novembre 1838 et 1ᵉʳ et 15 janvier 1839, et en volume chez Félix Bonnaire en 1839.

Dédié à Pierre Leroux, ce roman tant admiré de Renan fut dans sa première version, commencé à Nohant (fin 1837) et achevé à Majorque, à la chartreuse de Valldemosa, en même temps que la seconde version de *Lélia*. Les deux œuvres ont d'ailleurs, outre leur genèse, bien des points communs. Elles résument, selon leur auteur même, « beaucoup d'agitations morales ». Et *Spiridion*, comme *Lélia*, sera remanié (en 1842), dans une moindre mesure toutefois.

La scène se passe en Italie, à la fin du XVIIIᵉ siècle. Le narrateur, Angel, évoque son entrée au couvent, à seize ans, et sa détresse d'alors. En butte à la méchanceté des moines, il trouve une consolation auprès du père Alexis, qui reconnaît en lui l'ange que l'Esprit lui a annoncé. Troublé par des phénomènes étranges (bruits, apparitions, etc.), le jeune homme interroge son maître mourant, qui lui confie l'histoire de Spiridion. Né au siècle précédent, Samuel Hébronius, un juif, devient protestant sous le nom de Pierre Hébronius, puis catholique, sous le nom de Spiridion. Il fonde un couvent dont il reste prieur jusqu'à sa mort et qu'il hante ensuite. Son disciple, Fulgence, à qui il a raconté sa vie et qu'il a chargé d'exhumer le manuscrit avec lequel il a voulu être enseveli, se montre incapable de remplir sa mission. Il se borne à confier à son tour l'histoire de Spiridion au père Alexis. Ce dernier se promet de réussir. Ses études le conduisent du protestan-

Stendhal

Portrait de Stendhal, 1840, par Johan Olaf Södermak (1790-1848).

Musée national du château, Versailles. Ph. Hubert Josse © Archives Photeb.

« Stendhal dansant »,
1833. Croquis d'Alfred
de Musset (1810-1857).

Collection particulière.
Ph. © Giraudon.

Entre Henri Beyle (1783-1842) et la
« chimère fabuleuse » plus connue sous
le pseudonyme de « Stendhal », s'ouvre
l'écart voulu par un auteur qui donne au
« moi » une existence littéraire et qui,
refusant énergiquement un présent
prosaïque, s'invente un temps et un
espace autres : Italie de la Renaissance,
mais aussi lecteurs de 1880 ou de 1930,
happy few qui partageront l'enthousiasme
du créateur dissimulé derrière tant de
masques... Paradoxe parmi d'autres chez

ce romancier tardif qui, faisant coexister l'âpreté du « petit fait vrai » avec l'esthétique du sublime, écrit quelques chefs-d'œuvre après un long apprentissage. Écriture « égotiste », théorie de la peinture, de la musique, du « romanticisme », de l'amour : l'admiration pour l'être aimé, pour le « Beau idéal » ou pour un air d'opéra, participent d'une même et inlassable « chasse au bonheur ».

« Officier de chasseurs à cheval de la Garde impériale ».
Esquisse de Théodore Géricault (1791-1824).
Musée du Louvre, Paris. Ph. © RMN.

« Vue intérieure du théâtre de la Scala de Milan », 1827.
Recueil des estampes Bertarelli.
Château Sforza, Milan. Ph. Giancarlo Costa © Archives Photeb.

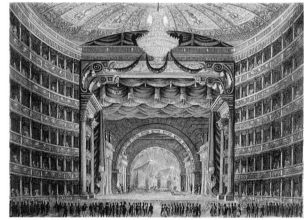

« Le Forum, vue prise
des jardins Farnèse », 1826,
par Camille Corot (1796-1875).
Musée du Louvre, Paris. Ph. © RMN.

tisme au théisme, puis à l'athéisme. Tenté par le suicide, il retrouve la foi par l'exercice de la charité. Ce récit terminé, Alexis remet à Angel un livre, résumé de son expérience. C'est alors que le jeune novice, guidé par une apparition, exhume le manuscrit de Spiridion, testament spirituel qui exprime la foi du moine en un « nouvel évangile ». Mais des soldats français (nous sommes sous la Révolution) envahissent le couvent et tuent Alexis, tandis que le narrateur s'évanouit.

« C'était un livre étrange » : ces propos d'Angel, relatifs à l'ouvrage d'Alexis, pourraient aussi bien s'appliquer au roman de George Sand. Dans cette œuvre étonnamment dépourvue de tout personnage féminin, la romancière renonce – une fois n'est pas coutume – aux facilités de l'intrigue sentimentale. Elle se borne à puiser dans le roman noir, avec un monastère hanté – vestige d'un « rêve monastique » ? –, un manuscrit arraché à un cadavre ou un cauchemar terrifiant. Le mystère plane sur *Spiridion* : narrateur tout juste doté d'un prénom et d'un âge, personnages rarement décrits (à l'exception de Spiridion et d'Alexis, dans lequel Sainte-Beuve le premier reconnut Lamennais), cloître, qui rappelle celui de *Lélia*, vaguement situé en Italie (malgré quelques allusions, inspirées du voyage à Majorque, aux « âpres solitudes de l'Atlas » ou à la « rive maure »). Seuls certains repères chronologiques (quelques dates, le passage d'un « jeune Corse » dans lequel on devine Bonaparte, l'arrivée des armées révolutionnaires) permettent d'ordonner des récits imbriqués les uns dans les autres.

Cette fiction mêlée d'un violent réquisitoire contre la « monacaille » permet à George Sand d'exposer les idées de Pierre Leroux : le roman fait une large place aux discussions théoriques comme aux effusions mystiques (« Ô grand tout ! ô grand amour ! »). Selon ce nouveau credo, la religion progresse grâce à des révélations successives, qui ont été l'œuvre des grands hérétiques persécutés par l'Église ; le règne du Saint-Esprit doit succéder à celui du Père et du Fils ; les âmes se réincarnent dans un « engendrement perpétuel ».

Cette révélation se fera – seule modification importante – en trois étapes dans la version de 1842 (écrite par Leroux lui-même au dire de Spoelberch de Lovenjoul) : Angel y exhume en effet trois manuscrits au lieu d'un.

● Plan-de-la-Tour, Éd. d'Aujourd'hui, 1976. ➤ *Œuvres complètes*, Slatkine, XVI.

P. ALEXANDRE-BERGUES

SPIRITE. Nouvelle de Théophile **Gautier** (1811-1872), publiée à Paris en feuilleton dans *le Moniteur universel* de novembre à décembre 1865, et en volume chez Charpentier en 1866.

Écrite pendant l'été et le début de l'automne de 1865 dans la propriété genevoise de Carlotta Grisi, l'œuvre porte la trace de l'amour impossible que l'auteur voua toute sa vie à son amie ; la danseuse, pour laquelle il écrivit le ballet de *Giselle*, va se transmuer ici en ange, métamorphose où l'on décèle l'influence des thèses swedenborgiennes parvenues à l'auteur à travers la **Séraphîta* de Balzac. La plus grande réussite de *Spirite*, œuvre d'ailleurs couronnée par le succès, tient à une fluidité d'écriture dont Gautier se félicitait lui-même, estimant que s'y trouvaient ses dix plus belles pages.

À vingt-neuf ans, Guy de Malivert, esthète cultivé, n'a jamais connu l'amour ; il se rend de mauvaise grâce chez une jolie veuve de ses amies, Mme d'Ymbercourt, et sympathise avec le baron de Féroë, « compatriote de Swedenborg » attiré par le mysticisme (chap. 1-2). Un soupir et un chuchotement semblent vouloir le détourner de ses visites à la jeune femme qui attend une demande en mariage ; Féroë l'avertit du danger d'une plongée dans le monde de l'esprit (3-4). Dans son miroir de Venise, Malivert aperçoit l'ébauche du merveilleux visage diaphane d'une inconnue (5) qu'il reverra dans un splendide traîneau vainement poursuivi (6). Sur son tapis se profile une main, et l'esprit lui dicte un récit (la « Dictée de Spirite ») : jeune fille, la narratrice a

aperçu Malivert au couvent, s'est mise à l'aimer, à le rechercher (7-9) mais les rumeurs sur son éventuel mariage avec Mme d'Ymbercourt l'ont incitée à prononcer ses vœux, et elle s'est éteinte peu après (10-11). Grâce aux indications de Féroë, Malivert se rend sur la tombe de la jeune morte, Lavinia d'Aufideni (12). Il vit dès lors avec la présence de Spirite, qui se laisse percevoir, mais reste insaisissable, ce qui conduit le jeune homme au bord du suicide (13-14). Il prend le vapeur pour Athènes, qui l'émerveille et, lors d'une excursion, trouve enfin, sous les balles de bandits, la mort qui lui permet de rejoindre Spirite pour toujours (15-16).

Le roman s'achemine vers l'apothéose d'une fusion mystique, l'amant et l'esprit se retrouvant unis sous la forme d'un ange. Avec quelques péripéties relatant les divers modes d'apparition de Spirite, la progression vers cette acmé constitue le seul argument narratif de la nouvelle. Esthète insatisfait, Malivert approfondit une plongée dans le monde surnaturel rendue possible par la semi-réincarnation de l'âme amoureuse. Comme le jeune prêtre de *la *Morte amoureuse* – et Spirite est bien une morte amoureuse –, le personnage est attiré dans un univers mystérieux au prix d'une scission de son être. Toutefois, la jeune fille pure a remplacé la courtisane, ce qui explique le climat de sérénité bienheureuse baignant ces pages, éclairées à la fois par une atmosphère glaciale (la neige y est indice de purification), et solaire. Soleil et glace renvoient à cette même blancheur célébrée parfois par **Émaux et Camées* (1852), mais infléchie ici dans le sens du sacré. Car le narrateur n'use de son humour que pour railler les usages mondains ou le faux idéal ; s'il propose une ébauche de journal de voyage en Grèce, ce n'est que pour affirmer, par référence à la beauté plastique, la suprématie de la beauté mystique. Le mépris pour Mme d'Ymbercourt « dont la beauté ne se composait que de perfections vulgaires », est révélateur : le récit n'est dédié qu'à l'âme, et cela à travers la double narration de la recherche de Malivert et de la dictée de Spirite. Cette nouvelle qui tente de dire l'indicible s'interroge aussi sur les limites du langage, et, en ce sens, la transposition sur le piano par Spirite d'une poésie de Malivert est significative : dans cette tentative de réaliser au sein d'un ailleurs un impossible amour, le problème de l'expression reste central.

● Nizet, 1970 (p.p. M. Eigeldinger) ; Genève, Slatkine, 1979 ; *l'Œuvre fantastique*, « Classiques Garnier », II, 1992 (p.p. M. Crouzet). ➤ *Œuvres complètes*, Slatkine, IV.

F. COURT-PEREZ

SPLEEN DE PARIS (le) Recueil de poèmes en prose de Charles **Baudelaire** (1821-1867), publié dans le tome IV des *Œuvres complètes* à Paris chez Michel Lévy frères en 1869. De nombreux poèmes avaient, à partir de 1855, paru dans diverses revues, notamment dans *la Presse* en août et septembre 1862. Au fil des publications de ses poèmes en prose, Baudelaire a hésité entre plusieurs titres : *Poèmes nocturnes*, *la Lueur et la Fumée*, *le Promeneur solitaire*, *le Rôdeur parisien*. C'est sous le titre de *Petits Poèmes en prose* que paraissent les vingt pièces publiées dans *la Presse* en 1862. Ce titre est toutefois trop peu sûr pour que l'on puisse le considérer comme reflétant l'intention définitive du poète : Baudelaire, durant les dernières années de sa vie, utilisait en effet l'expression *le Spleen de Paris* pour désigner son recueil, et la plupart des éditeurs ont conservé ce dernier titre.

Dans *le Spleen de Paris*, Baudelaire expérimente un genre nouveau, inauguré peu auparavant par Aloysius Bertrand : « C'est en feuilletant pour la vingtième fois au moins, le fameux **Gaspard de la nuit*, d'Aloysius Bertrand [...] que l'idée m'est venue de tenter quelque chose d'analogue, et d'appliquer à la description de la vie moderne, ou plutôt d'*une* vie moderne et plus abstraite, le procédé qu'il avait appliqué à la peinture de la vie ancienne, si

SPLEEN DE PARIS (le)

étrangement pittoresque » (« À Arsène Houssaye », dédicace du recueil). Les poèmes en prose de Baudelaire, différents dans leur inspiration et leur facture de ceux de son devancier, imposent le genre, lequel deviendra particulièrement florissant dans les dernières décennies du XIXᵉ siècle et au début du siècle suivant.

Le Spleen de Paris contient cinquante textes que Baudelaire n'a pas eu la volonté ou le temps de rassembler et d'organiser en diverses parties. Ses notes contiennent des projets de regroupements mais la dédicace « À Arsène Houssaye » fait de la libre ordonnance des poèmes un principe esthétique : « Mon cher ami, je vous envoie un petit ouvrage dont on ne pourrait pas dire, sans injustice, qu'il n'a ni queue ni tête, puisque tout, au contraire, y est à la fois tête et queue, alternativement et réciproquement. [...] Enlevez une vertèbre, et les deux morceaux de cette tortueuse fantaisie se rejoindront sans peine. Hachez-la en nombreux fragments, et vous verrez que chacun peut exister à part. » Discontinuité, liberté et diversité caractérisent le recueil. Le ton et l'atmosphère sont variés, depuis l'agressivité : "la Femme sauvage et la Petite Maîtresse", "Assommons les pauvres !", et le sarcasme : "Un plaisant", "le Chien et le Flacon", "le Galant tireur", jusqu'au pathétique : "les Veuves", "le Vieux Saltimbanque" ; ces différents aspects peuvent d'ailleurs cohabiter dans un même poème comme "les Yeux des pauvres". La plupart des pièces sont narratives, et certaines s'apparentent même à des contes : "Une mort héroïque", "la Corde", ou à des fables sataniques : "les Tentations, ou Éros, Plutus et la Gloire", "le Joueur généreux", alors que d'autres, qui se terminent parfois par une moralité : "la Fausse Monnaie", tiennent plutôt de l'*exemplum* médiéval : "les Dons des fées", "les Vocations". Les thèmes sont eux aussi variés mais quelques-uns dominent : le destin et le pouvoir du poète dans "le Confiteor de l'artiste", "la Chambre double", "le Fou et la Vénus", "les Foules", "Enivrez-vous", "les Fenêtres" ; les exclus, tous ces êtres déshérités ou bizarres qui éveillent la compassion dans "le Désespoir de la vieille", "les Veuves", "le Vieux Saltimbanque", "le Gâteau", "Mademoiselle Bistouri" ; le désir d'évasion dans "l'Étranger", "l'Invitation au voyage", "les Projets", "Déjà", "Any where out of the world" ; la femme enfin, à la fois mystérieuse et dérisoire, fascinante et haïe dans "la Femme sauvage et la Petite-Maîtresse", "Un hémisphère dans une chevelure", "la Belle Dorothée", "le Galant tireur".

Ce recueil en prose s'inscrit dans la continuité de l'œuvre en vers : « En somme, c'est encore *les Fleurs du mal*, mais avec beaucoup plus de liberté, et de détail et de raillerie », écrivait Baudelaire à J. Troublat le 19 février 1866. Certaines pièces du *Spleen de Paris* peuvent même apparaître comme des doublets de poèmes des *Fleurs du mal* (l'exemple le plus frappant est celui de "l'Invitation au voyage", dans les deux ouvrages). L'expression « le Spleen de Paris » souligne cette filiation puisque le terme « spleen » sert de titre à la première section des *Fleurs du mal*, elle-même intitulée « Spleen et Idéal ». L'ennui, l'angoisse, le sens aigu et douloureux du néant de toute chose, demeurent au centre de l'expérience baudelairienne. L'idéal est ailleurs, rêvé, entrevu, toujours inaccessible à l'homme prisonnier de la réalité mesquine et décevante. Perceptible pour le poète en quelques instants privilégiés, il fait de l'univers un spectacle réversible dont "la Chambre double" offre l'image symbolique. Dans ce poème en effet, la même chambre est d'abord décrite comme un lieu merveilleux – « chambre véritablement spirituelle », « chambre paradisiaque » – avant d'être rendue à sa dimension réelle de sordide « séjour de l'éternel ennui ». La contemplation de la nature n'échappe pas à cette fatale réversibilité : « Grand délice que celui de noyer son regard dans l'immensité du ciel et de la mer ! [...] / Et maintenant la profondeur du ciel me consterne ; sa limpidité m'exaspère. L'insensibilité de la mer, l'immuabilité du spectacle, me révoltent... Ah ! faut-il éternellement souffrir, ou fuir éternellement le beau ? » ("le Confiteor de l'artiste"). Ce pouvoir visionnaire mêlé à une extrême lucidité fonde l'intolérable frustration du poète et sa misanthropie souvent cruelle, le choix du mal n'étant que l'envers d'un désespoir. Ainsi, alors que dans maints poèmes du *Spleen de Paris* le poète fraternise avec les déshérités, il fait preuve, dans "le Mauvais Vitrier", d'« une haine aussi soudaine que despotique » à l'égard d'un « pauvre homme » : il détruit méchamment la marchandise d'un vitrier ambulant parce que celui-ci ne possède que des « verres de couleur », c'est-à-dire des « vitres qui [font] voir la vie en beau ».

Le titre *le Spleen de Paris* met en outre l'accent sur la dimension urbaine de l'entreprise poétique, explicitée dès la Dédicace : « C'est surtout de la fréquentation des villes énormes, c'est du croisement de leurs innombrables rapports que naît cet idéal obsédant » (celui de la « prose poétique »). Paris ne constitue pas toutefois le décor de tous les poèmes du recueil : "le Gâteau" a par exemple pour cadre les Pyrénées, "le Joujou du pauvre", la campagne, et "la Belle Dorothée", les îles Mascareignes. En réalité, le monde urbain est moins affaire de décor que de regard. Dans une étude sur Constantin Guys intitulée le *Peintre de la vie moderne* (1863), Baudelaire lie la notion de modernité au phénomène de la grande ville. La sensibilité du poète moderne, sa saisie du monde, son spleen sont pour ainsi dire formés par l'expérience urbaine.

Cette dernière enseigne les injustices et la misère dont le poète se fait le porte-parole : « Je chante les chiens calamiteux [...] les pauvres chiens, les chiens crottés, ceux-là que chacun écarte, comme pestiférés et pouilleux, excepté le pauvre dont ils sont les associés, et le poète qui les regarde d'un œil fraternel » ("les Bons Chiens"). Le poète moderne dit la marge et l'exclusion. La ville, sorte de concentré de toute l'humanité, est un révélateur privilégié ; mais la misère et les barrières sociales sont partout : aussi bien à la campagne, comme en témoigne "le Joujou du pauvre", avec cette grille symbolique qui sépare l'enfant riche et l'enfant pauvre, « un de ces marmots-parias ».

La ville est aussi une école de solitude et de vanité. L'égoïsme, l'illusion, l'apparence, la fatuité y gouvernent les rapports humains, d'où le ton railleur et cynique de nombreux textes. La poésie permet à peine d'échapper à cet engrenage pervers : « Âmes de ceux que j'ai aimés, âmes de ceux que j'ai chantés, fortifiez-moi, soutenez-moi, éloignez de moi le mensonge et les vapeurs corruptrices du monde ; et vous, Seigneur mon Dieu ! accordez-moi la grâce de produire quelques beaux vers qui me prouvent à moi-même que je ne suis pas le dernier des hommes, que je ne suis pas inférieur à ceux que je méprise ! » ("À une heure du matin").

Infernal, le monde urbain est également fascinant dans la mesure où y règnent le hasard et la diversité. Il offre au poète, disponible, vigilant, qui « jouit de cet incomparable privilège, qu'il peut à sa guise être lui-même et autrui », une inépuisable matière : « Le promeneur solitaire et pensif tire une singulière ivresse de cette universelle communion. [...] Il adopte comme siennes toutes les professions, toutes les joies et toutes les misères que la circonstance lui présente » ("les Foules"). Le choix du poème en prose répond à la volonté de trouver une écriture adéquate à l'intériorisation de ce fourmillement qui caractérise la métropole : « Quel est celui de nous qui n'a pas, dans ses jours d'ambition, rêvé le miracle d'une prose poétique, musicale sans rythme et sans rime, assez souple et assez heurtée pour s'adapter aux mouvements lyriques de l'âme, aux ondulations de la rêverie, aux soubresauts de la conscience ? » (Dédicace). Plus libre et immédiate que le vers, la prose se prête mieux à l'évocation du monde moderne : « J'invoque la muse familière, la citadine, la vivante » ("les Bons Chiens") ; un monde multiple, changeant, voire hétéroclite. Genre aux lois peu rigoureuses et contraignantes, le poème en prose offre à l'écriture une spontanéité en accord avec cette posture de « promeneur » ou de « rôdeur » qu'adopte le poète du *Spleen de Paris*.

● Les Belles Lettres, 1952 (p.p. H. Daniel-Rops) ; « Le Livre de Poche », 1972 (p.p. Y. Florenne) ; « Poésie/Gallimard », 1973 (p.p. R. Kopp) ; Imprimerie nationale, « Lettres françaises », 1979 (p.p. M. Milner) ; « GF », 1987 (p.p. B. Wright et D. Scott). ➤ *Œuvres complètes*, Club français du Livre, I ; id., « Pléiade », I ; id., « Bouquins ».

A. SCHWEIGER

SPLENDEURS ET MISÈRES DES COURTISANES. Roman d'Honoré de **Balzac** (1799-1850), publié de 1838 à 1847. Il comprend quatre parties : les deux premières procèdent d'un lent travail sur un récit initialement intitulé *la Torpille* (1838), prolongé par *Esther ou les Amours d'un vieux banquier* (mai-août 1843). Une première version intitulée *Splendeurs et Misères des courtisanes* et sous-titrée *Esther* paraît en 3 volumes chez de Potter en 1844. Le tome XI de *la *Comédie humaine* (troisième des « Scènes de la vie parisienne », chez Furne, Dubochet et Hetzel) accueille une version de *Splendeurs et Misères des courtisanes* en deux parties – « Esther heureuse » [qui deviendra sur le « Furne corrigé », « Comment aiment les filles »] et « À combien l'amour revient aux vieillards » – en 1844 puis 1846. La troisième partie, « Une instruction criminelle », paraît en feuilleton dans *l'Époque* en juillet 1846, puis sous le titre « Où mènent les mauvais chemins » dans le tome XII de *la Comédie humaine* en août 1846 et, intitulée *Un drame dans les prisons*, en édition séparée chez Hippolyte Souverain en 1847 (2 vol.). La quatrième partie, « la Dernière Incarnation de Vautrin », paraît en feuilleton dans *la Presse* d'avril à mai 1847, puis en édition séparée chez Chlendowski en 1847 (3 vol.). Elle aura une publication posthume au tome XVIII de *la Comédie humaine* (Houssiaux, 1855). La première édition complète du roman, postérieure à la mort de l'écrivain, parut chez Houssiaux en 1855. À cette genèse embrouillée s'ajoutent de nombreuses préfaçons et contrefaçons belges.

Roman dont la composition est la plus étalée dans le temps, mais aussi celui qui comporte le plus de personnages (273), dont plusieurs ont déjà été les héros d'œuvres précédentes, *Splendeurs et Misères* apparaît comme la suite d'*Illusions perdues* bien que le retour de Lucien de Rubempré à Paris ait été écrit avant son départ. Profondément liée à bien des œuvres de *la Comédie humaine*, carrefour de thèmes et de types humains, cette fiction à la fois roman populaire et drame puissant, combine une inspiration, une tonalité et un symbolisme proche de cet autre monument, *les *Misérables*, dont Hugo entreprend la rédaction quand Balzac achève *Splendeurs et Misères*. Mais à l'optimisme hugolien s'oppose le désespoir balzacien.

Lucien de Rubempré, de retour dans la société parisienne au début de 1824, accueille sa maîtresse Esther Gobseck au bal de l'Opéra, où on la reconnaît comme étant la célèbre courtisane la Torpille. Elle rentre désespérée et veut se tuer, quand Carlos Herrera (Vautrin), qui avait assisté masqué à la scène, la sauve et la fait entrer dans une maison religieuse, pour l'enfermer plus tard dans un appartement sous la surveillance de serviteurs, Asie et Europe, ses âmes damnées. De son côté, Lucien mène une brillante vie mondaine, mais ils se languissent l'un de l'autre. Vautrin les autorise à se voir clandestinement, mais le baron de Nucingen, qui a aperçu Esther, en tombe amoureux. Vautrin voit là l'occasion de servir ses desseins, car il faut un million à Lucien pour pouvoir épouser Mlle de Grandlieu et s'intégrer définitivement au grand monde.

La deuxième partie relate les manœuvres d'Asie pour soutirer le plus d'argent possible à Nucingen devenu l'amant d'Esther, ainsi que les péripéties d'une enquête menée par la police secrète de Corentin (voir *les *Chouans* et *Une ténébreuse affaire*), chargée par Nucingen de retrouver Esther. Résignée à cette prostitution pour assurer le bonheur de Lucien, celle-ci s'empoisonne après s'être donnée au banquier, au moment où elle hérite de Gobseck. Les malversations de Vautrin, les mensonges de Lucien les conduisent tous deux en prison.

Le juge Camusot subit dans la troisième partie les pressions de la haute société pour étouffer le scandale, alors que Vautrin nie habilement, sous le déguisement de l'abbé Carlos Herrera. Mais Lucien, moins fort, se laisse manœuvrer et trahit Vautrin. Bien que Mme de Sérisy, ancienne maîtresse de Lucien, parvienne à détruire les procès-verbaux d'interrogatoire, Lucien, au désespoir d'avoir indirectement causé la mort d'Esther et dénoncé son bienfaiteur, se pend dans sa cellule le 15 mai 1830.

Vautrin, de son vrai nom Jacques Collin, dit Trompe-la-Mort (voir *le *Père Goriot*), apprend dans la dernière partie la mort de Lucien, et sous le choc, cesse d'abord de lutter. Il avoue et se met au service de la justice en échange de la grâce de Théodore Calvi, condamné à mort, à qui le lie une profonde affection, et de lettres compromettantes pour les plus grands noms de la bonne société. Il devient l'adjoint de l'ex-bagnard Bibi-Lupin, chef de la Sûreté, qu'il remplacera, éclairant diverses affaires, aidé de criminels qu'il a fait entrer dans son jeu, et d'Asie, qui se révèle être sa tante. Après quinze ans de service, il se retire vers 1845.

Le titre ne semble guère rendre compte du roman. Une seule courtisane, Esther, joue un rôle majeur, pour, après sa disparition, céder la place à une intrigue judiciaire, criminelle et policière. La complexité de l'intrigue permet à la fois au destin des personnages issus d'autres romans (*le Père Goriot* pour Vautrin, *Illusions perdues* pour Lucien, *la *Maison Nucingen*...) de se prolonger, de s'épanouir ou de s'achever, et au romancier d'exploiter les procédés, milieux et lieux favoris des *Mystères de Paris* d'Eugène Sue.

Plus que de satisfaire un goût contemporain, il s'agit de replacer Jacques Collin dans le fascinant monde souterrain du crime, dont il est la plus diabolique émanation. Monstre d'énergie, reprenant les traits du bandit révolté, cette grande figure romantique déjà utilisée par le jeune Balzac (voir *Annette et le Criminel*), manipulateur des êtres comme cet autre forçat évadé, le Ferragus de l'*Histoire des Treize*, transposant la légende de Vidocq, Vautrin incarne la puissance de la vie et révèle le véritable fonctionnement de la société.

De là sa conjonction avec la courtisane, autre révélatrice des passions et principes qui régissent les comportements des puissants. Personnage de mélodrame (la prostituée au grand cœur, la fille déchue sublimée en ange, la victime désignée), cette amoureuse, en qui se rassemblent les fantasmes érotiques attachés à la Parisienne et à l'Orientale, meurt à cause d'une souillure imposée par un démon. Sacralisée par l'amour, retrouvant les origines bibliques de son nom, Esther, qui n'occupe de rôle essentiel nulle part ailleurs dans *la Comédie humaine*, s'impose comme une sainte dévouée corps et âme à son amant divinisé, livrée à Vautrin et au banquier Nucingen.

Nucingen, le vieillard amoureux, confère au roman sa dimension comique. Ce puissant redoutable tombe dans le double ridicule d'une passion amoureuse et d'une naïveté paradoxale chez ce génie de la finance. Mais ce trompeur trompé déclenche la machine et la machination policières. Réduit au rôle de dupe, il s'avère donc n'être qu'un instrument. Organisateur involontaire du drame, il est dans les mains de Vautrin, comme Esther, comme Lucien.

Lucien n'est plus le poète d'*Illusions perdues*. Du personnage faible et ambitieux d'autrefois, il ne reste qu'un jouet de la volonté de son maître et une séduisante figure. Au centre du roman, Lucien a d'abord pour fonction de laisser se disposer autour de lui les éléments et les forces de la fiction. C'est pour lui qu'agit Vautrin, c'est lui qu'aime Esther, lui encore qu'attaque Corentin, lui enfin que les grandes dames s'arrachent et pour qui elles se compromettent. Cette fonction instrumentale et cette relative dissolution laissent d'autant mieux apparaître la symétrie savamment établie entre Lucien et Esther, qui ne doivent leur survie qu'à Vautrin, mais aussi entre Esther et Vautrin tous deux amoureux de Lucien. Le pluriel du titre s'éclaire alors : l'asservissement et le côté féminin de Lucien l'apparentent à une courtisane. Vie de luxe et idylle romantique pour Esther et Lucien, qui jouissent un temps d'un bonheur paradisiaque : voilà pour les splendeurs ; avilissement et chute fatale : voilà pour les misères.

À ces symétries s'ajoute celle entre ces incarnations de la puissance et de la volonté que sont Nucingen et Vautrin, calculateurs, voleurs, contraints d'acheter l'objet de leur désir mais condamnés à horriblement souffrir de leur mort, et Corentin, le policier. Cyniques, joueurs, entourés d'inquiétants comparses, ils se ressemblent. Ce trio dominateur réunit ainsi les maîtres d'un pays manipulé par l'argent, la police et le crime. Sur leur ordre ou à leur instigation agissent le gouvernement, la justice et l'administration.

Cette leçon de choses sur les chemins tortueux de l'amour, astre qui brille de son noir éclat dans le roman, et sur les bas-fonds révélateurs de la société moderne, prend plus de relief grâce aux procédés mélodramatiques dispensés à foison dans la fiction. Coups de théâtres multiples, violence, exacerbation des sentiments, déguisements étourdissants, polyphonie des langages, de l'accent teuton de Nucingen à l'argot des prisons, tout concourt à structurer le fantastique social dans les cadres du roman populaire le plus efficace.

Au-delà des séductions feuilletonesques, la confrontation de la haute société et des bas-fonds, du grand et de la pègre, si elle mélodramatise l'intrigue, ne laisse aucune place à la bonté ou à l'honnêteté, flagrante contravention aux lois du roman populaire. La pureté d'Esther ne suffit pas à compenser l'implacable tyrannie des intérêts. Si l'on considère en outre la place centrale du sexe, de la prostitution à l'homosexualité, de la virulence des désirs à l'exaspération des frustrations, force est de constater que *Splendeurs et Misères* dépasse considérablement les enjeux et les censures du roman populaire pour atteindre à la grandiose poésie des fleurs du mal épanouies dans un Paris que dynamisent les fulgurances d'une vision mythique. Des salons à la Conciergerie, de l'Opéra au cabinet du juge Camusot, des appartements clandestins au Bois, lieu d'enivrantes promenades amoureuses, la ville déploie dans l'ombre et la lumière ses fastes et ses mystères.

● « Classiques Garnier », 1958 (p.p. A. Adam) ; « GF », 1968 (p.p. P. Citron) ; « Folio », 1973 (p.p. P. Barbéris) ; « Le Livre de Poche », 1988 (p.p. R. Pierrot) ; « Presses Pocket », 1992 (p.p. G. Gengembre). ➤ *L'Œuvre de Balzac*, Club français du Livre, V ; *Œuvres complètes*, Club de l'honnête homme, IX ; *Œuvres complètes illustrées*, Bibliophiles de l'Originale, XI et XII ; *la Comédie humaine*, « Pléiade », VI (p.p. P. Citron).

G. GENGEMBRE

STANCES (les). Recueil poétique de Jean **Moréas**, pseudonyme de Ioannis Papadiamantopoulos (1856-1910), publié à Paris au Mercure de France en 1923. Dans *la Plume* avaient paru, en 1899, les livres I et II, puis, en 1901, les livres III, IV, V et VI ; le livre VIII, posthume, sera publié chez Bernouard en 1920.

Les Stances sont l'œuvre la plus connue de Moréas et sans doute la plus accessible. Par rapport à de précédents recueils comme les **Cantilènes* ou le *Pèlerin passionné*, le poète s'est astreint à une plus grande simplicité. Renonçant aussi bien au vers libre qu'aux effets de style et de vocabulaire, et surtout à ses pastiches des poètes des XIe et XVIe siècles, il est parvenu à une sorte de classicisme de forme et de pensée. Historiquement, son livre marque aussi, par son respect strict de la prosodie classique, une réaction contre les excès du symbolisme ; en ce sens, il vint à son heure. Poésie de la maturité, donc, et qui exprime un véritable stoïcisme, fruit de la solitude et de la méditation. Pour Moréas, il s'agit d'ennoblir la mélancolie et de parvenir à la conquête de soi sur la tristesse. Dans ces vers de coupe classique, il n'est pas interdit de voir aussi l'aboutissement d'un certain romantisme en quête d'une discipline intérieure, et la réalisation d'une poésie de la conscience pure, « où tout semble destiné à toucher l'intelligence plus que la sensibilité ou l'imagination » (M. Décaudin).

En choisissant comme forme le quatrain (tantôt de 4 alexandrins, tantôt rythmé 12/4/12/4 ou 12/6/12/6), Moréas est parvenu à une concision supplémentaire, dont se souviendra son admirateur Toulet (voir les **Contrerimes*). Remarquable, aussi, le caractère quotidien des images, des scènes et des lieux évoqués : les rues et le ciel de Paris, les bords de l'Océan, l'automne, des villages, des coins de paysage. Mais, campagnarde ou parisienne, la nature, pour familière qu'elle soit, n'est que le miroir de la mélancolie du poète : « Mais quel philtre, Paris, de quelle sorte, / Me vaudra ta rancœur ? / Ô novembre, tu sais que c'est ta feuille morte / Qui parfume mon cœur. » Ayant touché

cet « automne des idées » dont parlait Baudelaire, Moréas semble s'être déjà retiré de la vie. Sa contemplation le fait s'attarder sur la brièveté des choses, le passage des êtres, la fuite du temps, pour, tout en savourant leur amertume, y trouver des motifs de délectation ou d'espoir. Autant de thèmes topiques où se poursuit une quête de la personnalité : « Que veut-il, que veut-il, ce cœur ? Malgré la cendre / Du temps, malgré les maux, / Peut-il reverdir, comme la tige tendre / Se couvre de rameaux ? » Le monde des apparences et la vie elle-même finissent par acquérir l'inconsistance du rêve : « Compagne de l'éther, indolente fumée, / Je te ressemble un peu : / Ta vie est d'un instant, la mienne est consumée, / Mais nous sortons du feu. » Au stoïcisme du poète hanté par la mort et le « noir destin » vient ainsi s'ajouter une véritable apothéose du fané : « Je trouve dans ma cendre un goût de miel. » La forme brève, le vocabulaire dépouillé, la prosodie volontairement classique, les thèmes, tout contribue à faire des *Stances* une œuvre d'équilibre. Toutefois, cette simplicité voulue ne va pas sans risques, et Moréas, dans sa prédilection à ne traiter que des lieux communs, n'évite pas toujours les banalités ou les redites.

● *Œuvres*, Genève, Slatkine, 1978 (réimp. éd. 1923-1926).

J.-P. GOUJON

STATION CHAMPBAUDET (la). Comédie en trois actes et en prose d'Eugène **Labiche** (1815-1888) et **Marc-Michel** (1812-1868), créée à Paris au théâtre du Palais-Royal le 7 mars 1862, et publiée à Paris chez Michel Lévy la même année.

Chez Mme Champbaudet. Une veuve qui se croit toujours séduisante, Mme Champbaudet, est amoureuse du jeune architecte Paul Tacarel. Celui-ci passe dans l'immeuble pour son sigisbée ; en réalité, il ne vient chez elle que pour attendre le moment de monter chez Aglaé, sa maîtresse, qui habite au-dessus. Les deux amants communiquent d'un étage à l'autre par des signaux sonores qui finissent par inquiéter le mari d'Aglaé (Acte I).
Chez les Letrinquier. Première entrevue prénuptiale entre Paul et la jeune Caroline Letrinquier. La famille « épluche » le prétendant, tandis que le père s'efforce bêtement de faire briller sa fille. Paul est agréé, mais l'époux d'Aglaé, qui est aussi un cousin des Letrinquier, le dénonce comme... l'amant de Mme Champbaudet ! Scandalisés, les Letrinquier décident de ne donner leur fille à Paul qu'après qu'il aura trouvé un mari pour son « amante » (Acte II).
Chez Mme Champbaudet. Au nom de Durozoir, le vieil employé qu'il lui destine, Paul demande la veuve en mariage. Mme Champbaudet croit qu'il parle pour son propre compte, et accepte avec joie. Mais Letrinquier ayant voulu, pour s'assurer du fait, rencontrer la dame – qu'il prend pour une cocotte –, le malentendu est aussitôt dissipé : Mme Champbaudet refuse énergiquement Durozoir, et, afin de compromettre Paul, se vante d'être sa maîtresse. Paul parvient à l'attendrir et à lui imposer son candidat. Mais le valet Arsène raconte à sa patronne l'histoire d'Aglaé, et Mme Champbaudet, outrée de n'avoir été qu'une « station » dans la vie de Paul, écrit tout au mari. Au dernier moment, pour sauver d'un duel celui qu'elle aime, elle reprend sa lettre et se résigne au minable Durozoir : tout rentre ainsi dans l'ordre, et Paul épousera Caroline (Acte III).

Comment transformer en vaudeville l'aventure pathétique d'une veuve un peu mûre, déçue et trompée par le jeune homme qui lui a fait, pour un temps, retrouver sa propre jeunesse ? Pour y parvenir, Labiche et Marc-Michel sortent la grosse artillerie : coquetteries intempestives de l'héroïne, qui minaude avec ses bonnets et laisse choir une fausse natte ; comparses caricaturaux, cocu hargneux (« Vous avez un architecte, moi j'ai des inquiétudes ! »), paterfamilias amphigourique (« Ne soyez pas étonné de rencontrer en moi l'œil irrité d'un père au lieu du front bienveillant d'un ami »), valet de chambre d'une sottise provocante ; dépréciation du sentiment par son expression systématiquement bouffonne et maladroite. Surtout, les auteurs donnent le rôle de Mme Champbaudet à la « mère » Thierret, spécialiste de l'emploi comique de vieille dévoreuse (Arthémise dans *les Noces de Bouchen-cœur*, 1857 ; Léonida dans *la *Cagnotte*, 1864 ; etc.). Pourtant, le voudraient-ils vraiment, ils ne parviennent pas à dissiper le malaise ressenti devant le désespoir d'une amoureuse (« Oh mes rêves ! mes rêves perdus ! ») et le cynisme de cet architecte trop organisé, « tout juste assez bourreau pour n'être pas victime » (J. Autrusseau). Il est vrai que ces défauts feront probablement de lui un excellent mari, et que chez Labiche la vocation des femmes, passé un certain âge, n'est plus d'épouser les jeunes gens, mais de les déniaiser : « La société manque de veuves ! » (*le Plus Heureux des trois*, 1870). Encore faut-il qu'elles soient bien conservées et sachent rester à leur place.

➤ *Œuvres complètes*, Club de l'honnête homme, VI ; *Théâtre*, « Bouquins », II ; *id.*, « Classiques Garnier », II.

J.-P. DE BEAUMARCHAIS

STATUE DE SEL (la). Roman d'Albert **Memmi** (Tunisie, né en 1920), publié à Paris chez Corrêa en 1953.

Le premier roman d'Albert Memmi constitue la matrice d'une œuvre qui, trente ans durant, s'alimentera à cette source. *Agar*, *le Désert* ou *le Scorpion* dans le domaine romanesque, le *Portrait du colonisé* ou le *Portrait d'un Juif*, notamment, dans celui des essais, constituent autant de ramifications en faisceaux de *la Statue de sel*.

Première partie. Alexandre Mordekhaï Benillouche habite au fond de l'impasse Tarfoune à Tunis. De son enfance entre son père bourrelier, sa mère et sa sœur Kalla, il garde le souvenir heureux d'un « jeu continuel », ponctué par les sabbats. Son premier contact avec le monde extérieur correspond à la découverte du ghetto juif, au bout de l'impasse. À sept ans, ses parents l'envoient à l'école primaire, il parle le patois tunisois avec l'accent juif et sa confrontation avec la langue française marque la découverte de sa « différence ». La rupture du cocon sécurisant de l'enfance est consommée. À la colonie de vacances de l'armée où sont envoyés les enfants pauvres, il découvre la solitude et le désarroi. L'année de sa première communion, la famille quitte l'impasse pour s'installer dans les buanderies d'un immeuble appartenant à l'oncle Aroun, où vivra toute la tribu ; les mesquineries des uns et des autres, la promiscuité et les nombreux frères et sœurs qui agrandissent la famille l'amènent peu à peu à se replier sur lui-même. Ses succès scolaires le désignent comme candidat à une bourse qui lui permet l'accès au lycée. Le rêve de devenir médecin prend consistance.
Deuxième partie. Mais c'est là aussi qu'apparaît au grand jour le problème de son identité, symbolisé par un nom qu'il assume difficilement, et qui « renferme déjà le sens de [sa] vie ». Entre la tentation d'imiter ses camarades issus de milieux bourgeois et la haine pour les traditions familiales étouffantes, Mordekhaï n'a bientôt plus de lieu à lui et apprend rapidement l'inutilité de ses révoltes. La rencontre de Ginou, une de ces jeunes filles qui se « rougissaient les lèvres avec discrétion, sentaient le parfum léger et la chair propre », bouleverse sa vie. Lauréat du prix d'honneur de philosophie, il décide d'abandonner la médecine qui avait nourri tous ses rêves d'enfant, et veut faire de la philosophie sa carrière.
Troisième partie. Des ruelles du quartier réservé où attendent des femmes de toutes races et de toutes couleurs au pogrom qui chauffe à blanc la ville, Mordekhaï découvre le monde et entame, avec avidité, son éducation juive. Les bruits de la guerre arrivent jusqu'à Tunis et bientôt les avions allemands atterrissent à El-Aouina. Mordekhaï présente sa démission du poste de surveillant de lycée. Les réquisitions, les rafles et les assassinats rendent la situation intenable pour les Juifs, et Mordekhaï décide de s'inscrire dans un camp de travail pour aider les autres à vivre, naïf espoir qui se solde par une fuite, avant le départ définitif dans la cale d'un navire qui fait route vers l'Argentine.

Ce roman, qui est aussi un « bilan » ou un « inventaire » autobiographique, s'ouvre sur un Prologue où le narrateur se présente comme rédigeant le récit de sa vie au cours d'une épreuve de l'agrégation de philosophie, au lieu de la dissertation demandée. Scène symbolique, qui cristallise son refus de poursuivre dans la voie de la recherche universitaire, et qui scelle le « pacte autobiographique », puisqu'il annonce son intention de se consacrer à l'étude de sa propre vie, dont il désire ordonner et rationaliser les événements épars.

De la petite enfance à l'âge adulte, l'expérience d'Alexandre Mordekhaï Benillouche s'articule autour de l'éclosion et de la dispersion d'un moi qui se fragmente au fur et à mesure que s'opère l'ouverture au monde. Dans sa quête d'identité, il en vient fatalement à inventorier les regards extérieurs, à évaluer ce qu'il représente pour les autres. Sa vie est jalonnée de regards qui jugent : les enfants plus riches que lui, les maîtres, les jeunes filles, les Français…, mais aussi de regards intérieurs. À l'âge adulte, le chemin n'est pas achevé puisqu'il lui reste à redécouvrir, seul cette fois, le moi d'avant la dispersion, l'authenticité dissipée par un désir de se fondre dans des références étrangères pour se faire oublier. Alexandre Mordekhaï Benillouche traverse ainsi toutes les étapes d'une initiation à la vie, d'une éducation sentimentale complète : rupture avec le milieu familial et ses traditions religieuses, puis culpabilité à l'égard de ceux qu'il a abandonnés, formation intellectuelle, éducation sentimentale et sexuelle, tentation de l'ailleurs en même temps qu'enracinement au sol natal, découverte de la politique, de la guerre, du racisme. De la tentation de l'enfermement, incarnée par l'impasse, à celle de la fuite, représentée par la cale du bateau, ce jeune garçon est alors devenu un « écrivain français de Tunisie qui n'est ni français ni tunisien. C'est à peine s'il est juif puisque, dans un sens, il ne voudrait pas l'être. [...] Il est juif (de mère berbère, ce qui ne signifie rien) et sujet tunisien, c'est-à-dire sujet du bey de Tunis. Cependant, il n'est pas réellement tunisien, le premier pogrom où les Arabes massacrent les Juifs le lui démontre. Sa culture est française et, de toute sa classe, il est le seul à entendre Racine comme il faut. Cependant la France de Vichy le livre aux Allemands [...]. Il ne lui resterait plus que d'être vraiment juif si, pour l'être, il ne fallait partager une foi qu'il n'a pas et des traditions qui lui paraissent ridicules » (Albert Camus).

« Comment faire une synthèse, polie comme un son de flûte, de tant de disparités ? » se demandait Alexandre Mordekhaï Benillouche à son entrée au lycée. Telles sont l'interrogation et la préoccupation fondamentales de ce texte et de l'œuvre entière d'Albert Memmi.

● « Folio », 1972.

C. PONT-HUMBERT

STÈLES. Recueil poétique de Victor **Segalen** (1878-1919), tiré à Pékin sur les presses des Lazaristes en 1912 (81 exemplaires) ; réédition augmentée de 16 poèmes dans la « Collection Coréenne » à Pékin sous la direction de Victor Segalen pour Georges Crès à Paris en 1914.

« Elles sont des monuments restreints à une table de pierre, haut dressée, portant une inscription [...]. Épigraphe et pierre taillée, voilà toute la stèle, corps et âme, être au complet [...]. La direction n'est pas indécise. Face au midi si la stèle porte les décrets. [...] Droit au nord, [...] les Stèles amicales. On orientera les amoureuses [...]. On lèvera vers l'ouest [...] les guerrières et les héroïques. D'autres, stèles du bord du chemin, suivront le geste indifférent de la route. [...] Certaines [...] désignent [...] le milieu [...]. Ce sont des décrets d'un autre empire, et singulier. » C'est ainsi que Victor Segalen présente ses *Stèles* en Avant-propos. Ce recueil, dédié « en hommage à Paul Claudel », se compose de 64 textes groupés en 6 parties : « Stèles face au midi » (15 stèles) ; « Stèles face au nord » (8 stèles) ; « Stèles orientées » (12 stèles) ; « Stèles occidentées » (7 stèles) ; « Stèles du bord du chemin » (9 stèles) ; « Stèles du milieu » (13 stèles). L'unité de chaque partie tient, comme annoncé dans l'Avant-propos, au thème des stèles qui la composent. Les titres des parties, ainsi que ceux des stèles, sont donnés en caractères chinois. Les stèles se présentent comme des groupes de versets, de volume, de rythme, de longueur variables, à la tonalité ample, majestueuse : celle de l'hommage.

Victor Segalen s'est servi, pour composer ses *Stèles*, de tous les signes apparents et attendus de l'exotisme chinois. Le recueil original tel qu'il en dirigea lui-même la composition reprenait ainsi, en réduction, les proportions exactes de la stèle nestorienne de Sian et se présentait sous la forme d'un livre à la chinoise : papier impérial de Corée imprimé sur un seul côté, une seule feuille pliée en accordéon sous deux couvertures de bois, caractères chinois pour le titre, ainsi que pour les titres des parties et des poèmes (ces titres ne seront accompagnés de leur traduction en français que dans la deuxième édition en 1914).

Les réalités chinoises semblent au premier abord envahissantes et masquent l'authenticité de l'œuvre : on y trouve empire, empereurs, princes régents, Bouddha, vieux sages, prêtre-lama ; on y voit tablettes de jade, coiffures et fards chinois, soieries, paons, et dragons si caractéristiques ; les noms propres chinois y abondent. La langue elle-même semble adapter (traduire) des expressions chinoises par ses archaïsmes et son caractère figé, solennel, hiératique.

Pourtant, ici encore, comme dans *René Leys ou *Équipée, le recours à une réalité apparemment reproduite dans le mystère hermétique de son exotisme et, comme dans les *Immémoriaux, à une forme, un idiome étrangers à l'auteur, lui permet d'exprimer, dans un moule extrêmement codé, toute la force propre de son univers poétique. Ce que crée ici encore Victor Segalen, c'est une langue très personnelle pour dire au mieux sa quête, son voyage intérieur à la découverte de son identité profonde et de la frontière mouvante entre réel et imaginaire, une langue dépouillée, sans effets, qui traque la pureté dans l'économie des formes, des images et du vocabulaire, à la manière des dires sacrés et des hymnes primitifs consacrés à l'être, au monde, au divin : « Tout confondre, de l'orient d'amour à l'occident héroïque, du midi face au Prince au nord trop amical, – pour atteindre l'autre, le cinquième, centre et Milieu / Qui est moi » ("Perdre le Midi quotidien").

● Plon, 1963 (p.p. H. Bouillier) ; « Poésie/Gallimard », 1973 (préf. P.-J. Rémy).

V. STEMMER

STELLA ou les Proscrits. Roman Charles **Nodier** (1780-1844), publié à Paris chez Lepetit et Gérard en 1802.

Ce premier roman de Nodier emploie la forme du journal intime pour exprimer le désarroi du héros, et la formule du « manuscrit retrouvé », dans une « Lettre d'un curé des Vosges à l'éditeur », pour prendre une certaine distance à l'égard des cris de révolte qu'il profère contre le destin. La technique du récit-cadre n'est pas nouvelle, mais le journal comme expression sentimentalement remonte qu'au Werther de Goethe (voir également *René de Chateaubriand et *Adolphe de B. Constant).

Proscrit, sans qu'on sache précisément par qui et pourquoi, le narrateur cherche un refuge dans la nature vosgienne. Trouvant une sorte de consolation auprès du « fou » Frantz, il se fait adopter par la mère de celui-ci. C'est chez elle qu'il rencontre Stella, proscrite comme lui. Plus encore que l'amour, la religion chrétienne les rapproche l'un de l'autre, mais la jeune femme étant mariée – son mari a rejoint l'armée des émigrés –, elle meurt déchirée de chagrin et de culpabilité. Le narrateur disparaît, mais c'est sans doute lui qu'on retrouve mort quelque temps après.

Stella ne passa pas inaperçue à Paris, où les critiques relevèrent l'originalité du livre – le héros anonyme n'est que sentiment et protestations – et les références transparentes aux proscriptions imposées par la Révolution. Le jeune Nodier lui-même en avait été victime, à plusieurs reprises, dès l'âge de quatorze ans, en 1794, puis de nouveau en 1799, lorsqu'il avait dû littéralement prendre le maquis par suite de ses activités politiques. Il découvre alors comme son héros, et comme le Senancour des *Rêveries sur la nature primitive de l'homme*, que la nature n'est pas seulement un refuge, mais aussi le royaume des valeurs perdues et bafouées au cours des derniers

années : les sentiments religieux, la « noble candeur » de l'homme, l'âme rendue à sa « première trempe », et surtout la « liberté » loin des villes touchées par la Révolution (exécutions capitales, dévastation des églises). Les personnes qui y vivent sont ou bien des chrétiennes comme Stella et Marthe, la mère adoptive, ou bien des « fous » tel que Frantz, dont la folie consiste à lire Werther. La mort est l'issue inévitable de cet état d'exclusion, et l'unique sublimation du malheur social dont souffrent les protagonistes. Malgré les références historiques (on peut penser que Bonaparte, persiflé par Nodier dans l'ode "la Napoléone", en 1802, est l'un des « tyrans » attaqués dans le roman), *Stella* baigne dans un vague d'émotions et d'inquiétudes, exactement comme *René*, paru la même année. On retrouve ce climat de désolation dans d'autres écrits mineurs de Nodier, les poèmes parus dans les *Essais d'un jeune barde* (1804), et les poèmes et textes en prose des *Tristes* (1806), où figurent les fameuses « Méditations du cloître » qui résument ainsi cette première période de l'écrivain : « Désabusé de la vie et de la société par une expérience précoce, [...] j'ai cherché un asile dans ma misère, et je n'en ai point trouvé. »

H. P. LUND

STELLO ou les Diables bleus. Les Consultations du docteur Noir. Roman d'Alfred de **Vigny** (1797-1863), publié à Paris en feuilleton dans la *Revue des Deux Mondes* les 15 octobre, 1er décembre 1831 et 1er avril 1832, et en volume chez Gosselin en 1832.

Après avoir été témoin, en juillet 1830, de la redistribution des cartes politiques, Vigny entreprend d'écrire ce roman du pouvoir et du poète, roman d'une facture originale évoquant parfois *Jacques le Fataliste*. Il est constitué d'une série de dialogues entre un jeune poète de l'après-Juillet, Stello, et un vieux docteur qui a vu le règne de Louis XV. S'y trouvent intercalés des récits du docteur, et de cet ensemble se dégage un roman à thèse, empreint de préoccupations morales. Vigny songeait à y ajouter d'autres « consultations du docteur Noir » ; le fragment de *Daphné* est le seul texte sorti de ces réflexions.

Stello, souffrant d'une crise « de tristesse et d'affliction », a appelé le docteur Noir pour être guéri des « Diables bleus », du spleen qui le hante. Le docteur est alarmé par l'intention que manifeste Stello de se vouer à la politique, et veut l'en dissuader en lui racontant trois histoires (chap. 1-3).
La première commence à Trianon. La maîtresse de Louis XV, Mlle de Coulanges, est effrayée par la vue d'une puce, probablement enragée : on fait venir d'urgence le docteur Noir qui se trouve chez Gilbert, un poète fou et mourant de faim. Au mot de « poète », Stello interrompt le docteur et prononce son propre « credo », sa foi dans la vie intérieure et dans les « forces poétiques » que sont « le Dévouement et la Pitié ». Ce credo jure avec l'indifférence et le dédain témoignés par le roi, monarque absolu, à l'égard des poètes, lorsque le docteur lui demande de secourir le pauvre Gilbert (4-12).
Dans le récit suivant, le docteur Noir raconte son séjour à Londres en 1770, sous une monarchie représentative. Frappé par la belle et charitable Kitty Bell, qui, elle, n'hésite pas à venir en aide au poète méconnu Chatterton, il assiste à une scène désastreuse, pendant laquelle le lord-maire Beckford, bourgeois typique, propose au poète d'abandonner la poésie pour se faire valet de chambre. Face à cette alternative, Chatterton se suicide, tandis que le docteur achète son corps et paye ses dettes (13-18). Stello se révolte devant cette discorde constante entre les poètes et la société, où l'ordre social, à ses yeux, a toujours tort (19).
Dans son dernier récit, le docteur raconte la mort d'André Chénier, exécuté en 1794 par le « pouvoir républicain-démocrate ». Le docteur rend visite, dans la prison, à l'amie du poète, la duchesse de Saint-Aignan ; il rencontre également sa maîtresse Mlle de Coigny ainsi que Chénier lui-même, dont il admire le courage. Rose, fille du geôlier et amie de Blaireau, ancien canonnier et valet du docteur, intercepte la liste des condamnés à mort, parmi lesquels se trouve Chénier, mais le docteur ne peut empêcher que le vieux M. de Chénier ne plaide la cause de son fils devant Robespierre, provoquant ainsi directement sa perte. Dans une scène dramatique, Robespierre prône l'unité et l'éga-

lité, défend la politique républicaine, et condamne les poètes qui ne veulent pas se plier à ses lois. Pendant qu'André est mené à l'échafaud, le docteur cache son frère Marie-Joseph ; mais c'est Blaireau qui, en détournant son canon du Palais-Royal, où siège la Convention rebelle à Robespierre, provoque Thermidor et la chute du tyran (20-26).

Impressionné par ces exemples de l'« ostracisme perpétuel » des poètes sous différents régimes, Stello se console à la pensée du « ciel d'Homère », royaume des hommes d'imagination. Il finit par partager la conviction du docteur : le pouvoir, attaché au temps, n'est que mensonge ; l'art, en revanche, s'attache à la vérité. Il faudra donc « séparer la vie poétique de la vie politique », ordonnance qui guérit Stello (27-42).

Dans la « Lettre à lord *** » précédant sa traduction du *More de Venise* de Shakespeare (1829), Vigny avait souligné que « le *penseur* est bien supérieur à [l'homme d'action] en ce qu'il vit dans les idées, règne par les idées, les présente toutes nues, pures des souillures de la vie, libres de ses accidents, et ne leur devant rien ; tandis que l'autre, capitaine ou législateur, [est] jeté dans un océan de circonstances ». Cette conviction, et l'image qui l'accompagne, sont développées dans la conclusion de *Stello* : élevé au-dessus des « vagues agitées d'un océan », le poète ne doit y jeter que des « œuvres » et ne jamais penser à l'application de ses idées. Comme l'antipathie historique entre le pouvoir et l'art, confirmée par les récits du docteur, ne peut pas être dépassée, il ne reste à Stello que cette « imagination » qui, sans être dépourvue ni de « mémoire » ni de « jugement », met le poète au-dessus du reste de l'humanité. Stello rasséréné par cette idée, comprend que la tentation de se « dévouer » à tel parti politique n'était qu'une faiblesse qui aurait fait précisément de lui ce que les hommes du pouvoir demandent qu'il soit : un serviteur de la chose publique (Robespierre), un valet (Beckford), un bouffon (Louis XV). Aux incertitudes de la vie politique, il convient de préférer un ordre plus élevé, spirituel, où se retrouvent tous les poètes-penseurs qui se sont consacrés à l'âme et à l'émotion, valeurs divines.

De ses « conversations », Stello ne sort pas converti, mais plutôt affermi dans ses convictions innées : sa propension à l'amour et à la pitié est présente dès le début du roman (le « credo »). Cet aspect moral de la haute mission du poète se répercute dans l'attitude de plusieurs personnages également opposés au pouvoir qui pervertit ou qui tue : le docteur lui-même fait preuve de pitié à l'égard de Chénier qu'il voudrait sauver, l'archevêque d'hospitalité à l'égard de Gilbert, et Kitty Bell d'amour à l'égard de Chatterton. Le poète a donc raison de croire que l'art porte « les malheureux mortels à la loi impérissable de l'Amour et de la Pitié » : il n'est donc pas illusoire de penser, comme le docteur, que la poésie peut servir, un jour, le « progrès civilisateur ».

Ces deux derniers termes appartiennent au XIXe siècle plutôt qu'au XVIIIe, dans lequel pourtant se déroulent les histoires racontées par le docteur, et c'est bien son propre temps que Vigny prend pour cible. Beckford personnifie le matérialisme que Vigny déteste, et fait penser, par son discours boursouflé, aux hommes politiques de « notre tribune de 1832 ». Les « plaideurs d'affaires publiques », la « grossièreté élective », voilà ce que le penseur Vigny dénonce dans ce représentant de la monarchie constitutionnelle, régime familier aux Français de la Restauration et de la monarchie de Juillet. Il n'est pas jusqu'à la Terreur et à ses « terroristes » qui ne se voient dans « cette année 1832 ». La critique vise surtout les hommes de système qui ont fini par dominer la Révolution française : les « grands tueurs de gens » emmurés dans leur « émotion de l'assassinat » et convaincus de la « moralité de leur crimes ». Mais Vigny s'en prend aussi à un Joseph de Maistre dont le système sacralise le bourreau (voir les *Soirées de Saint-Pétersbourg*) et fait de l'inquisition une chose « bonne, douce et conservatrice ». S'il vise aussi, selon toute vraisemblance, le système saint-simonien, c'est que celui-ci,

comme les autres, représente une pensée synthétique, alors que la lucidité analytique seule peut percer les ombres, attester la « rare et pure présence du vrai » et rassurer les hommes « forts ».

Dans *Stello*, c'est le docteur Noir qui mène la « sonde » de l'analyse. Commentant, dans son *Journal*, les figures du docteur et du poète, Vigny appelle le premier le « côté humain et réel de tout », et le second le « côté divin », définition personnelle du dualisme romantique représenté par ces deux personnages. Stello, c'est bien l'homme romantique rêvant aux vérités éternelles, alors que le docteur se penche avec réalisme sur la condition humaine. Les échanges entre les deux hommes peuvent être considérés comme l'expression d'un Vigny dialoguant avec lui-même, et cela sans illusions, tant il est vrai que c'est le Destin qui mène le vaisseau sur l'océan, et que même les poètes ne peuvent avoir que des « révélations de l'avenir ».

● « Classiques Garnier », 1970 (p.p. F. Germain) ; « Folio », 1984 (p.p. A. Prossolof) ; « GF », 1984 (p.p. M. Eigeldinger).

H. P. LUND

SUD. « Tragédie » en trois actes et en prose de Julien **Green** (né en 1900), publiée à Paris en feuilleton dans *la Table ronde* de janvier à mars 1953, et en volume chez Plon la même année, et créée à Paris au théâtre de l'Athénée-Louis Jouvet le 6 mars 1953.

Quelques heures avant que n'éclate la guerre de Sécession, dans une grande plantation de Caroline du Sud, le mystérieux lieutenant Ian Wiczewski interpelle Régina : pourquoi rester si ses sympathies vont au Nord ? Mrs Strong, la tante de Régina, refuse d'admettre l'imminence de la guerre et projette le mariage de sa nièce et du jeune Erik Mac Clure, sudiste acquis aux idées du Nord. Mais le frère de Mrs Strong, Édouard Broderick, propriétaire de la plantation, laisse la jeune fille se décider. L'origine de la guerre, dit-il, n'est pas l'esclavage mais la volonté d'indépendance du Sud. En proie au doute, il espère que Ian se rangera à leurs côtés. Régina avoue son amour pour Ian à sa cousine Angélina, fille de Broderick, elle-même amoureuse de Mac Clure. Ian accueille Mac Clure. Il confie à Broderick le trouble qui l'a étreint devant le jeune homme et lui demande la main d'Angélina qui lui est refusée. Il provoque en duel Mac Clure, et requiert de Régina un pardon qu'elle ne lui accorde pas. Il s'offre à la mort et Broderick, désespéré, reproche à Mac Clure de l'avoir assassiné.

L'épigraphe de Green donne la pièce comme une tragédie. Et certes, l'urgence de la situation, la concentration dans le temps ainsi que le respect des unités de lieu et d'action font de *Sud* la tragédie du refoulement. En effet, le destin de Ian suscite la terreur et la pitié qui définissent, selon Aristote, le climat tragique. Les personnages ne cessent de s'interroger sur les desseins de Dieu ; seul un vieil aveugle noir en a la révélation. La guerre de Sécession fonctionne comme un arrière-plan inquiétant ; elle exaspère les passions dans un monde menacé d'Apocalypse. L'intérêt converge vers la figure du lieutenant polonais, cet « Homme venu d'ailleurs » (un des titres envisagés par l'auteur pour *Sud*). Qui est-il vraiment ? Voilà le vrai sujet de la tragédie. Il demeure mystérieux, et Broderick ne cesse de demander aux autres protagonistes leur opinion sur ce jeune homme qui le fascine. Le contexte historique intensifie la crise morale qu'il traverse et l'action masque une révélation intérieure : la prise de conscience par Ian de sa vérité et de son amour. Très assuré de son pouvoir sur autrui dans le premier acte, Ian se défait lorsqu'il croit voir son propre fantôme se profiler derrière Mac Clure. Dès lors, dans l'atmosphère tendue provoquée par l'imminence du conflit, l'ambiguïté s'installe au cœur même du langage : alors que Ian, bouleversé par cette rencontre, évoque l'angoisse qui l'assaille, ses interlocuteurs croient qu'il parle de la guerre. Tente-t-il d'ouvrir son cœur, ou s'enfonce-t-il sciemment dans le mensonge en prétendant aimer Angélina ? Bien que jamais il ne révèle clairement quel tabou il n'ose lever, il semble lié pour l'éternité à

Mac Clure, jeune homme profondément religieux, qui incarne l'interdit de la Loi. Après la représentation de *Sud*, Camus rappela que « presque toutes les tragédies grecques, *Œdipe roi* en étant l'admirable exemple, reposent sur une équivoque fatale, répercutée par le dialogue ».

● « Le Livre de Poche », 1982. ➤ *Œuvres complètes*, « Pléiade », III.

V. ANGLARD

SUEUR DE SANG. Recueil poétique de Pierre-Jean **Jouve** (1887-1976), publié à Paris aux Éditions des Cahiers libres en 1933.

L'édition de 1928 du recueil poétique *les Noces* se termine par une Postface, où l'auteur déclare « manquée » toute l'œuvre écrite avant 1925. L'Avant-propos de *Sueur de sang* révèle les causes de ce rejet : une « conversion » religieuse due à la lecture de textes mystiques, et la découverte de la métapsychologie freudienne, qui pénétrait en France dans les années vingt. Initié par la psychanalyste Blanche Reverchon, sa seconde femme, Jouve est alors l'un des écrivains les mieux informés sur le freudisme. Il semble avoir collaboré à la traduction de *Trois Essais sur la théorie de la sexualité*, publiée en 1923 par Blanche Reverchon chez Gallimard. Le roman *Vagadu* (1931) est conçu comme la psychanalyse de son héroïne, et la poésie de *Sueur de sang* est imprégnée d'apports freudiens, surtout de nature onirique.

Avant-propos : « Inconscient, spiritualité et catastrophe ». La civilisation moderne a été bouleversée par la découverte de l'inconscient. Conçu comme des « milliers de mondes à l'intérieur du monde de l'homme », l'inconscient est gouverné par les deux impulsions capitales « de l'éros et de la mort », dont l'« intrication initiale » est cause de la « culpabilité », qui menace sans cesse de faire écrouler le « château de cartes » de la personne. Mais l'inconscient est aussi la « matrice de notre intelligence ». Et, dès qu'on ose les révéler, les puissances redoutables de ce fond toujours caché peuvent contribuer à l'émancipation de l'homme, apporter enfin une « Raison de fabrication meilleure ». Cette transmutation est l'œuvre de la poésie « moderne », qui a reconnu dans l'inconscient, ou dans la « pensée autant que possible influencée de l'inconscient, l'ancienne et la nouvelle source ».

« Commence le plus bas / S'épaississant sur les mots obscènes et froids » : telle est la devise des poèmes, distribués en trois chapitres : « Sueur de sang », « l'Aile du désespoir », « Val étrange ». Pour la plupart assez courts, ils s'appliquent à évoquer, dans un jeu effréné de métaphores, les parties érotiques du corps féminin. Prostituée, Ariane ou Pandore, la femme invite à un « voyage » à la fin duquel le « je », spectateur, voyeur ou amant, retrouve, dans l'extase d'une « mort exquise », « les poussées du paradis et les premières musiques ». Mais cette rencontre peut se réaliser aussi comme « carnage » où domine l'irrésistible désir de tuer ou de mourir. Car la femme, objet de la libido et, par là, sentier de « chaleur » et d'« amours claires », est aussi blessure. « Bouche d'ombre », « sa lèvre formée pour manger jusqu'à Dieu » témoigne d'un accident immémorial dans lequel la pulsion de l'éros a été séparée de la vie par la « mort qui punit et étrangle ». Et dès lors la femme, en « pécheresse et absolue de ma misère », ne peut procurer qu'un plaisir malheureux, dominé par l'angoisse et le sentiment de la faute. Voilà pourquoi l'amour doit être réinventé : non par une élévation due à l'ascèse, mais par l'« abîme », par l'acceptation et la recherche même des tares dont ce « noble mal » est marqué et qui se manifestent dans les blessures du Christ crucifié. S'ébauche donc l'idée d'une transmutation qui, « par la mort », userait la « chair de la mort » et transmuerait la « vie dans la vie ». Si le modèle de cette métamorphose est le Christ, son analogue terrestre est le cerf, qui, par allusion au psaume 42 (« *Sicut cervus* »), n'est d'abord que l'incarnation de la soif ou de l'humus le plus bas / « Le cerf naît de l'humus le plus bas / De soi, du plaisir de tuer le père / Et du larcin érotique avec la sœur, / Des lauriers et des fécales amours. » Mais il est aussi l'être blessé, qui, mû par un zèle étrange, va au-devant de la blessure et s'achemine vers une « souriante issue / Des immondes matières de la vie ». Ainsi se dessine l'itinéraire figuré dans le long poème "les Masques" : grâce à la volonté d'acceptation et de dépassement, la donnée primitive de la pulsion mortelle pourra s'épuiser, et l'amour, devenu « création humaine », se transfigurer en zèle d'absolu : « La nuit longtemps dévouée à la nuit / Tout à coup se poursuit dans l'ombre et devient l'azur. »

Jouve n'est pas le seul pour qui l'inconscient soit devenu la source même de notre vie spirituelle. Avant lui, les surréalistes avaient tenté d'exploiter les richesses de ces « profondeurs de l'esprit ». Mais, tandis que leurs expériences (sommeil hypnotique, récits de rêves, écriture automatique) visaient à l'abolition de ce que Freud appelle la censure, celle-ci n'est pas remise en question par Jouve. À la dictée de l'inconscient, il oppose un emploi conscient de symboles et d'images associatives tels que les connaît ce langage de l'inconscient qu'est le rêve. De plus, les pulsions inconscientes demeurent taboues ; elles sont pour lui, comme pour Freud, essentiellement le domaine du mal. Si donc, dans ses poèmes, Jouve puise à l'« ancienne et la nouvelle source » pour nommer « ce que n'osaient pas nommer encore les pères », cet acte est toujours conçu et vécu comme la transgression d'un interdit. Et, tout en demeurant soumis au contrôle de la conscience, l'inconscient doit être sublimé.

Pour Freud, la sublimation opère le déplacement d'une énergie instinctuelle vers un but élevé et surtout socialement accepté. Pour Jouve, elle devient la tâche par excellence du poète. Se référant à ceux qui, avant lui, ont travaillé à « affranchir la poésie du rationnel » (Baudelaire, Lautréamont, Rimbaud, Mallarmé), il conçoit, dans l'Avant-propos, une poétique de la sublimation tendant à « produire cette "sueur de sang" qu'est l'élévation à des substances si profondes, ou si élevées, qui dérivent de la pauvre, de la belle puissance érotique humaine ».

Or le terme de « sueur de sang » nous reporte également au domaine religieux puisqu'il fait allusion à la nuit de Gethsémani, où la sueur du Christ « devint comme de grosses gouttes de sang qui tombaient à terre » (Luc, 22, 24). C'est en effet par l'étude des actes et écrits des mystiques que Jouve a conçu son idée de la sublimation : « Ainsi il y aurait des natures pour lesquelles l'inconscient [...] a des pouvoirs secrets ; qui seraient capables de le connaître à travers certaines disciplines, de lui donner et de recevoir de lui, – mouvements que l'on ne saurait appeler autrement que spirituels. » Sublimer la puissance érotique selon l'exemple des mystiques et la transfigurer en acte d'amour pareil à celui du Christ crucifié, tel est le programme que l'auteur s'est proposé pour *Sueur de sang* et qu'il poursuivra dans ses œuvres ultérieures : « Et l'amour à réinventer, la chair à refaire / Et le saint esprit sont en question. »

Cette transfiguration se réalise dans ce que Jouve appelle le symbole, et avant tout dans celui du cerf. Hantant les mythes et légendes du monde entier, et devenu, dans l'optique chrétienne, l'image du Christ, du don mystique et de la révélation salvatrice, le cerf surgit toujours à l'improviste. Telle une figure de rêve, il se dégage de la masse informe de l'inconscient pour en représenter l'impulsion érotique. En même temps, il est la bête qu'on chasse, celui qui est ou sera blessé. En tant que « symbole surgi », il porte donc, telle la femme, les marques de cet accident originel, comparable à la chute, où le « couteau » de la mort trancha la « chaude fleur » de l'amour et en fit la « fille de l'enfer ».

Incarnation de l'amour condamné, le cerf devient peu à peu le symbole de la sublimation poétique. Car, en cherchant la mort qui s'oppose à la satisfaction du désir, en acceptant volontairement ce déchirement de la créature, il figure l'effort de libération et de transfiguration propre au poème de Jouve : l'élan vers la limite, où, dans une espèce de « céleste mort », la pulsion érotique primitive peut renaître sans taches et ne se distingue plus de la charité la plus pure.

● *Les Noces [...]*, « Poésie/Gallimard », 1966, (p.p. J. Starobinski) ; *Poésie*, I, Mercure de France, 1987 (p.p. J. Starobinski et Y. Bonnefoy).

K. SCHÄRER

SUITES D'UN PREMIER LIT (les).

SUITES D'UN PREMIER LIT (les). Comédie en un acte et en prose d'Eugène **Labiche** (1815-1888) et **Marc-Michel** (1812-1868), créée à Paris au théâtre du Vaudeville le 8 mai 1852, et publiée à Paris chez Michel Lévy la même année.

Après une querelle avec son voisin le sémillant capitaine Piquoiseau, le malheureux Trébuchard (29 ans) doit affronter les aigreurs de Blanche (48 ans), qui l'appelle « papa » ! Un long monologue donne bientôt la clef de l'énigme : jadis emprisonné pour dettes, Trébuchard n'a pu sortir de Clichy qu'en épousant sa créancière la veuve Arthur, qui est morte en lui laissant sur les bras cette fille « d'un premier lit ». Il cherche maintenant à se remarier, mais la « grande diablesse » fait fuir tous les partis qui se présentent. Il se dispose donc à partir pour Reims afin d'y épouser discrètement la jeune Claire Prudenval. Mais celle-ci arrive à l'improviste avec son père, qui souhaite consulter un médecin parisien pour une vague maladie. Sentant venir la catastrophe, Trébuchard tente de se défaire de Blanche en la proposant à Piquoiseau, lequel, appâté par une dot confortable, demande pourtant à réfléchir. Mais Claire, qui n'a pas envie de s'entendre « appeler maman » par un laideron de cet âge, refuse un tel arrangement. Nouvelle inspiration : pourquoi ne pas marier Blanche à Prudenval ? Trébuchard parvient à persuader son futur beau-père que seule cette « médecine de cheval » est susceptible de le guérir, et, Piquoiseau s'étant grossièrement désisté, Blanche accepte à son tour. Trébuchard peut alors rassurer Claire : « Vous n'en vouliez pas pour enfant... je vous l'ai donnée pour mère ! »

Représentée quelques mois après *Un chapeau de paille d'Italie*, cette comédie en développe le schéma dramatique inverse. Car ici le héros, pour pouvoir se marier, ne doit plus se procurer un objet, mais s'en débarrasser : en l'occurrence, Trébuchard doit impérativement avoir « casé » Blanche avant de se trouver à lui-même une épouse. Mais à cette différence près, les étapes de l'intrigue sont identiques dans les deux pièces. En effet, après avoir cherché une solution à l'extérieur en sollicitant vainement Piquoiseau (« Non, on me blaguerait trop ! »), épisode qui correspond dans le *Chapeau* à ceux de la modiste, de la baronne et de Beauperthuis, Trébuchard résout son problème à l'intérieur du groupe familial en mariant Blanche à Prudenval. Un tel dénouement est conforme à l'idéologie de Labiche : tout « ailleurs » étant inutile ou nuisible, l'on n'est jamais mieux servi que par les siens ; dans le *Chapeau*, c'est de l'oncle Vézinet que venait le salut... Autre élément de continuité, la cruelle dérision avec laquelle sont exhibées les années et la laideur de Blanche (« Mets-toi de profil... tu gagnes cinquante pour cent à être vue de moitié »), éventuellement même par des adresses au public : « Qui est-ce qui en veut ? personne ? » Car Labiche est sans pitié pour les femmes mûres en quête de maris (telles Léonida dans la **Cagnotte*, ou l'héroïne éponyme de la **Station Champbaudet*), comme si le prurit conjugal, passé un certain âge, constituait décidément l'attentat majeur à la respectabilité bourgeoise. On constatera enfin cette réversibilité des intrigues qui, sous une diversité apparente, structure et unifie en profondeur l'abondante (173 pièces) production dramatique de l'auteur (voir sur ce point la Cagnotte et le **Voyage de Monsieur Perrichon*).

➤ *Œuvres complètes*, III ; *Théâtre*, « Classiques Garnier », I.

J.-P. DE BEAUMARCHAIS

SULTANE (la).

SULTANE (la). Tragédie en cinq actes et en vers de Gabriel **Bounin** (1535 ?-1604 ?), peut-être représentée devant Catherine de Médicis en 1560, mais sans aucun doute à Francfort par la troupe ambulante de Charles Chautron en 1595, et publiée à Paris chez Guillaume Morel en 1561.

Avant *la Sultane*, Gabriel Bounin a traduit les *Économiques* d'Aristote. Cette tragédie orientale composée pendant l'automne 1560, avant la mort de François II, constitue l'essentiel de son œuvre littéraire : il se consacrera en effet par la suite à des ouvrages de réflexion politique.

Rose, l'épouse du sultan Soliman, craint de voir le prince Moustapha revêtir la couronne impériale à la place d'un de ses fils. Malgré les tentatives d'apaisement de sa confidente Sirène, elle ouvre son cœur au pacha Rustan, qui imagine de faire tomber Moustapha en disgrâce : il persuadera Soliman, preuves à l'appui, que son fils aîné veut épouser la fille du roi de Perse, son rival (Acte I). Six jours plus tard, Rustan apporte la lettre qui dénonce Moustapha. Rose s'apprête à jouer l'éplorée devant son époux. Le chœur chante l'innocence du prince (Acte II). Rose, la lettre à la main, dénonce Moustapha. Soliman, fou de rage, résout de faire mourir son fils et le convoque auprès de lui. Les génies de Moustapha prédisent son départ prochain vers la Voie lactée (Acte III). Sitôt reçu l'ordre paternel, le prince a compris les menées de Rose. Le sophi de Perse l'engage à fuir sa fureur, mais, convaincu que « nul ne peut fuir par fuitives détorses / Du prophète destin les ingaimnables forces », Moustapha veut obéir à l'ordre de son père : piété filiale et honneur l'exigent (Acte IV). Le « dieu Mahomet » apparaît en songe au prince et lui révèle son envol pour « la céleste demeure / De tes aïeux heurés ». Malgré le sophi qui le presse encore de fuir et armé de sa seule innocence, Moustapha se rend à la cour ; il tombe sous « les coups saigneux » des muets de son père. Le chœur déplore le sort injuste du prince et l'oublieuse mort (Acte V).

La Sultane est la première tragédie française qui tire son sujet de l'actualité et non de l'Histoire : Bounin, en effet, évoque des événements survenus dans l'Empire turc en septembre 1553. Cependant, l'auteur n'utilise guère le cadre exotique pour bâtir une tragédie riche en couleur locale ; seules quelques allusions à Mahomet, au « sacré Alcoran », à la « maschit » [mosquée] rappellent au spectateur que l'action se déroule en Orient. Au demeurant, Soliman jure par Jupin, Cérès, ou la « Parque félonne » en vrai païen, et Moustapha récite le chant VI de l'*Énéide* quand il rapporte son rêve à l'acte V. L'univers culturel des personnages trouve ses fondements dans une mythologie antique constamment sollicitée pour animer les émotions du spectateur.

Si Bounin a trouvé les détails de la conspiration de Rose dans le livret de Nicolas Moffan intitulé *le Meurtre exécrable et inhumain commis par Soltan Solyman, grand seigneur des Turcs, sur la personne de son fils aisné Mustapha* (1556), le modèle sénéquien prévaut dans l'élaboration de cette pièce. Culte de l'émotion, violence du spectacle (le meurtre de Moustapha s'accomplit sur scène), lumière crue jetée sur les personnages (le contraste est fort entre une Rose magicienne habitée d'une « rancœur chiennine » et l'angélique et stoïque Moustapha) : là sont les traits de cette tragédie de l'ambition politique.

M. Heath a reconnu chez Bounin un « disciple fidèle de la Brigade », qui s'efforce d'enrichir la langue par la pratique du néologisme et du mot composé. Une certaine recherche caractérise encore l'emploi des rythmes : le chœur chante en hexasyllabes et octosyllabes, et les personnages échangent leurs propos en alexandrins (quand ils sont nobles), ou en décasyllabes (le vers utilisé par Sirène).

Par son sujet, *la Sultane* annonce le *Solyman II* de Thillois (1617), et *le Grand et Dernier Solyman* de Mairet (1639). L'on y a vu, sans doute par la présence de la matière orientale, un lointain précurseur de l'*Ibrahim* de Scudéry et de **Bajazet* de Racine.

● Exeter, 1977 (p.p. M. Heath) ; Florence/Paris, Olschki/PUF, 1986 (*la Tragédie à l'époque d'Henri II et de Charles IX*, première série, vol. 1 [1550-1561], p.p. M. Dassonville).

M.-C. GOMEZ-GÉRAUD

SUORA SCOLASTICA.

SUORA SCOLASTICA. Voir CHRONIQUES ITALIENNES, de Stendhal.

SUPERBES (les).

SUPERBES (les). Voir HOMMES DE BONNE VOLONTÉ (les), de J. Romains.

SUPPLÉMENT AU VOYAGE DE BOUGAINVILLE. Dialogue philosophique de Denis **Diderot** (1713-1784), dont le titre complet est : *Supplément au Voyage de Bougainville, ou Dialogue entre A et B sur l'inconvénient d'attacher des idées morales à certaines actions physiques qui n'en comportent pas*, publié par l'abbé Bourlet de Vauxcelles dans *Opuscules philosophiques et littéraires* à Paris chez Chevet en 1796. Le « discours de Polly Baker » (III) apparaît pour la première fois dans l'édition de Gilbert Chinard, donnée à Genève chez Droz en 1935 d'après le manuscrit de Leningrad.

I. « Jugement du Voyage de Bougainville ». Par un temps de brouillard, B rapporte avec enthousiasme à A les singularités du récit du navigateur et vante la vie naturelle des sauvages, qu'illustre Aotourou, Tahitien amené en France. Un prétendu *Supplément* au *Voyage* sera le garant de ses dires. II. « Les Adieux du vieillard ». Le *Supplément* s'ouvre sur le discours adressé à Bougainville avant son départ par un vieux Tahitien, qui dénonce violemment les maux apportés dans l'île par les Européens. III. « L'Entretien de l'aumônier et d'Orou ». Le *Supplément* dit ensuite comment le Tahitien Orou réussit à convaincre l'aumônier de l'équipage de passer la nuit avec sa fille et le questionne, le lendemain, sur ce Dieu dont les interdictions sexuelles sont contraires à la nature. Suit un discours, rapporté par B, de Polly Baker, mère célibataire condamnée pour libertinage. IV. « Suite de l'entretien de l'aumônier avec l'habitant de Tahiti ». À Tahiti où la maternité est reine, poursuit Orou, seules sont jugées libertines les femmes stériles qui ont commerce avec des hommes. C'est l'intérêt et non le devoir qui garantit l'ordre public. Convaincu ou poli, l'aumônier honore successivement les autres filles et la femme de son hôte. V. « Suite du dialogue entre A et B ». Face à A sceptique, B conclut que la loi de nature supplée aisément aux codes religieux et civil, qui ont dénaturé l'union des sexes. Mais il vaut mieux se conformer aux lois de son pays plutôt que d'être sage parmi les fous. Retour symbolique du beau temps.

Inspirée par le **Voyage autour du monde* (1771) de Louis-Antoine de Bougainville, l'œuvre de Diderot participe du « mirage océanien » qui fit voir en Tahiti la nouvelle Cythère. Mais elle n'a rien d'un divertissement exotique ou grivois ; l'utopie tahitienne permet à l'auteur, comme l'indique le sous-titre, de mettre en cause le lien qu'établissent nos sociétés chrétiennes entre relations sexuelles et moralité. À ce titre, le *Supplément* ne se conçoit pas sans **Ceci n'est pas un conte* et **Madame de La Carlière* qui, portant sur la morale sexuelle, forment avec lui un triptyque. Les amours désastreuses autant que policées des personnages de ces contes, cités à la fin du *Supplément*, servent de prélude à l'évocation de la sexualité libre et heureuse des sauvages tahitiens, qui illustre la conciliation possible entre l'amour et les mœurs. La réflexion morale débouche ainsi, dans cette œuvre que l'on a parfois considérée comme l'expression de la pensée ultime de Diderot, sur une théorie politique, fondée sur l'accord entre les lois et la nature. Les mauvaises mœurs ne sont pour Diderot que l'effet d'une mauvaise législation : en bridant les appétits naturels, les codes religieux et civil ont, dans l'Europe vieillissante, corrompu les mœurs. La jeune société tahitienne, elle, a atteint ce point d'équilibre qui la situe à mi-chemin entre les rigueurs du primitivisme et la dégénérescence qui guette toute civilisation. On aurait tort, pourtant, de voir avec Vauxcelles dans le *Supplément* une « sans-culotterie » ; la « conclusion » du texte n'a rien de révolutionnaire, qui édicte : « Nous parlerons contre les lois insensées jusqu'à ce qu'on les réforme, et en attendant nous nous y soumettrons. »

Il paraît difficile, en effet, au nom d'une illusoire cohérence de la pensée diderotienne, d'interpréter l'œuvre polyphonique qu'est le *Supplément* à la lumière de la seule diatribe anticolonialiste du vieillard ou même de la sévère critique faite par Orou de la morale chrétienne. Il ne faut pas oublier qu'en 1772, au moment de la rédaction du *Supplément*, le philosophe mariait sa fille le plus bourgeoisement du monde. Rêverie à la manière de Diderot (nous savons combien était codifiée et hiérarchisée cette société tahitienne), le *Supplément* énonce seulement l'hypothèse d'une autre organisation sociale, dont le philosophe tire

ailleurs, dans l'**Histoire des deux Indes*, des conséquences plus radicales. Ce que Diderot a en tête ici, à la veille de son départ pour Saint-Pétersbourg, c'est un projet de réforme applicable dans la toute jeune Russie, dont il fera état dans ses **Mémoires pour Catherine II*.

On a pu qualifier de « baroque » l'art de Diderot et déceler dans l'arrangement, voire le contenu du *Supplément*, des contradictions. L'auteur semble, il est vrai, défier toute logique en plaçant le discours d'adieu avant l'arrivée de l'équipage, en confondant dans le titre « supplément » et « dialogue » qui alternent dans l'œuvre, en prêtant tour à tour à ses apparents porte-parole (B ? le vieillard ? Orou ?) des discours divergents. Mais ne faut-il pas plutôt voir dans cette structure éclatée le signe d'une pensée en mouvement, favorisée par les vertus du dialogue et de la supplémentarité ? Les cinq sections du *Supplément*, qui s'articulent fermement autour d'une lecture de Bougainville, abordent les mêmes thèmes (liberté, propriété, comportement matrimonial...), mais les orchestrent différemment. Si la conversation initiale exalte à travers Bougainville les Lumières, le discours du vieillard lui oppose la corruption européenne, qui appelle un remède, proposé par Orou dans l'entretien avec l'aumônier : la conversion aux lois de la nature. À la fin du dialogue entre A et B, le directeur de l'**Encyclopédie*, disant son dernier mot, réaffirme sa foi dans le progrès, qu'il avait mise entre parenthèses pour « abandonne[r] [son] esprit à tout son libertinage » (début du **Neveu de Rameau*). En cela il se distingue du Rousseau des **Discours [...]*, dont la critique morale est sous-tendue par une volonté de réforme politique.

Le thème central du *Supplément* n'est pas neuf. Depuis Montaigne, les « philosophes nuds » avaient fait florès dans la littérature française et le *Supplément* véhicule bien des idées répandues chez les contemporains de Diderot (le populationnisme, par exemple). L'originalité de Diderot réside dans l'accent qu'il met sur le caractère physiologique de l'amour. C'est sans doute ce qui explique le retentissement de l'œuvre, qui inspira à Musset quelques strophes du poème "Souvenir", ne fut pas étrangère aux thèses du socialiste Paul Lafargue sur « le droit à la paresse » et fut l'objet d'un pastiche de Giraudoux, le **Supplément au Voyage de Cook* (1935).

● Genève, Droz, 1955 (p.p. H. Dieckmann) ; « GF », 1972 (p.p. A. Adam) ; *le Neveu de Rameau [...]*, « Folio », 1976 (p.p. J. Varloot) ; « Presses Pocket », 1992 (p.p. E. Tassin). ➤ *Œuvres philosophiques*, « Classiques Garnier » ; *Œuvres complètes*, Club français du Livre, X.

S. ALBERTAN-COPPOLA

SUPPLÉMENT AU VOYAGE DE COOK. Pièce en un acte et en prose de Jean **Giraudoux** (1882-1944), créée à Paris au théâtre de l'Athénée le 22 novembre 1935, et publiée à Paris chez Grasset en 1937.

En 1932, Giraudoux reprend sous la forme dramatique un thème déjà abordé dans **Suzanne et le Pacifique* (1921) : le rêve d'une vie naturelle dans un cadre exotique avec son corollaire, la satire de la civilisation colonisatrice. « Transposition » du **Supplément au Voyage de Bougainville* de Diderot comme l'affirme l'auteur dans *l'Écho de Paris* (6 novembre 1935), le *Supplément au Voyage de Cook* prétend compléter la *Relation d'un voyage fait autour du monde [...] par Jacques Cook* (1774) ; en fait Giraudoux prend à contre-pied les thèses du célèbre explorateur anglais, comme Diderot avait librement interprété celles de Bougainville.

Banks, le naturaliste-empailleur de l'expédition de Cook, débarque sur l'île d'Otahiti pour préparer les indigènes à l'arrivée de l'équipage : le capitaine craint, en effet, que ses matelots ne s'abandonnent à la licence la plus effrénée. Se conformant à son propre code de l'hospitalité, Outourou, le chef de l'île, fait venir trois femmes pour agrémenter la nuit de son hôte ; l'Anglais refuse vertueusement, et inflige à l'indigène un cours de morale sans réaliser que l'incompréhension d'Outourou est totale. Banks a ainsi affirmé que l'acte sexuel ne se justifie que dans un but de procréation ; Tahiriri, la fille du chef, qui est stérile, ne comprend pas qu'il se refuse à elle. Mrs Banks, débarquant à son tour, les surprend dans une posture apparemment compromettante et fait à son conjoint une scène de jalousie, sans imaginer qu'elle va se retrouver rapidement dans la même situation : tous les Tahitiens se proposent pour mettre fin à sa propre stérilité ! Et quand l'un d'eux lui dérobe un baiser, c'est au tour de Banks d'être jaloux. Lorsque les époux réconciliés s'endorment, les indigènes se disposent à enivrer et séduire les Anglais pour les voler : telle est la leçon qu'Outourou a tirée de sa conversation avec le naturaliste.

Gérard Genette a bien montré dans *Palimpsestes* (1982) que, si « le *Voyage autour du monde* du capitaine Cook fournit quelques personnages, l'œuvre réellement transposée est bien le *Supplément* de Diderot, dont l'Orou devient Outourou, et l'aumônier anonyme et défaillant le digne marguillier naturaliste Banks (effectivement présent chez Cook), ici flanqué, innovation féconde, de sa non moins digne et fort soupçonneuse épouse ». Giraudoux modernise ainsi la démonstration de Diderot en reprenant à son compte la peinture des « bons sauvages » que la vie naturelle a préservés : les indigènes sont « beaux », leurs femmes « tendres et caressantes », ils vivent, innocents et heureux, en partageant tous leurs biens. Par opposition, les Occidentaux que vise l'auteur, même s'il dirige sa satire de façon un peu facile contre les Anglais, font piètre figure. Engoncés dans des vêtements ridicules et inadéquats, « entrecroisements d'étoffes, de courroies, de chaussettes et de jarretières », ils cachent mal leurs convoitises sous leurs discours moraux : ainsi proposent-ils « tire-bouchons, savonnettes et papier de verre en échange des bijoux ». Mais Giraudoux pousse le réquisitoire encore plus loin que Diderot : les Occidentaux ont corrompu les indigènes, puisque Outourou a appris d'eux le « moyen anglais » de s'approprier ce qu'il désire, « qui s'appelle le vol ». La satire cependant reste sur le mode comique et humoristique : les scènes de jalousie successives et inversées relèvent du vaudeville, tandis que l'auteur s'amuse à passer en revue la panoplie ridicule du civilisé, « blague à tabac », « dentier », « lorgnette », « pilules » et « lit de camp », qui rappellent irrésistiblement l'ombrelle de Robinson, l'une des têtes de Turc favorites de Giraudoux (voir *Suzanne et le Pacifique*).

▶ *Théâtre complet*, « Pléiade » (p.p. J. Delort) ; *id.*, « Pochothèque ».

D. LORENCEAU

SUPRA-CORONADA. Recueil de nouvelles de Jacques **Crickillon** (Belgique, né en 1940), publié à Bruxelles aux Éditions La Renaissance du Livre en 1980.

Connu pour ses recueils poétiques de facture assez différente (*la Défendue*, 1968 ; *la Barrière blanche*, 1974), Jacques Crickillon publie avec cet ensemble de dix-huit récits sa première œuvre en prose : l'inspiration qui l'anime, à couleur de « roman noir » au sens policier du terme, était déjà présente dans un long poème de 1975, "la Guerre sainte".

Des personnages évoluent dans un univers devenu un champ de ruines, où des lambeaux de villes immondes et visqueuses côtoient des campagnes barbares hantées par d'étranges prophètes (« le Maître des lagunes »). L'attente de Veronica et de son érotisme flamboyant se mue en cauchemar pour le héros : combat sordide avec un vieillard tentaculaire, poursuites impitoyables par des meutes de jeunes, avant qu'il ne meure assassiné par ce qui n'était qu'une image infernale (« Veronica Flamme »). Les personnages eux-mêmes sont comme ruinés de l'intérieur, ne possédant plus que des bribes de mémoire et de langage, qu'ils essaient en vain de rassembler pour trouver une identité : caractéristique à cet égard est le récit « Nageur mort », le plus dense du recueil. Le héros, dont on s'apercevra qu'il est muet, est d'abord fasciné par une jeune femme apparue en haut d'un escalier, puis, par désespoir, pénètre dans le « territoire interdit »

des révoltés de l'Apacheria, s'évade, regagne une ville où, à moitié mort, il est recueilli par Crazy Horse dans un réduit crasseux de la ville basse. Crazy, une naine aphasique, le gave de détritus et se sert de lui pour satisfaire un insatiable appétit sexuel. Il perd le sens du temps. Il s'échappe vers la ville haute où il devient l'époux platonique et martyrisé d'une épicière. Il redécouvre l'écriture (ce qui lui manquait ?), en est châtié par son entourage, redevient vagabond, et, sachant qu'il est enfin « vide », espère entrer dans Supra-Coronada, ville mythique.

Les paysages désolés et cruels d'une civilisation moribonde évoqués ici sont comme des calques de désolation qui glisseraient les uns sur les autres en s'interpénétrant : de là, malgré la diversité du recueil, une impression d'unité, celle d'une métaphore à la fois morcelée et puissante qui emprisonne le lecteur. Dire que ce monde d'inhumanité aveugle, de victimes palpitantes et de bourreaux obsédés n'est qu'une projection du nôtre, relève de la généralité facile, même si certains paysages, et notamment ceux de la désolation urbaine, s'inspirent de nos plus tristes productions. En réalité, Jacques Crickillon emprunte à la science-fiction et au policier « noir » des éléments qu'il recompose selon les lois d'un réalisme lyrique et fantastique. L'imagination reste première, et elle se déploie sous la forme d'un chant dont on a souvent souligné la somptuosité. Voici par exemple la mort de Wanta, éblouissante d'horreur, comme celle de tant d'autres personnages : « Le front incendié, les membres sillonnés de glace, il était envahi de suffocations qui lui éclataient dans la gorge avec un bruit mou de corps qui tombe. Quelqu'un de très jeune et blessé murmurait alors des mots d'amour chancelants qu'il écoutait se poindre et s'éloigner comme une danse d'oiseaux blancs. »

R. AUGUET

SUR L'EAU. Récit de voyage de Guy de **Maupassant** (1850-1893), publié à Paris en feuilleton dans *les Lettres et les Arts* de février à avril 1888, et en volume chez Marpon et Flammarion en 1888.

Maupassant a fait paraître trois récits de voyage : *Au soleil*, reportage en Afrique du Nord sur la colonisation (1884), *la Vie errante* (1890), regroupant les impressions de différents séjours en Sicile, Tunisie, Italie, et *Sur l'eau*, qui se présente comme le journal de bord, divisé en huit journées, d'une croisière en Méditerranée à bord du yacht *Bel-Ami*.

6 avril. Départ d'Antibes. Description de la côte. Lever du soleil. « Je sens entrer en moi l'ivresse d'être seul. » Le vent, « souverain tout-puissant ». Le corps de Paganini enseveli pendant cinq ans dans l'îlot de Saint-Ferréol. – 7 avril. Cannes. La Croisette, fréquentée par les « pauvres princes errants, sans budgets ni sujets » : de là, digression sur les salons mondains et leurs artistes. La Croisette est aussi « l'hôpital du monde et le cimetière fleuri de l'Europe aristocrate ». Une conversation de table d'hôte amène une série de réflexions sur la bêtise, « le néant du bonheur », « le néant des croyances et la vanité des espérances ». L'évasion de Bazaine du château de Sainte-Marguerite. Visite des navires cuirassés et dénonciation de la guerre. – 8 avril. Départ de Cannes. La double nature du narrateur : horreur de ce qui est « amour bestial et profond ». En rade d'Agay. La rencontre de deux amoureux emplit le narrateur de tristesse. Il célèbre la lune, en citant les vers qu'elle a inspirés. – 10 avril. Un grincement à bord met le navigateur dans un singulier état « de douleur, d'affolement et d'angoisse ». Dédoublement de l'écrivain : « acteur et spectateur de lui-même et des autres ». Souvenir de deux visions effroyables : une vieille femme misérable ; une mère et sa fille mourant de diphtérie. Pour oublier, le narrateur rêve d'Orient. Pêche. Soigne sa migraine à l'éther – 11 avril. Saint-Raphaël. Un mariage, « service funèbre de l'innocence d'une jeune fille ». Laideur de l'homme. Bêtise contagieuse de la foule. Promenade en canot sur l'Argens. – 12 avril. Les Maures. Les spéculations immobilières à Saint-Aygulf. La misère des employés. Les lettres que l'on reçoit, signes d'un état de dépendance affective. L'histoire de France à travers les mots d'esprit. – 13 avril. Excursion à la chartreuse de Verne. Un couple de vieux paysans : la fille du colonel s'est déclassée pour l'amour d'un hussard. – 14 avril. Rappelé à Monte-Carlo par un ami. Bourrasque en mer. La principauté de

Monaco et la clémence de sa justice. Où l'on revoit le couple d'amoureux, au casino : désunis.

Dans les lignes de conclusion, Maupassant parle d'un « journal de rêvasseries » rédigé « sans suite, sans composition, sans art ». Le récit mêle en effet les fragments d'un journal de bord, les descriptions de choses vues (la navigation en mer éveille une « curiosité particulière »), des digressions philosophiques (sur la solitude : « Nous sommes toujours emprisonnés en nous-mêmes »), des passages de (faux) journal intime (« écrit pour moi seul »), des éléments de chroniques, des nouvelles, publiées antérieurement et combinées à vau-l'eau : c'est le cas pour l'histoire de ce vieux couple rencontré à la Chartreuse de Verne. Maupassant reprend sa nouvelle « le Bonheur » (*le Gaulois*, 16 mars 1884), en transposant le lieu – primitivement la Corse – et en ajoutant une fin qui inverse le bonheur en malheur : la vieille femme apprend que son mari a une maîtresse et se suicide.

Cette transformation va dans le sens d'un pessimisme général du texte : même le couple d'amoureux, envié, se sépare en perdant ses derniers louis au casino de Monte-Carlo. La vision noire trouve son expression privilégiée dans la « misère de l'écrivain » : doué de « seconde vue », il souffre « d'une sorte de dédoublement de l'esprit » – il voit et se regarde voir – qui le condamne à être « un reflet de lui-même et un reflet des autres ». L'eau est donc son élément : dans sa « fuite muette », il croise des « fantômes de bateaux », il berce son désespoir sur l'eau sans oublier l'horreur des dessous : par exemple le cadavre de la noyée qui retient le bateau dans l'une des premières nouvelles publiées par Maupassant, intitulée « En canot » (*Bulletin français*, 10 mars 1876), puis retirée, déjà, « Sur l'eau » (dans le recueil *la *Maison Tellier*).

● Encre, 1984 ; Minerve, 1989 (préf. J.-J. Brochier). ➤ *Œuvres complètes*, Éd. Rencontre, XIV.

Y. LECLERC

SUR LE FLEUVE AMOUR. Roman de Joseph **Delteil** (1894-1978), publié à Bruxelles aux Éditions La Renaissance du Livre en 1922.

À Nikolaievsk, l'armée de Semenoff bat en retraite devant les bolcheviks. Les troupes s'embarquent sur le steamer *Arthur-VI*. Ludmilla prend la mer la dernière. Très vite, cette fille de la Sibérie s'était senti une âme héroïque : dans son village natal, sur les bords de l'Amour, elle rêvait d'épopées guerrières. À quinze ans, elle s'enrôle dans les rangs de l'armée cosaque et dirige les troupes ostiaques. Boris et Nicolas, deux officiers bolcheviks, la regardent s'éloigner. Par amour pour elle, ils désertent l'Armée rouge. Ils la retrouvent dans un lupanar de Chang-haï, où ils font arrêter par la garde rouge le consul américain qui parade devant elle. Ils lui avouent leur amour. Tous partent pour la Sibérie en passant par Pékin, en proie à la guerre civile. Qui Ludmilla choisira-t-elle, de Boris ou de Nicolas ? Ce dernier semble avoir ses faveurs... Par jalousie, Boris précipite Nicolas dans l'Amour. Mais Ludmilla reconnaît en lui l'assassin de Nicolas et le pousse à son tour dans le fleuve : les deux cadavres se rejoignent. Ludmilla reste seule.

Écrit sur un ton alerte et impertinent, *Sur le fleuve Amour* apparaît comme une parodie du roman de voyage et de guerre, genres florissants dans les années vingt. En effet, la narration reprend le schéma du roman d'aventures. Le récit commence *in medias res*, sur la côte russe, proche de l'île Sakhaline. Dès lors s'impose le thème des eaux porteuses et mortelles, associées à Ludmilla, incarnation de l'érotisme mortifère. Surréaliste de la première heure, Delteil joue de l'imaginaire, des visions inspirées par la mythologie du Cosaque et du Mongol. Amazone étrange, Ludmilla représente, en effet, la figure allégorique des lieux grouillant de combattants et de victimes où se déroule l'action. Une rétrospection menée sur un rythme endiablé évoque la biographie de l'héroïne,

éblouie par la geste des Russes blancs, et souligne l'importance du fleuve Amour, à la dénomination équivoque, symbole de la double pulsion de mort et de vie qui fonde le récit. Au début, l'homosexualité latente des jeunes gens dévalue le féminin, objet dégradé d'un commerce charnel. Or, l'opposition apparente entre Ludmilla, attachée à l'ancien monde, et des représentants du camp adverse, s'annule lorsqu'ils rejoignent le territoire archaïque de l'instinct. Égérie fantasmatique, Ludmilla introduit en Boris et Nicolas le soupçon et le désordre de la passion. Mais, au sein même de la relation triangulaire définie par les héros, le couple masculin évolue par lui-même et se reconstitue dans la mort, le néant. Leur passion ne présente aucune similitude avec l'amour fou célébré par Breton ; elle ne saurait constituer l'unique valeur d'un monde où le sens se perd et où les personnages agissent comme des marionnettes. En effet, le récit ne s'arrête ni aux analyses psychologiques ni aux réflexions politiques. La vie humaine perd tout son prix : Boris et Nicolas sacrifient sans remords l'Américain et l'épisode désigne le caractère arbitraire et sanglant du système communiste. De même, toute notion morale s'évanouit : violée par son jeune frère, Ludmilla offre son corps aux hommes qui la tentent. L'épopée amoureuse aurait pu désigner, au travers de leur régression passionnelle, l'appartenance des êtres humains à un même ordre, au-delà des dissensions politiques. Mais nul commentaire ne vient étayer cette interprétation : le sens du roman se déduit donc de la mise en perspective de la folle équipée avec les bouleversements qui en constituent l'arrière-plan. Les individus se prêtent à la marche du monde sans lui donner une signification illusoire. Leur destinée s'achève au bord du fleuve, figure cosmique de l'amour et de la mort confondus, dont Ludmilla incarne une représentation singulière.

● « Les Cahiers rouges », 1983.

V. ANGLARD

SURÉNA, GÉNÉRAL DES PARTHES. Tragédie en cinq actes et en vers de Pierre **Corneille** (1606-1684), créée à Paris au théâtre de l'hôtel de Bourgogne le 11 décembre 1674, et publiée à Paris chez Guillaume de Luyne en 1675.

Sept ans après *Attila* et après deux « comédies héroïques », Corneille revient à la tragédie pour sa dernière pièce. Tragédie élégiaque qui voit la mort du héros, son refus de céder face à un État gouverné par la monarchie absolue, *Suréna* apporte une touche nouvelle dans l'œuvre du dramaturge. Mais plutôt que de rapprocher de Racine cette pièce d'une grande simplicité, d'une pureté de lignes et d'un ton inhabituel, il convient d'y voir un adieu en même temps qu'une réécriture de pièces antérieures (notamment de *Nicomède*), et de la lire dans la perspective de l'œuvre tout entière. Redécouverte depuis quelques années, elle avait été un échec à sa création.

Orode, roi des Parthes, doit son pouvoir à Suréna, son général. Celui-ci a défait les Romains tandis qu'Orode l'emportait sur le roi d'Arménie. Eurydice, la fille du roi vaincu, doit épouser Pacorus, le fils d'Orode ; mais elle nourrit pour Suréna un amour partagé et craint qu'Orode ne veuille lui donner sa fille Mandane. Elle demande à son amant de refuser (Acte I). Pacorus craint qu'Eurydice ne l'aime pas ; il interroge Suréna, qui se dérobe, puis Eurydice, qui finit par avouer qu'elle aime ailleurs ; un tel comportement l'incite à différer leur mariage. Pacorus essaie de faire parler Palmis, la sœur de Suréna à laquelle il était autrefois promis (Acte II). Orode doit trop à Suréna pour ne pas le craindre ; son confident Sillace propose deux solutions : en faire son gendre ou l'éliminer. Le roi préfère la première. Mais Suréna refuse la main de Mandane et suggère que Pacorus épouse Palmis. Orode ne saurait s'en contenter et interroge Palmis pour connaître l'amant d'Eurydice (Acte III). Palmis presse Eurydice d'épouser Pacorus et d'inciter Suréna à épouser Mandane. Eurydice s'y refuse, en dépit des propos menaçants de Pacorus. Quand ce dernier le menace ouvertement, Suréna dit attendre la mort, sûr de sa gloire (Acte IV). Orode parle d'exiler Suréna ; Eurydice accepte d'épouser Pacorus mais exige un délai, que le roi refuse. Suréna se prépare à partir et à mourir, ne pouvant supporter l'idée qu'Eurydice soit à un autre ; elle affirme vouloir le suivre dans la mort. Palmis le presse en vain d'accepter Mandane. Suréna sorti, Eurydice cède finalement à Palmis et consent à épouser Pacorus. Mais on annonce la mort de Suréna, tué par des flèches décochées par une main inconnue au moment où il sortait du palais. Eurydice défaille. Palmis parle de vengeance (Acte V).

Corneille reprend le schéma du bonheur pastoral impossible qui marquait son théâtre dès ses premières pièces, mais il revient surtout sur les rapports entre le héros et l'État, thème récurrent de la plupart de ses œuvres depuis le *Cid. Suréna* est ainsi un texte chargé d'échos, qui renvoie à des pièces antérieures par des effets de miroir : par delà le sort de Suréna et d'Eurydice, c'est tout un théâtre qui trouve ici sa fin, c'est toute une conception de la gloire et de sa place dans le monde qui fait naufrage. Adieux pessimistes dans une tragédie crépusculaire qui dit l'élimination (inévitable ?) du héros par l'État pour mieux souligner l'évolution (inéluctable ?) de celui-ci.

Nul ne doute vraiment que le roi suive la pente du machiavélisme : la seule question est de savoir jusqu'où il ira. Or la présence de Pacorus redouble et infléchit ce machiavélisme, pour le dénaturer : le fils fait de la raison d'État un alibi pour son intérêt propre – avec lui, futur souverain, se dessine l'ultime décadence du pouvoir. Le machiavélisme n'est même plus discuté d'un point de vue politique : il n'est plus un moyen de régner, mais l'instrument des passions. Nul, du côté du pouvoir, n'a vraiment le souci ou l'intelligence de l'État : l'ingratitude d'Orode est aussi aveuglante car la mort de Suréna met l'État en péril. Contrairement à d'autres pièces, le roi est un souverain dont personne ne conteste la légitimité, qu'aucune guerre ne menace : rien ne devrait troubler son jugement. La question qu'il se pose n'en a que plus de force et acquiert une dimension quasi théorique : que faire d'un sujet trop puissant ? Pour que le cas soit plus exemplaire encore, il fallait que Suréna soit un sujet parfaitement fidèle, qui n'envisage jamais la moindre révolte : il n'est coupable que d'exister. « Mon vrai crime est ma gloire, et non pas mon amour », dit-il lucidement (V, 3) : la rivalité amoureuse avec Pacorus n'est qu'un épiphénomène qui importe aussi peu que la personnalité même du héros. Il doit périr car il est de trop, et constitue aux yeux du roi un risque (pourtant inexistant) et une insupportable preuve du manque de gloire de celui-ci. Dès lors, et Suréna lui-même le souligne, toutes les discussions autour des mariages sont vaines : Orode craindrait encore son gendre et la seconde solution proposée par Sillace à l'acte III s'imposerait à son esprit.

Rien de plus tragique, en ce sens, que cette pièce où la mort du héros, si elle n'est pas décidée dès le début, est impliquée d'entrée. L'absence de tout monologue délibératif ne tient pas seulement à des raisons dramaturgiques : elle est significative de cette tragédie où les uns interrogent et les autres réaffirment ce qu'ils sont. Pas de grande scène où tous les protagonistes seraient réunis : pas plus de trois personnages en scène à la fois – et toujours l'on presse, l'on questionne, l'on poursuit au cœur de l'intimité. La pièce baigne dans un climat de persécution auquel font face le calme de Suréna et la détermination d'Eurydice. Les menaces du roi et de son fils, le ton inquisitorial de Pacorus ne font que désigner la dérive policière d'un État qui veut tout régenter, régner sur les cœurs, parvenir à une maîtrise absolue des individus : le secret de ces amours dissidentes est insupportable. Pacorus aime-t-il vraiment Eurydice ? Peu importe et Palmis, « fiancée » rejetée, est le signe vivant d'une première infidélité, d'un manque de foi dont Suréna, dans un autre ordre, sera la seconde victime : Pacorus veut qu'on l'aime, non pas seulement qu'on obéisse, quitte à délaisser ensuite celle qu'il aura vaincue. Vaincre une résistance en exigeant qu'ils n'aient nul secret, nulle intimité, nulle conscience propre, nulle grandeur : les âmes nobles doivent s'avilir, se dénaturer – le pouvoir absolu veut

éliminer ce qu'il ne possède pas et marquer les esprits de son empreinte. L'assassinat de Suréna en constitue une preuve. Les gardes qui faisaient du palais une prison à l'acte IV disparaissent, mais la sortie ménagée n'est qu'un leurre : contrairement à *Nicomède*, sortir de scène, ici, c'est mourir – c'est sortir de l'espace royal, d'une cour-prison, évasion payée de mort. L'assassin restera sans nom ni visage : il est né de ce pouvoir dont il manifeste la nature dégradée. Palmis avait vu juste lorsqu'elle disait qu'un courtisan pourrait tuer pour plaire au prince... Ne sont donc admis que ceux qui se plient à ce monde sans morale, sans droit. Par une ironie que Suréna souligne involontairement avant d'aller au trépas, l'État ne peut l'éliminer qu'en se mettant en danger. Ce n'est plus, comme dans l'origine mythique de l'État (voir *Horace*), un parricide fondateur : c'est l'État qui manifeste son pouvoir absolu en s'affaiblissant lui-même. Une sorte de suicide, dont les conséquences tarderont peut-être à advenir, mais par lequel s'inaugure l'effondrement d'une machine monstrueuse qui se détruit elle-même.

Face à elle, Palmis est seule à croire encore à la soumission et au compromis. Déjà trahie par Pacorus, elle se débat pour sauver son frère, presque malgré lui ; tout se résume pour elle à la survie. Eurydice et Suréna, eux, refusent cet « instinct » ; c'est qu'ils ont tout à perdre : non pas leur amour (Eurydice est prête à accepter que Suréna en épouse une autre pourvu que ce ne soit pas Mandane : il se perdrait lui-même en cédant ; elle perdrait toute maîtrise sur lui), qui perdurera par-delà les mariages imposés, mais leur être même. Si Eurydice cède finalement, c'est du bout des lèvres, heureuse qu'il soit trop tard : elle peut mourir (ou seulement s'évanouir, ce qui symboliquement revient au même) sans pleurer, pour enfin se donner tout entière : « Généreux Suréna, reçois toute mon âme. » Personnage omniprésent (sauf dans cet acte III tout entier tendu vers la rencontre entre Orode et Suréna, au centre de la pièce), elle porte un nom symbolique qui fait d'elle une « ombre » déjà marquée par le destin, que son amant ne peut rejoindre que dans la mort.

Tragédie du refus, *Suréna* est plus encore une tragédie du retrait : parce que les amants ne peuvent vivre en ce monde cette liberté des sentiments que Suréna revendique hautement face à Pacorus (IV, 4), ils n'ont plus qu'à s'en retirer pour préserver cette liberté, leur amour et leur gloire. En des vers célèbres (I, 3), Suréna nie tout prix au sang, à la lignée, à cette gloire même qui s'évanouira avec lui ; Eurydice a beau contester : c'est le héros lui-même qui se retire du champ politique et du champ social pour s'abandonner à l'amour. Il ne peut donc que reprendre les mots d'Eurydice qui scandent toute la scène : « Toujours aimer, toujours souffrir, toujours mourir. » Reste à en accepter l'augure et à en vivre l'accomplissement, dans la sérénité et la constance qui siéent à sa grandeur préservée – « La tendresse n'est point de l'amour d'un héros », dit-il en sortant (V, 3). Avec lui meurt une éthique : la « générosité » accède à l'immortalité d'une stèle qui lui sera déniée, à une immortalité qu'il a lui-même par avance dénoncée comme illusoire. Ne subsiste qu'un couple héroïque resté lui-même pour avoir résisté à la tentation de survivre, une scène où le vide s'est fait, un champ clos où l'État se consuma de lui-même. Palmis constate que les dieux se sont retirés de ce monde du crime, et Corneille lui réserve le dernier mot : le cri de la vengeance. Lorsque le droit est perverti, on ne peut lutter qu'en recourant à des principes antérieurs à l'État : il porte en lui sa propre régression. D'un côté, l'apothéose d'un couple qui emporte avec lui tout un monde, de l'autre une lumière blafarde où s'élèvent les appels à la vengeance de Palmis, imprécations d'un autre âge – celles d'une Médée sans pouvoir.

● Mont-de-Marsan, J. Feijoo, 1989 (p.p. J. Sanchez). ➤ *Œuvres complètes*, « Pléiade », III.

D. MONCOND'HUY

SURMÂLE (le). « Roman moderne » d'Alfred **Jarry** (1873-1907), publié à Paris aux Éditions de la Revue blanche en 1902.

Brouillé avec le *Mercure de France*, Jarry avait trouvé auprès des rédacteurs de *la Revue blanche* un soutien efficace, aussi bien pour publier des livres (**Messaline* en 1901) que pour un travail régulier de chroniqueur : les « spéculations », plus tard réunies dans *la *Chandelle verte*, y parurent à partir de janvier 1901. À sa manière, *le Surmâle* peut d'ailleurs être lu comme une longue « spéculation » où Jarry tente de répondre à la question : qu'est-ce qu'un homme ?

> André Marcueil, être falot et fragile, reçoit des amis en son château de Lurance. La conversation porte sur la limite des forces humaines en amour : combien de fois en un jour ? On évoque des exploits mythologiques. Marcueil soutient que les soixante-dix fois attribuées par Théophraste à un Indien n'ont rien d'impossible. On se récrie ; seule la jeune Ellen Elson confie à Marcueil : « Je crois à l'Indien. »
>
> Le père d'Ellen, le savant William Elson, organise une course pour démontrer les vertus de son invention, le *Perpetual-Motion-Food*, aliment miraculeux qui doit permettre à cinq coureurs montés sur une quintuplette, de battre une locomotive sur dix mille milles. Ils y parviennent, mais sont eux-mêmes battus par un mystérieux coureur solitaire et prodigieux, le « Pédard » (en qui l'on devine Marcueil).
>
> À ses hôtes du premier jour, Marcueil annonce qu'il a découvert l'« Indien » capable de battre les records amoureux. Il organise cet exploit chez lui, sous contrôle scientifique. L'Indien n'est autre que lui-même maquillé, tandis qu'Ellen remplace les prostituées convoquées. Au-delà du chiffre atteint (82), « quittes de ce pari », ils s'aiment enfin – pour le plaisir.
>
> Découvrant la puissance surhumaine de Marcueil, et constatant que sa fille l'aime, Elson construit une machine qui soumettra le surmâle : la machine à inspirer l'amour. On y affronte Marcueil, mais en un prodigieux retournement, « c'est la machine qui devint amoureuse de l'homme ». Esprit pratique, le savant veut récupérer l'énergie du surmâle ; mais la machine alors devient folle et Marcueil meurt dans des conditions horribles. Quant à Ellen, guérie, elle se marie.

Le livre s'ouvre sur un provocant aphorisme lancé par Marcueil : « L'amour est un acte sans importance puisqu'on peut le faire indéfiniment. » Énoncée par un être au physique apparemment chétif et maladif, cette formule est un défi à ceux qui prétendent savoir ce qu'il en est de l'homme ; et tout le livre démontre qu'il ne peut se saisir que dans le dépassement de ses limites supposées, tant la force du désir et la puissance de l'imagination ont la capacité de nous emporter au-delà de nous-mêmes.

Cette exigence, Jarry la montre de façon extraordinairement concrète dans un roman qui est sans doute son livre le plus immédiatement lisible : le style est dépouillé de l'hermétisme de son roman précédent, *Messaline*. Du sujet « osé », des scènes – qui pourraient être scabreuses – du record amoureux, Jarry n'esquive jamais l'audace ; mais l'anecdote ne dissimule jamais non plus l'enjeu poétique et, pour ainsi dire, philosophique de l'entreprise. Une seule chose est proscrite, presque totalement : le sentiment, source habituelle, aux yeux de Jarry, de tant d'abjection et de mauvaise littérature. En cela, Ellen et Marcueil « prennent à revers toute la tradition amoureuse », et cette remise en cause de « l'amour et l'Occident » explique la conclusion dégagée, où l'on voit Ellen, « guérie », épouser le premier venu, et donc survivre à la mort de Marcueil. Mais la mort grandiose et tragique de celui-ci n'est pas davantage liée à l'amour. Jarry spécifie très clairement que l'existence même du surmâle est intolérable à la société dont il menace l'équilibre et la plus sainte des institutions, le mariage (avec enfants, naturellement !), d'autant plus que Marcueil prend soin de ne pas mêler acte amoureux et procréation.

Dégageant ainsi l'amour des implications et habitudes où notre civilisation l'a englué, c'est l'homme que Jarry redéfinit : l'homme comme un possible toujours à explorer, comme un être qui ne sait pas encore qui il est, ce qu'il peut devenir s'il ne se renie pas, s'il ne cesse pas de penser et d'aller au bout de lui-même. Précaution (pour ne pas désespérer) ou ironie, Jarry place son roman dans l'avenir : il le publie en 1902, l'action se passe en 1920...

De tous ses livres, exception faite d'**Ubu roi*, *le Surmâle* est celui qui connut la meilleure diffusion et presque le succès. Jarry en réalisa une adaptation scénique qui ne fut jamais jouée et dont, mystérieusement, n'est connue qu'une traduction italienne. En 1980, Jean-Christophe Averty donna du *Surmâle* une version télévisée.

● Losfeld, 1977 (p.p. T. Foulc) ; Ramsay / J.-J. Pauvert, 1990 (p.p. A. Le Brun). ➤ *Œuvres complètes*, « Pléiade », II (p.p. P. Besnier).

P. BESNIER

SURNATUREL (le). Voir MÉTAMORPHOSE DES DIEUX (la), d'A. Malraux.

SURPRISE DE L'AMOUR (la). Comédie en trois actes et en prose de Pierre Carlet de Chamblain de **Marivaux** (1688-1763), créée à Paris à la Comédie-Italienne le 3 mai 1722, et publiée à Paris chez la Veuve Guillaume en 1723.

Premier chef-d'œuvre de Marivaux, et vraie naissance du marivaudage bien compris, *la Surprise de l'amour*, au titre canonique, servait dès 1725 de banc d'essai aux acteurs qui voulaient entrer dans la troupe italienne. Elle s'étiole pourtant aux Italiens au bout d'une vingtaine d'années, et les comédiens-français l'excluent jusqu'au XXᵉ siècle (1938) de leur répertoire, au profit de *la *Seconde Surprise de l'amour*, écrite pour eux en 1727.

> Lélio, singé par Arlequin, médit des femmes ; la Comtesse, qui trouve l'espèce masculine « plus comique que haïssable », lui propose donc de se voir en amis, au grand amusement du Baron, qui leur prédit la fin de leur double « fanatisme », et de Colombine, qui entreprend leur conversion à des sentiments plus doux (Acte I). La Comtesse décidant brusquement de traiter par lettre une affaire de voisinage, Lélio s'emporte, avant d'entamer avec la Comtesse une longue conversation aigre-douce (Acte II). Colombine pousse la Comtesse au quasi-aveu de son amour avant de s'attaquer à Lélio (« Je ne sais où je suis ») tandis qu'un portrait, dérobé par Lélio à l'acte II, cristallise l'aveu réciproque et public, sanctionné par des mariages (Acte III).

Voilà donc, ramenée au pur pouvoir du seul langage, la première figure de la dramaturgie marivaudienne – la surprise de l'amour, dont le critique du *Mercure* remarque finement, en août 1723, qu'« on ne sait si le nom de *Surprise* est actif ou passif, c'est-à-dire si c'est l'amour qui surprend, ou qui est surpris ». L'amour ne surprend pas ici, comme dans **Arlequin poli par l'amour*, des cœurs ignorants et naïfs qu'il éveille au monde et à la conscience de soi. C'est de l'expérience, de la méfiance, du ressentiment, qu'il doit triompher, et qu'il triomphe, comme dans tout le théâtre de Marivaux, pour accomplir les fins de la nature et désarmer les dogmatismes fanfarons et stériles. Mais il y a du panache, qu'un Musset orchestrera romantiquement, dans les sorties du mélancolique Lélio contre les femmes, et dans l'ironie décapante de la Comtesse (I). Si l'amour surprend ces cœurs dressés contre l'amour, c'est à la faveur de la surprise de trouver en l'autre un double inattendu, qui se dérobe à l'amour et humilie notre insatiable amour-propre : « De qui dans la vie veut-on se faire aimer ? de ceux qui ne se soucient pas de nous », dira Marivaux dans *l'Indigent philosophe* (voir **Journaux*). Mais l'amour-propre ne peut jouer ces tours aux âmes de qualité qui se veulent hors du lot commun qu'en captant l'énergie de l'universel désir : désir d'aimer, désir de plaire, renversé en dégoût de l'amour... faute d'un partenaire estimable, c'est-à-dire flatteur. Le comique marivaudien rabat le caquet de ceux qui veulent faire l'ange, sans les rendre bêtes : des amours rustiques (Pierre, le jardinier de la Comtesse, et Jacqueline, la servante de Lélio) aux amours subtiles, en passant par les liaisons domestiques

(Arlequin et Colombine), la sagesse est peut-être du côté de la simplicité. Mais la qualité ? Le comique de Marivaux a cette rare vertu d'ignorer radicalement la démagogie, et cette forme si répandue de l'orgueil : la rancune de l'auteur contre ses personnages, au nom d'on ne sait quel arrière-monde.

● « Le Livre de Poche », 1991 (p.p. F. Rubellin). ➤ *Théâtre complet*, « Classiques Garnier », I ; *id.*, « Pléiade », I.

J. GOLDZINK

SURSIS (le). Voir CHEMINS DE LA LIBERTÉ (les), de J.-P. Sartre.

SURVIVANT (le). Roman de Jules **Supervielle** (1884-1960), publié à Paris chez Gallimard en 1928.

Ce roman est la suite du **Voleur d'enfants*, paru deux ans plus tôt chez le même éditeur. Selon le principe du rebondissement feuilletonesque, Supervielle ménage de nouvelles aventures au colonel Philémon Bigua, qui par désespoir d'amour s'était jeté dans l'Atlantique à la fin du *Voleur d'enfants*.

Première partie. Bigua, qui semble se résoudre difficilement à la mort, nage fougueusement et finit par être sauvé : un membre de l'équipage l'a vu tomber à la mer. Tout le monde, et sa famille au premier chef, feint de croire à la version de l'accident. À Montevideo, le colonel retrouve sa mère, Misia Cayetana, ainsi que ses frères et sœurs. La famille uruguayenne ne tarde pas à s'inquiéter du comportement étrange du colonel à l'égard de Marcelle, sa « fille adoptive ». Bigua, pour conjurer son propre trouble, veut croire de toutes ses forces à l'idée d'un mariage prochain entre Marcelle et Joseph, fils adoptif qu'il avait chassé au cours du roman précédent. Mais Marcelle dédaigne Joseph, qui finit par retourner en France. Alors que l'ambiance familiale s'alourdit, Bigua est invité par sa mère à passer quelques jours dans la propriété d'un ami. Au cours d'un entretien douloureux, Misia Cayetana apprend à Desposoria, l'épouse de Bigua, que la stérilité du couple est uniquement imputable au colonel, contrairement à ce que tout le monde avait cru jusque-là.
Deuxième partie. Au retour de Bigua, Marcelle a disparu. Le colonel, sourdement gagné par la colère et le désespoir, affiche néanmoins l'indifférence et ne demande aucune nouvelle de la jeune fille. Une nuit, sa femme lui révèle que c'est Misia Cayetana qui a combiné son départ. Accompagné de Desposoria et de ses fils adoptifs, il gagne alors Montevideo sur sa propriété principale, où il apprend qu'il est ruiné. Tandis que Desposoria regagne la ville, il s'engage comme péon et doit subir les assauts amoureux de sa patronne. Puis il repart pour une propriété qu'il découvre avec surprise lui appartenir encore. Un jour qu'il se rend à Rivera, la ville la plus proche, il entend dans un hôtel la voix de Marcelle et celle d'un homme : la jeune fille part pour le Brésil. Quelques jours plus tard, Desposoria rejoint son mari : Bigua hésite à s'avancer et, « de joie baisse la tête sur le perron de sa demeure ».

L'ensemble constitué par *le Voleur d'enfants* et *le Survivant* s'organise comme un diptyque nettement contrasté : au paysage urbain de Paris s'oppose le déroulement infini de la pampa (« Où allait-il sur cette route interminable ? »), et la déréliction affective combinée à l'effondrement du statut social succède à la stabilité de l'ancrage bourgeois. Mais ces contrastes n'empêchent pas la profonde continuité entre les deux romans. *Le Survivant* développe jusqu'à son terme ruineux un processus de fissuration des apparences déjà largement amorcé dans *le Voleur d'enfants*. L'ordre familial ne maintient en effet sa cohésion qu'au prix d'un entrelacs de silences, de mensonges et d'esquives : « Maman, toi qui es là tout près de moi, tu ignoreras toujours, n'est-ce pas, que je me suis jeté à la mer. » À cet égard, la présence de Marcelle et les regards que lui jette Bigua constituent une évidence massive et scandaleuse, que le langage des relations familiales ne peut énoncer ni même prendre en compte : des tactiques de contournement se mettent alors en place, dont le seul

effet est de rendre plus palpable l'angoisse qu'elles prétendent faire oublier.

Tout l'enjeu du roman sera donc la recomposition d'une famille que le désir du « père » pour sa « fille » a lentement corrodée et conduite au bord de la destruction. La dernière partie du *Survivant* peut être lue comme un processus de rachat : si Bigua n'a pas abandonné, dans son errance, l'espoir de retrouver Marcelle, la succession de ses épreuves et leur dimension douloureusement charnelle ont valeur de rédemption. Marcelle n'est plus, dans l'avant-dernier chapitre, qu'une voix entendue à travers une cloison, une fuyante présence que le colonel ne cherche plus désormais à rejoindre : épisode qui fait écho, sur le mode de l'apaisement, à celui où Bigua, dans l'appartement parisien, écoutait la jeune fille se coucher et luttait rageusement contre le désir d'entrer dans sa chambre.

La tentation de l'inceste n'aura pas été seulement négative : elle aura détruit les faux-semblants, les rituels creux et les simulacres dont se nourrissait le « roman familial ». Destruction incomplète, sans doute : Bigua n'apprendra vraisemblablement jamais qu'il est stérile, et Desposoria ne saura pas la profondeur de la passion que son époux a vouée à Marcelle. Quelle famille saurait affronter sa propre vérité dans une entière nudité ? Mais une refondation du groupe est possible dès lors que son chef a traversé et surmonté un vertige où il s'est défait de toutes les sécurités mensongères.

● « Folio », 1981.

P. MARI

SUZANNE. Voir POÈMES, d'A. Chénier.

SUZANNE ET LE PACIFIQUE. Roman de Jean **Giraudoux** (1882-1944), publié à Paris en feuilleton dans la *Revue de Paris* du 1er décembre 1920 au 15 janvier 1921, et en volume chez Émile-Paul en 1921.

Après **Simon le Pathétique*, Giraudoux semble poursuivre l'exploitation de la veine autobiographique, puisque Suzanne est le prénom de la jeune femme qu'il épouse en 1921 et à qui il écrit : « Je vais faire un roman sur toi. » Pourtant l'œuvre est surtout, pour reprendre l'expression de Genette, un « palimpseste », une réécriture parodique de *Robinson Crusoé*, roman de Daniel Defoe publié en 1719, « surprenantes aventures » d'un marin écossais qui, à la suite d'un naufrage, passe vingt-huit ans sur une île déserte. L'immense succès du récit a entraîné toute une série de « robinsonnades » ; à l'époque où écrit Giraudoux l'intérêt pour le sujet n'était manifestement pas encore épuisé...

Suzanne, l'heureuse gagnante d'un concours, quitte Bellac pour l'Australie (chap. 1). Après avoir fait étape à Paris (2), elle embarque sur l'*Amélie-Cécile-Rochambeau* qui fait naufrage (3). Unique rescapée, elle mène une vie d'« oisive et de milliardaire » sur une île à la végétation luxuriante, peuplée d'innombrables oiseaux (4). Nue comme Ève dans ce paradis, elle retrouve l'innocence perdue par les civilisés (5-6). Pour lutter contre la solitude, Suzanne goûte aux « plaisirs défendus » des rêves ; mais c'est sa modeste culture qui la sauvera de la folie (7). Des coups de canon, des cadavres échoués sur la grève viennent lui apprendre que le monde est en guerre (8-9) et, un beau jour, quatre marins débarquent enfin ; la jeune fille pleure pourtant en quittant l'« île Suzanne » où elle a vaincu « les démons de Polynésie, les terreurs et l'égoïsme ». Rentrée en France, elle y rencontre l'incarnation de la stabilité et de la sagesse : le « Contrôleur des poids et mesures » (10).

Giraudoux ne s'est pas contenté de pasticher Robinson, il en a pris le contre-pied : pour Suzanne, l'Écossais est « le seul homme peut-être, tant je le trouve tâtillon et superstitieux, que je n'aurais pas aimé rencontrer dans une île » car « ce puritain accablé de raison » l'« encombre [...] de pacotille et de fer-blanc ». C'est en suivant au contraire le modèle de Vendredi qu'elle vit dans la nature sans chercher à la transformer, en appréciant tous ses dons que l'auteur énumère non sans humour : « L'arbre pain, l'arbre lait [...], des herbes qu'on devinait légumes [...], des fleurs [...] qui avaient goût de porcelet, qui étaient nourrissantes. Tout le luxe était là, tout le confort que peut se donner la nature », eau chaude, eau froide, bijoux, toilettes et parfums. Michel Tournier reprendra cette démonstration dans *Vendredi ou les Limbes du Pacifique* (1967). *Suzanne et le Pacifique* est donc un apologue, illustrant la supériorité de la nature sur la civilisation matérielle, mais aussi un roman d'éducation.

Car la jeune fille, avant de rencontrer l'homme qui fera son bonheur, le Contrôleur des poids et mesures, personnage qui réapparaîtra dans *Intermezzo*, doit vaincre la solitude et l'égoïsme, éviter les pièges du rêve, « redécouvrir en même temps que l'écriture et le langage, l'éventail des sentiments humains ». Pour ce faire, elle exhume de sa mémoire défaillante de solitaire les noms de la langue française, et surtout « ces grands noms d'auteurs et de héros », « Mallarmé, Claudel et Rimbaud », Racine ou Musset », « Phèdre, Tristan et Yseult », et essaie de « deviner ce qu'ils dissimulent ». Cette gymnastique intellectuelle lui permettra de comprendre et d'aimer « ses confrères les hommes » et de découvrir ainsi le sens véritable de la culture – morale optimiste de lettré !

● Grasset, 1980. ➤ *Œuvres romanesques complètes*, « Pléiade », I (p.p. L. Gauvin).

D. LORENCEAU

SUZANNE ET LES JEUNES HOMMES. Voir CHRONIQUE DES PASQUIER, de G. Duhamel.

SYLPHE (le), ou Songe de Mme de R*** écrit par elle-même à Mme de S***. Dialogue de Claude Prosper Jolyot de **Crébillon**, dit Crébillon fils (1707-1777), publié à Paris chez Delatour en 1739.

Ce n'est pas sans un certain émoi qu'on ouvre le premier ouvrage de Crébillon : moins de trente pages où s'esquissent les principaux thèmes de son œuvre, et où s'affiche son goût de l'expérimentation formelle, puisque le *Sylphe* se veut à la fois lettre et récit encadrant le corps du texte – le dialogue de la comtesse dénudée et du Sylphe tentateur. Récit personnel, dialogue, lettre, Crébillon explorera avec brio ces trois grands modes de la parole subjective, pour mettre en scène les égarements du cœur et de l'esprit, les ruses de la séduction, l'éternel jeu des sexes.

Par une chaude nuit d'été, une jeune comtesse encore vertueuse lit un livre de morale, quand elle entend une voix soupirer : « Ô Dieu ! que d'appas ! Ô mortels ! Êtes-vous faits pour la posséder ! » C'est un Sylphe invisible qui entreprend de la séduire, en se servant de son pouvoir « un peu dangereux » : celui de savoir « tout ce qui se passe dans le cœur d'une femme » et de satisfaire tous ses désirs secrets. Au terme du dialogue, elle voit à ses pieds le plus bel homme du monde, mais une femme de chambre le fait s'envoler.

Le songe fait mieux ici que gazer le discours libertin. Il dit le travail, en tout cœur humain, du désir, d'où le choix d'une jeune femme sensible et délicate, retirée à la campagne, loin des divertissements harassants de la capitale. Il dit aussi le travail de l'imagination, indispensable à l'économie du libertinage, mais qu'il n'est pas interdit d'interpréter également comme une figure de la lecture et de ses plaisirs imaginaires : « Oui, madame, ce sont des songes, mais il en est dont l'illusion est pour nous un bonheur réel, et dont le flatteur souvenir contribue plus à notre félicité que ces plaisirs d'habitude [...] qui nous pèsent au milieu même du désir que nous avons de les bien goûter. » On le sait, le libertinage a toujours partie liée avec l'ennui et le dégoût, aspire à la nouveauté par la maîtrise du savoir, et donc de la répétition. Car la femme, derrière la multiplicité de ses visages (la vertueuse, la voluptueuse, la délicate, l'indolente, la curieuse, la vaine, l'avare, l'ambitieuse, la coquette...), qui appellent la « recherche opiniâtre de l'amant », relève aussi d'une seule et même nature : « Toutes les femmes ont la même façon de penser, les mêmes mouvements, les mêmes désirs, la même vanité et, à peu de chose près, les mêmes réflexions, et ces réflexions toujours faibles quand il s'agit de combattre le penchant. » Inlassable unité et nécessaire diversité : ce tracas, on le devine, intéresse encore plus l'écrivain que le libertin. Mais rien ne dit que la succession des livres et la gloire des « listes » ne laisse pas au fond du cœur le même goût de cendre, et le même désir, absurde et vital, de recommencer. Une telle amertume n'éclatera vraiment que dans les *Égarements du cœur et de l'esprit*, mais elle s'inscrit nécessairement dans la dialectique contradictoire du libertinage, dont Crébillon trace ici les premières et charmantes figures. Il reste évidemment au lecteur à deviner le caractère de la narratrice, et la clé qui a permis au Sylphe de s'ouvrir son cœur !

● Gallimard, « Cabinet des lettrés », 1992. ➤ *Œuvres*, F. Bourin.

J. GOLDZINK

SYLVIA. Récit autobiographique d'Emmanuel **Berl** (1892-1976), publié à Paris chez Gallimard en 1952.

Emmanuel Berl nous livre pêle-mêle ses souvenirs : ceux de sa famille, « une de ces familles françaises qui, à la fois, restent juives et ne le sont plus » ; ceux, plus douloureux, de l'antisémitisme dont il a eu très tôt à subir les effets. Il s'accuse d'avoir été un mauvais fils, d'avoir condamné son père pour infidélité envers sa mère au moment où celui-ci était déjà à l'article de la mort. Après son entrée à Normale supérieure, il est atteint de tuberculose et accumule les échecs concertés et les actes manqués. En cure à Évian, il rencontre Sylvia. À travers elle, il retrouvera des moments de son enfance et de son adolescence (chap. 1). Il cherche coûte que coûte à cultiver le souvenir de Sylvia et la rapproche d'une œuvre littéraire, celle de Goethe. Mais la guerre de 1914-1918 dissipe le souvenir de sa maîtresse. À son retour à Paris, en 1917, Berl vit une « sorte d'amitié » avec Marcel Proust, qui le tyrannise, et fait la connaissance de Drieu la Rochelle, qui deviendra son meilleur ami (2). De retour en Corrèze, en 1948, il s'indigne : comment les agents de Vichy, dont beaucoup ont été ses camarades, ont-ils pu tolérer les cruautés qu'ils ont laissé accomplir ? Après avoir pris la politique en aversion, Berl retrouve Sylvia en qui il redécouvre la tendresse des premiers instants (3).

Livre de souvenirs sentimentaux, littéraires et politiques, *Sylvia* marque l'étonnante propension de Berl à l'autodestruction. « Au-dedans de moi tout est sec. Mon existence est souillure, doublement car je souille dans la mesure même où j'existe et j'existe dans la mesure où je souille. » Il s'en veut de s'être agrippé désespérément au *Phédon* de Platon alors que son père agonisait, il se sent coupable de divers méfaits et se reproche de n'avoir aimé Sylvia que dans la mesure où celle-ci ressemblait à sa mère. Il subit dans les tranchées l'expérience des « contradictions répugnantes de la peur » et stigmatise l'« origine dégoûtante de nos oublis incompréhensibles ». À ce titre, cet ouvrage mériterait d'être mentionné dans une anthologie de la pensée existentialiste. L'homme qui écrivit : « Ne suis-je qu'une collection de faussetés ? », toucha de nombreux écrivains, de Mauriac à Nimier. Berl prend un plaisir non dissimulé à dresser de lui une série d'autoportraits dénigrants : « Séparé des uns par ma race, des autres par ma nature, brouillé avec ma famille, séparé de la droite par mon dégoût de la bêtise, et de la gauche par mon dégoût du mensonge, chassé des beaux quartiers par ma répugnance aux fascismes, et des quartiers ouvriers par

SYMPHONIE PASTORALE (la)

ma méfiance du communisme. » L'autopsie de son milieu familial se double aussi d'une obsession de l'amour et de la mort, et sa « flaccidité » intellectuelle n'est qu'à peine corrigée par la présence de Sylvia, « à la fois vivante et mourante ». Chateaubriand s'inventait une Sylphide pour vivre ses désirs par procuration : Berl refuse ses pulsions charnelles en raison de ses « certitudes vaines ». Même sa rencontre avec Proust, à qui il rend fréquemment visite, est ressentie comme un échec cuisant : pourtant admiratif de l'œuvre et de l'homme (qui déclare, face à sa pile de notes : « Il faut qu'elle croisse et que je diminue »), Berl trouve Proust « faux jusqu'à l'absurde » car ce dernier parlait de Sylvia « comme si elle m'eût infecté ». Cette confession d'un enfant du siècle qui ne montre aucune complaisance dans le réquisitoire contre lui-même, est également un document inestimable sur l'époque. Insolente dans son exhibitionnisme, cette thérapeutique de délivrance valut à Berl sa réputation d'humaniste. Car sa pensée ondoyante et son écriture classique restent limpides, même dans les tourbillons complexes de ces souvenirs qu'il triture en tous sens pour en vérifier les contours.

● « Folio », 1972.

P. GOURVENNEC

SYLVIE (la). Tragi-comédie pastorale en cinq actes et en vers de Jean **Mairet** (1604-1686), sans doute créée à Paris au théâtre de l'hôtel de Bourgogne en 1626, et publiée à Paris chez Targa en 1628.

Après sa première pièce, une tragi-comédie inspirée de l'*Astrée*, Mairet s'engage résolument dans la voie de la pastorale avec sa *Sylvie*, dernier chef-d'œuvre du genre, où perce le souvenir des *Bergeries* de Racan et plus encore du *Pyrame et Thisbé* (voir les *Amours tragiques de Pyrame et Thisbé*) de Théophile de Viau. La pièce connut un succès considérable, dû sans doute davantage au lyrisme galant et au spectaculaire dernier acte qu'à l'aspect politique de l'œuvre.

Florestan, prince de Candie, tombe amoureux de Méliphile, fille du roi de Sicile, en voyant son portrait sur un écu ; il s'embarque aussitôt pour la rencontrer. En Sicile, Sylvie, une bergère, et Thélame, le fils du Roi, se disent leur amour dans un cadre champêtre (Acte I). Mais le père de Sylvie ne peut croire que Thélame veuille épouser sa fille ; il décide de la donner à Philène, un soupirant éconduit, en dépit de l'hostilité de sa fille et de son épouse (Acte II). Philène fait croire à Sylvie que Thélame lui est infidèle ; brouille des deux jeunes gens (Acte III), bientôt réconciliés. Mais le Roi veut marier son fils à une princesse étrangère et fait arrêter Sylvie (Acte IV). Arrivant en Sicile, Florestan apprend que le Roi a eu recours à la magie contre Thélame et Sylvie : chacun croit l'autre mort et se répand en lamentations ; l'enchantement ne pourra être levé que par un chevalier qui sortira victorieux d'une épreuve – et gagnera la main de Méliphile. On assiste au délire des deux amants, à la victoire de Florestan contre les « démons ». Le Roi avoue sa faute ; Thélame épousera Sylvie, et Florestan Méliphile (Acte V).

Ni la trame générale de la pièce, ni les obstacles à l'amour des jeunes gens (le père, à l'acte II ; le rival éconduit, à l'acte III ; le Roi, à l'acte IV) ne sauraient dérouter : en terrain connu, on goûte la virtuosité de l'échange (notamment dans cette *Comédie ou Dialogue de Philène et de Sylvie* publiée dès 1627, ici reprise – avec le titre de « Dialogue » – à l'acte I, scène 3, et longtemps admirée), le lyrisme de l'amour dans une nature au diapason, la sensualité parfois exprimée sans détour. Victimes d'un sort que le Roi a fait jeter sur eux et qu'il ne maîtrise plus (métaphore d'une toute-puissance mal contrôlée), les amants sont plongés dans une folie passagère et croient l'autre mort. Il faut une voix surnaturelle pour les convaincre qu'ils sont en vie – on pense à l'*Hypocondriaque* de Rotrou. Il faut surtout le courage de Florestan pour les délivrer, au terme d'une scène des plus spectaculaires : assailli d'horribles visions et de « lamentables

cris », gravissant les marches qui le conduisent à la « glace enchantée », il est protégé par le bouclier portant le portrait de sa belle. L'amour rend donc vainqueur : Thélame et Sylvie l'emportent eux aussi contre les trop politiques desseins du Roi – un *Pyrame et Thisbé* (nettement démarqué dans le dernier acte) qui se terminerait bien... Le dénouement heureux atténue ce qui, dans cette pièce où l'on a voulu voir des allusions à l'actualité, en particulier au problème du mariage de Gaston d'Orléans, pouvait paraître « subversif » : le personnage du Roi, qui veut faire assassiner Sylvie (un conseiller le ramène à la juste clémence d'un souverain qui doit imiter ici-bas les actions de Dieu) et s'évanouit en entendant les cris des « démons », et surtout Thélame qui, non content de critiquer vivement la cour, son hypocrisie et ses courtisans, de la fuir en vivant l'amour dans la nature avec une pure bergère, affirme hautement qu'il refuse de sacrifier son bonheur à la raison d'État.

● STFM, 1905 (p.p. J. Marsan) ; « Pléiade », 1975 (*Théâtre du XVIIe siècle*, I, p.p. J. Scherer).

D. MONCOND'HUY

SYLVIE. **Souvenirs du Valois.** Voir FILLES DU FEU (les), de G. de Nerval.

SYMPHONIE PASTORALE (la). Roman d'André **Gide** (1869-1951), publié à Paris en feuilleton dans *la Nouvelle Revue française* les 1er octobre et 1er novembre 1919, puis en volume chez Gallimard la même année.

Composée après *les *Caves du Vatican*, la *Symphonie pastorale*, que Gide avait tout d'abord songé à intituler *l'Aveugle* et dont le projet a été conçu dans son esprit dès 1893, s'inscrit plutôt dans la continuité des ouvrages antérieurs. Tout comme *l'*Immoraliste*, la *Porte étroite* et *Isabelle*, la *Symphonie pastorale* est en effet, pour l'auteur, davantage un « récit » qu'un « roman » dans la mesure où l'histoire, rapportée à la première personne par le protagoniste qui l'a vécue, se concentre sur une intrigue simple et unique. En outre, ces quatre ouvrages sont des « livres "avertisseurs" [qui] dénoncent tour à tour les dangers de l'individualisme outrancier, d'une certaine forme de mysticisme très précisément protestant [...], du romantisme, et, dans *la Symphonie pastorale*, de la libre interprétation des Écritures » (lettre au R.P. Victor Poucel, 1929).

Le pasteur – le personnage n'a pas de nom dans le roman qui utilise sa fonction pour le désigner – recueille une jeune orpheline d'environ quinze ans, aveugle et, semble-t-il, totalement dépourvue d'intelligence. Il se consacre à l'éducation de l'enfant, dont il note les progrès dans son journal. Il lui apprend la beauté du monde dont la Symphonie pastorale de Beethoven, écoutée avec la jeune fille lors d'un concert, lui fournit la métaphore. Grâce aux soins attentifs du pasteur qui, se justifiant par la parabole de la brebis égarée, lui consacre plus de temps et d'attention qu'à ses propres enfants, l'aveugle, nommée désormais Gertrude, fait de rapides et spectaculaires progrès. Le pasteur finit peu à peu par comprendre, bien après sa femme, Amélie, et Gertrude elle-même, la véritable nature de son sentiment à l'égard de cette dernière : l'amour. Il interprète toutefois les Écritures d'une façon qui lui permet de ne pas juger cet amour coupable. Gertrude, grâce à une opération, recouvre la vue. Se rendant compte alors, elle qui voulait « être sûre de ne pas ajouter au mal », que le pasteur a abusé de son ignorance, et mesurant l'ampleur de la souffrance d'Amélie, elle se jette dans la rivière. Avant de mourir, elle révèle au pasteur qu'elle a compris, après avoir retrouvé la vue, que c'était son fils Jacques qu'elle aimait (le pasteur avait auparavant écarté celui-ci de Gertrude qu'il voulait épouser) et que tous deux ont abjuré la foi protestante pour se convertir au catholicisme.

Gide écrit dans ses *Feuillets d'automne* : « À la seule exception de mes *Nourritures*, tous mes livres sont des livres *ironiques* ; ce sont des livres de critique. [...] *La Symphonie pastorale* [est la critique] d'une forme de mensonge

1849

à soi-même. » Ainsi, le premier titre envisagé par l'auteur, *l'Aveugle*, aurait tout aussi bien pu désigner Gertrude, en raison de son infirmité physique, que le pasteur, en raison de son aveuglement moral. Plein d'une onction et d'une rhétorique très puritaines, son journal trahit son inconsciente hypocrisie. Il révèle en outre les nombreux préjugés et l'absence de véritable communication entre les êtres qui règnent au cœur d'une famille protestante modèle, et ce n'est pas sans doute un pur hasard si l'ouvrage a suscité l'indignation de bien des huguenots.

Composé en Suisse, dans le village de La Brévine, *la Symphonie pastorale* n'est pas dépourvue d'accents rousseauistes. La solennelle austérité du paysage montagnard est en harmonie avec le drame et celui-ci conte, à travers Gertrude, l'histoire d'un être proche de l'«état de nature». La cécité de la jeune fille va de pair avec une extrême sensibilité au monde qu'elle conçoit à l'image de la naïveté et de la pureté qui sont en elle. Le recouvrement physique de la vue est l'équivalent symbolique d'une expérience spirituelle : Gertrude comprend que le pasteur lui a peint « non point le monde tel qu'il était, mais bien tel qu'il aurait pu être, qu'il pourrait être sans le mal et sans le péché ».

À travers la tragédie du pasteur et de Gertrude, *la Symphonie pastorale*, comme nombre d'œuvres de Gide, explore l'écart qui sépare l'idéal de la réalité, les aspirations des faits. Dans un monde hanté par la faute et soumis à l'emprise médiocre des normes sociales, l'individu ne peut trouver que dans la mort, comme Gertrude, ou dans le renoncement, comme Jacques qui entre dans les ordres, la pleine et libre affirmation de son être.

● « Folio », 1972. ➤ *Romans, Récits et Soties [...]*, « Pléiade ».

A. SCHWEIGER

SYMPHONIES. Recueil poétique d'Oscar Vladislas de Lubicz-Milosz, dit O.V. de L. **Milosz** (1877-1939), publié dans le tome IV de ses *Poèmes* à Paris chez Figuière en 1915.

À mi-parcours de son chemin poétique, Milosz compose ces *Symphonies*, où la postérité reconnaîtra l'une de ses plus belles réussites. Il s'éloigne des accents alors surannés du symbolisme qui marquait ses premiers recueils (*le Poème des Décadences*, 1899 ; *les Sept Solitudes*, 1907), sans pour autant verser dans l'hermétisme gnostique et messianique auquel peut se rattacher la majorité de ses écrits ultérieurs. Toutefois certaines pièces des *Symphonies* portent déjà la trace de la nuit d'extase mystique (décembre 1914) où Milosz connut la révélation qui devait infléchir le reste de son existence et de sa production.

Le recueil est composé de cinq poèmes : "Symphonie de Septembre" (publiée dans la revue *l'Occident* en 1914), "Symphonie inachevée", "Symphonie de Novembre", "Insomnie", "le Chant de la Montagne". Leur longueur inégale – alternativement une pièce longue, puis une pièce courte – semble esquisser un rythme fondamental, un bercement, auquel fait du reste écho la structure métrique du dernier poème. Seuls les trois premiers textes se rattachent explicitement, par leur titre, à celui de l'ouvrage. Il serait néanmoins hâtif de conclure à une disposition aléatoire du recueil : si le thème majeur en est bien la profonde nostalgie d'un paradis perdu aux contours incertains, il laisse également percevoir un parcours, certes encore fragile, vers l'ascèse spirituelle et la reconnaissance des appels du sacré.

Les poèmes, multipliant apostrophes lyriques ou invocations élégiaques, créent une dramaturgie intime où se reconstitue une famille idéale, marquée par la nette prédominance des figures féminines : mère, sœur – et, selon une métonymie caractéristique de l'auteur, la maison. Le recueil offre d'ailleurs un terrain de choix à qui veut s'imprégner de la musique et de la poétique milosziennes, ces « moiteurs » douces-amères auxquelles il peut prendre envie de céder : y sont en effet récurrents les motifs de la

vie nocturne ou des premières heures de l'aube, des bois touffus, de la vieillesse humaine et de l'antiquité des choses, du cercueil, du livre fermé, de l'allée (allée glorieuse des souvenirs de l'enfance ou chemin solitaire conduisant à la mort). Offrant une motivation supplémentaire au titre du recueil, les bruits se trouvent particulièrement sollicités – même si c'est pour interrompre la « symphonie » des versets de « coups de hache » ou du « bruit glacé et creux des seaux à la fontaine ». Ce genre de détail, dont le prosaïsme même semble manifester la présence de l'au-delà, constitue un des points de rapprochement possible avec la manière claudélienne.

Hormis le dernier poème, où la montagne se fait métaphore d'une écriture inspirée et prophétique, les *Symphonies* donnent à lire ce qu'il n'est peut-être pas excessif d'appeler une crucifixion intérieure, entre un avant idéal – ou l'utopie d'un futur consolateur –, un maintenant frappé d'absurdité brute, voire brutale, et un « insatiable amour de l'homme » : c'est que les « rêves de pierre » auxquels s'aimante le discours sont marqués du double signe de l'impossible et de l'interdit. Une certaine ambivalence des motifs, qui mériterait étude (la figure maternelle, par exemple, étant liée à l'amour *et* à la mort), traduit le caractère aporétique de cette quête.

➤ *Œuvres complètes*, André Silvaire, II.

E. BALLAGUY

SYSTÈME DE LA NATURE ou Des lois du monde physique et du monde moral. Traité philosophique de Paul Henry Dietrich Thiry, baron d'**Holbach** (1723-1789), publié sous le nom de Mirabaud à « Londres » (en réalité Paris) en 1770.

D'origine allemande, d'Holbach hérite, d'un oncle anobli et naturaliste sous la Régence, le titre de baron. Après avoir vécu en Angleterre, il se fixe à Paris en 1748. Il y fréquente Diderot, qui lui est très proche, Helvétius, Raynal, Barthez, Beccaria, Hume, un peu Rousseau, qui se brouille avec lui. Son salon est un des plus célèbres. Engagé dans l'aventure de l'**Encyclopédie*, il écrit pour le grand œuvre au moins quatre cents articles de chimie, de métallurgie, de minéralogie dans lesquels il popularise la science allemande très avancée alors en ces matières. Autour de lui s'organise ce que les adversaires des Lumières appellent la « secte holbachique », lieu infâme où se fomente la lutte anticléricale sous sa pire forme : le matérialisme.

Tome premier. Du chapitre 1 au chapitre 5 sont exposées, sous la catégorie générale de nature, les lois qui régissent la matière, c'est-à-dire les lois du mouvement. À partir du chapitre 6 jusqu'à la fin du tome premier, se développe la théorie de l'homme comme être physique et être moral. D'Holbach traite alors de la vraie nature de l'âme, des facultés intellectuelles (il se prononce radicalement contre la théorie des idées innées), de l'éducation (thème qu'une philosophie sensualiste rencontre nécessairement), des intérêts qui poussent les hommes individuels et sociaux à agir, intérêts inséparables de la recherche du bonheur et de la vertu. Les chapitres 18 et 19 portent sur l'origine en nous des idées de divinité et amorcent la critique de toute mythologie ou théologie.

Le tome second traite du rapport des hommes au divin. D'Holbach examine les preuves de l'existence de Dieu pour en dénoncer la vanité. L'étude des formes religieuses (qu'elles prennent le nom de panthéisme, de théisme ou déisme) conduit à affirmer que ni la religion ni la théologie ne peuvent fonder la morale, qui dans sa forme naturelle est autosuffisante. La question se pose alors de la compatibilité de l'athéisme et de la morale.

Le texte s'achève par un « Abrégé du code de la nature ». On a pu attribuer ce texte terminal à Diderot, mais le doute demeure. Les idées essentielles de l'« Abrégé » auraient pu être effectivement soutenues par Diderot : la nature de la matière, la fonction de la morale naturelle, etc. Lorsque d'Holbach termine le *Système de la nature*, Diderot est en train d'écrire *le *Rêve de d'Alembert*. Il semble bien que la communauté d'idées sensible dans ces deux textes exprime simplement la proximité étroite des conceptions des deux philosophes, la réalité de leurs échanges intellectuels constants, sans qu'il soit possible de déterminer qui de l'un a pu écrire pour l'autre.

Dans l'édition de 1774 du *Système* fut joint un texte intitulé : *le Vrai Sens du système de la nature*. Ce texte est selon toute probabilité un ouvrage, publié à titre posthume, d'Helvétius.

Le but de D'Holbach est simple et ambitieux : ramener l'homme à la nature, le réconcilier avec la raison et la pratique d'une vertu inséparable de la possession du bonheur. Il s'agit d'une théorie vraie de la nature, fondée sur l'observation des faits, d'une théorie de la connaissance exacte de nos facultés, d'une théorie morale et politique visant à instaurer le règne de l'homme rendu à lui-même, le règne de l'homme nouveau à venir. Le *Système de la nature* est un traité de la libération de l'homme fondée sur la vérité qui se dit dans le matérialisme, le sensualisme, l'athéisme.

Comme tout « philosophe » éclairé, d'Holbach considère que l'expérience sensible est le critère qui permet de décider de la vérité ou du caractère illusoire de toute assertion. Et c'est en quoi il critique les systèmes qui prétendent tout expliquer à partir de quelques principes non élucidés, sortes d'héritages de traditions serves ou obscures qui ont fourni à la métaphysique sa nourriture commune. Cependant il ne met pas en question la notion de système en elle-même, mais ce qui dans cette notion néglige ou, pire, nie la réalité sensible. Le meilleur des systèmes consiste, une fois les principes découverts par une expérience adéquate, à tenter, si possible, de réduire les principes à un seul. Aussi bien il est inutile de s'étonner de voir ce pourfendeur de l'« esprit de système » écrire le *Système de la nature*. D'Holbach tient un principe unique, duquel peuvent dériver toutes explications subséquentes qui englobent l'ensemble des êtres, et de l'Être. Ce principe est la nature, et la nature, c'est la matière. Ce matérialisme est finalisé par l'éminent souci de comprendre l'homme, ouvrage d'une nature dont il ne peut s'extraire, et soumis à sa légalité ; si l'homme veut se connaître lui-même, il lui faut abandonner tous les « au-delà » de ce monde qui embrouillent son imagination et par là entravent sa pensée. Situer l'homme dans la nature, ce n'est point le réduire, c'est au contraire comprendre en quoi la distinction entre l'homme physique et l'homme moral est l'illusion d'un esprit égaré. L'homme est « un être purement physique ; l'homme moral n'est que cet être physique considéré sous un certain point de vue » (I, chap. 1). Ce « certain point de vue » relève de l'organisation spécifique de l'homme ; mais cette organisation est l'œuvre de la nature. La nature n'est-elle pas alors l'objet d'une valorisation subreptice que le philosophe chasseur de préjugés n'apercevrait pas ? Pour d'Holbach, la nature n'est pas le fruit d'une personnification anthropocentrique occultée : elle est de l'ordre du fait, elle existe. Il reste à l'expliquer.

La nature, ou la matière (au sens où Spinoza disait : « *Deus sive natura* »), est examinée selon ses propriétés fondamentales : elle n'est plus conçue, à la manière cartésienne, comme une substance étendue, homogène, identique en toutes ses parties ; si c'était le cas, elle serait essentiellement inerte et l'on ne pourrait comprendre comment la vie peut en surgir. Autant dire que le matérialisme serait radicalement impossible. La question de l'origine de la matière est selon d'Holbach une vieillerie métaphysique, et il ne s'interroge guère sur ce point qui le conduirait nécessairement à considérer l'hypothèse dogmatique d'un Dieu créateur qu'évidemment, il récuse : la question de l'origine ne saurait relever de l'exercice de nos sens. La matière est constituée de matières hétérogènes dont chacune a ses propriétés. Le modèle de D'Holbach est celui de la chimie qui, contrairement à la géométrie, considère que les corps ont des essences. L'essence définit la matière des propriétés d'un corps ou des qualités qui expliquent comment le corps existe et comment il agit. Une telle matière qualifiée s'oppose, à l'évidence, à la matière non

diversifiée de la physique mécaniste qui considère essentiellement la quantité. Le mouvement définit la matière dans ses modalités d'action : d'où il résulte que la question de l'origine du mouvement s'évanouit, tout comme celle de l'origine de la matière. Il en résulte aussi que Dieu, créateur du mouvement, quitte la scène de la philosophie matérialiste. Le mouvement, co-éternel à la matière, n'est pas pur transport d'un lieu à un autre tel que Descartes l'avait soutenu, mais il est effort, tension qui provoquent des déplacements dans des matières différenciées. Le vrai caractère de la matière est cette force vive, tendue que d'Holbach nomme – dans une tradition séculaire – *impetus*. C'est bien de l'*impetus* que s'engendreront le désir humain et toutes les formes de l'action passionnelle.

Le mouvement différencié, qualifié, est la source de tous les changements que connaît la matière : qu'elle fermente, qu'elle engendre, croisse, s'animalise, vive, pense ou meure dans les formes individuées qu'elle a pu revêtir. Le modèle chimique d'une matière qualitativement hétérogène joue encore dans la transformation que d'Holbach fait subir à la loi d'attraction-répulsion purement mécanique de la physique newtonienne. Cette loi est selon lui à penser en termes de sympathie, d'affinité, d'antipathie.

La nature, ou la matière, forme une unité qui présente une chaîne ininterrompue de mouvements combinés. Étudier en les observant ces connaissances complexes suffit à une raison libérée des angoisses de l'origine ou, ce qui est égal, des obsessions malheureuses de la quête de (ou des) Dieu(x) : « La nature n'est point un ouvrage ; elle a toujours existé par elle-même ; c'est dans son sein que tout se fait ; elle est un atelier immense, pourvu de matériaux, et qui fait les instruments dont elle se sert pour agir » (II, 4).

Mais qu'en est-il de l'homme ? L'homme est une partie de la nature, son organisation morale doit être d'abord comprise à partir de sa constitution physique. Rendre compte de sa spécificité, c'est d'abord comprendre, puisqu'il est un être vivant, comment de la matière inanimée on peut opérer le passage à la matière organisée. D'Holbach admet, comme plusieurs matérialistes de son temps, que les mouvements internes et combinés de la matière inerte peuvent engendrer la matière vivante, selon le schéma qu'on peut qualifier de génération spontanée. Que faire à l'époque, quand on est matérialiste, sinon tomber dans la difficulté d'une hylozoïsme doctrine pour laquelle la matière est toujours déjà vivante ?

Selon d'Holbach, on peut concevoir que de l'inanimé s'engendre l'organique comme l'a « prouvé » l'expérience de Needham : mouillez de la farine, attendez un peu ; de la farine surgissent de petits vers, par les seules vertus des mouvements de la matière, de la chaleur humide et... du microscope ! Le passage s'effectue de la vie organique à la pensée par les mouvements du cerveau. Ainsi, en sensualiste rigoureux, d'Holbach engendre, à partir des sensations, les perceptions, les images, puis les idées qui sont toutes des modifications du cerveau rapportées à des objets extérieurs qui en sont les causes : il ne doute pas que les sensations et leurs complexes combinaisons soient les effets de réalités extérieures qui agissent sur nous. Matérialiste, il se garde bien de fourvoyer le sensualisme dans le quasi insondable problème de savoir si dans la sensation nous ne connaissons rien d'autre que nous-mêmes. Le cerveau, capable de recevoir et d'organiser des impressions dont la cause est externe, est capable d'agir sur lui-même. La pensée naît de la réflexion du cerveau sur ses propres activités, que l'excitation matérielle a rendues possibles. Ainsi s'engendre proprement l'homme, en tant qu'être qui « aperçoit les modifications que [notre organe intérieur] reçoit du dehors, mais encore [qui] a le pouvoir de se modifier lui-même [...]. C'est l'exercice de ce pouvoir de se replier sur lui-même que l'on nomme réflexion » (I, 9). Toutes nos facultés sont engendrées par la faculté de sentir. L'antique notion d'âme est devenue inutile pour expliquer la genèse des idées : à l'âme se substitue la réalité physique-morale de l'organe cérébral, matière organisée qui, par son action sur elle-même, est puissance réfléchissante et réfléchie. L'âme n'est qu'un nom qui cache les véritables fonctions d'un cerveau qui ne se connaissait pas encore. Mais l'âme semblait bien avoir une fonction propre : immatérielle, spirituelle, elle permettait d'affirmer que l'homme est libre, c'est-à-dire indépendant des lois de la nature, du moins dans une partie de lui-même. Or une telle liberté ne pourrait reposer que sur l'idée qu'il y a du hasard dans la nature. Absurdité sans fondement : le hasard n'est que l'ignorance des causes, l'homme qui se croit libre est le jouet d'une illusion. Le prétendu libre arbitre n'est que l'hésitation d'un homme dont le cerveau n'a pas assez de raisons pour se déterminer. Il est à rappeler ici que d'Holbach apprécie la philosophie spinoziste et sa mise en question radicale de la liberté, purement imaginaire dans un monde où règne l'ordre de la nécessité.

Qu'est-ce alors qu'être libre ? C'est agir en fonction de sa nature propre, en connaissance des causes, c'est savoir que lorsqu'il se connaît l'homme peut se modifier, se transformer, non seulement comme être individuel, mais comme être social. En cela, rendre l'homme capable d'être libre c'est l'éduquer, le cultiver. D'Holbach, poussé par un matérialisme pris au pied de la lettre, compare l'homme à éduquer à une terre à amender : « Si l'on considérait les choses sans préjugés, on verrait que, dans le moral, l'éducation n'est autre chose que l'agriculture de l'esprit, et que, semblables à la terre, [...] nous sommes assurés que l'âme produira des vices ou des vertus, des fruits moraux, utiles ou nuisibles à la société » (I, 9). L'éducation est ce maître instrument qui permet aux hommes d'atteindre le but final que leur assigne une nature pourtant matérielle : le bonheur. Que l'organisation matérielle tende au bonheur ne peut déconcerter un matérialisme qui conçoit la matière comme le lieu de forces vives orientées vers la formation de sociétés où tout homme se comporte dans l'adéquation à sa propre nature. Disons que la nature tend à sa propre adéquation par et dans l'espèce la plus organisée qu'elle a pu produire, en tout cas susciter : l'humanité. C'est parce que l'homme est un produit naturel de la matière qu'il cherche son utilité, mais tout autant, et réciproquement, c'est en réalisant son utilité que l'homme effectue, réalise l'activité de la nature matérielle. Point de mécanisme abstrait dans ce complexe processus : il appartient aux hommes d'accomplir un ordre naturel que la seule nature laisserait dans l'état d'une virtualité endormie. Il appartient à l'homme d'éveiller la nature, d'œuvrer à son bonheur, en n'oubliant jamais que la vérité ne peut jamais le rendre malheureux.

Tout homme comme individu tend à la conservation de soi-même : ainsi se définit légitimement l'amour de soi, sorte de gravitation naturelle autour de son être propre. Les passions qui poussent l'homme à se conserver sont des principes actifs, utiles. De la différence naturelle des individus entre eux, d'Holbach conclut à la nécessité d'une mutuelle tolérance, d'une attention bienveillante que chacun doit porter à chacun et chacun à tous. Sans cette vertu collective minimale, nulle société ne peut subsister. À ce point, d'Holbach ne peut éviter un écueil : comment accorder entre eux des individus qui sont par nature différents ? Comment rendre viable la vie en société ? D'Holbach ne se pose pas plus la question de savoir quelle est l'origine de la société qu'il ne s'était posé celle de la nature. L'homme est toujours déjà dans un état civil, social, même si cet état est encore « sauvage ». L'état civil suppose que les hommes aient formellement ou tacitement consenti à un pacte, dont la clause essentielle est que chacun s'engage à ne pas nuire à autrui, à lui rendre des services et cela, en réciprocité. Mais cette unité que suppose le pacte ne va pas de soi, toujours menacée qu'elle est par la tentation de chacun de s'isoler en lui-même et de ne chercher que son utilité exclusive. Il faut alors une

force commune pour modérer chacun ; cette force, c'est la loi : « Elle est la somme des volontés de la société, réunies pour fixer la conduite de ses membres, ou pour diriger leurs actions de manière à concourir au but de l'association » (I, 9).

La loi n'est légitime que si elle est librement consentie par chaque citoyen, que si elle conserve le but social : l'utilité de chacun et de tous. La finalité de la société, qui se confond avec la justice, est invariablement d'assurer l'intérêt général : à savoir la liberté, la propriété, la sûreté. On peut trouver ici un écho de la philosophie politique de Locke : la société a pour but la protection des biens, de la vie de chacun, et de la liberté. Mais d'Holbach met au premier rang la liberté ; propriété et sûreté n'en sont que des conséquences. La même inspiration, à savoir la primauté de la liberté, habitait en 1762 *Du contrat social* de Rousseau. Pour d'Holbach, la liberté se définit comme la possibilité de faire son propre bonheur sans nuire à celui d'autrui. Le bonheur a pour cause la recherche du plaisir et pour fin, l'utile. Comment, dès lors, accorder les quêtes individuelles du bonheur ? Il faut que s'expriment, en chacun, les principes actifs que sont les passions et, pour les empêcher d'entrer en conflit, on doit les contrebalancer les unes par les autres. Ou, c'est égal, élever la passion à la réflexion, la rendre en chacun raisonnable : car la raison est le bien de tous. Le citoyen, c'est l'homme raisonnable qui comprend que son intérêt est véritablement d'être vertueux. La vertu n'existe au sens strict que dans l'état social, parce qu'elle régit les rapports entre les hommes. C'est à l'éducation qu'échoit la tâche d'élever l'homme à la vertu ; et plus profondément c'est à la politique, art de régler les passions des hommes, qu'il revient de régler l'utilité générale. Politique et morale sont inséparables : leur but commun est la vérité universelle fondée sur les lois de la nature. Elles sont les arts de la raison : « La raison, fruit de l'expérience, n'est que l'art de choisir les passions que nous devons écouter pour notre propre bonheur. »

La fin du tome premier du *Système* et l'ensemble du second sont consacrés essentiellement aux idées sur la divinité qui ont pu germer dans le cerveau non éduqué des hommes, à la théologie, à l'influence des religions, aux prétendues preuves « rationnelles » de l'existence de Dieu. Le fil conducteur que suit d'Holbach est d'ordre éthique et politique. D'abord, il s'agit d'engendrer les idées que les hommes ont forgées de la divinité. Elles ont pour source l'existence dans le monde de ce qu'on appelle communément le mal. Le mal est au fondement de toute pseudo-explication mythologique ou théologique : c'est par le recours au divin doué de toute bonté, et à la nature pécheresse de l'homme, qu'on pourrait rendre compte de l'émergence du mal. Or, pour d'Holbach, il n'y a pas plus de péché d'origine que d'origine tout court. Le mal existe bien dans la nature mais il a, comme tout ce qui est, sa nécessité ; c'est cette force négative qui pousse l'homme à s'éveiller, à tenter de se transformer, cette négativité positive sans laquelle nul progrès de l'espèce humaine ne serait possible. À cette marche de l'espèce vers le mieux, les religions opposent toutes les forces ténébreuses qu'une imagination égarée suscite, dans le sommeil de la raison. Les religions ont toujours eu, ont encore une fonction radicalement oppressive, répressive ; elles ont partie liée avec les politiques qui asservissent les hommes, les maintiennent dans le malheur et la stupidité. Les religions enivrent, droguent le peuple par leurs rites, leurs apparats, leurs cérémonies, leurs mystères, le maintiennent dans la terreur de la mort, dans l'espoir illusoire d'un bonheur qui n'est pas ici. Les religions sont immorales puisqu'elles ne poussent à la vertu qu'à proportion des récompenses futures qu'elle peut apporter ; elles ignorent tout de ce que peut être une autonomie humaine en morale ou en politique.

En second lieu, d'Holbach démontre les sophismes qui sous-tendent les preuves de l'existence de Dieu telles qu'ont pu les soutenir Descartes, Malebranche, Clarke,

Newton, chez lesquels il dépiste les ravages d'un anthropomorphisme généralisé. Enfin, et pour lui l'argument est irrécusable, on ne peut pas prouver une existence à partir d'une idée. L'existence est de l'ordre du fait constatable, elle est posée et ne peut être le résultat d'une quelconque déduction. En Allemagne, dès 1763, Kant élabore une théorie explosive : l'existence ne peut être déduite, on ne passe pas du concept à l'existence réelle. Mais d'Holbach, l'Allemand, ne connaît pas Kant.

Les arguments philosophiques qui ébranlent les preuves de l'existence de Dieu sont aux yeux de D'Holbach importants, mais peut-être non essentiels. Le véritable combat à conduire avec les armes du matérialisme est celui de la raison contre les superstitions, celui de la liberté contre la servitude, de la morale et de la politique droites contre toute théologie ou religion qui prétendraient en fournir les fondements. L'athéisme est la seule position conforme à la nature, il rend possible la morale naturelle qui élève l'espèce humaine à sa propre dignité. L'athéisme appartient à tous et d'Holbach s'insurge contre ces philosophes vaguement déistes ou même athées qui prétendent qu'il faut conserver le peuple en religion sous peine de le voir se révolter. Pour d'Holbach, contrairement à ce que pourra prétendre Robespierre, l'athéisme n'est pas aristocratique, il est le bien de tous : « Un athée est un homme qui connaît la nature et ses lois, qui connaît sa propre nature, qui sait ce qu'elle lui impose : un athée a de l'expérience [...]. Cette expérience lui prouve que la société est utile à son bonheur, que son intérêt exige donc qu'il s'attache à la patrie qui le protège et qui le met à portée de jouir en sûreté des biens de la nature » (II, 10).

Le *Système de la nature* eut un retentissement considérable. Deux faits en témoignent : les nombreuses réédi-

tions du texte au XVIIIᵉ siècle (la condamnation de l'ouvrage et sa mise à l'Index semblent bien avoir accru son succès) et au XIXᵉ siècle. Le *Système* fit l'objet de nombreuses « réfutations » : citons celle de Voltaire (qui se sentait visé comme déiste officiel), de l'abbé Bergier, de Holland. Les idées principales du *Système* sont exposées dans plusieurs ouvrages de D'Holbach qui ne cessent de développer les mêmes thèmes. Ainsi, avant le *Système*, le **Christianisme dévoilé* (1766) annonce la critique de la religion révélée. *L'Éthocratie ou le Gouvernement fondé sur la morale* (1776) est dédiée au jeune roi Louis XVI sur lequel les philosophes fondent quelque espoir de voir réformer la société. *La Morale universelle ou les Devoirs de l'homme fondés sur sa nature* (1776) développe le thème de l'unité du bonheur de l'individu et de l'homme social dans une collectivité régie par la raison.

Du *Système de la nature* on peut aujourd'hui retenir un matérialisme radical lié à l'athéisme, et le projet social qui ne sépare pas le bonheur de tous du bonheur de chacun à l'expresse condition que tout citoyen soit également éduqué, éclairé, actif. D'Holbach, enfin, ne se contente pas de faire de l'esprit pour « écraser l'infâme ». Il s'agit moins d'écraser les religions que de les expliquer, et par là les mettre en déroute. Les pages nerveuses, critiques, lucides de D'Holbach sur les religions disent bien l'espoir du philosophe. L'homme enfin conscient de soi comprend pourquoi il a pu imaginer cette formidable machinerie qui le dévore : le divin.

● Berlin, Aufbau Verlag, 1960 (p.p. M. Naumann) ; Hildesheim, Olms, 1967-1969 (réimp. éd. 1821, préf. Y. Belaval) ; Genève, Slatkine, 1973 (réimp. éd. 1770) ; Fayard, 1991.

M. CRAMPE-CASNABET

TABLE-AUX-CREVÉS (la). Roman de Marcel **Aymé** (1902-1967), publié à Paris chez Gallimard en 1929. Prix Théophraste-Renaudot.

Quatrième roman de M. Aymé après *Brûlebois* (1925), *Aller-retour* (1927) et *les Jumeaux du diable* (1928), interdit de réédition par l'auteur, il est son premier vrai succès, consacré à cette campagne franc-comtoise qui fut le témoin de ses apprentissages.

Aurélie Coindet s'est pendue ; c'est Urbain, le mari, qui l'a découverte à son retour de la foire de Dôle. Telle est la nouvelle qui se répand au village de Cantagrel (chap. 1). Lors de la veillée mortuaire, le père Milouin propose à son gendre une autre de ses filles ; ce dernier par un refus insultant devient l'homme à abattre (2). Colportant l'idée d'un faux suicide, le père Milouin s'allie le bûcheron et contrebandier Frédéric Bregara, tout juste sorti de prison, en lui suggérant que c'est à Coindet qu'il vaut d'y être allé et, avec lui, tous les hommes du hameau de Cessigney, fiers et zélés catholiques, qu'un enterrement civil ne peut qu'indisposer (3). La visite de la belle Jeanne, sœur de Frédéric, rappelle à Coindet qu'il est désormais libre d'aimer qui il veut (4), tandis que le tout Cantagrel politique s'affronte sur la nature du service mortuaire (5). Aurélie enterrée civilement (6), Urbain se morfond jusqu'à ce que, provoqué par Frédéric qui nie sa bonne foi, il s'approprie Jeanne (7).Frédéric ayant résolu d'éliminer Coindet (8-9), celle-ci vient le prévenir et reste à ses côtés. Se rendant aux raisons de l'abbé, ils partent à Dôle (10) vivre un intermède pesant qui, toutefois, révèle à Coindet la vérité sur l'arrestation de Frédéric (11). Leur retour ravive les passions (12) et Coindet, non sans angoisse, comprend que la Table-aux-Crevés doit être le champ clos de sa rencontre avec Frédéric (13) qui revendique haut et clair son droit de régler l'affaire (14). L'affrontement a lieu, provoquant la mort du garde-champêtre, qui passait là pour satisfaire aux prières de Jeanne (15).

En ouverture comme au finale la mort violente de deux innocents, en contrepoint à la vie dans laquelle les autres s'enracinent ; une suite d'oppositions spatiales, le hameau face au village, la maison de Coindet face à ses champs, que corrige la proximité de la ville, ouverture sur d'autres possibles ; un affrontement idéologique entre républicains et cléricaux toujours nuancé par une minorité versatile ; une rivalité d'hommes, beau-père et gendre, adoucie par la présence du candide Capucet ; une organisation des quinze chapitres en trois actes : la mort de sa femme fait de Coindet un enjeu social, amoureux et politique (1 à 5) ; le jeu de l'amour offre son divertissement (6 à 10) et finalement la révélation du hors jeu pour qui s'affirmait maître de la situation (11 à 15) ; les notions de Bien et de Mal se dissolvent dans des « habitudes sans gloire ». Bref, tout fait de ce roman la négation des dualismes parce que toujours tempérés par un troisième terme. Ainsi le titre est emblématique de la fiction, désignant le champ où Coindet doit jouer cartes sur table, dût-il en « crever » ; de la construction du roman, à l'image du nom composé où l'article contracté, charnière syntaxique, préfigure le rôle de Capucet, personnage à l'« importance d'un courant d'air » mais clef de voûte du roman en tant que héros du chapitre 8, mitan de l'œuvre ; des langages enfin, ceux des paysans et du narrateur, qui se mêlent si bien que la logique du roman devient la logique de la vie, ou le contraire. Le film réalisé par Henri Verneuil en 1951 avec Fernandel, délaisse cette construction rigoureuse au service d'une vie âpre pour un aimable désordre où règnent la bonhomie et la gaieté provençales.

● « Folio », 1972 ➤ *Œuvres romanesques complètes*, « Pléiade », I.

B. SIOT

TABLEAU DE LA FRANCE. Voir HISTOIRE DE FRANCE, de J. Michelet.

TABLEAU DE PARIS. Ouvrage de Louis-Sébastien **Mercier** (1740-1814), publié anonymement à Neuchâtel chez Fauche et à Hambourg chez Virchaux en 1781 (2 vol.) ; réédition considérablement augmentée de 1782 à 1788 (12 vol.).

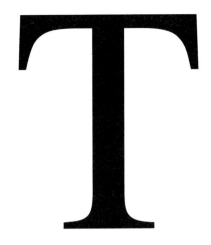

Le plus grand livre de Mercier, en tout cas le plus gros, tombait très mal en juin 1781, un mois après le scandale de l'*Histoire des deux Indes* de l'abbé Raynal : Mercier se réfugia en Suisse pour quatre années, prodigieusement fécondes. Mais l'idée du *Tableau* remonte loin : *l'*An 2440 régénère Paris, *Du théâtre* exalte le projet d'« un livre sur Paris », et plusieurs chapitres du livre à venir paraissent dès 1775. La Révolution appelait plus qu'une mise à jour : un autre panorama, et Mercier donnera en 1798 *le Nouveau Paris*.

Il est évidemment impossible de résumer cet immense kaléidoscope, qui ne se veut « ni inventaire ni catalogue » : « J'ai varié mon *Tableau* autant qu'il m'a été possible » (Préface). Pas question donc d'un ordre encyclopédique, alphabétique ou méthodique, et le *Tableau* exclut d'emblée l'Histoire et la topographie au profit de la « physionomie morale », en ses « nuances fugitives ». Les deux tomes de l'édition de 1781 ne numérotaient pas les chapitres, contrairement aux dix premiers volumes de l'édition suivante (de 1 à 848), tandis que les tomes XI et XII se contentent de les aligner. Ce qui compte, ce n'est donc pas l'ordre numéral (factice), mais les titres, la brièveté, la variété : le mouvement et l'imprévu. Il faudra attendre 1908 pour qu'Alain de Bouard établisse une *Table analytique* du *Tableau* – qui, à force de multiplier les coups d'œil, échappe au regard. Comme Paris, évidemment : à ville gigantesque, livre démesuré, insaisissable, protéiforme. Car si le drame, selon Mercier, répugne profondément au morcellement accéléré des scènes dans la comédie et l'opéra-comique, signe de leur frivolité hostile à l'éloquence (*Du théâtre*), l'œil du peintre, ici, va composer son tableau par la multiplication des éléments et leur incessante mobilité. « Tableau » appelle évidemment une référence à la peinture. Mercier ne s'en prive pas, lui qui se réclamait de Greuze pour se proclamer son égal : « Je n'ai voulu que peindre, et non juger. » Mais il n'a aussi cessé d'affirmer l'incomparable supériorité de la littérature sur tous les arts imitatifs (sculpture, peinture) : le *Tableau* déclasse la peinture bien plus qu'il ne s'en inspire. Et s'il vise une tentative de totalisation oculaire du savoir – sur le modèle du fameux « tableau » de l'*Encyclopédie*, représentant le système des connaissances humaines –, c'est par le détour d'un vertigineux dédale, où le lecteur s'épuise. Bien plus, malgré les apparences, que d'une influence réelle de la peinture, le *Tableau* témoigne de la montée en force, au cours du siècle, des périodiques et des dictionnaires, des collections, des séries. De la vogue aussi des récits de voyage, indispensables à toute culture philosophique : « Il ne faut pas plus être étonné des recherches du luxe dans le palais de nos Crassus, que des raies rouges et bleues que les sauvages impriment sur leurs membres par incisions » (Préface). Le *Tableau* répond, sur ce point, aux mêmes principes que le drame : il n'y a pas d'homme en général, mais des hommes perpétuellement transformés par les lieux et les circonstances.

Regard taxinomique, regard ethnologique, regard philosophique combinent leurs pouvoirs dans ce livre qui dépasse la mesure du livre, parce que Paris défie la maîtrise des signes. Inversement, que de regards singuliers sur une même réalité ! « Supposez mille hommes faisant le même voyage : [...] chacun écrirait un livre différent sur ce sujet » (Préface). Mimésis et originalité se conjuguent : autre principe constant de l'esthétique de Mercier.

Le *Tableau de Paris* réalise, au risque de s'y dissoudre, l'ambition du dramaturge, à la fois esthétique et morale : embrasser et rapprocher toutes les conditions sociales, de l'opulence à la « misère hideuse », pour réveiller la compassion et « exciter d'un nouveau zèle le génie des administrateurs modernes ». Le préjugé, l'abus, l'horreur appellent la réforme, dont *l'An 2440* avait anticipé le programme. On plongera donc dans l'enfer des prisons, des hôpitaux, de la prostitution, avec l'acharnement d'un reporter et l'espérance (cette lumière que les athées voudraient éteindre) d'un réformateur ami des hommes. Mais le *Tableau* n'est pas une utopie : à croiser et recroiser les itinéraires parisiens, à sonder les mœurs et les lois, les égoïsmes et les intérêts, les essais de réformes et les résistances, on mesure l'inquiétante solidité du tissu social. « En vain l'on attaque l'édifice du mensonge ; il est cimenté. On veut le reprendre sous œuvre : c'est une tâche bien plus pénible que si l'on voulait le reconstruire à neuf. » Faut-il détruire Paris pour le sauver ? Quoi qu'il ait dit et cru, Mercier n'a évidemment pas prévu que toute cette matière fermentée exploserait si tôt sous ses yeux, lui qui se donnait un siècle pour transformer son livre en document historique. Mais il n'a pas non plus cédé aux tentations de l'utopie : plus question, maintenant, de brûler, comme dans *l'An 2440*, la Bibliothèque du roi !

L'explorateur du continent parisien bute donc partout sur les contradictions du monde réel, « et voilà pourquoi il devient véhément et sensible » (M. Delon). Voilà pourquoi, surtout, la concentration des « contrastes » sur le théâtre de la grande ville appelle une écriture par « rapprochement » ; rapprochement des chapitres, rapprochements dans les chapitres, travail croisé des yeux et de l'entendement sidérés par l'inépuisable séduction de l'énumération : « Non, il est impossible à quiconque a des yeux, de ne point réfléchir, malgré qu'il en ait. Le baptême qui coupe l'enterrement ; le même prêtre qui vient d'exhorter un moribond, et qu'on appelle pour marier deux jeunes époux, tandis que le notaire a parlé de mort le jour même de leur tendre union ; la prévoyance des lois pour deux cœurs amoureux qui ne prévoient rien ; la subsistance des enfants assurée, avant qu'ils soient nés ; et la joie folâtre de l'assemblée au milieu des objets les plus sérieux ; [...] quelle galerie d'images, pleine de contrastes frappants pour qui sait voir et entendre ! » (chap. 1). C'est à l'orchestration de ces contrastes que se consacre l'écriture de Mercier, forcément inégale, mais souvent éblouissante. Ni Balzac, ni Hugo, ni Dumas, sans parler de Nodier et Nerval, n'ont oublié cette grande épopée en prose de Paris, aussitôt imitée par Rétif (voir *les *Nuits de Paris*). Que la critique l'ait méprisée ne pouvait étonner ces deux prolétaires de la plume — Mercier et Rétif —, exclus des institutions littéraires de l'Ancien Régime.

● Genève, Slatkine, 1979 (réimp. éd. 1782-1788) ; FM/La Découverte, 1979 (extraits, p.p. J. Kaplow) ; « Bouquins », 1990 (*Paris le jour, Paris la nuit*, extraits du *Tableau* et du *Nouveau Paris*, p.p. M. Delon) ; Mercure de France, 1994, 2 vol. (p.p. J.-C. Bonnet).

J. GOLDZINK

TABLETTES DU JUIF ERRANT (les). Voir AHASVÉRUS, d'E. Quinet.

TAILLEUR POUR DAMES. Comédie en trois actes et en prose de Georges **Feydeau** (1862-1921), créée à Paris au théâtre de la Renaissance le 17 décembre 1886, et publiée à Paris à la Librairie théâtrale en 1888.

Feydeau composa cette comédie pendant son service militaire, alors qu'il n'avait encore donné au public que des pièces en un acte (*Amour et Piano*, 1883 ; *Gibier de potence*, 1883, etc.) et des monologues (*Trop vieux*, 1882 ; *le Billet de mille*, 1884, etc.) qui, toutefois, avaient déjà été interprétés par des acteurs célèbres. *Tailleur pour dames*, son premier grand succès, est une pièce trépidante dans laquelle il met à l'épreuve le système dramatique qui fera sa réputation. Précédée en première partie du *Choix d'un gendre* de Labiche, la pièce ne souffrit point de la comparaison et connut un franc succès (79 représentations) : « Dès le lever de rideau, le rire – un rire fou – s'est emparé de la salle et ne l'a plus abandonnée de la soirée » (Guy de Saint-Môr).

Ayant manqué un rendez-vous au bal de l'Opéra avec Suzanne Aubin, une cliente dont il veut faire sa maîtresse, le docteur Moulineaux rentre chez lui après avoir passé la nuit sur le palier, car il avait oublié sa clé. Sa femme Yvonne, inquiète de son absence, il prétend avoir assisté un moribond : Bassinet. Ce dernier justement se présente, en parfaite santé, suivi de Mme d'Aigreville, mère d'Yvonne. Celle-ci vitupère son gendre, et se voit offrir par Bassinet un entresol à louer rue de Milan. Moulineaux, qui ignore cette proposition, loue le même local et propose à Suzanne Aubin de l'y retrouver. Surgit alors Aubin, le mari de Suzanne, qui après divers quiproquos prend le docteur pour un malade et Bassinet pour le docteur (Acte I).

Dans l'entresol de la rue de Milan dont la porte ne ferme pas et qui est un ancien atelier de couturière, se retrouvent le docteur et Suzanne. Aubin, trouvant Moulineaux aux pieds de Suzanne, le prend pour un couturier qui dit se nommer Machin. Se succèdent alors une série d'arrivées inopinées : celle de Bassinet d'abord, puis d'une cliente, de Mme d'Aigreville ensuite à qui l'on fait croire que Suzanne est une pratique du docteur. Aubin revient, Suzanne se cache. Il accompagne une nouvelle cliente, Mme de Saint-Anigreuse, en réalité Rosa Pichenette, une cocotte, son ancienne maîtresse. Rosa, pour sortir de cette embarrassante situation, prétend qu'Aubin est son mari. Suzanne, outrée, sort. Rosa tombe évanouie dans les bras de Moulineaux au moment précis où arrive Yvonne sa femme. Bassinet de son côté reçoit une gifle de Rosa qu'il voulait embrasser, reconnaissant en elle la femme qui l'avait abandonné (Acte II).

Moulineaux, chez lui, attend depuis vingt-quatre heures sa femme qui l'a quitté. Elle arrive enfin en compagnie de sa mère pour établir les conditions d'une nouvelle vie. Pour sauver les apparences, le couple vivra séparé dans le même appartement en compagnie de la belle-mère. Moulineaux parvient toutefois à convaincre Yvonne de sa bonne foi : le couple réconcilié s'embrasse alors sous les yeux d'Aubin, qui croit que Machin est l'amant de la femme du docteur. Après un dernier chassé-croisé entre Aubin et Bassinet à propos de Rosa, les choses enfin s'apaisent et par une dernière pirouette rentrent dans l'ordre (Acte III).

La construction d'ensemble de *Tailleur pour dames* présente des caractéristiques qui réapparaîtront avec régularité dans plusieurs des grandes « machines vaudevillesques » que Feydeau donnera de 1892 à 1908. Au premier acte, le personnage principal évolue dans un espace familier ; dans cette trompeuse sécurité, les conséquences d'une maladresse d'apparence anodine mais doublée de circonstances imprévues, vont le pousser au mensonge, l'enferrer et le contraindre à la fuite en avant. Il ira alors se jeter, au deuxième acte, dans une autre nasse mais cette fois dans un espace inconnu de lui où il perdra tous ses repères. Dans l'urgence, il lui faudra improviser d'ingénieuses mais calamiteuses parades. Enfin, le troisième acte le ramènera vers son point de départ, toujours poursuivi par un guignon qui ne lui laissera de répit qu'au moment d'un dénouement extrêmement retardé, dont on mesure continuellement chez Georges Feydeau l'artifice et la fragilité.

Toutefois, la logique cataclysmique mise en branle par la pichenette initiale laisse souvent apparaître la malignité de l'auteur-démiurge, qui sciemment dénude les procédés dramatiques et donne à voir les fils embrouillés qui animent ses bamboches. Ce phénomène est perceptible à la

Tristan et Iseut

Avec le *Graal*, l'histoire de Tristan et Iseut est l'une des deux légendes que nous a léguées le Moyen Âge : mais, bien davantage que le vase sacré, le « beau conte d'amour et de mort » continue de fasciner et d'imprégner notre culture.

C'est que la légende s'est faite mythe, traversant les espaces (d'Écosse où elle semble naître, *l'estoire* se diffuse vers le Sud, est fixée littérairement en France au XIIe siècle et, de là, irrigue à travers l'Europe) et les temps, se prêtant

« Tristan et Iseut boivent ensemble
le breuvage amoureux ». Miniature illustrant
le roman de Tristan inséré dans le *Livre de
Messire Lancelot du Lac*, de Gautier Moap, 1470.
Bibliothèque nationale, Paris. Ph. © Bibl. nat./Archives Photeb.

à toutes les formes d'expression, de
l'art lyrique (le *Tristan et Isolde* de
Wagner) au cinéma (l'*Éternel Retour* de
Cocteau). Il est vrai que cet adultère
renoue avec les antiques tourments
d'une destinée (ici représentée par le
philtre) qui se plaît à associer étroitement
désir et culpabilité, amour et mort,
fixant l'image d'un schéma passionnel
que romanciers et dramaturges ne
se feront pas faute d'exploiter et dans
lequel certains ont voulu reconnaître
l'essence même de l'Occident.

« Tristan de retour à la cour de Marc
est déguisé en fou ». Miniature du XIVe siècle,
illustrant le *Tristan* de Luce del Gast.
Bibliothèque nationale, Paris. Ph. © Édimédia.

Tristan et Isolde, de Richard Wagner
(1813-1883) à l'Opéra de Paris
en 1985. Mise en scène de
Michael Hampe avec René Kollo
(Tristan) et Gwyneth Jones (Isolde).
Ph. © Courrault/Enguerand.

fin de l'acte I où la mise en scène interrompt un personnage et le contraint au silence : « *À ce mot, l'orchestre lui coupe la parole, Bassinet essaye de le dominer, en continuant de parler... Enfin le rideau lui tombe sur le nez.* » Cet épisode explique, partiellement du moins, le soin méticuleux apporté par Feydeau à la rédaction de didascalies souvent très fournies où peut jouer, grâce à une écriture libre de codes et de contraintes, la créativité d'un maître d'œuvre scénique (Feydeau veillait de près à la mise en scène de ses pièces) s'exerçant au maniement du *fatum* comique.

Si Feydeau ferre ainsi ses personnages, ne serait-ce que par l'usage du déterminisme anthroponymique (on ne se nomme pas impunément Bassinet, d'Aigreville ou « Suzanne Aubin »), il semble leur « laisser du mou » et donner ainsi au spectateur l'illusion de leur liberté, liberté dont ils usent en épuisant toutes les ressources du langage pour se justifier en métamorphosant la réalité qui les accable, en particulier les objets (témoin les explications de Moulineaux au gant trouvé dans sa poche – I, 16), et déjouer, au bout du compte, les malignités d'un monde où le pire est toujours sûr.

Pour eux cependant, ce monde semble réduit à un espace restreint où les portes continuellement s'ouvrent mais ne ferment pas (II, 1), où butent les uns sur les autres ceux qui ne doivent pas se rencontrer. Tous se retrouvent ainsi en porte-à-faux dans un jeu de dupes et de quiproquos qui s'enchâssent les uns dans les autres jusqu'à l'ultime scène. On comprend qu'ils paraissent toujours à cran ou, comme Bassinet, continuellement agités de tics (II, 9 ; dans ce rôle l'acteur Saint-Germain s'était à la création taillé un beau succès). À quelques lignes du dénouement, Moulineaux (le rôle créé par Galipaux sera repris en 1985 par P. Arditi au théâtre des Bouffes-Parisiens) lâche encore un « Haigne » qui en dit long (III, 14) et s'agite dans tous les sens, en « tressautant », pour parer au plus pressé.

Par sa vitesse d'exécution, cette dramaturgie du trop plein, du rythme discontinu jusqu'à la rupture, de la répétition des procédés jusqu'à la scie, semble masquer le développement, dans un climat d'érotisme latent, d'une morale tranquille du pas vu pas pris (SUZANNE : « Ah ! c'est que si on nous voyait !... je serais bien coupable ! », II, 2) qui, paraphant le tout, achève de révéler la tournure absurde du monde et l'universelle dérision. Mais cette écriture dramatique ne perd pas pour autant l'essentiel de ses vertus roboratives, vertus relevés par J.-L. Barrault, qui en 1948 monta *Occupe-toi d'Amélie* : « La tournure burlesque est une grande force, qui peut nous aider à vivre. Rester lucide devant l'absurde nous remet en équilibre et nous aide à reclasser les valeurs. »

➤ *Théâtre complet*, « Classiques Garnier », I ; *Théâtre*, « Omnibus ».

J.-M. THOMASSEAU

TAMÉHA, REINE DES ÎLES SANDWICK, MORTE À LONDRES EN JUILLET 1824, ou les Revers d'un fashionable. Roman « historique et critique » de Jacques Antoine **Révéroni Saint-Cyr** (1767-1829), publié à Paris chez Lecointe et Durey en 1825.

Le titre semble annoncer une œuvre parodique. Il recouvre en réalité un roman qui tente de perpétuer en plein XIXe siècle la double tradition, propre aux Lumières, de la nostalgie tahitienne et de la rouerie libertine. Révéroni Saint-Cyr, après deux intrigues historiques (la *Princesse de Nevers*, 1812, et le *Prince Raimond de Bourbon*, 1823) y renoue avec la veine de ses premiers romans : *Sabina d'Herfeld* (1797) et *Pauliska* (1798).

Deux mondains de la haute société londonienne, toujours épris de sensations nouvelles, jettent leur dévolu sur le couple royal des îles Sandwich [Sandwich], venu saluer George IV et visiter la capitale de l'Empire britannique. Lady Barington a décidé de séduire le roi, tandis que le narrateur poursuit de ses assiduités la reine Taméha. Au fur et à mesure que les nobles sauvages découvrent les miracles de la civilisation dans sa version anglaise (l'opéra, la boxe, les courses de chevaux, les expositions de peinture), lady Barington parvient à ses fins, mais le narrateur se heurte à la farouche vertu de Taméha, qui finit par mourir de chagrin, suivie dans la mort par son époux. Leur ministre anthropophage, touché par la grâce et converti, rapportera les « restes chéris de ses maîtres » dans cette terre heureuse dont ils n'auraient jamais dû sortir.

Sur le modèle des Persans de Montesquieu, Révéroni Saint-Cyr avait déjà fait observer les mœurs d'une capitale par un riche musulman (*Nos folies, ou Mémoires d'un musulman connu à Paris*, 1799) puis par un Russe (*l'Officier russe à Paris*, 1814), d'autant plus habilités à critiquer les folies parisiennes qu'ils s'étaient d'abord laissé prendre à leur vertige. Mais le roi Taméhaméha et la reine Taméha viennent de plus loin, des îles Sandwich, découvertes un demi-siècle auparavant par Cook. À la façon dont l'ingénu voltairien n'est qu'à demi Huron et descend d'un colon français, la belle reine se trouve être la petite-fille d'un compagnon de Bougainville, qui a laissé à Tahiti le témoignage d'amours passionnées mais fugitives. Alors que dans *l'*Ingénu** de Voltaire ou dans le ***Supplément au Voyage de Bougainville** de Diderot, la vie sauvage représente l'innocence du désir sexuel, en deçà des inhibitions sociales et des interdits religieux, le couple océanien de Révéroni Saint-Cyr devient le garant d'une fidélité érigée en morale naturelle, contre toutes les tentations de la frivolité européenne. Le méchant sauvage lui-même, sous les traits du ministre, s'assagit et les îles Sandwich, colonisées par la Grande-Bretagne, s'estompent comme le paradis définitivement perdu des amours enfantines.

La narration du piètre libertin qui tient la plume est entrecoupée par les fragments du journal de Taméha (étonnante pratique introspective chez une Tahitienne), par des notes du roi et par un passage des Mémoires du compagnon de Bougainville qui a fait souche à Tahiti. Le discours du vieillard qui, chez Diderot, dénonçait les méfaits du colonialisme, gardait une grandeur toute primitive. La reine des îles Sandwich s'applique à un genre qui est lié, semble-t-il, à la confession religieuse et à l'individualisme moderne : le journal intime. Ces contradictions sont celles d'un Révéroni Saint-Cyr, tiraillé entre la thématique sensible de sa jeunesse et l'évolution du goût littéraire. Il affiche dans son titre le néologisme récent *fashionable*, à mi-chemin entre le roué et le dandy, et déclare : « Taméha est une véritable romantique ; c'est la Clarisse de la mer du Sud. »

M. DELON

TAPIS MAGIQUE (le). Voir HOMMES DE BONNE VOLONTÉ (les), de J. Romains.

TAPISSERIES (les). Poèmes de Charles **Péguy** (1873-1914), publiés à Paris dans les *Cahiers de la Quinzaine* en 1912 (la *Tapisserie de sainte Geneviève et de Jeanne d'Arc*) et en 1913 (la *Tapisserie de Notre-Dame*).

En 1912, Péguy accomplit deux pèlerinages à Chartres, le second en action de grâce pour le rétablissement de son fils Pierre atteint de diphtérie. Le début des poèmes en alexandrins que Péguy a baptisés « tapisseries » date, semble-t-il, de cet événement familial. Il est difficile de préciser selon quel ordre les poèmes contenus dans chaque *Tapisserie* furent écrits ; regroupés par l'auteur, ils forment désormais deux grands ensembles : la *Tapisserie de sainte Geneviève et de Jeanne d'Arc* qui réunit neuf « sonnets » au nombre varié de tercets (320 pour le huitième) composant une « neuvaine » en l'honneur de la « vieille sainte », publiée dans les *Cahiers de la Quinzaine* (1er décembre 1912) et partiellement dans le *Bulletin des professeurs catholiques de l'Université*. Puis *la Tapisserie de Notre-Dame* en cinq poèmes – sonnets ou suite de quatrains –, qui inclut la fameuse "Présentation de la Beauce à Notre-Dame de Chartres" (89 quatrains) et « Cinq prières dans la cathédrale de Chartres ». Ce deuxième ensemble parut dans les *Cahiers* du 11 mai 1913. Avant la publication de la seconde *Tapisserie*, la conversion de Péguy n'était guère connue que de Joseph Lotte auquel le nouveau catholique en avait fait confidence en 1908. Mais la menace de guerre devenant plus proche, Péguy se décide à livrer son secret au public, tout chrétien selon lui se devant de porter témoignage. La puissante expérience religieuse ressentie au cours de la marche vers la flèche de Chartres fut-elle décisive ? En tout cas, les abonnés furent avertis de sa nouvelle foi avant la mort de Péguy au champ d'honneur (5 septembre 1914).

La Tapisserie de sainte Geneviève et de Jeanne d'Arc. Cette première *Tapisserie* réunit les poèmes d'une neuvaine célébrant les deux bergères. Sainte Geneviève veille sur Paris et ses habitants (1-3). Jeanne d'Arc s'inscrit dans la descendance de l'« antique bergère » (4-5). L'«aïeule » voit venir la « fille de Lorraine » qui sauvera le royaume menacé de nouveau par de « sinistres hordes » (6). La cadette de celle qui sauva jadis Paris apparaîtra en pleine « discorde civile » (7). Geneviève prévoit la venue de Jeanne montée sur un « cheval de guerre » avec son oriflamme brodé au nom de Jésus. Trois cents tercets de ce poème opposent les « armes de Jésus » (l'idéal intellectuel, politique et chrétien de Péguy) aux « armes de Satan » (les maux générateurs de discorde civile et de faiblesse nationale). Les derniers tercets évoquent à nouveau le lien ancestral entre Geneviève et Jeanne (8). En une vision, Geneviève aperçoit les ravages de la guerre dont Jeanne sauvera la France (9).

La Tapisserie de Notre-Dame. La seconde *Tapisserie* tisse ses sonnets et ses suites de quatrains autour des cathédrales de Paris et de Chartres. En quatre poèmes, Péguy présente à Notre-Dame la ville de Paris, « nef » chargée de pécheurs ("Présentation de Paris à Notre-Dame", sept quatrains), de pénitents ("Paris vaisseau de charge", sonnet, rimes féminines), de « galériens » ("Paris double galère", sonnet), de soldats ("Paris vaisseau de guerre", sonnet). Il présente ensuite à Notre-Dame de Chartres, la Beauce, « océan des blés » que domine la flèche de la cathédrale chargée de symboles ("Présentation de la Beauce à Notre-Dame de Chartres", quatre-vingt-neuf quatrains). Le poète se remémore le pèlerinage qui le mena de la « boutique » des *Cahiers de la Quinzaine* jusqu'à l'« illustre tour ». Un flot d'oppositions dresse ensuite les valeurs incarnées par la cathédrale contre celles du monde, se terminant par une allusion à un pauvre « gamin » qui s'est donné la mort et pour lequel le pèlerin implore la pitié de Marie. Suivent « Cinq Prières dans la cathédrale ». Le poète se détache des valeurs du monde, en oraison aux pieds de Marie ("Prière de résidence", quarante-huit quatrains). Il demande la grâce de la fidélité ("Prière de demande", douze quatrains) et consomme dans la douleur le sacrifice de ses attachements humains ("Prière de confidence", huit quatrains). Renonçant au bonheur pour lui-même il en demande le « report » sur « quatre jeunes têtes » ("Prière de report", vingt-trois quatrains). Devenu « tombe », le cœur du poète ne s'ouvrira plus qu'aux dévots de Marie ("Prière de déférence", vingt et un quatrains).

Après la période où Péguy utilisa avec tant de bonheur le vers libre, soit dans le récit de la Passion (le **Mystère de la charité de Jeanne d'Arc*, 1910), soit pour célébrer l'espérance (le *Porche du Mystère de la deuxième vertu*, 1911 ; le *Mystère des saints Innocents*, 1912), il revient dorénavant à l'alexandrin adopté dans toutes ses œuvres poétiques, à l'exclusion des *Quatrains* restés confidentiels (rédigés à partir de 1911, publiés en 1939). Le changement est si subit que ses proches et ses commentateurs en ont cherché la raison : son fils Marcel se souvient qu'en 1912, Péguy voulait traduire l'*Iliade*. Il projetait un essai sur la pureté antique. Stanislas Fumet, de son côté, mentionne l'effet que fit un soir sur le poète une lecture de Verlaine : « Mon Dieu m'a dit : mon fils, il faut m'aimer. Tu vois / [...] » (**Sagesse*), qui lui révèle les ressources de la scansion. Péguy retourne donc vers les formes et le vers classiques qui font ressortir, sur la page imprimée, des motifs réguliers comparables à ceux d'une tapisserie : commentant un poème des **Châtiments*, Péguy notait avec l'admiration qu'il porte à cette œuvre, le rythme et l'effet visuel obtenu

par la strophe, le couplet, l'architecture, « par le dessin de ces lignes mêmes que sont les vers ». Il se lance dans le sonnet (*Sonnets* ; *les Sept contre Thèbes* ; *Châteaux de Loire*, 1912) sans grand bonheur d'expression, versifiant à la manière parnassienne (« Tydée allait foncer sur la porte Proetide »). Mais l'inspiration lui revient avec le retour à Jeanne d'Arc.

Dominée par l'obsession d'un salut toujours à reprendre, la première *Tapisserie* associe à l'image de Jeanne celle de Geneviève, l'« antique bergère » dont les prières avaient détourné les armées d'Attila. Le ton n'est plus au désespoir comme dans le drame de 1897 (« Il fait nuit par le monde », **Jeanne d'Arc*, Acte V), mais à l'espérance. Dans le cours discontinu de l'Histoire où alternent désastres et sursauts, Péguy voit surgir au moment crucial ces héros, ces saintes, messagers de la transcendance, qui à travers les âges semblent se transmettre le relais du salut. Un relais dont bientôt se saisit le poète lui-même pour combattre les maux qui menacent périodiquement la France : la discorde à l'intérieur et les « hordes » aux frontières. L'éditeur des *Cahiers de la Quinzaine* retrouve alors l'élan qui anime ses essais en prose et, après l'hommage rendu aux deux saintes dans les premiers poèmes, le huitième jour, il laisse éclater sa pugnacité dans la grande houle d'oppositions qui parcourt trois cent vingt tercets : les « armes de Jésus » y affrontent les « armes de Satan », strophe contre strophe. Les premières luttent pour une mystique de la générosité au sens cornélien du mot (le « sang du cœur ») et célèbrent le « culte de patrie ou de terre natale ». Contre ces valeurs chrétiennes et nationales, se dressent les turpitudes de Satan qui déchaînent la verve et l'ironie du poète – les « armes » de Péguy. Mots déformés, vocables péjoratifs souvent forgés de toutes pièces, fustigent les déviations politiques de la mystique dreyfusiste, la démagogie socialiste (« criaillerie », « suffragerie », « humanitairerie »...), la fausse culture du « parti intellectuel » installé dans la fallacieuse religion de la Science et du Progrès (« scientificisme ») qui démobilise la volonté, tue le spirituel. Mais, prenant parfois un ton plus intime qui fait écho aux demi-confidences des *Quatrains*, le poète pourfend la femme « charmeresse » à laquelle il se hâte d'opposer la « noble et pure caresse / De la mère à l'enfant », le « long mariage » et la fidélité chrétienne : dans la morale de Péguy, « bonheur » rime avec « honneur ». Les tercets ont beau se succéder inlassablement, le poète n'est jamais à court d'inventions verbales. Le va-et-vient des « armes » ennemies, comme le mouvement de la navette sur la trame, se poursuit jusqu'à épuisement des rimes – que Péguy tirait d'un dictionnaire quand il n'en fabriquait pas de nouvelles. Emporté par sa querelle, il scande même l'alexandrin de l'intérieur, faisant rimer les hémistiches, dessinant des figures de détail sur le motif d'ensemble (« Les coudes sur la table et la clabauderie / Et la ribauderie et la maussaderie / Et la badauderie et la nigauderie »). A la suite de ce duel, la prophétie de Geneviève (9), laissant prévoir de nouvelles catastrophes (celles dont Jeanne sauvera la France), aligne de menaçantes suffixations en *age* qui riment avec « naufrage ». Mais, épousant la cadence balancée de l'Histoire, cette première *Tapisserie* s'achève néanmoins sur un espoir – celui d'un renouveau mystique que rendra possible la pratique des « trois vertus chrétiennes » célébrées dans les derniers tercets.

Eclipsant celle de Geneviève et de Jeanne (« La sainte la plus grande après sainte Marie »), l'image de Notre-Dame règne sur la seconde *Tapisserie*. Plus d'allusions aux « orages » qui soufflent du dehors secouant la « nef » France. Une relation apaisée s'installe entre Marie médiatrice et ses dévots : la mer et l'océan figurent désormais ces espaces qu'il faut franchir pour atteindre la sainteté de ses sanctuaires. De tous les horizons, les fidèles convergent vers eux (« Étoile de la mer, voici la lourde nef / Où nous ramons tout nuds sous vos commandements »), se réfugiant à l'ombre de ses tours, « galériens couchés au pied de Notre-Dame ».

Exerçant la même aimantation spirituelle, Notre-Dame de Chartres (voir "Présentation de la Beauce à Notre-Dame de Chartres", que Péguy considérait, à juste titre, comme son chef-d'œuvre) semble d'abord au poète, devenu pèlerin, une « inaccessible reine » dont le sépare une infranchissable distance : « Étoile de la mer voici la lourde nappe / Et la profonde houle et l'océan des blés. » L'exactitude de la description pour quiconque connaît la plaine beauceronne se marie avec le symbole spirituel que capte la métaphore.

Le poème se développe ensuite sur le modèle d'une anabase. À travers mille aventures, une longue marche conduira finalement le poète aux pieds de Marie, où, prosterné devant son autel, il s'abîmera en oraison (les « Cinq Prières dans la cathédrale »). Mais avant l'ultime extase, le poète fait partager au lecteur les plaisirs et les embûches du chemin : « Le pain nous fut coupé d'une main maternelle » ; « Nous avons rencontré trois ou quatre gendarmes » ; « Nous marchons dans le vent coupé par les autos. » La cadence régulière des alexandrins imprime au poème le rythme d'une allure soutenue, intégrant dans un même lyrisme et l'humour, le prosaïsme et le pittoresque et l'émotion qui s'intensifie lorsque la cathédrale se profile à l'horizon («Mais vous apparaissez, reine mystérieuse / Cette pointe là-bas dans le moutonnement / Des moissons et des bois »), alors même que l'accumulation des quatrains produit l'impression d'une progression presque insensible.

Cependant, plus le pèlerin peine vers la cathédrale, moins l'intéressent les incidents de la route : les yeux rivés sur la flèche, il psalmodie, opposant les vertus de Marie à la fragilité humaine. Effacé par la prière, le paysage beauceron disparaît au profit du paysage intérieur : ce « secret du cœur » (« Cœur fou, cœur sage » [Quatrains] chastement épris de Blanche Raphaël) confessé à Marie, sous couvert d'une fable – le suicide d'un jeune garçon –, dans un tête-à-tête de plus en plus intime à mesure qu'approche le terme du voyage.

Parvenu au-dedans du sanctuaire (les « Cinq Prières »), le poète devient aveugle à tout ce qui n'est pas vision mystique : la superbe nef n'est définie que par ses fonctions spirituelles (« asile », « retraite », « calme reposoir »). C'est le lieu exclusif de la prière. L'écriture de Péguy adopte comme naturellement le ton de celle-ci, ses redites, ses répétitions habituelles renforçant l'insistance de la supplication. Les images continuent à fuser. Mais elles ne captent plus que les mouvements de l'âme : en renonçant au bonheur pour lui-même (sinon pour ses enfants, voir "Prière de report"), le poète s'abandonne à un certain masochisme (« Ce besoin sourd d'être plus malheureux / Et d'aller au plus dur et de souffrir plus creux »). Dans cette oblation de sa personne à la Vierge, il se laisse aspirer par un désir de mourir au monde qui éclate dans les métaphores de l'ultime prière : son « cœur enseveli » n'est plus que « tombe » ouverte à la seule présence de Marie.

Commencée dans l'allégresse, la Tapisserie de Notre-Dame s'achève donc sur une note funèbre. Évoquée avec ce réalisme teinté d'humour noir dont le poète se départit rarement (« Quand nous aurons tremblé nos derniers tremblements / Quand nous aurons raclé nos derniers raclements »), la mort ouvre à celui qui s'interdit désormais les amours humaines, le passage vers l'union mystique préfigurée par l'oraison dans la cathédrale. Mais elle est aussi pour le « pécheur » la quiétude après la « tragique histoire » d'un cœur déchiré : « Le jeune enfant bonheur / Était charmant / Pourtant le rude honneur / Seul fut amant » (Quatrains).

● « Poésie/Gallimard », 1958 (préf. S. Fumet). ➤ Œuvres poétiques complètes, « Pléiade » ; Œuvres complètes, Slatkine, III.

M.-A. DE BEAUMARCHAIS

TARTARIN DE TARASCON. Voir AVENTURES PRODIGIEUSES DE TARTARIN DE TARASCON (les), d'A. Daudet.

TARTUFFE (le) ou l'Imposteur. Comédie en cinq actes et en vers de **Molière**, pseudonyme de Jean-Baptiste Poquelin (1622-1673), créée à Paris au théâtre du Palais-Royal le 5 février 1669, et publiée à Paris chez Pierre Ribou la même année.

Après la querelle des *Précieuses ridicules* et celle de l'*École des femmes*, Molière suscite un scandale encore plus retentissant lorsqu'il porte à la scène son Tartuffe. C'est qu'il ne s'agit plus alors de ridiculiser des manies langagières ou une conception surannée de l'éducation des filles, mais d'abord, avec le sujet de l'hypocrisie, le domaine de la religion, qui engage à la fois la conscience personnelle et les principes de l'organisation sociale. Les marquis, les cocus et les médecins avaient fait contre mauvaise fortune sinon bon cœur, du moins bon visage : avec les dévots, Molière s'attaquait à un parti autrement plus puissant, et qui n'entendait point raillerie.

De là les nombreuses entraves apportées à la représentation. Une première version, en trois actes, est donnée le 12 mai 1664 dans le cadre des fêtes de Versailles. Les dévots, choqués de voir paraître en scène un personnage d'homme d'Église peu recommandable (même si Tartuffe n'était pas prêtre), obtiennent de Louis XIV l'interdiction des représentations publiques. Molière transforme alors Tartuffe en Panulphe, l'homme d'Église en homme du monde, et adoucit ou retranche les passages litigieux. Peine perdue : les cinq actes de Panulphe ou l'Imposteur connaissent, en août 1667, le même sort que les trois actes de Tartuffe ou l'Hypocrite en 1664. Un « placet » au roi n'y change rien, non plus que le plaidoyer anonyme de la Lettre sur la comédie de « l'Imposteur ». Pourtant, Louis XIV n'est point hostile : mais il est plus assuré des bonnes intentions de Molière que des effets de sa pièce sur les âmes simples ; surtout, il doit composer politiquement avec le parti dévot. Aussi, dès que le rapport de force lui devient favorable, le roi autorise-t-il une troisième version de la pièce, la seule dont nous possédions le texte : le Tartuffe ou l'Imposteur, qui sera jouée le 5 février 1669. Tartuffe n'est plus ni ecclésiastique ni mondain, il figure un directeur de conscience laïc.

La vieille et acariâtre Mme Pernelle reproche à la suivante Dorine et aux membres présents de la famille (ses petits-enfants Damis et Mariane ; sa bru Elmire et le frère de celle-ci, Cléante) un train de maison trop mondain, en contradiction avec les directives austères d'un dévot personnage – Tartuffe – que son fils Orgon a charitablement recueilli. Pernelle sortie, Dorine décrit à Cléante l'aveugle dévotion dont Orgon s'est pris pour Tartuffe. Revenu à point nommé de la campagne, Orgon ne s'enquiert en effet que de la santé de son protégé. Il fait à Cléante le récit ému de ses premières rencontres avec Tartuffe et semble avoir changé d'avis sur l'opportunité de marier sa fille à Valère (Acte I).

De fait, Orgon révèle à Mariane consternée qu'il lui destine un autre époux : Tartuffe. Dorine vient au secours de la jeune fille et fait si bien enrager son maître qu'il quitte la place. La suivante reproche alors sa passivité à Mariane, qui n'attend plus de conseil que de son désespoir. Précisément survient Valère, tout étonné de la nouvelle. Elle provoque entre les jeunes gens le malentendu d'un dépit amoureux, qui irait jusqu'à la rupture sans l'intervention de Dorine, fertile en expédients susceptibles d'empêcher l'union abhorrée de Mariane avec Tartuffe (Acte II).

L'impétueux Damis veut rompre par une explication brutale avec Tartuffe un dessein matrimonial qui traverse le sien ; mais Dorine le prévient d'un entretien imminent entre Elmire et Tartuffe sur le même sujet. Damis s'éloigne et va se cacher dans un petit cabinet attenant à la salle. L'hypocrite paraît. Scandalisé d'abord du décolleté de Dorine, il se radoucit à l'annonce de la venue d'Elmire. La conversation attendue a lieu, mais pas sur la question du mariage envisagé entre Tartuffe et Mariane, comme s'est Elmire qui intéresse Tartuffe, ainsi que le font savoir ses gestes et ses propos. Confrontée à une tentative de séduction en règle, Elmire repousse les avances de Tartuffe et s'engage à ne pas révéler l'incident, sous la condition que le sensuel dévot favorise le mariage de Valère avec Mariane. Damis, qui a tout entendu depuis sa cachette, refuse bruyamment un tel accommodement et profite de l'arrivée de son père pour lui conter l'impudente déclaration d'amour de Tartuffe à Elmire. Mais Orgon se refuse à croire à la culpabilité de son directeur de conscience et tourne sa colère contre Damis, qu'il déshérite et chasse de la maison. Pour marquer la confiance qu'il garde à Tartuffe, Orgon lui enjoint de fréquenter sa femme et s'apprête à faire donation de tous ses biens à son hôte (Acte III).

Cléante tente vainement une démarche auprès de Tartuffe : celui-ci ne veut ni intercéder pour Damis ni refuser la donation. D'autre part, le sort de Mariane semble être scellé : elle appartiendra à l'imposteur. Pour détourner Orgon de ce mariage, Elmire propose, en dernier recours, à son mari de lui apporter la preuve de l'hypocrisie de Tartuffe. Il accepte. Tous sortent, à l'exception d'Elmire et d'Orgon, que sa femme dissimule sous la table. Tartuffe arrive, méfiant au départ, puis enhardi jusqu'à demander des gages concrets de l'inclination qu'Elmire affirme ressentir pour lui. Elle l'envoie inspecter la galerie adjacente : lorsqu'il revient, c'est pour tomber sur un mari à la fois effondré et furieux, qui lui intime l'ordre de vider les lieux. L'hypocrite s'exécute, mais non sans menace ; son départ laisse Orgon dans l'inquiétude (Acte IV).

Les craintes n'étaient pas sans fondement : Tartuffe a bel et bien fait main basse sur une cassette contenant des papiers politiquement compromettants pour Orgon. Damis se réconcilie avec son père, mais ne peut guère lui apporter de secours ; quant à Mme Pernelle, elle ne veut rien croire. Il faut la doucereuse intrusion de M. Loyal, « huissier à verge » venu annoncer à la famille qu'elle va être expulsée en conséquence de la donation, pour ouvrir les yeux de la glapissante aïeule. Nouveau coup : on apprend par Valère que Tartuffe a remis au roi la cassette et qu'ordre est donné d'arrêter Orgon. Il n'est plus de salut qu'en la fuite. Trop tard : Tartuffe est là, accompagné de l'Exempt ! L'officier de police va procéder à l'arrestation, mais – coup de théâtre – il se tourne vers Tartuffe et le fait prisonnier. Le prince avait su démasquer le fourbe et pardonner à Orgon. Pendant qu'on emmène Tartuffe en prison, le famille loue la bonté du monarque et se dispose à célébrer le mariage de Valère et de Mariane (Acte V).

Le schéma de la pièce n'offre pas de nouveauté révolutionnaire. Deux camps s'affrontent sur la scène, entre lesquels le spectateur est immédiatement engagé à choisir. D'un côté, l'autorité distribuée en une triple fonction paternelle que disqualifient la bêtise ou l'imposture : le père biologique (Orgon), le « père » du père (Mme Pernelle, jouée par un homme et qui tient la place de l'aïeul disparu), le père spirituel (Tartuffe). De l'autre, l'alliance de la jeunesse (Damis, Mariane), de la mondanité (Elmire), de la raison (Cléante) et du bon sens populaire (Dorine). Le poids du premier groupe est équilibré par l'effectif du second : il n'est que d'attendre, mais dans une inquiétude grandissante, que la balance penche décidément du bon côté. Une norme existe donc, à quoi le spectateur ne manque pas de s'identifier ; et elle-même ne manque pas de triompher.

Trois particularités sont à noter, cependant : la scène est, au départ, aussi remplie qu'elle a coutume de l'être à la fin. Le dénouement est en quelque sorte donné dès le principe, dans cette unanimité qui expulse l'indésirable : c'est une promesse de victoire, la garantie symbolique d'un ordre dont, après bien des péripéties, l'intervention finale de l'Exempt révélera le caractère providentiel (qu'il s'agisse de la providence royale, divine ou dramaturgique). En second lieu, Molière retarde considérablement l'apparition du personnage qui donne son nom à la pièce, puisque Tartuffe n'entre en scène qu'au troisième acte. Il s'agit, bien sûr, de le faire désirer davantage : on n'entend presque parler que de lui, et on ne le voit point. Son omniprésence dans le discours le pare à nos yeux d'une maléfique omnipotence. Mais il s'agit également de démasquer d'avance le trompeur afin que l'ambiguïté de son comportement n'en laisse aucune dans l'esprit du spectateur : « J'ai mis tout l'art et tous les soins qu'il m'a été possible, explique Molière, pour bien distinguer le personnage de l'hypocrite d'avec celui du vrai dévot. J'ai employé pour cela deux actes entiers à préparer la venue de mon scélérat » (Préface). Dernière particularité dramaturgique : la paix ne revient pas lorsque Tartuffe est chassé de la maison par Orgon. Bien au contraire, il devient alors infini-

ment plus dangereux : la famille tout entière est désormais menacée, et cette menace prend une dimension politique habituellement réservée à la tragédie. Le dénouement déborde donc le cadre domestique : il est l'effet d'une intervention transcendante, celle du prince, manifesté en la personne « angélique » de l'Exempt. On a souvent critiqué l'irruption de ce *deus ex machina*, mais, outre que le spectateur d'une comédie cherche plus l'euphorie que la vraisemblance, celle-ci n'est nullement battue en brèche en l'occurrence : le roi intervient parce que Tartuffe est allé le trouver, et Tartuffe est allé le trouver parce que les papiers dérobés à Orgon impliquaient ce grand bourgeois parisien dans une affaire d'État. Au surplus, la défaillance du père, qui est roi dans sa famille, ne pouvait être compensée que par la providence du roi, qui est le père de son peuple.

Qui neutralise-t-on en Tartuffe ? D'abord, un personnage traditionnel de la comédie depuis l'Antiquité : celui du parasite – l'homme qui fait métier de manger à la table d'autrui. L'aspect de goinfrerie est fortement souligné à propos d'un Tartuffe décrit comme « gros et gras » (v. 234) et coutumier de « manger autant que six » (v. 192) ; sans compter que son appétit ne s'arrête pas à la table, mais s'étend à tous les plaisirs sensuels. Il est parasite aussi, comme le note Michel Serres, au sens moderne du terme : Tartuffe est celui qui intercepte la communication. Plus encore qu'aux êtres, il s'attaque aux relations entre les êtres : à cause de lui, le dialogue est coupé entre l'aïeule et la famille, entre le mari et la femme, entre le père et la fille, entre le fiancé et la fiancée, entre la mère et le fils. Tartuffe attire tout à lui en se substituant à tous. Pour Orgon, il est un père (spirituel), mais en même temps un frère (« Remettez-vous, mon frère », v. 1 151), un fils (il hérite à la place de Damis) et quasiment une maîtresse (« Il le choie, il l'embrasse ; et pour une maîtresse / On ne saurait, je pense, avoir plus de tendresse », v. 189-190) ; auprès d'Elmire, il se fait fort de remplacer Orgon, et Valère auprès de Mariane. Enfin, par huissier interposé, il s'apprête à prendre littéralement la place de tous en expulsant la famille de la maison. C'est tout juste s'il ne s'approprie pas le rôle du prince en faisant arrêter Orgon au dernier acte. Mais à ce point, il a visé trop haut. On ne se joue pas du roi, et Tartuffe périt d'avoir dans sa noirceur approché le soleil.

C'est moins, cependant, l'ambition dévorante qui a inquiété et choqué les contemporains dans la pièce, que les moyens mis en œuvre pour la satisfaire. Il n'est question que de tromper, et de tromper avec Dieu. Par le premier dessein, la bonne foi est menacée et par le second, la foi. Ce danger-ci paraît avoir été surestimé, l'autre minimisé au contraire.

Tartuffe trompe en paroles – par quoi il n'est qu'un menteur –, et en actes — par quoi il devient un hypocrite. Son qualificatif le plus précis est celui de « perfide » (v. 1 043, 1 101, 1 649). « Per-fide » se dit de celui qui transgresse la *fides*, la foi jurée, la parole donnée. Or toute société, à commencer par la société d'Ancien Régime, repose sur la confiance dans les engagements pris : « La bonne foi est le plus ferme lien de la société humaine », écrit le janséniste Arnauld. Cette confiance éteinte, il n'est plus de contrat ou de promesse qui tiennent, depuis ceux qui lient les époux au sein du mariage jusqu'à ceux qui obligent réciproquement le souverain et la nation au sein du corps politique. Dans la « per-fidie » de Tartuffe, qui s'attaque à la foi conjugale liant Elmire à Orgon, qui pousse Orgon à « manquer de [sa] foi » (v. 415) engagée avec Valère, qui apprend aux autres à « faire des serments contre la vérité » (v. 1 592), s'initie un processus de désagrégation de la société. Car la tromperie est un phénomène contagieux. On le voit bien au sein de l'honnête famille d'Orgon, où l'on se met à lutter contre Tartuffe en utilisant les mêmes armes que lui : Damis se cache dans le petit cabinet, Elmire convoque Tartuffe pour lui « parler en secret » (v. 897) avant de lui jouer, au quatrième acte, la comédie de la passion en présence de son mari dissimulé sous une table ; Cléante lui-même, au dernier acte, regrette qu'on n'ait pas cherché des « biais » (v. 1 600) avec Tartuffe et souhaite qu'on puisse entre Orgon et l'imposteur « de quelque ombre de paix raccommoder les nœuds » (v. 1 712). On pourrait multiplier les exemples : il n'est pas un personnage, aussi « droit », aussi « sympathique » qu'on le juge, qui ne soit prêt à user d'hypocrisie pour venir à bout de l'hypocrite. Même vaincu, Tartuffe est victorieux en ceci qu'il a obligé les autres à lui devenir, au moins pour un temps, semblables. C'est ce qui fait de lui plus qu'un vulgaire escroc, un véritable fléau social. Telle est effectivement la dimension, pourtant négligée par la critique, que Molière donne au vice de son personnage dans la Préface de la pièce : « Si l'emploi de la comédie est de corriger les vices des hommes, je ne vois pas par quelle raison il y en aura de privilégiés. Celui-ci est, dans l'État, d'une conséquence bien plus dangereuse que tous les autres. »

Mais en dénonçant l'hypocrisie en matière religieuse, Molière n'a-t-il pas lui-même fait œuvre d'hypocrite ? Depuis les débuts de la pièce jusqu'à nos jours, de Roullé, Rochemont et Péréfixe à J. Cairncross, l'accusation est lancée contre Molière d'avoir visé la vraie dévotion au travers de la fausse. Et il est bien certain que le dramaturge a étendu sa critique de l'hypocrisie à une certaine forme de dévotion – aveugle, superstitieuse et rigoriste – qui la rend possible. Point de Tartuffe sans Orgon, et ce dernier à coup sûr est un croyant sincère. N'en déduisons pas pour autant que Molière s'en prend à la religion elle-même : Orgon, dans sa sincérité, n'en est pas moins à sa façon un faux dévot, dont la conduite essentiellement coléreuse (orgê, en grec, signifie « colère ») contredit les principes de la religion qu'il professe. Orgon s'imagine servir le christianisme, mais il se sert de lui pour satisfaire son « amour-propre » et en particulier son désir de dominer : Tartuffe le mettant, de par sa fonction de directeur de conscience, à couvert du côté du ciel, il va pouvoir déployer jusqu'au sadisme, sur sa famille atterrée, un phantasme de toute-puissance qui n'a d'autre origine que la conscience confuse de sa propre faiblesse. Dans le domaine religieux comme ailleurs, l'excès est pour Molière le signal d'un manque. Ceux qu'il appelle les « gens de bien à outrance » – par exemple les membres de la compagnie du Saint-Sacrement, qui ont sans doute prêté des traits à Tartuffe et à Orgon – entrent dans la même catégorie que les « faux-monnayeurs en dévotion ». Inversement, le vrai dévot sera raisonnable et humain, comme Cléante : non que la religion se réduise forcément aux limites de la simple raison, mais au moins elle ne doit pas la détruire. La pièce ne permet pas d'en dire davantage, car les bienséances refusent au théâtre classique d'explorer la sphère propre du religieux. C'était déjà beaucoup – et trop pour certains – d'évaluer, comme le fait Molière, telles conduites prétendument ou sincèrement chrétiennes à l'aune du jugement mondain et de la morale naturelle.

Mais la gravité de ses enjeux n'empêche pas, en dernière analyse, le Tartuffe de demeurer une comédie. Elle tient de la farce par les soufflets qui volent bas ou qui n'atteignent point leur but (celui de Mme Pernelle à Flipote, sa servante, celui d'Orgon à Dorine), par le bâton dont, à la fin du troisième acte, le père menace son fils, par la grotesque posture qui confine le mari sous une table pour entendre les propos galants adressés à sa femme. Le comique est déclenché aussi par la répétition des formules (« Le pauvre homme ! ») et le retournement de situation qui voit tromper le trompeur. C'est sur le rôle de Dorine que repose essentiellement la mission d'alléger par le rire la tension qui gagne la scène à certains moments, lorsque Orgon veut contraindre Mariane à épouser Tartuffe ou que M. Loyal annonce l'expulsion de la famille : ses répar-

ties, aussi pertinentes qu'irrévérencieuses, démystifient pour notre joie les prestiges abusifs de l'autorité. Au reste, ceux qui l'incarnent contribuent à leur propre dénonciation par la contradiction où les piège le dramaturge entre leurs solennels propos et le ridicule de leur conduite. C'est cette force comique qui garantit la survie du Tartuffe sur nos scènes, même si, au cours de son histoire, les circonstances politiques ont pu contribuer à sa réussite.

L'interdiction du Tartuffe a assuré son succès de départ, et ce caractère de pièce contestée (donc objectivement contestatrice) a longtemps joué sur sa fortune théâtrale : dès que le pouvoir semble aux mains d'un parti dévot – sous la monarchie constitutionnelle et le second Empire –, applaudir au Tartuffe devient une manifestation de libéralisme et l'opposition accourt en foule ; lorsque, inversement, triomphe l'anticléricalisme d'État – sous la IIIe République –, les représentations fléchissent. Au total pourtant, c'est la pièce de Molière la plus souvent reprise. La Comédie-Française l'a jouée trois mille fois. Le Tartuffe attire les comédiens les plus célèbres, d'Augé (au XVIIIe siècle) à Gérard Depardieu, en passant par Coquelin cadet, Lucien Guitry et Louis Jouvet, ainsi que les mises en scène les plus originales ou déroutantes : celles d'Antoine Vitez (Festival d'Avignon, 1978), de Jean-Paul Roussillon (Comédie-Française, 1980), ou encore de Jacques Lassalle (Théâtre national de Strasbourg, 1984) ; celle surtout de Roger Planchon (Villeurbanne, 1962 ; Buenos Aires, 1973). Jusque dans les libertés qu'elles prennent avec la vraisemblance idéologique, ces représentations attestent que le Tartuffe ne cesse de nous parler au présent.

● « Folio », 1973 (p.p. G. Couton) ; « Le Livre de Poche », 1985 (préf. G. Dumur, p.p. J.-P. Collinet) ; « Presses Pocket », 1992 (p.p. E. Charbonnier). ➤ *Théâtre complet*, Les Belles Lettres, V ; *Œuvres complètes*, « GF », II ; *id.*, « Pléiade », I.

G. FERREYROLLES

TAUREAU BLANC (le). Conte de François Marie Arouet, dit **Voltaire** (1694-1778), publié à Paris dans la *Correspondance littéraire* de novembre 1773 à janvier 1774, et en volume à Genève chez Cramer en 1774.

Ce conte prétendument « traduit du syriaque par M. Mamaki, interprète du roi d'Angleterre pour les langues orientales » a porté un sous-titre différent dans une édition de 1774 : « traduit du syriaque par dom Calmet », lequel mérite d'être cité. Dans le *Commentaire littéral sur tous les livres de l'Ancien et du Nouveau Testament* de l'érudit bénédictin, Voltaire a trouvé une dissertation sur la métamorphose de Nabuchodonosor en bœuf, dont parle le livre de Daniel. Des allusions dans la *Correspondance*, des rapprochements avec des articles des *Questions sur l'« Encyclopédie »* (article « Âne », sur les métamorphoses ; article « Ararat », sur le Déluge ; article « Expiation », sur le bouc émissaire ; article « Enchantement », sur le serpent, Amphion et Josué) permettent de dater la genèse de ce conte des années 1770-1772. Le 26 septembre 1773, il est entre les mains du chevalier de Lisle, un ami des Philosophes, venu rendre visite au patriarche. Par son intermédiaire, il paraît dans le périodique de Grimm, la *Correspondance littéraire*. Celle-ci ne ménageait guère le « déicole » de Ferney – mais Grimm, alors en Allemagne, est remplacé par Meister –, et n'avait reproduit jusque-là que des lettres et des poèmes de Voltaire. *Le Taureau blanc*, « échappé dans Paris », « frappe de ses cornes pour un écu » : huit éditions se succèdent en 1774, et l'ouvrage est traduit en anglais.

En Égypte, du temps du roi Amasis, il est interdit à la princesse Amaside de prononcer, sous peine de mort, le nom de Nabuchodonosor, son amant disparu. Au bord du Nil, un étrange spectacle s'offre aux yeux : un taureau blanc enchaîné, gardé par une vieille accompagnée de différents animaux. Le taureau se précipite vers la princesse, qui demande à son précepteur, le sage Mambrès, de l'acquérir (chap. 1). La vieille, qui est la pythonisse d'Endor, aidée par le serpent de la Genèse, l'ânesse de Balaam, le poisson qui avala Jonas, le chien de Tobie, le bouc émissaire, un corbeau et un pigeon qui étaient dans l'arche de Noé, doit surveiller ce taureau (2). La belle Amaside a un entretien secret avec le serpent, qui lui révèle la métamorphose de Nabuchodonosor (3). La princesse prodigue désormais les plus doux noms au taureau blanc. Le roi Amasis et sa cour en concluent qu'il faut exorciser la princesse et sacrifier ce taureau qui est un sorcier (4). Le bœuf Apis vient de mourir : Mambrès, afin que le taureau ait la vie sauve, le propose aux prêtres de Memphis comme nouveau dieu (5). Il offre un repas à la vieille et aux trois prophètes, Daniel, Ézéchiel et Jérémie, qui, frappés par le taureau, se transforment en pies (6). Le roi s'apprête à sacrifier sa fille et le taureau. Mambrès obtient un délai de huit jours (7). Pour la distraire de sa peine, le serpent fait des contes à la princesse (8). Ses contes ne la consolent point et elle prononce le nom fatal de Nabuchodonosor (9). Alors qu'on va couper le cou de la princesse, arrive une procession religieuse (10) : on adore le taureau blanc, reconnu comme le dieu Apis. Mais le temps du sortilège est révolu et le taureau redevient homme. Mariage de Nabuchodonosor et d'Amaside. Chacun est récompensé selon ses mérites (11).

Le rédacteur de la *Correspondance littéraire* fit précéder *le Taureau blanc* d'un commentaire s'étonnant de « la gaieté si folle » du vieillard de Ferney. On partage cet émerveillement. *Le Taureau blanc* est une féerie qui a pour cadre l'ancienne Égypte et emprunte ses folies à la Bible. Les métamorphoses de l'intrigue – roi changé en bœuf, bœuf en dieu, dieu redevenu homme – sont démultipliées par les rappels érudits de Mambrès : Lycaon transformé en loup, Calisto en ourse, Io en vache, Daphné en laurier. Le bestiaire fabuleux de la Bible : chien de Tobie, ânesse de Balaam, colombe de l'arche, bouc émissaire, voisine avec celui de l'Égypte : bœuf Apis, brebis de Thèbes, chien de Bubaste, chat de Phœbé, crocodile d'Arsinoé et bouc de Mendès. Les mythologies s'entrecroisent, se superposent, révélant leurs folies différentes et de même nature. On s'interroge sur l'identité du serpent qui pourrait être celui de l'Égypte, symbole d'éternité, celui d'Esculape, et qui est en fait celui de la Genèse.

Ainsi s'opère le passage du merveilleux à la philosophie. Cette méthode comparative relativise le texte biblique destitué de son autorité. Ses révélations ne sont qu'une des variantes d'un fonds commun mythologique élaboré depuis la nuit des temps par l'humanité, et ses miracles sont à ranger dans la catégorie des fables. Au passage, Voltaire égratigne les superstitions, trace le portrait du sot et cruel Amasis, ironise sur les « oignons sacrés qui n'étaient pas tout à fait des dieux, mais leur ressemblaient beaucoup ». Il imagine une supercherie provocante qui ne vise à rien de moins qu'à la création d'un nouveau dieu. Apis « meurt comme un autre », le subterfuge de Mambrès réussit : « Daniel a changé cet homme en bœuf, et j'ai changé ce bœuf en dieu », avoue-t-il à son « ami », le serpent. Confidence et connivence qui laissent à penser... Le faux dieu Apis se fait homme et préfère être l'amant de la belle Amaside.

Par une mise en abyme piquante, Voltaire introduit dans *le Taureau blanc* une critique du conte invraisemblable et ajoute : « Je voudrais surtout que, sous le voile de la fable, il laissât entrevoir aux yeux exercés quelque vérité fine qui échappe au vulgaire. » On voit quelle vérité fine se dégage du *Taureau blanc*, qui invite à distinguer entre l'Histoire et la fable. Vérité servie par un art éblouissant dans le pastiche et la parodie : Voltaire se joue des anachronismes, des disparates, des rapprochements insolites. Ce vieillard, au seuil de ses quatre-vingts ans, a donné libre cours à sa gaieté, à sa verve, à son goût du jeu. Il jongle irrespectueusement avec des épisodes bibliques, se récrée au contact de ses personnages, ce serpent si galant avec les dames, ce vieillard Mambrès plein de componction et de ruse, sa « nourrissonne » la belle Amaside, condamnée à pleurer « tout ce qui lui restait de virginité » au bord du Nil, et le « grand et malheureux prince »

qui « broutait de l'herbe ». Un divertissement savant et plein de sel.

● Nizet, 1957 (p.p. R. Pomeau). ➤ *Romans et Contes*, « GF » ; *id.*, « Pléiade » ; *id.*, « Folio » ; *Contes en vers et en prose*, « Classiques Garnier », II.

C. MERVAUD

TAXIS DE LA MARNE (les). Essai de Jean **Dutourd** (né en 1920), publié à Paris chez Gallimard en 1956.

Pendant la Première Guerre mondiale, la France, héroïque et victorieuse, a acquis le droit de honnir la guerre. Des chefs au patriotisme sanguinaire vouèrent des millions d'hommes au sacrifice. Mais l'exaltation des poilus inspira à leurs fils un scepticisme méprisant. Immolant la vertu et l'honneur sur l'autel de la « compréhension », la France et ses gouvernants tombèrent dans un paternalisme veule. Oublieux du sens de l'État, tous confondirent politique et bons sentiments. Blum refusa d'envoyer en Espagne des troupes qui auraient cependant œuvré pour l'avenir de la patrie. Les généraux théorisèrent la stratégie anachronique de la guerre des tranchées. En 1940, les Français, vaincus, accueillirent avec complaisance l'envahisseur, dans l'espoir illusoire d'une libération toujours à venir. Seul de Gaulle, homme de génie alors méconnu, conserva le sens de l'honneur. La France, en 1956, se fait gloire d'un anticonformisme qui ressemble fort à la perte générale des valeurs, symptôme de la décadence.

Dans cette méditation sur la guerre, Jean Dutourd se fonde sur son expérience personnelle pour fustiger l'anarchisme mou de ses contemporains, Frédéric Moreau modernes qui pratiquent le « genre rapin » et le culte des vaincus par macération intellectuelle. Pour éclairer les causes de cette apathie, il remonte le temps, de l'Ancien Régime aux années cinquante. Pratiquant l'autodérision, il évoque avec humour et amertume les débuts de l'Occupation, son incarcération dans une garnison de Bretagne où ses compagnons s'accommodaient fort bien de la retraite et de l'attentisme. Pour lui, les généraux ont eu la « bêtise » de ne pas exiger de leurs hommes les sacrifices les plus fous ; bien qu'ils se disent « les plus forts », ils ont, logiquement, perdu la guerre. Dans une langue classique et nerveuse, l'auteur fait le procès du renoncement : déjà, en 1870, la France aurait pu s'imposer à la face du monde. En 1940, faute de caractère, politiques et chefs militaires ont perdu le sens de l'Histoire. Comme la société d'Ancien Régime à la veille de la Révolution, la France a sombré dans un état proche de l'agonie. Nation vieillie, elle vit, en 1956, sur des représentations passéistes et se moque de la vertu rigide de De Gaulle. Sensible au sublime, l'auteur reconnaît que les massacres de 1914-1918 ont provoqué un légitime sentiment de répulsion, mais il regrette que nul n'exalte plus la grandeur d'âme, la folie stendhaliennes qui en étaient la contrepartie.

Néanmoins, tout en exprimant son pessimisme et en anticipant un avenir kafkaïen, Jean Dutourd trahit son besoin de croire au destin d'un pays dont il dit désespérer. Son virulent réquisitoire contre ses contemporains révèle la permanence en lui du patriotisme inculqué par son père – témoin le titre donné à l'ouvrage, qui perpétue le souvenir de l'ultime manifestation, à ses yeux, du génie militaire national.

● « Folio », 1973.

V. ANGLARD

TCHIN-TCHIN. Comédie en cinq actes et en prose de François **Billetdoux** (1927-1991), créée à Paris au théâtre de Poche-Montparnasse en 1959, et publiée à Paris dans l'*Avant-Scène* le 15 mars 1959, et en volume dans le tome I du *Théâtre* aux Éditions de la Table ronde en 1961.

Paméla Puffy-Pick, épouse d'un chirurgien, et Césaréo Grimaldi, trompés par leurs conjoints respectifs, se rencontrent un soir d'hiver. Ils boivent plus que de raison en imaginant les détails de la nouvelle vie de Marguerite et Adrien, amants de fraîche date (Acte I). Césaréo cache mal sa jalousie à l'égard de son rival ; Paméla regrette d'avoir bu et incite son compagnon d'infortune à la révolte. Mais Césaréo pense qu'il est plus prudent de laisser tranquille le nouveau couple (Acte II). Paméla et Césaréo louent une chambre d'hôtel pour y faire provision de bouteilles ; ils décident d'oublier leurs conjoints et de prendre la vie comme elle vient. Survient Bobby, fils de Paméla, qui reproche à Césaréo d'avoir poussé sa mère à abandonner toute activité (Acte III). En manière de protestation, Césaréo enferme Bobby dans une armoire avant de remettre la direction de son entreprise au comité ouvrier, de licencier l'ensemble du personnel et de se retrouver ruiné (Acte IV). Longtemps après, Césaréo, habillé en clochard, retrouve Paméla qui a beaucoup vieilli. Ils vont rôder ensemble sous les fenêtres d'un luxueux immeuble où habitent Adrien et Marguerite. Paméla et Césaréo décident de prendre la route, « par la porte d'Italie », non sans avoir empoché le portefeuille de Bobby rencontré sur un quai quelques minutes plus tôt (Acte V).

Pièce à deux personnages (Bobby, le fils de Paméla, n'apparaît qu'à deux reprises), *Tchin-Tchin* fait aussi intervenir deux absents (les deux conjoints infidèles) dont le duo Paméla-Césaréo se plaît à imaginer les déplacements et les activités : « Je lui aurais tenu la main, elle aurait mangé des pâtisseries », déclare Césaréo dans un dernier constat d'impuissance.

Le contrat passé par les héros de cette rencontre fortuite fait cependant intervenir un troisième personnage, omniprésent celui-là : l'alcool, dont Paméla et Césaréo abusent délibérément. La pièce est rythmée par les appels au garçon de café, par les considérations sur tel « vin français » qui « éveille les délicatesses », par les professions de foi fantaisistes : « Je bois pour donner des valeurs. » Guidés par l'alcool, ils se dépouillent de tous leurs artifices et transforment chaque événement, même anodin, en un cérémonial métaphysique où le désir de « poétiser » (« Je bois pour donner des couleurs ») le dispute à la volonté de dérision (« Je me sens si minuscule. – Aimez-vous le cassoulet toulousain ? »). L'état de grâce auquel ils parviennent au terme de cette phase de libération les débarrasse de tout souci de dignité sociale. Ainsi Paméla, délivrée des devoirs de la maternité, peut-elle malmener son fils en toute sérénité avant de le dépouiller et de l'abandonner. Ainsi les deux ivrognes peuvent-ils également s'adonner à des jeux puérils : décliner le verbe « boire » (Acte V), se laisser aller à des coquetteries (« Dites-moi que je suis beau et fruité ») ou à des défis enfantins (« Je bois plus que vous ! »). Ils ne vivent plus leurs amours qu'au conditionnel et s'enivrent de promesses qu'ils ne tiendront pas : « Je serai hygiénique et capitonné. Je vais m'efforcer de gagner beaucoup d'argent pour être protégé de tout. » Pourtant, au-delà des situation cocasses à la Feydeau, c'est une véritable ascèse qu'ils vivent tous deux, où la boisson semble leur servir de prière ; la comparaison entre alcool et religion est d'ailleurs soigneusement filée d'un bout à l'autre de la comédie, que l'auteur place sous le signe de Krishnamurti : « Tant que l'esprit est à la recherche de sa satisfaction, il n'y a pas une grande différence entre la boisson et Dieu. »

● Arles, Actes Sud, « Papiers », 1986.

P. GOURVENNEC

TEL QU'EN LUI-MÊME. Voir VIE ET AVENTURES DE SALAVIN, de G. Duhamel.

TÉLÉMAQUE. Roman de François de Salignac de La Mothe **Fénelon** (1651-1715), publié sous le titre *les Aventures de Télémaque* à Paris chez la Veuve Barbin en 1699.

Télémaque, le fils d'Ulysse, aborde dans l'île de Calypso. Il lui conte ses voyages – l'Égypte, où il fut réduit à garder des troupeaux, tandis que son précepteur Mentor était esclave des Éthiopiens ; la Phénicie, dont il admira la richesse ; Chypre, l'île de Vénus, où il sut résister aux charmes de l'amour ; la Crète, où les lois de Minos ont ménagé une sage administration (livres I-V). Calypso s'éprend du jeune homme, que Mentor oblige à fuir. Sur le bateau, les chants se succèdent, et Adoam évoque les merveilles de la Bétique (VI-VII). Ils arrivent à Salente où règne Idoménée, et Mentor réorganise cet État selon des lois austères qui le purifient (VIII-X). Télémaque rencontre Philoctète, qui lui conte son histoire (XI). Puis il fait la guerre, apprend à commander une coalition, à être un guerrier valeureux et accessible à la pitié (XII-XIII). Descendu aux Enfers, il voit dans le Tartare tous les mauvais rois, aux Champs Élysées les bons souverains (XIV). Après la fin de la guerre, il revient à Salente, dont il admire l'opulence. Il s'éprend d'Antiope, la fille d'Idoménée, qui sera son épouse, mais il doit d'abord regagner Ithaque (XV-XVII). Contraint d'aborder dans une île, il voit son père Ulysse, s'entretient avec lui sans le reconnaître. Mentor se révèle être Minerve et lui dispense ses dernières recommandations, avant qu'il n'arrive à Ithaque, où il retrouve son père (XVIII).

Formé de dix-huit livres, écrit en marge de l'*Odyssée*, le *Télémaque* présente d'abord tous les caractères de l'épopée. Nous sommes d'emblée *in medias res*, et un long récit nous instruit de ce qui précède : le héros, comme son père, s'efforce de regagner Ithaque. Il est ainsi conduit à bien des voyages, subit bien des épreuves, croise bien des comparses qui lui content à leur tour, en des épisodes plus ou moins fournis, leurs aventures passées.

Cette épopée en prose rencontre évidemment le problème du merveilleux. Conformément à la tradition baroque, à l'enseignement des jésuites, aux exégèses de Huet et de Thomassin, l'archevêque de Cambrai recourt à la Mythologie antique pour orner son ouvrage. Bossuet s'étonna de voir tant de belles femmes, tant de séduisantes nudités dans ce livre signé par un prélat. Mais les mythologies de Fénelon, comme celles de Rubens, ne sont pas seulement ornementales : elles sont pédagogiques. L'*Iliade*, l'*Odyssée*, les *Métamorphoses* d'Ovide peuvent être regardées comme des approximations fleuries et allégoriques des vérités de l'Évangile. À la fin du livre IV, le triomphe d'Amphitrite (inspiré à la fois d'œuvres de Raphaël et de Poussin) signifie le triomphe de la Vierge – et plus encore de la Charité, qui, par sa seule présence, « douce majesté », apaise l'univers et fait fuir les « vents séditieux ». Mentor, comme Minerve, est l'incarnation de la sagesse divine et, sur le bateau phénicien, il chante pieusement les malheurs de Narcisse et d'Adonis.

Destiné à un futur monarque – le duc de Bourgogne, dont Fénelon était le précepteur, et qui à cette date semblait appelé au trône –, le *Télémaque* contient maints conseils sur l'art de bien régner et sur l'État idéal. Les mauvais rois sont le tyran Pygmalion, qui s'abîme dans une méfiance paranoïaque et meurt empoisonné par sa maîtresse Astarbé, et toutes ces ombres qui peuplent le Tartare – monarques trop absolus ou esclaves du luxe et de la mollesse. Le bon roi doit obéir aux lois, fuir les favoris et les favorites, qui profitent de ses passions et les entretiennent. Il doit dédaigner le faste et haïr la guerre : critique à peine voilée de Versailles, du ministre Louvois, de Louis XIV même, qui se jugea « insulté à chaque page ». Idoménée, le mauvais roi de Crète, deviendra à Salente un bon monarque grâce aux conseils de Mentor. Image probable, ainsi que l'ont jugé les contemporains, de Louis XIV, qui pourrait, avec un ministre aussi sage que Fénelon, se corriger et mieux régir son État. Il faut sans doute reconnaître Louvois dans le fourbe Protésilas.

Télémaque rencontre, dans ses voyages, de nombreux pays, diversement administrés. Il ne voit pas la fabuleuse Bétique ; Adoam lui en conte simplement les merveilles, qui sont peut-être imaginaires – vie rustique (élevage et agriculture), concorde et pureté de tous. En Égypte, le fils d'Ulysse a gardé des troupeaux dans les déserts d'Osiris. On lui a fait souvenir pour le consoler, qu'Apollon, le dieu de la Lumière, avait dû se faire le pâtre d'Admète, et il s'est enivré de la douce sérénité d'une vie bucolique.

Cette évocation n'a pas de portée politique, et la Bétique n'est qu'une utopie. L'âge d'or est définitivement révolu ou n'a jamais été. Mais ces rêves ne sont pas oubliés, quand on en vient aux États réels et aux réformes souhaitables. De Salente sont bannis le luxe et les arts inutiles ; on y vit simplement ; l'agriculture y est encouragée. Reste que Fénelon – bien moins chimérique qu'on l'a dit – veut voir se développer dans sa cité idéale le commerce et l'industrie, et, loin de tout égalitarisme, y divise le peuple en sept classes hiérarchisées. Tyr semble une image de la Hollande : le commerce cosmopolite y apporte la prospérité et n'y connaît aucune entrave, ce qui récuse évidemment le protectionnisme instauré par Colbert.

Il est hors de propos de se demander si Fénelon fut un père de la Révolution ou un nostalgique du Moyen Âge. Son message politique fort simple est proche surtout de celui que formulera Montesquieu. Il constate la faillite de la politique de Louis XIV et propose des solutions raisonnables, que les économistes et les Philosophes du XVIIIᵉ siècle reprendront – liberté du commerce, relance des activités agricoles, monarchie enchaînée par les lois. La Bétique, comme les Troglodytes des *Lettres persanes*, suscite un rêve, qui transcende toutes les politiques concrètes, mais peut les orienter.

Dira-t-on que *Télémaque* est un roman d'éducation, et que le fils d'Ulysse, au cours de ses voyages, n'apprend pas seulement à bien régner, mais à devenir un homme et à connaître le vrai ? Fénelon nous montre comment son héros s'émancipe des faiblesses de l'amour, puis des fièvres d'un tempérament trop vif ; son mariage avec Antiope peut signifier le passage à l'âge adulte – et plus encore (dans cette étrange scène si poétique et si propice à des lectures psychanalytiques) sa rencontre avec son père, qui tout en lui donnant de sa vie un récit mensonger lui dit pourtant la vérité, et lui laisse une impression poignante. Mais la pédagogie n'est pas vraiment progressive. Les mêmes leçons se retrouvent d'un livre à l'autre avec d'autres prétextes et d'autres parures. Ou plutôt tout est su d'emblée : Fénelon n'est pas un romancier ni un poète épique, car il ignore le temps. Il nous peint littéralement le monde *sub specie aeternitatis*, dans cette « lumière simple, infinie et immuable, qui se donne à tous sans se partager [...], cette vérité souveraine et universelle qui éclaire tous les esprits » (livre IV). Pas d'arêtes, aucune rupture, ni vraiment de mutations dans cette splendeur sereine et ce style dénoué, qui nous donnent, au fond, l'équivalent littéraire de la peinture médiévale – le monde vu par Dieu, pour qui l'Histoire n'est qu'un mirage ; les individus, leurs problèmes et leurs combats ne sont que des illusions. Si le temps disparaît, le mal n'existe pas tout à fait. Mentor est l'auteur du livre, et sa sagesse défait la trame épique, qu'il a pourtant si complaisamment tissée.

● « Classiques Garnier », 1987 (p.p. J.-L. Goré). ➤ *Œuvres*, « Pléiade ».

A. NIDERST

TELLIAMED ou Entretiens d'un philosophe indien avec un missionnaire français sur la diminution de la mer, sur la formation de la terre, l'origine de l'homme, etc. Ouvrage de Benoît de **Maillet** (1656-1738), publié à Amsterdam chez L'Honoré en 1748.

Benoît de Maillet, gentilhomme lorrain, fut nommé en 1692 consul de France en Égypte où il resta pendant seize ans. Cette activité (il développa le commerce, protégea les missionnaires catholiques, etc.) s'accompagna d'un travail d'observation portant sur les phénomènes de sédimentation et d'alluvionnement fluviaux. Ces observations

manuscrites furent confiées à l'abbé Le Mascrier qui les publia sous le titre de *Description de l'Égypte*. Paru à titre posthume, *Telliamed* est un texte crypté et pourtant transparent. Le missionnaire français (et qui plus est, lorrain) est bien Benoît de Maillet ; le philosophe indien (qui n'est point des Amériques mais des Indes orientales, musulmanes) s'appelle Telliamed, soit l'anagramme de « de Maillet ». En somme, Maillet dialogue et s'entretient avec ce Telliamed venu d'ailleurs, c'est-à-dire avec lui-même.

Le texte se développe en six journées ou six entretiens. Le thème est ambitieux, puisqu'il s'agit de comprendre l'origine du globe terrestre, des espèces, de l'homme selon un principe qui pourrait paraître posé a priori si l'auteur ne le disait fondé sur des faits : toute origine vient de la mer. Et c'est pourquoi, avec une ironie toute philosophique, le *Telliamed* est dédié au système le plus fabuleux qui ait pu se concevoir, celui de Cyrano de Bergerac qui prétend que le voyage originaire de l'homme s'est effectué dans la Lune et le Soleil, système ignorant tout de la mer nourricière. Cependant, dans sa folie, Cyrano, le philosophe fictif est peut-être plus proche du vrai que tous les faiseurs de systèmes : « Extravaguer pour extravaguer, on peut extravaguer dans la Mer comme dans le Soleil ou dans la Lune. » À croire, si l'on suit Maillet, qu'on ne peut penser l'origine de notre planète qu'en *extravaguant*.

Telliamed prend place dans une problématique qui se généralise en France à partir des années 1720 : peut-on tracer une histoire de la Terre, et en quoi la découverte de créatures fossiles peut-elle contribuer à constituer cette histoire ? Les fossiles trouvés au sommet des montagnes sont-ils les signes anciens du Déluge relaté par l'Écriture sainte ? Ou seraient-ils les témoins de bouleversements telluriques, de mouvements encore inconnus qui auraient agité les mers ? En ce point, Telliamed, le philosophe indien, prend parti. Les coquillages fossiles trouvés dans les montagnes ne sont que des dépôts laissés par des courants de la mer ; le Déluge dont fut sauvé Noé n'a été qu'une modeste inondation locale que l'Écriture a enflée. L'origine de la Terre vient de l'activité de la mer ; mais la mer se retire progressivement, comme si la finalité de la nature tendait à agrandir le globe pour que ces espèces issues de la mer puissent devenir terrestres et ce, dans leur plus noble figure : l'homme, terrestre, bipède, et cela suit de source, être pensant et raisonnable. Mais si, comme le pense Maillet, la Terre se rapproche de l'astre solaire, et si les mers s'évaporent, notre globe sera consumé. Cette catastrophe envisageable n'est pas cependant une hypothèse raisonnable ; car le globe terrestre, léger, brûlé par le Soleil, redevient par sa légèreté même vaporeux, spirituel, plus humain. La Terre n'est point capable d'incandescence ; la mer, même diminuée, maintient sa fonction bénéfique.

Les six journées du *Telliamed* racontent ainsi, sous la forme d'un récit scientifico-mythique, l'histoire du globe, des vivants, de l'homme. À la question de savoir si l'histoire de la planète et de ses habitants contredit ou non l'Écriture et le récit sacré de la Genèse, le philosophe indien répond par la négative. La Bible relate en six jours le processus de la Création et le septième jour Yahvé se repose : le philosophe indien souligne, imperturbable, qu'une durée de six jours n'a de sens que métaphorique. Le septième jour, appelé le jour du Seigneur, Telliamed le consacre, lui, à écrire. Son texte n'est-il qu'une folie, une conjecture raisonnable ? Est-ce un amusement dans le style de Cyrano (voir *Histoire comique des États et Empires du Soleil* et *Histoire comique contenant les États et Empires de la Lune*), une fiction comme a pu en produire Fontenelle dans les *Entretiens sur la pluralité des mondes* ? N'est-il pas particulièrement outré de prétendre que la matière informe a pu préexister à son organisation actuelle, de soutenir que l'espèce humaine a son origine dans la mer et est le résultat d'une longue évolution ? N'y a-t-il pas lieu, alors, d'accuser Telliamed de ruiner les fondements de la religion ? Le philosophe indien, à ce sujet, proteste : il n'a prétendu dans son système qu'à intéresser la raison, et s'il doit être jugé, c'est aux seules lumières de la raison de lui rendre justice.

● Fayard, 1984.

M. CRAMPE-CASNABET

TEMPLE D'HONNEUR (le). Dit poétique de Jean **Froissart** (vers 1337 - vers 1410), probablement composé en 1363 et conservé par deux manuscrits de la fin du XIVe siècle.

Présenté dans les deux manuscrits comme un « traité de moralité », ce poème de 1 076 octosyllabes à rimes plates, transmet son enseignement moral par le biais d'un songe qu'aurait fait l'auteur l'année même où il le fixa par l'écriture.

Après avoir relaté les circonstances qui l'amenèrent à mettre par écrit son rêve, l'auteur en vient au récit proprement dit (v. 1-62). Alors qu'il se trouve dans une forêt, il voit venir un cavalier qui a fière allure. Ce dernier lui propose de l'accompagner et ils se rendent ensemble au temple d'Honneur, qui marie son fils Désir à Plaisance. Ils parviennent à l'édifice, somptueux à l'extérieur, magnifique à l'intérieur. Honneur siège sur un trône auquel on accède par sept marches. À ses pieds, assis sur un tapis, se trouvent les jeunes mariés. Du côté de Désir, sur chaque marche, se tient un personnage masculin (Avis, Hardement, Emprise, Atemprance, Justice, Loyauté, Largesse), et du côté de Plaisance, sur chacune des sept marches, un personnage féminin : Manière, Humilité, Franchise, Courtoisie, Charité, Pitié, Foi (v. 63-310). Honneur prend la parole et fait à son fils, puis à l'épouse de celui-ci, un discours dans lequel il leur montre le chemin qu'ils doivent suivre en pratiquant les vertus figurées sur les sept marches (v. 311-1 046). Le poète se réjouit d'avoir assisté à cette scène et croit avoir reconnu les époux ; il les nomme à son compagnon qui confirme qu'il les a bien identifiés. C'est alors qu'il se réveille (v. 1 047-1 076).

Recourant au cadre type du songe, « formule de composition aussi banale qu'inusable » (A. Fourrier), Froissart propose ici, par le biais de l'allégorie, une leçon de comportement religieux et social à un jeune homme et une jeune femme nobles. On retrouve dans le cortège des vertus les quatre vertus cardinales : prudence (Avis), justice, force (Hardement), tempérance (Atemprance), puis foi et charité, vertus théologales ; à cet ensemble s'adjoignent les vertus proprement courtoises que sont largesse, courtoisie, franchise. Cette association n'est pas sans conséquence et donne un surcroît de force à l'idéal mondain que prône alors l'aristocratie occidentale depuis plus de deux siècles.

Cette œuvre didactique, qui peut aujourd'hui paraître assez froide et théorique, a ouvert le chemin à un certain type de composition poétique, et le dernier éditeur du *Temple d'Honneur* cite dans sa lignée des œuvres de la fin du XVe siècle et du début du XVIe siècle comme le *Trône d'Honneur* de Jean Molinet, le *Séjour d'Honneur* d'Octavian de Saint-Gelais, *le *Temple d'Honneur et de Vertus* de Jean Lemaire de Belges, etc.

Il est rare que l'on reconnaisse à Froissart, dans son œuvre poétique, le rôle de précurseur, rare aussi que le personnage joué par l'auteur dans ses dits ne se mêle pas de près ou de loin d'amour. Mais à côté de ces traits qui distinguent *le Temple d'Honneur* de l'ensemble de la composition poétique de l'écrivain, on retrouve d'autres, plus familiers. Ainsi la mise en scène qui précède le récit du songe n'est pas exempte d'humour : le poète avait commencé à raconter son rêve quand « uns empecemens » [un empêchement] interrompt ce récit qu'il consigne par écrit à la demande de ses auditeurs frustrés. Ainsi encore le jeu qui s'instaure avec le public contemporain, quand le poète identifie Désir et Plaisance, mais se garde bien de les nommer dans son dit. Ces aspects de la poétique de Froissart en font apparaître un autre : le souci de manifester l'im-

portance du maître du récit, qui peut à son gré satisfaire ou laisser sans réponse la demande de son destinataire.

● *Dits et Débats*, Genève, Droz, 1979 (p.p. A. Fourrier).

M.-T. DE MEDEIROS

TEMPLE D'HONNEUR ET DE VERTUS (le). Récit en vers mêlés de prose de Jean **Lemaire de Belges** (1473?-après 1515), publié à Paris chez Antoine Vérard en 1504.

Lemaire a déjà commencé la rédaction des *Illustrations de Gaule*, lorsque, à la fin de 1503, il compose ce panégyrique à la gloire de Pierre, duc de Bourbon, qui vient de mourir. L'œuvre est offerte au comte de Ligny, nouveau protecteur du poète « pour mitiguer sa douleur ».

Sur fond de fleurs et de printemps, des bergers viennent chanter les vertus de Pan [Pierre de Bourbon] et de son épouse Aurora [Anne de France]. Mais Saturne et Mars conspirent contre l'heureux prince : la mort ne tarde pas à l'emporter. Un soir, l'inconsolable Aurora est transportée en songe sur l'Olympe, en compagnie des bergers. Elle y découvre un temple où sont sculptées des figures qui portent sur leur robe les lettres du nom de PIERRE. Il s'agit des vertus : Prudence, Justice, Espérance, Raison, Religion, Équité, toutes familières au disparu. Survient Entendement, qui réconforte Aurora : dignement reçu au temple par la fine fleur de la noblesse, son époux a été couronné de gloire immortelle par saint Louis. Les vertus guident Aurora dans le temple, cependant que les pastoureaux gravent à l'entour des épitaphes en l'honneur de Pan. Entendement vole à la cour pour inviter les fleurons de la noblesse à suivre l'exemple d'un si grand prince.

Le *Trône d'Honneur* de Jean Molinet, dont Lemaire aimait à se dire le disciple, fournit la source essentielle de ce poème où se mêlent des éléments pastoraux issus des traditions latine (Virgile, Ovide, Valère Maxime) et italienne (Pétrarque). Dans cette composition à forme mixte, où alternent prose et vers, Jean Lemaire utilise avec mesure l'éventail des rimes chères aux Grands Rhétoriqueurs (léonine, batelée, senée, équivoquée). Il innove en introduisant l'usage de la tierce rime (*terza rima*) dans la poésie française. Si, comme certains le pensent, l'œuvre fut composée en deux temps (Pierre de Bourbon était encore en vie quand Lemaire rédigea la pastorale initiale), elle montre une unité certaine. Un seul projet traverse la composition, bâtie sur un principe d'opposition marquée : au monde harmonieux et fécond sur lequel règne le bon prince, succède en contrepoint la peinture d'un univers perturbé par sa disparition. Le songe transporte enfin le lecteur dans l'espace lumineux et éthéré du temple.

Les mouvements du poème sont autant de phases d'un voyage initiatique au terme duquel le lecteur reconnaît, outre l'immortalité du prince glorieux, la pérennité d'un ordre social (celui de la cour), garant d'un ordre du monde. Ici intervient la tâche spécifique du poète : chantre de la gloire des grands (n'est-il pas « ministre et secrétaire d'honneur et de vertu » ?), il est aussi grand déchiffreur d'arcanes. Au cœur d'un monde saisi par l'effroi de la mort et en proie au désordre, il construit un univers où le sens règne sans partage. Le poème n'est plus alors qu'une forêt de symboles successivement décryptés pour que renaisse, avec la transparence du langage, la certitude d'un ordre retrouvé.

● Genève/Paris, Droz/Minard, 1957 (p.p. H. Hornik). ➤ *Œuvres*, Slatkine, IV.

M.-C. GOMEZ-GÉRAUD

TEMPLE DE CUPIDO (le). Poème de Clément **Marot** (1496-1544), publié vraisemblablement en 1514 ou 1515. L'édition gothique de cette première œuvre imprimée du poète ne comporte aucune mention de lieu ni de date. Écrit à la demande de Nicolas de Neufville, seigneur de

Villeroy, *le Temple de Cupido* fut offert à François d'Angoulême et Claude de France pour leurs noces.

Par son utilisation systématique des procédés allégoriques, le poème est redevable au « Temple de Vénus », première partie de la **Concorde des deux langages*, publiée par Jean Lemaire de Belges en 1511 ; mais c'est surtout le **Roman de la Rose* qui fournit à Marot le cadre et les thèmes essentiels de sa liturgie amoureuse.

Le poème comprend trois parties nettement distinctes. La première, narration en rimes plates, rapporte la décision du poète de partir à la recherche de « Ferme Amour ». La deuxième, en dizains alternativement composés de décasyllabes et d'octosyllabes, décrit le temple de Cupido [Cupidon] : l'architecture générale, les lieux de dévotion, les bréviaires – « Ovidius, [...] Pétrarque, aussi le *Rommant de la Rose* » –, les vœux, les sacrifices et les oraisons. Ce lieu empli de beautés n'en est pas moins ambigu : « Joye y est, et dueil remply d'ire ; / Pour ung repos, des travaulx dix ; / Et brief, je ne sçauroy bien dire / Si c'est enfer ou paradis. » L'amant-poète rencontre enfin « Ferme Amour » au « cueur du temple » : « Parquoy concludz en mon invention, / Que Ferme Amour est au cueur esprouvée. »

Il y aurait quelque injustice à ne voir dans ce *Temple de Cupido* qu'exercice d'école ou poème de commande. Certes le procédé d'allégorisation (Ferme Amour, Bel Accueil, Faulx Dangier) ne va pas sans pesanteurs, ni l'utilisation de la Mythologie sans afféteries. Mais déjà se profile la manière marotique, alternance ou tension subtile de l'élégie et du badinage.

Un lyrisme discret affleure dans l'ouverture et la fin du poème : l'amant connaît les difficultés de découvrir l'amour véritable et doit écarter ces succédanés que sont l'Amour « venerique et ardante », et l'Amour « legiere » et « muable ». Mais ce lyrisme est trop prisonnier encore du carcan rhétorique pour imposer au poème une tonalité originale. Nettement plus brillante et virtuose, la partie centrale consacrée à la description du temple de Cupido vibre d'enjouement et de sensualité. Le découpage thématique des strophes – « Les Breviaires et Messels », « Lieux contemplatifs de devotion », « le Benoistier du temple » – donne à chacune d'elles l'unité d'un tableau, souvent achevé par une pointe malicieuse : « Et les sainctz motz que l'on dict pour les ames, / Comme *Pater* ou *Ave Maria*, / C'est le babil et le caquet des dames » (v. 383 et suivants). Toute la description repose d'ailleurs sur le renversement du sacré en profane, et la substitution d'une liturgie amoureuse à l'office religieux : le seul chapelet en usage est une tresse de roses, les saints invoqués se nomment « Beau Parler », « Bien Servir » et « Bien Aymer », les harpes et les luths remplacent les cloches. Le tableau aurait certes pu tourner à l'énumération statique et fastidieuse, mais la versification marotique lui insuffle une verve constante : elle multiplie les rimes équivoquées (« Bacchus »/« bas culz » ; « le verd dure » / « verdure » ; « jaloux mary a » / « *Ave Maria* »), s'autorise des enjambements narquois, et passe souplement du décasyllabe à l'octosyllabe.

C'est paradoxalement la partie descriptive de ce *Temple de Cupido*, celle où le « je » de l'amant-poète s'efface presque entièrement, qui témoigne d'une manière personnelle, dynamique, et annonce les virtuosités futures.

● *L'Adolescence clémentine*, « Poésie/Gallimard », 1987 (p.p. F. Lestringant). ➤ *Œuvres complètes*, Athlone Press, I ; *Œuvres poétiques*, « GF » ; *id.*, « Classiques Garnier », I.

P. MARI

TEMPLE DE GNIDE (le). Récit de Charles-Louis de Secondat, baron de **Montesquieu** (1689-1755), publié à Paris dans le tome IV de la *Bibliothèque française* en 1724 ; réédition en volume séparé chez Simart en 1725.

Hasard ou perversité de l'imprimeur, cette « peinture de la volupté » (Montesquieu), prétendument traduite du grec, et dont l'auteur avait confié le manuscrit à un oratorien, parut pendant la semaine sainte de 1725 sans nom d'auteur. Si, comme le dit d'Alembert, précieux témoin d'un goût pour nous démodé, Montesquieu avait été, dans les **Lettres persanes*, Horace, Théophraste et Lucien, il « fut Ovide et Anacréon dans ce nouvel essai ; ce n'est plus l'amour despotique de l'Orient qu'il se propose de peindre, c'est la délicatesse et la naïveté de l'amour pastoral, tel qu'il est dans une âme neuve que le commerce des hommes n'a point encore corrompue » (*Éloge de Montesquieu*).

Précédée d'une « Préface du traducteur », l'œuvre comporte sept chants. Le premier (le plus long) décrit le palais et le temple de Vénus à Gnide, en Asie Mineure ; le deuxième reproduit les oracles de la déesse dans son antre sacré ; le troisième dépeint un concours de beauté, où triomphe Thémire, l'amante du jeune narrateur ; celui-ci, au quatrième chant, raconte sa vie sentimentale à « tendre Aristée », amoureux de Camille, qui fait de même au chant suivant ; les deux jeunes gens entrent au sixième chant dans l'antre de la Jalousie, avant de retrouver leurs belles dans le dernier chant. Mais Thémire interdit au narrateur éploré de poursuivre l'Amour dans sa « dernière retraite » : « Elle m'embrassa : je reçus ma grâce, hélas ! sans espérance de devenir coupable. » C'est sur cette phrase que le lecteur quitte le *Temple de Gnide*, qui ne serait donc pas exactement celui de Cupidon.

Ces grâces poétiques, allégoriques et sentimentales, enrobées dans un pastiche pseudo-antique, ont beaucoup vieilli, bien qu'il faille leur reconnaître le mérite de la brièveté. Mais notre goût importe moins que celui des contemporains. La rêverie pastorale, qui berce l'Europe depuis la Renaissance, n'a nullement épuisé ses charmes au siècle des Lumières, Fontenelle en témoigne, et le théâtre s'en régale autant que Marie-Antoinette ou J.-J. Rousseau, pour ne rien dire de la peinture.

Le Temple de Gnide peut aussi nous faire réfléchir à cette question si troublante du goût poétique des Lumières françaises. On ne saurait mieux faire ici qu'écouter d'Alembert dans son *Éloge de Montesquieu* : « L'auteur, craignant peut-être qu'un tableau si étranger à nos mœurs ne parût trop languissant, a cherché à l'animer par les peintures les plus riantes ; il transporte le lecteur dans des lieux enchantés [...]. Emporté par son sujet, il a répandu dans sa prose ce style animé, figuré et poétique, dont le roman de **Télémaque* a fourni parmi nous le premier modèle. [...] Le style poétique, si on entend, comme on le doit, par ce mot un style plein de chaleur et d'images, n'a pas besoin, pour être agréable, de la marche uniforme et cadencée de la versification ; [...] les peintures de cet ouvrage soutiendront avec succès une des principales épreuves des descriptions poétiques, celle de les représenter sur la toile. » L'influence du *Télémaque* de Fénelon est en effet indéniable, comme celle de Dubos sur d'Alembert, mais il lui manque de se combiner, comme dans les *Lettres persanes*, avec l'esprit philosophique et satirique, cantonné dans la Préface. Même le quatrième chant, consacré aux mœurs des Sybarites, ne débride pas la veine caustique de Montesquieu, par ailleurs bien moins voluptueux qu'il ne se le reproche, ou se le promet. Il faut donc considérer le *Temple de Gnide* comme « une espèce de poème en prose » (d'Alembert) : trace d'ambitions qu'on décèle sans peine dans les *Lettres persanes*, et dans la fameuse « Invocation aux Muses » dans **De l'esprit des lois*.

➤ *Œuvres complètes*, « Pléiade », I.

J. GOLDZINK

TEMPLE DE VERTU (le). Poème de François **Habert** (vers 1508-vers 1561), publié à Paris chez Ponce Roffet en 1541.

Poète d'Henri II, Habert pratique jusqu'à la fin de sa carrière les genres marotiques ; aux yeux des jeunes écrivains de la Pléiade, il est le représentant d'une écriture qui, pour sévir encore à la cour, n'en est pas moins dépassée.

Un long et difficile voyage mène le philosophe parfait jusqu'au temple de Vertu, clos d'épines, « circuit d'un roc, en façon d'une tour ». La Conscience se tient à la porte du temple ; elle en interdit l'entrée à un astrologue, à un avocat peu scrupuleux, à un franciscain et à quelques cupides et avaricieux. Mais elle accueille le philosophe qui découvre, au « cueur » du temple, Vertu et Foi en Christ, la « première inventrice d'aimer Vertu ». Ses beaux dits garderont le philosophe de succomber à Volupté.

François Habert publie les 442 décasyllabes de son *Temple de Vertu* à la suite du *Philosophe parfait* ; il en est la « continuation allégorique » (H. Franchet). Les modèles du poète sont bien connus : Jean Lemaire de Belges, qui avait imaginé, outre son « Temple de Vénus », un temple de Minerve dont on lira la description dans la *Concorde des deux langages* (1511) ; Clément Marot à qui il fait explicitement allusion pour son *Temple de Cupido* (1514).

L'allégorie joue pleinement ici son rôle d'art de la mémoire. Elle fixe en images les principes d'un idéal de vie évangélique. Le texte est animé par les querelles surgies, à l'époque, sur l'essence de la vie chrétienne et sur la nature du culte qu'on doit rendre à Dieu. S'il évoque la grandeur des pères de l'Église dans leurs enseignements, Habert insiste sur l'incomparable dignité des Écritures, où brille sans cesse le Christ. Le temple lui-même concrétise ce lien : « Fait il était d'ouvrage somptueux / De fin *Christal*, où peint est proprement / Le vieil, aussi le nouveau testament. » Le service « requis au divin sacrifié » rappelle les options des partisans du mouvement évangélique ; la nouvelle liturgie est centrée autour de la Parole, aliment de la vie chrétienne : « Flambeaux ardents, cierges, chandelles, lampes / Ce sont beaux dits pacifiques et trampes [modérés] / Pris au ruisseau de la sainte Écriture. »

C'est seulement au terme du voyage initiatique que Lemaire célébrait, avec la contemplation du temple de Minerve, un idéal éthéré ; ce n'est qu'au « cueur » du temple de Cupido que Marot découvrait, après la peinture de l'« amour cupidique », « Ferme Amour » qui procède de Dieu. À l'inverse de ses modèles, *le Temple de Vertu* ne montre aucune complaisance pour les délices sensuels. L'orientation évangélique marque aussi les modèles littéraires retenus : Cicéron qui « chante ses offices » et les Grecs qui « ont bien grande affinité / À la doctrine où gît la vérité » reçoivent la couronne des élus. Mais sont réduits au silence Homère, Virgile, Ovide et le trop païen *Roman de la Rose* « où il n'y a que vanité enclose ».

● Champion, 1923 (p.p. H. Franchet).

M.-C. GOMEZ-GÉRAUD

TEMPLE DU GOÛT (le). Ouvrage en prose et en vers de François Marie Arouet, dit **Voltaire** (1694-1778), publié anonymement à Rouen chez Jore en 1733 ; réédition à Amsterdam en juin de la même année. Une édition remaniée avec changements portant sur le style et la structure de l'ouvrage, parut dans les *Œuvres de M. de Voltaire* à Amsterdam chez Desborde en 1739, suivie de nombreuses éditions avec variantes.

En novembre ou décembre 1732, peut-être sur une suggestion du cardinal de Polignac, Voltaire commence à composer son *Temple du goût*. Il est alors installé chez Mme de Fontaine-Martel, une veuve septuagénaire, passionnée d'opéra. Le *Temple du goût* doit sans doute beaucoup aux conversations de son salon. La première version fait pousser les hauts cris. Accusé d'impertinence et de présomption, Voltaire se laisse « rogner les ongles ». Il remanie son ouvrage, mais n'obtient point de privilège : cette seconde édition doit paraître en Hollande. Une

« Lettre à M. de C*** » [Cideville] désamorce les critiques : *le Temple du goût* est une « plaisanterie de société », et il convient de distinguer entre le libelle, la satire et la critique. Puis Voltaire va combiner les deux versions : l'édition de 1739 propose un texte plus court et centré sur la critique littéraire.

Dans toutes les versions alternent parties narratives en prose et petits poèmes. Le schéma est celui d'un voyage allégorique au pays du goût. Le narrateur et le cardinal de Polignac cheminent vers le temple du goût. La critique en interdit l'accès aux commentateurs pesants, aux novateurs ridicules, aux précieux. Un bon nombre d'hommes de lettres et d'artistes sont dans une sorte de purgatoire ; le paradis n'est ouvert qu'à quelques grands hommes.

Le texte de 1733 (Jore) est le plus piquant. Houdar de La Motte et Jean-Baptiste Rousseau ne seront admis dans le temple qu'après avoir brûlé les deux tiers de leur œuvre. À l'intérieur siège Fontenelle, en compagnie du bon Rollin. Benserade, Voiture, Guez de Balzac, Saint-Évremond n'occupent plus la place qu'ils avaient jadis. Des écrivains, des artistes, sont énumérés et jugés. Des filles d'opéra voisinent avec des princes du sang ou des prélats, auxquels sont décernés des éloges. Dans le saint des saints, huit grands écrivains du siècle de Louis XIV sont occupés à corriger leurs ouvrages : La Bruyère, Fénelon, Bossuet, Corneille, Racine, La Fontaine, Boileau, Molière. La visite se termine par une exhortation du dieu du goût à cultiver les lettres.

Dans l'édition « véritable donnée par l'auteur » (Amsterdam, 1733), le texte est précédé d'une sorte de préface, la lettre à Cideville. Voltaire fait des concessions. Il supprime le vers où il vengeait la mémoire de Mlle Lecouvreur, ceux où il avait fait l'éloge de l'esprit philosophique de son ami Maisons. Il adoucit bien des critiques.

Le texte de 1739 enfin supprime bon nombre des dissertations sur les arts plastiques, et ne reproduit pas la lettre à Cideville. Ce sont des préoccupations esthétiques qui ont inspiré les remaniements de cette édition.

Lorsqu'il paraît, ce « temple du dégoût » vaut à Voltaire des critiques acerbes, il est « détesté et lu de tout le monde », « tous sont mécontents, et les loués et les blâmés ». Plusieurs parodies sont jouées : *Polichinelle sur le Parnasse, Polichinelle dieu du goût, Polichinelle cuisinier ou le Vrai Temple du goût*. Des répliques circulent : un *Essai d'apologie des auteurs censurés dans « le Temple du goût »*, des *Observations critiques sur « le Temple du goût »* de Jean du Castre d'Auvigny, une *Lettre de M*** à un ami* de l'abbé Goujet. Voltaire est même menacé d'être envoyé à la Bastille. Une vraie tempête pour une revue d'actualité, de ton satirique, il est vrai.

Ce genre de voyage allégorique n'était pas une nouveauté. Montesquieu avait donné un *Temple de Gnide*, Voltaire un *Temple de l'Amitié*. La *Lettre de Clément Marot* de Sénecé (1687) qui raconte l'arrivée de Marot aux Enfers, *le Parnasse réformé* (1669) de Gabriel Guéret, le poème "Du goût" de Roy, *le Voyage du Parnasse* (1716) de Limojon de Saint-Didier établissaient des hiérarchies littéraires. Mais c'est le « ton décisif » de Voltaire qui fit crier. Les personnalités n'étaient pas absentes de son œuvre : J.-B. Rousseau, dans un épisode burlesque, expiait ses torts à l'égard de Voltaire. Les jugements étaient directs, et parfois abrupts : on reprochait à La Bruyère des « tours durs et forcés », à Fénelon, les répétitions du *Télémaque*, à Corneille, son manque de discernement, à Racine, des galanteries monotones, à Bossuet, des familiarités dans les *Oraisons funèbres*, à La Fontaine, des longueurs dans ses *Contes*, à Boileau, les pièces faibles de sa vieillesse et sa dureté à l'égard de Quinault. Les variantes des éditions suivantes proposent des appréciations plus nuancées, non seulement des grands classiques, mais aussi d'auteurs de second rang. Malgré sa fantaisie, *le Temple du goût* est un essai méthodique de critique littéraire inspiré par un classicisme libéral.

Avec ses distinctions, ses demi-exclusions, ses approbations et ses réserves, cet ouvrage couvre un champ beaucoup plus large que les textes critiques antérieurs de Voltaire (*Lettres sur Œdipe, Essai sur la poésie épique*). Moins pointilleux que les *Commentaires sur Corneille*, il annonce, par sa verve et sa liberté de ton, bien des jugements littéraires que l'écrivain a disséminés dans ses œuvres et dans sa correspondance.

Musiciens, peintres, sculpteurs, acteurs, amateurs de théâtre, prennent place dans le Temple du goût. Pour Voltaire, le Beau est un, démarche qui le conduira à établir le double « catalogue » des écrivains et des artistes célèbres dans le *Siècle de Louis XIV*.

Le Temple du goût n'est pas, comme l'affirmait Desfontaines, la « production d'une petite tête ivre d'orgueil », mais l'expression d'un certain goût qui s'efforce d'apprécier au plus juste. Malgré ses enjeux, l'ouvrage reste un divertissement de qualité. Non sans virtuosité, Voltaire sait croquer des silhouettes, faire danser des vers légers. Loin de tout pédantisme, de tout dogmatisme, ce temple « à la française », avec ses badinages, reste imprégné d'alacrité intellectuelle.

● Genève, Droz, 1953 (p.p. E. Carcassonne).

C. MERVAUD

TEMPLIERS (les). Tragédie en cinq actes et en vers de François **Raynouard** (1761-1836), créée à Paris à la Comédie-Française le 14 mai 1805, et publiée à Paris chez Giguet et Michaud la même année.

Mis en prison sous la Terreur pour ses sympathies girondines, cet avocat provençal, membre de l'Assemblée législative, fut sauvé par le 9 Thermidor. Il profita de cette expérience malheureuse pour écrire une austère tragédie, *Caton d'Utique* (1794), où transparaissent des allusions aux événements du jour, dans l'exaltation des sentiments de vertu et de liberté. On retrouve les mêmes préoccupations dans *les Templiers*, joués sur la recommandation de Napoléon, sensible à la grandeur cornélienne de la pièce, et qui remportèrent un triomphe pendant trente-cinq représentations. Les réticences marquées du critique Geoffroy n'entamèrent pas le beau succès de librairie qui suivit, et qui porta l'auteur à l'Académie, lors de son élection, en 1807.

Jacques de Molay, grand maître des Templiers, devant les soupçons qui pèsent sur l'ordre, rappelle les hauts faits qui ont établi leur gloire. Arrive leur ennemi juré, Enguerrand de Marigny, venant leur annoncer leur condamnation et la dissolution de l'ordre. Le propre fils de Marigny ainsi que le connétable Gaucher de Châtillon prennent alors la défense des Templiers, tandis que le roi se justifie en invoquant l'orgueil et la puissance de l'ordre qui menacent sa propre autorité. L'on apprend aussi que le fils d'Enguerrand de Marigny, fuyant naguère un amour impossible, avait vainement recherché la mort en Palestine et s'était alors fait secrètement Templier. La reine lui demande de garder ce secret au moment où elle s'apprête à prendre la défense des Templiers auprès du roi. Mais à cet instant, on annonce un soulèvement populaire en leur faveur. Alors que Jacques de Molay est sur le point de céder au désespoir, le fils d'Enguerrand de Marigny, chargé de l'arrestation, est frappé de la grandeur d'âme du grand maître qui se désolidarise de l'émeute et se déclare prêt à la combattre pour montrer sa loyauté. Suit une entrevue entre le roi et Jacques de Molay, et les deux volontés s'affrontent ; devant les violentes accusations portées par Enguerrand de Marigny, son fils, après avoir avoué qu'il était lui-même membre de l'ordre, revendique aussi l'honneur de mourir avec ses pairs. À la suite d'aveux de certains Templiers, le verdict de mort est prononcé. Le roi accorde sa grâce, mais le grand maître la refuse : il demande simplement justice et exige qu'on proclame haut et fort leur innocence. Sinon, ils iront tous au supplice. Au dernier moment, sur une ultime intervention de la reine, le roi demande qu'on sursoie à l'exécution. Mais il est trop tard. Le connétable vient alors faire le récit de la mort héroïque des Templiers.

Le triomphe remporté par *les Templiers* fit croire à un renouveau de la tragédie, et donna un temps l'illusion qu'était enfin né un genre historique national. La pièce toutefois manque d'une véritable intrigue et participe plus souvent de la déploration héroïque que du débat tragique. La cause semble entendue dès la première scène, et seul le personnage du fils d'Enguerrand de Marigny se voit enfermé dans un dilemme cornélien ; les autres, comme Jacques de Molay, se drapent dans une hautaine dignité ou apparaissent en état d'errance, comme la reine et le connétable, voire Enguerrand de Marigny lui-même, dont les interventions se réduisent souvent à celles d'un traître de mélodrame. Sainte-Beuve avait bien vu que la meilleure part de cette tragédie résidait dans « quelques beaux vers qui redoublent d'effet en situation » et au « très beau récit final du supplice » (*Causeries du lundi*, V).

J.-M. THOMASSEAU

TEMPO DI ROMA. Roman d'Alexis **Curvers** (Belgique, né en 1906), publié à Paris chez Robert Laffont en 1957.

Parti d'une ville du Nord de l'Europe, un narrateur surnommé « Jimmy » s'attarde à Milan dans la débâcle de 1944. Songeant à un tableau de Chirico intitulé Tempo di Roma, son amie la marquise Mandriolino l'encourage à tenter sa chance dans la capitale. Sans connaître Rome, Jimmy s'improvise guide, inventant la légende des monuments au moment où il les découvre. Il est bientôt pris en amitié par un étrange aristocrate anglais, « sir Craven », et tombe amoureux d'une belle Romaine, Geronima. Son parcours à travers la ville le conduit dans les lieux, les époques et les milieux les plus divers. Finalement contraint de passer un examen pour obtenir le titre de guide, il sort victorieux des épreuves et court à une fête que ses amis organisent pour relever un défi lancé par un milliardaire américain. Mais la mise en scène et la réalité se brouillent : Jimmy croit d'abord à un jeu théâtral quand sir Craven s'écroule sur le sol, mortellement blessé. D'abord suspecté par la police et incarcéré, Jimmy découvre avec stupeur qu'il est l'héritier de sir Craven dont la fortune l'aidera à s'établir à Florence avec Geronima : il a cessé de chercher le secret de sa vie dans les arcanes de Rome.

On a évoqué Stendhal et Paul Morand pour caractériser le style de Curvers, dont la richesse un peu précieuse est en même temps désinvolte et gaie. Mais si l'œuvre a parfois des allures de pastiche, elle trouve son originalité dans la manière dont l'exploration de la ville détermine l'identité du narrateur.

Les lieux traversés par Jimmy sont à la fois immuables et fugitifs. Si leur pittoresque sollicite la verve rassurante du guide, ils déroutent par l'étonnante imbrication de mondes antagonistes (la Rome antique jouxte la Rome pontificale) ou la connivence de sphères opposées (princes et mauvais garçons sont curieusement complices). De plus, les réminiscences historiques se confondent avec des conjectures. La réalité de la ville disparaît dans un halo, au point que le narrateur doute que l'Italie existe en elle-même, hors des mythes dont il l'embellit. Tour à tour femme (le surnom de Geronima est justement « Roma ») et livre (dont le promeneur admire « la noble clarté de l'écriture », « la justesse ravissante de la mise en page »), Rome acquiert la dimension onirique des tableaux de Chirico, figuratifs autant qu'abstraits.

Dans cet univers disloqué, Jimmy, *picaro* moderne, a l'échine souple d'un Gil Blas et le moralisme amusé d'un La Bruyère. Promené par la fortune de faubourgs en palais, il vaticine volontiers sur la fragilité de l'homme ou l'éternité romaine, qui, à la dernière page du livre, coïncident miraculeusement : « Ainsi finissent toutes choses en ce monde : elles se fatiguent d'exister parce que nous sommes fatigués d'elles. Les empires ne périssent pas sous les coups de leurs ennemis mais par leur propre épuisement et par la démission des forces qui les soutiennent. Il en va de même de nos amours et de notre vie. » Réduit au triste choix du divorce ou de l'habitude, du départ ou de l'installation, Jimmy opte finalement pour l'inconstance romaine : s'il choisit la fuite, son départ est encore un gage de fidélité.

● Laffont, 1985 ; Arles / Bruxelles, Actes Sud / Labor, 1991 (préf. J. Peuchmaurd, p.p. V. Jago-Antoine).

C. CARLIER

TEMPS D'AIMER (le). Voir BOUSSARDEL (les), de Ph. Hériat.

TEMPS DES AMOURS (le). Voir SOUVENIRS D'ENFANCE, de M. Pagnol.

TEMPS DES SECRETS (le). Voir SOUVENIRS D'ENFANCE, de M. Pagnol.

TEMPS DIFFICILES (les). Pièce en quatre actes et en prose d'Édouard **Bourdet** (1887-1945), créée à Paris au théâtre de la Michodière le 30 janvier 1934, et publiée à Paris dans *la Petite Illustration* le 10 novembre de la même année.

Représentée alors que la crise économique de 1929, qui a d'abord épargné la France, la frappe désormais de plein fouet et multiplie les faillites, les chômeurs et les grèves (« marches de la faim » organisées par la CGT, etc.), la pièce semble adapter au milieu de la grande bourgeoisie d'affaires le mythe d'Iphigénie (voir H. Becque, *les *Corbeaux*, 1882). Pourtant le « sacrifice » d'Anne-Marie Antonin-Faure acceptant d'épouser Bob, l'héritier dégénéré et pervers des Laroche, ne procède pas d'un sublime dévouement aux intérêts de sa propre famille, mais bien de l'appât exercé sur elle par le mirage d'une fortune colossale : « Elle n'est pas si gentille que ça », constate amèrement son père, le tendre Marcel. Au dénouement, cette jeune fille décidément moderne n'hésitera pas, alors que les Laroche sont ruinés à leur tour, à quitter son mari, transformant ainsi son bourreau en victime pitoyable.

Un château à la campagne. Les Antonin-Faure attendent le retour de Jérôme, patron de la société familiale, engagé dans une difficile négociation avec ses concurrents lyonnais. Si Charlotte, l'épouse, pressent le péril, la mère, elle, ne songe qu'à son chien tandis que Loulou, la bru, ne rêve qu'à l'oncle Armand. Les questions d'une visiteuse, la richissime Mélanie Laroche, suivie de Bob son fils bègue et taré, permettent d'en savoir plus sur la dynastie : Lucy, la femme d'Armand, est folle ; le gentil Marcel, frère cadet de Jérôme, a été banni pour avoir épousé Suzy, une comédienne, et leur fille Anne-Marie, championne de natation, excite la convoitise de Bob qui a vu sa photo dans le journal. Arrivée de Jérôme : pour sauver sa société, il a dû en laisser la moitié aux Lyonnais, et se résout, pour contrôler du moins la part restante, à renouer avec Marcel (Acte I).

Chez Marcel, à Bois-Colombes. Un intérieur modeste, où Suzy, maintenant assoiffée de respectabilité, tente de régenter son mari Marcel, et ses enfants : Anne-Marie, la sportive, et Jean-Pierre, décorateur de cinéma. Débarque Jérôme, qui propose à Marcel d'oublier le passé et de venir pour les vacances au château. Suzy tient sa revanche (Acte II).

L'été au château. La jeunesse et la gaieté d'Anne-Marie irritent les uns, mais séduisent les autres – notamment Bob Laroche, qui veut l'épouser. Pour Jérôme, dont les affaires vont de plus en plus mal, il s'agit là d'une chance inespérée : appâtée par des bijoux somptueux, Anne-Marie accepte ; Suzy, secrètement flattée, laisse faire, Marcel et Jean-Pierre sont atterrés (Acte III).

Chez les Laroche. Le mariage a transformé Bob en obsédé sexuel, qui martyrise sa femme. Appelés au téléphone, Marcel et Suzy arrivent affolés ; on apprend au même moment la faillite de la société Laroche, victime de l'insouciance de Mélanie. Celle-ci accueille sa ruine avec panache, et les reproches de Jérôme avec fatalisme. Tandis que les deux familles s'enfoncent dans le malheur, Anne-Marie décide de refaire sa vie en allant tourner un film en Grèce, abandonnant ainsi Bob à son destin (Acte IV).

De fait, malgré de nombreuses scènes de comédie et de satire sociale, la pièce comporte un véritable héros tragique : Jérôme Antonin-Faure, impuissant face à la fatalité économique, et qui tente par tous les moyens de retarder l'échéance. Mais ces moyens, justement, un riche mariage, un pacte entre actionnaires familiaux, ne sont que des expédients face à la gravité de la crise. Du moins permettent-ils à l'auteur d'éviter tout didactisme (l'économie,

le monde réel sont loin du lieu scénique, rejetés dans les coulisses d'où revient Jérôme à chaque fois plus fatigué) ; ils permettent aussi à des fantoches inconscients, frivoles ou demeurés de « tenir » encore un peu la scène mondaine en débattant de leurs petits problèmes entre cour et jardin, de s'agiter en croyant agir, sans percevoir, sinon les plus lucides, la fragilité du décor luxueux qui les entoure. Du moins sauront-ils, à l'image de Mélanie Laroche, sombrer avec élégance...

C'est dire à quel point la forme théâtrale est ici emblématique d'une bourgeoisie que Jérôme accuse d'avoir renoncé à l'être pour le paraître, aux choses pour les mots et au travail pour le plaisir : « Les bourgeois [...] sont faits pour être avares et pour avoir de l'argent. Le jour où ils n'en ont plus, ils sont inutiles ; ils n'ont plus qu'à disparaître de la circulation. » Quant à Anne-Marie et Jean-Pierre, seuls rescapés du désastre, c'est du cinéma que viendra (peut-être) leur salut : le progrès dans la continuité, en quelque sorte.

J.-P. DE BEAUMARCHAIS

TEMPS DU VERBE (les). Voir POÈMES À JOUER, de J. Tardieu.

TEMPS IMMOBILE (le). Journal de Claude **Mauriac** (né en 1914), publié à Paris chez Grasset de 1974 à 1991.

Onze ouvrages constituent à ce jour le vaste ensemble du *Temps immobile*. Entre 1974 et 1978, chaque saison littéraire a vu paraître un tome : *le Temps immobile*, I (1974) ; *les Espaces imaginaires* (1975) ; *Et comme l'espérance est violente* (1976) ; *la Terrasse de Malagar* (1977) ; *Aimer de Gaulle* (1978). Les titres indiquent clairement qu'il s'agit à la fois d'un témoignage autobiographique, d'une rêverie qui embrasse les lieux privilégiés de l'enfance autant que la simple chronologie événementielle, et d'une réflexion, à travers le destin des grands hommes, sur les faits les plus importants de notre siècle. Alors que François Mauriac est mort en 1970, *le Rire des pères dans les yeux des enfants* est publié en 1981 ; *Signes, Rencontres et Rendez-vous*, en 1983 ; *Bergère ô tour Eiffel*, en 1985 ; *Mauriac et Fils*, en 1986 ; *l'Oncle Marcel*, en 1988. Ces Mémoires couvrent plus d'un demi-siècle et établissent, par-delà les années, un rapprochement émouvant entre l'adolescent qui traçait les premières lignes de son journal en 1927 et le septuagénaire qui les relit. Enfin *le Temps accompli*, paru en 1991, clôt le paradigme du « temps immobile » et couronne un brillant édifice auquel il apporte sérénité et sagesse.

Bien plus qu'une simple collection de souvenirs, *le Temps immobile* se présente comme une méditation sur le matériau brut de la vie affective dont il tente de reproduire le lent cheminement, les associations imprévisibles ou les brusques revirements. Parler d'immobilité peut paraître paradoxal face à un flux, par définition impossible à arrêter. C'est souligner, du même coup, les limites de l'écriture, incapable de rendre compte de l'inépuisable foisonnement du monde intérieur. Claude Mauriac semble profiter alors des techniques du Nouveau Roman, plus particulièrement celles de la polyphonie ou de la composition en canon de Michel Butor : « Je me demande si, dans l'impossibilité où je suis de composer *le Temps immobile* pour en donner, de mon vivant, quelques parties au moins orchestrées, la solution ne serait pas d'insérer ainsi, à leur place dans le temps – le temps passé, le temps immobile – les contrepoints dont je sentirais dans la symphonie l'utilité, là et pas ailleurs, à cette, à ces dates précises et pas à d'autres. » Les notes, lettres ou fragments de chapitres rédigés longtemps auparavant sont découpés et montés par l'auteur, éliminés ou réorganisés en fonction de sa vie présente. Ainsi le point de vue actuel a-t-il une importance décisive dans le choix et le traitement du passé. Mais celui-ci, à son tour, influe sur la façon dont l'homme adulte regarde le monde au moment où il retrouve les violentes émotions de sa jeunesse. Une partie, par exemple, de *Bergère ô tour Eiffel* (dont le titre, emprunté à Apollinaire, souligne le rôle de la poésie dans l'inspiration du mémorialiste) s'arrête plus longuement à la période de la guerre : « le Lac noir ». À sa femme qui lui reproche, le 2 août 1983, sa mauvaise humeur, Claude Mauriac croit pouvoir répondre que ce n'est pas à son moi d'aujourd'hui qu'elle s'adresse, mais à ce moi errant jadis, dans Paris occupé, sous les bombardements et les tirs de DCA : « "Ce n'est pas sain", m'avait dit, la veille, une fois de plus Marie-Claude de mes descentes dans le temps. Ce qui n'est pas sain, c'est de laisser ces plaies suppurer. Mais il est vrai que cette spéléologie met mon équilibre en danger. [...] D'autres Français sont-ils encore comme moi, quarante ans après, à ce point malades de l'Occupation ? »

Le rapprochement des dates, plus particulièrement rythmées par le retour des fêtes chrétiennes ou des saisons, permet d'établir des superpositions thématiques. Les événements disparates de la vie individuelle, s'inscrivant dans la longue durée des cycles cosmiques ou des mythes fondateurs de notre civilisation, prennent alors une dimension spirituelle. Une rencontre (Gilles Deleuze ou Borges), une lecture (Stendhal), un film (Godard), l'engagement politique (telle manifestation en faveur de prisonniers, un soir de Noël), épousent le mouvement de l'Histoire. Une confession ou le rappel d'une scène intimiste (« 4 janvier 1932. Pour ne pas empêcher Jacques, qui s'est couché, de dormir, je vais faire une version grecque au salon, à côté de papa qui corrige les épreuves du *Nœud de vipères* »), échappent à la simple anecdote et deviennent une tendre confidence qui semble appeler la réponse, au moins implicite, d'un chaleureux humanisme ou d'une foi religieuse. Transformée par l'écriture, l'existence acquiert un sens, se soumet à un ordre supérieur et trouve la paix – cette immobilité de l'âme – dans l'acceptation du destin.

● « Le Livre de Poche », 1982-1992.

B. VALETTE

TEMPS RETROUVÉ (le). Voir À LA RECHERCHE DU TEMPS PERDU, de M. Proust.

TENAILLES (les). Pièce en trois actes et en prose de Paul **Hervieu** (1857-1915), créée à Paris à la Comédie-Française le 28 septembre 1895, et publiée dans la *Revue de Paris* le 1er octobre 1895, et en volume chez Lemerre en 1896.

Chroniqueur et romancier à l'eau-forte des mœurs mondaines – *la Bêtise parisienne* (1884), *Peints par eux-mêmes* (1893) –, Hervieu trouve au théâtre, auquel à partir de 1895 il se consacre entièrement, un terrain de prédilection pour fustiger durement la bonne conscience bourgeoise et ses faux-fuyants. Dans la tradition de nombreux dramaturges moralistes du temps, il place souvent au cœur des conflits dramatiques le pharisaïsme social : les convenances, la mauvaise foi, la peur du scandale et surtout, comme dans ce sombre drame, les conventions du mariage, qui enferment des êtres qui ne s'aiment pas dans le carcan de sentiments convenus et de lois rigoristes.

Fergan, homme à principes et à préjugés qui a le « cuir dur », est marié à Irène, nature sensible et rêveuse qui vit mal dans l'étouffoir conjugal. Elle n'accepte plus la férule d'un mari qui fait peser sur elle son autorité, sa médiocrité et sa certitude d'être toujours dans son bon droit. Malgré les efforts de Pauline, sœur d'Irène, qui joue les conciliatrices, le couple se déchire. Michel Davernier, ami d'enfance d'Irène, qui défend lui aussi le mariage de passion contre le mariage de convention, tente de fuir la jeune femme car il l'aime. Après des aveux mutuels, Michel accepte de rester et de poursuivre avec elle une relation platonique. La même nuit, Irène se refuse à son mari (Acte I).

Pour faire plier son épouse et la guérir de ses humeurs, Fergan souhaite la cloîtrer à la campagne. Soutenue cette fois par Pauline, Irène supplie son mari d'accepter le divorce. Alléguant le respect du contrat signé, il refuse brutalement. De guerre lasse, Irène se donne à Michel (Acte II).

Dix ans plus tard, dans la retraite campagnarde du couple, Irène semble, à côté de son fils, avoir retrouvé la sérénité. Mais une dispute éclate à propos de l'éducation de l'enfant. Fergan veut l'aguerrir en l'envoyant en pension, Irène le garder près d'elle car il est souffreteux. Son mari cherchant à la faire céder de force, elle lui révèle que cet enfant n'est pas de lui mais de Michel, qui est mort poitrinaire. À son tour, après cet aveu, elle refuse le divorce à son mari qui le lui demande. Les deux époux se retrouvent alors « rivés au même boulet ». « Au fond du malheur, il n'y a plus que des égaux », lâche Irène en guise d'épilogue.

La tragédie bourgeoise d'Hervieu, avec complaisance, sonde les reins et les cœurs. Sous le glacis des urbanités et des apparences, couvent des feux mal éteints, s'attisent des aigreurs, pourrissent des résignations. Les conflits mêlent aux moiteurs de la chair les exigences de l'âme. Dans ce monde où le mari règne en despote (voir aussi *la Loi de l'homme*, 1897 ; *l'Énigme*, 1901), où les lois de l'État et celles de la religion lui donnent raison et tiennent le rôle de la Fatalité, où les liens du sang sont autant de chaînes (*la Course du flambeau*, 1901), toutes les indulgences de la part d'Hervieu (bien qu'il s'en défendît) vont à ses héroïnes, intransigeantes, exclusives, qui défendent avec âpreté leur bonheur. Les dialogues, souvent vifs et sans trop d'apprêt, par un travail de sape finissent toujours au dénouement par débusquer la vérité la plus amère, laissant des êtres pantelants et désemparés. Ce théâtre est certes moralisateur, daté, peut-être à bout de sève ; on ne peut toutefois réduire Hervieu à n'être qu'un épigone de Dumas fils. C'est plutôt de Becque qu'il semble se souvenir lorsqu'il met en œuvre cette dramaturgie de l'étouffement.

J.-M. THOMASSEAU

TENDRON (le). Voir KÉPI (le), de Colette.

TENTATION DE L'OCCIDENT (la). Essai d'André **Malraux** (1901-1976), publié à Paris chez Grasset en 1926.

Tout au long de son œuvre romanesque, Malraux engagera ses héros dans des débats d'idées, de même que, dans ses écrits sur l'art, il fera dialoguer entre elles les « voix » des cultures disparues. Opposant le monde oriental accordé au Cosmos, installé dans l'éternel, à l'Occident pris au piège de l'individualisme et du temps, la *Tentation* inaugure la série de ces dialogues. Son titre ambigu renvoie aux circonstances qui ont précédé sa rédaction : l'expédition archéologique lancée par Malraux en pays khmer se termine par un procès intenté à l'auteur coupable d'avoir prélevé quelques fragments du temple de Banteay Srei. Retenu trois ans en Indochine (1923-1925), il observe à loisir les effets de la colonisation sur la civilisation asiatique, et plus récemment, de la subversion importée d'Occident. Militant pendant son séjour auprès des milieux anticolonialistes, notamment dans le mouvement Jeune-Annam, il est attentif aux relations conflictuelles entre les deux cultures.

L'ouvrage se compose de dix-huit lettres échangées entre un Français, A.D., et un Chinois, Ling, que l'auteur fait voyager le premier en Asie, le second en Europe, à la découverte de leurs civilisations respectives. Les premières lettres (1-9) opposent l'individualisme européen à la philosophie orientale : d'un côté, un destin personnel, une mort tragique sans perspective eschatologique, l'amour de la

« gloire », du « geste » compensant le non-sens de la vie mais engendrant un impérialisme culturel fondé sur l'ordre et la force ; de l'autre, une « attentive inculture du moi », la conscience d'être un fragment du cosmos, et une mort sereine qui est retour à l'illimité.

A.D. et Ling traitent ensuite de l'art (10-12). L'art chinois suggère la vie par la médiation du signe ; en quête d'analogies (« Les animaux sont destinés à illustrer des fables »), l'Européen approche l'art en intellectuel, comme dans ces musées occidentaux dont les contiguïtés artificielles en appellent au jugement plus qu'à l'émotion. Mêmes comportements devant les spectacles de la nature. Dans la substitution de mille « expériences artistiques » à l'art traditionnel européen qui cherchait à « conquérir le temps » en le faisant « prisonnier des formes », A.D. aperçoit la profonde angoisse qui mine notre culture.

Le débat se poursuit avec le problème de la connaissance (13-14) : la « communion avec le principe », fortifiée par la croyance à la transmigration, offre à l'Oriental un accès à l'Être, contesté par A.D. Pour un Occidental, ajoute celui-ci, l'essence de la vie est dans son « intensité », la conscience de soi ne menant qu'au dévoilement de notre contingence.

Les lettres 15-17 tournent autour d'un entretien d'A.D. avec le sage Wang-Loh, qui prophétise les malheurs d'une Chine mal préparée au choc avec une culture étrangère. Ling redoute, lui aussi, l'influence déstabilisante de la nouvelle élite formée à l'occidentale, et du gouvernement révolutionnaire de Canton.

La correspondance s'achève sur une note pessimiste (18) : l'individualisme exacerbé de l'Europe y a développé le sentiment de l'absurde. Refusant le secours de la foi traditionnelle, A.D. n'oppose au vide métaphysique que le rempart d'une « lucidité avide ».

Le titre de cet essai peut d'abord se lire comme une allusion aux aspirations de la nouvelle « élite » chinoise, séduite par les idées occidentales qui, au risque de ruiner les valeurs ancestrales, tireront la Chine de son apathie. Mais il est une autre « tentation » qui, au même moment, menace la civilisation occidentale : en plein désarroi, l'individualisme européen, recru de violence, suscite des fantasmes de fuite. « Fuite dans l'imaginaire » (12), démission de la volonté au profit d'un parti ; fuite en avant dans l'aventure, les émotions ou les entreprises dont les Occidentaux espèrent qu'à défaut de sens, elles donneront de l'« intensité » à leur vie.

Les analyses de Malraux, tirées des données de l'expérience, multipliant les points de vue et les harmoniques, s'intègrent à un dialogue philosophique qui s'impose pas de conclusion, entre deux personnages abstraits, sans caractérisation lisible. L'écriture d'A.D. et de Ling est en effet la même, discursive avec une éloquence sous-jacente qui atteint parfois l'emphase. Ils utilisent tous deux métaphores précieuses et portraits-caricatures (Wang-Loh : « Tête de mort. Lunette d'écaille. Une grande distinction »), ne recherchent pas le pittoresque pour lui-même, sites et paysages s'intégrant à l'argumentation – témoin la description de Rome (7) ou les allusions aux jardins d'Europe et d'Asie –, et restent fidèles à une même rhétorique dont la comparaison est la figure maîtresse. Aucune émergence non plus d'un « je » qui se différencierait du « moi » intellectuel : on ne sent jamais tressaillir en A.D. ou en Ling qu'une inquiétude métaphysique liée à leur condition humaine, sans référence à un quelconque destin personnel. L'allusion au « gouvernement de Canton » soutenu par l'URSS permet tout juste de situer leurs préoccupations politiques en ce point de l'Histoire où se produit le choc entre Orient et Occident.

Aussi ce texte ressemble-t-il à un face-à-face de Malraux avec lui-même dans lequel, sans éluder les contradictions, il se soumet à l'exigence d'une « lucidité avide » qui fait ressortir les points faibles et les ombres d'une culture, dans le jeu de miroir d'une constante comparaison. La *Tentation* pose ainsi la problématique que le cycle d'Extrême-Orient (les *Conquérants*, 1928 ; la *Voie royale*, 1930 ; la *Condition humaine*, 1933) intégrera à des structures romanesques. Mais, pour le moment, le pessimisme agnostique de Malraux n'est pas encore tempéré par la reconnaissance d'une valeur universelle, cette fraternité humaine à laquelle le supplice d'un Kyo et surtout

d'un Katow (voir la *Condition humaine*) doit sa transmutation en victoire sur la mort.

● « Les Cahiers rouges », 1984. ➤ *Œuvres complètes*, « Pléiade », I.

M.-A. DE BEAUMARCHAIS

TENTATION DE SAINT ANTOINE (la). Récit de Gustave **Flaubert** (1821-1880), publié dans sa forme définitive (troisième version) à Paris chez Charpentier en 1874. Des fragments de la deuxième version avaient été donnés dans *l'Artiste* : « la Reine de Saba » (21 décembre 1856), « la Courtisane et Lampito » (28 décembre 1856), « Apollonius de Thyane » (11 janvier 1857) et « les Animaux » (1er février 1857).

Dans ses trois versions, *la Tentation de saint Antoine* se présente sous une forme théâtrale : des didascalies, parfois fort longues, campent le décor et décrivent les actions des personnages ; pour le reste, le texte est constitué de dialogues. L'œuvre est déjà en germe dans un écrit de jeunesse de 1839 intitulé *Smarh, vieux mystère* : on y voit le héros éponyme, un ermite, affronter diverses figures allégoriques (la Femme, Satan, la Mort, etc.).

La première version de *la Tentation de saint Antoine* date de 1849 et s'inspire d'un tableau de Peter Breughel contemplé à Gênes en 1845. On peut également y déceler l'influence du théâtre populaire de marionnettes du père Legrain – que Flaubert prisait beaucoup et qui représentait souvent l'histoire de saint Antoine à Rouen – et celle d'ouvrages tels que *Faust* de Goethe, *Caïn* de Byron et *Ahasvérus* d'Edgar Quinet. En 1849, Flaubert a déjà beaucoup écrit mais *la Tentation de saint Antoine* est le premier texte qu'il considère digne d'être publié. Ses amis Du Camp et Bouilhet, auxquels il lit son œuvre, le persuadent de renoncer et de choisir un « sujet terre à terre » ; Flaubert entreprend alors *Madame Bovary*. Ce renoncement n'est toutefois pas définitif puisque, en 1856, l'écrivain rédige une deuxième version : « Je biffe les mouvements (extra)-lyriques. J'efface beaucoup d'inversions et je persécute les tournures, lesquelles vous déroutent de l'idée principale » (lettre à Louis Bouilhet, 1er juin 1856). Cette fois, Flaubert se borne à publier quelques fragments dans *l'Artiste*. Enfin, après avoir achevé l'*Éducation sentimentale*, il compose, entre juillet 1870 et juin 1872, une troisième – et ultime – version, plus courte et plus dense que les précédentes, qui sera publiée intégralement et en volume deux ans plus tard.

Antoine, dans sa cabane, songe avec nostalgie à son passé : il souffre de sa solitude et pense à la jeune Ammonaria, qui a pleuré lorsqu'il est parti dans le désert, à son disciple Hilarion et aux multiples plaisirs dont il s'est privé (chap. 1). Diverses visions se présentent à lui et lui proposent de satisfaire sa gourmandise, de connaître la richesse et le pouvoir. L'ermite parvient à les écarter, mais la reine de Saba paraît et s'offre à lui ; il la repousse (2). Surgit ensuite Hilarion, le disciple bien-aimé, dont l'aspect est devenu monstrueux. Il flatte Antoine, essaie d'éveiller son ambition, et lui démontre que les Écritures sont truffées de contradictions (3). Hilarion conduit Antoine parmi la « foule des hérésiarques » (4), puis le fait assister au défilé des « idoles de toutes les nations et de tous les âges » (5). La tentation de voir le Diable s'empare d'Antoine ; celui-ci se montre aussitôt et s'envole avec l'ermite, exalté par cette traversée de l'espace aérien (6). Antoine, revenu près de sa cabane, se trouve en présence de deux femmes – « la jeune » et « la vieille », l'« esprit de fornication et l'esprit de destruction ». La luxure et la mort cèdent la place à divers monstres fabuleux, et Antoine assiste à la naissance de la vie. Après avoir formulé le souhait d'« être la matière », il « se remet en prière » alors que « le jour enfin paraît » (7).

La forme choisie pour la première *Tentation de saint Antoine* et à laquelle Flaubert restera fidèle dans les trois versions est celle d'un théâtre universel, montrant la totalité des croyances, puis la genèse de la matière et de la vie. Le lieu d'apparition des visions s'apparente à une scène – « une plate-forme en demi-lune, et qu'enferment de grosses pierres » (chap. 1) – et la durée de l'action, qui correspond à une nuit, rappelle le temps de la tragédie. Toutefois, le texte n'est guère représentable en tant que tel, et Flaubert ne le destinait pas à un avenir scénique. Il note d'ailleurs dans ses carnets : « Enlever tout ce qui peut rappeler un théâtre, une scène, une rampe. »

« Tout doit être réaliste » : l'écriture cherche en effet à générer une immédiateté des fantasmagories, à effacer la distance entre spectacle et spectateur. Sa magie et son pouvoir résident dans le fait que nommer équivaut à faire comparaître : il suffit que le saint prononce un mot, voire le pense simplement, pour que la chose surgisse. Lorsqu'il s'écrie par exemple : « Jésus, Jésus, à mon aide ! », Apollonius – lui-même une apparition – lui répond : « Veux-tu que je le fasse apparaître, Jésus ? » (4). Ainsi, les visions s'emboîtent les unes dans les autres, jusqu'au lecteur pour lequel Antoine lui-même figure le premier maillon de ces médiations successives. Hilarion, son disciple, illustre ce processus d'engendrement des représentations : tout d'abord fruit d'une hallucination, il orchestre ensuite le défilé des autres personnages (à partir du chapitre 4). L'ermite, spectateur des visions, se trouve par conséquent dans la posture du lecteur mais aussi dans celle de l'écrivain puisque son esprit et sa parole génèrent l'ensemble du spectacle, c'est-à-dire le texte lui-même. Le saint est une épiphanie de l'artiste, et l'œuvre met à l'épreuve les mécanismes de la représentation, singulièrement la création et le fonctionnement du texte littéraire. Cela explique sans doute l'attachement et la constance de Flaubert à l'égard de ce projet : « C'est l'œuvre de toute ma vie », écrit-il à Mlle Leroyer de Chantepie le 5 juin 1872.

La Tentation de saint Antoine explore les divers systèmes conçus pour penser l'homme et le monde. Plus exactement, elle en propose une sorte de panorama encyclopédique dont l'apparente objectivité ne saurait masquer la force destructrice. En effet, la multiplicité hétéroclite et contradictoire des croyances voue chacune d'entre elles à la dérision. L'œuvre de l'artiste s'apparente alors à celle du diable qui démontre « qu'il n'y a rien » (6), que l'infini est une « dilatation du néant ». Par l'hypertrophie des textes de régie et par la profusion des apparitions, elle produit effectivement l'impression d'une dilatation infinie. Seule la venue du jour parvient à mettre un terme, extérieur et arbitraire, au délire d'Antoine qui se « remet en prière », c'est-à-dire se réfugie dans une attitude maintes fois répétée et à l'évidence inopérante, puisqu'elle ne parvient pas à endiguer les tentations. Le défilé peut donc recommencer à tout instant, et les dernières lignes du texte proposent moins une véritable clôture qu'une interruption momentanée des visions, avérant l'empire du néant.

● « GF », 1967 (p.p. J. Suffel) ; « Folio », 1983 (p.p. C. Gothot-Mersch). ➤ *Œuvres*, « Pléiade », II ; *id.*, Éd. Rencontre, VI et XIII ; *Œuvres complètes*, Club de l'honnête homme, IX.

A. SCHWEIGER

TERRAQUÉ suivi de **EXÉCUTOIRE.** Recueils poétiques d'Eugène **Guillevic** (né en 1907), publiés à Paris chez Gallimard en 1942 (*Terraqué*) et en 1947 (*Exécutoire*), et regroupés en un seul volume chez le même éditeur en 1968.

Usant de formes brèves écrites en vers libres, regroupées parfois en de petits ensembles, cette poésie de la matière se confronte à l'objet (« Tu regardes un caillou ramassé par hasard / À l'abri d'un buisson / Et puis tu t'aperçois / Que plus tu le regardes / Et plus sa force est grande »), se confronte au monde pour « prendre pied », en travaillant sur le modèle artisanal un langage dont la fonction de connaissance est d'emblée affirmée, avec une patience dont témoigne la modestie reconquise du lexique et du rythme : « Les mots, / C'est pour savoir. / Quand tu regardes l'arbre et dis le mot : tissu, / Tu crois savoir et toucher même / Ce qui s'y fait. »

Nulle place ici pour l'emphase, la grande orchestration des sentiments ou des images : le lyrisme s'y garde de tout débordement. Cela n'empêche pas Guillevic de manifester une remarquable ampleur de registre : on trouve ici l'un des rares vrais poèmes pour enfants de la poésie française contemporaine (« S'il est question de loups, ce n'est que pour se battre / Pour enfoncer le poing bien profond dans leur gueule / Et voir virer leurs yeux – car c'est bon d'être fort »). On y trouve également ces monuments d'émotion impossible que constituent "Charniers" – anti-requiem à la mémoire des victimes du nazisme – ou "Souvenir", « tombeau » de Gabriel Péri, aux antipodes de la maestria un peu rapide de certains poèmes d'Éluard : « Ce n'est pas vrai qu'un mort / Soit comme un vague empire / Plein d'ordres et de bruit, / [...] Il ne faut pas mentir, / Rien n'est si mort qu'un mort. »

La poésie qu'on dit « engagée » est donc aussi présente, dans des textes autrement plus incisifs que les sonnets réalistes socialistes que Guillevic écrira un peu plus tard. La face du juge, les oiseleurs, l'opprobre, la peur, la revendication de la faim, viennent parfois affleurer à la surface de ces poèmes qui, pour quelques instants, miment les ressacs d'un orage ou la houle d'une colère, en se gardant de tout bon sentiment. La réussite de Guillevic s'inscrit également dans ces natures mortes dont il a compris que la force venait de la tension qui doit les parcourir : « Deux bouteilles vertes / Qu'attire le centre de la terre / Et que retient la lumière. » Cela passe parfois par des échos du panthéisme, réactivés par les souvenirs du « pur esprit » qui chez Nerval « s'accroît sous l'écorce des pierres », le tout non sans ironie : « Si un jour tu vois / Qu'une pierre te sourit, / Iras-tu le dire ? » Voyeur ou voyant ? se demande la critique. Plutôt ce rêve, en permanence : « Il faudrait voir plus clair / Pour voir tous les objets / Comme entre eux ils se voient. » Nul statisme dans cet univers au-delà des portes de la perception : il s'agit moins de tableaux que de petites mises en récit, car l'une des fonctions préférées du poète est de « voir sur chaque objet que tout détail est aventure ».

Cette aventure, pour se constituer, se développer avant d'en venir à la « confiance avec le cœur des chênes », se met bien évidemment en scène comme conflit, comme lutte contre les aspérités et les objections du réel, lutte contre la « maison de briques où le rouge a froid », contre les « fleurs géantes et bleues / Qui tombaient du soleil », contre les moisissures, contre le « terrible » du monde, incarné par un mur, contre la couleur noire qui se lève « au fond du jaune » et « qu'on ne pourra pas abattre ». Cette lutte contre l'objet se double chez l'homme d'une bataille incessante contre son propre sang, contre la dette animale « inscrite au noir des chairs », le « on ne sait quoi de nocturne et du sang contre l'humain » qui contrecarre tous les élans de fusion heureuse.

Il ne faudrait cependant pas prendre le cheminement de Guillevic pour une ataraxie : ses réussites sont aussi de tendresse, de désir et de proximité. On y trouve certes parfois les petites hâtes d'un intimisme qui court le risque de payer « l'autre » du poème en une monnaie un peu dévaluée (tel « goût frais de la mer » par exemple, « entre des cuisses ouvertes »), mais le plus souvent une simplicité se conquiert, loin de l'emphase des années quarante : « Vivre c'est pour apprendre / À bien poser la tête / Sur un ventre de femme. » Le conflit générateur se met aussi en scène contre les mots, qui « ne se laissent pas faire comme des cataphalques », contre le temps, contre la mort qui travaille le corps des femmes, leur squelette « que la tiédeur étonne / Et que le sel appelle / En ses cavernes grises ». Contre ce temps mortel, l'objet apparaît alors comme un recours, un objet amical « que le temps n'aurait pas encore habitué ».

Le métier du poète est au fond tout entier dans cette captation, dans ce travail qui s'apparente à celui des sauniers, entre recueil et vaporisation, dans cette recherche du moment où, auprès des rocs qui deviendront « sable sec au goût de désespoir », le poème, que ne tient plus la « peur de devenir nuage », va pouvoir prendre corps. En témoigne cet hymne discret à l'eau des salines de Bretagne, un hymne dont le chiasme fait tenir ensemble, sur un vieux fond épuré d'alexandrins, d'hémistiches et de rythmes pairs, la douceur, la panique, le cristal, la couleur, et l'appel :

Dans les hauteurs de l'air où le métal n'est plus que son,
Le corps de l'eau se fait.
– Il se fait de chair chaude,
Aux soupirs des cristaux
Du sel abandonné,
Sur un fond rouge et vert
Où l'appel incendie
Les affres de l'humus.

Le corps de cette eau en formation est aussi le corps, dans ses meilleurs moments, du poème de Guillevic.

● « Poésie / Gallimard », 1968 (préf. J. Borel).

H. KADDOUR

TERRASSE DES BERNARDINI (la). Roman de Suzanne Prou (née en 1920), publié à Paris chez Calmann-Lévy en 1973. Prix Théophraste-Renaudot.

À partir de souvenirs personnels et de propos entendus ou rapportés, la narratrice tente de reconstituer le passé de Laure Bernardini, veuve très digne, entourée de Thérèse, sa dame de compagnie, et de quelques provinciales caquetantes. Fille d'un boucher, Laure meubla le vide de son adolescence de lectures romanesques et de rêveries. L'évolution de sa passion pour Paul Bernardini, héritier de la plus riche famille du pays, fut secrète et surprenante : amour platonique et naïf, amour douloureux quand Paul faillit étrangler Thérèse sa maîtresse, amour répulsion lors de son mariage, amour blessure à l'heure des duperies, amour comblé par deux fils, passion vidée de son sens dès que Laure découvre auprès de Thérèse sensualité et complicité. Les deux femmes pourront désormais vivre seules après l'« accident » de Paul, maquillé en suicide.

La structure narrative du roman se présente comme une alternance régulière de chapitres, l'un décrivant le présent en sa banalité quotidienne, l'autre ressuscitant un passé où se mêlent les voix de la rumeur provinciale et les suppositions de la narratrice qui essaie de reconstruire la vie de Laure Bernardini. Ce choix qui multiplie les hypothèses permet ainsi un affinement des explicitations événementielles et psychologiques. Comme chez Mauriac, chaque bouleversement qui a jalonné la vie de la famille Bernardini apparaît comme un « drame de famille » étouffé par le silence de la province : la tentative d'étranglement de Thérèse par Paul, la mort du premier enfant de Laure, les écarts de conduite de Paul, la mort de Mme Bernardini mère, l'épidémie de grippe pendant la guerre qui isola Laure et ses fils, furent autant de lames douloureuses qui emportèrent les illusions de la jeune femme. Son éducation livresque à la manière d'Emma Bovary et son ignorance du monde la prédisposaient à aimer Paul au point de l'épouser. Or devant la fougue brutale de son mari, Laure est restée de marbre. Sa répulsion physique pour cet homme était à l'opposé de la sensualité de Thérèse ; cette fille du peuple élevée au rang de dame de compagnie fut une maîtresse facile pour Paul, mais elle devint surtout une servante dévouée, la seule femme qui proposa ses services à Laure quand, abandonnée par toutes ses amies, elle s'épuisait à sauver ses enfants. Leurs rapports ambigus s'éclaircissent au fil des chapitres : Thérèse fut une seconde mère pour les deux garçons, une initiatrice

aux plaisirs charnels pour Laure et peut-être même celle qui arma la main de sa maîtresse ou celle qui la délivra d'un mari encombrant... Avec une ironie distante et des métaphores sensuelles, la narratrice lève peu à peu le masque ridé et respectable de la mère exemplaire et de l'épouse modèle aux vertus ménagères célébrées par tous, pour révéler les désordres secrets de sa vie.

● « Presses Pocket », 1986 ; « Le Livre de Poche », 1991.

C. LAVIGNE

TERRE (la). Roman d'Émile **Zola** (1840-1902), publié à Paris en feuilleton dans le *Gil Blas* du 29 mai au 26 septembre 1887, et en volume chez Charpentier la même année.

Volet paysan de la grande sociologie zolienne, quinzième titre de la série des **Rougon-Macquart*, le roman se veut plus « vrai » que les « Scènes de la vie de campagne » (voir la **Comédie humaine*) de Balzac ou que les romans rustiques de George Sand. Nourri d'anecdotes et de personnages (dus à Céard et surtout à G. Thyébaut), de lectures et de rencontres (Jules Guesde notamment) qui aident Zola à cerner les enjeux économiques et politiques du sujet, le roman doit aussi beaucoup aux repérages accomplis par l'auteur lui-même à Cloyes et à Romilly-sur-Aigre, entre Chartres et Châteaudun.

Le livre scandalisa par ses situations et son vocabulaire, et fut à l'origine du « Manifeste des Cinq » (P. Bonnetain, J.-H. Rosny, L. Descaves, P. Margueritte et G. Guiches), qui prétendit rompre solennellement avec le Maître « descendu au fond de l'immondice ». Se présentant comme les porte-parole de la jeune génération littéraire, probablement encouragés en sous-main par Alphonse Daudet et Edmond de Goncourt, ces iconoclastes offrirent à une certaine critique l'occasion de se déchaîner, même si quelques articles furent sensibles à la puissante poésie déployée dans le roman, quitte à la saluer par dérision à la manière d'Anatole France qui eut cette formule : « Les Géorgiques de la crapule. »

Première partie. Près de Rognes, entre Perche et Beauce, Jean Macquart, un ancien soldat revenu en France après Solférino, accompagne Françoise, la nièce de Fouan, qui mène sa vache au taureau. On arrive à la grande ferme de la Borderie, où Jacqueline est la servante-maîtresse du fermier Hourdequin (chap. 1). Chez le notaire Baillehache, le vieux Fouan se décide à partager ses biens entre sa fille, épouse Delhomme, et ses deux fils : l'ivrogne Hyacinthe, dit Jésus-Christ, et Buteau, brutal et mauvaise tête (2). La famille comporte également la Grande, la vieille sœur de Fouan, dure et âpre au gain, et les Badeuil, ex-tenanciers de maison close (3). Alors que le curé veut que Buteau épouse la sœur de Françoise, Lise, qu'il a engrossée, celui-ci, mécontent du lot qui lui a été alloué, refuse le partage (4-5).
Deuxième partie. Hourdequin surprend Jacqueline avec Jean, qui peut s'enfuir (chap. 1). Après la mort de Mouche, le père de Françoise et de Lise, Jean veut épouser Lise. Mais elle lui préfère Buteau. Il se tourne alors vers Françoise (2-4). Tandis qu'à l'occasion des élections la politique agite les esprits, on fête le mariage de Lise et de Buteau (4-7).
Troisième partie. Buteau redoute le partage des terres de Mouche entre les deux sœurs, Lise, sa femme, et Françoise (chap. 1). En outre, les enfants de Fouan ne tiennent pas leurs engagements vis-à-vis de leur père. Jésus-Christ dépense son argent au café et Buteau ne rêve que d'arrondir ses terres (2-3). Arrive le temps des moissons ; Buteau, qui désire Françoise, tente de la violer, mais c'est à Jean qu'elle se donne, au grand dépit de Buteau (4). Lise, de son côté, accouche en même temps que sa vache met bas (5). Jean est de plus en plus épris de Françoise (6).
Quatrième partie. Le vieux Fouan est exploité par ses enfants, chez qui il réside successivement (chap. 1-4). Buteau, qui la désire sans parvenir à ses fins, et Lise, qui la déteste, chassent Françoise de chez eux (5). Elle se réfugie chez la Grande, qui envenime encore la situation, et parvient à faire expulser les Buteau (6).
Cinquième partie. Recueillis par des voisins, les Buteau veulent se venger. Ils commencent par voler le magot du vieux Fouan, abandonné de tous (chap. 1-2). Aidé de Lise, Buteau viole Françoise, devenue la femme de Jean. Françoise se blesse sur une faux et elle meurt

sans avoir nommé ses agresseurs (3). Sa mort sans testament fait des Buteau ses héritiers. Ils chassent Jean. Alors que l'on commence à parler de guerre, les Buteau étouffent Fouan sous sa paillasse pour se débarrasser de lui, car il a été le témoin involontaire du viol. Ils camouflent leur meurtre en accident (4-5). Se refusant à partager plus longtemps l'existence de ces êtres cirminels, Jean quitte Rognes après l'enterrement du vieux (6).

« Je voudrais faire pour le paysan avec *la Terre* ce que j'ai fait pour l'ouvrier avec *Germinal*. Ajoutez que j'entends rester artiste, écrivain, écrire le poème vivant de la terre, les saisons, les travaux des champs, les gens, les bêtes, la campagne entière ». Ces propos écrits le 27 mai 1886 à Van Santen Kolff définissent parfaitement le projet : faire tenir dans un seul livre toute la paysannerie et toute la campagne.

La Terre peut être lue comme document social. Si l'on accepte de ne pas prendre le mot « document » au pied de la lettre, de comprendre que Zola inscrit son roman dans le cycle du blé sans transformer son œuvre en manuel du parfait (?) paysan, de saisir le rapport instauré entre les personnages et la propriété, alors on perçoit mieux l'originalité de l'entreprise. Zola renouvelle le genre du roman rural par la mise en évidence d'une fatalité qui attache le paysan à sa condition et à la glèbe. Peu importe la transposition chronologique opérée par Zola, qui place sous le second Empire la crise agricole bien réelle des années 1880 ; la longue durée de l'Histoire imprime sa marque au roman. Racontée dans les veillées, la saga séculaire de Jacques Bonhomme parcourt le récit et se prolonge dans la fiction zolienne. Ainsi, à une biographie de personnage s'incorpore toute l'évolution de la paysannerie. Cette historisation se conjugue avec la permanence de la ruralité, le temps lent du travail de la terre, le cycle éternel des saisons. Le prophétisme socialiste lui-même, développé à l'occasion des élections, avec sa vision d'une terre nationalisée exploitée à l'américaine, ne peut effacer cette pérennité des travaux et des jours.

De l'adultère à l'inceste, de la bestialité au parricide, d'un accouchement décrit avec réalisme, couplé qu'il est avec le vêlage d'une vache, au viol sanglant et meurtrier : le roman se compose d'une somme ordurière, où entrent injures, jurons, ivrognerie et vols. À l'idéalisme, à l'apologie d'une grâce retrouvée, Zola oppose sa lecture naturaliste des êtres dans leur milieu, lui ajoutant parfois une dimension rabelaisienne. La violence des appétits et des besoins, le débordement de vitalité, le poids du travail, la rudesse des choses, tout participe d'une épopée tellurique. La terre explique tout, détermine tout, génère tout.

La possession de la terre occupe une place décisive dans l'intrigue. L'on peut classer les personnages du roman en fonction de leur avoir, qui exerce sur eux la force d'une passion. D'où les conséquences dramatiques du partage des biens de Fouan. Répartition, rivalités, avidité, rancœurs, regrets : voilà le programme narratif du roman, où la terre et les femmes se confondent comme objets de désir, où la thématique politique se réduit à l'essentiel, l'affrontement des « partageux » et des propriétaires. Mais cette remarquable promotion de la terre comme objet d'amour et cause de la folie tragique va de pair avec son assomption comme objet poétique.

Car la description occupe ici une place éminente. Le paysage de la Beauce rassemble les traits constitutifs du paysage agricole. L'ensemble échappe aux clichés, pourtant abondamment utilisés (les blés ondulant à l'image de la mer), comme si la force même de la description renouvelait tout l'attirail poétique. Images et métaphores visent à célébrer la nature, les travaux et les jours, et élaborent un mythe où, avec *la Terre*, triomphe l'un des quatre éléments de l'univers.

Comme Étienne Lantier permettait dans *Germinal* de peindre le monde des mineurs, Jean Macquart traverse la société rurale pour en autoriser le tableau. Lui seul d'ailleurs rattache le roman aux *Rougon-Macquart*, lien de pure forme. Nous le retrouverons soldat dans la **Débâcle*, mais, en attendant, il noue le drame familial, cette guerre à l'échelle du village. N'éprouvant pas, à la différence des autres personnages paysans, d'attachement viscéral pour la terre, Jean se trouve dans une situation romanesque paradoxale. Acteur capital du conflit sentimental et sexuel, il n'est pourtant que le témoin du drame. Marginal, étranger, il circule, et ménage ainsi, entre les êtres et les lieux, les liaisons nécessaires.

D'une toute autre stature sont les Fouan. Si le clan des Rougon-Macquart n'intervient ici que de façon annexe, cette famille lui ressemble par ses violences, ses passions et sa destinée, digne des Atrides. Microcosme paysan, elle grossit les traits de la cupidité, du désir, de la brutalité où Zola aime à voir les caractéristiques de la paysannerie. L'on va donc se déchirer consciencieusement, s'entretuer et forniquer en famille. Naturellement, tout le monde cousine, et les relations sexuelles ne peuvent qu'être incestueuses. L'expulsion finale de Jean est donc bien celle d'un corps étranger. De fait la famille Macquart essaime dans tout le cycle. En s'opposant ainsi à l'archaïsme paysan, attaché à la glèbe, enfermé dans la clôture de son espace et de sa propriété privée, ce clan dynamique représente peut-être une figure collective de la modernité.

● « GF », 1973 (p.p. M. Girard) ; « Presses Pocket », 1994 (p.p. G. Gengembre). ➤ *Les Rougon-Macquart*, « Pléiade », IV ; *Œuvres complètes*, Cercle du Livre précieux, V ; *les Rougon-Macquart*, « Le Livre de Poche », XV (préf. P. Jakez Hélias, p.p. R. Ripoll) ; *id.*, « Folio », XV (préf. E. Le Roy Ladurie) ; *id.*, « Bouquins ».

G. GENGEMBRE

TERRE AUSTRALE CONNUE (la), c'est-à-dire la description de ce pays inconnu jusqu'ici, de ses mœurs et de ses coutumes. Récit de Gabriel de **Foigny** (vers 1630-1692), publié sous le nom de Jacques Sadeur à Vannes (en réalité à Genève), chez J. Verneuil en 1676.

L'ouvrage, écrit à la première personne, commence par l'évocation de la naissance et de l'éducation du héros narrateur, Jacques Sadeur. Dès l'enfance, sa vie est marquée du sceau du voyage et de l'aventure : il perd ses parents dans un naufrage, puis il est enlevé par son parrain aux personnes qui l'avaient recueilli (chap. 1). Hermaphrodite, J. Sadeur est recueilli par les jésuites, et il est élevé chez la comtesse de Villafranca avec le jeune comte. Parti en voyage, il fait de nouveau naufrage : sauvé de justesse, il est déposé sur la côte du Congo (2). Cela donne lieu à une première description géographique (Zaïre, Angola, sources du Nil). Il repart vers le sud, pour gagner Madagascar : un naufrage interrompt une nouvelle fois le voyage. Mais l'expérience aidant, il en réchappe sur un frêle radeau, et, après d'étranges péripéties (attaques d'animaux fabuleux, île flottante, etc.), il aborde enfin une terre inconnue (3).

Les neuf chapitres suivants donnent lieu à une description méthodique de la terre australe (topographie détaillée, 4) et de la vie des Australiens. Il s'avère que ce sont des hermaphrodites comme Sadeur ; la description de leurs mœurs et de leurs institutions est faite au héros par un digne vieillard (cicérone traditionnel de la fiction utopique), à qui Sadeur décrit en retour notre propre monde, défendant notamment l'orthodoxie catholique (5). La religion, dont il ne faut pas parler, est exposée au chapitre 6 : il s'agit d'une sorte de panthéisme. Suivent leur conception de la vie (7), leur science du temps et leurs activités dans la journée : culture, inventions (recensées dans le « livre des curiosités publiques »), exercices physiques, jeux (8). Foigny propose même une étude de leur langue et la description de leurs études (9). L'examen de la faune (10) est suivi d'un catalogue des « raretez utiles à l'Europe » qui se trouvent en pays austral (11) : animaux domestiques plus utiles que des bœufs ou des chevaux, fruits rares et délicats qui ne nécessitent aucune cuisine, ainsi que les diverses inventions déjà répertoriées au chapitre 8. La guerre n'est pas absente du monde utopique (12), et les Australiens la font de manière excellente (bataille en campagne, art des sièges, logistique et usage des machines), ce dont Sadeur témoigne en connaissance de cause, puisqu'il y prend part. Le constat de son incompatibilité avec la vie australienne le conduit en définitive à revenir en l'île de Madagascar (13), d'où il écrit son récit et dont la description dans un ultime chapitre contraste fortement avec le monde utopique (14).

Les critiques ont volontiers souligné le point de convergence où se situe le livre de Foigny : double aboutissement du romanesque dans sa tendance au réalisme, et du récit de voyage dans son goût pour l'exotisme et le pittoresque. L'art du constat de réalité, qui domine, va donc se trouver constamment distordu, perverti par l'invention d'un monde fictif où les sujets d'émerveillement surprennent le lecteur à chaque page. L'idée traditionnelle du « manuscrit » que l'on a trouvé et que l'on soumet au public, ainsi que la progression des pays connus (Congo) à l'inconnu (« terre australe ») sont autant de seuils à franchir pour passer du réel à l'imaginaire, de notre monde à l'utopie. Le poids « documentaire » du texte, la mise en œuvre des procédés traditionnels d'exposition qui tentent de conserver au mieux la vraisemblance, retardent autant que possible l'effet de décalage inévitable qui est ressenti dans les passages les plus didactiques, lorsque le narrateur se met à passer en revue systématiquement la société australe : géographie, topographie, faune, flore, etc. La question fondamentale est bien sûr de comprendre pourquoi Foigny a décidé de recourir à la fiction narrative pour exposer une réflexion politique et philosophique ; les difficultés mêmes que rencontra l'œuvre lors de sa publication en 1676 montrent que le voile de la fiction ne fut pas un atout efficace contre la censure. En revanche, la tentative de répondre au goût du temps, de diffuser les idées nouvelles par le biais d'une forme littéraire à succès est beaucoup plus probable. Foigny a bien compris la leçon de Platon, qui faisait du mythe le recours ultime de ses grands dialogues philosophiques. L'hermaphrodisme même du héros, qui est si bien en accord avec celui des Australiens, doit être mis en rapport avec l'androgynie primordiale décrite par Platon dans le *Banquet*. C'est donc bien à la lecture d'un « roman des philosophes » que nous convie Foigny.

Mais quelle est alors l'intention de l'ouvrage ? L'esthétique de l'écart absolu que constitue toute utopie ne semble pas nous orienter vers une visée réformatrice de notre monde, corrompu et irrémédiablement déchu. La chute dans le réel que marquent le retour à Madagascar et la description négative de l'île le montrent suffisamment (chap. 14). Le pessimisme dont témoigne en définitive le retour de Sadeur, hermaphrodite imparfait, constituerait plutôt ce monde utopique comme un modèle idéal et irréalisable, dont la fonction serait de dénoncer l'imperfection de notre monde. La rapidité même de la fin laisse le lecteur en suspens, et encouragerait volontiers à chercher dans l'entreprise de Foigny la leçon d'un scepticisme radical qui aboutirait à dénoncer la démarche même du discours utopique. Riche de toutes ces questions, l'ouvrage a le mérite d'être un remarquable témoin des interrogations du second XVIIᵉ siècle, non seulement en matière de société, mais aussi sur la forme même que doit prendre cette réflexion – ce qui ouvre un vaste champ à l'investigation « littéraire » de l'homme, face à l'essor contemporain des sciences exactes et de l'expérimentation.

● STFM, 1990 (p.p. P. Ronzeaud).

E. BURY

TERRE D'ASILE. Roman de Pierre **Mertens** (Belgique, né en 1939), publié à Bruxelles aux Éditions Labor en 1978.

Pourquoi Jaime Morales a-t-il fui le Chili, le 11 mai 1977 ? Trop de souvenirs le hantent. Emprisonné et torturé après le coup d'État, il n'arrive pas à parler de ce passé. En Belgique, il souffre de l'exil et il s'éprouve comme dissocié de son corps qu'il a abandonné aux médecins. Rien ne lui répugne comme les discours théoriques sur la démocratie : cet « allendiste » a quitté l'Histoire en même temps que son pays. Il assiste à la comédie sociale jouée par les intellectuels occidentaux, étrangers à eux-mêmes, selon Pierre Augustin, rédacteur en chef de *En mouvement*. Mais que Jan Ponsaers, président de « Liberté-Action », juge les exilés peu reconnaissants le révolte. Avec Paulina,

une Colombienne, il imagine alors un moment renouer avec l'engagement politique. Il retrouve ses rêves d'ingénieur hydrologue avec Françoise Lalande, mais elle songe avant tout à écrire un livre. Un activiste chilien, Aureliano, meurt au Japon. Morales voudrait éclaircir cette disparition, mais il se retrouve bien vite seul dans son entreprise. Il signe alors un contrat d'embauche à Liège, où il rencontre avec une prostituée lui rend le corps que la torture lui avait arraché. 12 octobre 1977 : Beatriz Allende se suicide.

Loin de se réduire à sa dimension idéologique, *Terre d'asile* traite de la communication impossible. En effet, ce roman évoque la politique au travers de l'expérience d'un antihéros, Jaime Morales. Il a subi dans sa chair les atteintes à la liberté perpétrées par la dictature de Pinochet, et il ne supporte plus les représentations figées ni le goût du sensationnel qui obsèdent les journalistes. En même temps que toute référence précise à un système de valeurs, Morales perd le sentiment de sa propre existence, de son corps comme de sa mémoire. On lui demande de témoigner pour les autres, mais il n'a aucun « message » à transmettre. Le hiatus entre la réalité vécue et la rhétorique occidentale détermine une brisure intime, qui transforme l'exil en rupture ontologique. N'avoir rien à dire équivaut à perdre toute consistance. Dès lors la relation de l'homme à l'Histoire se trouve occultée par un sentiment d'irréalité : dans une Belgique décrite comme le musée de l'Europe, les certitudes vacillent. Morales considère en ethnologue ces Belges paternalistes qui prétendent lui imposer leur conception de l'exilé politique. Du point de vue de Sirius, la réalité occidentale trahit son formalisme et sa suffisance. Mais le Chilien incarne aussi une sorte d'énigme. La narration se creuse en abyme lorsque, figure ironique du romancier, Pierre Augustin projette d'écrire un livre sur un individu très ordinaire qui doit se retrouver après un bouleversement total : car Morales renoue avec le réel quand il perd le sentiment nauséeux de son étrangeté, de sa transformation en objet, dans les bras de la prostituée qu'il paie pour jouir de son propre corps.

● Arles / Bruxelles / Vevey, Actes Sud / Labor / Aire, 1989.

V. ANGLARD

TERRE DES HOMMES. Récit d'Antoine Marie Roger de **Saint-Exupéry** (1900-1944), publié à Paris chez Gallimard en 1939. Grand prix du roman de l'Académie française.

I. « La Ligne ». Commémoration des anciens, des pionniers de l'aviation qui ont su, parfois au péril de leur vie, libérer l'homme des contraintes géographiques, physiques ou météorologiques, en ouvrant la voie à de nouvelles routes aériennes. II. « Les Camarades ». Ce sont les héros : Mermoz ou Guillaumet, leurs exploits, leur courage, la lutte dans des conditions climatiques extrêmes. III. « L'Avion ». Méditation sur la technologie, le progrès : la machine n'est qu'un outil au service d'une ambition spirituelle. IV. « L'Avion et la Planète ». Ce que le vol permet de découvrir (chap. 1) : l'espace, mais aussi le temps (2), les origines du monde (3). La vraie réalité est surnaturelle (4). V. « Oasis ». Un « miracle » de l'aviation : faire surgir un lieu féerique au cœur du Sahara. VI. « Dans le désert ». La découverte des vraies richesses (1) : l'empire de l'homme est intérieur (2). La solitude de Port-Étienne (3) permet une réflexion sur l'islam (4), l'homme (5), la liberté (6), le sens de la vie (7). VII. « Au centre du désert ». 1935 : vol de nuit entre Tunis et Benghazi (1-2). L'équipage (1) ; l'avion s'écrase (3). La survie commence (4-5), mais bientôt remplacée par la perspective de la mort (6). Puis un Bédouin apparaît, gage de la résurrection (7). VIII. « Les Hommes ». Plusieurs vérités se font jour : il n'y a pas d'êtres supérieurs mais une culture qui leur est favorable (1 et 4) ; la solidarité (2) et l'enracinement dans un milieu, une lignée orientent l'homme vers son destin (3).

Dans cet ouvrage où alternent méditations et témoignages personnels, Saint-Exupéry délaisse le lyrisme des premiers récits comme *Courrier Sud* ou *Vol de nuit* et s'oriente vers une écriture plus classique, dominée par les préoccupations philosophiques. À la fois narrateur et auteur, il s'exprime à la première personne, mais n'hésite pas à hausser le ton jusqu'à la gravité de la maxime. Certaines de ses formules sont devenues justement célèbres : « Des générations d'Orientaux vivent dans la crasse et s'y plaisent. Ce qui me tourmente, les soupes populaires ne le guérissent point. Ce qui me tourmente, ce ne sont ni ces creux, ni ces bosses, ni cette laideur. C'est un peu, dans chacun de ces hommes, Mozart assassiné. »

De fait, l'autobiographie, tout en gardant une place importante, lui sert toujours de prétexte à une réflexion d'ordre général sur l'homme dans ses rapports avec l'univers. L'expérience vécue – une expérience souvent traumatisante, aux confins de la mort – prend une valeur exemplaire et débouche sur l'affirmation d'une éthique originale. Loin des catéchismes galvaudés des religions modernes, Saint-Exupéry redonne aux gestes les plus humbles de la vie quotidienne la dimension sacrée des rites primitifs. Sensible à la nécessité de l'ordre, soumis au devoir, son humanisme repose sur des principes simples, conformes à la sagesse traditionnelle telle qu'elle se manifeste aussi bien chez un modeste paysan de Provence (« On ne meurt qu'à demi dans une lignée paysanne. Chaque existence craque à son tour comme une cosse et livre ses graines ») que chez le vieux sergent isolé dans les sables de Mauritanie. Parmi ces principes dominent l'attachement à la famille qui, liant l'individu aux projets de ses ancêtres comme à ceux de ses descendants, nie la mort ; la fidélité à un idéal partagé par une collectivité (l'image du groupe, nécessaire aux progrès de l'aviation, devient une véritable parabole) ; la foi, enfin, dans le triomphe de la vie sur tous les pièges que la nature lui tend. Ainsi l'Arabe qui apporte de l'eau à l'équipage prisonnier du désert apparaît comme un archange envoyé de Dieu, ou plutôt comme la figure la plus haute de l'humanité.

● « Folio », 1972. ➤ *Œuvres complètes*, Club de l'honnête homme, I ; *id.*, « Pléiade », I.

B. VALETTE

TERRE DU BARBARE (la). Voir NUIT INDOCHINOISE (la), de J. Hougron.

TERRE QUÉBEC. Recueil poétique de Paul **Chamberland** (Canada/Québec, né en 1939), publié à Montréal à la Librairie Déom en 1964.

Au cours des années soixante, après la période de la « Révolution tranquille », le Québec s'enfièvre pour la revendication indépendantiste, tandis qu'éclosent divers mouvements politiques radicaux, dont le Front de libération du Québec (FLQ) qui ne répugne pas aux actions spectaculaires, voire violentes. C'est dans ce contexte militant que Paul Chamberland fonde avec quelques amis, en 1963, la revue *Parti pris* qui, dans la lignée de l'*Hexagone* de Gaston Miron, se donne pour but d'ancrer dans les mots la conscience recouvrée d'un peuple aliéné par l'hégémonie anglo-saxonne et de propager une littérature de combat. *Terre Québec*, qu'il publie l'année suivante, participe du même état d'esprit et fraternise avec les luttes révolutionnaires du tiers monde. Il s'agit, en effet, par la poésie, de contribuer à « fonder le pays » ; il s'agit, par la parole, de manifester une appartenance ; il s'agit, enfin et surtout, par le cri, de « raviver l'étincelle aux reins de tout un peuple enfin radiant l'espace de chemins guerriers ».

Divisé en trois parties : « Terre Québec », « Femme quotidienne » et « Domaine de l'aveugle », le recueil rappelle d'abord le sort inacceptable de « tout un pays livré aux inquisiteurs aux marchands aux serres des Lois » et d'un peuple humilié et bâillonné qui « meurt aux lampadaires du silence ».

Délaissant le « carrousel halluciné du pur poème » et brisant l'« image mur », le poète se dresse alors en « rebelle » pour faire entendre la « rumeur du sang bafoué au creux du fer et de la houille » et, par une « parole armée » appeler les siens à la révolte : « Mais nous dressons nos poings coupés / qu'ils saignent noirs sur le ciel cru / au claquant drapeau de la rage. »

Aux « geôles polaires » de l'oppression, il oppose violemment le « visage du feu d'où les peuples fiers et nus se forgent une raison un pays de seul cri né des liens fracturés », et « l'incendie d'être libres et d'épouser au long de ses mille blessures notre terre Québec ».

À ses yeux, la femme aimée et la terre chérie se conjuguent en un même attachement et un même espoir de retour d'exil, d'enracinement et d'enfantement : « termine ô femme ma déroute qu'en toi j'élève ce pays au jour claquant du nom. » Parfois, cependant, il ne parvient pas à se déprendre des « traces de l'obscur » : alors, « le corps lui-même échappe » et « les caillots de la mémoire encombrent le regard qu'on devrait fiancer aux claires danseuses du feu » ; alors est proche le silence :

je parle à l'orée du silence au seuil du labour inhumain
à la bouche de la terre et par le parfum nu de la mort
et ce n'est plus parler déjà que de nommer la nuit dans l'os.

Paul Chamberland se situe ici tout autant dans le compagnonnage de ses compatriotes – Paul-Marie Lapointe, Yves Préfontaine ou, surtout, Gaston Miron qu'il cite à plusieurs reprises – que des grands poètes révolutionnaires de notre siècle, de Césaire à Neruda, sans oublier Maïakovski qu'il interpelle dans "Ode au guerrier de la joie". Ainsi dédie-t-il "Deuil 4 juin 1963", qui est la date de l'arrestation de plusieurs militants indépendantistes, « aux camarades du FLQ victimes de la délation cet inutile glas ». Pour lui, en effet, la poésie ne peut que s'armer lorsque vient le « temps de la haine », tandis que le poète, alors, doit se faire le porte-parole et le guide de son peuple sur la voie du refus : « Je suis le veilleur et la lampe », ou encore : « Je suis l'affiche d'où votre sang giclé camarades éclabousse la nuit des traîtres / et le petit matin des vengeances. » Si *Terre Québec* en appelle ainsi au combat, c'est que Chamberland conteste la fatalité du passé à laquelle il hurle un « non » total pour exhorter les siens à prendre en main leur futur et à construire l'« espace de vivre » :

car rien n'était écrit ne pleure pas la mort du Livre l'homme s'écrit
à chaque jour et se rature dans la sueur et la guerre

et sans mémoire libre et nu à chaque jour il s'invente sur la page blanche du petit matin.

Le lyrisme exacerbé qui enflamme le recueil en des images tourmentées et violentes est déjà celui du visionnaire que manifesteront les ouvrages ultérieurs. Amples et incantatoires, ses poèmes recourent à l'interpellation et à l'invective, s'exaltent et se gonflent de colère, s'emparent de mots drus et se ressourcent à l'élémentaire afin de dire, du « je » sentinelle au « nous » collectif, le « feu de vivre sous le bâillon », et de rendre un regard à l'aveugle. Pourtant, il arrive que l'innommable les menace et les traverse d'une tension ontologique. Les mots alors se creusent, se raréfient, cèdent de la place au blanc, la syntaxe se disloque et l'« homme solaire » s'enfonce dans la nuit « pour avoir désiré la chose dans le verbe et le dieu dans la chose ».

● Montréal, Éd. de l'Hexagone, 1985.

L. PINHAS

TERRES STAGNANTES. Recueil poétique de Vénus **Khoury Ghata** (Liban, née en 1937), publié à Paris chez Seghers en 1968.

Femme, la poétesse s'adresse à l'homme qu'elle appelle de tout son corps. Paré des plus fastueux atours, animé de désirs fous, le corps féminin est fait pour séduire, apaiser et aimer : « Dors / Dors sur mes mots / [...] / Sur mon fardeau de doutes/Mon corps pour toi revêtira le faste des cathédrales. » Elle s'adresse aussi à Dieu qui, comme l'homme abandonne la femme, abandonne ses créatures au doute : « Je te croyais le vent qui rive l'arbre au sol / [...] Mais tu n'es que silence qu'absence. » Ce Dieu qui détourne le regard du pays natal du poète et condamne son peuple à l'exil est un Dieu d'indifférence. Ainsi le peuple libanais est-il inexorablement voué à vivre les ruptures, les départs, à devenir un peuple de réfugiés qui, pour toute propriété, ont « l'espace de leur corps / Pour toute passion leur haine / Pour nostalgie une mer amère sur un fond de nuit / Amère comme ces rêves qu'ils détruisent dans les yeux d'un enfant qui sait ». Ce peuple est né d'un pays de pierre « où les roses ont une odeur de fer / Où les arbres plus aigus / Pointent un doigt vers des cieux jamais vus ».

L'inspiration poétique de Vénus Khoury Ghata est fortement marquée par son expérience de femme, par la foi et par le sentiment d'appartenance, très fort, à son pays. Ses poèmes moulent la réalité brute dans une forme lyrique ; la rupture avec le vers classique s'accompagne d'images insolites, de comparaisons audacieuses. Ce sont des chants d'amour, de corps et de terre mêlés (« Je suis toi mêlé à la terre / Ton visage lié à la pierre ») mais aussi des cris de douleur, des plaintes pour pleurer les pertes, les ruptures : « Il partit un matin dans sa malle de la pluie / Dans ses yeux un navire / Sur sa nuque mon souffle tiédi. »

Ses poèmes sont aussi des signes de doute, des marques d'interrogation. Le Créateur est pris à partie et accusé de cette indifférence qui laisse l'homme seul face à sa souffrance. Mais, en dépit du doute et de la révolte, c'est encore sur le ton de la prière qu'elle s'adresse à Dieu. Loin du mysticisme, cependant, le registre religieux lui sert tour à tour à exprimer l'Amour, dans son acception la plus large, ou les croyances brisées qui rejoignent ces « rêves cabossés », évoqués ailleurs, qui confèrent à l'ensemble du recueil une tonalité où alternent désillusions et colère. Pourtant les espoirs survivent aux chaos et les appels à la vie sont autant de cris pour refuser des signes de mort trop prégnants.

La poésie de Vénus Khoury Ghata a le goût de l'amertume laissé lorsque les espoirs et les rêves se sont enfuis, anéantis par la cruauté des guerres, la lâcheté des hommes ou les abandons. C'est dans la colère ou la dérision qu'elle exprime une passion fiévreuse pour son pays. Mais elle possède néanmoins une tendresse diffuse et cette nostalgie des déracinés qui, sans vouloir rejoindre le passé, l'emportent avec eux dans leurs périples. Elle dit aussi la fête des corps, la nudité féminine offerte, un érotisme qui sombre parfois dans la douleur, le goût amer des séparations, la terre et le sang mêlés. Lorsque l'amour et la mort se rencontrent, l'écriture se transforme en acte d'accusation virulent.

C. PONT-HUMBERT

TERRITOIRES. Voir EXISTER, de J. Follain.

TESTAMENT (le). Dit poétique de François **Villon** (1431-après 1463), publié sous le titre *le Grand Testament Villon et le Petit* à Paris chez Pierre Levet en 1489.

Le chef-d'œuvre de Villon a été écrit, pour l'essentiel, entre deux prisons, celle de Meung-sur-Loire (été 1461) et celle de Paris (1462), alors qu'il se trouvait dans la capitale (et peut-être à Saint-Benoît-le-Bétourné ou dans la banlieue proche) ; la plupart des ballades qu'il y a insérées datent de la même époque ; les différences de ton s'expliquent autant par un changement progressif de son état d'âme que par ses multiples desseins. La captivité de Meung est encore proche, évoquée à quatre reprises, au début, au milieu et à la fin du *Testament* : disposition concertée pour désigner le responsable de sa déchéance. Mais l'acharnement du poète reflète la vivacité de ce mauvais souvenir.

Après la mise en accusation de l'évêque Thibaut d'Aussigny et l'éloge de Louis XI, Villon annonce sa volonté d'écrire un testament. S'il reconnaît ses fautes, il regrette de ne pas avoir rencontré, comme le pirate Diomédès, un protecteur compatissant qui l'aide à reprendre le bon chemin. Victime de la fatalité qui l'a privé de sa jeunesse et de sa gaieté, il déplore l'insouciance de ses premières années et évoque le destin de ses compagnons de plaisir : les uns sont « morts et raidis », les autres mendient « tous nus », les troisièmes, grands seigneurs ou religieux, ne manquent de rien. La pauvreté, qui le harcèle, lui fait tenir des propos caustiques, mais son cœur lui représente les affres de l'agonie et l'universalité de la mort, que l'on retrouve dans les trois ballades autour du thème de l'*ubi sunt* ("Ballade des dames du temps jadis", "Ballade des seigneurs du temps jadis", "Ballade en vieil langage françois"). Ces considérations devraient réconforter le « pauvre vieillard », tenté par le suicide, et les « pauvres femmelettes / Qui vieilles sont et n'ont de quoi » : parmi elles, « la belle qui fut heaumière [marchande de casques] » oppose sa jeunesse triomphante aux horreurs de la vieillesse et, dans une "Ballade [...] aux filles de joie", invite celles-ci à se prémunir contre cette affreuse déchéance, « car vieilles n'ont ne cours ne être / Ne que [pas plus que] monnoie qu'on décrie ». Ainsi Villon est-il amené à s'interroger sur l'amour et les femmes que leur nature pousse à aimer « tous uniement » [sans discernement] et qui sont responsables des malheurs des hommes et du poète lui-même, comme le rappelle la "Double Ballade" : « Bien heureux est qui rien n'y a. » Amant rejeté et renié, il renonce à l'Amour. Se sentant faible, surtout à cause des mauvais traitements de Thibaut d'Aussigny et de ses séides, et regrettant qu'on ait appelé *Testament* son *Lais* de 1456, il décide de se mettre à dicter à son clerc Firmin ses dernières volontés (v. 1-792).

Sur le modèle d'un testament réel, Villon, après avoir invoqué la Sainte-Trinité et la Vierge, et joué, à propos de la Rédemption, avec la théologie pour rappeler le sort des patriarches et des prophètes, recommande son âme à Dieu et à Notre-Dame, fait cadeau de son corps à la terre, puis procède à toute une série de legs. À ses quatre premiers légataires, il fait des legs littéraires : Guillaume de Villon, son « plus que père », reçoit « le Roman » (imaginaire) du *Pet-au-Diable* ; sa mère, la "Ballade pour prier Notre-Dame" ; sa « chère Rose », la "Ballade à s'amie" ; Ythier Marchant, un "Rondeau" : « Mort, j'appelle de ta rigueur [...] ». Suit, du huitain 95 au huitain 137, une longue série de legs individuels, facétieux et souvent féroces, sans insertion de ballades ou de rondeaux, exception faite de Jean Cotart que Villon célèbre dans une "Ballade et Oraison" : « Père Noé, qui plantâtes la vigne [...] » Avec le huitain 138, il revient au type de composition par lequel il avait commencé la partie proprement testamentaire, en étoffant le poème de pièces lyriques, puisqu'il lègue à Robert d'Estouteville la ballade de l'amour conjugal : « Au point du jour que l'épervier s'ébat [...] », aux frères Perdrier la "Ballade des langues ennuyeuses", à Andry Courault "les Contredits de Franc Gontier", à « ma damoiselle » de Bruyères la "Ballade des femmes de Paris", à la grosse Margot la ballade du même nom, aux enfants perdus la "Ballade de bonne doctrine", à Jacques Cardon la "Chanson" : « Au retour de dure prison [...] » ; mais il ne renonce pas aux huitains satiriques qu'il distribue par séries de quatre (huitains 146-149, 151-154) ou de six (huitains 167-172). Avec le huitain 173, commencent les dispositions finales suggérées par les testaments réels de l'époque : autorisation au vérificateur des testaments au Châtelet de modifier le document, élection du lieu de sépulture et vœux le concernant, dispositions pour l'enterrement, désignation des exécuteurs testamentaires. *Le Testament* se termine par deux ballades carnavalesques, évoquant, l'une, intitulée la "Ballade de merci", un cortège de bateleurs, de sots et de sottes dans leur costume traditionnel, l'autre, la "Ballade finale", un enterrement burlesque, dont le mort, Villon, martyr d'amour, se redresse pour boire un verre de « vin morillon », du « gros rouge » : c'est sur ce geste que le poète quitte la compagnie et que se clôt *le Testament* (v. 793-2 023).

En écrivant *le Testament*, Villon a voulu d'abord se justifier et se présenter sous le meilleur jour possible. Aussi élimine-t-il les méfaits les plus scandaleux, le meurtre du prêtre Philippe Sermoise et le vol au collège de Navarre ; du moins, pour ce dernier, n'en parle-t-il pas en termes clairs. Sachant qu'il serait maladroit de rejeter toutes les accusations, il reconnaît qu'il est un pécheur (v. 105), qu'il a vécu dans les plaisirs et s'est adonné à l'amour (v. 193) ; mais il précise aussitôt que la douleur l'a transformé (v. 93-94), qu'il a péché plus par irréflexion que par mauvaise volonté, qu'il se repent, que Dieu ne veut pas sa mort, mais lui a déjà pardonné (huitain 13), qu'il est prêt à se condamner lui-même si c'est utile au bien public (huitain 16), que certains reproches sont injustifiés (huitain 24), et qu'il mérite la pitié plutôt que la sévérité : n'est-il pas triste, laid, désespéré, misérable, « pauvre de sens et de savoir » (huitain 23) ? N'est-il pas seul, malade, rejeté par les uns et les autres ? N'a-t-il pas été la proie des maux et des douleurs les plus pénibles (huitain 12) ? Il plaide les circonstances atténuantes. Est-il seul responsable de ses méfaits ? Tour à tour il invoque la malchance : au lieu de rencontrer comme le pirate Diomédès un miséricordieux Alexandre, il a eu affaire au terrible Thibaut d'Aussigny ; la pauvreté (huitains 34 et 35) ; la jeunesse et l'adolescence qui ne sont qu'abus et ignorance, à en croire l'Ecclésiaste (v. 216) ; l'amour qui l'a acculé à la misère et à la mort. Il rejette les responsabilités sur d'autres : l'évêque Thibaut d'Aussigny qui l'a accablé au lieu de le secourir ; sa famille qui lui a tourné le dos ; Catherine de Vausselles qui l'a trompé et dépouillé ; de nombreux légataires qui lui ont nui (François Perdrier, la « petite Macée », etc.) ou ont refusé de l'aider (Jean Cornu, Pierre Saint-Amant, le sénéchal Pierre de Brézé, Jacques Cardon, Colin Galerne...). Il attaque ceux qui sont intervenus dans sa vie pour le juger, représentants du pouvoir civil ou de la justice ecclésiastique qu'il s'efforce de discréditer : Cotart et Laurens deviennent des ivrognes et le demeureront aux yeux de la postérité ; François de la Vacquerie, rossé, « maugréa [maudit] Dieu et saint Georges, [...] / Comme enragé, à pleine gorge » (huitain 123) ; Michaut du Four est un imbécile ou une brute. Il prend à partie les mauvais garçons, Cholet, Jean Le Loup, Pernet de la Barre, pour ne pas être soupçonné d'avoir eu et conservé de mauvaises fréquentations, encore que ces personnages aient aussi appartenu à la police.

Sous quels traits se présente-t-il ? Il est humble, il ne cherche pas à se venger, mais s'en remet à Dieu (v. 29-32). Reconnaissant envers ceux qui l'ont aidé, le duc de Bourbon, Louis XI ou son « plus que père » Guillaume de Villon, il est plein de bonne volonté. Sa piété ne laisse rien à désirer : il invoque fréquemment Dieu et la Vierge, adressant même à celle-ci une belle prière. Il se refuse le droit de juger autrui (v. 259-260), il compatit à la misère de ses semblables (v. 245-246), il n'éprouve pas d'envie, il se reproche d'avoir cédé à la colère. Fils tendrement aimant pour Guillaume de Villon et sa mère, il a tout donné, trop faible pour ne pas connaître de défaillances, sentant sa déchéance au fond de l'abîme : c'est, pour une part, la signification de la "Ballade de la grosse Margot" (v. 1 624-1 625). Il n'a rien d'un pécheur endurci et cynique, et regrette ses erreurs.

Le vers 3, qui le présente comme « ne du tout fol, ne du tout sage », prend une importance particulière. La structure même du *Testament* est l'illustration de cet aveu. La première partie, qu'on peut appeler après Italo Siciliano « les Regrets » (v. 1-792), apporte la preuve qu'il a mûri, qu'il est conscient de ses fautes comme des mystères et des problèmes de l'humanité, de la mort universelle et de la vie éphémère, de l'instabilité des choses humaines et de la beauté fragile des femmes, du vieillissement inéluctable et de l'agonie douloureuse, en sorte qu'il ne répond plus par la forfanterie et le rire aux questions qui se posent à lui. Villon, qui a changé en bien, est un homme nouveau : est-il juste de lui reprocher les fautes et les crimes du folâtre qu'il était ? Quant à la seconde partie (v. 793-2 023), qui comporte aussi bien la discussion sur les femmes que la suite des legs, elle montre qu'il n'est pas encore installé dans le sérieux et la sagesse, qu'il continue à envisager et à évoquer avec une gaieté malicieuse ses plus cuisantes mésaventures amoureuses. Par certains côtés, il est resté « coquart », enfant. Doit-on lui tenir rigueur de tel ou tel acte qu'on peut imputer à l'inconscience d'un jeune écervelé plutôt qu'à la volonté délibérée de faire le mal ?

Il lui faut aussi se créer, ou se recréer, des appuis qui le défendront contre les séquelles d'un passé douteux. Aussi flatte-t-il les plus grands, et sa poésie, pour une part, relève de la poésie de circonstance. Il crie sa reconnaissance au « bon roi de France », Louis XI, faisant de lui un prodige de prouesse et de force (v. 59-60), lui souhaitant

le bonheur de Jacob et la gloire de Salomon, une vie aussi longue que celle de Mathusalem, une descendance nombreuse et belle, composée uniquement de garçons, « aussi preux que fut le grand Charles [...], / Bons comme fut saint Martial ! », et, pour finir, le salut dans l'autre monde (huitains 7-11). Pour plaire au nouveau souverain, il se moque assez cruellement d'un homme que Louis XI considérait comme l'un de ses plus dangereux ennemis, le grand sénéchal de Normandie, le noble Pierre de Brézé (huitain 170). Ailleurs, voici une allusion flatteuse au duc de Bourbon, dont il suggère qu'il lui redonna goût à la vie : Dieu, écrit-il, « me montra une bonne ville [Moulins], / Et pourvue du don d'espérance » (v. 101-102). Il espère quelque appui de Robert d'Estouteville, l'ancien et le futur prévôt de Paris : aussi, souhaitant discrètement son retour en grâce, rappelle-t-il l'un des exploits de celui-ci, la conquête de sa dame Ambroise de Loré contre Louis de Beauvau dans un tournoi organisé par René d'Anjou, et l'égale-t-il à Hector et à Troïlus. Il lui donne une belle ballade en l'honneur de l'amour conjugal.

Surtout, il désire retrouver une place dans la communauté de Saint-Benoît et dans le cœur de Guillaume de Villon. C'est pourquoi il épouse toutes les querelles de la communauté qu'il sert avec esprit, comme Pascal celles de Port-Royal. Il se moque méchamment de deux vieux chanoines de Notre-Dame, dont Saint-Benoît, qui cherchait à s'émanciper de cette tutelle gênante, avait eu à souffrir : Guillaume de Villon, pour cette raison, avait même été emprisonné le 4 septembre 1450. Il traîne dans la boue les ordres mendiants, les jacobins et les carmes, comme les célestins et les chartreux qui essayaient de s'immiscer partout et de supplanter les séculiers dans leurs fonctions ; il reproche à Jean de Poullieu [Jean de Pouilly] de s'être rétracté, lui qui avait pourfendu les frères avec vigueur ; il approuve Jean de Meung et Matheolus de les avoir poursuivis de leurs sarcasmes (huitain 118). Il est nationaliste avec ses maîtres, et Jeanne d'Arc, la « bonne Lorraine », ferme l'émouvant cortège des « dames du temps jadis ».

Dans le huitain 88, il exprime sa reconnaissance envers Guillaume de Villon, qu'il place, comme dans *le Lais*, au premier rang des légataires, et qu'il appelle son « plus que père », ayant reçu de lui son nom, une vie sociale qui lui a permis d'approcher les plus grands et d'échapper aux contraintes de la pauvreté, une vie intellectuelle qui a fait du pauvre François un « écolier » et un clerc, une vie spirituelle et religieuse qui lui vaudra peut-être d'être sauvé comme Théophile (voir *le *Miracle de Théophile*), une vie affective, enfin, puisque le prêtre fut pour lui « plus doux que mère » ne l'est envers son petit enfant. Guillaume lui a tout donné au départ, et n'a cessé de le protéger, intervenant pour le sortir de maintes affaires, désolé de la dernière en date, souffrant avec son fils adoptif qui lui demande « à genouillons » de ne plus se ronger de chagrin pour lui. Dans *le Lais*, le poète ricanait encore et léguait à Guillaume de Villon son « bruit », sa mauvaise réputation, avec un piètre jeu de mot scatologique. Maintenant, il lui laisse sa « librairie », sa bibliothèque, c'est-à-dire les propres livres de Guillaume, qu'ils avaient lus ensemble, alors qu'ils vivaient en étroite harmonie, au point de tout partager, vie, habitudes, relations, lectures.

Par-delà ces deux desseins, Villon veut se prouver à lui-même et prouver aux autres qu'il n'était pas inférieur au poète qu'il avait été, et qu'il ne se bornait pas à répéter indéfiniment les mêmes plaisanteries au risque de lasser auditeurs et lecteurs. Cette hantise apparaît dans le huitain 45, où il prend le masque du « pauvre vieillard » :

Car s'en jeunesse il fut plaisant,
Ores plus rien ne dit qui plaise.
Toujours vieil singe est déplaisant,
Moue ne fait qui ne déplaise ;
S'il se tait, afin qu'il complaise,
Il est tenu pour fol recru ;

> S'il parle, on lui dit qu'il se taise,
> Et qu'en son prunier n'a pas crû.

[Car si dans sa jeunesse il était plaisant, maintenant il ne dit plus rien qui plaise. Toujours un vieux singe est déplaisant, il ne fait moue qui ne déplaise ; s'il se tait par complaisance, on le prend pour un fou épuisé ; s'il parle, on lui dit qu'il se taise, et que cela n'a pas poussé dans son prunier.] Ainsi Villon a-t-il voulu démontrer qu'il était aussi adroit et aussi plaisant qu'au moment du *Lais*, loin d'être un « fol recru ». L'on s'explique dès lors qu'il ait repris, dans la seconde partie du *Testament*, le schéma même du *Lais*, afin que nous puissions comparer ses deux œuvres, ses deux manières. Les cinq premiers légataires sont les mêmes dans les deux poèmes : Guillaume de Villon, la belle trop dure, Ythier Marchant, Jean (le) Cornu, Saint-Amant ; il ajoute, en seconde position, sa mère, afin qu'on conclue qu'il est un bon fils. Souvent, il nous force à nous rappeler ou à feuilleter *le Lais*, par exemple pour connaître les noms de ceux qu'il appelle « [ses] trois pauvres orphelins » (v. 1 275) et « [ses] pauvres clergeons » (v. 1 306). Ailleurs il rappelle les dons qu'il a faits dans *le Lais* : au huitain 94, il nous apprend qu'il a laissé autrefois son « brant » [épée] à Ythier Marchant, et, au huitain 95, qu'il désire faire un autre legs à Jean Cornu ; au huitain 97, il modifie ses dons à Saint-Amant. Pourquoi ces reprises, ces invitations à recourir à l'œuvre de 1456 ? Pour qu'il nous soit possible de saisir sur le vif la manière habile dont il a renouvelé son sujet, affiné et compliqué ses plaisanteries, élargi et approfondi son univers poétique, recherchant la difficulté puisqu'il a conservé en bien des cas les mêmes personnages.

Une autre innovation va dans le même sens : l'insertion, parmi les huitains, de ballades et de rondeaux antérieurs à 1461-1462 ou contemporains. Il a voulu prodiguer ainsi les preuves de son étonnant talent dans les domaines les plus divers ; et quelquefois même les poèmes insérés dans *le Testament*, véritable anthologie, se sont chargés d'une autre signification, par un véritable tour de force pour lequel Villon, rivalisant avec les Grands Rhétoriqueurs, a sans doute éprouvé de la fierté.

Il a recherché la variété sous toutes ses formes. D'abord le cadre du huitain, dont l'armature rigide et monotone a été assouplie au point qu'il est tantôt lyrique (35), tantôt satirique (126), tantôt cocasse et burlesque (68), tantôt tragiquement réaliste (41). Le huitain peut être refermé sur lui-même ou intégré dans une suite qui peut prendre tous les aspects : anecdote à valeur démonstrative (17-21), débat entre le cœur et le corps du poète (36-38), série de regrets à la première ou à la troisième personne (44-45), longues plaintes de la vieille heaumière entrecoupées d'un portrait contrasté, description de l'agonie ou d'un charnier, virulentes attaques contre Thibaut d'Aussigny, discussion sur la déchéance des femmes ou sur le sort des prophètes avant l'incarnation du Christ. Ensuite dans le cadre de la ballade : décasyllabique ou octosyllabique, simple ou double, isolée ou prise dans un ensemble, elle traite de tous les sujets sur tous les tons. Voici en écho, coulées dans le même moule, avec des reprises de mots et de formules, d'un côté, une prière à la Vierge et, de l'autre, la description nauséeuse de la vie dans un bordel, de Villon, ou de son double, et de la grosse Margot ; ici, il chante l'amour conjugal partagé et heureux ("Ballade pour Robert d'Estouteville") ; là, il reproche à sa dame sans merci d'être trop dure (" Ballade à s'amie") ; ailleurs, dans "les Contredits de Franc Gontier", il présente son propre idéal, raffiné et sensuel, à travers une douillette scène d'intérieur entre un chanoine et dame Sidoine, et réfute un lieu commun, fort prisé au XVe siècle et cher à René d'Anjou, le retour à la vie campagnarde ; ou encore c'est l'oraison funèbre, pleine de gaieté et d'humour, du parfait ivrogne que fut Jean Cotart. De même, Villon a inséré deux rondeaux qui sont de purs joyaux : l'un est

une lamentation sur la mort de la femme aimée, l'autre devient dans *le Testament* un poème de la prison et de la mort ; sans parler de son épitaphe, moins burlesque qu'il ne semble de prime abord.

Ressortit à ce profond renouvellement la recherche constante de l'ambiguïté qui se trouve déjà dans les pseudonymes que Villon emploie, dans la prolifération de ses masques, dans les images qu'il donne de lui-même, dans l'opposition de « François », le noble et le généreux, et de « Villon », l'homme de la vilenie, de la ville dégradante, au point qu'on peut voir en lui un avatar de Merlin l'enchanteur ; ambiguïté que *le Testament* a cultivée systématiquement sur tous les plans : phonique et morphologique, syntaxique, sémantique, symbolique. Ainsi *le Testament*, d'une extraordinaire richesse, se développe-t-il sur plusieurs niveaux, grâce à toute sorte de moyens. Les uns devenus banals, comme les calembours et les équivoques obscènes, ou les antiphrases : des vieillards cassés en deux se métamorphosent en jeunes écoliers. Les autres sont moins aisément accessibles. Ainsi en est-il de la déformation des noms propres : maître Macé d'Orléans devient la « petite Macée » et Robin Trascaille « Robinet Trous caille » ; ou de la superposition de plusieurs sens : les « poires d'angoisse » (huitain 73) qu'il mangea dans la geôle de Thibaut d'Aussigny sont à la fois des fruits d'un goût âcre, symbole d'une nourriture plus que frugale, les peines morales du prisonnier et les instruments de torture introduits dans sa bouche. La même pièce peut, insérée dans *le Testament*, prendre une autre signification : la "Chanson" « Au retour de dure prison [...] » (amoureuse), est devenue un poème de prison et de mort que Villon lègue à Jacques Cardon pour dénoncer sa responsabilité dans les malheurs du poète et lui souhaiter les pires maux. Parfois, Villon évoque, sous le même nom, plusieurs personnages : les huitains consacrés à Pernet Marchant visent peut-être à la fois un policier douteux, répugnant et corrompu, et le curé Pierre Marchand qui dénonça les auteurs du vol au collège de Navarre. Ces jeux linguistiques, comme les legs distribués, permettent de piquantes métamorphoses : au cours du huitain 120, un vieux moine décrépit, frère Baude, se transforme, par la vertu de son nom qui, adjectif, signifiait « allègre, ardent, hardi », en un jeune homme vigoureux ; puis, par le don d'un casque et de deux hallebardes, en un guerrier bien armé et en un amoureux gaillard ; enfin, par la mention finale, en un « diable de Vauvert » agressif et redoutable.

Cette ambiguïté et cette polyvalence donnent au *Testament* un côté carnavalesque qui, par l'animalisation et la métamorphose des personnages, vise à désacraliser, à travers le rire et la parodie, la société, les puissants, les institutions, voire la mort, que Villon tend à escamoter. Il procède par allusions plutôt que par descriptions : la mort n'est souvent nommée que de manière détournée. Il sublime l'horreur par la métaphore, par la poétisation sous toutes ses formes : il suffit de se rappeler l'envoûtante "Ballade des dames du temps jadis". Surtout, il nous introduit dans le tohu-bohu de la fête, avec toutes les valeurs qu'elle véhicule et la volonté de jouir pleinement, immédiatement de la vie, pendant qu'il est encore temps, comme il le laisse entendre dès les vers 419-420 : « Mais que j'aie fait mes étrennes, / Honnête mort ne me déplaît » [Pourvu que j'aie pris ma part de bon temps, une mort honnête ne me déplaît pas] ; et c'est une des leçons qu'il donne à ses écoliers. À relire *le Testament* dans sa continuité, on découvre l'itinéraire du poète et celui qu'il recommande : de la mort tragique à la mort burlesque, de l'horreur du trépas à la gaieté de la fin, du souci de l'audelà, de la conscience pécheresse et de l'omniprésence de Dieu aux deux ballades carnavalesques qui concluent *le Testament* dans une absence complète de Dieu, dans le tourbillon de la folie et de la fête.

Plus profondément, il résulte de cette ambiguïté, masquée par la joie des corps, un sentiment d'incertitude dont on peut dire qu'il fonde la philosophie du *Testament* et de la génération de Louis XI, qu'expriment des textes aussi différents que les **Cent Nouvelles nouvelles*, la **Farce de Maître Pierre Pathelin* et les **Mémoires* de Commynes.

La recherche systématique de l'ambiguïté comme les jeux sur les mots ne sont rien moins qu'anodins. Ils révèlent l'attitude profonde d'auteurs en face d'un monde instable et difficile, aux apparences trompeuses. Villon et ses contemporains ont éprouvé la fausseté du langage, échouant dans le recours à des idéaux et des refuges rassurants et exemplaires (chevalerie, courtoisie, dévotion, amitié...), voire dans leur tentative de réintégrer le groupe. Ils pourraient tous dire comme Supervielle : « J'ai laissé mon image au milieu de la nuit. » À travers la joie des fêtes populaires dont nous retrouvons l'écho, à travers l'héritage vitaliste et optimiste de Jean de Meung, s'insinue l'inquiétude d'une civilisation prête à céder la place à la vigueur de la Renaissance. Aussi ces textes, qui sont le lieu d'une déception généralisée – aux deux sens du français moderne –, deviennent des entités signifiantes, cohérentes, dont seule une prise en compte globale, par une lecture recourant à la mémoire, permet de retrouver la signification. L'on peut, après le critique Michael Riffaterre, parler de dialectique mémorielle, de double parcours, dont l'un, heuristique, suit la page de haut en bas et saisit la fonction mimétique des mots, et dont l'autre, herméneutique, est rétroactif : le lecteur, progressant au fil du texte, se rappelle ce qu'il vient de lire et en modifie sa compréhension à la lumière de ce qu'il décode maintenant. *Le Testament* appelle la mise à jour de richesses toujours renouvelées, la prise de conscience de son inachèvement. C'est un texte qui interroge, se dérobe, assigne au lecteur un travail de fouilles toujours plus minutieux et plus profond. Son lecteur alliera de façon indissociable la jubilation de sa lecture à la résignation de questions laissées en suspens, il savourera l'inachèvement de ses interprétations, il appréciera sa frustration même.

L'on comprend dès lors que Villon ait suscité des émules dès le XVᵉ siècle (nous aurons par exemple un *Testament de Pathelin*) et qu'il ait eu des fidèles passionnés. Marot et Théodore de Banville ont admiré l'habile poète des ballades et des rondeaux. Théophile Gautier trouvait dans son œuvre des types amusants et singuliers. Rimbaud chanta le pur poète, le fol enfant qui a des rimes plein l'âme, des rimes qui font rire ou pleurer. Richepin, qui a repris dans sa "Ballade de Noël" un refrain de Villon (« Tant crie l'on Noël qu'il vient »), exalta le marlou de génie. Pour Marcel Schwob, Villon mentit dans sa vie et son œuvre, habile à composer sa figure, à changer de manières pour s'adapter à chaque milieu, acceptant de bouffonner et d'être moqué « pourvu qu'on lui donnât de l'hospitalité et de l'admiration pour son extraordinaire talent de poète ». Son génie, selon André Suarès, est la clairvoyance : Villon est admirable pour voir les autres et lui-même, pour peindre ce qu'il voit, le plus réaliste et le plus confident des poètes avant Baudelaire. Francis Carco et Pierre Mac Orlan, que Villon visitait dans ses rêves, furent hantés par le mauvais garçon un peu lâche, par l'ami des prostituées, que dévorait la passion de la liberté, resté poète au fond de l'âme malgré ses turpitudes, terrorisé par le spectre du gibet, fasciné par le mal et la chute. Bertolt Brecht l'a introduit dans *l'Opéra de quat'sous* sous les traits de MacHeath. En 1945, Antonin Artaud écrivait à Henri Parisot : « J'aime les poèmes des affamés, des malades, des parias, des emprisonnés : François Villon, Charles Baudelaire, Edgar Poe, Gérard de Nerval, et les poèmes des suppliciés du langage qui sont en perte dans leurs écrits, et non de ceux qui s'affectent perdus pour mieux étaler leur conscience et leur science et de la perte et de l'écrit. » En 1952, Blaise Cendrars, refusant de voir en Villon le premier voleur du royaume, estimait que la " Ballade à s'amie " (*le Testament*, v. 942-969), véritable confession du poète, le plus riche de ses poèmes pour la

biographie et l'interprétation, « comporte peut-être la clé de l'existence dévergondée de Villon, des malheurs de sa vie et de la source de sa poésie ». Si Roland Bacri le pastiche dans *le Canard enchaîné*, les chanteurs l'ont rendu populaire : Reggiani dans *Paris ma rose* et aussi dans le film d'A. Zwoboda, sur un scénario de Pierre Mac Orlan (1945), Léo Ferré (*La poésie fout l'camp, Villon*), surtout Brassens qui a illustré nombre de thèmes chers à Villon, composé toutes sortes de variations autour de la "Ballade des dames du temps jadis", et fut auteur lui aussi d'un « testament » burlesque.

● Genève, Droz, 2 vol., 1974 (p.p. A. Henry et J. Rychner). ➤ *Œuvres*, Champion ; *Poésies*, « Poésie / Gallimard » ; *id.*, « Lettres françaises » ; *Poésies complètes*, « Le Livre de Poche / Lettres gothiques » ; *Poésies*, « GF ».

J. DUFOURNET

TESTAMENT AMOUREUX (le). Autobiographie de Serge **Rezvani** (né en 1928), publiée à Paris chez Stock en 1981.

Première partie. Après les romans autobiographiques de ses débuts, Serge Rezvani choisit l'autobiographie pour se dire sans masque. De la rencontre de ses parents dans un camp de transit pour réfugiés russes en Perse, à ses démêlés avec son éditeur au début de sa vie d'écrivain, il tente d'ordonner son histoire, sans rien travestir, ni les noms, ni les faits. Il complète ainsi le portrait de son père, Medjid, l'illusionniste séduisant à qui son art valut la clientèle et l'admiration d'hommes politiques ou d'artistes comme Picasso. Sa jeune belle-mère, Nahidé, ses grands-parents surtout, Mam et Lonia, lui donnent la chaleur d'un foyer qu'il quitte à quinze ans pour embrasser à Paris la vie de peintre. À l'atelier de la Grande-Chaumière, il se lie d'amitié avec Pierre Dmitrienko et Jacques Lanzmann qui l'introduit dans sa famille où il trouve un second foyer. Là commence une vie de camaraderie, de misère, d'exaltation artistique, de solitude amoureuse aussi, que la découverte du sexe ne saurait combler.

Deuxième partie. Le jeune Rezvani, s'il ne vit toujours pas de sa peinture, expose, côtoie les plus grands, illustre un recueil de Paul Éluard, se lance avec fougue aux côtés de ses amis dans une peinture nouvelle. Puis il épouse Évelyne Lanzmann, mariage voué à l'échec qui durera deux années.

Troisième partie. Lorsqu'il rencontre Danièle, il a vingt-deux ans, elle en a dix-neuf, et l'amour change le cours de sa vie. Tous deux se détachent peu à peu de Paris, se retirent dans le Midi, où leurs amis anciens ou récents les rejoignent parfois. De petites chansonnettes écrites par hasard lui valent le succès et surtout la révélation d'un nouveau mode de communication, la parole. Rezvani se détourne alors de la peinture pour écrire, du théâtre d'abord, puis un roman, *les *Années-lumière*, qui lui vaut le succès et donne à sa parole neuve un poids qu'il découvre brusquement, par ses démêlés avec la télévision, avec son éditeur, ou avec la police secrète iranienne.

De ce livre, le lecteur ne retiendra peut-être que le récit plaisant, parfois amer et désabusé aussi, riche en anecdotes variées sur les coulisses du milieu artistique parisien de la seconde moitié du XXᵉ siècle : on y croise les figures de Jacques et Claude Lanzmann, Raymond Queneau, Jeanne Moreau, François Truffaut, Picasso, Régis Debray, etc. Mais le propos de ce texte est ailleurs.

Le lecteur familier de l'œuvre de Rezvani reconnaît tout au long de ces pages des visages et des situations rencontrés dans ses romans autobiographiques (*les *Années-lumière, les Années Lula, Mille Aujourd'hui*) comme dans ses œuvres de fiction : « Ces pages seraient en quelque sorte l'autre versant de ce que j'ai écrit jusqu'à présent : j'ai cherché à m'y rassembler, à découvrir ma cohérence à travers mes multiples métamorphoses. » Il en donne alors une vision moins pittoresque, volontairement plus lucide, se voulant sincère par-dessus tout, transparent vis-à-vis de lui-même comme de ses lecteurs, au point de s'attirer, lors de la parution du texte, les foudres de la loi pour y avoir impliqué plusieurs contemporains très connus du public.

Si la matière du livre n'est pas nouvelle, c'est le regard de l'auteur-narrateur-personnage qui se veut neuf : « Je désirais avant tout me surprendre en abordant sous un angle nouveau des faits que je croyais connaître. [...] Je ne tenais pas à m'attarder sur les anecdotes ni sur le côté picaresque de ma jeunesse. Je me suis efforcé d'aller aux sensations plus qu'aux faits. Ne pas raconter mais dire » (début de la deuxième partie). Il constate qu'avec le temps, il est parvenu à une forme, même incomplète, de maîtrise de l'écriture qui lui permet de mieux travestir le réel dont il s'inspire pour l'adapter à son monde romanesque, et affirme son désir, dans ces pages délibérément et seulement autobiographiques, de renoncer à l'artifice de l'écriture « sauvageonne », allant jusqu'à rectifier telle ou telle scène de ses premiers romans pour restituer ses « vrais souvenirs peut-être moins "poétiques" mais tout aussi "parlants" ».

La chronologie est dans l'ensemble respectée, mais le découpage du texte et l'interruption du récit des souvenirs par des retours au moment de l'écriture où l'auteur explique, ordonne ou juge, ainsi que l'insertion, à partir de la troisième partie, de fragments des carnets de Danièle destinés à préciser, corriger ou prolonger certains épisodes, mettent avant tout en évidence le caractère analytique de l'entreprise. Enfin, comme l'indique le titre, et comme l'auteur y revient longuement au début de la quatrième partie, ce livre est une tentative ultime et tâtonnante de donner à lire un amour absolu pour une femme idéale qui toujours échappe aux mots : « Ivres de mon âme amoureuse, les temps de ce livre oscillent autour de ce *je t'aime* éternel. » *Le Testament amoureux* est donc à la fois l'analyse par un écrivain de sa « naissance à la parole » et une déclaration d'amour à la femme qui lui permit précisément de naître à lui-même – ou de renaître.

● « Points », 1984.

V. STEMMER

TESTAMENT DU CURÉ MESLIER (le). Voir MÉMOIRE DES PENSÉES ET DES SENTIMENTS [...], de J. Meslier.

TESTAMENT DU HAUT-RHÔNE. Recueil de poèmes en prose de Maurice **Chappaz** (Suisse, né en 1916), publié à Lausanne aux Éditions Rencontre en 1953.

> Élégie de la prose la plus pure, le *Testament du Haut-Rhône* est une longue plainte mélancolique : « Qui peut me dire le secret du bien et du mal ? Rien n'existe. Passants de ces villes promises à la poussière, pensez à moi comme à ces pétrisseurs de miches aux sous-sols des maisons.[...] Je viens des forêts où gémit la hulotte. Tout est consommé en quelques années furtives. »
>
> Le poète, qui habite la nature « à quelques lieues seulement de la forêt, au bout d'une prairie où les eaux s'évadent », loin d'une « ville assez vaste dans laquelle je ne pénètre que pour rencontrer au seuil des hôtels obscurs mes amis, tous membres d'une secte de l'Orient », regarde ce monde s'éloigner. Seuls quelques souvenirs de ce qu'aurait pu être le monde viennent éclairer sa vie, nourrissent sa nostalgie et guident son travail de mémoire : « Certains sentiments de l'enfance, plus communs cependant aux bohémiens, me maintiennent en éveil et m'ont conduit à quêter sans cesse le secret d'un paradis perdu parmi ces terres du Haut-Rhône, berceau sauvage de petites tribus avec lesquelles je m'allie. » Mais entre le passé et le présent, la reconnaissance et la perte, la frontière est mince et le poète « tâtonne en aveugle » : « Avec ardeur je hume une piste, chasseur de gibier moi-même et je presse la chair de mûres noires de la nuit. Mon âme attend sa terre promise et la fin de son exil. »
>
> L'objet de la quête est la vraie nature de l'homme, qui est le diamant perdu de la sublime terre : « Nous nous formons comme les pierres précieuses au sein des roches. Les montagnes élèvent leurs hautes disgrâces et les petites baies de saphir ou d'opale se contusionnent au granit, naissants noyaux traversés d'ondes et de rayons, chrysalides, œil, lumière de lacs obscurs, nos âmes qui palpitent ici, nourries de tous les sucs et que je tente d'extraire des ténèbres. »

Le *Testament du Haut-Rhône* est un recueil de maturité qui exprime pleinement l'expérience, une fois dépassée l'ivresse de la découverte. La perception de la beauté des choses reste aiguë, mais un sentiment nouveau la corrode. Dix poèmes en prose composent ce recueil : leur mélodie soutenue, ample, lente, solennelle, célèbre un pays sauvage, une société qui a gardé le goût d'une vie élémentaire et d'une spontanéité primitive, mais qui se voit menacée par les fausses conquêtes du progrès.

Chappaz sait que le monde qu'il aime va vers sa fin et se sent isolé, poète dont les mots ne sont plus écoutés par son peuple. Aussi c'est aux poètes qu'il s'adresse, seuls capables d'entonner avec lui le dernier refrain. Condamné à une perpétuelle errance, le poète rejeté de ses proches, étranger dans le monde, devient aussi étranger à lui-même. L'amour de Chappaz pour la somptueuse nature du Valais est violent, ombrageux ; sa poésie est un reproche, lancé pour le dernière fois avant que l'industrialisation ait métamorphosé son pays. Ce recueil est rempli des regrets et de la colère contenue de celui que le spectacle de la ruée vers le confort écœure. Face à ses montagnes éventrées, violées, Chappaz laisse monter sa plainte. Chantre d'un monde finissant, homme des siècles disparus, rêveur et vagabond, il prône l'équilibre entre l'homme et la terre. Mais il est partagé entre la rage et la tristesse, le désir de célébrer et le besoin de dénoncer.

Chappaz, qui appartient à la famille des promeneurs solitaires, fait ici l'expérience d'une agression, celle de l'idéologie du progrès et recherche les signes d'une plénitude première en portant une attention patiente aux « traces effacées ». L'accent est mélancolique, comme une confidence ancienne. L'écriture est un travail de mémoire, elle rassemble le passé et tente de combattre l'indifférence d'un monde qui laisse le sentiment d'un « lamentable éparpillement ». « C'est à de grandes destructions que nous sommes conviés », écrit Chappaz le romantique, lui qui donnera à son indignation, quelque quinze ans plus tard, une expression plus saisissante, un ton plus rauque : ce sera le **Match Valais-Judée* (1969).

● *Poésie I*, Vevey, Bertil Galland, 1980.

C. PONT-HUMBERT

TESTAMENT DU PÈRE LELEU (le). Pièce en trois actes et en prose de Roger **Martin du Gard** (1881-1958), créée à Paris au théâtre du Vieux-Colombier le 7 février 1914, et publiée à Paris chez Gallimard en 1920.

> Le père Alexandre se meurt. Sa servante, la Torine, le presse de faire un testament en sa faveur. Mais trop tard ! Il expire *ab intestat* (Acte I). La Torine va chercher un voisin, le père Leleu. Elle le convainc, à force de caresses et de marc, de prendre la place du mort et de faire semblant d'agoniser. Ils cachent le corps du défunt dans la huche (Acte II). Le notaire arrive. Il consigne les dernières volontés du faux Alexandre. Le stratagème de la Torine est donc sur le point de réussir quand, au dernier moment, le père Leleu désigne comme unique héritier d'Alexandre... lui-même (Acte III).

Le Testament du père Leleu est, comme *la Gonfle* (publiée en 1928, et dont le sujet est aussi une histoire d'héritage et de séduction), une « farce paysanne ». Genre facétieux, la farce est, chez Roger Martin du Gard, une brève pièce en prose dont l'intérêt repose autant sur le comique de situation que sur la vivacité des dialogues.

Employant un très petit nombre de personnages, et moins encore d'acteurs (ici, le père Alexandre et le père Leleu sont successivement incarnés par le même comédien), utilisant les ressources de la mise en scène (le cadavre représenté par un mannequin, le conventionnel quiproquo) et d'un langage dramatique apparenté au sketch, Martin du Gard s'inscrit dans la tradition du théâtre médiéval. Le thème du trompeur trompé fait inévitablement penser au modèle canonique du genre : *la *Farce de Maître Pierre Pathelin*. Cependant, la subdivision en trois actes, la scène d'exposition (la Torine est au père Alexandre ce que Toinette est à Argan au début du **Malade* *imaginaire*) sont surtout proches des comédies de Molière ; on pense aussi au *Légataire universel* de Regnard. Mais y a-t-il une véritable intention didactique ? S'agit-il de châtier les mœurs par le rire ou de ridiculiser les manies d'un personnage extravagant ? Assurément non. Roger Martin du Gard se sert d'un canevas et de rôles stéréotypés pour exprimer une vision caricaturale du monde rural, mais son originalité réside essentiellement dans la résurrection du dialecte berrichon. Cette langue populaire est tellement éloignée du français classique, que l'auteur a dû l'adapter pour le public parisien en n'en gardant que l'intonation spécifique et les traits phonétiques les plus remarquables. Il précise au début du texte quelle doit être la prononciation et traduit lorsque c'est nécessaire, comme dans cette scène où la Torine entreprend d'enjôler le père Leleu : « Vous êtes point comme le père Alexandre, toujours rechignou, toujours grignaud, et sournois, et méfiant de tout, et ralu comme un hérisson ! Non, j'aurais point perdu à faire échange, pas vrai ? Vous êtes serviable, vous, c'est votre naturel : toujours prêt à donner de votre temps et de votre bras... Et vif, et pétillant, et toujours loustic, toujours les quatre mots qu'il faut pour faire rire le monde [grignaud : grincheux ; ralu : piquant, revêche] ».

L'égoïsme, le cocuage généralisé, le refus de prendre au sérieux des situations graves, l'absence de scrupules moraux et de préoccupations spirituelles, la forte consommation d'alcool, l'usage d'une langue savoureuse, un dénouement inattendu : tels sont les ingrédients des comédies de Roger Martin du Gard. Si elle s'accompagne d'inévitables clichés, cette satire de la province française lui a valu un succès légitime qu'il ne rencontrera plus dans le « drame moderne » (*Un taciturne*, 1931). L'approfondissement de l'analyse psychologique et la représentation du tragique trouveront dans le roman le support le plus favorable à leur expression (voir *Jean Barois, les *Thibault*).

➤ *Œuvres complètes*, « Pléiade », II.

B. VALETTE

TÊTARD (le). Récit autobiographique de Jacques **Lanzmann** (né en 1927), publié à Paris chez Robert Laffont en 1976.

De ses origines, le narrateur ne sait rien, sinon que sa famille venait de l'Est. Enfant, il assiste aux violentes disputes de ses parents. En 1936, la mère les quitte et, à neuf ans, il se retrouve chez sa grand-mère, une femme sans cœur au fort accent yiddish. À Paris, la compagne de son père ne l'aime pas : on l'exile dans un lycée de Melun. Avec son ami Strachemeyer, juif comme lui, il subit de telles brimades qu'on doit le renvoyer. Il finit par décrocher son brevet. Sa fortune et sa santé chancelant, le père s'installe en Haute-Loire. L'adolescent est placé comme vacher chez des fermiers, dans une famille sans amour. La guerre arrive. Il travaille chez des meuniers, catholiques très unis et aimants. Il n'ose pas leur avouer sa judéité, mais ils « savent », parce qu'il se défie des Allemands. Travaillé par son ignorance sexuelle, il se sauve. Sa mère fraye avec les intellectuels engagés de l'époque, son père s'engage dans la Résistance et son frère dans les jeunesses communistes. Lui ne veut qu'exister : survivre, échapper aux rafles des miliciens et de la Gestapo.

Dans ce récit épique de son enfance, Jacques Lanzmann évoque, à la manière naturaliste, sans faux sentimentalisme, les déboires que lui valut sa double condition de rouquin et de Juif. Il refuse le qualificatif d'enfant martyr : rien de volontairement subi dans son existence, mais des brimades qu'il endura avec la rage de trouver un jour le bonheur. L'auteur mène donc sa rétrospection avec alacrité et, usant d'un style savoureux, il évoque, sans haine comme sans désir de vengeance, les figures qui composent son univers familial. La mésentente du père et de la mère retentit sur l'enfant mal aimé que ses parents ne désiraient pas. Mais l'auteur ne charge personne : le père souffre parce qu'il ignore quel est son chemin dans un monde où il doit difficilement s'intégrer. Sa mère, toujours en quête de justification, tente aussi de trouver l'amour et le bonheur dans la stabilité. Aussi le petit rouquin, le petit canard de la couvée, concentre-t-il, tel un bouc émissaire, les animosités issues d'un malaise personnel. Mais la guerre resserre les liens familiaux, donne une justification à la vie du père et un sens nouveau à l'existence de la mère. Paradoxalement, la découverte de la judéité et son acceptation constituent le préalable à l'union, et la guerre joue le rôle d'un catalyseur. Simultanément l'auteur évoque avec humour les pulsions sexuelles du jeune Jacques, travaillé, à quinze ans, par son désir éperdu de connaître les femmes. Mais, de même que la tendresse familiale lui demeure interdite, la relation sexuelle, sans cesse retardée, ne peut s'accomplir. Cependant, même s'il doit subir les attouchements d'une répugnante paysanne ou d'homosexuels entreprenants, le garçon poursuit son but, animé d'une indéfectible puissance de vie.

● « Le Livre de Poche », 1978 ; Robert Laffont, 1985.

V. ANGLARD

TÊTE CONTRE LES MURS (la). Roman d'Hervé **Bazin**, pseudonyme de Jean-Pierre Hervé-Bazin (né en 1911), publié à Paris chez Grasset en 1949.

Une nuit, Arthur revient chez son père, magistrat, qu'il a quitté depuis quatre ans. Il brûle des dossiers importants, lui vole de l'argent et sa voiture. Il a aussitôt un grave accident. Son père, malgré les fugues déjà répétées d'Arthur et la maladie mentale de sa propre femme, qui s'est suicidée, refusait jusque là de le croire anormal ; cette fois pourtant, il se laisse convaincre de le faire interner, par peur du scandale. Après deux ans dans un asile de province, Arthur en sort pour le mariage de sa sœur Roberte. Son père lui trouve un emploi, mais Arthur disparaît en le volant à nouveau. Roberte, mariée, enceinte, était à son tour atteinte : elle s'enfonce dans la démence précoce, et meurt bientôt. Arrêté par la police, Arthur favorise lui-même son internement psychiatrique pour éviter la prison, et découvre le vrai monde de la folie. Il s'échappe, se réfugie chez des truands, est arrêté et interné une fois de plus. Il s'évade encore, et vole à des amis le produit d'un cambriolage. Il erre quelque temps, se fixe dans une ferme où, employé comme valet, il épouse la vachère, Stéphanie, puis s'enfuit. On le retrouve, et il demeure interné jusqu'à la guerre. Il profite alors de l'exode pour s'enfuir. Caché chez Stéphanie, qui n'a cessé de le soutenir, il alerte les voisins par sa violence. En tentant d'échapper à une poursuite, il se casse les deux jambes. À quarante ans, il est paralytique et interné à vie. Il a quinze ans d'asile derrière lui. Sa fille, née pendant la guerre, présente des symptômes inquiétants.

Le titre de ce second roman d'Hervé Bazin suggère la révolte et le désespoir qui animaient le héros de *Vipère au poing*, publié un an plus tôt. Mais en réalité, sa signification, comme l'attitude de l'auteur, est ambiguë. Sans doute peut-on lire *la Tête contre les murs* comme une sorte de document sur le traitement de la folie dans les années trente : Bazin décrit avec réalisme et précision les installations vétustes des hôpitaux psychiatriques, le caractère rudimentaire des thérapeutiques, l'insuffisance des moyens dont disposent les médecins, réduits le plus souvent au rôle de simples gardiens. Seulement à la fin du roman, Bazin laisse entrevoir la disparition des « Diafoirus de la psychiatrie » et l'avènement des méthodes modernes de l'après-guerre. En outre, c'est l'engrenage même de l'internement qui est mis en évidence avec le cas d'Arthur. Chaque séjour laisse ses séquelles, ses « sédiments », chaque évasion signifie une aggravation du régime antérieur : une faute mineure conduit à la délinquance grave. Pourtant, si l'auteur s'en prend avec virulence à l'hypocrisie des familles, ce n'est pas tant parce que, devant la folie, elles cèdent, comme le père d'Arthur, à la peur du scandale ; c'est au contraire parce qu'elles « cachent bien leurs monstres », et refusent souvent de reconnaître une hérédité douteuse, de soigner ce que Bazin considère comme une véritable maladie. Aussi ne faut-il pas s'étonner de voir le comportement du narrateur se modifier au cours du roman. Indulgent devant les premières frasques d'Arthur, il souligne peu à peu sa lâcheté, qui lui fait se servir d'une folie qu'il n'admet pas pour échapper à toute responsabilité. Car Arthur, qui refuse jusqu'au bout de se croire fou, et n'est heureux que lorsqu'il peut fuir, est en même temps secrètement rassuré de se retrouver interné : prison ou asile, peu importe. À la fin du roman, il est devenu un « petit rentier de la folie ». Il ne suffit pas d'être fou pour échapper à la médiocrité, et, de ce point de vue, le roman peut apparaître comme une véritable démythification de la folie « littéraire », qui apparaît, chez tant d'écrivains, liée sinon au génie, du moins à une forme de lucidité supérieure. Bazin souligne non seulement la promiscuité avilissante, la dépendance physique et parfois l'impotence engendrées par la démence, mais aussi la puérilité, le caractère banal de ces délires que côtoie constamment son héros. Sans doute celui-ci vit-il dans un monde presque aussi fou que lui, et ce n'est pas un hasard si, pendant l'exode, en s'enfuyant au milieu du désordre général, Arthur trouve enfin un monde à sa mesure » frappé comme lui d'un « gigantesque *délire de conduite* ». Mais au moment où sa révolte pourrait prendre un sens, Arthur se contente de piller les maisons abandonnées et d'aider les Allemands à organiser le tri des réfugiés. Si Bazin refuse ainsi de voir en son héros une victime de la société, on chercherait en vain, néanmoins, une figure séduisante de l'autorité : le père d'Arthur, magistrat déchiré, est condamné par sa faiblesse ; les psychiatres sont des professionnels peu subtils... En contrepoint se dessine la douce figure de Stéphanie : mais elle est trop aimante et trop simple pour ne pas être, elle aussi, la victime d'Arthur, que nul amour ne peut sauver.

● « Le Livre de Poche », 1956.

K. HADDAD-WOTLING

TÊTE D'OR. Drame en trois parties et en prose de Paul **Claudel** (1868-1955), publié à Paris à la Librairie de l'Art indépendant en 1890. Une deuxième version, achevée en 1894, parut dans *l'Arbre* (recueil de textes dramatiques de Claudel) au Mercure de France en 1901. Une troisième version, inachevée, relecture inspirée par la Seconde Guerre mondiale, parut dans les *Cahiers* de la Compagnie Madeleine Renaud-Jean-Louis Barrault chez Julliard en 1949. La deuxième version fut montée par Mme Lara pour deux représentations les 25 et 26 avril 1924 au Laboratoire de Théâtre de la rue Lepic. Ce n'est qu'en 1954 que Claudel « autorisa » J.-L. Barrault à présenter *Tête d'or* au théâtre Marigny.

Nous retenons, ici, la version de 1894.
Première partie. Dans un décor rustique désolé, Simon Agnel enterre de nuit le cadavre d'une femme avec qui, jadis, il s'était enfui ; elle est morte sans qu'il ait « su ce qu'elle voulait [lui] dire ». Après une brève déploration, Simon clame son propre inaccomplissement. Survient le jeune Cébès. Pressé par Simon, il exprime son désir obscur : « Je voudrais trouver le bonheur ! » Aspirant alors avec énergie la force vitale dégagée par la sève printanière exhalée par les vapeurs nocturnes, Simon renie les forces délétères de l'ennui et les séductions de la mort ; il affirme le nécessaire « sevrage de l'esprit ». Sous un Arbre, il connaît la mission qui sera la sienne, l'effort continu vers l'énergie spirituelle et le recueillement devant le « fonds original de la terre ». Tout à son orgueil et à son angoisse, Simon refuse de confier ce mystère à Cébès agenouillé devant lui. Il scelle leur union en versant sur lui son sang, le sang de leur alliance. Resté seul, accablé par la pesanteur cosmique, il étreint le corps immense de la Terre-Mère, et s'évanouit.
Deuxième partie. Dans une salle du palais royal, Cébès gît sur une couche. Les veilleurs dorment à grand fracas. Entre le roi, abandonné de tous et tourmenté par la défaite de son armée commandée par Tête d'or. Minuit sonne. L'ennemi est à une journée de marche. Le vieux roi se rapproche du jeune Cébès, à l'agonie : « Quelle chose

étonnante c'est / Que de vivre ! » Il réveille les dormeurs alors que le rossignol lance ses premiers trilles, qui ponctuent tous les dialogues. La Princesse apparaît, somptueusement parée ; elle demande à Cébès de croire en elle, de l'aimer, pour guérir ; mais il ne la reconnaît pas pour ce qu'elle est tout en cherchant à la retenir. Le jour se lève et ramène Tête d'or – qui n'est autre que Simon Agnel –, victorieux. Le héros, comme l'agonisant, souffrent : ils ignorent où trouver « celui qui est parfaitement juste et vrai ». Cébès meurt, illuminé par une mystérieuse révélation intérieure. Éperdu de douleur, Tête d'or réagit contre son accablement : « Aujourd'hui je suis venu que je dois montrer qui je suis ! il y a moi ! il faut ! » Une centaine de hauts dignitaires et de représentants du peuple, tous également grotesques, envahissent la scène. Tête d'or réclame le pouvoir : il refuse de servir et prêche l'anarchie du désir. Le roi lui demande de respecter en sa personne l'ultime sarment d'une longue lignée. Tête d'or le tue et, sacrificateur sauvage, il se barbouille le visage de son sang et défie la foule. Il gouvernera avec la loi de l'épée. Il se couronne lui-même, mais ignore la satisfaction. La Princesse s'avance vers lui ; rejetée par les Grands, elle renie son peuple, prenant le Soleil à témoin de la trahison. Elle prédit à Tête d'or le châtiment de cet « acte impie ».
Troisième partie. Dans un paysage de montagne, aux portes de l'Asie, la Princesse gît sur le sol. Le jour se lève. Le nouveau roi Tête d'or, visitant ses terres, lui donne à manger et la couvre de son manteau, mais un Déserteur la dépouille et la cloue à un arbre. À l'ouest, un groupe d'hommes s'avance, célébrant les vertus du roi. Mais, à l'est, un étendard funèbre est hissé sur un sommet. De fidèles compagnons ramènent Tête d'or blessé à mort, et l'étendent sur les rochers. En plein midi, sous le soleil brûlant comme un Moloch antique, les dieux guerriers de l'Asie ont, en effet, encerclé son armée : un son mortifère a paralysé les soldats et Tête d'or s'est avancé seul vers l'armée ennemie. Maintenant, il se plaint de sa faiblesse. « Ô âme pour qui rien n'existait de trop grand ! et voyez, ces mains, / Empoignent le vide et ne se prennent à rien ! » L'Ouest s'embrase, s'éteint l'espoir d'étreindre le monde. Alors qu'il recommande à ses proches de ne pas déroger à leur noblesse intérieure, son agonie acquiert une ampleur cosmique. La Princesse reprend conscience et les deux mourants échangent des répliques en stichomythie. Presque aveugle, Tête d'or, dans un ultime sursaut, se lève, arrache les clous ; la Princesse le soulève jusqu'au rocher et lui pardonne, purifiée par la souffrance. Alors, il la reconnaît : « Ô Grâce aux mains transpercées ! » Mais, il rejette son aide : une énergie nouvelle gonfle sa chevelure et son sang s'écoule comme le vin du pressoir alors qu'il lance un hymne au soleil incandescent. Avant d'expirer il transmet son pouvoir à la Princesse. Elle meurt à son tour en baisant son front.

Écrite en 1889, la première version de *Tête d'or* transposait la crise de tout adolescent, saisi par l'urgence de rompre avec sa vie ancienne : en 1886, Claudel s'était converti pleinement au catholicisme lors de la nuit de Noël, à Notre-Dame de Paris ; en 1890, il réussit le concours des Affaires étrangères. Chez lui, la quête métaphysique précéda donc l'évasion dans le monde réel. Ainsi *Tête d'or* transpose-t-il le désir de posséder l'étendue infinie de l'espace, figure concrète d'un autre infini, le divin. « *Tête d'or*, affirme Claudel, est le drame de la possession de la Terre. » Dans la deuxième version, la localisation spatiale demeure vague, alors que, ébauché après la Seconde Guerre mondiale, le troisième état du texte plantera le décor dans un camp de prisonniers. Claudel évoque son pays natal, le Tardenois et la forêt de Compiègne. À la fin, l'armée de Tête d'or défait l'ennemi et se porte jusqu'à la frontière de l'Ouest et de l'Est, sur les flancs du Caucase, alors que Claudel songeait déjà à se rendre en Chine.

Ce drame symboliste transpose le débat intérieur de l'individu avec lui-même, déchiré entre le désir de posséder la vie et l'appel de la transcendance. En apparence, s'affrontent des héros shakespeariens, investis par une volonté de puissance exacerbée et primordiale ; en réalité, l'enjeu est mystique, puisque le texte évoque les affres de la conversion religieuse. L'intrigue noue ainsi la tradition littéraire et l'héritage judéo-chrétien – la rudesse des Écritures et la violence primitive de Shakespeare. À la frontière de la prose et du vers, le verset claudélien se charge d'énergie, déploie des images en faisceau. La noblesse du style doit inspirer une terreur sacrée, biblique (à l'inverse, le texte de la troisième version est souvent prosaïque, presque argotique). Le souffle claudélien suit le rythme de la respiration intérieure, calqué sur la revendication du héros, inspirée par l'énergie cosmique que recèlent les éléments. Chaque unité rythmique semble reproduire le surgissement de l'être qui se lève à l'appel de son désir. « J'appelle VERS, dit Claudel, l'haleine intelligible, le membre logique, l'unité sonore constituée par l'iambe ou rapport abstrait du grave et de l'aigu. »

Quel est le but des personnages comme de tout homme sur la terre ? Le bonheur. Le drame synthétise la démarche de l'esprit qui commence à s'emparer du monde mais qui ne parvient pas à se créer lui-même. Les personnages masculins apparaissent comme les projections d'un combat intérieur : Tête d'or lutte contre le « Vieil homme », les idéologies qui enferment l'homme dans une prison totalitaire. Dans toute la première partie, sorte de prologue qui précède l'action véritable, se poursuit le dialogue de Simon Agnel avec Cébès ; ils incarnent la dualité profonde de l'auteur : le premier, l'homme fort, représente l'exigence intransigeante d'une jeunesse éprise de Shakespeare et de Rimbaud ; à la recherche de l'amour, le second témoigne de souffrances plus intériorisées par une âme passive, en proie au désespoir. Plongé dans les ténèbres de son ignorance, Cébès pose les questions métaphysiques fondamentales : « Qu'est-ce que je suis ? / Qu'est-ce que je fais ? qu'est-ce que j'attends ? » Il attend le « feu jaune » incarné par Tête d'or, une des premières occurrences du motif poétique de la lumière, entrant en opposition avec le thème nocturne attaché à Cébès. Dans la deuxième partie, le vieux roi représente le passage à la limite de cette décomposition du moi aux prises avec ses angoisses, dans l'abandon le plus total : « C'était moi, le roi, cette espèce de vieux homme qui ne peut pas dormir, qui erre tout seul en se tordant les mains et en sanglotant dans la maison abandonnée », dit Claudel en 1949.

L'action progresse en suivant les trois échecs du héros : il ne sait se déterminer lui-même (première partie) ; il renverse un ordre sans en instaurer un nouveau (deuxième partie) ; il ignore que la femme est la nécessaire médiatrice de l'homme qui cherche Dieu (troisième partie). Tête d'or incarne l'ambition de réaliser un grand destin dans un monde qui n'est pas encore touché par la Grâce. Il ne s'est pas accompli : c'est son premier échec. Dès le début, il s'est fait une promesse, comme en témoigne cette « prière » aux forces primordiales : « Que je ne perde pas mon âme ! Cette sève essentielle, cette humidité intérieure de moi-même, cette effervescence. » Simon exprime l'exigence absolue du sujet. Quand il célèbre ses noces avec la Terre-Mère après s'être recueilli sous l'Arbre protecteur, image mystique récurrente dans l'œuvre de l'auteur, toute la symbolique claudélienne est en place, mais le héros ne sait pas l'interpréter. En effet, il veut voir dans l'Arbre non pas le « signe » de la Croix, mais ce qui aspire les forces terrestres et exprime la force de l'individu. Il se lie à Cébès au terme d'une cérémonie primitive, d'une Eucharistie inversée : « Et voici que j'ai goûté de ton sang, tel que le premier vin qui sort du pressoir ! » Il se dit investi d'une mission qui le remplit d'effroi : « Une chose terrible m'a été montrée, à moi qui n'étais qu'un enfant » (première partie). Simon semble vivre sa veille à Gethsémani avant une sorte de Passion. Comme bien des personnages de Claudel, il ignore de quel principe spirituel il est l'enjeu : sa quête est comme « bloquée », empêchée par l'excès même du besoin de s'affirmer en ce monde. Son nouveau nom en témoigne : alors que Simon Agnel pouvait évoquer l'Agneau, le Christ, « Tête d'or » évoque une puissance solaire archaïque ; sa chevelure renvoie à l'énergie instinctuelle, à la force élémentaire et non au symbole de la Vérité, de la Lumière divine. Dans l'Évangile, Simon devient Pierre, cette « pierre » sur laquelle le Christ bâtit son église : Tête d'or ne manifeste pas la même solidité !

Tête d'or prend le pouvoir : son deuxième échec se profile. Il veut posséder son royaume ici-bas. Après la mort de Cébès, il doit exorciser l'angoisse métaphysique, réaliser son vœu et, prouvant sa valeur, prendre sa forme définitive : « Car c'est maintenant que je dois me montrer à tous » (deuxième partie). La force de Tête d'or est toute négatrice : dans la droite ligne de l'anarchisme, elle renverse l'ordre incarné par le vieux roi. Dans les scènes de foule il affirme sa révolte, manière de persévérer dans son être. Son désir surgit de la nuit primordiale, du chaos originel : « Ô Nuit, tu me parais très bonne ! » disait-il déjà dans la première partie. Héros archaïque, Tête d'or ne parvient pas à sublimer ses instincts. Il se barbouille du sang du roi qu'il vient de tuer sur scène (deuxième partie). Puisant son énergie dans un orgueil impie, il mène une entreprise héroïquement désespérée. Le but de la guerre demeure mystérieux : s'agissait-il de briser les anciennes idoles ou de se purifier de ses pulsions obscures ? Cependant, au-delà de la représentation symbolique et mystique, Claudel procède à une critique politique : comme le voulait son époque, son héros, plus shakespearien que cornélien, ne croit pas vraiment à la valeur des biens temporels. Héritier de Tamerlan, d'Henri V et de Coriolan, Tête d'or remet en question l'ordre établi et l'hypocrisie des manipulateurs démagogues. Tout est comédie où le sens se dérobe, vaste décor baroque et métaphore sans référent. Tête d'Or s'éprouve toujours insatisfait, relancé par sa propre dynamique et comme frappé d'inanité par l'intuition de son néant : « Pourquoi vivre ? il m'est indifférent de vivre ou d'être mort. – Cela me fait mal ! » (troisième partie).

Tête d'or ne rencontre pas Dieu non plus : il ne tire donc pas les conséquences de son approche du néant en ce monde. C'est son troisième échec. Le nœud de l'intrigue tient à la relation entre le féminin et le masculin : son œuvre aurait pu s'accomplir si Tête d'or avait reconnu la Princesse pour ce qu'elle est ; Claudel ne s'est pas totalement converti et son héros en est bien incapable. Le drame s'ouvre sur l'inhumation de la femme aimée, représentation symbolique de la mise à mort du monde ancien. Mais Simon n'a rien appris d'elle. En proie à une misogynie adolescente, il ignore, tout comme Cébès, la fonction existentielle de la femme, de la Mère : « Cébès, une force m'a été donnée, sévère, sauvage ! C'est la fureur du mâle et il n'y a point de femme en moi » (première partie). La femme claudélienne possède deux clefs, celle qui exalte le désir charnel et celle qui ouvre le domaine du transcendant, les deux pouvant mener vers le même absolu parce que la Grâce profite de tout. Sur le Caucase, le conquérant déchu portera son corps de douleur vers la Princesse sans que son esprit consente à se convertir. Parée comme une figure du théâtre antique (deuxième partie), la Princesse maudit Tête d'or. Mais, crucifiée à son arbre, elle remplit la fonction de la médiatrice, revit le drame de l'humiliation et de la Passion. Trop assuré de lui-même, le héros manque la Grâce, et pourtant l'arbre de la Princesse était l'exacte réplique de l'Arbre de la première partie. Dans *Tête d'or*, l'issue demeure incertaine du combat qui oppose la Grâce et l'énergie mâle. La représentation du masculin et du féminin n'est pas schématiquement caricaturale : chaque pôle se dissocie à son tour – ainsi la femme que Simon enterre incarne son ancienne vie, l'attrait du désir sensuel, comme Lâla (la *Ville) ou Ysé (*Partage de midi) par opposition à la Princesse, préfiguration de Sygne, figure du sacrifice (l'*Otage). Le couple fraternel Cébès-Simon entre aussi dans une dynamique de la complémentarité des contraires.

Tête d'or évoque le surhomme nietzschéen, quoique Claudel se soit défendu de s'être inspiré de l'auteur de *Zarathoustra*. La pièce exprime donc la violence nécessaire à la conversion, mais l'union mystique du couple ne se produit pas. Plus tard, *Partage de midi* ouvrira un second cycle dans l'œuvre claudélienne : l'embrassement du masculin et du féminin se réalisera dans le bruit et la fureur, mais témoignera d'une reconnaissance ontologique ; la crise se résoudra enfin dans le drame total, *le *Soulier de satin*, qui réunira l'Ancien et le Nouveau.

● « Folio », 1987. ➤ *Théâtre*, « Pléiade », I ; *Œuvres complètes*, Gallimard, VI (p.p. R. Mallet).

V. ANGLARD

TÊTE DES AUTRES (la). Comédie en quatre actes et en prose de Marcel **Aymé** (1902-1967), créée à Paris au théâtre de l'Atelier le 15 février 1952, et publiée à Paris chez Grasset la même année.

En Poldavie, famille et amis congratulent le procureur Maillard, qui a fait condamner un homme à mort. Seul avec sa maîtresse, Roberte Bertolier, Maillard voit surgir Valorin, qui s'est évadé, et dont il vient d'obtenir la tête. Valorin reconnaît en Roberte l'inconnue rencontrée le soir du crime. Craignant le scandale, elle ne l'a pas disculpé. Il exige que Maillard témoigne en sa faveur. Les procureurs Bertolier et Maillard lui promettent de trouver le coupable (Acte I). Valorin enlace Juliette Maillard. On vient d'arrêter le criminel, un Maltais. Les deux femmes se jalousent. Valorin refuse de laisser étouffer l'affaire. Juliette prend sa défense (Acte II). Roberte paie deux tueurs pour exécuter Valorin. Le coupable était au service d'Alessandrovici, qui manipule hommes de loi et politiques, tous compromis. Valorin désarme les tueurs et obtient des procureurs réticents qu'ils révèlent la vérité (Acte III). Valorin injurie Alessandrovici, heureux pourtant de rencontrer un honnête homme ; il étreint Roberte, au grand dam de Juliette (Acte IV).

La Tête des autres est une satire féroce des milieux de la justice. Véritable réquisitoire contre la peine de mort, la pièce dénonce la transformation des procès en spectacles où triomphe non la vérité mais la rhétorique. Seule la virtuosité du procureur ou de l'avocat entraîne l'adhésion des jurés : les proches de Maillard le félicitent d'avoir obtenu, au cours de sa brillante carrière, une troisième « tête », comme s'il avait réalisé une œuvre d'art. Marcel Aymé démonte les mécanismes qui amènent, par peur du scandale, à condamner un innocent ; il montre le racisme sous-jacent qui incite les gens de justice à accuser, de manière expéditive, un Arabe. Inspiré par certains procès scandaleux de l'entre-deux-guerres et les affaires d'après-guerre, il dénonce la cruauté et la corruption des magistrats à l'époque de la Libération. Ainsi s'impose la figure d'Alessandrovici, avatar du Monglat dont Marcel Aymé fit le portrait dans *Uranus*. Maillard et Bertolier se sont compromis dans plusieurs affaires qu'ils ont étouffées à leur bénéfice : les magistrats se situent donc au-dessus des lois qu'ils prétendent faire respecter, et la langue de bois judiciaire, hermétique et solennelle, semble d'autant plus insupportable qu'ils mentent avec effronterie. La pièce conservant toutefois une vivacité boulevardière, la critique de la justice se trouve allégée de tout moralisme édifiant mais n'en acquiert que plus de poids. *La Tête des autres* fit scandale, et l'Union fédérale des Magistrats demanda au Garde des Sceaux de poursuivre l'auteur pour outrage à l'institution judiciaire.

V. ANGLARD

TÊTES-MORTES. Recueil de récits de Samuel **Beckett** (Irlande, 1906-1989), publié à Paris aux Éditions de Minuit en 1967 (pour les quatre premiers textes) ; réédition définitive chez le même éditeur en 1972.

De ces cinq courts récits écrits entre 1957 et 1969, le premier est un fragment « D'un ouvrage abandonné » : un vieillard ressasse quelques souvenirs de trois journées de sa jeunesse et parle des bizarreries de son comportement d'alors. Dans le deuxième texte, « Assez », écrit en 1966, une femme raconte la vie qu'elle a menée avec son compagnon avant que celui-ci ne disparaisse : elle a beaucoup marché de par le monde en compagnie de cet homme assez singulier qui se déplaçait le corps plié en deux et qui lui a appris tout ce qu'elle sait. Le lieu

d'« Imagination morte imaginez » est une rotonde blanche où gisent deux corps immobiles ; dans cet endroit, on passe en vingt secondes du froid au chaud ainsi que de l'obscurité à la lumière et inversement. « Bing » est une brève variation sur le blanc, évoqué 80 fois dans le texte. Un corps nu blanc est allongé dans une chambre où domine un blanc quasi absolu, à peine cassé par quelques traces gris pâle. Dans « Sans », un corps se tient seul, debout et immobile, près d'un paysage de ruines, dans un « infini sans relief », « sans bruit », « sans temps » : la même image est répétée plusieurs fois avec à peine quelques modifications.

De l'atmosphère de fin de cataclysme, de table rase, des trois derniers textes, dont l'inspiration (si l'on peut dire) est assez proche de *Comment c'est* (par la syntaxe brisée et haletante) et du *Dépeupleur* (par le désir d'atteindre à une sorte de degré zéro de la narration), on appréciera la gageure qui a consisté à promouvoir une sorte de vide absolu, dans un espace réduit à sa plus simple expression et une temporalité annulée (les verbes sont presque totalement absents). Mais on remarquera surtout le contraste que ces trois textes forment avec les deux premiers, qui sont d'une facture proche de *Molloy*. Cela est vrai « D'un ouvrage abandonné », où, si le narrateur évoque avec nostalgie son passé, c'est surtout pour se plaindre d'être né et pour évoquer ses parents en des termes peu amènes : « Une veine que mon père soit mort quand j'étais encore jeune, sinon j'aurais pu finir professeur, c'était son rêve. » La narratrice d'« Assez » se révèle quant à elle bien différente ; elle est pleine de tendresse (affect peu fréquent chez Beckett) pour celui qui a disparu et manifeste une indulgence et une humilité touchantes : « Toutes ces notions sont de lui. Je ne fais que les combiner à ma façon. Donné quatre ou cinq vies comme celle-là j'aurais pu laisser une trace. » On sent ici un écrivain fort proche de l'autobiographie, peut-être trop, et ce serait la raison pour laquelle ces textes sont demeurés aussi brefs.

G. COGEZ

TEXACO. Roman de Patrick **Chamoiseau** (né en 1953), publié à Paris chez Gallimard en 1992. Prix Goncourt.

Un urbaniste est chargé de raser Texaco, bidonville installé sur le site anciennement occupé par une compagnie pétrolière, aux portes de Fort-de-France (Martinique). Il rencontre Marie-Sophie Laborieux, la vieille femme qui a autrefois fondé Texaco, et qui comprend que la survie du quartier dépend de son récit. Elle évoque d'abord le destin de son père Esternome, esclave sur une plantation, affranchi pour avoir sauvé la vie du « béké » – son maître blanc. Esternome est alors attiré par « En-ville », Saint-Pierre. Il y vit de petits métiers, jusqu'à l'abolition de l'esclavage en 1848. Il rencontre Ninon, ancienne esclave, qui rêve – en vain – d'une distribution des terres. Ils partent alors pour les « mornes », les terres situées autour de Saint-Pierre où les anciens esclaves se regroupent pour travailler. Ninon, elle, finira par quitter Esternome pour revenir vers l'En-ville. Mais en 1902 se produit l'éruption de la montagne Pelée, qui détruit Saint-Pierre. Esternome, fou de désespoir devant la mort de Ninon, émigre, comme beaucoup d'autres, vers Fort-de-France. Il trouve refuge auprès d'une ancienne esclave devenue aveugle, Idoménée. C'est de leur union que naîtra Marie-Sophie. Après la mort de ses parents, la jeune fille sert, pendant des années, chez différents maîtres. Elle connaît des amours passagères, des abandons. Enfin, quittant son dernier maître, elle plante sa case, pour échapper aux expulsions, devant le site de Texaco. Commence alors, avec les autres misérables qui l'ont rejointe, une longue lutte contre les forces de l'ordre : à chaque descente de police, les cases sont détruites, et reconstruites aussitôt. Le « béké » propriétaire du terrain finit par céder. C'est alors la municipalité qui décide la fin de Texaco au nom de la salubrité. Mais l'urbaniste comprend qu'il faut sauver Texaco, qui sera intégré dans l'En-ville sans être détruit. Peu avant sa mort, Marie-Sophie prie Patrick Chamoiseau d'écrire l'histoire de sa vie.

Ce n'est pas un hasard si, au début de son roman, Patrick Chamoiseau a placé, parallèlement à celle qui régit l'histoire de la Martinique et de la Guadeloupe, une chronologie fondée sur une division en « Temps de carbet et d'ajoupas », du nom de l'habitat traditionnel qui prévalait à l'arrivée des Blancs, puis en « Temps de paille » (1823-1902), « Temps de bois-caisse » (1903-1945), « Temps de fibrociment » (1946-1960), « Temps béton » (1961-1980), évoquant les matériaux successifs qui servirent à édifier les cases, et marquant l'évolution irrésistible qui a conduit les anciens « nègres des terres » vers la ville. Car c'est bien d'une mémoire différente qu'il s'agit ici : à travers l'histoire de Marie-Sophie, de ses parents et de ses grands-parents, Chamoiseau retrouve non seulement le souvenir de l'esclavage, mais aussi celui des derniers esclaves importés d'Afrique, habités par la nostalgie de la terre originelle. Mais si l'esclavage est aboli en 1848, cette histoire est surtout celle d'une lente libération intérieure, qui passe à la fois par la reconquête d'une identité, et l'acquisition d'un lieu propre. C'est ainsi qu'après l'abolition, les anciens esclaves découvrent avec amertume que « la terre appartient au Bon Dieu » mais que « les champs appartiennent aux békés ». D'où le mouvement qui les mène vers l'En-ville, selon l'expression créole qui désigne avant tout l'accession à une forme de travail qui ne soit pas liée à la terre et à la servitude. C'est aussi ce qui conduit Marie-Sophie, née libre, à créer ce quartier dont l'insalubrité choque tout à la fois la bonne conscience des Blancs et des Noirs – dont Aimé Césaire, maire de Fort-de-France, et l'urbaniste qu'il envoie, sont les parfaits représentants. Or le récit qu'entreprend Marie-Sophie, luttant cette fois par la parole pour la survie de Texaco, montre précisément qu'il y a un lien entre la mémoire créole et la forme anarchique du quartier, et que, dans cette zone où la solidarité entre habitants est essentielle, la vieille femme a réussi à retrouver à la fois la liberté des « nègres marrons » qui s'enfuyaient jadis dans la jungle pour échapper à l'esclavage, et la vie dans les « mornes » où son père avait fait l'apprentissage de la vie collective. C'est bien pourquoi le « nom secret » que Marie-Sophie s'est donné sur les conseils d'un vieux guérisseur est précisément « Texaco ». Car son histoire est aussi celle de l'acquisition d'une parole autonome, avec toutes les ambiguïtés évoquées par Chamoiseau dans son *Éloge de la créolité* (1989). Lorsque Marie-Sophie, qui a découvert la littérature française chez ses maîtres, note dans ses cahiers la parole de son père, elle écrit en français, et c'est pour qu'il écrive dans une langue « soutenue » qu'elle fait appel à Chamoiseau. Mais celui-ci, qui se veut « Marqueur de paroles », se heurte à la difficulté de préserver cette oralité caractéristique : c'est ainsi que le roman mêle avec humour les modèles épique et picaresque, dans une langue qui marie les richesses poétiques du français et du créole.

● « Folio », 1994.

K. HADDAD-WOTLING

THAÏS. Roman d'Anatole **France**, pseudonyme d'Anatole François Thibault (1844-1924), publié à Paris dans la *Revue des Deux Mondes* en 1899, et en volume chez Calmann-Lévy en 1890.

Première partie. « Le Lotus ». Au IVe siècle de notre ère, l'Égypte a presque tout perdu de sa grandeur passée. Anachorètes et cénobites, retirés au désert, rejettent saintement les désordres et les vices qui agitent les hommes comme ceux qui se perdent dans la grouillante Alexandrie. Mais malgré leurs vertueuses mortifications, les ermites sont souvent tourmentés par les tentations du monde et de la chair. Pour Paphnuce, le plus austère d'entre eux, elles prennent toujours le visage de la belle Thaïs, comédienne aux mœurs dissolues. Pour vaincre les désirs coupables qu'elle lui inspire, le moine décide d'aller la convertir. Le bon frère Palémon a beau l'avertir des mille dangers du siècle pour les âmes trop pures, sa résolution est prise. De fait, dès le début de sa quête, Paphnuce doit affronter les séduisants sophismes du sybarite Nicias, jadis amant de Thaïs, et il découvre, horrifié, une société livrée aux pires instincts.
Deuxième partie. « Le Papyrus ». Cette partie retrace l'histoire de la courtisane : Thaïs devient très jeune l'objet d'un véritable culte pour les hommes, l'inspiratrice des poètes, l'instigatrice des passions les plus folles. En voulant l'arracher à sa vie, Paphnuce a la révélation de toutes les formes du péché. Dans le « banquet » où il l'a suivie un soir, il peut entendre, au cours d'un dialogue plaisamment imité de Platon, tous les arguments ingénieux par lesquels stoïciens, épicuriens, hérétiques ariens ou sceptiques bafouent les vérités divines. Il persuade cependant Thaïs de renoncer à tous les biens terrestres et de le suivre sur le chemin de l'abstinence et de l'ascèse. Elle se retire dans une abbaye.
Troisième partie. « L'Euphorbe ». Paphnuce est célébré pour la glorieuse conversion qu'il a obtenue. Mais il reste insatisfait : l'image de Thaïs continue à l'obséder. Frère Palémon le met en garde contre un refus trop sévère des plaisirs de la vie. Cependant, obéissant à une vision, Paphnuce établit sa retraite au sommet d'une colonne, dernier vestige d'un temple païen. Le stylite devient chaque jour l'attraction des foules venues l'admirer ou se moquer de lui. Une ville s'édifie autour de sa colonne. On lui prête des miracles, prétextes d'une révérence superstitieuse. Toujours poursuivi par ses démons, Paphnuce redescend sur terre. Il ne trouve pas de repos, même au fond d'un tombeau où il a voulu se réfugier. Apprenant que Thaïs, devenue une sainte, s'apprête à mourir, il court lui avouer sa passion pendant son agonie, fou de dépit de n'avoir pas compris plus tôt : « Il n'y a de vrai que la vie de la terre et l'amour des êtres. » Ainsi, il se damne en voulant la détourner de la voie dans laquelle il l'a lui-même engagée.

Le roman s'appuie sur une vaste réflexion morale. Il s'agit pour Anatole France d'intenter un véritable procès au christianisme et à son obsession du péché. La vie du croyant, si elle veut se conformer littéralement à ses principes, aboutit au rejet de tout ce qui fait la substance même de la vie. Ainsi le prouve, tout au long du récit, l'attitude profondément négative et stérile de Paphnuce qui rejette la simple idée d'un bonheur ou d'un plaisir terrestres. Il s'oppose, ce faisant, au modèle d'une sainteté plus humaine et plus sage, indulgente et pratique, intuitivement sensible aux beautés des choses et de l'existence : celui offert par frère Palémon, le bon jardinier, ignorant et simple, ami des bêtes et des plantes.

Au contraire, Paphnuce ne crée rien : à l'image du désert qui l'entoure, il n'aspire qu'au vide. Il ne sait que détruire, comme l'illustre l'autodafé qu'il ordonne des meubles et des œuvres d'art appartenant à Thaïs. Il se montre incapable de comprendre l'extraordinaire fécondité artistique et culturelle des civilisations païennes, dont le raffinement le heurte tout en le fascinant. À l'image de Thaïs, dont les talents de séductrice et de comédienne, après avoir servi au culte de l'érotisme et de Vénus, sont utilisés pour l'édification chrétienne par l'abbesse qui l'a recueillie dans sa communauté : « Je l'invitais à représenter devant nous les actions des femmes fortes et des vierges sages de l'Écriture. Elle imitait Esther, Débora, Judith, Marie, sœur de Lazare, et Marie, mère de Jésus. Je sais, vénérable père, que ton austérité s'alarme à l'idée de ces spectacles. Mais tu aurais été touché toi-même, si tu l'avais vue, dans ces pieuses scènes, répandre des pleurs véritables et tendre au ciel ses bras comme des palmes. » La pécheresse obtient ainsi, par les mêmes artifices qui autrefois lui permettaient d'enflammer les désirs, d'ouvrir les âmes à Dieu. Ce à quoi les mortifications de Paphnuce ne parviennent jamais : le vide qu'il fait autour de lui n'est même pas comblé par la présence divine. Partout, il ne trouve que solitude et silence. Le ciel ne lui répond pas.

À travers lui, c'est le christianisme tout entier qui se voit accusé d'avoir empoisonné irrémédiablement le bonheur humain en détruisant les vieilles harmonies que le paganisme avait su établir entre la vie et la mort, le bien et le mal, le sacré et le profane. Paphnuce ne comprend pas cette leçon, quand il découvre, dans le tombeau où il est entré, des fresques dont la gaieté le choque et qu'une voix l'invite à contempler : « Pourquoi m'ordonnes-tu de regarder ces images ? Sans doute elles représentent les journées terrestres de l'idolâtrie dont le corps repose ici sous mes pieds [...]. La vie d'un mort ! Ô vanité !... – Il est mort, mais il a vécu, reprit la voix, et toi, tu mourras, et tu n'auras pas vécu. » Par crainte de pécher contre Dieu, Paphnuce se rend coupable d'une faute plus grave : pécher contre l'homme. Il ignore que le vrai pécheur est celui qui croit au péché.

● Calmann-Lévy, 1966. ➤ *Œuvres*, « Pléiade », I.

D. GIOVACCHINI

THÉÂTRE DE CAMPAGNE. Recueil de comédies en prose de **Carmontelle**, pseudonyme de Louis Carrogis (1717-1806), publié à Paris chez Ruault en 1775.

L'auteur s'est d'abord donné pour tâche de procurer une suite de pièces dramatiques destinées aux sociétés de province. En marge de l'agitation parisienne et de ses divertissements littéraires ou mondains, oubliée des auteurs en vogue dans la capitale, la province doit néanmoins vaincre l'oisiveté. Avec ce recueil, Carmontelle entend lui fournir un théâtre sur mesure, sans véritable ambition littéraire, mais adapté à ses goûts et proche de la réalité, afin de ranimer « cette innocente gaieté qu'on ne trouve que dans les sociétés formées hors de la capitale ».

Il s'agit donc de comédies en prose, courtes, souvent en un acte, quelquefois en deux. On sait que le public français, coutumier du théâtre de la Foire ou des Italiens, est friand de ces comédies, vite troussées, et accordées à l'actualité. Carmontelle, à l'instar des autres auteurs comiques, répond au désir des spectateurs d'un comique bon enfant, où la complexité de l'intrigue le cède à la drôlerie des situations. Contrairement au théâtre de Marivaux, auquel on l'a pourtant comparé, chez qui la brièveté n'est pas nécessairement gage de simplicité, ce *Théâtre de campagne* affectionne les histoires simples où les acteurs sont gentiment piégés au jeu de leur badinage.

Carmontelle retient la structure des **Proverbes dramatiques*. Ses personnages, moins pittoresques, n'ont guère plus d'états d'âme, mais davantage d'intériorité. Leur dénominateur commun, c'est la recherche du bonheur. Le dramaturge répète à l'infini ces éternels tours de masques, mensonges, dérobades, quiproquos – dont il tire ses personnages sans les livrer pour autant à de périlleux exercices de corde raide. Les pièces présentent quelquefois d'emblée ce qui constitue leur principal ressort dramatique (ainsi du *Contre temps*, au titre assez évocateur).

Le *Théâtre de campagne* installe ses tréteaux dans les chaumières humbles des villages plus que dans les demeures bourgeoises ; voire au grand air, comme dans le décor champêtre du *Petit Dom Quichotte*, où Carmontelle organise avec beaucoup d'humour la rencontre d'une jeune bergère de pastorale en quête d'un galant et d'un véritable berger de campagne, peu accoutumé aux raffinements d'un langage métaphorique et plein de minauderies. Cette confrontation, aux accents burlesques, se garde bien de virer à la satire sociale : si l'on raille la folie de ces jeunes gens dont la tête est remplie d'aventures héroïques, c'est pour conclure à une folie plus grande, dont le vulgaire n'est pas épargné. Quels que soient l'âge ou les conditions, l'amour fait perdre la tête, rend les hommes et les femmes faibles, esclaves, jouisseurs.

Ici (*les Amants indiscrets*), c'est l'image d'un libertinage généralisé, où l'institution maritale est sans cesse en butte aux fluctuations du désir et de l'inconstance, et que seule une morale de dernière minute permet de sauver. Là (*le Chat perdu*, où la pauvre mère Durand – alias Michel ? – perd son chat et trouve... un gendre), c'est au contraire le mariage qui donne aux plaisirs de la chair leur légitimité. Ces comédies sont essentiellement des histoires de ménages qui se perdent pour mieux se retrouver, de couples qui s'enlacent et s'en lassent, où le mariage, presque toujours, est le *terminus ad quem* : « L'hymen va donc terminer toutes ces folies de l'amour » (*l'Amante de son mari*). Et comme dans les vaudevilles – dont Carmontelle est proche – tout finit par des chansons (*la Chanson*) ; on trouve même une sorte d'opéra-comique : *le Patagon*.

Aristocrates ou petites gens (marchands de bois, brasseurs ou meuniers peuvent aussi faire le sujet d'une pièce, comme dans *les Compères*), tous les acteurs sociaux sont en effet conviés à ce *Théâtre* que l'on qualifierait volontiers de comédie bourgeoise, tant le rire franc est parfois délaissé au profit de la leçon de morale (ainsi dans *les Bonnes Gens*, pièce édifiante s'il en est).

Carmontelle semble finalement vouloir réaliser la synthèse de tous les registres du comique, comme savent déjà le faire les comédiens-italiens ou les comédiens des boulevards, mais il rejoint parfois – les larmes en moins – les exigences d'un genre désormais réputé sérieux, le drame bourgeois.

S. PUJOL

THÉÂTRE DE CHAMBRE. Recueil de pièces de théâtre de Jean **Tardieu** (né en 1903), publié à Paris chez Gallimard en 1955 ; réédition revue et augmentée en 1966.

Qui est là ? (créée en 1949). Une famille de trois personnes – le père, la mère, le fils – est à table, quand une femme annonce au père un homme derrière la porte. Lorsque le père va ouvrir, l'homme l'étrangle et le sort de la maison. Le père revient, et annonce à la femme et au fils : « En chacun de nous, l'homme est mort. »

La Politesse inutile (1950) montre un professeur qui, après avoir seriné avec autorité à un étudiant une doctrine absconse, se fait gifler par un arrogant visiteur.

Le Sacre de la nuit. Un homme et une femme puisent dans la nuit de quoi célébrer leur amour.

Le Meuble (1954) met en scène un inventeur, qui présente lui-même son invention à un acheteur : un meuble parlant, agissant, aux possibilités infinies. Mais l'objet se détraque, parle en charabia, et finit par tirer au revolver sur l'acheteur.

La Serrure (1955). Un homme se rend dans un bordel, où la patronne l'autorise à regarder par le trou de la serrure une femme dont il est follement amoureux : il se livre alors, tantôt regardant, tantôt parlant, à une célébration érotico-lyrique de la femme jusqu'à la décrire dépecée et anéantie, et à tomber lui-même inanimé contre la porte.

Le Guichet (1955) confronte un préposé et un client venu demander des renseignements sur les horaires des trains. Le préposé élude d'abord ses questions, puis le renseigne, au point de lui indiquer, sur sa demande, le moment exact de sa mort : ce sera dans quelques minutes, lorsque le client sortira du bureau et se fera écraser.

Monsieur Moi est un dialogue entre Moi et le partenaire. Le premier s'enlise dans son discours aussi bien que dans ses raisonnements, tandis que le second ne lui renvoie qu'une série d'interjections.

Faust et Yorrick, Apologue (1951). Un savant raconte sa quête scientifique. Il a cherché toute sa vie « l'échelon supérieur » du crâne humain, sans y parvenir. Lorsqu'il meurt, l'on découvre que son propre crâne avait atteint cet échelon.

La Sonate et les Trois Messieurs ou Comment parler musique (1955). Trois personnages, A, B et C, se racontent, sans grande profondeur, un morceau de musique qu'ils ont entendu, et ce en trois mouvements : *largo*, *andante*, et finale.

La Société Apollon ou Comment parler des arts (1955) narre les déboires d'une association d'amateurs d'art. La conférencière emmène tout son monde dans l'atelier d'un sculpteur renommé, mais l'artiste explique au public effondré qu'il s'agit d'un coupe-légumes perfectionné.

Oswald et Zénaïde ou les Apartés (1951) montre deux fiancés désespérés de n'avoir pu obtenir de leurs parents la permission de se marier. Mais ce n'était qu'une farce des parents qui voulaient mettre leur amour à l'épreuve.

Ce que parler veut dire ou le Patois des familles (1951) met en scène un professeur qui expose, scènes à l'appui, quelques curiosités de langage puisées dans l'intimité ou les tics contemporains.

Il y avait foule au manoir ou les Monologues (1951) propose une intrigue policière au château, dont le héros est le détective Dubois-Dupont, lequel se fait passer pour le cadavre du baron afin que celui-ci puisse abandonner sa femme et fuir avec sa maîtresse.

Eux seuls le savent (1952). Un présentateur introduit quatre personnages en précisant bien qu'ils vont mener une action dont nous ne comprendrons pas le contenu et les motivations. Hector, Simone, Justin et Janine entrent en conflit, puis se réconcilient sous nos yeux.

Un mot pour un autre (1951). Le récitant avertit de l'épidémie qui s'est abattue : les personnages prennent un mot pour un autre, et se comprennent en un langage qui fonctionne par substitution permanente du vocabulaire. Une dame de la haute société reçoit la visite d'une de ses amies qui s'étonne de retrouver son propre mari chez son hôtesse...

Un geste pour un autre (1951). L'amiral Sépulcre préside une soirée dans « l'archipel sans nom » où une assemblée de dîneurs, M. et Mme Grabuge, la baronne Lamproie, Mlle Cargaison, M. Sureau, et l'amiral lui-même, invitée chez Mme de Saint-Ici-Bas et introduite par César le valet de chambre, se comporte à l'opposé des codes mondains et inverse systématiquement les gestes conventionnels en leurs contraires ou en leurs caricatures.

Conversation-Sinfonietta (1951). Le régisseur demande à un speaker de radio d'annoncer un orchestre composé du chef d'orchestre et de six choristes : première basse et deuxième basse, premier contralto et deuxième contralto, soprano et ténor, lesquels, chacun selon sa tessiture, se livrent à des variations langagières sur des thèmes gastronomiques.

Ce recueil, *Théâtre de chambre*, présente une grande variété de « petites formes ». Une partie non négligeable des pièces est inspirée par une gravité humaniste que Tardieu lui-même revendique dans sa Préface, principalement à propos de *Qui est là ?* Cette pièce, qui ouvre le recueil, constitue en effet comme une allégorie de la mort de l'homme, telle que la guerre l'a sinistrement induite, mais laisse toutefois miroiter une possible résurrection. C'est cette hantise de la déshumanisation qu'illustrent, sur un mode plus plaisant, *Faust et Yorrick* ou *le Meuble*. Dans la première de ces deux pièces, le travail du savant, qui sacrifie sa famille à sa recherche, aboutit à la déshumanisation de ce dernier, puisqu'il devient, dans la mort, le monstrueux paradigme morphologique qu'il cherchait, tandis que dans *le Meuble*, le dysfonctionnement de l'objet vaut pour la révolte même de l'homme contre les fabricants de machines et tous les manipulateurs. C'est aussi la révolte contre l'autorité qu'illustre *la Politesse inutile* en posant le débat entre l'autorité et l'indépendance d'esprit comme un véritable problème, car le professeur est odieux, mais l'étudiant vengeur ne l'est pas moins. Que choisir ? La violence est du côté du pouvoir établi comme du côté de la résistance. Si le drame de *la Serrure* est terriblement inquiétant, et pose la passion de l'homme comme destructrice de son objet (au moins en imagination), *le Sacre de la nuit* semble avoir éloigné, au gré de la célébration amoureuse, les démons de la déshumanisation et les « bêtes cornues dressées sur leurs jambes d'hommes ».

C'est qu'au fond le *Théâtre de chambre* de Tardieu ne se départ jamais de son ironie lors même qu'il s'empare délibérément de sujets graves. C'est ainsi que *le Guichet*, drame de la destinée, confronte un malheureux quidam avec un bureaucrate kafkaïen, qui le manipule de façon plaisante avant de lui annoncer qu'il va mourir en sortant du bureau. Cette fin est traitée sur un ton burlesque plus que tragique. Si le théâtre de Tardieu mérite l'épithète d'absurde, c'est du côté de la dérision qu'il faut chercher à fonder cette parenté que l'auteur n'a d'ailleurs pas tout à fait rejetée, plutôt que du côté du fantasme concentrationnaire. À cet égard le dynamitage que Tardieu fait subir au statut même du personnage dans *Monsieur Moi* relève davantage de la farce que de cette grande crise d'identité qu'éprouvent les années cinquante. Maître et valet, l'un par méditations qui n'avancent pas, l'autre par interjections tout aussi stériles, nous font vivre la grande faillite du personnage de théâtre sur le mode du rire. La dimension satirique joue un rôle non négligeable dans nombre de pièces du recueil, *la Société Apollon* ou *Ce que parler veut dire*.

Tout cela, en définitive, répond au « parti pris rigoureusement et exclusivement esthétique » affirmé par Tardieu

lui-même dans sa Préface. À musique de chambre, théâtre de chambre. Le recueil entre directement en rivalité avec la « démarche créatrice des musiciens », puisqu'il s'agit essentiellement d'y établir, d'y dégager une grammaire des formes théâtrales, condensée en une suite de pièces autonomes, sans le souci de faire sens ou de représenter. C'est la fin du recueil qui remplit plus nettement cette mission et met en œuvre cette poétique. À *la Sonate ou les Trois Messieurs* répond en fin de recueil *Conversation-Sinfonietta*, à cette nuance près que, dans la première pièce, le langage musical vient prêter main-forte à l'évocation en trois mouvements d'un morceau de musique antérieur à la représentation, tandis que la seconde pièce est vraiment un concert de mots, où les mots sont des notes, et où les choristes « ne joueront pas le sens de ce qu'ils disent ». Plus près du langage articulé, *Un mot pour un autre* ou *Un geste pour un autre* opèrent par déplacement paradigmatique, mettant à distance les conventions du théâtre bourgeois, car le langage absurde n'ôte, aux situations théâtrales, rien de leur clarté. Enfin c'est le langage de théâtre, avec son arsenal de conventions et de techniques propres, qui se trouve à la fois exposé et parodié avec *Oswald et Zénaïde*, composé presque exclusivement d'apartés, et *Il y avait foule au manoir*, fait de monologues successifs.

Il reste que le théâtre de Tardieu, qui se veut délibérément « recherche » à l'intérieur d'une forme brève, dépasse toujours l'exercice de style. De même que le poète du *Fleuve caché* (1968) articule savamment les jeux grammaticaux sur l'exploration des sources d'inspiration poétique, le dramaturge propose un théâtre expérimental toujours à mi-chemin entre l'ironie et le sérieux.

➤ *Théâtre*, Gallimard, I.

J.-M. LANTÉRI

THÉÂTRE DE CLARA GAZUL, comédienne espagnole. Recueil dramatique en prose de Prosper **Mérimée** (1803-1870), publié à Paris chez Sautelet en 1925. Il comprend : *les Espagnols en Danemark, Une femme est un diable, l'Amour africain, Inès Mendo ou le Préjugé vaincu, Inès Mendo ou le Triomphe du préjugé, le Ciel et l'Enfer*. Une deuxième édition publiée chez Fournier jeune en 1830 ajoute à l'ensemble *le Carrosse du saint sacrement* et *l'Occasion* (prépubliés dans la *Revue de Paris* les 14 juin et 29 novembre 1829). Enfin, Charpentier fait paraître l'édition définitive en 1842 avec *la *Jacquerie* et *la Famille Carvajal*.

Le premier livre de Mérimée, qui constitue aussi sa première supercherie littéraire, suit immédiatement la publication dans *le Globe*, en novembre 1824, de quatre articles (non signés) du jeune auteur consacrés à l'étude du théâtre espagnol qui fournit ici son modèle essentiel. Cervantès, Calderón, Garcilaso de la Vega ou Moratín imprègnent ces œuvres brèves qui semblent se plaire parfois à les pasticher.

Dans une « Notice sur Clara Gazul », le signataire, Joseph L'Estrange, présente la biographie, romanesque mais vraisemblable, de la comédienne espagnole, prétendu auteur du recueil.

Les Espagnols en Danemark, comédie en trois journées. Un Avertissement sous forme de notice historique et un Prologue dialogué où l'auteur présente sa théorie dramatique précèdent la comédie. En 1808, le Résident français, gouverneur de l'île de Fionie, reçoit une belle espionne, qui se fait appeler Mme de Coulanges, chargée de séduire le marquis de la Romana, commandant du contingent espagnol et qui est soupçonné de trahison. La mère de la jeune femme, la redoutable Mme de Tourville, découvre que le marquis prépare en effet le départ clandestin de ses troupes pour regagner et défendre son pays occupé par les armées napoléoniennes. Apparaît Charles Leblanc, lieutenant de la garde impériale, envoyé lui aussi en mission pour neutraliser, de façon plus expéditive, les troupes espagnoles.

Après avoir reconnu avec répulsion dans les deux espionnes sa mère et sa sœur, il décide qu'on massacrera les Espagnols lors d'un banquet. Mais c'est sans compter sur l'amour, celui de Mme de Coulanges éprise de l'aide de camp Don Juan Diaz, héroïque sauveur de naufragés, farouche patriote et parfait galant homme, et celui de ce même gentilhomme qui offre sa main à la jeune femme trop pénétrée de son infamie pour accepter. Cependant éblouie par la promesse d'une si noble alliance, Mme de Tourville trahit le complot de ses compatriotes, et lors du banquet qui devait leur être fatal, les Espagnols, prévenus, neutralisent leur agresseurs et quittent la Fionie pour l'Espagne, emmenant la belle Mme de Coulanges.

Une femme est un diable ou la Tentation de saint Antoine, comédie. Deux inquisiteurs, tartuffes sensuels, Fray Rafael et Fray Antonio, accueillent avec crainte un jeune supérieur, Fray Domingo, si pur qu'il craint la femme comme le diable. Il suffit à la belle Mariquita, aussi fraîche que jolie, aussi joyeuse que légère – et accusée pour cela même de sorcellerie –, de paraître devant ses juges pour que les deux faux dévots retrouvent leur douceureuse salacité et que le jeune moine trop tourmenté par le sexe songe à quitter la soutane... ce qu'il fait après avoir rejoint la belle dans sa cellule où il tue sans hésiter l'entreprenant Rafael avant de fuir avec la jeune prisonnière.

L'Amour africain, comédie. À Cordoue, Hadji Nouman, qui vient d'acheter la très belle Mojana, s'inquiète de l'absence puis du tourment de son grand ami, Zeïn le Bédouin ; il offre généreusement à ce dernier une forte somme pour l'achat de l'esclave dont celui-ci vient de s'éprendre... et qui se révèle être Mojana. Rendu fou d'amour et de jalousie par la présence de la jeune fille, Zeïn se rue sur Hadji Nouman, qui doit se défendre et le tuer, avant d'assassiner la responsable de la querelle. Les trois personnages se relèvent pour saluer le public.

Inès Mendo ou le Préjugé vaincu, comédie. Mendo, vertueux paysan galicien, révèle à sa fille le terrible secret qui le mine (il doit assumer la charge héréditaire de bourreau du village) afin qu'elle renonce à épouser Don Esteban de Mendoza, passionnément épris d'elle et peu soucieux, à l'instar de son père Don Luis, de préjugé nobiliaire. Averti, le jeune homme, qui vient de tuer le fils de l'alcade pour ses propos insultants envers la jeune fille, persiste dans son intention, mais il est arrêté pour son meurtre et doit être à l'instant mis à mort. Il lègue toute sa fortune à Inès avant de se laisser mener vers le bourreau, Mendo... Celui-ci se tranche la main de sa hache plutôt que d'officier, ce qui permet au Roi d'apparaître pour gracier le jeune homme et marier les jeunes gens en déclarant : « Fasse le ciel qu'ainsi les préjugés soient vaincus dans toute l'Espagne ! »

Inès Mendo ou le Triomphe du préjugé, comédie en trois journées. Don Esteban, désormais honteux des manières de sa femme, se laisse aisément séduire par une de ses anciennes maîtresses, la coquette et perfide duchesse Doña Serafine de Montalvan. Poursuivie par les troupes du roi, elle le persuade habilement de l'accompagner dans sa fuite vers le Portugal, puis de trahir son pays en signant l'ordre de reddition d'une garnison espagnole, avant de l'abandonner pour la cour du Portugal. Revenant en Espagne chercher son pardon, Don Esteban reçoit sa femme mourante dans ses bras et est tué par Mendo. Les personnages se relèvent pour saluer.

Le Ciel et l'Enfer, comédie. Par jalousie et par dépit, une jeune prude, Doña Urraca de Pimentel, trahit son élégant et joyeux amant, Don Pablo Romero, auteur d'un pamphlet antigouvernemental et quelque peu impie, au cours d'une confession et d'un entretien avec le machiavélique inquisiteur Fray Bartolomé, qui lui fait croire qu'elle est trompée. Dans la prison de l'Inquisition, elle découvre que son amant – qui lui pardonne parce que « Qui n'est pas jaloux n'aime point » – ne l'a pas trahie. L'odieux confesseur, venu fort à propos, est tué par la belle indignée qui s'enfuit avec son amant revêtu de la robe du moine.

L'Occasion, comédie. Mariquita (Doña Maria) se meurt d'amour pour son directeur de conscience, Fray Eugenio, dont elle découvre qu'il est l'amant heureux de son amie, Doña Francisca. Décidée à mourir, elle prépare une limonade empoisonnée qu'elle laisse cependant boire à Francisca, avant d'aller se jeter dans le puits. Responsable de ces deux morts, Fray Eugenio demande son pardon au public.

Le Carrosse du saint sacrement, saynète. Le vice-roi du Pérou est amoureux de la Périchole, une comédienne qui le trompe et obtient de lui qu'il lui donne son beau carrosse, objet de convoitise, pour aller à la messe. Elle fait scandale, mais charme l'évêque et fait don du carrosse à l'Église pour que l'on y transporte le saint sacrement au chevet des mourants.

À la suite d'une des lectures que fit Mérimée chez ses amis (Viollet-le-Duc, Delécluze), Stendhal avait vivement félicité le jeune auteur. Rien d'étonnant à ce qu'il ait apprécié une œuvre où l'on pouvait retrouver quelques uns des principes exposés dans *Racine et Shakespeare* : utilisation de la prose pour le théâtre, abandon des unités ou choix d'un sujet d'actualité. Dans le Prologue des *Espagnols en Danemark* l'auteur supposé, Clara Gazul, s'opposant aux railleurs du romantisme, refuse de considérer, « pour juger d'une pièce, si l'événement se passe dans vingt-quatre heures, et si les personnages viennent tous dans le même lieu, les uns comploter leur conspiration, les autres se faire assassiner sur le corps mort, comme cela se passe de l'autre côté des Pyrénées ». La mise en cause de la colonisation (espagnole au Pérou, napoléonienne en Espagne) inscrit l'œuvre dans le courant libéral, tandis que la thématique de l'amour purificateur, qui transcende les préjugés (sociaux, religieux) l'insère plus largement dans la veine romantique. Un autre principe esthétique, hautement affirmé au début de ces pièces, se révèle peut-être encore plus important : l'imitation du théâtre espagnol, qui explique « le trop de rapidité dans l'action, le manque de développements, etc. » (Avertissement d'*Inès Mendo ou le Préjugé vaincu*). Il détermine le genre mêlé des œuvres, plus proches des *comedias*, des drames espagnols (le terme est cité), que des comédies françaises. De nombreuses notes d'auteur – participant au dispositif de la supercherie littéraire – renvoient à ce modèle, qui rend également compte du caractère paroxystique de l'action. Le tour forcené et flamboyant de l'œuvre éclate encore dans les dénouements qui accumulent cris, pleurs, aveux, vengeances, et mises à mort sanglantes. Qu'importe alors l'invraisemblance (la fille du bourreau aimant l'aristocrate, le bourreau se coupant la main au lieu d'officier, l'inquisiteur enlevant l'accusée), pourvu que l'on s'élève sans cesse vers le sublime. Et pour renforcer la filiation, l'auteur a imprégné son recueil de couleur locale, conservant parfois des expressions prétendument intraduisibles ou affichant dans ses annotations un réel savoir ethnographique.

Mais l'œuvre comporte toujours une double dimension. Si le pastiche des *comedias* espagnoles est pour le moins admiratif, s'y ajoute semble-t-il un pastiche ironique du romantisme passionnel (car la passion est le ressort essentiel des intrigues). Mille indices indiquent une mise à distance du pathétique. La brûlante expression de la fureur amoureuse semble parfois raillée ; les moments les plus dramatiques se révèlent souvent corrodés par des éléments de comédie. De véritables grotesques, comme les inquisiteurs ou les gouverneurs, jouent les premiers rôles et contrastent avec les délicates silhouettes de jeunes filles, rieuses mais promptes à mourir, qui annoncent celles de Musset. Enfin, une fine ironie, une raillerie subtile et un léger persiflage démentent constamment l'aspect tragique des intrigues. Il suffit d'ailleurs de retourner un titre et tout est dit : *Inès ou le Triomphe du préjugé*, est l'envers d'*Inès Mendo ou le Préjugé vaincu*. On peut donc se demander si la parodie de la *comedia* n'est pas inscrite au sein même d'œuvres qui se réclament d'elle. Toujours impertinent envers le pouvoir ou le clergé, le recueil témoigne d'un esprit élégant, d'un humour constant : le romantisme de Mérimée, qui met en scène la frénésie (reflétée par la ponctuation, avec ses innombrables points de suspension ou d'exclamation), ou la pureté farouche du barbare (Zeïn par exemple, qui préfigure Mateo Falcone, Colomba ou Carmen), qui rêve d'un ailleurs exotique et plus authentique, contient aussi son spectateur lucide et narquois. Cette écriture au second degré annonce en ce sens *les *Jeunes-France* de Gautier. La tension entre adhésion et mise à distance est révélée, d'une part grâce à l'anglophilie corrigeant çà et là le culte de l'Espagne, d'autre part grâce à la confrontation de deux séries de personnages : face à leurs amantes trop dévotes (Doña Urraca annonce Mme de Piennes dans *Arsène Guillot*), les héros, amants parfaits, sceptiques ou athées, conservent une sorte de fatuité légère et de grâce jusque devant la mort. Mais c'est peut-être l'écriture remarqua-blement concise du paroxysme, plus encore que la finesse ambiguë de l'œuvre, qui devait séduire Stendhal.

● « GF », 1968 (p.p. P. Salomon) ; « Folio », 1985 (p.p. P. Berthier).
➤ *Théâtre*, Club français du Livre ; *Théâtre de Clara Gazul [...]*, « Pléiade », (p.p. J. Mallion et P. Salomon).

F. COURT-PÉREZ

THÉÂTRE DE LA CRUAUTÉ (le). Voir THÉÂTRE ET SON DOUBLE (le), d'A. Artaud.

THÉÂTRE DES BOULEVARDS. « Recueil de parades » de différents auteurs de Thomas Simon **Gueullette** (1683-1766), publié à « Mahon » [Paris] chez Langlois en 1756.

Si on peut le tenir légitimement comme l'un des principaux rédacteurs de ces parades, Gueullette n'en est sans doute pas le seul auteur. Plusieurs hommes de lettres ont pu être nommés pour une même pièce, parmi lesquels Charles Collé ; la raison vient de ce que les sujets des parades passaient de main en main, les scènes n'étant pas toujours rédigées.

Pour peindre le ridicule, sachant que la matière est intarissable, Gueullette choisit la manière de la comédie italienne. Ses pièces appartiennent toutes au répertoire de la commedia dell'arte, c'est-à-dire qu'elles ne prétendent pas à la grande comédie. Point de caractères originaux, mais des rôles traditionnels, Gilles, Arlequin, Léandre, Isabelle, Cassandre. Les procédés non plus ne varient pas : supercheries, déguisements, coups de bâton...

Gueullette fut d'abord traducteur pour les troupes italiennes qui, à leur retour à Paris en 1716 (rappelées par le Régent), jouaient en italien. Des boniments de baraque foraine (on peut se rapporter à la Préface du *Théâtre des boulevards*, qui comporte une lettre de Gilles en style poissard assez salé), il passe peu à peu aux salons de la bonne compagnie. D'où un ensemble de pièces assez hétérogène, qui va du comique facile des tréteaux de foire *(la Pomme de Turquie)* à un théâtre plus raffiné mais aussi plus mondain, un « théâtre de société » selon l'expression consacrée à l'époque (ainsi *le Billet perdu, les Acteurs de société...*).

Qu'est-ce au juste qu'une parade ? Si l'on en croit l'*Encyclopédie*, il s'agit d'une « espèce de farce, originairement préparée pour amuser le peuple, et qui souvent fait rire, pour un moment, la meilleure compagnie ». Tout est dit de ce théâtre populaire où l'on rit de bon cœur, à condition de ne pas bouder son plaisir. Les personnages des parades sont communément le bonhomme Cassandre, père, tuteur ou amant déconfit d'Isabelle, fausse et précieuse ; le beau Léandre, son amant, « allie ton grivois d'un soldat à la fatuité d'un petit maître » (*Encyclopédie*). La parade peint vivement les mœurs du peuple. L'invention y révèle les talents de l'auteur, et il se glisse de fines plaisanteries au milieu des quolibets et des équivoques faciles. Les scènes sont truffées de lazzis : Gilles, dans *le Muet aveugle*, apprend que sa mère est morte (*il pleure*), découvre cependant qu'elle lui a laissé cinquante écus (*il rit*) ; mais sa sœur s'est faite prostituée (*il pleure*), mais elle a amassé cent livres d'argent (*il rit*). On ne compte pas non plus les allusions gaillardes (tel Léandre espérant triompher d'Isabelle, et de soupirer : « Ah ! ciel, je suis le plus heureux homme du monde, si j'ai le bonheur d'être l'homme du monde le plus heureux », dans *le Bonhomme Cassandre aux Indes*), et les jeux de mots :

> ARLEQUIN. – Vous partez pour les Dindes, Monsieur ? CASSANDRE. – Oui mon cher z'Arlequin, mais je crains fort de ne me pas bien porter sur la mer. ARLEQUIN. – Je crois que vous ne vous porteriez pas mieux

> sur la fille. CASSANDRE. – Tu y as été, toi, n'est-ce pas ? ARLEQUIN. – Sur l'une et sur l'autre, et j'ai toujours gagné gros.

(ibid.)

L'intrigue n'est pas nécessaire dans un simple divertissement comique où, comme on le voit, la connotation sexuelle est prédominante. Et puisque la vie n'est finalement qu'un commerce de femmes, d'argent ou de vin, toute entente conclue est un marché de dupes. Les maîtres sont des sots, les valets, des coquins et tout ressemble fort à la bonne société qui vient assister au spectacle. Le valet Gilles est escroqué par des filous (*le Chapeau de Fortunatus*), quand il n'est pas exploité par son maître. Les parades se terminent ainsi généralement par une belle empoignade à laquelle tous les acteurs sont conviés. À moins qu'elles ne finissent en chansons, comme l'ultime pirouette d'une société où l'on trompe son prochain comme soi-même, et où « déniaiser » est le maître mot.

● *Léandre fiacre, la Chaste Isabelle, Isabelle grosse par vertu*, in *Théâtre du XVIIIᵉ siècle*, I, « Pléiade », 1973 (p.p. J. Truchet).

S. PUJOL

THÉÂTRE DU MONDE (le). Traité de Pierre **Boaistuau** (1517-1566), publié à Paris chez Vincent Sertenas en 1558.

Boaistuau ne tardera pas à publier le *Bref Discours de l'excellence et dignité de l'homme*, qui corrige cette méditation pessimiste sur les misères de la condition humaine adressée à un siècle « corrompu, dépravé et confit en toutes espèces de vices et d'abominations ».

Les anciens philosophes et les pères de l'Église ont abondamment décrit les misères de l'homme. Pour se persuader de la vanité de notre race, il n'est que de contempler les animaux naturellement dotés de vertus que les hommes se refusent à pratiquer (livre I). Observons l'homme à sa naissance : il « entre au palais de ce monde » dans le sang et les gémissements ; passons en revue les états de la société : on ne trouve que vices (II). La maladie, la guerre, la famine, les passions torturent l'humanité sans relâche. Mais ces maux ne sont rien au prix du jugement dernier qui attend le pécheur (III).

C'est, confie Pierre Boaistuau, en formant le projet d'une traduction de *la Cité de Dieu* de saint Augustin qu'il a réuni les éléments nécessaires à son *Théâtre du Monde* ; le lecteur pourra y « contempler et aviser, sans être tiré hors de soi, son infirmité et misère, afin que faisant anatomie et revue de toutes les parties de sa vie, il soit ému à détester sa vilité ». L'ensemble du projet présente donc un net caractère didactique, dont témoignent aisément certains des auteurs convoqués pour la réalisation de cet ouvrage de compilation : saint Augustin, saint Jérôme, saint Jean Chrysostome, saint Bernard, le cardinal Lothaire, le Pogge, Érasme, Guevara, Mexia et Clichtove. Il ne s'agit que d'abaisser l'homme par le spectacle de ses misères venues en conséquence du péché, afin de l'amener à connaître qu'il est en la main de Dieu, « ainsi que l'argile et le vaisseau en la main du potier, lequel il peut faire, défaire, former, rompre, casser et réparer ».

Le spectacle du malheur humain doit incliner à plus de vertu. Boaistuau ne ménage pas les effets susceptibles de convertir ses lecteurs : abondance d'exemples édifiants en cette composition rhapsodique, recours au ton polémique (pour fustiger à l'occasion les vices du clergé), expression chargée d'émotion aident à brosser ce noir tableau de l'humanité défigurée par le péché.

● Genève, Droz, 1981 (p.p. M. Simonin).

M.-C. GOMEZ-GÉRAUD

THÉÂTRE EN LIBERTÉ. Recueil dramatique de Victor **Hugo** (1802-1885), publié à Paris chez Hetzel et Quentin en 1886. L'édition originale, outre le Prologue, daté du 26 juillet 1869, ne comprend que *la Grand-Mère, l'Épée, Mangeront-ils ?, Sur la lisière d'un bois, les Gueux, Être aimé, la Forêt mouillée*. En 1911, l'édition Ollendorff y joint des scènes et fragments inclus dans *Dernière Gerbe* (vers inédits parus en 1902), un reliquat comportant des variantes et des plans, *Don César, Maglia*, les *Comédies cassées* (dont certaines saynètes publiées dans *Toute la lyre*, recueil posthume de vers, 1888-1893). On y ajoute ordinairement aujourd'hui d'autres textes, dont *les Deux Trouvailles de Gallus*, prévu pour les **Quatre Vents de l'esprit* (1881), *Mille Francs de récompense* et *Torquemada*, drame en quatre actes et en vers, créé en 1882.

Constitué principalement de deux groupes de textes (l'un composé de 1865 à 1867 : *Mille Francs de récompense, l'Intervention*, en prose, *la Grand-Mère, Mangeront-ils ?*, en vers ; l'autre écrit en 1869 : *l'Épée, les Deux Trouvailles de Gallus, Torquemada, Welf, Castellan d'Osborne* – réservé pour *la *Légende des siècles* –, en vers), le recueil, dans sa version actuelle, rassemble des « comédies où l'on meurt » et des « tragédies où l'on ne meurt pas ». Plus que ces transgressions bien éventées à l'époque, les textes proposent un « théâtre injouable » (tel fut l'un des titres envisagés par Hugo)... et pourtant partiellement joué.

Parmi les textes rassemblés dans le recueil, on peut privilégier *Mille Francs de récompense* et *Mangeront-ils ?*, même si le couple d'amants tragiques des *Deux Trouvailles de Gallus*, les amoureux de *Sur la lisière d'un bois*, la symphonie des voix de la nature dans *la Forêt mouillée* (1854), les bouffons des *Gueux*, le souffle épique de *l'Épée* ou les enfants de *la Grand-mère* (1865) déploient un festival de fantaisie et d'invention poétique.

Organisé en 4 actes et 22 scènes, **Mille Francs de récompense**, composé en 1866, met en scène Glapieu, un « excentrique en rupture de ban » qui fuit la police et surprend l'intrigue suivante : le baron de Puencarral, un banquier, fait saisir les biens du vieux major Gédouard, dont la fille Étiennette supplie le misérable Rousseline, affairiste escroc, de les aider. Il accepte à condition d'épouser la pure Cyprienne, la fille d'Étiennette, qui aime Edgar, employé du banquier (Acte I). Le baron de Puencarral offre mille francs de récompense à qui lui rapportera une somme disparue, qu'Edgar, en fait, a détournée pour payer l'huissier. « Bon diable », Glapieu sauve Edgar du suicide et récupère l'argent (Acte II). On apprend que Puencarral est le vrai père de Cyprienne, alors que Glapieu rapporte l'argent volé, et, refusant la récompense, se fait embaucher par le baron pour garder son coffre. Edgar l'observe, et croyant qu'il cherche à dévaliser Puencarral, veut l'en empêcher ; mais Glapieu voit en Edgar un voleur et le fait arrêter (Acte III). Edgar va être condamné. Rousseline renouvelle sa proposition à Cyprienne, qui, pour sauver Edgar, accepte. Heureusement, Puencarral reconnaît Étiennette, et tout finirait par s'arranger, si, tout en promettant son indulgence, la justice ne s'acharnait sur Glapieu à cause de ses antécédents (Acte IV).

Hugo dénonce dans cette pièce la pourriture morale, dans les années 1820, d'une bourgeoisie tout entière à l'argent attachée et l'iniquité de la justice. Seule grande œuvre théâtrale de Hugo à se situer à l'époque contemporaine, la pièce adopte une esthétique mélodramatique, combinant à la simplicité affectée des effets, aux rebondissements de l'intrigue et au conflit sentimental, l'opposition entre le traître, l'homme d'affaires Rousseline, et le bon, le vagabond Glapieu (qui faillit s'appeler Gladieu).

Écrit en 1867, **Mangeront-ils ?** comporte 10 scènes réparties en 2 actes. Au cours des nombreux projets successifs de publication, cette comédie devait figurer dans une série intitulée *la Puissance des faibles*. En sont ainsi définis le sens et le climat social. Deux amants poursuivis par la jalousie d'un roi vindicatif se réfugient dans les ruines d'un cloître. Mais l'on ne peut vivre d'amour et d'eau fraîche. Il faut aussi manger. Belle figure de gueux hugolien, Aïrolo, brigand hilare, bienfaisant et serviable, doté par la sorcière Zineb de pouvoirs magiques, leur porte secours.

Ce théâtre « en liberté » est aussi un théâtre rêvé qui privilégie une forme affranchie de la contrainte scénique, assumant tous les « excès » dont Hugo avait usé (et abusé aux yeux de ses contemporains) dans son théâtre joué.

Non que le dramaturge revendique l'impossibilité radicale de mettre en scène ces textes (à preuve *Mille Francs de récompense*, adaptable sans grande difficulté aux normes de la représentation) : mais un imaginaire librement déployé métamorphose l'écriture théâtrale en exercice joyeux, en exploration des possibilités de la forme dialoguée, poussée aux limites de l'échange.

À la subversion des genres Hugo ajoute cette dimension fondamentale, selon lui, du théâtre romantique : le grotesque, auquel les pièces précédentes, condamnées à en contrôler, sinon à en étouffer, la tentation, n'avaient pu laisser libre cours. D'où la sarabande endiablée – et parfois littéralement – des marginaux et des exclus (enfants, sorcières, prostituées, bandits, gueux et révoltés de tout acabit, tel le Glapieu de *Mille Francs [...]*). D'où la place éminente de la nature, à la fois décor et mythe de fécondité.

Mais l'iconoclastie n'anéantit pas, il s'en faut, les emprunts aux formes établies. Le mélodrame offre ses facilités, notamment dans *l'Intervention* et surtout dans *Mille Francs de récompense*, ainsi qualifié par Hugo lui-même, et structure nombre de pièces, où abondent reconnaissances, retrouvailles, vertus menacées et sauvées, cadres surcodés (maison au milieu d'une clairière environnée d'une sombre forêt dans *la Grand-Mère*, ou village encastré en une sauvage montagne dans *l'Épée*).

Cependant, le *Théâtre en liberté* échappe aux limites idéologiques du mélodrame. D'abord par sa force révolutionnaire, il dénonce les difficultés d'aimer engendrées par un monde où dominent l'oppression et l'appât du gain : d'où le traitement du couple dans *l'Intervention*, dans *les Deux Trouvailles [...]* ou dans *Mangeront-ils ?*. Par ailleurs, le recueil célèbre les vertus et les vertiges d'un langage éclatant et éclaté : le dialogue se fige le plus souvent en monologues proliférants, s'orne à l'extrême de métaphores surprenantes et splendides, multiplie les extases verbales, voire verbeuses, et magnifie la (re)conquête de la parole par ceux à qui elle était interdite. S'impose alors la violence poétique de l'« univers en démence », dont *Torquemada*, drame historique, épique et grotesque, donne une version exemplaire.

➤ *Œuvres complètes*, Club français du Livre, XIII et XIV ; *id.*, « Bouquins », Théâtre II.

G. GENGEMBRE

THÉÂTRE ET SON DOUBLE (le). Recueil de textes d'Antonin **Artaud** (1896-1948), publié à Paris chez Gallimard en 1938.

Cet ouvrage rassemble les réflexions qu'Artaud a consacrées au théâtre depuis 1932 : essais précédemment publiés dans *la Nouvelle Revue française*, conférences en Sorbonne, manifestes, lettres adressées, pour la plupart, à Jean Paulhan, etc.

Une Préface, vraisemblablement postérieure aux autres textes du recueil, met en exergue la pierre angulaire de la pensée d'Artaud, la dénonciation d'une imposture : faite de mots, de concepts, la culture occidentale n'a plus aucune prise sur la vie. C'est bien pourquoi Artaud condamne violemment l'idéologie du chef-d'œuvre et les pratiques culturelles élitistes et dévotes qui s'y rattachent (« En finir avec les chefs-d'œuvre »).

La seule « culture » qui vaille doit être un champ d'énergie, une « vraie magie », c'est-à-dire une « poésie » (Artaud n'a pas été pour rien, un moment, surréaliste). Elle doit pouvoir transformer, transmuer la vie. Et, aux yeux d'Artaud, le théâtre, s'il s'arrache à l'esthétisme, au réalisme et au logocentrisme de la tradition européenne, pourra devenir ce noyau incandescent... La condition de sa métamorphose, c'est qu'il cesse d'être « représentation » pour devenir « événement », d'être « mimésis » pour devenir « création ». D'où cette notion de « double » quelque peu énigmatique : « Toute vraie effigie a son ombre qui la double ; et l'art tombe à partir du moment où le sculpteur qui la modèle croit libérer une sorte d'ombre dont l'existence déchirera son repos » (« le Théâtre et la Culture »).

Pour caractériser ce théâtre essentiel, Artaud utilise des « modèles », ou, si l'on veut, raisonne par analogie. Le théâtre doit être « comme » la peste, « un mal qui creuse l'organisme et la vie jusqu'au déchirement et jusqu'au spasme ». Un ferment de dislocation et de danger qui, arrachant le moi à son confort, le projette au bord du gouffre, du Chaos (« le Théâtre et la Peste »). Ou bien : le théâtre doit être « comme » ce tableau de Lucas de Leyde, *Loth et ses filles*, à partir duquel Artaud rêve à une mise en scène selon son cœur, avec de fulgurants effets d'éclairage et des foules en proie à un « désastre total » (« la Mise en scène et la Métaphysique »). Ou encore : le théâtre doit être « comme » l'alchimie, non pas simulacre, mais création par transmutation (« le Théâtre alchimique »). Le théâtre balinais, qu'il a pu découvrir à Paris en 1931 à l'Exposition coloniale, est finalement le seul exemple de théâtre constitué dont il fasse un « modèle ». Il y voit, peut-être à tort, un cérémonial entièrement débarrassé de la psychologie et du mimétisme à l'occidentale (« Sur le Théâtre balinais »). L'un des leitmotive d'Artaud est d'ailleurs la condamnation de l'européocentrisme et la référence nostalgique à un modèle mythique, le théâtre oriental ramené à une entité unique. Ce théâtre, tel qu'Artaud le rêve, a conservé la mémoire de ses origines. Il n'a jamais oublié qu'il devait parler un langage spécifique, à la fois plastique et physique, qui se déploie dans l'espace et le temps, ou qu'il avait à voir avec le sacré, qu'il devait être rituel et exclure toute approximation, toute initiative individuelle pour s'épanouir en chorégraphies d'« une adorable et mathématique minutie ». Artaud, notons-le, retrouve ici certaines idées de l'Anglais Craig, dont il a pu avoir connaissance (« Théâtre oriental et Théâtre occidental »).

Avec « le Théâtre et la Cruauté », s'affirme une notion cardinale à laquelle les textes précédents faisaient allusion. La cruauté ordonne les grands thèmes de la théâtrologie artaudienne : recherche d'un bouleversement du moi, assimilation du théâtre à un exorcisme qui ferait « affluer nos démons », organisation de la transe du spectateur à des fins thérapeutiques... Pour la première fois, Artaud pose le problème du public. La cruauté implique un théâtre de masse. Seule une foule peut lui servir de caisse de résonance et donc démultiplier son efficience. Pour la première fois aussi, il envisage les moyens à mettre en œuvre pour réaliser ce nouveau théâtre. Cette volonté d'explicitation technique se déploie dans « le Théâtre de la cruauté (Premier Manifeste) ». Le langage spécifique du théâtre doit être physique. Cela veut dire qu'il doit exploiter les potentialités du corps, gestuelle, mimique, mais aussi celles de la vocalisation (cri, onomatopée, incantation, etc.). Les ressources de la lumière, arrachée au mimétisme, doivent contribuer à l'ébranlement organique, hallucinatoire d'un spectateur-participant. Artaud prône également le recours au bruitage, à des musiques « inouïes », l'utilisation d'objets « neufs et surprenants », de mannequins gigantesques... Surtout, l'espace du cérémonial est repensé. Fin du face-à-face traditionnel : le spectateur sera enveloppé, traversé, par des actions qui éclateront sur tous les plans et en tous les points de l'espace. La cruauté, précise Artaud comme pour répondre à des critiques, ne se limite nullement au spectacle sanglant même si elle ne l'exclut pas. Les visions sadiques ne sont pas la fin de ce théâtre. Tout au plus un moyen parmi d'autres qui contribuent à une finalité spirituelle : fonder une pratique d'où le spectateur ne sorte pas intimement indemne (« Lettres sur la cruauté »).

Avec « le Théâtre de la cruauté (Second Manifeste) », Artaud s'efforce de déjouer d'autres objections : ce théâtre n'est-il pas une impossible utopie ? Après avoir repris la plupart des thèmes qu'il avait précédemment développés, Artaud en vient à évoquer ce que devrait être le spectacle inaugural du théâtre de la cruauté, « la Conquête du Mexique ». S'y combineront, comme il l'a toujours rêvé, l'Histoire et la métaphysique. Les événements qui en constituent la trame tournent autour de la question de la colonisation, de l'affrontement de deux civilisations étrangères l'une à l'autre mais, plus largement, de deux religions, de deux conceptions du monde.

Enfin, « Un athlétisme affectif » est centré sur l'acteur selon Artaud. Non plus le vain déclamateur de la tradition européenne, mais une sorte de chaman qui s'engage de tout son être, à la lettre corps et âme. Le souffle devient la base de sa technique. À dire vrai, les nombreuses allusions à la kabbale, à l'Égypte ancienne, au ying et au yang, rendent ce texte superbe mais inexploitable du point de vue de la pratique théâtrale. Mais on perçoit fortement la double postulation de la théâtrologie artaudienne. La technique de l'acteur doit devenir une « mathématique » et rien ne doit être laissé au hasard ni à l'inspiration individuelle. D'autre part elle doit viser à l'efficacité. L'acteur digne de ce nom doit être capable de « jeter le spectateur dans des transes magiques ». Le théâtre ne doit plus être un spectacle mais un événement. Et peut-être un avènement.

À sa parution, *le Théâtre et son double* n'eut guère de retentissement. Le théâtre français, même dans ses manifestations les plus modernes, restait soumis au logocentrisme, au réalisme et à l'esthétisme. Et il ignorait totalement les pratiques des théâtres non européens. En outre, l'échec d'Artaud à réaliser son utopie – *les Cenci*, en 1935, n'avaient été perçus que comme une intéressante tentative « avant-gardiste » – confortait ses lecteurs dans l'idée qu'il s'agissait avant tout d'un rêve de poète. Vient la guerre, puis, à partir des années cinquante déferle la vague brechtienne... Il faut attendre les années soixante pour que l'essai d'Artaud, passablement oublié en France, devienne la bible du nouveau théâtre américain. Des troupes, dont le succès va rapidement devenir international (le Living Theatre, le Bread and Puppet Theatre notamment) y trouvent les fondements théoriques qui légitiment leur propre recherche. Car elles aussi mettent en œuvre cette volonté d'exclure psychologie et réalisme, d'utiliser toutes les ressources offertes par de nouveaux espaces, d'explorer le magnétisme corporel de l'acteur pour promouvoir l'ébranlement intérieur du spectateur. Mais ce sont sans doute les expériences du Polonais Jerzy Grotowski qui, par leur impact sur des spectateurs comme physiquement subjugués par un acteur en état de transe contrôlée, donnent à la même époque aux lecteurs d'Artaud le sentiment que son rêve est enfin réalisé. Et Grotowski n'avait pas, initialement, lu *le Théâtre et son double* !

Sans doute Artaud n'est-il plus aujourd'hui invoqué religieusement pour faire pièce au brechtisme dominant. D'autre part, le théâtre actuel s'est, comparativement, assagi et peut-être affadi. Retour au texte, retour à la psychologie, retour au face-à-face traditionnel. Mais on peut aussi observer que bon nombre des revendications d'Artaud irriguent désormais la vie du théâtre au jour le jour. Les pratiques extrême-orientales sont des références essentielles pour Ariane Mnouchkine et son Théâtre du Soleil. Au théâtre des Bouffes-du-Nord, cet espace miraculeux et comme « chu d'un désastre obscur » qui aurait sans doute fasciné Artaud, Peter Brook, sans tapage, mène sur les potentialités physiques de l'acteur, sur son magnétisme, un travail régulier, rigoureux et fécond, et la puissance d'envoûtement de ses spectacles est unanimement reconnue. Sa mise en scène du *Mahabharata* (1985), par exemple, évocation épique de la cosmogonie hindoue, est parfaitement conforme à la plupart des réquisits artaudiens.

Et l'on pourrait sans trop de mal ranger sous la bannière du *Théâtre et son double* la plupart des grands noms de la scène contemporaine. Artaudien, l'Américain Bob Wilson qui mobilise à travers de lancinantes chorégraphies les doubles obscurs que l'enfance a déposés en lui et en chacun de nous. Artaudien, le Polonais Tadeus Kantor et son étonnant Théâtre de la Mort. Artaudiens peut-être aussi sans le savoir, les inventeurs japonais du bhuto, ce rite étrange de corps comme échappés à une apocalypse nucléaire et rêvant à on ne sait quelle résurrection. *Le Théâtre et son double*, on le voit, mérite pleinement le qualificatif, si souvent galvaudé, de prophétique.

● « Folio / Essais », 1985 (p.p. P. Thévenin). ➤ *Œuvres complètes*, Gallimard, IV.

J.-J. ROUBINE

THÉÂTRES DE GAILLON (les). Recueil de divertissements de cour de Nicolas **Filleul de La Chesnaye** (1537-vers 1590), publié à Rouen chez Loyselet en 1566. Il comprend quatre bucoliques, une tragédie et une pastorale représentées la même année.

Filleul fut chargé par le cardinal de Bourbon, archevêque de Rouen, de composer cet ensemble en 1566, à l'occasion de la visite du roi Charles IX au château de Gaillon. Les églogues intitulées "les Naïades ou Naissance du roi", "Charlot", "Thétys" et "Francine", fortement teintées de Mythologie, furent représentées le 26 septembre 1566 ; le 29, on donna la tragédie de *Lucrèce*, et la pastorale des *Ombres*, dans une salle du château.

L'églogue des "Naïades" met en scène deux nymphes éprises de Charles IX : elles chantent leur foi dans le roi qui rétablira en France l'âge d'or ; on verra alors « les fontaines sourser de lait » et « en perles changer l'arene de leurs rives ».

"Charlot" a pour sujet les malheurs de la bergerie, mais aussi ses espoirs, car « quelque main divine » (celle du roi Charles, bien sûr) « l'âge d'or achemine ».

Dans le chant suivant, "Thétys", la Néréide et Pélée évoquent Achille, fruit de leurs amours, et admettent que ce grand guerrier voit sa gloire dépassée par celle de Charles IX, « au ciel un bel astre nouveau ».

"Francine" est une allégorie : Francine [la France] se lamente sur la mort de Daphnis [Antoine de Bourbon] ; son ombre charge Tytyre [le cardinal de Bourbon] de veiller sur Francine et prédit le retour de l'âge d'or.

La tragédie de *Lucrèce* rapporte comment Sexte Tarquin est tombé amoureux fou de la chaste Lucrèce, épouse de Collatin (Acte I), et l'a violée. Lucrèce pleure son honneur perdu et envisage de se donner la mort, cependant que Collatin contemple le spectacle de la décadence romaine (Actes II-III). Malgré les arguments que lui oppose sa nourrice, la jeune femme, ivre de vengeance insatisfaite, persiste dans son projet. Quand la nourrice révèle à Collatin le forfait perpétré par Sexte Tarquin, le mari bafoué rêve de revanche (Acte IV), mais « Lucrèce ne vit plus ». Brute [Brutus] vengera l'épouse déshonorée (Acte V).

Les Ombres ramènent le spectateur dans l'univers pastoral : deux nymphes, Clion et Mélisse, redoutant les maux engendrés par le sentiment, refusent de succomber à l'amour du Satyre et de Thyrsis. Toutes deux vont demander un remède à Myrtine. Survient Cupidon qui veut mettre ces rebelles à la raison. Mais le Satyre et Thyrsis ont lié Cupidon qui fait la preuve de sa puissance : les nymphes, vaincues, reconnaissent qu'« au pouvoir du destin son pouvoir est égal ».

« Expression d'un rêve arcadien au plus fort de la tourmente », selon le mot de Françoise Joukovsky, *les Théâtres de Gaillon* posent, aussi bien dans la première série des pastorales que dans la tragédie, le problème du pouvoir politique et de l'harmonie dans le monde. L'âge d'or est révolu, et « l'homme devient de jour en jour moins vertueux ». Dans une situation universelle de désordre et de décadence, l'intervention des dieux dans le monde se révèle nécessaire ; comme l'écrit Nicolas Filleul dans le « Discours à la reine », « Les dieux ne laissent point errer à l'aventure, / Les hommes qui des cieux ont leur estre et nature, / Mais tousjours quelque dieu, pour leur servir de frain, / Se recele icy bas dessous un corps humain ».

Cet envoyé des dieux, institué par Jupiter, c'est le bon prince, capable d'assurer le bonheur de ses sujets. La pastorale aspire au retour de l'âge d'or, et sa tension vers le futur n'envisage qu'une restauration des vertus passées et regrettées. L'églogue tourne ici au panégyrique royal, mais l'on sent se profiler, derrière l'œuvre de cour, une réelle inquiétude de la part du poète : le choix du sujet de Lucrèce pour développer l'action tragique renvoie, comme en un miroir, les angoisses engendrées par une société où s'installe le désordre, et où la vertu souffre mille maux. Tragédie de l'Histoire d'où les dieux sont étrangement absents, la *Lucrèce* propose une solution humaine pour remédier aux troubles politiques : la révolte finale est autant une manière de venger la chaste épouse qu'une manière d'en finir avec la tyrannie. Le chœur peut à juste titre chanter la vertu souffrante, mais finalement victorieuse.

Seul le drame bucolique des *Ombres* sacrifie totalement à une thématique amoureuse, et semble, pour un temps, oublier les soucis de l'Histoire. Dans le cadre de Gaillon, le théâtre a opéré sa fonction d'exorcisme : la cour a oublié le désastre des guerres civiles alentour, et peut s'intéresser aux subtilités du sentiment. Pour élaborer *les Théâtres de Gaillon*, Nicolas Filleul a largement suivi les modèles antiques : Tite-Live a fourni la matière de la *Lucrèce*, où l'on reconnaît les accents violents d'un Sénèque, mais aussi de nombreux emprunts à des poètes comme Tibulle, Properce et Horace dans les vers du chœur. Dans les grandes lignes de sa tragédie, Filleul a voulu se conformer aux principes en vigueur à l'époque : il ne représente pas la mort de l'héroïne sur le théâtre, commence l'action *in medias res*, mais renonce à appliquer

strictement la règle de l'unité de temps. Dans les pièces pastorales, l'influence de Virgile et des élégiaques latins est sensible. Cependant, le poète normand adapte son modèle à un nouveau cadre géographique et prête les charmes du *locus amoenus* aux rivages herbeux et fertiles de la Seine.

● Genève, Droz, 1971 (p.p. F. Joukovsky).

M.-C. GOMEZ-GÉRAUD

THÉBAÏDE (la) ou les Frères ennemis. Tragédie en cinq actes et en vers de Jean **Racine** (1639-1699), créée à Paris au théâtre du Palais-Royal le 20 juin 1664, et publiée à Paris chez Barbin et Quinet la même année.

Cette pièce, la première de Racine, alors jeune auteur de vingt-cinq ans qui ne s'était guère essayé qu'à quelques poésies de circonstance, marque d'emblée une inclination pour un tragique épuré d'actions annexes et dont le dénouement résolve les données de l'intrigue par un cheminement aussi direct que possible. Ainsi, tout en s'inspirant de l'*Antigone* de Sophocle, des *Phéniciennes* d'Euripide et, plus près de lui, de l'*Antigone* de Rotrou, il concentre l'intérêt sur la haine des deux frères.

Étéocle, fils incestueux d'Œdipe et de Jocaste, est monté sur le trône de Thèbes à la mort de son père. Il refuse de céder la place à son frère Polynice qui revendique le droit légitime d'exercer le pouvoir en alternance avec lui. Polynice fait donc le siège de Thèbes et plonge sa mère dans le désespoir de voir ses deux fils s'affronter. Elle veut fléchir Étéocle et lui demande de rencontrer Polynice. Il accepte malgré les conseils de Créon, leur oncle, qui a épousé la cause d'Étéocle et prône la stabilité du pouvoir en sa faveur, bien qu'un de ses fils, Hémon, ait choisi le camp de Polynice. Antigone, sœur des frères ennemis et amoureuse d'Hémon, voudrait que la querelle s'apaise et elle soupçonne, ainsi que sa mère, Créon de tout faire pour s'emparer personnellement du pouvoir (Acte I). Un oracle a révélé que la paix exigeait le sacrifice du dernier sang royal. Au palais, Polynice réaffirme ses exigences. On vient annoncer que la trêve a été rompue (Acte II). Pour mettre fin au combat, Ménécée, le second fils de Créon, se sacrifie, pensant accomplir l'oracle. Polynice veut rencontrer son frère, mais Créon, qui aspire effectivement au trône, espère tirer parti de la situation (Acte III). L'entrevue entre les deux frères échoue ; ils s'affronteront en un combat singulier. Antigone espère qu'Hémon pourra les en empêcher (Acte IV), mais il meurt en tentant de les séparer ; les deux frères s'entretuent et Jocaste se poignarde. Créon triomphe : il offre le mariage à Antigone qui préfère se tuer, l'acculant lui-même au suicide (Acte V).

Le traitement retient l'attention plus que le sujet, peu original. Tout commence *in medias res*, Thèbes est assiégée, la querelle doit être vidée. Si la fatalité pèse sur la descendance d'Œdipe comme le souligne Jocaste dès la première scène, l'habileté de Racine consiste à ramener son accomplissement à des degrés humains. La pièce se présente ainsi d'abord comme une tragédie politique qui pose la question de la légitimité du pouvoir. Les discours des deux prétendants, à l'acte I puis à l'acte II, apparaissent successivement convaincants par leur autonomie et leur cohérence interne. Étéocle ne semble tenir à la couronne que parce qu'il est soutenu par le peuple, qui ne veut pas de Polynice. Souverain responsable de ses sujets, il est également soutenu par Créon, lui-même convaincant par l'argument de la stabilité du pouvoir assurant la paix (I, 5). Polynice, lui, rappelle qu'un « tyran qu'on aime » est un tyran tout court et que seul le droit doit triompher. Quand à Créon, il incarne finalement le cynisme que rien ne peut fléchir dans sa course au « plaisir de régner » (III, 6). Il est le moteur de toute l'action, bien que l'aveu tardif de son ambition puisse apparaître comme une maladresse de composition, de même que son amour pour Antigone, qui se greffe *in extremis* sur le dénouement. L'ensemble manque donc d'unité mais offre déjà, notamment par la simplicité de l'action, des orientations intéressantes que Racine saura mettre à profit.

➤ *Théâtre*, Les Belles Lettres, I ; *Œuvres complètes*, « Pléiade », I ; *Théâtre complet*, « GF », I ; *id.*, « Folio », I ; *id.*, « Classiques Garnier ».

P. GAUTHIER

THÉODORE, VIERGE ET MARTYRE. Tragédie en cinq actes et en vers de Pierre **Corneille** (1606-1684), créée à Paris au théâtre du Marais durant l'hiver 1645-1646, et publiée à Paris chez Toussaint Quinet en 1646.

C'est, après *Polyeucte, la seconde « tragédie chrétienne » du dramaturge, et peut-être sa pièce la plus sombre. Le martyre de cette princesse d'Antioche, rapporté dans le *De virginibus* de saint Ambroise, source avouée de Corneille, était fort connu : le martyrologe romain, les histoires ecclésiastiques et les recueils hagiographiques, fort nombreux depuis le XVe siècle, l'avaient souvent évoqué. Les Italiens Bartolomei, dans sa *Teodora* (1636) et Rospigliosi (*Teodora vergine et martire*, 1636-1637) l'avaient porté à la scène. En France, plusieurs poètes avaient conté les « combats » de Didyme et de Théodore, et Antoine Godeau venait de lui consacrer l'une de ses *Poésies chrétiennes*, "la Vierge d'Antioche" (1639), dédiée à Mme de Rambouillet. La tragédie religieuse demeurait enfin un genre florissant. Corneille n'avait que l'embarras des sources (auxquelles il convient d'ajouter des tragédies traitant un thème voisin comme la *Sainte Agnès* [1615] du Normand Troterel, sieur d'Aves) pour traiter à son tour cet épisode sanglant de l'Église primitive.

Proscrit et ruiné à l'avènement de Dioclétien, Valens a retrouvé rang et fortune par son mariage politique avec Marcelle, dont le frère, Marcellin, est devenu le favori de l'empereur. « Gouverneur » d'Antioche, il n'est qu'un dignitaire d'apparat, soumis à l'autorité occulte de sa femme. La fille de celle-ci, Flavie, née d'un premier lit, se meurt d'amour pour Placide, fils de Valens et amoureux de Théodore. Marcelle exige la mort de la rivale de sa fille : Théodore n'est-elle pas chrétienne ? et Dioclétien n'a-t-il pas ordonné de persécuter les chrétiens ? (Acte I). Théodore qui, de son côté, s'efforce de dissimuler sa passion pour Didyme, promet à Marcelle de ne jamais épouser Placide, mais refuse, par fidélité à sa foi, d'en faire serment dans le temple de Jupiter. Valens la fait emprisonner pour la vouer non à la mort qu'elle braverait, mais à la prostitution (Acte II). La visitant dans sa prison, Placide lui offre en vain de s'enfuir avec lui en Égypte : Dieu est le seul qu'elle souhaite suivre (Acte III). Coup de théâtre : la rumeur se répand que Marcelle a obtenu de son mari la grâce de la princesse. Joie de Placide – hélas ! prématurée. On lui annonce que sa belle-mère n'a fait libérer Théodore que pour la livrer aux soldats. En réalité, Didyme a pu lui éviter juste à temps cette honte en lui prêtant ses propres vêtements. Une émulation héroïque anime désormais les deux amoureux de Théodore (Acte IV). Arrêté pour avoir proclamé sa foi dans le Dieu des chrétiens, Didyme, qui n'a feint d'aimer Théodore que pour la sauver, attend et espère le martyre. La mort de Flavie déchaîne la fureur de Marcelle, et Théodore dispute généreusement à Didyme la joie de mourir. Valens se cantonne quant à lui dans une froide expectative. Marcelle prend sur elle de faire exécuter Didyme et Théodore. Désespéré, Placide se suicide devant son père, après l'avoir maudit (Acte V).

La pièce, d'une rigoureuse construction, fut un échec retentissant. À cause de la cruauté et de la noirceur de l'action ? Des personnages dégradés que sont Valens, par sa lâcheté, et Marcelle, par sa haine vulgaire ? En raison, peut-être, d'une cabale ? Ou, comme l'avancera Corneille dans les « Examens » de 1660, à cause des réactions du public qui ne put supporter l'« idée de la prostitution » ? On ne sait exactement. Toujours est-il que *Théodore* fut créée dans un contexte doctrinal passionné et défavorable. En introduisant dans sa pièce un « intérêt d'amour », Corneille ravivait la querelle sur la « comédie de dévotion ». Contre les chrétiens qui s'efforçaient d'élaborer un compromis entre la piété et le monde, et que ne choquait pas la contamination du zèle dévot par des motifs plus terrestres, les rigoristes ne cessaient de mener bataille, refusant toute conciliation possible entre la grâce divine et

l'amour humain. Leur influence grandissante explique sans doute l'échec de la pièce.

➤ *Œuvres complètes*, « Pléiade », II.

A. COUPRIE

THÉORÈMES SUR LE SACRÉ MYSTÈRE DE NOTRE RÉDEMPTION. Œuvre poétique et religieuse de Jean de **La Ceppède**, (1550 ?-1622 ?) publiée en deux parties à Toulouse chez Colomiez en 1613 et en 1622.

Auteur en 1594 d'une *Imitation des Psaumes de la pénitence de David, La Ceppède s'inscrit dans l'élan de dévotion lyrique lié à l'affirmation de la Contre-Réforme. À l'instar des *Exercices spirituels* d'Ignace de Loyola, ses méditations en prose et ses sonnets impliquent une forte participation imaginative du lecteur, et nécessitent, comme préalable à l'intelligence de la Parole, une représentation concrète des objets, lieux et personnages bibliques.

De l'*Imitation des Psaumes* aux *Théorèmes*, la continuité de la thématique spirituelle est totale : après avoir médité sur les tribulations et les angoisses du psalmiste de l'Ancien Testament, le poète dresse le tableau grandiose de la Passion, de la mort et de la résurrection du Christ. L'*Imitation des Psaumes* contenait d'ailleurs la matrice de l'œuvre future, puisqu'elle s'achevait par *Douze Méditations sur le sacré mystère de notre rédemption prises de l'œuvre entier des Théorèmes de M.M. J. de La Ceppède*.

Première partie. Elle comprend trois livres, composés chacun de 100 sonnets précédés d'un argument narratif. Après une prière au Saint-Esprit, le premier livre évoque l'épisode de la Cène (sonnet 2), le mont des Oliviers (5), les prières et les angoisses du Christ (24), le baiser de Judas (47) et les mauvais traitements infligés au Sauveur des hommes (88). Le deuxième livre rapporte les épisodes du jugement et de la condamnation : l'interrogatoire du Christ (5-7), l'accusation proférée par les Juifs contre lui (45), la flagellation (60) et le portement de croix (100). Le troisième livre rappelle l'« exécution de la cruelle sentence, et tout ce qui se passa au mont de Calvaire » : le Christ, sur la croix dressée (25), est injurié par les passants (37), tandis que s'élèvent les lamentations de la Vierge (76) ; les derniers sonnets évoquent le déchirement du voile du Temple de Jérusalem au moment de la mort du Christ.

Seconde partie. Elle est constituée de quatre livres composés respectivement de 50, 100, 35 et 30 sonnets : descendu aux Enfers, le Christ ressuscite d'entre les morts (livre I) ; quelques apparitions à ses disciples précèdent son Ascension au ciel (II) ; le poète médite sur les « mystères » de cette Ascension (III) avant d'évoquer la « descente du Saint-Esprit en forme visible » (IV).

Le mot grec *theorema*, qui renvoie aussi bien à une vision qu'à l'objet d'une étude abstraite, définit la double dimension de cette grandiose entreprise poétique : comme l'*Imitation des Psaumes*, les *Théorèmes* se veulent à la fois évocation concrète et interprétation théologique ; ils entendent nourrir une spiritualité fondée indissociablement sur la participation émotive du lecteur et sa compréhension globale du message évangélique. La forme générale de l'œuvre traduit clairement cette double préoccupation : outre l'argument narratif qui rappelle, au début de chaque livre, l'enchaînement des principaux épisodes évoqués, chaque sonnet se voit doublé d'un apparat critique souvent très dense, qui explicite certaines formulations et établit un réseau de correspondances entre les figures de l'Ancien et du Nouveau Testament, de la tradition chrétienne et de la Mythologie antique. À cet égard, la méditation spirituelle à laquelle invitent les *Théorèmes* suppose moins une articulation des données de la foi qu'une vaste appréhension des similitudes qui ponctuent l'Histoire universelle. Le système médiéval de la ressemblance prescrit à la pédagogie de la rédemption son orientation essentielle : des liens se nouent entre l'échelle de Jacob et la croix du Christ, entre Alcide et le Christ « vainqueur des monstres du péché », entre Samson lié par les

Philistins et « Jésus-Christ indignement garrotté par les Juifs ». L'application radicale du principe de ressemblance donne parfois lieu à d'étranges dérives maniéristes : ainsi cette comparaison entre l'arc-en-ciel qui mit fin au Déluge et la mort du Christ, qui « appaise le déluge de l'ire de Dieu sur les hommes » : « De mesme le corps de Jésus-Christ en croix est rouge [c'est-à-dire tout sanglant], bleu [c'est-à-dire livide de meurtrissures], et blanc, pasle [de la couleur de la mort] » (première partie, III, 22). La relative incongruité de certains rapprochements illustre la poétique de l'exacerbation à l'œuvre dans les *Théorèmes* : la chair martyrisée du Christ fait l'objet d'une surdétermination analogique dont le foisonnement baroque, à force d'éclairages abrupts, enveloppe le lecteur et le pousse à partager la Passion de son Rédempteur.

Les sept livres se présentent en effet comme une vaste sommation apologétique : loin de se réduire à une suite de tableaux édifiants, ils brisent sans cesse l'enchaînement narratif pour multiplier les objurgations, questions, exhortations et fulminations. L'épisode du mont des Oliviers donne ainsi lieu à une série de reproches véhéments adressés aux apôtres : « Comme donc osez-vous, ainsi légèrement, / À ce coup vous promettre un courage indomptable ? » (première partie, I, 13). Le sommeil des apôtres et le triple reniement de Pierre désignent analogiquement la tiédeur supposée du lecteur : la vague des reproches accule donc ce dernier à l'examen de conscience, à la mise à l'épreuve de son propre courage spirituel. D'une manière générale, ni le lecteur ni les acteurs des événements n'échappent à l'efflorescence des apostrophes et des interpellations : le poète apologiste s'adresse à Pierre, à Judas, à Pilate, à Jésus lui-même, dans une proximité qui vivifie le message évangélique, et en assure la pérennité par-delà les siècles.

Œuvre à l'architecture complexe et tendue, les *Théorèmes* ne ponctuent leur parcours d'arguments narratifs ou théologiques que pour mieux en faire éclater la simplicité linéaire : l'événement de la Passion, de la mort et de la résurrection du Christ s'ouvre à des interrogations et angoisses multiformes, en même temps qu'il entre en consonance avec tout le mouvement de l'Histoire humaine.

● Genève, Droz, 1966 (p.p. J. Rousset).

P. MARI

THÉORIE DE LA DÉMARCHE. Voir PHYSIOLOGIE DU MARIAGE, d'H. de Balzac.

THÉORIE DE LA TERRE. Voir HISTOIRE NATURELLE, GÉNÉRALE ET PARTICULIÈRE, de Buffon.

THÉRÈSE DESQUEYROUX. Roman de François **Mauriac** (1885-1970), publié dans la *Revue de Paris* à l'automne 1926, et en volume chez Grasset en 1927.

Thérèse Desqueyroux appartient aux œuvres de la maturité romanesque de Mauriac, période inaugurée magistralement en 1922 avec le **Baiser au lépreux*, et rencontra un succès immédiat ; il peut être considéré comme la clé de voûte de l'univers mauriacien et comme l'un des « classiques » de la littérature française du XXᵉ siècle. Moins connu, d'une réussite littéraire plus discutée est le « cycle » – la « nébuleuse » pour certains – développé autour de l'héroïne éponyme : on la retrouve furtivement dans *Ce qui était perdu* (1930), puis dans deux nouvelles, « Thérèse à l'hôtel » et « Thérèse chez le docteur » (respectivement publiées en janvier et en août 1933 dans *Candide*), et dans *la *Fin de la nuit* (1935).

Accusée d'avoir tenté d'empoisonner son mari, Thérèse Desqueyroux obtient un non-lieu : les familles, soucieuses de conserver l'« honneur du nom », y ont d'ailleurs œuvré (chap. 1). C'est la nuit ; sur le chemin du retour vers Argelouse, le domaine perdu au milieu des pins de la forêt landaise, Thérèse, espérant pouvoir « se confesser » et être comprise de son époux, Bernard, revoit différentes strates de son passé : l'enfance et l'adolescence, sérieuses, avec cette intense amitié pour Anne, la demi-sœur de Bernard ; les raisons qui ont conduit à ce mariage de convenance (2-3) ; le « jour étouffant des noces », le piètre voyage qui s'ensuivit, et les lettres d'Anne qui retracent sa passion pour Jean Azévédo, un voisin (4). Désespérée que cette « petite idiote » connaisse un bonheur qui lui a été refusé, Thérèse s'est alors attachée, en accord avec les exigences familiales, à détruire cette liaison (5-7). Mais, en dépit de la naissance d'une petite fille, son dégoût pour la vie familiale n'a fait que s'accroître, au point d'atteindre un point de non-retour le jour de la Fête-Dieu où éclate le pharisaïsme de la société provinciale. Peu après, lors du « grand incendie de Mano », Thérèse s'est aperçue que l'abus d'un médicament pourrait être fatal à Bernard ; elle forcera sa vie familiale à faire que s'accroître les doses, jusqu'au jour où le médecin, alarmé par l'état de Bernard, portera plainte (8).

À l'arrivée à Argelouse, la « confession » s'avère impossible, et Bernard fait connaître la sentence familiale : Thérèse vivra désormais en recluse sur le domaine (9). Tentée un instant par le suicide (10), et se voyant bientôt interdire ce pâle réconfort que constitue la messe dominicale, Thérèse, à l'image de la nature automnale qui se glace peu à peu, se laisse dépérir tant physiquement que moralement (11). Son allure fantomatique inquiète la famille venue, peu avant Noël, présenter le fiancé d'Anne – désormais décidée à se ranger. Le régime de séquestration est alors adouci et Bernard promet une libération après le mariage d'Anne (12). Le dernier chapitre laisse Thérèse se fondre, anonyme, dans la foule parisienne, après avoir été rendue à sa liberté par Bernard, auquel elle a définitivement renoncé à expliquer son acte.

On ne peut que céder, d'emblée, à la sombre fascination, au « charme » exercés par Thérèse, personnage chétif et ardent, « ange plein de passions ». Car sous la figure sulfureuse de l'empoisonneuse, le lecteur reconnaîtra ce « monstre » (selon l'expression même de Mauriac), pour le savoir rôder familièrement aux tréfonds de son être : cette perplexité devant le « commencement de nos actes », ces gestes fous qui tiennent à la fois de la préméditation et de l'inconscience, ces scènes de réconciliation fantasmatiquement jouées qui achoppent sur la sécheresse, la froideur du réel, cette « puissance forcenée » qui aliène à soi-même... Il pèse sur Thérèse une sorte d'interdit aux résonances universelles ; la première ébauche du roman, *Conscience, instinct divin*, était du reste plus explicite – trop, la mécanique narrative s'en trouvait comme bloquée –, et évoquait la peur panique du personnage devant la sexualité. Mais Thérèse fait aussi partie de ceux qui « s'épuisent à donner le change » et sourient instinctivement, de celles qui souhaitent « se caser » et aspirent à l'ordre, au renoncement à soi ; toute la misère humaine, et le terme mérite ici sa gravité pascalienne, se trouve résumée dans le destin de cette « jeune fille un peu hagarde » du Bordelais.

Le roman est pourtant un des moins évidemment religieux de la constellation mauriacienne ; l'auteur, à la fin des années vingt, connaît une angoissante crise spirituelle dont ses écrits conservent la trace. Dans *Thérèse Desqueyroux*, la présence divine se dessine plutôt « en creux », même si Mauriac a dit plus tard que son héroïne est à l'évidence de celles qui « meurent de soif auprès de la fontaine » (*le Nouveau Bloc-notes*). Aussi, classiquement, voit-on davantage dans ce roman le drame d'un être épris d'authenticité, poussé au crime par un entourage provincial et bourgeois dont la morale pragmatique se satisfait de compromis. Incontestablement, la charge critique est ici bien réelle et souvent efficace – on songera par exemple à la façon dont est évoqué le carriérisme politique du père de Thérèse. À des degrés divers, la plupart des personnages se signalent ainsi par leur médiocrité qui « cerne » la dure et sourde exigence du personnage central. Cette fonction de contraste symbolique se double d'une fonction plus spécifiquement narrative et dramatique : Jean, Bernard, tante Clara, Anne (dont la trajectoire est significativement inverse de celle de Thérèse) catalysent l'action, et c'est à leur contact que Thérèse prend fugacement consistance et adopte tel ou tel comportement.

Les éléments naturels jouent eux aussi un double rôle, comme références précises et comme symboles. Ce trait de l'écriture mauriacienne est ici particulièrement net. On retrouve par exemple le « cœur étouffant de l'été » avec sa terrible incarnation, l'incendie – moment de la plus folle « ardeur » du récit. Des réseaux métaphoriques courent, denses et suggestifs, tout au long du texte dont ils assurent la cohérence poétique. À l'image des palombes chassées par Anne ou Bernard, Thérèse est un « gibier », une bête traquée puis emprisonnée dans « cette cage aux barreaux innombrables et vivants », une famille. Le « silence d'Argelouse », la pluie du temps de la séquestration avec « ses milliers de barreaux mouvants » seront les prolongements naturels de ces métaphores.

Sont également riches de sens la mobilité des points de vue, ainsi que la construction narrative. Le récit oscille entre une vision « avec », selon un terme du critique Jean Pouillon – où l'enfermement dans la subjectivité du personnage peut alors être considérée comme une « forme-sens » : Thérèse ne sait pas communiquer, ou mal –, et des moments d'omniscience quasi divine du narrateur. Ce balancement correspond au mouvement même de la création mauriacienne, faite à la fois d'attirance et de recul, recul exigé par l'écriture romanesque elle-même (voir *le Romancier et ses personnages*, 1933), mais aussi imposé, de façon plus secrète, par le constant « besoin d'être pardonné » qu'aurait vécu l'auteur (*Ce que je crois*, 1962) et qui rend impossible la complète disparition derrière un personnage, surtout s'agissant d'un « monstre » comme Thérèse. La construction narrative, quant à elle, est remarquable par l'habile maniement du temps du souvenir au regard du temps de l'histoire proprement dite. Tout au long du voyage de retour – soit les deux tiers du livre – s'opère en Thérèse une « remontée des souvenirs » parfois cahotante (à l'image en cela des moyens de transport utilisés), mais qui suit pour l'essentiel l'ordre chronologique ; déplacement spatial et parcours temporel intérieur se rejoignent donc, et viennent tous deux buter sur Argelouse, cette « extrémité de la terre », lieu du crime naguère commis, lieu où l'attend Bernard. La confrontation entre les deux époux se trouve donc ainsi magistralement préparée et mise en valeur. Elle s'apparente au resserrement temporel et spatial qui est celui des tragédies. Cette atmosphère de huis clos baigne la seconde partie du roman, jusqu'au rebondissement du chapitre 12. Le dernier chapitre, qui voit Thérèse s'enfoncer « au hasard » dans la foule parisienne est une fin ouverte, grosse de virtualités narratives qu'exploitera le « cycle » de Thérèse, mais qui demande également à être appréciée comme métaphore de l'incomplétude, de l'inassouvissement qui constituent le fond même du roman.

● « Le Livre de Poche », 1989 (p.p. J. Touzot) ; « Les Cahiers rouges », 1993. ➤ *Œuvres romanesques et théâtrales complètes*, « Pléiade », II ; *Romans. Œuvres diverses*, « Pochothèque ».

E. BALLAGUY

THÉRÈSE ET PIERRETTE À L'ÉCOLE DES SAINTS-ANGES. Roman de Michel **Tremblay** (Canada / Québec, né en 1942), publié à Montréal aux Éditions Leméac en 1980.

En même temps qu'il poursuit une carrière féconde de dramaturge (voir les **Belles-Sœurs*), Michel Tremblay écrit une œuvre romanesque imposante, sans nul doute l'une des plus importantes du Québec. Après *Ç't'à ton tour, Laura Cadieux* (1793), *Thérèse et Pierrette à l'école des Saints-Anges* constitue le second volet des « Chroniques du plateau Mont-Royal » — à la suite de *La grosse femme d'à côté est enceinte* (1979) et avant *la Duchesse et le Roturier* (1984) ; vaste fresque sociale pleine d'humour et de tendresse des quartiers pauvres de l'Est montréalais où a grandi Tremblay, ce cycle met en scène des personnages jumeaux de ceux montrés dans ses pièces de théâtre, dans la langue truculente du petit peuple québécois, qu'il saisit autour de 1942, durant la Seconde Guerre mondiale, à travers trois générations.

« Premier Jour ». Thérèse, Pierrette et Simone, trois fillettes, vont à l'école des Saints-Anges, tenue d'une main de fer par mère Benoîte des Anges, qui terrorise tant les élèves que les religieuses de son institution. Simone Côté vient d'être opérée d'un affreux bec-de-lièvre grâce à la générosité du docteur Sanregret. Cette opération n'est pas du goût de mère Benoîte des Anges, qui reproche aux Côté de feindre la pauvreté et de ne pas répondre aux appels de dons. Sœur Sainte-Catherine, l'institutrice de Simone, tente de la protéger, de pair avec Thérèse et avec Pierrette, et provoque la colère de sa supérieure. Celle-ci décide de demander sa mutation dans une autre école de la congrégation. Sœur Sainte-Catherine, avant son départ, va s'épancher auprès de son amie, sœur Sainte-Thérèse de l'Enfant-Jésus, avec qui elle doit préparer la Fête-Dieu. Durant ce temps, Charlotte Côté, la mère de Simone, et le docteur Sanregret vont s'expliquer avec mère Benoîte des Anges.

« Deuxième jour ». Gérard, beau jeune homme de vingt ans, épie Thérèse, qui l'attire malgré lui et qui n'est pas insensible à son charme. Pour échapper à la tentation, il s'engage dans l'armée canadienne. Simone, sauvée par une lettre du docteur Sanregret des fureurs de la supérieure, se chamaille avec Thérèse et Pierrette. Marcel, le petit frère de Thérèse, discute pour sa part avec un chat imaginaire dont il est amoureux et va rendre visite à Florence et à ses filles, Mauve, Rose et Violette, dans une maison vide. Quant à sœur Sainte-Catherine, elle prépare la Fête-Dieu en tentant d'oublier ses malheurs, tandis que mère Benoîte des Anges rumine ses vengeances.

« Troisième Jour ». Monseigneur Bernier, le curé de la paroisse, vient rendre visite à mère Benoîte des Anges. Il lui annonce que la supérieure qui dirige la congrégation a décidé, à sa demande, de maintenir sœur Sainte-Catherine dans ses fonctions. Mère Benoîte des Anges est effondrée. De plus, sœur Sainte-Catherine a l'impudence de choisir Pierrette, Thérèse et Simone pour jouer lors de la procession respectivement la Sainte-Vierge, sainte Bernadette et l'ange suspendu.

« Quatrième Jour ». Survient le jour de la Fête-Dieu qui va consacrer la victoire de sœur Sainte-Catherine. Profondément humiliée, mère Benoîte des Anges se promet de se venger. Cependant, tandis que la procession s'en revient vers l'église, la pluie se met à tomber et le vent à souffler. Simone, ballottée dans les airs, est prise de panique : elle se dit que le prix à payer pour être belle est décidément trop élevé.

De même que dans *La grosse femme d'à côté est enceinte*, plusieurs tranches de vie s'entremêlent dans *Thérèse et Pierrette à l'école des Saints-Anges* et animent, durant les quatre jours qui précèdent les cérémonies de la Fête-Dieu, l'histoire colorée, réaliste et merveilleuse de tout un quartier. Au-delà des mœurs bizarres de l'institution religieuse et des états d'âme du trio « Thérèse pis Pierrette » (lequel inclut évidemment Simone), c'est l'aliénation populaire et l'hypocrisie sociale québécoises que cherche à décrire de sa plume corrosive Michel Tremblay.

Thérèse, Pierrette et Simone sont ainsi prétexte à plongée dans trois univers familiaux que réunissent la vie communautaire et la pauvreté. Il y a là, entre autres, Albertine, la belle-sœur de la « grosse femme », que tourmente l'absence de son mari, parti se battre en Europe, et qui s'inquiète des dérives imaginaires du petit Marcel. Si elle se met souvent « à varger sans discernement », elle choisit rarement ses victimes, car « ce n'est pas à elles, mais au monde entier, à la vie, à l'existence » qu'elle en veut. Il y a aussi Charlotte Côté, dont toutes les rancunes et les frustrations se déversent soudain « d'un seul souffle comme une dentelle de mots malades, un ruban de phrases sans fin, vert comme la rancœur et mouillé de bile » sur la mère Benoîte des Anges et sonnent comme une condamnation sans appel, car elle cherche désespérément à protéger son unique raison d'exister, son enfant. Il y a encore Victoire, la seule à voir le chat de Marcel, qui se débat avec l'ombre de la mort ; Maurice, le frère de Simone, qui est amoureux de Pierrette, et Gérard – le seul homme, avec Mgr Bernier, dans cet univers de femmes et d'enfants – aux prises avec l'amour « déréglé » qu'il éprouve pour Thérèse et possédé, dans cette atmosphère puritaine, par sa tentation comme par le démon : « Encore la faute. Encore le péché. Encore la culpabilité. Encore Dieu. » Il y a, enfin, en contrepoint, la cohorte des religieuses de l'école des Saints-Anges, qui se déchirent souvent et vivent de menus complots, ravagées elles aussi par les frustrations et les remords, et que réunit parfois une amitié trouble, à l'image de celle que partagent sœur Sainte-Thérèse de l'Enfant-Jésus et sœur Sainte-Catherine, laquelle finit par avoir l'audace de proposer à son amie de quitter les ordres : « Les péchés que nous risquons de commettre dans le monde sont certainement pas pires que ceux qui nous guettent dans cette école, Sainte-Thérèse ! »

La démarche de Michel Tremblay est portée tant par le profond amour qu'il voue à ses personnages que par sa volonté de les délivrer de l'oppression qui les écrase comme une chape de plomb. Tous sont profondément humains, y compris dans leurs défauts et jusqu'aux plus odieux, mère Benoîte des Anges et Mgr Bernier. C'est à cette humanité engluée dans les interdits et les conventions, crispée sur les mesquineries et les rapports de force, mais aussi généreuse et tendre, bafouée et humiliée, que l'auteur québécois tente d'indiquer la voie d'un espoir et d'offrir la promesse d'un avenir libéré des tabous.

Parce qu'elle sert de révélateur, l'enfance est au centre de *Thérèse et Pierrette à l'école des Saints-Anges*. Déjà se dessinent les adultes que deviendront les enfants s'ils ne secouent pas le joug de leur destinée et l'emprise d'une religion qui abuse de la crédulité des fidèles. Et si les pages où le petit Marcel retrouve son chat et se laisse bercer par la musique de Mauve sont parmi les plus émouvantes du roman et dessinent une utopie, c'est Charlotte Côté qui exprime avec une véhémente détresse la réalité trop courante : « J'ai passé sept ans, icitte, y'a pas si longtemps, pis le souvenir que j'en ai, au lieu d'être beau, y me semble, le souvenir que j'en ai est mauvais, pis sale, pis tout croche à cause de folles comme vous qui comprennent rien aux enfants pis qui essayent d'en faire des marionnettes au lieu d'en faire des femmes ! »

Avec légèreté et souvent l'air de ne pas y toucher, en maniant avec adresse la dérision, l'humour et l'ironie, Michel Tremblay formule une critique virulente de la société québécoise traditionnelle dont il restitue, dans les dialogues, le « joual » quotidien. Le récit, quant à lui, se voit porté par une langue somptueuse, pleine de verve et sûre de son art, qui déroule de longues phrases sinueuses, mais fluides, et entraîne le lecteur de manière jubilatoire.

● Grasset, 1984.

C. PONT-HUMBERT

THÉRÈSE PHILOSOPHE ou Mémoires pour servir à l'histoire du père Dirrag et de Mlle Éradice. Roman attribué à Jean-Baptiste de Boyer, marquis d'**Argens** (1704-1771), publié anonymement à La Haye en 1748.

La paternité de ce « classique » de la littérature érotique du XVIIIe siècle a été partagée entre Darles de Montigny, Diderot et le marquis d'Argens dont on a cru notamment reconnaître dans cet ouvrage l'anticléricalisme des *Nonnes galantes* (1740).

En prélude à ce récit à la première personne et en deux parties, illustré de seize estampes, Thérèse promet « son âme tout entière [...] dans les détails des petites aventures qui l'ont conduite, comme malgré elle, pas à pas, au comble de la volupté ». La première partie peint ainsi l'éducation physique et philosophique d'une jeune Provençale douée d'un « tempérament » singulier qui la porte aux plaisirs solitaires. Tentant vainement d'y résister, sur les injonctions de sa mère et de son confesseur, elle finit néanmoins par s'y abandonner après avoir assisté clandestinement aux coupables « exercices » d'Éradice et du révérend père Dirrag. Son instruction complétée par Mme C***

et l'abbé T***, Thérèse part pour Paris avec sa mère, où elle se lie d'amitié avec Mme Bois-Laurier qui lui raconte, dans la deuxième partie, sa curieuse expérience de « libertine de profession » encore pucelle ! C'est alors qu'elle rencontre le comte de..., qu'elle condamne aux « plaisirs de la petite oie » jusqu'à ce que la contemplation de sa bibliothèque et de ses tableaux galants la décide enfin aux plaisirs de l'amour.

Consacré, par la Juliette de Sade inspectant la bibliothèque obscène du moine Claude, « ouvrage charmant du marquis d'Argens, le seul qui ait montré le but, sans néanmoins l'atteindre tout à fait, l'unique qui ait agréablement lié la luxure à l'impiété, et qui [...] donnera enfin l'idée d'un livre immoral », *Thérèse philosophe* est pourtant un curieux roman licencieux. Faisant fonds sur le scandaleux procès du père Girard et de Mlle Cadière au moyen d'anagrammes transparentes, il semble privilégier l'impiété sur une luxure d'ailleurs modérée. L'absence, paradoxale dans un roman de ce genre, d'étreintes et de perversités caractérise en effet un libertinage décrit ici du seul point de vue féminin : Thérèse prône une économie libidinale « autarcique » (que répète d'ailleurs, sur un ton plus gaulois, le récit enchâssé de la Bois-Laurier) et n'en fait qu'à son sage plaisir. L'indifférence aux préjugés qu'annonçait l'épithète « philosophe » désigne un personnage raisonnable, issu d'un milieu honnête et se retirant à la campagne avec un comte lui aussi « philosophe ». La même mesure se retrouve dans des discussions philosophiques d'inspiration matérialiste, selon un jeu d'alternance avec les « scènes » dont se souviendra Sade. Les plaisirs de l'esprit se mêlent ainsi à ceux du corps dans un récit conçu lui-même comme objet érotique, à la fois pour le comte (« Vous désirez un tableau où les scènes dont je vous ai entretenu, où celles dont nous avons été acteurs ne perdent rien de leur lascivité, et que les raisonnements métaphysiques conservent toute leur énergie »), et pour tout lecteur de ce « tableau » narratif imitant ces autres tableaux voluptueux dont la contemplation achèvera pour Thérèse l'apprentissage de la débauche.

● Genève, Slatkine, 1980 (réimp. éd. 1780) ; Fayard, 1986 (l'*Enfer de la Bibliothèque nationale*, V) ; Arles, Actes Sud, 1991 ; « Bouquins », 1993 (*Romans libertins du XVIIIe siècle*, p.p. R. Trousson).

S. ROZÉ

THÉRÈSE RAQUIN. Roman d'Émile **Zola** (1840-1902), publié à Paris en feuilleton dans *l'Artiste* en mars 1867, et en volume à la Librairie internationale en 1867.

Zola, qui a déjà fait paraître divers essais littéraires (*la Confession de Claude*, *le Vœu d'une morte*, *les Mystères de Marseille*), ainsi que de nombreux articles dans les journaux, se passionne pour un roman populaire, *la Vénus de Gordes*, d'A. Belot et E. Daudet (1866), qui lui inspire aussitôt la rédaction d'« Un mariage d'amour », publié le 24 décembre dans *le Figaro* et dont il propose à Arsène Houssaye, directeur de *l'Artiste*, l'extension et l'approfondissement. Celui-ci accepte, et l'ouvrage paraît en trois livraisons sous ce même titre. Le volume, publié à la fin de l'année 1867, déclenche une polémique qui n'effraie pas l'ancien chef de publicité qu'est Zola : on retiendra notamment un article de Louis Ulbach, « la Littérature putride ». Sainte-Beuve aussi, sans donner un article, écrira à l'auteur une lettre personnelle assez mitigée. Une adaptation théâtrale, un drame en quatre actes, sera représentée en 1873 : celui-ci, comme la deuxième édition du roman, sera précédé d'une importante Préface.

Dans la Préface, Zola revendique, contre une critique injustement scandalisée, un statut quasi scientifique pour les observations de son roman.

Dans une sombre mercerie parisienne vivent Mme Raquin, son fils et la femme de celui-ci. La mère a élevé son rejeton souffreteux, Camille, et lui a donné comme femme Thérèse, une cousine qu'elle a jadis recueillie. Camille est un employé paisible au Chemin de fer d'Orléans. Thérèse est écœurée par l'atmosphère de la boutique. On reçoit un commissaire en retraite et un vieux collègue de Camille. Celui-ci rencontre Laurent, un ancien ami, et l'amène à la maison, où il va revenir de plus en plus souvent, jusqu'à devenir l'amant de Thérèse. Une passion naît, qui oblige les amants à l'hypocrisie et aux rendez-vous difficiles. Petit à petit se fait jour l'idée d'un meurtre, qui va être accompli lors d'une sortie champêtre au bord de la Seine : avec la complicité de Thérèse, Laurent noie Camille (chap. 1-11). Laurent revient annoncer la nouvelle de la mort de Camille à sa mère, puis il cherche pendant plusieurs jours à retrouver le corps du noyé à la morgue. Il y parviendra et sera frappé par son visage, défiguré hideusement. Entre les deux amants, c'est paradoxalement la fin du désir et le début d'une angoisse obsessionnelle. Ils vont malgré tout se marier, mais connaissent une nuit de noces déprimante. Leurs souffrances grandissent, s'aggravent, et ils tentent d'y échapper par diverses occupations : Laurent, par exemple, essaie de peindre, mais ne réussit à dessiner que le visage de Camille. La mère, devenue impotente et qui avait donné son assentiment au mariage, comprend alors leur secret, mais, frappée d'aphasie, n'arrive pas à les dénoncer aux habitués de son petit salon. Les deux meurtriers se rejettent la faute l'un sur l'autre, songent à se livrer à la police, tombent dans la débauche chacun de leur côté. Après plusieurs crises, ils se suicident ensemble (12-32).

On a souvent remarqué la simplicité linéaire d'une intrigue aux allures tragiques, concentrée dans l'espace de la boutique maternelle, confiné, noir, déprimant, d'où les protagonistes ne sortent que pour des échappées brèves dont l'une aboutit à l'acte meurtrier. Un espace clos où s'exaspèrent les passions, de l'érotisme à la pulsion de mort : les deux amants ne pensent pas à fuir et ils rencontrent en permanence, dans des lieux trop connus, la présence de leur victime ; Thérèse finit même par regretter Camille, tandis que Laurent le retrouve dans ses esquisses. Car l'adultère ou le meurtre sont des transgressions de l'interdit qui se payent d'une sorte d'enfer moral où Thérèse et Laurent ne peuvent se rejoindre, et se perdent eux-mêmes : d'où l'issue finale du suicide. Les modèles tragiques ou dramatiques ne manquent pas : Égisthe et Clytemnestre, Macbeth, avec ici la conjonction d'un chœur bavard et ignorant (les habitués de la maison), d'une conscience incarnée, vindicative et muette (la vieille mère), et aussi d'une touche de roman policier, de suspense. Mais le récit s'inscrit dans un cadre social et matériel défini. Les décisions des personnages sont souvent inspirées par des calculs d'argent, à la mesure d'une toute petite bourgeoisie. De même, Zola décrit avec précision la boutique des Raquin et un passage près du Pont-Neuf qui, comme chez Balzac, implique les personnages comme les personnages impliquent le lieu lui-même ; certains moments font aussi penser à *Pot-Bouille*. Enfin il faut souligner l'insistante présence des corps : le cadavre de Camille, l'impotence progressive de la mère, le corps amoureux de Thérèse, l'obsession qui tenaille physiquement Laurent à travers la morsure que lui a infligée Camille et qui reste en permanence à vif (on pense ici à certaines pages de *Germinal*). C'est cette dimension physiologique, avec ses conséquences névrotiques, qui frappa les lecteurs du temps et choqua la critique : elle tient sans doute le rôle du destin tragique dans un monde romanesque désormais privé de transcendance et où le fantastique a trouvé de nouveaux supports.

● « GF », 1970 (p.p. H. Mitterand) ; « Folio », 1979 (p.p. R. Abirached) ; « Le Livre de Poche », 1984 (préf. F. Xénakis, p.p. A. Dezalay) ; « Presses Pocket », 1991 (p.p. P. Hamon). ➤ *Œuvres complètes*, Cercle du Livre précieux, I.

A. PREISS

THERMIDOR. Drame en quatre actes et en prose de Victorien **Sardou** (1831-1908), créé à Paris à la Comédie-Française le 24 janvier 1891, et publié à Paris dans l'*Illustration théâtrale* n° 38 le 25 août 1906.

« L'empereur du théâtre » qu'était Sardou, à cause peut-être des longues années difficiles de ses débuts, possédait un « vif sentiment des ridicules » (Th. Gautier) et une perception intuitive des points névralgiques de la société de son temps, surtout dans le domaine social et politique. Ainsi avec *Divorçons !* et *Daniel Rochat* (1880), il avait abordé de front le problème du mariage ; avec les *Ganaches* (1863), il avait fait un sort aux idées passéistes (ce qui avait plu à l'empereur) ; il avait avec *Patrie* (1869) réveillé le sentiment national et l'esprit de liberté ; quelques années plus tard, dans les premières années de la IIIᵉ République, il avait avec *Rabagas* (1872) lancé un brûlot subversif contre les politiciens républicains montrés comme des Robert Macaire à la petite semaine, effrontés, vaniteux et vénaux, ce qui déjà avait provoqué un beau charivari. Il reçut les mêmes accusations d'écrivain réactionnaire quand, quelques mois après la célébration officielle du centenaire de 1789, il fêta à sa manière la Terreur en attaquant avec *Thermidor* le mythe de la Révolution. L'œuvre provoqua un tohu-bohu dans la salle, fut l'objet d'une interpellation à la Chambre, déchaîna une campagne de presse, surtout de la part des journaux radicaux (en particulier de *la Justice* avec Clemenceau qui considérait que la Révolution était un « bloc » dont on ne pouvait « rien distraire ») qui lancèrent des imprécations contre ce qu'ils appelèrent une « coquinerie », d'autant plus injustifiable qu'elle était montée sur un théâtre subventionné. La pièce fut interdite après la deuxième représentation et remplacée – ironie du sort – par le *Tartuffe* et le *Dépit amoureux*.

La veille de Thermidor, deux amis se retrouvent par hasard de grand matin sur le quai de l'Arsenal sous le prétexte de pêcher. Il s'agit de Charles Labussière, un « théâtreux », pour lors commis aux écritures au Comité de salut public et qui fausse les calculs de la « loterie de sainte Guillotine » en jetant à la Seine des dossiers de condamnés. L'autre personnage est Martial Hugon, jeune commandant d'artillerie qui recherche une jeune fille, Fabienne Lecoulteux, qu'il avait recueillie et confiée à une parente mais que les événements ont pour lors éloignée de lui ; il a cru la reconnaître la veille à un lavoir proche de ce lieu de pêche. C'est effectivement elle qu'il retrouve ce matin-là dans cette jeune fille poursuivie par une horde de viragos qui l'accusent d'être une aristocrate. Grâce à la protection de Martial et à celle de Labussière qui exhibe sa carte du Comité de salut public, elle est sauvée. C'était compter sans la fatalité. En effet, après cette alerte, la jeune fille montre à Martial une certaine froideur et lui en donne l'explication. Croyant à sa mort prochaine, elle s'est laissée convaincre par les ursulines qui l'ont hébergée et elle a prononcé ses vœux. Son amour pour Martial est si fort cependant, et celui-ci si convaincant, qu'elle est prête à oublier ses engagements sacrés pour se donner à lui. Toutefois, une lettre qu'elle a écrite à ses amies religieuses est interceptée lors de l'arrestation de celles-ci ; aussi Fabienne est bientôt arrêtée à son tour. Lorsque Martial découvre ce malheur, il est dans le bureau de Labussière. Il veut alors échanger le dossier contre celui d'une autre jeune fille en profitant d'une presque homonymie. Labussière, par scrupule de conscience, s'y refuse et une vive discussion oppose les deux hommes. Ils sont sauvés du dilemme par l'annonce de l'arrestation de Robespierre. Cet événement toutefois n'arrête pas le départ des dernières charrettes. Labussière et Martial tentent alors le tout pour le tout et cherchent en ultime recours à faire signer à Fabienne la déclaration de grossesse qui la sauverait. Soucieuse de son honneur et de celui de Dieu, la jeune fille s'y refuse et monte dans la charrette. Fou de douleur, Martial, qui insulte les bourreaux, se fait foudroyer d'un coup de pistolet. Il meurt dans les bras de Labussière alors que l'on annonce à grands cris la fin de Robespierre.

Si la pièce heurta la sensibilité de l'époque et ne put être reprise plus sereinement que cinq ans plus tard à la Porte-Saint-Martin, c'était de la part de Sardou, esprit provocateur, « prodigieusement subtil, fin, très curieux, plein d'adresse et d'une étonnante fertilité de ressources » (Th. Gautier), de propos délibéré. Elle révèle en tout cas ses qualités maîtresses, comme le soulignait Sarcey dans le *Temps*, le « goût extraordinaire du groupement pittoresque et du mouvement ». En fait Sardou reprend ici la manière d'écrire l'Histoire des romantiques (voir le *Chevalier de Maison-Rouge* d'A. Dumas), en évoquant le drame intime d'un couple d'amoureux pris dans la tourmente révolutionnaire et en donnant l'occasion à un acteur d'exception (Coquelin jouait Labussière) d'enflammer la salle.

La pièce vaut aussi par sa construction, en particulier par la qualité de ses fins d'acte qui, à chaque fois, ponctuent d'un point d'orgue une montée lente puis précipitée dans le pathétique. L'ensemble peut ne paraître qu'un enchâssement de « scènes à faire », agencé avec une « artificieuse liberté » (Sarcey), mais, il faut le reconnaître également, avec un beau savoir-faire. Les personnages secondaires sont en outre traités avec vigueur, ainsi, par exemple la maritorne Françoise qui a pu apparaître comme la caricature emblématique d'une Révolution pourvoyeuse de guillotine. Telle réplique de Labussière, dans le droit fil de cette idée, résume, avec une véhémence partout présente, l'intrigue et le climat de la pièce : « Un si beau rêve finit dans l'horrible !... En être venus là !... À ces mœurs de cannibale, à ces abattoirs de chair humaine ! Quel écœurement ! »

J.-M. THOMASSEAU

THÉSÉE. Récit d'André **Gide** (1869-1951), publié à New York chez Jacques Schiffrin (Pantheon Books) en 1946.

Dès 1931, alors qu'il compose une pièce de théâtre intitulée *Œdipe*, Gide note dans son *Journal* : « Je songe à une *Vie de Thésée* [...] où se placerait [...] une rencontre décisive des deux héros [Œdipe et Thésée], se mesurant l'un à l'autre et s'éclairant, l'une à la faveur de l'autre, leurs deux vies. » Ce projet, lentement mûri, n'est jamais perdu de vue par l'écrivain, ainsi qu'en témoignent maints passages de son *Journal*. Il faudra cependant attendre 1944 pour que l'œuvre soit rédigée.

Thésée entreprend le récit de sa vie. Après avoir rapidement relaté diverses prouesses et aventures galantes – notamment ses amours avec Antiope qui lui donna un fils, Hippolyte –, il raconte son départ pour la Crète afin d'affronter le Minotaure. Ariane, fille du roi Minos, tombe amoureuse du héros. Grâce à elle, celui-ci obtient une entrevue avec Dédale, qui lui révèle les secrets du labyrinthe et lui conseille de rester relié à Ariane par un fil lorsqu'il y pénétrera. Thésée tue le Minotaure puis regagne la Grèce avec ses compagnons. Il abandonne Ariane dans une île car il lui préfère Phèdre, sa jeune sœur, qu'il a enlevée lors de son départ de Crète, puis épousée. Le roi Égée étant mort, son fils Thésée se consacre à l'organisation de la cité athénienne. Phèdre lutte en vain contre son amour pour Hippolyte ; ce fatal sentiment conduit à la mort la femme et le fils de Thésée. Ce dernier est seul désormais. Son destin est accompli et il peut contempler son œuvre : « Derrière moi, je laisse la cité d'Athènes. Plus encore que ma femme et mon fils, je l'ai chérie. J'ai fait ma ville. Après moi, saura l'habiter immortellement ma pensée. »

La Mythologie grecque constitue pour Gide un terrain privilégié d'inspiration et de méditation. Son œuvre s'est amplement abreuvée à cette source, comme l'attestent les titres de plusieurs ouvrages tels que *le Traité du Narcisse* (1891), *le *Prométhée mal enchaîné* (1899) ou *Œdipe* (1931). Avec *Thésée*, Gide rédige, dans sa période de vieillesse et à l'heure des bilans, une sorte d'autobiographie symbolique. Dès le début de son récit, le héros affirme : « Il s'agit d'abord de bien comprendre qui l'on est » ; « raconter [sa] vie », tant pour Thésée que pour Gide, participe sans doute de cette quête d'une identité intelligible.

La figure mythique conserve ses caractéristiques et son histoire traditionnelles, mais elle est également une sorte de modèle de l'écrivain. Ainsi, l'évocation de la jeunesse de Thésée rappelle les accents des *Nourritures terrestres*. On retrouve la même ferveur dans la saisie du monde, la même sensualité exacerbée, la même inspiration dionysiaque : « Je ne m'arrêtais pas à moi-même, et tout contact avec un monde extérieur ne m'enseignait point tant mes limites qu'il n'éveillait en moi de volupté [...]. Vers tout ce que Pan, Zeus ou Thétis me présentaient de charmant, je bandais. » Avatar de Nathanaël, le jeune Thésée reçoit

d'Égée ce conseil : « Il y a de grandes choses à faire. Obtiens-toi. » Au terme du parcours, toutefois, la vision du monde et la manière d'y prendre place se trouvent modifiées : l'édification et l'enracinement ont supplanté le refus de tout attachement. Le volage et aventurier Thésée s'est arrêté pour construire Athènes.

Œuvre profondément humaniste, *Thésée* est le récit de l'acquisition d'une sagesse. C'est aussi une sorte de testament adressé par l'écrivain aux générations futures (Thésée destinait d'ailleurs son récit à son fils Hippolyte) : « C'est consentant que j'approche la mort solitaire. J'ai goûté des biens de la terre. Il m'est doux de penser qu'après moi, grâce à moi, les hommes se reconnaîtront plus heureux, meilleurs et plus libres. Pour le bien de l'humanité future, j'ai fait mon œuvre. J'ai vécu. »

● « Folio », 1981. ➤ *Romans, Récits et Soties [...]*, « Pléiade ».

A. SCHWEIGER

THIBAULT (les). Cycle romanesque de Roger **Martin du Gard** (1881-1958), publié à Paris chez Gallimard de 1922 à 1940. Il comprend huit livres : *le Cahier gris* (1922), *le Pénitencier* (1922), *la Belle Saison* (1923), *la Consultation* (1928), *la Sorellina* (1928), *la Mort du père* (1929), *l'Été 1914* (1936), *Épilogue* (1940).

La composition des *Thibault* s'étend sur de nombreuses années et connut plusieurs interruptions. Un premier plan fut abandonné. Un manuscrit (*l'Appareillage*) fut renié et détruit par l'auteur. La version définitive a abouti à cette vaste chronique qui couvre les années 1905-1918. *Les Thibault* rencontrèrent un vif succès auprès du public, et les trois tomes de *l'Été 1914* valurent à l'auteur le prix Nobel en 1937. À la fin de son discours de Stockholm, Roger Martin du Gard déclarait : « Je souhaite – sans vanité, mais de tout mon cœur rongé d'inquiétude – que mes livres sur *l'Été 1914* soient lus, discutés, et qu'ils rappellent à tous (aux anciens qui l'ont oubliée, comme aux jeunes qui l'ignorent, ou la négligent) la pathétique leçon du passé. »

I. **Le Cahier gris**. Jacques Thibault et Daniel de Fontanin sont deux collégiens de quatorze ans. Une grande amitié les unit, mais leur correspondance est découverte par leurs maîtres et provoque un scandale : les jeunes gens font une fugue. Le père de Jacques appartient à la grande bourgeoisie parisienne. Catholique intransigeant, veuf, d'un naturel autoritaire, il consacre sa vie aux œuvres caritatives où l'exigence morale l'emporte parfois sur la philanthropie. Le fils aîné, Antoine, est médecin. Il a dix ans de plus que Jacques. La « famille » Thibault comprend aussi la gouvernante, Mlle de Vaize, et sa nièce, la petite Gise. Les parents Fontanin appartiennent à un milieu plus libéral. Le mari vit dans l'inconduite, et son épouse trouve dans la mystique protestante une sérénité qui lui permet d'accepter son infortune conjugale. Leur fille, Jenny, a un an de moins que Daniel. Arrêtés à Marseille cinq jours après leur départ, les enfants prodigues sont rendus à leur famille. Daniel est accueilli avec bienveillance ; Jacques est vivement tancé par son père, qui décide de le mettre en pension dans la maison de redressement qu'il a fondée à Crouy.

II. **Le Pénitencier**. Plusieurs mois s'écoulent. À l'insu de leur père, Antoine contacte son frère au « pénitencier » et découvre les dangereux effets d'un châtiment disproportionné à la faute. Grâce à l'abbé Vécard, confesseur de M. Thibault, il obtient, non sans difficulté, la libération de Jacques. Celui-ci s'installe à Paris auprès de lui pour terminer ses études. Malgré l'interdiction de son père, Jacques continue à fréquenter la famille Fontanin.

III. **La Belle Saison**. Cinq ans plus tard (1910) : la saison des amours. Daniel est étudiant aux Beaux-Arts. Jacques vient d'être admis à l'École normale supérieure. Antoine vit avec Rachel, une aventurière, passion brûlante et sans lendemain. Jacques, adolescent tourmenté, est attiré par Jenny pour laquelle il éprouve des sentiments ambigus. Mais Gise, qui a maintenant quinze ans, ne le laisse pas non plus indifférent.

IV. **La Consultation**. Trois ans plus tard. Durée : une seule journée. Les malades se succèdent dans le cabinet d'Antoine, qui les examine scrupuleusement. Parmi eux, son propre père. Il est atteint d'une maladie incurable dont Antoine s'efforce de lui cacher la gravité. Jacques a, pour le moment, mystérieusement disparu.

V. **La Sorellina.** C'est le titre d'une nouvelle publiée dans une revue, et que tout désigne, même le pseudonyme de son auteur, comme écrite par Jacques. Antoine retrouve sa trace en Suisse. C'est là qu'il s'est exilé, soit pour échapper aux contradictions de ses sentiments amoureux, soit pour s'opposer encore à son père qui lui défend d'épouser Jenny, soit enfin pour réaliser son vieux fantasme de fuite. Antoine part rejoindre son frère à Lausanne, où il le retrouve dans un groupe de révolutionnaires internationaux. Il le convainc de rentrer à Paris et de se rendre au chevet de leur père mourant.

VI. **La Mort du père.** Antoine, face à la souffrance de son père, décide d'en abréger l'agonie. Jacques ne supporte ni l'ambiance de la maison familiale, ni la présence de Gise. Alors que son frère découvre, *post mortem*, des papiers qui lui révèlent la richesse de la vie intérieure de son père, Jacques ne songe qu'à s'expatrier au plus vite. Cette partie s'étend, comme la précédente, sur une semaine environ.

VII. **L'Été 1914.** Juin-août 1914. Antoine, devenu un brillant pédiatre, juge la guerre impossible. Jacques est à Genève parmi les militants de la paix. Plusieurs missions qui lui sont confiées l'amènent à sillonner l'Europe. De passage à Paris, il retrouve Jenny. Leur passion éclate enfin. Elle devient sa maîtresse. De leur liaison naîtra un enfant : Jean-Paul. Au moment de la mobilisation, et après avoir assisté à l'assassinat de Jaurès, Jacques regagne seul la Suisse, espérant y poursuivre son combat contre la guerre. Il s'embarque dans un avion d'où il compte jeter des tracts pacifistes sur le front des deux armées. L'avion a un accident. Jacques est fait prisonnier par les troupes françaises. Un gendarme, qui le prend pour un espion, l'abat d'un coup de revolver.

VIII. **Épilogue.** Quatre ans plus tard : les conséquences de la guerre. Daniel est affreusement mutilé. Antoine est grièvement atteint par les gaz ; il se sait condamné. Il propose à Jenny de l'épouser pour que Jean-Paul porte le nom des Thibault. Jenny refuse et assume les conséquences de son amour hors des conventions bourgeoises. Huit jours après la victoire, Antoine, submergé par la souffrance, met fin à ses jours par une piqûre.

Les huit livres qui constituent *les Thibault*, même s'ils n'ont pas l'ampleur que prévoyait le plan original, méritent bien le nom de roman-cycle ou même de « roman-fleuve », si l'on reprend l'expression forgée par Romain Rolland en 1909 pour qualifier **Jean-Christophe*. Il s'agit en effet d'une double chronique intimiste (les familles Fontanin et Thibault ; à l'intérieur de celle-ci, l'évolution parallèle de deux frères : Jacques et Antoine) et d'une fresque socio-politique des années 1900 jusqu'à la crise de la Grande Guerre.

La composition des *Thibault* laisse apparaître une cassure, que certains critiques ont dénoncée, entre les six premiers volumes et les trois tomes de *l'Été 1914* puis l'*Épilogue*. De fait, sept ans séparent la publication de *la Mort du père* de celle de *l'Été 1914*. Ce qui était une simple chronique familiale dans laquelle l'analyse des sentiments tenait une large place, semble céder le pas à un roman historique où les événements européens l'emportent sur la vie affective. Mais le goût de l'auteur de **Jean Barois* pour les amples constructions réapparaît précisément dans cet incessant va-et-vient entre le moi et le monde. Les déterminismes familiaux se trouvent confrontés aux exigences d'autrui, à la présence d'une réalité parfois hostile. De ce choc naît l'exercice d'une paradoxale liberté et, si les destinées individuelles épousent progressivement les tempêtes de l'Histoire, ce n'est jamais pour s'y abandonner, mais pour tenter d'en infléchir le cours. Lutte souvent vaine, mais où se manifeste un humanisme engagé, salué notamment par Camus dans sa Préface aux *Œuvres complètes* de Martin du Gard publiées en 1955.

La technique narrative, abandonnant le genre dialogué des premières œuvres, renoue avec le style impersonnel des grands maîtres du roman classique : Flaubert ou Tolstoï. Aussi éloigné des effets rhétoriques que de la manifestation littéraire d'un parti pris subjectif, Roger Martin du Gard, qui n'hésite pas à inclure des « matériaux bruts » (correspondance privée dans *le Cahier gris*, dossiers, lettres, journal d'Antoine dans l'*Épilogue*), tente de brosser un tableau réaliste de la bourgeoisie du début du

siècle. Les premiers volumes juxtaposent essentiellement des biographies fictives, et c'est à partir du comportement des personnages que le lecteur découvre le mode de fonctionnement (ou le dysfonctionnement) d'un milieu familial, ses valeurs, ses contradictions. Peu à peu, l'auteur délaisse les monographies ; le roman de sentiments se rapproche alors du roman d'idées. Le montage des événements quotidiens, les rencontres fortuites, l'anecdote sont mis au service d'une représentation globale de l'univers. Aux premiers tomes, dont l'intrigue est essentiellement linéaire, succèdent des livres comme *la Belle Saison*, où le récit croisé de plusieurs liaisons sentimentales (Daniel et Rinette, Antoine et Rachel, Jacques et Gise puis Jenny) s'organise autour d'une même thématique. C'est dire que la signification symbolique de l'œuvre est largement tributaire du découpage narratif. Fidèle en cela aux procédés de l'illusion figurative élaborés au cours du XIXᵉ siècle, Martin du Gard use – ou abuse – des situations fortement codées. C'est par exemple après avoir assisté à l'assassinat de Jean Jaurès que Jenny se donne enfin à Jacques (*l'Été 1914*) : « Dormir... Après les heures dramatiques qu'ils venaient de vivre ensemble, dormir dans les bras l'un de l'autre avait la douceur d'une récompense. » Le geste amoureux prend alors la valeur d'un engagement idéologique, à moins que ce ne soit dans la profondeur de ce don affectif que la mort de Jaurès prenne toute sa portée politique : la composition romanesque laisse peu de place au hasard !

Plus surprenante est l'impression de densité, d'« épaisseur temporelle » laissée par des personnages dont seuls quelques moments privilégiés sont narrés : à l'exception de *l'Été 1914*, qui embrasse 44 jours (28 juin-10 août), la durée de chaque roman du cycle est très brève (de quelques semaines à une seule journée pour *la Consultation*). Martin du Gard ne retient que les épisodes caractéristiques de la vie de ses héros : fugue de Jacques, révélatrice de son tempérament instable, identification d'Antoine à son métier, figure centrale du père dont le goût pour le décorum transparaît jusque dans la mise en scène de ses derniers instants. Peints à travers leurs attitudes significatives, leurs gestes, leurs inflexions (les verbes introducteurs de dialogue sont abondants et variés), le regard et les jugements que les autres portent sur eux, les personnages de Roger Martin du Gard acquièrent une consistance, une profondeur qui ont maintes fois été remarquées et citées en exemple. En eux se rejoignent à la fois le type, l'originalité individuelle, et suffisamment d'ambiguïté pour que les préférences du lecteur puissent se porter sur tel ou tel d'entre eux.

Ainsi, Jacques incarne l'esprit de révolte, Antoine le matérialisme scientiste, Jenny l'exigence morale, Rachel la sensualité ; le catholicisme est représenté par Oscar Thibault, le protestantisme par Thérèse de Fontanin. Mais les oppositions, nécessaires au projet didactique, ne sont jamais manichéennes (la rigidité de M. Thibault est notamment nuancée par ses papiers posthumes). La description directe des personnages, volontairement elliptique, garde toujours une part de mystère ; incarcéré à Crouy, Jacques, adolescent fragile, trouve curieusement un refuge dans la solitude de sa prison : « Sur le plafond, le reflet de la veilleuse tournoyait, tournoyait au-dessus de sa tête. Ici, c'était la paix, le bonheur » (*le Pénitencier*). Le journal d'Antoine, mais aussi l'intérêt constant qu'il porte à son frère cadet, prouvent qu'une inquiétude métaphysique ne cesse de ronger le solide bourgeois, le médecin aisé héritier, en apparence seulement, de l'assurance de son père. Le lecteur peut d'ailleurs se demander s'il est résolument athée ou si son credo positiviste ne cache pas une profonde attirance pour la spiritualité. Les dernières pages de son journal (« Morphine. Solitude, silence. Chaque heure me sépare davantage, m'isole ») semblent retrouver, dans un monde moderne, déserté par Dieu, les accents de la déréliction pascalienne.

Quant aux personnages féminins, Gisèle (la petite Gise), Jenny, Rachel, Mme de Fontanin même, sentimentalement si proche d'Antoine, ils se distinguent par leur caractère énigmatique, contrasté, ambivalent (comme la haine que croit éprouver Jenny pour Jacques et qui se transformera en un amour sincère). Leur pouvoir d'attraction réside en partie dans leur imprévisibilité, et le charme étrange que les femmes du roman exercent sur la timidité masculine est le même que celui qui séduit le lecteur. La fugitive Rachel, par exemple, soumise à un destin romanesque qui la rappelle en Afrique, n'échappe ni aux stéréotypes de l'exotisme, ni aux clichés de l'initiatrice voluptueuse, ni même peut-être aux connotations littéraires de son nom. C'est grâce à elle cependant, à travers la violence d'une passion irrationnelle, qu'Antoine découvre une vérité bien éloignée de ses certitudes conformistes ainsi que le goût pour une liberté physique insoupçonnée.

La sensualité, avec sa part d'ombre et ses incertitudes, l'adolescence confrontée à la loi des adultes, l'amitié homosexuelle sont quelques-uns des thèmes récurrents dans l'œuvre de Roger Martin du Gard. L'attention portée au vieillissement, à la maladie, à la mort et à la souffrance montrent de même la place importante de l'analyse psychologique dans *les Thibault*. Mais l'auteur du *Lieutenant-colonel de Maumort* ne saurait concevoir l'étude de la vie psychique indépendamment du contexte historique et de l'environnement social dans lesquels elle prend son sens. La révolte de Jacques conduit naturellement à une interrogation sur la pratique révolutionnaire ; l'engagement moral de Jenny, à une réflexion sur les chances du pacifisme ; le rationalisme d'Antoine, au renouvellement d'un débat idéologique sur les valeurs progressistes.

« Tout ce que j'ai à dire passe automatiquement dans mes *Thibault* » écrit Martin du Gard dans *Confidence africaine* (1931), réaffirmant ainsi avec force que sa vocation est de rester écrivain, non de se dévoyer dans le journalisme, encore moins de vaticiner sur la place publique. Mais le statut de l'écrivain digne de ce nom comporte, comme il le souligne dans son discours de Stockholm (décembre 1937), une exigence esthétique et un souci éthique qui se conjuguent dans une même ambition : celle de l'objectivité réaliste. Le rôle de l'artiste, selon Martin du Gard, est d'être un témoin libre, éloigné de tout esprit de parti ; indépendant des « mystiques » métaphysiques, politiques ou sociales qu'il voit proliférer à l'envi, et tenter jusqu'aux intellectuels les plus impénitents. C'est sans doute cette volonté de demeurer un spectateur impartial, jointe à un scepticisme profond, qui a conduit cet auteur discret à présenter ses personnages avec leurs qualités et leurs défauts et à montrer les faiblesses de toutes les doctrines, y compris de celles pour lesquelles il avait le plus de sympathie. Ainsi Jacques Thibault est-il paré de toutes les séductions de la jeunesse : il est intelligent, sensible, romantique. Mais son idéalisme le condamne à un activisme stérile. Son combat solitaire pour la paix, après les déceptions rencontrées auprès des professionnels de la politique comme son ami Meynestrel, demeure sans lendemain. De même les milieux internationalistes ne parviennent pas à empêcher la guerre. L'union socialiste de tous les pays reste une utopie gangrenée par les intérêts personnels, les revirements opportunistes ou, pire, le besoin immodéré de liberté qui conduit à l'anarchie : l'Europe ne manque pas d'idées ni de bons sentiments, mais elle ignore encore la fraternité.

Avec la mobilisation, ce n'est pas seulement l'affrontement de deux nations qu'il faut constater, c'est aussi le conflit des générations, l'antagonisme entre l'ordre ancien qui repose sur la famille, la religion, le respect des institutions et des hiérarchies, et les structures naissantes du monde moderne. Ces oppositions ne peuvent se résoudre que dans la violence. À l'incompréhension d'Oscar Thibault pour son plus jeune fils répond l'inaptitude des peuples à se dresser contre l'impérialisme des gouvernements. La force l'emporte ; la guerre s'impose comme une fatalité : « La faillite était consommée. Le dogme de la solidarité internationale n'avait été qu'un leurre. Jacques tourna les yeux vers Jenny, comme s'il cherchait auprès d'elle un dernier secours à sa détresse. Elle était assise, un peu à l'écart, sur un tabouret, les mains abandonnées sur les genoux » (*l'Été 1914*).

Cette image, quelque peu mélodramatique, résume la tonalité des derniers livres. Avec la maladie mortelle d'Oscar Thibault, le suicide de Jérôme de Fontanin et les cadavres accumulés par l'acharnement des combats, *les Thibault*, eux-mêmes dédiés à la mémoire de Pierre Margaritis, mort à l'hôpital militaire en octobre 1918, semblent illustrer le triomphe du mal. Victimes de situations pathétiques, les personnages, traités avec sérieux et propres à susciter l'attachement du lecteur, sont promis à un sort qui lui paraît injuste. Alors que les forces conservatrices s'effondrent peu à peu sous la pression des valeurs nouvelles, plus souples mais dépourvues d'idéal et de transcendance, leur désarroi préfigure les héros de l'absurde qui naîtront à l'époque de la Seconde Guerre mondiale. Sartre ne s'y est pas trompé, pas plus que Camus, qui s'est sans doute souvenu, avec Bernard Rieux dans *la *Peste*, de cet autre médecin, Antoine, que le pessimisme et la lucidité n'ont pas empêché de travailler au soulagement de l'humanité.

● « Folio », 1972-1976, 5 vol. ➤ *Œuvres complètes*, « Pléiade », I-II.

B. VALETTE

THOMAS L'IMPOSTEUR. « Histoire » de Jean **Cocteau** (1889-1963), publiée à Paris chez Gallimard en 1923.

La princesse Clémence de Bormes, une jeune veuve pleine de fantaisie, ne prend pas la vie très au sérieux. Elle voit la guerre, qui vient d'éclater, comme une période de désordre propice à la réalisation de ses extravagances. Guillaume Thomas a seize ans. Il est orphelin et un peu mythomane. Il vit avec sa tante, une sympathique dévote, dans un pauvre appartement de Montmartre. La guerre est, pour lui aussi, un divertissement nouveau. Il se fait passer pour Thomas de Fontenoy, et se prétend neveu du célèbre général. Sous ce nom d'emprunt, qui lui ouvre toutes les portes, il va prendre du service auprès de la princesse. Celle-ci, jouant les bons Samaritains, va soigner les blessés en conduisant elle-même des expéditions sanitaires à proximité du front. Après avoir séduit la mère, Thomas, qui mérite en toute innocence son nom d'imposteur, tombe amoureux de la fille, Henriette. Victime de son propre jeu, il se fait envoyer sur le front belge. Malgré la violence des combats, la guerre continue de lui apparaître comme une farce amusante, les tranchées comme un décor de rêve. De son côté, Henriette prend conscience de son amour pour le jeune homme. Sa mère et elle montent une troupe de théâtre aux armées. Ce sera leur dernière rencontre : peu après, Thomas, est abattu par une patrouille allemande. Henriette ne lui survivra que quelques mois.

« Histoire » selon le sous-titre, ou « poésie de roman » suivant le classement que Cocteau a donné de ses œuvres, *Thomas l'imposteur* est un conte de fées tragique, où la mort solitaire du jeune héros sur un champ de bataille parsemé de cadavres nauséabonds remplace le *happy end* attendu. Mort ou sacrifice symbolique ? Inadapté à la réalité, d'un tempérament exalté, l'enfant – ou le poète – qu'est Thomas, ne peut qu'aller au bout de son délire et de ses pulsions suicidaires. Le mensonge est sa seconde nature, l'univers du songe, sa véritable patrie. Pourrait-il dans ces conditions considérer la vie autrement que comme une pièce de théâtre ? La métaphore du spectacle parcourt le livre avec une insistance qui renforce le sentiment d'irréalité. Les dunes de la région de Nieuport où se déroulent les hostilités sont pour lui les coulisses d'un drame ; les abris hâtivement construits, un trompe-l'œil. Dans le ciel, les zeppelins, pareils à des danseuses, se livrent à un étrange ballet, et les obus allemands, « qui ponctuent la fin de leur paraphe soyeux d'un pâté noir », semblent désamorcés par la préciosité du style. Réduite à ses signes, la guerre ne paraît avoir qu'une existence imaginaire.

Le roman peut ainsi laisser une impression de badinage, d'artifice, mais au sens où l'on parle de paradis artificiels : la violence réside essentiellement dans le jeu (voir les *Enfants terribles*), sorte de drogue qui risque de conduire à la folie. Pris sous le feu de l'ennemi, Thomas pense encore : « Je suis perdu, si je ne fais pas semblant d'être mort. » « Mais en lui, ajoute Cocteau, la fiction et la réalité ne faisaient qu'un. » Cette mort, qu'il s'inflige en quelque sorte lui-même, illustre un autre aspect du symbolisme de Thomas : c'est, conformément à la tradition chrétienne, l'incrédule. À trop douter de la vérité objective, il s'est condamné à vivre dans le monde intérieur de ses désirs et de ses caprices. Ce monde merveilleux est aussi celui de l'enfance et de la poésie : « Où est le vrai, où le faux ? », demande Cocteau. Hélas, quelle que soit sa fascination pour la magie de la création artistique, pour l'idéalisme de la jeunesse et pour son romantisme, il ne peut rien opposer à l'ultime réalité : la mort.

● « Folio », 1982.

B. VALETTE

THOMAS L'OBSCUR. Récit de Maurice **Blanchot** (né en 1907), publié à Paris chez Gallimard en 1941 ; réédition dans une version épurée chez le même éditeur en 1950.

Considéré comme un des « premiers modernes », Blanchot se fit connaître par ce texte énigmatique ; en questionnant les rapports de l'être et du langage et en réduisant le récit à une simple voix qui, dans son murmure, tend à la saisie de son existence, il donna une impulsion neuve à la recherche romanesque. En cela, *Thomas l'obscur* inaugura une ère nouvelle de la fiction, celle de la méfiance : « Le roman est une œuvre de mauvaise foi », pourra écrire l'auteur dans *les Temps modernes* (avril 1947).

Thomas quitte le rivage de l'océan et, après s'être éloigné dans une mer houleuse, retourne sur la rive (chap. 1). Au crépuscule, il s'engage dans un petit bois et y fait l'expérience du vide (2) avant de regagner son hôtel pour dîner : une jeune fille, Anne, l'appelle, mais Thomas ne répond pas (3). Lorsqu'il se met à lire, dans sa chambre, Thomas se sent observé par chaque mot comme par un être vivant, jusqu'à devenir mot à son tour (4). La seconde nuit, il reste à l'écoute d'un chat aveugle qui dialogue avec la nuit et creuse dans la terre une fosse aux dimensions de son corps (5). Alors qu'Anne lui apparaît bientôt sous les traits d'une araignée, Thomas mesure la distance qui le sépare de celle qui devient sa maîtresse (6) ; le bonheur éphémère qu'ils partagent se double d'une question : « Au fond, qui pouvez-vous être ? », demande Anne à Thomas (7), et préfigure la disparition consentie d'Anne qui, s'apprêtant à « épouser le temps » (8), s'abandonne au sommeil et à l'indifférence (9) pour mourir, dans un dernier accès d'extase, sous le regard affligé de son amant (10). Cette mort est pour Thomas l'occasion d'une longue méditation sur la mort et l'abîme ; il rencontre, assise sur un banc, une jeune femme qui le regarde avec une grande pitié : ils se communiquent un « mystère commun » (11). Enchanté par les signes de l'éveil du printemps, Thomas se fait le guide d'un troupeau d'« hommes-étoiles » qu'il conduit à la « première nuit », vers la mer dans laquelle il plonge, retournant ainsi aux sensations des premières pages (12).

Avant même l'essor du Nouveau Roman, *Thomas l'obscur* reste la plus novatrice des entreprises d'épuration appliquées au romanesque traditionnel : à une intrigue conventionnelle, Blanchot substitue une recherche intérieure dénuée de tout psychologisme, aux dialogues il préfère le silence d'une communication impossible, et les « personnages », au nombre de deux (Anne, Thomas), sont des figures aux contours imprécis, rebelles à toute description physique comme à toute résonance « biographique ». Quant aux actions, elles sont limitées aux déambulations de Thomas et à la répercussion en lui de

quelques micro-événements. Car tout ramène Thomas à lui-même (« Quelle issue ? [...] Se noyer amèrement en soi ? », se demande-t-il dès les premières pages) et à sa conscience, qui cherche à « se glisser dans une région vague et pourtant infiniment précise, quelque chose comme un lieu sacré ». Cette conscience, immergée dans la sensation et orientée par les transformations infinitésimales de celle-ci, progressera par négations (« Ce n'étaient pas ses jambes, mais son désir de ne pas marcher qui le faisait avancer », « Ce qui le dominait, c'était le sentiment d'être poussé en avant par son refus d'avancer ») et contradictions (« Je me suis fait créateur contre l'acte de créer »). Et c'est bien un univers en formation que traverse ce « il » impersonnel, anonyme et comme indifférent, c'est bien la création du monde dont il fait l'expérience. Révélé à lui-même, dans les premières lignes, par l'épreuve initiale de l'eau, au terme de ses métamorphoses, Thomas, après avoir succombé à la tentation de l'eau, mime l'origine de la création et sa renaissance en homme de plaisir : « Ils se dénudèrent voluptueusement dans l'eau... Thomas s'y précipita, mais tristement, désespérément, comme si la honte eût commencé pour lui. » La traversée du « petit bois », l'errance sans fin dans la nuit, la dérive amoureuse avec Anne, l'épreuve des mots sont autant d'étapes dont Thomas s'enrichit avant d'achever ce trajet ontologique qui l'éloigne du rivage des dernières lignes. Il n'est pas jusqu'à la langue elle-même (dépouillée, elle contraste avec le foisonnement lyrique de la première version) qui ne soit, à l'image de Thomas, à la fois obscure et transparente, prise dans la même hésitation entre des impressions contraires. De même que Thomas déplore l'« absence de corps » et reste dans le même temps submergé par une surabondance de sensations (« Il entra avec son corps vivant dans les formes anonymes des mots, leur donnant sa substance, formant leurs rapports, offrant au mot être son être »), le style de Blanchot joue de l'oxymore et des métaphores antithétiques (« Il faisait de cette absence de vision le point culminant de son regard.[...] Il retrouvait le souffle de l'asphyxie »), sans jamais renoncer à l'hyperbole qui semble pourtant incompatible avec la « dépersonnalisation » dont Thomas est l'objet. La répétition envoûtante de ces motifs sera l'emblème de l'œuvre à venir de Blanchot, la source génératrice de ses récits futurs.

● « L'Imaginaire », 1992.

P. GOURVENNEC

THOMAS MORUS ou le Triomphe de la foi et de la constance. Tragédie en cinq actes et en prose de Jean **Puget de La Serre** (1594-1665), créée en 1640, et publiée à Paris chez Antoine Courbé.

Cette pièce est singulière par son « irrégularité ». Son sujet – la fin tragique du célèbre chancelier anglais (1478-1535), exécuté pour n'avoir pas reconnu la puissance spirituelle d'Henri VIII – appartient à l'Histoire récente sans présenter cet éloignement dans l'espace, compensateur, selon Racine, de l'éloignement dans le temps. Aucune des contraintes classiques, naissantes il est vrai, n'y est par ailleurs respectée.

En dépit des risques encourus (« Si j'ai une vie à perdre, j'ai une âme à sauver »), le catholique Thomas Morus désapprouve la répudiation de la reine Catherine d'Aragon, et le changement préalable de religion qu'elle implique, Rome refusant le divorce. Tandis que la Reine se désespère sans pour autant haïr son royal époux, Henri VIII, tout à sa nouvelle passion, s'entend dire par Arthénice [Anne Boleyn] qu'elle ne sera jamais à lui s'il ne l'épouse pas (Acte I).
Malgré l'empressement des courtisans, en dépit des conseils de sa mère, plus ambitieuse et moins rigide, Arthénice prétend en effet conserver son honneur et sa gloire (Acte II).
Autant elle résiste aux insinuations infamantes, autant Henri VIII se laisse convaincre de « prendre par la force ce que la raison [lui]

refuse ». Une entrevue avec la Reine suscite d'ailleurs chez Arthénice la plus profonde pitié pour la malheureuse. Mais il est trop tard : le roi annonce officiellement la répudiation de la Reine (Acte III).

Celle-ci le supplie de lui en apprendre la véritable raison. Henri VIII se dérobe : « Il me suffit d'avoir eu la honte de vous accuser, je veux m'éviter celle de vous convaincre. » Protestations indignées de Thomas Morus qui lui valent cette réplique cynique du roi : « Si je change aujourd'hui la religion, la connaissance que j'ai de la Vérité m'en donne la pensée. » Thomas Morus est aussitôt arrêté. Les visites de sa fille Clorimène dans sa prison ne parviennent pas à le fléchir : « Je vous laisse l'exemple de ma constance, mourant fidèle à Dieu » (Acte IV).

Le lendemain de son mariage, le roi convoque Thomas Morus, lui fait contempler un « bassin vide et plusieurs remplis de têtes » et le somme d'approuver son union avec Arthénice. Il refuse, on l'exécute. Pendant qu'Arthénice redoute l'avenir, Clorimène, convertie à l'héroïsme par l'exemple de son père, brave fièrement le roi et implore la mort en candidate au martyre (Acte V).

L'intention apologétique de la pièce, dont le dénouement annonce celui de *Polyeucte*, en affaiblit l'intérêt dramatique. Le manichéisme y règne en maître. Face à Henri VIII, incarnation du tyran (« Il faut que je me fasse craindre, si je ne puis me faire aimer », V, 5), face aux courtisans, hypocrites comme il se doit, se dressent les vertueux inflexibles. Les caractères campés et trempés dès l'origine, l'action, d'emblée prévisible, consiste essentiellement en des duels oratoires, qui rappellent la tragédie de la seconde moitié du XVIᵉ siècle. La pièce eut pourtant du succès, et témoigne de la persistance de l'esthétique baroque à l'aube de l'ère classique.

A. COUPRIE

TIERS LIVRE DES FAITS ET DITS HÉROÏQUES DU BON PANTAGRUEL (le).

Récit de François **Rabelais** (vers 1483-1553), publié à Paris chez Christian Wechel en 1546. Immédiatement censuré par la Sorbonne, l'ouvrage, troisième récit du cycle des géants, connut pourtant plusieurs réimpressions, avant l'édition définitive de 1552.

La fin du *Pantagruel* promettait une suite qui révélerait « comment Panurge fut marié, et cocu dès le premier moys de ses nopces ; et comment Pantagruel trouva la pierre philosophale [...] » (chap. 34). Le *Tiers Livre* diffère la réalisation de cette double promesse : à l'inverse des deux récits précédents, l'action et l'aventure y occupent moins de place que l'exploration des savoirs de l'époque (droit, médecine, théologie) et de ses représentations intellectuelles.

Après la victoire sur les Dipsodes (voir *Pantagruel*), Pantagruel a donné à Panurge, en récompense, la châtellenie de Salmigondin ; mais celui-ci ne tarde pas à dilapider, « en mille petitz banquets et festins joyeulx », les revenus de son domaine (chap. 1-2). À Pantagruel qui lui adresse d'amicales remontrances, il répond par un vibrant éloge des dettes : « Prester et emprunter », telle est la loi qui, d'après lui, régit le corps de l'homme aussi bien que l'organisation du cosmos (3-4).

Le lendemain de cette entrevue, Panurge fait part à Pantagruel de sa perplexité : son dessein serait de se marier, s'il ne craignait par-dessus tout d'« estre fait cocu » (9). Pantagruel lui répond qu'il est difficile de donner des conseils en cette matière : les deux amis vont donc chercher des présages en ouvrant au hasard les œuvres d'Homère et de Virgile ; mais comme chacun interprète sa manière les passages en question, la perplexité de Panurge reste entière (10-12). La divination par les songes produit les mêmes interprétations contradictoires (13-14), comme la consultation de la Sibylle de Panzoust, du poète Raminagrobis (21) et de l'astrologue Her Trippa (25). Pantagruel assemble un théologien, un médecin, un légiste et un philosophe, mais aucun d'eux ne dissipe les doutes et les craintes de Panurge (29-36). Le juge Bridoye et le fou Triboullet n'y réussissent pas mieux (39-46). Pantagruel et Panurge décident alors d'aller consulter la Dive Bouteille, en compagnie de frère Jean des Entommeures et d'Épistémon. Lors des préparatifs du voyage, les navires sont chargés d'une herbe nommée Pantagruélion, herbe indestructible, aux propriétés admirables, dont l'usage hisse l'homme au rang de la divinité (49-52).

Épopée bouffonne dans *Pantagruel* et *Gargantua*, le récit rabelaisien prend, avec le *Tiers Livre*, la forme itérative d'une quête toujours déçue : à la courbe ascension-

nelle des épreuves et de l'exaltation du héros, il substitue le cercle, figure de l'impossible issue, et du retour obsessionnel de la même interrogation. Le discours des personnages garde toute sa verve, mais il a perdu sa force résolutive. Encadrés par l'éloge des dettes et l'hymne au Pantagruélion, les déboires de Panurge n'en font que mieux ressortir la détresse d'un langage incapable de répondre à une question prosaïque. Juge, médecin, philosophe, prêtre et magicienne n'ont rien à dire à Panurge – ou plutôt, l'accumulation de leurs discours ne trace aucune voie certaine. La bouffonnerie, dès lors, se fait plus amère et intellectuelle que dans *Pantagruel* et *Gargantua* : elle tient à la disproportion entre les affres bien terrestres de Panurge et la mobilisation rhétorique et conceptuelle qui en résulte.

D'où vient cette circularité sans issue ? Est-elle seulement le fait des pratiques et des savoirs, convoqués par l'obligeant Pantagruel ? De l'astrologie à la théologie, du droit à la médecine et à la philosophie, il ne fait pas de doute que Rabelais stigmatise la culture de son temps, et la technicité creuse de ses discours. Mais l'essentiel est ailleurs. Il semble en effet que la question de Panurge, mal posée dès le départ, pervertisse toute la suite de la quête : candidat au mariage, Panurge n'exige-t-il pas, avant d'entreprendre quoi que ce soit, d'en connaître exactement les conséquences ? Son fameux « Seray-je poinct cocu ? » résonne comme une litanie d'un bout à l'autre du livre, comme si le futur pouvait faire l'objet d'une réponse ferme et définitive, qui délivre des dilemmes du présent. Personne ne pourra satisfaire Panurge, et il est étrange qu'aucun de ses interlocuteurs ne lui répète le conseil initial de Pantagruel : « En vos propositions tant y a de si et de mais, que je n'y sçauroys rien fonder ne rien resouldre. N'estez-vous asseuré de vostre vouloir ? Le poinct principal y gist : tout le reste est fortuit et dependent des fatales dispositions du Ciel » (chap. 10). Pantagruel ne saurait mieux dire. Par ses questions réitérées, Panurge ne tend qu'à se décharger sournoisement de son libre arbitre : exigeant un oracle, il s'en remet à quiconque l'exemptera du soin de décider. Il ne voit pas, ce faisant, que l'ambiguïté propre à tout oracle le condamne à une perplexité infinie. Une nette similitude se dessine, par-delà les siècles, entre la conduite de Panurge et la problématique sartrienne : l'homme est seul devant l'action, aucun signe tiré de la nature ou des livres ne saurait lui prescrire sa voie.

Entre l'exaltation conquérante de *Gargantua* et les apories du *Tiers Livre*, la rupture n'est qu'apparente. La devise thélémite « Fay ce que vouldras », que Pantagruel pourrait d'ailleurs opposer à Panurge, constitue le point d'articulation des deux récits : libérés de l'obscurantisme et de la barbarie du monde ancien, les personnages, désormais, doivent affronter les difficultés et les angoisses liées à l'exercice de cette liberté nouvelle. C'est paradoxalement Panurge, le destructeur joyeux des dogmes et des traditions figées, qui s'affole à l'idée que l'homme doive forger son propre destin, et que le futur ne puisse être l'objet ni d'un savoir ni d'une maîtrise.

Paradoxe d'autant plus étonnant que Panurge, dans les chapitres consacrés à l'éloge des dettes, s'est fait l'apôtre d'un dynamisme universel, d'une généreuse circulation des énergies : « Représentez-vous un monde [...] onquel un chascun preste, un chascun doibve, tous soient debteurs, tous soient presteurs. O quelle harmonie sera parmy les réguliers mouvements des cieulx ! » (4). Comment Panurge, en prônant le déséquilibre fécond du prêt et de la dette, ne voit-il pas que sa théorie implique l'idée d'un avenir ouvert, foisonnant de possibilités multiples ? Comment, pliant et maniant le verbe en rhéteur joyeux, peut-il quêter frileusement, dans les chapitres suivants, une injonction univoque, qui dispenserait de parler et de s'interroger ? Panurge ne serait-il plus Panurge, comme l'ont avancé jadis certains commentateurs de Rabelais ? C'est oublier un peu vite le nom du personnage – « le bon à tout » –, qui le rend apte à des rôles variés et même contradictoires. Plutôt que de chercher une vaine cohérence psychologique, il faut voir en Panurge l'incarnation des tensions qui définissent l'homme de la Renaissance – à la fois démiurge et interprète superstitieux de l'ordre du monde : l'ivresse d'une liberté nouvellement conquise n'empêche pas l'allégeance à la tradition, aux savoirs constitués, à une nature mère tout hérissée de signes et de présages.

Envisagée de ce point de vue, la cohérence du *Tiers Livre* est remarquable : les personnages, la structure des épisodes, le mouvement du récit tout entier composent un perpétuel mixte d'énergie et d'immobilisme. La double question des savoirs et des pouvoirs humains est peut-être la plus révélatrice à cet égard. Le lecteur de *Pantagruel* et de *Gargantua* serait en droit d'attendre, de ceux-là mêmes qui ont ridiculisé les sciences enflées de leur néant, une attitude moins docile et plus critique en ce domaine. Non seulement les savoirs, convoqués sans ordre et sans méthode, forment cet amas hétéroclite que dénonçait justement *Gargantua*, mais aucune règle discriminante ne se soucie de leurs légitimités respectives : médecine et divination, droit et astrologie ont la même valeur aux yeux des personnages. Un monstrueux corpus savant finit par envahir le *Tiers Livre*, au point que la belle autonomie des héros rabelaisiens paraît s'y engluer. Et pourtant, le récit s'achève sur la description du Pantagruélion, hymne à l'énergie humaine, à ce pouvoir d'exploration et de maîtrise du monde qui fait dire aux dieux de l'Olympe : « Pantagruel nous a mis en pensement nouveau [...] par l'usaige et vertus de son herbe. Il sera de brief marié, de sa femme aura enfans. [...] Par ses enfans (peut-estre) sera inventée herbe de semblable énergie, moyennant laquelle pourront les humains [...] envahir les régions de la Lune, entrer le territoire des signes célestes, et là prendre logis » (51). Voici, soudain, que les tergiversations infinies de Panurge passent au second plan : le mariage de Pantagruel, source d'un dépassement prométhéen de l'humanité, ne fait, lui, aucun doute.

Quelle conclusion tirer d'un récit qui consacre 39 chapitres à une quête inféconde et 2 chapitres d'épilogue à l'ingéniosité humaine ? Pas plus que dans *Pantagruel* ou *Gargantua*, il ne saurait être question de privilégier une dimension de l'œuvre ou l'autre pour s'y réfugier. S'il faut parler d'une « pensée » de Rabelais, elle réside moins dans les aphorismes un peu solennels de Pantagruel que dans l'affrontement de deux conceptions du devenir : l'élan et le risque d'un côté, l'accumulation et la répétition de l'autre. C'est toute la force et la subtilité du *Tiers Livre*, que de ne pas incarner l'une et l'autre de ces conceptions dans des personnages emblèmes : le texte joue au contraire sur la plasticité de ses héros, sur la réversibilité de leurs orientations au gré des épisodes. Ainsi Pantagruel, prêchant à Panurge l'épargne, accorde au temps une fonction de lente accumulation, qui préserve l'avenir du hasard et du risque ; et c'est le même Pantagruel, dans les derniers chapitres, qui inquiète les dieux par son pouvoir d'excéder les limites de l'homme. Grisaille parcimonieuse, griserie des conquêtes : Pantagruel participe-t-il du gigantisme ou de l'*aurea mediocritas* ?

Cette ambivalence indique peut-être que les héros – tout comme l'humanisme en ce milieu du XVIe siècle – se trouvent à la croisée des chemins. Entre la consolidation des acquis et l'euphorie du changement, entre la sécurité du sens et la relance vertigineuse de l'interrogation, ils semblent partagés. Est-ce un hasard, au fond, si le *Tiers Livre* occupe le milieu de l'œuvre rabelaisienne ?

● Genève, Droz, 1964 (p.p. M. Screech) ; « Folio », 1975 (préf. L. Febvre, p.p. P. Michel) ; « GF », 1993 (p.p. F. Joukovsky). ➤ *Œuvres complètes*, « Pléiade » ; *Œuvres*, Les Belles Lettres, III ; *Œuvres complètes*, Imprimerie nationale / Nouvelle librairie de France, III ; *id.*, « Classiques Garnier », II ; *id.*, « L'Intégrale ».

P. MARI

TIMOCRATE. Tragédie en cinq actes et en vers de Thomas **Corneille** (1625-1709), créée à Paris au théâtre du Marais en 1656, et publiée à Rouen et à Paris chez de Luyne et Courbé en 1658.

Deuxième tragédie d'un auteur qui jusque-là s'était surtout essayé dans le genre comique, cette pièce, librement inspirée d'un épisode de la *Cléopâtre* de La Calprenède mais aussi d'une tragi-comédie de Scudéry (*le Prince déguisé*, 1636), fut sans conteste le plus grans succès théâtral du XVIIe siècle. Fait sans précédent, elle fut jouée simultanément par la troupe du Marais et par celle de l'hôtel de Bourgogne.

Pour venger son époux, mort captif des Crétois, la reine d'Argos leur fait la guerre ; Nicandre, un jeune prince, et deux rois alliés de la reine, Cresphonte et Léontidas, veulent s'y illustrer pour obtenir Ériphile, sa fille. D'abord cru mort, Timocrate, roi de Crète, envoie un ultimatum : il épousera Ériphile ou s'emparera d'Argos. Le conseil se réunit : seul Cléomène, un général au service d'Argos, penche pour le mariage. La guerre continue ; Ériphile en est le prix. Lui aussi amoureux d'elle, Cléomène refuse d'aider Nicandre (Acte I). Ériphile, pourtant amoureuse de Cléomène, les écondut tour à tour (Acte II). Les nouvelles contradictoires se multiplient : malgré la capture par les Argiens d'un de ses généraux, Trasille, Timocrate l'emporte ; Cresphonte et Léontidas sont tués, Cléomène a disparu et Nicandre, prisonnier, est envoyé par son vainqueur pour proposer – en vain – la paix. C'est alors que, triomphant, Cléomène réapparaît : il annonce s'être emparé de Timocrate ; on lui promet donc Ériphile (Acte III). Sur ces entrefaites, Cléomène est confronté avec Trasille qui le reconnaît : c'est Timocrate ! La reine tiendra sa promesse de mariage et son serment de vengeance (Acte IV). Le peuple argien, lui, exige la mort immédiate de Timocrate. Ériphile sollicite l'aide de Nicandre qui libère Trasille : ils livrent la ville d'Argos à Timocrate qui épousera la princesse (Acte V).

Les coups de théâtre répétés, la découverte tardive de la véritable identité de Cléomène ainsi que l'heureux dénouement apparentent *Timocrate* à une tragi-comédie. Le vraisemblable y est maltraité, ce qui, apparemment, ne choqua en rien le public. Thomas Corneille n'a pas considéré ces nombreux rebondissements comme un obstacle à la cohérence de la pièce et affirme que Timocrate « ne fait rien qui soit impossible » (« Au lecteur »). Cette œuvre, quels que soient les revirements de la fortune, tire sa force – et son charme – d'une construction calculée dont la clef de voûte est le suspense. Le *crescendo* du nombre de scènes (quatre dans les actes I et II, sept dans les actes III et IV, huit dans l'acte V) correspond à une montée des périls : la guerre s'engage concrètement au troisième acte, multipliant les revirements et fermant certaines voies au dénouement (morts de Cresphonte et Léontidas). Ainsi, malgré sa longue absence (il n'apparaît sous son vrai nom qu'à l'acte V), le personnage de Timocrate focalise toute attention. Au spectateur perspicace s'interrogeant sur la vraisemblance de ses disparitions et réapparitions successives sont alors donnés les éléments qui démentent ses soupçons ; ces indices ne font que mieux ménager la surprise d'une reconnaissance, effet redoublé par un ultime coup de théâtre (V, 6-7). Une telle construction permet d'enrichir le personnage de « Cléomène » d'une ambiguïté qui transparaît – rétrospectivement – dans certaines répliques à double sens. Cette ambiguïté, contrebalancée par un système de justifications immédiates qui la rendent difficile à dissiper, fait ressortir la subtilité d'arguments relevant de l'esprit précieux. Celui-ci l'emporte parfois sur la grandeur tragique des personnages : témoin la scène 4 de l'acte II, où « Cléomène » aussi bien qu'Ériphile trouvent dans la dispute amoureuse leur véritable dimension, alternant fierté héroïque et galanteries pour les cristalliser dans un idéal qui consiste à « immoler l'amour même à l'amour » (v. 787). Telle sera également l'attitude de Nicandre qui, amoureux méprisé mais utilisé par Ériphile et ami de son propre rival, fait songer – sans la tonalité élégiaque qui rend celui-ci si pathétique – au personnage d'Antiochus de la *Bérénice de Racine.

Admiré puis délaissé pour ses aspects romanesques, *Timocrate* mérite d'être redécouvert : cette tragédie a la séduction de l'imprévu et le mouvement de la jeunesse.

● Genève, Droz, 1970 (p.p. Y. Giraud) ; « Pléiade », 1986 (*Théâtre du XVIIe siècle*, II, p.p. J. Scherer et J. Truchet).

P. GAUTHIER

TIMOLÉON. Tragédie en trois actes et en vers, avec chœurs, de Marie-Joseph **Chénier** (1764-1811), créée au théâtre de la République (Théâtre-Français) le 11 septembre 1794, et publiée, précédée d'une "Ode sur la situation de la République durant l'oligarchie de Robespierre et de ses complices" (composée en juin 1794, musique de Méhul), à Paris chez Maradan en 1795.

Composée quelques mois avant Thermidor, interdite notamment parce que Robespierre comprit le sens de vers comme : « La terreur, comprimant l'honnête homme abattu, / Sèche l'humanité, fait taire la vertu » (II, 6), ou « N'est-on jamais tyran qu'avec un diadème ? » (III, 2), cette tragédie ne dut d'être publiée, dit-on, que grâce à une comédienne, Mme Vestris, qui sauva un manuscrit de la destruction. Sous l'Empire, Chénier, dont le *Cyrus* ne connaîtra qu'une seule représentation en 1804, et dont le *Philippe II*, reçu en 1803 par la Comédie-Française, ne pourra jamais y être joué, verra *Tibère*, sa dernière tragédie, interdite avant même d'être présentée aux comédiens-français (1811).

À Corinthe, dans la maison de Démariste, son fils Timophane, malgré ses doutes, conspire avec Anticlès pour régner, alors que Timoléon, frère de Timophane, se bat en Sicile contre Denys, tyran de Syracuse. Ortagoras annonce le retour du vainqueur, qui jure de « remettre au peuple entier » le pouvoir qui lui fut confié (Acte I).

Sur la place publique, Timoléon évoquant la mémoire de leur père (« Et si l'orgueil s'armait contre la liberté, / Périssez pour le peuple et pour l'égalité »), demande à son frère de respecter la république : « Rapproche-toi du peuple : on n'est grand qu'avec lui. » Aux cérémonies de la victoire, Démariste joint les mains fraternelles. Arrive Anticlès, qui loue les mérites d'un « pouvoir concentré, solide, inébranlable », afin que « la liberté règne par la terreur ». Il a apporté un diadème que Timoléon foule aux pieds, alors que Timophane tente d'excuser son « fougueux délire » (Acte II).

Timophane déclare ses ambitions à sa mère, qui, faisant pathétiquement appel à son sentiment filial, obtient sa soumission. Mais, ayant montré à Timoléon une lettre adressée par Denys à son traître de frère, le vieil Ortagoras se propose comme tyrannicide. Il a lieu au terme d'un ultime débat entre les deux frères, où Timoléon adjure Timophane de dénoncer publiquement le complot. Timoléon peut alors reprendre le combat contre la tyrannie (Acte III).

« Arrête, épargne-nous l'infâme nom de roi » ; « Liberté ! liberté !, guerre à la tyrannie ! » (II, 6) ; « Vive l'égalité ! » (II, 7) : alexandrins et octosyllabes du chœur chantent à la fois les valeurs révolutionnaires et la haine de la dictature. Face aux vrais défenseurs de la république (la mère, le vieillard et le guerrier), Anticlès et Timophane tiennent le discours du despotisme terroriste. Tyrannie et trahison forment alors un couple maudit. Amour de la patrie et horreur des tyrans contre ambitieux démagogues corrompus, usurpateurs de la souveraineté du peuple : la clarté du message va de pair avec la leçon d'héroïsme tragique, combinée au pathétique : « Il a versé des pleurs ; il se repent ; il t'aime » (III, 3).

G. GENGEMBRE

TIT-COQ. Pièce en trois actes et en prose de Gratien **Gélinas** (Canada / Québec, né en 1909), créée à Montréal au théâtre du Nouveau Monde le 22 mai 1948, et publiée à Montréal aux Éditions Beauchemin en 1950.

Saluée comme l'acte de naissance d'un véritable théâtre populaire québécois, *Tit-Coq* a pour origine les « fridolinades » dans lesquelles, dès 1937, à la radio, puis dans des revues de music-hall, Gratien Gélinas confronte un personnage ridicule et pathétique à l'actualité. Dépassant la chronique satirique des événements contemporains, *Tit-Coq* remet aussi en question tout un conformisme social fondé sur le discours et les interdits de la religion.

Dans une caserne, en 1942, le commandant et l'aumônier demandent à Jean-Pierre Désilets d'emmener Tit-Coq, né de parents inconnus, passer les fêtes de Noël dans sa famille. Malgré sa timidité, le jeune homme est mis à l'aise par tous. De retour à la caserne, il avoue à l'aumônier qu'il est amoureux de Marie-Ange Désilets. Lors de la fête de Marie-Ange, Tit-Coq lui offre un Kodak, tandis qu'elle lui remet un album de photos de famille. Les soldats apprennent leur départ pour l'Europe (Acte I).

Sur le pont du bateau, Tit-Coq décrit à l'aumônier son idéal de foyer conjugal. Pourtant le temps de la séparation est long, et Marie-Ange languit. De son côté, Tit-Coq commence à douter. Marie-Ange est en effet poussée par sa famille dans les bras d'un riche soupirant, qu'elle finit par épouser. Dans une taverne anglaise où il boit en compagnie d'une prostituée, Tit-Coq clame sa rage et son désespoir à l'aumônier (Acte II).

De retour au pays, Tit-Coq exige de rencontrer Marie-Ange. Ils sont décidés à s'enfuir, quand l'aumônier leur démontre que leur rêve est maintenant détruit. Tit-Coq comprend que ses enfants seraient illégitimes. Ils se séparent (Acte III).

À partir de l'événement fondamental de sa rencontre avec Marie-Ange, Tit-Coq est soumis à des confrontations qui l'obligent – et lui permettent – de rendre compte de ses expériences, de ses désirs, de ses doutes. Car jusque-là, sa bâtardise était à la fois un repoussoir et un refuge : « Avant toi, dit-il à Marie-Ange, pas une âme au monde s'était aperçue que j'étais en vie » (III, 2). Par cette naissance à l'amour, il tente d'annuler la première, la fausse. Il devient même, pour un temps, le frère idéal de Jean-Pierre. Pourtant, ce gain d'existence ne s'acquiert pas sans un déni constant et fatal : Tit-Coq ne peut échapper à son défaut d'origine. Il est partagé entre l'obsession de la légitimité, articulée autour d'un code moral exigeant destiné à faire disparaître la souillure, la « crasse » (I, 3), et la prégnance du désir, source possible d'une origine nouvelle. Mais, confronté à une société dont les valeurs et les mots d'ordre ancestraux reposent sur la famille, l'armée et l'Église, il est de toute façon considéré comme un de « ces enfants directement conçu dans le vice » (III, 2). Sa parole enfin n'est d'aucune force : l'aumônier, après lui avoir permis de voir le bonheur briller au loin, lui en révèle également l'impossibilité.

Ainsi *Tit-Coq* met-il en scène la crise identitaire et sociale que traverse la société canadienne francophone de l'après-guerre. Il le fait sur le mode du réalisme, en donnant aux dialogues des personnages les tonalités propres au parler québécois, sans verser dans le pittoresque ni la caricature. Le succès populaire de ce réalisme montrait pourtant que l'enjeu était de taille : il fallait quitter une marginalisation historique – dont la bâtardise est emblématique – fondée sur de multiples soumissions et parvenir à être présent et actif dans une réalité enfin apprivoisée. Le départ de Tit-Coq, désemparé « comme un homme qui part pour un long voyage » (III, 2) suggérait, malgré l'échec, la démarche fondatrice d'une société qui ne fût pas rétive au bonheur.

● Montréal, Leméac, 1987.

Y. CHEMLA

TITE. Tragi-comédie en cinq actes et en vers de Jean **Magnon** (1620-1662), créée en 1660, et publiée la même année.

S'inspirant de Tacite et probablement des *Femmes illustres* de Scudéry, Magnon choisit un thème dont le succès s'affirmera avec Corneille (voir *Tite et Bérénice*) et Racine (voir *Bérénice*). Sa pièce fut pourtant un échec. L'heureux dénouement de cette affaire politique fut-il ressenti comme une trahison trop romanesque de l'intérêt d'État ?

À Rome, Cléobule – alias Bérénice, reine de Judée – est le favori de Tite. Sous son déguisement d'homme, incognito, elle l'encourage à épouser Bérénice qu'il aime au mépris des lois romaines. Cléobule est aussi le confident de Mucie, fille du général Mucian qui refusa l'empire, qu'elle espère obtenir en épousant Tite. Mucian s'oppose à ce mariage, à la satisfaction d'Antoine, général amoureux de Mucie (Acte I). Antoine soupçonne pourtant Mucian d'agir par intérêt, afin que Mucie neutralise Cléobule en l'épousant, et affermisse ainsi le pouvoir de son père. Jaloux de Cléobule, Antoine le menace de mort, de même que Mucie qui voit Tite lui échapper. Celui-ci veut la marier à Cléobule qu'il dotera d'une partie de l'Empire (Acte II). Mucian vient demander en vain l'exil de Cléobule qui, flattant l'amour de Tite pour Bérénice, provoque la fureur de Mucie : Antoine la vengera (Acte III). Menée par Antoine, la foule se soulève et réclame la mort de Cléobule. Antoine est arrêté (Acte IV) puis libéré pour la calmer. Mais on apprend la mort de Cléobule et sa double identité : Tite se désespère, quand Antoine revient annoncer que Bérénice est toujours en vie ! Tite l'épousera, et Mucie épousera Antoine (Acte V).

Certains traits rattachent *Tite* à une esthétique baroque plus qu'à la simplicité racinienne. D'abord le choix de la tragi-comédie, dont l'exigence de dénouement heureux implique une modification de l'Histoire ; le dernier acte déploie ainsi des procédés romanesques bien connus : révélation de la double identité de Bérénice, annonce de sa mort et de sa résurrection dans un récit dont la vraisemblance douteuse permet le double hymen final, lui aussi peu convaincant. Rome peut-elle accepter Bérénice si facilement ? La fière Mucie, qui ne jure que par l'Empire, se contentera-t-elle d'Antoine ? D'esprit baroque également, le déguisement de Bérénice ; mais, le spectateur en étant averti, son double jeu reste clair. L'exposition est vivement menée et les fins d'acte particulièrement soignées, assurant un enchaînement sans surprise jusqu'au coup de théâtre final. Cette clarté est renforcée par l'organisation des scènes, souvent des duos qui ont l'air de duels... La double identité de Bérénice, loin d'adoucir les conflits, les exaspère et suscite une violence qui donne à l'ensemble un rythme presque convulsif. L'enjeu de la situation y contribue. La survie de l'Empire est en cause et, si tous les personnages sont conscients des exigences politiques, chacun – Mucian excepté, qui campe la vertu au service de l'État – s'englue dans ses propres intérêts sans que le spectateur perçoive, comme dans la *Bérénice* de Racine, la constante menace du sénat, non plus que la tension entre amour et raison d'État.

● Les Belles Lettres, 1936 (p.p. H. Bell).

P. GAUTHIER

TITE ET BÉRÉNICE. « Comédie héroïque » en cinq actes et en vers de Pierre **Corneille** (1606-1684), créée à Paris au théâtre du Palais-Royal le 28 novembre 1670, et publiée à Paris chez Thomas Jolly en 1671.

Puisant dans Dion Cassius, Suétone et, plus près de lui, Nicolas Coëffeteau, Corneille rivalise ici avec la *Bérénice* de Racine. Le sujet aurait été suggéré aux deux auteurs par Henriette d'Angleterre, mais il avait déjà été traité par Le Vert, Magnon (voir article précédent), et apparaissait dans *les Femmes illustres* de Scudéry. Les contemporains y ont vu des allusions au renoncement du roi à son amour pour Marie Mancini. Sujet apparemment idéal pour Corneille, où s'opposent exigences politiques et passion amoureuse, il offre au dénouement l'exemple de deux êtres qui pourront apparaître comme le modèle idéalisé des amants contraints à une séparation glorieusement acceptée.

À Rome, Domitie, fille du général Corbulon naguère élu empereur par ses troupes mais qui préféra renoncer à cet honneur, va épouser l'empereur Tite. Elle-même a renoncé à son amour pour le frère de Tite, Domitian, afin de satisfaire sa gloire par le titre d'impératrice. Orgueilleuse, elle voudrait posséder l'amour de Tite, mais craint qu'il n'aime toujours Bérénice, la reine de Judée qu'il a pourtant renvoyée dans ses États. Domitian souffre de se voir dédaigné et, sur les conseils de son confident Albin qui a secrètement organisé le retour de Bérénice, s'apprête à parler à Tite (Acte I). Celui-ci propose alors à son frère d'épouser Bérénice et, sûr de la réponse, demande à Domitie de choisir entre ses deux amants. Elle choisit Tite, quand on annonce Bérénice. L'empereur sort précipitamment, plongeant Domitie dans la fureur (Acte II). Domitian s'offre à Bérénice pour rendre Domitie jalouse ; Tite vient déclarer à Bérénice qu'il n'épousera pas Domitie (Acte III). Le sénat s'assemble. Bérénice craint d'être exilée. Tite a décidé qu'il n'épouserait pas Bérénice non plus (Acte IV). Domitie vient demander sa décision à Tite. Méprisée, elle sort en proférant des menaces. Bérénice demande à Tite d'ordonner lui-même son départ, quand on apprend que le sénat accepte leur union. Bérénice la refuse et encourage Tite à se comporter en empereur. Il renonce alors à tout mariage et promet de fléchir Domitie en faveur de Domitian (Acte V).

Nulle place ici pour la « tristesse majestueuse » de Racine. L'ambition est au cœur de la pièce, incarnée par Domitie qui dynamise l'action (Bérénice n'arrive qu'à la fin de l'acte II par un effet de surprise qui bouleversera un ordre établi avec difficulté : Tite en passe d'épouser Domitie, celle-ci se faisant tout juste à l'idée de renoncer à Domitian). Présente au cours des cinq actes – mais non pas lors de la dernière scène où l'on décide pourtant de son sort – Domitie sert de lien entre les différents personnages. Elle instaure une rivalité entre Tite et Domitian ; elle provoque, bien plus que ne le souhaite l'empereur, le rapprochement entre Bérénice et Domitian qui espère la rendre jalouse ; enfin, rivale de la reine de Judée, elle est explicitement soumise au choix de Tite. Son ambition révèle chez les deux frères des penchants cachés : Domitian, atteint dans son rôle de parfait amant, se montre cruel et cynique ; Tite semble plus désabusé qu'engagé dans une lutte contre sa passion. Il n'est pas l'Auguste de *Cinna* (« Maître de l'univers, sans l'être de moi-même », II, 1) ; c'est Bérénice qui l'oblige à assumer son titre, et qui oriente le dénouement du côté d'une solution politique et non d'un simple sacrifice amoureux. La pièce justifie ainsi son appartenance aux tragédies monarchiques de Corneille en même temps qu'elle satisfait aux règles d'un dénouement de comédie héroïque.

➤ *Œuvres complètes*, « Pléiade », III.

P. GAUTHIER

TOI ET MOI. Recueil poétique de Paul **Géraldy**, pseudonyme de Paul Le Fèvre (1885-1983), publié à Paris chez Stock en 1913.

Toi et Moi, dont le succès fut immédiat et ne se démentit pas au fil des années, raconte, en trente-deux poèmes, l'histoire de l'amour de Toi et Moi. Trois poèmes, intitulés "Méditation" (8, 18, 21), tirent chacun le bilan d'une période de l'amour et marquent dans le récit les étapes d'une passion enthousiaste (1-7), soupçonneuse (9-17), vindicative et reléguée dans le passé (19-20), distante et perdue enfin (22-32). L'amour, dès l'origine orageux (2) et jaloux (3), quoique d'instants heureux (4, 7), est fragile et menacé (5). Sera-t-il éternel (7) ? L'éloignement (9, 12)), la jalousie à l'égard de possibles rivaux (9, 14), la séparation (11, 15), les disputes ébranlent la quiétude. Malgré les sursauts où l'on cherche refuge dans la poésie des souvenirs (20), on retombe dans les constats désabusés (22, 26), les habitudes (27, 28) qui tuent l'amour (31) invitent à accepter les intermittences du cœur. L'absence, de nouvelles séparations (22, 26), les habitudes (27, 28) qui tuent l'amour (31) invitent à accepter les intermittences du cœur. L'amante s'en ira, ou restera (32). Il pleut, qu'elle reste donc...

Que reste-t-il de leurs amours ? Des souvenirs, des « images merveilleuses » (20) qui font du passé le moment privilégié de l'amour. Le paradis est toujours perdu, puis-qu'il réside dans ces premiers moments, cette « primulti-mité » dont parlait Jankélévitch, ces instants fondateurs où se concentre l'émotion et qui ne se retrouvent jamais. L'amour est voué à la répétition des mêmes gestes et mêmes paroles (1, "Expansions"), ou à l'admiration béate devant le miracle de la rencontre (5, "Chance"), ou au regret du premier baiser (31, "Mort du baiser"). Car la menace de l'amour est bien le temps : parce qu'il est ori-gine perdue, le moment présent l'altère toujours. Tandis que l'amant rêve proximité et intimité, la bonne arrive avec les tasses à café ! Tandis qu'il s'enferme dans l'obscu-rité, loin de tout et de tous, la voix de sa maîtresse lui apparaît, au téléphone, « désespérément lointaine » (25). Et la femme a beau, par ses toilettes, tenter de (se) chan-ger, elle est incapable de raviver l'amour déçu.

Évidemment, l'amour sera toujours l'amour. Paul Géraldy n'évite guère les poncifs : l'éternel féminin, fait de coquetterie, de désir, d'égoïsme, de candeur ; le miracle de l'amour, l'amour contrarié par des fâcheux, la ten-dresse impossible, le « contact des épidermes » (17)... Et pourtant, l'auteur ordonne avec justesse et ce qu'il faut d'humour et de cynisme cet éternel amour. Une note concrète, et méchante pour l'éternel féminin (« Je ne fri-perai pas ta jupe », 11), un changement de ton, de rythme, un simple mot à la chute du poème (« Et tu ressembles à ta mère », 6) traduisent un changement d'attitude et de sentiment. Il sait ainsi exprimer l'humeur capricieuse d'un homme et d'une femme attentifs aux moindres signes. L'autre est impénétrable en devant être tout.

De cette banalité, Paul Géraldy, par une rhétorique qui doit beaucoup à ses talents de dramaturge (les Noces d'ar-gent, 1917 ; Aimer, 1921 ; les Grands Garçons, 1922 ; Robert et Marianne, 1925 ; Christine, 1932 ; il a adapté pour la scène Duo de Colette en 1938), dessine de petites scènes vivantes et amusantes, dignes du théâtre de Boule-vard. Les poèmes, en vers libres rimés, sont souvent des conversations qui débutent in medias res, où s'enchaînent les questions et les réponses, où les objets évoqués sont des signes destinés à prendre place dans l'intrigue (« Baisse un peu l'abat-jour, veux-tu ? Nous serons mieux », "Abat-jour"), où les indicateurs (« ces photo-graphies », 3 ; « là-bas », 9 ; « ces sarcophages », 20), les pronoms « je » et « tu » dont l'intimité est rompue par l'autre, ou dont l'usage subtil exprime l'évolution du senti-ment (de « tu » à « vous », 4, 26), les monologues médita-tifs, sont des emprunts faits au langage dramaturgique. Toi et Moi devient ainsi le drame de la passion où bien des générations de lecteurs ont pu se reconnaître : l'anonymat des amants, désignés par « je » et « tu », « vous » et « moi », assure cette identification.

Pourtant, on n'entend qu'une seule voix, tendre, amou-reuse, enflammée par le désir, colérique : celle de l'homme. "Aveu" concentre en lui diverses intonations de ce « moi » soumis aux fluctuations de son amour. Paul Géraldy, en multipliant les visages de cet amant, soumet l'amante aux avatars de la libido masculine. La femme muette, à la place de qui répond l'amant, la femme enfant insouciante, narcissique, être de désir, bien proche des personnages de vaudeville, devient femme objet livrée à un partenaire dominateur avide de nouveauté, vite déçu. Cette philosophie invite à plonger aussi, bien rapidement il est vrai, dans les replis d'une psy-ché où l'amour se confond avec le désir, où la tendresse se change en violence soudaine, où les tourments appel-lent les tourments et les remords... Cette subtile – et légère – touche de perversité relève le goût d'une poésie qui ne recule pas devant la simplicité et que guetterait sans elle une certaine fadeur. « Tu sais qu'à la fin tout s'use » (6).

● « Le Livre de Poche », 1960 ; Stock, 1985.

D. ALEXANDRE

TOI QUI PÂLIS AU NOM DE VANCOUVER. Recueil poéti-que de Marcel **Thiry** (Belgique, 1897-1977), publié à Liège chez Georges Thone en 1924.

Recueil le plus célèbre de Marcel Thiry, – et titre du poème d'ouverture de ce recueil –, Toi qui pâlis au nom de Vancouver mêle à l'influence du symbolisme la révéla-tion que produit chez le poète la découverte d'Apollinaire au tout début des années vingt. Au travers de cette brève plaquette marquée par la guerre et les voyages accomplis sous l'uniforme belge, s'esquissent la plupart des grands thèmes qu'il développera par la suite.

Engagé dans l'armée belge dès 1915, Marcel Thiry embarque, avec certains de ses camarades, à bord d'un cargo britannique à destina-tion de la Russie. « Je sais encor l'arrière-saison boréale / Où parurent, parmi la pâleur du port angélisant le ciel, / Le Nord, le gel, et les clochers d'or d'Archangel » ("Toi qui pâlis au nom de Van-couver").

Le retour se fait par San Francisco et New York, où Thiry erre sur Broadway, « soldat pérégrin / Sur le trottoir des villes inconnues ». De ces voyages, ainsi que de l'Orient dont il rêve, il gardera longtemps le « mal Asie ». Cependant, il pressent que l'ailleurs est mirage et il prêche déjà un bonheur fait de résignation et de sérénité : « Va, va, ne te fais pas une âme raffinée, / Contente-toi d'aimer les premiers réverbères, / Va, va, ne cherche pas de rime à ton bonheur ! » ("Je ne saurai jamais si tu es belle").

S'il chante le « corps de ployante chair adolescente » d'une jeune fille dont il se souvient, il connaît déjà la fuite du temps et voit que « jour à jour les sorbiers s'empourprent vers l'automne ». Enfin, de sa lecture d'*Alcools, il a appris à faire place dans le poème au monde contemporain, à ses objets et aux modifications qu'ils induisent : « Toi qui pâlis au nom de Vancouver, / Tu n'as pourtant fait qu'un banal voyage ; [...] / Tu t'embarquas à bord de maint steamer, / Nul sous-marin ne t'a voulu naufrage » ("Toi qui pâlis au nom de Vancouver").

Si de Verlaine – qu'il cite en évoquant Londres –, Mar-cel Thiry a gardé un goût prononcé pour le vers court et parfois impair, en même temps que pour le « brouillard délicat de [l']âme », et si certaines des tournures qu'il uti-lise puisent dans le maniérisme décadent, le poète n'hésite pas pour autant à tressaillir lorsque « l'odeur de Rotter-dam monte de tous les fleuves », ni à se rappeler « le flirt bronzé du capitaine / Qui portait avec art une robe safran / Comme un drapeau de quarantaine » ("Toi qui pâlis[...]").

Le poète Bernard Delvaille, dans la Préface de son édi-tion des œuvres poétiques (1924-1975) de Thiry, publiée sous le titre général de Toi qui pâlis au nom de Vancouver, rappelle le mot de Novalis, selon lequel « la poésie est le réel absolu ». Pour Marcel Thiry, de même, la poésie n'a aucun domaine à se refuser, à condition toutefois qu'elle exprime le possible du banal et du prosaïque, et qu'atten-tive à l'instant, elle parvienne à lutter contre le temps. C'est ainsi que dans ses ouvrages ultérieurs, Statue de la fatigue (1934), Âges (1950) ou Usine à penser des choses tristes (1957), il n'hésitera pas à évoquer les tramways et les wagons, les chambres d'hôtel « où flotte une odeur de benzine » et les néons sur les façades, la vitesse et le com-merce, la Bourse et les conférences internationales ; mais toujours il mettra en avant les pouvoirs de la poésie et le plaisir des mots.

● Seghers, 1975 (p.p. B. Delvaille).

L. PINHAS

TOINE. Nouvelle de Guy de **Maupassant** (1850-1893), publiée à Paris (signée Maufrigneuse) dans le Gil Blas le 6 janvier 1885, et en volume chez Marpon et Flammarion en 1886.

Toine appartient à la série des contes normands qui mêlent le rire et la dérision, la farce et le macabre. Il tran-che absolument avec le milieu parisien de *Bel-Ami (publié en mai 1885) et avec le ton grave de la nouvelle *Monsieur Parent, qui ouvre l'autre recueil, paru simulta-nément chez un autre éditeur.

Antoine Mâcheblé tient un cabaret dans un hameau normand. Il est réputé pour son cognac, sa gaieté communicative, sa corpulence (« le plus gros homme du canton »). Sa femme est aussi acariâtre qu'il est bon vivant : elle lui prédit une mort prochaine (chap. 1). « Il arriva que Toine eut une attaque et tomba paralysé. » Les clients lui tiennent désormais compagnie dans sa chambre, mais sa femme « ne pouvait point tolérer que son gros faignant [sic] d'homme continuât à se distraire ». Sur le conseil d'un ami, elle se décide à lui faire couver des œufs. Toine refuse d'abord, mais finit par céder, sous la menace (2). Il attend l'éclosion des poussins « avec une angoisse de femme qui va devenir mère ». Les dix œufs qu'il couvait donnent dix poussins : il fait mieux que la poule jaune du poulailler (3).

Le rire naît ici de plusieurs procédés : comique de mots dans le patois normand stylisé, comique de caractère (la grosse gaieté de Toine en contraste avec la mauvaise humeur de sa femme, l'âpreté au gain du cabaretier qui fait rire le client par intérêt de négoce, de la patronne qui refuse de nourrir une bouche inutile), et surtout comique de situation : le gros homme sans enfant fait l'expérience d'une « paternité singulière » en devenant couveuse artificielle, ou papa-poule, dans l'équivalence clairement posée du lit et du nid. Il est préalablement animalisé par sa femme qui le traite de « quétou » (cochon, fatalement associé à ce personnage prénommé Antoine) et par deux autres indices qui annoncent son destin : il nargue sa femme en appelant son énorme bras un « aileron » ; elle se venge en le menaçant : « Ça crèvera comme un sac à grain. » Antoine s'appelle d'ailleurs Mâcheblé : de quoi nourrir les poules, avant de couver leurs œufs.

Mais la mort rôde dans ces pages. Maupassant se plaît à la montrer s'amusant sur ce gros corps, « rendant irrésistiblement comique son travail lent de destruction ». Alors que la mort décharne d'ordinaire, « elle prenait plaisir à l'engraisser ». Toine, sorte de mort vivant qui fait proliférer les poussins, ne diffère pas de cette chair pourrie qui, dans de nombreux autres contes, nourrit les plantes en se décomposant. Dès le début, Maupassant a lié en Toine la mort et le comique : « Il aurait fait rire une pierre de tombe, ce gros homme. »

● *Boule de suif et Autres Contes normands*, « Classiques Garnier », 1983 (p.p. M.-C. Bancquart) ; « Folio », 1991 (p.p. L. Forestier) ; *Boule de suif et Autres Contes normands*, « Presses Pocket », 1991 (p.p. C. Aziza et P. Mourier-Casile). ➤ *Œuvres complètes*, Albin Michel, I ; *id.*, Éd. Rencontre, VII ; *Contes et Nouvelles*, « Pléiade », II ; *Contes et Nouvelles [...]*, « Bouquins », I ; *Œuvres*, Club de l'honnête homme, VII.

Y. LECLERC

TOISON D'OR (la). Tragédie en cinq actes et en vers, « à machines » et « en musique », de Pierre **Corneille** (1606-1684), créée dans une première version, vraisemblablement partielle, près de Rouen au château du Neubourg en novembre 1660, puis dans sa version définitive à Paris au théâtre du Marais le 19 février 1661, et publiée à Paris chez Courbé et de Luyne la même année.

Composée durant les années de retraite qui suivent l'échec de *Pertharite*, la pièce, commandée par le marquis de Sourdéac, grand amateur de « machines », suit au plus près les poètes qui ont chanté l'aventure des Argonautes : Ovide, Apollonios de Rhodes et surtout Valerius Flaccus, ainsi que le mythographe Noël Conti. Comme *Andromède*, elle témoigne du goût baroque de Corneille et de son intérêt pour un opéra à la française. La commande d'*Œdipe*, une brouille probable entre le dramaturge et Sourdéac en retardant la représentation publique à Paris. Par son Prologue, elle se place ouvertement sous le signe de l'allégresse générale consécutive au mariage de Louis XIV et à la paix avec l'Espagne.

Dans un pays dévasté par les combats, la France, la Victoire et la Paix célèbrent la famille royale et condamnent les horreurs de la guerre (Prologue).

À Colchos, dans un grand et somptueux jardin, Jason demande la Toison d'or au roi Aæte pour l'avoir aidé à remporter sur Persès une victoire longtemps compromise. Aæte ne peut la lui donner sous peine de perdre et la vie et son royaume. Médée, fille du roi, s'est éprise de Jason qui, de son côté, l'aime secrètement, bien qu'il fût naguère attaché à la princesse Hypsipyle. Déçue de ne se voir pas ouvertement préférée, Médée s'efforce en vain de décourager Jason de conquérir cette Toison (Acte I). Sous les traits de Chalciope, sœur de Médée, Junon annonce à Jason la venue prochaine d'Hypsipyle, qui arrive dans « une grande conque de nacre ». Absyrte, frère de Médée, courtise Hypsipyle toujours fidèle à l'hésitant Jason (Acte II). Dans son splendide palais, Aæte somme Jason de choisir entre Hypsipyle et la mort. Le héros lui confirme sa volonté de s'emparer par tous les moyens de la Toison. Craignant qu'il ne retourne vers sa rivale, Médée menace Hypsipyle et, pour preuve de ses pouvoirs, change le « palais doré » en un « palais d'horreur », repaire de sinistres animaux. Désespoir d'Hypsipyle et intervention salvatrice d'Absyrte (Acte III).

Dans un désert où Médée a coutume de se retirer pour procéder à ses enchantements, Absyrte apprend à sa sœur que leur stratagème a échoué : Hypsipyle ne lui voue que de la reconnaissance, non de l'amour, pour l'avoir sauvée. Médée, rassurée par Junon-Chalciope sur les sentiments que lui porte Jason, s'offre à aider son amant à conquérir la Toison. Intervention soudaine de l'Amour et de Vénus qui rendent confiance à Jason (Acte IV). Dans la forêt consacrée au dieu Mars, Jason a neutralisé le dragon, les taureaux et les « gensdarmes » qui veillent sur la Toison, mais, au moment où il s'apprête à s'en emparer, Médée, juchée sur un « dragon volant », prend elle-même la Toison et brave les Argonautes qui, bientôt, s'enfuient. Au grand dam du roi, Médée rejoint alors Jason, quand Jupiter paraît. Aæte, selon l'arrêt du destin perdra son royaume puisqu'il a perdu la Toison, et devra s'exiler dans l'île de Lemnos. Absyrte épousera Hypsipyle, et Jason, Médée, dont le fils, un jour, rétablira Aæte sur le trône de Colchos (Acte V).

L'œuvre vaut avant tout par ses « machines » dont « l'art [...] n'a rien encore fait voir à la France de plus beau, ni de plus ingénieux » (Corneille) que le combat du cinquième acte. Bien qu'elle ait été imaginée avant le règne personnel de Louis XIV, son sujet s'adapte parfaitement à la situation de 1661, tant il était traditionnel à l'époque de représenter l'Espagne comme le royaume de la « Toison d'or » – ordre de chevalerie dont le souverain espagnol était le grand maître. La tragédie connut un succès vif, mais épuisé dès avril 1662. Reprise en 1683 par la Comédie-Française, elle ne fut jamais rejouée depuis.

➤ *Œuvres complètes*, « Pléiade », III.

A. COUPRIE

TOMBEAU DES ROIS (le). Recueil poétique d'Anne **Hébert** (Canada / Québec, née en 1916), publié à Québec à l'Institut littéraire du Québec en 1953.

"Éveil au seuil d'une fontaine", premier poème du recueil, dit le matin, la clarté du jour naissant, la vie qui commence embellie par « l'eau vierge du matin ». Tout est à faire, tout est commencement : « La nuit a tout effacé mes anciennes traces. / Sur l'eau égale S'étend / La surface plane / Pure à perte de vue / D'une eau inconnue. »
Ce poème nous fait assister à la naissance d'un élan nouveau qui élargit l'adhésion au monde de l'enfance dans le geste de la tendresse et de l'offrande. Mais la rupture de l'accord entre le poète et le monde apparaît bientôt clairement. Avec "L'infante ne danse plus", c'est le rejet explicite sur le thème éternel des eaux, des sources de l'enchantement : « La source du silence / A figé les fraîches rivières dans ses veines / Les fraîches et vermeilles rivières / Sont mortes aussi... »
Le choc de la douleur et de la solitude révèle la vanité des apparences. La mort commence à faire son œuvre dans la douleur après avoir emporté l'enfance. Et le recueil dit ensuite la difficulté d'être, la rencontre avec la mort, avec les morts représentés comme des rois : « J'ai mon cœur au poing / Comme un faucon aveugle / Le taciturne oiseau pris à mes doigts / Lampe gonflée de vin et de sang / Je descends / Vers le tombeau des rois / Étonnée / À peine née. »

Le poète Saint-Denys Garneau (voir *Regards et Jeux dans l'espace*), cousin d'Anne Hébert, a dressé dans son *Journal* un portrait de la jeune fille : « Anne, venue cette après-midi. Sa façon de marcher et quelques gestes ont évoqué pour moi une étrange élégance un peu rigide, un peu mécanique, avec une miette de préciosité ; le tout empreint de gaucherie enfantine. Une chaleur pourtant là-dessous. Alliage vraiment étrange, surprenant et tel, j'y songe, qu'aurait probablement goûté Baudelaire. » Ces quelques lignes définissent la démarche et le rythme de la poésie d'Anne Hébert. Toute son œuvre, qui évolue avec finesse dans les régions du cœur, est empreinte de grâce discrète et simple, d'un mystère intérieur soigneusement protégé et d'une grande pudeur. Tout ici est grâce, marche à pas comptés.

La langue d'Anne Hébert refuse les artifices. Le verbe austère et sec ne s'accompagne d'aucune image flamboyante, d'aucune arabesque sonore, d'aucun lyrisme, d'aucune complaisance. L'esthétique n'est que fidélité à l'essentiel d'une expérience située aux limites de la sensibilité : celle de la dépossession, du silence, de la solitude. Cette poésie qui se mesure au péril de l'absence n'est pas une poésie du vague à l'âme : si les poèmes d'Anne Hébert parlent de fontaines, d'oiseaux, d'arbres, de villages, les images évoquées par ces mots sont privées de coloration pittoresque. Le particulier n'y a pas sa place, seul le plus général, ce qui commence tout juste d'exister y est représenté. « Notre pays est à l'âge des premiers jours du monde. La vie ici est à découvrir et à nommer », écrivait Anne Hébert en 1958 dans *Poésie, solitude rompue*.

● *Poèmes*, Seuil, 1960.

C. PONT-HUMBERT

TOMBEAU POUR CINQ CENT MILLE SOLDATS. Roman de Pierre **Guyotat** (né en 1940), publié à Paris chez Gallimard en 1967.

Appelé en Algérie en 1960, accusé de complicité de désertion et d'atteinte au moral de l'armée, Pierre Guyotat passa, en 1962, trois mois enfermé dans un cachot souterrain. C'est là qu'il conçut et rêva les figures de *Tombeau* (déjà présentes dans un précédent récit, *la Prison*, texte inédit), qui marqua la rupture avec le classicisme de *Sur un cheval* (1961) et *Ashby* (1964). Compris tantôt comme un pamphlet politique et une glorification de la décolonisation, tantôt comme une apologie de l'anarchie et de l'homosexualité, ce texte majeur, souvent mal interprété, signa le retour de la tradition épique en littérature en même temps qu'il consacra son auteur comme écrivain de premier plan.

Ecbatane, vaste capitale de l'Occident, est ravagée par la guerre : dans cette cité humiliée, on nomme un chef aux ordres du conquérant. Une fois Ecbatane délivrée, la république est rétablie ; mais, déchirée par une vague d'épurations, la cité est ravalée au rang de nation satellite qui tente de faire face aux révoltes de ses colonies (chant I).

À Inaménas sont stationnés les soldats de l'armée d'occupation et de maintien de l'ordre. Le gouverneur de l'île est bientôt menacé de mort par les rebelles désireux de secouer le joug. Kment, jeune chef de bande, se prostitue avec ses frères et sœurs dans le haut de la ville ; c'est dans ce quartier des bordels qu'Audry, fils du chef de la police, verra son père se faire transpercer la gorge. Les embuscades succèdent aux combats, les massacres aux vols et aux viols (chant II). Les soldats, après avoir incendié les villes, vendent femmes et enfants à des entremetteurs tandis que les rebelles, eux, trouvent refuge dans une foire permanente. Suite à la capture d'Illiten, chef des rebelles, Inaménas jouit d'une trêve. Si, dans le palais du cardinal, indifférent à la guerre qui fait rage autour de lui, un dîner se déroule en présence du général, dans les rues d'Inaménas, des jeunes gens défilent au cri de « Rasez, brûlez Inaménas, fusillez tous les rebelles » (chant III). À la faveur du cessez-le-feu, Émilienne, fille du gouverneur, se rend au chevet de son amant Serge, beau-fils du même gouverneur. Ensemble ils projettent de s'échapper de l'île. Dans le bordel de Mme Lulu, Draga et Pétrilion sont soumis aux caprices sexuels de quelques soldats recruteurs (chant IV). Après un emprisonnement provisoire, placé à la tête des troupes, Xaintrailles remet en état le dispositif militaire de l'île (chant V) et déclenche l'opération Ecbatane. Désormais aux mains des rebelles et des soldats mutinés, Inaménas subit un pillage de dix jours (chant VI). Au terme d'un providentiel déluge qui s'abattra sur l'île, à l'abri dans un décor sylvestre, Kment et Giauhare s'uniront (chant VII).

La violence semble bien le motif primordial de *Tombeau*. Une violence armée qui, avec son cortège de mutilations, d'égorgements, de massacres, d'expéditions punitives et de viols, s'accompagne de blessures plus symboliques – de la cicatrice d'Audry au visage, à la gorge balafrée de tel capitaine, tous les personnages portent les stigmates de la douleur et de l'asservissement. L'imbrication étroite du sexe et de la violence, poussés au même paroxysme, plonge toute vie (même animale) dans la lumière sombre de ce conflit sanguinaire. Une armée d'occupation, des colonies gagnées par la fièvre de l'indépendance, des opérations de maintien de l'ordre, un maquis : il n'en fallut pas plus pour réduire cet ouvrage à une retranscription « fantasmatique » de la guerre d'Algérie. Or la monumentalité de l'espace couvert par *Tombeau*, la compacte « inertie » de sa masse verbale, représentent d'autres enjeux. L'écriture, qui plonge en des temps reculés (bibliques parfois, comme en témoigne l'incipit : « En ce temps-là, la guerre couvrait Ecbatane ») et dans une parole primitive (« *Tombeau* célèbre la conscience prépolitique [...]. Les conduites prémorales abondent : pudeur et impudeur, défense du corps, usage intégral du corps », écrit l'auteur dans la Préface à l'édition japonaise du roman), appelle d'autres associations. Le jeu des temps du passé s'efface en effet derrière un présent de l'indicatif qui fait entrer dans un « temps commenté », loin du « monde commenté » propre au passé. Le présent de narration est ressenti comme « révolu » afin de donner à chaque geste de Kment, d'Illiten ou de Xaintrailles une présence plus sensible. Le chant I fait certes la part belle à la mise en place historique et politique, mais l'intemporalité du présent conduit à un temps mythique (celui, pure aspiration à la totalité cyclique, du couple adamique sauvé du déluge, au chant VII), comme soucieux de transmettre un patrimoine symbolique collectif : Giauhare semble droit sortie des *Mille et Une Nuits* ; *Phèdre* semble présider aux rapports qui unissent le gouverneur et Émilienne). Patrimoine qui fait, aussi, directement appel à des archétypes de la fécondité : celui, par exemple, de la déesse mère protectrice et terrifiante, représentée sous les traits de la « Reine de la Nuit » que repousse le lieutenant Iérissos, ou sous ceux de Mme Lulu, tenancière de bordel. Ces figures s'ouvrent à un accroissement infini grâce aux inclusions et aux nombreux enchâssements de récits.

Qu'ils relèvent de l'hallucination, de la profération ou du songe, les épisodes s'appréhendent avant tout comme parole épique. Une parole qui est invocation autant que déploration (« Ô ma mère, princesse d'Ecbatane, attentive au sang de tes esclaves ; ta tête, lourd pavot ; Ô sang, je t'aime, ô sang, lait de l'esprit, semence de la haine, sperme jailli dans la bataille »), toujours illustrée par un style formulaire proche d'Homère : « Petit esclave sans anneau, aux lèvres nues. » Parole qui, bien que dépourvue d'ornements rhétoriques, fait aussi bien appel aux forces cosmiques, aux questionnements métaphysiques (voir l'apostrophe de Serge à Dieu : « J'attends que Dieu descende et m'emporte vers le soleil. [...] Ô Dieu, ta création vieillit ; nous la regardons vieillir avec effroi ») qu'aux préoccupations triviales des soldats. Une parole enfin qui, bien que dépourvue de toute forme de psychologie, laisse percer certains traits du *pathos* grec : à la vision d'enfants pendus aux crocs de boucherie fait immédiatement suite celle de « l'aube, reflétée dans le fleuve occidental » aux accents presque claudéliens. Chaque épisode, pris en charge par un récitant (Illiten, Kment ou Serge), se distingue par son *elocutio*, qui actualise abruptement l'action. Cette dramatisation du récit, ce lyrisme fiévreux, proprement théâtraux, firent l'intérêt de la mise en scène qu'en donna Antoine Vitez en 1981 au Théâtre national de Chaillot.

● « L'Imaginaire », 1987.

P. GOURVENNEC

TOMBÉZA. Roman de Rachid **Mimouni** (Algérie, né en 1945), publié à Paris chez Robert Laffont en 1984.

Deux ans plus tôt, *le Fleuve détourné*, le premier roman de Rachid Mimouni publié en France, avait déjà été accueilli par une presse louangeuse, stupéfaite de la critique radicale de l'Algérie contemporaine qui s'y déployait, et qui mettait en évidence la perversion, le plus souvent occultée, de la révolution. Plus complexe dans son appréhension du réel, refusant tout manichéisme, *Tombéza* surenchérit et approfondit, en une fresque noire et caustique, la vision désenchantée d'une société vécue dans les terribles désillusions de l'après-indépendance. À l'opposé des paraboles édifiantes et des discours lénifiants, qu'il n'a de cesse de dénoncer, ce n'est que de rejet et de solitude, de déchéance et de trahison que se nourrit un récit qui ne fait grâce à personne : prise en tenaille entre des traditions archaïques aux valeurs sclérosées et un pouvoir qui, faisant de l'arrivisme son ressort, reproduit scrupuleusement l'asservissement et l'avilissement hérités de la période coloniale et de la guerre, la victime (et tous, ou presque, le sont) n'a plus alors comme issue que de se muer à son tour en bourreau, devenant par là-même un être hybride – littéralement un monstre, à l'image du narrateur éponyme.

Paraplégique et aphasique à la suite d'un accident sans doute provoqué, objet d'une machination policière, Tombéza, bâtard hideux et difforme, attend la mort dans un réduit putride de l'hôpital délabré dans lequel il a longtemps sévi et régné, à force de délations et de turpitudes multiples. Cependant que, du couloir, parvient jusqu'à ses oreilles la péroraison télédiffusée d'un orateur chargé de glorifier le dixième anniversaire de l'indépendance, son passé, en un délire comateux, lui remonte à la gorge.

L'histoire de Tombéza n'est en effet qu'un voyage sans issue au fond de la nuit, depuis sa naissance sordide, fruit rejeté du viol par un inconnu de sa mère alors âgée de quinze ans, et de la correction subséquente infligée par le grand-père déshonoré. Haï et nié jusqu'en son nom, qui n'est qu'un sobriquet, traité comme un chien, le bâtard n'a plus d'autres ressources que d'« apprendre les gestes de survie avant de faire ses premiers pas » et de « buriner le cœur ». Sa traversée de l'histoire de l'Algérie contemporaine est une suite ininterrompue d'exclusions : de la famille et de tout lien social, du savoir et même de la religion, où règnent les bigots hypocrites. Tombéza tente alors d'assumer son avilissement et d'exploiter à son tour, par des trahisons successives, la lente avancée de la gangrène sociale : c'est l'armée française, au service de laquelle il s'est mis pour persécuter ses compatriotes, qui lui donne enfin un état civil ! Ce sont les mille intrigues de l'hôpital, dont sont cruellement victimes les malades, qui lui permettent d'accéder, avant sa chute, au rang de notabilité locale et de côtoyer la crapule qu'est le commissaire Batoul. Ce dernier, il est vrai, se fera la main ultime du destin.

Le parti pris narratif adopté par Rachid Mimouni lui permet, par un jeu incessant de retours en arrière et de digressions, de télescoper situations, époques et personnages. La chronologie se trouve ainsi niée au profit de la simultanéité, qui établit des équivalences, signifiant qu'en une cinquantaine d'années, et malgré l'indépendance, la situation de l'Algérien (et de l'Algérienne) ne s'est en rien modifiée, à ceci près que la tentation moderniste venue de l'Occident n'a fait qu'exacerber les conflits et multiplier les marginaux. Mimouni, pourtant, ne met pas directement en cause la révolution : s'il lui adresse un reproche, c'est d'avoir fait lever l'espoir, d'avoir empli les têtes de rêves, pour ne laisser ensuite subsister que l'amertume et la décomposition sociale. Mais pouvait-il, au vrai, en être autrement ? La nature même du pouvoir – de tous les pouvoirs – ne conduit-elle pas immanquablement à secréter des bureaucrates usurpateurs et à vampiriser tout idéal, de sorte que celui qui a cru en la liberté se transforme en potentat, comme Tombéza, victime devenue bourreau ? Alors, en effet, il n'y a plus ni lois, ni conscience : « J'ai compris que vérité et mensonge n'avaient plus aucun sens, que l'un et l'autre pouvaient aussi bien triompher qu'être récusés. »

Là se situent l'inquiétude et le pessimisme fondamental de Mimouni, si en effet le mal est en tout homme ou simplement, peut-être, s'il triomphe toujours. Pourtant, Tombéza lui-même ne peut se maintenir dans l'horreur absolue et le déni de toute réflexion morale. Qu'il faille remplacer un aveuglement par un autre, religieux cette fois, certes Mimouni, qui s'insurge contre la tyrannie de la tradition, le poids des archaïsmes dans la société, la persistance du passé dans le présent, ne le dit pas. Tout juste pose-t-il la question de la transcendance pour combattre la nausée, celle dans laquelle baigne tout *Tombéza*.

L. PINHAS

TONNERRE SANS ORAGE ou les Dieux inutiles. Voir POÈMES À JOUER, de J. Tardieu.

TOPAZE. Comédie en quatre actes et en prose de Marcel **Pagnol** (1895-1974), créée à Paris au théâtre des Variétés en 1928, et publiée à Paris chez Fasquelle en 1931.

Après deux tentatives infructueuses (*les Marchands de gloire*, 1925, et *Jazz*, 1926), Marcel Pagnol accède, avec sa troisième pièce, à un succès empreint d'amertume. *Topaze* est, en effet, l'œuvre d'un professeur qui, fils d'un instituteur pauvre, s'est hissé à force de travail jusqu'à cette consécration que représente, pour lui, l'enseignement au lycée Condorcet ; quand, au casino de Monte-Carlo, il gagne en un soir l'équivalent d'un semestre de traitement et se met en congé « pour cause de littérature »...

Professeur à la pension Muche, Topaze se montre, plus encore que son ami Tamise, un modèle de sérieux et de probité, qu'exploitent sans vergogne son directeur et ses collègues. Chassé pour sa naïve intégrité (Acte I), il accède à la fortune et à la reconnaissance sociale en devenant, à son insu, l'homme de paille d'un politicien véreux, Castel-Bénac (Acte II). Quand ses yeux se dessillent (Acte III), il n'est plus temps de dénoncer les tristes sires qui l'abusent et, après avoir vaincu les affres de la peur et du remords, il se joue de son maître en fourberies et achète la maîtresse de Castel-Bénac, Suzy, pour l'amour de qui il a accepté de se jeter dans la corruption (Acte IV).

Les « Paroles d'un garçon coiffeur » placées en exergue (« La société, voyez-vous, monsieur, si elle continue, elle tuera les justes ») donnent d'emblée le ton de cette pièce qui hésite constamment entre l'humour de connivence et l'implacable démonstration.

Au fil de son œuvre, Pagnol reviendra sans cesse sur la méchanceté de la nature humaine, évoquée dès *les Marchands de gloire*, où il dénonçait l'exploitation commerciale de la mémoire des soldats tombés pour la France. Ici, elle s'affiche avec insistance, énoncée par l'ancien professeur de morale que le « mépris des proverbes » a enrichi et dont on devine qu'il parviendra à séduire son ancien collègue Tamise, le « dernier homme honnête ». Pourtant, l'univers de Pagnol est bien moins manichéen qu'il n'y paraît. En passant de l'utopie scolaire à un repaire d'affairistes, Topaze ne vend pas son âme pour l'amour d'une sirène : il suit la loi de la nature qui veut que, depuis des temps immémoriaux, les femmes accordent leur amour à celui qui s'approprie « le plus gros bifteck ». La faute retombe sur la société d'après-guerre, qui ne sait plus récompenser ses enfants vertueux. Il est, d'ailleurs, significatif que les maximes affichées dans la salle de classe et dans le bureau du prévaricateur soient empruntées à la même « sagesse populaire », qui déclare tantôt que « l'argent ne fait pas le bonheur » et tantôt que « le temps, c'est de l'argent » : le monde des affaires et celui de l'enseignement s'interpénètrent à mesure que l'ancien professeur, redevenu élève, franchit avec succès le *cursus studiorum* des spéculateurs.

Cette contamination de deux univers supposés antinomiques, qui structure la pièce, en constitue l'un des principaux ressorts comiques. Ainsi, la salle de classe, à la fois symbole de la morale laïque et garante de sa pérennité, devient le théâtre de l'inversion des valeurs : dans cette institution, où les « sujets d'élite » sont les enfants dont les parents (si possible nantis de titres nobiliaires) sont prêts à verser les suppléments les plus mesquins, l'ordre repose sur un savant système de boucs émissaires, et l'amour le plus pur devient « la lubricité la plus scandaleuse » quand il cesse d'être exploitable... Inversement, le monde des affaires connaît ses valeurs, ses élégances et même sa dégénérescence des mœurs : « Mon pauvre père m'avait bien dit qu'il faut toujours se méfier d'un ami... Mais je croyais pouvoir compter sur un complice. » D'ailleurs, avec ses cartes géographiques, ses fichiers, ses bureaux, ses belles signatures et son émulation, il se mue bientôt en négatif de la salle de cours, où l'élève donne des leçons au maître.

Ce sens du paradoxe, du « mot », de la connivence avec le spectateur et de la « scène à faire », qui pèsera parfois sur le théâtre de Pagnol, allège ici plaisamment une satire sociale qui, en appuyant ses effets, aurait manqué son but, comme le maître qui cherche à aider mais déroute son élève en lui dictant que « des *moutonsse étaie-eunnt* en sûreté dans un parc »...

La pièce fut portée à l'écran une première fois en 1932 dans une réalisation de Louis Gasnier, puis, sous la direction de l'auteur, en 1936 et 1950 avec Fernandel dans le rôle-titre.

● Éd. de Fallois, 1992. ➤ *Œuvres complètes*, Club de l'honnête homme, III.

H. LEFEBVRE

TORRENT (le). Drame en quatre actes et en prose de Maurice **Donnay** (1859-1945), créé à Paris à la Comédie-Française le 5 mai 1899, et publié à Paris chez Fasquelle en 1908.

L'ancien *clubman* parisien Versannes s'est reconverti en *gentleman farmer* (en anglais dans le texte). Affligé d'une épouse évaporée qui ne comprend rien aux joies de la nature, il est devenu l'amant d'une voisine, Valentine Lambert, mal mariée à un prosaïque industriel du papier qui ne voit dans le couple qu'une « association » destinée à fonder une famille. Valentine a eu deux enfants ; mais celui qu'elle attend maintenant est de Versannes, comme elle le lui révèle. Alors que Versannes, follement épris, se trouve déjà à la gare pour s'enfuir avec elle, Valentine avoue tout à son mari en le suppliant, au nom et dans l'intérêt de leurs enfants, de la garder auprès de lui. Lambert la chasse, et elle se suicide en se jetant dans le torrent qui alimente la papeterie. Autour de ce quatuor gravite une série de figures rapidement esquissées : notamment l'abbé Bloquin, un curé de campagne bonhomme et conformiste, et Morins, un ami de Versannes, qui prêche au contraire le droit de « vivre sa vie » en dépit des préjugés.

L'adultère, chez les bourgeois 1900, reste un sujet de comédie tant qu'il demeure clandestin, non consommé, ou à l'état d'aventure sans lendemain : axiome brillamment illustré à l'époque par Feydeau (voir le **Dindon, *Monsieur chasse !*) ou par Donnay lui-même (*Georgette Lemeunier*, 1898). Mais le ton change lorsque l'amourette devient passion, et surtout que surgit l'irréparable : l'enfant naturel, l'« enfant d'un autre ». *Le Torrent* renoue ainsi, en l'adaptant au goût du jour, avec une thématique essentielle du « drame bourgeois » du XVIIIe siècle (Diderot, Beaumarchais), lui ajoutant pour corollaire la satire de l'hypocrisie sociale et du mariage d'intérêt, mais aussi le rêve d'une impossible conciliation entre l'ordre du cœur et celui d'un milieu mesquin, frivole, dépourvu de tout idéal. Donnay, qui se moque allégrement dans une pièce plus gaie (*la Bascule*, 1901) des dramaturges norvégiens qui désertent les salles parisiennes, semble ici, précisément, l'émule un peu gauche d'Ibsen ou de Björnson : les débats d'idées alternent avec des affrontements pathétiques égayés de loin en loin par l'intervention d'un comparse, et le suicide de Valentine, apparemment incapable de choisir entre son amant et ses enfants, est aussi, comme

celui d'Hedwig dans *le Canard sauvage* (1884), l'acte de désespoir d'un être pur, droit et sans concessions qui refuse les faux-fuyants et le mensonge – cette « ignoble substitution » que lui a conseillée le prêtre.

J.-P. DE BEAUMARCHAIS

TORRENT (le). Recueil de nouvelles d'Anne **Hébert** (Canada / Québec, née en 1916), publié à Montréal aux Éditions Beauchemin en 1950.

L'ordre chronologique de rédaction des cinq nouvelles regroupées sous le titre *le Torrent* fait apparaître une progression des thèmes, qui passent du rêve de vie et de liberté (« l'Ange de Dominique », 1938-1944, qui met en scène le rêve de danse d'une jeune fille paralytique), à la hantise d'un échec qui laisse certains êtres en marge (« la Maison de l'esplanade », 1942, où une vieille fille qui n'a jamais connu l'amour mène une vie sclérosée et dépourvue de sens, ou « la Robe corail », histoire d'une jeune ouvrière séduite et abandonnée), pour atteindre la violence d'une révolte contre les forces d'aliénation (« le Torrent », 1945) et finalement aller jusqu'à la destruction par la guerre (« le Printemps de Catherine », 1946-1947) pour accéder à une totale liberté.

Le Torrent. « J'étais un enfant dépossédé du monde » dit François, fils d'une femme coupable, Claudine Perrault, fille mère qui vit seule avec son enfant dans une ferme retirée au bord d'un torrent. En destinant son fils à la prêtrise, Claudine veut racheter sa dignité ; lorsque François refuse de devenir prêtre, elle se déchaîne et le frappe sauvagement au point de le rendre sourd. C'est l'arrivée d'un cheval, appelé Perceval, qui va donner forme à la révolte. Par sa force, sa fougue indomptable, Perceval exerce une fascination sur François et lorsque le cheval rétif, délivré par lui, tue Claudine, François se croit libre mais son destin l'emprisonne. En quête d'une femme, il rencontre celle qu'il appelle Amica, dont bientôt la seule présence l'effraie. Amica finit par s'enfuir en volant l'argent de François. Dans sa solitude, il ne résiste pas à la seule force insoumise encore présente : le torrent, qui le délivrera des images qui le hantent en l'emportant dans ses flots.

Anne Hébert appartient à une famille d'écrivains pour qui écrire, c'est apprendre à vivre avec soi-même. Avec *le Torrent*, elle affiche sa nature tourmentée et farouche ; elle ne se maintient plus au bord du gouffre, mais sonde avec une extrême lucidité ses ténèbres intérieures et le monde qui l'environne.

François, fils d'une femme coupable, monstrueux produit de la malédiction qui pèse sur la fille mère, vit une aliénation terrifiante. Attaché par les liens du sang à une damnée et objet même de cette damnation, il est condamné à la culpabilité. La présence de la mère s'impose comme une obsédante conscience morale dont l'unique souci est d'habituer son fils à mesurer ses actes à l'échelle de la culpabilité. Jusqu'à ses derniers instants, avant qu'il ne la noie avec lui dans les flots du torrent, l'image de la mère hante cet homme paralysé, magnétisé, figé de peur et d'admiration face à celle qui l'a enfanté.

En refusant de perpétuer le sacrifice expiatoire que la mère s'est imposé à elle-même, François s'expose à la violence de Claudine, qui précipite le récit du drame vers la tragédie. Le choc ressenti, la rupture avec le monde extérieur et l'aggravation de la situation conflictuelle ouvrent un abîme : celui de la révolte, symbolisé par le torrent. Mais pour manifester ce sentiment, le récit fait d'abord appel à une force animale. Instrument de la révolte, Perceval, double antithétique et idéalisé de François, exprime le refus de soumission à la « gigantesque Claudine Perrault », la fougue et la passion que le jeune homme n'a jamais pu extérioriser. Quant au torrent, il ne prend toute sa signification qu'après la mort de la mère qui, loin d'être une délivrance, révèle le désespoir d'une révolte retournée contre elle-même. L'innocence est désormais interdite pour toujours et c'est dans l'âme de François que vit Claudine Perrault. Conscient du mal en lui, il n'a d'autre choix que de le combattre en s'enlevant la vie. Le torrent devient alors invitation au suicide.

L'atmosphère de tension intérieure qui habite le récit n'a rien d'une romantique anxiété adolescente. C'est la psychologie hallucinée et fiévreuse, la souffrance d'un homme mûr et lucide, qui s'expriment. Plongé en lui-même sans rémission, François ne peut échapper à une enfance suppliciée : « Ô ma mère que je vous hais ! et je n'ai pas encore tout exploré le champ de votre dévastation en moi. »

Intense comme le sont les poèmes du *Tombeau des rois*, écrit dans le même langage net et concis, ce récit à la voix fragile, d'une extrême densité, manie les songes avec délicatesse. En phrases brèves, il pointe avec une étonnante lucidité les plaies morales ou sociales de la « Belle Province ». Tenue pour un grand classique de la littérature canadienne française contemporaine, cette fable terrible, à la charge symbolique explosive, caractérise parfaitement l'aliénation québécoise. Claudine, plus qu'un type de femme, un cas de mère déséquilibrée et monstrueuse, est un symbole sur lequel viennent se cristalliser tous les tabous, tous les interdits, toutes les peurs de vivre qui ont pesé sur la conscience canadienne française. Contrairement à nombre d'œuvres qui dans ce pays n'ont su trouver d'autre voie que celle de l'expression d'un drame collectif, chez Anne Hébert, le plus haut degré de signification collective coïncide avec le plus pur achèvement d'un art intensément personnel. Mais le Québec n'était pas préparé à recevoir le choc d'un tel texte et lors de sa parution, la *Revue de l'université Laval*, sous la plume de Bertrand Lombard, soulignait que « les personnages de Mlle Hébert ne sont pas de notre terroir et appartiennent, par la tristesse de leur destin, aux absurdités existentialistes ».

● Montréal, Éd. Hurtubise, 1963 ; Le Seuil, 1965.

C. PONT-HUMBERT

TORTURE PAR L'ESPÉRANCE (la). Voir CONTES CRUELS et NOUVEAUX CONTES CRUELS, d'A. de Villiers de L'Isle-Adam.

TOSCA (la). Drame en cinq actes et en prose de Victorien **Sardou** (1831-1908), créé à Paris au théâtre de la Porte-Saint-Martin le 24 novembre 1887, et publié à Paris chez Michel Lévy la même année.

Avec *Patrie* (1869), puis avec *la Haine* (1874) qui déjà évoquait l'Italie, Sardou avait tenté un renouveau remarqué du drame historique à grand spectacle. *La Tosca* s'inspira encore plus nettement de cette manière romantique d'écrire l'Histoire, qui consiste à évoquer une déchirante passion amoureuse dans la bourrasque d'événements tumultueux. L'intrigue se situe ainsi en 1800, avant Marengo, à un moment où l'Italie voit renaître ses tyranneaux, qui profitent du déclin provisoire d'influence française. Rome est alors, après la chute de la République Parthénopéenne, sous la coupe de la maison de Naples ; la reine Marie-Caroline y exerce un pouvoir sanguinaire avec la complicité de Nelson et de lady Hamilton. Commencée presque comme une comédie de Scribe avec la poursuite d'un fugitif, l'histoire bascule soudain dans l'horreur et se termine dans la boue et le sang.

Suspect de libéralisme, le peintre Mario Caravadossi, amant de la cantatrice Floria Tosca, accueille dans l'église Saint-Andréa qu'il est en train de décorer un fugitif républicain, Cesare Angelotti. Grâce à l'astuce de Mario qui le déguise en femme, l'homme en fuite échappe aux investigations du chef de la police, Scarpia, qui, par quelques indices abandonnés, a tout deviné du scénario. Sournoisement, Scarpia allume alors dans le cœur de la Tosca une violente jalousie en lui laissant accroire qu'au moment où il lui parle son amant est dans les bras de son modèle, la belle marquise Attavanti, sœur du fugitif. La Tosca se précipite alors chez Mario qui se disculpe aisément en lui avouant la présence du réfugié et le lieu de sa cachette. Mais Scarpia et ses sbires ont suivi la Tosca : ils cernent la maison. Le chef de la police fait alors torturer Mario en laissant entendre à son amante ses gémissements ; à bout de nerfs, la Tosca finit par révéler que le prisonnier est caché dans le puits. Ce dernier, découvert, se suicide et Mario, emmené au château Saint-Ange, est condamné à mort. Scarpia propose alors à Tosca un marché : qu'elle se donne à lui et il sauvera Mario, sinon son amant sera fusillé. Après bien des tortures morales, Tosca paraît céder, mais dès qu'elle a obtenu l'assurance que les fusils seront chargés à blanc et qu'elle a en main un sauf-conduit pour elle et son amant, elle poignarde Scarpia. Puis, l'esprit tranquille, elle attend le bruit de salve d'une exécution qu'elle croit simulée. En fait, il n'en est rien ; l'ordre donné par Scarpia était codé : Mario est mort. Folle de désespoir, la Tosca crie son crime aux soldats et se précipite dans le vide.

Contrairement aux deux grands drames d'aventures et d'Histoire qu'étaient *Patrie* et *la Haine*, qui mettaient en scène un grand nombre de personnages, *la Tosca* se déroule comme une tragédie à trois personnages : le couple Caravadossi-Tosca et leur ennemi juré Scarpia, « héritier des Borgia et des Cenci, bigot et athée, souriant et féroce et sadique » (écrivait Sardou dans *l'Entracte*), véritable troisième couteau de mélodrame, qui fait souvent songer au Laffemas de *Marion Delorme*. L'action est sobre, serrée, et gagne en rapidité et en intensité dramatique au fur et à mesure que l'on se précipite vers le dénouement. La critique fut toutefois un peu sévère pour « ces faits qui crèvent les yeux et qui émeuvent la sensibilité physique » (Sarcey), pour ces « scènes de boucherie et d'abattoir » (Jules Lemaître). Certes, la pièce, avec ses chassés-croisés et la violence de son pathétique, en particulier dans la scène de torture du troisième acte, qui choqua beaucoup, a pu, dans la rudesse de ses effets, faire songer au mélodrame, d'autant que costumes et décors étaient parfaitement soignés (chaque décor fut confié à un peintre de renom et l'ensemble apparut alors comme un chef-d'œuvre de l'art décoratif). Toutefois, une manière de lyrisme emporte le tout ; Sarah Bernhardt sut l'exprimer avec une ardeur passionnée comme elle l'avait fait dans *Fédora* (1882), dans *Théodora* (1884), pièce à propos de laquelle Mirbeau avait écrit que Sardou savait « nous faire respirer en même temps que les plus délicieux parfums de l'art idéal, les odeurs effrayantes d'humanité ».

L'ampleur de ce lyrisme trouva sa pleine mesure dans l'opéra de Puccini directement inspiré du drame de Sardou (livret de Giuseppe Giacosa et Luigi Illica), qui fut créé au théâtre Costanzi de Rome en 1900, et, dans une traduction de P. Ferrier, à Paris à l'Opéra-Comique en 1903.

J.-M. THOMASSEAU

TOUCHEZ PAS AU GRISBI ! Roman d'Albert **Simonin** (1905-1980), publié à Paris chez Gallimard en 1953. Film de Jacques Becker, avec Jean Gabin (1954).

Dans un bar, Max, truand de la vieille école, surprend Frédo, chef de bande, qui fait des avances à Lola, la petite amie de son complice Riton. Max sait que Frédo, en agissant ainsi, signe son arrêt de mort. La nuit même, celui-ci est assassiné : le crime est attribué à Riton. Max décide de partir à sa recherche avant qu'Angelo, qui a pris la tête de la bande de Frédo, ne lui règle son compte. Il parvient à le retrouver et apprend que celui-ci n'a pas tué Frédo. Riton lui révèle que Lola est au courant du gros coup commis peu auparavant. Max comprend que Lola s'est mise avec Angelo et qu'ils n'ont d'autre but que de trouver l'endroit où est dissimulé le butin. Angelo parvient à mettre la main sur Riton, mais ce dernier agonise avant d'avoir révélé le lieu de la cachette. Max décide, afin de se débarrasser d'Angelo, de lancer contre lui une bande de truands espagnols. Après avoir mis en marche cette nouvelle guerre des gangs, Max décide de ne pas perdre un instant pour récupérer le magot et prendre une retraite méritée.

C'est ici un roman policier à rebours : le lecteur est invité à suivre, pas à pas, l'équipée sauvage de Max-le-menteur, truand de la vieille école qui n'aspire qu'à prendre sa retraite mais qui, malgré lui, est entraîné dans des règlements de compte sans fin, alors que les inspecteurs n'ont qu'un rôle secondaire voire de figuration. Le véritable affrontement se déroule entre des bandes de truands qui s'entretuent pour de l'argent, la vieille génération, attachée à un certain code de l'honneur, s'opposant à la nouvelle uniquement guidée par l'appât du gain : « Je me sentais depuis une semaine l'homme d'une autre époque, et Angelo et ses pédoques, Ali et les espingos s'étaient pas grattés pour m'en donner la preuve. » Pas de mystère non plus dans ce récit, avant tout psychologique, qui nous offre une vision interne du monde de la pègre et de ces nouveaux venus aux méthodes peu traditionnelles : « La Fantasia rue Fontaine, les pétarades spectaculaires, le Far West square Vintimille, ça le faisait un brin marrer. » Max fait figure d'étranger dans cette jungle cosmopolite et colorée : « C'étaient une vraie figuration pour Ali Baba et les quarante voleurs qui s'étalait au zinc. Rien que du basané ; du café au lait maghrébin ; du noir mat sénégalais ; du cuivre martiniquais. » Dans un monde où le seul credo, accepté de tous, est celui de l'argent, Max est condamné à mener une existence en sursis, traqué, errant de bar en bar et de cabaret en cabaret pour échapper à la mort alors même qu'il ne rêve que de respectabilité et de confort domestique : « Depuis que j'avais, et pour la première fois de ma vie, l'estime de mon concierge, je ne voulais pas de potin chez moi. On a sa fierté, quoi ! »

Par-delà la personnalité de Max, l'intérêt du récit provient principalement du style argotique des titis parisiens et des bas-fonds, signe de ralliement et de reconnaissance qui caractérise une communauté en marge. Initiation à une langue haute en couleur et dont les expressions clés tournent autour de l'argent et de l'emprisonnement, le texte propose également une déambulation, une promenade guidée dans un Paris à la topographie mystérieuse : de la porte Champerret, Pigalle, ces quartiers « chauds », jusqu'au boulevard de Courcelles et au quartier de l'Étoile où s'installent, parmi la haute bourgeoisie, ceux qui, par chance, sont parvenus à avoir pignon sur rue. Un Paris en miniature, dans lequel Max tourne en rond en revenant, sans cesse, vers les mêmes endroits car il n'y a que là où l'on peut aller en toute sécurité. Une capitale étrange se dessine où grouillent des individus louches qui s'entretuent tout en s'attablant aux mêmes comptoirs. *Touchez pas au grisbi !* nous propose une pérégrination nocturne dans une jungle insolite qui vit à contre-temps, mais c'est, davantage encore, une allégorie de la vieillesse, de la solitude et de l'engrenage infernal d'une existence en marge où, en fait, les chemins empruntés ne mènent jamais nulle part.

● « Folio », 1989.

B. GUILLOT

TOUR DE NESLE (la). Drame en cinq actes et neuf tableaux, en prose, de Félix **Gaillardet** (1808-1882) et Alexandre **Dumas** (1802-1870), créé à Paris au théâtre de la Porte-Saint-Martin le 29 mai 1832, et publié à Paris chez Barba la même année.

Alors que le choléra, qui s'était déclaré pendant le carnaval, continuait ses ravages et jonchait la capitale de morts, les théâtres, après plusieurs semaines de fermeture, avaient malgré tout rouvert. Harel, directeur de la Porte-Saint-Martin, affirmait même que « les salles de spectacles étaient les seuls endroits publics où [...] aucun cas de choléra ne s'était encore manifesté ». À cette époque, Harel précisément reçut d'un auteur provincial, F. Gaillardet, un manuscrit un peu gauche peut-être, mais empli de violence, de sexualité et de fureur. Se l'étant vu confier, Dumas, confiné dans sa chambre, le réécrivit en trois jours. Immédiatement mise en répétition, la pièce fut donnée le 29 mai. Frédérick Lemaître, par peur de l'épidémie, s'étant réfugié à la campagne, on confia, selon le souhait de Mlle George, le rôle principal à Bocage. Ce fut un triomphe soudain, qui prit une ampleur insoupçonnée.

Sans lien direct avec l'image que la pièce donne d'une royauté faible et dissolue, l'insurrection éclata une semaine plus tard, lors des funérailles du général Lamarque. Cerné par les échauffourées, le théâtre fut fermé mais les fusils du magasin des accessoires furent emportés par les émeutiers. Après cette interruption, le succès reprit, plus vif encore, si bien que la famille royale elle-même honora les loges de sa présence. Il est vrai que la publicité qui entourait ce drame fut largement favorisée par le fait que Gaillardet, exigeant que son nom seul figurât sur l'affiche, avait provoqué Dumas en duel, et qu'un procès avait suivi, toujours pour des questions de préséance (ce ne fut qu'en 1861, après leur réconciliation, que les éditions de l'œuvre portèrent le nom des deux auteurs). D'autre part, à partir de septembre, Frédérick Lemaître remplaça Bocage dans le rôle principal, donnant au drame un autre éclairage.

Sarcey, cherchant un peu plus tard dans le siècle les causes d'un enthousiasme auquel il avait lui-même succombé, écrivait : « J'aurais vu qu'il s'agissait d'une reine de France adultère, parricide, infanticide, incestueuse, qui ajoute à toutes ces horreurs l'infamie gratuite d'attirer les jeunes gens dans son repaire et de les faire assassiner après leur avoir donné une nuit de plaisir, j'aurais vu qu'elle était sur la scène la maîtresse d'un de ses fils et que, tout le temps de la pièce, on devait la soupçonner d'avoir l'autre pour amant, je me serais récrié du premier coup : Non, tout cela n'est pas possible ! Jamais le public n'acceptera ce ramassis d'abominations. Elles lui soulèveront le cœur. »

Au début du XIVe siècle, dans la taverne de maître Orsini, proche de la tour de Nesle, se retrouvent Philippe d'Aulnay, qui vient d'arriver à Paris, et son frère Gaultier, pour lors favori de la reine Marguerite de Bourgogne. Ils font la connaissance d'un vieux routier des guerres d'Italie, le capitaine Buridan. Buridan et Philippe ont pour le soir même reçu un rendez-vous à la même heure, transmis par une femme voilée. Gaultier les met en garde. Depuis quelque temps, la Seine rejette des cadavres de jeunes gens mystérieusement assassinés (tableau 1). Au petit matin, aposté dans la tour de Nesle avec ses spadassins, Orsini attend les trois hommes qui, pour lors, ripaillent et s'ébattent avec Marguerite et ses sœurs, Blanche et Jeanne. Marguerite, qui ne s'est pas démasquée de la nuit, demande à Orsini d'épargner le jeune homme à qui elle vient d'accorder quelques heures d'amour (tableau 2). Mais celui-ci, imprudemment, voulant connaître le nom de sa belle inconnue, la marque au visage avec une épingle. Il signe ainsi son arrêt de mort. Buridan et Philippe, pris dans cette souricière, font le serment de se venger et de venger l'autre si jamais l'un des deux parvient à s'échapper. Au moment où il va être frappé, Buridan est reconnu par son assassin, un ancien compagnon d'armes, Landry, qui le laisse sauter dans le fleuve. Philippe, avec le troisième des invités de la tour, a moins de chance : il est frappé à mort. Avant qu'il ne meure, Marguerite, exauçant son vœu, se fait reconnaître de lui en découvrant son visage (Acte I).

À l'audience matinale de la reine Marguerite, Gaultier d'Aulnay s'étonne de l'absence de son frère (tableau 3). Un bohémien aperçu par la fenêtre, que la reine fait mander, lui révèle que son frère est mort. Ce curieux personnage donne aussi rendez-vous à la reine chez Orsini en exhibant l'aiguille d'or qui a servi à la blesser. Revenu, Gaultier demande justice. Marguerite se rend chez Orsini et y retrouve le bohémien, en réalité Buridan, qui parle en maître : il détient en effet des tablettes sur lesquelles Philippe, avant de mourir, avec son sang, a accusé Marguerite. Buridan exige de l'or, et la place de Premier ministre. Marguerite, acculée, signe (tableau 4), mais retourne rapidement la situation à son profit en se faisant confier par Gaultier, qui avait fait le serment à Buridan de n'y pas encore regarder, les fameuses tablettes, pour en arracher subrepticement la page accusatrice (Acte II).

Au moment où, sur l'ordre de la reine, Buridan va être arrêté par Gaultier (tableau 5) et révéler à ce dernier la teneur de cette fameuse page, il est envoyé par Marguerite à la prison du Grand-Châtelet. La reine vient narguer Buridan dans son cachot en brûlant la preuve de son crime (tableau 6). Buridan se fait alors reconnaître d'elle : il est en vérité Lyonnet de Bournonville, ancien page de Marguerite et son premier amant. Elle avait eu de lui deux fils dont elle avait voulu se débarrasser à leur naissance et qui probablement ont été sauvés (Acte III).

Pour Marguerite, Lyonnet avait aussi tué le vieux roi. Tous ces événements, Marguerite les rappelle dans une lettre que Buridan a gardée. Il la tient à nouveau et exige de retrouver son poste de Premier ministre. C'est ainsi lui qui accueille le roi dans sa bonne ville de Paris (tableau 7). Marguerite avoue alors à Buridan qu'elle aime Gaultier. De son côté, Buridan lui laisse croire qu'il l'aime encore ; ils se donnent rendez-vous à la tour de Nesle, mais chacun des deux tend en réalité un piège à l'autre (Acte IV).

Ainsi Buridan dévoile à Gaultier la teneur de la lettre de Marguerite et la dénonce comme l'assassin de son frère. Puis il lui donne la clé de la tour (tableau 8). Immédiatement après, il découvre, grâce à une confidence de Landry, que Philippe et Gaultier sont les deux enfants qu'il a eus de Marguerite. Il tente alors de rattraper Gaultier, arrive à la tour par une fenêtre pour échapper aux assassins, révèle tout à Marguerite. Mais il est trop tard. Gaultier est poignardé et vient mourir ensanglanté aux pieds de sa mère. Marguerite et Buridan sont arrêtés par ordre du roi Louis X, à qui l'on avait dénoncé les désordres de la tour de Nesle (Acte V).

Si *la Tour de Nesle* connut un tel succès, c'est probablement grâce à l'habileté technique de Dumas, qui savait donner du rythme à ses pièces, placer au bon endroit une scène à effets, et terminer les fins d'actes en bourrasque par une réplique cinglante ou une formule brillante sur laquelle tombait soudainement le rideau. C'est aussi peut-être grâce à sa façon de simplifier l'Histoire en lui prêtant l'allure d'un mélodrame, donnant l'illusion au spectateur qu'elle n'est au fond qu'un grand spectacle avec orgies, estafiers et poisons (ce dont, en 1833, se souviendra Victor Hugo dans *Lucrèce Borgia). C'est surtout en mettant en scène comme la plupart du temps dans ses pièces (voir *Antony, Richard Darlington, Angèle...) un ambitieux démuni, qui, cherchant à sortir de sa condition, piétine codes sociaux et moraux et parvient comme un météore au faîte, avant de chuter tout aussi brutalement dans un abîme. Cette trajectoire icarienne, fuyant le dédale d'une tour abritant les enlacements contre nature d'Éros et Thanatos, fut parfaitement symbolisée par l'acteur Bocage, Buridan décharné à la voix caverneuse, plus préoccupé en fait, comme beaucoup de héros du théâtre romantique, par l'ardeur de son élan sans but que par la recherche des fins dernières.

J.-M. THOMASSEAU

TOUR DU MONDE EN QUATRE-VINGTS JOURS (le). Roman de Jules **Verne** (1828-1905), publié à Paris en feuilleton dans *le Temps* du 6 novembre au 22 décembre 1872, et en volume chez Hetzel en 1873.

Aucune œuvre ne vérifie mieux, sans doute, le but fixé par l'éditeur Hetzel au romancier : « Dépeindre le monde entier sous la forme du roman géographique et scientifique » (Verne à Hetzel fils, 1888). Encore qu'il s'agisse davantage d'exalter les progrès extraordinaires accomplis par l'époque moderne dans les transports et les communications. Car au rythme effréné d'un tel voyage, l'univers n'est qu'un décor, simple espace d'un déplacement qui l'oublie en le parcourant.

Phileas Fogg est un membre aussi éminent qu'original du Reform-Club de Londres. Ce gentleman lance un défi audacieux aux autres membres de cette honorable association : il parie toute sa fortune – vingt mille livres – qu'il effectuera le tour du monde en quatre-vingts jours. Il se met donc en route avec son domestique français, l'habile Passepartout, le 2 octobre 1871, à huit heures quarante-cinq (chap. 1-4). Hélas, ce départ précipité éveille la méfiance de la police. Le détective Fix soupçonne Phileas Fogg d'être l'insaisissable individu qui a volé trois jours plus tôt cinquante-cinq mille livres à la Banque d'Angleterre. Il se lance aussitôt à sa poursuite (5-8). Phileas Fogg et Passepartout, cependant, utilisant les navires les plus rapides, laissent derrière eux Suez, Aden, et parviennent en Inde. Quand les trains font défaut, ils utilisent les services d'un éléphant. Ils échappent de peu à la fureur d'hindous fanatiques et sauvent la vie de la belle Aouda condamnée par un usage barbare à mourir sur le bûcher funéraire de son époux. Malgré les astuces de Fix pour les retarder, les contretemps et les tempêtes, les voyageurs s'embarquent pour Hong Kong puis pour Shanghai et Yokohama. C'est l'occasion d'étonnants chassés-croisés : perdu à Hong Kong, Passepartout est retrouvé au Japon, mêlé à une troupe d'acrobates (9-23). Ayant traversé le Pacifique, Fogg, Passepartout et Aouda arrivent à San Francisco et entreprennent de rejoindre New York par chemin de fer. Mais les troupeaux de bisons, les ponts effondrés, les Indiens hostiles et les chutes de neige contrarient leurs projets. C'est en traîneau à voiles qu'ils doivent faire une bonne partie de leur route. Malgré leurs efforts, ils manquent le paquebot qui devait les ramener en Angleterre (24-32). Phileas Fogg est obligé de louer un bateau, dont il doit brûler les superstructures pour alimenter les machines. Il parvient ainsi à Liverpool, où l'attend l'inspecteur Fix. Arrêté, le héros est vite reconnu innocent. Mais cet événement fâcheux l'amène à Londres avec cinq minutes de retard. Du moins, c'est ce qu'il croit : ayant accompli le tour du monde en sens inverse de la rotation terrestre, il a en fait gagné un jour sur la durée de son périple. Il est donc arrivé à temps pour remporter son pari et fait une entrée triomphale au Reform-Club, le 21 décembre 1871, trois secondes avant vingt heures quarante-cinq ! La prouesse lui a coûté aussi cher que la mise, il est vrai. Mais en épousant la charmante Aouda, il a gagné l'amour (33-37).

Le roman vaut d'abord par la vision du monde qu'il propose, où l'exotisme conventionnel et les préjugés verniens ne suffisent pas à occulter un regard plus profond et plus grave. Premier constat : voyager en 1871, pour un Anglais, n'est guère dépaysant. Partout où passe Phileas Fogg, il peut compter sur les ramifications d'un système politique, économique et culturel d'une dimension planétaire. Ce n'est pas seulement en accélérant la vitesse des navires ou des trains que l'époque moderne a rendu la terre moins vaste. C'est aussi en banalisant sur les cinq continents les signes d'une civilisation qui aspire à l'universalité et réduit les différences culturelles à des manifestations marginales ou pittoresques, volontiers taxées d'archaïsmes barbares. Le fanatisme des hindous ou la hargne belliqueuse des Sioux traduisent des expressions passéistes, spectaculaires sans doute, mais impuissantes à s'opposer à la marche d'un progrès dont le gentleman anglais est à la fois utilisateur et symbole. Bien moins efficacement, en tout cas, que la police britannique, institution omniprésente, usant de toutes les ressources du temps présent. En suivant l'aventurier, voire en le précédant aux quatre coins du monde, Fix n'accomplit-il pas une prouesse au moins égale ? L'obstination tient lieu d'idéal, sans doute. Mais la relative facilité avec laquelle le policier accompagne les héros démystifie considérablement leur exploit.

Dans la succession des pays que traverse Phileas Fogg, deux seulement occupent une place privilégiée : l'Inde et les États-Unis. Par rapport à l'obscurantisme rétrograde de l'un ou au modernisme agressif de l'autre, l'univers policé de Londres concilie la tradition feutrée de ses clubs et les commodités nouvelles du gaz d'éclairage, des steamers et des *railways*, comme pour représenter un sage équilibre. On ne peut manquer d'observer, cependant, la preuve d'une certaine impuissance du progrès à transformer la nature humaine. Locomotives et télégraphes paraissent traverser ces étendues sauvages sans en modifier le moindre aspect. En devant sans cesse affronter les obstacles naturels et l'hostilité des hommes de la tradition, l'homme moderne et ses machines sont forcés chaque fois de reconquérir l'espace qu'ils croyaient avoir colonisé.

En réalité, Phileas Fogg a toujours vécu dans un cadre rassurant, où le hasard n'a pas sa place et où l'existence peut se régler avec la simple logique de l'horloge : « L'imprévu n'existe pas », déclare-t-il à ses contradicteurs du Reform-Club. Son aventure va totalement remettre en cause cette conviction, puisque sa réussite doit tout à un fait dont il bénéficie sans l'avoir provoqué, de manière fortuite. L'ultime véhicule qui l'amène à bon port n'est pas un de ces instruments artificiels et capricieux, utilisés au-delà de leurs possibilités et de toute raison, mais la nature elle-même, cette planète qu'il se hâte de parcourir et qui, à son insu, par son mouvement propre et constant, lui offre le temps qui lui manque. D'ailleurs, les ressources humaines, l'ingéniosité de Passepartout, la démesure généreuse et héroïque de Fogg, l'amour même d'Aouda, contribuent au moins autant au succès que les moyens mécaniques, souvent défaillants.

Rien d'étonnant, alors, si le récit, au lieu d'adopter l'architecture linéaire d'une suite d'étapes, purement chronologique, bifurque sans arrêt dans des histoires parallèles, des analepses et des retards. C'est toujours Passepartout qui apparaît comme l'opérateur de ces détours. Ses distractions ou son intrépidité l'entraînent à vivre des aventures en marge de celles de son maître. On le voit ainsi mener des expériences picaresques entre la Chine et le Japon ou affronter tout seul une tribu indienne. Et on doit avouer que ces errances jouent un rôle essentiel, en ramenant sans cesse au cœur des événements une dimension humaine qui leur rend leur vrai sens. Acte gratuit en apparence, défi abstrait lancé au temps, le voyage de Fogg, en lui apportant l'amitié et l'amour, donne une signification à sa vie. Dandy figé dans sa froide maniaquerie, d'abord occupé à gérer le temps pour l'économiser et ne jamais le perdre, il découvre que seuls ses retards l'ont vraiment enrichi. Et quand Passepartout lui déclare qu'il pouvait « faire le tour du monde en soixante-dix-huit jours », il répond aussitôt : « Sans doute, en ne traversant pas l'Inde. Mais si je n'avais pas traversé l'Inde, je n'aurais pas sauvé Mrs Aouda, elle ne serait pas ma femme, et... »

En étant contrarié dans la logique apparente de ses projets, Phileas Fogg est devenu un authentique voyageur, non un simple passager. Sa présence au monde a pris la valeur d'un rapport nécessaire, pour la morale et pour l'action.

● « Presses Pocket », 1990 (p.p. J. Delabroy). ➤ *Œuvres*, Éd. Rencontre, XI ; *id.*, « Le Livre de Poche », II.

D. GIOVACCHINI

TOURNOIEMENT ANTÉCHRIST (le), de Huon de Méry. Voir SONGE D'ENFER, de Raoul de Houdenc.

TOUSSAINT LOUVERTURE. Drame en cinq actes et en vers d'Alphonse de **Lamartine** (1790-1869), créé à Paris au théâtre de la Porte-Saint-Martin le 6 avril 1850, et publié à Paris chez Michel Lévy la même année.

Issu d'un projet conçu en 1839, *les Noirs*, achevé en 1840 sous le titre *Haïti ou les Noirs*, en partie égaré, réécrit avec publication de deux fragments en 1843 (*les Esclaves*), acheté par l'éditeur Michel Lévy, joué par Frédérick Lemaître, éreinté par la critique, mieux accueilli par le public, *Toussaint Louverture* relate la tragique confrontation entre la France consulaire et la République haïtienne en 1802.

Au son de la *Marseillaise noire* et au pied de la tour où travaille Toussaint, on annonce l'arrivée des vaisseaux de Bonaparte (Acte I). Dans la tour, Toussaint évoque son destin, exprime ses doutes, revoit le père Antoine qui jadis « baptis[a] en [lui] la liberté », se résout à se battre « Je n'en puis plus douter. La guerre ou l'esclavage / Je couvrirai de fer et de feu ce rivage »). Pour galvaniser son peuple, il feint d'avoir prévu les premières défaites et explique à sa nièce Adrienne, fille abandonnée par son père, un Blanc, qu'il veut disparaître pour préparer la revanche et vérifier sa prophétie : « Haïti sera libre, c'est moi qui vous le dis » (Acte II). Dans leur état-major, les Français de Leclerc amènent avec eux les enfants que Toussaint avait autrefois confiés à la France. Pauline Bonaparte, l'épouse de Leclerc, prend un pauvre aveugle sous sa protection : elle ignore qu'il s'agit en fait de Toussaint. Leclerc veut l'utiliser pour faire parvenir des propositions de paix au chef noir. Moïse, général haïtien, trahit et propose aux Français de se venger du « tyran ». Toussaint se découvre, le tue et s'enfuit (Acte III). L'on passe ensuite dans la prison où est enfermée Adrienne. Entièrement familial, cet acte montre les retrouvailles d'Adrienne et des fils de Toussaint, dont Albert, qui l'aime. Celui-ci maudit « ceux qui la profanèrent » et qu'il admirait jusqu'alors. Salvador, le père indigne,

fanatique de Bonaparte (« Le consul, comme Dieu, veut que tout soit à lui »), croit pouvoir échapper à sa faute en faisant arrêter les enfants qui ont réussi à briser les fers de leur « sœur » et en confiant Adrienne au père Antoine, qui, en fait, la libère (Acte IV). Dans le camp de Toussaint, ses fils lui apportent les conditions des Français : « Entre les Blancs et nous complète égalité, / Leur drapeau seulement couvrant la liberté. » Albert a engagé sa parole. Déchiré, au moment de choisir son père contre la France, il est emmené par les soldats de Salvador. Toussaint, au comble de la douleur, cède (« Vous triomphez, ô Blancs !... j'avais un cœur ! »). Trahissant leur promesse, les Français attaquent à ce moment. Adrienne meurt en levant la bannière d'Haïti, Toussaint la ramasse et appelle aux armes (Acte V).

Citée à deux reprises dans son *Histoire de l'art dramatique* par Théophile Gautier évoquant d'abord la crise du drame romantique après la reprise de **Ruy Blas* en 1842 (« Lamartine garde en portefeuille son *Toussaint Louverture* »), puis la représentation de 1850 (« On se serait cru aux beaux jours de **Marion Delorme*, de **Lucrèce Borgia* et d'**Antony* »), la pièce de Lamartine illustre quelques-unes des préoccupations majeures du poète. Il s'agit pour lui d'atteindre un large public populaire, et l'écriture théâtrale exprime la même ambition que sa production romanesque (voir **Geneviève*).

Le choix du sujet est exemplaire. Il combine le rappel du message révolutionnaire humaniste, la mise en scène d'une Révolution devenue gardienne de l'ordre établi, l'affliction des humbles et des exclus, les contradictions de l'Histoire qui voit s'affronter les défenseurs des droits de l'homme et ceux-là mêmes qui devraient en bénéficier. Le poème dramatique appartient en propre à la tentative lamartinienne d'unir poésie, politique et action. Figure héroïque, Toussaint Louverture parle pour une humanité souffrante en quête de dignité.

Hymne à la liberté des Noirs (« Debout, enfants, debout, le Noir enfin est homme »), et à la famille (« Je suis père avant tout », dit Toussaint), le drame historique utilise les ressources du mélodrame (trahisons, déchirements pathétiques, émotions exacerbées...). Dénonçant racisme et loi de l'intérêt, la pièce vibre d'accents hugoliens pour évoquer les « abîmes » de l'esclave, ce monstre dont l'âme est une « nuit ». Pièce qui met en scène une rupture tragique de l'Histoire, où l'Homme est arrêté sur le chemin de l'accomplissement démocratique, *Toussaint Louverture* se veut œuvre missionnaire, fragment d'une épopée humanitaro-religieuse, et préparant un avenir providentiel.

➤ *Œuvres poétiques complètes*, « Pléiade ».

G. GENGEMBRE

TOUT COMPTE FAIT. Essai autobiographique de Simone de **Beauvoir** (1908-1986), publié à Paris chez Gallimard en 1972.

Après les **Mémoires d'une jeune fille rangée*, la **Force de l'âge* et la **Force des choses*, ce dernier tome de l'autobiographie de Simone de Beauvoir s'attache à la période comprise entre 1962 et 1972. Sa présentation diffère de celle des volumes précédents en ce que l'auteur abandonne la continuité chronologique pour une présentation ordonnée autour de grands thèmes. L'ouvrage offre en même temps une mise au point définitive sur l'ensemble du projet, mené à terme, non « par délectation morose, par exhibitionnisme, par provocation », mais par le souci d'universaliser une expérience, et de permettre aux lecteurs « de connaître, au fond de leurs malheurs individuels, les consolations de la fraternité ».

Après avoir retracé les grandes lignes de sa vie en examinant le rôle qu'y ont joué hasard et nécessité, Simone de Beauvoir revoit brièvement les années 1962-1972, porteuses de continuités plus que de changements. Avant d'examiner les dernières œuvres, elle réfléchit sur le désir qui sous-tend sa vocation : celui de « surmonter cette solitude qui nous est commune à tous et qui cependant nous rend étrangers les uns aux autres ». Elle analyse ses goûts littéraires (écrits intimes, romans) et la valeur de la lecture en général. Viennent ensuite plusieurs récits de voyage (en Italie, au Japon, en URSS). Ils préludent à un panorama plus vaste sur l'actualité internationale (le sort du Viêt-nam, la guerre des Six Jours, l'oppression maintenue en Europe de l'Est par l'URSS) ou l'évolution de la France (les événements de mai 1968). Une même exigence domine écriture, entretiens, rencontres ou prises de position publiques : « Dissiper les mystifications, dire la vérité. »

Malgré la promesse implicitement contenue dans le titre, l'auteur évite de dresser dans *Tout compte fait* un bilan général de sa vie. Les dernières lignes sont à dessein elliptiques : « Cette fois, je ne donnerai pas de conclusion à mon livre. Je laisse au lecteur le soin d'en tirer celles qui lui plairont. » Refusant de clore le récit de son existence, Simone de Beauvoir rappelle cependant les causes qui lui sont chères : l'émancipation des femmes, le respect des intellectuels dans la société, l'avènement du socialisme, la liberté des peuples... Elle dresse donc un testament moral. La fusion entre le rôle public de l'écrivain et sa vocation intime se réalise ainsi parfaitement. Le lecteur appliquerait volontiers à l'auteur le jugement que lui inspire les livres de Violette Leduc : « Elle a fait de sa vie la matière de son œuvre qui a donné un sens à sa vie. » Un dernier ouvrage à caractère autobiographique a suivi celui-ci : *la *Cérémonie des adieux* (1981), qui est surtout centré sur la mort de Sartre.

● « Folio », 1978.

C. CARLIER

TOUT SUR LE TOUT (le). Récit d'Henri **Calet** (1904-1956), publié à Paris chez Gallimard en 1948.

Treize ans après *la *Belle Lurette*, et après s'être essayé en particulier au journalisme (*Contre l'oubli*, recueil d'articles publiés dans *Combat*) et à la narration de souvenirs de guerre (*le Bouquet*, 1945), Calet fait paraître *le Tout sur le tout*. Apparemment, il s'agit d'un simple retour à l'autobiographie d'allure populaire, voire populiste ; le ton et le style de l'ouvrage invitent pourtant à dépasser le cadre de l'anecdote pour y découvrir la trace de tensions à la fois plus intimes et plus littéraires.

« Les Quatre Veines » (chap. 1-19) est une sorte de seconde *Belle Lurette*, aux traits cependant moins acérés. « Les Bottes de glace » voient l'avènement d'un « je » quasi contemporain de l'énonciation, qui décrit ses promenades dans les quartiers populaires (20-30) ; ce « je » se fond ensuite dans un « nous » aux contours imprécis (30-45), spectateur bienveillant des petites gens. « Toute une vie à pied » (45-55) marque le retour du « je » et de ses déambulations : le propos autobiographique domine à nouveau, mais obéit désormais à une logique spatiale, celle des déplacements dans les quartiers de l'enfance.

On retrouve ici les effets de cocasserie, les jeux sur le langage figé de *la Belle Lurette* ; néanmoins, le refus du *pathos* et de l'apitoiement y est encore plus net, et on assiste à une multiplication des « effets de sourdine » (suggestions, ellipses, litotes), qui confèrent au récit une grande sobriété, une pudeur accentuées par de fréquents indices d'aménité narrative (« au vrai », « à mon sens », « sans conteste »). Un curieux langage « de bonne compagnie » donne son unité de ton à l'ensemble : ce mélange de langue parlée et d'ostensible correction – rappelant celui auquel, chez Céline, s'efforcent les petites gens –, est producteur d'effets héroï-comiques fort réussis. Sous cette bonhomie, cependant, le lecteur attentif pourra déceler la recherche d'une improbable fusion, qui serait aussi don d'identité : elle passe notamment par la conclusion de cet étrange « pacte du nous » au chapitre 30 (« À partir d'ici, je dirai "nous" puisque je n'ai presque plus d'existence personnelle [...]. Je porte la vie de confection qui va à tout le monde à quelques retouches près »), ou par la personnification de Paris, mosaïque de quartiers supplétive d'un moi déficient. Mais peut-être le lecteur souhaitera-t-il retenir avant tout de Calet sa peinture complice, attendrie

et émouvante, des quartiers populaires du Paris de l'après-guerre.

L'ouvrage laisse enfin paraître les premier signes d'un « drame de l'autobiographie » qui ira en s'accentuant dans les œuvres suivantes de l'auteur : irritation et dépit de n'avoir « que cette histoire » à raconter, la sienne ; nécessité pourtant de continuer à la proférer, en tentant diverses formules narratives.

● « L'Imaginaire », 1983.

E. BALLAGUY

TOUTE LA FLANDRE. Recueil poétique d'Émile **Verhaeren** (Belgique, 1855-1916), publié à Paris au Mercure de France de 1904 à 1911.

Dans le poème "Liminaire", celui qui fut le condisciple de Georges Rodenbach (voir *les *Vies encloses*) annonce son projet de peindre la Flandre dans son éclat passé et son ombre présente, dans les rêves qu'elle fait naître et les désillusions qu'elle engendre. Né à Saint-Amand près d'Anvers, Verhaeren aime cette terre dont le souvenir chauffe ses veines et pénètre ses moelles : amour qui fait du poète de *Toute la Flandre* un poète national, reconnu de tout un peuple malgré son exil. On retrouve ici cette forme de lyrisme pratiqué par certains romantiques, tels le Hugo de *la *Légende des siècles* ou le Michelet du *Tableau de la France*, ce lyrisme où l'émotion individuelle sait devenir l'émotion collective.

Première partie. « Les Tendresses premières » (1904). Elle rassemble des souvenirs d'une « enfance blonde » où « toute la vie », « avec sa foi naïve et sa timidité », c'est-à-dire où toutes les vraies émotions se sont exprimées. Ce sont les premières tendresses ("Ardeurs naïves"), les premières transformations de la sensibilité ("Convalescence"), les premières frayeurs surmontées ("l'Horloger"), les premiers émois ("Seize, Dix-Sept et Dix-Huit Ans"), les premières amours ("l'Étrangère").

Deuxième partie. « La Guirlande des dunes » (1907). Se déployant le long d'un littoral natal baigné par la mer du Nord aux redoutables tempêtes, décrite au fil des saisons (de l'hiver à la belle saison), elle est faite de végétaux marqués par les tempêtes ("Un saule"), d'épisodes rythmés par le temps ("Un coin de quai", "Vents de tempête", "le Péril") et mettant en scène des personnages typiques ("le Ramasseur d'épaves", "Un vieux") ou des sentiments liés à la vie des marins ("les Gars de la mer", "les Fenêtres et les Bateaux", "la Bénédiction de la mer"), d'un paysage enfin qui résume en ses lignes l'âme d'un peuple forgée au contact des éléments ("les Tours au bord de la mer", "les Maisons des dunes", "les Bouges", "l'Été dans les dunes", "les Plages").

Troisième partie. « Les Héros » (1908). Jaillis du passé de la Flandre, ils donnent à la race flamande les titres de gloire acquis face aux ennemis venus de Norvège ("Baudouin Bras de Fer"), de France ("Entrée de Philippe le Bel à Bruges", "Guillaume de Juliers"), ou de l'Espagne de Philippe II ("le Banquet des gueux"). L'Histoire donne ainsi des modèles pour les « cœurs nouveaux », deux politiques, "Jacques d'Artevelde", "le Téméraire", des artistes et des scientifiques, "les Van Eyck", "Vésale", "Rubens". Deux fleuves, la « Lys héroïque » et le « Sauvage et bel Escaut » sont les garants du passé glorieux.

Quatrième partie. « Les Villes à pignons » (1910). Le poète revient au temps présent et pénètre l'intérieur des terres de Flandre. Du « grand pan de gloire », le lecteur passe à la « vie humble et dérisoire » d'une cité, avec ses vieilles demoiselles dissimulées derrière les fenêtres, ses échevins ou ses petits métiers (les vanniers), ses activités (concours de pigeons voyageurs, de pinsons, kermesses, ripailles), ses cérémonies (les Rois), son architecture (les canaux, la grand-place, l'hospice, la gare). En tous ces poèmes, la gloire passée est sujet de nostalgie et objet de dissémination ("la Vente aux enchères").

Cinquième partie. « Les Plaines » (1911). Elles forment le complément attendu de « la Guirlande des dunes » et des « Villes à pignons ». Au fil des saisons, les villages s'endorment ou s'animent ("Ténèbres", "Cour de ferme", "Dégel", "le Mardi gras au village", "Premiers Beaux Jours"). Toute une population rurale, avec son avarice, sa dureté, son endurance à la peine ("Fenaison", "Mort du fermier", "les Vieux Paysans"), toute une végétation céréalière ou florale, toute une faune (insectes, oiseaux, "l'Étalon", "les Porcs"), des métiers liés à la vie paysanne ("le Meunier", "les Armes", "les Aoûterons") viennent prendre place dans un décor où la pluie ("les Giboulées", "la Pluie", "les Chapelles", "les Soirs d'été", "les Beaux Nuages"), l'air ("L'air se durcit",

"L'air est humide"), ou le feu ("l'Incendiaire") sont des alliés ou des ennemis redoutés et dont chaque élément ("le Vieux Banc", "le Taillis", "le Vieux Mur") est chargé d'Histoire. Cette vie humble a, malgré tout, une immense saveur : le quotidien peut être beau à qui sait le regarder.

Au centre de ce vaste recueil (plus de cent soixante poèmes) se trouvent les « héros ». Cette position cardinale donne au lecteur un centre autour duquel disposer les éléments que lui fournissent les poèmes – la progression vers un sommet suivie d'une chute –, et invite à privilégier une lecture historique et éthique du recueil : la Flandre du passé s'illustre par son héroïsme fait de ténacité, d'attachement au droit, d'esprit unitaire face au danger ("les "Communiers"), de courage, voire d'intrépidité ("Entrée de Philippe le Bel à Bruges"). Ce sont les mêmes qualités de courage et de santé vigoureuse dont ont su faire preuve les habitants des côtes face aux éléments ("les Tours au bord de la mer", "les Gars de la mer"). Au contraire, dans les villes, ne subsistent que de dérisoires concours de fumeurs de pipes, de colombophiles ou de dresseurs de pinsons. À quoi se réduit "le Grand Serment" ? À boire. Dans ces cités, l'homme élu, l'homme du droit, l'échevin est détrôné par le brasseur ("la Bière"). Certains motifs, par leurs transformations, permettent de mesurer cette dégénérescence : telle la fenêtre, qui en une prosopopée invite au repos les bateaux ("les Fenêtres et les Bateaux"), avant de dissimuler, dans la ville, une vieille demoiselle qui épie ses concitoyens et commente les menus faits et gestes des « villes apathiques » ("la Vieille Demoiselle"). Telle aussi la cloche, qui jadis rassemblait ("Mon village", "Bruges au loin", "la Bénédiction de la mer") et ordonnait le paysage autour d'un centre sonore redoublant le centre vertical du clocher, et qui aujourd'hui réunit les buveurs ("le Dimanche") ou s'épuise en un « petit air estropié » ("l'Ancienne Gloire"). Quant aux habitants des plaines, ils sont enfermés dans leur solitude méfiante et leur avarice : les valeurs matérielles (l'or, la terre) se sont substituées à tout absolu ; la cupidité divise les familles à la mort d'un père ("la Mort du fermier") et favorise les unions quand l'ancêtre meurt ("Mariages").

Est-ce pour autant que Verhaeren condamne ses contemporains ? Flamand il se veut, et se sent proche des Flamands ses contemporains. Il nous présente les qualités et les défauts d'une race d'hommes qui s'est façonnée rudement au contact des éléments (l'eau, l'air, la terre). Dans le corps de ces hommes aux goûts grossiers, qui ont su produire des artistes célébrant la chair (Rubens, le modèle de Verhaeren) et dans les formes opulentes des femmes courageuses et toujours désireuses de vivre, s'inscrivent l'histoire d'un peuple, mais aussi les contradictions et les nostalgies intimes du poète. Dans l'habitude et la mort qui étreignent aujourd'hui les cités flamandes, Verhaeren retrouve le spectacle de son propre ennui, comme dans le passé « héroïque » et artistique, il projette ses rêves et ses désirs. Reconstruire « toute la Flandre », c'est se reconstruire soi-même comme une totalité animée d'une vie secrète, en qui cohabitent l'homme amant de sa terre au point d'en être cupide ("la Mort du fermier") et l'animal poussé par un désir fougueux ("l'Étalon"), c'est aussi se situer dans deux temporalités, une diachronie rédemptrice, une synchronie présente, accablante, répétitive, sécurisante aussi.

Tout un monde est dépeint dans cette terre faite de la chair des hommes. Les accumulations, les énumérations, l'art subtil du vers court en particulier (vers de deux syllabes par exemple), restituent le spectacle d'une réalité foisonnante et contrastée. La Flandre inspire des modèles esthétiques : le recueil doit beaucoup au modèle pictural flamand, ne serait-ce que dans le titre "la Guirlande des dunes". Les scènes de ferme, les tableaux historiques, les paysages de plaine, les marines, les portraits de gens du peuple sont autant de sujets traités par les peintres flamands. Verhaeren compose ainsi une poésie du concret,

voire du trivial : une faune humble (les animaux de basse-cour, les insectes), une flore qui fait une large place aux fleurs des champs, un tas de fumier acquièrent leurs lettres de noblesse. Verhaeren, chantre des rudes pêcheurs et des paysans têtus et rusés, ne compose pas de sages élégies à la manière de Francis Jammes. Il ne renoue pourtant pas avec sa poésie passée, trop descriptive (les Flamandes, 1883) ou trop vouée à célébrer le progrès, nouvelle religion, qui œuvre dans les villes modernes (les *Villes tentaculaires, 1895 : voir "les Aoûterons", "l'Usine"). Peu soucieux de religiosité, à l'image des femmes de pêcheurs au catholicisme pratique ("les Chapelles"), il chante ou l'épopée de la nation flamande en lutte contre les éléments déchaînés, ou la vie sordide des paysans attachés à leur or et méfiants à l'égard de tout ce qui les entoure. La charge de concret qui habite sa poésie est considérable : la métaphore (« Le rouet gris des existences ») et la métonymie (« L'habitude s'y verrouille ») qui lui est souvent associée, unissent intimement l'homme à sa terre, la chair à l'espace, la poésie à la réalité. Bien que choquante, la conduite des paysans de Verhaeren, qui rappellent les paysans normands de Maupassant, voire les habitants de la Beauce de Zola (la *Terre), n'est pas sans rapport avec celle des héros du passé animés d'une « haine carnassière » : parce que la terre de Flandre impose à l'homme de lutter, elle rend son amour excessif. Dans le glorieux comme dans le sordide, le Flamand sait être grand.

L'intérêt d'un tel recueil sera donc aussi esthétique. D'un tas de fumier, on peut faire un poème ("les Fumiers") : « C'est la fête ; la fête en or des fumiers gras. » Tout sujet de poésie, puisque tout manifeste une forme de vie qui porte vers l'avant une humanité souffrante et laborieuse, qui se sait séparée de l'absolu et qui veut pourtant retrouver en Flandre le paradis perdu.

● Mercure de France, 1953. ➤ Œuvres complètes, Slatkine, I.

D. ALEXANDRE

TOVARITCH. Comédie en quatre actes et en prose de Jacques **Deval**, pseudonyme de Jacques Boularan (1899-1972), créée au théâtre de Paris le 13 octobre 1933, et publiée à Paris dans la Petite Illustration le 29 décembre 1934.

Jouée, lors de sa création, par Elvire Popesco et André Lefaur, la pièce connaîtra un triomphe retentissant, de nombreuses reprises et un succès international : une très longue carrière sur Broadway, une comédie musicale (avec Vivien Leigh et Jean-Pierre Aumont), et plusieurs versions filmées dont celle d'Anatole Litvak (1937) avec Claudette Colbert et Charles Boyer.

Un couple d'aristocrates russes exilés, le prince Mikail Ouratief et sa femme la grande-duchesse Tatiana, vit misérablement à Paris durant les années trente, dans une chambre d'hôtel minable. Il conserve néanmoins la plus haute idée de leur rang, et, dans leur dénuement, continuent à appliquer entre eux un certain protocole. Pourtant il ne tiendrait qu'à eux de vivre dans l'aisance, car ils possèdent en dépôt quatre milliards confiés par le grand-duc Michel ; mais ils refusent obstinément d'y toucher. Au bord du gouffre, ils songent enfin à travailler. Apprenant qu'un banquier cherche un couple de domestiques, ils se sentent parfaitement aptes à tenir cet emploi : « J'ai été chambellan. Tu as été dame d'honneur » (Acte I). Engagés par Fernande Arbeziah, dont le mari Charles est banquier et député socialiste, Mikail et Tatiana – sous les noms de « Michel et Tina Popof » – se montrent immédiatement d'une efficacité étonnante. Même Georges et Hélène, les enfants de la maison, d'abord méprisants, sont conquis lorsque Mikail donne une leçon d'escrime à Georges et que Tatiana se met à jouer de la guitare (Acte II). Au bout de quinze jours, les deux enfants sont « russifiés », apprennent la langue, jouent au poker tous les soirs dans la cuisine, et passent des nuits blanches. Un vent de folie slave souffle sur la maison, Georges est amoureux de Tatiana – et son père aussi. Or un soir, pour affaires, Charles a invité Gorotchenko, le commissaire du peuple aux pétroles et ancien commandant de la cavalerie « rouge ». Sont également présents une Anglaise titrée et le gouverneur de la Banque de France. Tout le monde se reconnaît : embarras général. Et lorsque Gorotchenko tend dix francs à Tatiana qui lui sert un verre d'eau, elle réplique : « Alors crachez dessus, parce que moi j'ai craché dedans ! » (Acte III). Dans la cuisine, Mikail et Tatiana sont désespérés, car, comme il fallait s'y attendre, on leur a signifié leur congé. Mais Gorotchenko vient leur demander les quatre milliards pour sauver les puits de pétrole d'un contrôle étranger ! À l'issue d'un long débat intérieur, Mikail signe le chèque. Puis les deux « domestiques » revêtent leurs habits de cour pour se rendre au bal que donne l'archiduc Joseph (Acte IV).

La pièce décrit la situation des aristocrates russes émigrés après la révolution de 1917, et contraints de travailler pour survivre : à Paris, nombre d'entre eux devinrent ainsi chauffeurs de taxi... Ces « Russes blancs » à la fois dérisoires et pathétiques par leur attachement au passé sont opposés ici aux puissants du jour, qui tiennent le haut du pavé dans la nouvelle URSS, tel Gorotchenko, ou en France même, tel ce banquier socialiste droit venu du *Roi de Flers et Caillavet. Mais sur ce dernier point la satire est superficielle, malgré quelques répliques bien venues (« Mes électeurs sont socialistes, je me suis mis à leur portée », dit le banquier) : la conversion des deux enfants, par exemple, quoique très théâtrale, est un peu rapide. En réalité, le vrai sujet de *Tovaritch* est ailleurs : exaltant l'âme slave, Deval brosse le portrait attendri d'une noblesse déchue, fait ressentir sa fierté, sa nostalgie de la terre natale (« Regarde, il neige, il neige comme là-bas ! »), et partager sa conviction que rien ne pourra l'entacher ni la dégrader. « Maître ici, valet là », disait le Figaro du *Barbier de Séville*, avec le même mépris de l'accidentel. « Même au ciel, j'aurai encore des ailes de grande-duchesse avec des plumes plus longues que les autres », dit Tatiana.

Dans la pure tradition du vaudeville, qui consiste à mettre face à face des individus dont les discours, les manières inconciliables produisent les pataquès les plus cocasses, Deval traite ainsi un sujet grave, où s'exprime une philosophie personnelle accordée aux incertitudes économiques et sociales de l'époque : les situations acquises sont précaires, toujours à la merci d'un retournement imprévu (voir *Ce soir à Samarcande*), la vie n'est qu'une succession d'apparences : le banquier est un faux socialiste ; le tsariste et le communiste, deux incarnations contingentes que l'Histoire rejettera dans le même néant. Témoin cette remarque prémonitoire (en 1933 !) du prince Mikail au *tovaritch* Gorotchenko : « Je suis la Russie d'hier. Vous êtes celle d'aujourd'hui. Et tout me porte à croire que ni vous, ni moi ne sommes la Russie de demain. »

R. OBERLIN

TRADUIT DE LA NUIT. Recueil poétique de Jean-Joseph **Rabearivelo** (Madagascar, 1903-1937), publié à Tunis aux Éditions des Mirages en 1935.

Considéré à Madagascar comme une gloire nationale, Rabearivelo semble encore un écrivain largement méconnu. Dans son œuvre en malgache et en français, souvent dispersée et inédite, on s'accorde en général à distinguer deux périodes. Jusque vers 1930, elle est marquée par une écriture parnassienne et une interrogation sur l'origine, ainsi que sur le déchirement provoqué par l'invasion coloniale. À partir de *l'Interférence* (écrite vers 1929, publiée en 1987), Rabearivelo accentue son intérêt pour les littératures malgaches et les *hain tenys* (*Vieilles Chansons des pays d'Imerina*, 1939), élaborant sa propre poétique, tout en découvrant le surréalisme. Il montre l'ambition de devenir le grand poète de son île. Mais le chagrin consécutif à la mort de sa fille en 1933, l'impossibilité à résoudre ses contradictions, le sentiment exacerbé de la déchéance et de l'exil, les difficultés matérielles et la maladie, l'acculent au suicide. Ce n'est qu'après sa mort qu'il devient « une sorte de héros national, de drapeau et aussi de ferment spirituel » (Robert Boudry).

C'est à une exploration des avatars linguistiques et poétiques de la nuit que se voue la démarche poétique de l'auteur. Commencée par une reconnaissance des confins du jour et de la nuit (1), cette exploration aborde un univers azuréen, dédié à la renaissance incessante (2-3), et rendu manifeste par le poète (4). La vocation poétique s'y inscrit par la présence des êtres aimés (5). Apparaissent ensuite des transformations métaphoriques de la nuit : elle devient oiseau (6), algues ténébreuses (7), végétation où se confondent la parole religieuse et la poésie (8), cultivée par des « semences sidérales » (9). C'est alors que se lève, invoqué par la nuit, l'arbre-poète qui réalise les noces poétiques (10) marquées par le souci de l'élévation (11), gage d'un accomplissement : l'action poétique doit permettre d'accueillir les réprouvés (12) dans l'éternité (13). Surgie de la mer (14), la nuit proclame au poète son présent éternel (15), tandis qu'il s'interroge sur le devenir de sa poésie (16) et assiste à une nouvelle métamorphose de la nuit, cette fois en « vitrier nègre » souffrant (17). Le poète est alors interpellé : ne se leurre-t-il pas en confondant le spectacle de l'harmonie de la nature avec l'action poétique (18) ? Mais il apprend néanmoins que la postérité le reconnaîtra (19), et, même s'il est pris par le doute (20), il comprend la nuit, antérieure à toute création (21). C'est que la démarche poétique doit l'amener à inverser l'ordre normal des choses : le poète-pêcheur doit rendre à la mer les poissons saisis dans l'azur (22), par des filets aussi fins que ceux d'une toile d'araignée (23). Il doit également s'interroger sur ce qu'il ramène (24). Dès lors, il est confronté à une géographie énigmatique, dont il ne peut traduire les données (25) et qu'il célèbre dans la joie malgré sa quotidienne disparition (26) qui la rapproche de l'essence de la vie, représentée par le parfum des fleurs (27). Mais cette « quête d'un rêve au bout du monde » n'offre-t-elle pas le risque de la dépossession (28) ? Le poète prend néanmoins le risque de suivre sa voie (29), et, tel un Icare nocturne, de se perdre dans l'azur, comme gage d'un lien réel entre les humbles feux de la terre et les étoiles (30).

Commençant par une évocation de la naissance du jour et se terminant par celle de la nuit, l'œuvre déroule cette thématique tout au long de variations métaphoriques qui se superposent : la nuit se présente ainsi successivement comme la peau d'une vache noire qui sera remplacée par les « cornes du veau délivré » (3), « un oiseau sans couleur et sans nom » (6), un « désert » (8), une femme « dont les yeux sont des prismes de sommeil » (14), un « vitrier nègre » (17), jusqu'au point où elle devient indicible et ne peut plus être atteinte que par la périphrase. « Celle qui naquit avant la lumière » (21), la « belle âme de ce-qui-change » (26) fonde désormais l'espace de l'éternité pour le poète qui développe ce qu'on peut appeler une mystique de la nuit.

Cependant cet espace, par l'enchâssement et le miroitement des métaphores d'un poème à l'autre, ouvre aussi une polysémie généralisée : l'approche de la nuit dit aussi l'approche du secret de la création poétique, et toute l'œuvre se déploie dans ce voisinage au plus près, désigné par une série de variations symboliques, mais aussi par l'appel à une filiation, de Virgile à Tagore et Whitman « qui remplacent le Christ ». En se dressant ainsi, tel un arbre, Rabearivelo entame un dialogue avec la nuit, et passe du « on » au « il », du « il » au « je » et finalement du « je » au « nous » des « laboureurs de l'azur ». Mais ce « triomphe certain » (30) dénoue aussi les liens qui le rattachent dans son existence à la terre malgache, et c'est dans son exil, depuis son tombeau érigé dans l'azur (19), ou comme un arbre sans racines (10) qu'il rayonne.

● Éd. La Différence, 1990 (p.p. G. Raynaud).

Y. CHEMLA

TRAGÉDIE DU ROI CHRISTOPHE (la). Tragédie en trois actes et en prose d'Aimé **Césaire** (né en 1913), publiée à Paris aux Éditions Présence Africaine en 1963, et créée au Festival de Salzbourg en 1964. Quelques scènes en avaient été publiées dans *Présence Africaine* entre 1961 et 1963, avant l'édition complète ; à la suite de sa création par Jean-Marie Serreau, Césaire, tenant compte du travail avec le metteur en scène et les acteurs, en a remanié le texte pour l'édition définitive de 1970.

Césaire, qui a étudié l'histoire d'Haïti pour son essai *Toussaint Louverture* (1960), conscient de la mission politique du théâtre, « éveilleur extraordinaire » pour des « peuples où on ne lit pas », a sans doute commencé à écrire sa *Tragédie* en 1959, après avoir fondé le Parti progressiste martiniquais.

Christophe, ancien esclave cuisinier, nommé président de la République d'Haïti, se fait sacrer roi et entreprend de mettre le pays en ordre en lui imposant le projet grandiose de construire une citadelle, malgré les exhortations à la modération de son épouse, Mme Christophe. En butte à la résistance indolente de ses sujets, de la cour qu'il a recréée à l'image de celle de France, il s'écroule paralysé, et meurt, abandonné par son peuple.

Après le modèle grec, eschyléen – revu et corrigé par Nietzsche – de *Et les chiens se taisaient*, la *Tragédie* se réfère à Shakespeare (de même qu'*Une tempête* en 1969, faisant de Caliban l'esclave noir du magicien Prospero). L'« attentat du Destin », la « Fortune envieuse » qui frappe Christophe, comme dans les drames historiques ou dans *Macbeth*, fauche le héros de la négritude dans ses ambitions politiques. Il n'est plus le rebelle, mais le gouvernant, devenu la victime de sa fortune politique. Comme dans la tragédie shakespearienne et ses procédés de mise en abyme, la pièce se donne pour ce qu'elle est : une représentation, ainsi d'ailleurs que le suggère le titre, qui en qualifie, au second degré, le genre. Le Prologue (dans lequel le « présentateur-commentateur » introduit les personnages, situe l'action), ou l'intermède à la fin de l'acte I participent de cette mise en abyme du spectacle dont la fonction, toute brechtienne, semble de permettre une distanciation ironique à l'égard des personnages. La *Tragédie*, en ce sens, démystifie le genre tragique, en même temps qu'elle le recrée.

Les résonances shakespeariennes sont amplifiées par le volontaire « mélange des genres » – pour reprendre une expression de Hugo, à travers qui Césaire semble lire Shakespeare –, associant le « grotesque » et le bouffon de la farce au tragique pur, ainsi qu'au lyrisme. En cela, la *Tragédie* se distingue nettement de la première pièce de Césaire, *Et les chiens se taisaient*, stylistiquement homogène dans le registre d'une parole solennisée, sacralisée. Outre le patois créolisant des « paysans » (II, 1, Intermède), qui semblent sortis de l'univers de Molière, ou le ridicule des propos de la cour, c'est évidemment au « bouffon » Hugonin qu'est principalement dévolue la fonction ironique, marquée par un niveau de langue populaire, souvent ordurier, et qui accueille des expressions créoles, en particulier dans les chansons (« L'Empéré vini oué, coucou, / Dansé l'Empéré », II, 3). Christophe lui-même, dont le discours est familier dans l'acte I, traité en « style parodique », hausse peu à peu le ton jusqu'au lyrisme sublime des *ultima verba* de l'acte III. Souhaitant donner à sa cour la noblesse de celle de Louis XVIII – en recréant une aristocratie de courtisans partis de rien, comme lui –, Christophe pose lui-même la hiérarchie des genres et des styles lorsqu'il met en garde Hugonin : « Sachez que je n'aime pas que ma noblesse s'abaisse aux pitreries. À ma cour, on ne danse pas la bamboula, monsieur » (II, 3). La pièce entière porte la marque de cette tension entre le style haut et le style bas, entre le tragique et le comique burlesque. Le souci du « style » renvoie à l'obsession, chez Christophe, d'« éduquer » son peuple – de lui inculquer le sens de la « forme ».

Comme le poète dans le *Cahier d'un retour au pays natal*, Christophe dénonce l'« indolence », l'« esprit de jouissance et de torpeur » (I, 2) de son peuple, qu'il veut mettre au travail par le projet « démesuré » de bâtir une citadelle « inexpugnable », allant jusqu'à exécuter sur-le-champ un de ses sujets surpris en train de dormir. La construction de l'édifice est l'image concrète de l'obsession de la « forme » qui hante Christophe, décrit par son secrétaire Vastey « avec ses formidables mains de potier, pétris-

sant l'argile haïtienne » (I, 3). C'est ainsi qu'il faut comprendre la figure parodique du « Maître de cérémonie », chargé d'enseigner l'étiquette aux anciens esclaves promus aristocrates, ou le désir de « leur apprendre à bâtir leur demeure » (III, 6). La métaphore architecturale sous-tend constamment la pièce, attestant un désir de « stabilité » et d'« ordre » contre le chaos et l'« anarchie » menaçants, et renvoie en définitive à la vocation pédagogique du gouvernant : « Ah quel métier ! Dresser ce peuple ! Et me voici comme un maître d'école brandissant la férule à la face d'une nation de cancres ! » (II, 3).

Cette éducation tisse des rapports affectifs entre le souverain, défini selon le cliché des régimes totalitaires comme un « père », et ses « fils », dans la « grande famille haïtienne » (I, 4), dont Mme Christophe est la « mère ». Christophe, qui décide des mariages (II, 4), ne veut-il pas, littéralement, susciter « une nouvelle naissance » (I, 3), c'est-à-dire redonner un nom aux esclaves qui en ont été dépossédés, quitte à les affubler de titres de noblesse ridicules ? De là, également, la thématique religieuse du « baptême » qui traverse la pièce, comme *Et les chiens se taisaient*, dont on retrouve également l'image christique du « roi debout ». Christophe consacre des évêques, s'adresse au pape comme à un égal – fondant une nouvelle religion. Pareil rêve de mise en ordre répond au désir profond de surmonter la nature pour instaurer le règne de la culture, symbolisé par la construction « pharaonique » de la citadelle : « Précisément, ce peuple doit se procurer, vouloir, réussir quelque chose d'impossible ! Contre le sort, contre l'Histoire, contre la nature, ah ! ah ! l'insolite attentat de nos mains nues ! » (I, 7). L'échec de Christophe, paralysé, se mesure précisément à ce que, lui qui s'était consacré roi « par la volonté et la grâce de [s]es poings », est « trahi par la nature imbécile », par les « voies de fait de la nature » qui lui « refuse » l'usage de ses membres (III, 3). La mort du « vieil enfant » elle-même est un retour à la « forêt » et au fleuve Congo de ses ancêtres africains, et Christophe, dépouillé de ses oripeaux, est finalement identifié au dieu Shango et à un « arbre ».

Le message allégorique, transparent – l'échec, pour les colonies qui ont conquis leur indépendance, d'une politique de développement fondée sur les valeurs des anciens maîtres –, a assuré le succès de l'œuvre, en Europe aussi bien qu'en Afrique (Festival des Arts nègres à Dakar), jusqu'à la récente production, à la Comédie-Française, du metteur en scène burkinabé Ouedraogo (1991).

● *Présence africaine*, 1970. ➤ *Œuvres complètes*, Désormeaux, II.

D. COMBE

TRAGIQUES (les). Épopée en vers d'Agrippa d'**Aubigné** (1552-1630), publiée anonymement à Maillé chez Jean Moussat en 1616. La première édition avait pour titre *les Tragiques donnez au public par le larcin de Prométhée, au Dézert par L.B.D.D.* ; les initiales remplaçant le nom de l'auteur signifiaient « le Bouc du Désert », allusion au surnom qu'avait valu à d'Aubigné son attitude intransigeante dans les assemblées préparatoires à l'édit de Nantes. Une seconde édition, sans date ni lieu d'impression, intitulée *les Tragiques ci-devant donnez au public par le larcin de Prométhée, et depuis avoez et enrichis par le sieur d'Aubigné*, fut publiée pendant l'exil de l'auteur en Suisse ; vraisemblablement imprimée à Genève, elle dut voir le jour en 1623 ou 1625.

« Mes yeux sont tesmoins du subjet de mes vers », écrit au livre III l'infatigable combattant huguenot. *Les Tragiques*, dont la rédaction des sept livres occupa l'auteur pendant plus de quarante ans, se nourrissent en effet de toute l'actualité politico-religieuse qui sépare les premiers combats d'Henri de Navarre de la régence de Marie de Médicis. La genèse complexe du poème déjoue les efforts de datation trop précise : il est peu probable que la rédaction ait suivi l'ordre linéaire, les soubresauts de l'Histoire ayant plutôt imposé un processus permanent d'ajouts, d'expansions et de corrections. Quelles que soient les dates retenues, il est remarquable que d'Aubigné assigne au poème une double et violente origine : la première vision des *Tragiques* lui serait venue en 1572, après une grave blessure, et les « premières clauses » en auraient été dictées à l'occasion d'une seconde blessure, reçue au combat de Casteljaloux en 1577. La fiabilité de ces dates importe moins, au fond, que l'indice de reconstruction mythologique : tout se passe comme si l'élément matriciel du texte ne pouvait résider, aux yeux de l'auteur, que dans les états d'agonie propices aux surgissements hallucinatoires.

Poème indissociablement historique et religieux, *les Tragiques* témoignent d'une longue imprégnation biblique constamment réactivée par les événements. Les persécutions catholiques – massacre de Vassy en 1562, Saint-Barthélemy en 1572 – provoquent dans la communauté réformée une identification aux tourments du peuple élu de l'Ancien Testament : comme ses coreligionnaires, d'Aubigné trouve dans les livres des prophètes, les Psaumes et le livre de Job une violence imprécatoire à la mesure de l'épreuve ; la conscience du drame se prolonge en attente eschatologique et appel au Jugement dernier, d'où la référence également constante au livre de l'Apocalypse. La Bible informe *les Tragiques* en profondeur : elle détermine aussi bien les images ponctuelles ou les constructions oratoires que la signification et la portée d'épisodes entiers. À tous les niveaux d'organisation du texte, c'est au moyen de paradigmes bibliques que d'Aubigné s'efforce d'appréhender l'Histoire en devenir. Le poème n'échappe pas cependant à l'influence de la littérature profane. Le premier livre, dont les vers initiaux multiplient les réminiscences de Tite-Live, Juvénal et Lucain, emprunte à *la Pharsale* les éléments infernaux qui composent le fameux portrait de Catherine de Médicis. Quant au deuxième livre, satire des mœurs scandaleuses de la cour des Valois, il hérite de la truculence haineuse des *Satires* de Juvénal. Il n'est pas improbable enfin que Ronsard, objet d'une admiration jamais démentie malgré l'antagonisme confessionnel, ait exercé une influence sur le poète des *Tragiques* : les allégories célestes du livre II évoquent irrésistiblement l'"Hymne de la Justice" (voir *Hymnes*), et les *Discours des misères de ce temps* peuvent être considérés comme le modèle même lointain et dépourvu d'ampleur prophétique, des premiers livres des *Tragiques*.

Mais les références littéraires n'épuisent pas le fonds nourricier du poème : soucieux de donner une dimension concrète à l'épopée, d'Aubigné a largement utilisé les sources d'information contemporaines. Le *Livre des martyrs* de Jean Crespin, le *Traité des scandales* de Calvin ou l'*Histoire ecclésiastique* de Théodore de Bèze lui ont offert une vaste matière factuelle. Sans doute cette dernière s'est-elle enrichie des iconographies de l'époque, qui abondaient en scènes saisissantes de massacres et de persécutions.

Dans l'avis « Aux lecteurs », l'auteur feint de s'adresser au public par le truchement de son imprimeur : celui-ci déclare qu'il a dérobé « de derrière les coffres et dessous les armoires les paperasses crottées [...] que vous verrez ». La Préface (« l'Autheur à son livre ») souligne l'origine divine du poème : « Dieu mesme a donné l'argument » (v. 410).

Livre I. « Misères ». Après un exposé du dessein de l'auteur et une invocation à Dieu (v. 1-96), trois tableaux allégoriques se succèdent, qui évoquent l'état désastreux de la France en proie aux guerres civiles (v. 97-190). L'auteur, témoin des atrocités commises sur les paysans (v. 191-562), fait comparaître les responsables de ces crimes : Catherine de Médicis et le cardinal de Lorraine (v. 563-1 380).

Livre II. « Princes ». Il dénonce la tyrannie des rois dénaturés et s'élève violemment contre les flatteurs (v. 1-524) ; il stigmatise la conduite scandaleuse de la reine et de ses trois fils, Charles IX, Henri III et François d'Alençon (v. 525-1 098). Suit un développement allégori-

que, qui met en scène un jeune homme récemment arrivé à la cour : Fortune et Vertu se disputent son cœur, jusqu'à la victoire finale de cette dernière (v. 1 099-1 526).

Livre III. « La Chambre dorée ». La Justice, la Paix et la Piété, qui se plaignent de l'impiété dévastatrice du genre humain (v. 1-122) implorent Dieu ; le Créateur se rend sur terre, où il découvre le Palais de justice de Paris et sa galerie de monstres grotesques : Orgueil, Avarice, Haine, Trahison, etc. (v. 123-524), puis l'horreur de l'Inquisition espagnole (v. 525-694). Le livre s'achève sur un appel pressant à la justice divine, la « sage Thémis » (v. 695-1 062).

Livres IV et V. « Feux » et « Fers ». Difficilement résumables, ils énumèrent la longue suite des martyrs de la « vraie foi » – du supplice de Jean Hus aux vexations subies par Bernard Palissy – et la série des massacres perpétrés par les catholiques : Amboise, Dreux, Vassy, la Saint-Barthélemy.

Livre VI. « Vengeances ». L'âme du poète entend se purifier et se dépouiller pour devenir perméable aux « fermes visions » et « songes véritables » (v. 1-140). Suit un recensement des interventions de Dieu dans l'histoire humaine, depuis la malédiction de Caïn jusqu'aux temps les plus récents (v. 141-1 132).

Livre VII. « Jugement ». Il constitue le dénouement surnaturel de la lutte entre les justes et les réprouvés. Après une démonstration de la résurrection des corps (v. 1-650), une série de tableaux apocalyptiques évoque la séparation des élus et des damnés, et l'instauration définitive du règne de Dieu (v. 651-1 218).

Épopée huguenote liée à la radicalisation des antagonismes confessionnels, *les Tragiques* se présentent d'emblée sous un jour paradoxal : la lisibilité militante du projet spirituel – la lutte des élus contre les réprouvés – s'inscrit dans un imaginaire chaotique et complexe qui semble défier les catégories littéraires. Cette distorsion s'explique d'abord par le contexte et les conditions d'écriture : la « grand' tragédie » du siècle et la participation du poète aux combats fondent une rhétorique du témoignage, où l'énergie pressante des irruptions visuelles brise sans cesse la logique discursive. Mais l'urgence historique ne suffirait pas à la violence de la profération si elle ne se prolongeait en « forcènement » prophétique. Le discours assumé par le « je » résulte en effet d'une irrépressible dictée divine, qui arrache le locuteur à ses antécédents biographiques et à ses déterminations ordinaires : « Le fardeau, l'entreprise est rude pour m'abattre, / Mais le doigt du grand Dieu me pousse à le combattre » (II, v. 41-42). Porteur de la Parole, le « je » devra se soumettre à une série de purifications et d'épreuves qui authentifieront la valeur du prophétisme. C'est pourquoi *les Tragiques* opèrent de si fréquentes focalisations sur le processus d'énonciation, et relancent d'un livre à l'autre la question de l'investiture du locuteur : la supplication adressée à Dieu au début du livre VI – « Separe-moy de moy ; [...] / Mets au lieu de ma langue une langue de flamme » (v. 56-58) – atteste la nécessité de la vigilance intérieure et de l'arrachement permanent du discours aux « pollutions mortiferes » de ce monde. Ainsi se constitue, sous le double paradigme de la lutte et de l'extirpation, un mythe personnel garant de la « rigoureuse Vérité » des sept livres : successivement le poète proclame son rejet définitif des fureurs néopétrarquistes (I), rompt avec une conception mondaine et superficielle de la poésie (« Ce siecle, autre en ses mœurs, demande un autre style », II, v. 77), et se disculpe de l'accusation d'esthétisme devant sa conscience (IV) ; enfin, s'identifiant au prophète Jonas (VI), il aspire à une rénovation spirituelle qui le sépare radicalement des « meschans » et de sa propre inclination au vice. Seule cette purification récurrente, dont la culmination dramatique correspond à l'évocation de Jonas, peut autoriser les grandioses visions historiques et eschatologiques des livres VI et VII : le poète possède alors la réceptivité nécessaire à la compréhension des mystères divins.

L'autobiographie spirituelle qui ouvre le livre VI constitue d'ailleurs le pivot le plus visible du poème. Les premiers livres, qui ont brossé le tableau des forces du Mal, semblent assimiler l'histoire humaine à un théâtre de folie et d'aberration : après un vaste exorde consacré aux malheurs de la France et aux horreurs de la désorganisation sociale (« Misères »), « Princes » et « la Chambre dorée » stigmatisent la cour et le Parlement de Paris, lieux emblématiques de l'inversion de toutes les valeurs. Les « Feux » et les « Fers », en un diptyque qui déroule le martyrologe protestant, assurent la transition entre les férocités humaines et la justice céleste : si tortures et massacres se déchaînent dans ces deux livres avec une intensité maximale, la geste des martyrs n'en compose pas moins un vaste drame qui se joue sous l'œil divin. C'est aux deux derniers livres, dont le poète a souligné la singularité stylistique dans l'avis « Aux lecteurs », qu'appartient le renversement des perspectives : en une apocalypse qui évoque à la fois Michel-Ange, le Greco et le Tintoret, la puissance divine annexe définitivement l'ordre terrestre et abolit la scandaleuse opposition du Ciel et de l'Histoire.

Cette organisation générale du poème ne ressortit qu'en apparence à l'esthétique tragique de la « catastrophe ». Il y aurait quelque artifice en effet à radicaliser l'opposition des cinq premiers livres et des deux derniers : l'évocation du tribunal céleste ne traverse-t-elle pas déjà les tableaux barbares de « Misères » ? Fixée une fois pour toutes par la perspective apocalyptique, l'action ne saurait connaître à proprement parler d'évolution, encore moins de rebondissement. En outre, la référence au dogme calviniste de la prédestination donne à la séparation des élus et des réprouvés un caractère immémorial et définitif : « Tu fais pourtant un choix d'enfants ou d'ennemis, / Et ce choix est celui que ta grace y a mis » (I, v. 1 279-1 280). Puisque le premier livre contient toutes les virtualités vengeresses que le dernier actualisera, les Tragiques reposeront essentiellement sur le ressort du dévoilement : dans l'enchevêtrement de l'Histoire se manifestera progressivement la lisibilité de l'ordre divin, jusqu'à l'extase et à l'éblouissement finals. Une fonction cardinale est dévolue à cet égard aux multiples visions, tableaux et scénographies qui peuplent le poème : chacun de ces « spectacles », loin de se réduire à une visualisation statique, cristallise l'opposition du Ciel et de la terre et constitue un jalon dans la révélation de l'ordre céleste. C'est l'une des principales forces des Tragiques que de développer une herméneutique fondée sur la mobilisation affective du regard : la dynamique poétique des « points de vue » induit un questionnement théologique qui ne fait jamais l'objet d'une formulation expresse. Chacun des sept livres déploie, à des degrés divers, un ou plusieurs « spectacles » désignés comme tels par la récurrence du verbe « voir » : le cortège des dévastations (I) ; les perversités de la cour et la vision vertueuse de Coligny (II) ; les allégories des vices et le cortège de Thémis (III) ; le sacrifice spectaculaire des martyrs (IV) ; les tableaux célestes peints par les anges (V) ; enfin, les interventions de Dieu dans l'Histoire (VI). Il est possible, schématiquement, de distinguer trois étapes dans ce foisonnement visuel : l'apparente déréliction de l'Histoire, la tension violente du scandale et de la vérité, et la résorption des événements terrestres dans l'ordre surnaturel. L'ensemble des « Misères » et la plus grande partie des « Princes » forment un premier groupe d'épisodes homogènes, caractérisé par le point de vue immanent du poète : l'immersion dans les événements – dévastations guerrières ou débauches à la cour des Valois – engendre une série de tableaux dont le dérèglement et la confusion menacent d'engloutir le spectateur, ou du moins de « souiller » durablement son esprit. Sans doute la vision impose-t-elle un ordre aux figures de la barbarie, en les inscrivant dans des constructions allégoriques (« Je veux peindre la France une mere affligee », I, v. 97) ou scénographiques (« Tous ces desguisements sont vaines mascarades / Qui aux portes d'enfer presentent leurs aubades », II, v. 971-972) : mais cette dispositio littéraire et plastique ne suffit pas à conjurer l'angoisse du non-sens et celle de l'abandon divin.

Un autre point de vue est donc nécessaire, qui surplombe les événements et instaure la possibilité d'une lecture transcendante de l'Histoire. Cet élargissement du champ visuel, garant d'une cohérence retrouvée, s'opérera en deux temps : d'abord par le long discours néostoïcien de la Vertu, qui prônera un détachement du regard à la mesure des sphères célestes (II) ; ensuite, et surtout, par l'épisode décisif de l'inspection divine, qui s'étendra sur trois livres entiers (III, IV, V). En relayant partiellement l'œil du poète-prophète, l'œil de Dieu fait accéder l'Histoire à un degré d'intelligibilité infiniment supérieur : il embrasse l'espace dans sa globalité tragique (« L'Europe se montra ») et opère ainsi des sélections et des rapprochements significatifs (le Parlement de Paris et le château de l'Inquisition). Paradoxalement, l'extension spectaculaire de l'insoutenable prend un sens que ne pouvaient revêtir ses manifestations isolées : l'accumulation des péchés, par son énormité même, s'inscrit dans une comptabilité universelle qui en conserve la trace jusqu'au jour de la rétribution finale (III, v. 669-672). Les trois livres centraux se caractérisent ainsi par une extraordinaire tension du visible et de l'invisible, du scandale manifeste et de la vérité à venir : un étrange dédoublement s'ensuit, qui relativise le triomphe de la barbarie dans le même temps qu'il en déploie le spectacle insupportable. Cette structure dédoublée s'abolit dans l'ultime étape du poème, où le tableau de la vérité en acte n'est plus médiatisé par le cours de l'Histoire humaine : appréhension de la totalité secrète de l'univers, le regard se dissout alors dans une contemplation extatique et l'âme retourne « au giron de Dieu » (VII, v. 1 218).

L'importance structurante de la vision pose naturellement le problème de la conformité des Tragiques à la doctrine réformée : les tableaux du Paradis et la représentation corporelle de Dieu ne heurtent-ils pas de front les recommandations calvinistes ? Il apparaît clair, à cet égard, que d'Aubigné se soucie moins de cohérence théologique que d'efficacité combative. Plus réservé qu'on ne le croit à l'égard de Calvin et des théologiens protestants, il ne garde, de la doctrine réformée, que des concepts à fort rendement émotif : ainsi en va-t-il de la prédestination, dont la faible thématisation n'a d'égale que l'extraordinaire prégnance dramatique. L'appel aux affects, corollaire d'un refus du didactisme – « Nous sommes ennuyés de livres qui enseignent, donnez-nous en pour esmouvoir », disait l'avis liminaire –, l'emporte plus d'une fois sur les exigences de l'orthodoxie : de ce point de vue, la représentation anthropomorphique de Dieu descendant sur terre, au début du livre III, peut difficilement s'accorder à l'orthodoxie calviniste ; aussi bien est-ce un impératif esthétique qui commande l'épisode : le déploiement architectural et scénographique du « haut ciel empyree » s'insère dans une vaste composition antithétique, où les organes terrestres du pouvoir (« Princes ») et de la justice (« la Chambre dorée ») apparaissent d'autant plus parodiques et pervertis. D'Aubigné a néanmoins pris conscience de l'empiètement possible de l'esthétique sur la « Vérité » dont le combat partisan est censé témoigner. Au seuil du livre IV, sa conscience lui apparaît en songe et lui reproche une sélection de la matière historique abusivement fondée sur des critères artistiques : l'autojustification qui suit trace une ligne de partage entre le poème épique, soumis aux nécessités de la dramatisation, et la « pesante » entreprise historiographique (voir *Histoire universelle*), où d'Aubigné se montrera soucieux de respecter les moindres linéaments événementiels. Dans ce passage clé, l'un des plus importants du métadiscours développé par les Tragiques, une division globale du travail littéraire se met en place : l'épopée peut ainsi afficher une autonomie poétique dont elle n'aura plus à rendre compte désormais.

Cette souveraineté de l'artiste passe essentiellement par une rhétorique de l'excès, qui violente la « phrase du vulgaire » au profit d'un système complexe d'apostrophes, de dialogismes, de prosopopées et d'interrogations oratoires. Deux figures fondamentales, l'oxymore et le parallélisme biblique, font progresser le discours sans mettre en jeu les articulations logiques, par brusques conjonctions et dissociations de totalités thématiques. Une poétique du choc affectif éclate dans l'utilisation exaspérée d'un petit nombre d'images cardinales – le corps, le sang, le feu : tantôt d'Aubigné joue sur leurs significations antithétiques (c'est le cas du feu, à la fois instrument de torture, vecteur de purification et figuration de l'irreprésentable divin), tantôt il exploite leurs possibilités jusqu'à la démesure visionnaire (c'est le cas des corps démembrés, torturés, fardés, ressuscités, dont *les Tragiques* offrent le plus vaste défilé qu'on puisse imaginer). D'Aubigné ose « tout exprimer [...] sans pruderie », disait Hugo. Ainsi s'explique que le poème soit passé inaperçu lors de sa publication : sa monstruosité pré-hugolienne le rendait irrecevable – politiquement et esthétiquement – dans les premières décennies du XVIIe siècle. Aujourd'hui redécouverts, objets d'abondantes études critiques, *les Tragiques* ont-ils pour autant conquis une place à leur mesure dans notre littérature ? Leur énergie barbare ne les condamne-t-elle pas, d'une certaine manière, à briller toujours d'une orgueilleuse inactualité ?

● STFM, 4 vol., 1932-1933, rééd. 1 vol., 1990 (p.p. A. Garnier et J. Plattard) ; « GF », 1968 (p.p. J. Bailbé) ; « Poésie/Gallimard », 1992 (p.p. F. Lestringant). ➤ *Œuvres complètes*, Slatkine, IV ; *Œuvres*, « Pléiade ».

P. MARI

TRAHISON DES CLERCS (la). Essai de Julien **Benda** (1867-1956), publié à Paris chez Grasset en 1927.

L'œuvre est enrichie en 1946 d'une longue Préface dans laquelle l'auteur redéfinit son propos et le justifie en se référant aux événements intervenus depuis la sortie du livre : la montée du nazisme, du fascisme, du franquisme, la collaboration, enfin l'apparition de l'existentialisme.

Les passions politiques – et surtout le nationalisme, emblème des « égoïsmes spécifiques » – atteignent aujourd'hui un degré de diffusion et de sacralisation qu'elles avaient rarement connu (chap. 1). Guidées par l'intérêt ou par l'orgueil, elles procèdent d'un réalisme cynique auquel se sont toujours opposés les « clercs » (2). Mais tandis que par le passé, ces hommes « dont la fonction est de défendre les valeurs éternelles et désintéressées, comme la justice et la raison » avaient combattu les excès de la multitude, ils se sont mis à la fin du XIXe siècle à faire le jeu de ces passions politiques, trahissant ainsi leur fonction : « Ceux qui formaient un frein au réalisme des peuples s'en font les stimulants. » Renonçant à l'universalité de leurs valeurs, ils veulent que ce soit l'utile qui détermine le juste et le beau. À la suite de Hegel et de Nietzsche, des hommes comme Maurras, Barrès et Bourget préfèrent la force au droit, l'action à la connaissance, et se livrent à un romantisme de la dureté, du mépris et de la cruauté. Leur choix s'explique aisément : l'État moderne, en faisant du clerc un citoyen, l'a privé de la possibilité de s'abstraire du monde (3). Il n'en est pas moins inquiétant, puisqu'« une humanité dont chaque groupe s'enfonce plus âprement que jamais dans la conscience de son intérêt particulier [...] va à la guerre la plus totale et la plus parfaite que le monde aura vue » (4).

La Trahison des clercs, qui fustige l'engagement de l'intellectuel dans le siècle et sa soumission aux intérêts et aux nationalismes, est en partie une œuvre de circonstance. L'auteur y prend le contrepied des thèses de Maurras, qui, en 1905, affirmait dans *l'Avenir de l'intelligence* que la seule grandeur de l'écrivain est de retrouver son être politique, commandé par ses traditions, son Histoire et sa race. La réfutation de Benda s'apparente à un pamphlet par la vivacité du ton, la clarté de la démonstration, la référence permanente à l'actualité littéraire et politique, la violence enfin des réactions qu'elle suscita. Toutefois, cette dimension polémique n'est qu'une des facettes de l'œuvre. Elle va même à l'inverse de son mouvement général, qui prône l'élévation et l'attachement à des valeurs absolues et intemporelles. C'est pourquoi l'auteur a donné à son propos une portée générale : il n'attaque pas seulement quelques écrivains d'extrême droite, mais

fustige aussi l'adhésion au marxisme. Autant qu'à Péguy ou à Barrès, il s'en prend aux fondements du nationalisme allemand, à D'Annunzio ou à Kipling, qui flattent les particularismes des peuples et leur irrationalité. La Préface de 1946 élargit encore le champ de réflexion, en même temps qu'elle confirme *a posteriori* la justesse de l'analyse. En préférant Socrate à Calliclès et Caton à César, Benda pose sous sa forme la plus aiguë et la plus vaste le problème du conflit entre l'idéalisme et la matière, la vie de l'esprit et la politique. Car il ne s'agit pas pour lui de louer le repli sur soi ou l'indifférence. Il ne nie pas que Voltaire ou Zola aient eu raison de s'engager pour Calas ou Dreyfus : ils servaient alors la justice abstraite et, loin de trahir la cléricature, ils l'ont honorée. Mais il attaque, plus que telle ou telle position, le postulat même selon lequel la pensée n'a de sens que par rapport à l'action.

Malgré la vigueur de la dénonciation, la lucidité de l'auteur ne lui laisse pas d'illusions sur le caractère anachronique de sa position. La dernière page a d'ailleurs une gravité toute prophétique lorsqu'elle annonce la venue d'une humanité bientôt « unifiée en une immense armée, en une immense usine, [...] n'ayant plus pour dieu qu'elle-même et ses vouloirs ». « Et l'Histoire sourira », conclut Benda, « de penser que Socrate et Jésus-Christ sont morts pour cette espèce ».

● « Les Cahiers rouges », 1990.

C. CARLIER

TRAIN DE 8 H 47 (le). Roman de Georges **Courteline**, pseudonyme de Georges Moinaux (1858-1929), publié à Paris en feuilleton dans *la Vie moderne* de 1888 à 1889, et en volume chez Flammarion en 1891. En 1910, le roman est adapté à la scène par Léo Marchès. La première eut lieu le 18 novembre 1910 à l'Ambigu-Comique. *Le train de 8 h 47* connut deux adaptations cinématographiques : en 1926, celle de Georges Pallu, avec Georges Gauthier et Max Lerel ; en 1935, celle d'Henry Wulschleger, avec Fernand Charpin et Fernandel.

L'idée initiale de ce court roman, l'équipée burlesque de deux « pioupious » à la recherche d'un « claque-dent » sous un orage nocturne, semble avoir été suggérée à Courteline par le journaliste Paul Marion avec lequel il partagea les droits d'auteur. Avec ce sujet, qui se superposait à ses propres souvenirs de caserne, l'auteur des *Gaîtés de l'escadron* souhaita cette fois écrire plus qu'une simple nouvelle, un véritable roman auquel il s'attela avec ardeur dès 1887, en peaufinant méticuleusement le style. Au moment où les derniers épisodes du *Train de 8 h 47* (épurés des passages jugés licencieux) parurent dans les pages de *la Vie moderne*, sortit en librairie le roman de Lucien Descaves *Sous-offs*, qui, dénonçant l'insondable morosité de la vie de caserne, en venait à comparer les soldats aux prostituées. Les polémiques s'avivèrent ; un procès s'ensuivit, et la censure recula. Ce n'est qu'après ce tohu-bohu que *le Train de 8 h 47* fut publié en volume. Dans un premier temps, seul le milieu des intellectuels semble avoir été sensible à la causticité du style et à ce rire « qui ne déforme pas la phrase » (A. Daudet). L'immense succès populaire viendra un peu plus tard.

Le début du livre permet de reprendre et de parfaire les portraits déjà esquissés dans *les Gaîtés de l'escadron*, de l'adjudant Flick qui « se savait hideux comme déjà il se savait imbécile » et « qui imputait à tout le monde la responsabilité de cette double disgrâce », au capitaine Hurluret, « bon soûlard incapable d'une méchanceté » et « empli pour ses hommes d'une grosse tendresse brutale ». Afin d'éviter au brigadier La Guillaumette deux jours de trou écopés « pour avoir pris le soleil dans une glace et l'avoir jeté violemment à la figure » de son supérieur, en l'occurrence l'adjudant Flick, Hurluret l'envoie, en compagnie du soldat Croquebol, en « mission » à Saint-Mihiel récupérer quatre chevaux. Nantis d'un petit pécule, les deux soldats en goguette prennent le train de 8 h 47 mais laissent passer un arrêt et se retrouvent à Bar-le-Duc. Vite lassés de la salle d'attente, ils partent sous une pluie battante à la recherche de la maison close. Après de longues heures d'errance dans la nuit et sous la pluie au milieu du labyrinthe d'une ville endormie, au moment où, grâce à un éteigneur de réverbères, ils parviennent à leurs fins et ont réveillé toute la maisonnée de filles, ils s'aperçoivent qu'il est bien tard et vont rater leur train. Ils décampent en force, mais, ayant dans l'aventure perdu leur billet et leur argent, ils finissent par se faire coffrer et sont ramenés à la caserne entre deux gendarmes. L'adjudant Flick peut alors exercer sur eux son sadisme avant de se faire lui-même épingler par Hurluret. Par le jeu de l'universelle bêtise, l'affaire finit par prendre des dimensions nationales à l'insu des intéressés qui, eux, ont transformé leur malheureuse équipée en glorieuse épopée.

Les tribulations héroï-comiques de ces troufions en bordée sont moins en réalité un tableau de genre de la vie militaire qu'une fresque qui mêle, que ce soit dans l'art du portrait, dans les descriptions du fantastique cauchemardesque d'un Bar-le-Duc sous le déluge, dans le récit burlesque et les épisodes cocasses de cette escapade, la bouffonnerie au lyrisme, la polissonnerie à l'odieux, la rosserie de l'observation au détachement goguenard du narrateur. Le rire naît précisément du décalage entre la rudesse des situations et la finesse chantournée du style. Courteline débusque ainsi avec jubilation la bêtise crasse, parfois doublée de férocité, qui lui paraît l'apanage de l'humanité et à laquelle il confère ici la grandeur du sublime.

➤ *Théâtre [...]*, « Bouquins ».

J.-M. THOMASSEAU

TRAIN SOUS LES ÉTOILES (le). Recueil poétique de Robert **Vivier** (Belgique, 1894-1989), publié à Bruxelles aux Éditions La Renaissance du Livre en 1976.

L'œuvre de Robert Vivier, toute tournée vers l'« émoi de vivre », est portée par une foi solide dans le monde et dans les hommes qui ne se dément pas jusque dans ses derniers écrits. *Le Train sous les étoiles*, recueil tardif mais primordial, consacre ainsi un guetteur inlassable qui cherche à surprendre la « chance d'un présent » dans la poésie d'un quotidien regardé avec des yeux ouverts, curieux et volontairement naïfs puisque, « étant ce que nous sommes / On ne peut se trouver qu'ici, parmi les hommes ».

Ce qui retient avant tout l'attention du poète, ce sont « quelques riens », « événements légers » peut-être, mais par lesquels se manifeste et se donne l'« instant terrestre » : les « martinets d'un soir », les « jeux du verger » ou encore un « gazouillis d'aube ». Au cours de ses promenades, il se met, avec l'« impatience du patient », tout autant à l'écoute du vent, de la pluie et du brouillard, que des « couples du corps » – « mains posées », pieds « qui conversent » ou jambes « qui dansent » –, que des matous chanteurs « quand les nuits tiédissent plus soyeuses ». Et si son oreille et son œil toujours « s'émerveillent », c'est qu'il se refuse à « douter des humaines couleurs » et que celui qui s'obstine au « rauque appel des vivants » ne saurait jamais perdre espoir en la vie.

S'il se veut un choix délibéré, l'humanisme de Robert Vivier n'en est pas pour autant béat. Il arrive au poète de ne « plus bien comprendre l'homme » et de se tourner alors vers les étoiles. Cependant, à la Caravelle qui traverse le ciel, il préfère le train, « de ces vieux qui chancellent », mais ne quittent pas la terre qu'il nous est donné d'habiter, et plutôt que pour un « ailleurs » illusoire et incertain, il opte pour un « ici » modeste sans doute, mais multiple et riche de promesses pour peu qu'on trouve « ses mots à la chanson » et qu'on invente « ce que dit la vie ».

Ce n'est pas pour autant que Robert Vivier se refuse au rêve, ni au jeu de la mémoire ; car il sait que leurs mensonges, tout autant que leurs vérités, font la « chaîne d'éclairs d'un être », et c'est l'être même des choses et des hommes qu'il épie, qu'il accueille, « pour les faire parler » en lui.

En revanche, le conte, la transfiguration poétique l'interrogent et, parfois, l'inquiètent : n'aurait-il pas dû mettre « dans d'autres paroles / Beaucoup moins de fable, un peu plus d'amour » ? Cependant, n'est-ce pas la vie elle-même qui nous pousse sur cette voie, et « ce vivre qu'on n'a pas choisi » qui nous tient « comme en un livre / Le branche à branche du récit » ?

Les poèmes rassemblés dans *le Train sous les étoiles*, dans la plupart des cas, partent ainsi du concret et de la présence charnelle, même s'ils ne dédaignent pas ensuite de les insérer dans le tissage de métaphores filées. Et si la nostalgie n'en est pas absente, ils prétendent présenter « un monde en fête » où l'humour vient alléger la gravité de certains propos. Composés de vers rimés et souvent regroupés en quatrains, ils témoignent d'un équilibre et d'une simplicité où se lit une sagesse à la mesure de l'homme.

L. PINHAS

TRAITÉ DE L'AMOUR DE DIEU. Ouvrage de François de **Sales** (1567-1622), publié à Lyon chez Rigaud en 1616.

Le projet de ce *Traité* est antérieur à la publication de l'*Introduction à la vie dévote* (1609), puisqu'on en trouve confidence dans une lettre de février 1607 à la baronne de Chantal : « Quand je puis avoir quelque quart d'heure de relais, j'écris une vie admirable d'une sainte de laquelle vous n'avez point encore ouï parler » (sainte Charité). L'incessante activité apostolique de l'évêque de Genève ne lui laissant pas le temps d'écrire continûment un ouvrage de longue haleine, il rédige – selon les occasions dispersées qui s'offrent à lui pendant une douzaine d'années – un grand nombre de courts livrets dont l'ensemble, parfaitement cohérent, finit par former un gros ouvrage de 12 livres et 188 chapitres. L'édition d'août 1616, la seule que son auteur ait vraiment surveillée, fut très vite réimprimée et les traductions – en italien, anglais, latin, espagnol et allemand – se multiplièrent au cours du XVIIᵉ siècle, sans que le *Traité de l'amour de Dieu* atteignît pour autant le prodigieux succès de l'*Introduction à la vie dévote*. Il n'en demeure pas moins, aux yeux de beaucoup aujourd'hui, l'œuvre majeure de François de Sales.

Livre I. La volonté a pouvoir sur nos passions, dont la première est l'amour, mais aussi elle est gouvernée par l'amour qu'elle choisit – celui des créatures, ou celui de Dieu qu'on appelle charité. Livre II. « Histoire de la génération et naissance céleste du divin amour ». L'infinie bonté de Dieu « est portée à la communication » : d'où, en lui-même, la Trinité et, hors de lui, la rédemption universelle proposée aux hommes. Et Dieu ne veut pas seulement nous sauver, il veut que nous l'aimions. Livre III. « Du progrès et perfection de l'amour ». L'âme peut croître sans fin en l'amour de Dieu tandis qu'elle est en cette vie, mais ce n'est qu'après la mort qu'elle parvient à une parfaite union avec lui. Livre IV. « De la décadence et ruine de la charité ». Sans parler du péché mortel, l'affection aux péchés véniels paralyse peu à peu la charité. On s'achemine lentement au mépris de Dieu, mais, dès qu'on y arrive, la charité périt d'un seul coup. Livre V. « Des deux principaux exercices de l'amour sacré qui se font par complaisance et bienveillance ». Par le premier, nous nous réjouissons du bien que nous voyons en Dieu, et cette réjouissance est jouissance ; par le second, nous louons Dieu et appelons toutes les créatures à faire de même.

Livre VI. « Des exercices du saint amour en l'oraison ». Celle-ci connaît deux degrés : la méditation, où la pensée se rend attentive aux choses divines, et la contemplation, où l'intellect cède le pas à l'amour et l'activité de l'âme, à la passivité extatique entre les mains de Dieu. Livre VII. « De l'union de l'âme avec son Dieu qui se parfait en l'oraison ». Il y a trois espèces de ravissements : celui de l'entendement, qui se fait par l'admiration ; celui de l'affection, qui se fait par la dévotion ; celui de l'action, qui se fait par l'opération. Livre VIII. « De l'amour de conformité par lequel nous unissons notre volonté à celle de Dieu qui nous est signifiée par ses commandements, conseils et inspirations ». Le cœur qui aime en Dieu veut lui complaire à son tour, et pour cela se conformer à lui, c'est-à-dire vouloir tout ce qu'il veut. Livre IX. « De l'amour de soumission par lequel notre volonté s'unit au bon plaisir de Dieu ». Nous devons avoir une « sainte indifférence » à l'égard des afflictions que Dieu permet que nous rencontrions, aussi bien dans notre vie spirituelle que dans notre vie naturelle et civile. Livre X. « Du commandement d'aimer Dieu sur toutes choses ». La perfection de ce commandement consiste à aimer Dieu seul, ce qui ne se fait point au détriment du prochain : car « comme Dieu créa l'homme à son image et semblance, aussi a-t-il ordonné un amour pour l'homme à l'image et semblance de l'amour qui est dû à sa divinité ». Livre XI. « De la souveraine autorité que l'amour sacré tient sur toutes les vertus, actions et perfections de l'âme ». La charité élève les vertus, même naturelles, à la dignité d'œuvres saintes ; sur toutes nos actions répandons le motif de l'amour de Dieu, et elles seront transfigurées. Livre XII. Il contient « quelques avis pour le progrès de l'âme au saint amour ». Il faut avoir un continuel désir d'aimer Dieu, et pour cela retrancher les autres désirs, jusqu'à faire le sacrifice de notre franc arbitre.

Quels sont, en ce *Traité*, les inspirateurs de François de Sales ? On pourrait aussi bien parler d'inspiratrices, car l'auteur juge que personne n'a mieux exprimé « les célestes passions de l'amour sacré » que sainte Catherine de Gênes, sainte Angèle de Foligno ou sainte Catherine de Sienne. Mais toujours leurs expériences sublimes s'inscrivent dans le ferme cadre doctrinal élaboré par saint Augustin, saint Thomas, saint Bonaventure et d'autres docteurs familiers de la vie contemplative. Le magistère de l'Église est présent par les Actes du concile de Trente, plusieurs fois allégués. L'Écriture est citée constamment, dans le livre surtout qui chante l'érotique divine, ce Cantique des cantiques dont certains contemporains de François de Sales s'effarouchaient : l'évêque de Genève passe outre leurs pudibonds scrupules. À ces sources écrites, il est indispensable d'ajouter les expériences spirituelles de l'auteur lui-même et celles dont il a reçu confidence en tant que directeur de conscience des Filles de la Visitation. Son *Traité* est issu d'abord de l'oraison, et c'est aux plus hauts degrés de l'oraison qu'il souhaite voir accéder ses lecteurs.

Le *Traité de l'amour de Dieu* prend ainsi la suite de l'*Introduction à la vie dévote* : celle-ci s'adressait aux commençants, celui-là est destiné aux âmes déjà avancées. D'un livre à l'autre, on passe de l'éthique à la mystique, du service de Dieu à l'union avec Lui. C'est ici une histoire nouvelle, qui mène de l'oraison de quiétude à la vision face à face dans l'éternité. On entre dans un domaine à la fois infiniment complexe et infiniment simple : complexe pour l'entendement, qui décrit du dehors des phénomènes excédant ses catégories ; simple pour le cœur, puisqu'il s'agit purement d'aimer. Participant de cette double approche, l'ouvrage de saint François de Sales est simultanément méthodique – jusqu'à la subtilité parfois (lorsqu'il distingue par exemple, au livre VII, entre ceux qui sont morts « en amour », « par amour » ou « d'amour ») – et enthousiaste. Même si la rigueur scolastique informe sa démarche, le vocabulaire technique et les raisonnements métaphysiques s'effacent sous les métaphores, comparaisons et paraboles. Ainsi, pour faire comprendre que l'inspiration divine et la puissance de la grâce font appel à la coopération de la volonté humaine, l'auteur va chercher chez Aristote l'exemple des oiseaux apodes : n'ayant pas l'usage de leurs pattes, ils demeurent croupissant sur le sol « et y meurent, sinon que quelque vent propice à leur impuissance, jetant ses bouffées sur la face de la terre, les vienne saisir et enlever, comme il fait plusieurs autres choses ; car alors, si employant leurs ailes ils correspondent à cet élan et premier essor que le vent leur donne, le même vent continue aussi son secours envers eux, les poussant de plus en plus au vol » (II, chap. 9). Au-delà de sa valeur pédagogique, le recours aux « similitudes » marque la volonté typiquement salésienne de ne rien mépriser de la beauté et bonté de la nature – y compris dans la nature humaine déchue : il existe un amour naturel de Dieu (I, 16), des vertus naturelles chez les païens (XI, 1) et un usage divin des passions naturelles (XI, 18 et 20). Enfin, le langage allégorique est le seul moyen de communiquer quelque chose des états transcendants et de balbu-

tier l'ineffable : par où ce traité pour les savants est en même temps poème pour les simples et les sages.

➤ *Œuvres*, « Pléiade ».

G. FERREYROLLES

TRAITÉ DE L'EXISTENCE DE DIEU et des attributs de Dieu. Traité philosophique de François de Salignac de La Mothe **Fénelon** (1651-1715), publié à Paris chez Jacques Estienne en 1713 (première partie) et en 1718 (seconde partie).

La première partie est consacrée à une « démonstration de l'existence de Dieu, tirée du spectacle de la nature et de la connaissance de l'homme ». Toute la nature « montre l'art infini de son créateur » (chap. 1). L'univers est empli de merveilles, qui attestent de façon plus précise et plus ponctuelle l'existence de Dieu : c'est évidemment la splendide harmonie de l'univers planétaire ; ce sont aussi les productions de la terre et les quatre éléments ; l'organisation des plantes et des animaux évidemment « faits pour notre usage » ; « la propagation continuelle de chaque espèce » ; la complexe et délicate composition du corps humain, qui paraît « le chef-d'œuvre de la nature » et n'est pourtant pas comparable à l'esprit, capable de s'élever à l'universel et à l'infini, faible et grand, dépendant et libre à la fois (2). Les épicuriens supposent que le jeu des atomes a suffi à constituer l'univers et qu'au terme de combinaisons peut-être infinies, s'est établi l'ordre que nous voyons dans l'univers. Est-il possible qu'un ensemble aussi bien organisé soit né fortuitement ? « Le nom de Dieu éclate partout, presque dans un ver de terre » (3).

La seconde partie présente une « démonstration de l'existence et des attributs de Dieu, tirée des idées intellectuelles ». Fénelon définit d'abord la méthode (cartésienne ou plutôt malebranchienne) qu'il faut suivre dans la recherche de la vérité (chap. 1). La pensée suppose un être supérieur, et, en fait, « l'être, la vérité et la bonté ne sont qu'une même chose ». L'imperfection de l'être humain, l'idée que nous formons de l'infini et de l'être nécessaire », concourent à établir l'existence de Dieu (2). Spinoza a pu penser que l'infini et la nécessité résidaient dans la nature même et se refuser à admettre une transcendance, mais « tout composé ne peut jamais être infini » ; « tout ce qui est divisible n'est point le vrai et réel être » (3). La nature de nos idées donne une nouvelle preuve de l'existence de Dieu (4). Dieu est enfin défini : il est un, il est simple, il est immuable, éternel, immense, omniscient (5).

Le traité de Fénelon peut paraître assez éclectique. On reconnaît des souvenirs de la scolastique (l'ordre du monde, qui atteste l'existence de Dieu), des emprunts à Descartes et à saint Augustin (l'argument ontologique), à Malebranche (la méthode pour rechercher la vérité), à Pascal (les « deux infinis »). Tout cela pour réfuter Épicure (et surtout les épicuriens modernes), Spinoza, et même Leibniz, car Fénelon ne peut croire aux « divers plans » de la création ni aux « futurs conditionnels » que supposait la *Théodicée*. La mise en évidence dans la nature d'une bienfaisante providence ne va pas sans naïveté : les plumes, la peau et les écailles des animaux nous sont utiles, et Dieu les a destinées à nous servir : on pense à l'abbé Pluche (voir le *Spectacle de la nature) ou aux *Harmonies de la nature de Bernardin de Saint-Pierre.

Dans ce curieux ouvrage, qui unit avec une souple facilité les preuves les plus naïves et les arguments métaphysiques, il serait possible de trouver des contradictions. La poésie ne manque pas – dans les évocations du firmament ou des merveilles de la nature, ni surtout dans les élans lyriques, qui se développent dans la seconde partie. Fénelon nous donne un *Génie du christianisme du début du XVIIIe siècle, et Chateaubriand n'aura au fond qu'à étendre certains arguments, à s'abandonner à un peu plus de lyrisme et à recourir à davantage de parures poétiques. Le charme de l'ouvrage réside d'abord dans la musique des phrases et les confidences plus ou moins volontaires de Fénelon, contemplant avec mélancolie, peut-être avec angoisse, la fuite du temps, et rêvant de s'arracher à cette dépendance, à cette discontinuité, pour s'abîmer enfin dans « le grand être ». Nostalgie, élans qui montent, qui retombent, qui se raniment : dans ses plus beaux moments, le *Traité de l'existence de Dieu* s'organise en strophes presque pathétiques, qui, par-delà Chateaubriand, annoncent Musset et surtout Lamartine. Le temps paraît le sujet essentiel du livre, et Dieu n'est peut-être que le nom qu'un prélat et ses disciples doivent donner à tout ce qui transcenderait notre faiblesse.

● Éditions universitaires, 1990 (p.p. J.-L. Dumas).

A. NIDERST

TRAITÉ DE LA COMÉDIE. Traité de Pierre **Nicole** (1625-1695), publié avec *les Imaginaires* à Liège chez Beyers en 1667.

Revu et réédité dans le tome III des *Essais de morale* en 1675, puis en 1678 (texte définitif), ce traité, qui prend les jésuites pour cible indirecte, est le fruit de querelles complexes entre Nicole et Desmaretz de Saint-Sorlin (initialement à propos de Port-Royal). Mais il est également lié, comme le *Traité de la comédie et des spectacles* du prince de Conti, au débat sur le théâtre relancé par le *Tartuffe puis *Dom Juan* ; Nicole vise aussi Racine et d'Aubignac, intervenus en faveur de l'art dramatique. Le succès des *Essais de morale* contribua à la diffusion de ce texte pénétré de l'esprit de Port-Royal et qui frappe par la modernité de ses analyses.

Dans sa dernière version (le texte a été remanié dans le sens d'une organisation plus rigoureuse), ce court traité compte dix chapitres : le premier constitue une déclaration d'intention et un sommaire ; le deuxième évoque les acteurs ; les cinq suivants, auteurs et spectateurs ; les trois derniers, qui sont les plus longs (plus du tiers de l'ouvrage), s'interrogent sur la compatibilité de la « comédie » (au sens général de théâtre) avec la vie chrétienne telle que la conçoit un partisan de Port-Royal.

Aux subtilités de ceux qui, pour rendre innocent le goût du théâtre, ont formé « une certaine idée métaphysique » de la comédie, Nicole répond par un examen de la pratique du théâtre et de ses effets. Il allègue la raison plus que les arguments d'autorité, veut démontrer, cite des exemples, essentiellement empruntés à Corneille, même à une pièce édifiante comme *Théodore* — ce seraient les « moins dangereux à rapporter » — et Corneille, à l'époque, incarne le théâtre. La représentation est au cœur de l'argumentation : elle confère au langage une force particulière (Nicole dit bien que ses propos valent aussi pour les romans sans pourtant étudier les problèmes spécifiques qu'ils soulèvent). Le théâtre représente les passions (surtout l'amour, point d'attaque privilégié) ; parce qu'il doit plaire, il atténue ou masque totalement l'« horreur » qui doit leur être attachée. Dès lors cèdent tous les freins instaurés par la société, sous l'aspect notamment de l'éducation et du mariage : le théâtre exhibe tous les désirs satisfaits — il va de soi que la « purgation des passions » n'est ici qu'une dangereuse mystification que l'auteur n'évoque même pas. Le spectateur, livré à lui-même, est victime de ce qu'il voit (et l'acteur, de ce qu'il joue), porté vers les passions par une attirance qu'entretient insidieusement le plaisir théâtral ; même s'il résiste, de telles images s'impriment dans sa mémoire, travaillent son inconscient (c'est, chez Nicole, la théorie des pensées imperceptibles) et entretiennent la part diabolique de chacun. La question du regard parcourt tout le livre : les spectateurs « s'aveuglent » eux-mêmes en s'abandonnant à ces divertissements absolus, « ombres des ombres puisque ce ne sont que de vaines images des choses temporelles ». Au passage, et à travers Corneille, se trouve violemment critiqué le culte de la gloire, avatar de l'amour de soi : par-delà le théâtre, c'est le monde temporel et son idéologie qui sont condamnés ; les derniers chapitres, nourris de références religieuses, élargissent la perspective pour définir la vraie vie chrétienne telle que la conçoit Nicole :

elle « doit être non seulement une imitation [Corneille serait-il encore visé ?], mais une continuation de la vie de Jésus-Christ ». On comprend alors que l'auteur s'attaque en réalité à « toutes les folies du monde, dont la comédie est comme l'abrégé » : elle n'était à ses yeux qu'une occasion, éminente et cruciale compte tenu de la théâtralisation du pouvoir et de la place alors réservée au théâtre, de réaffirmer un augustinisme militant.

● Les Belles Lettres, 1961 (p.p. G. Couton).

D. MONCOND'HUY

TRAITÉ DE LA CONCUPISCENCE. Ouvrage de Jacques Bénigne **Bossuet** (1627-1704), publié à Paris chez A. Alix en 1731.

De ce traité, on possède le manuscrit autographe daté de 1694. Il ne sera imprimé qu'après la mort de l'auteur, par les soins de l'abbé Bossuet son neveu. C'est ce dernier également qui lui imposa le titre sous lequel on le connaît, car il en était dépourvu. Le pessimisme de l'évêque de Meaux vieillissant s'y montre tel, que les jansénistes triomphèrent à sa publication et se crurent autorisés à compter rétrospectivement Bossuet pour un de leurs amis du dehors.

Saint Jean écrit, dans sa première Épître (II, 15-17) : « Il n'y a dans le monde que concupiscence de la chair, que concupiscence des yeux et orgueil de la vie. » Que faut-il entendre par ces expressions ? La concupiscence de la chair, c'est l'amour des plaisirs des sens. Elle nous attache à un corps mortel sous le prétexte de la nécessité, mais bien vite nous donnons à la seule volupté ce que nous croyions donner au légitime souci de notre conservation. Certes, la chair n'est pas mauvaise en soi, mais le péché originel y a inscrit « une secrète disposition à un soulèvement universel contre l'esprit ». La concupiscence des yeux prend deux formes : d'une part, la vaine curiosité – des intrigues, des fausses sciences (astrologie, divination) et même des vraies – qui repaît notre imagination d'un savoir de toute façon inutile pour le salut ; d'autre part, la recherche de l'ostentation. Il ne s'agit encore que de vanité, mais avec la troisième concupiscence on atteint plus profond en l'homme : l'orgueil, par quoi la créature se regarde comme son principe et sa fin. C'est le vice dont tous les autres prennent naissance. De lui est venue la chute de Lucifer, et la nôtre. Le Christ nous rachète par des voies opposées à celles de la concupiscence : il a été homme de douleurs, curieux de notre seul salut et humble jusqu'à la croix.

Même si le terme peut paraître désuet (il l'est moins quand on le traduit en latin – *libido* –, car il évoque alors la problématique freudienne), le thème de la concupiscence est capital dans la tradition chrétienne : à partir de saint Jean, il a été particulièrement développé par saint Augustin, il offre un champ fertile aux controverses du XVIe siècle entre catholiques et réformés et se trouve directement lié à la contestation janséniste du siècle suivant sur la question de la grâce et du libre arbitre. Jansénius a écrit son « traité de la concupiscence » : c'est le *Discours sur la réformation de l'homme intérieur*, et Pascal utilise largement ce concept dans les *Écrits sur la grâce* et les *Pensées*. Or Bossuet, en abordant à son tour le sujet, ne le fait point sous l'angle techniquement théologique mais dans une perspective anthropologique et morale. Certes, il s'appuie sur un système parfaitement cohérent, médité durant des siècles, qui rend compte du désir mauvais dans sa structure (les trois concupiscences) comme dans sa genèse (le péché originel), mais il l'exploite en prédicateur et en pasteur. Comme dans ses *Sermons* ou ses *Oraisons funèbres*, Bossuet prend à partie, confond, exhorte un public (« N'aimez pas le monde »), dont il ne saurait lui-même s'abstraire (« *Nous* sommes unis à Adam rebelle »). Il le saisit, ce public virtuel, par des imprécations prophétiques, des sentences définitives, des comparaisons somptueuses : « Semblable à une eau qui d'une haute montagne coule premièrement sur un haut rocher où elle se disperse, pour ainsi parler, jusqu'à l'infini et se précipite jusqu'au plus profond des abîmes, l'âme raisonnable tombe de Dieu sur elle-même et se trouve précipitée à ce qu'il y a de plus bas. » Bossuet fouille les racines de la perversité – en particulier le désir de transgression généré par la loi elle-même – pour forcer l'homme à reconnaître, par son expérience intime, la vérité du discours de l'Écriture et de l'Église. Il n'y aurait nulle exagération à désigner dans ce traité le chef-d'œuvre de Bossuet.

G. FERREYROLLES

TRAITÉ DES ÉTUDES. Voir DE LA MANIÈRE D'ENSEIGNER ET D'ÉTUDIER, de Ch. Rollin.

TRAITÉ DES RELIQUES. Traité de Jean **Calvin** (1509-1564), dont le titre complet est : *Avertissement très utile du grand profit qui reviendrait à la chrétienté, s'il se faisait inventaire de tous les corps saints, et reliques, qui sont tant en Italie qu'en France, Allemagne, Espagne, et autres royaumes et pays*, publié à Genève chez Jean Girard en 1543.

Il s'agit d'un des premiers traités en français de Calvin, qui suit la traduction française de l'*Institution de la religion chrétienne* (1541). Les sources qui lui ont permis d'énumérer un grand nombre de reliques n'ont pas été découvertes. La critique des reliques remonte au Moyen Âge ; avec Érasme, l'humanisme chrétien oppose le culte « en esprit et en vérité » à des pratiques contestables ; mais Calvin va plus loin, et en réclame l'abolition, sur un ton inouï.

Calvin remonte à la source du « mal » : au lieu de s'attacher à la parole du Christ, on s'est « amusé à ses robbes et chemises » ; de même, dans le culte des saints. Il ne s'agit pas d'une frivolité, mais d'un cas typique de superstition idolâtrique. Aux reliques authentiques se sont mêlés des faux ridicules, dont le traité va énumérer un certain nombre ; on pourra se faire ainsi une idée du reste. Calvin commence par les reliques de Jésus (plus d'un tiers du traité), puis il passe à Marie, saint Michel, saint Jean Baptiste, aux apôtres, etc., pour finir par les « saints vulgaires » et les patriarches de l'Ancien Testament. La conclusion oppose l'aveuglement superstitieux à la « vérité », et demande l'abolition du culte des reliques.

Le sujet peut sembler mince, et Calvin s'en amuse. Mais en s'attaquant au culte des reliques, le réformateur sait qu'il sape le fondement (à côté des sacrements) de la pratique religieuse traditionnelle, et un ordre symbolique qui rattache matériellement l'institution actuelle à ses fondateurs. L'opposition de la parole de Jésus et des pratiques superstitieuses s'éclaire ici d'une dénonciation radicale : la « superstition » dévoile un penchant à l'idolâtrie constitutif du péché de l'homme. Les vraies reliques n'intéressent plus Calvin ; à la question théorique : « Y a-t-il un culte des reliques légitime ? », Calvin substitue le ridicule, qui dénonce une œuvre diabolique et qui compromet, par-delà les reliques, tout culte des saints. Cette stratégie correspond au caractère populaire des lecteurs visés ; ton et style en découlent. Le traité, dont le titre, ironique, ne risquait pas de compromettre ses acheteurs clandestins, est un simple catalogue. Cette simplicité permet des effets comiques, les transitions étant toujours désinvoltes. Le principal ressort comique consiste dans l'insistance sur l'aspect matériel des reliques ; ainsi, à propos d'« un morceau de poisson rôti » présenté par Jésus ressuscité à saint Pierre : « Il faut dire qu'il ait été bien épicé, ou qu'on y ait fait un merveilleux saupiquet, qu'il s'est pu garder si longtemps. » Le registre stylistique constamment « bas » démasque en les désacralisant des objets matériels d'autant plus grotesques qu'ils participent d'une imposture. Critique historique, ton pamphlétaire et rire convergent, au service d'un modèle de piété fondée sur la seule parole biblique.

● Londres, Athlone Press, 1970 (*Three French Treatises*, p.p. F. M.

Higman) ; *la Vraie Piété : divers traités de Jean Calvin*, Bruxelles / Montréal, Labor/Fidès, 1986 (p.p. I. Backus et Cl. Chimeli).

O. MILLET

TRAITÉ DES SENSATIONS. Traité philosophique d'Étienne Bonnot de **Condillac** (1714-1780), publié à Paris chez de Bure aîné en 1754.

Ce traité fait suite à l'**Essai sur l'origine des connaissances humaines* qui, en 1746, défendait rigoureusement la thèse sensualiste : l'élément primitif de toutes nos connaissances est la sensation. À la fois défensif et polémique, il est censé répondre à la **Lettre sur les aveugles* de Diderot (1749) qui rapprochait sous le nom commun d'idéalisme la pensée de Condillac et celle de Berkeley : serait idéaliste toute philosophie qui, affirmant le primat de la sensation, état purement intérieur du sujet sentant et connaissant, est incapable de penser la réalité du monde extérieur.

Le *Traité des sensations* se compose de quatre parties qu'unifie le souci de rejeter une interprétation idéaliste du sensualisme. Si la partie première affirme que par eux-mêmes les sens ne peuvent juger des objets extérieurs, la deuxième et la troisième élaborent une théorie du sens du toucher, sens privilégié qui nous met en contact avec les corps situés en dehors de nous. La quatrième partie traite de l'état d'un homme supposé en possession de tous ses sens, mais qui vivrait isolé de tout lien social. Il ne peut être vraiment homme, car l'homme n'existe comme être raisonnable que par ce qu'il a acquis.

Penser l'origine des connaissances humaines à partir de la sensation est une entreprise qui relève tout autant d'une psychologie (à condition que soit mise entre parenthèses l'obscure notion d'âme) que d'une anthropogenèse : c'est en effet de l'émergence de la raison en l'homme qu'il s'agit de tracer l'aventure. Penser l'origine de la connaissance, si l'on tient à se passer de la théorie des idées innées, c'est-à-dire de l'existence de Dieu créateur, c'est nécessairement faire sa place à une philosophie-fiction. Condillac met en scène, pour figurer l'origine de l'homme connaissant, une forme « image » humaine, une statue de marbre, toute proche d'une matière informe, au sens aristotélicien : informe, la statue va pouvoir recevoir des formes, selon une genèse complexe que le *Traité* suit dans une démarche analytique et généalogique de composition progressive. La question est de savoir ce que la statue peut et va pouvoir connaître à partir de la plus élémentaire sensation : sa seule intériorité affectée, ou l'extérieur de soi ?

Le propos de Condillac est de dégager l'élément originel à partir duquel s'engendrent toutes les facultés, toutes les connaissances. Les sensations ne sont « que des modifications de notre âme ». Ainsi la statue qui sent une rose est réduite à cet odorat primitif : elle est et n'est qu'odeur de rose. Nulle référence à la réalité extérieure de la fleur n'a besoin d'être présupposée. Mais la sensation n'est pas purement passive ; elle a un caractère affectif, elle s'accompagne de plaisir ou de douleur, et en cela elle subit des modifications qui engendrent progressivement l'attention, la mémoire, le jugement (juger, c'est comparer), l'imagination, la reconnaissance. Ce qui est vrai de l'odorat, l'est du goût, de l'ouïe, de la vue... Le premier livre du *Traité* fait l'économie radicale de la question de la réalité extérieure. Pour la statue, il n'y a pas de monde ; elle-même est son monde.

Le deuxième livre aborde le problème de l'extériorité : on ne peut le passer sous silence s'il est vrai que dans l'expérience (pierre de touche irréfutable), la sensation est la visée d'autre chose que soi. C'est aux données tactiles qu'il faut faire appel si l'on veut fonder cette visée. Dans la lignée de Locke et de Berkeley, Condillac considère que le toucher (qui est en lui-même pure modification de l'âme), lorsqu'il s'allie au mouvement, soit dans le double contact, soit dans l'expérience de l'obstacle, met la statue en face d'un objet extérieur : elle découvre l'existence de son propre corps et celle des autres corps. Ainsi pourra-t-elle accéder à la connaissance du monde.

Le troisième livre tente de réduire une difficulté : si le toucher est un sens privilégié, peut-on maintenir l'égalité des sensations entre elles, l'unité du sujet connaissant et, en dernier ressort, la cohérence même du sensualisme n'est-elle pas menacée ? Si le toucher reste le sens premier de l'extériorité, il s'associe avec les autres sens : chaque type de sensation se combine avec les autres et ainsi l'activité de l'esprit n'est qu'une combinaison généralisée dans laquelle chaque sens prend part à la reconnaissance du monde hors de nous.

Le dernier livre examine comment s'engendrent toutes les connaissances à partir des combinaisons dérivées des sensations originelles instruites d'abord par le toucher. Reste que nos connaissances sont finies : c'est un préjugé métaphysique que de croire que l'on puisse atteindre la nature véritable des choses extérieures. On ne saisit que des qualités, et cela suffit pour l'exercice de la vie. Les facultés abstraites n'atteignent pas davantage l'essence dernière du réel ; elles manifestent simplement que l'esprit est une vaste combinatoire dont la finalité n'excède pas la conservation de l'individu et de l'espèce. Les conclusions du *Traité* ne diffèrent pas de celles de l'*Essai sur l'origine des connaissances humaines* : nous ne connaissons en définitive que nous-mêmes. Quand la statue de marbre devient esprit humain connaissant, au terme d'une longue genèse, elle se trouve en face d'un monde de qualités qui ne sont que ses propres modifications.

● Fayard, 1984. ➤ *Œuvres complètes*, Slatkine, II.

M. CRAMPE-CASNABET

TRAITÉ DES SYSTÈMES où l'on en démêle les inconvénients et les avantages. Traité philosophique d'Étienne Bonnot de **Condillac** (1714-1780), publié à La Haye chez Néaulme en 1749.

Composé de dix-huit chapitres, le *Traité* se propose un double dessein : dénoncer l'usage et l'abus des systèmes abstraits qui sévissent en particulier en philosophie, restaurer le sens et la fonction positifs que doit avoir la notion de système lorsqu'elle est étayée sur une théorie correcte – empiriste-sensualiste – de la connaissance humaine. La critique de l'esprit systématique abstrait est des plus courantes au XVIIIe siècle : Condillac l'argumente et lui donne des fondements dans l'analyse de l'histoire et du fonctionnement de l'esprit humain.

La notion de système est inséparable de celle de principe. C'est d'abord à l'étude polémique des systèmes en philosophie que se livre le *Traité*. Pour les philosophes – c'est essentiellement à ceux du XVIIe siècle que Condillac s'adresse – il y a trois sortes de principes et donc trois sortes de systèmes. Les premiers principes sont des propositions générales et abstraites – par exemple le tout est égal à la somme de ses parties – toujours vraies mais précisément vides dans leur évidence. Les seconds sont vrais par quelques aspects, dont la vérité est abusivement étendue à tous leurs aspects. Les troisièmes consistent à imaginer des rapports vagues entre des choses sans qu'il y ait entre elles une quelconque communauté de nature. Dans ces deux derniers cas, plus graves que le premier, l'esprit se précipite dans l'erreur que l'imagination favorise.

Le vice de tout système abstrait tient en ce qu'il prétend légiférer en dehors des faits, de l'expérience. Par fait, il faut entendre ce qui relève en quelque façon du sensible. Le vice de l'abstraction est de prendre pour principes des idées générales et prétendre descendre ainsi jusqu'aux idées particulières : tel est l'inexpiable défaut de toute théorie qui considère qu'il y a en l'esprit des idées innées.

Ce type de théorie prend à tort pour commencement ce qui n'est qu'un résultat, un produit. La critique des systèmes abstraits consiste, en style empiriste, à retracer à l'endroit la généalogie des idées : la sensation est première, l'idée n'est que le terme d'un complexe processus de combinaisons. La critique a pour but aussi de rendre compte de l'inversion du mouvement vrai qu'ont opérée les philosophes. S'il est vrai que ce sont les principes généraux et abstraits qui permettent d'embrasser une multitude de choses, il s'agit là du fonctionnement de la connaissance constituée, mais non de sa formation. Le vice des systèmes abstraits est d'avoir occulté la genèse des facultés de l'esprit. Productions d'une imagination sans règles (sauf celles des passions qui n'ont pas de règles), les systèmes abstraits se paient de mots dont les sens sont plurivoques : être, substance, essence, liberté, éternité... Les systèmes sont des édifices verbaux dont le langage n'est pas analysé ; ils ignorent cet art de raisonner qui se confond avec l'usage d'une langue bien faite.

Si encore les systèmes n'étaient que pures constructions spéculatives ils ne seraient qu'inoffensives fantaisies ; mais ils se mêlent de pratique morale et politique. Ici, pour Condillac, gît le danger : celui de prendre des maximes valables dans des cas particuliers pour des principes applicables en général. Le vice est encore (et cette fois dans l'ordre de l'action) l'abstraction, la généralisation abusive. Les ravages des systèmes abstraits n'atteignent pas seulement l'esprit philosophique : le vulgaire est tout aussi systématique avec, cependant, la confusion en plus. Condillac critique l'esprit de système en son sol primordial : les préjugés de la divination, de l'astrologie, des superstitions, toutes espèces d'un même genre, la charlatanerie. Tant de préjugés imaginaires, terrain nourricier d'une philosophie trompeuse, s'engraissent grâce à l'habileté de ceux qui pratiquent l'écriture – qu'elle soit hiéroglyphique ou alphabétique importe peu ici. Tout signe écrit, non conçu par une analyse droite, est crypté, mystérieux, fascinant, séducteur. Dans nos systèmes philosophiques savants, la même obscurité demeure : le système des idées innées est le refuge de l'ignorance car il repose sur le refus de considérer la genèse de nos facultés. Qu'il s'agisse de l'innéisme cartésien, de l'étendue intelligible selon Malebranche, des monades et de l'harmonie préétablie dans l'œuvre de Leibniz ou de cette forme forcenée de l'esprit de système que représente l'*Éthique* de Spinoza, le fil conducteur de la critique condillacienne a cette solidité empiriste qui est celle même de la nature : il n'y a de système valable que s'il est fondé sur des faits.

Condillac remet, en ce sens, en valeur l'idée de système. « Un système n'est autre chose que la disposition des différentes parties d'un art ou d'une science dans un ordre où elles se soutiennent toutes mutuellement, et où les dernières s'expliquent par les premières. Celles qui rendent raison des autres s'appellent principes » (chap. 1). Un système atteint la perfection quand il est possible de réduire le nombre des principes à un seul : ce premier principe est un phénomène observable propre à expliquer d'autres phénomènes. Cette méthode est celle même de Newton qui, contrairement à Descartes qui prétendait rendre compte de la formation du monde, s'est contenté de l'observer. Descartes a émis des hypothèses hasardeuses, pures constructions rationnelles ; Newton refuse d'imaginer des hypothèses à moins qu'elles ne soient vérifiables par l'expérience et étayées par le calcul. La conception newtonienne du système est selon Condillac, celle qu'il a lui-même appliquée en métaphysique : en astronomie le premier et unique principe est la gravitation ; en métaphysique, c'est la sensation.

Dans les sciences, le système rend compte des effets à partir du principe ; mais il est d'autres domaines où le système prépare et fait naître les effets : le système est alors un art dont le lieu privilégié est la politique. Le bon politique doit savoir appliquer dans son gouvernement les principes qui président à la constitution de la connaissance vraie. C'est pourquoi il faut apprendre aux princes la bonne philosophie – celle de Condillac.

Reste une forte difficulté mais elle est surmontable : l'instauration et la compréhension du système vrai sont inséparables de l'usage de la langue qui est l'analyse même des opérations de la pensée. Or, nous parlons notre langue sans savoir ce que nous disons, sans en connaître les structures et le fonctionnement. Élaborer ou comprendre un bon système est toujours selon Condillac, apprendre ce qu'on fait quand on parle. Par ce savoir la langue naturelle que nous pratiquons couramment peut être élevée au statut d'une langue bien faite.

Le *Traité* a inspiré la critique de l'esprit systématique que développent certains articles de l'**Encyclopédie* de d'Alembert et Diderot. L'article « Système » de ce grand œuvre est littéralement copié de certains passages du *Traité*.

● Fayard, 1991. ➤ *Œuvres complètes*, Slatkine, I.

M. CRAMPE-CASNABET

TRAITÉ DES TROPES ou Des différents sens dans lesquels on peut prendre un même mot dans une langue. Ouvrage de rhétorique de César Chesneau, sieur **du Marsais** (1676-1756), publié à Paris chez la Veuve Brocas en 1730.

Ce traité, issu d'une réflexion sur la langue commencée en tant que précepteur et conçu pour être le septième et dernier livre d'une grammaire générale intitulée *les Véritables Principes de la grammaire* et préfacée en 1729, mais dont les six autres livres furent dispersés dans les articles que Du Marsais écrivit pour l'**Encyclopédie* entre 1751 et 1756, est alors unique en son genre : les tropes n'occupaient en effet traditionnellement qu'une place modeste dans les traités de rhétorique, qu'ils s'inscrivent dans la tradition latine comme celui de Colonia (*De arte rhetorica*, 1704) ou dans la jeune tradition française comme ceux de Lamy (*la Rhétorique ou l'Art de parler*, 1675-1715) et Gibert (*la Rhétorique ou les Règles de l'éloquence*, 1730). Il ne s'imposa pourtant qu'après 1797, grâce aux Idéologues.

Première partie. « Des tropes en général ». Posant que les « tropes ne sont qu'une espèce de figure », l'auteur s'attache à définir d'abord les « figures en général » comme écarts par rapport aux « manières de parler qui expriment le même fond de pensée, sans avoir d'autres modifications particulières » ; il distingue figures de pensée et figures de mots, dont les tropes constituent le quatrième et dernier type, et définit enfin ceux-ci comme « des figures par lesquelles on fait prendre à un mot une signification qui n'est pas précisément la signification propre de ce mot », répertoriées selon « la manière dont un mot s'écarte de sa signification propre pour en prendre une autre ».
Deuxième partie. « Des tropes en particulier ». Du Marsais en fait la typologie, relevant, de la catachrèse à l'onomatopée, dix-neuf tropes examinés successivement. Chaque rubrique est construite selon le même schéma : un incipit définitionnel et étymologique, puis des exemples de la figure « pour la faire mieux connaître », puisant dans un fonds classique de références latines et françaises, enfin une classification des espèces. À ce fonds commun peuvent également s'ajouter les raisons de l'admission d'une figure au rang des tropes (l'hypotypose, l'antonomase et surtout l'onomatopée « qui n'est point un trope »), des remarques sur l'usage, et des transitions où s'ébauche un système de renvois.
Troisième partie. « Des autres sens dans lesquels un même mot peut être employé dans le discours ». Ces « sens » font également l'objet d'un typologie où se mêlent, cette fois, les catégories de la grammaire, de la logique, de l'herméneutique, et des « jeux de mots » (« sens » équivoque, louche, adapté ; parodie et centon).

Contre la tradition purement rhétorique, Du Marsais inscrit avec insistance son traité dans une perspective de grammairien « puisqu'il est du ressort de la grammaire de faire entendre la véritable signification des mots, et en quel sens ils sont employés dans le discours » (I, chap. 5).

Mais ses « Remarques sur le mauvais usage des métaphores » (II, 10), et ses réflexions sur « Ce qu'on doit observer, et ce qu'on doit éviter dans l'usage des tropes, et pourquoi ils plaisent » (I, 3), où il est question notamment de tropes « défectueux » dus à l'affectation et au défaut de convenance – irrémédiablement sanctionnés par le ridicule –, rapprochent sensiblement le bon usage d'un bel usage représenté le plus souvent dans le texte par Molière et La Bruyère. Les tropes examinés sont en outre issus de l'inventaire rhétorique classique. Seule « la communication dans les paroles » (II, 6) a un nom inédit et une définition singulière, et ce contre la figure appelée « communication » par les rhéteurs et qui est une figure de pensée. La polémique a en effet aussi sa place dans ce traité, Du Marsais justifiant rigoureusement ses choix lorsqu'ils s'éloignent de la tradition. Enfin, l'agencement même de son étude n'est pas indifférent. Si le classement des tropes repose en effet sur la notion essentielle d'« idée accessoire » empruntée à *la *Logique* de Port-Royal et adaptée à sa démonstration, s'ébauche aussi un ordre des tropes entre eux : la catachrèse « qui règne en quelque sorte sur toutes les autres figures » est la première étudiée ; il existe entre eux des transitions (ainsi de la métonymie à la métalepse qui la suit), voire des renvois. Pourtant, la seule articulation véritablement soulignée est celle entre métonymie et synecdoque, à cause des importants risques de confusion, ce qui donne à cette typologie l'apparence d'une énumération et fait regretter au linguiste T. Todorov (*Théories du symbole*, 1977) l'absence de tout souci de système. À ce titre, la troisième partie est d'ailleurs plus problématique encore, puisque très éclectique. Mais c'est aussi cet éclectisme qui révèle ce que Todorov nomme des « proximités insoupçonnées » et qui fait sans doute de ce traité, en plus d'un ouvrage de grammaire, de rhétorique et de didactique (les références sont constantes à « une manière d'enseigner »), un des premiers ouvrages de sémantique, ainsi que le laissait déjà entendre le titre.

● *Les Tropes*, Genève, Slatkine, 1984 (réimp. éd. 1818, préf. G. Genette) ; *Des tropes [...]*, Flammarion, 1988 (p.p. F. Douay-Soublin).

S. ROZÉ

TRAITÉ SUR LA TOLÉRANCE. Ouvrage de François Marie Arouet, dit **Voltaire** (1694-1778), publié à Genève chez Cramer en 1763.

L'affaire Calas fut à l'origine de ce *Traité*. Le 13 octobre 1761, des commerçants protestants de Toulouse, Jean Calas, son épouse et deux de leurs fils, Marc-Antoine et Pierre, passent la soirée dans leur appartement au premier étage de la rue des Filatiers avec un ami, Gaubert de Lavaysse. Le fils aîné, Marc-Antoine, s'est retiré après le souper. Vers neuf heures trente, Gaubert de Lavaysse prend congé. Le fils cadet, Pierre, descend pour le raccompagner. Au rez-de-chaussée, ils découvrent le corps de Marc-Antoine, mort par strangulation. Les voisins s'attroupent. On murmure que Marc-Antoine voulait abjurer le protestantisme et qu'il s'agit d'un crime calviniste. Le capitoul, David de Beaudrigue, fait emprisonner les Calas, Gaubert de Lavaysse et la servante catholique, Jeanne Viguier. Il omet de dresser un procès-verbal. Par zèle religieux, il va s'acharner contre les prévenus. On enterre Marc-Antoine en grande pompe. Le 18 novembre 1761, un arrêt des capitouls condamne les Calas à la torture. Ils font appel de la sentence. Le Parlement de Paris casse cet arrêt, mais condamne Jean Calas car il est « vraisemblablement » la cause de la mort de son fils. Le 9 mars 1762, il meurt sur la roue en clamant son innocence.

Dès la condamnation de Jean Calas, Voltaire avait été alerté. D'abord il ne se prononce point, puis acquiert la conviction qu'il s'agit d'une monstrueuse erreur judiciaire. Il multiplie les démarches, publie en juillet 1762 des *Pièces originales concernant la mort des sieurs Calas et le jugement rendu à Toulouse*, puis une supplique, *À Monseigneur le Chancelier*, une *Requête au roi en son Conseil*, un *Mémoire de Donat Calas*, une *Histoire d'Élisabeth Canning et des Calas* en août 1762. Le 7 mars 1763, le Conseil du roi autorise l'appel contre le jugement de Toulouse ; Voltaire diffuse le *Traité sur la tolérance*.

Ce *Traité* prend pour point de départ la législation antiprotestante alors en vigueur : rappel de l'histoire de Jean Calas, conséquences de son supplice, idée de la Réforme du XVIᵉ siècle (chap. 1-3). Le sujet s'élargit à des considérations politiques : si la tolérance est dangereuse ; comment elle peut être admise ; si elle est de droit naturel et de droit humain (4-6). Un large survol historique s'ensuit. Les Grecs respectaient la liberté de conscience (7) ; les Romains ne persécutèrent les chrétiens que comme factieux (8-10), tandis que l'Église catholique règne par la terreur (11) ; les juifs, malgré des « lois de sang », pratiquent une extrême tolérance (12-13) ; Jésus-Christ n'a prêché que l'amour et la douceur (14-15). Voltaire illustre le fanatisme religieux en intercalant dans son exposé deux chapitres de fiction : un dialogue entre un mourant et un prêtre qui dénonce l'affaire des « billets de confession », une lettre attribuée à un jésuite (16-17). C'est seulement contre ceux qui fomentent des troubles qu'une non-tolérance se justifie (18). Thème illustré par une nouvelle fiction (19). Il ne faut pas entretenir le peuple dans la superstition, et la vraie religion ne consiste point dans des dogmes, mais dans des vertus (20-21). L'ouvrage culmine avec un appel à la tolérance universelle et une « Prière à Dieu » (22-23). En conclusion, Voltaire revient à l'actualité, dénonce un « saint libelle » contre la tolérance, commente l'arrêt du Conseil du roi du 7 mars 1763 qui ouvre une possibilité de révision du procès (24-25). Il ajoutera un Post-scriptum après la réhabilitation de Calas le 9 mars 1765, qu'il célèbre comme une promesse pour l'avenir.

La tolérance n'est pas une idée neuve dans l'œuvre de Voltaire. De la *Henriade* à *Zaïre* et *Mahomet*, des *Lettres philosophiques* au *Poème sur la loi naturelle*, Voltaire avait combattu en sa faveur. Ce *Traité*, par son contexte et par son influence, donne à sa lutte une ampleur inégalée. Voltaire doit sans doute aux *Lettres sur la tolérance* de Locke, aux ouvrages de Bayle condamnant la révocation de l'édit de Nantes : *Ce que c'est que la France toute catholique sous le règne de Louis le Grand* (1686) et le *Commentaire philosophique sur ces paroles de Jésus-Christ : « Contrains-les d'entrer »* (1687). Voltaire ne se place pas sur le même terrain. Là où Locke plaide pour la séparation de l'Église et de l'État, Voltaire envisage de subordonner l'une à l'autre. Là où Bayle défend les droits de la « conscience errante » qu'on ne saurait opprimer lorsqu'elle s'égare de bonne foi, Voltaire met l'accent sur le bien de la société.

La législation antiprotestante n'est pas seulement un déni de justice, mais une erreur politique. Voltaire plaide la cause des calvinistes en tenant compte des mentalités. Qu'on leur concède du moins un état civil : alors de riches familles reviendraient en France. Le gouvernement est fort, aucun désordre n'est à craindre : « L'humanité le demande, la raison le conseille, et la politique ne peut s'en effrayer. » Ainsi, l'intérêt bien compris montre que l'intolérance doit être extirpée. Les peuples civilisés s'en sont abstenus, autant que faire se peut, même s'ils se sont parfois rendus coupables d'erreurs. Aux chrétiens, Voltaire rappelle que, s'ils veulent ressembler au Christ, ils doivent être des « martyrs, et non pas des bourreaux ». Les atrocités des guerres de Religion, la folie des persécutions, ont eu pour origine des dogmes incertains, des disputes incompréhensibles. Voltaire prêche avec conviction pour la tolérance universelle qui doit nous faire regarder tous les hommes comme « nos frères ». Ce plaidoyer trouve ses fondements dans une éloquente prière au « Dieu de tous les êtres, de tous les mondes et de tous les temps ». Du point de vue de l'Éternel, de petites différences séparent ces « atomes perdus dans l'immensité » : « langages insuffisants », « lois imparfaites », « opinions insensées », rites réduits à des pratiques sans importance. Rien qui justifie qu'on s'égorge. Pour prouver que l'intolérance est aussi absurde qu'horrible, Voltaire varie les tons et les genres,

brasse une large érudition, introduit dans l'exposé un dialogue philosophique, un pamphlet, une fausse relation d'une dispute en Chine, une prière. Le sérieux du propos est soutenu par un art très conscient.

Par son sens de l'universel, Voltaire a su poser un jalon essentiel dans la lente prise de conscience des droits de l'homme.

● *L'Affaire Calas*, « Folio », 1975 (p.p. J. Van den Heuvel) ; « GF », 1989 (p.p. R. Pomeau). ➤ *Mélanges*, « Pléiade ».

C. MERVAUD

TRAPPEURS DE L'ARKANSAS (les). Roman de Gustave **Aimard**, pseudonyme d'Olivier Gloux (1818-1883), publié à Paris en feuilleton dans *le Moniteur universel*, et en volume chez Amyot en 1858.

Gustave Aimard est à la France ce que sont Karl May à l'Allemagne et l'Irlandais Mayne-Reid à la Grande-Bretagne pour l'acclimatation du roman « américain » à la Fenimore Cooper, où s'illustreront également Gabriel de Bellemare, dit Gabriel Ferry (*le Coureur des bois*, 1850 ; *Costal l'Indien*, 1852) et Louis Boussenard (*les Robinsons de la Guyane*, 1882). Il participe au courant du roman exotique, qui entraîne ses lecteurs fascinés en Afrique (Louis Salmon, dit Louis Noir), en Asie (Alfred Assolant) ou autour du monde, quand ce ne sera pas vers un ailleurs mythique (Jules Verne). Si la série américaine de Gustave Aimard s'achève avec *les Bandits de l'Arizona* (1882), il explore aussi l'espace maritime et la faune parisienne.

Un Prologue en quatre chapitres se déroule au Mexique. Nous sommes en 1817. Rafaël, fils de don Ramon Garilliès et de doña Jesuscita, tue un *vaquero*. Son père le renie et l'abandonne dans le désert. Bouleversée, sa mère part à sa recherche, et disparaît.
Première partie. « Le Cœur loyal » (20 chapitres). Vingt ans après, dans la vaste prairie de l'Arkansas, un mystérieux chasseur, Cœur loyal sauve celui qui deviendra son ami dévoué, le Canadien Georges Talbot, dit Belhumeur, prisonnier des Comanches et de leur chef Tête-d'Aigle. Celui-ci tend une embuscade à un groupe de colons, et capture la mère de Cœur loyal mais, grâce à une nouvelle intervention de ce dernier, ne peut s'emparer de voyageurs, dont un général mexicain et la belle doña Luz de Bermudez. Cœur loyal capture la femme et le fils de Tête-d'Aigle et négocie la libération de sa mère.
Seconde partie. « Ouaktehno [celui qui tue] » (15 chapitres). Noble et généreux, Cœur loyal impressionne les Comanches, devient le frère de sang de leur chef, s'allie avec eux contre les pirates mexicains qui se sont emparés de doña Luz, dont il s'est épris. Tête-d'Aigle scalpe le chef pirate, et, magnanime, offre à ses hommes le choix entre la torture et le suicide héroïque. Arrive le général, lui aussi à la poursuite des pirates. Tout s'éclaire alors : l'officier reconnaît son fils banni en Cœur loyal et lui pardonne ainsi qu'à son épouse.
Dans une Postface, le narrateur affirme que ces aventures lui ont été racontées par Rafaël lui-même, devenu l'époux de doña Luz.

Succession d'épisodes menée sur un rythme allègre, l'intrigue est surtout prétexte à descriptions pittoresques de paysans, de trappeurs, d'Indiens, de combats ou de situations palpitantes, tel l'incendie spectaculaire de la prairie par les Comanches pour débusquer les voyageurs, piège déjoué grâce au contre-feu allumé par Cœur loyal pour les sauver. L'on devine sans difficulté que Cœur loyal et Rafaël ne font qu'un, et que sa mère n'est pas morte. Dès lors, l'intérêt du scénario réside essentiellement dans l'agencement des péripéties et la manière d'opérer la réconciliation finale. Sous le soleil ardent du Nouveau Monde, le roman met en scène des personnages hauts en couleur répartis de manière assez simple et efficace. Un héros au nom emblématique, victime d'une injustice (son crime ne fut pas crapuleux), des parents partageant l'honneur familial entre le sens paternel du devoir et l'amour maternel, un ami fidèle, une pure et altière jeune fille, de rudes trappeurs constituent le groupe des Blancs sains et courageux. S'y opposent les pirates, rachetés par leur fin tragique. Les Comanches restent conformes à ce qu'ils sont dans l'imaginaire de Gustave Aimard : braves, ils contrastent avec les Apaches ou les Pieds Noirs, et leur nature, bonne au fond malgré certaines pratiques sauvages, les prédispose à devenir les amis des Blancs. En témoigne la « conversion » de Tête-d'Aigle aux valeurs héroïques de Cœur loyal.

G. GENGEMBRE

TRAVAIL. Roman d'Émile **Zola** (1840-1902), publié à Paris en feuilleton dans *l'Aurore* de 1900 à 1901, et en volume chez Charpentier en 1901.

Deuxième roman de la série des *Quatre Évangiles* ouverte avec **Fécondité*, *Travail* sera suivi de **Vérité* (Zola mourra avant d'avoir achevé le quatrième « évangile », *Justice*).

Noirot, un disciple de Fourier, frappé par un article de Zola, contacte celui-ci et le romancier découvre alors les théories du philosophe politique et de ses épigones. Dès l'exil anglais (juillet 1898-juin 1899), au moment de l'affaire Dreyfus (voir **J'accuse*), Zola cherche les matériaux concrets de son décor. Ils lui seront fournis, pour l'essentiel, par les usines d'Unieux, propriété d'une riche famille, les Ménard-Dorian, qui font visiter leur entreprise à Zola. Progressivement, l'ouvrage prend forme, avec des personnages inspirés par des modèles du temps, Darwin pour Jordan et Félix Faure pour Boisgelin. Malgré les réticences de certains socialistes doctrinaires, l'ouvrage reçoit un accueil politique enthousiaste : de la part des fouriéristes bien sûr, mais aussi de Jaurès, qui lui consacre une étude dans *la Petite République*.

Livre I. Luc Froment arrive à Beauclair pour une expertise industrielle auprès de l'entreprise sidérurgique Jordan. Il découvre d'abord la misère : celle de la jeune Josine, celle des ouvriers Bourron, Fauchard et Ragu, ce dernier étant l'amant occasionnel et brutal de Josine. Il y a aussi les commerçants et les bourgeois installés, qui ont eu peur pendant la dernière grève, longue de deux mois, à l'usine Quérignon où a investi le riche oisif Boisgelin, lié à la famille des fondateurs, et que dirige l'actif Delaveau. Luc, qui s'intéresse au sort de Josine et ne va pas tarder à en être aimé, entre en contact avec le syndicaliste Bonnaire, qui va quitter les aciéries après l'échec de la grève et vit avec la sœur de Ragu, lequel finalement se remet en ménage avec Josine. Chez les Boisgelin, Luc rencontre la bonne société de la ville avec le sous-préfet, le maire, un couple de rentiers, un curé. On discute de la situation sociale, et il découvre aussi la pauvreté des paysans alentour. Jordan, absent jusque-là, revient enfin à Beauclair : mais ce savant, animé d'idées généreuses, n'a pas le temps de s'occuper de son usine. Il hésite : doit-il vendre à Delaveau ou poursuivre l'exploitation qui a été confiée à Morfain, un ouvrier zélé, mais peu capable de s'adapter aux méthodes modernes ? Finalement, il remet les rênes de l'entreprise à Luc, très marqué par la pensée de Fourier, et qui décide de mettre en œuvre ses idées dans une usine fraternelle – la Société laborieuse du Bonheur – à laquelle il essaie d'intéresser Lange, un potier esthète et anarchiste, ainsi que Bonnaire.
Livre II. Les débuts semblent encourageants : la condition des ouvriers s'améliore et le modèle coopératif est imité par les paysans. En revanche, les commerçants de Beauclair sont furieux du manque à gagner causé par les innovations de Luc. Des ouvriers s'en vont aussi, repris par leurs habitudes de passivité et d'abandon, ce qui décourage Luc jusqu'à ce que Jordan ranime son enthousiasme par un véritable hymne au travail. Luc, amoureux de Josine, s'attire la jalousie de Ragu auquel Fernande, femme de Delaveau et maîtresse de Boisgelin, souffle des idées de meurtre. Ragu ne réussit cependant pas à tuer Luc dont le projet industriel prospère au grand dépit de Delaveau qui entraîne avec lui dans la mort sa femme infidèle.
Livre II. La situation de Boisgelin se dégrade et Suzanne, son épouse délaissée, devient l'amie de Luc. Boisgelin, pris de folie, se pend, l'église du curé Marle s'effondre sur lui, peut montrer à Ragu, de retour dans la cité, tous les changements accomplis. Les recherches de Jordan aboutissent, le vol et l'héritage disparaissent et Luc peut mourir heureux : son œuvre est achevée.

Le livre peut donner au lecteur de **Germinal* une curieuse impression de déjà-vu : Beauclair offre en effet le tableau d'une lutte des classes très proche de celle qu'on pouvait découvrir dans les corons du Nord. D'un côté, la misère, le vice et la haine chez des ouvriers souvent enclins à la boisson et à l'inconduite (avec quelques notes rappelant aussi *l'*Assommoir*). De l'autre côté, une bonne conscience satisfaite et égoïste qui n'empêche pas la peur devant l'insurrection et la grève. Mais, alors que dans *Germinal*, la solution était seulement pressentie ou imaginée, *Travail* est, au contraire, la description d'une utopie progressivement organisée, concrétisée dans un avenir dont on suit les étapes et les difficultés. Les enjeux politiques en sont précisés, même si l'essentiel est sans doute ailleurs. Il s'agit, comme chez Fourier et Hippolyte Renaud, son disciple, de réaliser une solidarité concrète qui remplacera le salariat aliénant et qui ne ressemblera ni à la charité prêchée par le curé Marle, dont le message est dépassé, ni à l'austérité républicaine de l'instituteur, ni au collectivisme auquel croit Bonnaire (voir sur ce point, dans le dernier chapitre, une page prophétique sur les méfaits d'une bureaucratie totalitaire). Simultanément, Zola formule une idéologie, sinon une mystique, du travail : à la fois comme hygiène nécessaire du corps et de l'esprit, et comme moteur de toute vie individuelle et collective. Condamnés par le système coopératif (à l'intérieur de l'usine, mais aussi entre ouvriers et paysans), défilent tous les parasites de l'organisation sociale : les commerçants, maillon inutile de l'échange, les rentiers qui doivent à une spéculation heureuse une vie d'égoïsme et d'oisiveté, le richissime propriétaire capitaliste, incapable de se reconvertir dans la cité nouvelle, sa maîtresse rapace, tout comme le mauvais ouvrier qui préfère se détruire ou paresser plutôt que de s'accomplir dans la « belle ouvrage ». En face, les héros positifs : Luc, bien sûr, qui œuvre et réussit à triompher d'un découragement passager, mais aussi Bonnaire, toujours ardent à la tâche, le potier Lange, créateur de beauté, Jordan, le savant laborieux qui multiplie l'efficacité du travail des hommes grâce à la technique libératrice. Tous créent, entreprennent et triomphent des obstacles selon une eschatologie humaniste très datée. L'ensemble des thèmes est à l'unisson : par exemple les recherches de Jordan visent symboliquement à une nouvelle utilisation de l'énergie, d'abord traditionnelle, puis électrique, enfin solaire ; de même, on notera les noms et leurs connotations transparentes : Beauclair, Bonnaire, Froment, « la Crêcherie » de Jordan opposée à « l'Abîme » de Delaveau. On notera, enfin, la place importante du projet éducatif dans la nouvelle cité : cet aspect démonstratif, joint à une certaine lenteur du récit (surtout dans la dernière partie), peut lasser le lecteur, mais il est parfaitement cohérent avec le projet de Zola – composer une parabole lyrique, le poème de la Cité idéale.

➤ *Œuvres complètes*, Cercle du Livre précieux, VIII.

A. PREISS

TRAVAILLEURS DE LA MER (les). Roman de Victor **Hugo** (1802-1885), publié simultanément à Bruxelles et à Paris chez Lacroix, Verboeckhoven et Cie en 1866. La partie initiale, « l'Archipel de la Manche », a été éditée pour la première fois à Paris chez Calmann-Lévy en 1883 et placée en introduction à partir de l'édition des *Œuvres complètes* (dite « ne varietur » chez Hetzel-Quentin). Le chapitre « la Mer et le Vent » ne fut inséré que dans l'édition Ollendorff, dite « de l'Imprimerie nationale » (1911).

Écrit de 1864 à 1865, ce deuxième roman de l'exil, souvent réduit au célèbre combat de Gilliatt contre la pieuvre, épouse les dimensions de la fable, de l'épopée et du mythe pour composer un poème de la formation du monde et de l'initiation de l'homme. En dépit de son titre, il ne traite pas du travail, mais du génie, et son héros solitaire vit une aventure mystique.

Un préambule, « l'Archipel de la Manche », décrit, en 22 courts chapitres, les îles Anglo-Normandes.

Première partie. « Sieur Clubin ». La *Durande*, bateau à vapeur assurant le service entre Saint-Malo et Guernesey, fait naufrage. Cette catastrophe a été provoquée par Rantaine et Clubin, ennemis du vieil armateur Lethierry, en raison de la concurrence qu'il fait aux marins. Lors du naufrage, une pieuvre entraîne Clubin dans l'abîme. Lethierry promet la main de sa jolie nièce Déruchette à qui sauvera les machines du navire échoué.

Deuxième partie. « Gilliatt le malin ». Le héros, pêcheur taciturne et solitaire, à l'origine obscure, amoureux de Déruchette, tente le sauvetage. Seul dans une grotte marine, affrontant mille difficultés, dont une pieuvre géante, il parvient à ses fins à force de ténacité et s'impose comme l'épique vainqueur de l'immense et de l'immonde.

Troisième partie. « Déruchette ». Gilliatt comprend que Déruchette aime le pasteur protestant Ebenezer, qu'autrefois il avait sauvé de la noyade. Il renonce à la récompense et favorise la fuite des deux amants, car Lethierry refuse de donner sa nièce à un homme d'Église. Seul sur le rocher où il avait sauvé son rival, Gilliatt contemple leur départ, et disparaît englouti par la marée montante.

L'intrigue n'hésite pas à recourir aux ressorts du mélodrame, la fiction se charge de digressions, le livre exploite la vogue du roman maritime : tout cela ne saurait épuiser la complexité d'une œuvre pénétrée de l'expérience de l'exil, animée par la fascination qu'exerce l'Océan sur le proscrit de Guernesey et nourrie des mythes et fantasmes hugoliens.

Deux engloutissements encadrent la fable, qui se déroule entre un naufrage et un suicide, et que scandent les épreuves de Gilliatt. En une sorte de vertige d'érudition, le roman prend le monde en charge, chantant les frénésies de la tempête, les archipels, ces « pays libres », le « mystérieux travail de la mer et du vent », afin d'exalter la puissance du génie exercé dans sa vie quotidienne par le héros. Au terme de sa lutte avec l'Océan, sorte de lutte avec l'Ange, Gilliatt devient digne de recevoir l'ultime révélation : « Ce qui est en haut reste en haut. »

Dans ce roman de l'abîme (mot qui lui donnait initialement son titre), le symbolisme religieux joue un rôle capital. Le sacrifice de Gilliatt, l'assomption du pur amour (Déruchette et Ebenezer), la rencontre avec l'Infini : tout renvoie à Dieu. En mourant, Gilliatt, dont l'histoire romanesque commence à Noël pour finir à Pâques, acquiert la sainteté. Cette consécration va de pair avec la célébration du progrès figuré par la machine à vapeur. Celle-ci concentre l'industrie humaine, et c'est pour la sauver en même temps que l'idée même de progrès, que le héros solitaire et muet affronte les monstres.

À l'inverse de Robinson Crusoé, qui réintroduit la société dans sa solitude, Gilliatt se mesure seul avec le monde et ne revient aux hommes que pour retourner à l'Océan, qui se referme sur lui comme sur l'Achab de *Moby Dick*. Mais la trace que laisse dans le monde ce solitaire, à l'instar de Prométhée et de Job, est celle du travail. Sauver la machine à vapeur, c'est conjurer le mal social incarné par Clubin. Gilliatt vainc non par la force mais grâce à son ingéniosité. Esprit rationnel et inventif, il prouve que l'homme se libère par l'action ; sensible aux phénomènes angoissants qui l'assaillent, il éprouve l'« immanence tragique de l'ombre ». Vivant ainsi, dans sa caverne, repaire et tombe, image de notre univers, la totalité du rapport de l'homme au monde, il joue notre histoire. Toute l'intrigue organise un dévoilement progressif : nulle existence ne peut s'isoler de l'universel. Chaque situation débouche sur la perte ou sur le salut. Ainsi Lethierry passe-t-il par la ruine et la richesse, les amants sont séparés puis réunis, les traîtres connaissent le triomphe puis le châtiment.

Au milieu des tempêtes et du drame des exilés, Gilliatt éprouve la tragédie du désir. Mais, roman sans jalousie, *les Travailleurs de la mer* substituent le renoncement du héros à l'impasse où la logique passionnelle aurait pu

conduire les cœurs et les êtres. Lethierry a véritablement deux filles, la *Durande*, et Déruchette dont le nom est le diminutif de celui du navire. Il voudrait que Gilliatt, devenu capitaine de l'une et mari de l'autre, lui succède comme un autre lui-même. Gilliatt s'efface devant un pasteur, âme grave et lumineuse. Par ces sublimations, *les Travailleurs de la mer* surmontent ainsi les fatalités de *Notre-Dame de Paris.

Si le style hugolien déploie ses splendeurs, poésie et philosophie mêlées, la manière adoptée privilégie la continuité des images. D'entrée de jeu, le roman montre un espace balayé par le regard. La perception l'emporte sur l'élément dramatique développé par le récit et les dialogues. Le roman est d'abord celui d'un lieu, et d'un élément déchaîné. De là l'importance prise par le spectacle de l'univers marin. Descriptions, visions, panoramas, décomposition des ensembles en détails inlassablement énumérés : tout donne à voir, magnifiant les choses. Au regard s'ajoute la voix poétique du narrateur, qui dresse l'inventaire des lieux et des choses, qui pointe et commente les significations, voix de la fable, écho de ce cosmos devant lequel Gilliatt, muet, ne prononce qu'un seul mot : « Grâce ».

● *Notre-Dame de Paris [...]*, « Pléiade », 1975 (p.p. Y. Gohin) ; « Folio », 1980 (p.p. Y. Gohin) ; « GF », 1980 (p.p. M. Eigeldinger). ➤ *Œuvres complètes*, Club français du Livre, XII ; *id.*, « Bouquins », Romans, III.

G. GENGEMBRE

TRAVAUX. Récit autobiographique de Georges **Navel** (1904-1993), publié à Paris chez Stock en 1945.

Navel rend compte de ses travaux et de ses jours, de l'enfant qu'il fut et de l'homme qu'il est devenu, de ses métiers multiples et de ses épreuves. Au cours de son enfance paisible en Lorraine, dans une famille d'origine paysanne, l'auteur apprend plus dans les bibliothèques que sur les bancs de l'école. Il tente de se faire adopter comme enfant de troupe par un régiment de passage en route pour Verdun, avant de partir pour l'Algérie en 1914, avec d'autres enfants évacués de la zone des combats. De retour en France à la fin des hostilités (chap. 1-5), et après avoir suivi son frère Lucien à l'Union des syndicats, il décide d'entrer en apprentissage comme ajusteur (6-9). Il deviendra aussi ouvrier d'usine (10), et, selon le moment et la fantaisie, manœuvre, abatteur d'arbres, faucheur (11-12), jardinier horticulteur (13-16). En 1940, le désordre de la guerre le pousse vers le soleil et la mer ; près de Nice, il se familiarise avec le travail de la terre et découvre, dans la marche qui accompagne ses rêveries, un principe de bonheur (17-23).

Travaux se veut un ouvrage de révolte plaidant pour la dignité d'un type humain prolétarien et militant. L'intensité de l'effort ouvrier, la maîtrise des mains et l'adaptation du corps à la matière en sont les valeurs essentielles. L'auteur connaît alors « cet état de présence aiguë, de tension, d'attention, de tête-à-tête avec le Tout » qui lui « mêle l'esprit au sang » et le contente. Partout il se sent chez lui, partout il se sent cette familiarité immédiate avec ses outils, dès lors que ceux-ci éveillent des facultés « qui tiennent de la science du boxeur et de l'intuition de l'artiste ». Son nomadisme s'explique par cette volonté, en quelque lieu qu'il se trouve, de toucher la matière du monde, de s'éprouver à son contact et d'en réduire l'hostilité. Aux champs ou dans les forêts, il se sent toujours apprenti et raconte du dedans le fracas d'un atelier d'usine, l'attention qui use plus que la fatigue physique, l'énergie dépensée, la fraîcheur perdue. Si l'auteur sait rendre à la perfection l'atmosphère des causeries du petit groupe libertaire où le conduit son frère Lucien, s'il avoue avoir été enthousiasmé par Rosa Luxembourg, Karl Liebknecht et Lénine, si les idées anarcho-syndicalistes de son frère ont exalté son imagination, son engagement politique se traduit par des remarques humbles : « Il y a une tristesse ouvrière dont on ne se guérit que par la participation politique. » Certes, le désir de révolte est omniprésent (« J'étais dans l'usine comme un chien qu'on a enfermé à l'âge de son exubérance ») ; bien sûr, il ne cesse de dire sa nostalgie que traduisent des accents de pitié, de compréhension et de résignation. Mais « la vie ne vaut d'être vécue que dans la mesure où l'on s'en émerveille », et Navel, qui a fondé son existence et son écriture sur le principe d'émerveillement permanent, trouve même au sein de la souffrance des raisons de s'enchanter : « Je jouissais des mouvements de mon corps, à travers lui du privilège de vivre, présent à la perceuse, au bruit de la mèche s'enfonçant dans la fonte. » Insensiblement la narration devient exercice d'admiration poétique et le moraliste rejoint l'ascète contemplatif. La méditation métaphysique et poétique fait ainsi, peu à peu, place à une formulation poétique qui traduit ce qui importe avant tout aux yeux de l'auteur : le sentiment du concret.

● « Folio », 1979.

P. GOURVENNEC

TRAVAUX ET LES JOIES (les). Voir HOMMES DE BONNE VOLONTÉ (les), de J. Romains.

TRAVERSÉE DE L'AFRIQUE (la). Roman d'Eugène Savitzkaya (Belgique, né en 1955), publié à Paris aux Éditions de Minuit en 1979.

La vocation d'écrivain de Savitzkaya s'est affirmée très tôt ; dès l'âge de dix-sept ans, il a été remarqué par Jacques Izoard et soutenu par le groupe liégeois de l'« Atelier de l'Agneau », qui publie ses poèmes. En 1977, paraît son premier « roman », *Mentir*, suivi de *Un jeune homme trop gros* en 1978, qui serait une biographie d'Elvis Presley – lequel n'est jamais cité. *La Traversée de l'Afrique* est son troisième livre écrit en prose, avec le sous-titre de roman. Ces ouvrages ont en commun une forme de récit hors des normes classiques, et où aucune linéarité ne guide la lecture.

Un groupe de garçons oisifs vit dans un coin de campagne isolé. Basile pleure souvent pour rien et écrit abondamment à sa mère ; Firmin rêve « d'un voyage en Afrique » ; il y a aussi Jean et Fabrice. Ensemble, ils construisent une camionnette qui leur sert à la fois de moyen de locomotion et de gîte. « Et Firmin parla des lions, des meutes de lions [...]. Et Fabrice, le conducteur, toujours bavard, parlait d'un voyage à entreprendre vers l'Afrique » (chap. 1). Ils vivent dans un hangar, un atelier, une vieille cabane. Basile élève de « gros lapins roux et blancs, des noirs et des albinos ». Son seul ami est Firmin. Mais il fallait bien tuer ces lapins. Alors Basile jeûna et se mit à cultiver le jardin. Une charrette les emporta ailleurs (2). Basile écrit toujours à sa mère. Firmin se nomme à présent Fernand. « Fabrice bavard veut construire un avion pour aller en Afrique ». Et Jean « vit les lions ou les oiseaux de passage ». Le père du narrateur est « gentil, vieux et puant ». Il élève du bétail (3). Des lions jaunes et rouges dorment avec eux. « Et Basile parlait toujours des lions qu'il dessinait » (4). Ils continuent leurs menus travaux harassants, transportent, chargent, trient, réparent... « Bientôt Fernand mourut de fièvre. Ne restait plus que le garçon appelé Firmin, le plus gentil de tous. » Jean aimait Débora. Et toujours les lions (5). « Fabrice parla de maraîchers. » Firmin peint (6). Au cours d'un « de leurs voyages pour rien », ils rencontrent un cycliste qui se joint à eux (7). Arrivent Daniel, Pierre, Alain, Luce, Mi, Fine, Joseph un peu malade, et Marc, Jacques, Noël, et Luc, Claude, Lucien et Géo le concierge et Basile qui pleure (8). Le voyage : Jean mourut au bord du fleuve. « Les lions criaient » (9). Basile s'ennuie ; Marc incendie la cabane (10). Et tous parlaient trop et disaient n'importe quoi. Tous voulaient mourir. Et beaucoup étaient morts depuis longtemps (11).

Eugène Savitzkaya s'amuse en écrivant ; son écriture ressemble, malgré la différence d'époque, à celle du Nouveau Roman. Il ne raconte pas vraiment une histoire, mais comme ses personnages, il parle beaucoup et semble dire n'importe quoi. *La Traversée de l'Afrique* n'est que l'argument de rêves, de fantasmes, de délires et de voyages ima-

ginaires pour quitter, l'espace d'une ou plusieurs nuits, un lieu abandonné et triste. Le livre se déploie en séquences qui s'enchaînent sans transition, s'interrompent pour reprendre plus loin et parfois se contredire, ou se compléter, ou encore s'enchevêtrer afin de brouiller les pistes. Le nombre des protagonistes est multiplié à l'envi, ou réduit selon l'humeur ou la nécessité du jeu littéraire. Les énumérations abondent ; véhicules : charrette, camionnette, vélo, brouette, avion ; animaux : lapins, poules, porcs... Les lions, surtout, sont très présents comme un leitmotiv qui garde éveillé le désir du voyage en Afrique. Eugène Savitzkaya dispose ainsi d'une source presque intarissable d'éléments qui peuvent rendre le texte fantastique, réaliste, concret ou irréel, au gré de l'intention du moment. Comme il ne cherche aucune finalité narrative, la trame du récit progresse par juxtapositions de tableaux pittoresques, de fragments anecdotiques. Le style employé est un perpétuel déni d'affirmation : tout est soumis à l'hypothèse, à l'incertitude comme le soulignent les modalisations marquant l'ambivalence et le doute : « ou », « peut-être ». Ainsi Savitzkaya fait-il entendre une voix à part dans la littérature belge francophone contemporaine ; son écriture parle rapidement comme pour passer le temps, pour rêver d'un mot à un autre, d'un lieu perdu à une traversée de l'Afrique, sans quitter la tristesse des environs liégeois. Ses fantasmes portent en eux toutes les richesses d'un récit d'aventures.

L. HÉLIOT

TRAVERSÉE DE LA MANGROVE. Roman de Maryse Condé (née en 1937), publié à Paris au Mercure de France en 1989.

À Rivière-au-Sel, Mlle Léocardie Timothée a découvert le cadavre de Francis Sancher dans les hautes herbes. Arrivé quelques années auparavant au village, il a toujours été considéré comme un étranger. Pourtant tout le village s'assemble en apprenant la nouvelle de sa mort (chap. 1). Moïse le facteur se targue d'avoir été le premier à connaître le vrai nom de Francis. De quel pays venait-il ? Cuba ? Colombie ? On ne l'a jamais su. Et puis il y avait eu Mira. On disait que c'était elle qui avait apporté la fâcherie entre Moïse et Francis. Mais la cause réelle était que Moïse avait fouillé dans la malle remplie de billets et que Francis l'avait surpris (2). Mira a rencontré Francis une nuit à la Ravine. Et un jour elle est venue s'installer chez lui. Francis l'a pourtant chassée (3-4). Man Sonson, elle, sait bien à quel point on a détesté Francis à Rivière-au-Sel. Elle les a tous vus, ceux qui prient autour de sa dépouille, défiler chez elle demandant de soulager la terre de son poids (5-6). Dinah, femme de Loulou, le père de Mira, n'a jamais partagé le lit de son mari. Et Dinah a rencontré Francis qui l'a faite femme nuit après nuit. Mais Mira lui a volé Francis. Elle a appelé le malheur sur elle et Dieu l'a entendue puisque Mira est revenue avec sa honte, son ventre et sa douleur (7-11). Carmélien, frère de Vilma, est tombé amoureux de Mira à l'âge de treize ans, mais lorsqu'il lui a offert la plus belle des poupées créoles, elle l'a simplement traité de « Kouli malaba ». Cette plaie d'enfance n'a jamais guéri. Lorsque Francis a possédé Mira, Carmélien a rêvé de tuer (12). Vilma a trouvé refuge auprès de Francis, elle que sa mère n'avait jamais aimée et que son père avait promise à Marius, un homme riche. Elle a découvert et aimé Francis poursuivi par des fantômes, qui venait se réfugier auprès d'elle, une gamine, la nuit venue, et a pleuré quand elle lui a annoncé sa grossesse (13-16). Mira le sait : toute sa vie ne sera désormais qu'une quête, savoir qui était Francis. Sa vraie vie commence avec la mort de celui qui parlait sans cesse de cette fin (17).

Traversée de la mangrove est le premier roman de Maryse Condé, entièrement conçu et écrit en Guadeloupe, ancré dans la réalité antillaise. À ce titre, il signe les retrouvailles de l'auteur avec sa terre natale et marque un tournant dans son œuvre.

La veillée funèbre donne au roman sa composition circulaire et permet un travail sur l'oralité et l'écriture. Le récit se bâtit sur une succession de paroles : chacun des chapitres est conduit par une voix qui rapporte sa relation avec Francis. Un réseau se tisse ainsi, un chœur aux voix discordantes car tous ont des souvenirs divergents.

Comme si Francis était un être hybride à vingt têtes et que chacun, à Rivière-au-Sel, n'avait rencontré qu'une facette du personnage. Au terme de la veillée, le mystère demeure, mais, au passage, ceux qui l'ont connu se sont dévoilés et l'« île à ragots, livrée aux cyclones et aux ravages de la méchanceté du cœur des Nègres » s'est elle aussi révélée dans ses nœuds contradictoires de fantasmes et de racontars. Les conflits et les rivalités abondent à Rivière-au-Sel et, dans ce microcosme fourmillant d'histoires obscures, Francis sert de révélateur.

Francis Sancher est venu chercher la mort à Rivière-au-Sel, dernière étape d'une vie que l'on devine douloureuse. Il le sait et l'annonce : sa dépouille viendra se joindre à celles des familles de ce petit village du bout du monde. Et c'est sans doute, en partie, cette certitude-là qui dérange les habitants de Rivière-au-Sel. Francis n'attend rien d'eux et n'a rien à leur demander. En revanche, eux semblent avoir beaucoup de comptes à régler à travers celui qui devient vite leur bouc émissaire, celui sur qui se déchargent les haines et les peurs ancestrales.

Le constat est cruel et, pourtant, toute la tendresse de l'auteur pour son île passe dans le roman ; mais c'est au travers d'une nature débordante avec ses cyclones, ses pluies, ses volcans, ses forêts exubérantes et ses fortes odeurs qui scandent le récit sans pour autant sacrifier à un exotisme facile. Quant à Francis, il incarne remarquablement la figure insaisissable de l'étranger, auréolée de ses mystères et nourrie des fantasmes d'autochtones sédentaires qui, en mal de rêve, s'emparent de sa liberté pour projeter à l'infini leur ennui et leur vide.

● « Folio », 1992.

C. PONT-HUMBERT

TRENTE ANS ou la Vie d'un joueur. Mélodrame en trois journées et en prose de Victor-Henri-Joseph Brahain, dit **Ducange** (1783-1833), et **Dinaux**, pseudonyme de J.-F. Beudin (1796-1880) et P.-P. Goubaux (1795-1859), créé à Paris au théâtre de la Porte-Saint-Martin le 19 juin 1827, et publié à Paris chez Barba la même année.

L'idée de départ semble appartenir au « charpentier » Goubaux qui, à la suite d'une vive discussion de salon sur la nécessité dramatique de l'unité de temps, avait écrit comme une gageure, avec son *alter ego* le banquier Beudin, le canevas de cette pièce qui laisse se dérouler quinze ans entre chaque acte. Ils confièrent leur travail à la Porte-Saint-Martin qui fit appel à Ducange pour donner vie à l'ensemble. Ducange, qui avait, déjà dans *Agathe* (1819) mis en scène un personnage de joueur (Taxile), s'inspirant semble-t-il du **Beverlei* (1768) de Saurin et plus directement, du moins pour le troisième acte, de Z. Werner (1768-1823), *Der vierundzwanzigste Februar* [*le Vingt-quatre février*] (1810), voulut en adoptant ce découpage en journées marquer les temps forts de la déchéance sociale d'un joueur éhonté.

Georges de Germany, brûlé par une passion du jeu qu'attise son âme damnée, Warner, vient de se voir confier par son vieux père infirme, qui a cru à de feints repentirs, la somme de vingt mille francs pour acheter une parure de bijoux à sa fiancée Amélie, nièce d'un riche armateur de province, M. Dermont. Georges perd cette somme au jeu et cent mille francs de plus au milieu des cris et du scandale. Assistent à la scène un jeune homme, Rodolphe, qui, atterré, jure de ne plus jamais fréquenter les salles de jeux et Dermont, venu incognito surveiller Georges qu'il soupçonne d'être une fripouille. Malheureusement pris dans une rafle de police, Dermont ne peut arriver à temps pour empêcher le mariage d'Amélie et de Georges qui, par l'entremise de Warner, s'est procuré auprès d'un recéleuse des diamants volés. Peu après, Georges chasse de chez lui Dermont venu révéler toutes ses ignominies. Amélie jette alors les diamants à terre et le vieux père Germany meurt dans des convulsions en maudissant son fils (première journée).

Quinze ans ont passé. Amélie a eu un enfant, Albert, seule consolation de la vie affreuse que Georges, qui continue de jouer, lui fait

mener. Toujours poussé par la nécessité de trouver de l'argent, Georges a commis des faux et vient extorquer à Amélie les cent mille francs qui constituent le reste de sa dot et l'héritage de son fils. De son côté, son complice Warner, qui cherche à séduire Amélie, sachant que Georges sera absent pour la nuit, se cache dans un étui à harpe dans la chambre de la jeune femme. Il tente alors de la violer après une fête qui s'est terminée en débandade lorsque l'on a appris que Georges était traqué par la police. Talonné par la maréchaussée, Georges revient précipitamment frapper à la porte d'Amélie avant de l'enfoncer. Warner parvient à s'échapper après s'être encore caché dans l'étui, alors qu'Amélie, sortant de son évanouissement, balbutie et cherche en vain à se justifier devant celui qui l'accuse d'adultère. Warner, revenu avec tous ceux qui se sont précipités aux cris de l'algarade, dénonce Rodolphe. Georges brûle alors la cervelle au malheureux jeune homme avant d'enlever Amélie et d'échapper aux gendarmes qui encerclent la maison, abandonnant à Dermont effaré son fils Albert (deuxième journée).

Quinze années plus tard, Georges, devenu mi-bûcheron mi-vagabond, s'est retiré en Bavière dans une misérable cabane au bord d'un précipice. Sans ressources, il vit de la charité publique. C'est alors qu'un voyageur, lors d'une halte dans une auberge, lui demande de lui servir de guide dans la montagne. Georges, en chemin, lui dérobe son or et l'égorge. Il gagne ensuite le refuge où l'attendent sa femme et sa petite fille, née dans l'exil. Survient alors un autre voyageur que l'on reconnaît pour Warner, qui dit avoir trouvé le moyen infaillible de gagner au jeu. Georges, qui a d'abord voulu frapper son ancien complice à coups de hache, lui confie une partie de l'or, d'autant que Warner a découvert le cadavre du voyageur mal caché sous des pierres. Pendant que les deux compères sont partis achever cette macabre besogne, Amélie reçoit un autre voyageur dans lequel elle reconnaît vite Albert son fils qui a obtenu la grâce de son père et apporte avec lui un million. Georges et Warner reviennent alors qu'Amélie est imprudemment sortie. Ils voient un voyageur qui tourne le dos en écrivant ; son or est sur la table. Warner, passant outre les scrupules de Georges, frappe. L'orage éclate et Warner a mis le feu à la cabane pour effacer les traces. Au milieu de ce fracas, Amélie revenue réclame son fils. Georges, dont les yeux se dessillent enfin, sauve des flammes son fils blessé et le rend à sa mère, puis entraîne Warner dans le brasier pour périr avec lui. Les gendarmes survenus les en retirent, mais il est trop tard pour Georges, qui expire en implorant le pardon de tous (troisième journée).

Jules Janin avait bien vu que le théâtre de Ducange « sentait la barricade ». Il est vrai que ses drames paraissent en rupture avec les schémas stéréotypés du mélodrame classique, en particulier avec ceux de l'auteur qu'il reconnaissait comme son maître : Pixerécourt. Dans cette société de la Restauration bientôt promise à une culture urbaine de masse, en marquant ses pièces de théâtre autant que ses romans (en particulier *Valentine ou le Pasteur d'Uzès*, 1820) d'une idéologie libérale, Ducange provoque une dérive du genre mélodramatique vers le réalisme et la recherche d'un bonheur accordé à la justice sociale. Les personnages se trouvant alors fortement individualisés, les emplois habituels du mélodrame sont modifiés. Ducange rompt ainsi avec l'habituel couple père/fille des mélos de l'Empire pour, par exemple, transformer le père noble en tyran domestique et social comme dans *la Cabane de Montainard* (1818), qui vit les débuts de Marie Dorval, ou donner un rôle prépondérant à la mère comme dans *Thérèse ou l'Orpheline de Genève* (1821). On rencontre des bouleversements de ce genre dans *Trente Ans ou la Vie d'un joueur* qui, par le succès obtenu (cent représentations de suite n'épuisèrent pas l'engouement du public), les thèmes abordés, l'originalité de la structure, peut apparaître comme le parangon même du mélodrame romantique. *Le Globe* du 23 juin 1827 interpellait alors les classiques : « Pleurez sur vos chères unités de temps et de lieu. Les voilà encore une fois violées avec éclat. Pleurez aussi, rimeurs tragiques : c'en est fait de vos productions compassées, froides et pâles. Le mélodrame les tue, le mélodrame libre et vrai, plein de vie et d'énergie, tel que le fait M. Ducange, tel que le feront nos jeunes auteurs après lui. »

Autant qu'au savoir-faire de Ducange, le succès tint aux acteurs. Frédérick Lemaître et Marie Dorval, pour la première fois réunis sur une scène, complétèrent merveilleusement leurs talents : « Le drame populaire avait son

Talma ; la tragédie du Boulevard avait sa Mlle Mars »,
écrivait Dumas dans *Mes Mémoires*. Ils avaient d'un commun accord abandonné l'emphase tragique pour une diction simple, qui tirait de répliques banales de prodigieux
effets de théâtre, en donnant aux sanglots de Marie et aux
soudains éclats de voix de Frédérick des résonances inattendues.

La pièce, traduite en anglais par Milner (*Thirty Years
of a Gambler's Life*) et adaptée par Jerrold dans *Fifteen
Years of a Drunkard's Life*, remporta outre-Manche un
succès tout aussi extraordinaire. En France, les reprises
furent nombreuses au cours du siècle. En 1890 encore,
un romancier populaire, Abel Pagès (*alias* Henry Hazart),
reprit dans un volumineux roman les tribulations de Georges de Germany en les adaptant au goût du jour : le joueur
impénitent finit par se racheter en ayant une conduite
héroïque en 1870 lors de la guerre contre la Prusse.

J.-M. THOMASSEAU

TRENTE ARPENTS. Roman de Louis **Ringuet**, pseudonyme de Philippe Panneton (Canada/Québec, 1895-1960),
publié à Paris chez Flammarion en 1938.

Euchariste Moisan, orphelin et fils adoptif de son oncle Ephrem, veuf
et sans enfant, recueille les trente arpents de terre de l'oncle qui s'est
« donné » à lui sur ses vieux jours (« Printemps »). Il prend la robuste
Alphonsine pour épouse et peu à peu, à force de labeur et par amour
de sa terre, bonifie ses trente arpents, fait prospérer sa ferme, amasse
des économies respectables, voit le cercle de famille s'agrandir et un
jour son fils aîné devenir prêtre. Autant d'événements qui lui valent
une certaine notoriété dans la paroisse ; il devient même commissaire
d'école (« Été »). Mais le troisième fils, son préféré, Ephrem, quitte la
terre pour les « États ». Vieillissant, devenu grand-père dans la maison
où son deuxième fils Étienne s'est installé avec sa famille, Euchariste
commet certaines imprudences, sa grange brûle et le notaire s'enfuit
avec sa fortune. Il ne se sent plus chez lui et finit par se « donner » à
son tour à Étienne qui aspire à la possession de la terre. Il se décide
à quitter sa paroisse pour un voyage « de deux mois au plus » et se
retrouve chez Ephrem, dans une petite ville de la Nouvelle-Angleterre,
White-Falls, où il se sent totalement étranger (« Automne »). Ne recevant pas l'argent de la rente dû par Étienne, il devient gardien de nuit
dans un garage, différant sans cesse le retour à « sa » terre qui n'est
plus la sienne et que déjà convoite le fils d'Étienne, pressé de posséder
les immuables trente arpents (« Hiver »).

Avec *Trente Arpents*, le roman du terroir canadien français, inauguré en 1846 par Patrice Lacombe avec *la Terre
paternelle*, atteint son expression la plus achevée en même
temps que son déclin. Ce genre qui a servi d'instrument
de survivance nationale délaisse ici ses préoccupations
idéologiques pour obéir à des critères plus esthétiques.

La composition du roman est fondée sur l'armature
symbolique des quatre saisons – du printemps à l'hiver –
qui constituent les quatre parties du texte. Le temps apparaît d'emblée comme une dimension fondamentale de
l'œuvre : d'abord une phase ascensionnelle marquée par
un progressif enracinement, la fécondité familiale, l'acquisition de la fortune et de la considération. Puis vient la
déchéance, qui s'accompagne de la perte des biens,
consommée par l'exil. Chacun des épisodes de la vie
d'Euchariste Moisan prend place dans un temps historique
défini : la première phase dans l'avant-guerre puis la
guerre, qui a entraîné une prospérité agricole sans précédent ; la seconde phase coïncide avec la crise économique
de 1929. À ce rythme général du roman, s'ajoute l'immuable répétition des jours et des saisons dans un univers
abandonné au temps cyclique, à cette « roue des années,
des saisons et des jours », où tout n'est qu'éternel recom-
mencement. Enfin, le rythme humain, celui des générations qui se succèdent et entrent en conflit pour la possession de la terre, vient compléter une perception générale
du temps vécu comme soumission inconditionnelle à des
lois immuables : « Des hommes différents pour une terre
toujours la même », telle est la devise de *Trente Arpents*.

Cet effet de cycle qui semble déboucher sur l'infini est
renforcé par une structure spatiale où une succession d'espaces concentriques enferme l'homme de la terre. Le
Québec représente le pays au-delà duquel tout devient
exil, mais l'horizon familier du paysan est beaucoup plus
immédiat encore puisque sa « patrie » n'embrasse que la
région qu'il n'a le plus souvent jamais quittée. Cet espace
exigu est dominé par la paroisse et son clocher ; au cœur
encore de ce périmètre l'homme est défini par son bout
de terre au centre duquel règne la maison, refuge contre
les forces extérieures, qui elle aussi possède un centre : la
cuisine, dont toute la vie s'organise autour d'un pivot, le
poêle. Une des caractéristiques du paysan décrit par Ringuet est l'enfermement et la dépendance. Cet esclave qui
s'ignore sert une maîtresse intraitable : la terre.

La terre est ici physiquement présente, objet réel et
acteur. On ne parle pas d'elle, c'est elle qui se manifeste à
travers ceux qu'elle met en scène et subordonne. Ringuet
explore avec minutie la nature des liens qui se tissent entre
l'homme et une terre épouse, ce qu'il nomme les « épousailles » de l'homme et de la terre féconde. « Fille du ciel
et épouse du temps », la terre est personnifiée ; on la pense
capable de sentiments, de connaissance, et le vocabulaire
conjugal ou maternel s'épuise à décrire cette maîtresse de
l'homme, exigeante, indomptable, qui le ligote, le rend
esclave de son désir de possession.

Euchariste Moisan symbolise la fin d'un rêve et une
défaite collective. Le mythe longtemps entretenu du
Canada français voué à une mission agricole sacrée
s'effrite : un arrêt de mort définitif est prononcé contre un
mode de vie séculaire et révolu, sur lequel plane désormais la menace de la ville. Cette menace se concrétise
dans la dernière partie du roman et dernière saison de la
vie d'Euchariste, lorsqu'il doit se résigner à un exil forcé et
abandonner sa terre pour la captivité citadine. Son drame
personnel présage les bouleversements qui ébranleront la
communauté paysanne menacée dans ses fondements
(voir *Bonheur d'occasion* de Gabrielle Roy).

● Montréal, Fides, 1973.

C. PONT-HUMBERT

TRENTE ET UN AU CUBE. Recueil poétique de Jacques
Roubaud (né en 1932), publié à Paris chez Gallimard en
1973.

Suivant, dans la création de Jacques Roubaud, la
traduction-recomposition des « cent quarante-trois poèmes empruntés au japonais » que constituait le recueil de
1970 *Mono no aware : le sentiment des choses*, *Trente et
Un au cube* répond cette fois au modèle formel des tanka
japonais : aussi faut-il peut-être lire la succession des livres
comme des degrés d'appropriation d'un « moule » métrique que le poète a décomposé et recomposé avant de le
réinventer pour y inscrire sa propre voix.

Composé de trente et un poèmes de trente et une lignes regroupant
chacune les trente et une mesures des cinq vers des tanka (groupés
5/7/5/7/7), certains textes étant encadrés de citations d'origine multiple, *Trente et Un au cube* défie l'organisation même de l'objet livre.
Dans ses trente et un « cahiers » à déployer, chaque poème occupe
une double page, tandis que les blancs typographiques marquent les
limites des « vers » sur la ligne comme, plus traditionnellement, des
groupements de vers dans des strophes rejouant le système arithmétique 5 vers/7 vers/5 vers/7 vers/7 vers – sauf le poème numéroté 16,
distribué en deux strophes de 17 et 14 vers respectivement. Le jeu
aléatoire des assonances – comme les effets d'élision – vienment marquer d'une perturbation rythmique les arêtes du « cube-livre » ainsi
créé. La coupe met souvent en relief les outils syntaxiques (articles,
prépositions, etc.), introduisant à première lecture un brouillage de la
signification qui n'est pas sans rapport avec la fuite du sens que le
texte déroule à l'infini.

Sous l'ostensible forme métrico-mathématique habituelle à Jacques Roubaud (voir *ϵ*, *Quelque chose noir*),

les 31 poèmes construisent le véritable récit d'une relation à un « tu » omniprésent où l'amour se mêle à la parole qui l'énonce dans la plus pure tradition de la *canso* médiévale : « récits de sureaux   polyphonies capillaires grappe écrivant grain   par grain dans un cahier grains   rouge noir en épaisseur », les vers profèrent alors une parole de bonne aventure dans la mesure même où ils se font l'aventure de leur parole. Une telle réciprocité (« il y a du monde » dans le poème si et seulement si le poème « fait monde », obéit jusque dans sa complexité à la turbulence des phénomènes), que Jacques Roubaud n'a eu de cesse de théoriser au sein de divers groupes (collectif Change, Oulipo, cercle Polivanov) semble ici trouver un de ses points limites, en ce que la nouveauté de la disposition enrobe un mouvement allitératif bien plus connu et une rythmique proche de celle d'Apollinaire. De même, les coupes au milieu d'un mot reprennent les expérimentations d'Aragon depuis le **Crève-cœur*. L'aventure de l'aimée-poésie risque alors de s'en ressentir : si le livre brandit le rythme comme une de ses dimensions essentielles (« Le temps est ton coffre »), le commentaire de soi-même (« Si toi ma durée   si toi t'élevant des bruits ») ne peut-il finir par être compris comme un palliatif, justifiant en théorie ce que le texte finalement ne produit pas ? Dans la feinte opacité de sa mise en scène, le livre poétique de Jacques Roubaud s'expose en effet toujours à ce type de « reproches », venant de lecteurs en quelque sorte « déçus » de ce que la difficulté apparente ne renferme qu'une écriture héritée. S'il est évident que certains indices de modernité virent vite à la préciosité, le texte demeure néanmoins parcouru par le frémissement matériel du réel (« quelquefois seul dans l'obscurité continue agitée de points lumineux imperceptibles dans la noirceur désolée »), et force est alors de noter le paradoxe selon lequel l'écriture – comme c'est le cas ici – se « décrit » d'autant mieux qu'elle accepte, pour un morceau de matière, de s'éloigner de soi... Le livre devient ainsi la méditation du temps en acte qu'il revendique d'être, mais peut-être à proportion de ce qu'il n'en parle pas.

Conclu dans un effet de boucle (le trente et unième poème reprenant et réorganisant certains syntagmes du premier), le livre semble, surtout, avoir calculé la déception que nécessairement il engendre : « mais di- / -ras-tu où est la   réponse je ne vois ici que des miettes [...] / cela est vrai ma   réponse n'est qu'une fuite [...] ». Pareil au mécanisme d'éclipse de l'apparence, le sens poétique se dérobe ainsi dans le mouvement qui le révèle, et il ne peut rester à la fin que le souvenir de sa musique. Mais peut-être est-ce la limite de cette poésie que de se réclamer d'une seule modulation que par ailleurs l'opacité de sa présentation enfouit, et de rendre presque inaccessible, dans le jeu de cryptage « formaliste », un rythme sans doute un peu trop hérité.

O. BARBARANT

TRENTE-SEPT DEUX LE MATIN. Voir **37°2 LE MATIN**, de P. Djian [classé à la fin de la liste alphabétique].

TRENTE-TROIS SONNETS COMPOSÉS AU SECRET. Recueil poétique de Jean **Cassou** (1897-1986), publié clandestinement sous le nom de Jean Noir et avec une Préface d'Aragon [François la Colère] à Paris aux Éditions de Minuit en 1944.

Arrêté pour faits de Résistance en décembre 1941, emprisonné dans la solitude sans livres, feuilles ni stylo, Jean Cassou décida de rédiger mentalement ces sonnets. Mis en liberté provisoire, il en profita pour recopier ses compositions et les faire parvenir aux Éditions de Minuit avant de se présenter au tribunal pour son jugement – car

son évasion aurait pu conduire à des représailles sur les autres prisonniers.

On comprend l'intérêt du poème, comme affirmation de liberté de pensée malgré l'emprisonnement, et de la forme fixe du sonnet, dont la rigueur retrouve, dans ces conditions, sa portée mnémotechnique. Rimes, vers réguliers, organisations strophiques imposées, sont autant de façons de toucher la mémoire, de transporter un « texte » sans le péril du papier, et toute la poésie de la Résistance a pu (voir le **Crève-cœur*), dans la civilisation de l'écrit, retrouver la valeur de cette oralité. Pour ces trente-trois sonnets composés de mémoire, qu'ils soient sortis tout droit des geôles de l'ennemi constituait bien entendu un remarquable pied de nez de l'édition française libre à l'occupant, et explique sans nul doute leur réception chaleureuse, voire enthousiaste si l'on en croit la plume toujours enflammée d'Aragon. Thématiquement, les *Trente-trois Sonnets* tressent le souvenir à voix basse, où l'auteur « nourrit [s]es heures solitaires », du plaisir « de redire à [s]on cœur [...] » ce qui fut », avec une série d'appels (« ah, jaillisse enfin le matin de fête / où sur les fusils s'abattront les poings ») sans ambiguïté aucune dans le contexte : « nous terrasserons l'ange et nous boirons la mer. » L'on décode ainsi aisément le dialogue avec l'allégorie « Constance » du finale, qui proclame depuis le cachot : « Persiste, et tu seras sauvé. » Les circonstances ont alors fait du texte un emblème. Mais passé la pertinence idéologique, il faut avouer qu'il ne reste pas grand-chose de ces trente-trois poèmes réguliers jusqu'à l'ennui, dont la seule audace est la fréquente suppression de la majuscule en début de vers, le plus souvent en alexandrins (23 sonnets), en octosyllabes (3 sonnets) ou en décasyllabes (3 sonnets). Demeurent cependant le témoignage d'une résistance intérieure, d'un maintien de la langue et de la littérature dans des conditions héroïques – et le "Tombeau d'Antonio Machado" (« Une urne brisée de colère / à Collioure, au pied des pierres / où pourrissent les prisonniers »), qui salue le réfugié de la guerre civile mort sitôt la frontière franchie, et dont le décès allait fournir à la poésie de la Résistance l'un de ses mythes.

● Mercure de France, 1962.

O. BARBARANT

TRÉSOR DE FAUSTA (le). Voir PARDAILLAN (les), de M. Zévaco.

TRÉSORIÈRE (la). Comédie en cinq actes et en vers de Jacques **Grévin** (1538-1570), créée à Paris le 5 février 1559, et publiée avec « la seconde partie de l'**Olympe* et de la *Gélodacrye* » dans le *Théâtre de Jacques Grévin* à Paris chez Vincent Sertenas en 1561.

Quand il s'exerce à la comédie, Jacques Grévin est déjà rompu aux lettres, et a rédigé des vers à l'occasion de mariages princiers. Composée sur commande du roi Henri II en vue de la célébration des noces de Claude de France et du duc Charles de Lorraine (1559), cette pièce ne fut finalement jouée qu'au collège de Beauvais dont Grévin avait été quelque temps l'élève.

Loys et un jeune protonotaire désargenté courtisent la trésorière de la place Maubert, nommée (par antiphrase, l'histoire le dit assez !) Constante. Elle exige de ses soupirants fortunés des marques d'affection sous forme d'onéreux présents. Loys obtient du trésorier le paiement anticipé d'une rente à intérêt usuraire ; le protonotaire obtient des écus de Constante (Actes I-II). Il s'agit de l'argent qu'elle a reçu de Loys, lequel, prévenu par son valet de la supercherie, a du mal à accepter son infortune. Bien résolu à donner une leçon à la traîtresse qui coule de doux instants en compagnie du protonotaire, Loys s'apprête à défoncer la porte du trésorier, quand celui-ci arrive sur les lieux inopinément (Actes III-IV). L'amant déçu ne tait sa fureur que lorsque son argent lui est rendu. Le protonotaire, surpris « chausses cheutes aux genoulx » s'enfuit, abandonnant là honte et maîtresse, mais sans oublier le dernier gage d'amour qu'elle lui a prodigué : la bourse pleine d'écus (Acte V).

Si l'on retrouve dans la Trésorière (connue aussi sous le titre de la Maubertine) l'influence des dramaturges latins (ainsi du personnage de Constante dont certains traits rappellent la courtisane Phronesium de Plaute), de multiples raisons conduisent à rapprocher cette pièce et l'*Eugène d'Étienne Jodelle : même mari ridicule, même personnage de la bourgeoisie cédant aux charmes des amours adultérines, et surtout même atmosphère d'immoralité patente. Nul n'est épargné dans cette « âpre satire des gens de finance » (M. Simonin) : ni l'épouse infidèle et vénale, ni la jeunesse du protonotaire qui sait concilier plaisir et intérêt pécuniaire, ni l'amant qui rêve d'un amour sur le mode courtois dans un monde où le gain « Est le dieu des inventions / Et la fin des intentions ». Et de fait, dans ce monde où l'argent est le principe de toute morale, la trésorière est punie moins pour ses caprices et ses fantaisies amoureuses que pour n'avoir pas respecté les règles de l'échange : elle sera, comme le souligne E. Lapeyre, privée d'argent, d'amant et de mari complaisant.

Dans cette comédie régulière en octosyllabes, Jacques Grévin s'est défendu de vouloir moraliser, et de « mesler la religion / Dans le subject des choses feinctes » : son Prologue semble attester une volonté de rompre avec le théâtre de farces et de moralités pour renouer avec une dramaturgie à l'antique.

● Champion, 1980 (p.p. E. Lapeyre).

M.-C. GOMEZ-GÉRAUD

TRIBALIQUES. Recueil de nouvelles d'Henri **Lopès** (Congo, né en 1937), publié à Yaoundé aux Éditions Clé en 1971.

Cet ouvrage est – après quelques poèmes publiés dans diverses revues et anthologies – le premier livre d'Henri Lopès, alors ministre de l'Éducation nationale de la République populaire du Congo. Tribaliques, dont le titre vient en écho aux *Éthiopiques (1956) et Voltaïques (1962) des Sénégalais Léopold Sédar Senghor et Ousmane Sembene, apparaît comme une recension sévère des maux qui gangrènent la société congolaise (et plus généralement africaine) des premières années de l'indépendance.

Ainsi en va-t-il du mariage imposé par ses parents à une jeune fille (« Ah ! Apolline »), du double langage d'un politicien, altruiste et féministe dans ses discours publics, dominateur et misogyne dans le privé (« M. le Député »), de la dénonciation de la torture et des erreurs judiciaires (« le Complot »), des difficultés et des limites du militantisme (« la Bouteille de whisky »), des compromissions économiques et politiques (« l'Honnête Homme »), du drame d'une jeune « boyesse » se voyant refuser par ses employeurs l'argent qui lui aurait permis de soigner son enfant qui mourra faute de médicament (« l'Avance »), ou de la lâcheté d'un ouvrier qui préfère demeurer à l'étranger, délaissant sa fiancée restée au pays (« la Fuite de la main habile »).

Dans sa critique, Henri Lopès ne fait grâce à personne. Si quelques nouvelles s'attachent à dénoncer l'archaïsme de certaines pratiques traditionnelles ou de certains faits de société, sans pour cela épargner les comportements individuels blâmables de ses concitoyens, d'autres textes condamnent violemment les déviations politiques et les défaillances d'un système que l'auteur pouvait observer de l'intérieur. Afin de toucher un très large public qu'il s'efforce de convaincre tout au long de ce recueil à la volonté pédagogique affirmée, Henri Lopès a choisi la sobriété de l'écriture et la simplicité d'intrigues édifiantes. Le réel succès de ce livre a démontré l'efficacité de la formule.

Depuis lors, Henri Lopès a poursuivi sa carrière de ministre, puis de fonctionnaire international à l'UNESCO, tout en affirmant ses talents d'écrivain. C'est ainsi que,

sans délaisser totalement la veine militante, il a su se montrer plus exigeant dans le choix de ses sujets, et plus original dans son écriture et dans la structure de ses autres romans, tout particulièrement dans le *Pleurer-rire (1982) et le *Chercheur d'Afriques (1990).

● « Presses Pocket », 1983.

B. MAGNIER

TRIBULAT BONHOMET. Voir CLAIRE LENOIR, de Villiers de L'Isle-Adam.

TRIBULATIONS D'UN CHINOIS EN CHINE (les). Roman de Jules **Verne** (1828-1905), publié à Paris en feuilleton dans le Temps du 2 juillet au 7 août 1879, et en volume chez Hetzel la même année.

Le thème du voyage place l'œuvre dans la continuité de la plupart des récits verniens. Mais ce texte étrange, mêlant les éléments comiques d'une parodie totalement farfelue à des réflexions beaucoup plus sombres sur la mort et le destin, révèle une incontestable originalité.

Le riche Kin-Fo, jeune homme de Shanghai, n'a plus goût à la vie. Une lettre lui apprend qu'il est ruiné. Il n'espère même plus pouvoir épouser la jolie veuve Lé-Ou. Il souscrit donc, pour une somme considérable, une assurance sur la vie à la célèbre compagnie « La Centenaire ». Son vieil ami, le philosophe Wang, et Lé-Ou devraient en être rapidement bénéficiaires : Kin-Fo, en effet, a décidé de mourir. Wang a promis de le tuer avant l'expiration du contrat (chap. 1-8).
Mais « La Centenaire » charge deux agents, Fry et Craig, de protéger leur assuré. Heureusement, car Kin-Fo découvre que sa ruine n'était qu'une fausse nouvelle. Or Wang a disparu. Comment l'avertir que son disciple a renoncé à la mort ? En attendant que l'accord conclu avec lui devienne caduc, Kin-Fo fuit Shanghai avec Soun, son domestique, et ses deux anges gardiens. Ils traversent toutes les provinces de la Chine, affrontent les mille périls d'un pays en pleine anarchie. Ils trouvent sans cesse les preuves de la présence insaisissable de Wang. On croit enfin assister à sa noyade dans le fleuve Pei-Ho. Kin-Fo décide donc sans plus attendre d'épouser Lé-Ou. Mais la mort de l'impératrice douairière interdit provisoirement tout mariage. C'est alors qu'une lettre de Wang annonce à Kin-Fo que, n'ayant pas le courage de le tuer lui-même, il en a chargé Lao-Shen, un redoutable rebelle Taiping (9-15).
Il faut fuir de nouveau et essayer de convaincre le brigand de renoncer à ce projet. Kin-Fo et ses compagnons s'embarquent sur la jonque Sam-Yep, chargée de cercueils et commandée par le jovial capitaine Yin. Ils essuient une terrible tempête, puis doivent abandonner précipitamment le navire, capturé par les pirates de Lao-Shen. Ils assistent impuissants au massacre de tout l'équipage. L'ingéniosité et les prouesses de Craig et Fry, qui parviennent même à repousser l'attaque d'un énorme requin, les tirent d'embarras (16-20).
Ils atteignent le repaire de Lao-Shen, près de la Grande Muraille. Mais le contrat avec « La Centenaire » expire. Fry et Craig se désintéressent donc de Kin-Fo et de Soun, qui tombent aux mains des rebelles Taiping. Leur chef est inflexible : « Ce n'est que devant la mort que tu connaîtras ce que valait cette faveur d'être au monde. » Emmené sans savoir à quel sort on le destine, le héros a la surprise de se retrouver à Shanghai, au milieu de ses amis. Wang a voulu lui donner une dure leçon pour lui montrer le prix de l'existence. Tout n'était que comédie. Le jeune homme peut enfin épouser Lé-Ou (21-22).

Le ton général du récit demeure presque constamment comique et léger. L'intervention de nombreux personnages ridicules ou caricaturaux y contribue largement. Citons d'abord les inséparables Craig et Fry, nés pour être chacun le double de l'autre, accomplissant même les actes les plus héroïques avec une raideur mécanique de robots dociles, incapables de vivre autrement que selon leur fonction. Soun, le domestique poltron et négligent, sorte de Sganarelle orientalisé, soucieux d'abord, à chacune de ses bévues, de préserver sa chère natte des représailles de son maître, ajoute encore au climat de dérision qui baigne le récit. La charmante Lé-Ou elle-même n'échappe pas à une atmosphère dont l'insouciante gaieté rappelle le monde souriant de l'opérette : « Lé-Ou, intelligente, instruite, comprenant quelle place elle aurait à tenir dans la vie du riche ennuyé et se sentant attirée vers lui par le désir de lui prouver que le bonheur existe ici-bas, était toute résignée à son nouveau sort » (chap. 5). Même la présence des signes du progrès technique et de la modernité – capitalisme planétaire, navires à vapeur, appareils perfectionnés utilisés par Fry et Craig pour sauver Kin-Fo, etc. – paraît dans cet univers complètement anachronique et déplacée, maladroitement intégrée à des traditions qu'elle n'arrive pas à ébranler.

Le contraste n'en devient que plus évident avec la violence et la mort omniprésentes autour des personnages. La sagesse ironique de Wang ne fait pas oublier son passé sanglant de Taiping. C'est en le ressuscitant qu'il peut compter sur la complicité de l'impitoyable Lao-Shen, criminel de la pire espèce et commanditaire de l'assassinat des marins du *Sam-Yep*, pour instruire Kin-Fo de la vraie valeur de la vie. Le capitaine Yin n'est guère moins ambigu. Joyeux passeur des morts et victime des pirates, il se persuade qu'un signe conventionnel, le pavillon en berne de sa jonque, et l'observation d'un rite suffisent à exorciser toutes les menaces du destin : « N'avait-il pas sacrifié un coq, et ce sacrifice ne devait-il pas le mettre à l'abri de toute éventualité ? » (17). L'homme le plus visiblement attaché à la vie la perd faute de précautions, tandis que Kin-Fo, candidat au suicide, n'a cessé d'accumuler protections et garanties autour de lui. Un certain sentiment de l'absurde finit ainsi par s'installer dans un monde aussi morbide que dérisoire, totalement inconséquent.

Le macabre ne se contente pas d'occuper le premier plan de la scène : il la structure totalement. La mort que Kin-Fo craint après l'avoir désirée est le fondement même de la fortune que lui a léguée son père : Tchoung-Héou, en effet, s'était enrichi en assurant le rapatriement des cadavres d'émigrants chinois morts en Amérique. Tout autour des personnages, sépultures et rites funéraires forment l'essentiel du décor et inspirent une grande part des valeurs morales et des usages observés : « La plaine chinoise, aux abords des villes, n'est qu'un vaste cimetière. Les morts encombrent le territoire, aussi bien que les vivants » (7). On peut dire que la mort commande à la vie, par une sorte de droit d'aînesse. Ainsi tendraient à le prouver les terribles conséquences du décès de l'impératrice douairière : « Pendant un délai que fixerait la loi, interdiction à quiconque de se raser la tête, interdiction de donner des fêtes publiques et des représentations théâtrales, interdiction aux tribunaux de rendre la justice, interdiction de procéder à la célébration des mariages ! » (15). Étrange économie où tout ce qu'on produit, tout ce qu'on échange, tout ce qu'on négocie se résume à la mort, moteur même de toute action dans cet univers absolument régressif.

Après avoir voulu organiser et acheter son trépas, Lin-Fo découvre d'autres valeurs en le fuyant. Ses yeux s'ouvrent enfin sur le principe de l'énergie vitale : affronter la mort est la seule vraie initiation à la vie, qui, sans elle, s'abîmerait dans une morne routine. Les dernières phrases du roman prennent alors tout leur sens : « Les deux époux s'aimaient ! Ils devaient s'aimer toujours ! Mille et dix mille félicités les attendaient dans la vie ! Il faut aller en Chine pour voir cela ! » (22). La « Chine » redevient métaphore universelle de l'ailleurs absolu, le pays des rêves que seul un Chinois pourrait confondre avec la plate et débilitante réalité. Mais la dérision reste entière. Pendant que le dandy européen aspire à s'évader dans une Chine imaginaire et idéalisée, le Chinois mélancolique n'arrive à habiter son univers qu'en se transformant en bourgeois satisfait.

● *Œuvres*, Éd. Rencontre, XIII ; *id.*, « Le Livre de Poche », III.

D. GIOVACCHINI

TRICARITE (la). Recueil poétique de Claude de **Taillemont** (vers 1526-après 1557), publié à Lyon chez Jean Temporal en 1556.

Loin d'être novice en matière poétique, Taillemont, habitué des milieux littéraires lyonnais, a collaboré avec Maurice Scève aux fêtes de l'entrée d'Henri II à Lyon (1548) ; il a en outre composé un recueil narratif : le *Discours des Champs Faez* (1553).

Monument à la gloire de la dame, le recueil est constitué en son centre de 104 douzains qu'encadrent diverses pièces écrites « en faveur de plusieurs demoiselles », dont Jeanne d'Albret, reine de Navarre. Dans une langue où l'on reconnaît tour à tour les accents du néoplatonisme et du pétrarquisme, Taillemont chante la splendeur des vertus de Tricarite et, en une longue série de blasons (douzains 53 à 76), les charmes de son corps parfait. Plusieurs poèmes laissent encore s'exhaler les douleurs et les désirs de l'amant insatisfait, réduit à la plus aimable des servitudes.

C'est sans doute pour se distinguer de ses maîtres en matière de poésie amoureuse que Claude de Taillemont a choisi le douzain comme forme privilégiée de son recueil : ainsi il se distingue tout à la fois de Maurice Scève, le « père de nos vers », qui avait rédigé sa *Délie en dizains, et des adeptes du sonnet – qu'il s'agisse des Italiens ou des poètes de la Pléiade.

Les savantes querelles menées autour de l'orthographe dans les milieux lettrés de la Renaissance française trouvent leur expression dans le choix du poète de pratiquer une graphie aussi conforme que possible à la « prolation » : il supprime les lettres superflues et adopte un code susceptible de reproduire la longueur des syllabes. Ce souci reflète à sa manière une des exigences de la poésie de Taillemont : la primauté accordée à la musicalité – sans doute en partie à l'origine de certains passages hermétiques de *la Tricarite*.

Cependant, ce recueil amoureux qui a germé dans le milieu lyonnais fortement marqué par l'humanisme italien, est aussi un vibrant discours sur les vertus de l'amour qui prend sa substance dans la philosophie néoplatonicienne. En la Dame reluit la présence de la divinité (*tricharite*, c'est-à-dire les trois grâces en une même personne), et l'amant contemplant ses qualités, s'élève peu à peu à la contemplation du divin. Ainsi s'explique cette incessante tension vers la lumière dont le poème est le reflet. Certes, au milieu de tant de douceurs, l'amoureux connaît la douleur, mais cette forme de mort à soi-même est la purification nécessaire à l'ascension vers les sphères célestes.

● Genève, Droz, 1989 (p.p. D. Fenoaltea, F. Lecercle, G.-A. Pérouse et V. Worth).

M.-C. GOMEZ-GÉRAUD

TRICKS. Recueil de récits de Renaud **Camus** (né en 1946), publié à Paris aux Éditions Mazarine en 1979. Préface de Roland Barthes.

Un mois durant (mars 1978), l'auteur a noté le détail de tous les « tricks » qui se sont présentés. Jour après jour, au Manhattan (discothèque homosexuelle), au Continental Opéra (sauna) ou à Milan, il rencontre et fait l'amour successivement avec Walthère Dumas, « Philippe des Commandos », « Daniel X. », « Flipper X. », « Muscleman » et Etienne Pommier-Caro, apprenti-écrivain (tricks 1 à 15). D'avril à juillet 1978, les tricks font l'objet d'un certain choix. Si l'auteur fait l'amour, à Paris, avec Alain du Bronx, Zé du Palace et Dominique du Continental Opéra, c'est à Cannes qu'il séduit « l'ami de Franz », Red Morgan et « le Marseillais », et à New York qu'il connaît le plus beau de ses tricks, le « cow-boy perdu de vue » (tricks 16 à 26). Rédigés à Paris en décembre 1978, les derniers tricks couvrent les mois de juillet et d'août au cours desquels l'auteur rencontre, après s'être disputé avec son compagnon de voyage, Jim et Bob (New York), Tom, « Chemise à carreaux » et Jeremy (San Francisco), « A Perfect Fucker » (Los Angeles) et Terence (Washington) [tricks 17 à 33].

Après avoir longtemps œuvré dans la mouvance des

théoriciens du texte, Renaud Camus se tourna avec *Tricks* (sous-titré *33 Récits*) vers la chronique autobiographique. En américain, un *trick* est à la fois le partenaire amoureux et l'événement de la rencontre ; un peu moins qu'une histoire d'amour, un peu plus qu'une étreinte furtive (certains tricks se prolongent et font l'objet d'une liaison plus ou moins durable), le trick « doit être inconnu, ou presque inconnu. Ne sont relatées que les premières rencontres ». L'auteur, du reste, s'interroge fréquemment sur la validité de tel trick : « [...] ce Didier-ci, rencontré dimanche soir, j'ai dîné avec lui hier, couché une seconde fois avec lui la nuit dernière, et je dois le revoir ce soir. Peut-être sera-t-il plus qu'un trick ». Rigoureusement chronologique, chaque récit possède, dans son déroulement, des règles invariables, les passages obligés qui ménagent peu de place à l'imprévu : description du partenaire habillé et/ou nu (tous ont un système pileux abondant qui permet à l'auteur de « localiser très précisément ce qui, chez lui, avait d'emblée déclenché la stridence de [son] désir »), récit détaillé de l'acte sexuel, mention de l'heure et du retour lorsque l'auteur s'est déplacé chez son trick, réveils difficiles ou agréables, conversations culturelles (l'auteur visite volontiers la bibliothèque de ses tricks et se prête de bonne grâce aux questions de Didier sur les livrets du *Tristan* de Wagner ou le sens d'un dessin de Twombly). Chaque trick peut, en outre, être relevé d'une touche artistique ou historique (du « Philippe des Commandos » : « Son menton avait quelque chose de déjà vu à certains rois d'Espagne, Philippe III ou Alphonse XIII »). Loin de tout discours sur l'homosexualité (l'auteur inventera le néologisme *achrien* susceptible de remplacer « homosexuel », jugé trop médical et réducteur), Camus raconte sur un ton neutre l'acte homosexuel qui, dans sa simplicité même, est soustrait à toute tentative d'« interprétation ». Débarrassé de toute pesanteur psychologique et poétique, chacun de ces récits s'ouvre à l'humour et à des dialogues quasi rohmériens, à tout un arsenal de traits sociaux et de tics linguistiques qui font le charme et la saveur de ces récits résolument superficiels dont Roland Barthes, dans sa Préface, salua ainsi la nouveauté et la fraîcheur : « Trick, c'est la rencontre qui n'a lieu qu'une fois : une intensité, qui passe, sans regret. Dès lors, pour moi, trick devient la métaphore de beaucoup d'aventures, et qui ne sont pas sexuelles : rencontre d'un regard, d'une idée, d'une image, compagnonnage éphémère et fort, qui accepte de se dénouer légèrement, bonté infidèle : une façon de ne pas s'empoisonner dans le désir, sans cependant l'esquiver : une sagesse, en somme. »

● POL, 1988.

P. GOURVENNEC

TRILBY ou le Lutin d'Argail. Conte de Charles **Nodier** (1780-1844), publié à Paris chez Ladvocat en 1822.

Revenu en 1821 d'un voyage en Écosse, Nodier publie sa *Promenade de Dieppe aux montagnes d'Écosse*, récit où le point de vue personnel se mêle au souci de la couleur locale. Il lit Walter Scott et prend contact avec le traducteur de celui-ci, Amédée Pichot, qui lui suggère l'idée de l'histoire du lutin, ou de l'elfe, héros de tant de contes nordiques. Nodier est fasciné par ce qu'il appelle, à ce moment de sa carrière, les « superstitions », c'est-à-dire les croyances populaires, par l'ambiguïté du thème du *Diable amoureux* de Cazotte et du *Faust* de Goethe, par le mythe de l'ange déchu, et s'immerge dans le romantisme des profondeurs, celles de l'âme aussi bien que celles de l'Histoire.

Jeannie, jeune batelière d'Écosse, mène une double vie, avec son mari Dougal le pêcheur et, en rêve, avec le lutin Trilby qui l'aime éperdument. Prise de remords à l'égard de son mari, elle accepte que le moine Ronald tente d'exorciser Trilby. Cependant, lors d'un pèlerinage

au monastère de Balva pour la vigile de saint Colombain, Jeannie est incapable, par amour et par « charité », de participer au second exorcisme – elle est désormais hantée d'une nouvelle figure de Trilby ressemblant au portrait d'un des anciens Mac-Farlane qu'elle a vu à Balva. Comme Trilby, les Mac-Farlane ont subi l'anathème des moines pour avoir refusé de payer un tribut au monastère. Jeannie retourne maintenant chez elle et accueille de nouveau Trilby, qui lui promet d'apporter des richesses au couple pauvre. Mais, entendant les cris de joie de la jeune femme, Ronald prononce un verdict définitif : Trilby est enfermé pour mille ans dans un grand bouleau, et Jeannie tombe, morte, dans une fosse creusée à son pied.

Tout en recourant innocemment, selon les termes mêmes de sa Préface, aux « traditions d'une superstition intéressante », aux « touchantes erreurs [...] des âges d'ignorance », Nodier raconte ici le drame d'une femme en proie aux désirs refoulés et l'histoire d'un déchirement causé par le conflit entre paganisme et christianisme. Trilby, image fantasmatique du beau Mac-Farlane mort depuis longtemps, est tout autre chose qu'une touchante erreur : il devient l'objet de la « charité » de Jeannie qui, par là même, en satisfaisant ses désirs personnels, risque de commettre un péché. Elle sera donc condamnée, elle aussi, par le vieux moine Ronald. Dès lors, Jeannie se sent du côté des exclus et semble revivre l'histoire ancienne d'Écosse, époque où le géant Arthur, figure mythique, avait été expulsé par les premiers moines. L'idée fondamentale de Nodier est d'évoquer ces temps où les sentiments et les désirs, l'imagination et la croyance naïve, n'étaient pas menacés par une logique dominatrice, fût-elle exercée au nom du christianisme.

Conte antichrétien ? Il est vrai que le christianisme triomphant relègue les sentiments charitables dans un oubli... de mille ans, le temps de la peine infligée aux deux amoureux. Mais, selon Ronald lui-même, « la vengeance de Dieu a ses bornes et ses conditions ». La longueur de la peine correspond, pour Nodier, à la distance qui nous sépare de certaines valeurs essentielles. *Trilby* est donc plutôt un conte-programme, empreint de cette naïveté mythique qui serait le propre des premiers âges. Mais le conte est aussi la représentation d'un autre mythe, celui de la « race mystérieuse » qui s'incarnera pour les romantiques dans les fils de Caïn (voir en particulier le *Voyage en Orient* de Nerval). L'harmonie des premiers temps a été brisée, d'où l'exclusion de certains et le drame intérieur chez d'autres ; d'où aussi la représentation du côté sombre de l'homme : de même que le proscrit témoigne d'un âge où tout était harmonie, de même le rêve peut faire du démon un ange. Il faut donc remonter au-delà de la déchirure, rechercher « les souvenirs et les images du berceau ». L'Histoire est cyclique, et il est possible, par les rêves et par la nostalgie du proscrit, de se faire une idée de l'origine. Nodier jette ainsi les fondements de ses contes fantastiques des années 1830, qui seront d'un « fantastique vraisemblable ou vrai », comme il dit dans la Préface de *Smarra* (voir aussi *Paul ou la Ressemblance*).

● *Contes*, « Classiques Garnier », 1961 (p.p. P.-G. Castex) ; *Smarra* [...], « GF », 1980 (p.p. J.-L. Steinmetz) ; *la Fée aux Miettes* [...], « Folio », 1982 (p.p. P. Berthier). ➤ *Œuvres complètes*, Slatkine, III.

H.P. LUND

TRIOMPHE DE L'AMOUR (le). Comédie en trois actes et en prose de Pierre Carlet de Chamblain de **Marivaux** (1688-1763), créée à Paris à la Comédie-Italienne le 12 mars 1732, et publiée à Paris chez Prault la même année.

En attendant que *les Serments indiscrets*, reçus à la Comédie-Française depuis le 9 mars 1731, soient joués (en juin 1732), Marivaux écrit le *Triomphe de l'amour* pour les Italiens. La pièce ne dépassa pas six représentations, mais aurait plu davantage à la cour : « Le sort de cette pièce-ci a été bizarre. Je la sentais susceptible d'une chute totale ou d'un grand succès ; [...] et je demande qu'on la lise avec attention » (Avertissement de l'auteur). L'appel discret de Marivaux ne fut pas entendu, et le *Triomphe* disparut jusqu'en 1912, avant qu'une mise en scène mémorable de Jean Vilar, en 1955, ne lui permette d'entrer en 1978 à la Comédie-Française, et en 1985, sous la houlette d'Antoine Vitez, au Piccolo Teatro de Milan.

Léonide, princesse régnante de Sparte, s'introduit, déguisée en homme et sous le nom de Phocion, dans le jardin du chef de ses ennemis, le philosophe Hermocrate, afin d'y séduire le jeune Agis, fils du roi de Sparte Cléomène, jadis détrôné par l'oncle de Léonide à la suite d'une rivalité amoureuse. Surprise par Arlequin, elle achète son silence et se prétend amoureuse d'Hermocrate alors que le jardinier Dimas ameute Agis, qui se prend aussitôt d'amitié pour Phocion, et Léontine, sœur d'Hermocrate, à qui Phocion fait une déclaration d'amour enflammée. Ayant repris ses vêtements féminins, elle renouvelle le même stratagème avec Hermocrate, qui, reconnaissant en elle une jeune femme rencontrée peu auparavant, accepte de la garder, mais demande à Dimas d'ouvrir l'œil sur l'étrangère (Acte I). Dimas fait parler Arlequin et vend son secret à Phocion, qui révèle son sexe à Agis, auquel elle se présente sous le nom d'Aspasie, « une fille infortunée qui échappe sous ce déguisement à la persécution de la princesse » ; malgré sa haine des femmes, Agis garde son amitié à Phocion-Aspasie. Apprenant que Hermocrate veut le renvoyer, Phocion pousse la séduction auprès de Léontine, afin d'obtenir de rester dans les lieux, et conduit Agis à la reconnaissance de leur amour, avant de s'attaquer à Hermocrate, dont le cœur cède à son tour : le philosophe promet à Léontine de garder Phocion (Acte II). Tandis qu'on masse des troupes autour du jardin d'où Agis devrait sortir en prince, Léontine et Hermocrate se préparent dans le trouble à leur mariage secret avec Phocion-Aspasie, qui anéantit rudement le chantage à l'indiscrétion tenté par Arlequin et Dimas. Phocion-Aspasie se prépare à avouer sa véritable identité à Agis, mais est interrompue par Hermocrate, venu confesser sa « faiblesse » à son jeune disciple, comme fait Léontine à son frère. Le désespoir d'Agis ne résiste pas à l'aveu de Léonide, qui lui offre son cœur et son trône, avant de se débarrasser sèchement du philosophe et de sa sœur (Acte III).

Le Triomphe de l'amour, le titre l'atteste éloquemment, est une fable de la séduction. Mais sa singularité dans l'œuvre marivaudienne vient évidemment d'ailleurs : de l'importance du thème politique, qui rappelle *le *Prince travesti*, et de la structure formelle, centrée sur un personnage aussi omniprésent que fabulateur. Triomphe de l'amour ? soit ; mais d'abord triomphe de l'actrice, dont l'occupation frénétique de la scène accapare la moitié du texte dans l'acte I, le tiers dans les deux suivants ! Gageure d'autant plus impressionnante que les différents masques de la princesse ne visent qu'un seul et même effet de séduction effrénée : sur un jeune adolescent confiné, à l'écart du monde et des femmes, dans des rêves de revanche légitimiste ; puis sur une femme mûre qui va vivre là son premier et dernier amour ; enfin sur un philosophe dont la sagesse, toute de refus, cache les frustrations affectives et les ambitions mondaines. On comprend que les deux valets, dans un paysage aussi saturé, bornent leur désir à l'argent. La construction dramatique, si extraordinairement polarisée par un seul personnage, obéit alors à un double principe : de progression dynamique de l'obstacle, culminant avec les rencontres de Phocion et d'Hermocrate, et de fascination pour l'intrus qui prodigue la parole amoureuse. Ce n'est qu'à la toute fin de l'acte III, c'est-à-dire trop tard, qu'Agis, Léontine et Hermocrate osent enfin se parler. Tel est en effet le calcul non formulé, mais décisif, de l'experte Léonide : ce qu'elle partage avec chacun, dans cette demeure murée sur son mortel secret politique, c'est la solitude prodiguée d'un autre secret, encore moins partageable, le secret amoureux, qui provoque un radical cloisonnement des individus. Le triomphe du langage amoureux enferme ses destinataires dans la jouissance solitaire de leur désir vierge, les oblige à collaborer au maintien du secret qui les chavire. C'est pourquoi ni Arlequin, ni même Dimas, pourtant plus retors, n'ont d'espace pour la trahison. Que pèsent leurs humbles manigances devant les tromperies des Grands de ce monde,

maîtres de l'or, des masques et des harangues, mais aussi des armes et des prisons ?

Si le tressage de la politique et de l'amour rapproche le *Triomphe* du *Prince travesti*, force est de constater que Marivaux ne tente aucunement de réécrire une tragi-comédie. Le *Triomphe* signe en fait, beaucoup plus qu'une résurrection, l'avortement définitif de l'écriture héroïque, après le brillant essai de 1724. Plus trace ici d'un travail sur l'idéologie aristocratique, les valeurs de cour et la dégradation de la morale dans la politique machiavélique ; le code proprement marivaudien de la séduction, porté à une incandescence quasi allégorique, réduit le politique à la portion congrue : vestige, décor ; ni parodié par un héroïsme comique, ni remplacé par un héroïsme bourgeois. C'est donc bien la morale même de l'héroïsme que Marivaux met ici en question.

● *Le Prince travesti [...]*, « GF », 1989 (p.p. J. Goldzink). ➤ *Théâtre complet*, « Classiques Garnier », I ; *id.*, « Pléiade », I.

J. GOLDZINK

TRIOMPHE DE LA RAISON (le).

Drame en trois actes et en prose de Romain **Rolland** (1866-1944), créé à Paris au théâtre de l'Œuvre le 21 juin 1899, et publié à Paris dans la *Revue d'art dramatique* la même année.

Paris, juillet 1793 : Hugot et Faber, deux députés girondins hors la loi, déplorent les outrances jacobines. Le peuple, déchaîné, escorte la dépouille de Marat. La liberté, soutient Hugot, est fille de la raison. Or, soulevée par les démagogues, la nation décime ses philosophes. Désormais, puisque la force se retourne contre l'Esprit, il faut rejoindre les proscrits et marcher sur la capitale. Lux, délégué de la Convention, admire en Charlotte Corday la messagère de la paix. En province, les Girondins sont traqués par les Jacobins. L'homme n'a pas vaincu sa nature, affirme Lux : il demeure soumis à la violence et ignore l'amour. Mais si le peuple ne comprend pas son erreur, d'autres, comme le vicomte de Maillé, tentent sciemment de perpétuer un ordre injuste. Le procureur-syndic annonce alors aux Girondins que la population se refuse désormais à les soutenir : leur cause n'est pas la sienne. Hugot refuse de partir et, seul contre tous, veut faire le bien de la canaille malgré elle. Maillé lui propose de s'allier aux Anglais. Refusant avec mépris la collusion avec l'ennemi, il tente, en vain, de se rapprocher des sans-culottes. Fils spirituel de Marat, Haubourdin convainc Lux que seul le sacrifice est noble. Les Girondins renoncent à lutter : l'humanité fera son salut sans eux. Dans une église, le peuple célèbre la déesse Raison. Accablé, Lux se suicide, les autres seront sacrifiés à la vindicte populaire.

À la charnière des XIXe et XXe siècles, Romain Rolland cherche à réformer la dramaturgie en formulant les règles nouvelles d'un théâtre du peuple. Comme Hugo, jadis, dans sa « Préface » de *Cromwell*, il lance ses textes théoriques comme autant de brûlots (*Préface à mon théâtre*, écrit en 1892, *le Théâtre du peuple*, 1903) contre la dramaturgie de son époque. Récusant l'héritage aristocratique de la tragédie et les faux genres bourgeois, il entend parler au peuple son langage et poursuivre l'œuvre, inachevée, des Lumières : lui insuffler une énergie nouvelle, toucher sa sensibilité. Le drame historique opérera alors une catharsis dans les esprits et les incitera à l'union et à la tolérance.

Aussi Rolland entreprend-il une ample fresque dramatique qui retrace l'épopée révolutionnaire. Faisant suite au *Quatorze-Juillet*, phase euphorique exprimant l'idéal libertaire et international de la Révolution, et aux *Loups*, qui retracent les atrocités de la Révolution aux armées, *le Triomphe de la raison* est centré sur les malentendus suscités par la Révolution. Le drame naît de la confrontation entre les modérés (les Girondins qui se considèrent comme l'élite intellectuelle de la nation) et des fanatiques mus par une ardeur destructrice. Romain Rolland traite ici le problème soulevé par la nécessité historique : il montre la fatalité en marche sous l'effet des convulsions de la Terreur, des troubles de 1793 qui se propagent de Paris à la province. Tous les acteurs du drame ont une haute idée de leur devoir : les Girondins veulent œuvrer pour l'avenir du peuple et de l'humanité tout entière. Mais vont-ils s'allier à l'ennemi héréditaire pour préserver leur vision du monde ? Placés devant ce dilemme, Hugot et Faber sacrifient leur personne à leur idéal. Ainsi se justifie la présence de Lux, personnage exalté qui cherche une foi et la trouve dans la négation de l'individu. Nul n'est coupable, nul n'est innocent : l'homme est porteur d'une violence, qui tient à sa nature et qui oriente le devenir si l'on ne tire aucune leçon de l'Histoire. Dès lors, le travail de la catharsis pourra s'opérer : les spectateurs prendront conscience de la nécessité de renoncer à la violence et de fraterniser.

Le *Théâtre de la Révolution* ne connut guère le retentissement espéré par son auteur. Rolland ne parvint pas, en outre, à réaliser son projet dans son intégralité. Des douze drames envisagés, il en écrivit huit, classés dans l'ordre chronologique suivant en mars 1939 : I, *Pâques fleuries*, 1774, Prologue (publié en 1926) ; II, *le Quatorze-Juillet*, 1789 (1902) ; III, *les Loups*, 1793 (1898) ; IV, *le Triomphe de la raison*, 1793 (1899) ; V, *le Jeu de l'amour et de la mort*, 1794 (1925) ; VI, *Danton*, 1794 (1899) ; VII, **Robespierre* (1939) ; VIII, *les Léonides*, Épilogue (1928).

● Albin Michel, 1971.

V. ANGLARD

TRIPES D'OR. Pièce en trois actes et en prose de Fernand **Crommelynck** (Belgique, 1886-1970), créée à Paris à la Comédie des Champs-Élysées en 1925, et publiée avec *Carine* à Paris chez Émile-Paul en 1930.

Autant la création du **Cocu magnifique*, cinq ans plus tôt, avait été un succès total et avait valu à son auteur une renommée internationale, autant *Tripes d'or*, pourtant montée par Louis Jouvet, fut un four. La pièce fut au total peu jouée en dépit de sa « potentialité scénique » (Paul Émond).

Pierre-Auguste Hormidas vient d'hériter de son oncle, apparemment mort. On s'agite autour de lui, surtout les neveux lésés par le vieil oncle, et il est beaucoup question de l'héritage. Soudain Pierre-Auguste éclate de rire et promet qu'il va enfin profiter sans compter des plaisirs de la vie, et avant tout aimer à loisir sa promise Azelle. Il envoie Muscar chercher la belle, tandis que le tablier de la cheminée cède sous les coups et dégorge son or. Chacun se sert avec la bénédiction d'Hormidas. Réalisant soudain la valeur de son magot, il envoie les gendarmes aux trousses de ses cousins et Froumence à l'auberge avec un contrordre : Azelle ne doit pas venir tout de suite mais attendre qu'il lui envoie de l'argent (Acte I). Depuis un mois Hormidas diffère l'arrivée de sa fiancée. Mais un soir, Muscar rentre soûl de l'auberge et annonce la venue d'Azelle pour le dîner, auquel sont conviés cousins et amis. L'argent possède déjà Hormidas. Si les reproches moqueurs de Froumence le transforment soudain en généreux bienfaiteur, aussitôt il se reprend et fait poursuivre ceux qui viennent de bénéficier de ses largesses décommande le dîner et annule le retour d'Azelle. Barbulesque, le vétérinaire, lui prescrit pour remède de manger de l'or. Pierre-Auguste râpe une pièce d'or dans la pâtée des chiens et l'engloutit (Acte II). Le ventre distendu par l'or, Hormidas est pris d'affreuses coliques ; il a vendu tous ses biens pour les transformer en or, et tout le métal précieux que ne pouvait contenir son ventre a été enterré. Tous, cupides, attendent la colique fatale. Mais Hormidas ordonne à Muscar, Froumence et aux cousins de s'entretuer moyennant récompense. Par économie, tous portent des costumes de scène saisis au Théâtre volant en guise de recouvrement de dette. Barbulesque promet à Hormidas de lui greffer les glandes de Muscar, mais s'entend avec Froumence pour infliger au roi (tel est le déguisement de Pierre-Auguste) la purge décisive : le rire. Dans un éclat de rire fabuleux, Hormidas rend l'or et s'écroule mort. La foule s'écrie « Tripes d'or est mort, Vive Tripes d'or ! » (Acte III).

Tripes d'or est d'une écriture et d'une construction assez proches de celles du *Cocu magnifique*, quoique plus débridées encore, plus extravagantes. Le burlesque y est plus âpre, le héros plus dérangeant. Ni la sympathie, ni la pitié n'atténuent la répulsion pour ces personnages affolés par la passion de l'or. Le public parisien fut choqué par le spectacle : « La création de *Tripes d'or* déchaîna le scandale. La pièce parut offensante. Le personnage d'Hormidas dépassait toutes les mesures », écrira Michel de Ghelderode en 1931.

De fait, les éructations et le rire barbare d'Hormidas qui déferlent tout au long de la pièce sont d'une rare violence. La rencontre du comique et du tragique est ici foudroyante. Le théâtre est lui-même mis en scène dès lors qu'à l'acte III, tous revêtus de costumes de scène, les personnages miment les pratiques de la comédie classique. Le dialogue entre le maître et la soubrette (Hormidas-Froumence) ressemble tellement à celui de Molière que le rapprochement est inévitable : c'est bien évidemment au personnage d'Harpagon que renvoie Hormidas. Mais l'avare de Crommelynck est bien particulier : s'il surveille ses domestiques, retire les plats trop abondants de la table, va jusqu'à manger la pâtée de ses chiens et thésaurise, sa passion se fixe sur le métal jaune. Il transforme tous ses biens en or et en est esclave, possédé au point de l'ingurgiter. La simple pingrerie ou même l'avarice sont ici dépassées par l'énormité. « *Tripes d'or* est moins l'histoire d'une avarice extrême que celle d'une erreur essentielle sur la nature même de la jouissance qui se trouve annulée pour avoir été trop différée », écrit Daniel Laroche.

À force de thésauriser pour s'assurer un bonheur futur, de mettre la vie en suspens et en coffre, Hormidas en souffre et en meurt. C'est en effet dans la douleur que peu à peu l'amour d'Hormidas pour Azelle – qui restera invisible à force de retours différés – s'éteint au profit de l'or. Si l'héritage, à l'acte I, ouvre à Hormidas des perspectives de luxe infini (dormir, boire, manger à profusion) et de délices érotiques avec sa fiancée, à l'acte III, l'or et Azelle sont totalement confondus puisque l'avare assimile les effigies des pièces au portrait d'Azelle : les pièces rendent donc inutile la présence physique de la jeune fille. L'avarice fait qu'amour et sexualité sont vus comme un gaspillage.

Le thème de l'or maudit a de nombreux antécédents littéraires, dont *l'*Or* de Blaise Cendrars, mais Crommelynck exalte jusqu'au paroxysme le thème de la folie lié à la possession du métal maudit et créé un personnage habité par la confusion aliénante entre être et avoir.

● Bruxelles, Labor, 1983 (p.p. P. Émond). ➤ *Théâtre*, Gallimard, II.

C. PONT-HUMBERT

TRIPTYQUE. Roman de Claude **Simon** (né en 1913), publié à Paris aux Éditions de Minuit en 1973.

Claude Simon a, en partie, justifié son titre quand il a déclaré avoir été inspiré par des œuvres picturales de Francis Bacon. Mais le titre annonce aussi au lecteur une œuvre en trois volets.

En trois lieux différents – une cité minière du Nord de la France, un hameau rural du Centre, une station balnéaire du Sud –, se produisent trois séries d'événements. Un jeune marié délaisse pour une serveuse de bar sa jeune épouse ; un couple est épié par deux enfants qui ont abandonné leur partie de pêche à la ligne et la surveillance d'une petite fille, dont ils avaient la garde et qui, peut-être, s'est noyée ; une femme – Corinne –, par l'intermédiaire d'un homme politique – Lambert –, puis d'un de ses amis, très riche, innocente son fils d'une accusation (drogue), un commissaire acceptant de se laisser corrompre. Une quatrième fiction, un spectacle de cirque, demeure atopique.

Le désir habite les pages de ce roman. Trois couples font l'amour, avidement et brutalement, au mépris de toutes convenances. Corinne se donne, pour sauver son fils, à un homme qu'elle méprise et qui cherche à se venger d'une humiliation passée (voir **Histoire*), et la servante de ferme se donne tant qu'elle oublie une enfant qui se noie. Les conséquences du désir sont extrêmes, comme le travail qu'il impose au texte même. Un lapin mort, écorché, côtoie la description d'un corps nu en partie couvert d'un drap, ou telle scène se reflète dans l'exploration par une coccinelle de « minuscules corolles ». Et ainsi, l'écriture et la lecture s'inscrivent au cœur du récit comme de pures activités désirantes. Le lecteur reconnaît en ces enfants voyeurs qui scrutent l'obscurité à travers une affiche lacérée, métaphore du texte, des doubles de lui-même, comme les mouvements de caméra et les interventions du metteur en scène montrent du doigt un créateur qui dispose à son gré du corps de ses acteurs.

Ou plutôt de ses actants. Des personnages anonymes, dont les corps sont décrits avec une précision quasi chirurgicale, dans des lieux anonymes, des décors stéréotypés dont il se dégage « une sensation de vacuité, d'anonymat, de désolation », sont livrés à des gestes rituels qui unissent intimement l'homme au cosmique et le rapprochent des insectes la nuit, « appelant sans trêve à d'aveugles, impérieux et éphémères accouplements ». Les constantes mises en abyme – chaque fiction est un film projeté, ou une affiche contemplée dans le lieu d'une autre fiction – condamnent le roman à ne pas être une suite de romans d'amour : toujours dénoncées comme systèmes de signes (codes du cinéma, de la peinture), les fictions n'ont pas de prétention réaliste. Tel ce clown, qui fait rire le public, mais que le texte décrit comme un être solitaire et tragique, le roman se construit sur les ruines d'un roman mort. Mises bout à bout, les pièces – images collectionnées par les enfants, puzzle – ne constituent que des parcelles d'une totalité refusée et d'une temporalité impossible, comme si le désir, à jamais, ne pouvait étreindre son objet qu'en d'éphémères instants. Ne faudrait-il pas alors casser le film, « comme si tout à coup la vie se retirait d'eux, le temps cessant de s'écouler, l'image qui ne constituait qu'une phase passagère, accédant tout à coup à une dimension solennelle, définitive » ?

D. ALEXANDRE

TRISTAN. Roman en vers de **Béroul** (seconde moitié du XIIᵉ siècle), composé vers 1180 et dont subsiste un fragment de 4 485 vers que conserve un seul manuscrit, mutilé au début et à la fin, et souvent fautif.

Le narrateur de ce fragment, Béroul, se nomme aux vers 1 268 et 1 790 en prônant la qualité de son récit. Récit que recoupe jusqu'au vers 3 027 le texte d'Eilhart d'Oberg, une adaptation en moyen haut allemand composée vers 1170-1190, seule version complète conservée pour le XIIᵉ siècle, et qui reprend ce qu'on a appelé la version « commune », par rapport à la version remaniée (parfois dite « courtoise ») que propose le *Tristan de Thomas et les textes qui en dérivent (voir article suivant). La trame, sinon le détail, a dû en être élaborée dès 1150 mais il est difficile de dater strictement le texte de Béroul, qui pourrait être issu de la jonction maladroite de deux fragments.

Le premier épisode, mutilé, conte le rendez-vous sous un pin, de Tristan et d'Iseut, épouse du roi Marc. Conscients de la présence de Marc, caché dans l'arbre, les amants tiennent un discours truqué par lequel le héros regagne un temps la confiance du roi et peut revoir librement la reine. Mais, poussé par trois barons qui haïssent Tristan, et aidé par le nain Frocin(e), Marc prend en flagrant délit les amants (épisode de la fleur de farine) et le condamne à mort. Tristan parvient à échapper à ses gardes (épisode du saut de Tristan), tandis qu'Iseut, malgré les lamentations du peuple de Cornouailles et l'intervention rigoureusement argumentée de Dinas le sénéchal, est conduite au bûcher. Secondé par son fidèle écuyer, Gouvernal, Tristan libère la reine au moment où elle allait être livrée au chef d'une horrible troupe de lépreux, et tous trois s'enfuient dans la forêt du Morois. Ils survivent grâce aux talents de chasseur de Tristan et au dévouement de Gouvernal. Le chien Husdent les rejoint et le héros le dresse à chasser à la muette. Traqués, affaiblis, peu à peu démunis de tout, les amants refusent cependant de se repentir comme les y exhorte l'ermite Ogrin. Malgré l'« aspre vie » qui est la leur, ils goûtent dans le Morois un bon-

heur intense. Gouvernal tue sauvagement l'un des trois barons. La vision de l'épée nue que Tristan a placée par hasard entre leurs corps, un jour où il s'est endormi auprès d'Iseut dans leur hutte de feuillage, désarme le bras de Marc lorsqu'il surprend les dormeurs. Mais le couple vit désormais dans la terreur (songe d'Iseut). Au bout de trois ans cependant, le pouvoir du philtre cesse, ou s'affaiblit. Prenant conscience, dans deux monologues parallèles, de leur dénuement, de leur faute vis-à-vis de Marc, de leur responsabilité à l'égard de la société, les amants retournent auprès de l'ermite qui s'entremet pour réconcilier Iseut et le roi. Marc accepte de reprendre la reine mais Tristan doit s'exiler. De fait, s'il rend bien la reine à son époux devant une assistance en liesse, Tristan, à la demande d'Iseut, se réfugie dans la forêt, et le fidèle Périnis sert de messager entre la reine et lui. Les trois barons cependant – l'incohérence est dans le récit –, dont l'hostilité n'a pas désarmé, obligent Marc à soumettre la reine à un serment purgatoire [ou « escondit »]. Après avoir demandé l'aide et la présence d'Arthur et de ses chevaliers et tandis que Tristan se déguise en lépreux, Iseut dispose la mise en scène de la traversée du Mal Pas, jurant ensuite qu'aucun homme n'est entré entre ses cuisses sauf le roi Marc... et le lépreux qu'elle vient de chevaucher. Rejetant le masque du lépreux pour celui du chevalier aux armes noires, Tristan se débarrasse, dans le tournoi qui suit, de quelques-uns de ses ennemis. La suite du fragment semble confirmer le triomphe des amants sur le clan des barons : Tristan met à mort l'un d'eux, transperce un autre d'une flèche dans l'œil – là s'arrête net le récit –, et goûte de nouveau dans la chambre de la reine aux plaisirs de l'amour.

Le récit de Béroul fait plusieurs allusions à des épisodes antérieurs de la légende : mort du Morholt, blessure du héros, quête d'Iseut, scène du philtre, etc. Lorsqu'il s'achève, rien n'annonce cependant la suite ordinaire du récit, la séparation du couple, le mariage de Tristan, la mort des amants, telle que la content Eilhart et Thomas. Riche d'événements, il se présente plutôt, dans la partie qui subsiste, comme une succession de séquences narratives que cadrent les interventions d'un narrateur habile à susciter la sympathie du public pour les amants, à orienter son écoute de l'œuvre, à lui suggérer, sur le mode obsédant de l'irréel, tous les possibles qui pourraient entraver ou modifier le déroulement de l'histoire, mais qui n'adviendront pas. En écho, la prouesse de Tristan, le vainqueur du Morholt puis du redoutable « serpent cresté », reste elle aussi évoquée, rejetée dans le passé. Jamais le héros n'obtient, par exemple, de livrer un duel judiciaire au nom d'Iseut et de prouver ainsi aux yeux du monde l'innocence de leurs relations. Le personnage que nous suivons s'impose bien davantage par ses capacités sportives que proprement guerrières, son aptitude à survivre dans un milieu hostile, à chasser, à inventer un arc merveilleux, « l'arc qui ne faut », à dresser un chien, et qui, à la fin du récit, ne joutera que masqué de noir. Même effet de contre-emploi pour le personnage d'Iseut, qui apparaît bien souvent humiliée, prisonnière, réduite à une vie misérable, toujours sur le qui-vive, et dont les seules armes restent les ruses du langage : échange truqué du rendez-vous épié, paroles à double sens (obscène ?) sur le compte du pseudo-lépreux (Tristan), serment purgatoire faussé dans son esprit sinon dans la précision crue de sa lettre, paroles véritablement meurtrières, dictant à Tristan, au finale du récit, l'aveuglement mortel du voyeur.

En dépit des protestations du narrateur, ce récit sauvage, le plus souvent déroulé dans la forêt de « l'aspre vie » ou dans des chambres tachées de sang, ne semble guère influencé par une vision courtoise de l'amour. Sans jamais condamner les amants – le philtre alibi les prive durant trois ans au moins de leur libre arbitre et les rend innocents devant Dieu comme devant le lecteur –, Béroul montre le scandale que constitue dans la société féodale le désir amoureux et l'impossibilité d'intégrer la passion aux normes du monde. Ni les trois barons, incarnation toujours renaissante de l'ordre social, ni l'ermite, représentant d'un ordre religieux plus enclin aux indispensables accommodements, ne peuvent en admettre l'existence. En tant que roi et garant de l'ordre féodal sinon de l'ordre moral, Marc lui-même, qui balance sans cesse entre haine et amour, entre fureur et tendresse, se doit, se devrait d'agir et de mettre à mort son neveu. Il n'est guère que le monde d'Arthur, le monde autre de la fiction, qui puisse venir, le temps du serment purgatoire, cautionner la passion et la parer, bien fugitivement, des couleurs courtoises. Mais les amants eux-mêmes, qui ne parviennent jamais, même après l'affaiblissement du philtre, à se séparer, rejettent leur amour et lui dénient toute valeur. Au cri d'Iseut devant l'ermite – il ne m'aime pas, je ne l'aime pas, notre seul lien est la boisson que nous avons partagée – font écho, au Mal Pas, les paroles de Tristan assimilant le désir amoureux à l'horrible brûlure de la lèpre.

● Champion, 4e éd., 1970 (p.p. E. Muret, revu par L.-M. Defourques) ; Oxford, Blackwell, 2 vol., 1939-1970 (p.p. A. Ewert) ; « Classiques Garnier », 1980 (bilingue, p.p. J.-C. Payen) ; « Le Livre de Poche/Lettres gothiques », 1989 (bilingue, prés. et trad. D. Lacroix et Ph. Walter). Traduction : Champion, 1974 (trad. P. Jonin) ; Gand, Story-Scientia, 1974 (trad. H. Braet).

E. BAUMGARTNER

TRISTAN. Roman en vers de **Thomas** [d'Angleterre] (seconde moitié du XIIe siècle), composé vers 1172-1175 et dont subsistent huit fragments de longueurs diverses. Ils ne content que la dernière partie de l'histoire, depuis l'exil de Tristan en Bretagne française jusqu'à la mort des amants.

Thomas connaissait la version traditionnelle, dite « commune », de la légende, représentée par Béroul (voir article précédent) et par Eilhart d'Oberg. Mais il l'a remodelée d'une manière concertée pour la rendre plus courtoise, plus vraisemblable, et en accentuer la cohérence. Il a surtout subordonné la trame narrative, du moins dans les fragments conservés, à l'analyse détaillée des comportements et du sentiment amoureux, faisant de son récit « l'escrit » où tous les amants pourront se retrouver et éviter peut-être les peines et les « engins » [pièges] de la passion.

Les fragments conservés débutent (fragment de Cambridge, 53 vers) par le départ de Tristan, surpris par Marc dans le verger avec la reine Iseut la Blonde, qui lui remet un anneau. Le fragment Sneyd 1 (889 vers) est d'abord consacré au long monologue de Tristan qui tente de se convaincre qu'il doit épouser Iseut aux Blanches Mains, puis aux commentaires du narrateur. Le mariage lui-même est très rapidement conclu. La chute fortuite de l'anneau au soir des noces impose de nouveau au cœur de l'amant l'image de la reine ; au terme d'un autre monologue, Tristan décide alors de ne pas consommer son mariage, déclarant à sa femme qu'il souffre d'une ancienne blessure. En Cornouailles cependant, la reine, persuadée que Tristan est encore en Espagne, là où il a mis à mort le géant aux barbes, joue sur sa harpe un lai lorsque Cariado, un prétendant éconduit, vient lui apprendre le mariage de son amant. Le fragment de Turin (257 vers) donne la fin de l'épisode de la « salle aux images », prétexte à un nouveau commentaire du narrateur. Iseut aux Blanches Mains révèle à son frère (épisode de l'« eau aventureuse ») qu'elle est toujours vierge. Le très bref fragment de Strasbourg (68 vers) est le seul témoin de l'épisode du cortège de la reine, qui se déroule lors d'un retour mouvementé de Tristan et de Kahedin en Cornouailles. Le fragment Douce (1 817 vers), relayé par le fragment de Turin, s'ouvre sur une querelle entre Iseut et Brangain, dépitée d'avoir été donnée à Kahedin et qui condamne très violemment l'inconduite de la reine. Brangain interdit à celle-ci de revoir Tristan, qui s'est déguisé en lépreux pour tenter de l'approcher. Le portier du château royal le retrouve presque mort de froid. Brangain se laisse fléchir et les deux amants passent une nuit ensemble. Peu après, et alors que grandit la jalousie d'Iseut aux Blanches Mains, Tristan, déguisé en pénitent, revient une seconde fois auprès de la reine en compagnie de Kahedin, qui tue Cariado. Intervention du narrateur, prônant la supériorité de sa version de l'histoire. En Bretagne, Tristan, atteint d'une blessure empoisonnée en secourant Tristan le Nain, est sur le point de mourir. Il demande à Kahedin d'aller chercher la reine, mais Iseut aux Blanches Mains surprend la conversation et décide de se venger. Kahedin gagne Londres, déguisé en marchand et porteur de l'anneau jadis donné par la reine. Il repart avec celle-ci, mais la tempête puis le calme plat empêchent Iseut d'arriver à temps. Tristan meurt autant de sa blessure que de douleur et de désespoir en apprenant par sa femme que la voile est noire, qu'Iseut ne viendra plus. Enfin parvenue dans la cité où tous regrettent le héros, Iseut la Blonde

dit une dernière fois son amour et son désir de mourir puis (fragment Sneyd 2, 57 vers) se couche auprès du corps de son amant et expire. Thomas dédie à tous les amants ce récit qu'il a voulu exemplaire tant par sa beauté formelle et par sa « verur » [vérité] que par le « réconfort » qu'il peut leur apporter.

Vu l'état très fragmentaire du texte conservé – Joseph Bédier a tenté d'en donner une reconstitution d'ensemble – il faut, pour mesurer le travail de réécriture et son projet, recourir à la saga norroise, traduction abrégée du texte de Thomas, rédigée vers 1226, mais qui respecte la trame du texte source, ou à la version beaucoup plus élaborée de Gottfried de Strasbourg, qui suit elle aussi Thomas, mais s'arrête à peu près là où commencent les fragments conservés... Par rapport à la version « commune », Thomas a repensé la chronologie : Arthur appartient à un passé déjà mythique, Marc règne sur toute l'Angleterre, et sa résidence principale est Londres, une Londres « moderne », dont l'écrivain fait un vibrant éloge. Tout au long du récit, les épisodes trop chargés de merveilleux ont été réécrits et le dénouement est lui aussi remodelé au nom de la vraisemblance, comme le souligne Thomas : Tristan est mortellement blessé pour avoir aidé un autre amant (son double ?), Tristan le Nain, et non pour avoir secouru son beau-frère Kahedin, banale victime d'un mari jaloux. L'atmosphère courtoise est particulièrement sensible dans l'épisode de la « salle aux images » qui montre en Tristan non seulement le chevalier et l'amant, mais l'artiste (le lai du « Chèvrefeuille », de Marie de France [voir *Lais*] le montre aussi en poète et en musicien) capable de maîtriser un espace barbare (la grotte d'un géant), d'y créer, dans la perfection de la beauté, des statues parfaitement ressemblantes aux acteurs du drame et devant lesquelles il peut revivre son histoire et son amour.

Thomas aime les dissonances et les contrastes. L'harmonie du cortège de la reine s'oppose à la crudité de la dispute entre Iseut et Brangain. Au récit mythique du combat de Tristan et du géant aux barbes succède la scène intime qui montre Iseut jouant sur sa harpe le lai de Guiron (le héros de la légende du « cœur mangé »). Les descriptions réalistes d'un Tristan mort de froid, d'une ville bruissante d'activités marchandes, d'une tempête suivie d'un calme plat, s'opposent au lamento lyrique d'Iseut prisonnière de la mer ou aux plaintes de Tristan revivant son amour devant Kahedin, puis mourant de son attente vaine. Dans les fragments conservés, et notamment dans le long fragment du mariage, dominent les monologues du héros et les longs commentaires qu'en fait le narrateur. Impitoyable, le questionnement sur l'amour [le « desir »], sur le plaisir [le « voleir »] et leur relation ambiguë, utilise toutes les figures de la rhétorique : jeux sur les mots, anaphores, fausses interrogations, syllogismes hâtifs, symétries douteuses, etc. Le vocabulaire peut sembler imprécis : « desir » et « voleir » échangent parfois leur sens. Mais l'essentiel est dans l'importance donnée à la délibération du héros avec lui-même, qui seule détermine (avec la chute symbolique de l'anneau donné par la reine) sa conduite et son choix difficile : refuser la jouissance au plus près du corps d'Iseut aux Blanches Mains. Le questionnement sur l'amour n'est pas une invention de Thomas. Il est peu auparavant développé dans le *Roman d'Énéas*, l'un des modèles littéraires de Thomas, ou dans le *Roman de Troie* de Benoît de Sainte-Maure. Mais chez Thomas, la méditation du héros sur son désir interroge aussi le désir de l'autre, s'imagine jalousement à sa place, pour savoir ce qu'éprouvent aussi bien la reine que Marc dans leur relation contrainte d'époux, lorsque se dissocient amour et plaisir. Tentative et tentation que le clerc à son tour analyse en moraliste, s'émerveillant tristement devant la nature inquiète de l'homme, devant son perpétuel désir de « change », de nouveauté, son illicite curiosité, et déplorant aussi bien l'« estrange amur » de ses héros que les peines qu'ils endurent.

« Amur » [amour] dans les fragments de Thomas, rime parfois avec « tendrur » [tendresse], plus souvent avec « dolur » et « langur » [douleur et langueur], et mort lui fait écho. Le motif obsédant de la blessure empoisonnée, trace concrète de la blessure d'amour, d'une blessure qui grève aussi bien la prouesse sexuelle qu'elle compromet la prouesse héroïque, traverse un récit qui s'achève sur la vision désespérée de Tristan s'abandonnant à la mort, d'Iseut accomplissant cette merveille, mourir d'amour, des deux corps séparés jusque dans un au-delà vide de toute présence divine. Plein de compassion pour les amants, Thomas semble cependant opposer à l'amour destructeur, que symbolise chez lui le philtre – « par le philtre, nous avons bu notre mort », dit Tristan – l'amour « fine et veraie », pure dilection des âmes, qu'ont sans doute vécu les héros lors du premier séjour de Tristan en Irlande, avant d'avoir partagé la boisson mortelle. Et c'est ce temps d'avant la faute qu'évoque avec nostalgie Tristan devant Kahedin : « Dites-lui qu'elle se souvienne de l'amour parfait et sincère que nous vécûmes lorsque, jadis, elle guérit ma blessure... »

Le récit de Thomas est le modèle que s'est choisi Gottfried de Strasbourg pour composer en moyen haut allemand, vers 1200-1210, sa version de la légende. Version inachevée, en dépit de ses 19 552 vers, et qui est sans doute la plus passionnée et la plus méditée des réécritures du *Tristan*. Thomas a également influencé un récit en moyen anglais, *Sir Tristrem* (vers 1300) ou certains chapitres de la *Tavola Ritonda* italienne (début du XIVe siècle). Mais ce récit trop peu chargé d'événements semble avoir rapidement dérouté le public médiéval par sa vision si pessimiste de la passion. Et l'on peut juger des résistances et des refus qu'il a suscités en suivant les efforts qu'a faits au XIIIe siècle l'auteur du *Tristan en prose* pour remodeler à l'image de Lancelot, le parfait amant, le parfait chevalier, un héros marqué, dès sa naissance, du sceau de la tristesse et de la mort.

Les fragments du récit de Thomas ont été publiés en 1839, et pour la première fois, par Francisque Michel. Le lien reste cependant précaire entre cette publication et la résurgence du mythe de Tristan et Iseut, qui s'impose en Allemagne avec l'opéra de Wagner, créé en 1865 – mais le musicien connaît essentiellement Gottfried de Strasbourg – et en France avec le récit de Joseph Bédier, *le Roman de Tristan et Iseut*, paru en 1900, admirablement préfacé par Gaston Paris, et qui, reconstitué à partir de l'ensemble des témoins français et étrangers, a popularisé de la légende médiévale une version littérairement très « datée ». Mais le mythe de Tristan et Iseut, qu'a repris au XXe siècle le cinéma moderne et contemporain, de *l'Éternel Retour* de Jean Cocteau à *la Femme d'à côté* de François Truffaut, l'alliance archétypale de l'amour et de la mort qui le fonde et qu'a jadis étudiée Denis de Rougemont dans *l'*Amour et l'Occident* (1939), s'est autant cristallisé à partir de textes précis que par les nombreuses représentations picturales et par le réseau dense des allusions et des références à un héros qui est très tôt devenu, et déjà dans la lyrique occitane du milieu du XIIe siècle, la grande figure « moderne » de la passion d'amour.

● Genève, Droz, 1960 (p.p. B. Wind) ; « Classiques Garnier », 1980 (bilingue, p.p. et trad. J.-C. Payen) ; Munich, Fink, 1985 (p.p. G. Bonath) ; « Le Livre de Poche/Lettres gothiques », 1989 (bilingue, prés. et trad. D. Lacroix et P. Walter).

E. BAUMGARTNER

TRISTAN DE NANTEUIL. Voir AYE D'AVIGNON.

TRISTAN EN PROSE. Roman en prose commencé par **Luce del Gast**, selon le Prologue, achevé par **Hélie de Boron**, selon l'Épilogue (dans les deux cas il s'agit de pseudonymes), composé vers 1230-1235 et conservé par plus de 80 manuscrits et fragments ainsi que de nombreux imprimés de la fin du XVe et du XVIe siècle.

Le projet qui, selon le Prologue, sous-tend la conception de cet immense roman, est d'égaler Tristan et son histoire à celle des deux plus grands chevaliers du monde arthurien : Lancelot et Galaad. Le mouvement d'ensemble du récit est ainsi de confronter, dans un premier temps, l'histoire de Tristan et d'Iseut, telle que la relatent les versions en vers, à celle du couple rival, Lancelot et Guenièvre, et d'aligner la carrière héroïque de Tristan sur celle de l'amant de Guenièvre, jusqu'au moment où le héros devient à son tour l'un des plus prestigieux chevaliers de la Table ronde.

L'ouverture du récit, qui s'ancre dans le temps de la Passion du Christ et de l'« invention » du Graal, est consacrée à l'histoire mouvementée des ancêtres communs de Marc et de Tristan, Sadoc et Chalinde, de leurs descendants, de leurs royaumes : la Cornouailles de Marc ; le Léonois, future patrie de Tristan.

Tristan, qui perd sa mère à sa naissance, est victime de la jalousie de sa marâtre et connaît, d'exil en exil, une enfance menacée. Réfugié à la cour de Marc, il y accomplit son premier exploit, la victoire sur le Morhout (ou Morholt). En Irlande, Iseut le guérit de la blessure empoisonnée. Peu après, au tournoi de la Lande, Palamède, un chevalier sarrasin, tombe amoureux de la jeune fille, ce qui excite aussitôt la jalousie de Tristan, qui était resté jusqu'alors insensible à la beauté d'Iseut. De retour en Cornouailles, le héros est bientôt en butte à la jalousie de Marc et de sa cour. Pour se débarrasser de celui qu'il ne cessera de considérer comme un rival aux armes et en amour, Marc l'envoie à la mort/en quête d'Iseut. Tristan pourtant obtient la main de la princesse pour le roi Marc, mais, sur le bateau, les jeunes gens boivent par mégarde le philtre et deviennent tout aussitôt amants. Le récit se fonde alors pour l'essentiel sur des épisodes repris ou imités des versions en vers. Les brefs moments de bonheur, comme le séjour dans le Morois, sont interrompus par les guet-apens, les emprisonnements, les séparations puis l'exil du héros en Petite-Bretagne et son mariage avec Iseut aux Blanches Mains. Bientôt Tristan, accompagné de Kahedin, tente un premier retour en Cornouailles. Mais, persuadé à tort qu'Iseut lui préfère Kahedin, il fuit dans le Morois où il sombre dans la folie. Le récit s'intéresse alors aux aventures de chevaliers arthuriens, de Lancelot par exemple, mais aussi d'un nouveau venu, Brunor, et les entrelace à la passion et à la mort d'amour de Kahedin, puis à la folie du héros qui, une fois guéri par Iseut, doit s'exiler au royaume de Logres.

Dans l'espace arthurien, accompagné d'un nouveau compagnon, Dinadan, Tristan, le « chevalier cornouaillais », et comme tel déprécié, impose peu à peu, de joute en joute, de tournoi en tournoi, l'évidence de sa valeur. Sa réputation devient telle que Marc, craignant qu'il ne lui prenne sa femme et son royaume, se rend en Logres pour le tuer. Mais, démasqué par Arthur et sa cour, il est obligé de revenir en Cornouailles avec son neveu, qu'il emprisonne peu après à deux reprises. Enfin délivré par Perceval, Tristan retourne en Logres, cette fois en enlevant Iseut. Les amants séjournent au château de la Joyeuse Garde que leur prête Lancelot. Ils y vivent un bonheur intense et participent au tournoi de Louvezerp, dont Tristan, au faîte de sa gloire, remporte le prix. Mais la quête du Graal est entreprise. Tristan s'y engage, pour son malheur. Sachant le royaume d'Arthur affaibli par la quête, Marc l'envahit et enlève Iseut. Tristan retourne en Cornouailles pour la rejoindre. Alors qu'il joue sur la harpe un lai dans la chambre de la reine, Marc le blesse mortellement d'une lance empoisonnée que lui a donnée la fée Morgain. Tristan meurt en étouffant Iseut dans ses bras. Marc ordonne d'enterrer ensemble les amants tandis que l'écu et l'épée du héros sont portés à la cour d'Arthur, qui pleure sa mort. Peu après, Bohort vient annoncer la fin de la quête du Graal.

Ce résumé, centré sur l'histoire des amants, ne rend guère compte de la caractéristique essentielle du *Tristan en prose* : la progressive dilution de l'histoire d'amour, donnée empruntée aux versions en vers, dans le foisonnement des aventures chevaleresques qui mobilisent tous les personnages arthuriens ou presque, tous les motifs narratifs et les situations déjà exploités dans le pré-texte arthurien en vers ou en prose. Mais ce phénomène de reprises, d'échos et de concordances accompagne ou suscite un changement de ton. Le caractère répétitif des aventures invite le lecteur guidé par cet habile discoureur qu'est Dinadan, à réfléchir sur le bien-fondé des pratiques chevaleresques, sur l'absurdité de la quête et le sens de la prouesse. La multiplication des amoureux d'Iseut, certains, comme Palamède, étant aussi preux que Tristan, donc aussi « aimables », incite à s'interroger sur la relation hasardeuse de la prouesse et de l'amour. À l'intérieur du texte lui-même, l'aventure, héroïque ou sentimentale, devient le lieu d'un commentaire, d'une évaluation, et le dialogue, le « parlement » en forme de débat, souvent teinté de bonne humeur, plus souvent d'ironie critique, double, voire supplante la joute chevaleresque.

C'est sans doute aux versions en vers de la légende, au « Chèvrefeuille » par exemple (voir *Lais de Marie de France), que le prosateur a repris la figure d'un chevalier amant qui serait aussi poète et musicien. Dans le texte en prose, Tristan devient en effet le plus grand poète et le « maître chanteur » de l'univers arthurien. Plusieurs lais sont composés puis interprétés sous les yeux du lecteur (un manuscrit au moins en donne les mélodies) par le héros qu'imitent bientôt Iseut, puis Kahedin et Palamède et d'autres encore. Pauses de plus en plus attendues dans le déroulement de l'aventure, les lais lyriques, les lettres ou les monologues au bord des fontaines réinsèrent ainsi la dimension érotique dans un récit où l'on parle beaucoup d'amour à défaut de le faire. Mais l'insertion de poèmes est aussi sans doute manière de réintégrer dans la prose la forme marquée du vers, de la strophe lyrique, de reprendre à la musique son bien, et de ne rien laisser échapper de l'héritage littéraire. À l'image d'un roman très plastique qui, du XIIIᵉ au XVᵉ siècle, s'approprie des pans entiers du texte rival, le *Lancelot-Graal*, qui entrelace la *Quête du saint Graal* à son propre texte pour en donner une version plus chevaleresque que mystique, qui s'achève parfois sur la relation de la *Mort le roi Artu*, ou poursuit l'histoire, dans un seul manuscrit, jusqu'aux ultimes aventures de Dinadan et de Marc, dans un au-delà du règne arthurien.

Quelques manuscrits du *Tristan en prose*, au XVᵉ siècle, s'ornent de splendides représentations de la Table ronde où siègent Galaad, Arthur, Lancelot, etc., mais aussi Tristan. L'image rayonnante du cercle de la Table ronde, de la couronne (que reprend l'Épilogue d'Hélie de Boron), donne une juste illustration d'un récit qui, à partir de son héros originel, Tristan, le parfait chevalier, le parfait amant, le parfait poète, semble avoir voulu décliner tous les modes de l'écriture romanesque et explorer toutes les voies de l'aventure, afin de rassembler et d'ordonner dans l'espace du manuscrit toutes les ressources de la « matière de Bretagne ».

● Cambridge, Brewer, 3 vol., 1963 (éd. du début du roman, p.p. R.L. Curtis) ; Klincksieck, 1976 (*les Deux Captivités de Tristan*, p.p. J. Blanchard) ; Genève, Droz, 6 vol. parus, 1987 → (p. sous la dir. de Ph. Ménard, avec M.-L. Chênerie, Th. Delcourt, G. Roussineau, D. Lalande, J.-C. Faucon, E. Baumgartner, M. Szkilnik).

E. BAUMGARTNER

TRISTES TROPIQUES. Ouvrage de Claude **Lévi-Strauss** (né en 1908), publié à Paris chez Plon en 1955.

Lorsque paraît *Tristes Tropiques*, Lévi-Strauss, philosophe de formation passé à l'ethnologie, a publié, outre des articles, une monographie sur les Indiens Nambikwara (1948), son ouvrage fondamental, *les Structures élémentaires de la parenté* (1949), où il inaugure sa méthode d'analyse structurale des sociétés et un texte bref mais capital, *Race et Histoire* (1952), écrit pour l'UNESCO, dans lequel toute notion d'une hiérarchie des civilisations ou des cultures est magistralement réfutée. Édité dans une collection destinée au grand public, *Tristes Tropiques* va faire connaître largement non seulement le penseur, figure de proue du structuralisme, mais encore l'homme, puisqu'il s'agit de l'unique ouvrage autobiographique d'un auteur *a priori* peu enclin à la confidence personnelle.

Répudiant le récit linéaire strictement chronologique, le livre de Claude Lévi-Strauss se distribue en trois moments dont le premier est placé sous le signe du départ (parties I-III) ; l'auteur y analyse la naissance de sa vocation d'ethnologue, expose les préparatifs administratifs et matériels des expéditions et raconte ses voyages maritimes vers le Brésil où se situent les recherches de terrain qu'il effectua au début de sa carrière. En particulier, il fait un récit détaillé et cocasse des péripéties de la traversée sur le fameux bateau qui le mena en 1941 de Marseille à la Martinique en compagnie d'illustres représentants du surréalisme (Breton et Wifredo Lam notamment).

Le deuxième moment est consacré aux études sur le terrain que Lévi-Strauss entreprit au Brésil à partir de 1935 (IV-VIII) chez les Indiens Caduveo, Bororo, Nambikwara et Tupi-Kawahib. C'est l'occasion, pour l'auteur, de présenter une initiation limpide à sa méthode d'analyse structurale : son décryptage du complexe système social des Bororo, à partir de l'agencement traditionnel du plan des villages de cette ethnie, est un modèle exemplaire de repérage de structures invariantes et intelligibles, qu'on retrouve à plusieurs niveaux (rapports de parenté, mythologie, codes de sociabilité), au sein d'ensembles à première vue infiniment diversifiés et incohérents.

Enfin le troisième moment, intitulé « le Retour » (IX), serait plutôt un détour : des séjours à Taxila (Pakistan), haut lieu de l'archéologie bouddhique, aujourd'hui islamisé, à Calcutta, où le déni d'humanisme de la civilisation indienne l'effraie, et dans un village birman, donc bouddhiste, déclenchent une méditation, unique dans l'œuvre de Lévi-Strauss, sur l'*ethos* des civilisations. Bouddhisme, hindouisme et islam, Orient et Occident (l'islam, une des trois religions du Livre, faisant partie de l'aire occidentale) sont confrontés dans une perspective où l'harmonie de l'intégration de l'homme au cosmos et dans ses rapports avec ses semblables sont les critères décisifs : Lévi-Strauss s'interdit ce type de vue synoptique dans ses ouvrages scientifiques et on peut considérer ces pages lumineuses comme une confidence plus précieuse que toute anecdote autobiographique, d'autant qu'il n'y cache pas une véritable fascination pour les sociétés induites par le bouddhisme.

Le titre même du livre, sa célèbre phrase initiale (« Je hais les voyages et les explorateurs »), les pages consacrées aux paysages désolants du Chaco brésilien et à la vie difficile de ses habitants congédient tout exotisme euphorique, facile et convenu dont une certaine tradition française a abusé. Ici point de syndrome paradisiaque devant le « bon sauvage ». Ce livre, atypique dans l'œuvre de son auteur, est inclassable, irréductible à toute formule. Récit de voyages, autobiographie à la fois anecdotique et intellectuelle, essai de légitimation, autant éthique qu'épistémologique, d'une carrière d'ethnologue, méditation sur les rapports entre l'Occident et les civilisations autres, exposé non systématique d'une méthodologie structuraliste qui, appliquée à tous les domaines de la culture, connaîtra la fortune que l'on sait : *Tristes Tropiques* est tout cela et aussi un de ces livres rarissimes dont la lecture peut « changer la vie ».

Mircea Eliade considérait cet ouvrage comme l'« œuvre majeure » de Lévi-Strauss. En effet, cet homme, d'un abord austère et réservé, n'écrira jamais des pages plus abandonnées, telles celles sur l'érotisme des peintures corporelles des Caduveo, telle la réflexion finale née de la confrontation de l'islam, de l'hindouisme et du bouddhisme, exemple de problématique que les ethnologues manient généralement avec des pincettes au nom de la rigueur scientifique : oser démontrer que le croyant islamique se sent mis en question, et par conséquent supporte mal l'existence même du non-musulman, avancer que le bouddhiste ne peut pas être perturbé par la présence du dévot d'une autre religion ou d'une autre idéologie, puisque la possibilité de la différence est, dès le départ, intégrée à son système de pensée ; crier son exaspération devant la société hindoue qui refuse le contact, « ces rapports abjects où les humbles vous font chose en se voulant chose, et réciproquement. ».

Tristes Tropiques a été abondamment commenté par les spécialistes de la philosophie et de l'anthropologie, mais la critique s'est peu penchée sur les qualités exceptionnelles de l'écriture de ce livre. Le fait est significatif : comme si les purs littéraires répugnaient sinon à reconnaître, du moins à analyser l'originalité, le génie propre ou la maîtrise d'une écriture lorsqu'elle est le fait de praticiens de la philosophie ou des sciences humaines (ainsi, dans des genres très différents, de Focillon, Grousset, Dumézil, Duby, Jankélévitch, etc.). En tout cas, paru au moment où l'existentialisme tenait le haut du pavé, ce texte est l'œuvre d'un homme qui, malgré un certain pessimisme, ne connait pas la nausée sartrienne et ne se sent pas « de trop » dans le monde : cela explique peut-être la ferveur qu'il a suscitée.

P. DROUILLARD

● « Presses-Pocket », 1984.

TROADE (la). Tragédie en cinq actes et en vers, avec chœur, de Robert **Garnier** (1545-1590), publiée à Paris chez Mamert Patisson en 1579.

La flotte grecque, sur le point de quitter les rivages troyens, achève le sac de la ville. Cassandre est arrachée à sa mère Hécube et donnée comme concubine à Agamemnon : elle annonce qu'elle vengera le sang de la maison de Priam (Acte I). Andromaque doit abandonner Astyanax aux Grecs, qui veulent faire périr avec lui la race d'Hector (Acte II). Enfin, l'ombre d'Achille réclame le sang de Polyxène, fille d'Hécube jusqu'ici épargnée (Acte III). L'enfant et la jeune fille sont sacrifiés sur l'ordre du devin Calchas. Mais voici que survient un nouveau malheur : on a trouvé le corps de Polydore, dernier rejeton de Priam, tué par Polymestor à qui il avait été confié dans l'attente de jours meilleurs (Acte IV). Pour venger ce dernier coup du sort, Hécube tue les enfants du parjure et crève les yeux de ce dernier (Acte V).

En ces temps de guerres civiles, Garnier déclare avoir voulu peindre les « malheurs lamentables des Princes, avec les saccagemens des peuples » afin de consoler la France en ses « domestiques encombres ». Certes, le crépuscule de la maison troyenne dont le dramaturge a puisé la matière chez Sénèque et Euripide, voit s'amonceler les catastrophes, et il est difficile d'imaginer plus grande douleur que celle d'Hécube qui se déclare : « Également féconde en tristes funérailles, / Et en fils valeureux portez en mes entrailles. »

Le chant de souffrance de la veuve de Priam qui aura vu périr les uns après les autres ses nombreux enfants s'élève dès l'ouverture, comme si l'élégie devait faire la seule matière de la tragédie. Si la plainte éveille chez le spectateur une nécessaire pitié, celui-ci ne tarde pas à éprouver la terreur elle aussi consubstantielle à l'action tragique : terreur devant le dilemme d'Andromaque que la ruse d'Ulysse oblige à mettre en balance les honneurs dus à son mari défunt et la vie de son enfant (II), terreur encore devant le sacrifice inhumain de Polyxène et devant la mort de l'innocent Astyanax (IV), terreur enfin quand le sang de la vengeance perpétrée par Hécube coule sur la scène.

La Troade affectionne les principes d'accumulation, de redondance : c'est ici le parti pris d'écriture tragique de Garnier. En effet, loin de s'affaiblir, la douleur s'enfle à être redite, et le dramaturge juge bon de l'épuiser en revenant sans relâche sur les mêmes catastrophes – comme si la seule succession des événements malheureux ne suffisait pas à briser les protagonistes. Dans ces redoublements lancinants bat le cœur de la mort, servante d'un destin aveugle qui broie la maison troyenne pour mieux préparer la chute des Atrides. Car les tombeaux ont soif du sang humain – celui d'Achille clame après la vie de la pure Polyxène, et la tragédie ne s'achève pas quand le rideau tombe : de ce point de vue, les cruautés d'Hécube contre Polymestor ne sont que les prémisses d'événements plus terribles annoncés dès l'acte I, par la froide Andromaque qui sacrifie sa vertu à la vengeance.

Là réside sans doute l'unité de *la Troade* au-delà d'une action touffue. Hécube, de malheur en malheur, chemine vers Cassandre : elle épouse comme elle cette cause de la vengeance qui l'« allaite d'espoir », et, comme elle, consent à devenir l'instrument du destin.

➤ *Œuvres complètes*, Les Belles Lettres, II ; *les Tragédies*, Slatkine.

M.-C. GOMEZ-GÉRAUD

TROIS ANS EN ASIE (1855-1858). Récit de voyage de Joseph Arthur, comte de **Gobineau** (1816-1882), publié à Paris chez Hachette et Cie en 1859.

En 1854, pendant la guerre de Crimée, la France décide de renouer des relations diplomatiques avec la Perse afin d'y contrecarrer l'influence russe. Gobineau, qui vient d'achever l'**Essai sur l'inégalité des races humaines*, est nommé premier secrétaire de la mission qui doit s'y rendre sous le commandement de P. Bourée. Ce hasard de carrière réalise un rêve : en Orient, il va découvrir le berceau de cette race aryenne dont il vient de célébrer la supériorité dans l'*Essai*. À l'instigation de sa femme, il rédigera au retour un mémoire de son voyage et de son séjour.

Première partie. Voyage maritime de Marseille au golfe Persique en passant par Malte, avec une longue halte en Égypte : Alexandrie, Le Caire, Suez (chap. 1-6). Arrivée en Perse : Bouschyr [Buchehr], Schyraz [Chiraz] (7-8). De Schyraz à Ispahan (9). D'Ispahan à Téhéran (10).
Seconde partie. La nation persane : histoire, composition de la population (1). La religion : diversité et désordre de l'islamisme persan (2). Les soufis sont plutôt des philosophes et n'entretiennent qu'un vague lien avec l'islam. La véritable religion persane : les nossayrys, « gens de la Vérité ». Les guèbres : leur déchéance (3). L'état des personnes : le roi (fragilité de son pouvoir), le ministre, les *mirza* (classe de gentilshommes), les marchands (leur probité), les ouvriers (adroits, ingénieux mais peu persévérants), les courtiers (métier le mieux adapté à l'esprit persan), les soldats (leur indiscipline), les rentiers, les pèlerins (4). En Perse, l'État n'existe pas, l'individu est tout. Anecdotes illustrant les caractères et les relations sociales (5). Rapports entre l'Europe et l'Asie. Il y a peu de chances que les civilisations asiatiques se régénèrent par elles-mêmes ; mais si elles tombent sous le joug des Européens, les conséquences seront aussi funestes pour les colonisateurs que pour les colonisés (6). Le retour (7).

Commencé en Méditerranée dans le calme d'une nuit étoilée, le voyage s'est poursuivi dans la neige ou sous la chaleur torride des montagnes d'Asie. Gobineau dut en outre compter avec les sautes d'humeur de sa femme et la santé de sa fille, Diane, qui faillit y laisser la vie. De ses soucis, *Trois Ans en Asie* donnent un faible écho ; on les trouvera plus nettement exposés, au prix d'une légère transposition, dans « la Vie de voyage », dernière des **Nouvelles asiatiques*. Pour l'essentiel, il n'est pas d'œuvre de Gobineau plus sereine que ce récit. La « canaille asiatique » lui paraît préférable à la « canaille européenne » : pour basse qu'elle puisse être, elle n'est jamais vulgaire (I, 5). Les paysages valent surtout par « ce que l'esprit peut y mettre » ; mais « puisque cette faculté n'a pas de bornes » (I, 1), la culture du voyageur imagine des civilisations enfouies derrière les ruines. Non que celles-ci offrent en elles-mêmes la moindre poésie : Gobineau les décrit avec consternation, comme il ferait des suites d'un tremblement de terre ; mais ces vestiges sont le point d'aboutissement d'une Histoire, dont il est nourri. L'impression touristique n'est en aucun cas l'objet du récit : le palais de Persépolis ayant été souvent décrit, Gobineau passe outre (I, 3).

Aussi bien *Trois Ans en Asie* valent-ils surtout par la seconde partie, ensemble de réflexions sur la société et la religion persanes, prolongées dans les **Religions et les Philosophies dans l'Asie centrale* et illustrées par des histoires dont Gobineau se souviendra quinze ans plus tard, quand il composera les *Nouvelles asiatiques*. « L'Asie est un mets très séduisant, mais qui empoisonne ceux qui le mangent » (II, 6), dit-il en conclusion d'un tableau empreint d'une vraie tendresse pour les Orientaux, même si celle-ci n'exclut pas la sévérité, et où on lirait volontiers une mise en garde contre les illusions du colonialisme. Le « Retour » (II, 7) s'achève sur l'image d'un enfant qui, ayant perdu la raison, cherche sans fin des cailloux sur le bord d'une rivière, symbole du « génie dominant de l'Asie », « dès l'aurore des âges, moins occupé de la vie positive et des choses matérielles que d'obéir à un élan qui le pousse d'une force merveilleuse vers l'inconnu ». Cet appel de l'inconnu, qui enchante dès la première page du récit de Gobineau, est le même qui poussait certains héros des *Mille et Une Nuits* à abandonner, par amour du voyage, « une position heureuse et tranquille » (II, 6). Sous une nuit étoilée qui porte sans doute la nostalgie de l'Orient, on trouvera ce même appel au début des *Pléiades*.

➤ *Œuvres*, « Pléiade », II (p.p. J. Gaulmier et V. Monteil).

P.-L. REY

TROIS AVEUGLES DE COMPIÈGNE (les). Fabliau en vers du XIIIᵉ siècle, attribué par le Prologue et l'Épilogue à un certain **Cortebarbe** (Cointebarbe selon un autre manuscrit) et conservé par trois manuscrits. Le nom de Cortebarbe désigne certainement un de ces « menestrels », jongleurs compositeurs de « dits » et de « contes », spécialistes des récits brefs évoqués dans le Prologue, affublé d'un sobriquet renvoyant à une particularité physique. À moins qu'il ne s'agisse que d'une fiction du texte, n'ayant pas plus de réalité que l'argent qui est au cœur du récit, fausse monnaie destinée à faire écho et jeu de mots avec le nom d'un des protagonistes du récit : « Barbeflorie ».

Décidé à jouer un tour à trois aveugles, un clerc feint de confier un besant à l'un d'eux. Chacun croyant que l'autre le détient, les trois aveugles font ripaille à crédit dans une auberge : le moment de régler venu, chacun accuse l'autre d'avoir l'argent. Ravi de la confusion, le clerc tire les aveugles d'affaire en faisant porter leur écot sur sa note qu'il demande à l'aubergiste de faire régler par le curé, son prétendu débiteur. Avant de s'esquiver, il demandera au prêtre d'exorciser la folie du tavernier dont la demande de remboursement sera prise pour un symptôme requérant l'aide musclée des paroissiens. Libéré, l'hôtelier regagnera sa demeure, honteux d'avoir été doublement berné.

De facture classique, ce fabliau de 334 vers possède un Prologue (v. 1-11) qui souligne la fonction de divertissement des fabliaux, destinés à faire oublier peines et tracas et à être entendus par un public aristocratique (ducs et comtes). La dimension orale initiale du genre s'y trouve aussi soulignée, le texte écrit n'ayant consigné qu'une actualisation en situation d'un récit composé antérieurement. Un Épilogue tire en trois vers une morale sommaire et ironique constatant qu'on a humilié maint homme à tort.

Les Trois Aveugles de Compiègne sont à classer dans la série des nombreux fabliaux rapportant des histoires de bons tours qui impliquent toujours, peu ou prou, une certaine complexité narrative. Le récit conjoint habilement deux épisodes réglés par le même metteur en scène spectateur (le clerc), dont la victime principale reste la même (l'aubergiste) mais dont les protagonistes, victimes secondaires elles aussi abusées mais moins gravement, varient (les aveugles, puis le curé). Le lien entre les épisodes est assuré par le report de la dette. La brièveté relative du texte dispense d'une caractérisation forte des acteurs ; chacun y est réduit à son état, mais les victimes partagent un même défaut bénin : la crédulité. Les oppositions fonctionnelles et idéologiques habituelles aux fabliaux structurent aussi le système des personnages. Le nanti, chevauchant un riche palefroi, s'oppose aux exclus pauvres, le représentant de l'ordre des *laboratores* (ceux qui travaillent) est victime des *oratores* (ceux qui prient, le clerc et le prêtre), ordre lui-même clivé par l'opposition des clercs et des prêtres (bien mise en valeur par « le povre clerc ») qui fournit sa dynamique au second épisode.

Comme souvent, la morale de ce fabliau est ambiguë ; elle est moins invite à ne pas tromper que mise en scène de la facilité de la tromperie. Les victimes ne sont victimes que d'elles-mêmes, et les aveugles apparaissent moins comme des créatures de Dieu à protéger que comme des goinfres amateurs de bons vins et de couches molles, se rapprochant des ivrognesses des *Trois Dames de Paris*. La leçon de ce texte est peut-être plus historique que morale ; le récit paraît jouer d'un nouvel ordre économique où l'argent a perdu sa réalité fiduciaire, devient un signe sans consistance dont la circulation accélérée permet de jouir sans avoir à solder sa dette. Cet ordre économique fait de l'argent une affaire d'écriture, comptable bien sûr, mais aussi littéraire. Le fabliau n'est-il pas le genre où l'on se paye le plus aisément de mots, où la mécanique du récit transforme tout en purs signes dont la circulation, accélérée par la brièveté, suscite le plaisir de l'auditeur ?

● Genève, Droz, 1979 (*Fabliaux français du Moyen Âge*, I, p.p. P. Ménard).

J.-C. HUCHET

TROIS CENT VINGT-CINQ MILLE FRANCS. Voir **325 000 FRANCS**, de R. Vailland [classé à la fin de la liste alphabétique].

TROIS CONTES. Recueil de trois récits de Gustave **Flaubert** (1821-1880), publié à Paris chez Charpentier en 1877. Il réunit « Un cœur simple », paru dans *le Moniteur universel* du 12 au 19 avril 1877, « la Légende de saint Julien l'Hospitalier », parue dans *le Bien public* du 19 au 22 avril 1877, et « Hérodias », paru dans la même revue et en même temps qu'« Un cœur simple ».

Flaubert entreprend la rédaction de ces textes alors qu'il travaille à son dernier grand roman, *Bouvard et Pécuchet*. L'écrivain, qui traverse une période matériellement difficile – en raison de la ruine familiale survenue en 1875 – et moralement dépressive, trouve dans l'inspiration des contes et dans la brièveté de leur forme un répit salutaire. Alors que l'œuvre flaubertienne s'élabore en général très lentement, les idées et les phrases viennent cette fois avec aisance et rapidité : chacun des textes est écrit en quelques mois, entre septembre 1875 – lorsque Flaubert commence « la Légende de saint Julien l'Hospitalier », dont l'idée première remonte à 1846 –, et février 1877 lorsqu'il termine « Hérodias ».

Un cœur simple. Félicité, qui a cinquante ans, est au service de Mme Aubain, une bourgeoise de Pont-l'Évêque (chap. 1). La servante est entrée dans cette famille à l'âge de dix-huit ans, après une cruelle déception amoureuse (2). Lorsque la fille de Mme Aubain, Virginie, part en pension, Félicité reporte son amour sur son neveu Victor, qui meurt quelque temps plus tard, ainsi que la jeune et fragile Virginie (3). Félicité voue alors une immense tendresse à Loulou, un perroquet dont on lui a fait cadeau, mais celui-ci meurt à son tour. La vieille servante a enfin la douleur de perdre Mme Aubain. Elle demeure seule pendant plusieurs années, coupée du monde par la surdité puis par la maladie. Lors de la Fête-Dieu, elle offre, pour orner le reposoir, sa plus précieuse richesse : Loulou empaillé, désormais pourri (4). Félicité agonise pendant que la procession parcourt la ville et, dans une ultime vision, le Saint-Esprit lui apparaît sous l'aspect d'un « perroquet gigantesque » (5).

La Légende de saint Julien l'Hospitalier. Deux mystérieuses prédictions accompagnent la naissance de Julien : il sera saint et empereur. L'enfant grandit et fait preuve d'une singulière cruauté. Lors d'une chasse, un cerf lui prédit qu'il tuera ses parents et, peu après, l'adolescent manque en effet accidentellement de les tuer. Affolé, il quitte le noble château familial (chap. 1). Il combat dans plusieurs armées, notamment dans celle de l'empereur d'Occitanie qui, en remerciement de son héroïque courage, lui offre la main de sa fille. Une nuit, pendant que Julien est à la chasse, ses parents, depuis longtemps à sa recherche, se présentent à sa femme, qui leur offre sa couche pour qu'ils se reposent. À son retour, Julien décèle, dans l'obscurité, cette double présence dans le lit conjugal et, croyant à une infidélité de sa femme, il égorge ses parents. Désespéré, il abandonne le château impérial (2). Après des années d'errance et de souffrance, il se met « au service des autres » en se faisant passeur. Une nuit, il fait traverser un lépreux auquel il cède sa nourriture et sa couche. Ce dernier est en fait « Notre-Seigneur Jésus », venu emporter Julien « dans le ciel » (3).

Hérodias. Le tétrarque Hérode Antipas est troublé par la présence, dans l'un des cachots de sa citadelle de Machærous, d'un prisonnier tout à la fois détesté et étrangement fascinant : Iaokanann, c'est-à-dire saint Jean Baptiste (chap. 1). Le proconsul Vitellius survient et visite la citadelle ; il fait ouvrir le cachot de Iaokanann et tous peuvent alors entendre les malédictions proférées par ce dernier à l'égard du tétrarque et de sa seconde épouse Hérodias, qui hait le saint et veut sa mort (2). Lors de l'immense festin organisé durant la nuit pour l'anniversaire d'Hérode, une danseuse inconnue paraît et le tétrarque, envoûté, promet de lui offrir ce qu'elle voudra ; elle demande la « tête de Iaokanann ». Hérode ne peut se dédire et fait apporter la tête à la danseuse qui n'est autre que Salomé, la fille d'Hérodias, arrivée de Rome le jour même (3).

Rassemblés en un unique ouvrage, ces trois histoires sont coiffées par un titre qui les disperse – le chiffre « trois » suggère le hasard d'une simple juxtaposition – et les unit tout à la fois – le terme « contes » assigne l'appartenance à un genre commun. Chaque texte est spécifique et se distingue des autres : « Un cœur simple » narre une histoire moderne et entièrement fictive, alors que les deux autres récits, situés dans le passé et mettant en scène des personnages tirés du patrimoine collectif, relèvent du genre historique ou légendaire ; l'exotisme oriental d'« Hérodias » dessine un contexte spatial et culturel qui isole ce conte, de même que sa durée narrative, resserrée sur un jour, diffère de celle des deux autres textes, qui épousent la temporalité d'une destinée. Flaubert écrivit d'ailleurs ces histoires séparément et successivement, sans véritable souci initial d'une cohérence d'ensemble. Celle-ci s'imposa toutefois peu à peu et, si chaque texte se suffit à lui-même, il n'en reste pas moins que l'œuvre s'offre à lire comme une totalité.

Les *Trois Contes* forment un triptyque dans la mesure où tout d'abord ils se réfèrent à un modèle pictural et où l'écriture privilégie une sorte d'immédiateté visuelle. L'expérience mystique de Félicité prend naissance dans l'iconographie religieuse et, surtout, dans l'imagerie populaire : « À l'église, elle contemplait toujours le Saint-Esprit, et observa qu'il avait quelque chose du perroquet. Sa ressemblance lui parut encore plus manifeste sur une image d'Épinal, représentant le baptême de Notre-Seigneur. » Le texte, simple dans sa structure narrative (toujours linéaire à l'exception de la rétrospection du chapitre 2 qui éclaire le personnage) et sa matière verbale, exemplaire par sa thématique (Félicité est la servante par excellence, d'emblée désignée comme telle : « Pendant un demi-siècle, les bourgeoises de Pont-l'Évêque envièrent à Mme Aubain sa servante Félicité »), se présente comme une équivalence du graphisme d'Épinal. De même, la dernière phrase de « la Légende de saint Julien l'Hospitalier » fait de l'ensemble du texte la transcription verbale d'une représentation visuelle : « Et voilà l'histoire de saint Julien l'Hospitalier, telle à peu près qu'on la trouve sur un vitrail d'église, dans mon pays. » La simplicité, cette fois plutôt hiératique, de l'écriture cherche là aussi à rappeler le modèle initial. Enfin, si aucune référence picturale n'est explicitement proposée dans « Hérodias », la danse de Salomé récompensée par la tête de saint Jean Baptiste posée sur un plateau est, de Caravage à Gustave Moreau, un tel *topos* que le rapprochement s'impose de lui-même. De plus, ce conte est dominé par de minutieuses et amples descriptions qui lui confèrent une singulière majesté et l'apparentent à une sorte de grand tableau.

Les *Trois Contes* forment également une trilogie qui explore le domaine de la religion et de la croyance. Le récit de « la Légende de saint Julien l'Hospitalier » est directement hagiographique et la sainteté est présente

dans « Hérodias » à travers le personnage de Iaokanann. Quant à Félicité, l'héroïne d'« Un cœur simple », son nom semble promesse de béatification. Sa vie, par son abnégation et ses souffrances, la sanctifie. Bien sûr, elle n'est pas, comme Iaokanann le précurseur – qui prononce à deux reprises la célèbre phrase : « Pour qu'il croisse, il faut que je diminue » –, investie d'une mission sacrée. Les épreuves qu'elle subit n'ont pas non plus l'envergure de celles de Julien. Cependant, les deuils qui jalonnent son existence sont autant d'étapes sur un chemin de croix discret et humble, à l'image du personnage. Si Félicité n'offre pas, comme saint Jean Baptiste, sa vie à Dieu en sacrifice ou si, comme Julien devenu passeur, elle ne se met pas au service de la collectivité, elle connaît l'héroïsme de la générosité, par exemple lorsqu'elle fait face à un taureau furieux pour protéger Mme Aubain et ses enfants. Parmi ces étapes, il en est une dont le symbolisme est presque transparent : quand son neveu Victor est sur le point d'appareiller pour un voyage au long cours – dont il ne reviendra pas –, Félicité se rend à pied à Honfleur, la nuit du départ, pour un dernier adieu, et un « calvaire », à l'aller comme au retour, balise son douloureux périple : « Félicité [...] voulut recommander à Dieu ce qu'elle chérissait le plus ; et elle pria pendant longtemps, debout, la face baignée de pleurs, les yeux vers les nuages. » Félicité, Julien et Iaokanann constituent donc trois avatars d'une Passion et d'une rédemption. Au terme de leurs souffrances, ils rejoignent Dieu : Iaokanann cède la place à Jésus, Julien est emporté au ciel et Félicité voit le Saint-Esprit au moment de mourir.

L'ordre enfin dans lequel se présentent les *Trois Contes* participe d'une volonté de structuration, puisque Flaubert n'a pas conservé, pour la publication en ouvrage, la chronologie d'écriture des textes. La trilogie s'oriente selon un parcours historique à rebours. En effet, l'on passe, avec « Un cœur simple », de la croyance moderne à celle, plus primitive, du Moyen Âge avec l'histoire de Julien, pour enfin remonter, dans « Hérodias », aux sources du christianisme. Le dernier récit montre la naissance d'une religion encore dans les limbes – la voix prophétique de Iaokanann, jaillie de son cachot souterrain, est bientôt couverte par la cacophonie des sectes multiples et hétéroclites présentes au festin d'Hérode –, mais déjà puissante. Iaokanann a le pouvoir de terrifier et de fasciner les Grands de ce monde : « Sa puissance est forte !... Malgré moi, je l'aime ! », dit Hérode, et Hérodias est dominée, en dépit de sa volonté, par la voix du saint : « Hérodias l'entendit à l'autre bout du palais. Vaincue par une fascination, elle traversa la foule ; et elle écoutait. » Dans « la Légende de saint Julien l'Hospitalier », la croyance, au sein de l'univers médiéval, apparaît dans sa phase de pureté et de naïveté primitives. Le merveilleux chrétien, largement présent, est la donnée fondamentale d'un monde dans lequel l'au-delà et l'ici-bas communiquent avec évidence et naturel. Quant à l'époque moderne, durant laquelle se déroule l'histoire de Félicité, elle se présente comme celle d'une perte de croyance. Certes, pour une part, Félicité renoue avec la foi archaïque : « Pour de pareilles âmes, le surnaturel est tout simple. » Cette simplicité, vestige du passé, pourrait signifier la capacité de survie de la foi ancestrale. Toutefois, la simplicité d'esprit de Félicité fait tout autant la grandeur du personnage qu'elle le rend dérisoire. Loulou empaillé, avec « son œil de verre » et, plus tard, « les vers » qui le dévorent, est un substitut touchant, mais aussi bien piètre, du Saint-Esprit. En outre, si, dans « la Légende de saint Julien l'Hospitalier », la narration adhère immédiatement à l'Histoire pour nous plonger sans distance dans l'univers de la foi, la narration d'« Un cœur simple » adopte, quoique discrètement, un point de vue critique : Félicité fait l'objet de commentaires qui guident l'interprétation, à commencer par la périphrase du titre. Enfin, le merveilleux est atténué par la modalisation : au moment de sa mort, Félicité « crut voir », et encore son hypothétique vision est-elle celle d'un perroquet en lieu et place du Saint-Esprit ! Dans « la Légende de saint Julien l'Hospitalier », en revanche, la présence et la transfiguration du lépreux ne font aucun doute. Révélateur de ce scepticisme moderne, c'est un ciel désormais vide, exclusivement météorologique, qui surplombe le monde : quand Félicité prie, elle a « les yeux vers les nuages ».

● Les Belles Lettres, 1957 (p.p. R. Dumesnil) ; « Folio », 1976 (préf. M. Tournier, p.p. S. de Sacy) ; « GF », 1986 (p.p. P.-M. de Biasi et C. Grosse) ; « Classiques Garnier », 1989 (p.p. M. Wetherill) ; « Presses Pocket », 1989 (p.p. P.-L. Rey). ➤ Œuvres, « Pléiade », II ; id., Éd. Rencontre, XVI ; Œuvres complètes, Club de l'honnête homme, IV.

A. SCHWEIGER

TROIS DISCOURS (les). Textes théoriques de Pierre **Corneille** (1606-1684), publiés en tête de chacun des trois volumes de son *Théâtre* à Paris chez Courbé et de Luyne en 1660.

C'est au cours de ses années de retraite après l'échec de *Pertharite* que Corneille rédigea ses *Discours*. Complétés par les « Examens » qu'il joignit à la réédition de ses pièces, ils constituent un ensemble cohérent qui lui permet de revenir sur ses œuvres, parfois pour les critiquer, et surtout d'expliquer et de défendre sa pratique de l'art dramatique. Textes polémiques (parmi les cibles, on retrouve ses anciens adversaires de la querelle du *Cid* ainsi que d'Aubignac), où se dit aussi l'essentiel d'une dramaturgie contestée mais admirée, avec le public pour témoin face aux « doctes ».

Discours de l'utilité et des parties du poème dramatique. Corneille reconnaît que le théâtre a un but moral et s'interroge sur les moyens à mettre en œuvre pour assurer l'« utile » ; il évoque donc les sentences, la peinture des passions, les dénouements, et réserve la « purgation des passions » pour le deuxième discours. Il étudie ensuite la composition du poème dramatique.

Discours de la tragédie. Il examine d'abord la purgation des passions (notamment au travers des personnages et du sujet), puis en vient au vraisemblable et au nécessaire, se réservant la possibilité de s'affranchir du premier.

Discours des trois unités. Revenant sur l'unité d'action, déjà évoquée dans le discours précédent, il définit l'unité d'intrigue pour la comédie, l'unité de péril pour la tragédie ; il aborde ensuite les unités de temps et de lieu pour montrer qu'il a su les respecter, mais que l'auteur dramatique peut se trouver contraint de leur faire quelque violence.

Dès l'ouverture du premier discours, le ton est clair, le but avoué : l'auteur se réfère à Aristote, rappelle que ses pièces ont su plaire alors même qu'elles ne respectaient pas toujours les « préceptes de l'art ». C'est que ceux-ci manquent de clarté : à son tour Corneille en donnera son interprétation, se proposant de lever les obscurités en homme d'expérience, non en théoricien abstrait. La polémique s'installe d'emblée, même si personne n'est nommé : certains interprètes d'Aristote se satisfont trop facilement d'ambiguïtés qu'ils contribuent à entretenir, et sous couvert desquelles ils condamnent sans vergogne. Les dernières phrases du dernier discours, laissant percer quelque ironie, scellent l'unité du projet : « Voilà mes opinions, ou si vous voulez, mes hérésies, touchant les principaux points de l'art. » Corneille se dit prêt à suivre ceux qui trouveraient de meilleurs moyens de concilier les « règles anciennes » et le théâtre moderne : il les suivra lorsqu'ils auront mis ces moyens « en pratique aussi heureusement qu'on y a vu les [s]iens ». Chacun aura reconnu d'Aubignac, sa *Pratique du théâtre* et ses échecs retentissants à la scène...

Adapter les antiques préceptes au théâtre contemporain, c'est-à-dire à un public chrétien et monarchiste, avide des « agréments modernes » : telle est donc sa pratique de dramaturge, et son dessein n'est pas de l'ériger en dogme

infaillible, mais de la commenter pour la légitimer. Sa méthode consiste à raisonner en refusant la pédanterie et l'austérité de certains ouvrages théoriques, en usant plutôt de son expérience – et non en partant, comme le faisait un d'Aubignac, de la raison : pour lui, les règles reposent moins sur celle-ci que sur une tradition, par nature susceptible d'être aménagée. Pour soutenir sa démarche et lui conférer les garanties nécessaires, il recourt souvent, fût-ce sur le mode de l'allusion, à la *Poétique* d'Aristote et à ses différentes traductions ou exégèses : il travaille le même matériau que les doctes, mais en pragmatique. Il discute diverses explications pour mieux prouver qu'il ne récuse pas l'autorité par principe, mais parce qu'elle peut être non fondée.

Cette démarche n'est pas sans lien avec sa position : admettre les préceptes dans la mesure où ils n'entravent pas la liberté du dramaturge, son génie propre. Ainsi de la question essentielle du vraisemblable : le vrai peut lui être préféré, le vraisemblable ne doit intervenir que lorsque le poète invente. La vraisemblance relève donc d'un choix plus que d'une obligation. De même les unités de temps et de lieu peuvent souffrir quelques entorses ou quelque flou pourvu que le théâtre y trouve avantage : la loi ne prime jamais sur la nécessité interne à la pièce, sur ce qui paraît indispensable au dramaturge pour assurer, avec la qualité de son œuvre, le plaisir du spectateur. Corneille adopte une attitude normative, qui vise d'abord certains « préceptes antiques » mal compris ou inconciliables avec le théâtre moderne. Mais ces normes valent avant tout pour ses propres œuvres. À chaque dramaturge d'adapter la doctrine à sa pratique et à son esthétique : c'est moins son théâtre qu'il propose comme modèle qu'une certaine attitude, à certains égards proprement anti-académique.

Reste que les *Discours* sont aussi un plaidoyer et une légitimation de son propre point de vue, et qu'aucune exégèse n'éclaire mieux qu'eux (complétés par certains textes liminaires et les « Examens ») ses pièces. Il y définit et y défend en effet la tragédie à fin heureuse qu'il a souvent pratiquée, l'importance de la « suspension » dans la conduite de l'œuvre théâtrale, l'exemplarité du « héros » jusque dans le mal – c'est-à-dire, pour les pièces, une manière particulière d'« édifier » –, et conjointement cette « admiration », au sens propre, qu'il tend à substituer aux très aristotéliciennes terreur et pitié. Rien d'étonnant à ce que *Rodogune* soit l'une des pièces souvent citées. On ne s'étonnera pas davantage que *Clitandre*, pièce condamnée dans ses « Examens » et présentée, a posteriori, comme une « bravade » – écrire une pièce respectant l'unité de temps « mais qui ne vaudrait rien du tout » –, et l'*Illusion comique*, « étrange monstre » reposant tout entier sur l'esthétique de la surprise, restent dans l'ombre. Les *Discours* ne pouvaient peut-être s'accommoder de telles références, l'une trop maladroite ou provocante, l'autre trop centrale et trop peu noble tout à la fois : il n'était plus temps pour Corneille d'apparaître en magicien.

● SEDES, 1963 (p.p. L. Forestier). ➤ Œuvres complètes, « Pléiade », III.

D. MONCOND'HUY

TROIS DISCOURS SUR LA CONDITION DES GRANDS. Conférences de Blaise **Pascal** (1623-1662), publiées dans le *Traité de l'éducation d'un prince* de Pierre Nicole à Paris chez la Veuve Charles Savreux en 1670.

Ces trois brefs discours ont été prononcés par Pascal, sans doute en 1660, devant « un enfant de grande condition » – le marquis d'Albert, futur duc de Chevreuse, fils du duc de Luynes. Le texte en a été reconstitué, sept ou huit ans plus tard, par le janséniste Pierre Nicole, ami de Pascal, qu'il avait approvisionné en documentation théologique au moment des *Provinciales*. Quel crédit lui accorder ? Nicole fut un témoin direct, à la fois honnête et perspicace. S'il reconnaît n'avoir pu reproduire « les propres paroles dont M. Pascal se servit alors », il ajoute : « Néanmoins tout ce qu'il disait faisait une impression si vive sur l'esprit qu'il n'était pas possible de l'oublier », et il conclut en assurant qu'il respecte « au moins ses pensées et ses sentiments ». Deux faits corroborent cette dernière assertion : d'une part, Nicole affirme que Pascal n'a rien laissé sur le sujet – alors qu'on a retrouvé dans ses papiers deux notes (les fragments Lafuma 796 et 797 des *Pensées*) préparatoires aux *Discours* qui sont en parfaite consonance avec le texte publié ; d'autre part, Nicole est explicitement en désaccord avec la pensée qu'il expose. Quant à l'expression, on jugera avec J. Mesnard qu'« elle présente souvent un caractère très pascalien ». Ce n'est donc pas sans raison qu'on a toujours rangé les *Trois Discours* parmi les œuvres de Pascal.

« Premier Discours ». Le « Grand » auquel s'adresse Pascal n'est point tel par son mérite, mais par un double hasard : celui de la naissance et celui de la loi qui, arbitrairement, institue la transmission héréditaire des titres et des fortunes. Cela ne signifie pas que son pouvoir soit illégitime, mais qu'il n'est fondé sur aucun titre de nature. Que les puissants n'aillent donc pas s'imaginer, avec le peuple, qu'ils sont d'une essence supérieure : leur pensée secrète doit, au contraire, les ramener au sentiment d'« une parfaite égalité avec tous les hommes ».

« Second Discours ». En tant que « grandeur d'établissement », la noblesse a droit aux manifestations extérieures du respect ; les « grandeurs naturelles » – comme les sciences et la vertu – méritent, elles, la préférence intérieure de l'estime.

« Troisième Discours ». Un grand seigneur est « un roi de concupiscence » : son pouvoir ne repose pas sur sa force personnelle, mais sur la possession des biens auxquels aspire la cupidité des hommes. Il s'acquittera de sa condition en contentant les justes désirs de ses sujets ; il ne se sauvera cependant qu'en méprisant la concupiscence au profit de la charité.

Le dessein de Pascal est d'abord négatif : détourner les Grands de l'orgueilleuse violence où les entraîne la méconnaissance de leur condition ; les faire passer de là sinon à la sagesse chrétienne, du moins à l'humaine « honnêteté ». Les *Trois Discours* pourtant ne sont pas une simple œuvre de circonstance : ils supposent une vision paradoxale du monde, dans laquelle les valeurs politiques sont à la fois démystifiées et réhabilitées ; elles ne sont pas fondées sur la justice, mais il est injuste de troubler l'ordre qu'elles établissent. La distance qui les sépare des valeurs authentiques du spirituel devient même garante de l'autonomie du temporel : conséquence particulièrement notable chez un penseur de filiation augustinienne, mais qui s'accorde avec sa théorie de l'hétérogénéité des ordres (voir *Pensées*, fragment Lafuma 308) comme avec l'émergence, au XVIIe siècle, de l'État moderne.

➤ *Œuvres complètes*, Desclée de Brouwer, IV.

G. FERREYROLLES

TROIS MOUSQUETAIRES (les). Roman d'Alexandre **Dumas** (1802-1870), avec la collaboration d'Auguste **Maquet** (1813-1888), publié à Paris en feuilleton dans *le Siècle* du 14 mars au 14 juillet 1844, et en volume chez Baudry la même année.

La seule année 1844 connaît six contrefaçons belges. La deuxième édition paraît en 1846 chez Fellens et Dufour. Anicet, Dumanoir et Brisebarre composent un vaudeville, *Porthos à la recherche d'un équipement* (théâtre du Vaudeville, 23 juin 1845). Dumas et Maquet donnent un drame en quatorze tableaux, *la Jeunesse des mousquetaires* (Théâtre-Historique, 17 février 1849). Imitations, parodies, suites et variations, adaptations théâtrales, cinématographiques ou télévisées, prouveront jusqu'à nos jours la popularité de personnages devenus partie intégrante de notre imaginaire.

Première partie d'une trilogie née de leur succès même, *les Trois Mousquetaires* combinent les prestiges du roman historique et du roman-feuilleton. Rapidité du récit, simplicité et cohérence des personnages rendus parfaitement convaincants, dialogues à effets, agencement de l'intrigue : épopée de la jeunesse, archétype du roman, le livre garde un pouvoir de fascination que sa diffusion par la littérature enfantine n'a fait que renforcer.

Les Trois Mousquetaires. Précédés d'une Préface, où Dumas se réfère aux *Mémoires de M. d'Artagnan* et affirme que, restituant un manuscrit inconnu par lui découvert à la Bibliothèque royale, il n'invente rien, les 67 chapitres racontent l'histoire du jeune Gascon d'Artagnan venu chercher fortune à Paris en 1625, sous le règne de Louis XIII, muni d'une lettre de recommandation de son père pour M. de Tréville, commandant des mousquetaires du roi. À la suite d'un triple duel qui s'achève par un combat commun contre les gardes du cardinal de Richelieu, ennemis traditionnels des mousquetaires, il devient l'ami du géant Porthos, de son vrai nom du Vallon, d'Athos, comte de La Fère, ruiné par un calamiteux mariage avec une aventurière, et d'Aramis, le chevalier d'Herblay, dont la vocation mystique fut contrariée par la galanterie. Admis dans leur compagnie, il se trouve par hasard aux prises avec la perfide milady de Winter, redoutable agent du cardinal, qui s'avère être l'ancienne épouse d'Athos. D'Artagnan tombe amoureux de Constance Bonacieux, dévouée femme de chambre de la reine Anne d'Autriche. Celle-ci a offert à son amant, Georges Villiers, duc de Buckingham, douze ferrets en diamant, présent du roi. Richelieu, qui veut perdre la reine, suggère à Louis XIII qu'elle se doit de porter les ferrets au prochain bal de la cour. Nos quatre héros partent pour l'Angleterre. Après de multiples péripéties, d'Artagnan rapporte les ferrets, et sauve ainsi la reine. Alors que les mousquetaires se couvrent de gloire au siège de La Rochelle, Milady tente de supprimer Buckingham, allié des protestants. Le quatuor l'emprisonne, elle s'évade, fait assassiner le duc et empoisonne Constance. Les quatre compagnons, aidés de lord Winter, frère du mari qu'elle a tué, lui font expier ses crimes en la livrant au bourreau de Béthune. D'Artagnan, réconcilié avec Richelieu, est promu lieutenant. Athos se retire à la campagne, Porthos se marie et Aramis se fait abbé.

Si l'essentiel de la trame romanesque obéit au principe de la péripétie et du rebondissement, les sept premiers chapitres rassemblent de manière exemplaire les personnages, leur contexte et le climat de l'époque. Les quatre mousquetaires nous sont présentés avec une remarquable économie de moyens dans un roman souvent considéré comme le chef-d'œuvre du roman d'aventures historiques. « Athos est un héros de roman pour la générosité ; Porthos, une nature excellente, mais facile à influencer ; Aramis, un visage hiéroglyphique, c'est-à-dire toujours illisible. Que produiront ces éléments quand je ne serai plus là pour les relier entre eux ? » : ces propos de D'Artagnan, prononcés à la fin de *Vingt Ans après*, éclairent les rapports structurant le quatuor. Ces héros jeunes élaborent également un roman de la mémoire, profondément ancré dans notre histoire nationale. Cette intime vérité s'accomplit par les mensonges, ce moteur de l'imagination. Le miracle réside dans cette affabulation victorieuse. La critique contemporaine a su reconnaître l'intérêt du roman, y déceler son étonnante polysémie. Mais le projet dumasien dépasse le seul plaisir du bonheur romanesque. Il s'agit de « saisir par la fiction le drame de la France dans ses scènes primordiales » (C. Schopp). Soit, selon la formule bien connue, de violer l'Histoire pour lui faire de beaux enfants. Le roman est un leurre pour piéger l'Histoire, la rendre vivante et compréhensible. Ainsi, le cycle des *Mousquetaires*, comme celui inauguré par *la *Reine Margot* et celui des *Mémoires d'un médecin* est-il l'autre volet d'un diptyque idéal, où sa diachronie ferait écho à la synchronie de *la *Comédie humaine*.

Le succès des *Trois Mousquetaires* fut tel que Dumas, toujours avec l'aide d'A. Maquet, écrivit *Vingt Ans après*, *suite des Trois Mousquetaires*, publié en feuilleton dans *le Siècle* du 21 janvier au 2 août 1845, et en volume chez Baudry la même année (10 vol.). Dumas et Maquet adaptèrent pour la scène *les Mousquetaires*, drame en cinq actes et douze tableaux, précédé de *l'Auberge de Béthune* (théâtre de l'Ambigu-Comique, 27 octobre 1845, la représentation durant de 18 h 30 à 1 heure du matin), repris au théâtre de la Gaîté en 1854 sous le titre *les Mousquetaires ou Vingt Ans après*.

Vingt Ans après. Les 98 chapitres titrés se situent vingt ans après les exploits des quatre mousquetaires. Pour éviter la monotonie, Dumas choisit le Paris de la Fronde, bien différent du Paris paisible des *Trois Mousquetaires*. Louis XIII a disparu, un enfant règne. Le souple et retors Mazarin a remplacé l'énergique Richelieu. Le lieutenant d'Artagnan, mal payé, ignoré de la reine, cède à la prière du nouveau cardinal, qu'il sert sans joie. Il part à la recherche de ses anciens amis pour leur proposer de reprendre du service actif. Athos, qui élève Raoul, né de ses amours avec Mme de Chevreuse, et Aramis, qui complote avec Mme de Longueville, sont acquis à la Fronde. Seul Porthos, devenu baron du Vallon de Bracieux de Pierrefonds, le suit. Faute de quatuor, le duo n'est plus invincible. Il ne peut ni capturer le duc de Beaufort, évadé de Vincennes, ni calmer l'émeute provoquée par l'arrestation du conseiller Broussel. Envoyés à Londres pour remettre un message secret à Cromwell, les deux mousquetaires y retrouvent Athos et Aramis. Tous quatre s'unissent pour tenter de sauver Charles Ier. Ils échouent, affrontent la rage vengeresse de Mordaunt, fils de Milady et créature de Cromwell. Athos parvient à le tuer. Mazarin, mécontent de ces foucades, les fait arrêter à leur retour. Ils parviennent cependant à recouvrer leur liberté et arrachent au cardinal, leur prisonnier, une capitulation au bénéfice des frondeurs. Une Conclusion évoque leurs adieux. Aramis suit Mme de Longueville en attendant de retourner dans son couvent. Porthos rentre vers sa baronnie. Athos confie Raoul, vicomte de Bragelonne, à d'Artagnan, devenu capitaine. Tous deux vont faire la campagne de Flandres.

Animé d'un mouvement picaresque, ce roman est la dernière production de Dumas et Maquet à ne pas être balisée par un plan rigoureux. Il lui manque une intrigue amoureuse – contravention à la loi du roman-feuilleton –, ce qui déplace son centre d'intérêt vers une thématique de l'héroïsme finissant, de la paternité et de la mélancolie de l'âge mûr. Le lecteur retrouve des héros vieillis et fatigués. Seul Athos semble avoir conservé sa fraîcheur, grâce à l'amour paternel. La reconstitution du quatuor ne parvient qu'à former des couples antagonistes (les aristocrates Aramis et Athos contre les « bourgeois » Porthos et d'Artagnan), opposition dépassée seulement par la poursuite de Beaufort et la lutte commune au service de Charles Ier. L'unité est donc de façade, maintenue par un élément extérieur. Dès lors, le roman ne trouve sa cohérence que dans son rythme frénétique et le prolongement de l'influence démoniaque de Milady.

Dumas, avec son complice A. Maquet, complète sa trilogie avec *le Vicomte de Bragelonne (les Mousquetaires. Troisième partie)*, publié en feuilleton dans *le Siècle* du 20 octobre 1847 au 12 janvier 1850, et en volume, sous le titre *le Vicomte de Bragelonne ou Dix Ans plus tard, suite des Trois Mousquetaires et de Vingt Ans après*, chez Michel Lévy frères de 1848 à 1850 (26 vol.). Dumas écrivit pour la scène un *Louis XIV et sa cour* (1851), une *Vieillesse des mousquetaires (la Mort de Porthos)* (1851), et *le Prisonnier de la Bastille ou Fin des mousquetaires*, drame en cinq actes et neuf tableaux, créé au théâtre impérial du Cirque le 22 mars 1861.

Le Vicomte de Bragelonne. Pensé en même temps que *Vingt Ans après*, *le Vicomte de Bragelonne* en amplifie nombre d'amorces. En 276 chapitres, où l'Histoire, de toile de fond qu'elle était dans *les Trois Mousquetaires*, passe au premier plan, mouvement largement amorcé dans *Vingt Ans après*, nous suivons le destin de D'Artagnan. La véritable architecture du livre s'organise en deux mouvements : Colbert combat Fouquet (il vainc au chapitre 246) ; Louis XIV fait plier d'Artagnan (259). Dans les premières années du règne personnel du Roi-Soleil, parce qu'il ne peut approuver le renoncement de Louis XIV à Marie Mancini imposé par Mazarin au nom de la raison d'État, d'Artagnan quitte les mousquetaires pour servir la cause de la restauration des Stuarts. En Angleterre, il capture le général Monk et le persuade de favoriser l'accession de Charles II au trône. Ayant ainsi fait le jeu de la politique française, il devient un véritable serviteur du roi, et parvient à naviguer sans heurt entre les écueils des passions et intrigues de la cour. Le roman s'enfle alors, telle une chronique des grands événements : les amours royales, la disgrâce de Fouquet, arrêté par d'Artagnan, l'ascension de Colbert. Dumas y intègre les manœuvres d'Aramis, devenu général des jésuites, pour substituer au roi son frère

jumeau, le Masque de Fer. Heureusement, d'Artagnan déjouera le complot.

Mais le titre trouve sa justification dans les aventures de Raoul de Bragelonne, le fils d'Athos. Élevé avec Louise de La Vallière (*Vingt Ans après*), pour qui il a conçu une sublime passion, il se fait tuer dans une expédition africaine lorsque celle-ci devient la maîtresse du roi, ce qui entraîne la mort d'Athos. Au service de D'Artagnan, Porthos périt lui aussi. Quant à d'Artagnan, devenu maréchal de France, il succombe au siège de Maëstricht. Seul demeure Aramis.

Roman de la maturité du héros des *Mousquetaires*, *le Vicomte de Bragelonne* met aussi en scène un personnage abstrait : la raison d'État – remarquons que la rédaction du roman encadre la révolution de 1848. Avec Fouquet doit disparaître l'ostentation du paraître au bénéfice de l'être du pouvoir. En ce sens, il s'agit d'un authentique roman historique. Roman de Raoul, il est aussi roman romantique. Tout entier déterminé par l'amour et le désespoir passionnel, Bragelonne cherche la mort. Ni le père ni le héros ne peuvent le détourner vers un autre destin, où la mort serait une apothéose glorieuse. Il choisit la soumission à une fatalité auto-imposée, courageuse certes, mais abdication de soi.

« Longue élégie nostalgique » (Dominique Fernandez), *le Vicomte de Bragelonne* exprime le regret passionné de l'âge baroque, et raconte en détail le passage d'une ère à une autre. Par rapport aux *Trois Mousquetaires*, leur individualisme joyeux, leur culte de la gloire, leur prodigalité, l'on entre maintenant dans l'absolutisme, le règne de la loi et de l'ordre, la gestion rigoureuse. On assiste à la mise en place et au triomphe de l'âge classique. Finis les duels, obsolètes la passion et l'éthique de la glorieuse vaillance : place aux courtisans. Reste la galanterie. À l'amour, certes présent dans les romans précédents, mais réduit à un rang subalterne, s'ouvrent grandes les portes du romanesque. Passion (Raoul et Louise de La Vallière), sentiment (Guiche et Henriette), précieuse bergerie (Henriette et ses soupirants), caprice (le roi et La Vallière)..., le récit en décline toutes les modalités, limitant d'autant sa dimension héroïque. Les personnages portent la marque de ce changement décisif : jeunes et vigoureux dans *les Trois Mousquetaires*, ils sont décidément vieillis, altération qui atteint tous les autres personnages reparaissants, de la duchesse de Chevreuse aux valets. Un Athos glacé, un Porthos obèse : les héros se figent. Leur amitié même s'affadit, s'avère illusoire. Le pessimisme s'installe. Il ne reste à D'Artagnan que son intelligence et le service de l'État, à Athos le point d'honneur et les joies de la paternité, à Aramis les délectations de l'ambition, à Porthos les satisfactions de la gourmandise. Surtout, il leur reste l'élévation mythique, scandée par les nombreuses scènes d'adieux, et ponctuée par la mort glorieuse.

Entre « le premier lundi du mois d'avril 1625 » et Maëstricht, s'écoule un demi-siècle. Mais chacun des romans développe une temporalité bien différente : 3 ans et 9 mois, 2 ans, 14 ans. La fiction se perd dans l'Histoire. *Les Trois Mousquetaires* mettent en scène le roman d'apprentissage de D'Artagnan (un moi solitaire, à la recherche d'un père de substitution, jeté dans un monde hostile, se découvre des alliés, le moi le cède dès lors au « nous »), puis une aventure collective. L'Histoire, si elle oppose le roi à Richelieu, se concentre essentiellement dans la figure d'Anne d'Autriche. Reine humiliée et menacée, elle règne comme femme et motive véritablement D'Artagnan, par ailleurs déterminé par son amour pour Constance Bonacieux. Enfin, au siège de La Rochelle, le héros tombe sous le charme vénéneux de Milady. L'Histoire est donc d'abord romanesque, et la politique s'efface derrière les intrigues amoureuses. *Vingt Ans après* voit les mousquetaires privés de désir. Si l'histoire politique, faute d'un roi régnant, ne passe pas au premier plan, le relais est assuré par l'histoire secrète, qui explique la Fronde. Mais, si la réunion des héros relance la fiction, celle-ci les cantonne le plus souvent dans un exil anglais, comme s'ils étaient condamnés à rester dans la marge, malgré les ultimes péripéties. Enfin, le dernier roman est le « tombeau des mousquetaires » (Jean Thibaudeau). Louis XIV impose sa loi et son ordre. Accoucheurs de la monarchie absolue, les mousquetaires disparaissent dans l'ombre, victimes de l'aveuglante lumière du Roi-Soleil. L'Histoire a triomphé de la fiction. Les lecteurs sont orphelins.

La trilogie des *Mousquetaires* reste l'une des entreprises romanesques qui disent l'épopée et le drame de l'homme moderne. On a pu souligner que les grands personnages de Dumas sont littéralement des revenants, que la structure des romans en suites multiplie et diffracte. Les héros semblent destinés à devenir leurs propres ombres, privées de désirs. Si les réapparitions, déguisements, changements d'identité appartiennent à l'arsenal du feuilleton, ils servent aussi une structure profonde. Dialogue de spectres, le roman met en scène les grandes forces de l'Histoire et de la création. Il exhibe un véritable Jugement dernier où se révèle le sens de l'Histoire. Ainsi Dumas prend-il le relais de Dieu.

● *Les Trois Mousquetaires* et *Vingt Ans après*, « Pléiade », 1962 (p.p. G. Sigaux). La trilogie des *Romans du XVIIᵉ siècle*, Club de l'honnête homme, 10 vol., 1981-1982 (préf. G. Sigaux). *Les Trois Mousquetaires* : « Le Livre de Poche », 1972 ; « Folio », 2 vol., 1973 (préf. R. Nimier) ; « GF », 1984 (p.p. J. Suffel). *Vingt Ans après* : « GF », 2 vol., 1967 (p.p. J. Suffel) ; « Folio », 2 vol., 1975 (préf. D. Fernandez). ➤ *Les Grands Romans d'Alexandre Dumas*, les Mousquetaires, « Bouquins », 3 vol.

G. GENGEMBRE

TROIS PERSONNES ENTRÉES DANS DES TABLEAUX. Voir POÈMES À JOUER, de J. Tardieu.

TRONÇONS DU GLAIVE (les). Voir UNE ÉPOQUE, de P. Margueritte.

TROP DE FAVEUR TUE. Voir CHRONIQUES ITALIENNES, de Stendhal.

TROPHÉES (les). Recueil poétique de José Maria de **Heredia** (1842-1905), publié à Paris chez Lemerre en 1893.

La plupart des pièces étaient parues dans des revues dès 1862, puis surtout dans le premier (1866) et le troisième (1876) *Parnasse contemporain*, ou dans la *Revue des Deux Mondes* (1885, 1888, 1890, 1893). La première édition s'arracha en quelques heures. Présentant quelques modifications mineures, la deuxième édition parut un mois après. L'édition de 1914 (Paris, Ferroud) ajouta 4 sonnets.

Cumulant plusieurs inspirations au fil des trente années de leur composition, *les Trophées*, unique recueil de Heredia, se présentent comme une histoire poétique de l'humanité. Nouvelle **Légende des siècles*, cette production s'impose comme l'une des plus représentatives de l'esthétique parnassienne. Ensemble de médailles ou de joyaux, elle dut son succès à une perfection formelle, qui ne va pourtant pas sans un art de la dramatisation, subtilement agencée dans un recueil fondé sur la fragmentation.

Précédé d'une Dédicace et d'une Épître liminaire adressée à Leconte de Lisle, le recueil se divise en cinq sections, véritables unités thématiques.

« La Grèce et la Sicile » conjure "l'Oubli" et s'organise en 4 parties : « Hercule et les Centaures » (8 sonnets) ; « Artémis et les Nymphes » (12) ; « Persée et Andromède » (3) ; « Épigrammes et Bucoliques » (14). Après un groupe de 4 sonnets, « Rome et les Barbares » voit se succéder « Hortorum Deus » (5, puis 6 sonnets), « Antoine et Cléopâtre » (3) ensuite, et enfin les 5 « Sonnets épigraphiques ». « Le Moyen Âge et la Renaissance » comporte 17 sonnets, puis les 8 regroupés dans « les

Conquérants ». « L'Orient et les Tropiques » ajoute à "la Vision de Khêm" (3) 6 autres sonnets. « La Nature et le Rêve » dispose autour de "la Mer de Bretagne" (10) deux groupes de 4 et 8 sonnets.

Le « Romancero » (une suite de 3 parties en tercets) et « les Conquérants de l'or » (6 poèmes en alexandrins) complètent l'ensemble.

La répartition en sections intervint assez tardivement, privilégiant les moments significatifs de l'Histoire telle qu'Heredia la conçoit : jouant sur l'espace et le temps, elle n'ôte pas pour autant tout caractère arbitraire à l'architecture d'un recueil, que le poète avait envisagé d'abord d'intituler *Fleurs de Feu*. Heredia se livre en quelque sorte à une revue des « ailleurs ». Tableau de chasse poétique d'un chartiste, florilège d'effets éclatants et de grandioses miniatures, débauche de couleurs et de matières, somptueux défilé de métaphores, *les Trophées* ne sauraient pourtant être réduits à une « poésie peplum », ni à une anthologie pour manuels où brillent toujours "les Conquérants" et le célébrissime « Comme un vol de gerfauts hors du charnier natal... ». Si les pasticheurs s'en donnent vite à cœur joie (ainsi Reboux et Müller pasticheront-ils dans *À la manière de...* "le Récif de corail", devenu "le Câble"), importe avant tout le resserrement plastique.

Unité formelle de base – on en compte 118 –, le sonnet est le triomphe d'une technique, d'ailleurs revendiquée par l'auteur. On a trop parlé de poèmes ciselés et trop filé la métaphore joaillière ou lapidaire pour oublier combien cette forme fixe vaut d'abord par sa densité, célébrée par Jules Lemaître comme « désir d'exactitude et de vérité », et par Charles Asselineau dans son *Livre des sonnets* (1874) qui réhabilite la Pléiade et dit sa désaffection à l'égard du poème long. Sculpture, enluminure, orfèvrerie, le poème se veut convergence des perfections. Lexique, rhétorique, métrique concourent à la création d'un cadre, d'une châsse où s'insère un "Rêve d'émail", de pierre ou de métal. On a souligné l'une des constantes de cette poétique : un regard se focalise sur l'objet du dernier vers. Outre la récurrence des verbes de vision, ce dispositif renforce l'aspect pictural des sonnets, où se trouve tout particulièrement travaillée la pose de la figure principale : « Et sur elle courbé, l'ardent Imperator / Vit dans ses larges yeux étoilés de points d'or / Toute une mer immense où fuyaient des galères » ("Antoine et Cléopâtre").

Sans doute faut-il être plus particulièrement réceptif à l'habileté formelle pour vraiment apprécier le recueil. En effet, l'entreprise épique a le souffle assez court, et l'inspiration révèle ses limites comme ses domaines de prédilection. La sensibilité et les goûts d'Heredia le portent plus volontiers vers l'Antiquité gréco-romaine ou la Renaissance que vers l'Orient, voire l'Extrême-Orient. Cette poésie nourrie de références historiques, jalonnée par les noms des héros et des dieux, n'en déploie pas pour autant une philosophie de l'Histoire. Le poète entreprend moins une résurrection du passé qu'une célébration de ses ruines, une exhumation de ses vestiges, un rappel fasciné de ses batailles tragiques. De là l'importance quasi obsédante des images de destruction. Champ de fouilles ouvert au collectionneur, l'Histoire vaut avant tout comme réserve de trophées sauvés de "l'Oubli" par le pinceau ou le regard du poète.

Est également remarquable la laïcisation du contenu, car la Bible ne figure plus aux origines messianiques de l'humanité. Proche en cela de Gautier ou de Leconte de Lisle, Heredia préfère installer sa poésie dans une Antiquité idéalisée par la culture classique. Cependant, il y choisit plutôt les périodes négligées, mineures, celles qui ont séduit le décadentisme. Prédominance du deuil, prédilection pour le morbide, fascination de la violence, voire de la cruauté et de l'érotisme : les thèmes décadents se déploient sous l'apparente impassibilité d'une poésie impersonnelle, comme le veut le canon parnassien.

À l'exaltation épique du « Romancero » et des « Conquérants de l'or », où se met en scène la dynamique de l'énergie conquérante, s'oppose donc la galerie des figures de la défaite ou de la mort. Le cycle herculéen de « la Grèce et la Sicile » est dominé par la disparition du Centaure, divinité archaïque condamnée par l'ordre dont Hercule est le champion. Jason ramène de Colchide Médée, qui causera sa perte. Rome est d'abord l'enjeu de deux conflits : les guerres puniques et la défaite d'Antoine ; l'Égypte demeure comme paysage de tombeaux. Et l'on pourrait voir dans les *Trophées* l'existence d'une tension entre l'immobilité, parfois froide, et le vertige du néant. Cette tension se lit dans telle coupe brisant le rythme solennel, tel relais de la description par le récit, tel vers vibrant de mystère. Serait-ce que cette poésie exprime aussi les désirs des hommes et des dieux, cet abîme qui anime, ou menace, tous les rêves figés dans l'éternité de l'art ?

À cette unité s'ajoute celle que confère aux *Trophées* le culte de la « poésie pure et du pur langage français » (épître « À Leconte de Lisle »). À leurs aspects érudits (archaïsmes, mots rares, mythologismes), il convient d'ajouter leur parti-pris esthétisant. S'agit-il d'opposer au sentiment du néant qu'inspire le spectacle des siècles (« Le temps passe. Tout meurt. Le marbre même s'use », "Médaille antique") le dur métal ouvragé des vers qui peut, au-delà de la mort, éterniser les rêves et faire un « dieu vivant » de ce « marbre en ruine » ("Sur un marbre brisé") ? Peut-être... En tout cas, l'abus des périphrases, de la préciosité, ou au contraire d'un certain prosaïsme, toutes les traces de la fabrication et du travail de pure versification, ne doivent pas occulter la réussite de nombreuses pièces à l'hiératique beauté.

● Éd. d'Aujourd'hui, 1977 (réimp. éd. 1893) ; Londres, Athlone Press, 1979 (p.p. W. N. Ince) ; « Poésie/Gallimard », 1981 (p.p. A. Detalle).

G. GENGEMBRE

TROPISMES. Recueil de textes de Nathalie **Sarraute** (née en 1902), publié à Paris chez Denoël en 1939 (18 textes) ; réédition augmentée de six nouveaux textes aux Éditions de Minuit en 1957.

Ce livre juxtapose 24 textes brefs dont les actants sont désignés par les pronoms personnels de la troisième personne : une foule devant des vitrines (1) ; un homme que torturent les banalités du langage (2) ; dans le quartier du Panthéon, des personnages solitaires, sans souvenirs, sans avenir, heureux (3) ; un étrange ballet verbal, cruel et ludique, entre un homme et quelques femmes (4) ; une femme figée dans l'attente (5) ; une femme impérieuse qui écrase autrui sous le poids des choses (6) ; une femme qui parle et souffre de se sentir jugée par un homme qui ne parle pas (7) ; un grand-père qui promène son petit-enfant (8) ; un homme qui parle à une femme pour qu'elle ne parle pas (9) ; des femmes dans un salon de thé (10) ; une femme assoiffée d'intellectualité (11) ; un professeur rationaliste du Collège de France (12) ; des femmes, acharnées à traquer une pièce de tissu (13) ; une femme sensible, croyante, qui s'attire les brusqueries d'autrui (14) ; une jeune fille heurtée par les inepties du vieillard qu'elle admire (15) ; un vieux couple (16) ; un jeune couple en promenade avec son enfant (17) ; la quiétude d'un cottage anglais (18) ; un faible, malmené par autrui, et qui se laisse faire (19) ; un homme rassuré et étouffé par les femmes qui l'entourent depuis son enfance (20) ; une femme trop sage traversée par le désir soudain de fuir et de choquer (21) ; un homme qui se défend d'être attiré par les objets (22) ; une femme qui, malgré elle, rejoint le cercle de sa famille qu'elle méprise (23) ; un homme épié (24).

L'ouvrage, passé à peu près inaperçu lors de sa publication, présente pourtant d'emblée au lecteur, sous une forme brève et frappante, le champ d'exploration privilégié de Nathalie Sarraute. Dès ces premiers textes, elle manifeste en effet une méfiance à l'égard du personnage traditionnel (un « trompe-l'œil » écrira-t-elle dans *l'Ère du soupçon*, 1956) et opte pour l'anonymat du personnage ; mais, contrairement à d'autres « nouveaux romanciers », elle s'attache au monde intérieur de ces êtres anonymes,

aux « sources secrètes de l'existence humaine » (*ibid.*) qui tissent, invisiblement mais plus solidement que les apparences qui les masquent, les rapports humains.

Ici comme dans le reste de son œuvre, la notion de relation, de « partenariat » est primordiale pour N. Sarraute, qui n'étudie jamais un être par lui-même mais par l'intermédiaire de ceux auxquels il est lié. Au cœur de ces petits récits, donc, des situations empruntées à la vie quotidienne, banales, anodines, dont elle révèle l'envers, la face silencieuse qui affleure au fil de rares mots lancés plus qu'échangés, de gestes juste ébauchés. Le récit isole des moments éphémères et leur donne une densité nouvelle, pour tenter de capter les « tropismes », ces « mouvements subtils, à peine perceptibles, fugitifs, contradictoires, évanescents, de faibles tremblements, des ébauches d'appels timides et de reculs, des ombres légères qui glissent, et dont le jeu incessant constitue la trame invisible de tous les rapports humains et la substance même de notre vie » (*l'Ère du soupçon*, « De Dostoïevski à Kafka »). Il se crée ainsi une impression d'étirement du temps par le récit, qui essaie de rendre compte, en le décomposant, d'un foisonnement invisible de sentiments, de sensations, à la limite de la conscience. Pas ou peu de faits ou d'actes, tout au plus quelques paroles insignifiantes, des clichés : le récit met au jour ce qui se bouscule en deçà de l'attente et du silence. Et le quotidien le plus banal, le plus rassurant peut, grâce à ces petites scènes volontiers âpres, ironiques ou cruelles, révéler sa violence extrême, une souffrance insoutenable ou une détresse indicible.

V. STEMMER

TROT (le). Voir LAIS ANONYMES BRETONS.

TROU DE MÉMOIRE. Roman d'Hubert **Aquin** (Canada/Québec, 1929-1977), publié à Montréal au Cercle du Livre de France en 1968. Couronné par le prix du Gouverneur général du Canada que l'auteur refusa, *Trou de mémoire* est le second roman d'Hubert Aquin après *Prochain Épisode.

Avant-Propos. Olympe Guezzo-Quenum et P. X. Magnant sont tous deux pharmaciens, l'un en Côte-d'Ivoire, l'autre à Montréal. Ils ont tous deux Bakounine et Thomas de Quincey pour auteurs préférés et tous deux la révolution dans leurs pays. Le pharmacien ivoirien a rencontré une beauté blonde montréalaise du nom de Rachel Ruskin qui connaît P. X. Magnant.
Première partie. P. X. Magnant vient de commencer un « roman infinitésimal et strictement autobiographique ». Sous l'effet d'une trop grande quantité de « dragées totales », il délire et évoque Joan, sa maîtresse qu'il a tuée. Ses souvenirs l'assaillent, entremêlés ; obsédé par son crime, il délire sur sa découverte d'un poison qui ne laisse pas de traces. L'éditeur en possession du manuscrit de P. X. Magnant prend la parole pour clarifier les choses, relevant les omissions accumulées par l'auteur avant de redonner la parole au manuscrit où Magnant parle de crime parfait, de Sherlock Holmes, du cadavre de Joan qui « ressemble étrangement au début fulgurant de [sa] carrière révolutionnaire » et d'une autre « Joan » qui l'a initié au *Mystère des deux Ambassadeurs* de Holbein. La personne connue par les notes de bas de pages sous le pseudonyme de R. R. fait son apparition. Elle n'a connu d'épanouissement que dans ses amours avec Joan. L'éditeur décide d'élucider cette histoire de tableau. Il établit une table de concordance portant sur les *Ambassadeurs* et leurs correspondances dans le manuscrit. L'une d'entre elles fait de P. X. Magnant et de Joan les deux ambassadeurs-supports du récit. Une autre fait du meurtre de Joan le socle du roman.
Deuxième partie : « Journal de Ghezzo-Quenum ». Installé à Sion avec R. R., l'Ivoirien fait le récit des événements survenus avant et après son départ d'Afrique. R. R. correspond à Rachel Ruskin, sœur de Joan. Elle a disparu et Olympe part à sa recherche. Au matin, il apprend qu'elle a été violée par P. X. Magnant. Olympe et R. R. fuient Magnant. Ils arrivent à Paris. En guise d'épilogue, la « Note finale » rapporte un entretien entre Olympe et Magnant où l'on apprend que R. R. est enceinte de ce dernier qui n'est autre que l'éditeur caché

sous le nom de Charles-Édouard Mullahy. L'enfant attendu par Rachel, fruit d'un viol par le meurtrier de sa sœur, s'appellera Magnant.

Trou de mémoire poursuit, élargit et complète l'entreprise de conciliation amorcée dans *Prochain Épisode* entre les exigences de l'art et celles de l'action.

C'est d'un « tissu d'art » que parle P. X. Magnant, héros-narrateur de ce roman, pour décrire la nature du texte en cours d'élaboration. Tissu complexe si l'on considère que le lecteur se trouve devant une succession de cercles concentriques où l'effet de miroir est tel que chaque séquence renvoie le reflet des autres, de sorte que correspondances, symétries et dissimulations mènent le jeu.

Le corps du récit peut se diviser comme suit : la relation autobiographique de P. X. Magnant, les interventions de l'éditeur, la contribution de R. R. et le journal d'Olympe Ghezzo-Quenum ; ces quatre parties étant précédées d'une lettre-prélude, closes par un épilogue et orchestrées par des explications ou commentaires en notes. Chaque récit compose une ronde fantastique autour d'un point central : Joan. C'est à la poursuite de cette femme – qui est tour à tour associée à l'écriture, au narcissisme, à la mort, à la révolution, au dédoublement, à l'érotisme, aux drogues, à l'inconscient – que se lancent les quatre personnages. Si Joan est, de prime abord, une jeune anglophone assassinée dont le meurtre devient sujet d'un roman policier, elle est aussi une entité purement symbolique. Si d'autre part, ces quatre personnages sont initialement bien distincts, par la suite les identités apparaissent moins nettes. Tous, en fait, sont les doubles du romancier-révolutionnaire Hubert Aquin, à qui le jeu de miroirs permet d'apparaître multiple.

L'impossibilité d'agir est ce qui caractérise le héros québécois P. X. Magnant à l'image de son peuple conquis, qui ne trouve de débouché pour l'action que dans le domaine compensateur de l'imaginaire. Il en va de même pour Olympe Ghezzo-Quenum, lui aussi représentant d'un peuple vaincu et colonisé. Le délire pseudo-hallucinatoire de Magnant laisse apparaître ses troubles d'identité, et ce n'est que dans la violence (le meurtre de Joan ou le viol de R. R.) qu'il peut dépasser son impuissance.

L'éditeur, lui aussi, en dépit d'une volonté affichée d'apporter quelques éclaircissements, participe au trompe-l'œil : « fatras d'allégories et de fausses pistes » dont il accuse R. R. Dans le parallèle établi entre le tableau des *Ambassadeurs* de Holbein et *Trou de mémoire*, c'est la vanité des apparences et la vérité par-delà la mort qui apparaissent comme les points communs.

Quant à R. R., elle se présente comme l'auteur du roman et prétend avoir projeté en P. X. Magnant « la masse confuse de [ses] désirs », mais elle incarne aussi, dans sa liaison avec une partenaire anglophone qui la fascine, la patrie québécoise vaincue.

Ce roman ne saurait être détaché de son milieu historique et culturel. Il est avant tout un dialogue amoureux entre un auteur et un peuple en voie de libération. Il s'agit d'un texte ouvert, de conception baroque en ce sens qu'il tend vers une forme indéfinie, changeante. « Faire la révolution, c'est sortir du dialogue dominé-dominateur ; à proprement parler c'est divaguer », écrivait Aquin dans un article intitulé « Profession écrivain ». C'est bien d'une *divagation* qu'il s'agit dans *Trou de mémoire*, d'un texte qui se présente comme un désordre organisé, un équilibre instable, une oscillation dont une des définitions pourrait être celle suggérée dans le texte même : « un roman policier axé sur la pharmacomanie ».

C. PONT-HUMBERT

TRUBERT. Fabliau en vers du XIIIᵉ siècle, composé par un certain **Douin de Lavesnes** dont on ne sait rien, et conservé par un seul manuscrit.

Rédigé dans la langue littéraire du temps, le texte ne présente que fort peu de traits dialectaux (notamment picards comme nombre de fabliaux), ce qui donne à penser qu'il a peu circulé. L'appartenance de *Trubert* au genre fabliau a été contestée. Il est vrai qu'avec ses 2 984 vers, il possède la taille d'une véritable nouvelle et fait figure d'exception dans le corpus des fabliaux. Cette longueur inhabituelle a pu nuire à sa diffusion et aller à l'encontre des habitudes d'un public friand de récits brefs, facilement mémorisables. Néanmoins, Douin « certifie » son texte (« Douin qui mit en rime ce fabliau », v. 5) et l'ouvre par une définition du fabliau (v. 1-4).

Trubert vit à l'écart du monde et de ses usages dans la forêt avec sa mère et sa sœur. Afin de marier cette dernière, il part vendre une génisse, fait un marché de dupe, achète une chèvre à prix d'or, qu'il fait peindre après avoir été séduit par les couleurs d'un crucifix. Une duchesse ayant vu l'animal bigarré veut l'acheter, Trubert la lui cède contre une somme conséquente et l'obtention des faveurs de la dame. Il la vend aussi un bon prix au mari qu'il humilie en le blessant à une fesse (v. 1-430). Déguisé en charpentier pour soutirer de l'argent au duc, Trubert possède sa femme à la faveur de la nuit, attache le duc dans la forêt et le roue de coups après lui avoir dérobé deux chevaux de prix, qu'il vend à un marchand (v. 431-1 059). Les blessures du duc requièrent l'intervention d'un médecin, dont Trubert revêt le costume. Enfermé dans la chambre du malade, il le maltraite après l'avoir enduit d'excréments (v. 1 060-1 458). Sous l'armure du chevalier, il débande par hasard l'armée du roi Golïas qu'il fait passer pour mort ; ce dernier, en réclamant la fille du duc pour épouse, évente la supercherie (v. 1 459-2 226). Traqué dans sa forêt par les hommes du duc, Trubert travesti se fait passer pour sa propre sœur et, sous le nom de Couillebaude, abuse de la fille du duc, est marié à Golïas, dans le lit duquel il met une fille dont il a lui-même pris la virginité (v. 2 227-2 984).

Comme l'a montré l'analyse structurale proposée par P.-Y. Badel, les cinq épisodes centraux de ce fabliau sont fabriqués sur le même moule : chacun d'eux raconte une tromperie à la faveur d'un déguisement. La sottise initiale de Trubert (le nom signifie « sot », « niais »), bien qu'involontaire, fonctionne de la même manière que ses travestissements ultérieurs en charpentier, médecin, chevalier et femme : ils lui permettront d'obtenir la confiance du duc, de passer avec lui un contrat qui tournera à la confusion de ce dernier (ou de son substitut Golïas dans le dernier épisode). Chaque fois, l'affaire, conclue au mieux des intérêts de Trubert, aura une conséquence fâcheuse pour un tiers pris pour Trubert par le duc soucieux de se venger : marchand bastonné, neveu du duc pendu, femme dont le sexe tranché doit servir de trophée à Trubert et faire croire qu'il a arraché la bouche de Golïas... La même histoire est donc apparemment racontée cinq fois et l'homologie des épisodes est soulignée par l'utilisation de procédés similaires : intervention à la même place du narrateur soulignant la qualité du déguisement du trompeur ou admirant son audace, récapitulation faite par Trubert de ses méfaits au terme de l'épisode afin de mieux jouir de la confusion de ses victimes... Néanmoins, l'analyse précise de chacun des épisodes montre que le schème narratif initial y subit des modifications : dans le quatrième épisode, le tour de Trubert a des conséquences positives, l'armée de Golïas est mise en déroute ; dans le cinquième, le trompeur permet à une jeune fille de monter sur le trône et conclut un mariage qui remplit le contrat narratif initial laissé en suspens (Trubert quittait la forêt pour marier sa sœur), donnant ainsi une manière de cohérence à cette fusion de récits empruntés à une tradition de contes oraux, dont des variantes sont attestées partout dans le monde.

En définissant son fabliau comme un rassemblement de fables (v. 1-4), Douin avait tout à fait conscience d'agir en rhapsode cousant ensemble des morceaux de la tradition narrative. Il exploite aussi une importante mémoire littéraire. Le sot vivant dans la forêt avec sa mère rappelle Perceval, tenu par la sienne à l'abri du monde et incapable de distinguer un chevalier d'un ange ou d'un démon, comme Trubert un crucifix d'un homme crucifié. En se nommant « Hautdecuer » et en se comparant à Roland,

Trubert, affublé de deux écus et de deux lances, emporté, le heaume à l'envers, dans une chevauchée qui le terrifie, devient l'instrument d'une efficace parodie de l'épopée. Figure du décepteur aimant à humilier ses victimes, Trubert évoque aussi le personnage de Renart avec lequel il partage le souci de mettre à mal les codes littéraires aristocratiques dominants.

Assemblage de récits, *Trubert* est aussi et surtout une manière de synthèse des fabliaux, de mise en perspective des thèmes et des procédés majeurs utilisés par le genre. La tromperie, sous couvert de déguisement, qui sert de fil conducteur au récit, constitue un motif récurrent des fabliaux ; elle permet d'assouvir cupidité et concupiscence. *Trubert* exploite l'imaginaire érotique du fabliau ; d'une virilité exceptionnelle, le héros comble les femmes insatisfaites par leur mari, initie aux jeux amoureux les jeunes filles et se livre à mille tours qui, pour faire rire, ne font pas oublier que le fabliau s'enracine dans des formes bénignes de perversité : exhibition du membre viril sous un déguisement féminin, mutilation fictive ou emprisonnement du sexe dans une bourse, bastonnade réitérée du duc entravé, scatologie, etc. De même, tous les procédés comiques y sont utilisés : déguisement, substitution à la faveur de la nuit, quiproquos, propos obscènes, noms parodiques (Couillebaude, « couille joyeuse », nom féminin dont s'affuble Trubert déguisé en femme)... Aussi *Trubert* n'est-il pas seulement un fabliau, ni même cinq fois le même fabliau sous des dehors différents, mais un peu tous les fabliaux. Texte bariolé, à l'instar de la chèvre du sot, changeant de couleurs pour augmenter le prix du genre.

● Genève, Droz, 1974 (p.p. G. Raynaud de Lage).

J.-C. HUCHET

TRUBERT ET ANTROGNART. Pièce comique en vers d'**Eustache Deschamps** (vers 1346-1407), conservé par un manuscrit de la Bibliothèque nationale (Fr. 840), qui fut rédigé en grande partie après la mort du poète.

Compte tenu de l'ampleur de son œuvre qui touche à tous les genres et qui se plaît à évoquer dans des scènes souvent familières, voire burlesques, les mille facettes de la vie quotidienne – par exemple, dans les *Ballades*, l'affluence et les disputes des mendiants à la porte des églises et, dans le *Miroir de mariage*, les péripéties de la vie conjugale –, on comprend qu'Eustache Deschamps ait été tenté par le théâtre et qu'il ait écrit deux pièces, le *Dit des .IIII. offices de l'ostel du roy*, jeu « par personnaiges », et le truculent *Trubert et Antrognart*, dont on a sans doute eu tort de soutenir qu'il n'avait pas été composé pour être joué, étant donné le nombre des jeux de scène qu'on peut y trouver.

L'avocat Trubert accepte de défendre en justice les intérêts du paysan Antrognart qui, grâce à ses mensonges, a réussi à faire mettre en prison un homme coupable d'avoir dérobé une amande dans son jardin. Trubert commence par exiger quatre francs d'arrhes et, sûr de lui, se plaisant à pérorer, prenant son client pour un sot, après lui avoir fait avouer qu'il dispose encore de vingt francs, l'invite à jouer avec lui aux dés. Antrognart, exagérant sa bêtise, feint de ne rien connaître au jeu et demande que quatre juges, Barat [tromperie], Hasard [nom d'un jeu de dés], Feintise [dissimulation] et Happetout, surveillent l'échiquier. Il amène même Trubert à prendre sur les reliques des engagements très contraignants, et à ne pas quitter le jeu tant qu'il aura un denier en poche (v. 1-369).

S'ensuit une longue partie en douze coups (v. 390-533) qui dépouille Trubert non seulement de son argent, mais aussi de son manteau, de sa ceinture, de son pourpoint et de sa cotte. L'avocat reconnaît sa défaite : « Ainsi pers je par mon entroingne [tromperie] / Mon sens, mon los [réputation] et ma besoingne » (v. 601-602), et il tire la leçon de sa mésaventure : « Et tel cuide on nice et coquart [niais et sot] qui scet assez » (v. 617-618).

Cette farce prolonge le fabliau (voir *Trubert*) écrit au XIIIᵉ siècle par Douin de Lavesnes et dont le héros, Trubert, se déguisait successivement en charpentier, en médecin, en chevalier, en fille de duc : Trubert joue, dans la pièce d'Eustache Deschamps, un nouveau personnage, celui de l'avocat, ce qui permet, par ses vantardises, de critiquer cette profession que la cupidité conduit à exercer en travestissant la vérité : au point de faire d'un chien agressif un pacifique agneau, d'un épervier de bonne race une chauve-souris, d'un lépreux tout pourri un homme en parfaite santé, d'un honnête homme un pur brigand (v. 138-152), et à employer toutes les arguties imaginables pour prolonger une affaire pendant une dizaine d'années (v. 179-181, 215-220). Retors et insaisissable, l'avocat est attentif à se faire payer en écus de bon et franc or (v. 255-261).

Trubert, en acceptant de défendre Antrognart, espère lui prendre tout son argent. C'est le contraire qui se produit, car la pièce devient le duel de deux décepteurs, de deux fripons, l'illustration du « type connu et ridiculisé de l'homme sot qui est rusé ou de l'homme rusé qui est sot, chez lequel il est impossible de reconnaître où la ruse finit et où la sottise commence et où l'on ignore laquelle des deux est la qualité originelle. La ruse et la sottise sont apparentées quant à leur essence » (C. Kérenyi). Le nom même des personnages souligne cette ambivalence : « Trubert » est aussi un nom commun qui se rattache à deux paradigmes, dont l'un est constitué de mots terminés par *bert*, « foubert », « coquebert », « gillebert »..., qui signifient « sot », « niais », et dont l'autre est composé de noms comme « trufeor », « tricheor », en rapport avec l'idée de tromperie. Notre Trubert est un trompeur trompé, et, après son ultime échec, il peut affirmer : « Trubert doy je estre appelez bien » (v. 470). Quant à Antrognart, il se dit « d'Entroingne, une bonne ville en Sologne » (v. 339-340) ; comme les Solognots avaient la réputation d'être sots à demi, c'est donc un provincial lourdaud ; mais, en même temps, « entroignier » (v. 599) a le sens de « tromper ».

Les deux protagonistes s'affrontent aux dés, sous l'arbitrage de personnages allégoriques liés à la fraude et aux méfaits du jeu : le trompeur Barat, l'hypocrite Feintise, l'aléatoire Hasard et le vorace Happetout. L'on reconnaît ici, outre le vieux thème du trompeur trompé, l'héritage de Jean Bodel et de la littérature allégorique. De Jean Bodel dérivent la longue partie de dés, coupée d'insultes et de tricheries, et le personnage de Barat qui, dans un fabliau, se mesure à Haimet ; mais, dans le *Jeu de saint Nicolas*, on jouait « au hasard » et « à plus points », tandis que, dans la farce de Deschamps, Trubert et Antrognart font une partie de « dringue » : pour chacun des joueurs, le coup gagnant est celui qui tombe dans le blanc. Hasard jouait déjà un rôle dans la maléfique taverne du *Songe d'Enfer* de Raoul de Houdenc et dans une des versions de *Courtois d'Arras* (manuscrit B).

La leçon est la même : à jouer aux dés et à user de tromperie, on perd tout, on tombe de plus en plus bas. Lorsqu'il n'a plus d'argent, Trubert enlève son manteau, qui était l'insigne de sa profession, puis son pourpoint et sa cotte, qui caractérisaient l'homme respectable ; il est dès lors ravalé au rang des portefaix : « Je suy bien, dit-il, pour porter la hotte » (v. 522).

J. DUFOURNET

TRUITE (la). Roman de Roger **Vailland** (1907-1965), publié à Paris chez Gallimard en 1964. Film de Joseph Losey en 1982.

En juin 1960, au bowling du Point-du-Jour, le narrateur observe Frédérique Galuchat, fasciné et déconcerté par son indifférence animale. Elle soutire une grosse somme à Saint-Genis, administrateur d'une filiale d'une grande société américaine, et à Rambert, repreneur d'affaires en difficulté. Selon Rambert, Galuchat a fait une tentative de suicide lorsque sa femme partit avec Saint-Genis pour Los Angeles. Saint-Genis, lui, affirme que Frédérique l'avait rejoint à Orly, sur une proposition qu'il avait oubliée. À la nouvelle du suicide manqué de son mari,

Frédérique a pris l'avion du retour, et s'est retrouvée aux côtés d'Isaac, un financier richissime dont le beau-père de Saint-Genis sauva la dernière petite-fille pendant la Seconde Guerre mondiale. Par la suite Frédérique raconte au narrateur son adolescence à Lons-le-Saunier chez son père, éleveur de truites. Avec deux amies, elle se vengeait des hommes, les attirait et se refusait à eux tout en prenant leur argent. Mariée à Galuchat, homosexuel, elle vivait d'expédients ; Rambert, de son côté, était fou à l'idée de forcer une vierge. Le narrateur le retrouve à Vesoul, ruiné. Lou, son épouse trop mûre, avait favorisé la fuite de Frédérique, qui évolue désormais dans le sillage du vieil Isaac. Mais préservera-t-elle la force qui lui vient de sa virginité ?

Dans *la Truite*, Roger Vailland se met en scène en tant que narrateur pour tenter de cerner le mystère d'un être qui se dérobe. Ainsi, comme dans une sorte de roman policier dont l'énigme concernerait l'inhumain dans l'homme, le narrateur-témoin procède à une manière d'enquête, collationne les témoignages des différents participants à une action toujours donnée comme rétrospective. Il s'agit de reconstituer le puzzle d'une existence mais, s'il semble procéder de manière consciente comme témoin, le narrateur mime, comme romancier, le mouvement même de la vie, inaugurant une technique qui renouvelle le genre réaliste. Dès lors s'impose une analogie entre la conduite de Frédérique, qui vise un but obscur, inconnu d'elle mais sûrement atteint avec l'instinct de l'animal, et l'approche du créateur qui raconte une histoire sans la conceptualiser au préalable. Au-delà de l'intrigue, le narrateur-témoin s'interroge sur la part animale de l'homme : il s'avoue fasciné par le secret de Frédérique, une jeune femme dont l'étrangeté désigne une sorte de substrat archaïque occulté par la civilisation, censuré par la morale de la communauté. Après avoir évoqué la première rencontre au Point-du-Jour dans l'incipit, le narrateur brise la continuité romanesque et procède à « l'interrogatoire » des témoins, Rambert, puis Saint-Genis, mais aussi de Frédérique elle-même avant de formuler, au terme d'une analyse déductive, une sorte de leçon de l'histoire, menant à une question plutôt qu'à une conclusion. Cette vierge en apparence perverse incarne le mystère féminin. Elle défie le concept, exige la métaphore, seule capable d'évoquer son opacité de « truite ». Être de fuite, elle représente un mixte de la jeune fille mythique et de la prostituée inquiétante. Elle renverse donc les catégories éthiques et incite à formuler une morale qui demeure implicite dans le texte. Elle réactive la guerre des sexes, défie l'ordre masculin en suivant scrupuleusement les principes de la société secrète imaginée dans son adolescence et héritée des pratiques archaïques des vierges sauvages. Incarnation d'une puissance dissolvante, Frédérique agit comme un acide destructeur. Plus profondément encore, elle désigne la fascination du « libertin » Vailland pour les êtres qui manipulent autrui dans l'innocence férocement inconsciente de la nature. Son pouvoir tient-il à sa nature ou à son état, transitoire peut-être, de vierge ? La question demeure sans réponse et le dénouement renvoie l'héroïne à sa qualité d'être moralement insaisissable.

● « Folio », 1974.

V. ANGLARD

TU ET TOI (les) ou la Parfaite Égalité. Comédie en trois actes et en prose de **Dorvigny**, pseudonyme de Louis François Archambault (1740-1812), créée à Paris au Théâtre national le 23 décembre 1793, et publiée à Paris chez Barba la même année.

Le citoyen Francœur, véritable bourgeois, mais bon révolutionnaire, découvrant le décret qui institue le tutoiement républicain, décide sur-le-champ d'en faire l'application dans sa famille. La citoyenne Francœur est charmée de la familiarité rude et bienveillante de son cocher qui l'a appelée « ma grosse républicaine ». Le jardinier Nicolas et la servante Claudine sont ravis de tutoyer leurs maîtres, mais ont bien de la peine à se conformer au nouvel usage. Gourmé, le prétendu d'Adélayde, la fille de Francœur, s'y refuse avec mépris tout comme

dame Brigitte, la femme de charge : c'est qu'ils en tiennent pour l'Ancien Régime et ne supporteront pas l'« insolence » de leurs « inférieurs ». Le commis Félix s'en revient de guerre, un bras en écharpe ; il est secrètement épris d'Adélayde et la jeune fille partage ses sentiments. Mais il n'ose se déclarer car il est de naissance illégitime. Francœur intervient, en appelle à la sincérité des amants, et, fidèle à ses principes égalitaires, donne d'autant plus volontiers sa fille à Félix qu'une loi nouvelle fait obligation à Gourmé, demi-frère légitime de Félix, de partager avec lui l'héritage paternel.

Cette comédie est sans doute l'une des meilleures de la décennie révolutionnaire. Elle met au jour, avec un comique savoureux, les enjeux sociaux de la politique volontariste de la Révolution dans le domaine des mœurs. Chaque réplique a, dans la pièce, une valeur d'acte : le tutoiement transforme et déplace les relations. Le lien féodal entre maître et valets se change en un paternalisme qui maintient la domination mais en modifie profondément la forme. Si tous ces thèmes étaient dans l'air et ont été utilisés dans d'autres pièces, Dorvigny a su échapper au verbiage sentimental excessif par un sens aigu du comique et de la langue.

Le public fut sensible à la théâtralité réelle de cette pièce et lui fit un triomphe. Le *Moniteur* note que, parmi les pièces de théâtre que fit naître la Révolution, « il n'y en a pas de plus jolie [...]. Il n'en est point de plus patriotique, et qui atteigne mieux le but où doit tendre tout ouvrage de ce genre, celui de développer parfaitement les décrets qu'on y célèbre, d'en faire sentir l'esprit, d'en montrer tous les avantages, et de les faire aimer. On pourrait dire qu'elle est patriotique en cela même qu'elle est fort bonne comme ouvrage dramatique ». Reprise à l'automne 1989 au théâtre de Gennevilliers, jouée par des comédiens d'origine immigrée, dirigés par Bernard Sobel, elle a donné aux célébrations du bicentenaire de la Révolution leur plus grande réussite scénique.

● *Théâtre public*, n° 90, 1989.

P. FRANTZ

TU RÉCOLTERAS LA TEMPÊTE. Voir NUIT INDOCHINOISE (la), de J. Hougron.

TUEUR SANS GAGES. Pièce « policière » en trois actes et en prose d'Eugène **Ionesco** (1909-1994), créée en allemand à Darmstadt au Landestheater le 14 avril 1958, puis dans la version française à Paris au théâtre Récamier le 27 février 1959, et publiée à Paris chez Gallimard en 1958.

Comme pour *Amédée ou Comment s'en débarrasser* (1954), Ionesco s'inspire ici d'un rêve dont il tire une nouvelle (*la Photo du colonel*, publiée dans *la Nouvelle Revue française* du 1er décembre 1955, et en volume chez Gallimard en 1962), avant de transposer le récit pour la scène. En 1972, lors d'une reprise au théâtre de l'Alliance française, Jacques Mauclair pratiqua, avec l'accord de l'auteur, de nombreuses coupures entérinées par les éditions postérieures, qui présentent cette version abrégée.

Une ville morne et terne recèle en son sein une oasis de bien-être, la « Cité radieuse » où Bérenger parvient par hasard. Émerveillé par le site, il en félicite l'Architecte, qui demeure singulièrement insensible au lyrisme de son admirateur. En fonctionnaire indifférent, l'Architecte-Commissaire de quartier assiste passivement à la destruction de son œuvre, dont les habitants sont assassinés les uns après les autres. À peine tente-t-il mollement de retenir Dany, sa secrétaire, qu'il devine la prochaine proie du tueur et dont la mort bouleverse Bérenger, qui s'est épris d'elle au premier regard (Acte I).
De retour à son domicile, celui-ci trouve son ami Édouard, égrotant et égoïste. Toute son attention se porte sur une serviette, dont il se désintéresse dès qu'il découvre qu'elle permettra peut-être d'identifier et d'arrêter l'assassin (Acte II).
Politiciens et policiers se montrent aussi peu soucieux du bien commun qu'Édouard, qui s'enfuit à la première occasion. Resté seul face au tueur, Bérenger l'interroge en vain sur ses mobiles et, désemparé par son silence, abdique toute résistance (Acte III).

Écrite à l'aube de la déstalinisation et au lendemain de l'écrasement de l'insurrection hongroise par les chars soviétiques (octobre-novembre 1956), cette pièce assure la transition entre le « nihilisme » des œuvres précédentes (voir *la *Cantatrice chauve, les *Chaises* ou *Amédée*) et l'« engagement » de la suivante (voir *Rhinocéros*). Face au tueur, l'intellectuel humaniste en qui chacun reconnaît le double de l'auteur ne sait que se lamenter : « Mon Dieu, on ne peut rien faire !... Mais pourquoi... Mais pourquoi... » Sa tentative pour éradiquer le Mal paraît d'emblée vouée à l'échec, puisqu'elle passe par une volonté de poser en termes rationnels un comportement irrationnel. Certes, Bérenger reviendra pour armer les hommes contre les monstres qui les menacent (voir *Rhinocéros*), mais son rôle dans la société ne saurait demeurer celui d'un révolutionnaire. N'avoue-t-il pas qu'il « aime l'humanité, mais de loin », dès sa première incarnation ? Bien vite, l'horreur de sa propre mort le détournera de tout altruisme : voyageur céleste, il ne reviendra de l'au-delà qu'avec des visions d'apocalypse (*le Piéton de l'air*, 1963) ; souverain dérisoire, il offrira l'anéantissement de son peuple en pâture à la camarde (voir *Le roi se meurt*). C'est que, s'il faut en croire l'un des nombreux commentaires retranchés de l'édition originale de *Tueur sans gages*, « la révolution véritable se fait dans les laboratoires des savants, dans les ateliers des artistes. [...] Ils étendent le champ de nos connaissances ». Ainsi, nous suggère Ionesco, l'écriture de *Tueur sans gages* apportera-t-elle davantage à l'humanité que l'oblation suicidaire de son héros.

De l'aveu même de son auteur, un peu « sentimentale » et « naïve » dans son rapport à l'engagement, la pièce témoigne, en revanche, d'une grande maîtrise des techniques dramaturgiques. Ionesco y transpose avec originalité des archétypes peu coutumiers des planches (le Bien, le Mal, la Chute), et sait créer une atmosphère onirique, où l'individu devient la proie d'une administration kafkaïenne. Sa « Cité radieuse », à la fois « oasis » et « mirage », « prolongement de l'univers du dedans », procède plus du verbe enthousiaste de Bérenger que des plans d'un fonctionnaire froid : c'est d'un plateau sans décor que Bérenger s'extasie (« Comme c'est beau, quel magnifique gazon, ce parterre fleuri »), et les mots possèdent un charme évocatoire plus puissant que la vaine démiurgie de l'Architecte (au moment où Bérenger prononce « bassin », une didascalie indique : « L'éclairage fait apparaître, dans le fond, la forme d'un bassin »). Les personnages eux-mêmes semblent percevoir le caractère factice et conventionnel des catégories de l'espace et du temps dans une représentation théâtrale : avançant sur un plateau tournant, Bérenger se plaint : « C'est comme si je marchais sur place » ; de même qu'Édouard (dans une scène de la version originale), pour tempérer l'angoisse de son ami, déclare : « C'est la même heure que tout à l'heure, vous voyez bien. »

Le comique participe le plus souvent d'un même écart insolite entre la fiction et la conscience qu'ont les personnages d'appartenir à celle-ci. Édouard ne traite-t-il pas le journal du tueur, qu'il détient dans sa serviette, comme « de l'assassinat-fiction, de la poésie, de la littérature » ? Ici encore, Ionesco met les procédés en évidence ; il « plaque » littéralement, selon la formule de Bergson, « du mécanique sur le vivant » : Édouard et Bérenger extraient « toutes sortes d'objets en quantités invraisemblables » d'une serviette, la mère Pipe, caricature du politicien démagogue, veut faire tirer le « chariot de l'État » par ses oies. Nombre de jeux de mots renforcent, en prenant des expressions au pied de la lettre, ce sentiment de décalage : ici, après quelques maximes de « philosophie de concierge », la gardienne de l'immeuble où réside Bérenger, déçue par Marc Aurèle, affirme : « Les philosophes, c'est seulement bon pour nous, les concierges » ; ailleurs, un policier prétexte de son état pour ne pas intervenir dans une intrigue policière : « Je suis gardien de la paix,

donc fichez-la moi ! »... Placée d'emblée sous le signe d'une préface qui parodie les résumés de série noire, *Tueur sans gages* inverse jusqu'à l'absurde les règles du genre : comment s'étonner que le justicier cherche des excuses à l'assassin dès lors que ce sont les victimes qui reviennent sur les lieux du crime (« C'est comme cela qu'elles se font prendre ! ») ?

● « Folio », 1974. ➤ *Théâtre complet*, « Pléiade ».

H. LEFEBVRE

TURCARET. Comédie en cinq actes et en prose d'Alain René **Lesage** (1668-1747), créée à Paris à la Comédie-Française le 14 février 1709, et publiée à Paris chez Pierre Ribou la même année.

En 1707, Lesage avait écrit *les Étrennes*, qui furent refusées par les comédiens-français. L'année suivante, il refit la pièce et lui donna un nouveau titre, *Turcaret*. Il fallut en octobre 1708 l'ordre de Monseigneur (le Grand Dauphin) pour qu'ils acceptassent de la représenter.

Sans qu'on puisse dire qu'elle ait échoué (car les recettes demeuraient satisfaisantes), elle fut retirée de l'affiche après sept représentations. On devine quelque hostilité résolue. À l'égard de Lesage peut-être. Ou plus vraisemblablement à cause du sujet ? On supposera que les financiers n'aimaient pas être joués sur les planches et que l'un d'entre eux a pu se reconnaître en Turcaret... ou en Frontin.

La Baronne, ruinée, est courtisée par le riche traitant Turcaret, qui l'accable de présents. Au lieu de s'enrichir de ces largesses, elle en fait profiter le Chevalier dont elle est éprise. La suivante Marine, qui tente de la détourner de ces prodigalités, l'exaspère ; elle la chasse, et, pour mieux exploiter Turcaret, décide de placer chez le financier Frontin, qui était le valet du Chevalier (Acte I). Marine a dénoncé à Turcaret les manèges de la Baronne. Il lui fait une scène terrible, mais elle se disculpe. Frontin entre au service du traitant, et son amie Lisette remplace Marine chez la Baronne (Acte II). Surviennent un Marquis, ami du Chevalier, qui révèle à la Baronne que Turcaret fut jadis un laquais, puis M. Rafle, commis de Turcaret, qui pratique l'usure pour le compte de son maître, et qui révèle à celui-ci qu'une dangereuse coalition se trame contre lui. Turcaret ne se laisse pas impressionner et suit, au contraire, les conseils de Frontin, qui l'encourage à de nouvelles dépenses (Acte III). Frontin parvient (avec la complicité de M. Furet, un faux huissier) à extorquer 10 000 livres au financier. Une revendeuse à la toilette, Mme Jacob, se présente chez la Baronne et lui apprend qu'elle est la sœur (laissée dans la misère) du traitant, et que celui-ci, contrairement à ses dires, n'est pas veuf, mais depuis dix ans a abandonné sa femme (Acte IV). La voici précisément qui apparaît : se prétendant comtesse, elle a voulu séduire le Marquis et le Chevalier, qui tous deux l'abandonnent en découvrant sa véritable identité. Turcaret, ruiné par un caissier, est arrêté. Frontin, qui n'a cessé de trafiquer et de tromper les uns et les autres, reste seul avec Lisette : il a déjà gagné quarante mille francs (Acte V).

Des nobles ruinés, qui se font entretenir (la Baronne, le Chevalier, le Marquis), un financier et sa femme à qui leurs plaisirs coûtent cher, un faux huissier caricatural, des valets sans scrupules : nous avons là une fresque sociale assez rude, une série de caricatures grinçantes. Aucune valeur, autre que l'argent : « Nous plumons une coquette ; la coquette mange un homme d'affaires : l'homme d'affaires en pille d'autres ; cela fait un ricochet de fourberies le plus plaisant du monde » (I, 10). Tous les moyens sont bons pour s'enrichir, et aucun cœur pur, aucun amoureux sincère, aucune ingénue, ne viennent ensoleiller cette sombre farce. Est-ce à l'ordre social qu'en veut Lesage ? Peut-être, mais il n'imagine pas de progrès. Ce désordre général, c'est le « train de la vie humaine » (*ibid.*).

La pièce est baptisée *Turcaret*, et, si on organise la représentation autour du personnage du financier, elle prend un aspect presque tragique. Cet homme opulent, puissant, qui se croit aimé, qui, après s'être montré tant d'années si impitoyable, consent à des générosités un peu folles, va d'échec en échec. Chaque acte lui apporte une nouvelle humiliation, lui inflige un nouveau désastre, jusqu'à la catastrophe finale. Rien de consolant ou d'encourageant dans cette chute : la déchéance de Turcaret n'est compensée par rien. À ce coquin va succéder un autre coquin, Frontin, qui aura les mêmes vices, et peut-être les mêmes faiblesses.

Il ne faut pas lire la pièce comme un drame psychologique : il est à peine des caractères parmi ces fantoches qui se succèdent. Chaque acte ressemble plutôt à une « parade », et, à la fin de chaque acte, les serviteurs – Frontin ou Lisette – donnent aux spectateurs la moralité de ce qu'ils viennent de voir, jusqu'au cri final de Frontin : « Voilà le règne de M. Turcaret fini ; le mien va commencer » (V, 14). Ces commentaires, comme l'outrance des traits, nous feraient – sans trop d'exagération – penser à la distanciation brechtienne. Nous assistons à la « résistible » et fort édifiante ascension de Frontin.

Le comique réside parfois dans le langage. On remarque des souvenirs burlesques de Racine : « Une nuit éternelle » (I, 1), « La fortune t'appelle » (II, 6) ; de Corneille : « Il est beau de se vaincre soi-même » (V, 11). Mais la comédie n'acquiert toute son efficacité que si on lui donne un rythme presque frénétique, celui d'un « bal des voleurs » ou d'une « danse macabre », assez proche de Goya ou de James Ensor, trahissant à travers une sorte d'allégresse diabolique la présence universelle d'un mal sans nuances et sans grandeur.

● « Pléiade », 1972 (*Théâtre du XVIIIᵉ siècle*, I, p.p. J. Truchet).

A. NIDERST

TYDOREL. Voir LAIS ANONYMES BRETONS.

TYOLET. Voir LAIS ANONYMES BRETONS.

TYR ET SIDON. Tragédie en vers de Jean de **Schelandre** (1584?-1635), publiée sous un pseudonyme à Paris chez Micard en 1608. Considérablement modifiée et augmentée, elle devint, sous le même titre, une tragi-comédie en deux journées, publiée à Paris chez Estienne en 1628.

On ne sait si les deux pièces de cet homme de guerre, écrivain à ses heures, furent représentées ni quel succès elles purent obtenir (la seconde version semble avoir influencé Rotrou et Du Ryer). Redécouvertes au XIXᵉ siècle, elles constituent surtout un témoignage de l'évolution de la dramaturgie française au début du XVIIᵉ siècle, même si elles ne sont pas absolument représentatives du théâtre du temps ; important plaidoyer en faveur de l'« irrégularité », la préface qu'Ogier donna à la tragi-comédie en renforce l'intérêt.

Le présent synopsis est celui de la version de 1628.

Pharnabaze, roi de Tyr, et Abdolomin, roi de Sidon, sont en guerre depuis de longues années. À l'issue d'une bataille indécise, Léonte, le fils de Pharnabaze, et Belcar, le fils d'Abdolomin, sont faits prisonniers par leurs ennemis respectifs. Léonte, à qui l'on ménage une captivité dorée, rencontre la belle Philoline, mariée au vieux Zorote. Belcar, lui, suscite l'amour de Cassandre et Méliane, les deux filles du roi de Tyr ; il tombe amoureux de la seconde. Jaloux, Zorote fait assassiner Léonte. Abdolomin appréhende les représailles de Pharnabaze sur son fils (première journée). Pharnabaze ordonne effectivement le supplice de Belcar. Avec l'aide d'Almodice, la nourrice de Cassandre, Méliane organise l'évasion de Belcar. Mais Almodice, sensible à la douleur de Cassandre, substitue celle-ci, voilée, à Méliane sur le navire qui emporte le fuyard. Comprenant qu'il a été trompé, Belcar saute dans une barque. Cassandre se transperce d'un poignard et tombe à l'eau ; des pêcheurs ramènent son corps dans leur filet et l'abandonnent sur le rivage : Méliane la découvre et, pensant avoir été trahie par Belcar, se saisit de l'arme pour s'en frapper. Surgit Pharnabaze, qui la croit meurtrière et la fait juger. Belcar réapparaît pour la sauver au moment où elle allait être suppliciée ; il lui explique tout. Pharnabaze accepte le mariage des deux jeunes gens, qui scellera la paix entre Tyr et Sidon (seconde journée).

Inspirée d'un roman anonyme du début du siècle, *les Fantaisies amoureuses*, la première version s'achevait par la mort de Méliane, mais aussi par celle de Pharnabaze (fou furieux, il se jetait sur un courtisan qui, avant de mourir, le tuait). C'était une tragédie dans le goût du XVIᵉ siècle : des monologues en nombre, des tirades parfois très longues, des chœurs, d'abondantes sentences, une rhétorique ostensible, des archaïsmes lexicaux, un penchant pour les adjectifs composés, trahissaient encore cet héritage. D'autres éléments (qu'on retrouvera dans la tragi-comédie) l'inscrivaient pourtant dans son époque, notamment les allusions limpides aux choses de la chair ou plus encore des jeux verbaux comme dans ce vers de Méliane, qui fait penser à un célèbre sonnet de Marbeuf : « Ô mer, amère mère à la mère d'Amour. »

Par un apparent paradoxe, c'est cette œuvre archaïque à plus d'un titre que l'auteur reprend vingt ans plus tard pour la retravailler et en faire, par le biais d'une préface militante d'Ogier, le parangon d'une certaine modernité théâtrale. La tragédie devient, après avoir subi des modifications significatives (chœurs supprimés, monologues et longues tirades réduits ou scindés), la seconde journée de sa tragi-comédie. Schelandre fait effort pour moderniser la langue, suivant en cela les conseils de Colletet et l'influence de Malherbe – même si tous les archaïsmes ne sont pas amendés. Cette fois, l'auteur renonce délibérément aux unités, transforme en action théâtrale ce qui était récit (la première journée n'est que la mise en scène des événements antérieurs à l'intrigue de la tragédie), s'abandonne au mélange des genres : scènes comiques, obscénités abondantes, développements inutiles de personnages secondaires (« la Ruine » et « la Débauche », les deux soldats chargés d'assassiner Léonte). Surtout, il donne à son œuvre une orientation nouvelle : la tragédie se voulait politique et opposait le roi de Sidon, sage souverain n'aspirant qu'à la paix, au belliqueux roi de Tyr qui, poussé par un conseiller, ne rêvait que de batailles faute de concevoir une autre voie pour accéder à la gloire – une sorte de tyran que son comportement à l'égard de Méliane achevait de révéler. Avec la tragi-comédie, cet aspect est considérablement atténué : d'abord à cause du revirement final de Pharnabaze, mais surtout parce que la structure même de la pièce en deux journées accentue le poids de l'amour et modifie tout au tout la perspective. La première journée, plus strictement romanesque et parfois plus délibérément comique, finit dans le sang tandis que la seconde, reprise d'une tragédie sanglante, s'achève par l'annonce d'un mariage et la réconciliation des deux États : optimisme d'un amour qui parvient à réduire les querelles politiques.

C'est à propos de cette œuvre qu'Ogier intervient pour décrier l'héritage antique, exemples à l'appui. Il s'en prend à l'unité de temps, selon lui contraire à la vraisemblance et rendant nécessaires récits et *deus ex machina*. Le mélange des genres, dit-il, est plus conforme au réel, et la « variété des événements » permet seule de parvenir au plaisir, véritable but du théâtre ; les dramaturges doivent se plier aux mœurs et aux désirs du public moderne. Une Préface vigoureuse et militante, qui eût peut-être mieux convenu à une autre pièce : les obscénités et les archaïsmes de *Tyr et Sidon* avaient-ils de quoi séduire un public désormais porté au raffinement ? Sa longueur même (près de cinq mille vers) pouvait décourager la mise en scène, mais plus encore les changements de lieu et de décor, les expressions « trop hardies ou malséantes ». La tragi-comédie est d'ailleurs précédée d'un « abrégé » qui indique comment en couper ou en modifier le texte pour éviter ces excès – et obtenir ainsi une troisième version possible, *Méliane*.

● Nizet, 1975 (p.p. J.W. Barker).

D. MONCOND'HUY

UBU ROI. Drame en cinq actes et en prose d'Alfred **Jarry** (1873-1907), publié à Paris dans la revue *le Livre d'art* en avril et mai 1896, en volume au Mercure de France en 1896, et créé à Paris au théâtre de l'Œuvre le 10 décembre de la même année.

Le seul nom d'Ubu a fait davantage pour rendre célèbre Alfred Jarry que tout l'ensemble de son œuvre, et le personnage a depuis longtemps acquis une existence autonome, dépassant le champ de la littérature. Son origine et l'usage qu'en fit Jarry ne sauraient d'ailleurs en aucun cas être réduits à la dimension littéraire, dont il est aussi la négation et la parodie.

Venant de Saint-Brieuc, le jeune Alfred Jarry arriva au lycée de Rennes en octobre 1888, en classe de première ; il y devint l'ami d'Henri Morin, l'un de ses condisciples, qui lui fit connaître un ensemble de textes dont le héros était M. Hébert, professeur de physique au lycée de Rennes depuis 1881 et victime constante de terribles chahuts. Les élèves avaient en outre inventé une vaste littérature dont M. Hébert, surnommé (entre autres) le père Heb ou père Ébé, était le héros : drames, épopées, chansons, vantaient sa gloire dérisoire et ses exploits ridicules. De cette production abondante recueillie par Charles Morin, frère aîné d'Henri, Jarry retint plusieurs textes, dont un drame, *les Polonais*, où l'on voit le père Heb devenir roi de Pologne... Il en organisa des représentations sur un petit théâtre familial, dès le mois de décembre 1888, d'abord avec des marionnettes, puis en théâtre d'ombres. Quittant Rennes, Jarry conserva ces manuscrits des frères Morin et, peu à peu, transforma les documents bruts. En avril 1893, il publie *Guignol* dans *l'Écho de Paris mensuel illustré* : le père Heb, devenu père Ubu, y paraît pour la première fois, « ancien roi de Pologne et d'Aragon, docteur en pataphysique ». Puis Jarry publie le texte d'*Ubu roi* au printemps 1896, avant de le faire jouer en décembre de la même année au théâtre de l'Œuvre, haut lieu de l'avant-garde, dans une fiévreuse atmosphère de scandale qui, du jour au lendemain, rendit célèbre le nom de Jarry et, plus encore, celui d'Ubu. Le manuscrit des *Polonais* du lycée de Rennes n'étant pas connu, il est difficile de savoir si, comme le prétend Jarry, il a « restitué dans son intégrité » le drame scolaire ou bien s'il l'a resserré, lui donnant son étonnante et abrupte concision.

Les frères Morin, et leur triste porte-parole Charles Chassé, dans un livre d'une éprouvante sottise (*Sous le masque d'Alfred Jarry (?) : les sources d'« Ubu roi »*, 1921) ont voulu dénoncer le « vol » commis par Jarry, tout en soulignant le peu d'intérêt de l'objet volé. Mais il y a effectivement un « mystère » Ubu – le gouffre entre cette production lycéenne et l'importance mythique prise par la pièce et le personnage.

Ubu est l'officier de confiance de Venceslas, roi de Pologne. Pleine d'ambition, la mère Ubu lui suggère de tuer le roi et de prendre le pouvoir. Ubu reçoit des invités à dîner et leur donne de la « merdre » à manger. Un complot s'organise : Ubu s'allie au capitaine Bordure pour tuer le roi pendant la revue (Acte I). Ayant fait un songe prémonitoire, la reine tente de décourager Venceslas d'aller à la revue, mais il refuse de l'entendre. Il est tué par Ubu et Bordure, cependant que la reine et son fils, le jeune Bougrelas, parviennent à s'échapper. Réfugiée dans une caverne, la reine meurt d'épuisement. Bougrelas, encouragé par les ombres de ses aïeux, décide de se venger. Pour fêter son avènement, Ubu, malgré sa ladrerie, distribue de l'or au peuple (Acte II). Ubu refuse les conseils de modération de la mère Ubu : pour s'emparer de leurs biens, il fait passer tous les nobles à la trappe, puis c'est le tour des magistrats et des financiers. Le père Ubu part alors récolter les impôts chez les paysans avec son « voiturin à phynances » ; sa cruauté engendre la révolte et le ralliement populaire à Bougrelas. Outré du manque de reconnaissance d'Ubu, son ancien complice le capitaine Bordure va en Russie s'allier avec le tsar Alexis, qui décide d'envahir la Pologne et de rétablir Bougrelas sur le trône. Le père Ubu part donc faire la guerre, laissant la régence à la mère Ubu (Acte III). À Varsovie, Bougrelas et ses partisans chassent la mère Ubu. En Ukraine, l'armée d'Ubu se prépare à affronter les Russes. La bataille a lieu, la lâcheté d'Ubu conduit ses troupes à la débandade. Il se réfugie dans une caverne (Acte IV). Dans cette même caverne paraît

la mère Ubu en fuite depuis quatre jours. Malgré l'obscurité, elle reconnaît Ubu et décide de lui donner une leçon : lorsqu'il s'éveille, elle feint d'être une apparition surnaturelle et lui fait la morale ; mais la clarté du jour levant la trahit. Ubu la bat. Bougrelas et ses fidèles surviennent, mais les Ubu parviennent à s'enfuir. La dernière scène montre Ubu et sa bande sur le pont d'un navire, faisant route vers la France (Acte V).

Les effets du lancement provocateur réalisé par Jarry – le « Merdre » sonore, premier mot d'*Ubu roi*, jeté à la face du Tout-Paris symboliste – sont depuis longtemps retombés. Si la pièce peut aujourd'hui encore fasciner, et imposer le père Ubu, c'est d'abord par sa langue où se mêlent l'argot scolaire, la parodie des classiques et un réalisme élémentaire, portés par une extraordinaire énergie et transfigurés par le traitement théâtral proposé par Jarry, qui refuse et détourne les conventions dramatiques du XIXᵉ siècle. L'élément parodique est particulièrement important, puisque presque constamment *Ubu roi* renvoie à des scènes célèbres du théâtre classique, en particulier *Macbeth*. En outre, le langage singulier du héros, déformant les mots : « phynances » ou « oneilles », et multipliant les effets de style : « De par ma chandelle verte » ou le fameux « cornegidouille », facilement imités, a rendu populaires sa monstrueuse silhouette et son verbe tonitruant.

Ce sont là quelques-unes des raisons de la surprenante efficacité scénique d'*Ubu roi* ; il y en a d'autres, parfois paradoxales. Même retourné, mutilé, piétiné, le théâtre classique porte encore la pièce, qui en reproduit les schémas les plus solides, assurant le fonctionnement dramatique de l'œuvre : la lutte pour le pouvoir, la conquête du trône, le complot se matérialisant scéniquement avec autant de succès que chez Corneille ou Victor Hugo. L'origine guignolesque d'*Ubu roi* laisse aussi des traces, à travers des épisodes à grand spectacle traités de façon caricaturale : la revue où paraît l'« armée polonaise » (II, 2), la scène de la trappe (III, 2) ou le bateau sur la mer au dernier acte proposent des effets dignes du Châtelet. Quant à l'apparition de la mère Ubu en spectre (V, 1), elle joue encore d'un procédé classique. Ainsi Jarry se sert-il de cela même dont il se moque. Par ailleurs, l'utilisation dramatique du langage est remarquable, tant le caractère même d'Ubu, par sa bêtise et sa méchanceté sans retenue, détruit les mécanismes traditionnels du dialogue fondé sur la psychologie. Ubu nous renvoie constamment à un en-deçà du langage : le décalage qui s'ensuit est en lui-même un effet dramatique (cela même qui sépare à un lever de rideau « Oui, je viens dans son temple adorer l'Éternel » et « Merdre »).

À ces raisons de l'efficacité spécifiquement dramatique d'*Ubu roi*, il faut en ajouter deux autres, moins visibles et peut-être plus profondes. La première nous est fournie par une remarque de Jarry lui-même dans une présentation de la pièce : « M. Ubu est un être ignoble, ce pourquoi il nous ressemble (par en bas) à tous. » La seconde raison est complémentaire (et contradictoire) : cette pièce ne signifie rien, ce qui suffit à expliquer qu'elle suscite sans fin des gloses. Le personnage d'Ubu ne représente que lui-même ; sa violence extraordinaire, son énergie primitive excèdent toutes les interprétations possibles qui le réduiraient à un type : le Bourgeois, le Professeur ou l'Homme politique ; il est inépuisable.

Sur un autre plan, la création d'*Ubu roi* est d'une importance essentielle : c'est une date dans l'histoire du théâtre. Les indications de mise en scène suggérées par Jarry et adoptées par Lugné-Poe, directeur du théâtre de l'Œuvre, radicalisaient les recherches théâtrales en cette fin du XIXᵉ siècle. S'inspirant largement du théâtre élisabéthain, prônant le refus du réalisme et de la psychologie, du décor, des costumes conventionnels et de la diction classique, se référant au théâtre de marionnettes (modèle avoué déjà d'un Maeterlinck), Jarry casse le système de la représentation tel qu'il domine en son temps – et la plupart des avant-gardes du début du XXᵉ siècle s'en souviendront, du futuriste Marinetti, dont *le Roi Bombance*, renouvelé d'Ubu, sera joué au même théâtre de l'Œuvre en 1909, jusqu'à Antonin Artaud, fondateur du théâtre Alfred-Jarry en 1926. Jarry a présenté ses vues sur le théâtre et la mise en scène dans une série de textes brefs et superbes, véritables manifestes. Leur radicalisme et leur modernité sont parfaitement résumés dans le titre de l'un d'entre eux, publié en septembre 1896 : « De l'inutilité du théâtre au théâtre ». Plus qu'un « merdre » augural, c'est cette position extrême qui choqua.

Les représentations d'*Ubu roi* sont-elles, peuvent-elles être à la hauteur du mythe ? L'œuvre est souvent donnée. Les créateurs, Lugné-Poe, metteur en scène, et Gémier, interprète du rôle titre, tinrent à reprendre la pièce après la mort de Jarry. Plus récemment, quelques-uns des grands noms du théâtre ont proposé leurs versions d'*Ubu roi*, depuis Jean Vilar en 1958 jusqu'à Peter Brook (1977) ou Antoine Vitez (1985) ; certains ont recherché le ton de la farce et l'esprit potache des origines rennaises, comme Guénolé Azerthiope (1970) ou Spike Milligan (1979). Le plus souvent, il semble que les espoirs soient déçus et que la réalisation scénique ne tienne pas ses promesses : l'œuvre serait-elle trop connue ? Ne peut-elle plus s'imposer, une fois émoussé le scandale ? Sans doute est-ce sous des formes marginales par rapport au théâtre parlé qu'*Ubu roi* a pu renaître sans perdre sa force initiale. Les variations abondent : ainsi le Suédois Michael Meschke en a-t-il donné une version avec marionnettes qui obtint un grand succès. Jean-Christophe Averty en réalisa une adaptation marquante pour la télévision française en 1965. Les Polonais – la chose s'imposait ! – apportèrent leur contribution : dessin animé de Jan Lenica en 1987, opéra de Krysztof Penderecki (*les Soupers du roi Ubu*, 1991). Entré par force au théâtre pour le subvertir et le réinventer, l'œuvre semble devoir se réincarner dans d'autres formes. Si les puristes peuvent s'en plaindre en raison des libertés prises avec le texte, il n'est pas certain qu'il y ait là trahison de l'esprit de Jarry qui se plut lui-même à métamorphoser sa créature.

En effet le personnage d'Ubu ne cessa de préoccuper Jarry. Masque et fétiche, le monstre revenait sous des formes variées : par des gravures et dessins, d'abord, qui permirent, entre autres, de transmettre le « véritable portrait de M. Ubu » dont Jarry orna l'édition originale, mais surtout par des textes ; de sa deuxième publication (*Guignol*, 1893) à *Ubu sur la butte* (créé en 1901, publié en 1906), le fantôme de M. Hébert accompagne toute l'existence littéraire de Jarry, qui, par ailleurs, s'ingéniait dans le quotidien à imiter Ubu. Outre *Ubu roi*, trois titres importent surtout : *Ubu cocu* est le plus proche des sources rennaises ; il nous est connu dans plusieurs états (*Ubu intime*, *les Polyèdres*, *l'Archéoptéryx*) et ne fut publié qu'en 1944.

Ubu enchaîné (1901) est la « contrepartie » d'*Ubu roi*, dont *Ubu sur la butte* est une « réduction » pour théâtre de marionnettes. Alors que ces différents textes se réfèrent toujours, plus ou moins directement, aux versions recueillies au lycée de Rennes, les deux *Almanachs du père Ubu* (pour janvier, février et mars 1899 et pour 1901) sont des ensembles hétéroclites où se mêlent calendriers, recettes (« Pour teindre les cheveux en vert » ou « Pour faire tomber et choir les dents »), dialogues et anecdotes divers et même une chanson mise en musique par Claude Terrasse, Pierre Bonnard illustrant abondamment ces deux *Almanachs*, où la verve et l'invention de Jarry se déploient sur un ton qui annonce déjà les chroniques de la **Chandelle verte*.

● *Tout Ubu*, « Le Livre de Poche », 1962 (p.p. M. Saillet et C. Grivel) ; *Ubu*, « Folio », 1978 (p.p. N. Arnaud et H. Bordillon). ➤ *Œuvres complètes*, « Pléiade », I.

P. BESNIER

UN BALCON EN FORÊT. Récit de Julien **Gracq**, pseudonyme de Louis Poirier (né en 1910), publié à Paris chez José Corti en 1958.

Pendant la « drôle de guerre », l'aspirant Grange rejoint son lieu d'affectation dans les Ardennes, près de la frontière belge. Il se voit attribuer le commandement d'une « maison forte » (il s'agit d'un blockhaus) située en pleine forêt sur une hauteur (les « Hautes Falizes ») surplombant la Meuse. Il y rejoint une minuscule garnison composée du caporal Olivon et des soldats Hervouët et Gourcuff. Ils vivent dans une petite maison construite au-dessus du blockhaus lui-même. Très vite l'officier s'installe avec ses hommes dans une existence feutrée, réglée, aux occupations peu prenantes. Il se sent protégé par l'épaisse forêt environnante, et la venue de l'hiver renforce encore ce sentiment d'isolement qui semble préserver les lieux des dangers extérieurs, dont la menace se fait de plus en plus hypothétique. Grange rencontre un jour dans la forêt une jeune femme, Mona, qui semble très insoucieuse du monde, et l'invite dans sa maison du hameau des Falizes. Elle devient le jour même sa maîtresse et il retourne ensuite régulièrement chez elle pour y vivre une relation sensuelle en étroite harmonie avec la nature environnante. Parfois une alerte, le passage d'une colonne d'artillerie, ou d'autres signes rappellent que le péril autour de leur nid est toujours bien présent et viennent lézarder provisoirement cette rassurante routine campagnarde. Dès le retour du printemps le danger devient plus pressant et progressivement la réalité du « théâtre de la guerre » se précise : les civils des environs sont évacués et les nouvelles se succèdent, toujours plus alarmantes. Mais Grange trouve cependant encore maints prétextes à se rassurer et se sent singulièrement de plus en plus déconnecté des événements, impuissant, à l'écart : « Tout, autour de lui, était trouble et vacillement, prise incertaine ; on eût dit que le monde tissé par les hommes se défaisait maille à maille. » Et lorsqu'il prend conscience enfin qu'ils n'échapperont pas à la pression de la « paume lourde » qui est en train de s'abattre, son angoisse se transforme très vite en une sorte d'ébriété de la peur et en un sentiment d'absence au monde qui ne cessera de l'accompagner jusqu'au bout.

« Jamais la France, un goût de nausée dans la bouche, n'avait tiré le drap sur sa tête avec cette main rageuse » : Gracq est parvenu dans ce livre à évoquer avec une rare intensité ce sentiment d'engourdissement, cette aboulie dangereuse d'un pays qui glisse au désastre, ne trouvant plus en lui la moindre ressource pour remonter le courant. La trouvaille de ce récit consiste à marquer les effets produits par cet abandon, par cette imprépatation dont les signes se lisent partout dans l'esprit d'un personnage qui se caractérise de surcroît par le vif désir de se tenir à la lisière du réel et du rêve. Cet homme saura le cas échéant accomplir sa « besogne » mais sans s'y investir, en gardant son « quant à soi ». Cette puissance d'évocation se trouve encore renforcée par le fait que le lecteur et Grange sont laissés dans la même méconnaissance de ce qui se trame à l'extérieur. Les nouvelles se font rares, et même si elles nous apprennent parfois que le théâtre des opérations s'est rapproché, le danger ne se précisant pas, la menace semble toujours aussi irréelle.

En ce sens on peut dire que le mouvement même de ce récit est à l'opposé de celui qui entraîne le lecteur dans le *Rivage des Syrtes*. Ici, loin de tendre de toutes ses forces et même de participer à l'avènement d'une échéance intensément souhaitée, le personnage principal (dont le passé reste presque entièrement ignoré) s'efforce de nier l'existence de ce qui doit advenir, comme s'il voulait s'ancrer désespérément dans le présent et utiliser tous les moyens dont il dispose, même s'il est conscient de leur inefficacité à changer les choses, pour oublier l'inéluctable qui s'approche. L'écriture de Gracq se révèle particulièrement appropriée à figurer ce désir de stase, dans la mesure où chacune de ses phrases peut se lire comme une station particulière du plaisir, où la préoccupation esthétique est renforcée par un souci de détachement.

De ce point de vue, tout le livre peut se concevoir comme une manière de « réparer » l'impression de laideur et de « désenchantement » éprouvée par l'officier dans les faubourgs de Charleville (comment bien entendu ne pas songer ici à Rimbaud, qui a tellement compté pour Gracq) : « Avant même le premier coup de canon, la rouille, les ronces de la guerre, son odeur de terre écorchée, son abandon de terrain vague, déshonoraient déjà ce canton encore intact de la Gaule chevelue. » Dans cet endroit comme abandonné des hommes où il va échouer, la forêt, avec toutes les échappées qu'elle propose et tous les refuges qu'elle recèle, va l'aider à retrouver, l'espace d'une saison, l'enchantement du monde. Contre les assauts destructeurs de la réalité, l'imagination construit sa digue, puissante à sa manière. De son « balcon » d'observation, Grange peut patiemment compter ses alliés naturels, évaluer leur contour, apprécier leur durabilité et leur pouvoir contre l'angoisse. Il peut rêver que la guerre ne fera que passer, qu'elle les oubliera lui et ses compagnons, comme s'il était parvenu à élaborer une île d'oubli : « Il devait y avoir dans le monde des *défauts*, des veines inconnues, où il suffirait une fois de se glisser. [...] "Je suis peut-être de *l'autre côté*" songea-t-il avec un frisson de pur bien-être ; jamais il ne s'était senti avec lui-même dans une telle intimité. » Sur ce fond de guerre désespérant, chaque minute qui passe devient bonne à goûter et la saveur de ce que l'on risque de perdre s'intensifie.

D'une certaine façon, l'écriture se justifie de ce rêve même qui consiste à se vouloir à l'écart, en marge, à revendiquer le pouvoir de se tenir aux confins pendant certaines époques particulièrement troublées de l'histoire des hommes. L'écrivain, pour Gracq, est un peu celui qui est voué à un tel confinement : mi-replié, mi-exilé, disposant d'une retraite aménagée et de la vacance nécessaire pour lire le monde, il fait partie de ces « espèces de rôdeurs des confins, de flâneurs de l'apocalypse, vivant libre de soucis matériels au bord de leur gouffre apprivoisé, familiers seulement des signes et des présages, n'ayant plus commerce qu'avec quelques grandes incertitudes nuageuses et catastrophiques, comme dans ces tours de guet anciennes qu'on voit au bord de la mer ».

● José Corti, 1990.

G. COGEZ

UN BARRAGE CONTRE LE PACIFIQUE. Roman de Marguerite **Duras** (née en 1914), publié à Paris chez Gallimard en 1950.

Première partie. La mère, vieille femme usée et malade, vit avec ses deux enfants, Joseph et Suzanne, vingt et dix-sept ans, dans sa concession de la plaine de Ram en Indochine. Cette concession, c'est le drame de sa vie : elle y a englouti les économies de quinze années de privations et de sacrifices. Or l'administration coloniale lui a vendu une zone incultivable parce qu'inondée à chaque marée de juillet. La mère, aidée par des indigènes auxquels elle a communiqué son désir de se battre, avait fait établir alors d'immenses barrages qui ont cédé

immédiatement devant le flot, et elle a définitivement baissé les bras. Joseph et Suzanne, l'un révolté, l'autre passive, attendent de pouvoir aller enfin vivre ailleurs. Lorsque M. Jo, le fils d'un riche planteur, s'attache à Suzanne, l'horizon s'entrouvre pour chacun, jusqu'à ce qu'ils comprennent qu'il ne l'épousera pas. Avant de quitter la concession, il laisse à la jeune fille une bague ornée d'un diamant.

Seconde partie. Toute la famille part alors pour « la ville » dans l'espoir de vendre la bague. La mère nourrit des projets insensés ; Joseph et Suzanne espèrent. Mais le diamant ne trouve pas preneur. Le temps passe. Joseph, amoureux, disparaît. La mère dort pour oublier le diamant et la fugue de Joseph. Suzanne, présentée à Barner, un représentant en fils d'une usine de Calcutta, refuse sa proposition de mariage. Soudain Joseph reparaît. Il a vendu le diamant. La mère utilise cet argent tant attendu pour payer les intérêts de prêts en retard. Lorsqu'ils rentrent à la concession, elle est au bout de ses forces. Joseph finit par quitter la concession dans le sillage de la femme rencontrée à la ville. Suzanne attend un homme, n'importe lequel, un « chasseur » qui l'épousera et l'emmènera. C'est Agosti, fils d'un colon ruiné, contrebandier, qui la choisit. Mais la mère meurt. Joseph, revenu pour l'enterrement, repart en emmenant Suzanne.

Ce roman de Marguerite Duras n'est pas sans évoquer certains éléments de sa vie, puisque l'auteur est née en Indochine où elle a passé son enfance et son adolescence. Le livre, s'il n'a rien d'une autobiographie, est nourri d'un certain nombre d'observations et de souvenirs qui donnent à l'intrigue, à la situation des personnages et au monde qui les entoure, un réalisme convaincant. Le roman se présente en effet d'abord comme une démystification du « mirage colonial », et révèle un monde à deux vitesses où les nantis, minoritaires, côtoient d'innombrables victimes, ces petits colons naïfs soumis à l'arbitraire d'une administration vénale et inhumaine (voir la description de la ville coloniale au début de la seconde partie). De plus, il dénonce (voir, toujours dans la seconde partie, la longue lettre opiniâtre et désespérée de la mère aux agents du cadastre) l'exploitation des colonisés par les Blancs, le manque d'hygiène, de soins, de nourriture et d'eau dont souffrent les indigènes et dont meurent leurs enfants, tandis que les gros colons s'enrichissent en les dépouillant peu à peu de leurs terres cultivables : « Pas plus que les oiseaux ou les singes de l'embouchure du rac n'ont de titre de propriété vous n'en avez. Qui donc vous les aurait donnés ? Ce sont les chiens du cadastre de Kam qui ont inventé ça pour pouvoir disposer de vos terres et les vendre [...]. Les terres que vous convoitez et que vous leur enlevez, les seules terres douces de la plaine, sont grouillantes de cadavres d'enfants. » Comme le personnage de la mère qui en est le porte-parole privilégié, la dénonciation est patiente, sensible, lucide et désespérée.

Mais cette peinture du monde colonial n'est que la toile de fond du roman. Les scènes, les dialogues, les récits, sont plus nombreux que les descriptions. C'est pourquoi la richesse et l'originalité déjà sensibles de l'univers romanesque de Marguerite Duras tiennent aux personnages et aux rapports qu'ils tissent, à leur rôle dans l'élaboration de l'intrigue : tout passe par eux, part d'eux, revient à eux. Ils sont véritablement le moteur du récit, lui conférant son côté abrupt, l'imprégnant de leur violence, de leur résignation, de la dérision qui caractérise certaines de leurs réactions. On se trouve donc ici dans le domaine du roman traditionnel, où la narration, les personnages et leur psychologie conservent leur place, tandis que déjà s'élaborent certains des thèmes chers à l'auteur : le monde colonial (voir le *Vice-consul*, *India Song*, le *Ravissement de Lol V. Stein*, l'*Amant*), l'amour comme salut, l'attente surtout, l'impossibilité de la vivre et même de la dire.

● « Folio », 1977 ; *la Vie tranquille [...]*, « Biblos », 1990.

V. STEMMER

UN BEAU TÉNÉBREUX. Récit de Julien **Gracq**, pseudonyme de Louis Poirier (né en 1910), publié à Paris chez José Corti en 1945.

Gérard, jeune homme qui passe ses vacances sur une plage bretonne, note dans son journal les infimes péripéties de ce séjour. Il y évoque les paysages et surtout les gens qu'il fréquente à l'hôtel des Vagues : Christel est une jeune femme « intéressante » et un peu hautaine, Jacques un poète « qui n'a rien lu », Irène et Henri Maurevert deux jeunes mariés déjà quelque peu lassés l'un par l'autre. Mais très vite, Allan, un « beau ténébreux », va occuper le devant de la scène grâce au charme engendré par la remarquable aisance de son allure en toutes circonstances. Tous les personnages de ce cercle de camaraderie subissent l'envoûtement de ce puissant catalyseur qui peut à la fois attirer (Christel lui voue un amour intense) et rebuter dans la mesure où chacun le sent plus ou moins animé d'un funeste dessein. Il ne laisse en tout cas personne indifférent, et la tension créée par sa présence ne cessera de croître jusqu'au dénouement. Vers la fin du récit, le journal de Gérard s'interrompt et c'est alors un second narrateur qui se charge de révéler au lecteur les ultimes épisodes de cette trame funèbre.

Chacun des personnages de ce récit trouve en lui, à sa manière, des raisons d'être sensible au magnétisme délétère émis par Allan. La dérision morbide qui habite ce dandy fait de lui un miroir où chacun peut voir l'image de son propre ennui et de son propre désenchantement de la vie. Celui-ci a d'ailleurs pris progressivement conscience de l'existence de cette contagion, et finit par la considérer comme un « secret terrible » qu'il révèle à Christel peu de temps avant d'accomplir l'« engagement » qu'il a contracté : « Ce que je ne savais pas, c'est qu'il n'est pas *bon* de laisser la mort se promener trop longtemps à visage découvert sur la terre. Je ne savais pas... Elle émeut, elle éveille la mort encore endormie au fond des autres. »

Gérard lui-même, malgré la capacité de recul que lui confère le fait d'écrire, subit cette fascination et ne parvient plus à se défaire d'une « image déliquescente de la vie ». Toute la teneur démonstrative de ce récit tient en ce désir de mettre au jour, en chacun, la présence d'une face nocturne qui le pousse à déprécier l'existence, à n'en plus considérer que les forces de déliaison, pour peu que les circonstances s'y prêtent, comme en ces lieux de villégiature livrés « pour deux mois à la veulerie et au désœuvrement ». Une pente sur laquelle le narrateur n'est que trop enclin à se laisser glisser : « J'adore saisir à leur naissance même ces lignes de clivage entre les êtres. » Un certain contraste naît par ailleurs entre la solennité (parfois un peu artificielle, il faut en convenir) du style de ce roman et le manque de densité, d'étoffe des protagonistes. Mais, même s'il cède parfois à certaines facilités, l'ouvrage recèle de très nombreuses notations où la qualité esthétique se joint à la justesse psychologique : « Le premier coup d'œil qu'échangent deux êtres, certaine inflexion de voix qui s'impose à eux, aussi insidieuse, aussi fatale qu'une inspiration de poète, les engage pour jamais, pour le meilleur ou pour le pire – ou pour l'indifférence complète. »

● Corti, 1992. ➤ *Œuvres complètes*, « Pléiade », I.

G. COGEZ

UN CAPITAINE DE QUINZE ANS. Roman de Jules **Verne** (1828-1905), publié à Paris en feuilleton dans le *Magasin d'éducation et de récréation* du 1er janvier au 15 décembre 1878, et en volume chez Hetzel la même année.

Le sujet traité fait la part belle à l'enfance et à l'aventure. Mais l'essentiel de la réflexion porte sans doute sur une autre question, fréquemment abordée dans l'œuvre de Jules Verne : l'esclavage, dénoncé comme barbarie absolue, rejet total de la civilisation. D'où un regard très sombre posé généralement sur l'Afrique, où cette pratique paraît tellement intégrée aux mœurs, qu'on ne voit pas comment elle pourrait être abolie.

Première partie. Le 2 février 1873, le baleinier *Pilgrim* navigue dans le Pacifique sud, avec à son bord Mrs Weldon, épouse de l'armateur, Jack, son tout jeune fils, Nan, leur vieille servante noire, et le cousin Bénédict, entomologiste d'une distraction proverbiale. On découvre, abandonnés sur une épave, cinq Noirs – le vieux Tom, Austin, Bat, Actéon et Hercule –, et un chien – Dingo – qui manifeste tout de suite une agressivité incompréhensible pour Negoro, l'antipathique cuisinier du *Pilgrim*. Plusieurs indices font supposer que l'animal a pu appartenir à Samuel Vernon, voyageur français disparu deux ans plus tôt en Afrique. Une baleine surgit. Le capitaine Hull et tout son équipage vont l'attaquer dans une chaloupe, espérant pouvoir améliorer ainsi le bilan d'une campagne de pêche particulièrement médiocre. Tous périssent dans le combat contre le monstre. Il ne reste plus sur le navire que les passagers, l'inquiétant Negoro et le novice Dick Sand, à peine âgé de quinze ans mais seul à posséder des rudiments de navigation (chap. 1-8). Aidé par les cinq Noirs, le jeune capitaine tente de rejoindre la côte chilienne. Mais Negoro a saboté les boussoles du bord. Poussé par une effroyable tempête, le baleinier vient s'échouer sur une terre qu'on prend d'abord pour le Pérou. Un certain Harris, rencontré alors que le cuisinier a provisoirement disparu, prétend qu'il s'agit de la Bolivie et s'offre comme guide. Mais la faune a tôt fait de révéler qu'au lieu de l'Amérique du Sud, on a atteint l'« Afrique des traitants et des esclaves » (9-18).

Seconde partie. Negoro, en fait, est un bagnard évadé. Il a attiré le *Pilgrim* en Angola pour y retrouver Harris, son complice, et se consacrer à nouveau au trafic d'esclaves. Au milieu d'une nature hostile, d'hommes féroces sans scrupules, Dick Sand et ses amis essaient de se diriger vers un comptoir portugais où ils pourraient trouver du secours. Mais Negoro les fait capturer par les indigènes qu'il manipule pour servir ses abominables activités. Tom, Bat, Actéon et Austin sont vendus comme des bêtes. La vieille Nan est sauvagement massacrée. Mrs Weldon, Jack et Bénédict sont retenus prisonniers. Dick Sand est condamné à un affreux supplice après avoir tué Harris. Seul Hercule a pu fuir. C'est lui qui réussit à les sauver, grâce à sa force et à ses ruses (chap. 1-18). Au cœur de la jungle, les héros trouvent les restes de l'explorateur Samuel Vernon, assassiné et volé par Negoro. Dingo tue le misérable, revenu sur le lieu de son crime pour récupérer son butin. Échappant aux cannibales, Mrs Weldon, son fils et son cousin, efficacement protégés par Dick Sand et Hercule, sont rapatriés à San Francisco le 25 août 1873. Ils sont rejoints quatre ans plus tard par Tom et ses trois compagnons, retrouvés et rachetés par l'armateur. Dick Sand a pu, grâce à lui, compléter ses études pour obtenir son brevet de capitaine (19-20).

Nous sommes en présence d'une histoire édifiante, dans laquelle, une fois de plus dans l'œuvre de Verne, l'enfance triomphe des pièges de l'existence et rachète l'imprévoyance ou l'indignité des adultes. L'écrivain semble exalter l'école de la vie, plus efficace et plus probante pour former un homme que l'instruction théorique. La science pure n'est-elle pas complètement ridiculisée, d'ailleurs, à travers la figure dérisoire du cousin Bénédict ? Entomologiste passionné, il traverse les faits sans les voir. Comment pourrait-il y participer ? Même dans son domaine d'érudition, sa distraction l'expose aux plus énormes bévues. Il en arrive ainsi à prendre une vulgaire araignée pour un insecte rarissime, faute de remarquer que la malheureuse bête a perdu deux pattes dans sa capture. Il rejoint ainsi la longue théorie de savants excentriques et caricaturaux, figures familières de l'univers vernien dont Paganel, le géographe des *Enfants du capitaine Grant*, fournit l'archétype.

Autant d'éléments propres à justifier un regard sceptique et inquiet sur la civilisation, dont l'esclavage révèle les évidentes limites, sinon l'hypocrisie fondamentale. La dénonciation vernienne s'appuie ici sur un réalisme d'une rare crudité par rapport à sa mesure coutumière. S'étendant avec complaisance sur la description de mains coupées, de supplices effrayants, de cruautés sadiques et de mœurs abjectes, Verne renoue avec la verve grave des philosophes des Lumières. Le modèle voltairien du « Nègre de Surinam », exhibant ses moignons aux yeux de Candide et de Cacambo (voir *Candide*), est clairement perceptible. Au milieu de telles turpitudes, le pur Dick Sand prend une stature d'archange, tantôt martyr sublime, acceptant la mort la plus affreuse pour sauver ses compagnons, tantôt justicier souverain, poignardant le misérable Harris sans la moindre hésitation, comme s'il devait à lui seul soutenir les valeurs d'une humanité qui les ignore totalement. Représentée essentiellement par des peuples barbares et corrompus, la civilisation offre en effet le visage le plus hideux qui soit. Le comble est atteint quand le roi de Kazonndé et ses courtisans, imbibés d'alcool, prennent feu en voulant boire du punch. Le mythe du bon sauvage a vécu. Cannibales et chrétiens font cause commune pour asservir leur prochain : « Tant de misères laissaient insensibles ces Arabes endurcis et ces Portugais qui [...] sont plus cruels encore. »

Par rapport à ce triste tableau, la sauvagerie de la nature est à tout prendre préférable, voire plus morale. Ainsi la « jubarte », cette fameuse baleine qui cause la mort du capitaine et des hommes du *Pilgrim*, met d'autant plus de vigueur dans sa défense qu'elle veut protéger son baleineau. Quant au lion qui épargne Dick Sand désarmé, et lui préfère une antilope, il démontre une maîtrise de sa puissance et de ses appétits dont les êtres humains ne semblent guère capables. Le chien Dingo, enfin, fidèle vengeur de son maître assassiné, souligne on ne peut mieux la dénaturation des hommes.

Il en résulte pour ces derniers une évidente leçon : la cupidité absurde du capitaine Hull a causé la perte de ses marins et de son navire. Il s'est comporté de manière irresponsable, traitant la nature comme un bien où il peut puiser sans limites et dont il dispose en maître, sans égards pour les forces qui le dépassent ni pour les droits des créatures qu'il offense. Juste retour des choses, c'est sur lui-même que l'homme finit par exercer sa tyrannie, devenant à ses yeux pire qu'un animal : une marchandise.

L'abolition de l'esclavage et les lendemains de la guerre de Sécession aux États-Unis ont pu servir de prétexte à la bonne conscience de l'Occident libéral au XIXe siècle. Mais le roman de Jules Verne en suggère le caractère formel et illusoire. Jadis visible et admise, la traite peut survivre clandestinement, dans des structures adaptées. En traversant ce continent de la peur, que l'Afrique représente presque toujours dans l'écriture de Verne, Dick Sand, personnage totalement positif, fait l'expérience de la négativité sous toutes ses formes : le mal, la laideur et la mort, substance et vérité profondes d'une réalité trop complexe pour être angélique.

➤ *Œuvres*, Éd. Rencontre, XX ; *id.*, « Le Livre de Poche », XIX.

D. GIOVACCHINI

UN CAPRICE. Proverbe dramatique en un acte et en prose d'Alfred de **Musset** (1810-1857), créé (en russe) à Saint-Pétersbourg au théâtre Alexandrinsky le 8 décembre 1837, publié à Paris dans la *Revue des Deux Mondes* le 15 juin 1837, et en volume dans *Comédies et Proverbes* chez Charpentier en 1840. La pièce fut jouée en novembre 1847 à la Comédie-Française par Mme Allan qui l'avait interprétée en Russie : pour la première fois depuis l'échec de *la Nuit vénitienne* (1830), on reprenait sur une scène française le théâtre de Musset.

Si l'intrigue doit à un élément biographique – la cousine de Mme Jaubert (elle-même ancienne maîtresse et amie de Musset), Aimée d'Alton, avait envoyé anonymement à l'auteur une bourse, cadeau qui fut le prélude à une liaison durable –, le canevas a pu être suggéré par une comédie à succès de Creuzé de Lesser (représentée en 1809 et longtemps reprise), *le Secret du ménage*, dans laquelle une jeune femme délaissée retrouve son mari grâce aux manœuvres d'une amie.

Mathilde de Chavigny songe tendrement à son époux en contemplant la bourse rouge qu'elle vient de broder pour lui. Celui-ci, étonné qu'elle ne veuille pas sortir ce soir-là, lui emprunte des partitions pour une amie et lui montre non le cadeau qu'il vient de recevoir, une bourse bleue, sans consentir à nommer la donatrice, que Mme de Léry, une élégante amie de Mathilde venue lui proposer de l'emmener avec elle au bal, s'empresse de nommer en la raillant : il s'agit de Mme de Blainville dont Mathilde était confusément jalouse. Restée seule avec son mari, Mathilde le supplie à genoux, mais en vain, de lui donner la bourse bleue et, après le départ de Chavigny pour le bal, elle hésite

en pleurant à jeter sa bourse rouge au feu. Elle consent à avouer le motif de sa tristesse à Mme de Léry qui, revenue, décide de lui venir en aide : elle doit feindre d'être allée au bal et envoyer anonymement la bourse rouge à Chavigny quand il sera rentré. Mme de Léry s'indigne de la sottise de l'époux, et à son retour, le raille finement de son inquiétude de ne pas trouver sa femme et de son étonnement lorsque lui est remise la mystérieuse bourse rouge. Elle le détrompe à peine lorsqu'il en croit l'expéditrice et le laisse lui faire la cour, lui proposer, même, un « caprice » d'un moment, ce qui lui permet de réclamer la bourse bleue qu'elle jette au feu avant de tout dévoiler : Chavigny accepte la leçon et s'apprête à accueillir, sans rien lui cacher, sa jeune et tendre épouse.

Musset emprunte pour sa pièce la forme du proverbe, genre mondain en usage dès le XVIIe siècle et où se distingue, un siècle plus tard, Carmontelle (voir *Proverbes dramatiques*) : on retrouve, fidèlement rendu, l'esprit régnant dans les salons de la bonne société et l'on a pu rechercher le modèle précis de Mme de Léry comme on a pu constater de l'avoir rencontré mille fois dans les soirées. Le proverbe est une convention à laquelle se soumet aisément l'auteur : le mot de la fin – « ... Je n'oublierai jamais qu'un jeune curé fait les meilleurs sermons » – dévolu à Chavigny faisant amende honorable envers Mme de Léry, montre que la pièce est construite pour illustrer une maxime. Musset y déploie un rare talent dans l'art de la composition. L'intrigue est simple et fluide ; il suffit d'un feu et d'une bourse rouge ou bleue, d'une tasse de thé et des bribes d'une conversation, pour que les scènes, grâce à une construction très efficace, s'enchaînent comme en un ballet. Gautier, critique influent, peut donc saluer la première représentation comme un événement, non seulement parce qu'il y voit enfin la littérature reconquérir droit de cité au théâtre, mais aussi parce que, en spécialiste, il discerne les qualités purement dramatiques de ce théâtre conçu pour être lu. De fait, le chassé-croisé des personnages qui vont au bal ou feignent d'y aller, qui reprennent des discussions laissées en suspens, possède un naturel aérien parfaitement adapté aux exigences scéniques. Ce qui ne saurait dissimuler pour autant l'intensité de la lutte feutrée que se livrent des esprits parfaitement policés : Chavigny domine courtoisement sa femme mais trouve plus fin et plus ferme que lui. L'opposition entre les femmes (vertueuses) et l'homme (double et capable de cynisme amoureux ; le nom de Chavigny provient de l'*Histoire de ma vie* de Casanova), thème mussettien s'il en est, semble servir un dessein moral. Mais il est probable que le succès de la pièce tient moins à cette volonté édifiante, ou à l'inverse aux situations parfois audacieuses, qu'à l'esprit scintillant qui se déploie sans faillir au cours de l'action et dont Mme de Léry (une autre Célimène, a parfois dit la critique) est le meilleur représentant. Joutes spirituelles, paradoxes ou pointes concourent à la vivacité d'un dialogue inimitable, alors même qu'on pouvait le croire simple reflet d'une réalité sociale.

➤ *Comédies et Proverbes*, Les Belles Lettres, III ; *Œuvres complètes*, « L'Intégrale » ; *Théâtre complet*, « Pléiade ».

F. COURT-PEREZ

UN CAPTIF AMOUREUX. Récit de Jean **Genet** (1910-1986), publié à Paris chez Gallimard en 1986.

À la suite d'une très grave dépression et d'un véritable désarroi littéraire que raconte *le Funambule* (1948), s'inaugurait pour Genet en 1967 une nouvelle période, faite d'errances qui se transformeront en voyages politiques avec Mai 68. Après une première visite aux États-Unis à l'automne 1968, où il participe aux manifestations contre la guerre du Viêt-nam, il retourne aux États-Unis en février 1970 pour soutenir le mouvement des Black-Panthers. Le 20 octobre, il se rend en Jordanie sur l'invitation de l'OLP : le séjour prévu pour huit jours va durer deux ans, jusqu'à l'expulsion de l'écrivain par les autorités jordaniennes. Dès le début des années soixante-dix, Genet entreprendra la rédaction d'un ouvrage relatant ces expériences : l'impossibilité d'achever, la sollicitation d'autres projets (voir *Miracle de la rose*) et le rapport désormais conflictuel à l'écriture bloquent la rédaction, jusqu'au retour au Moyen-Orient en septembre 1982 d'où Genet, témoin des massacres de Sabra et Chatila, reviendra avec l'un de ses plus importants textes politiques (« Quatre Heures à Chatila »). L'urgence d'une mort proche (l'auteur est atteint d'un cancer depuis 1979) et cette tragédie lui font reprendre son manuscrit, achevé en novembre 1985, et sur les épreuves duquel il meurt le 15 avril 1986.

Divisé en deux parties inégales (« Souvenirs I », 309 pages, et « Souvenirs II », 180 pages), le livre porte délibérément la marque de sa composition étalée sur plus de douze ans : c'est que le rapport à l'écriture et à la mémoire y importe autant que le témoignage historique, ou plus exactement que l'inscription de la subjectivité, loin de s'opposer à un « reportage » mythique, est ici du même ordre que l'activité politique : « Mettre à l'abri toutes les images du langage et de servir d'elles, car elles sont dans le désert, où il faut aller les chercher », notait-il en tête des dernières épreuves de son livre, faisant se nouer par l'image du désert le passé en Jordanie et l'écriture. S'il semblait donc répondre à une demande de ses amis révolutionnaires, il n'était pas question pour Genet de sombrer dans la naïveté d'une mimésis réaliste : les notations les plus exactes, les analyses et les lectures symboliques s'enchevêtrent alors pour construire, loin du leurre d'un témoignage, la véritable authenticité. Dans la splendeur d'une phrase désencombrée de ses anciennes mythologies (voir *Notre-Dame-des-Fleurs*), mais non de son rythme propre, *Un captif amoureux* organise pour le lecteur contemporain une guerre des représentations : contre le rapt médiatique photographiant les *fedayin* « sur fond de soleil couchant », l'image poétique révèle ce que l'image journalistique étouffe. Le récit de souvenirs, la reconstitution des propos tressent alors l'expérience de l'ultra-gauche américaine et de la résistance (ou révolution) palestinienne : l'exclusion est le point commun qui les lie et les relie aussi à Genet, de même que le mélange de l'activisme et de la théâtralité. Découvrant et analysant ces combats d'exclus et d'apatrides, l'auteur fait aussi, peut-être même d'abord, un récit de reconquête personnelle, à la recherche des émotions qui lui survivront : « J'ai fait ce que j'ai pu pour comprendre à quel point cette révolution ressemblait peu aux autres et d'une certaine façon je l'ai compris, mais ce qu'il m'en reste sera cette petite maison d'Irbid où une nuit je dormis, et quatorze ans durant lesquels je tentai de savoir si cette nuit avait eu lieu. Cette dernière page de mon livre est transparente. »

O. BARBARANT

UN CERTAIN PLUME. Recueil de récits d'Henri **Michaux** (1899-1984). Le premier état du texte (1930) fut augmenté de quatre chapitres inédits en 1936. Le recueil, précédé de *Lointain intérieur*, ensemble de poèmes composés à la même époque, parut chez Gallimard sous le titre *Plume* (1938).

Dans ces treize récits, Plume affronte des situations qui le mettent dans l'embarras et révèlent son inadaptation à la réalité sociale. Ces situations peuvent être banales (« Plume au restaurant », II ; « Plume voyage », III ; « Plume avait mal au doigt », VII ; « Plume à Casablanca », X), merveilleuses (« Un homme paisible », I ; « la Vision de Plume », VI ; « l'Arrachage des têtes », VIII ; « Plume au plafond », XII ; « Plume et les Culs-de-jatte », XIII), inattendues (« Dans les appartements de la reine », IV), ou fantastiques (« la Nuit des Bulgares », V). Elles confrontent un héros – en est-ce encore un ? – trop poli et trop courtois, trop soumis et trop vulnérable, à diverses figures de l'autorité : police, II, IX ; reine/roi, IV ; juge, I ; chef de train, III ; officier de cavalerie, VI ; docteur, VII ; épouse, VI, VIII ; coutumes, XII, XIII. Victime des désirs de la reine, ou chassé du train, envoyé à la soute ou surpris les pieds au plafond, il n'est jamais libre, mais toujours pris dans le regard d'autrui : il est agi plus qu'il n'agit, il « réfléchit » plus qu'il ne fait des projets.

Point de décors dans ces récits (comparer « Plume à Casablanca » et « Arrivée à Alicante » dans *Face à ce qui se dérobe*, 1975). Pas de portraits de personnages : simplement des types – la vieille dame, la jeune fille –, qui dictent des réactions elles-mêmes attendues. Que sait-on de Plume ? Il a un doigt, une épouse évidemment acariâtre ; il voyage, pour ne rien voir et ne songer avec angoisse qu'à son départ. Du fait de ce dépouillement, et de ce jeu sur le code romanesque, les situations et leur issue plus ou moins logique prennent le pas sur le vraisemblable. L'histoire, dont la structure est souvent répétitive (II, III, IV, VIII, X) se réduit à une suite de questions et de réponses (II, IV), ou une série de contraintes (III, VII) et obéit à une nécessité d'autant plus fatale à Plume qu'elle lui échappe, tant elle est nouvelle ou inattendue et irréfutable.

Cette crise du récit est aussi le récit d'une crise : celle de la fragile rationalité qui protège notre société. L'étrange jaillit dès qu'on ôte tout contexte à un acte (voir *Ailleurs*) : pourquoi faut-il tuer les Bulgares ? De quoi Plume est-il coupable au restaurant ? Chacun, enfermé dans les règlements, ses raisonnements (le chirurgien), ses fantaisies et ses désirs, exige de l'autre « la » réponse. Par son incapacité à répondre, ou par sa soumission aux autres qui provoque des désastres, Plume est une menace. Ce frère de Meursault (voir l'*Étranger*), ou de Montès (voir *Vent*, de Claude Simon) révèle que toute société est d'abord conflit d'individualités.

Grâce à son personnage, Michaux dresse donc un réquisitoire contre toutes les institutions et les rites contraignants qui régissent une société, quelle qu'elle soit. Il sait le faire avec humour, en amplifiant l'allure dramatique de ses récits (V), en jouant sur la naïveté de Plume (IV), ou son extrême politesse (III), lui faisant à l'occasion avaler la couleuvre qui rampe vers lui (« l'Hôte d'honneur »). Cette éternelle victime n'est pourtant pas si innocente : Plume porte en lui une grande violence (I, VIII), comme tout un chacun. La loi recouvre mal le désir : le policier se fait le complice des femmes de Berlin (IX). La réflexion ne peut rien contre la pulsion qui met en place un nouvel ordre : n'est-ce pas quand la culpabilité est la plus évidente – le meurtre des cinq Bulgares ; les têtes arrachées – que Plume peut toucher au rivage de la vie (« Oh ! vivre enfin ! ») ? Quand le rêve s'installe, le sujet, revenu dans le sein maternel, castre la figure paternelle (VI). Une inquiétante étrangeté pénètre le monde vécu, l'évidence pénètre le monde du rêve et du fantasme. Perverti par le désir et l'angoisse, le récit ouvre sur le surréel. En marge du surréalisme, Michaux construit ainsi son propre monde – surréaliste.

● « Poésie/Gallimard », 1985.

D. ALEXANDRE

UN CHAPEAU DE PAILLE D'ITALIE. Comédie en cinq actes et en prose d'Eugène **Labiche** (1815-1888) et de **Marc-Michel** (1812-1868), créée à Paris au théâtre du Palais-Royal le 14 août 1851, et publiée à Paris chez Michel Lévy frères la même année.

Chez Fadinard. Jour de noces pour ce jeune rentier parisien, qui épouse la fille de l'acariâtre Nonancourt, pépiniériste à Charentonneau : Félix, le valet de Fadinard, en informe sa collègue Virginie, bonne chez les Beauperthuis, tandis qu'arrive avec son cadeau un premier invité, le sourd Vézinet, suivi par Fadinard lui-même, hilare : son cheval vient de dévorer, au bois de Vincennes, le chapeau de paille d'Italie qu'une dame inconnue, en bonne fortune, avait accroché à un arbre. Celle-ci avec son godelureau, un bouillant officier, vient demander des excuses, interrompues par la noce, cohorte de provinciaux ridicules et hargneux. Catastrophe : en Virginie, l'inconnue reconnaît sa bonne, et, craignant ses bavardages, exige maintenant de Fadinard le remplacement du chapeau, seule façon pour elle d'éviter un drame conjugal. Terrorisé par l'officier, Fadinard accepte la mission et s'engage à n'en rien dire à Nonancourt. Ses deux visiteurs attendront sur place la remise de l'objet (Acte I).

La boutique de Clara. Fadinard se précipite chez la première modiste venue, qui se révèle être, par malheur, une de ses anciennes maîtresses, tandis que la noce, qui se croit à la mairie, débite ses titres et qualités devant un commis effaré, et surprend Clara la modiste dans les bras de Fadinard. La rupture est évitée de justesse. Hélas ! Clara ne possède plus le modèle requis, qu'elle vient de vendre à une certaine baronne de Champigny. Nouveau départ, d'autant plus précipité que Félix apporte des nouvelles alarmantes sur la « dame » effondrée et l'officier en train de tout casser (Acte II).

L'hôtel de la baronne. Au milieu des préparatifs d'une matinée musicale dont la vedette sera le ténor italien Nisnardi, et où le vicomte de Rosalba aimerait bien pousser sa note, surgit un Fadinard timide et angoissé qui, entre-temps, s'est marié pour de bon, a fait croire à la noce qu'on allait maintenant au restaurant, et a écrit à la baronne pour lui demander le chapeau. Mais la lettre n'étant pas encore arrivée, la baronne le prend pour le ténor, et Fadinard, d'abord abasourdi, décide de profiter du malentendu, cependant que la noce, à l'insu de la baronne, s'est jetée sur le dîner préparé pour les invités. Il réussit à faire passer Nonancourt, complètement ivre, pour son pianiste, mais apprend d'une femme de chambre que le chapeau vient d'être donné à... Mme de Beauperthuis. Le public aussitôt comprend tout, mais Fadinard, qui ignore, lui, l'identité de la dame qu'il héberge, croit tenir une nouvelle piste : après un intermède musical tragi-comique, tout le monde repart (Acte III).

Chez Beauperthuis. Irrité et inquiet de l'absence de sa femme Anaïs, Beauperthuis voit surgir Fadinard exaspéré, qu'il prend pour un voleur, avec à ses trousses toute la noce qui se croit maintenant rendue au domicile conjugal. Nonancourt adresse à sa fille un sermon prénuptial, tandis que Beauperthuis, pour amadouer son hôte, lui raconte toute l'histoire et lui montre les restes du chapeau mangé. Mais en apercevant Virginie, il réalise aussitôt sa bévue. Beauperthuis, qui rage contre l'infidèle Anaïs, découvre avec stupéfaction toute la noce en costume de nuit ! On repart, cette fois pour le domicile de Fadinard ; Nonancourt est furieux, et Beauperthuis animé d'intentions homicides (Acte IV).

Devant la maison de Fadinard. Tardiveau, le commis de Clara la modiste, est en faction sous l'uniforme de garde national ; il pleut. La noce arrive, épuisée. De plus en plus furieux, Nonancourt apprenant de Félix, puis de Fadinard lui-même, la présence d'une « dame » chez son gendre, s'imagine qu'il s'agit d'une maîtresse et entreprend de déménager la corbeille de mariage, d'où surgit par miracle un double du chapeau tant désiré : c'était justement le cadeau de Vézinet. Mais la garde arrête la noce, qu'elle prend pour une bande de cambrioleurs. Anaïs et son compagnon s'échappent de la maison au moment où survient Beauperthuis, qui monte surprendre l'infidèle ; l'officier se précipite au poste pour récupérer le chapeau, qui après d'ultimes péripéties, atterrit enfin sur la tête d'Anaïs. Beauperthuis est confondu, la noce remise en liberté, et Nonancourt, mis au courant par Félix, applaudit son gendre (Acte V).

Salué d'emblée comme un chef-d'œuvre du vaudeville, *Un chapeau de paille d'Italie* a acquis ses lettres de noblesse grâce à Claude Lévi-Strauss (*la Potière jalouse*, 1985), qui a relu la pièce comme une « métaphore développée » d'*Œdipe roi* de Sophocle : ici et là en effet, une quête/enquête progresse à l'insu de l'entourage aboutit à la découverte d'un objet ou d'une vérité cachés dès le début de l'action ; un Tirésias aveugle chez Sophocle, un Vézinet sourd chez Labiche détenant la clé du problème. Autre filiation possible et plus proche : *les *Trois Mousquetaires* de Dumas (1844). Car notre Fadinard-d'Artagnan multiplie les exploits pour sauver la réputation non plus d'Anne d'Autriche mais de la frivole Anaïs, pénètre les espaces interdits à l'homme (le salon de la modiste, acte II), au roturier (le salon de la baronne, acte III), sacrifie sa respectabilité bourgeoise en acceptant de passer pour un voleur (chez Beauperthuis, acte IV). Avec sa comédie, Labiche a sans doute retrouvé un schème fondamental ; il a aussi inventé un nouveau genre, le vaudeville-feuilleton.

Mais le héros de la pièce est d'abord cet insaisissable chapeau-ludion qui saute d'un lieu, d'un milieu à l'autre, et parcourt une bonne partie de la géographie sociale du temps. Il met ainsi en contact des groupes peu habitués à frayer l'un avec l'autre (nobles et petits-bourgeois, Parisiens et provinciaux, etc.), et dont les membres, spontané-

ment – tel un explorateur débarquant chez les sauvages – imputent à des usages qu'ils ignorent les comportements qui leur semblent bizarres, et dont ils tentent de s'accommoder sans trop chercher à les comprendre. Or cette cécité, cette surdité généralisées (Vézinet occupant ici une fonction emblématique), qui font prendre une boutique de modiste pour une mairie, un hôtel particulier pour un restaurant, un rentier pour un chanteur italien, constituent le détonateur du vaudeville. Surtout si, comme dans le *Chapeau*, les rebondissements les plus délirants se soumettent à l'ordre formel d'une rigoureuse « intrigue circulatoire » (H. Parigot) ; et si les personnages, fussent-ils ballottés dans tous les sens, ne se défont jamais de l'obsession ou du leitmotiv (Nonancourt : « Mon gendre, tout est rompu », etc.) qui permet de les identifier mais qui réduit encore leur champ de vision.

Entrée à la Comédie-Française en 1938 dans une mise en scène « poétique » de Gaston Baty, l'œuvre y a connu plusieurs reprises. René Clair l'a portée au cinéma en 1927, et Orson Welles en a tiré une adaptation théâtrale trépidante, dans le style des Marx Brothers : *Horse eats Hat* (1936).

➤ *Œuvres complètes*, Club de l'honnête homme, III ; *Théâtre*, « Bouquins », I ; *id.*, « Classiques Garnier », I.

J.-P. DE BEAUMARCHAIS

UN CLIENT SÉRIEUX. Comédie en un acte et en prose de Georges **Courteline**, pseudonyme de Georges Moinaux (1858-1929), créée à Paris au théâtre du Carillon le 24 août 1896, et publiée à Paris chez Flammarion en 1897.

Admirateur passionné de son père Jules Moinaux, vaudevilliste à succès qui s'en était déjà pris aux gens de justice (*les Tribunaux comiques*, 1881), Courteline attendit la mort de celui-ci (1895) pour oser à son tour exercer sa verve caustique sur les robins. À partir de quelques textes qu'il avait déjà publiés dans les journaux et qui épinglaient l'indifférence et la suffisance de juges souvent menés par de sordides intérêts, et sur la suggestion du poète Bertrand Millanvoye qui dirigeait le cabaret du Carillon, il ficelle en quelques jours cet acte court où il relève avec impertinence les approximations et les aberrations de la justice. S'inscrivant dans le cadre des « Assises du Carillon », programme de ce cabaret qui tournait en dérision les procès célèbres du moment, servie par Tervil qui tenait le rôle du malheureux La Goupille victime d'un système absurde, la pièce remporta un succès immédiat.

Un client sérieux. Dans l'attente de son arrêté de révocation, le substitut fait part à l'huissier de son inquiétude et de ses soupçons qu'il entretient à l'égard de l'avocat Barbemolle et de ses machinations. Barbemolle, précisément, accepte contre une somme rondelette de prendre en charge la défense de La Goupille dans une affaire qui va suivre. Les audiences commencent par le procès du malheureux Mapipe qui, le jour des Rameaux, a vendu du cresson pour du buis devant Notre-Dame-de-Lorette. Pour des raisons diverses, afférentes essentiellement aux jours de congé des uns et des autres, le prévenu, déjà en détention depuis un mois, devra attendre encore bien longtemps avant d'être jugé. On en vient enfin à l'affaire La Goupille. Celui-ci est accusé d'avoir « mis un marron » à Alfred, le patron du Pied-qui-remue, qui lui reproche de s'incruster toute la journée dans son établissement en ne buvant qu'un seul café. Après que La Goupille a démontré qu'en commandant un café il prend en réalité sept consommations, Barbemolle plaide avec une rhétorique et des effets de manche fort éloquents. Au moment où le substitut va répondre, il apprend sa révocation. Il laisse alors la place toute chaude à Barbemolle nommé à sa place. Ce dernier, sans sourciller, entreprend de réfuter dans un brillant discours ses propres arguments, au grand dam de La Goupille. Toutefois, au terme d'une suite d'attendus nébuleux et abscons, Alfred qui pensait d'abord l'emporter se voit débouté et La Goupille acquitté.

S'inscrivant dans l'esprit des soties du Moyen Âge et des procès parodiques, dans la tradition de gausserie de la justice et des plaideurs qui va de *la *Farce de Maître Pierre*

Pathelin à la *Tête des autres de Marcel Aymé (qui en fait reprend exactement le même sujet), *Un client sérieux* persifle les robins qui, par leur logorrhée, leur vocabulaire abscons, leurs arguties vétilleuses, leurs palinodies, s'offrent d'eux-mêmes à la caricature. Courteline toutefois souhaitait que l'on jouât sa pièce avec un sérieux réaliste pour que le respect des apparences fît ressortir l'absurde loufoquerie des idées, des comportements et du langage.

On rencontrera le même souci dans *l'Article 330*, pièce en un acte et en prose créée au théâtre Antoine en 1900 : Courteline y célèbre à sa manière les fastes de l'Exposition de 1900 en magnifiant un fait divers où un quidam, lassé de voir passer sous ses fenêtres le trottoir roulant de l'Exposition, finit par obtenir réparation.

L'Article 330. La Brige, « philosophe défensif », redoutable jouteur, combat la justice sur son propre terrain en maîtrisant parfaitement le code et, en particulier, ce fameux article 330 qui punit le délit d'outrage à la pudeur. En effet, La Brige est accusé d'avoir, par sa fenêtre ouverte, donné à voir son derrière (qualifié dans l'acte d'accusation de « sorte de sphère imparfaite fendue dans le sens de la hauteur ») à treize mille six cent quatre-vingt-sept usagers du trottoir roulant qui s'en sont plaint. Malgré ses astuces et ses finasseries, qui prennent la justice au piège de ses propres artifices, La Brige, finalement condamné, en appelle à la... postérité.

Le personnage de La Brige réapparaîtra l'année suivante dans *les Balances*, pièce en un acte, créée au théâtre Antoine en 1901.

Les Balances. Au cours d'une longue conversation avec son ami le juriste Lonjumel, La Brige explique comment, lassé de la justice de son pays qui l'a condamné parce qu'on lui devait de l'argent, puis à nouveau condamné parce qu'un filou prétendait avoir été insulté par lui, il a finalement décidé de se retirer au calme à la campagne. Comble de malchance, sa maison se trouvant frappée d'alignement, il est à la fois condamné à la réparer et condamné à ne pas la réparer. Une suite d'accidents s'en sont suivis, dont on le rend entièrement responsable. Excédé, il lui vient la tentation, comme elle a dû venir à d'autres honnêtes gens, de « s'habiller en brigand pour obtenir [son] juste dû, et à solliciter du crime ce que le bien-fondé de [sa] cause a inutilement imploré de l'imbécillité des choses de la mauvaise grâce des hommes ».

Cette mauvaise grâce, La Brige la retrouve encore dans l'épisode d'*Une lettre chargée* en butant cette fois contre l'obstination tracassière du fonctionnaire Ratcuit.

Le comique de Courteline (lui-même redoutable procédurier) tient ainsi, surtout dans ces scènes où la justice et la loi sont en question, à des procédés d'accumulation : mésaventures s'entassant les unes sur les autres, glossolalie, raisonnements à tiroirs, etc. Le caractère matois des robins et des chicaniers pousse jusqu'à l'exaspération la bonne foi du simple citoyen, le forçant de constater « combien est persuasive l'éloquence des déments à prêcher qu'ils sont la sagesse ».

➤ *Théâtre*, « GF » ; *Théâtre [...]*, « Bouquins ».

J.-M. THOMASSEAU

UN CŒUR SIMPLE. Voir TROIS CONTES, de G. Flaubert.

UN CŒUR SOUS UNE SOUTANE. Intimités d'un séminariste. Récit d'Arthur **Rimbaud** (1854-1891), publié à Paris dans la revue *Littérature* en 1924, et en volume, avec une préface de Louis Aragon et André Breton, aux Éditions Ronald Davis la même année.

Encore trop souvent négligé par les éditeurs ou les commentateurs, ce texte ne fut connu que tardivement. Le manuscrit appartenait à George Izambard, à qui l'auteur l'aurait confié en 1870. Verlaine, qui en connaissait pourtant l'existence, n'a jamais mentionné cette œuvre dans les travaux qu'il a consacrés à Rimbaud. Récit composé par un adolescent impitoyable et révolté, *Un cœur sous une soutane* s'inspire d'un fait réel : la présence au collège de Charleville, où Rimbaud effectue sa scolarité, de jeunes séminaristes.

Le récit se présente sous la forme d'un journal intime. Un jeune séminariste conte sa vie au séminaire, où il en est en proie aux cruelles moqueries de ses camarades, et son amour pour Thimothina Labinette, rencontrée au cours d'une visite effectuée par le jeune homme chez le père de celle-ci. Très épris et persuadé que ses sentiments sont partagés, le séminariste ne voit pas que Thimothina le trouve ridicule et sale (elle lui offre des chaussettes après d'évidentes allusions à l'odeur incommodante de ses pieds). Un an après, il est devenu prêtre ; il n'a pas revu Thimothina mais il conserve un tendre souvenir de la jeune fille ainsi que son cadeau (les chaussettes n'ont pas quitté les pieds du jeune homme depuis un an...).

Un cœur sous une soutane est une virulente satire, à la fois religieuse, sociale et littéraire, où Rimbaud tourne en dérision aussi bien la foi que l'institution du séminaire. Il parodie également le lyrisme romantique : les vers que se plaît à composer le séminariste sont des plus ridicules et le récit est une référence transparente au *Jocelyn de Lamartine, journal d'un prêtre relatant un amour de jeunesse. La grivoiserie du texte, avec les allusions aux plaisirs solitaires des séminaristes ou à la pédérastie du supérieur, la crudité de certaines notations – notamment celles relatives aux émanations malodorantes des pieds –, ainsi que le cocasse décalage entre l'aveugle idéalisme du jeune homme et le prosaïsme vulgaire de ses expériences réelles – le portrait émerveillé qu'il fait de Thimothina dessine en fait, pour le lecteur, la figure d'un laideron disgracieux – relèvent d'une verve de collégien euphorique et perverse.

Toutefois, au-delà de cette provocation quelque peu convenue, l'écriture de Rimbaud laisse apercevoir ses traits propres. Exacerbé, rageur, l'élan d'une jeunesse impétueuse et à vif anime tout le texte, sans pitié pour la médiocrité de son piètre héros, mais sans indifférence pour l'ardeur du désir qui l'habite.

● Charleville-Mézières, Musée-bibliothèque A. Rimbaud, 1991 (p.p. S. Murphy). ➤ *Œuvres complètes*, « Pléiade » ; *Œuvres*, « Classiques Garnier » ; *id.*, « GF », I ; *Œuvre-Vie*, Arléa ; *Œuvres complètes*, « Bouquins ».

A. SCHWEIGER

UN COUP DE DÉS JAMAIS N'ABOLIRA LE HASARD. Poème de Stéphane **Mallarmé** (1842-1898), publié à Paris dans la revue *Cosmopolis* en mai 1897, et en volume chez Gallimard en 1914.

Peu avant sa mort, le poète projetait d'en donner une « grande édition chez Lahure », illustrée de planches d'Odilon Redon, mais le projet n'aboutit pas. En 1895 (« Quant au livre », trois chroniques), puis en 1896 (« le Mystère dans les lettres »), le poète est revenu sur le projet obsédant du « Livre », œuvre totale, apparu dès 1866 : « Je prévois qu'il me faudra vingt ans pour les cinq livres dont se composera l'œuvre » (Aubanel, 28 juillet 1866). Dans son *Autobiographie* envoyée à Verlaine en 1895, il définit ainsi cette œuvre dont le *Coup de dés* ne sera que le premier jet : « L'explication orphique de la terre qui est le seul devoir du poète et le jeu littéraire par excellence. »

Mallarmé se montra très attentif à la typographie. C'est dire que le livre est ici un objet matériel : prise comme unité de mesure (Préface), la page devient un espace vierge à trois dimensions où sourdent les signes. Les mots, à l'image de notes musicales sur une partition, en leur rareté ou leur multiplicité, imposent au lecteur un rythme de lecture, tandis que la taille des caractères employés détermine l'intonation. *Un coup de dés* fut conçu par Mallarmé en vue d'une « émission orale ».

Les deux premières pages annoncent l'acte (« UN COUP DE DÉS ») et le cadre hypothétique où il pourrait ne pas s'accomplir (« JAMAIS »). En une première supposition toute mathématique (« soit que »), l'Abîme se creuse en une coque de navire, dont la voile, telle une aile, demeure impuissante à s'envoler (page 3). Au-dessus de la tempête surgit le « MAÎTRE » qui affronte le destin, mais qui hésite à lancer le Nombre contre le néant, laissant la place à une « ombre puérile ». Au bas de la page, « N'ABOLIRA », unique prophétie, rappelle la vanité folle du geste (5). Le romain est remplacé dès lors par l'italique, plus aérien pour désigner l'hypothétique (« comme si », attouchement du gouffre par une « plume » dont le « prince à tière » (Hamlet ?) se coiffe, faisant raison de ce que le vent livrait au hasard (7). Un instant, un éclat « scintille puis ombrage » une sirène et un manoir ; le spectacle de rêve s'abolit (8), tandis que l'hypothèse du Nombre rejaillit, énigmatique. La plume sombre dans le gouffre, le romain se mêle à l'italique – « LE HASARD » –, puis l'emporte. Le retour à l'océan initial, lieu abyssal, s'accomplit. « RIEN N'A EU LIEU », que le poème de ce cycle du rien, excepté une constellation in-humaine, projection froide et orgueilleuse de l'Esprit : « Toute Pensée émet un Coup de Dés », et tout recommence.

Faut-il voir dans le *Coup de dés* un souvenir de "la Bouteille à la mer" (voir *les *Destinées* de Vigny) ? Le poème de Mallarmé n'est pas ouvert sur un avenir messianique, mais reste un récit clos sur lui-même. Les commentateurs ont rappelé que « hasard » signifie, par étymologie, « dé ». Les dés sont déjà jetés. « Hyperbole » (voir "Prose pour Des Esseintes", dans *Poésies*), ce texte se gonfle et se creuse, comme les flots dans la tempête, pour amplifier dans des motifs secondaires une évidence tautologique : « Tout passe, par raccourci, en hypothèse ; on évite le récit » (Préface). Comme tout est joué, il ne saurait se produire qu'un récit potentiel, problème quasi mathématique posé en une suite de suppositions et de tournures hypothétiques (quand bien même, soit que, comme si, si, existât-il). Cette syntaxe mentale dédramatise l'aventure du « Maître » et de son « ombre puérile ». Mallarmé ne songe nullement à exalter, dans la grandeur du capitaine ou l'amertume du héros shakespearien, la figure romantique de l'homme luttant contre la toute-puissance des éléments ou affirmant sa spiritualité. L'océan est ici bien proche de la chambre d'*Igitur* : même abîme, même tombeau d'ancêtre, même néant, pour un même geste, qui, cette fois, ne sera pas accompli, sinon dans l'écriture. Hamlet incarne la résignation à l'impuissance face au destin, « l'antagonisme de rêve chez l'homme avec les fatalités de son existence départies par le malheur » (voir « Hamlet », dans *Divagations*).

Qu'est-ce que ce Nombre ? Ce qui serait capable d'apaiser la tempête, de rendre son harmonie à une réalité désordonnée. Mais la nécessité mathématique, aux relents mystiques, ne peut être jetée sur un monde que Dieu a livré au hasard. Le *Coup de dés* accomplit cette formule apparue dans l'Argument d'*Igitur* : « Vous, mathématiciens expirâtes-moi projeté absolu. » Le poème chante la mort de Dieu et l'échec radical de toute tentative humaine. Il se construit, édifiant des hypothèses qu'il détruit, ironisant sur sa propre démarche (le prince est « amer », mais aussi « ombre puérile », à la « petite raison virile » ; le Nombre est « hallucination éparse d'agonie » et, après la chute de la plume, il ne reste qu'à en « rire »). En ce mouvement, il essaime les constellations sur les pages (les sept types de caractères pour environ sept cents mots évoquent le « septuor » final du "Sonnet en -yx", voir *Poésies*). La fiction poétique, divagation plaquée sur l'absence, fait du poème un jeu. « La littérature existe et, si l'on veut, seule, à l'exception de tout. [...] À quoi sert cela – À un jeu » (« la Musique et les Lettres », 1894). Le dernier mouvement du poème, en une rupture, introduit un troisième terme par-delà l'antagonisme fondamental : sur le rien qui anéantit l'homme se superpose la constellation poétique – le mensonge glorieux de la poésie.

Un mensonge donné à voir : le blanc de la page est essentiel dans cette écriture, où les mots, telle la plume de Hamlet, ne s'élèvent que pour mieux retourner au lieu dont ils émanent. De même que la syntaxe allusive et elliptique pose les prémices d'un sens qui exige l'effort du lecteur, de même la valeur figurative des caractères typographiques (taille, place dans l'espace de la page, contexte...) redouble souvent le sens énoncé. Mallarmé met en page, ou plutôt en scène, son poème, disposant des repères énigmatiques en vue d'une lecture horizontale et verticale, restituant chez le lecteur l'impuissance du Maître ou du Prince à déployer de manière continue une phrase entière (le Nombre) du fait de la déclinaison de thèmes adjacents. Divagation, la lecture « élévation ordinaire verse l'absence ».

● *Igitur [...]*, « Poésie/Gallimard », 1976 (p.p. Y. Bonnefoy). ➤ *Œuvres*, « Classiques Garnier ».

D. ALEXANDRE

UN CRIME. Roman de Georges **Bernanos** (1888-1948), publié à Paris chez Plon en 1935.

Commencée en août 1934, cette œuvre de commande où Bernanos espérait pouvoir se plier aux règles de l'intrigue policière, fut partiellement remaniée l'année suivante et ne parut dans sa version actuelle, avec les deuxième et troisième parties distinctes, qu'en juillet 1935.

Première partie. Dans la région de Grenoble, par une sinistre nuit d'hiver, Céleste, la gouvernante, attend le nouveau curé de Mégère. Celui-ci arrive enfin au presbytère. Il prétend avoir entendu des coups de feu du côté du château (chap. 1). Phémie, la sonneuse, ameute le village. Une battue commence. On découvre dans le parc le cadavre d'un inconnu. La châtelaine, Mme Beauchamp, a elle aussi été assassinée (2). Aussitôt l'instruction débute, diligentée par le juge Frescheville (3). Le nouveau curé a une conversation personnelle avec Mlle Louise, la domestique de Mme Beauchamp, et demande au magistrat l'autorisation de s'absenter du village quelques jours pour des raisons privées (4).

Deuxième partie. L'enquête permet l'audition de différents personnages, notamment le clergeon, un jeune séminariste visiblement subjugué par le charme du nouveau curé, et Évangéline Souricet, petite-nièce et unique héritière de la défunte (chap. 1). Bien que les institutions laïques et la hiérarchie religieuse tentent d'étouffer l'affaire, le qu'en-dira-t-on amplifie toutes sortes de rumeurs sur les gens en place (2). Coup de théâtre : le suicide de Mlle Louise, morphinomane (3).

Troisième partie. Le prêtre et le clergeon ont fui dans un petit village du Pays basque. Ils sont traqués par le juge d'instruction (chap. 1). C'est l'heure des aveux. Grâce à une lettre adressée à Évangéline Souricet, le lecteur découvre la véritable identité du curé. C'était en fait une femme, follement amoureuse d'Évangéline. Fille naturelle de Mlle Louise, elle a tué Mme Beauchamp pour que son amie en recueille l'héritage. Surprise par le vrai tueur, elle a dû commettre ce second meurtre. Maintenant, couchée sur une voie ferrée, elle attend la mort, sans savoir que le clergeon vient de se suicider (2).

Pas moins de deux victimes et trois morts violentes dans ce livre particulièrement sanglant. S'agit-il pour autant d'un roman policier au sens habituel du terme ? Tous les ingrédients du genre sont présents : meurtre, mystère, climat d'angoisse, suspense... Cependant l'analyse psychologique prend, notamment dans la deuxième partie, des proportions balzaciennes ; la satire des mœurs de province, elle, a cette densité pathétique propre à l'univers romanesque de Bernanos. L'enquête judiciaire s'y métamorphose en quête spirituelle, et s'il s'agit de démasquer le coupable, c'est moins pour punir l'assassinat que pour sonder les abîmes d'une âme criminelle, égarée par la toute-puissance d'une passion perverse.

Céleste, Phémie, le médecin de campagne, le maire, Frescheville (le « petit juge »), sont autant de caricatures qui s'offrent à la verve cinglante de l'écriture bernanosienne. Mais le roman est dominé par la fascinante figure du faux prêtre, innocente bâtarde d'une dévote ayant perdu la foi. Son travestissement ultime en ange du mal vient couronner le cruel destin auquel son enfance la condamnait. L'ambiguïté physique du personnage, perceptible dès le début du livre par l'ascendant naturel qu'il exerce sur son entourage, s'accompagne d'une complexité morale alimentée par le passé ténébreux d'un enfant rejeté, mal aimé, voué à la dissimulation, au mensonge ou à l'imposture. Séduisant(e) malgré elle, capable de toutes les hypocrisies, ce prêtre d'un jour (« le plus extraordinaire que j'aie jamais vu », comme le dit sans malice le juge Frescheville) exerce son empire sur des proies faciles et semble prendre un malin plaisir à les capturer dans le piège des apparences, où elles tombent une à une avec la sotte lourdeur des préjugés bourgeois.

Mal accueilli par le grand public, ce roman qui hésite, il est vrai, entre l'intrigue policière et la comédie de mœurs, a du moins permis à Bernanos d'allier à la peinture de l'ambivalence sexuelle le portrait, plus cynique, d'une société dévote où la dialectique de l'être et du paraître ne tourne pas à l'avantage de ceux que l'on croit.

● « Presses Pocket », 1985. ➤ *Œuvres romanesques [...]*, « Pléiade ».

B. VALETTE

UN DE BAUMUGNES. Roman de Jean **Giono** (1895-1970), publié à Paris dans *la Nouvelle Revue française* en août 1929, et en volume chez Grasset la même année.

Écrit entre août et décembre 1928, alors que la publication de **Colline* est en cours, *Un de Baumugnes* forme le deuxième volet de la trilogie inaugurée avec le roman précédent – c'est-à-dire le « deuxième épisode de la vie éternelle de Pan » (Préface à l'édition de 1931) –, et qui s'achèvera avec **Regain* (1930).

Le jeune et vigoureux Albin conte son histoire au narrateur, Amédée, un vieil ouvrier agricole que l'air de profonde tristesse de son compagnon intrigue et émeut. Dès qu'il l'a vue, Albin a aimé Angèle, la fille des fermiers de la Douloire (chap. 1), mais celle-ci s'est donnée à Louis. Albin sait que ce dernier veut faire d'elle une prostituée et il tente de la retenir, la nuit de sa fuite avec son séducteur : « C'est trop tard, maintenant », répond-elle (2). Il y a trois ans de cela et Albin a décidé de retourner dans son village de Baumugnes, perdu dans les montagnes. Amédée lui demande de patienter encore et part pour la Douloire (3). En dépit de l'agressivité du maître des lieux, Clarius, l'ouvrier parvient à se faire embaucher (4). Le désespoir de Clarius, de sa femme Philomène et de leur valet Saturnin l'emplit de pitié (5). Amédée découvre par hasard qu'Angèle, qui a un enfant, est enfermée à la ferme, en un lieu secret (6-7). Il va prévenir Albin (8), qui se cache dans les environs de la Douloire en attendant qu'Amédée trouve la cachette d'Angèle et lui parle, mais les recherches du vieil homme demeurent infructueuses (9). Albin se rend alors à la ferme durant la nuit et il réussit à parler à Angèle qui se souvient de lui et partage son amour. Il la délivre, ainsi que son enfant et tous trois quittent subrepticement la Douloire en compagnie d'Amédée (10-11). La pensée de la douleur des parents d'Angèle les empêche bientôt de poursuivre leur route et ils reviennent sur leurs pas (12). Réconcilié avec la famille de la jeune femme, le couple part pour Baumugnes (13).

Tout comme dans *Colline*, la terre occupe une place importante dans *Un de Baumugnes* mais, cette fois, elle est en parfaite harmonie avec l'homme qui est façonné à son image : « Moi, j'ai dans moi Baumugnes tout entier, et c'est lourd, parce que c'est fait de grosse terre qui touche le ciel, et d'arbres d'un droit élan, mais c'est bon, c'est beau, c'est large et net, c'est fait de ciel tout propre, de bon foin gras et d'air aiguisé comme un sabre. » Le village de Baumugnes est fondamental dans le roman, quoique l'action se déroule toujours ailleurs. Il représente à la fois la terre originelle – celle où est né Albin – et la terre promise – celle qu'il regagne pour y vivre heureux et en paix. Paradis mythique, Baumugnes est lointain, difficile d'accès et peuplé d'êtres purs. Albin, dont le nom signifie la blancheur, est un « homme pur comme de la glace ». Angèle, malgré sa faute, et bien que son corps ait été souillé, a conservé une âme intacte, comme le suggère son nom, et le narrateur la compare à une Vierge à l'Enfant : « Oh! doucette des prés, elle tenait sur son bras amolli comme une corbeille, un enfantelet, tête ballante : le Jésus ! » Enfin, pour accéder à Baumugnes, il faut passer par les épreuves de la Douloire, c'est-à-dire la douleur.

Giono transcende l'anecdote locale de la séquestration dont il s'inspire (il fait même allusion à un fait divers dans le roman : « Vous avez bien entendu dire qu'à Mane, à la ferme d'En-chau, le Séguirand avait, de la sorte, cloîtré sa sœur ») pour conférer à l'expérience singulière une dimension exemplaire – ce dont témoigne la formule du titre « un de » – et sacrée. À travers Albin et Angèle, c'est un idéal de l'homme et du bonheur que dépeint l'écrivain. L'histoire et l'écriture cependant demeurent simples, ancrées dans le concret et le quotidien à travers la description des paysages, des travaux des champs et de la vie rustique. Typiques, les personnages sont croqués sur le vif dans leurs attitudes et leur langage. Le choix d'Amédée, qui s'exprime avec les expressions du terroir, comme narrateur, de même que la présence implicite d'un narrataire, fréquemment interpellé et complice – Amédée ponctue son récit de formules telles que : « Vous savez ce que c'est ? » –, renforcent l'impression d'immédiateté du texte. La sensibilité et l'imagination de Giono offrent ainsi le tableau d'une Provence tout à la fois réelle et sublimée.

● « Le Livre de Poche », 1957. ➤ *Œuvres romanesques complètes*, « Pléiade », I ; *Romans et Essais*, « Pochothèque ».

A. SCHWEIGER

UN DÉBUT DANS LA VIE. Roman d'Honoré de **Balzac** (1799-1850), daté de février 1842, d'abord destiné au *Musée des familles* sous le titre *Un voyage en coucou*, puis, sous le titre *le Danger des mystifications*, publié à Paris en feuilleton avec des interruptions dans *la Législature* du 26 juillet au 4 septembre, et en volume sous le titre définitif chez Dumont en 1844 (2 vol.), il sera réédité dans le tome IV des « Scènes de la vie privée », quatrième volume de *la *Comédie humaine*, chez Furne, Dubochet et Hetzel, en 1845.

À partir d'un sujet fourni par sa sœur, Laure Surville (dont la nouvelle *le Voyage en coucou* sera publiée en 1854), Balzac dépasse la tradition didactique du récit moralisateur (prévenir les jeunes gens contre les dangers du mensonge imprudent) pour mettre en scène un médiocre jeune homme, sans avenir romanesque, dans un monde qui lui ressemble, où, malgré une sottise initiale, il finira par trouver sa place. *Un début dans la vie* offre ainsi un « contrepoint réaliste au roman romantique des illusions perdues » (P. Barbéris).

Assurant en 1822 le service entre Paris et L'Isle-Adam, le voiturier Pierrotin prend dans sa diligence six voyageurs : le père Léger, fermier ; Georges Marest, clerc de notaire ; Joseph Bridau, peintre, accompagné de son rapin, Léon de Lora, surnommé Mistigris ; le comte de Serisy, qui se rend dans son château de Presles pour y surprendre son intendant Moreau qu'il soupçonne d'indélicatesse et qui a demandé à Pierrotin de respecter son anonymat ; le jeune Oscar Husson enfin. Ce dernier est le fils adultérin de Moreau, et sa mère, veuve remariée à Clapart, l'envoie en vacances chez son vrai père. Les voyageurs lient connaissance et, à l'exception de Serisy, chacun cherche à mystifier les autres, notamment Marest et Bridau qui se rendent aussi au château pour leur travail. Oscar, qui sait beaucoup de choses sur Serisy et sur la conduite de son épouse, ne cesse de distiller des informations dans la conversation. Arrivé à destination, Serisy signifie son congé à Moreau et chasse Oscar à qui il ne pardonne pas sa grossièreté. Moreau, furieux, renvoie le jeune homme à sa mère avec une lettre d'explications. Après ce mauvais début, Oscar, placé comme clerc chez un notaire, perd au jeu l'argent qui lui a été confié, puis tire un mauvais numéro pour le service militaire. Cette nouvelle carrière le mène en Algérie, où il aboutit dans le régiment du lieutenant-colonel vicomte de Serisy, fils du comte. En 1832, il lui sauve la vie mais perd un bras. Le comte oublie ses anciens griefs et lui obtient une place de receveur des contributions à Beaumont-sur-Oise. Un Pierrotin enrichi et propriétaire de sa diligence neuve l'y conduit avec sa mère, et l'on retrouve par hasard au cours du voyage presque tous les protagonistes du début.

D'abord révolté contre une mère dominatrice qui l'humilie, Oscar s'avère le fil directeur du roman, passant du rôle de jeune naïf désireux de briller dans la conversation à celui de personnage ancré dans la société des dernières années de la Restauration, promise à devenir louis-philipparde. Anti-héros velléitaire, victime d'une éducation ratée, hâbleur stupide, Oscar acquiert bon gré mal gré une sagesse étriquée, qui se réduit à l'acceptation du conformisme social.

Le thème du voyage en voiture publique, outre qu'il offre bien des commodités romanesques, était alors un sujet littéraire en vogue. Son traitement par Balzac consiste à tracer un historique de ce mode de transport, puis à peindre les paysages traversés, enfin à brosser un tableau d'Histoire. Problèmes d'un châtelain avec son intendant, rapports du maître et des paysans, situation des notables locaux, mais aussi fortunes faites et défaites, carrières, réseaux : une France nouvelle naît, une autre disparaît.

Cette « scène de la vie privée », si elle retrace le destin de Mme Clapart et de son fils, si elle met en scène un apprentissage chez un notaire parisien, combiné à la description du milieu boutiquier du Marais, traite aussi un thème orientaliste (la conquête de l'Algérie). Mais ce thème est ici parodié, mettant à distance tant les prestiges de l'Orient romantique que ceux de l'imagerie épique, il participe au grand déclassement des espérances libérales opéré ici par Balzac. Ainsi, en fils d'une époque où l'opportunisme a remplacé l'héroïsme, les jeunes gens du roman emploient-ils leur énergie à la raillerie et à la mystification. À travers Georges Marest, personnage superficiel aux idées « avancées », ou les jeux de mots de Léon de Lora-Mistigris, qui débite à longueur de voyage à-peu-près et calembours, par l'usage savoureux de poncifs savamment distillés, Balzac règle son compte au romantisme pétri d'illusions généreuses, dévoyé en lieux communs et poses mystificatrices.

Faire participer l'inconsistant Oscar à l'aventure algérienne, ou le faire passer du côté du peuple en 1830, procède bien de cette dénonciation spirituelle et grinçante. Ambitieux opportuniste, ce jeune homme qui brocardait les bourgeois est condamné à en devenir un, incarnation digne du juste-milieu. L'un des rares médiocres à connaître une relative réussite dans la *Comédie humaine*, Oscar aura appris à se taire et à profiter. Bien éloigné des Raphaël (voir la **Peau de chagrin*) ou des Lucien (**Illusions perdues*), il s'oppose aussi à Serisy, figure valorisée d'administrateur (grand type balzacien), mais dont l'impuissance, comme celle de M. de Mortsauf (le **Lys dans la vallée*) ou celle d'Octave de Malivert dans l'**Armance* de Stendhal, symbolise ici l'échec historique. La promotion d'Oscar caractérise un monde aux valeurs dégradées, celui du bourgeois moderne.

● « GF », 1991 (p.p. N. Satiat). ➤ *L'Œuvre de Balzac*, Club français du Livre, III ; *Œuvres complètes*, Club de l'honnête homme, II ; *Œuvres complètes illustrées*, Bibliophiles de l'Originale, IV ; *la Comédie humaine*, « Pléiade », I (p.p. P. Barbéris).

G. GENGEMBRE

UN DRAME AU BORD DE LA MER. Voir LOUIS LAMBERT, d'H. de Balzac.

UN ÉPISODE SOUS LA TERREUR. Voir CHOUANS (les), d'H. de Balzac.

UN ÉTÉ DANS LE SAHARA. Récit de voyage d'Eugène **Fromentin** (1820-1876), publié dans la *Revue de Paris* en juin 1854, et en volume chez Michel Lévy en 1857.

Fruit de deux voyages en Algérie (1847-1853) durant lesquels Fromentin découvrit la vie des nomades et

admira la beauté des paysages (« C'est superbe, c'est inouï », écrit-il à son ami Du Mesnil, le 3 mars 1848), *Un été dans le Sahara*, ensemble de lettres fictives, est le récit, étape par étape, d'une marche continue vers le « ciel sans nuage au-dessus du désert sans ombre » (lettre 1) ; récit subjectif sous-tendu par le regard exact du peintre, et qui offre des instants d'impressions si intenses qu'il nous renvoie l'écho de l'intériorité du voyageur.

Un été dans le Sahara. Las du « funeste hiver » qui sévit sur le littoral africain, Fromentin quitte la sombre ville de Medeah et entreprend une marche dans le désert saharien : passage du fameux pont d'El-Kantara, franchissement des montagnes pour atteindre El-Gouëa, traversée d'une « belle forêt silencieuse », campement à Boghari, découverte d'une immense plaine « morne et stérile » avant l'arrivée à D'jelfa, lutte contre la chaleur et le sirocco jusqu'à Ham'ra, ce fabuleux trajet s'achève sur la vaste étendue sablonneuse qui borde El-Aghouat (lettre 1), ville ensanglantée par les rivalités de ses habitants, où le voyageur-peintre observe l'espace des ruelles et des jardins, la couleur des vêtements, où il se promène avec son nouvel ami le lieutenant C*** pour « faire des connaissances » : il rencontre « un chasseur d'autruches », le joueur de flûte Ammer, le « répartiteur d'eaux » (2). Après avoir passé un mois à El-Aghouat, Fromentin, accompagné de son ami, part pour Aïn-Mahdy. Arrivés à Tadjemout, ils sont chaleureusement accueillis par le caïd de la ville. Les voyageurs, enthousiastes, repartent néanmoins, et traversent une « plaine morne » où ils croisent des bateleurs. Après quoi, vient l'émouvante découverte de Aïn-Mahdy, qui inspire à Fromentin « un sentiment [...] de respect » : il voit ses admirables fortifications, la maison du célèbre marabout Tadjini, de longues files d'hommes et de femmes qui « se rendent processionnellement à la mosquée ». Revenus près de Tadjemout, les deux amis campent pour la dernière fois ensemble. Fromentin décide de regagner le Nord ; il « salue d'un regret profond cet horizon menaçant [...] qu'on a si justement nommé le Pays de la soif » (3).

En y inscrivant une double thématique, celle de la lumière et de la chaleur, Fromentin confère une structure originale à son récit : sa composition, pour traditionnelle qu'elle soit (présentation de la ville, des rues et des personnes), s'efface devant la présence envahissante du soleil, laquelle régit toute l'œuvre, créant une unité et un ressort dramatiques : « La chaleur s'accroît rapidement », devient insupportable, provoquant la fuite devant la soif. Comme dans la plupart des récits de voyages au XIXᵉ siècle (voir **Voyage en Amérique*, **Itinéraire de Paris à Jérusalem*, **Souvenirs de voyages* ou **Voyage en Orient*), il s'agit moins pour Fromentin d'étudier les institutions que de découvrir des paysages et des impressions inconnues : « Le soleil [...] émaillait de feu une multitude de petits nuages [...]. Des brises chaudes montaient, avec je ne sais quelles odeurs confuses [...] et l'on entendait courir, sous la forêt paisible, des bruits d'eaux. » Sons, « bruits », « odeurs », couleurs, autant de sensations traçant les contours d'une vie intérieure, et qui témoignent d'une découverte de soi, d'une fascinante possession de la vie. L'étendue et le silence sahariens engendrent – comme plus tard chez Saint-Exupéry (voir **Terre des hommes*) – le sentiment de l'immobilité et de l'identité, suscitant un ineffable plaisir d'être : « Et, demeuré seul, je savoure avec délice un vent tiède [...] je n'entends [...] aucun bruit [...]. Le silence répandu sur les grands espaces est plutôt une sorte de transparence aérienne, qui [...] nous révèle une étendue d'inexprimables jouissances ». Solitude existentielle qui s'apparente à celle du Rousseau des **Rêveries*.

À travers l'évocation de ces instants privilégiés, affleure la sensibilité artistique de Fromentin : efflorescences métaphoriques (« Tout un côté du ciel [...] présentait l'aspect d'un énorme océan de nuages, dont le dernier flot venait [...] s'abattre et se rouler sur [...] la montagne ») et style pictural traduisent les multiples aspects d'un paysage, transfigurent la réalité pour apporter une révélation : ici, l'heureuse union de l'homme et de la nature.

Cette fabuleuse expérience de l'Algérie sera transposée dans une seconde œuvre, *Une année dans le Sahel* (1859), dans laquelle Fromentin présentera le récit d'une acclimatation puis d'un séjour, et dévoilera ses paysages intérieurs en s'abandonnant aux digressions : les discussions esthétiques, la consistance du silence, le « mécanisme prodigieux de la mémoire ».

Une année dans le Sahel. Désireux de découvrir les mystères d'Alger, le narrateur s'installe à Mustapha, situé près de la « ville blanche » (I). Il quitte cette région pour rejoindre son ami Vandell à Blidah, où ils deviennent les amis de la jeune Mauresque Haoûa (II). Après une excursion au lac Haloula, ils assistent à une fantasia durant laquelle Haoûa sera assassinée par un mari jaloux. Ainsi s'achève le séjour africain (III).

Reflétant admirablement la personnalité de Fromentin, ces deux récits de voyages illustrent à merveille sa singulière « manière de voir, de sentir, et d'exprimer » (Préface).

● Le Sycomore, 1981 (p.p. A.-M. Christin) ; France-Empire, 1992 (préf. C. Édel). *Une année dans le Sahel*, « GF », 1991 (p.p. E. Cardonne). ➤ *Œuvres complètes*, « Pléiade ».

F. HAMEL

UN FIL À LA PATTE. Comédie en trois actes et en prose de Georges **Feydeau** (1862-1921), créée à Paris au théâtre du Palais-Royal le 9 janvier 1894, et publiée à Paris chez Ollendorff en 1899.

L'idée de cette pièce remonte, semble-t-il, à l'année 1890 : Feydeau souhaitait alors introduire dans une de ses intrigues un de ces personnages de rastaquouères qu'avaient déjà popularisés les pièces de Labiche (*Doit-on le dire ?*), Meilhac et Halévy ou Gondinet. La mise au point de la comédie fut plusieurs fois retardée par les scrupules de l'auteur qui vit représenter à l'époque deux vaudevilles (*la Maîtresse de langues* de Crisafulli et Carcenac, 1891, et *le Premier Mari de France* d'A. Valabrègue, 1893), dans lesquels se trouvaient des situations identiques à celle qu'il avait imaginée. Quand enfin furent mises en scène, par l'auteur lui-même, ces mésaventures d'un gandin décavé cherchant à se débarrasser d'une maîtresse encombrante pour se marier dans le monde, ce fut un succès (129 représentations), que vint affirmer encore l'approbation de la critique.

Lucette Gautier, chanteuse de caf'conc', fête le retour d'un amant fugueur : Bois-d'Enghien. Chez elle sont réunis aussi quelques amis dont Chenneviette, le père de son enfant, et Fontanet qui « pue » de la bouche. Bois-d'Enghien est embarrassé : il veut rompre avec la chanteuse car il signe le soir même son contrat de mariage avec Viviane, fille de la baronne Duverger. À l'insu de Bois-d'Enghien, la baronne a demandé à Lucette de venir chanter à cette cérémonie. Arrive aussi un clerc de notaire, Bouzin, auteur de chansons affligeantes qui se fait éconduire après avoir laissé sa carte dans un bouquet anonyme qu'avait reçu la chanteuse. On découvre alors que le bouquet est aussi accompagné d'une bague de grand prix. Lorsque Bouzin revient rechercher un parapluie oublié, il est accueilli à bras ouverts. Il repart alors pour lui rapporter sa chanson. Sur ces entrefaites survient le général Irrigua, donateur du bouquet et de la bague, si férocement amoureux de Lucette qu'il ne supporte pas de rival ; Bois-d'Enghien lui fait alors accroire que ce rival est Bouzin, qui, à son retour, est agressé par le général et expulsé par la société (Acte I).
Chez la baronne Duverger, on se prépare à la signature du contrat. Viviane confie à sa gouvernante anglaise qu'elle eût préféré un aventurier à un jeune homme comme il faut, ce que Bois-d'Enghien s'évertue à paraître. Arrive Fontanet, qui manque le trahir, puis Lucette, qui finit par le surprendre dans une armoire où il dit s'être caché pour lui faire une niche. Arrive aussi l'infortuné Bouzin, derechef poursuivi par le général qui, après que Lucette s'est évanouie à l'annonce du mariage de son amant, retourne son ire contre Bois-d'Enghien. Celui-ci le rassure : il va quitter Lucette. Lucette toutefois se fait volontairement surprendre par tous les invités dans une tenue compromettante. Les fiançailles sont rompues (Acte II).
Bois-d'Enghien n'a pu rentrer chez lui, sa clé ayant été glissée par le général dans le dos de Lucette pour la ranimer. Bouzin vient alors apporter le contrat et la note d'honoraires. Après avoir déchiré le tout, Bois-d'Enghien lance le général, qui poursuit Bouzin sur une fausse piste. Lucette survient alors et fait mine de se suicider avec un revolver de théâtre. Puis, parce

qu'un courant d'air referme sa porte, Bois-d'Enghien se retrouve en caleçon sur le palier où il scandalise toute une noce qui descend l'escalier. Le menaçant du revolver de Lucette, il dépouille Bouzin de ses habits : celui-ci détale dans les étages, poursuivi par les agents. Survient alors Viviane qui, trouvant en Bois-d'Enghien l'aventurier dont elle rêvait, lui déclare son amour, alors que Bouzin, en caleçon, est emmené au poste (Acte III).

Outre la structure classique, en trois temps forts, dont le deuxième est celui des rencontres inopinées, et le mouvement qui emporte continuellement les personnages dans des chassés-croisés et des fuites, dont la plus spectaculaire est celle de Bouzin devant l'irascible général, les qualités essentielles de ce vaudeville sont aussi celles d'une véritable comédie de mœurs. C'est par le biais de jargons, d'accents, de tics, de jeux de mots, de mimiques, de comportements, d'apartés et d'adresses à un public complice, que l'auteur crayonne à traits vifs ses personnages. Ceux-ci ressemblent aux rouages d'une mécanique de précision, mais ils gardent cependant une individualité qui dépasse la simple gesticulation des marionnettes du genre. Ainsi Bois-d'Enghien, le noceur bellâtre et timoré, Viviane sa fiancée, qui ne sera séduite que par l'idée qu'elle se fait de lui, Marceline, sœur de Lucette, vieille fille aigrie et crispée qui jalouse les succès de sa sœur, Bouzin, quintessence du rond-de-cuir et de toutes les platitudes du plumitif bureaucrate... Le décor du troisième acte enfin, par sa conception originale et le rôle dévolu à la porte, véritable instrument du *fatum* comique, fait de l'escalier l'espace d'une tragédie désopilante ; il métamorphose une caleçonnade en farce épique.
Ce vaudeville (Feydeau préférait utiliser les termes de pièce ou de comédie) fut l'un des plus joués de l'auteur ; il entra en 1961 au répertoire de la Comédie-Française avec une éclatante distribution : Bois-d'Enghien était joué par Jean Piat, Lucette par Micheline Boudet, Irrigua par Georges Descrières, Fontanet par Jacques Charon, Bouzin enfin par Robert Hirsch qui, comme le relevait un critique de l'époque, fit du rôle du clerc miteux une « création shakespearienne » (J.-J. Gautier).

➤ *Théâtre complet*, « Classiques Garnier », II ; *Théâtre*, « Omnibus ».

J.-M. THOMASSEAU

UN GESTE POUR UN AUTRE. Voir THÉÂTRE DE CHAMBRE, de J. Tardieu.

UN HOMME ET SON PÉCHÉ. Roman de Claude Henri **Grignon** (Canada/Québec, 1894-1976), publié à Montréal aux Éditions du Totem en 1933.

Adapté pour la radio à partir de 1939, pour la télévision dans les années 1950 et 1960, pour le cinéma en 1948 et 1950 (par Paul Gury les deux fois), fréquemment réédité, *Un homme et son péché* a connu un succès sans précédent dans l'histoire de l'édition québécoise et une immense popularité auprès du public canadien français. Écrit au début des années trente, le roman, nourri de l'expérience de la crise économique de 1929 et inspiré d'une conscience collective tournée vers l'épargne, met en scène un personnage devenu le modèle mythique de l'avare québécois.

Tous les samedis, Donalda, la jeune femme de Séraphin Poudrier, lave le plancher. Convoitée par Séraphin le « riche » depuis son enfance, elle allie à ses yeux la bête de travail et la bête de plaisir. Séraphin ne s'est pourtant pas laissé égarer par les sens. Il a fait de sa femme une servante privée des joies de l'amour, de la chair et de la maternité. La nourriture même lui est comptée. Dans la maison sombre et glaciale, une pièce servant de magasin à l'usurier abrite trois sacs d'avoine où il cache une « bourse de cuir ne renfermant jamais moins de cinq cents à mille dollars en billets de banque, en pièces d'argent, d'or ou de cuivre » qu'il vient caresser dans le plus grand secret. C'est là sa plus intense volupté. Avec ses débiteurs, Séraphin est impitoyable (chap. 1-3). Lorsque Donalda tombe malade, son mari refuse d'aller chercher le docteur, une dépense d'au moins trois dollars pense-t-il. La petite cousine Bertine, venue soigner Donalda, excite les désirs de l'avare. C'est Alexis, le père de Bertine, qui se décide à aller jusqu'à Sainte-Agathe quérir un médecin. Mais c'est le prêtre qui arrive le premier, à temps pour entendre la confession de Donalda qui s'éteint dans la souffrance (4-8). Séraphin retrouve sa vie de vieux garçon, oublie vite Donalda et s'abandonne totalement à sa passion qui lui procure des « jouissances telles qu'aucune chair de courtisane au monde ne pouvait les égaler ». Mais bientôt, la possession de sa fortune lui fait craindre les voleurs, le feu, et l'empêche de fermer l'œil. Il décide finalement de dormir avec sa bourse, et de ne jamais s'éloigner de sa maison. Un jour, une de ses vaches tombe à l'eau. Tandis qu'Alexis la sauve, le feu prend à la maison. Séraphin se précipite vers les sacs d'avoine. On retrouve son corps calciné, les deux poings fermés sur une pièce d'or et un peu d'avoine que le feu n'avait pas touché (9-13).

Si ce roman, conçu selon les règles de l'esthétique réaliste, appartient au genre de la littérature de terroir, il met davantage l'accent sur la peinture d'un caractère que sur la description des mœurs canadiennes françaises. Un déplacement s'opère ici de la peinture sociale à l'étude psychologique d'une passion sordide.

Séraphin Poudrier est un monstre insensible aux beautés de la nature, aux souffrances ou aux joies des hommes. Égoïste, avare, luxurieux, il a substitué l'argent aux émotions et aux sentiments. La soumission de Donalda aux exigences de son époux relève d'un masochisme soutenu par l'idéologie religieuse, qui la conduit à accepter son martyre et à se laisser mourir pour réparer ses péchés. Le sadisme de Séraphin se double d'un masochisme triomphant lorsqu'il se réjouit de souffrir de faim et de froid pour satisfaire sa passion de l'épargne. Mais si le héros se caractérise par la rétention parcimonieuse et obstinée, il est aussi doué d'appétits charnels qui le rendent vulnérable et vont à l'encontre de l'ordre économique qui régit sa vie. La concupiscence étant jugée mauvaise, Séraphin reporte donc sur l'argent toute sa libido : l'avarice se substitue au désir sexuel. Il lui reste toutefois la jouissance de caresser son or, qui ne peut qu'évoquer celle du plaisir solitaire. Enfin l'état névrotique du personnage apparaît pleinement lorsque l'angoisse paranoïaque vient détruire le plaisir de thésauriser.

Si Séraphin Poudrier, dans l'esprit de Claude Henri Grignon, devait initialement être le type du paysan âpre au gain, il a évolué vers une incarnation de l'avarice. Loin de représenter la paysannerie canadienne française, Séraphin Poudrier incarne le péché. La morale est sauve puisque l'auteur châtie son héros en le faisant périr calciné aux côtés de son or chéri, les trois sacs d'avoine figurant « le seul Dieu en trois personnes ». Harpagon ou père Grandet des lettres canadiennes, Séraphin Poudrier est devenu un type légendaire au point que le lexique canadien français contient des expressions comme « séraphiner » ou « séraphinade ».

● Montréal, Stanké, 1977 ; Montréal, Presses de l'Univ. de Montréal, 1986 (p.p. A. Sirois et Y. Francoli).

C. PONT-HUMBERT

UN HOMME LIBRE. Voir CULTE DU MOI (le), de M. Barrès.

UN JARDIN SUR L'ORONTE. « Conte » de Maurice **Barrès** (1862-1923), publié à Paris dans la *Revue des Deux Mondes* les 1er et 15 avril 1922, et en volume chez Plon la même année.

Chargé en 1924 d'un voyage d'étude concernant les missions catholiques au Liban (dont il ramena aussi un mixte de dossier politique et d'archéologie lyrique, *Une enquête aux pays du Levant*, publié en 1923), Maurice Barrès y renoua avec la fascination d'un Orient intérieur qui ne le quitta jamais, mais qu'il avait quelque peu abandonné dans son œuvre pour chanter la Patrie et sa Lorraine natale (voir *les *Déracinés, l'*Appel au soldat, *Colette Baudoche, la *Colline inspirée*). À la multiplicité des textes où il puisait ses songes – de Walter Scott à la Bible, en passant par *Bajazet* que l'auteur dit avoir relu au moment de la rédaction de son récit, de juillet à octobre 1921 –, s'ajoutait pour l'écriture d'*Un jardin sur l'Oronte* la reprise d'un ancien projet, en six chapitres, achevé en 1904 sous le titre « la Musulmane courageuse », et qui était demeuré, impublié, dans les célèbres *Cahiers* de l'écrivain (*Mes cahiers*). Empruntant la trame narrative de sa nouvelle, Barrès transporta l'action de l'Espagne (qui le retint au moins autant : voir *Du sang, de la volupté et de la mort, *Greco ou le Secret de Tolède*) vers un Orient à la fois plus énigmatique, illusoire et enchanteur.

Les 17 chapitres du conte sont enchâssés entre une ouverture et un finale discursifs où l'auteur date de « juin 1914 » la lecture qui lui est faite par un « jeune savant » d'un « manuscrit arabe » traitant d'une « histoire d'amour et de religion », selon le procédé traditionnel de la délégation des voix. Achevé et décrypté par l'archéologue, le texte raconte la rencontre à Qalaat de sire Guillaume, jeune croisé envoyé en ambassade chez l'émir, et de la superbe Oriante, reine des femmes de son harem. Ayant été subjugué par sa voix (chap. 1-2), Guillaume peut admirer en secret ce « cantique vivant » (3), puis, décidé à rester dans le palais de l'émir au lieu de rejoindre les siens, il entretient avec elle la *fin'amor* des Occidentaux (4-5). Mais si les troupes de Guillaume ont signé la paix avec Qalaat, d'autres croisés bientôt font le siège de la ville magique : l'émir est tué durant une sortie (6), et Oriante installe son bien-aimé au pouvoir (7). Le palais étant privé d'eau après six mois de siège, Guillaume propose à la reine une fuite : il organise une diversion militaire, mais elle n'est pas au rendez-vous (8), non plus qu'à Damas où il pensait qu'elle avait pu le devancer. Impatient mais retenu contre son gré, Guillaume est finalement, six mois plus tard, informé de ce qu'Oriante règne avec les nouveaux vainqueurs chrétiens (9) : il revient à Qalaat, où il assiste anonymement à la conversion de tout le harem. Par l'intermédiaire de la servante Isabelle, les amants se retrouvent en secret : débat sur la trahison (10-12). Ils se rencontreront régulièrement jusqu'à ce que Guillaume exige de sortir des « ajournements », quitte à « détruire » tout ce qu'Oriante « a pu reconstruire ». La reine accepte : Guillaume s'introduit auprès du nouveau maître chrétien de la ville, assiste au souper de victoire, où il injurie publiquement son compatriote « félon » et la reine « traîtresse » et « païenne ». Roué de coups, il agonise dans les bras d'Oriante, qui deviendra après sa mort « abbesse suzeraine du monastère de Qalaat » (13-17).

« Je vais me raconter quelques-uns des petits opéras que j'ai dans l'esprit » ; « Je voudrais qu'il fût tout de musique, d'or et d'azur » : dans chacun de ses commentaires de cette œuvre terminale, Maurice Barrès a pris soin d'insister sur la délicatesse et la « façon » précieuse de son texte. Exotisme de bazar, orientalisme facile, affectation des personnages, tous les reproches d'une lecture naïve alors s'effondrent, puisque le conte les revendique pour édifier un ambigu bijou de fleurs et de mort, où la fable et sa mélodie comptent bien plus que tout effet de réel. Le « jardin », évocateur par excellence du rêve (voir *le Jardin de Bérénice*, dans *le *Culte du moi*), est ainsi le lieu mi-paradisiaque mi-temporel (puisque assiégé) où se manifeste la question, centrale pour le récit, du mensonge et de la vérité. Extension du corps de la femme qui le rassemble et transcende, il est comme elle un « empoisonnement par la musique, les couleurs, la poésie et le désir », et comme elle un bonheur lézardé par le soupçon d'une fausseté : « Sans notre art de mentir, nous péririons », affirme Isabelle à Guillaume. Or le débat sur la trahison rejoint cette métaphore esthétique : le chevalier lui-même a trahi le camp chrétien, et son honnêteté n'aboutissait qu'à l'abandon de la ville, tandis qu'en la livrant, puis en se proposant à la mort devant ses vainqueurs, Oriante a pu sauver son palais et son pouvoir.

Derrière les poncifs baudelairiens (séduction capiteuse, tentation du fard, fausseté féminine, etc.) s'insinue alors une très barrésienne réflexion sur la « courageuse volonté de vivre en acceptant les limites de la vie ». Cette morale, qui résumait « la Musulmane courageuse », est dans *Un jardin sur l'Oronte* finalement dépassée par la grandeur tragique du personnage d'Oriante qui, se sachant fée et fleur par son pouvoir, a tenté de préserver son « essence », mais finira par accepter la double faillite de l'amour : « Avec toi, je veux mourir ou vivre, sans me diminuer. » Quelque riche que soit la fable cependant sous son apparente transparence (jeux d'écho des personnages et des lieux, débat sur le pouvoir, description du rapt de soi-même qu'est l'émotion), il ne faut pas oublier que le récit est d'abord un support à la musicalité d'une écriture, où se déploie le véritable charme – au sens fort – que le texte justement questionne. Comme souvent – mais peut-être comme jamais – Barrès y choisit délibérément de « faner » l'émotion qu'il déroule et d'y inscrire une inquiétante fadeur. Dans son moralisme étriqué, la critique catholique de l'époque ne s'est donc pas vraiment fourvoyée en reprochant à *Un jardin sur l'Oronte* une dangereuse langueur : sot commentaire (l'abbé Brémond parlera de la « sotte querelle de l'*Oronte* ») si l'on s'en tient au seul effarouchement pudibond, mais qui désigne, dans son erreur même, la perturbation des registres et de la notion d'authenticité, qui fait toute la valeur de l'œuvre.

● « Folio », 1990 (p.p. E. Carassus). ➤ *Œuvres complètes*, Club de l'honnête homme, XI.

O. BARBARANT

UN MALAISE GÉNÉRAL. Voir BLEU COMME LA NUIT, UN PETIT BOURGEOIS et UNE HISTOIRE FRANÇAISE, de F. Nourissier.

UN MAUVAIS RÊVE. Roman de Georges **Bernanos** (1888-1948), publié à Paris chez Plon en 1950.

Première partie. Olivier Mainville, nouvellement engagé comme factotum chez l'écrivain Ganse, adresse à sa tante, en province, des impressions peu indulgentes sur le caractère de son hôte et de sa secrétaire Simone Alfieri (chap. 1). Un dialogue entre Olivier et Philippe, neveu de Ganse, permet de poursuivre le portrait de ce cynique individu. Mais Philippe apparaît lui aussi comme un dandy désenchanté, aigri. Il restitue à Olivier une de ses lettres, que celui-ci a malencontreusement oublié d'adresser (2). Cependant, Olivier devient l'amant de Simone (3). Ganse a lu la lettre – accablante pour lui – écrite par son factotum et n'en semble pas particulièrement affecté. Néanmoins, il le congédie (4) et montre à Simone Alfieri qu'il n'est pas dupe de la situation (5). Suit une conversation entre Ganse et le psychiatre Lipotte, où l'écrivain révèle son secret : s'il a recueilli Philippe, en fait le fils d'une de ses maîtresses, ce n'est pas par générosité, mais parce qu'il pense pouvoir nourrir sa production littéraire de l'étude des jeunes générations (6). Mais Philippe, sans motif apparent, se suicide (7). Instable et fugueur, Olivier abandonne son protecteur ; il rompt avec Simone, sous prétexte qu'il est condamné à la pauvreté et que jamais il n'obtiendra l'héritage de sa tante (8-9).
Seconde partie. C'est alors que Simone Alfieri décide de la tuer pour mettre entre les mains de son jeune amant la fortune de celle-ci. Ayant soigneusement préparé son crime, elle se rend dans la région de Grenoble pour l'exécuter (10). Arrivée sur place, à Souville, elle rencontre par hasard un prêtre qui retarde son forfait, mais elle parvient à blesser mortellement la vieille tante qui vit isolée. Le meurtre accompli, Simone s'empare de l'argent de sa victime. Mais soudain s'allume devant elle la lampe du prêtre qu'un mystérieux enchaînement de circonstances a conduit sur les lieux du crime (11).

Établi et publié après la mort de son auteur, *Un mauvais rêve* se veut, comme **Un crime* – dont il n'est qu'une dérivation –, un roman policier. Il y a effectivement un suicide, un meurtre minutieusement élaboré, un assassin découvert. Cependant, comme dans tous les ouvrages bernanosiens, ce sont davantage l'analyse psychologique, la peinture d'un milieu déserté par la foi, la plongée dans les zones les plus sombres de l'âme humaine, qui animent la narration. L'énigme est avant tout celle du surnaturel ; le

crime, l'expression imagée du mal qui dévore la créature. Le fantastique est tout intérieur et s'apparente, conformément au titre du livre, à un cauchemar.

Tous les personnages sont diaboliques. Ils sont habités, à leur insu le plus souvent, par Satan. L'orgueil de Ganse, écrivain à succès, condamné à produire toujours plus pour garder l'image flatteuse que ses lecteurs lui renvoient, rejoint le désespoir de son neveu, Philippe, que le désœuvrement conduit au suicide, ou l'inquiète désinvolture et le mal-être d'Olivier. Le comportement criminel de Simone Alfieri, héroïnomane, névrotiquement attachée à son jeune amant, n'est, finalement, que l'aboutissement caricatural de l'atmosphère démoniaque dans laquelle se meuvent tous les personnages du livre. Chacun est, à sa manière, privé de véritable amour – ou de haine. L'absurde et l'ennui sont les sentiments dominants, « un ennui limpide et fade, comme l'eau ». Les relations interpersonnelles se vivent dans l'égoïsme ou l'indifférence. Jeunes ou vieux, les protagonistes se sentent « au bout du rouleau » (tel est un des titres auxquels Ganse – et Bernanos lui-même – ont songé) ; ils semblent accélérer avec volupté leur chute dans le néant : leur existence est privée de sens, dépourvue de foi ; leur mort spirituelle, déjà consommée.

Ganse, homme de lettres mondain, offre de l'écrivain une image contrastée. Soumis à la tyrannie du commerce culturel (mais Bernanos lui-même ne doit-il pas subordonner sa plume aux exigences alimentaires ?), il ne peut survivre sans l'adulation de son public. C'est de sa demande, ainsi que des exigences de son éditeur, qu'il tire à la fois ses revenus et, vanité suprême, la bonne opinion qu'il a de lui-même. Dans l'atmosphère macabre du livre où la misère de la condition humaine s'éclaire *in fine* par l'apparition du détective sous les traits insolites d'un jeune prêtre, l'allégorie de l'artiste victime de ses propres mythes (ses démons intérieurs) prend toute sa signification. Ganse cherchait un dénouement à sa fiction : la réalité lui apporte un meurtre. Le roman « policier » serait-il, bien plus qu'une illusion figurative, le symbole de l'introspection ? Jugeant le personnage de Ganse, Bernanos écrit : « Mais une fois de plus, il n'a pu sortir de lui-même, sa nouvelle création ressemble aux autres – elle est sa propre ressemblance, son miroir. »

● « Presses Pocket », 1988. ➤ *Œuvres romanesques [...]*, « Pléiade ».

B. VALETTE

UN MOT POUR UN AUTRE. Voir THÉÂTRE DE CHAMBRE, de J. Tardieu.

UN PÈLERIN D'ANGKOR. Récit de Pierre **Loti**, pseudonyme de Julien Viaud (1850-1923), publié à Paris chez Calmann-Lévy en 1912.

C'est le dernier récit de voyage publié par Loti, à qui l'on en doit une dizaine, inaugurée par *Au Maroc* (1890) et marquée par la trilogie consacrée à la Terre sainte (voir *Jérusalem*, 1895). Ces récits ne s'opposent pas aux romans, puisqu'ils trouvent les uns et les autres leur origine dans le même journal intime. Ainsi *Un pèlerin d'Angkor* reprend-il, en l'étoffant, le journal du 23 novembre au 3 décembre 1901.

À quinze ans, dans une revue illustrée, Loti lit un article décrivant les ruines d'Angkor, qui provoque en lui un étrange frisson et la certitude de voir un jour ce site merveilleux. Trente-cinq ans plus tard, en 1901, il profite d'une escale à Saigon pour organiser sa visite au temple. L'essentiel du livre conte cette expédition, le lent voyage vers Phnom-Penh puis, à travers la forêt, jusqu'à Angkor. Pendant plusieurs jours, seul parmi les ruines, Loti découvre les différents temples et la ville perdue dans la végétation. Sur le chemin du retour, dans la capitale, le vieux roi Norodom, malade et invisible, offre au voyageur une fête dansée.

Le dernier chapitre est daté d'octobre 1910, dix ans plus tard. Revenant dans sa chambre d'enfant, Loti retrouve le numéro de la revue illustrée, occasion d'une méditation sur le temps qui passe, la douleur de vivre et les aspirations religieuses.

Ce bref volume présente une construction remarquable. Désir de voyage et souvenir encadrent le récit proprement dit et le mettent en perspective : de l'enfance à la vieillesse, Loti évoque toute une existence. Un jeu se met en place avec le temps, la mémoire et l'illusion, qui transforme subtilement les « impressions de voyage » traditionnelles. S'y ajoute la solitude presque totale du narrateur, qui confère au séjour une teinte quelque peu onirique : Angkor se rêve autant qu'il se visite. Loti se laisse envoûter par l'architecture magnifique, sans chercher à conquérir ou à dominer, progressant au contraire avec une sorte d'hésitation, comme s'il craignait une trop brusque révélation. Le centre réel se dérobera d'ailleurs toujours : au cœur du temple, les grandes statues du Bouddha masquent celle, invisible mais présente, du dédicataire primitif des lieux, le dieu Brahma.

Outre la superbe évocation du site, *Un pèlerin d'Angkor* permet à Loti de revenir sur deux idées qui lui sont chères. En premier lieu, son hostilité de toujours aux entreprises coloniales de la France, à la grandeur illusoire qu'elle y cherche au prix de milliers de vies humaines. Mais surtout, Angkor témoigne de la ruine et de l'oubli où est tombée l'ancienne civilisation khmère, tout en rappelant sa grandeur et son raffinement. Réapparaît ainsi le thème obsédant de Loti, l'impuissance de l'homme face au néant de la mort et la décrépitude de toute activité humaine. Aux dernières lignes du récit, il cherche un difficile réconfort dans ce qu'il nomme la « Pitié suprême », avec des accents vaguement bouddhiques.

● La Nompareille, 1989 (préf. d'Y. La Prairie, avec en fac-similé les pages correspondantes du journal intime).

P. BESNIER

UN PETIT BOURGEOIS. « Texte autobiographique » de François **Nourissier** (né en 1927), publié à Paris chez Grasset en 1963.

François Nourissier a très peu connu son père, mort d'une crise cardiaque quand l'enfant avait huit ans. Souffrant lui aussi du cœur, redoutant une disparition précoce, l'écrivain s'adresse à ses deux fils et à sa fille afin que, plus tard, leur père ne soit pas pour eux un inconnu. En une série de brèves rubriques, il évoque son enfance solitaire sous l'Occupation, entre une mère mal remariée, très vite malheureuse, et quelques amitiés interrompues, puis le « désert » de l'adolescence, les premiers essais littéraires, enfin l'échec de son mariage, ses rapports avec sa femme et ses enfants. Mais c'est aussi le tableau fragmentaire et humoristique de ses préférences : l'expression de son amour pour les maisons de campagne et les immeubles haussmanniens, pour la Suisse où il séjourne fréquemment, se mêle ainsi à une réflexion ironique sur les écrivains parisiens, la politique, ou la frénésie des années soixante. Au terme de son livre, il n'a pas d'« autre foi à prêcher » à ses enfants que la recherche « sauvage » du bonheur.

Un petit bourgeois, deuxième volet d'*Un malaise général*, n'est pas la suite de *Bleu comme la nuit*. Tandis que ce dernier roman hésitait constamment entre fiction et réalité, *Un petit bourgeois* se veut résolument, « agressivement » autobiographique : selon la formule de François Nourissier, « chacun n'écrit jamais que pour soi. Autant s'avancer à visage découvert ». Et, de fait, l'auteur se plie en les raillant à toutes les lois du genre, à commencer par l'exigence d'une franchise totale : la liberté avec laquelle il évoque une sexualité décevante se veut ainsi au rebours des modes, héritées de la psychanalyse, qui créent un nouveau conformisme amoureux ; de même n'hésite-t-il pas à avouer à quel point le travail de l'écrivain est « fasti-

dieux », ou combien il a naguère détesté ses enfants nés trop tôt, alors qu'il ne rêvait que de fuites. L'ironie sur soi envahit ainsi les étapes obligées du genre autobiographique et contribue à tracer un portrait peu flatteur : comme l'indique le titre, il s'agit à la fois d'évoquer l'enfant de bourgeois que fut François Nourissier, et sa condition présente, et revendiquée, de « petit bourgeois ». Mais l'écrivain est assez lucide pour savoir que cette sévérité peut devenir complaisance. S'il désire que son livre crie : « Je n'aime pas ma vie », ce cri s'adresse à des enfants à qui l'auteur souhaiterait laisser un « modèle » paradoxal. Et c'est pourquoi le portrait qui est esquissé ici, placé à la fois sous le signe de Montherlant et de Leiris, est brisé, éclaté, comme le montrent la discontinuité des rubriques où le futile côtoie le grave, et des titres comme « Vingt ans durant j'ai rêvé de pâlir » ou « l'Habitude de doper le cheval », qui dissimulent le malaise derrière l'humour. Car ce portrait dicté par un devoir – ce que Nourissier appelle l'« assurance-mémoire » pour ses enfants, et qui est aussi un hommage au père trop tôt disparu – révèle une vie dominée par deux puissances : la « chasse au bonheur » stendhalienne, à laquelle l'écrivain a appris à s'adonner, n'écarte jamais l'obsession intime de la mort précoce qui motive l'écriture.

● « Les Cahiers rouges », 1983 ; « Le Livre de Poche », 1988.

K. HADDAD-WOTLING

UN PIÈGE SANS FIN. Roman d'Olympe **Bhêly-Quénum** (Bénin, né en 1928), publié à Paris chez Stock en 1960.

Paru l'année même de l'accession à l'indépendance des anciennes colonies françaises d'Afrique noire, le premier roman d'Olympe Bhêly-Quénum, *Un piège sans fin*, se distingue, par sa thématique, de l'inspiration souvent militante des autres romanciers africains de la même période.

Ahouna a connu une enfance douloureuse : l'un de ses frères est mort à dix-sept ans ; sa sœur Seitou a dû se prostituer pour nourrir les enfants qu'elle a eus d'un Français, Tertullien, qui l'a abandonnée pour rentrer dans son pays ; son père s'est suicidé pour ne pas accomplir le travail obligatoire. Ahouna, grâce à ses talents de musicien, parvient à séduire Anatou, qu'il épouse. Après treize ans de mariage, Anatou fait un rêve où elle voit son mari en compagnie d'une autre femme. Ses soupçons se trouvent confortés lorsqu'elle rencontre une femme semblable à sa rivale rêvée. Accusé d'un adultère qu'il n'a pas commis, Ahouna doit s'enfuir. Dans son errance, il rencontre Kindou, une femme qu'il tue dans une crise de folie. Il est recueilli par M. Houénou, un vieil érudit auquel il conte sa vie, puis arrêté et emprisonné. Il parvient à s'évader en compagnie de Houngbé, le frère de Kindou, venu pour venger sa sœur. Leur évasion réussie, Ahouna est conduit par les membres de la famille de sa victime sur les lieux de son crime où il est brûlé vif.

Le romancier béninois relate ici l'histoire édifiante d'un personnage solitaire et maudit, accablé par un destin tragique. Malgré ses excès (multiples rebondissements de l'intrigue, trop grand nombre de personnages et d'anecdotes marginales, surabondance de citations et de références littéraires nuisant parfois à la crédibilité du récit), ce premier roman possède néanmoins le grand intérêt de parvenir à concilier une forme de réalisme tragique avec les mystères du surnaturel et du fantastique africains.

En 1965, Bhêly-Quénum a publié un deuxième roman, très court, *le Chant du lac*. Inspiré d'une légende, il évoque la confrontation des dieux lacustres avec les habitants des environs, parmi lesquels un groupe d'étudiants de retour d'Europe. Plus tard, *Un enfant d'Afrique* (1970) et *l'Initié* (1979) sont venus compléter l'œuvre de cet écrivain soucieux de transmettre la richesse de la tradition africaine et tout particulièrement de la culture fon.

● Présence africaine, 1978.

B. MAGNIER

UN PLAT DE PORC AUX BANANES VERTES. Roman de Simone (née en 1938) et André (né en 1928) **Schwarz-Bart**, publié à Paris aux Éditions du Seuil en 1967.

Premier et, jusqu'à aujourd'hui, unique livre écrit en collaboration par les époux Schwarz-Bart, *Un plat de porc aux bananes vertes* fut pourtant présenté à sa sortie comme le simple prologue d'un vaste cycle romanesque qui, sous le titre générique de *la Mulâtresse Solitude*, devait comprendre sept volumes et rendre compte, ainsi que le précisait la prière d'insérer, « à travers l'Afrique précoloniale, la traite, l'esclavage, la condition des Noirs aux Amériques, l'Afrique de la conquête et l'Europe contemporaine [...], de la grande et mystérieuse Geste des Noirs ». L'annonce tapageuse qui présida à la sortie du nouveau livre, après sept ans de silence, d'André Schwarz-Bart, auteur à succès avec *le *Dernier des Justes* (1959), la polémique âcre et souvent méchante qui s'ensuivit, ainsi peut-être que l'essor créatif de Simone, qui travaille dès alors à **Pluie et Vent sur Télumée Miracle* (1973), semblent avoir eu raison de l'entreprise. Certes, *la Mulâtresse Solitude*, qui se déroule à l'époque de la Révolution française, paraîtra en 1972, mais sous la seule signature d'André et sans qu'aucun autre tome ne vienne remonter le temps jusqu'à nos jours et fermer la boucle ouverte par *Un plat de porc aux bananes vertes*. Il n'en reste pas moins que ce roman constitue en soi une œuvre complète et solide, édifiée autour d'une vie qui s'achève, celle de Mariotte, vieille Martiniquaise pensionnaire d'un hospice parisien, qui relate dans des cahiers d'écolier sa vie quotidienne.

Mariotte, la narratrice, est la descendante – au moins symbolique – de l'intrépide Guadeloupéenne Solitude qui fait figure d'héroïne nationale aux Antilles. Après moult vicissitudes dont le détail n'est pas donné mais qui, incessamment, affleurent dans le récit qu'elle consigne dans son journal, elle a échoué au début des années cinquante, à soixante-dix ans passés, dans un hospice pour vieillards du quartier de Vaugirard, à Paris, qu'elle nomme le Trou (cahier 1). Et certes, ce n'est pas la vie en rose que partagent les vieillards déliquescents rassemblés en ce lieu sordide, dont l'évocation renvoie au Goya des « petites vieilles » ou à Beckett. Soumis aux défaillances de leur corps qu'ils ne parviennent plus à maîtriser et qui commence à pourrir par endroits, ils ne cessent de se disputer, se jalouser, se tendre des pièges, faire assaut de méchanceté, ressemblant en cela à des « concentrationnaires » d'un nouveau genre sécrétés par la société de consommation (2-3). Il arrive cependant en ce cloaque que surgissent, tel un parfum entêtant, des images du passé ; que remontent, de quel tréfonds, les souvenirs qui illuminent et torturent. Sous le soleil, dans la solidarité communautaire, la misère était moins lourde et ne confinait pas au désespoir. Ainsi, lorsqu'il s'est agi de saigner le maigre cochon pour aller en vendre les morceaux à la ville, afin que Man Louis, la grand-mère agonisante, puisse être enterrée dans une chemise de coton propre. Chemin faisant, on rendit visite à Raymoningue, le Nég'Brave qui a refusé l'avilissement et ira la guillotine la tête haute, et on lui offrit une portion de porc aux bananes vertes (4). C'est le fumet de ce plat, sa saveur devinée qui hantent Mariotte tandis que, Noire parmi des Blancs, elle est soumise aux vexations et au mépris (5-6). Un soir froid et neigeux d'hiver, elle s'échappe de l'asile pour aller rôder près d'un restaurant martiniquais qu'elle a connu autrefois et où elle pourrait retrouver son enfance. Mais il est trop tard et la déchéance est trop avancée : Mariotte ne poussera pas la porte et devra retourner vers l'hospice, sa détresse et ses compagnes d'abjection (7).

Que les Schwarz-Bart se penchent sur le malheur historique des Noirs après le succès du livre d'André consacré à la malédiction des Juifs, ne pouvait que susciter approbation et attente. Cependant, *Un plat de porc aux bananes vertes* ne fait qu'esquisser les thèmes de la négritude, comme une toile de fond sur laquelle se dessinera la fresque, alors qu'il s'étend longuement et crûment sur les souffrances de la vieillesse, pour la peinture de laquelle les auteurs disent, au demeurant, s'être inspirés d'un très officiel rapport national. De là prit naissance la controverse qui vit nombre de critiques stigmatiser une « littérature excrémentielle » ou, plus posément, rejeter une « vision naturaliste » qui semblait renvoyer au sordide du premier Huysmans et sombrer dans le poncif. Cette virulence pourtant ne laisse pas de prêter à suspicion, comme si la dénonciation de l'hospice, malgré tout, faisait mouche. De plus, l'on y opposa souvent à loisir la fraîcheur et la vérité des pages consacrées à la Martinique, cherchant ainsi à distinguer l'écriture du mari de celle de sa femme pour mieux louer cette dernière et méconnaître la puissance poétique d'un soliloque qui embrasse une existence dans sa totalité de joies et de peines.

En revanche, il faut bien prendre son parti d'une convention qui donne à Mariotte des pouvoirs littéraires surprenants – que les autres volumes auraient peut-être expliqués –, ainsi que d'une certaine timidité qui retient les auteurs de restituer pleinement l'inventivité du créole. De ce point de vue, effectivement, les œuvres ultérieures de Simone Schwarz-Bart paraissent marquer une nette avancée.

L. PINHAS

UN POINT C'EST TOUT. Voir FEU CENTRAL, de B. Péret.

UN PRÊTRE MARIÉ. Roman de Jules **Barbey d'Aurevilly** (1808-1889), publié à Paris en feuilleton dans *le Pays* du 6 juillet au 15 octobre 1864, et en volume chez Achille Faure en 1865.

Ce texte, que Barbey d'Aurevilly commence à écrire en 1855 et achève en 1863, devait d'abord être une nouvelle et s'intituler *le Château des soufflets* ; mais le projet prit peu à peu une ampleur et des directions que l'auteur n'avait pas aperçues tout d'abord. La trame générale et les perspectives initiales demeurèrent toutefois identiques : « L'idée du livre est la grande idée chrétienne de l'Expiation [...]. Puis toujours la même pensée pour moi ! montrer aux démocrates littéraires que la littérature catholique peut avoir des romanciers intéressants, *nouveaux*, inattendus » (lettre à Trébutien, 16 septembre 1855).

Lors d'une soirée parisienne, Rollon Langrune raconte au narrateur, fasciné par un médaillon contenant le portrait d'une jeune fille, l'histoire de cette dernière (Introduction). Après la Révolution, Jean Sombreval, un prêtre défroqué, marié et veuf, revient dans son village natal de Normandie ; il a acheté le château du Quesnay et s'y installe avec sa fille Calixte, jeune fille pieuse et de santé très fragile, marquée au front, depuis sa naissance, par une croix qu'elle dissimule sous un ruban écarlate (chap. 1-3). Ces deux êtres, qui s'aiment tendrement, sont maudits par tous les habitants de la contrée, mais le jeune Néel de Néhou s'éprend de Calixte (4-8). La Malgaigne, une vieille femme visionnaire qui a élevé Sombreval et dont les sinistres prédictions scandent le roman, prévient Néel qu'il mourra bientôt ainsi que Calixte et son père (9-10). Lorsque le jeune homme avoue son amour à Calixte, cette dernière lui révèle son secret : elle est carmélite et a voué son existence au salut de son père (11). En dépit de son désespoir et de ses efforts, que Sombreval approuve, Néel ne parvient à éveiller en Calixte qu'un amour fraternel (12-16). L'abbé Méautis rend un jour visite à Sombreval et lui révèle qu'un « bruit horrible » court dans le pays au sujet de ses relations avec sa fille (17). Peu après, Sombreval annonce qu'il s'est converti et part faire pénitence à Coutances ; il confie toutefois à Néel, à la fois horrifié et subjugué par cette preuve d'amour paternel, que cette conversion est feinte (18-19). L'abbé Méautis acquiert peu à peu la certitude de l'imposture de Sombreval et, son devoir religieux l'emportant sur sa profonde pitié pour Calixte, il dit à la jeune fille qui tombe aussitôt gravement malade (20-25). Avant de mourir, elle exige de Néel qu'il épouse Bernardine, sa fiancée qui souffre d'avoir été abandonnée (26-28). Lorsque Sombreval revient enfin au Quesnay, Calixte est déjà enterrée : il ouvre sa tombe, emporte son corps et se jette avec le cadavre dans l'étang du château, où il disparaît. Néel parvient à rapporter Calixte au cimetière puis il meurt à la guerre trois mois plus tard. L'œuvre du destin s'est accomplie conformément aux prédictions de la Malgaigne, morte elle aussi, en même temps que Sombreval (29).

Après la violence d'**Une vieille maîtresse* et sous l'influence, provisoire, de son amie Mme de Bouglon, qu'il appelle l'« Ange blanc », Barbey d'Aurevilly cherche, dans *Un prêtre marié*, à adoucir son écriture romanesque forgée par « des mains [...] longtemps brutales » (lettre à Trébutien, novembre 1855). L'entreprise concerne surtout le personnage de Calixte, cette « céleste » qui fait suite et pendant à la « diabolique » héroïne du roman précédent, selon un mécanisme profond et récurrent de l'œuvre aurevillienne qu'explicitera la Préface des **Diaboliques*. Le projet est périlleux, et sa difficulté n'échappe pas à Barbey : « Intéresserai-je à une perfection ? Ferai-je du feu de cette lumière ? » (*ibid.*). Calixte est en effet le centre lumineux et fixe du roman. Elle est à l'origine d'actes excessifs accomplis par les autres personnages, fidèles en cela à l'éthique et à l'esthétique aurevilliennes des passions – une tentative de suicide pour Néel, un meurtre (celui d'une vieille mendiante qui a insulté sa fille), de monstrueux sacrilèges et un suicide pour Sombreval –, mais, étrangère à de tels désordres, elle demeure constante grâce à l'inébranlable foi qui l'habite. C'est cette transparence qui la rend fascinante car, ici, Barbey n'utilise pas les rouages du mystère et des dévoilements progressifs : on sait d'emblée ce que cache cet étrange ruban rouge qui ceint le front de Calixte et elle-même n'hésite pas à l'ôter pour montrer ce qu'il recouvre à Néel, de même qu'elle lui apprend assez vite, c'est-à-dire dès que cela est nécessaire, qu'elle est carmélite ; quant à l'amour que Néel cherche à lui inspirer, il est clair qu'elle ne saurait l'éprouver et qu'elle n'a pas à lutter pour cela. Si Calixte intéresse, ce n'est donc pas parce qu'elle est impénétrable mais au contraire parce qu'elle reste imperturbablement et clairement identique à elle-même. Pourtant, elle ne ressemble pas à ces figures de beaux et froids indifférents que Barbey se plaît à dessiner. Sensible, fragile, elle aime tendrement son père et Néel. Nouvel avatar du Christ, dont elle porte au front l'emblème, elle est une créature profondément humaine qui a pour mission de racheter une âme, ce qui est aussi son martyre. Outre cette croix, maints signes l'apparentent en effet au Christ : son nom, qui, par le biais du Calice, la relie au sacrifice divin ; son ruban rouge, qui fait à son front une couronne sanglante ; ses mains enfin, qu'elle voit saigner lors d'une crise provoquée par la maladie.

Si Calixte est la face claire du roman, son père, significativement marqué lui aussi par son nom, en est la face sombre. La malédiction qui le frappe et dont, à l'image de Lucifer, il est l'origine volontaire et lucide, fait de lui un de ces héros maudits, un de ces grands réprouvés si chers au romantisme, dont Barbey campe le portrait en ces termes : « Un homme monstrueusement taré et qui portait l'Horreur et l'Épouvante, comme en palanquin, sur son nom ! » (chap. 1). En outre, les expériences scientifiques auxquelles il se livre dans les combles du château où il a installé son laboratoire (c'est en effet en étudiant la chimie qu'il est devenu un grand savant et a perdu la foi) sont doublement infernales : les lueurs que les habitants du pays aperçoivent aux fenêtres rappellent le feu de l'enfer et cet orgueilleux alchimiste, rivalisant avec Dieu, cherche à découvrir le principe de vie qui sauverait Calixte, atteinte d'un mal mystérieux et incurable. Barbey échappe toutefois aux simplifications manichéennes et parvient à faire de Sombreval une figure attachante et imposante – trop même, selon une certaine critique catholique qui a vu là un manque de cohérence sur le plan de l'édification romanesque. Ainsi, la force colossale, tant physique que morale, de ce personnage, « espèce d'arbre humain » (12), s'unit aux multiples délicatesses inspirées par un amour paternel immense – lui, si droit et orgueilleux, pousse l'abnégation jusqu'à se condamner, par sa fausse conversion, à une existence de perpétuel mensonge –, et touchant : il a choisi, pour orner le salon dans lequel se tient Calixte, une couleur dominante qui, en harmonie avec son teint, met plus que tout autre en valeur sa beauté.

L'écrivain, selon un art de la suggestion et des sous-entendus jamais totalement explicités, sait surtout créer, autour de ces deux personnages, de subtiles ambiguïtés qui approfondissent et troublent ce pieux roman de l'expiation. Selon les rumeurs de la contrée qui sont à l'origine de la fausse conversion de Sombreval, le château du Quesnay est la « maison du sacrilège et de l'inceste » (17). Certes, la narration est organisée de telle sorte que nous savons que cela est pure médisance, injuste calomnie. Le fantasme de l'inceste, fondamental dans l'ensemble de l'œuvre aurevillienne, parcourt toutefois le roman, comme une sorte de soubassement ou de tentation que le texte s'offre et s'interdit à la fois. Ainsi, l'amour de Néel et celui de Sombreval font souvent l'objet de comparaisons qui mettent sur le même plan le sentiment amoureux et le sentiment paternel : « J'aime Calixte avec une passion paternelle plus grande que la vôtre en abnégation, et pour le moins aussi grande en intensité », dit le père à l'amant (12). Cette rivalité implicite – car, explicitement le vœu le plus cher de Sombreval est que sa fille épouse Néel – affleure parfois directement, par exemple dans un moment de dépit chez le jeune homme : « Et moi, insensé, [...] j'ai pu croire qu'il y avait peut-être place dans son âme pour un autre amour ! » (24). Quant à Sombreval, il a Dieu pour rival et, à cet égard, Néel peut être un allié puisque le mariage déroberait Calixte à son époux divin et à cette passion mystique à laquelle se heurtent les deux hommes : « Elle aime son Dieu plus que nous, M. de Néhou ! » (12). Le pauvre Néel n'a donc en tout cas aucune chance dans ce duel entre deux pères se disputant le cœur de Calixte, et il ne peut que constater l'ambiguïté de ce combat à l'issue incertaine : « Est-elle bien sûr de ne pas l'aimer [Sombreval] mieux que son Dieu !... » (24). À ce sujet, le roman n'en dira pas davantage, mais pas moins non plus, que ces énigmatiques points de suspension.

Composé en même temps que *le *Chevalier des Touches* et donc contemporain du projet *Ouest*, *Un prêtre marié* s'inscrit dans la veine d'inspiration normande si chère à l'auteur. Ce roman, à la différence des deux autres, ne relève pas du genre historique, même si la fiction trouve dans l'Histoire son origine : c'est en 1789 que Sombreval a renié sa foi ; la Révolution demeure donc le grand principe tragique de l'œuvre aurevillienne. Le « normandisme », pour emprunter à Barbey son néologisme, est présent dans l'atmosphère générale du roman, dans la description de ces paysages brumeux en accord avec un imaginaire collectif véhiculé par la tradition. C'est avant tout ce fonds régional qui attire l'écrivain et, pour mieux y inscrire son récit, il délègue la narration à Rollon Langrune dont le nom est « doublement normand » (Introduction). Ce dernier tient à son tour certaines informations de sa servante, « une vraie rhapsode populaire », à laquelle il doit « le peu de poésie qui ait jamais chauffé [sa] cervelle ».

● « Folio », 1980 (p.p. J. Petit) ; *Une vieille maîtresse [...]*, « Bouquins », 1991 (p.p. P. Sellier). ➤ *Œuvres romanesques complètes*, « Pléiade », I ; *Œuvres complètes*, Slatkine, III.

A. SCHWEIGER

UN PRINCE DE LA BOHÈME. Voir MUSE DU DÉPARTEMENT (la), d'H. de Balzac.

UN RECTEUR DE L'ÎLE DE SEIN. Roman d'Henri **Queffélec** (1910-1992), publié à Paris chez Stock en 1944.

Pendant dix ans, le recteur (ainsi, nomme-t-on un curé en Bretagne) a expié son péché sur l'île de Sein, laissant ses paroissiens à l'abandon. Mais aujourd'hui Thomas, son sacristain, morigène ses frères, pilleurs d'épaves, tel François qui dépouille deux cadavres. Les îliens attendent en vain un recteur du continent. Or l'île n'existe que par la communauté des fidèles. Thomas veut la purifier et prend à François les deux pièces d'or volées. Homme chaste, il s'installe au presbytère, récite les prières des défunts, chante le *Te Deum*, écoute les confessions – et il refuse de rendre ses pièces à François. Celui-ci fait écrire des lettres de délation, tente de le faire empoisonner avant d'essayer de se réconcilier avec lui. Thomas, pourtant, ménage ses « sauvages » : il absout le fils Le Berré, qui tua sa mère devenue folle. Enfin, il célèbre la messe. L'évêque porte plainte. Pris de remords, François se suicide et Thomas obtient qu'il repose en terre chrétienne. Thomas étudie quatre ans au séminaire de Quimper ; refusé à l'examen, il finit, néanmoins, par être ordonné.

La narration développe le combat de l'homme contre la mer, qui cerne l'île désolée, terre païenne dressée devant la terre ferme telle la légendaire ville d'Ys en proie à ses démons. Or les pêcheurs bretons espèrent, avec une foi inaltérable, la venue d'un nouveau recteur qui saurait donner une cohésion spirituelle à cette paroisse d'hommes à la fois naïfs et sauvages. Au-delà du conflit latent qui oppose les « continentaux » d'Audierne et les îliens, se lit le récit d'une initiation, celle d'un « pur », Thomas, aux gestes et aux sentiments inspirés par la foi. En effet, en termes simples, dans une prose elliptique, Quéffélec évoque la mission concrète d'un pêcheur d'hommes. Il développe une manière d'allégorie en faisant de Thomas un nouveau Pierre, qui finit par devenir prêtre, poussé non seulement par la communauté des îliens mais aussi par un christianisme sincère. L'action se déroule sur une année et se dénoue à la faveur d'un malentendu : François s'imagine avoir appelé les fureurs du clergé sur son île alors que l'évêque ne s'émeut qu'au bruit de la rumeur publique. Son suicide symbolise la pacification de l'île où la foi chrétienne n'exclut pas l'exaspération des instincts : les habitants continuent à attirer les bateaux sur les récifs en allumant des feux. Les îliens concilient leurs anciennes pratiques avec leur foi chrétienne ; pourtant il ne s'agit pas, pour l'auteur, de souligner la lutte entre le catholicisme et la superstition, mais plutôt de suggérer que, même chez des mécréants en apparence fermés à toute sensibilité religieuse, persiste le besoin de croire, de trouver la caution d'un Dieu.

● Presses de la Cité, 1982.

V. ANGLARD

UN ROI SANS DIVERTISSEMENT. Roman de Jean **Giono** (1895-1970), publié à Paris partiellement et sous le titre *Monsieur V., histoire d'hiver* dans *les Cahiers de la Pléiade* n° 2, en avril 1947, et en volume aux Éditions de la Table ronde la même année.

Un roi sans divertissement, écrit en septembre 1946, inaugure la série des *Chroniques romanesques* qui comprend notamment *Noé* – où est retracée la genèse d'*Un roi sans divertissement* –, les *Âmes fortes*, les *Grands Chemins*, le *Moulin de Pologne*, l'*Iris de Suse*, les *Mauvaises Actions*. L'écrivain définit son projet en ces termes : « Il s'agissait pour moi de composer les chroniques, ou la chronique, c'est-à-dire tout le passé d'anecdotes et de souvenirs de ce "Sud imaginaire" dont j'avais, par mes romans précédents, composé la géographie et les caractères. [...] Je voulais, par ces *Chroniques*, donner à cette invention géographique sa charpente de faits divers (tout aussi imaginaire) » (Préface aux *Chroniques romanesques*, 1962). Il précise en outre : « J'ai donné le titre de *Chroniques* à toute la série de ces romans qui mettait l'homme avant la nature » (entretien avec R. Ricatte, septembre 1966).

Durant l'hiver 1843, de curieux événements se déroulent dans un petit village du Dauphiné, non loin de Chichiliane : la jeune Marie Chazotte disparaît, Georges Ravanel est agressé par un inconnu. Deux ans plus tard, Bergues et Delphin-Jules disparaissent à leur tour. Langlois, un capitaine de gendarmerie, s'installe au village et se lie d'amitié avec une vieille lorette surnommée Saucisse. Un jour, Frédéric, un villa-

geois, surprend un homme en train de descendre d'un hêtre. Il monte sur l'arbre et trouve, dans la cavité d'une énorme branche, les cadavres des disparus. Il suit l'inconnu, découvre sa demeure puis prévient Langlois. Celui-ci, après une conversation secrète avec le meurtrier, M. V., le tue de « deux coups de pistolet dans le ventre » et commente : « C'est un accident. » Un an plus tard, en 1846, Langlois, devenu commandant de louveterie, revient vivre au village. Il est « bien changé », « austère » et « cassant ». L'hiver, il dirige une grande chasse au loup, organisée comme une vaste et solennelle cérémonie. Après un ultime face-à-face, Langlois tire à nouveau « deux coups de pistolet », cette fois « dans le ventre » du loup. Plus tard, il se rend avec Saucisse et Mme Tim, une autre amie, chez une brodeuse ; pendant que les deux femmes discutent avec cette dernière, la veuve de M. V., Langlois s'abîme dans la contemplation du portrait du meurtrier. Le temps passe et la morosité de Langlois s'accroît, malgré son mariage avec Delphine. Il met fin à ses jours, un hiver, au moyen d'une cartouche de dynamite qu'il allume à la place de son habituel cigare.

Le titre du roman, emprunté aux *Pensées* de Pascal, invite à percevoir dans le texte une dimension philosophique. La référence pascalienne englobe la totalité de l'ouvrage, puisque la citation revient pour la clore. Toutefois, la portée métaphysique demeure énigmatique, comme au-delà des mots, ainsi qu'en témoigne la phrase ultime : « Qui a dit : *Un roi sans divertissement est un homme plein de misères* ? » La forme interrogative est à l'image d'une œuvre qui campe des personnages au comportement étrange et inquiétant, moins pour les expliquer que pour les soumettre à notre méditation, voire à notre fascination. La structure quasi policière adoptée tout d'abord par le texte – jusqu'à la mort de M. V. –, participe de cette même volonté d'instaurer énigmes et questions comme principes d'écriture et de lecture.

Bien que le titre désigne un personnage singulier et que l'on puisse assimiler le « roi » à Langlois, ce dernier n'est pas le seul à mériter d'être ainsi qualifié. Semble roi tout être accessible à la beauté, dont le roman propose, comme manifestation majeure – à la suite de l'histoire de Perceval, référence qui accompagne celle de Pascal –, le spectacle du sang coulant sur la neige. L'émotion esthétique métamorphose, transcende. Ainsi Bergues, enquêteur avant d'être victime, connaît-il, l'espace d'un instant, avant de redevenir « le Bergues placide, philosophe à la pipe et même un peu fainéant qu'il était d'habitude », un « petit *démarrage* » : « Il se mit à dire des choses bizarres ; et, par exemple, que "le sang, le sang sur la neige, très propre, rouge et blanc, c'était très beau". » De même, quand Frédéric découvre les cadavres dans le hêtre, il est comme hypnotisé : « Il resta face à face avec le visage très blanc quelques secondes à peine. Le temps de cent mille ans » ; et, lorsqu'il poursuit M. V., figure royale fondamentale mais que le roman maintient indéchiffrable et lointaine, Frédéric cesse d'être un homme ordinaire et besogneux pour accéder à un « nouveau monde [...] d'un vaste sans limite ». Il y a là comme le signe fugitif d'une royauté contagieuse qui marque provisoirement quelques personnages secondaires.

C'est à Langlois, également difficile à cerner car la narration demeure toujours extérieure au personnage, qu'il échoit de devenir le double de l'inaccessible M. V : en le tuant, il lui octroie une mort digne de lui et endosse en même temps le rôle du meurtrier. Cependant, bien que M. V. soit « un homme comme les autres », il est surtout, en raison de la radicalité et du mystère de ses actes, un être mythique que Langlois s'efforce de rejoindre sans jamais y parvenir, comme le prouvent la morosité et la routine qui s'emparent de son existence. Sa mise à mort du loup est une insatisfaisante duplication de celle de M. V., de même que l'oie qu'il tue, avant de se tuer lui-même, pour la regarder « saigner dans la neige » ne lui apporte ni rémission ni rédemption. Seul son suicide peut ce pouvoir : « Et il y eut, au fond du jardin, l'énorme éclaboussure d'or qui éclaira la nuit pendant une seconde. C'était la tête de Langlois qui prenait, enfin, les dimensions de l'univers. » Langlois, mettant un terme à sa dérisoire existence humaine, atteint le sublime au moment même de s'anéantir. Le divertissement, dont la forme suprême est le rite sacrificiel, est impuissant à installer l'homme, de façon durable, dans le royaume de l'absolu. Pessimiste et amoral, le roman exhibe la misère de l'homme, impropre à être rachetée par la grandeur, pourtant présente en chacun et dangereusement voisine de la cruauté.

● « Folio », 1972. ➤ *Œuvres romanesques complètes*, « Pléiade », III.

A. SCHWEIGER

UN SINGE EN HIVER. Roman d'Antoine **Blondin** (1922-1991), publié à Paris aux Éditions de la Table ronde en 1959. Prix Interallié.

Albert Quentin, la soixantaine, est propriétaire d'un hôtel-restaurant dans une petite station de la côte normande, Tigreville. Il a été autrefois soldat en Chine et alcoolique notoire. Mais, au moment du débarquement, il a fait le vœu, si sa femme était épargnée, de ne plus boire une goutte d'alcool. Depuis dix ans, les deux époux, qui n'ont pas d'enfant, vivent dans l'attente de rares clients, jusqu'à ce qu'un étrange pensionnaire, Gilbert Fouquet, trente-cinq ans, boulverse leur existence. Arrivé au mois d'octobre, il suscite d'abord leur curiosité par la longueur de son séjour, puis leur inquiétude par sa façon de boire. Fouquet, divorcé, abandonné par sa maîtresse, est venu voir sa petite fille Marie, en pension à Tigreville. Mais nul, à Tigreville, ne connaît son projet, pas même Marie que Fouquet observe à son insu pendant de longues journées. Il s'attire la sympathie du couple, et surtout celle de Quentin, mais ne peut s'empêcher de chercher à briser le vœu du vieil homme. Le jour de la Toussaint, où Fouquet a promis de ramener sa fille à Paris, et où Quentin doit accomplir un traditionnel pèlerinage sur la tombe de son père, les deux hommes basculent et prennent enfin une « cuite » ensemble, scellant leur amitié avant de retourner à leur vie quotidienne.

Le symbolisme profond d'*Un singe en hiver* tient sans aucun doute à cette histoire, racontée par Quentin à Fouquet dès le début du roman, avant que ce dernier ne la répète lui-même à sa fille dans le train qui les emmène vers Paris : dans certains pays d'Orient, lorsque le climat se fait trop rigoureux, de petits singes égarés se réfugient dans les villes. Lorsqu'ils deviennent trop nombreux, les habitants louent un train spécial chargé de ramener les animaux dans la jungle. Et certes Fouquet, comme nombre de personnages d'Antoine Blondin, est un égaré. Publicitaire parisien, noctambule, arrivé à Tigreville presque par hasard, au terme d'une nuit d'ivresse, il se trouve en exil dans cette petite ville endormie, qui ne connaît que deux mois d'affluence et se réveille à peine au passage des voyageurs de commerce. Mais il semble surtout incapable d'assumer aucune des fonctions de la vie adulte : ni mari ni amant, il s'essaie maladroitement à la condition de père. De son côté, Quentin, qui se refuse à voir dans son vœu passé un sacrifice, revit cependant chaque nuit ses aventures en Chine, et, malgré sa solidité apparente, laisse vite entrevoir à Fouquet les failles de son existence. Il n'a jamais connu son père, et n'a pas de fils : ainsi se trouvent réunies les conditions pour que les deux hommes, au-delà d'une banale amitié d'ivrognes, puissent se rencontrer. Ce n'est pas sans une certaine ambiguïté que Quentin, épiant les faits et gestes de Fouquet, jaloux de ses beuveries dans les bistrots du voisinage, se surprend à avoir des réactions d'« amoureux » : mais il faut plutôt voir dans cette passion qui réunit les deux hommes la fraternité des marins, des « bleus », que le vieil homme n'a plus éprouvée depuis sa jeunesse, et le sentiment d'avoir enfin découvert son double. Car, dans l'alcool, les deux hommes trouvent la même chose : non seulement l'accès à une autre dimension de l'existence, mais surtout, peut-être, le goût de la destruction, la fascination pour la mort. Ainsi, au moment où Quentin décide de rompre son vœu, Fouquet se livre-t-il à une sorte de « corrida » dangereuse face aux voitures qui passent devant l'hôtel, expérience que, de son propre aveu, Blondin a souvent pratiquée dans les rues parisien-

nes. Car Fouquet, comme les héros de l'**Europe buissonnière* et des **Enfants du Bon Dieu*, est aussi un double de l'auteur, se flattant comme lui d'être appelé par son prénom par les patrons de bistrots parisiens. Il est comme lui le représentant d'une génération privée de sa jeunesse par la guerre, et qui ne se résout pas à accepter une vie dépourvue d'imprévu : peut-être aussi, selon l'expression de Fouquet, la dernière génération de « joyeux drilles sans emploi ». Antoine Blondin a toujours refusé, en tout cas, celui d'« écrivain » professionnel – comme celui d'alcoolique d'ailleurs, puisqu'il se définissait comme « un buveur qui écrit » – et l'exercice « sérieux » de la littérature tel qu'on l'entendait à son époque. Ainsi reste-t-il avant tout, pour maint lecteur, le chroniqueur facétieux de l'*Équipe*, le passionné de ce Tour de France qui réalisait à ses yeux cette fraternité si souvent recherchée dans l'ivresse par les personnages de ses romans.

Un film d'Henri Verneuil en 1962 a donné à Quentin et Fouquet les visages de Jean Gabin et Jean-Paul Belmondo, popularisant encore davantage les personnages et l'œuvre d'Antoine Blondin.

« Folio », 1974. ➤ *Œuvre romanesque*, La Table ronde, « Bouquins ».

K. HADDAD-WOTLING

UN TAXI MAUVE. Roman de Michel **Déon** (né en 1919), publié à Paris chez Gallimard en 1973. Grand prix du roman de l'Académie française.

La paix du village irlandais où vit retiré le narrateur, un journaliste français qui se croit malade du cœur, est troublée par l'irruption d'un personnage excentrique, Taubelman, et de sa fille Anne, longtemps muette. Le narrateur fait aussi connaissance avec Jerry, dont les ancêtres ont fait fortune en Amérique, et de sa sœur Sharon, mariée à un prince allemand. Attiré par Anne, dont est amoureux Jerry, mais amant de Sharon, le narrateur partage un temps la vie mouvementée de ces êtres dans le domaine de Dun Moïran. Mais Taubelman se révèle un imposteur qui gagne sa vie en trichant aux cartes, aidé par Anne dont il n'est peut-être pas le père. Jerry s'enfuit avec Anne, mais Taubelman, après avoir mis le feu au château, la retrouve et disparaît avec elle. Le narrateur, grâce à cette crise, et à son amitié avec le docteur Scully, s'apprête à commencer une nouvelle vie avec son ancienne compagne délaissée, Marthe.

La véritable héroïne d'*Un taxi mauve* est cette Irlande où Michel Déon a coutume de séjourner : l'Irlande de la chasse, des chiens et des chevaux. Ce qui unit le narrateur désenchanté à son jeune ami Jerry est ainsi une fraternité silencieuse, forgée au fil de longues promenades. Mais cette Irlande est aussi celle des légendes et des fantômes. Ainsi Anne, cette jeune fille qui, au début du roman, refuse de parler à cause d'un passé trop lourd, séduit-elle les deux amis comme une apparition surnaturelle. Mais Jerry, avec sa maladresse enfantine, Sharon sa sœur, avec qui le narrateur passe quelques jours féeriques dans le Connemara, tous semblent surgis du vieux fonds mythique de l'Irlande, se confondant avec les lectures du narrateur. Le personnage le plus étonnant à cet égard est cependant le rabelaisien Taubelman, qui accable ses hôtes de récits invraisemblables et provoque de mémorables bagarres au pub du village. Le narrateur, partagé entre la fascination et la répulsion, découvre peu à peu que derrière cette faconde se cache un secret : Taubelman confond sa vie avec celle de son frère mort, un frère avec lequel il partage la paternité d'Anne. Attiré malgré lui dans ce « cercle infernal », un moment menacé de sombrer à son tour, le narrateur est arraché à ses certitudes initiales : Anne, l'être inaccessible avec lequel il se plaisait à échanger des signes plus éloquents que la parole, est complice des escroqueries de Taubelman ; celui-ci se transforme en loque pitoyable par amour pour celle qu'il croit sa fille. Le narrateur découvre ainsi les multiples facettes des êtres : cet accès à une sagesse paradoxale est aussi pour lui l'occasion d'une résurrection, à travers l'amitié du seul personnage entièrement bon, le docteur Scully, qui sillonne le pays dans son vieux taxi mauve et se dévoue pour les nationalistes irlandais. Grâce à lui, le narrateur comprend l'absurdité de sa maladie finalement imaginaire et de son détachement précoce, pour retrouver le goût de la vie.

Le film d'Yves Boisset (1977) a rendu populaire *Un taxi mauve*, grâce à Charlotte Rampling, Philippe Noiret, Fred Astaire et surtout Peter Ustinov qui a prêté sa carrure au personnage de Taubelman.

● « Folio », 1978.

K. HADDAD-WOTLING

UNE ANNÉE DANS LE SAHEL. Voir UN ÉTÉ DANS LE SAHARA, d'E. Fromentin.

UNE ANNÉE DE LA VIE DU CHEVALIER DE FAUBLAS. Voir FAUBLAS, de J.-B. Louvet de Couvray.

UNE BELLE JOURNÉE. Roman d'Henry **Céard** (1851-1924), publié à Paris partiellement dans *l'Artiste* du 6 janvier au 16 décembre 1878, en feuilleton dans *la Vie populaire* du 10 avril au 15 mai 1880, et en volume chez Charpentier en 1881.

Collaborateur des *Soirées de Médan* avec « la Saignée », Céard a donné avec *Une belle journée* « la note la plus extrême dans la simplicité », comme le notait son ami Zola en sa critique du *Figaro* (11 avril 1881) ; ce qu'un feuilletonniste moins favorable traduisait par : « Ni poésie, ni sentiment, ni intérêt, rien absolument rien ! » ; et ce que la tradition universitaire retient comme le « roman type du naturalisme ».

> Première partie. M. et Mme Duhamain forment « un petit ménage bien uni ». Existence routinière très petite-bourgeoise. Modèle de vertu, Mme Duhamain pourtant connaît une « aventure, un petit roman très court » : précisément avec M. Trudon, le voisin du dessus, croisé dans l'escalier, approché lors d'un petit différend de voisinage, convié à un rendez-vous au sortir d'un bal au Salon des familles.
> Deuxième partie. Le dimanche tant attendu est arrivé. Ils se retrouvent, marchent sous le soleil. Redoutant l'inconnu d'une promenade à la campagne, Mme Duhamain accepte finalement l'offre d'un déjeuner au restaurant des Marronniers, quai de Bercy.
> Troisième partie. Dans un salon du premier étage, Trudon entame sa conquête. Mais l'atmosphère s'alourdit bien vite : elle le trouve « grossier » et « parfait imbécile », lui la juge « grimacière et mijaurée ». Pour tromper l'ennui, on se met à table tandis que la pluie s'installe au dehors.
> Quatrième partie. Et la journée s'étire, interminable. Pour passer le temps Trudon fume le cigare, songe à ses amours d'occasion ; Mme Duhamain lit les journaux. À 7 heures, ils se décident enfin à commander un fiacre.
> Cinquième partie. Ruminant leur déception, mais pris soudain d'une « inerte sympathie » devant l'écroulement de leurs rêves, ils se séparent sur le quai de la gare de Charenton. Mme Duhamain rentre chez elle où son mari l'attend en lisant le journal au lit. « Souriant ironiquement » à sa mésaventure « avec une sorte de pitié aiguë », elle se résigne à accepter « la platitude » de la vie.

Il y a de l'Emma Bovary au fond d'Ernestine Duhamain (comme il y a du Rodolphe en Trudon et du Charles Bovary en M. Duhamain) ; mais les rêves de la Normande se nourrissaient de romans historiques et d'aventures chevaleresques, alors que ceux de la Parisienne s'alimentent aux gazettes du jour. Peut-on d'ailleurs parler de rêves s'agissant de Mme Duhamain ? Aucun imaginaire ne se met véritablement en branle chez elle pour contrebalancer le quotidien (« [Elle] avait des goûts simples, ne se plaignait jamais de la monotonie de son existence ») ; l'aven-

ture qu'elle va déclencher sur un coup de tête, elle n'aura de cesse de l'arrêter, par peur du qu'en-dira-t-on autant que par désintérêt envers son séducteur (« Banalité pour banalité, elle préférait la platitude légale »). « Essai d'adultère » lamentablement avorté, *Une belle journée* est donc bien un *remake* de *Madame Bovary* à la mode IIIᵉ République : un quart de siècle s'est écoulé et les pâles figures des années 1880 ne sont plus que les fantômes de ces personnages qui se prenaient pour les doublures des héros romantiques ; dans le même temps, les lieux aussi ont perdu de leur superbe et le château de la Vaubyessard avec son bal et son dîner a fait place aux flonflons du Salon des familles et au déjeuner tarifé des Marronniers... S'étonnera-t-on alors que Céard ait réussi ce « livre sur rien » que rêvait Flaubert ? Car ce « petit roman très court » ne l'est que par la durée de l'histoire racontée : quelques heures d'un dimanche. Pourtant, ces quelques heures occupent plus de 300 pages, dilatées non par le romanesque ou les digressions, mais par l'alternance permanente des points de vue qui découpe le temps en une suite d'instants vécus de l'intérieur par chacun des protagonistes. Ce dédoublement de la durée contribue ainsi à la constitution d'une sorte de monologue intérieur à deux voix, qui ne laisse au narrateur qu'une place marginale, récit et paroles se fondant grâce à l'usage prédominant du style indirect libre.

● Genève/Paris, Slatkine, 1980 (réimp. éd. 1881, préf. C. A. Burns).

D. COUTY

UNE CURIEUSE SOLITUDE. Roman de Philippe **Sollers**, pseudonyme de Philippe Joyaux (né en 1936), publié à Paris aux Éditions du Seuil en 1958.

À vingt-deux ans, Philippe Sollers avait déjà obtenu le prix Fénéon. Auteur d'un récit d'une trentaine de pages (*le Défi*), il s'était attiré la considération de François Mauriac qui écrivait dans *l'Express* : « J'aurai été le premier à écrire son nom. Trente-cinq pages pour le porter, c'est peu – c'est assez. » En 1961, Sollers s'inscrira, avec la publication du *Parc* (prix Médicis), dans la mouvance du Nouveau Roman, mais c'est *Une curieuse solitude*, roman d'initiation de facture classique, qui consacra son entrée en littérature.

> Au cours des vacances scolaires, un jeune homme de seize ans, « poète et joli garçon », tombe éperdument amoureux de Concha, employée chez lui comme nurse. L'indifférence qu'elle lui oppose aiguillonne son désir. Son amour pour elle gagne en intensité ce qu'il perd en innocence : après avoir reçu une gifle en réponse à ses avances, le narrateur possède la jeune femme sans jamais, pourtant, vouloir se déclarer. Cet amour-passion suit son cours au détriment de l'amitié du jeune homme pour Béatrice, amie d'enfance et flirt du moment (chap. 1). Mais la différence d'âge entre Concha et le narrateur empêche leur liaison d'être officialisée. Bientôt rendu à sa solitude, rien ne console le narrateur de l'absence de sa maîtresse, et sa vie d'étudiant à Paris, de beuveries en rencontres éphémères, n'est plus qu'une morne dérive. Seul un projet romanesque parvient alors à le distraire de ses échecs (2). Dans l'espoir d'un « amour toujours remis à flot », le narrateur envoie une lettre à Concha. Les amants se revoient et font ensemble de longues promenades, ils ne retrouvent pas la fougue de jadis : Concha quitte définitivement son jeune amant (3).

Ce court roman s'ouvre sur une manière de prologue adressé à un dédicataire imaginaire, sorte de lecteur parfait (« Cet être, cet esprit, que j'imagine sortant de la plus noire retraite, ne serait occupé que de l'attente »), de témoin discret d'une entreprise romanesque qui ambitionne d'embrasser « tout le champ de l'aventure humaine ». La quête du bonheur (un bonheur perçu comme une « science exacte » et une « méthode pratique et systématique de se rendre heureux ») en appelle à une « conception du monde » qui englobe une approche de la réalité (« Dans mon désir d'atteindre les choses, de me créer un esprit qui ne dépendrait que du réel ») aussi bien qu'une connaissance parfaite des rouages de l'introspection (le narrateur se promet « de se méfier de cette musique intérieure qui se plaît trop bien à arranger l'univers »). Le roman fait alterner ainsi les passages sur les lois générales et morales de l'amour avec les notations des gestes de Concha, dont le caractère rebelle et la beauté hautaine s'apparentent à la Fermina Márquez de Valery Larbaud (voir *Fermina Márquez) . Mais c'est sous le signe d'*À la recherche du temps perdu que cette éducation sentimentale est placée, qu'il s'agisse de l'exercice de mémoire auquel s'adonne le narrateur, de ses professions de foi hédonistes ou des situations amoureuses : le « plaisir inconnu » des baisers évoqués par le narrateur semble la réplique exacte du premier baiser donné à Albertine par le narrateur du Côté de Guermantes.

Lorsque l'analyse des sensations prend le pas sur les raffinements de la psychologie, à la manière d'un Proust toujours, le narrateur perçoit Concha comme un « objet d'étonnement », s'attachant aux détails fragmentaires de son corps, à la fraîcheur de sa bouche ou à la moiteur de ses mains ; tandis qu'ailleurs, Béatrice sera auréolée d'une réminiscence culturelle : « Dans le geste de Béatrice qui tenait ses deux bras un peu repliés sur sa poitrine, il était impossible de ne pas penser au fameux tableau de Gauguin, ou plutôt à son contraire lumineux mais plus fade, moins pénétrant. » C'est dire à quel point ce roman sur l'« enfance qui, en moi, n'en finissait pas de mourir », reste avant tout riche des références qu'il suscite. Car Sollers, sur le ton de la confidence murmurée – aucun dialogue ne venant perturber la démarche introspective –, se voulait alors le continuateur d'une tradition littéraire.

● « Points », 1985.

P. GOURVENNEC

UNE DOUBLE FAMILLE. Voir ÉTUDE DE FEMME, d'H. de Balzac.

UNE ÉPOQUE. Cycle romanesque de Paul (1860-1935) et Victor (1866-1942) **Margueritte**, publié à Paris chez Plon et Nourrit en 1898 (le Désastre), 1900 (les Tronçons du glaive), 1901 (les Braves Gens) et 1904 (la Commune).

Les quatre romans retracent les événements historiques de la guerre de 1870 à la fin de la Commune. Ils eurent beaucoup de succès au moment de leur parution et ont aujourd'hui sombré dans l'oubli.

Le désastre. 1870. La guerre est déclarée, et l'officier Pierre Du Breuil est envoyé à Metz. Après des moments d'espoir, c'est l'annonce du désastre : le régiment de Pierre doit battre en retraite et se retranche dans la ville. Le seul secours de Pierre, dans son inaction, c'est Annie Bersheim. La famine menace et les troupes veulent tenter une sortie. Tous ont l'impression d'être abandonnés par le commandement lorsque Metz capitule. Pierre est fait prisonnier.

Les Tronçons du glaive. Les événements, du 9 octobre 1870 à la capitulation, sont vus au travers d'une chronique de deux familles : les Réal et les Poncet. Avant de partir au combat, Eugène Réal épouse Marie Poncet, tandis que Martial Poncet, sculpteur, reste à Paris avec son amie Nini. Tous attendent et se sentent impuissants dans cette guerre. Le régiment de Martial tente, mais en vain, de rompre le siège de Paris, tandis que celui d'Eugène est obligé de se replier dans la Sarthe. Le bombardement de la capitale commence et le désespoir des Français se fait partout sentir. Eugène est blessé et Marie, enceinte, va le chercher. On pressent la capitulation. Nini est morte de privations, et Eugène succombe à ses blessures.

Les Braves Gens retrace les événements de la même période par le récit de courts épisodes : « Sedan » raconte la mort héroïque d'un soldat ; « Strasbourg », la chute de la ville qui sépare deux amants ; « Au siège de Paris », les efforts de tous pour résister ; « Sur la Loire », les sacrifices des militaires comme des civils ; « Fontenay », la résistance et les inévitables représailles sanglantes ; « Bitshe », le sort d'un espion et « Quand même », le bombardement de Belfort.

La Commune. Les événements de la Commune sont perçus par des personnages déjà présents dans les autres romans : lorsque les Prussiens entrent dans Paris, les habitants s'insurgent, comme Pierre et Louis Simon, amis de Martial Poncet. Ce nouveau type de guerre stupéfie tout le monde et la province se révolte bientôt. Les fils s'opposent aux pères, comme dans les familles Réal et Poncet et les soldats ne comprennent plus. Une violente répression annonce la fin. Thiers est bien décidé à mater la ville qui résiste, mais qui finit par se rendre.

Ce cycle romanesque de plus de 1 600 pages correspond au désir des frères Margueritte de « mettre le roman au service de l'Histoire » et de rappeler un passé qui semble déjà oublié. Un récit proprement romanesque alterne ainsi avec des précisions historiques, des analyses politiques et stratégiques. Les frères Margueritte ont l'ambition de créer une sorte d'épopée moderne : les personnages, sans réelle valeur psychologique, n'assurent qu'une présence symbolique, et le style tente de s'adapter au souffle épique : « Du temps coule. Où est le maréchal ? Une prairie au bord d'un ruisseau. De longues files de blessés. Un escadron de chasseurs qui passe au trot. C'est celui de l'escorte. Où est le maréchal ? On ne sait pas » (le Désastre). Cependant, l'objectif principal des auteurs est de dénoncer l'horreur de la guerre et son inutilité. En insistant sur la manipulation de l'armée et de la population par les hautes instances de commandement ou du gouvernement, ils stigmatisent l'« imprévoyance coupable, [la] légèreté folle de ces maîtres de la France ». Les troupes ont l'impression d'être « menées à l'abattoir comme un troupeau de moutons ». L'aboutissement du cycle romanesque à la Commune est une façon de montrer que le peuple a pris conscience d'avoir été trahi par ses propres dirigeants ; alors le point de vue change soudain : « Trop longtemps on a identifié la patrie avec les hommes qui la dirigeaient [...]. Aimons-la pour elle-même, pour le bonheur du plus grand nombre » (la Commune). Cependant, la cible principale des deux frères est la guerre en elle-même, qui réduit l'individu à l'état d'animal. Cette animalité est tout d'abord presque positive : « L'idée de la guerre l'obséda [...]. L'homme primitif ressurgissait, luttant de ruse, d'audace, de désespoir avec ses pareils. On se mesurait avec les éléments, le destin » (le Désastre) ; mais rapidement le thème devient négatif : « La guerre qui brûle, viole, saccage, massacre, la guerre qui ravale à la bête féroce » (les Tronçons du glaive). Cette dénonciation de la guerre permet aux auteurs, dans un même temps, d'affirmer des opinions fermement républicaines : « Le pays parlera, montrera sans doute par des choix libéraux, que les cités n'étaient point d'âme avec cette Assemblée nommée seulement pour la paix, sans liens réels avec le pays dont elle n'était plus l'image. La France était républicaine au fond » (la Commune). La guerre est donc présentée comme un massacre inutile, à ceci près qu'elle a permis de faire surgir la véritable aspiration politique du peuple français.

Néanmoins, on ne trouvera rien dans ces diatribes de très original et de très novateur. Ce qui est sans doute le trait le plus important de ces romans, c'est l'évolution du projet au long des quatre récits. Si le Désastre mêle récit et Histoire, les Tronçons du glaive focalisent sur la vie quotidienne des armées et l'angoisse des civils. Ils font ainsi une part beaucoup plus grande aux faits privés, aux histoires individuelles, qu'aux faits historiques. Une technique narrative employée ici le montre : les auteurs citent des passages du journal de Charles Réal où le défilé des dates personnelles fait écho à la succession des dates historiques. Ce procédé s'accentue dans les Braves Gens, où se succèdent des récits de faits héroïques particuliers, montrant que l'Histoire a été faite par des individus et non par les politiciens. Cette imbrication entre chose publique et sphère privée aboutit logiquement à l'épisode de la Commune, où soudain le peuple prend son destin en main, où des êtres individuels tentent de construire leur identité publique, leur République.

H. VÉDRINE

UNE FEMME DANS LA VILLE. Roman de José **Cabanis** (né en 1922), publié sous le titre *Juliette Bonviolle* à Paris chez Gallimard en 1954.

Juliette a cinquante et un ans. Sa vie s'est poursuivie au fil de ses aventures amoureuses. La mort de son amant de longue date, M. Thomas, qui l'a toujours entretenue, la laisse démunie. Heureusement, grâce à l'abbé Martin, un ecclésiastique aux relations douteuses, légataire universel et ami du défunt, elle se retrouve en charge d'un appartement vide, qu'elle est payée pour occuper et y recevoir de singuliers visiteurs nocturnes qui s'éclipsent au matin. Rapidement, la concierge, Mme Pistre, la prend en grippe. La sixième grossesse d'une voisine de palier, Mme Etchat, la conduit à garder Monique, l'une des enfants, âgée de quatre ans. Avec elle, Juliette découvre les joies inconnues du bonheur maternel. Cependant, ce plaisir intense et simple s'achève en raison des commérages de la concierge qui inquiètent Mme Etchat et la conduisent à reprendre l'enfant peu après sa sortie de la maternité. Privée de tout contact avec l'enfant, Juliette tourne en rond. La solitude s'installe, encombrée de lectures et de cigarettes. L'appartement est mis en vente, il lui faut donc partir.

Une femme dans la ville est un texte du repliement, comme le montrent, de façon métaphorique, les déambulations de Juliette dans l'appartement qui, peu à peu, se limitent à une seule pièce, la chambre où elle passe – mal – le temps à lire et à fumer. C'est un récit où, en filigrane, tout parle de désir, de celui qu'on n'a plus, ou qu'on possède encore mais qui ne sert plus à rien. Juliette est une femme amoureuse que l'amour a délaissé, une séductrice qui ne séduit plus personne comme le montrent ses tenues à la coupe juvénile et son maquillage trop voyant pour son âge. Les êtres que croise Juliette ont eux aussi une existence entièrement gouvernée par leur sexualité et leur désir, y compris la concierge, haineuse et frustrée : Mme Pistre est le véritable démiurge du récit, tout arrivant à cause de ses obsessions. À l'inverse, les autres personnages sont en quête d'un plaisir qui seul donne sens à leur vie. Ainsi, Mme Etchat, tout en se plaignant de ses grossesses à répétition, traque son mari dans le lit conjugal, nuit après nuit, ne semblant jamais rassasiée. De même, l'un des locataires, surnommé « le Satyre », persécute, à longueur de journée, Renée, la fille aînée de Mme Etchat, lui offrant des poèmes d'amour et tentant désespérément de l'embrasser. Simultanément, il cherche, sans succès, à séduire Juliette. Renée, elle aussi, voit sa vie suivre le chemin de ses pulsions, puisqu'elle tombe enceinte et s'enfuit avec son enfant grâce à l'argent que lui donne Juliette. Étrangement, les figures de Renée et de Juliette renvoient l'une à l'autre une image inversée. En effet, l'une commence sa vie sexuelle par l'enfantement alors que l'autre se désintéresse des hommes en découvrant, brièvement, les joies de la maternité : « [Juliette] qui avait, tout au long de sa vie, cherché si passionnément le plaisir et ce qu'elle croyait être le bonheur, n'avait jamais vu dormir un enfant de quatre ans, ne s'était jamais penchée pour écarter ses cheveux, ne s'était jamais réveillée au milieu de la nuit avec la peur qu'il pût être découvert et prendre froid, et elle qui avait embrassé tant de visages, qui avait appelé ou subi tant de baisers, ne connaissait pas encore le baiser d'un enfant. » Ainsi, bien que le début et la fin du récit se fassent écho, puisque Juliette se retrouve à la rue et sans avenir, quelque chose s'est passé dans le silence de l'appartement et le vide des journées. Lentement, Juliette s'est détachée des hommes pour vivre autrement, pour vivre un peu pour elle. Son besoin d'amour, grâce à la présence de Monique, s'est transformé. Sans doute est-elle plus seule encore lorsque l'histoire s'achève, mais elle n'a plus peur du temps qui passe, parce qu'elle ne cherche plus à séduire. Mais si Juliette semble, enfin, être elle-même et non plus ce que les hommes font d'elle, on peut se demander si cette apathie des sens, cet évanouissement du désir, cette résignation à la solitude ne sont pas les premiers signes de la vieillesse et de l'agonie de l'espoir.

● « Folio », 1979.

B. GUILLOT

UNE FEMME EST UN DIABLE ou la Tentation de saint Antoine. Voir THÉÂTRE DE CLARA GAZUL, de P. Mérimée.

UNE FEMME M'APPARUT. Roman de Renée **Vivien**, pseudonyme de Pauline Mary Tarn (1877-1909), publié à Paris chez Lemerre en 1904. Réédité l'année suivante chez le même éditeur, le texte est alors si corrigé qu'il semble n'avoir qu'une lointaine parenté avec celui de l'édition originale.

Emprunté à un vers de Dante concernant Béatrice, le titre du livre fait allusion à la rencontre initiale de la narratrice avec Lorély, disciple de Sapho et « prêtresse de l'amour sans époux et sans amant ». Séduite et dominée à la fois par l'énigmatique Lorély, la narratrice s'abandonne à la « félicité étrange » de leur amour. Cependant, au charme pervers de Lorély s'oppose pour elle la tendresse de sa « blanche amie » Ione, être mélancolique et solitaire, souvent méditatif, et qui incarne l'amour platonique et sororal. De plus en plus fascinée par Lorély, la narratrice s'éloigne peu à peu d'Ione, qui part dans un couvent faire une retraite. En contraste nous est décrite la vie fort mondaine de la capricieuse Lorély, toujours entourée de multiples soupirantes et qui s'est fait de l'inconstance une règle de conduite. Ione meurt soudain, et cette disparition est une catastrophe pour la narratrice, qui ne parvient cependant pas, malgré ses remords, à échapper à l'obsession de Lorély. Après un voyage en Espagne, tout rempli de visions et de cauchemars, la narratrice tente en vain de trouver l'apaisement et une certaine distraction auprès d'une femme-enfant, Dagmar. Mais c'est la rencontre avec Eva, femme maternelle qui symbolise l'amour pacifié, qui va déterminer son destin et dicter son choix final.

Il est aisé de se livrer à une lecture autobiographique du roman et d'en préciser les clés : la narratrice, à la fois découragée et exaltée, c'est Renée Vivien elle-même ; Lorély est Natalie Clifford-Barney ; Eva, à la fois Eva Palmer et Hélène de Zuylen ; Dagmar, Olive Custance ; Ione, Violette Shillito ; Doriane, Lucie Delarue-Mardrus, etc. Mais Renée Vivien, qui a pris des libertés considérables avec la réalité biographique, a parfois modifié du tout au tout certains épisodes, comme celui de la mort d'Ione. Surtout, *Une femme m'apparut* est, bien plus qu'une autobiographie ou même un simple roman, un psychodrame où Renée Vivien a tenté à la fois de revivre une certaine période de sa vie (les années 1899-1903) et de se justifier elle-même. Tout comme la narratrice, elle oscilla constamment de l'amour profane (Lorély) à l'amour sacré (Ione, Eva) sans pouvoir jamais se résigner à un choix définitif, lequel n'est d'ailleurs pas précisé à la fin du roman. Il est cependant significatif que, bien plus que l'apaisante Eva, la figure dominante du livre soit la perfide et tyrannique Lorély, nouvel avatar de la femme fatale, dont Renée Vivien s'est plu à accentuer les traits maléfiques. Aussi bien, et même si les modèles en furent des femmes réelles, les divers personnages féminins du livre ne sont-ils finalement que des postulations de Renée Vivien elle-même, qui a écrit ici son autobiographie chimérique, mettant en scène ses désirs, ses rêves et ses fantasmes. Un certain excès dans le décor et le style n'empêche pas le roman de constituer un document psychologique assez singulier, où les visions oniriques voisinent avec des tirades féministes et des évocations de certains cercles lesbiens de la Belle Époque.

● Régine Deforges, 1977.

J.-P. GOUJON

UNE FILLE D'ÈVE. Roman d'Honoré de **Balzac** (1799-1850), daté de décembre 1838 aux Jardies, publié à Paris en feuilleton (neuf parties), sous le titre *Une fille d'Ève, scène inédite de la vie privée*, dans *le Siècle* du 31 décembre 1838 au 14 janvier 1839, et en volume chez Hippolyte Souverain en 1839 (2 vol.), avec *Massimilla Doni* (voir *la *Recherche de l'absolu*) et une Préface commune ; réédition au tome II de *la *Comédie humaine* (Paris, Furne, Dubochet, Hetzel et Paulin, 1842), avec la suppression de la Préface et de la division en neuf chapitres.

« Peindre une situation dans laquelle se trouvent quelques femmes poussées vers une passion illicite par une foule de circonstances plus ou moins atténuantes, mais qui, ne se voyant pas trop gravement compromises, sont assez sages pour revenir à la vie conjugale » : ainsi Balzac définit-il son sujet dans sa Préface. Cette « scène de la vie privée », comme *Madame Firmiani* (voir *Étude de femme*) et *la *Fausse Maîtresse*, exalte la fidélité conjugale, et offre, avant les *Mémoires de deux jeunes mariées*, une réflexion sur le mariage.

En février 1835, chez le banquier Du Tillet, dans un hôtel de la Chaussée-d'Antin, se confient deux sœurs, filles du comte et de la comtesse de Granville dont le couple a connu une grave crise (*Une double famille*, voir *Étude de femme*), et victimes de l'éducation rigoriste de leur mère. Marie-Angélique, née en 1808, a épousé Félix de Vandenesse et vit dans un paradis conjugal, où elle s'ennuie. Dans les salons, certains, dont lady Dudley, ancienne maîtresse de Félix, aimeraient briser cet insupportable bonheur. On présente à Marie-Angélique l'écrivain Nathan, qui vit avec l'actrice Florine, ce qu'elle ignore. Il la subjugue, mais, pour se rendre digne de son aristocratique conquête, abandonne la littérature pour le journalisme aux fins d'une carrière politique. Florine vend ses meubles pour l'aider à financer un journal, que Du Tillet, qui vise le même siège de député, torpille. Marie-Angélique, pour sauver Nathan du suicide, puis de la prison pour dettes, souscrit des lettres de change et compromet son vieux professeur de musique, Schmücke. Elle demande à Marie-Eugénie du Tillet, sa sœur née en 1814, de l'aider (c'est la scène inaugurale du roman). Celle-ci la tire d'affaire et avertit Félix. Marie-Angélique avoue tout à son mari, qui lui révèle l'existence de Florine et la lui présente. Marie-Angélique, désabusée et dégoûtée, retrouve son rôle dans le faubourg Saint-Germain, tandis que Nathan se range, se soumet au pouvoir et poursuit une carrière d'écrivain médiocre.

Sans catastrophe, rebondissement ni « pages dramatiques », ce roman n'offre pas les ingrédients habituels du feuilleton. En revanche, il utilise à plein le procédé du retour des personnages, esquissant même une notice biographique pour Rastignac, présent avec bien d'autres héros de *la Comédie humaine*. Le seul personnage original est le musicien Schmücke, que l'on retrouvera dans *le Cousin Pons* (voir *les *Parents pauvres*). Félix de Vandenesse vient du *Lys dans la vallée*, Du Tillet de *Histoire de la grandeur et de la décadence de César Birotteau* et de la *Maison Nucingen*, Nathan et Florine évoluent dans *Illusions perdues*.

Construit selon plusieurs retours en arrière (dont les titres de chapitres explicitent le mécanisme), le roman présente de nombreux tableaux et portraits qui situent l'histoire de cette petite Ève dans l'univers de *la Comédie humaine*. S'y opposent deux mondes, l'aristocratique faubourg Saint-Germain et la nouvelle société de la Chaussée-d'Antin. Le mariage de Marie-Eugénie avec Du Tillet illustre la nécessité où se trouve l'ancien monde de se compromettre avec le nouveau. À la description des salons s'ajoute celle du milieu artiste, qui pénètre ces deux univers. Un véritable « Tout-Paris » fictionnel renvoie ainsi à la réalité sociale de la monarchie de Juillet. Le thème matrimonial, articulé sur celui de l'éducation des femmes, donne donc lieu à l'évocation de ces formes dynamiques à l'œuvre dans la société, l'argent et la presse, qui déstabilisent les anciennes structures et menacent la famille.

Si *Modeste Mignon* mettait en scène une jeune femme s'éprenant à distance d'un prestigieux écrivain, *Une fille d'Ève* met face à face une épouse apparemment comblée

et un « serpent tentateur ». Nathan, aux modèles trop nombreux pour être convaincants, se prend au jeu amoureux, au contraire de Canalis. Après ses déconvenues, il doit abandonner ses rêves de gloire authentique. Ce trajet, combiné à ceux de Marie-Angélique, déçue par l'amour-passion, fût-il cérébral, et de Florine, trompée par Nathan, structure *Une fille d'Ève* comme un roman d'illusions perdues.

● « GF », 1965 (p.p. P. Citron) ; « Folio », 1980 (p.p. P. Berthier). ▶ *L'Œuvre de Balzac*, Club français du Livre, VIII ; *Œuvres complètes*, Club de l'honnête homme, II ; *Œuvres complètes illustrées*, Bibliophiles de l'Originale, II ; *la Comédie humaine*, « Pléiade », II (p.p. R. Pierrot).

G. GENGEMBRE

UNE FILLE POUR L'ÉTÉ. Roman de Maurice **Clavel** (1920-1979), publié à Paris chez Julliard en 1947.

Philippe, écrivain sans le sou, se réfugie pour l'été dans le Midi, chez une amie de longue date, Paule. Il l'appelle d'un café avant d'arriver, lui annonçant qu'il ne vient pas seul : au comptoir, une inconnue qui l'écoute comprend l'invitation et le suit. Devant Paule, elle se présente : Manette, et feint adroitement de connaître Philippe. Une complicité s'ébauche ainsi entre eux. Elle devient sa maîtresse le soir même (I).
Michel, le fils de Paule, apparaît soudain. « Jeune seigneur de l'Italie, modèle pour anges », il a choisi de fuir le monde superficiel où vit sa mère en se réfugiant dans une abbaye insolite. Il séduit Manette par son innocence, et laisse Paule et Philippe désarmés (II).
Michel s'en va ; Paule part à son tour. Mais Manette ne se résout pas à quitter Philippe et se noie dans la mer. Philippe comprend trop tard qu'elle l'aimait. « On n'a jamais su qui c'était. [...] La mer n'a rien ramené aux plages. C'est à se demander, parfois, si elle a existé » (III).

Un cadre estival où se détache, comme un « pastel trompeur », la silhouette de Saint-Tropez ; des personnages voués à l'illusion (Philippe est dramaturge ou scénariste, Paule dirige un théâtre) ; un style cursif et oral : le lecteur croit d'abord à un roman banal où d'inconsistants amours de vacances, soudain, tournent mal. Il ne découvre que rétrospectivement le personnage de Manette, dont la sincérité révélée trop tard transforme le récit en fable morale. Les quatre héros deviennent alors des types. Les deux couples (Manette et Philippe, Michel et Paule) incarnent l'affrontement de la pureté méconnue et de l'égoïsme possessif. Cet antagonisme n'est pas seulement psychologique. Il met également en cause l'époque et les valeurs qui la dominent : le culte du plaisir et des apparences, la mondanité, le cynisme... Le livre n'a pourtant pas l'évidence d'un réquisitoire. Car, au sein de ce roman tantôt léger tantôt grave, le narrateur occupe une place incertaine. Comme dans *Bonjour tristesse* de Françoise Sagan, il oscille entre l'adhésion et la dénonciation. Le récit se situe ainsi entre deux registres. Le style mordant de Philippe, qui se dit « poète à filles, plus vil qu'un coq de village, truqueur et cuisinier du sacré », rappelle parfois celui, vert, imagé et ludique, de Vian ou de San Antonio : mais la tonalité générale reste désabusée et réprobatrice.

C. CARLIER

UNE HISTOIRE FRANÇAISE. Roman de François **Nourissier** (né en 1927), publié à Paris chez Grasset en 1966. Grand prix du roman de l'Académie française.

Au printemps 1939, Patrice Picolet a douze ans. Il vit à Villemomble, dans la banlieue parisienne, avec sa mère et sa sœur aînée Lucienne. Son père est mort quatre ans plus tôt d'une crise cardiaque. Un jour, sa mère leur présente M. Fallien, vendeur de cycles. Deux mois plus tard, elle est remariée, et toute la famille emménage dans une banlieue plus lointaine, au bord de la Seine. Très vite, le malheur apparaît : si Patrice goûte, grâce à la bicyclette offerte par son beau-père, à une liberté jusqu'ici inconnue, sa mère est déçue par la brutalité et la vulgarité de son nouveau mari. De plus, M. Fallien manifeste un intérêt suspect pour Lucienne. La mère de Patrice demande le divorce au bout de six mois, et la famille s'installe à Paris. Tandis que Lucienne poursuit en secret ses relations avec M. Fallien, Patrice découvre la littérature. L'enfance de Patrice s'achève à la fin de l'été quarante, à La Baule, avec l'arrivée des Allemands. Mais à son histoire se mêle celle d'un narrateur à la première personne, qui, explorant ses souvenirs d'intellectuel parisien, quelques amours ou rencontres fugitives, est toujours ramené vers ce lointain passé, jusqu'au moment où la voix du narrateur devient celle de Patrice âgé de quarante ans.

Troisième volet de la trilogie *Un malaise général*, *Une histoire française*, où s'achève l'exploration intime ébauchée dix ans plus tôt dans *Bleu comme la nuit*, juxtapose deux écritures. C'est d'abord la reprise, sous une forme romanesque, de souvenirs déjà évoqués discrètement dans *Un petit bourgeois*. Né la même année que Patrice Picolet, l'auteur partage avec lui l'expérience des années 1939-1940, marquées tout à la fois par le bouleversement de sa vie familiale et l'irruption de la guerre, et avoue être « son frère dans l'écœurement et la détresse ». Mais c'est aussi l'expression, dans des chapitres imprimés en italiques, d'un « je » autre, celui de Patrice devenu adulte se confondant avec l'auteur et rejoignant le narrateur de *Bleu comme la nuit* : les amours et les désarrois de la quarantaine se mêlent ici à l'évocation de souvenirs plus lointains, d'un père ancien combattant de 1914-1918, dont la trace est recherchée sur les champs de bataille lorrains rendus stériles par le fer. C'est le chant alterné de ces deux voix qui donne son sens à *Une histoire française* : la double histoire d'un jeune adolescent blessé et d'un « homme fatigué » de quarante ans qui se heurte à son passé. Le roman multiplie ainsi les effets de contrepoint : portrait de la mère du narrateur, solitaire et humiliée, si différente de l'intransigeante Mme Picolet ; rencontre furtive, dans le Paris d'aujourd'hui, d'une « dame Chanel » qui fut l'amour d'enfance de Patrice... Mais, selon la formule de François Nourissier, « les deux âges de Patrice sont comme deux visages de son pays » : le roman est aussi une histoire « française », celle d'une nation « assassinée pour rien », d'un pays qui a doublement galvaudé et trahi l'héritage des morts de la Première Guerre mondiale, d'abord avec les lâchetés de l'été quarante, puis dans la satisfaction repue des années soixante.

● « Le Livre de Poche », 1979.

K. HADDAD-WOTLING

UNE HISTOIRE SANS NOM. Roman de Jules **Barbey d'Aurevilly** (1808-1889), publié à Paris en feuilleton dans le *Gil Blas* du 5 au 22 juin 1882, et en volume chez Lemerre la même année, avec *Une page d'histoire*.

Une histoire sans nom est la première œuvre publiée par Barbey d'Aurevilly après le scandale provoqué par *les *Diaboliques*, dont elle prolonge, à maints égards, la veine d'inspiration. Par sa relative brièveté et, surtout, par sa construction, ce texte relève plutôt d'une esthétique de la nouvelle. De plus, son exergue – « Ni diabolique, ni céleste, mais... sans nom » – l'inscrit explicitement dans la continuité de l'œuvre précédente. Son succès fut immédiatement considérable.

Le père Riculf, venu prêcher le carême dans une petite bourgade des Cévennes, est hébergé par la baronne de Ferjol, une veuve très pieuse dont la fille se nomme Lasthénie (chap. 1-2). Après le brusque départ du prêtre, la santé de cette dernière s'altère et Mme de Ferjol s'aperçoit finalement que sa fille est enceinte (3-5). Lasthénie, hébétée par son état et par l'impitoyable dureté de sa mère, s'obstine à taire le nom du coupable (6-7). Les deux femmes se réfugient dans leur demeure normande pour cacher leur honte ; Lasthénie y met au monde un enfant mort, que la baronne enterre secrètement, et se suicide peu après (8-10). « Un quart de siècle » plus tard, les hasards d'une soirée révèlent à la vieille baronne la clé de cette douloureuse

énigme : sa fille était somnambule et le père Riculf, mort depuis dans le repentir, avait abusé d'elle durant son sommeil. La mère mesure alors l'horreur de sa coupable cruauté envers une innocente et la haine que lui inspire le prêtre l'emporte sur le pardon charitable : ce modèle de piété « mourra dans l'impénitence finale » (11-13).

Une histoire sans nom met en scène « une tragédie intime » (chap. 6) : un conflit mortel, orchestré par la fatale ironie du destin, oppose deux femmes, dont chacune est murée dans son propre aveuglement. Les lieux romanesques reproduisent symboliquement l'espace intérieur des personnages : les habitants de la bourgade cévenole sont « claquemurés dans [un] étroit ovale de montagnes » (1) ; quant à la demeure normande, elle est d'une « étroitesse étouffante » qui « fait l'effet d'un cercueil » (8). Cette histoire tragique obéit donc à une trajectoire fatale dont l'issue est d'emblée pressentie : l'asthénique et neurasthénique Lasthénie est vouée à la mort. À travers les lieux, les noms ou les allusions plus directes, le récit multiplie les signes prémonitoires : dès la fin du chapitre 3, une anticipation narrative ne laisse planer aucun doute sur le dénouement.

Le climat fantastique dans lequel baigne la nouvelle en exacerbe le tragique, car il renforce la tension oppressante du texte. Ainsi, la vieille servante Agathe est vite persuadée que Lasthénie est victime d'un sort qui lui a été jeté, et le lecteur n'a guère de solution plus satisfaisante à proposer pour résoudre cette énigme : pénétrant en effet aussi bien dans la conscience de la mère – persuadée que sa fille est coupable – que dans celle de la fille – incapable de s'expliquer sa grossesse –, la narration nous confronte à un phénomène rationnellement inexplicable. En outre, cette atmosphère fantastique s'accompagne d'une propension à l'horreur macabre, à l'égard de laquelle on a parfois reproché à Barbey une certaine complaisance. Elle concerne aussi bien les péripéties – l'enterrement nocturne de l'enfant mort-né par Mme de Ferjol, le suicide progressif de Lasthénie à l'aide de dix-huit épingles « fichées dans la région du cœur » (10), les imprécations haineuses de la baronne sur le cadavre pourrissant du père Riculf dont la fosse, conformément à la coutume de la Trappe, n'a pas été recouverte de terre – que les raffinements métaphoriques de l'écriture aurevillienne : « [Lasthénie] n'était plus qu'une blême momie [...] dont la chair, au lieu de sécher comme celle des momies, s'amollissait, se macérait et se pourrissait dans les larmes » (6). Toutefois, ce déploiement d'horreur n'a rien de gratuit et contribue à la richesse du texte : ce dernier, saturé de signes, ne laisse subsister aucune échappatoire possible, ni pour les personnages, ni pour le lecteur qui doit avant tout mesurer l'ampleur d'une horreur morale, simplement et douloureusement humaine. La cruauté de Mme de Ferjol à l'égard de sa fille est en effet, sans nom, et la véritable héroïne de cette nouvelle, littéralement fascinante dans ce mélange d'attraction et de répulsion qu'elle inspire jusqu'à la fin au narrateur, c'est bien cette mère diabolique qui rappelle Mme de Stasseville (voir, dans *les Diaboliques*, « le Dessous de cartes d'une partie de whist »).

● « Folio », 1972 (p.p. J. Petit) ; « GF », 1990 (p.p. P. Berthier).
➤ *Œuvres romanesques complètes*, « Pléiade », II ; *Œuvres complètes*, Slatkine, V.

A. SCHWEIGER

UNE MÉMOIRE DÉMENTIELLE. Voir CHAMBRE DES ENFANTS (la), de L.-R. des Forêts.

UNE PAGE D'AMOUR. Roman d'Émile **Zola** (1840-1902), publié à Paris en feuilleton dans *le Bien public* de décembre 1877 à avril 1878, et en volume chez Charpentier en 1878.

Rédigé en 1877, ce huitième roman de la série des *Rougon-Macquart* joue, dans la carrière de Zola, un rôle stratégique. D'une part, il doit constituer une « halte de tendresse et de douceur » après l'*Assommoir* et montrer aux lecteurs un talent, un ton nouveaux. D'autre part, c'est dans cet ouvrage que l'on découvre le premier arbre généalogique des Rougon-Macquart ; la Préface affirme également l'existence d'un plan rigoureux, censé correspondre aux travaux de Pascal Rougon (dans la fiction) et aux structures héréditaires décrites (réellement) par le docteur Prosper Lucas dans son *Traité scientifique et physiologique de l'hérédité naturelle dans les états de santé et de maladie* (1847-1850).

Première partie. Hélène Grandjean [d'abord nommée Agathe] est inquiète des convulsions de sa fille Jeanne. En l'absence du docteur Bodin, c'est le docteur Henri Deberle qui va la soigner et rassurer la mère. Entre les deux adultes naît un sentiment encore discret (chap. 1). Hélène remercie le sauveur de sa fille. Il est marié à une jeune femme, Juliette, qui tient salon, mène une vie mondaine agitée. Quant à Hélène, elle est veuve. Fille du chapelier Mouret, elle est venue de Marseille vivre à Passy (2). Elle reçoit régulièrement l'abbé Jouve et le frère de celui-ci, M. Rambaud. Il s'occupe des pauvres et des malades, telle Mme Fétu (3). Une intimité se crée entre elle et les Deberle, dont elle fréquente désormais le jardin tout proche : Jeanne y joue avec Lucien, le fils de Juliette, et on y voit aussi les amis du couple. Au cours d'un jeu, Hélène tombe d'une balançoire et se blesse (4). Se remémorant son passé, son mariage, la mort de son père, elle contemple depuis Passy un Paris infini et éclatant, qu'elle ignore et ignorera jusqu'à la fin du livre. Elle s'identifie à une héroïne sage d'un roman de Walter Scott qu'elle est en train de lire (5).

Deuxième partie. L'amoureux de la bonne, Rosalie, vient lui rendre visite (chap. 1), tandis que l'abbé conseille à Hélène de se remarier avec Rambaud. Elle refuse (2). Avril dans le jardin Deberle. Alors que Jeanne, jalouse de sa mère, est violemment hostile à Rambaud, les liens se resserrent entre Deberle et Hélène (3). Un bal est donné pour les enfants avec attractions et goûter. Au cours de cette fête, Deberle avoue son amour à Hélène (4). Elle ne veut pas y céder, mais sa passion contenue trouve un écho dans un Paris doré, puis pourpre (5).

Troisième partie. Hélène se réfugie dans la dévotion, mais son exaltation amoureuse la dispute à ses remords, surtout quand elle est seule avec Henri (chap. 1). Celui-ci continue à lui faire la cour. Jeanne tombe gravement malade, d'un mal autant moral que physique (2). Sa jalousie et sa névrose (héréditaire) s'expriment par des caprices et des accès de colère (3). Elle observe les couples autour d'elle (4), tandis que sa mère, déchirée entre l'amour et les scrupules, admire dans un paysage crépusculaire où Paris lui apparaît sous la voûte étoilée (5).

Quatrième partie. Toujours liée aux Deberle, Hélène rencontre à nouveau Henri. Ils s'embrassent (chap. 1). Hélène a appris le rendez-vous de Juliette Deberle avec son soupirant Malignon : elle rédige une lettre pour le dénoncer à Henri et la lui adresse non sans hésitations (2-3). Prise de remords, elle va prévenir les amants et se trouve alors face à face avec Henri auquel elle cède sans explication (4). Sous une pluie de tempête, Jeanne observe Paris avec tristesse en attendant sa mère (5).

Cinquième partie. Jeanne a pris froid, elle tousse. Va-t-elle faire une rechute ? En fait, c'est une grave phtisie qui va emporter l'enfant (chap. 1-3). Un lugubre cortège la conduit au cimetière (4). Finalement Rambaud épousera Hélène qui s'engage dans une vie bourgeoise marquée par le souvenir de sa fille. Dernière vision d'un Paris bleu et blanc (5).

La tonalité générale du livre a de quoi surprendre après l'*Assommoir*. On peut même dire que l'ouvrage n'échappe pas à une certaine fadeur ou à certains clichés du roman bourgeois contemporain : l'opposition entre la mère et l'amante, l'abbé de bon conseil, le soupirant raisonnable et discret, et la phtisie galopante de la fille n'ont rien de bien original ; au point qu'on pourrait croire à un exercice de style, ou même à un quasi-pastiche.

Si l'on essaie pourtant de dépasser ces jugements et ces réticences, on est frappé par l'importance des personnages féminins : après Félicité, Lisa, Gervaise, voici Rosalie, la bonne affectueuse et bourrue, la mère Fétu, pauvre et bavarde, Juliette, la mondaine évaporée, et bien sûr Hélène et Jeanne, les vraies protagonistes, dont la figure et le caractère sont les plus riches et les plus précis. Jeanne a en effet ses périodes noires et ses périodes roses, tout

comme Hélène est partagée entre la sagesse et la passion ; alors qu'en face, les hommes sont réduits le plus souvent à des silhouettes répétitives ou simplistes, du charmant docteur à l'homme de bien un peu âgé. En revanche, les personnages féminins essentiels révèlent une économie des sentiments assez complexe : Jeanne, par exemple, oscille de l'amour filial à la jalousie, et à une jalousie qui vise tantôt Rambaud, le soupirant officiel, tantôt Deberle, l'homme avec lequel il faudrait vraiment partager sa mère. Et la fille engendre par là les alternances sentimentales de sa mère, prise entre l'amour d'un enfant et celui d'un homme : plus profondément, entre le désir et sa punition, l'amour ne pouvant être que coupable lorsqu'il offense un mari mort, quand il constitue une infidélité posthume.

Quant au décor, on pourrait aussi le juger bien convenu : c'est celui d'un milieu très aisé de grands bourgeois et de « gens à particules ». Les maisons sont grandes et belles, elles ont des jardins profonds et offrent de jolies vues, on donne des dîners et des fêtes pour les enfants, et la réalité de la ville (on voit Paris depuis Passy), du travail, de l'argent (Hélène a des rentes) semble presque absente, surtout après l'*Assommoir* ! Mais il y a un charme et une qualité d'atmosphère spécifique dans ce monde factice et insouciant : salons où l'on ne fait rien, futilités de la conversation, après-midi passées à broder, goûters d'enfants, aimable oisiveté, tout un fond de tableau cotonneux et un peu vide qui donne aux événements marquants une ligne pure et nette. Un élément échappe cependant à la convention : les descriptions parisiennes à la fin de chaque partie, dont on sait qu'elles furent un point fixe du livre dès le départ. Sur le plan littéraire, ces grands tableaux ont une fonction de synthèse unanimiste : le Paris pourpre ressemble à la passion contenue d'Hélène, de la même façon que le Paris d'orage fait écho aux bouleversements de l'adultère. Le procédé peut paraître un peu systématique ou fabriqué, il traduit cependant un vrai regard de peintre : on a souvent, sur ce point, rapproché l'art de Zola avec celui de Monet, par le principe de la série variée sur un même sujet et par les descriptions colorées où les paysages et les états d'âme se confondent en un même tableau impressionniste.

● « GF », 1973 (p.p. C. Becker). ➤ *Les Rougon-Macquart*, « Pléiade », II ; *Œuvres complètes*, Cercle du Livre précieux, III ; *les Rougon-Macquart*, « Le Livre de Poche », VIII (préf. L. Nucéra, p.p. P. Marotte) ; *id.*, « Folio », VIII ; *id.*, « Bouquins », II.

A. PREISS

UNE PAGE D'HISTOIRE. « Poème » de Jules **Barbey d'Aurevilly** (1808-1889), publié à Paris sous le titre « Retour de Valognes. Un poème inédit de lord Byron » dans le *Gil Blas* le 26 décembre 1882, et en volume avec *Une histoire sans nom* chez Lemerre la même année.

Ni tout à fait essai ni tout à fait fiction, cette œuvre, que Barbey d'Aurevilly appelle un « poème », est l'une des dernières de l'auteur.

Le narrateur effectue chaque année un séjour dans sa « terre natale de Normandie » afin de retrouver les traces du passé (chap. 1). Cette fois, il découvre l'histoire de la famille de Ravalet, à la sinistre réputation, et dont les derniers enfants, Julien et Marguerite, vécurent un amour incestueux qui les conduisit à l'échafaud (2-5).

À première vue, ce texte se présente comme une simple ébauche, comme une compilation de notes recueillies en vue d'une œuvre future. Le narrateur livre en effet ses rêveries à propos d'un épisode de l'histoire normande qu'il vient de découvrir, mais ne tisse aucune véritable trame romanesque. Les faits sont présentés à l'état brut et leur pouvoir d'ébranlement de l'imagination est souligné, mais le matériau, d'ailleurs peu fourni – un portrait, quelques inscriptions sur les murs d'un château, des fragments de lettres, une épitaphe –, demeure inexploité sur le plan fictionnel. On a ainsi l'impression d'avoir affaire au brouillon d'un roman ou d'une nouvelle, d'autant plus que Barbey s'inspire fréquemment de faits véridiques. Par ailleurs, le cadre normand de cette histoire et son thème constituent des données récurrentes de la fiction aurevillienne – l'inceste apparaît notamment dans *Un prêtre marié* et dans Ce qui ne meurt pas. Le titre même du texte paraît en confirmer l'aspect provisoire : il ne s'agit que d'« une page », c'est-à-dire pas encore d'un ouvrage, et d'une page d'« histoire », c'est-à-dire pas encore d'un roman.

Toutefois Une page d'histoire est bien, pour Barbey, un ouvrage terminé, sur lequel il ne reviendra pas. Plutôt qu'une ébauche, ce texte est finalement à considérer comme la quintessence de l'œuvre aurevillienne. Dépouillée de tout développement et artifice, l'écriture se livre ici à nu et, en cela, Barbey n'est ni historien ni romancier mais en effet poète : « Où les historiens s'arrêtent, ne sachant plus rien, les poètes apparaissent et devinent. Ils voient encore, quand les historiens ne voient plus. » Le romancier, relayant l'historien, aurait comblé les vides, aurait imaginé et montré. Le poète se borne à suggérer, invitant le lecteur à partager sa liberté de rêverie et « cette puissance du mystère, la plus grande poésie qu'il y ait pour l'imagination des hommes ».

● Une histoire sans nom [...], « Folio », 1972 (p.p. J. Petit) ; Une vieille maîtresse [...], « Bouquins », 1991 (p.p. P. Sellier). ➤ Œuvres romanesques complètes, « Pléiade », II ; Œuvres complètes, Slatkine, V.

A. SCHWEIGER

UNE SAISON À RIHATA. Roman de Maryse **Condé** (née en 1937), publié à Paris chez Robert Laffont en 1981.

Quand Zek arrive à Rihata, petite ville africaine « où il ne se passe jamais rien », avec sa femme Marie-Hélène, une Antillaise qu'il a épousée à Paris, on rouvre une vaste demeure coloniale inoccupée depuis des années. Zek est enfant du pays, mais Marie-Hélène et Christophe, neveu de la jeune femme, sont mulâtres et désignés comme des « Semela » : « ceux venus d'ailleurs ». Marie-Hélène, déjà mère de six filles, est une nouvelle fois enceinte. Zek a un demi-frère, Madou, de dix ans son cadet, ministre du Développement rural, dont la réussite est à la mesure de l'échec de Zek. Marie-Hélène était destinée, par ses talents, à une existence brillante ; elle a pourtant suivi son mari dans un pays que seules les excentricités des émissaires de Lopez de Arias, le président du pays voisin brouillé avec Toumany, signalent à l'attention du monde. Madou arrive à Rihata pour représenter le gouvernement aux cérémonies de commémoration du coup d'État (chap. 1). Marie-Hélène, alors qu'elle était déjà mariée, a eu une liaison avec Madou (2). Lors d'une visite à Marie-Hélène, Madou avoue le véritable but de sa visite : prendre contact avec des émissaires de Lopez de Arias, le président du pays voisin brouillé avec Toumany (3). Tandis qu'il rencontre la délégation, son chauffeur croise Victor, un jeune révolutionnaire en mission qui lui fait absorber un somnifère (4). La présence du ministre à Rihata réveille les vieilles rancunes. Marie-Hélène n'a jamais aimé Zek. Christophe l'interroge sur sa mère, Delphine, qui s'est suicidée quand il était enfant. Le passé remonte à l'assaut (5). La vieille Muti qui a hébergé Victor et ses compagnons est arrêtée et torturée. Elle demande à parler à Madou (6). Elle lui explique que les opposants au régime de Toumany se sont regroupés dans le Nord et sont soutenus par Lopez de Arias (7). Victor erre dans les rues de Rihata, Muti est transférée dans la capitale (8-9). Christophe, toujours en quête de son histoire, interroge Zek sur son père. Victor est décidé à tuer le ministre (10). Lors d'une fête organisée en l'honneur de Madou, on distribue des tracts insultant sa personne. Victor réussit à s'introduire dans le jardin de sa villa (11). Il tire sur Madou au moment où Marie-Hélène accouche d'un garçon (12). La répression est terrible à Rihata et Victor, terrorisé, est considéré comme un simple exécutant : on cherche les « têtes » du complot (13). Madou meurt. On décrète un deuil national (14). Toumany le fait nommer Premier ministre à titre posthume (15).

Si l'Afrique n'a jamais cessé d'être présente dans l'imaginaire antillais, Maryse Condé aborde ici directement le problème des retrouvailles avec le pays « d'avant ». Déjà son précédent roman, Heremakhonon (1976), évoquait le drame d'une Antillaise confrontée à l'Afrique. Son

héroïne fait la douloureuse expérience de l'étrangeté et de l'exil en terre africaine. Emmurée dans sa différence, insatisfaite, blessée et blessante, Marie-Hélène dépérit dans cette Afrique pour laquelle elle a rêvé un avenir glorieux du temps où, étudiante à Paris, elle brillait dans les meetings. Toute la construction du roman joue de l'imbrication du politique et du privé. De son idéal de jeunesse, Marie-Hélène a tout perdu ; vieillissante, elle ne peut que rêver et nourrir sa rancœur envers Zek, qu'elle n'a pourtant jamais quitté. Madou lui, s'est laissé embrigader dans un régime qu'il méprise et Zek, usé et abattu par une vie d'échecs, n'a plus la volonté ni le désir de se rebeller devant les horreurs qui se produisent dans son pays. Le triangle infernal est ici composé de trois êtres exilés de l'intérieur, incertains de leurs choix, doutant d'eux-mêmes, pris dans un réseau inextricable de rancunes, de lâchetés et de regrets. Autour d'eux, quelques marionnettes dérisoires, représentants plus ou moins convaincus du pouvoir de Toumany, et deux figures attachantes d'adolescents qui se cherchent : Christophe en quête de ses parents dont personne, par peur de laisser remonter la boue du passé, ne veut lui parler, et Sia, fille aînée de Marie-Hélène, qui se promet de ne pas laisser aller sa vie à la dérive comme sa mère.

Le drame du couple Zek/Marie-Hélène, Afrique/Antilles, c'est la confrontation à un univers absurde de violences extrêmes. L'Afrique est pour Marie-Hélène l'épreuve négative de la représentation qu'elle se fait du peuple noir ; elle n'en voit que l'horreur, les souffrances tandis qu'elle idéalise des Antilles inaccessibles. Cette terre natale trop tôt quittée incarne son espace de rêve associé à une mère chérie mais morte. Les Antilles pour elle sont donc perdues, « matrice désertée qui n'envelopperait pas de fœtus ». Expulsée de sa terre, il ne lui reste que l'Afrique, une mère aussi dans l'imaginaire et l'espoir, mais mystérieuse, et qui pourtant lui colle à la peau. Car Marie-Hélène est physiquement attachée et unie à l'Afrique par les deux frères. Mais l'Afrique agit sur elle comme le poison de la vieillesse désormais instillé dans son corps ; elle la meurtrit, l'érode et l'éloigne définitivement de sa liberté, de sa jeunesse. Cette Afrique est son miroir ; elle aussi, usée comme une mère à qui on a trop demandé et qui ne peut plus rien donner.

C. PONT-HUMBERT

UNE SAISON AU CONGO. Pièce en trois actes et en prose d'Aimé **Césaire** (né en 1913), publiée à Paris aux Éditions du Seuil en 1966. Elle fut remaniée en 1967 et en 1973, date de l'édition définitive.

Césaire s'appuie sur l'histoire récente du Congo belge. Patrice Lumumba, emprisonné pour son activisme, est libéré par ses amis et obtient l'indépendance du Congo à Bruxelles ; il devient Premier ministre du nouvel État, mais lorsque le Katanga, soutenu par l'ancienne puissance coloniale, fait sécession, il est victime d'un complot de son ami le colonel Mokutu le « neutralise », met fin à la jeune république par un coup d'État militaire, et laisse le soin au Katangais M'siri de l'assassiner, avec la complicité de l'ONU, dont le secrétaire général Hammarskjöld a été trompé.

Pour Césaire, le théâtre qui se développe en Afrique doit être « total » : « Il doit réunir tous les arts et en être la symbiose », se distinguant par là du théâtre européen. Malgré la distance qui sépare Une saison au Congo, à la vocation politique toute brechtienne, de sa première « tragédie » *Et les chiens se taisaient*, Césaire demeure fidèle à la Naissance de la tragédie qui l'avait profondément marqué pendant ses études à Paris. Nietzsche, en effet, voit dans l'opéra wagnérien la renaissance de l'« art total » de la tragédie grecque, « enfantée par l'esprit de la musique ». Outre l'importance accordée au chant grâce au personnage du joueur de sanza qui, selon Césaire, symbolise le peuple zaïrois, Patrice Lumumba lui-même, au plus fort de la crise, se met à chanter et à danser au bar Chez Cassian (II, 6).

Il ne s'agit pas tant alors du « mélange des genres » ou des styles de la très shakespearienne *Tragédie du roi Christophe*, que de la « symbiose » des formes de spectacle, à la manière des drames de Brecht, à qui Césaire emprunte certains procédés de distanciation (prologue du « bonimenteur », écriteaux indicateurs de lieu et d'action) et la précision des didascalies. Selon une thématique, elle aussi brechtienne, Césaire souligne le contenu « épique » d'*Une saison au Congo* : car Lumumba, à la différence du roi Christophe, est un héros authentiquement populaire que Mama Makosi invite au bal (II, 1) et à qui l'on attribue la peau de léopard, emblème de la royauté (III, 2) : « Le peuple est pour moi, c'est le peuple ma sauvegarde, je n'ai qu'à lui parler, il me comprend lui, et il me suit ! », répond-il à sa femme Pauline qui l'exhorte à la prudence (dans un rôle de modérateur dévolu aux épouses des héros césairiens). À cet égard, Lumumba est plus proche d'Achille que de Prométhée, chargé qu'il est d'exprimer la conscience et la volonté de l'« esprit du peuple » congolais, et, plus largement encore, de l'Afrique, dont il prophétise l'avenir : « Je vois l'Afrique assaillie de toutes parts d'oiseaux rapaces » (III, 2). Nommé Premier ministre, il dénie à ses collaborateurs le droit à une existence individuelle, au nom du destin du Congo : « Vous êtes à la disposition du Congo, vingt-quatre heures sur vingt-quatre ! vie privée zéro ! pas de vie privée » (I, 8). Son être tout entier est tendu vers la sphère objective du bien commun, renonçant à la subjectivité et à l'individualité, comme le montre une très belle scène avec Pauline, qui représente le monde particulier : « Tu n'as pas charge que d'Afrique ! [...] Je n'ai pas nom de pays ou de fleuve ! Mais non ! Pauline ! », à quoi Patrice répond : « Je t'ai toujours appelée en moi-même, Pauline Congo ! », assimilant l'amour au patriotisme. *Une saison au Congo* est bien l'épopée de la fondation, difficile sinon impossible, d'un État indépendant et un. Car il s'agit de défendre la communauté – l'unité nationale – contre les particularismes, les sécessions (les mercenaires katangais), les rivalités tribales attisées par les Belges (II, 5) pour mieux régner. Mokutu (transparent paronyme), dont Césaire a accentué le « côté féroce » à la lumière de la dictature sanglante imposée au Zaïre dans les deuxième et troisième versions, incarne l'esprit de discorde et de trahison, tandis que l'idéalisme irénique du secrétaire général de l'ONU, Hammarskjöld, est démenti par les intérêts politiques et économiques des Occidentaux.

Cette identification de Patrice Lumumba à son peuple est véritablement mystique. Comme dans les autres pièces de Césaire, son destin est bien une « Passion », même s'il se défend d'être un « messie » ou un « faiseur de miracles ». Mokutu, qui a « trahi » et livré son ancien ami au Katangais M'siri, « [s']en lave les mains » et Hammarskjöld, qui cite maître Eckhart (I, 12), accuse les fonctionnaires de l'ONU d'être les « assassins du Christ ». De nombreux indices – la « non-violence » (III, 2), par exemple – viennent renforcer ce parallèle entre Jésus et Patrice, qualifié ironiquement de « prophète » par son meurtrier.

La fascination exercée par Patrice sur son peuple, à qui il « n'[a] qu'à parler », passe par son extraordinaire maîtrise de la parole, « arme miraculeuse » : « Je n'ai pour arme que ma parole, je parle et j'éveille, je ne suis pas un redresseur de torts, pas un faiseur de miracles, je suis un redresseur de vie, je parle, et je rends l'Afrique à elle-même ! Je parle, et je rends l'Afrique au monde ! Je parle, et, attaquant à leur base oppression et servitude, je rends possible, pour la première fois possible, la fraternité ! » (III, 2). Achille n'est-il pas cet orateur qui, lorsque le moral des Achéens faiblit, leur insuffle le courage ? Césaire lui-même s'inscrit dans la grande tradition de l'éloquence politique par le *Discours sur le colonialisme*

de 1950. Comme dans l'*epos* homérique mais aussi dans la Bible, cet art oratoire se confond avec celui de la poésie : « Il est poète par le verbe [...], la puissance magique du verbe, la puissance du *nommo*, le verbe créateur », déclare Césaire à propos de Patrice, qualifié ironiquement par ses geôliers, à l'acte I, de « faiseur de vers » et de « nègre à lunettes ». Là encore, de nombreuses scènes s'infléchissent vers la poésie, comme celle du dénouement où le héros à l'agonie déclare : « Je serai du champ ; je serai du pacage / Je serai avec le pêcheur Wagenia / Je serai avec le bouvier du Kivu / Je serai sur le mont, je serai dans le ravin » (III, 6). Hammarksjöld lui-même, bouleversé par cette mort, devient lyrique : « Congo ! La cohérence des choses évanouie. Atteint à travers la matrice de l'original péché, le noir foyer de nous-mêmes » (*ibid.*).

Malgré l'actualité des événements relatés, malgré la vocation politique et idéologique d'une pièce qui, à la différence du *Roi Christophe*, n'est même plus allégorique, ce théâtre s'adresse d'abord à l'imaginaire et demeure essentiellement poétique. Que Césaire n'ait plus publié de poèmes depuis *Cadastre* en 1961, ne signifie donc aucunement qu'il ait alors renoncé à la poésie. Celle-ci, provisoirement, passe par le théâtre, ce qui rend beaucoup moins surprenante qu'on ne l'a dit la publication du recueil *Moi, laminaire...* en 1982.

● « Points », 1974.

D. COMBE

UNE SAISON DANS LA VIE D'EMMANUEL. Roman de Marie-Claire **Blais** (Canada/Québec, née en 1939), publié à Montréal aux Éditions du Jour en 1965. Prix Médicis 1966.

Né sans bruit par un matin d'hiver, Emmanuel écoute la voix de sa grand-mère : « Elle semble diriger le monde de son fauteuil. » C'est un bien mauvais moment pour naître, la famille n'a jamais été aussi pauvre. La mère est silencieuse, le père violent, tandis que la grappe d'enfants s'accroche aux jupes de grand-mère Antoinette : Jean le Maigre, tuberculeux qui lit frénétiquement et écrit des poèmes, le Septième, voleur aux cheveux orange et qui boit, les petites A (Héléna, Maria...), les grandes A (Aurélia, Anita, Anna), et puis Pomme, Alexis, Héloïse qui sort du couvent – seize en tout –, et tant d'autres qui sont morts. Jean le Maigre et le Septième s'enferment dans la cave pour boire. Jean le Maigre est envoyé au noviciat (chap. 1-3). Il tousse et crache le sang. Bientôt cloué au lit, il écrit son autobiographie : « Dès ma naissance... mon regard brillait déjà d'un feu sombre et tourmenté. » Incendiaire et suicidaire, il a hérité de l'exemple de son frère Léopold qui s'est pendu dans sa robe de séminariste. À l'école, M. le curé avait appris à Jean la géographie, l'orthographe, et il laissait traîner dans la maison ses versions grecques, ses fables, ses tragédies, que le père faisait disparaître à mesure dans les latrines. Avec le Septième, il avait aimé Marthe, la petite bossue, puis mis le feu à l'école avant de partir pour la maison de correction où il avait été enfermé dans une cellule réservée aux pyromanes. Cette nuit-là, Jean le Maigre meurt tandis qu'Héloïse se consume en d'étranges noces. Grand-mère Antoinette, Pomme et le Septième arrivent au noviciat, pour entendre la messe dite à la mémoire de Jean. Héloïse, après un dernier regard sur le berceau où dort Emmanuel, quitte la maison (4-5). Depuis la mort de Jean, grand-mère Antoinette, muette, est plongée dans la lecture des manuscrits laissés par le poète. Pomme et le Septième sont placés comme apprentis en ville (6). Héloïse, qui travaille chez Mme Octavie à l'auberge de la Rose, écrit chaque jour à grand-mère Antoinette à qui elle prétend être cuisinière, et envoie de l'argent pour Pomme hospitalisé, qui a perdu ses doigts dans une machine de la manufacture où il travaille avec le Septième. Une saison s'est écoulée dans la vie d'Emmanuel. Grand-mère Antoinette le tient dans ses bras et lui murmure à l'oreille que le printemps sera beau (7).

L'univers romanesque de Marie-Claire Blais est celui des déshérités : petits paysans pauvres, drogués, enfants des villes, artistes ratés, etc. Plutôt qu'une intrigue, *Une saison dans la vie d'Emmanuel* livre des « tranches de vie » d'une famille qui n'est située ni dans le temps ni dans l'espace. Plusieurs points de vue gouvernent le récit : celui de grand-mère Antoinette, celui de Jean le Maigre, celui d'Emmanuel, et des voix différentes se croisent, orchestrées alternativement par le narrateur et Jean le Maigre, pour former cette parabole familiale où chacun des membres de la tribu vient à son tour sur le devant de la scène raconter et commenter l'événement.

Grand-mère Antoinette domine l'ensemble du roman. C'est elle qui a dispensé la vie à l'origine de cette famille, c'est elle qui accorde la nourriture, le nom du baptême, la sécurité et les sanctions. Elle semble là depuis l'éternité, inaltérable. L'âge lui a conféré la sagesse, la liberté et l'autorité. Abritant sous ses jupes une nichée d'enfants, elle figure à la fois la mère paysanne et la Sainte Mère des litanies. Elle fédère, rassemble, intègre les valeurs et fait respecter les rites. Mais elle échoue à maintenir la cohésion familiale autour d'elle. Figure valorisée d'une sorte de matriarcat rural, elle incarne la nostalgie d'une structure familiale unitaire au moment où le Québec connaît l'éclatement de la famille traditionnelle et la rupture des liens avec la terre.

Jean le Maigre, lui, est en quelque sorte le héros, à la fois triomphateur et malheureux. Il meurt, victime du combat pour la lucidité, mais laissant derrière lui la victoire de son texte. S'il descend bien aux enfers, c'est visiblement le seul chemin de la libération, et si Antoinette possède le faire, Jean le Maigre possède le dire, il dispense la poésie.

Une saison dans la vie d'Emmanuel périme l'image parentale : la mère, « toujours épuisée et sans regard », est absente, fantomatique ; quant au père, borné et indifférent, il « chasse ses enfants dès qu'ils ne se nourrissent pas tout seuls comme des hommes ». Aucun des personnages ne se révolte ouvertement contre les réalités familiales, matérielles, sociales. Chacun s'accommode de la circonstance, au besoin par l'acte clandestin. Cette saison dans la vie d'un jeune enfant est une saison aux enfers car, à la rudesse du climat et des mœurs, se mêle la perversité juvénile de Jean le Maigre et de son frère le Septième, balayant s'il en était besoin, l'image d'Épinal de l'innocence enfantine. Mais peut-être ces deux insouciants complices du Diable, familiers du sexe, du feu et de la mort ne sont-ils pas de vrais enfants...

Le roman mêle en permanence pratique religieuse et sensualité. Aux discours et aux rites du catéchisme s'opposent les désirs dictés par la nature, qui étouffent la voix de la vertu : c'est Héloïse qui passe ingénument du couvent au bordel, ce sont les enfants masturbateurs, les notaires salaces, les pères violeurs relégués en vain dans la nuit et le silence par un clergé qui lutte inutilement contre les démons. Le mal domine et règne. Pourtant, en dépit de la cohorte d'enfants, de l'abondante neige, de la terre qui colle aux pieds, de l'écrasante misère, de la tuberculose, des suicides, des couvents et des maisons de passe, des prières, de l'ignorance et des morts en série, Une saison dans la vie d'Emmanuel échappe totalement au naturalisme. Marie-Claire Blais prend ici le parti de la poésie pour dire ce monde du vertige et de la noirceur. Son regard sombre est d'une douloureuse et âpre lucidité. Une conviction traverse ce roman : l'écriture assure le salut et représente la seule réponse à la maladie et à la mort. Le texte est dominé par l'affirmation d'une éternité de l'œuvre, d'une faculté humaine à appréhender une forme de beauté et d'absolu quelle que soit l'horreur de la réalité vécue.

● Montréal, Stanké, 1980.

C. PONT-HUMBERT

UNE SAISON EN ENFER. Recueil de poèmes en prose d'Arthur **Rimbaud** (1854-1891), publié à compte d'auteur à Bruxelles par l'Alliance typographique en 1873 ; réédi-

tion avec les *Illuminations*, précédées d'une notice de Paul Verlaine, à Paris chez Vanier en 1892.

Cet ouvrage, pour lequel Rimbaud avait initialement songé à d'autres titres, est un recueil de « petites histoires en prose, titre général : Livre païen, ou Livre nègre » (lettre à Ernest Delahaye, mai 1873). Il apparaît, à bien des égards, comme un testament poétique et c'est d'ailleurs le seul de ses textes que l'auteur ait tenu à publier de son vivant. Rédigé entre avril et août 1873, il s'inscrit dans la période tourmentée qui, après les coups de revolver de Verlaine dirigés contre Rimbaud, se termina par la rupture définitive des deux amis. Le poète ayant omis d'acquitter la totalité des frais auprès de l'imprimeur, un grand nombre d'exemplaires, sur les cinq cents qui furent tirés, demeurèrent chez ce dernier. Contrairement à une légende tenace, Rimbaud ne détruisit donc pas totalement Une saison en enfer ; en brûlant les quelques exemplaires qu'il possédait, c'est bien toutefois l'ensemble de son œuvre qu'il vouait symboliquement à l'autodafé.

Le recueil s'ouvre sur un poème dépourvu de titre qui s'apparente à un prologue et dédie à Satan ce « carnet de damné ». Viennent ensuite huit poèmes de longueur inégale, dont certains sont divisés en sections alors que d'autres se présentent d'un seul tenant. "Mauvais Sang" dresse une sorte d'autoportrait chaotique et provocant du poète. Celui-ci, après avoir « avalé une fameuse gorgée de poison », fait l'expérience de la "Nuit de l'enfer". Dans "Délires I", le « je » devient l'« époux infernal » d'une « vierge folle » qui le décrit à travers sa « confession » pleine d'amour, voire d'idolâtrie, et de souffrance. Dans "Délires II", le « je », dès les premiers mots – « À moi » –, reprend la parole pour retracer son parcours poétique qu'il semble renier. Le dernier poème, "Adieu", apparaît enfin comme un épilogue qui met un terme au recueil, si ce n'est à la totalité de l'entreprise poétique.

On a souvent voulu voir dans Une saison en enfer un texte autobiographique relatant notamment l'aventure avec Verlaine, dont la « vierge folle » serait l'un des avatars. Il s'agit certes d'un texte-bilan et, pour Rimbaud surtout, la poésie étant inséparable de la vie, l'on ne peut nier la prégnance du vécu dans l'écriture. Mais elle s'en nourrit plutôt qu'elle ne prétend le transcrire. La poésie rimbaldienne n'est rien moins qu'anecdotique et vouloir la déchiffrer comme un cryptogramme est d'une pertinence limitée. Au-delà des faits et des allusions, ce texte bouleversé et bouleversant, mais sans sensiblerie aucune, interroge la vie et l'acte créateur dans le souci de les porter à l'extrême, jusqu'à l'« impossible ».

Pressé par une urgence inhérente à son être même : « Vite ! est-il d'autres vies ? », le poète, toujours « en marche », parle une langue heurtée. Les phrases nominales, nombreuses, précipitent le rythme : « Allons ! La marche, le fardeau, le désert, l'ennui et la colère. » Délaissant la syntaxe et ses constructions, la prose rimbaldienne ne nomme que l'essentiel, proféré comme en autant de cris que la répétition rend plus lancinants encore : « Cris, tambour, danse, danse, danse, danse ! [...] Faim, soif, cris, danse, danse, danse, danse ! » La parole surgit comme un arrachement primitif, comme un élan que la nécessité impose et que le poète, à l'écoute, transcrit en son état le plus rudimentaire : « Mais non, rien. [...] Ah ! encore. » La poésie atteint ainsi une force brute, énigmatique et sacrée : « C'est oracle, ce que je dis. » L'acte poétique est cependant dépourvu de passivité. Certes, le refus de tout travail est affirmé, y compris celui de la plume : « J'ai horreur de tous les métiers. [...] La main à plume vaut la main à charrue. – Quel siècle à mains ! – Je n'aurai jamais ma main », et le but de la création n'est pas d'ordre esthétique : « Un soir, j'ai assis la Beauté sur mes genoux. – Et je l'ai trouvée amère. – Et je l'ai injuriée. » L'acte poétique ne fabrique pas ; il est quête constante car tout, l'« amour », par exemple, « est à réinventer ». La tâche est donc de chercher la « vraie vie », et l'« époux infernal » de "Délire I" « a peut-être des secrets pour *changer la vie* », pour « s'évader de la réalité ». Le chaos verbal est à l'image de cette quête haletante dont Une saison en enfer, conjuguant aussi bien le passé que le présent et le futur, dévoile « tous les mystères ».

En partie seulement, car le texte préserve ses opacités. Tour à tour sorcier, alchimiste, magicien, voyant, fou aussi, le poète voue ses forces vitales à la découverte d'un « trésor » qui se dérobe, toujours lointain, à venir : « J'aurai de l'or », « Je ferai de l'or. » Cet or, cette autre vie, cet impossible, excède la parole : « Quelle langue parlais-je ? », « Je voudrais me taire. » À cet égard, *Une saison en enfer* s'offre tout de même assez clairement à lire comme un parcours narratif qui se solde par un échec : « J'ai essayé d'inventer de nouvelles fleurs, de nouveaux astres, de nouvelles chairs, de nouvelles langues. J'ai cru acquérir des pouvoirs surnaturels. Eh bien ! je dois enterrer mon imagination et mes souvenirs ! Une belle gloire d'artiste et de conteur emportée ! »

Gardons-nous toutefois des mirages de la transparence et de l'immobilisme des certitudes. Maniant volontiers l'ironie, la parodie et le sarcasme, la poésie rimbaldienne ne fige jamais le sens. Ainsi, le « je » d'*Une saison en enfer* ne se laisse emprisonner dans aucune identité stable et définitive. L'exemple le plus frappant réside sans doute dans "Délire I" et les polémiques suscitées par ce texte : met-il en scène deux protagonistes – Verlaine et Rimbaud ? – ou bien un dédoublement de soi-même ? De même, si l'on admet le caractère largement autobiographique du recueil, il est bien souvent difficile de distinguer le « je » protagoniste dans le passé du « je » scripteur dans le présent et, de ce fait, de déterminer une instance de jugement stable ; « Car JE est un autre » disait le poète dès 1871 (lettre à Paul Demeny, 15 mai 1871)... Jamais en repos, il est avant tout mouvement – « Et allons » –, toujours ailleurs, plus loin. Le recueil se termine mais le poète, après avoir dit « adieu », poursuit sa route : « Il me sera loisible de *posséder la vérité dans une âme et un corps*. » Peut-être Harar, où Rimbaud partit après avoir renoncé définitivement à la poésie, réalisa-t-il cette ultime promesse.

● Mercure de France, 1941 (p.p. H. Bouillane de Lacoste) ; Florence, Sansoni, 1955 (p.p. M. Matucci) ; José Corti, 1987 (p.p. P. Brunel) ; « Presses Pocket », 1990 (p.p. P. Mourier-Casile). ➤ *Œuvres complètes*, « Pléiade » ; *Poésies [...]*, « Le Livre de Poche » ; *id.*, « Poésie/Gallimard » ; *Œuvres*, « Classiques Garnier » ; *Œuvres poétiques*, « Lettres françaises » ; *Œuvres*, « GF », II ; *Œuvre-Vie*, Arléa ; *Œuvres complètes*, « Bouquins ».

A. SCHWEIGER

UNE SI LONGUE LETTRE. Roman de Mariama **Bâ** (Sénégal, 1929-1981), publié à Dakar aux Nouvelles Éditions africaines en 1979.

Institutrice de formation, militante féministe, Mariama Bâ a choisi la forme épistolaire pour son premier roman qui a fait d'elle une pionnière de l'écriture féminine en Afrique noire francophone, ouvrant la voie à d'autres femmes africaines et, en premier lieu, ses compatriotes : Aminata Sow-Fall, Nafissatou Diallo, Ken Bugul ou Aminata Maïga Ka.

À la mort de son mari, Ramatoulaye écrit à son amie Aïssatou pour lui apprendre la nouvelle et lui raconter les obsèques (chap. 1-3). Cette lettre est l'occasion de nombreuses confidences sur sa vie de femme et sur le comportement de Modou, son mari, dont elle dresse un portrait peu flatteur (4). Elle évoque leur rencontre (5), ses hésitations puis son mariage (6-7) et établit une comparaison entre son ménage et celui de son amie. En dépit de leurs origines sociales et de leurs rythmes de vie différents (8-9), toutes deux ont connu l'arrivée dans leur foyer d'une seconde épouse : Ramatoulaye a été supplantée par une amie de sa fille qu'elle a dû accepter et, pour sa part, Aïssatou a choisi de quitter son mari (11-13). Ramatoulaye évoque la douleur et la solitude de la femme délaissée (16). Au quatrième jour du deuil, Ramatoulaye est demandée en mariage par le frère aîné du défunt (18) ainsi que par Daouda, un ancien prétendant (19-21). Elle les refuse tous deux. Demeurée seule, elle se heurte à de nouvelles difficultés

avec ses enfants (22-24). Elle apprend que sa fille est enceinte (25), mais, après discussion, accepte son futur gendre (26), entreprend d'éduquer les jeunes générations et envisage de « refaire sa vie » (27-28).

Dans ce livre-témoignage, Mariama Bâ dénonce le comportement masculin, le rôle de la famille et le poids de la religion islamique dans la vie du couple et, tout particulièrement, dans celle de la mère et de l'épouse. Mais, plus que la thématique, c'est aujourd'hui la forme qui retient l'attention : suivant un double développement chronologique parallèle (vie du couple d'une part et temps réel de l'écriture de l'autre), ce roman épistolaire dont la trame est constituée d'une « longue lettre » divisée en chapitres et rédigée en plusieurs étapes, est fractionné en de nombreuses séquences, entrecoupées de lettres antérieures ou émanant d'autres personnages. Cette division et cette construction permettent à la romancière de cerner par thème les sujets qu'elle aborde, tout en mesurant l'évolution de son héroïne et en lui apportant la contradiction.

B. MAGNIER

UNE TÉNÉBREUSE AFFAIRE. Voir CHOUANS (les), d'H. de Balzac.

UNE VIE. Roman de Guy de **Maupassant** (1850-1893), publié à Paris en feuilleton dans le *Gil Blas* du 27 février au 6 avril 1883, et en volume chez Victor Havard la même année.

Premier roman de Maupassant, *Une vie* est aussi celui dont la maturation et la genèse furent les plus longues. Vraisemblablement entreprise au printemps 1878, la rédaction initiale prévoyait une intrigue plus complexe, des personnages plus nombreux ; Maupassant se rendit très vite compte de la difficulté à « mettre en place quelque chose » et à ménager « les transitions » : aussi, après une phase d'abandon du projet (fin 1878-début 1881), concentra-t-il plus rigoureusement l'action autour du seul personnage de Jeanne, évinçant tout ce qui pouvait nuire à l'unité de son récit. À partir du printemps 1881, la rédaction du roman se fait en parallèle avec celle de nouvelles que Maupassant essaime dans les journaux et dont les sujets – voire la forme même – apparaissent comme des « brouillons » de chapitres d'*Une vie* : « Par un soir de printemps » (7 mai 1881 dans *le Gaulois*, repris dans *le Père Milon*, 1899) évoque la promenade de Jeanne et de Julien au chapitre 4 ; « Histoire corse » (1er décembre 1881 dans *le Gaulois*) contracte le récit de Paoli Palabretti au chapitre 5 ; « le Saut du Berger » (9 mars 1882 dans *Gil Blas*, repris dans *le Père Milon*) présente un « jeune prêtre austère et violent », véritable préfiguration de l'abbé Tolbiac, qui accomplit à la fois le meurtre des amants confié au comte de Fourville et le massacre de la chienne en gésine par l'ecclésiastique dans le roman (chapitre 10) ; « Vieux Objets » (29 mars 1882 dans *Gil Blas*) apparaît comme une esquisse de la rêverie de Jeanne au chapitre 12, de même que « la Veillée » (7 juin 1882 dans *Gil Blas*, repris dans *le Père Milon*) annonce celle du chapitre 10... Des nouvelles au roman (ou *vice versa*) l'échange apparaît constant, traduction à la fois de l'unité d'inspiration de l'écrivain et de sa volonté de parvenir à une parfaite adéquation de la forme et du fond. Un tel « chantier » n'est d'ailleurs pas original chez Maupassant et l'étude du *Horla permet de mettre en évidence le même phénomène.

Sortie du couvent où vient de s'achever son éducation, Jeanne, fille unique du baron Le Perthuis des Vauds, convainc ses parents de s'installer dans leur château des Peuples, sur la falaise d'Yport (chap. 1) : une vie charmante et libre commence (2) jusqu'au mariage avec

Julien de Lamare. Après une décevante nuit de noces (3-4), Jeanne connaît pourtant le plaisir lors d'une excursion pendant leur lune de miel en Corse (5). Après le retour aux Peuples, la vie devient mélancolique : Julien et Jeanne font chambre à part (6). Puis l'ennui s'installe, rompu par l'accouchement inattendu de la fille de chambre, Rosalie, la sœur de lait de Jeanne que celle-ci trouve, une nuit, dans le lit de Julien. Elle s'enfuit, s'évanouit, puis après une brève convalescence, apprend qu'elle est enceinte (7). Pendant que sa grossesse se déroule douloureusement, Julien fréquente des hobereaux du voisinage, les Fourville. Enfin Jeanne est délivrée prématurément d'un fils : Paul (8). Peu après elle découvre la nouvelle liaison de Julien avec Gilberte de Fourville, puis, à l'occasion de la veillée funèbre de sa mère, elle trouve dans les papiers de la défunte les preuves d'un ancien adultère avec un ami et un son père (9). Mis au courant de l'infidélité de sa femme par le fanatique abbé Tolbiac, le comte de Fourville précipite furieusement, du haut de la colline, la roulotte qui abrite les amants. Le soir même, Jeanne accouche d'un second enfant mort-né (10). Il ne lui reste plus qu'à reporter son affection sur le petit Paul qu'elle couve jusqu'à refuser de s'en séparer pour l'envoyer à l'école. Lorsqu'il a dix-sept ans, pourtant, elle accepte de le mettre en pension au Havre. Trois ans plus tard il s'enfuit avec une fille, endetté, demandant l'aide financière des siens. On hypothèque bientôt les Peuples. Puis le baron meurt. Rosalie s'en revient vivre avec Jeanne (11), prenant en main « le gouvernement des choses et des gens du château ». C'est elle qui fait vendre les Peuples, emménager Jeanne dans une petite maison à l'intérieur des terres, qui gère le peu d'argent qui reste (12). Jeanne pense jalousement à son fils, puis part à sa recherche dans Paris. Errance vaine qui ne lui sert qu'à éponger les dettes de Paul (13). Alors elle s'installe dans une névrose de souvenirs et ne retrouve sa joie qu'au reçu d'une lettre de son fils lui apprenant que sa maîtresse est mourante après avoir donné naissance à une petite fille : Rosalie ramène l'enfant chez Jeanne, annonçant le retour de Paul pour le lendemain. Finalement « la vie ça n'est jamais si bon ni si mauvais qu'on croit » (14).

Une vie. Par sa platitude extrême (pas même, comme dans *Une belle journée* de Céard, d'adjectif pour faire un clin d'œil au lecteur), le titre inscrit le roman dans le naturalisme ambiant qu'il évoque de-ci, de-là : « Et leur vie était lamentable » (chap. 11). *Une vie* et non « la Vie » ni même « la Vie de Jeanne » comme il y a *la *Fin de Lucie Pellegrin* de Paul Alexis ou *le Calvaire d'Héloïse Pajadou* de Lucien Descaves : « une vie », donc, car cette existence est tout à la fois unique et exemplaire.

En effet, tout est vécu à travers la perception particulière des événements et la sensibilité de Jeanne : sa nuit de noces ne confirme-t-elle pas ses rêves ? elle est « désolée » (4) ; n'est-elle pas d'accord avec les agissements mesquins de Julien ? elle « ne dit rien » (5) ; surprend-elle sa sœur de lait dans le lit de son mari ? elle s'enfuit « l'esprit perdu » (7) ; découvre-t-elle la liaison de Julien et de la comtesse de Fourville ? « des larmes lui viennent aux yeux »... Nulle révolte chez elle, mais une résignation « pareille au revêtement de calcaire que certaines eaux déposent sur les objets » (6) et qui va bien vite la réduire à une passivité totale, faisant d'elle un être végétatif : « Alors elle ne sortit plus, ne remua plus » (14). Une telle attitude n'est en fait que la traduction du refus du présent : d'abord ignoré au profit des rêves d'avenir – et son mariage ne devait être, pour elle, qu'une « entrée dans l'Attendu » (4) – Jeanne ne peut, une fois ses espoirs déçus, que se rappeler le passé, qu'il s'agisse des rares instants de bonheur comme celui du val d'Ota (5), contrepoint des nombreux moments douloureux ou déceptifs, ou de véritables strates temporelles, tels ces souvenirs qui affleurent lors des préparatifs du déménagement (12), les uns et les autres s'associant *in fine* en un véritable syndrome névrotique dans lequel l'héroïne paraît définitivement installée : « Elle revivait surtout dans le passé, dans le vieux passé, hantée par les premiers temps de sa vie et par son voyage de noces, là-bas en Corse » (15). On constate alors que le « bovarysme » de Jeanne n'est en rien comparable à celui d'Emma (voir *Madame Bovary*) : raison d'agir pour celle-ci dès lors qu'il s'agit de forcer le réel à prendre les couleurs du rêve, il pousse en revanche celle-là à la résignation, dès la première déception venue : « Oui, c'était fini d'attendre » (6).

Mais, dans le même temps, la vie de Jeanne est aussi celle de tout un chacun : les adultères de Julien ? absous par l'abbé Picot au motif « qu'il a fait comme tout le monde » (7) ; l'éloignement de Paul ? « Il y a toujours un moment où il faut se séparer », constate Rosalie avec son bon sens paysan (14). Rien que de normal, finalement, dans cette existence que jalonnent les incidents de toute sorte (sept décès dont deux par meurtre, des adultères comme s'il en pleuvait, etc.) et qui, pourtant, donne l'impression d'une non-vie, arrêtée aussitôt que commencée : « Plus rien à faire, aujourd'hui, ni demain, ni jamais » (6). Vision pessimiste du monde, dira-t-on, mais peut-être à tort. Car le mot de la fin, s'il n'ouvre pas sur un bonheur radieux, entérine du moins la perspective d'une « chaleur de vie » nouvelle avec l'arrivée de la fille de Paul. Mais qui n'imagine que ce bonheur ne durera pas, ouvrant sous peu un nouveau cycle de désillusions, tant il est vrai que le rythme répétitif du roman a imposé au lecteur une vision désespérante de la vie de Jeanne...

● « GF », 1974 (p.p. P. Cogny) ; « Folio », 1974 (p.p. A. Fermigier) ; « Le Livre de Poche », 1983 (préf. H. Mitterand, p.p. A. Buisine) ; « Presses Pocket », 1990 (p.p. P.-L. Rey). ➤ *Œuvres complètes*, Albin Michel, III ; *id.*, Éd. Rencontre, II ; *Romans*, « Pléiade » ; *Contes et Nouvelles. Romans*, « Bouquins », I ; *Œuvres*, Club de l'honnête homme, I.

D. COUTY

UNE VIE DE BOY. Roman de Ferdinand **Oyono** (Cameroun, né en 1929), publié à Paris chez Julliard en 1956.

Une vie de boy est l'un des rares romans africains écrits en français avant l'ère des indépendances et s'inscrit donc, tout naturellement, dans un large mouvement de revendication politique et littéraire adressé prioritairement au public français. Comme plusieurs de ses contemporains – le Guinéen Camara Laye (l'*Enfant noir*), l'Ivoirien Bernard Dadié (*Climbié*) ou le Sénégalais Cheikh Hamidou Kane (l'*Aventure ambiguë*) –, Ferdinand Oyono a choisi un enfant pour personnage principal de son intrigue.

Dès les premières pages du livre, dans un Prologue précédant les deux cahiers du journal intime de Toundi (écrit en ewondo et traduit par le narrateur) qui constitue le texte du roman, est révélée au lecteur la mort du héros en Guinée espagnole.

Toundi est un jeune garçon qui, ayant fui sa famille, a trouvé un emploi de boy à la mission catholique, auprès du père Gilbert, qui lui apprend à lire et lui donne le goût de l'écriture. Après la mort du prêtre dans un accident de moto, Toundi est embauché par le commandant du cercle administratif. L'arrivée de la femme du commandant bouleverse le quotidien. Toundi devient rapidement un témoin gênant des écarts de Madame, et celle-ci souhaite faire disparaître le jeune boy (premier cahier). Victime d'une coalition menée par le directeur de la prison, amant de Madame, Toundi sera arrêté et durement frappé. Mal soigné à l'hôpital, il parviendra à s'enfuir et à quitter le pays, mais il mourra peu de temps après des suites de ses blessures (second cahier).

L'artifice romanesque du journal intime tend à rendre plus crédibles encore les propos du jeune héros, et si l'issue fatale est ainsi dévoilée dès les premières pages, cette construction ne nuit pas à la progression dramatique de l'intrigue. Sans effets pathétiques, le récit de l'itinéraire dramatique de Toundi, raconté par lui-même, acquiert une force supplémentaire dans la sobriété de sa narration. La charge émotionnelle y paraît d'autant plus forte que la victime est un enfant, ce qui rend plus injuste et plus insupportable encore l'attitude des différents tenants de l'ordre colonial. Toundi se révèle un observateur attentif, tout à la fois naïf et perspicace, d'un colonialisme déliquescent. Si le père Gilbert, qui disparaît très vite, semble trouver grâce aux yeux du romancier, les autres Blancs du livre se montrent souvent odieux ou maladroits, et le romancier camerounais les réunit dans une même diatribe, sévère et pimentée d'une ironie grinçante. Laïcs et missionnaires, civils et militaires sont rassemblés dans une galerie de portraits composée de personnages caricaturaux et néanmoins représentatifs d'une certaine époque.

Ferdinand Oyono a publié la même année *le *Vieux Nègre et la Médaille* : un vieil homme y remplace l'enfant mais les personnages environnants demeurent identiques, certains même – tel le commissaire Gosier d'oiseau – se retrouvant dans les deux romans qui adoptent l'un et l'autre la même perspective dénonciatrice.

● « Presses Pocket », 1970.

B. MAGNIER

UNE VIEILLE MAÎTRESSE. Roman de Jules **Barbey d'Aurevilly** (1808-1889), publié à Paris chez Alexandre Cadot en 1851.

Ce texte, écrit entre 1845 et 1849, est le premier grand roman de Barbey d'Aurevilly. Rompant avec les œuvres précédentes, parisiennes et empreintes d'une froideur et d'une ironie issues du dandysme, l'écrivain trouve ici son inspiration propre, teintée de « normandisme » (terme cher à l'auteur) et vouée à la violence des passions.

Première partie. La jeune, belle et riche Hermangarde, petite-fille de la marquise de Flers, doit épouser bientôt Ryno de Marigny, mais Mme d'Artelles met en garde la marquise, sa vieille amie : depuis dix ans, Marigny a une maîtresse (chap. 1-3). Cette dernière, Vellini, semble peu affectée par la perspective de ce mariage et fait ses adieux définitifs que lui fait son amant (4-5). Marigny conte ensuite à Mme de Flers l'histoire de cette longue liaison, passionnée et tumultueuse, commencée, selon la volonté de la barbare Vellini – fille d'une comtesse espagnole et d'un torero –, par un rite d'échange du sang qui doit lier à jamais les amants (6-10). La sincérité de Marigny accroît l'estime que la vieille marquise a pour lui et elle consent à son mariage avec Hermangarde (11).
Seconde partie. Les nouveaux époux s'installent dans le manoir de Carteret, en Normandie, et y coulent de paisibles jours d'amour sous les yeux attendris de Mme de Flers, qui les laisse bientôt seuls pour regagner Paris (chap. 1-6). Vellini vient alors s'installer dans un village de pêcheurs, non loin de Carteret, et Marigny ne peut résister, en dépit de son amour pour Hermangarde, à la magnétique attraction de sa vieille maîtresse (7-12). Une nuit, Hermangarde surprend les amants ; bouleversée, elle perd peu après l'enfant qu'elle attendait (13-14). Marigny veut parler avec sa femme dont la compréhension le sauverait peut-être de cette fatale liaison, mais Hermangarde est trop digne et fière pour échanger la moindre parole à ce sujet (15-17). Le couple revient à Paris où le monde peut constater l'échec d'un mariage et l'emprise d'une vieille maîtresse (18).

Dominé par la figure de Vellini, ce roman montre « non seulement les ivresses de la passion, mais ses esclavages » (Préface de 1865). Ainsi, en dépit de ses efforts, Ryno de Marigny est incapable d'échapper à l'emprise qu'exerce sur lui une liaison amoureuse que le rite initial du sang échangé inscrit dans la tradition mythique du grand roman d'amour inauguré par Tristan et Iseut. Le sang qui compose ici le philtre fatal ajoute une tonalité barbare à cette passion : Vellini incarne les forces primitives de l'instinct, la toute-puissance de la sensualité et la fascination de l'interdit. Tragédie de l'envoûtement, ce roman n'est pas, comme souvent chez Barbey, celui de l'amour impossible mais celui de l'impossible rupture. Les deux amants ont beau s'avouer lassés l'un de l'autre et chercher à rompre leur lien par d'autres aventures amoureuses, ils ne parviennent pas à se séparer.

La « royale » et « sainte » Hermangarde, l'épouse légitime, est l'antithèse de Vellini. Elle représente la fine fleur de l'aristocratie parisienne : sa parfaite éducation, la suprême élégance de ses manières font sa grandeur mais aussi sa faiblesse face à la brûlante sauvagerie de Vellini. Barbey crée de multiples oppositions entre ces deux femmes, incarnations de deux conceptions de l'amour, à la fois opposées, dans le réel social, et complémentaires, dans l'imaginaire : c'est le mariage contre l'aventure, la chasteté contre la sensualité, la douceur des sentiments

contre la violence des passions. De multiples métaphores soulignent le contraste : si Hermangarde est par exemple un pur et royal « lys » blanc, une « Yseut aux blanches mains [...] d'une beauté inaltérée comme l'eau des sources », Vellini est un « pavot sombre au cœur brûlé » (II, 17).

Cette opposition relève également d'une sorte de pari d'écriture. Il s'agit en effet que, sur le plan romanesque, la femme vieille, laide et impure l'emporte sur celle qui est jeune, belle et pure. Alchimiste habile et pervers, Barbey parvient à transmuer une « petite femme jeune et maigre » en « reine et reine absolue » (I, 7). La « puissance électrique » (*ibid.*) de Vellini est surtout celle d'une écriture paradoxale qui enlaidit son modèle pour mieux en assurer le triomphe. Pour cela, l'auteur utilise les ressorts de l'exotisme. Vellini est souvent nommée « la Malagaise » et Marigny exprime en ces termes sa fascination : « C'était ce *meneo* des femmes d'Espagne dont j'avais tant entendu parler aux hommes qui avaient vécu dans ce pays » (*ibid.*). Étrange et étrangère, Vellini séduit par sa différence. Extraordinaire au sens littéral du terme, elle tire aussi son pouvoir de l'aura mythique dont la pare l'écrivain. Tout comme la laideur et la beauté, les deux sexes fusionnent en elle pour dessiner une figure ambiguë : « Une créature mystérieuse, surnaturelle, ayant de l'ombre dans la voix comme elle en avait dans le regard et sur la lèvre ; provocante par ces ombres mêmes, agaçante comme l'Androgyne d'une volupté qui n'a pas de nom » (I, 13). L'insaisissable Vellini échappe à tous les repères, à toute tentative de désignation. Son nom est d'ailleurs symbolique de cette mystérieuse indécision du personnage : de consonance italienne et masculine, il brouille volontairement les pistes ; ce « titre Sphinx » est « un mystère de plus jeté sur le livre » (lettre à Trébutien, août 1845 ; Barbey songe alors à intituler le roman *Vellini*). Idéale totalité, l'hermaphrodite Vellini est une « maîtresse-sérail » (I, 4).

Catholique militant, Barbey d'Aurevilly eut toutefois quelque difficulté à être jugé comme tel par la critique. Le goût dépravé de Marigny pour sa vieille maîtresse, la sensualité envoûtante de l'écriture furent souvent trouvés scandaleux. Pour se défendre, l'auteur rédigea deux Préfaces successives, en 1858 puis en 1865. Ces textes formulent, au sujet de l'éthique et de l'esthétique romanesques, une théorie à laquelle Barbey demeurera toujours fidèle. Peintre des passions et de leurs excès, il entend en livrer le spectacle dans le but de les dénoncer et de les condamner ; il donne voix à l'ennemi pour mieux le combattre. Certes, l'idée n'est pas nouvelle, mais Barbey va plus loin car, romancier du mal, il en connaît le pouvoir de séduction et refuse toute limitation de la liberté de l'artiste : « Quelquefois le vice est aimable. Quelquefois la passion a des éloquences, quand elle se raconte ou se parle, qui sont presque des fascinations. L'artiste catholique reculera-t-il devant les séductions du vice ? [...] Non ! Dieu, le créateur de toutes les réalités, n'en défend aucune à l'artiste, pourvu, je le répète, que l'artiste n'en fasse pas un instrument de perdition » (Préface de 1865).

● « Folio », 1979 (p.p. J. Petit) ; « Bouquins », 1991 (p.p. P. Sellier).
➤ *Œuvres romanesques complètes*, « Pléiade », I ; *Œuvres complètes*, Slatkine, I.

A. SCHWEIGER

UNE VISITE INOPPORTUNE. Pièce en un acte et en prose de **Copi**, pseudonyme de Raul Damonte (Argentine, 1939-1987), publiée à Paris chez Christian Bourgois en 1988, et créée à Paris au Théâtre national de la Colline en février 1989.

Cyrille, malade du sida et acteur célèbre, reçoit de mauvaise grâce des soins de son infirmier qui lui annonce l'arrivée de son ami Hubert.

Hubert apprend à Cyrille, peu réjoui par la nouvelle, qu'il lui a acheté une concession au Père-Lachaise. L'infirmière revient annoncer l'arrivée d'un journaliste, puis celle d'une cantatrice, Regina Morti, qui chante à tue-tête avant de faire à Cyrille une déclaration d'amour et de menacer de se suicider devant l'indifférence de celui-ci après avoir avalé entière une cuisse de poulet, pour finalement s'évanouir. Le professeur, médecin de Cyrille, vient offrir des marrons glacés à son patient et le félicite de sa paradoxale longévité, puis repart, avec des provisions offertes par Cyrille, lequel se retrouve déconfit avec les seuls marrons glacés mais refuse le plateau apporté par l'infirmière. Le journaliste revient, que Cyrille tourne carrément en ridicule. L'infirmière apporte à Cyrille un sorbet de chez Bertillon, suivie bientôt du professeur, qui réclame sa patiente, Regina Morti, et la fait transporter hors de la chambre afin de pratiquer sur elle son hobby : la lobotomie. Cyrille manifeste le désir de sortir et veut échanger ses vêtements avec Hubert, mais l'infirmière assigne Cyrille à résidence jusqu'à ce qu'elle soit appelée par le professeur en pleine opération. Cyrille renvoie Hubert, et interviewe le journaliste, quand Hubert rentre brusquement. Il est piqué par une abeille attirée par le sorbet, que l'infirmière remporte hors de la chambre. Le professeur revient avec Regina, qui se félicite de son nouveau cerveau « aux silicones », et veut faire l'hommage de l'ancien à Cyrille, mais c'est le journaliste qui reçoit l'ex-cervelle dans la figure. Le professeur et l'infirmière jouent devant Hubert et Cyrille une violente scène de ménage, puis repartent vers la salle d'opération. Regina menace Cyrille de mort s'il ne lui cède pas, jusqu'à ce que le journaliste et Hubert la neutralisent. Le professeur, après son dernier coït avec Marie-Jo, est triste, et annonce sa décision de partir pour l'Afrique où il soignera le sida sur un mode plus humanitaire. L'infirmière, qui se révèle en fait son amante, ne l'entend pas de cette oreille, et, par jalousie, tire sur Regina Morti qui s'effondre. Cyrille, sur la lancée, annonce à Hubert qu'il s'apprête à mourir à cinq heures du soir, et manifeste son désir d'en finir en mêlant à son narguilé un poison aztèque. Tous se retirent lorsqu'il meurt, de façon théâtrale. Le journaliste quitte la chambre, après avoir avoué à Hubert qu'il était son neveu. Cyrille revient à lui – le poison n'était qu'une farce –, accepte de suivre Hubert au mausolée déguisé en femme avec le vêtement de Regina, laquelle, réanimée, s'en offusque et se suicide. Elle meurt, Cyrille meurt aussi, à son heure : cinq heures tout juste passées. L'infirmière rentre avec une couronne de fleurs.

La mort : il n'est question de rien d'autre dans la pièce testamentaire de Copi, tué par le sida comme son héros Cyrille ; traitée de manière tragique, la mort est abordée sur le ton de la conversation. Mais, comme toujours chez Copi, la parole mondaine, loin de paraître superficielle, se radicalise, et s'élève à une véritable esthétique ; les personnages, à force d'artifice et de maniérisme, acquièrent une paradoxale épaisseur qui ne doit rien à la psychologie. C'est ainsi que les fantoches se succèdent chaotiquement auprès de Cyrille, « folle sublime » : Hubert, l'homosexuel mondain, le journaliste anonyme et coincé, la cantatrice façon Castafiore et le professeur loufoque façon Tournesol, grand manipulateur d'âmes et de cerveaux. Ce défilé continu fait d'*Une visite inopportune* une pièce franchement burlesque, où les entrées et les sorties dépendent moins d'une intrigue finalement assez ténue, que du dispositif des gags et des métamorphoses de toutes ces marionnettes, autour d'une figure centrale qui, jusqu'à sa mort, ne démordra pas de la scène.

Les personnages oscillent tous capricieusement entre la méchanceté et la tendresse, et montrent, avec un satanisme de mise, tantôt leur face de ténèbres et tantôt leur face de lumière. Ils sont, à tout moment, réversibles, parce qu'ils n'ont pas d'intériorité et ne prétendent, sous la plume du dramaturge, à aucune crédibilité. Ainsi la lobotomie farcesque, pratiquée par le professeur, n'entame pas sérieusement la personnalité « hystérique » de Regina. Le personnage s'affirme, concurremment, transformable à l'infini, et inaltérable. C'est qu'au-delà de la satire qui vise encore une réalité d'ordre social, il y a la farce, qui est la plus apte à figurer la mort.

Conjuration ? Certes. L'ambition, ou à tout le moins la poétique de la pièce se dessine : il s'agit de faire entrer la mort dans le jeu du théâtre, de l'y piéger, de sorte qu'elle n'atteigne plus la conscience humaine que sous forme de plaisanterie. Et le théâtre même, dans *Une visite inopportune*, est posé comme le lieu où la mort et la vie s'interpénètrent et se font semblables. De cette récupération per-

manente de la mort par le théâtre procèdent les offres successives d'Hubert et de Regina à Cyrille, d'un mausolée où l'acteur défunt trouverait une scène à sa mesure. C'est le Père-Lachaise pour Hubert, et le cimetière de Gênes pour Regina. Progressivement au cours de la pièce, le mausolée érigé par Hubert s'étoffe et figure un second théâtre où il y a « des thermes romains ». Et la mort même apparaît finalement comme un événement constitutivement d'ordre théâtral : « C'est l'heure », proclame Cyrille juste avant de mourir. Si bien que la mort théâtrale prend des accents d'authenticité juste avant que la mort réelle ne vienne achever, en beauté, le jeu théâtral. Réversibilité de la mort et du théâtre, que la pièce pousse ainsi au paroxysme.

Pourtant le théâtre se sait condamné par la mort, et n'impose jamais sans ironie ses mirages au spectateur. L'illusion conjuratoire du théâtre pose immédiatement ses limites dès la première scène : « Dites-lui que je suis déjà mort ! » fait dire Cyrille à Hubert. Partout le théâtre prend conscience, par la bouche de ses personnages, d'être enfermé en lui-même et de ne rien atteindre que son propre langage. La « visite inopportune » dont il est question est alors interprétable en deux sens opposés : soit il s'agit de la mort même, qui est toujours la visiteuse inopportune, et distrait le patient de tout un jeu théâtral, d'une fête macabre où elle apparaît à son heure ; soit il s'agit des visiteurs qui se succèdent au chevet de Cyrille et détournent artificiellement l'attention du spectateur et du personnage central d'une mort inéluctable.

J.-M. LANTÉRI

UNE VOIX SANS PERSONNE. Voir POÈMES À JOUER, de J. Tardieu.

UNITÉ (l'). Voir MÉMOIRES DE GUERRE, de Ch. de Gaulle.

URANUS. Roman de Marcel **Aymé** (1902-1967), publié à Paris chez Gallimard en 1948.

Depuis la destruction d'un quartier de Blémont en Normandie, l'ingénieur Archambaud abrite les Gaigneux, des communistes, et le professeur Watrin. Il déplore l'hypocrisie de la France libérée et ses propres contradictions. Les FFI traquent un collaborateur, Maxime Loin. Le fugitif demande assistance à l'ingénieur, qui le cache. Les enseignants font cours dans le café de Léopold : ce colosse s'adonne à Racine. Il rudoie un client, Rochard. Or, ce membre du Parti le dénonce : il cacherait Loin. Léopold administre une correction au délateur. Jourdan l'intellectuel soutient, contre Gaigneux le prolétaire, qu'il faut laver l'offense faite au Parti. Avant son arrestation, Léopold essaie d'obtenir la protection de Monglat, profiteur de guerre richissime et cynique. Depuis le bombardement, le débonnaire Watrin rêve qu'il passe ses nuits sur Uranus, planète maudite ; à chaque réveil, la vie lui paraît plus belle. Mais son lyrisme n'entame pas l'intransigeance de Jourdan. Cependant, en l'absence du patron, Rochard tient le café de Léopold : Gaigneux persuade Jourdan de le corriger. Quant à Loin, il frôle la capture. On relaxe Léopold. Mais, imaginant rosser Rochard, Jourdan s'attaque à l'avocat du cafetier. Ivre, celui-ci clame sa colère contre les partis et les accapareurs. Lors du retour des prisonniers, nul ne s'oppose au lynchage d'un fasciste. Les gendarmes viennent de nouveau arrêter Léopold et, se croyant menacés, le tuent. Monglat a tout manigancé. Le Parti ne bougera pas : le trafiquant tient sous sa coupe les autorités politiques compromises pendant l'Occupation. Gaigneux surprend Loin et le livre à la police.

Récit réaliste de forme traditionnelle, *Uranus* dénonce la mauvaise conscience des Français à l'époque de la Libération. Ce roman de mœurs fait le procès du communisme et de la corruption des politiques. La narration noue deux intrigues parallèles, l'histoire de Léopold et celle de Loin. Elle met, par là, en évidence la collusion des idéologies hypocrites et le fossé qui se creuse entre les actes et les discours. Alors s'imposent un jeu de traque et de prise ainsi qu'une dissociation entre les apparences et la réalité. En effet, le colosse apparaît comme une victime des communistes puis des politiques manipulés par Monglat. Loin, pour sa part, incarne le fasciste revenu du socialisme par dégoût de la société bourgeoise : pour l'auteur, la société sécrète ses propres ennemis en se fondant sur des rapports de force iniques. Le cafetier, pathétique et scandaleux, et le fasciste, homme de l'ombre, ne maîtrisent plus leur destin. L'auteur fait le portrait du communisme à travers des figures stéréotypées et n'hésite pas à caricaturer ces personnages types pour les besoins de la satire : Gaigneux le prolétaire oppose son bon sens pratique au rigorisme aveugle de Jourdan, cet intellectuel inhibé qui ne souhaite pas le bonheur du peuple mais le déchaînement de la lutte des classes.

Néanmoins, Marcel Aymé souligne les polémiques qui divisent les communistes, même si le réflexe de parti engage à adopter une position commune. Cependant, loin d'engendrer des remises en cause fructueuses, ces luttes internes provoquent un dénouement tragique à la faveur d'une scène d'un comique noir : en effet, Gaigneux se moque de Jourdan lorsque, flattant son orgueil, il le pousse à rosser Rochard. Ainsi, l'idéologie s'efface devant le rapport de forces entretenu par des rivalités personnelles. Enfin, le Parti se trouvera déconsidéré dans l'esprit des citoyens à la suite du meurtre de Léopold dont il assume la responsabilité sans l'avoir voulu. Dans cette confusion générale d'appétits et d'intérêts, moqués de façon parfois savoureuse, s'impose le moteur réel de l'action, Monglat, le cynique qui manipule tous les fils de l'intrigue. Au centre de la narration se trouve le couple constitué par Archambaud et Watrin, tous deux humanistes à leur manière. Cette focalisation détermine la signification du roman : Marcel Aymé remet en cause la perte de tout sens moral à une époque où il devient légitime de s'accaparer les biens d'autrui et de torturer des hommes sans autre forme de procès. Archambaud agit en conformité avec son sens de l'humain, mais son acceptation tacite des turpitudes de l'époque le tourmente. Watrin témoigne de la permanence de l'humanisme mais la voix de cet « illuminé » lyrique clame dans le désert. Il incarne une figure désengagée de l'intellectuel, qui, du point de vue d'Uranus, perçoit la vanité des illusions humaines.

Ce roman fut porté à l'écran en 1990 par Claude Berri, avec Philippe Noiret (Watrin) et Gérard Depardieu (Léopold).

● « Folio », 1990.

V. ANGLARD

URSULE MIROUËT. Roman d'Honoré de **Balzac** (1799-1850), publié à Paris en feuilleton avec une division en parties de 11 et 10 chapitres dans *le Messager* du 25 août au 23 septembre 1841, et en volume chez Hippolyte Souverain en 1841 (2 vol.). Les chapitres une fois supprimés, il figurera au tome V de la **Comédie humaine*, comme la première des « Scènes de la vie de province » (Paris,

Furne, Dubochet et Hetzel, 1843). Le « Furne corrigé » ne comporte que quelques variantes.

Balzac qualifiait de « privilégiée » l'histoire d'Ursule, « sœur heureuse d'Eugénie Grandet » (voir **Eugénie Grandet*), et aussi de Pierrette ou de l'héroïne de **Modeste Mignon*. Si les forces spirituelles l'emportent finalement, cette étude de mœurs conte d'abord une sordide histoire d'argent.

Première partie. « Les Héritiers alarmés ». À Nemours, le docteur Denis Minoret, depuis la mort de sa femme et de son fils, reporte toute son affection sur sa nièce et pupille l'orpheline et fille naturelle Ursule Mirouët. À la grande joie de celle-ci, l'incroyant Minoret, ébranlé par une séance de magnétisme, se convertit à la religion catholique et ses héritiers craignent alors qu'il ne lègue sa fortune à l'Église. Il tire de la prison pour dettes son jeune voisin, Savinien de Portenduère. Savinien aime Ursule et en est aimé. Mais Mme de Portenduère refuse de laisser son fils épouser une orpheline sans argent, et Savinien, malgré son retour glorieux de la conquête de l'Algérie, n'a plus dès lors ses entrées chez Minoret.

Seconde partie. « La Succession Minoret ». À sa mort (1835), Minoret a laissé une dot destinée à Ursule et, par testament, légué ses biens à Savinien. Mais son neveu, Minoret-Levrault, époux de l'impérieuse Zélie, surprend sa dernière conversation avec Ursule et vole la dot, non sans détruire le testament. Héritier légal, il veut chasser Ursule de la maison qu'il occupe désormais et, aidé de l'ignoble Goupil, démoniaque clerc de notaire, lance contre elle une campagne de lettres anonymes. Or Ursule voit apparaître en rêve son oncle qui lui révèle l'odieuse machination. Elle se confie à son vieil ami l'abbé Chaperon, qui tente de faire se repentir Minoret-Levrault. Ce dernier refuse d'abord, mais éprouve peu à peu le châtiment de la Providence, et perd son fils unique dans un accident alors que sa femme sombre dans la folie. Il se résout enfin à restituer ses biens à Ursule, qui peut épouser Savinien.

Marqué par l'importance des phénomènes surnaturels, qui témoignent moins des préoccupations occultistes de Balzac que de son intérêt pour le magnétisme (voir **Louis Lambert*), le roman n'en brosse pas moins tout un tableau du siècle en ancrant les personnages dans l'Histoire. De plus, il décrit la vie dans une petite ville typique de la province. Trois sphères s'y dessinent : les bourgeois, les aristocrates et le clan Minoret. L'argent domine ce dernier, et captive ces méchants, pour qui le diable mène le jeu en la personne de Goupil. La succession excite les appétits et les puissances matérielles déchaînées ne peuvent être contrées que par la force de la religion.

Balzac, loin de recourir au fantastique, place donc le roman sous la lumière de l'Évangile et de son Dieu justicier, dont le doigt punit les bourreaux d'Ursule. Elle connaît alors ce bonheur longtemps attendu, qui, dans *la Comédie humaine*, finit toujours par fuir les femmes qui en jouissent d'abord. Le roman d'amour triomphe de celui des intérêts dans une fiction chargée de symboles, notamment la lutte de l'ombre et de la lumière, qui organise lieux et personnages. *Ursule Mirouët* s'avère digne des *Études philosophiques* et multiplie les liens avec l'architecture générale de la *Comédie* comme avec bien des romans qui la composent.

● « Folio », 1981 (p.p. M.-M. Ambrière-Fargeaud). ➤ *L'Œuvre de Balzac*, Club français du Livre, VIII ; *Œuvres complètes*, Club de l'honnête homme, V ; *Œuvres complètes illustrées*, Bibliophiles de l'Originale, V ; *la Comédie humaine*, « Pléiade », III (p.p. M.-M. Ambrière).

G. GENGEMBRE

VA DONC CHEZ TÖRPE. Comédie en quatre actes et en prose de François **Billetdoux** (1927-1991), créée en Belgique au Festival de Liège le 26 septembre 1961, et publiée dans le tome I du *Théâtre*, à Paris aux Éditions de la Table ronde la même année.

Dans un pays d'Europe centrale, l'auberge d'Ursula-Maria Törpe abrite des curistes, et cinq d'entre eux viennent apparemment de se suicider. Peu convaincu, l'inspecteur Karl Topfer, flanqué d'un assistant zélé, Conrad, et d'une secrétaire soumise, Opportune, mène l'enquête (Acte I). Les soupçons se portent sur la patronne de l'auberge. Après avoir été interrogés, les « locataires » sont tous enfermés. Ursula Törpe avoue – trop facilement aux yeux de l'inspecteur – les cinq crimes (Acte II). Alors que Conrad se démène pour regrouper, sous la menace d'une mitraillette, l'ensemble des clients, l'un d'entre eux, Hans Meyer, reconnaît avoir assassiné les cinq curistes. « Ursula n'avait pas pour moi l'amour que j'attendais », explique-t-il pour justifier ces meurtres. Au terme de sa confession, il s'empare d'un revolver et se suicide (Acte III). Ursula décide alors de vendre l'auberge, les landes et la forêt qui l'entourent. Elle se propose de placer sa nouvelle fortune entre les mains de Topfer, de se soumettre à ses ordres, et l'invite à passer sa première nuit dans sa chambre (Acte IV).

Placée en exergue à la pièce, une citation de Miguel de Unamuno en précise l'enjeu : « La plupart de ceux qui se donnent la mort, c'est l'amour qui meut leur bras, c'est le désir anxieux de vie, de plus de vie, de prolonger et perpétuer la vie, qui les pousse à la mort, une fois persuadés de la vanité de leur aspiration. » Ces propos font écho, dans la pièce, à l'interrogation de l'inspecteur : « De tous les coins de l'Europe, un être qui se sent un peu de vague à l'âme sait qu'il sera accueilli chez vous pour mettre un terme à son existence ? » C'est bien d'une contagion pernicieuse qu'il s'agit dans cette pièce qui commence comme une enquête policière. Mais le registre se décale et l'esprit de sérieux s'estompe ; un cadre irréel, des personnages hétéroclites (aux noms d'origines différentes) et une action extrêmement resserrée font de cette comédie un fascinant huis clos qui tire ses meilleurs effets de l'expression solennelle des personnages, de l'incongruité de leurs préoccupations et des raffinements de leur vocabulaire (« Elle est coupable, oui ; responsable, non »). L'enquête se transforme en fable, la vague de suicides devient une « entreprise expérimentale » et le face-à-face Karl Topfer / Ursula s'élève au niveau d'une parabole qui oppose le rêve de l'une à la raison de l'autre : partisan de la manière forte et accusé de classer « les individus par catégories, comme un parvenu qui fait l'inventaire de ses biens et de ses réussites pour se rassurer », l'inspecteur, malgré ses protestations, sera bientôt gagné à la cause d'Ursula : « Je doute des formules administratives. Jusqu'à ce jour, je les jugeais explicites, nuancées, pudiques. Aujourd'hui, le vocabulaire et la syntaxe mentent, les attendus mentent. Je mens. » Le ressort dramatique de la pièce repose sur ces renversements aussi brusques qu'irrationnels. Si Ursula est l'instigatrice de ces retournements de situation, elle permet aussi à l'auberge de devenir le microcosme d'un monde où seul l'amour anime les êtres. La gravité du propos initial s'efface ainsi, peu à peu, derrière l'allégresse du désir et l'ivresse des mots.

● Arles, Actes Sud-Papiers, 1989.

P. GOURVENNEC

VACANCES D'UN ENFANT (les). Roman de Jean, dit Louis **Scutenaire** (Belgique, 1905-1987), publié à Paris chez Gallimard en 1947.

Écrit entre 1939 et 1942, époque pendant laquelle l'auteur, fuyant l'invasion allemande, se réfugia à Paris, puis dans le Midi, ce roman, qui se déroule en Belgique pendant la Première Guerre mondiale – mais une guerre lointaine –, est imprégné par la nostalgie aiguë de paysages aimés.

Par un matin d'été, Palmer Choltès et sa mère partent en vacances chez la tante Damire. L'enfant y retrouve un groupe de domestiques avec lesquels il entretient des relations d'affectivité jalouse : Prudence, la cuisinière, le sot Neri, Tanta, le trimardeur, substitut du père, et Florine, la gouvernante, amoureuse de Tanta, lequel malheureusement n'a d'yeux que pour Antonine (chap. 1). Ivre des spectacles de la nature, Palmer laisse vagabonder son imagination : rêveries sur le soleil, les insectes, les notaires, entrecoupées de références à la bande dessinée (2). Un déluge s'abat sur le pays ; Antonine s'éclipse, comme d'habitude, devant Tanta qui la poursuit. Palmer constate que l'amour a rendu son compagnon indisponible. Arrive la couturière unijambiste Mazanque ; elle s'attache à exorciser les peurs de l'enfant insufflées par Florine, qui lui a fait croire à l'existence de deux monstres. Cela nous vaut une promenade nocturne et hallucinée de la cave au grenier (3). Arrivent à leur tour les frères Villa dont l'apparence tient du paysan parvenu et du roi africain. Le plus jeune, très pervers, fait de l'humour noir. Une journée se passe chez l'instituteur Coronice de Tramasure qui possède un observatoire d'où l'on peut détailler le pays (4). Les réflexions acides de sa mère, qui l'a obligé à l'accompagner en ville pour l'achat d'un pardessus, plongent Palmer dans une crise mélancolique, ponctuée par une obsession : « Florine va mourir. » Après le supplice grotesque de l'essayage, il sera consolé par Adonis, le propriétaire de la Compagnie des Indes, dont le magasin est vide à cause de la guerre, mais dont la tête est pleine d'histoires. Palmer assiste à des combats de boxe nocturnes, entrecoupés d'histoires de chasse africaines et d'épisodes de sorcellerie. Sur le chemin du retour, Tanta constate la présence d'un homme chez Antonine. Le lendemain, on trouve un cadavre dans le grenier : ce n'est pas celui de Florine, mais son frère Vincent, victime de ses mauvaises fréquentations. Puis Palmer apprend que Tanta, ulcéré par son échec amoureux, est parti sans espoir de retour : dans une crise de larmes, il prend conscience que tous ces gens qu'il aime devront mourir un jour (5-7).

On trouve dans ce récit, d'une densité remarquable, tous les registres de l'inspiration surréaliste chère à l'auteur. Contre la platitude bourgeoise de sa mère obsédée par les problèmes d'héritage, Palmer prend, d'instinct, « l'usage ou le parti des classes possédées ». Non sans que l'érotisme y soit pour quelque chose, un érotisme occasionnel sans doute, comme il sied à cet âge, mais pleinement vécu, plus vibrant que chez les adultes. Ainsi lorsque l'enfant, à « rebrousse-chair », sent la croupe de Florine après le creux des reins, un éclair de plaisir presque douloureux le raidit. Ce genre de jeu pourtant n'est qu'une facette d'un imaginaire qui se nourrit de tous les objets, y compris les moins notables, comme les insectes par exemple : « Il enviait leurs ailes, leur corps réduit à l'essentiel, il eût aimé jouir de la science exquise, des sens subtils, qu'il attribuait à ces vies condensées. » Dans le même esprit, voici la « collection des oiseaux morts en face de la clownerie des vivants », tandis que l'enfant nous décrit les notaires comme des « géants aux épaules en coussins, au ventre profond d'armoire dont, les battants du gilet ouverts, il sort des parchemins à ganses ». L'humour plus ou moins blasphématoire n'est pas non plus absent : « Je doute de toi, mon Rien, qui ratas le ciel et la terre », s'exclame Coronice de Tramasure, maître dans les exercices de désarticulation du langage. Autre « locomotive verbale », la cuisinière Prudence dont le parler populaire possède à la fois force et saveur : « Ce n'est pas dans mon ventre que votre estomac crie », lance-t-elle à Palmer. L'utilisation savante de ce parler propre n'est pas sans évoquer Raymond Queneau, bien qu'il ne puisse être fait état d'une influence. La force de Louis Scutenaire est de nous présenter, autour d'un enfant à la fois émerveillé et acerbe, une galerie de personnages typés et originaux, tel le trimardeur Tanta, qui s'enfonce dans une passion sans issue comme si le malheur lui collait à la peau, et dont le mutisme même a un sens.

● Bruxelles, J. Antoine, 1980.

R. AUGUET

VACHE MORTE DU CANYON (la). Conte de Jacques **Ferron** (Canada/Québec, 1921-1985), publié dans le recueil *Contes du pays incertain* à Montréal aux Éditions d'Orphée en 1962.

Le conteur Jacques Ferron se situe à la frontière de deux époques et de deux modes d'expression : « Je suis le dernier d'une tradition orale et le premier de la transposition écrite » (« le Mythe d'Antée », *la Barre du jour*, 1967). Toute son œuvre se rattache à ce double héritage de l'oral et de l'écrit, dans un souci de synthèse entre le populaire et le classique.

Le titre *Contes du pays incertain* renvoie à l'une des préoccupations essentielles de Jacques Ferron : son pays, qu'il juge instable, est en quête d'identité et de racines. Le choix du conte répond pour lui à une nécessité : par sa nature archaïque, ce genre littéraire réinvestit le passé ; l'oralité se nourrit des sources, fait revivre les vieilles légendes et les vieux mythes, dont Ferron conserve le côté solennel et transmet l'héritage. « Le pays m'a paru incertain et mon idée a été la suivante : assurer la pérennité et ensuite ne plus y penser, écrire en paix, sans souci du pays, comme cela se fait dans les pays normaux. »

François Laterrière, natif du rang Trompe-Souris, à Saint-Justin de Maskinongé, très attaché à son lieu d'origine et à son milieu familial, n'envisage pour son avenir d'autre solution que de devenir « habitant » [paysan] à l'image de ses ancêtres. Sur les conseils du curé de la paroisse, il décide de s'exiler au « Farouest », en quête de terres vierges. Mais, ignorant où se trouve ce « Farouest » magique, il s'engage dans un périple sans fin à travers le continent américain. À Calgary, François retrouve fortuitement un de ses oncles, exilé comme lui, renouant ainsi la chaîne familiale rompue par l'éloignement. L'oncle s'étant engagé à trouver un « bon Blanc » pour la fille du Tchiffe, « un emplumé, une sorte d'Iroquois », voit arriver François comme un envoyé de Dieu. Du même coup, celui-ci se trouve en mesure de réaliser son idéal puisque la « sauvagesse » lui apporte un canyon, « un fond de bonne terre entre les montagnes hautes comme le ciel ». Sur le point d'atteindre son but, François pose toutefois une condition : « Je ne pourrai devenir habitant comme mon père, mon grand-père, comme tous les Laterrière et sauvegarder l'héritage des ancêtres si je n'ai pas au moins une vache dans mon canyon. » François devra se contenter d'une génisse qui, devenue taure et humanisée comme le sont les animaux dans les contes de Ferron, prétend que le foin a mauvais goût et se laisse mourir. Un dernier coup fatal frappe François : sa femme meurt, tuée par un bœuf ramené de la ville, le laissant seul avec une petite fille. Il s'enfuit en emmenant la petite Chaouac. Il exerce alors divers métiers, devient champion de rodéo sous le nom de Franck Laterreur, avant d'ouvrir un « touristeroume » à Montréal. Il fait alors fortune, s'achète une limousine ; et c'est ainsi équipé qu'il retourne au rang de Trompe-Souris vingt-cinq ans plus tard. À son curé il doit avouer l'échec de sa mission d'habitant, en même temps qu'il découvre la réalité du modèle qui l'a guidé pendant toutes ces années : « Il faisait partie de ce surplus humain dont la paroisse québécoise se débarrasse continuellement pour conserver sa face traditionnelle, ce masque qu'on montre aux étrangers, qu'on exploite et qu'on vend, cette grimace de putain austère. »

Le parcours de François Laterrière est un voyage initiatique complet. Après un messianisme aveugle et un changement d'identité total et involontaire, le héros, victime d'une vocation imposée et d'un idéal inculqué à des générations de Québécois, prend finalement conscience de l'immobilisme auquel il a été sacrifié.

Le premier mouvement du conte apparaît comme un élan compensatoire puisque, faute d'une terre que sa qualité de cadet lui dénie, François tient cependant à devenir « habitant » à l'image de son père. Cette motivation lui est cependant donnée de l'extérieur : c'est le curé de sa paroisse qui encourage une « vocation » peu spontanée. La société traditionnelle canadienne française est ici résumée par les trois termes : terre, père et curé. Trois concepts fondateurs d'une tradition perpétuée et valorisée par le roman du terroir québécois pendant tout le XIXe siècle et jusqu'en 1950. Si l'aventure de François Laterrière est, dans un premier temps, centrée sur la poursuite d'un idéal et nourrie par une conviction, elle est, dans un second temps, marquée par une suite d'expériences de dépossession. Les principes qui avaient d'abord nourri son projet jusqu'à l'absurde, se voient subitement anéantis un par un. Le plus fort symbole de sa déchéance est l'abandon du patronyme québécois, marque de son appartenance à une lignée. L'initiation, pour être complète, se devait de retrouver le point de départ : François Laterrière, tout au long de son périple, a emporté son pays dans ses bagages, s'est obstiné à en transplanter les valeurs, et c'est vers lui qu'il revient pour afficher sa réussite matérielle. L'épopée initiatique a été ponctuée, à l'aller comme au retour, par les mêmes étapes géographiques, mais le personnage, converti à la morale du profit, antithèse absolue de l'idéal paysan canadien français, est devenu un antihéros.

C. PONT-HUMBERT

VAGABONDE (la). Roman de Sidonie-Gabrielle Colette, dite **Colette** (1873-1954), publié à Paris dans *la Vie parisienne* du 21 mai au 1er octobre 1910, et en volume chez Ollendorff la même année.

Sur un exemplaire de l'édition originale de *la Vagabonde* destiné à Maurice Goudeket, Colette, en 1944, commente ainsi le titre de l'ouvrage : « La première "vagabonde", c'était Annie, de *la *Retraite sentimentale* et de *Claudine s'en va* (voir **Claudine à l'école*). Mais M. Willy jugea que la présence du nom de "Claudine", dans un titre, n'était pas inutile. "Je m'évade" devint donc *Claudine s'en va*, et je repris – de haute lutte, ma foi – le titre qui convenait au présent roman, le premier roman que je signai. » Cette « lutte », c'est celle, alors que Colette s'approche de la quarantaine, de l'apprentissage de la solitude et de l'indépendance, tant dans la vie que dans l'écriture. Après Claudine, Renée Néré est le nouvel avatar littéraire de Colette qui relate, à travers ce personnage, une période charnière de sa vie. Les noms et les circonstances sont quelque peu travestis, pourtant la mère de l'écrivain ne s'y trompe pas : « Mais c'est une autobiographie ! Tu ne peux pas le nier. Certainement Willy a dû le dévorer ce roman ! Il a dû en ressentir une rage bien compréhensible. [...] Est-ce vrai que tu as tant souffert et sans jamais rien m'en dire ? » (lettre de Sido, 4 décembre 1910).

Première partie. Renée Néré, la narratrice, a trente-trois ans et vit seule depuis qu'elle s'est séparée de son mari Adolphe Taillandy, peintre à la mode, volage et superficiel. Elle pourtant passionnément aimé cet homme qui fut son premier amour. Taillandy a très vite trompé sa jeune épouse mais celle-ci, en dépit des tourments de la jalousie et de sa douloureuse désillusion, est restée auprès de lui de nombreuses années. Renée travaille maintenant comme mime avec son professeur et camarade Brague. Maxime Dufferein-Chautel, qui a vu Renée dans l'un de ses spectacles, tombe amoureux d'elle. Il est jeune, séduisant, riche, tendre et compréhensif. Il est très différent de Taillandy, mais Renée, incapable d'oublier son premier échec, le repousse.

Deuxième partie. Elle cède finalement à la bienfaisante douceur de ce nouvel amour, mais quitte cependant Maxime pour partir en tournée. Elle lui promet que, à son retour, elle sera à lui.

Troisième partie. La vie en tournée, faite de déplacements constants et de représentations dans des théâtres de province médiocres, voire misérables, est rude, mais Renée, fière de son indépendance, sait aussi en goûter les charmes. Il lui faut parfois lutter contre elle-même pour ne pas céder à la tentation de demander à Maxime, avec lequel elle entretient une tendre et régulière correspondance, de venir la rejoindre. Le temps passant, la crainte d'être à nouveau déçue dans ses espoirs amoureux l'emporte chez Renée, qui s'en ira finalement pour une longue tournée à l'étranger sans avoir revu Maxime.

Le titre du roman met l'accent sur la liberté, difficilement acquise et conservée, de Renée Néré. Cette dernière s'est en effet affranchie d'un lien matrimonial conçu comme un véritable servage. C'est pour sauvegarder cette liberté que l'héroïne refuse la « grâce » qui l'invite à s'unir à Maxime : « Que me donnes-tu ? Un autre moi-même ? Il n'y a pas d'autre moi-même. Tu me donnes un ami jeune, ardent, jaloux, et sincèrement épris ? Je sais : cela s'appelle un maître et je n'en veux plus. » Or l'envers de ce superbe vagabondage, c'est l'errance, symbolisée par la tournée, et la solitude : « À cette douleur près, ne suis-je pas redevenue *ce que j'étais*, c'est-à-dire libre, affreusement seule et libre ? » (III). La périphrase par laquelle le titre du roman désigne son héroïne témoigne donc de la permanence d'un combat âpre et douloureux : « Je m'échappe, mais je ne suis pas quitte encore de toi, je le sais. Vagabonde et libre, je souhaiterai parfois l'ombre de tes murs... » (III).

La Vagabonde est une sorte de roman d'apprentissage qui retrace un parcours heuristique au terme duquel l'héroïne, après avoir surmonté l'épreuve d'un amour bafoué et la tentation d'une nouvelle union, accède à son être propre. Cette conquête s'effectue tant à travers l'expérience sentimentale qu'à travers l'expérience professionnelle. La place importante occupée dans le récit par le music-hall signale que la complète indépendance n'est pas seulement amoureuse mais aussi matérielle : « Le music-hall, où je devins mime, danseuse, voire comédienne à l'occasion, fit aussi de moi, tout étonnée de compter, de débattre et de marchander, une petite commerçante honnête et dure. C'est un métier que la femme la moins douée apprend vite, quand sa vie et sa liberté en dépendent » (I).

Le miroir, thème récurrent dans l'œuvre de Colette, est ici singulièrement présent, à travers l'image de la « conseillère maquillée », ce reflet d'elle-même contre lequel Renée « bute, front contre front » et qu'elle interroge avec angoisse. Le maquillage, sur la scène mais dans la vie aussi – le geste de se repoudrer est presque obsessionnel chez Renée –, protège, masque et triche un peu : « Le grand miroir de ma chambre ne me renvoie plus l'image maquillée d'une bohémienne pour music-hall, il ne reflète... que moi. Me voilà donc, telle que je suis ! je n'échapperai pas, ce soir, à la rencontre du long miroir, au soliloque cent fois esquivé, accepté, fui, repris et rompu... » (I). Entre fiction et vérité, représentation et mise à nu, l'écriture est l'autre miroir de Colette : « Écrire ! verser avec rage toute la sincérité de soi sur le papier tentateur » (I).

● « Le Livre de Poche », 1958 ; Albin Michel, 1992. ➤ *Œuvres complètes*, Flammarion, IV ; *Œuvres*, « Pléiade », I ; *Romans, Récits, Souvenirs*, « Bouquins », I.

A. SCHWEIGER

VAGADU. Roman de Pierre-Jean **Jouve** (1887-1976), publié à Paris chez Gallimard en 1931.

Après *Hécate*, Jouve entreprit d'analyser la nécessité qui guidait son héroïne. Il songea d'abord à un récit de l'adolescence pour se décider enfin à faire la psychanalyse de Catherine « selon la méthode de Freud ». Voici comment il résume les résultats de sa tentative : « Catherine qui a vu disparaître son père, sa mère et deux sœurs avant

qu'elle eût six ans, a faussement divinisé l'image du père, a haï l'image de la mère en l'assimilant à l'ordure, s'est barré ainsi par deux fois la voie de l'amour. Catherine découvre peu à peu que l'instinct de la mort l'imprègne et la possède » (*Commentaires*).

Bouleversée par la mort de son amant Pierre Indemini et le suicide de Fanny Felicitas (voir *Hécate*), Catherine Crachat, actrice de cinéma, abandonne tout travail. Victime de troubles et d'angoisses sans nombre, elle se soumet à une analyse, dont voici les premiers résultats : « J'ai horreur d'être une femme. Ce *fons vitae* me dégoûte [...]. Et conçue, conçue dans l'endroit le plus bas d'elle, après la rencontre d'une autre chose basse. » En dehors des séances avec le Dr Leuven, Juif allemand, elle souffre d'une véritable invasion de rêves et d'hallucinations : scènes oniriques, dont elle est tantôt spectatrice, tantôt actrice. Mêlant des souvenirs récents avec des scènes d'enfance (surtout de l'époque où, pour la préserver de la maladie dont mouraient ses parents et ses sœurs, on avait confié Catherine à une famille de fermiers), ces rêves, décryptés soit par l'analyste, soit par la « Petite X... », sosie enfantin de Catherine, s'organisent autour de quelques centres : la psychanalyse conçue comme une opération de « capture d'un congre très méchant sous les profondeurs de la mer » et comme l'expérience quasi mortelle d'une démolition de la personne ; la figure du père trop aimé et interdit, que Catherine aurait « tué » en le transfigurant en Christ, et autour duquel se groupent les hommes de sa vie : Pierre Indemini, lui aussi divinisé et donc « tué », et le charretier Louis Moutier, qui avait abusé d'elle ; la mère, source de son horreur de la naissance et de la condition de femme, de sa hantise de la privation (« Ni femme, ni artiste, ni fille et de tout un peu ») et de cette culpabilité qui s'exprime par la honte de son patronyme ; sa nature d'Hécate-Diane, femme agressive, insoumise et inféconde qui, pleine d'un orgueil narcissique, adore sa beauté et son pouvoir de séduction.

Dans la vie quotidienne, Catherine cohabite avec son amie Flore, qui, ayant repris son autonomie, sera remplacée par la jeune Noémi. Celle-ci engage une liaison avec M. Trimegiste, riche courtier en bijoux, pour qui elle joue la comédie de la prostituée, mais qu'elle quitte au moment où il refuse de lui faire un enfant. Lors d'un bal masqué, Flore présente Catherine à l'écrivain Luc Pascal déguisé en « Mongol ». Exilé en lui-même, ne vivant que pour écrire et se débattant contre une obscure culpabilité, il domine Catherine qui, fascinée par sa force pernicieuse, se complaît à être humiliée en devenant son « instrument erotique ».

La guérison commence le jour où Catherine a le courage d'avouer son désir de tuer l'analyste. Annoncée par une série de rêves, elle s'achève dans une suite de ruptures : Catherine quitte le psychanalyste, renonce à revoir Flore et se sépare de Luc Pascal. Enfin la « Petite X... » disparaît et, avec elle, le traumatisme complexe remontant à l'enfance. Bien que vieillie et physiquement diminuée, pauvre et seule, Catherine se sent libre et capable « de croire en soi-même et en sa propre vie ».

En choisissant la psychanalyse comme fond de son roman, Jouve agit en connaissance de cause. Lié dès 1921 à la psychanalyste Blanche Reverchon, qui en 1925 deviendra sa seconde femme, il est sans doute le mieux informé des écrivains français qui s'intéressent alors au freudisme. Il semble avoir collaboré à la traduction des *Trois Essais sur la théorie de la sexualité* de Freud que Blanche Reverchon fera publier en 1923 chez Gallimard, et, en mars 1933, il publiera avec elle dans *la Nouvelle Revue française* « Moments d'une psychanalyse », qu'on suppose être le « document » dont il se serait servi pour *Vagadu*.

Le comportement de Catherine en face de son analyste (résistances, transfert, désespoirs), la structure des rêves (symbolisation, condensation, déformation, déplacements, déguisements), les réactions contradictoires de la patiente, en laquelle des états affectifs infantiles se mêlent aux désarrois et fantasmes du moment présent : tout témoigne d'une grande familiarité avec les conceptions freudiennes de la névrose, du rêve et de l'analyse. Et pourtant *Vagadu* n'est pas le récit d'une psychanalyse, mais le roman d'une femme au courage exemplaire, partie à la recherche de ce qui la détermine et l'empêche de vivre, à la conquête de ce « monstre » nommé « Vagadu », l'« âme de l'amour *avec la mort dedans* » : « figure archaïque » empruntée au monde légendaire de l'Afrique. Parabole d'une descente aux enfers, *Vagadu* expose son héroïne aux ombres, mirages et masques en lesquels se manifeste l'inconscient. C'est aussi le récit d'une victoire qui s'annonce, en marge de l'abîme, par le rêve du « Puma », symbole du « nouvel être ». Ayant réussi, après des années de lutte, à accepter le quatuor qui est à l'origine de son martyre (le père, la mère, Louis Moutier et la « Petite X... »), c'est-à-dire elle-même âgée de six ans), Catherine perçoit de nouveau le monde extérieur et, le trouvant beau, se sent capable d'affronter l'existence, libre désormais de vivre et d'aimer.

Si *Vagadu* est le premier roman jouvien qui libère de la faute due à l'enchevêtrement des pulsions de l'éros et de la mort, il est aussi le seul récit où toutes les figures secondaires ne sont que les ombres ou doubles du personnage principal. « Tu es celle que j'ai été », dit Catherine à l'orpheline Noémi. Et le jour où elle se montre choquée des rôles que Noémi joue pour Trimegiste, celle-ci lui répond : « Vilaine salope [...], je ne le suis pas plus [...] que celle qui, sans faire ce que je fais, porte tout ça dans son intérieur. » Il en est de même pour Luc Pascal. Soit comme le « Mongol » du bal masqué, soit comme le « Chinois », une tête de martyr découverte dans une revue, il incarne parfaitement les tendances sadiques et masochistes de Catherine. Et il ne reprend son autonomie qu'au moment de la séparation : en véritable double de l'auteur, il continuera à vivre « en prison » et à se débattre, loin du monde qu'il méprise, avec ses propres fantômes, ne sachant que faire de cette nouvelle Catherine, libre et ouverte au monde.

Comme *Hécate*, *Vagadu* est une espèce de scénario de film ou d'opéra, dans lequel l'héroïne joue tous les rôles, les siens comme ceux de ses partenaires. Composé de 31 chapitres groupés en quatre parties, le roman se subdivise en une multitude de scènes fort diverses : séances d'analyse, rencontres, rêves, commentaires, fragments de dialogues... En apparence fruit du hasard ou des circonstances, cet amalgame déroute le lecteur tout autant qu'il égare Catherine dans sa quête. Et pourtant il se révèle mystérieusement organisé. S'attirant les uns les autres, s'éclaircissant mutuellement, les rêves forment de véritables constellations : les différentes scènes se succèdent selon une structure parfaitement rythmée, qui de la désorientation initiale mène à la « lutte avec l'ange », pour culminer dans l'apparition triomphale du « Puma » libérateur. La prédominance des scènes à caractère onirique crée en ce roman une sorte de surréel où la réalité est désormais imprégnée par le rêve. Ainsi *Vagadu* aurait-il pu devenir un récit de la nature d'*Aurélia*, ou peut-être un des meilleurs romans surréalistes, n'était cette tendance – que l'auteur partage avec la psychanalyse – à réduire le mystère à des concepts banalement rationnels.

● Mercure de France, 1963 ; « Folio », 1989.

K. SCHÄRER

VAIR PALEFROI (le). Récit en vers de **Huon le Roi** (seconde moitié du XIIIᵉ siècle), formé de 1 342 octosyllabes à rimes plates, et conservé dans un manuscrit de la fin du XIIIᵉ siècle.

Son auteur, qui se nomme dans le Prologue, est connu pour des œuvres didactiques et un fabliau, *la Male Honte*. Le titre de « roi » le désigne comme un « champion » au sein d'une confrérie poétique. L'argument du récit est tiré d'une fable de Phèdre (Iᵉʳ siècle), mais le terme de « lai » employé par Huon (v. 29) invite plutôt à le rapprocher des contes courtois et merveilleux bretons (voir *Lais anonymes bretons*). L'intrigue se déroule dans une forêt profonde et solitaire, dans une Champagne « plus sauvage à cette époque qu'elle ne l'est aujourd'hui » (v. 78-79). Le conteur crée ainsi, à partir d'un paysage familier à ses auditeurs, les conditions d'une aventure inouïe, d'une « merveille » (v. 1 299).

Un jeune chevalier, Guillaume, s'éprend de la fille d'un homme riche, qui vit dans un château au cœur d'une forêt. Monté sur son « vair palefroi », un splendide cheval gris pommelé, le jeune homme visite quotidiennement la jeune fille en parvenant jusqu'à elle par un sentier secret. Ils ne peuvent échanger que quelques mots à travers la palissade. Le père refuse d'accorder sa fille à un chevalier si pauvre. Guillaume demande à son vieil oncle, très riche, d'intercéder en sa faveur. Celui-ci accepte, mais, parvenu devant le père, demande la jeune fille pour lui : le père est enchanté d'une si bonne alliance. De nombreux vieillards sont invités au mariage. Il manque une monture pour la mariée ; un écuyer est envoyé chez Guillaume pour emprunter le beau palefroi. Celui-ci apprend alors la trahison de son oncle. Il prête néanmoins son cheval, comme un ultime message d'amour. Réveillés trop tôt, les vieillards partent tout somnolents pour escorter la jeune fille à la chapelle où doit se célébrer la cérémonie. Ils ne s'aperçoivent pas que le palefroi quitte le chemin et s'engage dans le sentier familier qui le conduit à sa demeure. À leur grande joie, les jeunes gens se retrouvent et s'épousent aussitôt. Guillaume envoie un messager au père pour lui annoncer son mariage. Les deux vieillards meurent peu de temps après et Guillaume hérite de son oncle.

On retrouve dans ce récit les principaux thèmes de la littérature courtoise du XIIᵉ siècle, agencés de façon originale : à l'excellence chevaleresque du jeune homme ne correspondent ni la richesse, ni l'amour, car la « demoiselle de la forêt » n'est une fée que par méprise, et, loin d'être libre et maîtresse de ses choix amoureux comme ses modèles féeriques, elle est enfermée dans une véritable forteresse par son père ; les amoureux communiquent à travers un mur à la manière de Pyrame et Thisbé (voir *les *Amours tragiques de Pyrame et Thisbé*), tandis que l'oncle va quêter une épouse pour son neveu – et non l'inverse comme dans *Tristan* – avant de la prendre pour lui ; enfin l'évocation de la « gaste » chapelle (v. 792) où doivent se célébrer les noces, fait écho au motif de la stérilité des romans du Graal et, par là, à tout leur système mythique (vieillesse, jeunesse, amour, quête, inceste) qui est à l'arrière-plan de ce conte. Cette inversion ou cette dispersion de motifs ordinairement liés signent le désordre d'un monde où l'argent règne, et non plus la jeunesse et la courtoisie, un monde où la vieillesse, forte de sa richesse, domine : le groupe des vieillards est l'objet des descriptions les plus nuancées, car en lui se traduit le conflit des générations, et, de simple « ancien » (v. 426), l'oncle devient un monstre « très vieux, de grand âge, le visage flétri, les yeux rouges et mauvais, retors et malhonnête » (v. 655-663). Le récit se construit à partir d'une opposition fondamentale : à la clarté de la jeunesse répond l'obscurité attachée à la vieillesse, et Guillaume, désespéré, sera tenté par l'enfermement et la nuit (« Il voudra mener une vie obscure », v. 900), tandis que les vieillards, trompés par l'éclat de la pleine lune, perdent d'avoir pris la nuit pour le jour. Seul le palefroi, dont la robe – tachetée, mais aussi variée, aux reflets changeants – est l'expression des contrastes, peut réunir les valeurs contradictoires de ce monde éclaté et rétablir l'ordre moral (v. 1 320). Il n'entre, en effet, dans aucune catégorie et n'est comparable à rien – ni couleur, ni fleur, ni même animal qui fût si beau. Sa description hyberbolique rappelle celle des fées, et sa perfection répond à celle de la jeune fille. Unique trésor de Guillaume, il réunit en lui la valeur marchande et la beauté ; cheval de promenade, non de combat, il prouve que les qualités chevaleresques du jeune homme ne lui servent à rien pour obtenir l'objet de son amour, et il est indispensable à l'échange et à la circulation entre les deux groupes ; monture de dame, il appartient à la fois à l'univers masculin et féminin. Blanc et noir, il signe, enfin, l'ambivalence du récit, et fait écho aux chevaux merveilleux venus de l'autre monde : la belle Hélie monte un « vair palefroi » lorsqu'elle vient proposer aux chevaliers arthuriens l'épreuve du « Fier Baiser » (voir le *Bel Inconnu*). La couleur « vair » est aussi lumière, elle traduit l'éclat des yeux, symbolise la beauté féminine et la pureté : Énide choisit un palefroi vair pour se rendre à la cour d'Arthur (voir *Érec et Énide*).

Le narrateur, omniprésent, commentant les faits et gestes de ses personnages et anticipant sur leurs résultats, use avec ironie de toutes ces réminiscences et mêle les effets de merveilleux aux explications rationnelles. Il compose ainsi une œuvre inclassable – entre le lai et le fabliau –, une œuvre ambiguë, bien dans la manière des conteurs du XIIIe siècle.

Un court récit anonyme du XVe siècle, *De Erast de Voysines qui espousa Philomena*, reprend le même thème, mais présente davantage de ressemblances avec la fable antique.

● Champion, 1978 (trad. et commentaire, J. Dufournet).

M. GALLY

VAIR-VERT [ou **VER-VERT**] **ou les Voyages du perroquet de la Visitation de Nevers.** Poème de Jean-Baptiste **Gresset** (1709-1777), publié à La Haye chez Niegard en 1734.

À vingt ans, Gresset composa ce poème héroï-comique qui circula d'abord en manuscrit et fut imprimé en 1734, peut-être sans l'aveu de l'auteur. Le succès fut énorme. Jean-Baptiste Rousseau, la plus grande gloire alors de la poésie française, considéra Gresset comme un « phénomène [...] qui nous efface tous dès sa naissance ». L'œuvre fut régulièrement réimprimée jusqu'à la fin du XIXe siècle, traduite en italien, en espagnol, en latin et en portugais.

Les visitandines de Nevers ont adopté un perroquet, Ver-Vert, dont elles raffolent. Il est traité comme un fils, partage leurs cellules, est accablé de caresses et de friandises (chap. 1). En vivant avec les nonnes, le perroquet s'est formé au doux langage ecclésiastique et s'exprime avec onction. Les visitandines de Nantes, séduites par sa renommée, le réclament. À Nevers, on tergiverse, puis on consent à le prêter au couvent de Nantes pour deux semaines (2). Il fait le voyage sur un bateau qui descend la Loire : avec lui des dragons, un moine, des Gascons, des péronnelles. À leur contact, il apprend un autre langage. Arrivé à Nantes, il s'exprime comme la soldatesque (3). Les visitandines, horrifiées, le renvoient. De retour à Nevers, il est puni, confiné avec une vieille nonne. Il s'amende, on lui pardonne, on le gave de dragées ; il fait une mauvaise chute et meurt (4).

Gresset imite ici l'épopée, comme le faisait Boileau dans le *Lutrin*, et applique un langage pompeux à des situations familières voire triviales. Cet ancien élève des jésuites a-t-il voulu ridiculiser la vie des couvents ? La satire n'est pas bien méchante, moins âpre à tout prendre que dans le *Lutrin*, même si un discret érotisme se discerne dans certains passages. Ce qui prévaut ici est le style Louis XV, assez éloigné de la verdeur de Boileau, de Molière, voire de La Fontaine. La versification est élégante. Ce sont plutôt de doux sourires, mi-attendris, mi-moqueurs, que l'on veut susciter. Quel sens donner à ce poème ? Faut-il n'y voir qu'un exercice de style héroï-comique ? Une suite de tableaux de genre ? Ce perroquet, si choyé, si bien éduqué, puis corrompu durant son voyage sur la Loire, et qui meurt au moment où il se réhabilite, a-t-il quelque portée allégorique ? Le mauvais langage, semble nous dire Gresset, est moins facilement pardonné que les mauvaises mœurs. Le paradis pastoral est rompu par le voyage, qui fait connaître la vie réelle, et on ne le retrouve qu'au moment de rendre l'âme... Ces moralités à peine perceptibles donnent un certain charme, parfois un peu mélancolique, à cette narration souriante et soyeuse.

A. NIDERST

VALENTINES. Recueil poétique de Germain **Nouveau** (1851-1920), publié à Paris chez Albert Messein en 1922.

Le manuscrit des *Valentines* porte les dates suivantes : octobre 1885-avril 1887. Les trente-six premières pièces du recueil furent sans doute composées à Paris, pendant que le poète vivait au côté de Valentine. Germain Nouveau, qui avait trouvé un poste de professeur de dessin à Bourgoin, en Isère, dut quitter la capitale le 18 octobre 1886. Les seize derniers poèmes des *Valentines* furent écrits durant cette période d'exil et de séparation. Lorsqu'il eut terminé son ouvrage, l'auteur fit composer par un imprimeur une édition hors commerce et à tirage restreint, signée d'un pseudonyme et réservée à ses proches amis. La parution du volume fut retardée puis, après son séjour à Bicêtre en 1891, Nouveau renonça à publier son œuvre et s'employa à détruire les exemplaires qui pouvaient subsister de cette édition avortée. Un jeu d'épreuves fut toutefois conservé par l'éditeur Vanier. Il passa à son successeur Messein et servit à l'établissement de l'édition originale.

Voué à la célébration de la femme aimée, Valentine, le recueil est marqué par l'emploi d'un ton badin, galant, léger et volontiers humoristique. Les titres des poèmes sont révélateurs de l'érotisme qui caractérise nombre de pièces. L'écriture se plaît à peindre les charmes de l'amante ("le Teint", "Toute nue"), à décrire ses divers attributs ("le Nom", "le Peigne", "la Robe") et à évoquer son étreinte voluptueuse ("les Baisers", "le Baiser" I et II, "l'Agonisant"). Passionnément épris ("Fou", "Jaloux"), le poète renie Dieu ("le Dieu", "Athée") pour idolâtrer Valentine ("la Déesse", "l'Idéal"). Tous les vers sont des octosyllabes (à part dans "le Baiser IV", composé d'hexasyllabes). Nouveau utilise divers types de strophes, notamment le quatrain, mais les vers sont le plus souvent groupés en quintils comportant deux rimes dont la disposition la plus fréquente est abaab ("Avant-propos", "la Maxime", "Dangereuse", "Vilain", "Toute nue", "Fou", "Jaloux", "Gris", "Gâté", "Juif", "le Mendiant", "le Refus", "la Visite", "le Cidre", "les Lettres", "la Robe", "les Cartes", "la Cour", "le Livre", "Dernier Madrigal"). Pour chanter Valentine, le poète renouvelle de façon originale le genre ancien du madrigal (l'ultime poème des *Valentines* s'intitule d'ailleurs "Dernier Madrigal").

Le titre du recueil réunit l'écriture et la femme. Mis au pluriel, le nom de cette dernière désigne les poèmes, et l'amante donne ainsi naissance à un genre inédit qu'elle baptise et qui lui est entièrement consacré : « Ma poésie est ta servante » ("Avant-propos"). Le titre *Valentines* correspond à un double geste d'offrande et de création poétiques. Il manifeste en outre le goût de Nouveau pour le travail et le jeu sur les signifiants ; sur le nom de Valentine bien sûr : « J'appellerai ma femme : Eva. / J'ôte *E*, je mets *lent*, j'ajoute *ine*, / Et cela nous fait *Valentine* ! / C'est un nom chic ! et qui me va ! » ("le Nom"), mais aussi sur son propre nom : « Ses deux majuscules G. N. / Qui font songer à la Géhenne / Semblent les Portes de l'Enfer ! » (*ibid.*). Dans "la Maxime", les pronoms désignant les partenaires amoureux, c'est-à-dire ceux de la première et de la deuxième personne, sont traités comme de véritables entités à l'aide de majuscules, d'une syntaxe parfois singulière et d'images cocasses confondant réalité et écriture : « Je Te suis dans chaque hémistiche / [...] / Mon quatrain Te sert de trépied. » Ailleurs, le poète joue sur les homonymies – par exemple celle des termes « chère » et « chaire » dans la deuxième strophe de "l'Idéal" – ou se livre à des calembours : « C'était le cidre de Corneille, / Ne pas confondre avec le Cid » ("le Cidre"). Parfois le texte, adressant un signe de connivence au lecteur, exhibe l'art du pastiche et raille la figure convenue : « Tout le Ciel est dans ses prunelles / Dont l'éclat... efface le jour » ; « Son cou qui semble... oh ! yes, indeed ! / La Tour d'ivoire, sous la lune » ("le Portrait"). Le vers peut même prendre une allure farcesque : « La Rochefoucauld dit, Madame, / Qu'on ne doit pas parler de soi, / Ni ?... ni ?... de ?... sa ?... sa ?... sa femme » ("la Maxime"). Nouveau aime jouer avec la citation : « L'amour n'est pas fils de Bohème : / Il a parfaitement sa loi ; / Si tu n'es pas digne que je t'aime / Je me fiche pas mal de toi » ("la Fée"). Souvent aussi, l'humour naît de l'irruption audacieuse et brutale dans le poème d'un terme familier, voire grossier, en rupture avec la légèreté tendre et policée du madrigal : « Oui, fou d'amour, oui, fou d'amour, / Fou de ton sacré... coup de hanche, / Qui vous fiche au cœur la peur »

("Fou") ; « [...] Et puis, merde ! / Je ne veux pas me marier » ("la Fée"). Le poète folâtre avec les mots tout comme l'amant avec Valentine. L'euphorie verbale redouble le plaisir amoureux.

Cette poésie, profondément sensuelle, dénude et contemple le corps de la femme : « Voici la gorge féminine, / Le bout des seins sur la poitrine / Délicatement accusé, / Les épaules, le dos, le ventre / Où le nombril se renfle et rentre / Comme un tourbillon apaisé » ("la Statue"). Nombre de poèmes sont des blasons faisant l'éloge de Valentine. Les structures répétitives ou énumératives disent l'infini du désir et apparentent l'acte poétique à une sorte de magie incantatoire. L'ardent érotisme qui fonde ces textes est parfois à peine voilé par la métaphore : « Toutes, toutes, sont bienheureuses / D'élargir leurs grottes ombreuses » ("Sphinx"). Quant au poème intitulé "l'Agonisant", il mêle habilement la désignation directe et les images pour montrer les amants en train de « faire l'amour ». Les *Valentines* sont plus qu'un simple marivaudage ou qu'un « badinage », comme le dira plus tard Nouveau pour condamner son œuvre (lettre à Ernest Delahaye, 16 janvier 1910).

Très charnelle, la figure de Valentine est aussi une figure de rêve : « Valentine est l'Idéal ! » ("l'Idéal"). La poésie de Nouveau excède en outre le cadre de la singularité personnelle pour conférer à Valentine une dimension universelle : « Ce qu'il faut avoir dans la femme / N'est pas la femme, c'est l'amour » ("la Fée"). Si on l'extrait de son contexte pour en élargir la signification, ce vers témoigne de la fidélité de l'auteur des *Valentines* à sa *Doctrine de l'amour*, développée dans le recueil précédent. Certes, l'amour est passé du sacré au profane et d'un registre sérieux à un registre léger, mais il reste au centre de la création poétique de Nouveau.

● *La Doctrine de l'amour [...]*, « Poésie/Gallimard », 1981 (p.p. L. Forestier). ➤ *Œuvres poétiques*, Gallimard, II ; *Œuvres complètes*, « Pléiade ».

A. SCHWEIGER

VALÉRIE ou Lettres de Gustave de Linar à Ernest de G***. Roman épistolaire de Barbara Juliane de Vietinghoff, baronne de **Krüdener** (1764-1824), publié sans nom d'auteur à Paris chez Henrichs en 1803.

S'inspirant de *Paul et Virginie* et d'*Atala*, et peut-être d'une aventure de jeunesse, Mme de Krüdener, d'origine balte, choisit de confronter ses attaches nordiques et un cadre italien en une sorte de dialogue entre le Nord et le Midi, échange mis à la mode par le tout récent *De la littérature* de Mme de Staël. Succédant à quelques nouvelles, son roman, qui rendait Sainte-Beuve « sentimental et à plaisir nuageux » (*le Cahier vert*), développe la thématique déjà romantique du mal de vivre, de l'impossibilité d'aimer, de l'interdit et de l'inassouvissement du désir. *Valérie* suscita l'enthousiasme au-delà du lectorat féminin.

Précédé d'une Préface, composé de 48 lettres écrites pour la plupart par Gustave de Linar, jeune noble suédois, le roman nous fait suivre le héros dans son voyage de Stockholm à Venise. Il fait route en compagnie du comte de M***, un véritable second père, et de l'épouse de celui-ci, Valérie, une femme-enfant. Afin de faire comprendre à son correspondant le charme, la légèreté, la gaieté et la beauté de Valérie, Gustave la compare à sa cousine Ida – dont Ernest est épris. Le jeune homme se prend naturellement d'affection pour Valérie, et cette affection se transforme en amour. Classiquement, Gustave connaît les tourments d'une âme déchirée entre la passion et le devoir de fidélité. Arrivé à Venise (lettre 21), le trio visite la ville. Avant que le couple ne se rende à Rome, Valérie offre son portrait à Gustave (32). Celui-ci, de plus en plus malheureux, et qui se meurt d'amour, tombe malade (38) et annonce son intention de quitter Venise (41). Se rendant nuitamment dans sa chambre, il contemple une dernière fois le beau visage de Valérie endormie, « céleste image de virginité, de candeur » (42). À l'agonie, il échoue à Pietra Mala, où il tient un journal. Il adresse une lettre d'adieu à Valérie : « Vivez heu-

reux tous deux. Je meurs en vous aimant » (45). Ernest, dont nous n'avons eu jusqu'ici que deux lettres (16 et 34), manifeste son inquiétude au comte (46). Celui-ci lui rapporte les dernières paroles de son ami et lui narre les derniers instants de Gustave (47-48). La fin du roman est occupée par des extraits du journal de la mère de Gustave, évoquant la vie de son fils depuis son deuxième anniversaire jusqu'à ses obsèques.

« Je meurs jeune, je l'ai toujours désiré ; je meurs jeune et j'ai beaucoup vécu » : Gustave érige sa courte vie en destin, tel Werther ou René (voir *René*). Il a aimé pour aimer, refusant de quitter le monde de sa jeunesse et de ses songes, récusant les contingences de la vie (« La mort elle-même n'est qu'une illusion : c'est une nouvelle vie cachée sous la destruction »), s'interrogeant même sur cet amour : « Était-ce à moi d'aimer ? » (lettre 24). Le roman met en scène le contrepoint d'une éducation sentimentale : Gustave sublime son amour en renonçant à conquérir l'objet aimé, retournant l'interdit et sa langueur en héroïsme moral. Il se nourrit d'illusions et de rêves, faisant revivre des « moments magiques » (29), comme la célèbre scène de la danse du châle (18), dont Mme de Staël se souviendra pour *Corinne* : Gustave, passant près de la villa Pisani, entend de la musique et regarde par la fenêtre ; Valérie et son châle de mousseline bleu foncé dessinent une « figure douce et pure », comme issue du pinceau du Corrège ; sa danse « trahit l'âme en cherchant à voiler les beautés du corps » ; semblant poursuivie par l'Amour, Valérie vole par le parquet ; Gustave l'appelle d'un cri étouffé : « Et je fermai les bras avec un mouvement passionné, et la douleur que je me faisais à moi-même m'éveilla, et pourtant je n'avais embrassé que le vide ! Que dis-je ? le vide ; non, non : tandis que mes yeux dévoraient l'image de Valérie, il y avait dans cette illusion, il y avait de la félicité. »

La forme épistolaire se dénonce comme pure convention, et à l'instar de l'*Adèle de Sénange* de Mme de Souza ou des *Lettres neuchâteloises* et de *Caliste ou la Continuation des Lettres* de Mme de Charrière, s'inscrit dans la progressive confusion qui s'établit alors entre le roman par lettres et le journal intime. La prééminence d'un seul correspondant, la narration des états d'âme, les scènes comme celle de la danse contribuent à faire de *Valérie* un véritable roman psychologique à la manière d'*Oberman* ou d'*Adolphe*. Mme de Krüdener entend construire, selon l'aveu de la Préface, un « ouvrage moral » : il s'agit de montrer qu'une âme prédisposée à être entraînée par la passion possède aussi la force d'y résister (Ernest renoncera également à Ida). Mais ce combat mortel laisse à la passion toute latitude pour s'exprimer : « Je sentais alors avec orgueil les battements de ce cœur qui savait si bien t'aimer », peut écrire Gustave à Valérie (45). Celle-ci, ange de pudeur, pour éthérée qu'elle soit, s'impose non seulement comme figure d'une féminité sublime, mais, « à la fois décente, timide, noble, profondément sensible, trouble » (18), opère aussi la symbiose des arts : l'antique, le classique et celui qui naît, que Mme de Staël baptisera bientôt du nom de romantique dans *De l'Allemagne*.

Roman tout de palpitation et de sobriété mêlées, empreint de poésie, *Valérie*, malgré un style parfois conventionnel et scandé de clichés, se caractérise aussi par une élégante concision, un art de la stylisation, un traitement du pathétique comparable aux effets de la *Léonie de Montbreuse* de Sophie Gay (1813), qui en font l'un des chefs-d'œuvre de la production romanesque féminine du début du XIXe siècle.

● Klincksieck, STFM, 1974 (p.p. M. Mercier).

G. GENGEMBRE

VALEUREUX (les). Roman d'Albert **Cohen** (Suisse, 1895-1981), publié à Paris chez Gallimard en 1969.

Les Valeureux faisaient originellement partie intégrante de **Belle du Seigneur*, s'insérant entre les chapitres 11 et 12. Mais Gallimard fut effrayé par l'énormité du manuscrit et Cohen accepta d'en extraire la plupart des chapitres consacrés aux « Valeureux ». Même si le roman ainsi obtenu ne prend sa pleine signification que dans son rapport avec le « livre mère », *les Valeureux* sont devenus, réellement, un roman à part entière, et ce d'autant plus que les « événements rapportés dans ce livre sont antérieurs à ceux qui sont rapportés dans *Belle du Seigneur* » (fin du chap. 2).

Le 28 mars 1935, Mangeclous cherche désespérément des moyens d'« enrichissement immédiat » (chap. 1-2). Ayant envoyé son « Bambin Aîné » « quérir » ses cousins, les « Valeureux » (3), il se promène à travers les rues du ghetto de l'île méditerranéenne de Céphalonie (4) et gagne quelques drachmes en racontant à un « mignon et diaphane centenaire » que le roi d'Angleterre s'est converti au judaïsme (5). Puis il prépare amoureusement sa moussaka (6), reçoit les Valeureux (7), et leur annonce son projet de fonder une université (8). Celle-ci ouvre ses portes le surlendemain, dans la cave où loge Mangeclous (9). Après diverses explications sur les « mondanités » (10), Mangeclous, s'appuyant sur l'exemple d'*Anna Karénine*, se lance dans un long « cours de séduction amoureuse » (11-12). Ayant reçu une lettre et un chèque de Solal, neveu de Saltiel et sous-secrétaire général de la SDN, qui leur fixe rendez-vous à Genève à partir du 1er juin (13), les Valeureux se préparent immédiatement pour le périlleux voyage (14-16). Profitant de l'occasion, ils passent par Rome, Paris (18), Marseille, Bruxelles et Londres (19). Tandis que quatre autres Valeureux partent pour l'Écosse, Mangeclous écrit une interminable lettre à la reine d'Angleterre, dont il espère moult avantages (20-24).

Reprenant le schéma narratif de **Mangeclous*, Cohen invente de nouvelles « histoires valeureuses ». Certes les Valeureux, tous issus de la branche cadette des Solal, unis « comme les doigts de la main », incarnent toujours la chaleur d'une communauté originelle, enfantine et innocente. Certes, leur amour d'un « français parfois archaïque », leur plaisir de parler restent intacts et ils se révèlent ici grands épistoliers, écrivant d'incroyables et délirantes lettres à tous les Grands de ce monde : celle de Mangeclous à la reine d'Angleterre juxtapose critiques de la cuisine anglaise et recettes culinaires de Céphalonie, demandes de décorations et réflexions sur ses « vents ». Mais toute cette logorrhée burlesque cache un fond amer : ce que cherche Mangeclous, c'est une compensation narcissique. Le désir d'être ambassadeur est l'expression – comiquement infantile – d'un désir de puissance qui s'attache uniquement aux apparences : être salué, être imposant, « important ». Et s'il ment ou mange tant, c'est pour oublier la mort, hantise du personnage et de l'auteur (voir *Belle du Seigneur* ou le **Livre de ma mère*).

Le discours burlesque des Valeureux est en fait révélateur de vérité : Saltiel adresse une longue missive à Solal (chap. 19), véritable « rappel » – le terme revient sans cesse – au judaïsme, et Mangeclous exécute surtout, au centre du roman, toute la mythologie de l'amour passion. Reprenant l'exemple d'*Anna Karénine*, déjà utilisé dans *Mangeclous* – que se passerait-il si Wronsky était atteint de diarrhée ? – le « recteur » de la toute nouvelle « université de Céphalonie » explique à ses « étudiants » les « sept conditions préalables » – essentiellement situation sociale et forme physique excellentes – et les « cinq manœuvres » de toute séduction. Il faut jouer sur le « vice-conscient » de la dame et cacher son désir sexuel – la « gorillerie » – derrière un faux amour de la poésie. Ce discours, qui accuse les « nobles passions d'amour » occidentales de n'être que « faux-semblants et comédies fondés sur le mensonge », ne prend son sens entier qu'en tant qu'annonce de *Belle du Seigneur*.

Ce « concentré d'histoires valeureuses » possède cependant son unité : à travers les aventures comiques de l'« aristocratie de ce petit peuple confus, imaginatif, incroyablement enthousiaste et naïf », il constitue, précise le narrateur, un « adieu au ghetto où je suis né ». Adresses directes au lecteur, commentaires sur les personnages,

mais aussi célébrations de la naissance de l'État d'Israël ou déplorations lyriques d'Auschwitz suivies de brèves méditations sur le « péché de vie » qui s'ensuit pour les survivants, les très nombreuses interventions d'auteur donnent au roman sa propre tension.

● « Folio », 1986. ➤ *Œuvres*, « Pléiade », II.

N.-D. THAU

VALLÉE AUX LOUPS (la). Souvenirs et Fantaisies. Mélanges de prose et de poésie de Hyacinthe Thabaud de Latouche, dit Henri de **Latouche** (1785-1851), publiés à Paris chez Alphonse Levavasseur en 1833.

Latouche s'essaya dans tous les genres : comédie avec *le Tour de faveur* (1818), satire de l'univers de la presse, drame avec *la Reine d'Espagne* (1831), journalisme, pamphlet, édition des **Poèmes* de Chénier, roman avec **Olivier*, **Fragoletta*, *Grangeneuve* (1835) et *Adrienne* (1841), poésie. Sa *Vallée aux loups*, conçue dans une retraite misanthropique, rassemble des vers composés pour la plupart dix ans plus tôt et des textes en prose souvent anciens. Ces mélanges offrent un bon éventail du talent de ce personnage capital pour l'histoire du romantisme français.

Précédés de « Divagations », continués par « Une visite à l'éditeur », ouverts par un Prologue en vers où l'auteur évoque et invoque sa muse, ces *Souvenirs et Fantaisies* comportent dans une première section cinq pièces en vers ("Inès", "Une nuit de 1793", "le Printemps", "Phantasmes", "À la rivière de mon pays") encadrées de morceaux en prose, récits ou descriptions (« Vocations », « Rambouillet » daté de 1814, puis « Pauvre Monstre », « Étude de paysage » et « Joséphine-Claire » datée de 1831). S'ouvre ensuite la section « Traditions populaires », comportant onze poèmes ("Egbert", "le Pêcheur", "le Roi des Aulnes", "Blanche", "Trivulce", "les Enfants égarés dans les bois", "la Chambre grise", "le Chêne", "la Rosalba", "le Navire inconnu" et "Fragment"). Suivent « Sur les ouvrages inédits d'André Chénier », « le Frère quêteur, histoire de 1826 », une section de treize « Élégies », un long récit évoquant Marie-Joseph Chénier, « le Cœur du poète », et sept « Poésies diverses », dont "Chatterton", "À un poète" et "À la vieille critique".

Dans cette « macédoine » il ne faut pas chercher de ligne de démarcation entre fantaisies et souvenirs. Jouant de sa liberté, Latouche revendique la variété et la dispersion : « Laissez-moi la pensée où mon esprit s'égare » ("Une nuit de 1793"). Aigri, Latouche semble ruminer ses échecs et méditer sur la place que lui ménage la scène littéraire : « Je passais autrefois pour un sorcier, et maintenant qu'on s'est revêtu de ma défroque, le magicien n'a plus l'air que d'un larron. » Lucide, il définit le nouvel environnement romantique : « Il y a trois siècles d'intervalle entre la génération qui finit et la génération qui commence. » Testament d'un écrivain, bilan poétique, revue des thèmes romantiques jusque vers 1830, évocation des rapports de l'Histoire et de la poésie à travers les frères Chénier (« le Cœur du poète », « Sur les ouvrages inédits [...] »), *la Vallée aux loups* développe plaisamment et avec une amertume teintée d'ironie le lieu commun énoncé dès le début : « Elle passe, cette triste vie. » On y trouve des pages empreintes de sensibilité, et tout particulièrement dans « Étude de paysage », superbe description de la Vallée-aux-Loups, ce lieu éminemment romantique marqué par l'installation de Chateaubriand, et de ses environs.

Quant aux humoristiques et nostalgiques « Divagations », elles mettent en scène l'auteur et ses illusions perdues sur le mode du « vous », dans une sorte de dialogue implicite avec le lecteur, annonçant de très loin le procédé de Butor dans *la *Modification*.

➤ *Œuvres complètes*, Slatkine, IV.

G. GENGEMBRE

VANINA VANINI. Voir CHRONIQUES ITALIENNES, de Stendhal.

VAPEURS, ni vers, ni prose. Recueil poétique de Xavier **Forneret** (1809-1884), publié à Paris chez Duverger en 1838.

L'on a pu dire que, de tous les « petits romantiques », Forneret a écrit les livres les plus bizarres et les plus singuliers. Il fut en tout cas l'un des premiers à varier la couleur du papier et de l'encre, ainsi qu'à jouer des blancs typographiques. Chef-d'œuvre d'humour noir et de poésie étrange, mais aussi mélange fort disparate, *Vapeurs* fut redécouvert par les surréalistes.

Les 374 pages du recueil ne sauraient être résumées, ni même présentées. Une Préface intitulée « Pour quelques passages de quelques-unes des vapeurs de ce livre » définit l'entreprise du poète, et déclare que « l'auteur de ce livre est quelquefois plus triste qu'une larme, jamais plus gai qu'un sourire ». « Pour lui, dans ce monde, la poésie est tout, c'est son rêve » et « Il a tout senti, il n'a rien dit, puisqu'il a dit à sa manière ». Parmi de nombreuses pièces et fragments, on peut privilégier "Elle", poème à rimes plates : « À vie d'amour de feu, puis après est mourante. » Celle dont les « baisers sont des yeux » fait l'objet d'un autre poème du même titre, où le poète évoque un cauchemar : « J'avais rêvé qu'elle était morte. » « Un pauvre honteux », où dominent les vers de 4 syllabes, met en scène un miséreux qui dévore sa propre main : « Il l'a pliée / Il l'a cassée / Il l'a mangée. » "Bouffée" développe l'un des sens du titre : « Fumée, c'est ce qui est ; – feu, c'est ce qui n'est pas. » « Avant d'entrer » – en enfer – est à la fois onirique et fantastique : « La porte des Soleils se remue sur ses gonds, / Ainsi que l'écrevisse allant à rebours », et "Dedans" appartient à la même veine.

« L'auteur comprend la poésie comme il ne pourra jamais la faire, c'est-à-dire grande, élevée, sublime, naïve, ardente, railleuse, fine, emportée, suave, mordante, mélancolique, soupirante, onctueuse, tout de jour, tout de nuit, brillante ou noire » : ces propos, pour ironiques qu'ils soient, désignent autant un idéal qu'une manière où l'écriture, hétéroclite, se met au service d'une imagination parfois délirante. Dans ses poèmes, Forneret déploie des visions fulgurantes, où l'outrance le dispute à tout ce qu'on serait tenter de qualifier, en parodiant le poète, de baroque, cocasse, excentrique, extravagant, fantasque, funambulesque, inquiétant, insolite, surprenant, etc. *Vapeurs* amplifie ce conte au titre remarquable, *Rien... Quelque chose* (1836), dont la mélancolie noire, la mise en scène d'une angoisse existentielle et la vertigineuse fascination du néant constituent les séductions les plus fortes. Dans ces œuvres, il s'agit pour Forneret de conjurer une vie qui « ronge tout » en lui substituant les prestiges vénéneux et exaltants du rêve, qui, parfois, se voit déjà paré des vertus nervaliennes. Contre l'ennui, contre le malheur de l'existence, contre les frustrations et les contradictions du cœur et de l'âme, Forneret écrit à la lumière des soleils obscurs, et « voit dans sa pensée un squelette planant sur le monde ». Chez lui, l'écriture, cette tension douloureuse, procède de la déréliction, que l'humour noir, la pose parodique, le fantastique ou la grimace tentent d'abolir en la désignant par la dérision, l'exhibition et la transe. Les vapeurs du rêve sont bien pour Forneret la seule réalité acceptable de la vie, fût-ce au prix de l'outrance.

● *Œuvres choisies*, Éd. Arcanes, 1952 (préf. A. Breton).

G. GENGEMBRE

VAROUNA. Roman de Julien **Green** (né en 1900), publié à Paris chez Plon en 1940.

Première partie. « Hoël ». Sur une plage du pays de Galles, le petit Hoël trouve une chaîne étrange. La nuit, il rêve des anciens possesseurs de l'objet et les hommes de la mer lui promettent la richesse et le mariage avec la belle Morgane. Mais un saint ermite jette la chaîne dans les flots. Ayant perdu ses parents, Hoël mène une existence errante qui le conduit jusqu'en Suède où il vit d'expédients. Devenu vieux, il retourne dans son pays et, sur sa route, rencontre le satanique seigneur Abaddon. Parvenu, enfin, au pays de Galles, il demande asile à Morgane, une riche propriétaire : toute sa vie, celle-ci a attendu l'homme qu'on lui avait annoncé. Cherchant à pénétrer son secret, Hoël la tue pendant la nuit et découvre la chaîne. Hanté par le remords, il est exécuté.

Deuxième partie. « Hélène ». Sous le règne d'Henri III, obsédé par la disparition de sa femme, Bertrand Lombard, esthète féru d'astrologie, délaisse l'éducation de sa fille. À quinze ans, Hélène apprend quelques rudiments de l'inquiétant Eugène Croche, qui abandonne rapidement ses fonctions auprès d'elle par peur des procès en sorcellerie. Un jour, un colporteur fait présent à Hélène d'une chaîne fascinante. Son père éprouve un trouble grandissant face à celle en qui il veut voir une réincarnation de son épouse. Il demande à Eugène Croche de réveiller en elle le souvenir de son ancienne vie afin qu'elle se souvienne d'avoir été sa femme. Hypnotisée par le magicien, Hélène s'offre à Bertrand, qui au moment de commettre l'inceste, meurt foudroyé en apercevant la chaîne au cou de sa fille, qui entrera au couvent.

Troisième partie. « Jeanne ». Au début du XXe siècle, Jeanne tente en vain de mener à bien son livre sur Hélène Lombard. Mais elle demeure la proie des angoisses qui la saisissent dans l'inquiétante maison de la rue Basse où elle a l'impression d'avoir déjà vécu. Habitée par son personnage, elle en imagine les méditations, que son mari, Louis, juge « morbides ». Jeanne se libère en jetant son manuscrit dans un puits. Elle rêve qu'elle est une riche propriétaire et qu'on la tue pendant la nuit, puis qu'elle a pris le voile comme Hélène Lombard. Au British Museum de Londres, elle aperçoit une chaîne : elle et Louis se souviennent de l'avoir possédée.

Le sujet apparent de *Varouna* est la réincarnation mais elle est envisagée sous ses multiples aspects, de la métempsycose hindouiste à la projection du romancier dans l'univers de son personnage, en passant par l'exploitation de l'archétype jungien. Marqué par ses lectures sur le bouddhisme, Green voulait d'abord écrire un roman sur le crime d'un homme qui devait être expié dans une autre vie. Mais, l'auteur remanie son texte pour l'accorder à sa propre conversion à la religion catholique. Il privilégie alors les thèmes de la prédestination et de la rédemption, le motif du meurtre n'apparaissant que pour souligner la permanence des pulsions destructrices chez l'homme. En effet, Green a assisté aux conférences de Jung sur l'inconscient collectif et il exploite dans son roman l'idée qu'il existe un patrimoine imaginaire commun chez Hoël, Bertrand Lombard, Louis, d'une part, Morgane, Hélène, Jeanne, d'autre part. De manière générale, dans tous ses romans, Green multiplie les remarques sur la connivence étroite et secrète qui lie les hommes à un monde invisible. Dans *Varouna*, il applique ce principe sur une longue durée historique. En outre, il se remémore lui-même les lieux où il est allé (l'Écosse, la Scandinavie), son époque de prédilection (le XVIe siècle) et sa propre activité onirique. Aussi son roman constitue-t-il, une fois encore, le portrait en acte de l'imaginaire du romancier. Qui est Varouna ? Dans la mythologie védique, « c'est le ciel nocturne [...]. Il connaît toutes les actions des hommes [...] » (Milloué, *les Religions de l'Inde* [1890], cité par Green). Varouna est donc, en partie, l'œil lucide du créateur : en inventant, le romancier devine les motivations les plus obscures. La construction de l'ensemble des trois récits progresse donc vers la prise de conscience ultime de l'entrelacs des destinées ; le texte finit par réfléchir sur lui-même puisque la dernière histoire met en scène un personnage d'écrivain qui commente les actions accomplies par les autres personnages. Aboutissement de toute une lignée d'ancêtres, la vie d'un homme, selon Green, figure un fragment inscrit dans le devenir cosmique, dans une suite immémoriale de destinées qui définit le genre humain : « Notre vie ne s'éclaire qu'unie à celles qui la précèdent et à celles qui la suivent, comme les mots d'une longue phrase dont le sens n'est connu que de Dieu. »

Comme la trame du discours, la chaîne joue le rôle symbolique du repère qui permet de passer d'un siècle à l'autre, qui rend visible la constance des interrogations

Verne

Couverture pour *Vingt-Mille Lieues sous les mers*, Paris, collection Hetzel, 1871.
Collection particulière, Paris. Ph. © Photeb.

Quelle bibliothèque d'enfant n'a eu ses Jules Verne ? Et quel adulte ne continue à rêver secrètement de faire le tour du monde en quatre-vingts jours ou de descendre vingt mille lieues sous les mers retrouver le mystérieux capitaine Nemo ? Combien de fois aussi ne croit-on reconnaître, dans telle invention fabuleuse du romancier, les engins les plus familiers ? Pourtant, l'auteur des « Voyages extraordinaires » qui cherchait à refaire « l'histoire de l'univers » n'est pas seulement l'écrivain de science-fiction dont cinéma et bande dessinée se sont nourris : Jules Verne (1828-1905), globe-trotter et rêveur inlassable, est aussi le poète qui sut ouvrir les portes d'un imaginaire moderne.

Le Tour du monde en 80 jours.
Dessin de Léon Tolstoï (1828-1897).

Musée Léon Tolstoï, Moscou. Ph. © Lauros-Giraudon.

Vingt-Mille Lieues sous les mers. Gravure de
Henri-Théophile Hildibrandt (1824-1897),
d'après Édouard Riou (1833-1900),
Paris, collection Hetzel, 1871.

Collection particulière, Paris. Ph. Jeanbor © Photeb.

Michel Strogoff, 1926. Film de
Victor Tourjansky (1892-1976),
avec Ivan Mosjoukine (Michel Strogoff).

Ph. © Collection de la Cinémathèque française.

humaines malgré l'écoulement du temps. Le premier récit reprend le schéma narratif et le ton de la légende avec l'errance d'un *picaro* avant la lettre, prédestiné sans le savoir, affronté à des aventures singulières et tiraillé entre des influences manichéennes : situé au XIIᵉ siècle, « Hoël » évoque les angoisses des hommes en ces temps où le christianisme gagnait lentement sur les croyances païennes. Pourquoi Hoël tranche-t-il la gorge de sa bienfaitrice Morgane ? N'est-ce pas parce qu'il est la proie du Malin, de cet Abaddon rencontré sur la route ? Lorsqu'il se repent, il accomplit son évolution vers la Vérité. « Hélène » reprend la technique de la nouvelle ; le récit frôle le fantastique qui permet d'aborder le thème de l'inceste au travers du symbolique du fantasme et sans le désigner pour ce qu'il est. Amoureux de sa fille, Bertrand Lombard transforme sa demeure en un lieu de délices dans le goût de la Renaissance italienne et recourt aux services d'un mystificateur pour faire jouer à sa fille le rôle dicté par son désir. Mais, tourmenté par la conscience obscure de sa culpabilité, il succombe. Jeanne tient le journal de son roman avorté ; elle assume, totalement, la destinée de son héroïne et se perd. *Varouna* exploite donc différentes techniques littéraires et les présente comme diverses manières d'être au monde. À chacun son style, pourrait-on dire. Encore faut-il demeurer soi-même et ne pas céder aux maléfices de la création romanesque.

● « Points », 1984. ➤ *Œuvres complètes*, « Pléiade », II.

V. ANGLARD

VASES COMMUNICANTS (les). Essai d'André **Breton** (1896-1966), publié à Paris aux Éditions des Cahiers libres en 1932.

La réflexion menée dans *les Vases communicants*, texte écrit en août et septembre 1931, va de pair avec le rapprochement du groupe surréaliste et du marxisme, et avec l'adhésion, en 1927, de nombre de ses membres au parti communiste français. Cet engagement politique ne fut pas, on le sait, sans poser quelques problèmes, tant théoriques que pratiques. Sans renoncer à ses conceptions poétiques et à son adhésion aux découvertes de la psychanalyse, Breton cherche, dans *les Vases communicants*, à concilier la pensée de Freud et celle de Marx. Plus précisément, il s'agit, alors que le congrès de Kharkov a massivement condamné le freudisme, de persuader le PCF que la théorie de Freud n'est pas nécessairement idéaliste et qu'elle est en partie utilisable du point de vue du matérialisme dialectique. Lorsque la rupture avec le communisme sera consommée, Breton reconnaîtra, dans les *Entretiens* (1952), ne pas être demeuré « d'accord avec tout ce que le livre contient » et avouera s'y être obstiné « à faire prévaloir des thèses matérialistes jusque dans le domaine du rêve – ce qui est loin d'aller sans arbitraire ».

Après avoir rappelé l'argumentation de divers théoriciens du rêve et en avoir dénoncé l'insuffisance, Breton rend hommage à l'apport précieux fourni, en ce domaine, par les recherches de Freud. Il regrette cependant que ce dernier nie la valeur prophétique du rêve et ne soit pas allé assez loin dans ses autoanalyses. Le but de l'essai est de concilier, grâce à la dialectique, l'activité onirique et l'action. Breton livre alors la transcription de l'un de ses rêves qu'il commente ensuite longuement. Il conclut que « le monde du rêve et le monde réel ne font qu'un » (I). L'auteur poursuit sa démonstration en prouvant que, tout comme le rêve emprunte à la réalité, la vie réelle peut, à l'inverse, s'organiser comme un rêve. Il relate divers épisodes étranges de son existence survenus durant une période chaotique consécutive à une rupture amoureuse ; ceci, afin de renforcer l'idée selon laquelle le rêve et la réalité ne sont pas antagonistes (II). Breton s'adresse enfin plus directement au parti communiste français. Déplorant les erreurs d'un matérialisme primaire et les errements des partis révolutionnaires, l'auteur veut convaincre les dirigeants du Parti que le surréalisme peut apporter une aide appréciable à la cause de la révolution (III).

Les Vases communicants sont un ouvrage de réflexion générale – ce qui n'exclut pas, comme souvent chez Breton, la présence de révélations d'ordre personnel. À travers les récits de rêves et les commentaires qu'il en propose, l'auteur dévoile son intimité, davantage encore que dans un récit autobiographique tel que *Nadja*. Toutefois, bien qu'il reproche à Freud une pudeur qui, dans l'auto-analyse de ses rêves, l'empêche de franchir le « mur de la vie privée », Breton, qui se veut plus audacieux, ne résiste pas toujours à la tentation de la censure. Ainsi, l'auteur reconnaît le caractère limité du commentaire du premier rêve qu'il propose puisqu'il ne reconstitue pas la « scène infantile dont il procède », la jugeant d'« un intérêt secondaire ». En outre, la confidence individuelle est inféodée à une démonstration dont la portée se veut constamment objective et collective. Quand Breton évoque la rupture amoureuse qu'il vient de vivre, c'est par exemple pour montrer que l'amour est dépendant du contexte socio-économique. L'argumentation théorique, à grand renfort de références aux textes de Marx et d'Engels, l'emporte toujours.

Dans *les Vases communicants* plus que dans tout autre essai de Breton, c'est le ton philosophique et la visée idéologique qui dominent. Selon une logique parfois laborieuse, voire spécieuse, et qui soumet la pensée de Freud à quelques distorsions, il s'agit avant tout de démontrer le bien-fondé des thèses marxistes. Breton reproche à la psychanalyse de procéder d'une démarche dualiste et non dialectique. Si, pour Freud, l'étude du rêve ne sert qu'à dévoiler l'inconscient d'un sujet singulier, elle permet, pour Breton, de confirmer le caractère insupportable du monde et la nécessité d'une révolution. Avec *les Vases communicants*, Breton met l'écriture au service d'un effort de « balaiement du monde capitaliste ».

Très daté historiquement, cet essai témoigne toutefois de la contribution capitale apportée par le surréalisme à l'effort de connaissance de l'esprit humain et à l'art du XXᵉ siècle. Comme il l'avait fait déjà dans le premier *Manifeste du surréalisme* (voir *Manifestes du surréalisme*), Breton affirme ici avec vigueur la nécessité d'un examen systématique de la pensée onirique, en vue d'une meilleure appréhension des mécanismes et des potentialités inexplorées de la vie mentale.

● Gallimard, « Idées », 1970.

A. SCHWEIGER

VASTHI. Tragédie en cinq actes et en vers avec chœurs de Pierre **Matthieu** (1563-1621), publiée avec *Aman*, *Clytemnestre* et la première version de la *Guisiade* à Lyon chez Rigaud en 1589.

L'histoire d'Esther est un des sujets favoris de Matthieu, qui a déjà composé sur ce thème une tragédie-fleuve alors qu'il n'avait pas vingt ans. Les actes I et II de cette première *Esther* lui fournissent la matière de *Vasthi*.

Le roi des Perses, Assuère, est sincèrement amoureux de sa femme Vasthi. Lors d'un banquet, légèrement pris de vin, il lui demande de faire voir sa beauté à la cour. Scandalisée, elle résiste à la volonté de son mari, contre l'avis de ses suivantes (Actes I-II). Assuère répudie l'épouse rebelle et se met en quête d'une humble compagne, malgré les larmes et les promesses de Vasthi. Cependant, le prophète Mardochée prédit le destin d'Esther (Acte III). Il présente au roi la jeune fille, qui est bientôt couronnée reine de Perse. Vasthi se répand en élégies et imprécations contre l'époux qui l'a délaissée (Actes IV-V).

Histoire simple, que celle de la déchéance de Vasthi. Sur cette trame, Pierre Matthieu brode trois motifs : en relief apparaissent la figure du roi et le châtiment des orgueilleux. En toile de fond et sous-tendant l'ensemble, le dramaturge affirme la conception d'une Histoire guidée par la volonté divine.

La répudiation de Vasthi devenue, pour les besoins de la cause, un parangon d'insupportable orgueil est prétexte à chanter la grandeur du gouvernement monarchique, car

« le titre royal / Est saint et qui ne l'aime est plus que déloyal ». Mais il appartient au roi de justifier cet éloge par sa conduite et de prendre « la vertu pour modèle / L'amour pour bastion, la loi pour sentinelle ». Si *Aman* reflète les doutes qui s'emparent des esprits au moment où les Valois expirent, *Vasthi* dessine, à travers les propos des conseillers du prince, la figure d'un monarque idéal. Peu importe dès lors qu'apparaisse en scène un Assuère falot et inconsistant : le personnage n'est rien d'autre que le support d'une idée. Dans cette perspective, on comprend encore que Matthieu ne s'embarrasse pas de réalisme historique pour bâtir cette tragédie sans violence : les allusions mythologiques ou païennes fleurissent dans la bouche du roi perse et le juif Mardochée évoque sans sourciller « Thétis marinière », Charon et l'Achéron. Mais le goût de la périphrase à caractère mythologique n'écarte pas le dramaturge catholique de son propos : il s'agit pour lui de montrer qu'« il n'y a rien de sûr en cette terre basse / Que ce que l'Éternel en sa bonté compasse ». Ainsi la réflexion sur le pouvoir est-elle couronnée par une vision providentialiste de l'Histoire. L'accession inattendue d'Esther au trône de Perse est le signe que Dieu veille sur ses élus : s'il a prodigué sa grâce « aux crus rameaux de l'Isacide race », il soutiendra ceux qui, dans la France secouée par le péril hérétique, le défendent fidèlement. C'est là l'espérance du ligueur Matthieu.

M.-C. GOMEZ-GÉRAUD

VATHEK, conte arabe. Conte de William **Beckford** (Angleterre, 1760-1844), publié à l'insu de l'auteur et anonymement dans une traduction en anglais (donnée comme une traduction de l'arabe) de Samuel Henley à Londres en 1786, et dans sa version originale en français simultanément à Lausanne chez Hignou et à Paris chez Poinçot en 1787.

Ce conte écrit en français par un jeune gentilhomme anglais est étonnant à plus d'un titre. Par le choix d'une langue étrangère d'abord, qui lui semble celle de l'orientalisme ; par sa création aussi, légendairement prodigieuse (il aurait été composé en trois jours et deux nuits) et entourée du mystère de la réclusion à Fonthill Abbey, la propriété de Beckford, et des extraordinaires festivités qui l'ont inspiré ; par sa publication enfin puisque ce conte, qui s'inscrit dans la tradition des *Mille et Une Nuits* et dans le genre du conte oriental qu'ont illustré notamment A. Hamilton et Voltaire, paraît en France lorsque décline cette littérature et, pis encore, à la veille de la réunion des États généraux. Il est alors ignoré. Mallarmé le ressuscite en 1876, dans une perspective symboliste, en le dotant d'une célèbre Préface et le consacre comme chef-d'œuvre.

Le calife Vathek, petit-fils de Haroun-al-Rachid, est d'une curiosité extrême. Voulant en effet « tout savoir, même les sciences qui n'existent pas », il fait construire une tour de onze mille degrés pour pénétrer les secrets du ciel où, une nuit, les astres lui annoncent l'arrivée d'un homme extraordinaire. Celui-ci paraît d'abord à la cour sous la forme d'un monstrueux « Giaour » pour aussitôt disparaître, non sans laisser derrière lui des sabres (appartenant au trésor des rois préadamites) gravés de caractères inconnus, qui exacerbent la curiosité du calife. Le Giaour [le tentateur] peut désormais mener le jeu et entraîner le calife littéralement au bord du gouffre ; il lui promet de lui ouvrir le palais du feu souterrain qui recèle les trésors entrevus, à condition qu'il renonce à Mahomet, et lui donne le sang de cinquante enfants. Vathek souscrit à toutes ces exigences, trompant son peuple jusqu'à ce que celui-ci se révolte et l'oblige à se réfugier dans sa tour avec sa mère, Carathis, versée dans les sciences occultes, qui y achève le sacrifice en offrant au Giaour « mille raretés horribles ». Comblé, celui-ci ordonne alors à Vathek de prendre la route d'Istakhar, ce n'est quoi il se prépare en grande pompe, non sans avoir préalablement commis d'infâmes sacrilèges... Mais le chemin est semé d'embûches et Vathek manque doublement aux instructions. Il accepte en effet l'asile de l'émir Fakreddin, « religieux à toute outrance », et s'éprend en outre de sa fille Nouronihar, également dévorée par la curiosité et qu'une vision a associée au destin du calife. Rien ne peut plus alors empêcher cette union que Vathek préfère à tous les trésors promis. Mais Carathis en est avertie et elle met fin à cette existence voluptueuse en rappelant à son fils les exigences du Giaour. Vathek se remet donc en route en compagnie de sa maîtresse et, ayant commis en chemin de nouvelles exactions, ils arrivent enfin à Istakhar où Mahomet leur offre une dernière chance. Vathek se refusant à la saisir, ils sont alors damnés et admis dans l'infernal palais d'Eblis où ils peuvent enfin satisfaire leur « curiosité insatiable » ; mais le prix à payer les empêche de s'en réjouir. Se voyant condamnés à avoir le cœur embrasé pour l'éternité, ils ne peuvent en effet jouir de ce qu'ils avaient tant convoité : aussi, après avoir associé à leur triste sort celle que Vathek en tient pour responsable, Carathis, les amants maudits attendent leur heure en compagnie d'autres malheureux, en se racontant mutuellement leurs histoires, avant de se retrouver seuls face à leur terrible châtiment.

Vathek est une œuvre surprenante, tour à tour burlesque, sensuelle, fantastique, tragique parfois. On y décèle les influences conjuguées de deux grands genres du XVIIIe siècle : le roman gothique terrifiant d'abord, auquel ce conte emprunte un décor traditionnel (la tour de onze mille degrés regorge notamment d'escaliers secrets, de souterrains et de cavernes où sont rassemblés têtes de morts, momies et squelettes), sans pour autant en épouser le projet ; et surtout le conte oriental, dans lequel l'inscrit son sous-titre, « conte arabe ». Il y a en effet dans *Vathek* un merveilleux qui trouve sa source tant dans la culture de Beckford que dans la *Bibliothèque orientale* d'Herbelot ou dans *les Mille et Une Nuits* : les génies sillonnent les airs et les goules peuplent les cimetières... La parenté avec *les Mille et Une Nuits* est encore accentuée par les trois « épisodes » évoqués à la fin du conte (composés avant 1790, mais jugés trop audacieux, ils n'ont pas été publiés avant 1912), qui s'imbriquent dans celui-ci à la façon des histoires de Schéhérazade, mais qui ne peuvent ici sauver leur conteur. *Vathek* est d'ailleurs un « conte arabe » bien particulier, qui se reconnaît davantage dans Voltaire que dans Galland et se veut piquant plus encore que merveilleux. L'humour, très présent dans le texte, fait ainsi le plus souvent place à une ironie incisive qui n'épargne ni les crimes, qu'ils soient de sang ou d'impiété, ni la religion, ni l'amour. Les méfaits de Vathek sont ainsi rapportés avec le même ton détaché que celui de Voltaire décrivant dans *Candide* les massacres des Abares et des Bulgares, et le sacrifice au Giaour des cinquante enfants des allures de jeu rustique ; quant aux sacrilèges, ils consistent le plus souvent à prendre les choses à la lettre et à utiliser par exemple le balai sacré qui avait nettoyé le *cahaba* pour enlever de vulgaires toiles d'araignées... Les représentants du « bien » sont traités avec la même dérision, tels ces nains docteurs qui tentent de ramener le calife à la religion en lui bourdonnant des « prières dans les deux oreilles », ridicule qui par contraste fait ressortir la grandeur des desseins de Vathek ; de la même façon que la mollesse de Gulchenrouz, auquel était initialement promise Nouronihar, manifeste la virilité du calife. Seule échappe à la dérision la quête de Vathek : il y a en effet une authentique poésie du mal dans la descente aux enfers qui marque véritablement une rupture dans le récit. « La marche de ces deux impies, [qui] était fière et décidée », exhibe la fin de la turquerie et inaugure une écriture radicalement différente, aux accents miltoniens, qui décrit le sublime palais où règne un Eblis mélancolique « dont les traits nobles et réguliers, semblaient avoir été flétris par des vapeurs malignes ». La beauté du diable est semblable à celle qui émane de ces amants maudits errant dans ces « lieux sans fond et sans limite » parmi de fabuleux trésors devenus inutiles. Ce conte, apparemment édifiant, au point d'expliciter sa leçon dans la double moralité qui le clôt, n'en montre donc pas moins une grandeur dans la damnation qu'incarne tragiquement Carathis, « résolue d'aller jusqu'au bout ». C'est là sans doute la spécificité de Beckford, voire son « intimité ».

● « GF », 1981 (p.p. M. Lévy) ; José Corti, 1984.

S. ROZÉ

VENCESLAS. Tragi-comédie en cinq actes et en vers de Jean **Rotrou** (1609-1650), créée à Paris au théâtre de l'hôtel de Bourgogne en 1647, et publiée à Paris chez Sommaville en 1648.

Avant-dernière pièce de l'auteur, présentée comme une tragi-comédie très librement tirée de l'Histoire et inspirée de pièces espagnoles contemporaines, *Venceslas* témoigne d'une mode polonaise (le roi de Pologne avait récemment épousé une princesse française). Elle connut un très vif succès et fut jouée jusqu'au XIXᵉ siècle. En dépit du rôle dévolu aux intrigues amoureuses (longues tirades sur l'amour, aspects galants...), on retiendra surtout l'épineux problème politique qu'elle soulève.

À Varsovie, le roi Venceslas reproche à son fils Ladislas ses vices et son hostilité envers son frère Alexandre et le duc de Courlande, le favori. Ladislas empêche le duc de réclamer le prix de sa victoire contre les Moscovites ; le roi menace (Acte I). La jeune Cassandre dit à Ladislas son refus de l'épouser. Il en conclut qu'un tendre sentiment l'unit au duc ; dépit de l'Infante, fille de Venceslas, qui croyait le duc amoureux d'elle ; mais Alexandre lui avoue aimer Cassandre ; le duc n'est pour lui qu'un paravent (Acte II). Épris de l'Infante, celui-ci voudrait que ce jeu cesse. Cassandre craint que le roi ne la donne à Ladislas ; Alexandre décide de l'épouser secrètement le soir même (Acte III). À la fin de la nuit, Ladislas dit à sa sœur avoir tué le duc chez Cassandre ; il avoue son crime au roi. Mais le duc paraît ! Cassandre explique alors qu'elle aimait Alexandre et que Ladislas l'a tué ; elle exige sa mort. Le roi ordonne son exécution, à la fureur du peuple (Acte IV). L'Infante fait avouer au duc son amour, puis le prie d'intercéder auprès du roi pour son frère. Venceslas dit sa douleur de père mais explique à Ladislas qu'il doit mourir. Le duc demande alors, pour récompense de ses faits d'armes, la grâce de Ladislas. Le roi abdique en faveur de son fils, qui promet de régner comme son père, donne sa sœur au duc et le confirme dans ses fonctions. Cassandre plus que jamais refuse de l'épouser ; mais il s'en remet au temps (Acte V).

Dès la première scène règne un climat de violence qui ne s'apaisera qu'au dénouement : l'entretien est tendu, visiblement sans effet, l'altercation évitée de peu lorsque survient Alexandre. Le problème politique est d'emblée posé : un vieux roi qui parle volontiers de sa succession, deux fils que tout oppose (l'aîné n'est que vice), un favori qui peut tout réclamer (le roi a une dette envers lui). Les deux actes suivants, consacrés à des intrigues amoureuses intimement liées à la question politique, rendent la situation inextricable en raison des antagonismes et des malentendus. Après le meurtre, tout semble joué en ce bel acte IV où se succèdent le récit du songe funeste de l'Infante, le récit du crime par le coupable lui-même, son arrestation, la réapparition du duc et le réquisitoire de Cassandre – instant, parmi d'autres, qui fait penser au *Cid*.

Ladislas accédera pourtant au trône et le duc continuera à servir le royaume – avec le salaire mérité : la main de l'Infante, qui est en même temps une garantie pour le pouvoir. La dernière scène seulement apportera ce retournement de situation. Jusque-là, le roi est intraitable parce qu'il est roi. Ce qui le pousse à abdiquer, ce n'est pas son amour paternel : c'est le bien de l'État. Il doit pardonner pour assurer au trône un successeur, il doit abdiquer pour éviter que la dignité royale soit entachée du soupçon de faiblesse. Sans doute les prières de l'Infante et de Cassandre (qui, finalement, se rallie elle aussi aux intérêts de l'État), la demande du duc puis la pression populaire (la révolte gronde) y concourent-ils ; mais c'est bien la raison du politique qui l'emporte. Ladislas est transformé, parle avec une dignité nouvelle, prend des décisions justes. Ne voir ici qu'un invraisemblable dénouement de tragi-comédie ne suffit pas, ne serait-ce que parce que le changement du personnage est antérieur à la dernière scène : nulle révolte de sa part quand le roi l'a condamné ; son attitude était celle d'un coupable repentant, conscient d'avoir été le jouet de sa passion. On peut donc lire la pièce comme une initiation aux résonances complexes : Ladislas ne devient bon prince qu'en éliminant – que ce soit involontaire n'y change rien – le frère, son exact contraire, nous dit-on, significativement son rival en amour, meurtre

apparemment nécessaire pour qu'il se trouve lui-même et devienne un bon souverain. Comment ne pas penser à ce meurtre initial (Romulus et Rémus...) qui scelle souvent, dans l'imaginaire, la naissance de grandes cités ? Tout se passe comme si ce meurtre fondateur venait créer un nouvel ordre – Alexandre, en envisageant un mariage secret sans l'aval du roi, s'est d'ailleurs mis lui-même hors la loi –, et régénérer un pouvoir sur le déclin.

● « Pléiade », 1975 (*Théâtre du XVIIᵉ siècle*, I, p.p. J. Scherer).

D. MONCOND'HUY

VENDANGES DE SURESNES (les). Comédie en cinq actes et en vers de Pierre **du Ryer** (1600-1658), créée à Paris au théâtre de l'hôtel de Bourgogne vers 1633, et publiée à Paris chez Sommaville en 1636.

Unique comédie d'un auteur qui s'adonna surtout à la tragi-comédie (et à la tragédie), cette pièce à l'intrigue de pastorale relève déjà par certains aspects de la comédie de mœurs. Sa véritable originalité tient au cadre et aux seconds rôles, à la peinture d'un monde bourgeois qui dit sa piètre opinion de la noblesse.

Tirsis est amoureux de Dorimène, tout comme son ami Polidor qui, ignorant cette inclination du reste non partagée, lui demande de l'aider à conquérir la belle (Acte I). Polidor avoue son amour à Dorimène et découvre le double jeu de Tirsis ; Crisère, père de Dorimène, estimant que Polidor représente un piètre parti, lui interdit de voir sa fille (Acte II). Le jeune homme fait pourtant parvenir un billet à Dorimène, par les soins involontaires de Tirsis (Acte III), et, déguisé en vendangeur, réussit à l'approcher (Acte IV). Un héritage soudain permet à Polidor d'entrer dans les bonnes grâces de Crisère. Après un duel avec Tirsis, Polidor sauve Dorimène, enlevée par Palmédor, un noble éconduit. Tirsis et Polidor se réconcilient ; Tirsis épousera une autre jeune fille, Florice. Tous retournent à Paris (Acte V).

La double intrigue (Tirsis et Polidor qui aiment Dorimène, mais aussi Florice qui, après s'être tournée en vain vers Polidor, revient à Tirsis, son premier amour) comme les péripéties de cette comédie mouvementée au pittoresque mesuré, relèvent pour l'essentiel de la pastorale (les emprunts à *la *Sylvie de Mairet et aux *Bergeries de Racan sont nets). S'y ajoutent des souvenirs de la *Mélite de Corneille dans la bouche de Lisette, villageoise qui veut convaincre la bourgeoise Florice d'être volage. En dehors de ces discussions, le dialogue amoureux reste conventionnel, dans son expression même. Du Ryer semble user du *topos* pastoral pour jouer du contrepoint créé par des personnages secondaires, qui échappent, eux, au stéréotype auquel leur statut dramatique aurait pu les réduire ; quasiment absents du premier acte, ils occupent ensuite une place grandissante.

Ainsi la villageoise s'oppose par ses discours aux bourgeois parisiens que sont les jeunes gens et leurs parents ; propriétaires de vignes à Suresnes, ils viennent s'y divertir et surveiller les vendanges, occasion de liberté amoureuse que les jeunes gens mettent à profit pour sceller des liens que confirmera, en les inscrivant dans l'ordre social, le retour dans la capitale. Figure emblématique de cette bourgeoisie parisienne, Crisère ne pense qu'en termes d'argent, valeur centrale d'un monde naissant qu'il incarne d'autant mieux qu'il n'est pas caricaturé. Sa femme souhaitant un gentilhomme pour gendre, il dénonce les dangers d'une telle alliance : les nobles, au moins ceux auxquels sa fille peut prétendre, sont pauvres, dilapideront ses biens et joueront au maître. Le nom des prétendants ne laisse pas d'être symbolique : on agréera le bourgeois Polidor, que l'or rend « aimable » aux yeux du père, non le noble Palmédor, qui n'a pour tout or que l'ornement des palmes de son rang et la vaine prétention. Silhouette qui restera en coulisse, Palmédor confirmera ces vues en recourant à l'enlèvement – stéréotype théâtral qui devient support d'une critique sociale –, et en fuyant à l'approche d'un Polidor qui pourra lancer : « Des esprits si vains / Ont plus de force aux pieds qu'ils n'en ont en leurs mains. » Tous les nobles seraient des matamores... Dans ce monde de bourgeoisie montante, le duel et l'intrigue de pastorale seront le fait de bourgeois.

Comme Lisette, le personnage farcesque qu'est Guillaume, le vigneron (incarné à la création par le célèbre Gros-Guillaume), reste en marge de l'affrontement idéologique : quand il n'aide pas son maître Polidor, il observe et commente, entre deux plaisanteries bachiques ou grivoises : « Qui croirait que de la bourgeoisie / Se pût jamais porter à cette frénésie ? », dit-il à propos du duel. C'est à lui, déjà intervenu à trois reprises en fin d'acte, qu'on laisse le dernier mot de la pièce, après que Lisette l'a repoussé : « L'on me caresserait si j'avais hérité. » Voilà la véritable leçon d'une comédie où l'argent n'est pas simple motif théâtral, leçon confiée au personnage investi de la théâtralité la plus forte. L'énorme Guillaume fait rire dès qu'il apparaît ; mais, par un renversement, lui qui se plaît au spectacle des amours des jeunes bourgeois se rit des uns et des autres, devenant une instance ironique qui contemple, l'espace des vendanges, la mutation d'un autre monde : celui des puissants et de leurs valeurs.

● Rome, Bulzoni, 1980 (p.p. L. Zilli) ; « Pléiade », 1986 (*Théâtre du XVIIe siècle*, II, p.p. J. Scherer et J. Truchet).

D. MONCOND'HUY

VENDREDI ou la Vie sauvage. Voir VENDREDI OU LES LIMBES DU PACIFIQUE, de M. Tournier.

VENDREDI ou les Limbes du Pacifique. Roman de Michel **Tournier** (né en 1924), publié à Paris chez Gallimard en 1967. Grand prix du roman de l'Académie française.

Ce premier récit est une illustration de la thèse que l'auteur explicitera dans *le Vent Paraclet* (1977) : « Le passage de la métaphysique au roman devait m'être fourni par le mythe. Qu'est-ce qu'un mythe ? [...] Le mythe est une histoire fondamentale [...]. Un mythe est une histoire que tout le monde connaît déjà. » Or, qui ne connaît l'histoire du Robinson de Daniel Defoe (1719) ? Le lecteur n'en appréciera que mieux cette nouvelle version de *Robinson Crusoé*.

Au matin du 30 septembre 1759, suite au naufrage de la *Virginie*, Robinson se retrouve seul sur une île inconnue, déserte, du Pacifique, quelque part entre l'archipel Juan Fernandez et les côtes du Chili. N'ayant pu s'enfuir sur l'*Évasion*, bateau qu'il a fabriqué, et ayant récupéré dans l'épave de la *Virginie* ce qu'il pouvait en sauver, il entreprend de survivre sur l'île qu'il a rebaptisée Speranza, après lui avoir donné le nom de Désolation (chap. 1-2), et décide de la « civiliser ». Pour lutter contre la solitude et la tendance à la régression infantile qui le pousse à se plonger dans une souille, il s'astreint pour demeurer « humain » à nombre d'activités matérielles et intellectuelles, dominant ainsi Speranza et lui-même en y faisant régner un ordre rationnel. Toutefois, le manque de relations affectives et sexuelles le mène à voir en Speranza une mère, une épouse (3-6). C'est alors qu'il sauve involontairement un Indien Araucan que ses congénères allaient dévorer : il le baptise du « nom du jour de la semaine où [il] l'[a] sauvé : Vendredi » (7). Bien qu'il se montre serviteur docile, Vendredi n'adhère manifestement pas aux valeurs de Robinson. Un jour, par inadvertance, en fumant la pipe près de barils de poudre, il fait exploser toute l'œuvre de son maître (9).

Désormais, Vendredi apprendra à Robinson à vivre autrement, l'entraînera vers un ordre différent. L'âme aérienne de Vendredi ouvre Robinson vers l'air, le ciel, le soleil ; Robinson et Vendredi deviennent les Gémeaux de la Cité solaire, unanimes. L'arrivée de la goélette *Whitebird*, vingt-huit ans, deux mois et dix-neuf jours après le naufrage de la *Virginie*, détruit cette harmonie. Vendredi victime de sa fascination pour les voiles et les gréements, eux aussi de nature éolienne, part sur le *Whitebird*. Robinson, délibérément resté sur Speranza, se découvre seul au matin. Désespéré de cette trahison, il gagne l'amas rocheux qui masque l'entrée de l'alvéole de Speranza mère, lorsqu'en surgit Jaan, le mousse du *Whitebird*, aussitôt rebaptisé Jeudi : l'éternité sereine des Dioscures peut reprendre...

Sur certains points, au début, le héros de Tournier suit le même parcours que celui de Defoe : économie de cueillette, héritage pris sur l'épave, exploration de l'île, élevage, culture et sédentarisation, écriture (le *log-book*, le journal), lecture de la Bible... Là s'arrêtent les similitudes. Pour le reste, le Robinson de Tournier s'émancipe : « Mon propos n'est pas d'innover dans la forme, mais de faire passer au contraire dans une forme aussi traditionnelle, préservée et rassurante que possible une matière ne possédant aucune de ses qualités » (*le Vent Paraclet*). Matière, au demeurant, démultipliée, lisible à plusieurs degrés en interférence constante, inépuisable...

L'allégorie de l'aventure humaine et coloniale, reprise de Defoe, inverse son orientation chez Tournier. De reconstitution d'un paradis perdu, elle devient recherche. Si (chap. 3-6) Robinson soumet économiquement et administrativement Speranza, s'il va jusqu'à créer un Conservatoire des Poids et Mesures, édicter une Charte de l'île, un Code pénal, se nommer gouverneur et peindre sur le rocher des maximes de Benjamin Franklin, ce ne sont que remparts fragiles pour son intellect vacillant. Certes, cette « organisation frénétique » l'a sauvé des tentations de la souille (lieu d'une régression infantile, quasi animale, d'une « démission en face du monde extérieur »), mais dans sa solitude, quel en est le sens ? Robinson se sent, au contraire, repoussé « aux confins de la vie », « plus près des sources mêmes de la sexualité », autre forme de quête d'autrui. Speranza est corps féminin, la grotte en est le sexe. Lové au fin fond de Speranza mère, il retrouve la sérénité fœtale, mais, une nuit, sa semence échappée dans l'alvéole lui fait craindre l'inceste (déjà la souille évoquait la sœur) : abandon de la « voie tellurique ». Il essaie une « cavité moussue » d'un arbre foudroyé, un quillai ; une piqûre d'araignée le brûle comme une maladie vénérienne : abandon de la « voie végétale ». Une prairie vallonnée, couverte d'herbes « comme des poils et de couleur rosâtre » lui suggère le rapprochement combe-lombes : Speranza, « fille unique de son absolue solitude », est l'épouse dans laquelle il peut s'épandre, chaque « petite mort » lui faisant mieux comprendre « le sexe et la mort ». De ses amours naîtront des mandragores blanches. Il pressent alors qu'il atteint une autre Speranza, cachée, mais qu'il se « décivilise », « abandonne de sa propre humanité » au point que sa barbe s'enracine durant son sommeil.

La survenue de Vendredi réoriente tout. Au lieu de se laisser intégrer passivement, ce qui ferait de lui une caricature de l'homme blanc européen, il s'affranchit des valeurs du gouverneur (il ira plus tard jusqu'à les tourner en dérision), commet l'adultère avec Speranza dans la combe (finie l'ère de l'île épouse !) et fait littéralement exploser le système. Vendredi se fait l'initiateur de Robinson (d'où sa place éponyme) : toutes ses activités, essentiellement aériennes, procèdent d'un principe « éolien ». Robinson découvre un autre ordre et comprend que le vieux bouc Andoar, « fauve tellurique âprement enraciné » dans la terre, tué puis transformé en cerf-volant et en harpe éolienne par Vendredi, est emblématique de lui-même. Le couple d'étrangers hiérarchisé devient un couple d'égaux imberbes, de semblables, de frères, de jumeaux issus d'une « génération verticale, céleste ». Même le problème sexuel s'en trouve résolu, dépassé : Robinson a rencontré en Vendredi (jour de Vénus) une vénusté qui l'a arraché au géocentrisme (Speranza) pour le mener vers Ouranos (le Ciel, père de Vénus). Tous deux sont les Dioscures (Castor et Pollux), fils de Léda et de Zeus, « Gémeaux de la Cité solaire ». Si Vendredi, resté en deçà de la vision de Robinson, s'en ira victime du mirage éolien du *Whitebird*, la survenue de Jaan/Jeudi, né de la grotte, suggère la reprise cyclique de l'aventure gémellaire de Robinson.

Un tel parcours initiatique tient presque dans un jeu de paronymes : « combe »-« lombes » de Speranza, « limbes » (séjour d'attente du Paradis)-« nimbe » (reflets métalliques sur la tête de Jaan/Jeudi). Il est fondé sur l'élémentaire. Sorti de la mer, Robinson s'enracine dans la terre ; grâce à Vendredi, la rupture par le feu le tourne vers l'air jusqu'à lui faire connaître une assomption solaire (préfigurant la fin des *Météores*). C'est aussi un destin : tout était écrit dès le Prologue dans les arcanes du tarot égyptien que tire et explicite le capitaine Van Deyssel sur la *Virginie*, mais Robinson en fait un *amor fati*, une destinée ; il métamorphose un « mécanisme » obscur et coercitif en l'élan unanime et chaleureux d'un être vers son accomplissement » (*le Vent Paraclet*). Enfin (mais combien sont les « fils d'un écheveau de significations dont Vendredi est le centre ? ») comme le découvrit ultérieurement M. Tournier (voir *le Vent Paraclet*), les trois vies de Robinson (la souille, l'île administrée, l'extase solaire) s'apparentent aux « trois genres de connaissance décrits par Spinoza dans *l'Éthique*, "jetant" ainsi un pont entre notre existence de tous les jours et la métaphysique ».

Michel Tournier a proposé de son roman une version pour enfants, *Vendredi ou la Vie sauvage* (Flammarion, 1971). Cette version n'est pas un simple abrégé du précédent roman : elle témoigne d'une recomposition et d'une réécriture globales visant un lectorat enfantin.

Si l'histoire, pour l'essentiel, demeure la même, certains aspects en ont été gommés. Plus de prologue en tant que tel ni de tarot égyptien (plus de *fatum*) ; plus d'obsessions sexuelles : ne reste que la grotte, ventre de l'île mère, pour un Robinson fœtus-bébé, sans éjaculation incestueuse ; plus de « phorie », de gémellité ni d'extase solaire (trop métaphysique). En revanche, Robinson délivre volontairement Vendredi ; le texte s'enrichit d'une présence accrue du chien Tenn, de jeux variés comme ceux de la métaphore, du portrait araucan, et d'un langage gestuel. Enfin, en 1972, le congé scolaire hebdomadaire ayant été déplacé du jeudi au mercredi, certaines adaptations ont été rendues nécessaires. Le *Whitebird* arrive le samedi 22 décembre 1881 au lieu du mercredi 19 ; à ce jour, Robinson est sur son île depuis vingt-huit ans, deux mois et vingt-deux jours au lieu de vingt-huit ans, deux mois et dix-neuf jours, soit trois jours de plus. En conséquence, Jean (Jaan) est nommé Dimanche, « jour des fêtes, des rires et des jeux », maintenant que le jeudi est devenu lettre morte pour de jeunes lecteurs qui n'ont pas connu cette organisation de la semaine scolaire. Très souvent étudié dans les collèges, *Vendredi ou la Vie sauvage* permet aux élèves d'amorcer une réflexion sur les mythes et l'intertextualité.

● « Folio », 1977.

L. ACHER

VENGEANCE D'UNE FEMME (la). Voir DIABOLIQUES (les), de J. Barbey d'Aurevilly.

VENISES. Récit autobiographique de Paul **Morand** (1888-1976), publié à Paris chez Gallimard en 1971.

« Toute existence est une lettre postée anonymement ; la mienne porte trois cachets : Paris, Londres, Venise. » Si Paris, dont la présence est si forte dans l'œuvre de Paul Morand, ne se vit consacrer aucun livre en particulier, *Venises* est le dernier de ces ouvrages dans lesquels l'écrivain s'était appliqué à dresser le portrait d'une ville : *New York* (1930), *Londres* (1933), *Bucarest* (1935), *le Nouveau Londres* (1962).

Première partie. « Le Palais des Anciens (1906-1914) ». Après avoir évoqué son enfance, les lacunes de sa formation scolaire, puis sa découverte du sport à l'âge de dix-sept ans, Paul Morand s'attarde sur l'époque heureuse de 1900. Le culte des Anciens et de la beauté prévalait alors dans sa famille. Il évoque pêle-mêle les voyages de ses parents en Italie, « Terre sainte », la rivalité des gondoles et des *vaporetti*, la continence des mœurs du début du siècle et le petit monde des Français de Venise. Il tente de faire revivre la ville par l'écriture d'un drame vénitien en 1909, et la retrouve au cours de son exil londonien (*Little Venice*).

Deuxième partie. « Le Pavillon de quarantaine (1918-1939) ». Attaché de cabinet, l'auteur évoque ces années de guerre où il n'a pas combattu, son pacifisme et ses désillusions, ainsi que les personnages qu'il a alors rencontrés : Caillaux, Berthelot, et plus tard Cocteau, Giraudoux ou Saint-John Perse. Bientôt, ce sont les « années folles », l'appétit de vivre de ceux qui rentrent de la guerre, le « printemps de travail » des années vingt, la route déblayée des avant-gardes et tous les « picassos restés en route »... Comment concilier ce goût de la liberté et le service de l'État auquel Paul Morand s'était consacré ? On croise d'autres Venises, celle de Proust, de Casanova et de Chase, celle des faits divers et celle de l'Histoire, étouffée par la montée du fascisme et couverte de graffitis. Suivent douze ans d'absence.

Troisième partie. « *Morte in maschera* (1950-197...) ». Après un dernier bal costumé en 1951 au palais Labia, tout un monde disparaît : la plupart des tableaux de Giorgione sont attribués à d'autres peintres, le palais Labia est vidé de tous ses trésors, éparpillés. C'est un monde où Morand ne se retrouve plus, tenu à l'écart des ébats amoureux auxquels on l'a pourtant convié. Venise occupée en 1797 par les troupes françaises comme Paris par les Allemands en 1940 n'a pourtant pas failli à son devoir de survivre. Mais dans les années soixante-dix, l'irréparable a été accompli : la Sérénissime a été reliée à la terre.

Quatrième partie. « Il est plus facile de commencer que de finir ». Livrée dès lors aux hippies, ces « jeunes avachis », aux autos, aux bateaux par milliers, et s'enfonçant dans les eaux par suite de la destruction de l'équilibre de la lagune, Venise va peut-être périr noyée. Lors d'une visite à ses vieilles cousines de Trieste, Paul Morand se rend sur la colline des Morts où sans doute, quelque jour, il ira reposer, « après ce long accident que fut [sa] vie ».

« Venise résume dans son espace contraint ma durée sur terre, située elle aussi au milieu du vide, entre les eaux fœtales et celles du Styx » : c'est dire que ces Venises plurielles, qui donnent leur titre au livre, sont, par ce journal orienté d'une vie (de 1906 à 1971), recomposées en une autobiographie déguisée (« Où mieux qu'à Venise peut Narcisse se contempler ? »). De l'aquarelle pendue dans la chambre d'enfant à la Venise rencontrée dans les romans ou dans l'Histoire - celle de l'amiral Bragadin, écorché vif par le pacha au XVIᵉ siècle ; de la Venise vécue à celle des peintres, de Wagner ou de Byron, ces rencontres multiples et diverses forment autant de points d'ancrage de la réflexion et de la nostalgie. Car cette compilation de souvenirs et de lectures est aussi l'élégie d'un monde disparu au prisme duquel l'auteur réexamine son propre passé.

Le regard rétrospectif de l'écrivain rend compte de sa prodigieuse impatience de vivre, « pas demain, tout de suite », de cette « puissance animale dont la mort seule aurait raison » et que le sport, les voyages et l'écriture (dont il n'est ici question qu'entre les lignes) pouvaient à grand-peine contenir. Mais cette énergie vitale s'alimentait à la fréquentation de « toute une société européenne [qui] vivait à Venise ses heures dernières », société dont les valeurs et les usages ont péri à jamais et qui est représentée ici avec tendresse et humour : « "Je ne serre pas la main à un pédéraste", disait mon père (sans se douter qu'il ne faisait que cela toute la journée). » Morand constate avec nostalgie : « Je suis voué à ce qui finit [...], je suis veuf de l'Europe. » Finis les « dandys amers et doux ». En 1918, « un âge d'or finissait ; un autre se levait, ourlé de noir », que la Seconde Guerre mondiale devait à son tour dévaster. À propos de son comportement pendant celle-ci, Morand écrit alors pour se justifier : « Je n'ai jamais aimé que la paix ; cette fidélité [...] m'a fait traverser, en 1917, une gauche fort avancée, pour me déposer en 1940 dans un Vichy maurrassien où je n'étais pas moins dépaysé. » Ce dépaysement, que l'écrivain a pourtant cherché toute sa vie, il ne l'a que trop trouvé, avec l'âge, dans un monde moderne qui s'exprime dans une langue incompréhensible, et pour laquelle il n'existe pas de « dictionnaire ». Après avoir invité quelques hippies de rencontre à déjeuner, Paul Morand peut alors envisager son décès avec sérénité et humour : « Quant à la musique dodécaphonique, il me suffit d'y penser pour préférer la mort. »

S'il n'est que très peu question des autres œuvres de Morand dans ce livre, la réflexion sur l'art y figure néanmoins au premier plan : « Les canaux de Venise sont noirs comme de l'encre ; c'est l'encre de Jean-Jacques, de Chateaubriand, de Barrès, de Proust ; y tremper sa plume est plus qu'un devoir de français, un devoir tout court. » Cette méditation apaisée est facilitée par l'assagissement d'un style qui évite les métaphores trop spectaculaires et les « effets » des écrits antérieurs (voir *Ouvert la nuit). L'écrivain ayant désormais trouvé sa « propre longueur d'onde », l'identification entre la ville – les villes –, la vie et l'écriture peut alors s'opérer en douceur, tout naturellement : « Venise n'est que le fil d'un discours interrompu par de longs silences, où, de temps à autre, divers pays l'emportent, comme ils m'ont emporté. » Une existence en éclats s'y recompose, comme il se doit, au miroir de Venise.

● « L'Imaginaire », 1989.

A. SCHAFFNER

VENTRE DE PARIS (le). Roman d'Émile **Zola** (1840-1902), publié à Paris en feuilleton dans *l'État* du 12 janvier au 17 mars 1873, et en volume chez Charpentier la même année.

Ce roman, troisième de la série des *Rougon-Macquart, a probablement été préparé dès 1871, mais le vrai travail de plan et de rédaction date de 1872. Partie du personnage de Lisa, la structure du livre se déploie grâce à l'intervention des deux frères antithétiques, puis du personnel auxiliaire, ces silhouettes que Zola a pu observer lors de visites attentives aux Halles. L'écrivain a également, selon son habitude, consulté toute une documentation livresque, interrogé des amis, repris la matière de certains articles antérieurs. *La Cloche* ayant disparu, Zola a besoin d'un autre journal pour la publication en feuilleton. *Le Corsaire* sera interdit en raison d'un article virulent de Zola ; c'est en définitive *l'État* qui reprend le texte, qui, s'il est approuvé des jeunes écrivains audacieux, suscite, par certains de ses excès, la réprobation de la critique éprise de « bon goût ».

Le roman est organisé en 6 chapitres, dont 4 comportent une description générale des Halles ou celle d'un pavillon. Nous sommes en 1858. Recueilli dans la rue par Madame François, une maraîchère, Florent, qui fut arrêté lors du coup d'État, arrive dans le quartier des nouvelles Halles à Paris. Il rencontre le peintre Claude Lantier, qui lui décrit les beautés de l'endroit, Marjolin et Cadine, les jeunes génies du lieu, des commerçants, dont le rôtisseur Gavard, qu'il reconnaît. Il retrouve enfin son frère Quenu, devenu un riche charcutier, dont la femme Lisa tient la somptueuse boutique (chap. 1). On revient en arrière : Florent, destiné à être avocat, a dû abandonner ses études pour élever son frère après la mort de leur mère. Devenu un orateur républicain, il a été déporté à Cayenne après le coup d'État, alors que son frère se plaçait chez leur oncle, le charcutier Gradelle, où il rencontra Lisa, la fille aînée d'Antoine Macquart. Le couple hérita de Gradelle, et ouvrit son magasin rue Rambuteau, avant d'avoir une fille, Pauline. Retour à l'action : les Quenu recueillent Florent, qui s'est évadé du bagne, et à qui Gavard, républicain lui aussi, trouve une place d'inspecteur à la marée (2). Florent tente de s'adapter à ce nouveau milieu. Il apprend à lire à Muche, le fils de Louise Méhudin, dite la Normande, poissonnière ardente et superbe, qui, jalouse de Lisa, tente d'attirer Florent, qu'elle croit l'amant de la belle charcutière. Il fréquente aussi un groupe d'opposants politiques, qui se réunissent chez Lebigre, un cabaretier qui fait office de mouchard (3). Marjolin et Cadine animent de leur espièglerie amoureuse les pavillons des Halles. Lisa doit même se défendre des avances de Marjolin en l'assommant. Le peintre Claude, leur ami et celui de Florent, exalte les principes de l'art nouveau, nourri de réel, et développe la grande métaphore allégorique des « gras » et des « maigres », qui définit l'opposition fondamentale de la société (4). Les fréquentations de Florent inquiètent de plus en plus Lisa, éprise de prospérité, d'ordre et de tranquillité. Mlle Saget, une vieille fille acariâtre et malveillante, propage la rumeur d'un complot dont Florent est la cheville ouvrière, alors que la rivalité de la charcutière et de la poissonnière s'envenime (5). Lisa finit par dénoncer son beau-frère, qui était surveillé dès le début par la police. Tous les conjurés sont arrêtés, au grand soulagement du peuple commerçant et gras des Halles, qui fait taire ses querelles en se réconciliant sur le dos de ces marginaux maigres. Claude peut alors s'exclamer : « Quels gredins que les honnêtes gens ! » (6).

Le Ventre de Paris est le grand roman de la nourriture. Il est scandé d'abord par autant de morceaux de bravoure descriptifs qu'il y a de pavillons et de spécialités alimentaires à vendre aux Halles. Poissons, fruits, légumes, fleurs et aussi fromages dont la « symphonie » odorante fit scandale à l'époque ! Il est vrai que le procédé peut paraître mécanique, mais le romancier a disposé ces passages de façon à accompagner le récit. Par exemple, lorsque les puanteurs fromagères forment le décor olfactif des ragots colportés par les bavardes du quartier contre Florent. Au début du livre aussi, quand la bourgeoisie grasse et satisfaite des charcutiers s'exprime dans la disposition de leur étalage. Autre présence, plus discrète : celle des noms, lorsque lesdits charcutiers s'appellent Quenu ou Gradelle, que d'autres personnages se nomment Logre, Gavard, Marjolin, la Sarriette !

La première interprétation de toute cette nourriture est politique : le grand affrontement de la vie sociale est celui qui oppose les « gras », qui peuvent et aiment manger, aux « maigres » toujours affamés. Sociobiologie historique un peu courte et trop déterministe, mais très évocatrice. La révolution devient alors la rébellion impossible des ventres vides contre les ventres pleins, dont le symbole est constitué par les Tuileries gorgées de nourriture et dont des marchands spécialisés vendent les restes. Manger ou être mangé, l'alternative est claire : « Les Halles géantes, les nourritures, débordantes et fortes, avaient hâté la crise. Elles lui semblaient la bête satisfaite et digérant, Paris entripaillé, cuvant sa graisse, appuyant sourdement l'Empire. Elles mettaient autour de lui des gorges énormes, des reins monstrueux, des faces rondes, comme de continuels arguments contre sa maigreur de martyr, son visage jaune de mécontent. » Le rapprochement ici doit être fait avec *Germinal dont un des thèmes essentiels est évidemment la nourriture (mal partagée) qui mène les hommes à s'entre-dévorer : un compagnon de Florent fut d'ailleurs mangé par les crabes...

Mais la nourriture est également l'enjeu central d'une fête, d'une joie, d'une dépense heureuse, et elle sera liée positivement à la satisfaction des appétits qui nous constituent. Apparaît alors une sorte d'élan vitaliste, panthéiste : la nourriture est l'objet de la faim, du goût, mais elle est également la métaphore à peine voilée de la sexualité, elle aussi heureuse et rabelaisienne. La critique a depuis longtemps marqué le rapport entre l'apologie des ripailles et une subversion carnavalesque qui semble nous éloigner beaucoup du conformisme des « gras » économes. On voit alors la richesse et l'ambiguïté du thème : l'aliment est tantôt richesse concrète qu'on peut accumuler, matière thésaurisée et proche de l'excrément ou de l'or en quoi elle se transforme ; tantôt aussi, objet de dépense, d'échange et de partage dans la grande table métaphorique des Halles.

Au-delà encore, la nourriture n'est véritablement comprise et sentie que par les artistes et les peintres en particulier, sensibles, comme peut l'être l'écrivain Zola, à la force vitale et féminine (voir le grand nombre des marchandes) qui émane de ces montagnes d'anguilles et de beurre. Ce n'est pas un hasard, en effet, si le cœur du livre est constitué par la profession de foi esthétique de Claude : la nourriture est évidemment le réel même, l'objet qui montre le mieux la vie, sa production et sa consommation. Toutes choses que veut justement représenter l'esthétique naturaliste : l'aliment, naturel et socialisé, se trouve au cœur d'une histoire naturelle et sociale. Chaque spécialité alimentaire est alors comme une couleur de la palette, un goût particulier dans l'éventail des saveurs que l'on peut assimiler, par l'ingestion ou la sensibilité esthétique. Elle est enjeu social, valeur symbolique et défi lancé à l'artiste.

● « GF », 1971 (p.p. R. A. Jouanny) ; « Presses Pocket », 1991 (p.p. G. Gengembre). ➤ *Les Rougon-Macquart*, « Pléiade », I ; *Œuvres complètes*, Cercle du Livre précieux, I ; *les Rougon-Macquart*, « Le Livre de Poche », III (préf. J. Ferniot, comm. P. Hamon) ; *id.*, « Folio », III (préf. H. Guillemin) ; *id.*, « Bouquins », I.

A. PREISS

VENTS. Poème de **Saint-John Perse**, pseudonyme d'Alexis Saint-Leger Leger, dit aussi Alexis Leger (1887-1975), publié à Paris chez Gallimard en 1946.

Ce poème en quatre parties fut composé en 1945 à Seven Hundred Acres Island (Maine), une petite île privée au large de la côte ouest des États-Unis où le poète se retirait chaque été.

« Vents, I ». Le vent, qui est une force de mouvement, dépouille arbres et siècles de ce qui est desséché (1). Invoqué (2), il emporte le narrateur en un chant pur qui disperse les balises du passé et les corps morts (3). La bibliothèque (4) n'est qu'un abîme (5) d'où s'élance vers les rives futures un homme ivre qui marche contre le vent et chante la chute des barrières (6, 7).

« Vents, II ». Dans sa marche vers l'Ouest, l'aventurier découvre les messages nouveaux de la terre (1), jusqu'à arriver au seuil d'un pays inconnu (2). Au sud, où migre le désir, se dessine un paysage de golfes, de fleuves et de boues fécondes (3). Ce lieu de renaissance et d'effacement, de démesure et d'exubérance féminine, est matière à soupçon (4) : le retour à l'Ouest marque la préférence donnée à l'ascèse (5). La transhumance reprend vers les « gîtes du futur » (6).

« Vents, III ». L'aventurier suit les traces des conquérants de l'Ouest américain (1, 2) : les valeurs (économie, religion, sciences) sont rejetées, comme les biens matériels ; le marcheur dissident cherche l'« étincelle » de la rupture (2). « L'Exterminateur » s'avance à la rencontre du « Monstre nouveau » (3). L'insulte et la violence sont les armes de ce chevalier qui sert la cause de l'humanité (4) : la recherche de la maturation conduit le poète au point extrême (5-6).

« Vents, IV ». Les vents font silence : la femme manifeste le retour à la société (1). Faut-il repartir plus loin, plus bas, au-delà, pour retrouver le connu, ou mourir (2) ? Le doute est balayé par le revirement vers l'est (3). L'homme de la race reprend place parmi les hommes, leur apportant le désir de nouveauté pour les débarrasser de la sagesse passée et de l'ordre (4-5). Le vent est honneur fait aux hommes et horreur de vivre (6). Un autre arbre monte des « grandes Indes souterraines » (7).

Les vents sont les forces vives de la poésie qui s'exercent pour et contre l'humanité. Forces disruptives, elles s'attaquent aux civilisations : elles détruisent – les institutions politiques, religieuses –, elles dispersent tout ce qui peut limiter – les bornes, les cartes (I, 3). Les souffles, projetés dans le poème sur un pays qui a la taille d'un continent et où s'est édifié le mythe de la conquête de l'Ouest, exercent contre les normes leur pouvoir d'anormalité. En effet, par leur origine, ils échappent au temps et à l'espace connus. Liés à l'Ouest – le futur –, les vents ne sont présents qu'à l'instant de leur passage : ils enseignent le devenir et le constant renouveau de toutes valeurs, « un nouveau style de grandeur où se haussaient nos actes à venir » (I, 3). Cette géographie imaginaire, greffée sur le référent constamment impuissant du poème (« Et tant d'avions les prirent en chasse, sur leurs cris ! », II, 1), ne sert pas un projet éthique, voire politique : Saint-John Perse ne rejette pas les valeurs des sociétés modernes, il les abandonne parce qu'elles le limitent. Car le poète recherche le principe même de l'aventure humaine, dont le vent devient le symbole : un principe de destruction/construction, qui est source de vie. Je me dépense,

donc je suis : « Et si un homme auprès de nous vient à manquer à son visage de vivant, qu'on lui tienne de force la face dans le vent ! » (I, 6). Pour trouver la nouveauté, il faut briser l'écorce des choses : « Nous cherchons, dans l'amande et l'ovule et le noyau d'espèces nouvelles, au foyer de la force l'étincelle même de son cri ! » (III, 2). Au-delà de chaque apparence, nouvelle découverte, réside l'objet de la quête. Par sa longueur, par ce motif de la quête d'un objet idéal échappant aux sciences, aux normes, à la logique, *Vents* se situe dans la lignée des poèmes symbolistes de la fin du XIXe siècle.

Les vents poussent à l'action (I, 6 ; III, 1), à la surrection et au mouvement (se lever, se dresser, monter, marcher, aller, passer). Le retour, avec des variantes, de la formule exclamative : « S'en aller ! s'en aller ! Parole de vivant » (I, 4, 7 ; II, 4), traduit l'urgence du départ comme chez Rimbaud. La pesanteur du présent, exprimée dans des métaphores empruntées au registre minéral (« Un homme s'en vint rire aux galeries de pierre des Bibliothécaires, prêtres d'un monde minéralisé, pétrifié, arrêté », I, 4), n'est désespérante que s'il faut revenir (IV). Au drame du retour s'oppose l'exaltation du départ. Un courage extrême anime le héros de cette geste, qui se veut différent des pionniers de l'Ouest américain (III, 1), guidé non par le souci de l'avoir mais par le désir d'être. Or, cet aventurier « de l'âme » se heurte au mur du silence : « Je t'interroge, plénitude – Et c'est un tel mutisme... » (II, 2). De la *tabula rasa* au « mutisme », tel semble le parcours suivi par le voyageur, contraint d'assumer le devenir et son principe, de constater le silence de l'« inconnu » (IV, 3), et de revenir parmi les hommes. Tel Ulysse...

Vents semble bien une épopée : on y retrouvera une invocation aux dieux – ici, forces naturelles (I, 2) –, un narrateur conteur (I, 2, 3, 7) qui reprend les récits de la terre portés par les vents (I, 7), intercalés entre guillemets (prosopopée, IV, 5), qui reprend les discours du poète (III, 6) ou des hommes « de la race » (IV, 5), et qui intègre ces discours à un ample récit dont le héros anonyme, enfermé dans des fonctions – Enchanteur, Novateur, Exterminateur (I, 5, 6 ; III, 3) –, assume une quête initiatique au bénéfice de l'humanité (III, 4). La rhétorique de Saint-John Perse, par ses effets, concourt à cette tonalité épique qu'avait notée Paul Claudel dans la lecture qu'il fit de *Vents* (*Un poème de Saint-John Perse*, dans *Œuvres en prose*, 1949). La personnification des forces naturelles (les vents agissent, discourent ; la terre produit, ou est disposée de manière à exprimer quelque chose), les métonymies qui donnent au monde une harmonie magique (par exemple, un règne semble se fondre dans un autre par un subtil échange de valeurs ou de qualités : « Lianes à crotales et [...] reptiles en fleurs », II, 4 ; « Aux pays du limon où cède toute chair, la femme à ses polypes, la terre à ses fibromes », II, 5), les métaphores qui transportent dans le concret, le quotidien, voire le trivial, l'aventure spirituelle (« Je te licencierai, logique, où s'estropiaient nos bêtes à l'entrave », III, 5), les allégories (II, 4) ou les amples comparaisons homériques (IV, 6), toutes ces figures rappellent combien Saint-John Perse aimait la littérature de l'Antiquité classique (âgé de dix-huit ans, il perfectionnait sa connaissance de la langue grecque pour lire Empédocle et traduire des *Épinicies* de Pindare), et combien sa modernité repose sur une rupture de la pensée (substitution de l'éternel retour nietzschéen à toute forme de dialectique ou à tout optimisme positiviste) et une transformation de la sensibilité, qui trouvent leur forme d'expression dans des modèles consacrés. Sur des pensers nouveaux, faire, encore, des poèmes antiques, c'est revenir à l'origine.

Mais ces longues énumérations (III, 1, 2, 4) et cette profusion rhétorique et thématique (II, 4 ; IV, 2) servent aussi, au cœur de l'épopée de l'esprit humain, un projet poétique qui refuse d'enfermer le monde dans des balises et des cartes (comparer avec le roman d'aventures de Jules Verne) ou des bibliothèques. La démesure épique est l'indice de la mésintelligence et de l'ivresse que revendique le poète (I, 3). À travers l'accumulation prend forme le mouvement d'une crue (IV, 5) : « Épier au très lointain des choses ce grondement, toujours, de grandes eaux en marche vers quelque Zambézie ! » (IV, 1). L'ailleurs originel, l'Ouest, est profusion débordante et production incessante du pluriel.

La poésie est donc un beau désordre où le « Prodigue » dépense à pleines mains le savoir (II, 4). Il resterait à nuancer, désormais, le rapport au passé : est-il rupture (I), renaissance (II), répétition (III), reconnaissance (IV) ? Ces interrogations, donnent une place au « doute » et à la « suspicion » (I, 7 ; II, 5) dans le poème. Ainsi, le Sud, qui impose une déviation dans l'itinéraire vers l'Ouest, est condamné (II) ; mais, de même, le progrès vers l'Ouest est mis en question : « Qu'irais-tu chercher là ? » (IV, 2). L'épopée devient drame lorsque le voyageur est contraint d'accepter le retour à l'humanité : il a compris alors qu'il ne faut pas céder à une fuite en avant vers une illusoire différence. La différence n'existe que dans le vouloir humain : le poète place le vent parmi les hommes (comparer I, 6 et IV, 6). Tel René Char (voir *Fureur et Mystère*), dont il est si proche par sa conception du temps, ses métaphores (limon, crue, éclair, nuit), ses exigences, Saint-John Perse est un humaniste conscient de ses devoirs.

Le mot « vent » désigne le poème au cœur du poème. Cette réflexivité est caractéristique de la poésie de Saint-John Perse : le récit mesure l'efficacité de la poésie. De l'incipit à la clausule, de l'arbre qui perd ses feuilles au « chargement de fruits nouveaux » (I, 1 ; IV, 7), le désir triomphe de la mort, la nouveauté vient à bout de la dissémination (I, 1 ; I, 6 ; III, 3). Aussi, dans ce vent qu'affronte le voyageur et qui le modèle, peut-on voir une représentation du poème qu'affronte le lecteur. Chacun peut faire de sa lecture un « rendez-vous », et assumer l'indicateur « nous » (IV, 5). École de la rupture, *Vents* est un poème de l'instant partagé (IV, 3). À « nous » de subir l'éclair, d'être l'Angle, « litige entre les choses litigieuses » (II, 6), pointe pénétrant le pluriel qu'elle rassemble et déchire (IV, 4, « l'abeille »), à nous de dépasser, la lumière à la main, les limites du connu : « Aux porcheries du soir vont s'élancer les torches d'un singulier destin ! » (III, 2). En ce poème du monde pluriel, de la confusion du poète et du lecteur, en cette épopée baroque, chacun sera Ulysse.

● « Poésie/Gallimard », 1968. ➤ *Œuvres complètes*, « Pléiade ».

D. ALEXANDRE

VÉNUS D'ILLE (la). Nouvelle de Prosper **Mérimée** (1803-1870), publiée à Paris dans la *Revue des Deux Mondes* le 15 mai 1837, et en volume chez Magen et Comon en 1841.

« Histoire de revenants », dit Mérimée dans sa correspondance, cette nouvelle a une place à part dans son œuvre : « C'est, suivant moi, mon chef-d'œuvre. » La grande érudition de l'auteur permet de lui supposer une multiplicité de sources, depuis les « in-folios latins » ou *L'homme qui aime les mensonges* de Lucien, comme il l'indique lui-même, jusqu'à *Histoire de Grégoire VII* de Villemain connue avant sa publication (1834) grâce aux conversations des deux écrivains. En fait, l'intrigue est issue d'une légende souvent attestée, très ancienne, et assez connue à l'époque. Mérimée utilisera également les souvenirs récents de son voyage dans le midi de la France (1834) pour choisir le décor de son récit, brosser quelques portraits et fixer les traits de sa statue, qui doit probablement à une Vénus observée à Vienne et remarquée pour son réalisme bien éloigné de l'impassibilité grecque habituelle. Mêlant érudition et observation à son, expérience d'inspecteur des Monuments historiques, Mérimée construit ainsi la plus célèbre de ses nouvelles fantastiques.

Attendu par M. de Peyrehorade, le narrateur apprend de son guide la découverte d'une statue maléfique, dont l'érection a causé la blessure d'un ouvrier. Bien reçu par son hôte, « antiquaire » disert et imaginatif qui vient de faire un mémoire sur la découverte de cette Vénus, il apprend en outre qu'il devra assister au mariage d'Alphonse, le fils de celui-ci. Avant de se mettre au lit, il voit avec amusement un galopin lancer une pierre sur la statue puis gémir de l'avoir reçue en retour, par ricochet. Le lendemain, il peut contempler la statue, « d'une merveilleuse beauté » mais douée d'une « expression d'ironie infernale ». M. de Peyrehorade brode de façon fantaisiste sur l'inscription ambiguë que porte la statue : cave amantem. Lors du repas qui met fin à la journée, deux nouveaux personnages apparaissent : Alphonse, jeune homme vulgaire intéressé par l'argent, et sa belle et douce fiancée, Mlle de Puygarrig. Le lendemain, avant de se rendre à la noce, et pour venir en aide à son équipe de jeu de paume mise en danger par des Aragonais très adroits, Alphonse ôte son habit ainsi que la bague promise à sa fiancée — et à l'intérieur de laquelle est gravée la formule : sempr' ab ti [toujours avec toi] — qu'il met à l'annulaire de la statue. Vainqueur, il affiche un mépris triomphant et l'Aragonais promet de se venger. Lors du repas de noces, le fiancé, très troublé, demande au narrateur d'aller rechercher la bague qu'il n'a pu retirer du doigt étrangement replié de la statue. Mais l'haleine avinée d'Alphonse et la pluie battante font renoncer l'hôte à sortir. Ponctuée de bruits de pas lourds, la nuit s'achève par une scène d'horreur : Alphonse, assassiné, semble avoir été broyé, et sa jeune épousée est devenue folle. Elle déclare que la statue, entrée dans la chambre avant le marié, s'est couchée dans le lit et l'a enlacé de ses bras de bronze avant de disparaître à l'aube. Le joueur aragonais, d'abord soupçonné, est interrogé mais relâché avec des excuses. Le narrateur s'en va ; il apprendra bientôt la mort de M. de Peyrehorade, la fonte de la statue transformée en cloche et le gel des vignes depuis lors...

Objet d'un triple regard, découverte mais en réalité toujours enfouie sous son mystère, la statue de bronze est le centre du récit, noyau immobile et énigmatique. Face à elle se trouvent ceux qui ne savent pas voir (les Illois), et celui qui sait voir mais s'y refuse (le narrateur). Le groupe des habitants de la petite ville, d'ailleurs diversifié, mais frappé par une même cécité, réunit d'une part les villageois, guides ou ouvriers, entièrement soumis à des préoccupations matérielles ou dominés par une religiosité craintive, pour qui la statue est une « grande femme noire plus qu'à moitié nue » ; et d'autre part Mme de Peyrehorade, l'épouse un peu grasse, incarnant selon la formule de son mari « la sainte ignorance de la province » et « scandalisée au dernier point » par le désir de son mari de sacrifier deux palombes à la Vénus. Pour eux, comme pour les gamins facétieux qui jettent des pierres sur elle – dans la réalité, Mérimée s'était penché sur ce phénomène courant de vandalisme –, la statue est bien une idole, une image du mal, et comme telle, possède un pouvoir maléfique. Alphonse les rejoindra plus tard : l'athlète insouciant et grossier, qui ne voit en sa ravissante fiancée qu'une belle dot et qui rit au souvenir d'une modiste parisienne, frémira de terreur quand il ne pourra reprendre sa bague. Face à eux, M. de Peyrehorade représente le rationalisme souriant ; il reste d'abord un archéologue (« Un antique ! », s'écrie-t-il lorsqu'on lui annonce la découverte) ; cet homme aimable, accueillant et sympathique, est aussi un érudit à qui la tête tourne dès qu'il se lance dans le décryptage d'une inscription latine : « Car j'ai fait un mémoire... moi qui vous parle », « Je veux faire frémir la presse. » À travers ce double visage d'un homme charmant qui est « la vivacité même » et d'un pédant devenu la proie de son délire interprétatif – Mérimée prend ici des modèles dans la réalité –, on peut discerner un pôle parodique. Celui-ci part de M. de Peyrehorade et de ses élucubrations innocentes – après tout, il lui suffit de tout compliquer pour croire avoir tout compris – et irradie autour de lui ; le narrateur parisien se moque alors des mœurs provinciales, du dandysme raté d'Alphonse et de ses rêves naïfs, de ces longs repas trop copieux que le personnage officiel qu'il était a dû souvent subir, de ces plaisanteries balourdes et prétendument spirituelles sur les femmes. L'ironie, d'ailleurs bienveillante, est tempérée par un humour léger puisque le narrateur sait se moquer de lui-même, par exemple de son statut vaguement ridicule de célibataire immergé dans une noce. Il consent parfois à se mettre à l'unisson des facéties de son hôte, même s'il garde un regard plus lucide que lui. Car si la Vénus d'Ille est l'objet d'une vénération de la part de l'« antiquaire », elle n'est pas vue par lui : elle lui sert d'abord à sa valoriser lui-même avec jubilation ; plus que la statue, c'est le socle qui intéresse le faux savant. Aussi le regard du spécialiste en « antiques » rejoint-il le regard indifférent, voire hostile des ignorants ; face à la statue, ils sont restés aveugles.

Ils n'ont rien perçu de cette beauté singulière ; ou plutôt les Illois ont interprété une puissance maléfique sans la relier à la valeur esthétique, et M. de Peyrehorade a vu une beauté pour archéologue sans deviner sa fondamentale étrangeté. Seul le narrateur possède un vrai regard qui tient du spécialiste et de l'esthète ; on remarquera qu'il ne lui est permis de découvrir la statue qu'assez tard. Un art du suspense se profile alors qu'il faut relier au caractère policier d'une enquête qui anticipe sur les nouvelles de Poe ou de Conan Doyle. Le voyageur décèle cette « expression d'ironie infernale » qui est peut-être la clé du récit. Mais il reste au seuil du mystère et c'est d'ailleurs en cela que réside la dimension fantastique de la nouvelle. Tandis que pour M. de Peyrehorade la statue est avant tout une inscription brillamment – mais faussement – décryptée, celle-ci demeure pour le voyageur une énigme indéchiffrée.

Prédomine donc cette statue triomphante et narquoise, qu'une grasse commère, mère et veuve éplorée (Mme de Peyrehorade), fait bassement fondre en cloche et dont il ne faut pas oublier qu'elle est une Vénus. M. de Peyrehorade lui oppose, en croyant badiner, une rivale de chair en la très jolie fiancée Mlle de Puygarrig ; on sait ce à quoi elle la réduit. Alphonse lui passe une bague au doigt, mais ne sait pas aimer ; on voit ce qu'il lui en coûtera. La désinvolture du fils réduplique celle du père qui joue comme lui avec le feu (de l'amour) en fixant par exemple le mariage un vendredi, jour de Vénus. Et la citation joyeuse de Racine (« C'est Vénus tout entière à sa proie attachée ») prend rétrospectivement tout son sens : la nouvelle fantastique reproduit sur un mode mineur une tragédie, celle-là même de *Phèdre* qui montre la vengeance de Vénus. L'inscription *cave amantem* était simple, comme le pensait le narrateur (« Prends garde à toi si elle t'aime »). Les Illois ne savaient pas vraiment lire, ni voir. Le narrateur, ne faisait que passer.

● « GF », 1982 (p.p. A. Fonyi). ➤ *Romans et Nouvelles*, « Classiques Garnier », II ; *Nouvelles complètes*, « Folio », I ; *Théâtre. Romans et Nouvelles*, « Pléiade » ; *Nouvelles*, « Lettres françaises », I.

F. COURT-PEREZ

VÊPRES SICILIENNES (les). Tragédie en cinq actes et en vers de Casimir **Delavigne** (1793-1843), créée à Paris au théâtre de l'Odéon le 23 octobre 1819, et publiée à Paris chez Barba et Ladvocat la même année.

Delavigne, en qui l'on voit aujourd'hui un auteur timoré et compassé, était sous la Restauration le porte-parole de toute une jeunesse qui avait vibré aux accents des premières *Messéniennes* (1818-1819). Ces « élégies sur les malheurs de la France » avaient redonné vigueur au sentiment national après l'humiliation de 1815. *Les Vêpres siciliennes* jouent sur le même registre en mettant en scène les épisodes qui conduisirent au massacre des Français dans le royaume de Naples en 1282. D'abord refusée à la Comédie-Française, la pièce fut acceptée à l'Odéon alors dirigé par Picard. Elle y remporta un « formidable succès » (Joanny) et connut trois cents représentations consécutives.

Un noble palermitain, Jean de Procida, revient en Sicile pour diriger une conspiration contre l'occupant français ; il apprend que, pendant son exil, son fils Lorédan est devenu l'intime du magnanime Roger de Monfort qui pour lors gouverne la ville. Pris entre deux affections, Lorédan découvre alors que celle qui lui est destinée, Amélie de Souabe, aime en secret Roger de Monfort. Il se range aussitôt du côté des insurgés (Acte I). La rivalité amoureuse et politique qui oppose les deux hommes va précipiter les événements (Acte II). Craignant pour la vie de Monfort, Amélie, presque malgré elle, trahit le complot. Procida et Lorédan sont arrêtés. Poussé à la clémence par sa noblesse d'âme et ses anciens liens d'amitié, Monfort, tout en enfermant le père et le fils, tâche de faciliter leur fuite (Acte III). Procida en profite pour redonner vie à la révolte qui éclate. Lorédan, chargé de tuer Monfort, ne peut s'y résoudre ; il lui donne même son épée pour se défendre. Les deux amis s'étreignent et chacun va combattre de son côté (Acte IV). Dans la fureur de cette émeute qui tourne au massacre des Français, Lorédan a frappé Monfort en voulant sauver Procida. Monfort vient alors agoniser sur les marches du palais ; Lorédan, bourrelé de remords, devant les yeux d'Amélie et de son père se tue sur son cadavre. Procida pleure son fils mais continue la lutte (Acte V).

Précédant d'une dizaine d'années les premiers grands drames romantiques, cette pièce, tout en respectant les traditions classiques, traduit le besoin de renouveau du théâtre sous la Restauration en instillant romanesque et pathétique à une tragédie anémiée. Utilisant au mieux la situation paradoxale du début (la pièce exalte la liberté et le nationalisme, mais les Français jouent le rôle de l'occupant), Delavigne place ses personnages dans des situations inextricables (souvent calquées sur celles de Corneille ou de Racine), et réussit à rendre Monfort aussi sympathique que ceux qui conquièrent leur liberté contre lui. Il cède aussi parfois, adroitement certes, à une certaine facilité pour, dans des scènes fortement structurées, multiplier les effets de surprise. C'est ainsi qu'entre la fin du quatrième et le début du cinquième acte, le public n'a cessé d'applaudir la mutuelle grandeur d'âme de Lorédan et de Monfort. Ces applaudissements, qui redoublaient aussi lors des vers à panache, marquent la parfaite adéquation d'un public avec son auteur. Fort de cette approbation enthousiaste, Delavigne allait continuer à chercher le renouvellement de la tragédie non par le rejet des structures anciennes, mais dans la pratique de hardiesses calculées.

En 1855, Verdi reprit l'épisode des « Vêpres siciliennes » dans un opéra (paroles de Scribe et Duveyrier), représenté sous ce titre à Paris, à l'Académie impériale de musique.

J.-M. THOMASSEAU

VER-VERT. Voir VAIR-VERT, de J.-B. Gresset.

VÉRA. Voir CONTES CRUELS et NOUVEAUX CONTES CRUELS, d'A. de Villiers de L'Isle-Adam.

VERCINGÉTORIXE. « Tragédie » en un acte et en vers de François-Georges Mareschal, marquis de **Bièvre** (1747-1789), publiée à Paris en 1770.

Parue sous le titre : *Vercingétorixe, tragédie posthume du sieur de Bois-Flotté, étudiant en droit-fil : suivi de notes historiques de l'auteur*, cette pièce ne fut pas représentée mais établit durablement la célébrité de l'auteur.

Le texte, suivi de « notes historiques », est précédé d'un Avis au lecteur, parodie des écrits de ce type : après les appels aux autorités (celles, ici, de l'abbé Quille, du sieur de Bois-Flotté), vient le récit de la découverte du manuscrit « posthume ». On trouve ensuite une « Lettre de Mme la comtesse Tation à l'éditeur », un Avertissement, une « Préface de l'auteur » contenant de multiples « observations sur l'art dramatique ». La tragédie, à laquelle on arrive enfin, nous présente Vercingétorixe (sic) dans Alexie [Alésia] assiégée par les Romains. Un conseil de guerre cornélien réunit le héros gaulois et ses officiers. Va-t-on attaquer, se rendre, ou, comme le conseille Critognat, pratiquer l'anthropophagie en attendant les renforts ? Le traître Éporédorixe est tué mais César fait substituer à son corps celui du noble guerrier gaulois Convictolitan, l'amant de la belle Silvie. C'est lui qui est dévoré. La belle se laissera mourir pour devenir le tombeau de son amant.

Comme on voit, *Vercingétorixe* est une parodie générique : Racine et Corneille mais surtout Voltaire et Crébillon père sont visés. Ce dernier n'a-t-il pas porté à la scène *Atrée et Thyeste*, ainsi que l'horrible festin cannibale de la légende ? Bièvre plaisante le ton pompeux, les sempiternelles justifications historiques d'histoires réellement inventées, mais aussi la double dérive de la tragédie vers les histoires sanglantes ou horribles et vers la prétention philosophique. En même temps, il s'en prend au caractère pédant des éditions et à leurs conventions (pseudo-authenticité auctoriale et éditoriale) : on songe à Thémiseul de Saint-Hyacinthe et à son *Chef-d'œuvre d'un inconnu* (1714). Le texte est truffé de contrepèteries que la comtesse du *Canard enchaîné* reconnaîtrait sûrement et de calembours extrêmement mauvais – et drôles pour cette raison. Ce sont ces jeux sur les mots, indiqués par des italiques, qui ont valu au marquis sa notoriété et qui font qu'il est encore cité parfois : « Je vais me retirer dans ma tente *ou ma nièce*, / Et j'attendrai la mort de la faim *de la pièce*.» Tels sont les deux derniers vers de ce chef-d'œuvre.

● J.-J. Pauvert, 1961 (p.p. F. Bouvet).

P. FRANTZ

VERCOQUIN ET LE PLANCTON. Roman de Boris **Vian** (1920-1959), dont le titre complet est : *Vercoquin et le Plancton. Grand roman poliçon en quatre parties réunies formant au total un seul roman, par Bison Ravi, chantre espécial du Major, avec cette épitaphe : Elle avait des goûts d'riche, Colombe... Paix à ses cendres. Vive le Major. Ainsi soit Thill (Marcel)*, publié à Paris chez Gallimard en 1946.

Le Major donne une folle surprise-partie dans sa propriété de Ville-d'Avrille investie par les zazous. Au son d'un orchestre de jazz, le Major rencontre Zizanie, alors accompagnée de Vercoquin, et saisit cette occasion pour développer sa méthode de parfait séducteur. Il confie à son ami, Antioche, le soin de demander la main de Zizanie à son oncle Miqueut. Or, ce « sous-ingénieur principal » multiplie les tracasseries administratives : l'entrevue officielle a lieu cinq mois plus tard ; entre-temps, l'Occupation a succédé à la guerre. Le Major entre dans les services de Miqueut, qui lui accorde, enfin, la main de Zizanie. Les festivités du mariage entraînent les invités dans une surprise-partie tellement endiablée que l'immeuble saute. Mais nul ne s'en émeut : car au même moment Billancourt est bombardé par l'aviation alliée.

Vercoquin et le Plancton transpose les expériences personnelles de Vian pendant la Seconde Guerre mondiale. Il met en récit les excentricités des « zazous », l'extravagance de leur comportement et de leurs modes. Mais le futur auteur du *Déserteur* dénonce aussi la bêtise de la guerre et, plus encore, la sclérose et le formalisme administratifs. Vian souffrait d'une maladie de cœur qui l'empêcha d'être mobilisé ; pendant la guerre, il prit ses distances à l'égard de l'ordre établi en jouant du jazz dans un orchestre amateur et en frayant avec les « zazous ». Son roman évoque cette période en lui ôtant son tragique. Réduits eux-mêmes à des caricatures dénuées de psychologie, les personnages ne semblent pas la prendre au sérieux : Miqueut, uniquement préoccupé de ses « nothons », terme inventé qui désigne des rapports stériles sur des sujets fantaisistes, est indifférent aux vicissitudes du destin national tant qu'il peut faire fonctionner et alourdir encore le système bureaucratique dont il a la charge. L'évocation burlesque de cette époque tragique est encadrée par deux surprises-parties qui donnent lieu à un délire verbal imaginaire. Elles contribuent à ôter toute réalité à l'intolérable, à la guerre et aux rigidités administratives dont la langue de bois s'oppose en tous points à la fantaisie débridée du style de Vian.

● « Folio », 1973 ; Christian Bourgois, 1982.

V. ANGLARD

VERDUN. Voir HOMMES DE BONNE VOLONTÉ (les), de J. Romains.

VERGERS et **QUATRAINS VALAISANS (les).** Recueils poétiques de Rainer Maria **Rilke** (Autriche, 1875-1926), publiés à Paris chez Gallimard en 1926.

Pourquoi l'auteur des *Élégies* et le traducteur de *Charmes* de Valéry a-t-il choisi d'écrire ainsi en une langue étrangère ? Peut-être pour des motifs biographiques, puisque ces poèmes, composés, pour le premier recueil, entre janvier 1924 et mai 1925 et, pour le second recueil, entre août et septembre 1924, auraient pu « appuyer [la] future demande de nationalité suisse » du poète ; s'ajoute sans doute aussi le désir de se lancer dans un travail « marginal » et de parvenir à s'exprimer poétiquement en une « transposition vraiment fidèle et légitime », parce que toute traduction de poème n'est qu'une « imprécise approximation ».

Vergers. Parmi les 59 poèmes du recueil, "Éros" (19), "Verger" (29), "Printemps" (44), "la Fenêtre" (50) sont chacun des suites de quatrains d'octosyllabes qui délimitent cinq parcelles dans ces *Vergers* : l'absence déçoit tout rêve de complétude (poèmes 1-18) ; le souvenir et la réconciliation des contraires, cependant, donnent naissance au moi et au monde (19-28). L'autre prend forme, le sublime advient si le sujet sait épouser, un bref instant, le dynamisme du monde (29-43). Mais comment se rendre complémentaire du monde, face à un printemps qui ramène vie et mort, qui humilie et exalte (44-49) ? Telle une fenêtre (50), le poème maîtrise l'instant, avant l'effacement. L'inaccessible horizon ou la rose, seul l'animal ignorant les atteint – ou la dormeuse. Il faut donc revenir à l'humanité – au lecteur (51-59).

Les Quatrains valaisans, au nombre de 36, portent en eux la saveur d'un paysage : dans le temps comme dans l'espace, le point central – le vin, l'instant, le son d'un carillon, le regard et l'ouïe d'un homme attentif – rassemble les forces antagonistes (1-9). Toujours présente, la mort prend place dans cet étagement qui mène progressivement à un ciel superbe. Bien qu'en constant devenir, le monde en est toujours à son premier jour : malgré le temps, l'essence perdure. Cet espace est créé par le corps qui le pénètre (10-36). L'accord des qualités – le dur et le doux, par exemple – se fait grâce aux éléments (eau, vent) auxquels s'abandonne le Valais (10-36).

Face au silence de la divinité, qui dès l'abord oppose deux espaces (ciel/terre, haut/bas), le poète redevient « étudiant » (*Vergers*, 18). Le monde est là, ouvert comme un « livre » (*Quatrains*, 36) qu'il lui faut lire, déchiffrer, construire. Rilke va du perçu au sens, de l'image au symbole. En leur mouvement, ces deux recueils narrent la reconquête, par un regard humain et une intention humaine visant à retrouver l'« essence » : de l'espace, de la chambre jusqu'à l'horizon, de la table jusqu'aux étagements d'un « beau bas-relief de nuages ». Car, face au non-sens, il faut réagir. Le poète ne fait qu'assumer alors une tâche commune à tous (« on », « nous », tours impersonnels ; voir Mallarmé, *Divagations*, ou Paul Claudel, *Cinq Grandes Odes*), dont la nécessité et l'urgence sont restituées à travers des constructions modalisées (« il faut », « il s'agit de », exclamatives, formulations prescriptives). Le moi ne s'insinue en ces quatrains que lorsque le corps s'impose : la présence charnelle semble l'unique moyen de lutter contre l'ange, soucieux de dérober l'essence à l'homme (*Quatrains*, 34). Le contemplateur, en pénétrant le monde, défie le silence divin : il bâtit sa demeure par sa parole.

Cette pénétration même constitue le sujet. Il faudrait ici nuancer, établir des distinctions entre *Vergers*, traversés de la peur du printemps qui rappelle le vieillard à la mort, et les *Quatrains*, baignés d'harmonie. De quelle harmonie ? À tout paysage, il faut un centre et un mouvement centrifuge, qui établissent l'accord des forces qui s'affrontent : le passé et l'avenir, l'humain et le divin, la pierre et le vent, l'horizontal et le vertical... La métaphore de la balance, si récurrente, définit au mieux ce Valais qui révèle son passé et sait rester toujours primordial. L'instant y concentre l'intemporel : il ouvre, extatique, sur une éternité façonnée, au rythme des saisons, dans l'équilibre des éléments, même les plus humbles – un mur, une tour, une chaumière, le son d'une cloche – ; comme chez René Char, bien plus tard, dans *le Nu perdu*, la plénitude s'offre à qui sait la regarder.

Mais, parce que le sujet se dissout dans l'espace, il peut s'y perdre. Si l'abondance répond à l'abandon du divin, elle peut provoquer l'abandon de soi. Pour éviter d'être déchiré et pluriel, fuyons l'éternité : préservons l'instant, rendons-le à sa nature fragmentaire et intervallaire. Tout équilibre, instable, console un moment de l'absence et du deuil. Le poème, tourné vers l'autre, permet un court moment de rétablir la communication entre les hommes, entre l'homme et l'ange, fût-ce sans espoir de réponse (*Vergers*, 9). Rilke trouve, dès lors, dans la fenêtre « où notre figure se mire mêlée à ce qu'on voit au travers » (*Vergers*, 50), le cadre poétique où sont assemblés en une totalité les contraires (sujet et monde, dehors et dedans). La rencontre – souvenir baudelairien – est heureuse, mais éphémère.

En ces poèmes, Rilke se souvient qu'il séjourna à Paris où il fréquenta Rodin et les milieux artistiques français du début du siècle. Certains lieux communs du symbolisme – la rose, le cygne (*Vergers*, 40), le cor de chasse (11) – sont à la fois des hommages rendus à cette poésie étrangère qu'il assume et des motifs très personnels. Le reflet du cygne dans l'eau, en son tremblement, résume l'image fragile et incertaine de l'ami que l'on observe et dont l'aura se noie dans l'espace. Né des sonorités d'un mot (verger : le latin *ver*, le calembour « vers-j'ai », la spatialité suggérée par le mot, 29), le recueil, en dépit de sa douceur élégiaque, confie au poème la plus extrême des missions : par-delà la clôture du monde, par-delà la mort qui se répète, imposer à l'ange silencieux la parole trop charnelle de l'homme. « Entre le monde trop vague pour saisir l'ange / Et Celle qui, par trop de présence, l'empêche » (*Vergers*, 52), il y a le poème, fugace et fragile.

● « Poésie/Gallimard », 1978 (préf. Ph. Jaccottet).

D. ALEXANDRE

VÉRITABLE SAINT GENEST (le). Tragédie en cinq actes et en vers de Jean **Rotrou** (1609-1650), créée à Paris au théâtre de l'hôtel de Bourgogne en 1646 (ou 1645), et publiée à Paris chez Quinet en 1647.

Avec cette pièce, l'une de ses dernières, Rotrou cherche à concurrencer *l'Illustre Comédien ou le Martyre de saint Genest* de Desfontaines (peut-être créé en 1644 par l'Illustre-Théâtre, publié en 1645) et suit les traces de *Polyeucte*, en écrivant la seule tragédie du XVIIe siècle (avec celle de Desfontaines) qui joue du théâtre dans le théâtre. Il amalgame plusieurs faits historiques (fin du IIIe-début du IVe siècle) et s'inspire d'une œuvre de Lope de Vega (*lo Fingido verdadero* [le Feint véritable], publiée en 1621) pour sa pièce cadre, du *Sanctus Adrianus* (publiée en 1630) d'un jésuite, le père Cellot, pour sa pièce enchâssée. Plus qu'une simple défense du théâtre, cette œuvre baroque de caractère apologétique lie intimement théâtre, religion et politique, et entraîne le spectateur dans le vertige de l'illusion, source de vérité.

L'action se déroule à Nicomédie, en Asie Mineure, au temps de la tétrarchie de l'Empire romain. À la suite d'un songe, Valérie, fille de l'empereur Dioclétian, craint qu'on ne l'oblige à épouser un homme indigne d'elle. Elle se réjouit bientôt : son père la donne à Maximin, l'un des co-empereurs. Genest, acteur et directeur de troupe, propose de délasser les souverains par son art ; Valérie obtient qu'il représente la mort d'Adrian, ancien persécuteur des chrétiens qui, s'étant converti, a été récemment exécuté sur ordre de Maximin (Acte I).

Après un dialogue avec le décorateur, Genest répète son rôle, d'abord seul puis avec Marcelle (qui jouera Natalie, la femme d'Adrian). De nouveau seul, il se sent devenir Adrian malgré lui, entend une voix céleste ; tenté de s'abandonner à Dieu, il résiste encore. Les spectateurs s'installent, la pièce commence : Adrian dit sa joie du martyre proche, s'oppose à l'envoyé de l'empereur, puis est arrêté. Chacun applaudit Genest ; on félicitera les acteurs pendant l'entracte (Acte II).

La pièce reprend. Face à Maximin [personnage de la pièce enchâssée], Adrian reste insensible aux tortures annoncées. Il découvre que sa femme est elle-même chrétienne. Mais le spectacle est interrompu par le bruit des courtisans qui, en coulisses, se pressent autour des actrices (Acte III).

Grâce à l'intervention de Dioclétian, le spectacle peut continuer. Marchant à la mort, Adrian demande à être baptisé : c'est alors que Genest annonce qu'il est lui-même devenu chrétien. Des flammes traversent le « ciel ». Il est arrêté (Acte IV).

Marcelle, exposant les difficultés auxquelles la troupe va se trouver confrontée, l'incite en vain à se rétracter. Valérie et les acteurs plaident pour lui ; Dioclétian accepte de lui pardonner s'il abjure le christianisme. Mais on annonce la mort du comédien : ni les prières, ni les tortures n'ont entamé sa sérénité (Acte V).

Jouant du songe, fréquent dans la tragédie de l'époque, Rotrou ouvre sa pièce par un trompe-l'œil : on croit d'abord que Valérie sera l'héroïne tragique d'une pièce matrimoniale. Dès la seconde scène et le dénouement heureux qu'elle apporte à cette « tragédie avortée », on est pris dans la vrille du retournement et de l'ambiguïté ; du mariage avec Maximin, il ne sera plus question qu'à la fin de l'acte V : l'intrigue matrimoniale encadre la pièce et l'éclaire. Pour Valérie, le songe paraît mensonge : Maximin n'est pas indigne d'elle. Mais le songe est vérité, car Dioclétian (lui-même d'obscure extraction) a gommé sa modeste naissance, et fait de Maximin, un ancien berger, son égal : les princes s'inventent eux-mêmes, comme ces faux dieux dont, dans une perspective chrétienne, ils se disent les lieutenants. Ils goûtent le théâtre, aiment succomber à l'illusion, et Valérie insiste pour que Genest interprète Adrian : c'est dans ce rôle qu'il « feint » de la manière la plus accomplie. Maximin aura plaisir à se voir représenté par un acteur : microcosme, cette micro-société impure (et obsédée, jusque dans son sommeil, par son impureté), ce monde où l'apparence est loi, se plaît à se contempler dans le miroir du théâtre. Et les spectateurs princiers deviendront malgré eux les acteurs d'une autre pièce sur le grand théâtre du monde.

Dès lors, tout n'est plus que répétition et duplication (on a deux empereurs ; on aura Genest et Adrian, Maximin et l'acteur qui le joue, Marcelle et Natalie...), dans un jeu constant de reprises et de variations. C'est d'abord la répétition, au sens théâtral du terme. Rotrou nous fait pénétrer dans les coulisses (Genest discute avec le décorateur, organise la représentation), ménage à deux reprises une rupture entre les actes (retour à la pièce cadre) pour théâtraliser l'entracte : il montre comment se fabrique l'illusion (le décorateur souligne que le décor est pensé en fonction d'un point de vue) et veille à empêcher les spectateurs que nous sommes de s'y abandonner totalement. Genest, lui, sait que le jeu de l'acteur peut devenir aliénation. Il se rappelle à lui-même qu'« il s'agit d'imiter, et non de devenir ». Mais, en revoyant son rôle, il semble se vider de lui-même pour s'imprégner du personnage, répète des vers par lesquels Adrian s'exhorte au martyre, comme si, les sentant agir sur lui, il ne parvenait plus à s'en défaire. Alors s'ouvre en lui une lutte entre le Christ et les dieux, qui s'accomplira dans le cours de la représentation : l'illusion, la parole de l'autre, ce personnage qu'il incarne, le conduira à la vérité ; la conversion s'accomplit par le théâtre – et par la grâce, comme le confirme la voix surnaturelle que nous entendons comme lui. Le travail de conversion est engagé ; mais quand l'acteur devient-il son personnage ? Peu importent ses propos, et la pièce enchâssée elle-même : on en sait plus que les spectateurs intérieurs et l'on reste à l'affût des réactions du comédien. Lorsqu'enfin tombe le masque, ni les spectateurs intérieurs ni les autres acteurs ne veulent comprendre : les seconds croient à une improvisation, les premiers applaudissent sa virtuosité. « Sa feinte passerait pour la vérité même », dit Valérie.

Devenu acteur de la divine Parole, il vit ce qu'il jouait – avec de subtiles différences : la foi d'Adrian, d'obédience thomiste avant la lettre, était née d'une émulation héroïque et de la raison ; la conversion de Genest est le fait de la grâce. Se répètent donc la rencontre avec le prince, puis celle avec le personnage féminin. Genest achève cependant la représentation interrompue du martyre d'Adrian : c'est lui qu'on exécute. Il a voulu « d'une feinte, en mourant, faire une vérité », conclut Maximin, vérité offerte à tous, mais non admise : on dit sa mort en usant de métaphores théâtrales – son exécution fut la « dernière scène » de sa « tragédie » –, pour mieux dénoncer sa foi comme illusoire, sans vraiment saisir qu'on est soi-même une créature du grand Dramaturge.

Isolé dans la lumière de la grâce, Genest ne suscite aucune conversion : lui seul est sorti du théâtre, descendu de cette estrade ménagée sur la scène même pour courir à l'échafaud, divine « échelle » ; tous les autres sont encore dans l'illusion, sourds à ce qu'il entend, aveugles à ce qu'il voit. Apologie du théâtre par le théâtre (et même double apologie : réalisée par le public intérieur, puis, on le sait, par l'Église : Genest sera canonisé), et texte apologétique d'un point de vue religieux, la tragédie n'exhibe pourtant nul prosélytisme. Mais le spectateur peut-il rester insensible à l'expression réitérée de la foi, à cette psalmodie qu'entonnent tour à tour deux nouveaux convertis, Adrian joué par Genest, puis Genest pour son propre compte ? Peut-il, en voyant à la fois l'aveuglement des acteurs, émus par les conséquences matérielles qu'aura pour eux cette conversion, et l'aveuglement des empereurs, bourreaux narcissiques convaincus de leur impuissance, ne pas entendre la céleste Voix que Rotrou a mise en scène ? Voix de théâtre – mais c'est par le théâtre qu'on accède à la Vérité –, Voix qu'on nous invite à savoir écouter si le divin Dramaturge, divin souffleur, s'adresse à nous.

● Genève, Droz, 1972 (p.p. E. T. Dubois) ; « Pléiade », 1975 (*Théâtre du XVIIᵉ siècle*, I, p.p. J. Scherer) ; Mont-de-Marsan, J. Feijoo, 1991 (p.p. J. Sanchez).

D. MONCOND'HUY

VÉRITÉ. Roman d'Émile **Zola** (1840-1902), publié à Paris en feuilleton dans *l'Aurore* du 7 août 1902 au 15 février 1903, et en volume chez Charpentier en 1903.

Ce troisième ouvrage de la série des *Quatre Évangiles* est lié directement à l'affaire Dreyfus, dont il offre une adaptation libre à travers des personnages aux clés évidentes, de Simon-Dreyfus jusqu'à Gorgias-Esterhazy, en passant par toutes les manipulations d'opinion et toutes les cruautés judiciaires parallèles qu'on peut retrouver.

Livre I. Marc Froment, instituteur à Jonville, passe ses vacances auprès de la famille de sa femme, à Maillebois où enseigne Simon, un collègue juif de Marc. Zéraphin, le neveu de Simon, est retrouvé mort un matin, après avoir été violé. Les voisins et les passants accourent et un frère de l'école catholique de la ville dérobe une partie de la pièce à conviction essentielle : le coin d'un modèle d'écriture portant la marque de son établissement. Maillebois est une ville d'esprit clérical où les capucins exploitent commercialement le culte de saint Antoine de Padoue, tandis que l'École des Frères est très prospère. Rapidement, la rumeur grossit et met en cause Simon, accusé d'un meurtre rituel ; les éventuels témoins, élèves ou parents d'élèves par exemple, refusent de s'engager et de l'innocenter alors qu'il est vilipendé par le journal local. Marc s'intéresse à l'affaire, soutenu pour l'instant par sa

femme, fervente catholique. Il contacte les notabilités, un riche israélite qui refuse de s'engager et les personnalités de gauche qu'il connaît : son ancien directeur d'école normale, deux députés et l'avocat Delbos qui devine la culpabilité du frère Gorgias. On va vers le procès dans une ambiance pénible qui se tend encore lors des assises : les magistrats, orientés et tendancieux, condamnent Simon, malgré l'absence totale de preuves et sans examiner les autres pistes possibles. Marc, pendant ce temps, poursuit sa mission pédagogique et remplace Simon à Maillebois où l'Église triomphe (sauf quelques ecclésiastiques lucides). Il craint cependant pour la paix de son ménage.

Livre II. Marc entre en fonctions dans sa nouvelle école : malgré l'hostilité des parents et d'un inspecteur lâche et arriviste, il parvient à mettre dans les esprits un peu de raison et d'amour. Il enlève le crucifix de sa salle de classe et, dès lors, la rupture devient prévisible avec sa femme, reconquise par une famille fanatique. Un collègue de Marc, Férou, sera révoqué. Marc, épargné, découvre alors un document accusateur contre l'École des Frères, qui permet à Delbos de demander une perquisition : le coin de feuille manquant est retrouvé et les justifications apportées par les intéressés ne seront guère crédibles, malgré toute une campagne de presse.

Livre III. Marc est abandonné par sa femme, pourtant enceinte. Il se console avec son amie Mlle Mazelne ; il a aussi près de lui sa fille, très jeune encore, mais qui partage ses idées. S'il est déçu par les réactions à son désir de vérité dans l'enquête sur Simon, le vent semble néanmoins tourner dans son sens, ce qui redouble les attaques et les manœuvres : lors de la révision, malgré les preuves en faveur de l'accusé et la démonstration d'illégalité du premier procès, Simon est à nouveau condamné. Il l'est cependant à une peine plus faible et pour laquelle le jury (manipulé une fois de plus par la droite, on l'apprendra plus tard) demande sa grâce : cela va permettre à Simon, au moins, de retrouver les siens. Malgré cette nouvelle victoire du parti clérical, la femme de Marc, convaincue de l'innocence de Simon, revient au foyer.

Livre IV. Marc continue à travailler, dans un climat qui a changé. L'hystérie mystique et l'ignorance cèdent la place à une mentalité plus rationnelle, et la Cour de cassation accompagne cette évolution en innocentant complètement Simon, qui est finalement réhabilité. On va même lui offrir une maison. À cette occasion, Gorgias, revenu dans la ville poursuivre ses coupables manœuvres, avoue finalement son crime. Le progrès dans les esprits sera sensible lors d'un fait-divers similaire au premier, mais qui cette fois sera instruit avec honnêteté.

L'opposition centrale du livre est évidemment celle qui confronte les forces d'avenir à l'obscurantisme. Du côté de l'avenir, il y a d'abord l'école, arme et symbole de l'esprit républicain, capable d'intégrer les minorités religieuses, d'apporter à tous les droits de la citoyenneté ; il y a aussi le socialisme, la générosité et la raison. En face, deux ennemis ligués : l'Église, à quelques exceptions près, et la réaction, avec ses bourgeois conformistes, ses institutions judiciaires truquées et sa presse aux ordres. Peu de nuances dans tout cela lorsqu'on voit les instituteurs audacieux condamnés au combat perpétuel (Marc) ou au martyre (Simon ou Férou), lorsqu'on voit aussi les frères rusés, intrigants, avides de pouvoir ou d'argent, pleins d'appétits refoulés et pervers (comme ce Gorgias qui rappelle l'Archangias de la *Terre*). Entre les deux camps, grouille un marais d'attentistes ou de lâches, d'esprits bornés qui évolueront lentement : l'un des aspects importants du livre est cette transformation de l'opinion publique, et en particulier des femmes, autrefois soumises ou confites en dévotion, et désormais potentiellement actives, conscientes (comme Louise, la fille de Marc). Il s'agit donc de faire accéder le peuple à la vérité, et la notion est alors au centre d'une triple problématique : celle de l'école, bien sûr, qui diffuse la raison et la connaissance, en tuant les préjugés, les peurs ancestrales ; celle aussi de l'intrigue policière qui donne au roman une tension dramatique, un intérêt romanesque supérieur, il faut bien le dire, aux autres « évangiles » (voir *Fécondité*, *Travail*) ; celle, enfin, de la littérature elle-même telle que la conçoit Zola. Comme dans *J'accuse* au moment de l'affaire Dreyfus qui est en filigrane derrière tout le récit, il pose en principe qu'une accusation est absurde dès lors qu'elle n'est pas vraisemblable, et un homme de l'art comme un romancier est le premier à s'en apercevoir. En fait, les antisimonistes comme les antidreyfusards ne cessent d'écrire de mauvais romans, et *Vérité* (qui se trouve symboliquement être le livre testament de Zola puisque *Justice*, dernier ouvrage prévu pour clore la tétralogie des *Évangiles*, ne pourra être mené à son terme en raison de la mort de l'écrivain) est une leçon de choses : une démonstration à la fois humaine et littéraire de ce que peut une enquête honnête et raisonnée sur le réel.

➤ *Œuvres complètes*, Cercle du Livre précieux, VIII.

A. PREISS

VÉRITÉ DANS LE VIN (la) ou les Désagréments de la galanterie. Comédie en un acte et en prose de Charles **Collé** (1709-1783), créée sur une scène privée en 1757, et publiée dans un recueil d'œuvres de Collé sous le titre *Théâtre de société* à La Haye et Paris chez Gueffier en 1768 ; réédition « revue, corrigée et augmentée » chez le même éditeur en 1777.

Collé avait composé cette pièce au moins vingt ans avant sa publication. Le duc d'Orléans, alors duc de Chartres, se l'était fait lire en 1748 et avait exigé de l'auteur des changements : elle était alors intitulée *l'Évêque d'Avranches* et le personnage éponyme était l'ancien amant de la présidente et le père de son enfant ; le duc (au service de qui Collé devait entrer) ne pouvait laisser passer un sujet aussi osé et Collé fit donc de l'évêque un lord, fort dévot à la vérité. Mais l'audace de cette comédie reste surprenante.

Nous sommes dans un de ces milieux immoraux de la grande bourgeoisie parlementaire. La présidente Nacquart a pour amant l'abbé Kensington, le dernier en date d'une longue suite de galants au nombre desquels se trouve l'oncle de l'abbé, milord Syndérèse, qui est maintenant devenu dévot. Cette liaison est, sinon publique, du moins assez connue pour que Mme Dupuis, cynique amie de la présidente et femme d'un secrétaire du roi, y voie la cause d'une rupture du mariage qui se préparait entre le fils Dupuis et la fille de la présidente. On apprend également que le président est prêt à trahir la parole qu'il a donnée aux Dupuis. L'abbé est sur le point de quitter les ordres pour l'armée et son oncle milord Syndérèse a formé le projet de le marier avec celle qu'il sait être sa fille véritable, la fille de la présidente. L'abbé et la présidente sont à peu près décidés à se quitter mais la vanité blessée fait obstacle à une séparation amiable. Piquée, la présidente ressent même un retour de flamme pour son infidèle. Stupéfaite de la décision de son mari, elle décide de s'opposer au mariage. L'abbé, qui a coutume de se débaucher et dont le vin est, avec les filles, le vice principal, revient, tout à fait ivre, avec le président qui ne vaut guère mieux. Il lui avoue sa liaison avec sa femme, mais, dégrisé, doit battre en retraite devant la colère de son amante qui trouve là le prétexte en or d'une rupture du mariage projeté.

C'est à juste titre que Collé considérait cette pièce comme son chef-d'œuvre. Elle inspira directement les **Vignes du seigneur* de Flers et Croisset (1923), et pourrait encore très bien être jouée comme elle le fut, en 1937, à la Comédie-Française.

On y voit un tableau de mœurs d'une précision et d'une cruauté qu'on ne trouve guère au théâtre à cette époque et qui pouvait passer à la faveur seulement d'une représentation sur une scène privée. Pas un personnage ne reconnaît de valeurs d'aucune sorte : ni religion, ni fidélité, ni honneur – sinon le souci de sa réputation. Dans ce monde de roués pas une Tourvel, pas une Rosemonde (voir les **Liaisons dangereuses*) mais des crapules plus ou moins intelligentes, plus ou moins brillantes, plus ou moins sottes. Grande bourgeoisie et haute noblesse paraissent tout aussi corrompues. Quant à l'attitude de Collé, comme le note Jacques Truchet, elle demeure énigmatique tant son énonciation est effacée. On ne sait s'il est cyniquement complice ou s'il dénonce discrètement ces mœurs du temps.

● « Pléiade », 1974 (*Théâtre du XVIIᵉ siècle*, II, p.p. J. Truchet).

P. FRANTZ

VERS D'EURYMÉDON ET DE CALLIRÉE. Voir AMOURS (les), de P. de Ronsard.

VERS DE LA MORT. Poème d'**Hélinand de Froidmont** (1160-1220), composé entre 1194 et 1197 et conservé dans vingt-quatre manuscrits du XIIIᵉ et du XIVᵉ siècle.

D'origine noble, très cultivé, Hélinand, trouvère à la mode, s'enferme brusquement dans l'abbaye cistercienne de Froidmont, où il rédige, à l'intention de ses amis, ces *Vers de la Mort*, salués comme une véritable révolution poétique. Ce sermon de 50 douzains octosyllabiques, destiné à susciter la peur de la mort, inaugure en effet un lyrisme détaché du chant et reposant sur les seuls effets mélodiques de la parole. En même temps, il fait entrer dans le champ de la poésie la figure allégorique de la Mort que le poète interpelle, et dont les virtualités lyriques, dramatiques et plastiques, seront continûment exploitées jusqu'à la fin du Moyen Âge et au-delà. À une idée si neuve, il fallait une forme nouvelle : Hélinand serait l'inventeur de la strophe qu'il utilise, et qui, bâtie sur deux rimes (aab / aab / bba / bba) s'organise en un « jeu chorégraphique » (J. Batany) fortement rythmé.

Le poète s'enferme au couvent pour expier sa vie déréglée d'autrefois. Il envoie la Mort en messagère aux poètes pour leur conseiller de la prendre comme objet de leurs chants. Le poète veut épouvanter ses amis afin qu'ils se purifient et renoncent aux vanités du monde. Il adresse alors la Mort à différents destinataires : Bernard, Renaut, les habitants d'Angevilliers, les pressant de s'amender et multipliant les images saisissantes. Il se tourne ensuite vers les princes, vers Rome la corrompue et ses cardinaux, vers les évêques de Beauvais, de Noyon, d'Orléans, les comtes de Chartres, de Châlons, de Blois, enfin vers tous les prélats lombards, anglais et français. Il rappelle que les rois eux-mêmes n'ont face à la Mort aucun privilège : tous sont égaux devant Elle, qui prend des visages divers, s'accordant à chaque situation pour surprendre ceux qui ne l'attendent pas. Elle est la maîtresse du monde et rien ne prévaut contre Elle. Nier son pouvoir, c'est nier la croyance en l'Au-delà, l'enseignement des saints et la justice de Dieu. À Néron s'oppose saint Pierre. Contre Elle, un seul remède : se « purger » et préférer à la bonne chère « les pois et la porée [le poireau] ».

Cette suite d'apostrophes véhémentes à la Mort se transforme en invectives contre les riches et les puissants, laïcs et religieux, leurs abus et leurs exactions, emprunte à la poésie médiolatine la satire traditionnelle du clergé et de Rome (ainsi le jeu de mots de la strophe 13 : « Va de ma part saluer la grande Rome / Qui de "ronger" à juste titre tire son nom »), s'épanouit en une argumentation fragile sur l'existence indéniable de l'Au-delà, avant de revenir au leitmotiv du *contemptus mundi*, le « mépris du monde » cher aux disciples de saint Bernard. Ainsi les motifs de la toute-puissance de la Mort, du mépris des biens terrestres et de la satire s'entremêlent, prennent successivement le pas les uns sur les autres en une polyphonie dont la teneur est la peur, de la Mort et de Dieu. Cette crainte, due d'abord à l'ignorance du moment où la Mort va frapper, sous-tend tout le discours, génère les images les plus fortes : « Mort [...] / Qui utilises des gorges blanches comme pierre à aiguiser / Pour y affûter ton rasoir [...] / Toi qui lui ôtes les planches du pont » (strophe 10). Le vers se moule sur l'antithèse à laquelle font écho l'opposition et la combinaison de la double rime qui se partage la strophe. Toute une rhétorique de l'effet est ainsi mise en œuvre de main de maître : interrogations, exclamations, répétitions et anaphores (strophes 31, 32, 33 où chaque vers débute sur le mot « Morz »), toutes les figures oratoires éprouvées confèrent à la seule force des mots une valeur incantatoire et produisent un rythme lancinant et un martèlement obsédant.

La Mort est tour à tour le seigneur qui s'empare des terres franches, le chasseur à l'arc infaillible, le voleur qui se glisse dans la nuit, le joueur aux dés pipés..., elle est surtout celle qui « mord » selon un jeu de mots fréquent entre « morz » et « mors », la « morsure » (« Morz, qui venis de mors de pomme / Primes en femme et puis en homme », 13), et ses attributs principaux sont la faux, le rasoir et le couteau.

Face à ce déferlement, à cette activité incessante, à cette menace permanente, un seul remède : faire le vide avant qu'Elle ne le fasse, aller à la rencontre de ce vide – ce non-être – qu'est la Mort, afin de la devancer et déjouer ses plans, lui opposer un dépouillement absolu. C'est pourquoi il faut « suer », se « purger » de ce qui vous attache au monde. Anéantir le pouvoir de la Mort grâce à une catharsis de la peur, tel est l'enjeu d'un poème conçu comme une arme. Il faut apprendre à composer un chant nouveau qui imite si parfaitement celui de la Mort qu'elle soit prise à son propre charme et retourne au néant : « Apprends leur donc à chanter / Comme font ceux qui t'ensorcellent [...] / Mort, tu es incapable d'ensorceler / Ceux qui dans leur chant ont coutume de te chanter » (2).

Retournant le chant d'amour dont il adopte la forme de l'envoi et du salut, construisant un faux panégyrique sur le mode de l'hyperbole lyrique, Hélinand déconstruit pas à pas le pouvoir de la Mort en l'enfermant dans les dits et contredits de son vers. Paradoxe chrétien de la vraie vie, son poème exprime aussi la victoire du langage sur ce qui le nie.

Ces vers connurent un succès éclatant. Lus et relus, maintes fois imités (Robert le Clerc, Adam de la Halle, Baudoin de Condé dès le XIIIᵉ siècle), ils ouvrent à d'autres formes de « poésie personnelle » : « congés » et « testaments ». Ils contiennent aussi en germe les représentations picturales et sculpturales de la fin du Moyen Âge : « transis » du XVᵉ siècle et « danses macabres » dès le XIVᵉ siècle, que traduisent en vers au XVᵉ siècle Jean Gerson et Martial d'Auvergne.

● « 10/18 », 1979 (*Poèmes de la mort, de Turold à Villon*, p.p. J.-M. Paguette) ; Champion, 1983 (bilingue, p. et trad. p. M. Santucci).

M. GALLY

VERS HÉROÏQUES (les). Recueil poétique de François L'Hermite, seigneur du Solier, dit **Tristan L'Hermite** (1601-1655), publié à Paris chez Loyson et Portier en 1648.

L'ultime ouvrage poétique de Tristan peut se lire comme l'histoire d'une carrière : celle d'un poète en quête de protecteur, retracée au fil des textes adressés à tel ou tel haut personnage. Dernière grande offrande poétique, en partie vaine : le livre tombait mal (la Fronde allait débuter) et n'eut aucun succès.

L'ouverture se veut grandiose avec l'"Églogue maritime" suivie de plusieurs odes, vastes compositions comme, plus loin, l'imposante "Maison d'Astrée" se détachant sur les stances et les sonnets qui fourniront l'essentiel de la suite du recueil. Tour à tour sont chantés protecteurs et personnalités proches du poète. Vers la fin surgissent çà et là épigrammes, madrigaux et épîtres, et même, peu après des vers funèbres, une épître burlesque.

Si le titre annonce une cohérence de tonalité (des vers qui chantent des personnes illustres, mortes ou vives), le recueil n'a ni unité absolue – « Restes des feux volages de [la] jeunesse », « De petites herbes [...] se sont glissées parmi des fleurs », explique l'Avertissement pour excuser tel madrigal ou telle pièce burlesque –, ni ordonnancement strict. Dès la Dédicace, Tristan se plaint de sa pauvreté et, plus loin, de ce monde où, le génie n'étant ni reconnu ni surtout rétribué, il faut courtiser. Dernier appel à l'aide, pour lequel il réquisitionne tous les poèmes à sa disposition – certains déjà publiés en plaquettes ou dans des recueils collectifs.

L'héroïsation des chefs de guerre comme l'éloge d'une beauté ou d'une vertu féminines lui font animer de véritables tableaux, cultiver le grandiose et l'hyperbolique en des poèmes d'apparat parfois engoncés dans leur propre

élévation. Les plus anciens, souvent d'une grande ampleur, comptent parmi les plus aboutis. Ainsi de l'"Églogue maritime", où trois divinités dialoguent en alertes octosyllabes pour chanter l'amoureuse harmonie du couple royal d'Angleterre, la nature et les arts ; ainsi également de "la Mer", rêverie solitaire sur l'indomptable majesté des flots, aiguillonnée par le souvenir d'un ami perdu et débouchant sur l'éloge de Gaston d'Orléans ; ainsi encore de "la Maison d'Astrée" (influencé par "la Maison de Sylvie" de Théophile de Viau) où, pour louer une dame, le poète décrit en vers mêlés la construction imaginaire par des Amours d'un château bien réel, s'attardant sur les peintures qui ornent le bâtiment, sur le parc, lieu de joie et de beauté où s'épanouira l'amour. Le ton est tout différent dans des textes comme l'épître à Bourdon, poème familier où Tristan invite le peintre à venir voir ses livres et ses tableaux : poème personnel où, depuis son « ermitage », il répète son goût du retrait mélancolique et de l'étude pour « se posséder soi-même », refusant d'être de ces « heureux valets » condamnés à la flatterie, aux intrigues et aux galanteries poétiques de commande. Comme si, subrepticement, dans des textes qu'il dit ici déplacés, il ne pouvait s'empêcher de revendiquer une identité qu'une nécessité pressante l'oblige à mettre en sourdine.

● Genève, Droz, 1967 (p.p. C.-M. Grisé).

D. MONCOND'HUY

VERS VENISE. Voir VOYAGE DU CONDOTTIERE (le), d'A. Suarès.

VEUVE (la) ou le Traître trahi. Comédie en cinq actes et en vers de Pierre **Corneille** (1606-1684), créée sans doute à Paris par la troupe de Mondory au cours de la saison théâtrale 1631-1632, et publiée à Paris chez Targa en 1634.

Après *Clitandre*, une tragi-comédie, Corneille écrit sa deuxième comédie, assez bien reçue par le public ; l'intrigue rappelle celle de *Mélite* : la pièce en est comme une variation – débarrassée des pointes qui, dira l'auteur (« Examen » de 1660), encombraient encore *Mélite* – où certains personnages trouvent une densité nouvelle.

Le timide Philiste n'ose avouer son amour à Clarice ; également épris de cette jeune veuve, Alcidon, non sans rouerie, tente de se servir de lui – tout en étant officiellement promis à Doris, sœur de Philiste (Acte I). Mais voici que Clarice se déclare à Philiste et lui propose de l'épouser ; Alcidon décide alors d'enlever la jeune femme (Acte II). Un nouveau mensonge lui assurera l'appui de son ami Célidan pour commettre le forfait. Clarice est enlevée (Acte III). Mais Célidan comprend qu'il a été dupé (Acte IV) et la libère. Par une ruse, il conduira Alcidon à se démasquer. Clarice et Philiste se marieront ; Célidan obtient Doris, qu'il aimait en secret (Acte V).

« Tu y reconnaîtras trois sortes d'amours aussi extraordinaires au théâtre qu'ordinaires dans le monde » (« Au lecteur »). Ainsi le théâtre, royaume de l'illusion, se contente de mimer le réel : le vrai peut paraître invraisemblable. Il ne faut donc pas s'étonner de voir Clarice décider un mariage que le timide Philiste n'ose suggérer même si sa réserve est aussi une stratégie : se faire aimer insensiblement par sa discrète présence. Ne pas s'étonner non plus que les personnages discourent « en honnêtes gens, et non pas en Auteurs » (*ibid.*), et qu'à l'occasion ils parlent pourtant comme au théâtre ou comme dans un roman : le « réalisme » mesuré que l'auteur cultive intègre ce que le réel lui-même emprunte au littéraire. Ne pas s'étonner enfin qu'Alcidon prétende expliquer son attitude en se référant à la Cloris de *Mélite*, ni que Corneille lui-même s'amuse à jouer d'un ton théâtral plus grave (notamment dans les aveux forcenés du traître, qu'on voit lancer « Ô désespoir ! ô rage ! »), que les duperies se multiplient, qu'on se plaise à des équivoques dont on vante ensuite l'ingéniosité. Les contingences matérielles et sociales ne sont pas exclues pour autant ; l'argent est très présent, des personnages secondaires nettement individualisés l'attestent : telle Doris qui sait devoir accepter le riche époux que sa mère choisira, elle qui fut pourtant mal mariée, son trop modeste « amant » ayant été rejeté. Clarice, trop fortunée pour Philiste, affirme que l'amour balaie cette disparité, mais seul son veuvage lui assure la liberté de donner corps à son optimisme social – et la mère de Philiste remercie le Ciel (théâtral) de ses « doux présents ».

● Genève, Droz, 1954 (p.p. M. Roques et M. Lièvre). ➤ *Théâtre*, « GF », I ; *Œuvres complètes*, « Pléiade », I.

D. MONCOND'HUY

VEUVE DU MALABAR (la) ou l'Empire des coutumes. Tragédie en cinq actes et en vers d'Antoine Marin **Lemierre** (1723-1793), créée à Paris à la Comédie-Française le 30 juillet 1770, et publiée à Paris chez la Veuve Duchesne en 1780 (une édition de 1770 est parfois signalée).

L'action se déroule « dans une ville maritime, sur la côte du Malabar », en Inde, à l'époque de Dupleix. Au moment où les Européens menacent la ville, Lanassa, une jeune veuve, s'apprête, selon la célèbre coutume, à suivre son mari dans la mort et à monter au bûcher. Elle n'avait pourtant aucun amour pour cet époux imposé par la famille, mais elle attache son honneur à suivre les mœurs de sa nation et, surtout, elle a perdu tout espoir de retrouver celui qu'elle aimait et dont elle a été séparée par ce mariage forcé : Montalban, un général français. Un jeune « bramine » que révoltent ces barbares coutumes doit la mener au bûcher, mais il découvre qu'il est le propre frère de Lanassa. À la faveur d'une trêve, Montalban pénètre dans le temple où va se dérouler le sacrifice ; il veut s'y opposer au nom de la simple humanité ; mais il rencontre le jeune bramine et apprend l'identité de la victime. Au moment même où le sacrifice doit être consommé, il intervient et délivre son amante.

Fraîchement accueillie en 1770, la pièce connut un éclatant succès en 1780 grâce à une mise en scène somptueuse, révélatrice de l'évolution de la représentation tragique et des goûts du public : un bûcher enflammé, des actions spectaculaires, des décors et des costumes nouveaux et pittoresques, directement adaptés au sujet, attirèrent à la Comédie-Française un public nombreux et des recettes dont elle avait grand besoin cette année-là.

Si son esthétique spectaculaire correspondait à la mode du temps, il en allait de même de son contenu idéologique. On y voit partout l'influence de Voltaire, de ses tragédies – on n'est pas loin de *Mahomet* – comme de l'*Essai sur les mœurs*. Lemierre dénonce fermement le pouvoir des religions et des prêtres au nom des valeurs des Lumières, tolérance et humanité. La religion indienne couvre en effet le catholicisme français d'un voile transparent. Un clergé cruel, cupide et autoritaire parvient à obtenir jusqu'au consentement de ses victimes. Le problème des vocations forcées est évoqué à propos du jeune bramine comme il le sera encore dans la *Mélanie* de La Harpe et dans nombre de tragédies et de drames qui ne seront joués qu'au moment de la Révolution. La portée philosophique de cette tragédie se trouve renforcée par les motifs du jeune bramine comme du général français : leur détermination est philosophique et précède, dans le déroulement de la pièce, la connaissance des liens qui les unissent à la jeune veuve. La dimension politique de la pièce doit également être soulignée. À l'époque, l'opinion est en effet traumatisée par la perte de l'Inde, et le général Montalban incarne les vertus françaises selon les Philosophes : « Servons les malheureux et montrons-nous Français » (III, 6). La conquête française de l'Inde apparaît comme une mission civilisatrice. Comme Belloy dans le *Siège de Calais*, Lemierre fait un éloge du roi de France, protecteur

de l'humanité, mais – à la différence de celui-ci –, c'est au nom du parti philosophique.

● « Pléiade », 1974 (*Théâtre du XVIIIᵉ siècle*, II, p.p. J. Truchet).

P. FRANTZ

VICE-CONSUL (le). Roman de Marguerite **Duras** (née en 1914), publié à Paris chez Gallimard en 1965.

Peter Morgan, jeune Anglais qui vient d'arriver aux Indes, échafaude un roman sur une mendiante indigène dont il voudrait retracer l'histoire : chassée par sa mère, elle aurait erré à travers des pays entiers, suivant les fleuves, abandonnant ses enfants, avant de parvenir à Calcutta. Quand il délaisse son manuscrit, Peter Morgan perçoit les remous qui agitent le petit monde diplomatique. Derrière l'irréprochable étiquette qui ménage toutes les apparences, des rumeurs courent sur la femme de l'ambassadeur, Anne-Marie Stretter, qu'on dit infidèle, dépressive, énigmatique. Un autre personnage inquiète : le vice-consul de France, qui dans un moment de folie a tiré sur des lépreux, une nuit, à Lahore, et s'attend à être prochainement déplacé. Au cours d'un bal il fait scandale en criant son amour pour Anne-Marie Stretter. Quelques jours plus tard, celle-ci se retire avec ses amants dans les îles du delta du Gange. L'incident n'a pas eu de prise sur elle. De son côté, le vice-consul, devenu indifférent à son sort, accepte d'avance le nouveau poste qui lui échoira.

Si l'on considère la présence des décors, des personnages ou des thèmes chers à l'auteur, *le Vice-consul* marque une convergence. De cette pièce maîtresse de son univers romanesque, Marguerite Duras a également tiré trois films : *la Femme du Gange* (1973), *India Song* (1975) et *Son nom de Venise dans Calcutta désert* (1976). Sans doute est-ce le signe d'un accord exceptionnel entre l'auteur et son sujet.

Le décor du livre, toujours évoqué de manière allusive, reflète, en même temps que la fascination pour la beauté de l'Inde ou la splendeur coloniale, l'horreur de la misère et de la pestilence. Les deux aspects se côtoient dans une « lumière crépusculaire » qui estompe les contours. Entre les deux univers, des cloisons factices ont été dressées : les grilles du parc de l'ambassade, les enceintes qui délimitent les quartiers de Calcutta, les grillages protégeant les baigneurs des requins du delta. Le monde est pourtant guetté par une sombre menace : dans les eaux du Stung Pursat, les bambous sont « pris par la mort » ; les lauriers-roses ont « un parfum funèbre » ; la douleur règne même « au cœur du saint synode de la blanche Calcutta ». Cet espace réservé est perméable aux malédictions : les suicides d'Européens augmentent pendant les famines qui pourtant ne les touchent pas. Étrange souffrance, alors que la mendiante, au fond de sa misère, rit et chante, et que les lépreux surgissent, « hilares, dans leur sempiternelle agonie ».

Anne-Marie Stretter manifeste toute l'ambivalence de ce cercle à la fois protégé et menacé. Elle représente un modèle féminin et maternel qui recueille les enfants et veille à ce qu'on abreuve les lépreux : elle a « l'air de dormir dans les eaux de la bonté sans discrimination ». Pourtant on s'interroge sur elle. Victime ou idole, « reine de Calcutta » ou proie vulnérable et soumise, elle accuse une curieuse parenté avec la mendiante folle qui la suit de loin. Présente dès *Un barrage contre le Pacifique* (1950), celle-ci a pris dans le *Vice-consul* une place considérable. Elle est l'héroïne du roman de Peter Morgan (qui voit en elle un symbole de toute la douleur des Indes). Elle figure pour le vice-consul « la mort dans une vie en cours [...] mais qui ne vous rejoindrait jamais ». Cette femme sans nom qui, à l'issue d'un périple interminable, demeure à Calcutta « comme un point au bout d'une longue ligne », représente enfin l'écriture de la romancière. Son parcours sinueux, fait d'accélérations ou d'arrêts, évoque le mouvement du roman dont les repères sont de moins en moins nets, et dont la fiction s'effiloche. Les phrases au rythme lancinant sont souvent cursives et elliptiques : elles évo-

2015

quent la précipitation ou la difficulté de la marche, et la menace de l'enlisement.

● « L'Imaginaire », 1977.

C. CARLIER

VICE ERRANT (le). Coins de Byzance. Recueil de récits de Jean **Lorrain**, pseudonyme de Paul Duval (1855-1906), publié à Paris chez Ollendorff en 1902.

Le livre comprend quatre textes, de longueurs très inégales : « le Vice errant », « Maschere », « Salade russe » et « les Noronsoff ». Ce dernier récit, fort long, occupe les deux tiers du recueil et en constitue la partie la plus cohérente. Plus qu'une longue nouvelle, il s'agit d'un véritable petit roman, où Lorrain a pu déployer tous ses dons.

Les Noronsoff. Une malédiction très ancienne pèse sur les Noronsoff, vieille famille de la noblesse russe frappée par la folie et dont l'ultime rejeton est le prince Vladimir, « fleuron suprême d'une lignée de crimes, de folies et de sang ». Chassé de Russie à cause de ses scandales, le prince s'est installé avec sa mère dans une villa de Nice. « Instinctif et impulsif », neurasthénique et déjà délabré par ses excès, il est tombé sous la coupe de sa maîtresse, la comtesse polonaise Vera Schoboleska, aventurière et prototype de la femme fatale. C'est l'histoire de ses deux dernières années qui est contée au narrateur par le docteur Rabastens, le médecin du prince qui peut observer tout à loisir la vie de ce dernier au milieu de sa cour de parasites et d'amuseurs. Se ruinant en fêtes, en réceptions et en excentricités, Noronsoff accentue sa décrépitude. Un plan du docteur Rabastens et de sa mère pour le tirer de cette existence échoue ; le médecin est chassé et remplacé par un autre. De plus en plus seul et déséquilibré, Noronsoff se voit abandonné, à la veille d'une fête grandiose qu'il veut donner, par sa maîtresse, qui s'enfuit avec lord Férédith. Désemparé par cette trahison, il sombre dans la folie et l'abrutissement, puis agonise enfin au milieu de charlatans.

De Noronsoff, « pauvre Néron décati à la recherche d'une magie » (P. Kyria), Lorrain a voulu faire le parangon des névroses fin de siècle. L'exotisme est ici utilisé comme un adjuvant, Russes et Slaves constituant, selon l'écrivain, un « faubourg avarié de Byzance ». Et Noronsoff lui-même, dans sa décrépitude, prend figure d'un Des Esseintes (voir *À rebours*) tragi-comique, souvent grotesque, mais dangereux à cause de sa « nature enfantine et cruelle », qui le fait souvent tomber dans le sadisme. Si certains récits sont situés à Paris ou à Londres, c'est cependant la Côte d'Azur qui constitue le décor dominant du livre et assure une certaine unité à l'ensemble. Lorrain, qui s'y était retiré en 1900, nous décrit cette région au « climat d'énervante douceur » comme le rendez-vous de « toutes les folles et tous les fous de la terre, tous les déséquilibrés et tous les hystériques ». Le livre est donc un défilé de viveurs et de courtisanes, de « rastas » et de névrosés, dont l'écrivain s'est proposé de peindre les folies et les crimes. Autre facteur d'unité : la quasi-totalité des récits se trouvent racontés au narrateur par le Dr Rabastens, sorte de double de l'auteur. Ce procédé permet à Lorrain d'adopter le ton de la conversation et d'user d'un style parlé qui rappelle son maître Barbey d'Aurevilly. Outre ce dernier, certains intertextes se trouvent nommément cités dans le livre, établissant ainsi des réseaux d'influences et renvoyant à des modèles littéraires : Suétone, Pétrone, Poe et Schwob, conteurs de la décadence, du vice et de l'effroi. C'est ainsi que « Masques de Londres et d'ailleurs » (« Maschere ») se présente comme la transcription d'un conte qu'aurait raconté verbalement Schwob, et le récit « le Vice errant », comme une nouvelle version, parisienne et mondaine, du « Rideau cramoisi » de Barbey d'Aurevilly (voir les *Diaboliques*). À la férocité des passions, qui conduisent souvent au crime, s'ajoute le pouvoir de l'argent, moyen de corruption et de chantage. Les personnages sont généralement en proie à une idée fixe, qui fait d'eux des névrosés. Crimes, perversions, phobies, satanisme, tout aboutit à la destruction de

l'être humain, et Lorrain se révèle comme un peintre de l'excès, doublé d'un excellent conteur. À cet excès des sentiments et des passions répondent l'exubérance des décors (casinos, villas, jardins) et la profusion des objets métaphoriques (animaux, fleurs, vêtements, bibelots), qui finissent par envahir la narration. Dédié « à l'hypocrisie et à la lâcheté humaine », qui, selon Lorrain, permettent et encouragent de telles conduites, *le Vice errant* se veut ouvrage de moraliste. Cependant, même s'il dénonce violemment les tares de ses personnages, la peinture si évocatrice et si précise qu'en fait l'écrivain nous montre qu'il ne cesse d'être fasciné par eux. Le livre prend ainsi figure d'une galerie d'autoportraits chimériques, qui sont autant d'hypostases de Lorrain peintes par lui-même.

● Lattès, 1980 (préf. P. Kyria).

J.-P. GOUJON

VICE SUPRÊME (le). Voir DÉCADENCE LATINE (la), de J. Péladan.

VICOMTE DE BRAGELONNE (le). Voir TROIS MOUSQUETAIRES (les), d'A. Dumas.

VICTOR ou l'Enfant de la forêt. Roman de François-Guillaume **Ducray-Duminil** (1761-1819), publié à Paris chez Le Prieur en 1796.

Maître avec Victor Ducange du roman noir, Ducray-Duminil transpose habilement les recettes romanesques de ses modèles anglais, comme Ann Radcliffe. Après ses romans pour la jeunesse et avant *Coelina ou l'Enfant du mystère* (1798) ou les Petits Orphelins du hameau (1800), il livre avec *Victor ou l'Enfant de la forêt* l'un des meilleurs exemples de cette production qui devait connaître un immense succès populaire et donner lieu à des adaptations théâtrales. Le mélodrame fonctionnant grâce aux mêmes ressorts, un Pixerécourt pourra faire son bien de *Victor* dès 1798 et assurer son triomphe au théâtre Favart. La popularité du roman explique probablement que l'on ait baptisé Victor, l'enfant sauvage de l'Aveyron trouvé en 1798 et dont François Truffaut adaptera l'histoire au cinéma dans *l'Enfant sauvage*.

« Minuit sonne ! » : ainsi commence ce roman en 29 chapitres, précédés d'un Avant-propos. À la fin du XVIIᵉ siècle, le jeune Victor vit heureux au château de Fritzierne en Bohême. Il doit tout au baron et adore sa fille Clémence, âgée de quinze ans, dont il croit être le frère, alors que Clémence l'aime d'amour, sachant qu'il ne l'est pas. Une nuit, il sauve des brigands une veuve et un orphelin. Cette Mme Wolf, qui protège le jeune Hyacinthe, craint fort un certain Roger. Elle possède un portrait ressemblant de façon troublante à Victor. Un inconnu apporte pour le baron une lettre de Roger, chef de la bande des Indépendants, qui exige qu'on lui remette Mme Wolf. Alexandre Bolosqui, baron de Fritzierne, refuse fièrement et révèle à Victor qu'il est un orphelin adopté faute de fils, la baronne qui était déjà mariée s'étant tuée après avoir donné le jour à Clémence. Mme Wolf est sur le point de compléter ces révélations, quand survient Roger. Victor veut le tuer. Mme Wolf l'arrête : Roger n'est autre que son père ! Commence alors un long récit. Avant de tirer Hyacinthe des griffes des brigands et de l'adopter, Mme Wolf, de son vrai nom Mme Germain, avait autrefois enlevé le fils de Roger et d'Adèle de Sézil, séduite et assassinée, et c'est cet enfant que le baron a recueilli dans la forêt. Le baron accorde la main de Clémence à Victor, à l'expresse condition qu'il persuade son père de renoncer à son « infâme métier ». Victor se rend en forêt chez le brigand, où il rencontre Fritz, qui s'avère être le fils de la baronne et de son mari secret Frisky. Roger lui narre sa propre histoire, mais refuse de s'amender et garde Victor prisonnier. Victor confie à Fritz une Clémence désespérée de ne pas voir revenir son fiancé, et qui envisage de se faire religieuse. Mme Germain meurt ; Victor, grâce à Fritz, s'évade et parvient à retrouver Clémence réfugiée

Villon

« François Villon ».
Gravure anonyme pour
le *Grant Testament Villon et le petit.
Son codicille. Le jargon et ses balades*,
Paris, Jehan Trepperel, 1497.
Bibliothèque nationale, Paris.
Ph. © Bibl. nat./Archives Photeb.

Voleur et meurtrier, bachelier nourri de culture classique et « mauvais garçon », pratiquant l'argot des « coquillards » et la langue des doctes, François Villon (1431-après 1463), aux visages aussi multiples que ses identités successives (« Je connais tout, fors que moi-même »), s'enfonce dans le silence vers trente ans, après le début d'une vie d'aventure et d'écriture... Derrière lui, en guise de « testament », il laisse une œuvre contradictoire et éclatée (première édition, peut-être posthume, 1489) : pathétique du temps perdu et nostalgie des « neiges d'antan » (les célèbres ballades sur le thème *Ubi sunt*),

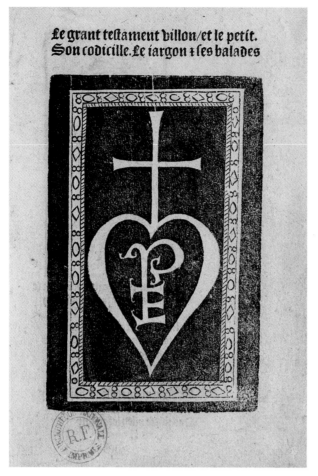

Page de titre pour le *Grant Testament Villon et le petit. Son codicille.*
Le jargon et ses balades, Paris, Pierre Levet, 1489.

réalisme fantastique des « pendus » qui implorent à jamais la pitié des « frères humains », ou accents ironiques et grinçants d'un univers carnavalesque (« Je ris en pleurs ») — suscitant, de son vivant, une légende qui devait faire de lui le premier des « poètes maudits ».

Gravure illustrant la « Ballade des pendus »,
Paris, Bincaut, 1490.

« Émeutes de ceux de Paris ». Peinture pour
les Chroniques de France, Paris, Antoine Vérard, 1493.

dans l'abbaye de Belverne ; Roger est enfin capturé, mais l'on arrête Victor. Roger est exécuté, et le duc d'Autriche accorde la vie sauve à Victor. Le baron meurt : Victor peut devenir seigneur de Fritzierne. La conclusion nous montre le jeune couple installé en France. Victor a pris le nom de Rosange, celui du père d'Adèle, Hyacinthe est devenu leur fidèle serviteur, ils vivent heureux et leurs enfants « profitèrent de l'exemple de leurs malheurs, de leur courage, de leur constance, et furent vertueux ».

« Bizarre, romanesque, extraordinaire, invraisemblable » : ainsi Ducray-Duminil présente-t-il son roman, comme pour mieux allécher le lecteur, tout en désignant la fiction comme pur travail de l'imaginaire. Ce protocole de lecture joue sur les paradoxes de la séduction : l'intérêt naît de l'étrangeté et d'une certitude – ce n'est que du roman. Si le roman noir installe déjà toute la machinerie du roman feuilleton, il se présente surtout comme un laboratoire où les romanciers à venir puiseront matériaux, procédés et situations. Ainsi le jeune Balzac se mettra-t-il à son école.

Complication de l'intrigue, « horribles mystères », enlèvements, fausses identités, reconnaissances, opposition bien tranchée des bons et des méchants : on aura reconnu les ressorts efficaces du roman populaire et du mélodrame. Déjà fortement présente dans *Alexis ou la Maisonnette dans le bois* (1789), la forêt se révèle aussi inquiétante que magique ou merveilleuse (un chapitre s'intitule « la Forêt enchantée »). Quant à la gothique abbaye, elle comporte les caveaux, tombeaux et souterrains obligés. Comme il est de règle dans cette littérature, le surnaturel fait irruption, mais trouve toujours une explication. Ainsi une lanterne magique joue-t-elle un grand rôle dans les terreurs sylvestres de Victor (chap. 22).

Univers marqué par la faute, et particulièrement la transgression sexuelle (une baronne bigame, un inceste sublimé), intrication croissante des rapports entre les personnages, force du mal, atmosphère et lieux inquiétants, captation d'intérêt, art du suspense, mystère des origines : *Victor* joue de tous les prestiges et de toutes les séductions, tout en établissant une distance ironique avec la « fabrique » même du texte et le tissage de son intrigue. Tel chapitre ne s'intitule-t-il pas « On croirait lire un roman » ? Comme dans le mélodrame, un ordre apparent repose sur un insupportable désordre, dont la suppression restaure un ordre relégitimé. Victor doit racheter, par ses épreuves et son destin exemplaire, la vie d'un père lui-même « fruit d'une éducation vicieuse et d'une coupable inclination » (20) et fils d'un faux-monnayeur. En somme, le roman doit chasser la mauvaise monnaie pour exalter les valeurs de bon aloi.

Soulignant par les titres des chapitres ses propres effets (« Trait de lumière », « Intrigue plus obscure que jamais », « Coup du sort », « Explication des nuits de la forêt », « Qu'il ne faut pas lire si l'on est sensible »...), avertissant de l'importance de telle péripétie (« Présent d'amour qui doit jouer un rôle »), exhibant les conventions et procédés d'écriture (« Très court, mais qui promet », « On croit toucher au dénouement »...), jouant des clichés, références et *topoi* (« la Veuve et l'Orphelin », « Combats : le nouvel Œdipe »), emboîtant ostensiblement les récits (« Une seule faute, nouvelle », « le Beau Pêcheur, nouvelle »...), mimant de façon auctoriale les réactions du lecteur (« Reprenons nous-même notre fermeté qui chancelle, et poursuivons », 28), s'adressant à lui (« Quittons aussi, ami lecteur, quittons avec nos héros la vaste abbaye de Belverne, que nous ne reverrons plus », 27), Ducray-Duminil balise le roman, multipliant fausses pistes et explications, accumulant à plaisir épithètes convenues, hyperboles, stéréotypes et clichés (« L'aurore avait à peine déchiré les voiles de la nuit », 19), guidant le lecteur tout en le captivant. Fondé sur un rythme haletant, savamment interrompu par des plages narratives, le roman noir produit sa valeur suprême : la lisibilité. Écrit au moment où la société postrévolutionnaire cherche à se stabiliser, il offre à un large lectorat le plaisir et la morale, la fascination perverse et la sérénité ultime, la terreur et la vertu.

G. GENGEMBRE

VICTOR ou les Enfants au pouvoir. Pièce en trois actes et en prose de Roger **Vitrac** (1899-1952), créée dans une mise en scène d'Antonin Artaud à Paris à la Comédie des Champs-Élysées le 24 décembre 1928, et publiée à Paris chez Gallimard la même année.

Pour ses neuf ans, Victor Paumelle, fils « unique » à tous points de vue, tant son intelligence, son langage et sa taille sont au-dessus de son âge, a décidé de devenir quelque chose de « neuf ». L'enfant modèle commence par briser un vase de Sèvres et menace la bonne, Lili, de l'accuser du forfait : même s'il avoue, ses parents refuseront de le croire. La jeune Esther Magneau lui raconte la scène galante qu'elle surprit entre Thérèse, sa mère, et Charles Paumelle, le père de Victor. Comme pris d'un délire soudain, Victor déclame, parodiant les stéréotypes surréalistes (« Les fleurs changent de panache. Les troupeaux se défrisent. Les forêts s'écartent. Dix millions de mains s'accouplent aux oiseaux. Chaque trajectoire est un archet »), et accuse Esther d'avoir cassé le vase. Thérèse s'inquiète pour son mari, Antoine, frappé de démence. Victor encourage la folie d'Antoine et entre de plain-pied dans le monde du dément en ravivant, *Petit Larousse* à l'appui, son obsession de la guerre de 1870. Puis il mime, avec Esther, la scène rapportée plus haut, et, devant les parents atterrés, demande au général Lonségur, un ami de la famille, de faire le cheval (Acte I). Au salon, Charles et Thérèse constatent amèrement que les enfants les ont trahis. Victor surgit, toujours déclamant ce qu'il prétend être sa prochaine rédaction. Émilie Paumelle prend son mari à partie : l'atmosphère se dégrade. Apparaît alors l'étrange Ida Mortemart, affligée de la maladie du pétomane. Elle fait fuir Esther dans le jardin et tous se précipitent pour l'empêcher de se noyer dans le bassin. Antoine rentre avec sa femme et sa fille. Demeuré seul avec son épouse, Charles lui lit *le Matin* (l'édition de la pièce reproduit de véritables coupures de presse) pour retarder la scène de ménage qui point (Acte II). Très lasse, Émilie lui pardonne son infidélité. Souffrant d'un atroce mal de ventre, Victor ne parvient pas à s'endormir : ses cris ponctuent le dialogue de ses parents, affligés par le vent de folie qui souffle alentour. Apparaît Thérèse à la recherche d'Esther ; on apprend que son mari s'est suicidé. Victor à l'agonie meurt avant d'avoir pu révéler à ses parents les « ressorts de l'Uniquat » (Acte III).

Après avoir quitté le groupe surréaliste, Vitrac fonda avec Artaud le théâtre Alfred-Jarry, association peu conformiste dont le principal titre de gloire fut précisément la création de *Victor*. Cette deuxième pièce de Vitrac (après *les Mystères de l'amour*, 1926) fit scandale. Centrée sur le point de vue des deux enfants, trop grands (à la lettre, puisque Victor mesure 1,80 m au lever du rideau, et 2 m au dénouement) pour leur âge, elle dénonce l'abjection des adultes et heurte le sens logique des spectateurs avec la même force, le même humour macabre que l'on trouvera plus tard chez un Ionesco. Enfant prodige voué à l'autodestruction, Victor – tout comme la petite Esther, que sa mère à la moindre occasion gifle à tour de bras – désigne la nostalgie de l'enfance menacée qui hante l'auteur. Par opposition, le monde des parents s'impose comme le lieu de la convention et de l'absurde. Charles trompe Émilie avec Thérèse et ces turpitudes bourgeoises sont comme redoublées par l'irruption de la malheureuse Ida Mortemart : le corps grotesque de la visiteuse défie l'ordre rationnel apparent ; il représente l'élément morbide mais aussi la force de mort qui fait éclater le cadre étroit et convenu d'un repas d'anniversaire. Ida incarne la figure moquée de l'amour et souffle l'haleine puante du néant. Parodiant la comédie de Boulevard, Vitrac sème un vent de folie sur la scène : la dynamique de l'action est, en effet, portée par la montée du délire, soit objectif chez Antoine, soit mimé par Victor, dans la durée même de la représentation théâtrale. Dans cet affolement progressif de l'intrigue, l'ordre familial n'est bientôt plus qu'un vernis qui s'écaille à la faveur d'une constante mise en abyme destinée à dégrader l'image des adultes : les enfants parodient la scène surprise entre les deux amants, Victor copie les attitudes et le ton de ses parents, et s'acharne à ridiculiser l'image de l'héroïsme en contraignant le général à jouer les bouffons ou en stimulant les effets dévastateurs de la guerre de 1870 sur l'esprit d'Antoine. Ainsi, Victor réitère la comédie humaine : il la met lui-même en scène. Cette dénonciation de la morale sociale se double d'une remise en cause des conventions théâtrales : alors que la tension entre la Paumelle et les Magneau est à son comble, seule l'arrivée d'Ida Mortemart (« Le miracle ! », commente Victor) permet au dialogue de se poursuivre. Se moquant des prétendues grandes personnes – alors que tout en lui les dépasse – et des auteurs dramatiques, l'enfant prend le pouvoir pour une soirée, le jour de son anniversaire, date repère de son initiation. Héros tragi-comique, il meurt, figure symbolique de l'esprit d'enfance immolé dans la société bourgeoise pétrie de compromissions et refusant à quiconque, fût-ce à un fils apparemment chéri, le droit à l'« Uniquat ».

● Gallimard, « Le Manteau d'Arlequin », 1983. ➤ *Théâtre*, Gallimard, I.

V. ANGLARD

VICTOR-MARIE, COMTE HUGO. À moi, comte, deux mots. Essai de Charles **Péguy** (1873-1914), publié à Paris dans les *Cahiers de la Quinzaine* le 23 octobre 1910, et dans le tome IV des *Œuvres complètes* chez Gallimard en 1916.

Pendant l'affaire Dreyfus, Péguy avait trouvé un allié en son ami Daniel Halévy, qui incarnait pour lui le type même du grand bourgeois cultivé. Tout en donnant des textes aux *Cahiers de la Quinzaine*, Halévy refusa de prendre la gérance de l'entreprise, et se montra d'une tiédeur inattendue envers la cause dreyfusiste dans son *Apologie pour notre passé* (1910). Trois mois plus tard, Péguy publie *Notre jeunesse* qui exalte le rôle éminent joué dans l'Affaire par le journaliste Bernard Lazare. Halévy s'y trouve quelque peu égratigné, ce qui jette un froid entre les deux hommes. *Victor-Marie, comte Hugo* est d'abord conçu pour régler l'incident : d'où son titre d'origine, *Solvuntur objecta*. Ce plaidoyer pour l'amitié invite Halévy à revenir aux *Cahiers* ; mais la réconciliation n'eut pas vraiment lieu et il ne reprit plus sa collaboration. Il honora cependant le poète tué en 1914 en lui consacrant une importante biographie (1918). Le changement de titre s'explique par la place qu'occupe dans l'essai l'œuvre de Victor Hugo, dont s'entretenaient souvent les deux amis. Quant au sous-titre, on peut y voir une allusion à *Notre jeunesse* où Halévy s'était senti « outragé », mais aussi aux nombreux passages consacrés à Corneille dans *Victor-Marie, comte Hugo*.

La structure de l'essai rend particulièrement difficile un résumé linéaire, du fait de l'enchevêtrement de ses thèmes dont voici les principaux : l'amitié de Péguy pour Halévy malgré une origine sociale différente, et qui a pu engendrer d'involontaires froissements ; la personnalité de Victor Hugo, son génie, ses faiblesses de caractère, la grandeur de certains de ses poèmes comme "Booz endormi" ; Corneille et Racine, la structure de leur œuvre et les ressorts affectifs qui animent leurs personnages ; le procès des méthodes de critique littéraire pratiquées par la Sorbonne, en particulier le lansonisme. Pour conclure, et tout en admettant une involontaire culpabilité, Péguy lance un dernier appel à son ami.

En 1910, les *Cahiers* publient à quelques mois d'intervalle le *Mystère de la charité de Jeanne d'Arc* (janvier), *Notre jeunesse* (juillet), *Victor-Marie, comte Hugo* (octobre). Trois œuvres où éclate la dualité de l'inspiration de Péguy. D'un côté, il compose le récit de la Passion serti au centre du *Mystère* comme un joyau de lyrique religieuse ; de l'autre, il continue à tenir, tel Socrate, le rôle de « taon » attaché au flanc d'une société dont il vitupère le « fatras moderne ». Dans le domaine politique, il s'atta-

que notamment à la dérive du dreyfusisme, déplorant qu'un idéal de justice, de vérité et de liberté – une mystique – couvre désormais une contestable politique temporelle (*Notre jeunesse*). Récusant avec véhémence le portrait que Halévy vient de tracer du dreyfusiste dans son *Apologie*, Péguy prévient son ami contre la confusion entre deux « ordres » : car, pour le poète, la « mystique dreyfusiste » (*ibid.*) demeure inaltérable comme une essence platonicienne – fût-elle dégradée par son inscription dans le temps. Reste désormais à réparer l'« outrage » dont Halévy, à la lecture de *Notre jeunesse*, s'est senti atteint. Après quelques couplets sur l'amitié, Péguy saisit ce prétexte pour invectiver le « monde moderne » où l'argent crée de fausses distances, génératrices de malentendus. D'où l'élargissement du projet initial et l'unité retrouvée de *Victor-Marie, comte Hugo*, dans lequel alternent, bizarrement à première vue, une étude des relations sociales et de nombreuses pages d'analyse littéraire. En réalité, Péguy y dénonce sous deux aspects l'incompétence d'une même méthode d'analyse qui interpose l'écran de ses prétentions scientifiques (sociologiques ou littéraires) entre le lecteur et le « texte » au sens large.

La méthode de Péguy, elle, repose sur l'expérience vécue, qui, dans le cas présent, révèle à la fois entre Halévy et lui-même égalité et différence. Entre eux, aucune distance intellectuelle : l'avantage reviendrait plutôt au poète, dont Halévy sollicite souvent la prodigieuse culture. En revanche, confessant dans un plaisant autoportrait son inaptitude à faire figure de bourgeois, Péguy revendique fièrement sa différence sociale, ses racines paysannes et vigneronnes auxquelles il doit une connaissance intuitive de Jeanne d'Arc, « fille de la campagne ». Aucune malveillance, dans cette profession de foi, à l'encontre d'autres « classes » : avec la rigueur qui lui rend odieuse toute confusion dans la pensée ou dans la conduite, Péguy ne vitupère que les « contaminations ». Faux riches, faux pauvres, « également dangereux peut-être ».

Appliquée au conflit entre les deux amis, cette méthode le désamorce. Avec humour, Péguy convoque bateleurs de foire, peuple des cabarets, paysans occupés à leur vigne ; homme du peuple, il comprend intuitivement leur parler, et, au-delà, la philosophie dont celui-ci est dépositaire – mais qui est impénétrable à un bourgeois. Barrières du langage, barrière des manières qui s'élèvent naturellement entre communautés d'origine ancestrale éloignée : « Quand vous adressez la parole à un garçon de ferme [...] il ne vous vient pas à l'idée qu'il peut vous offenser. » Barrières parfois invisibles lorsqu'elles séparent deux amis de même culture : « Je suis ce même peuple, Halévy, je suis ce même garçon de ferme. » Halévy a pris pour des « mots de salon » des mots « lancés comme des mots peuple ». D'où ce froissement injustifié.

On pourrait s'étonner de l'humilité de Péguy, si son discours ne reflétait l'orgueil d'appartenir au monde du travail. Comme si l'ascèse du labeur et de la pauvreté pouvait seule produire cette entière liberté de parole dont il use (« D'être peuple, il n'y a encore que ça qui permette de n'être pas démocrate », lance-t-il à l'encontre du nivellement socialiste). Même aspiration dans les *Mystères* ou les *Tapisseries* à s'identifier aux plus malheureux pour entrer dans l'illumination. À telle enseigne qu'un travail épuisant, l'insécurité acceptée, voulue (comme celle des pères de famille, « ces grands aventuriers du monde moderne »), un certain refus du bonheur humain constituent pour Péguy la rançon exigée pour remplir sa double vocation de viser l'absolu et d'en dénoncer les faux-semblants.

Le désir de renouer avec son ami sert aussi de prétexte pour fondre sur les lansoniens – du nom du professeur de littérature Gustave Lanson (1857-1934) – de la Sorbonne et leurs « laboratoires de littérature » à prétentions scientifiques. Péguy utilise la fiction d'entretiens avec Halévy pour illustrer sa méthode personnelle : éviter toute érudition bavarde ; aborder les œuvres sans *a priori* ; chercher à s'approprier la vision de l'auteur, regarder « le soleil, la lune et les étoiles » avec un « regard aussi jeune, aussi frais, aussi non usé, aussi neuf [...] que le Victor Hugo de "Booz endormi" ». Esthétique de la jouissance intuitive hostile aux paresses de l'habitude, mais accueillante aux « trouvailles » d'un certain savoir à condition qu'elles surgissent d'un contact intime avec le texte. On pourrait multiplier les exemples : de Corneille (*Polyeucte, suprême chef-d'œuvre aux yeux de Péguy) et Racine, à Kant (« Le kantisme a les mains pures, mais il n'a pas de mains ») et Hugo, cet essai propose une inappréciable leçon de lecture, qui, appliquée à Péguy, éclaire également la démarche de l'essayiste. Comment saisir l'insaisissable de la pensée, du cœur, voire du spectacle du monde, lorsqu'on ne dispose que des mots ? Péguy cherche par approximations successives, en apposant noms, adjectifs, images – chacune et chacun apportant une nuance nouvelle –, à serrer de plus près une réalité rebelle, sans renoncer jamais à une insatiable exigence de rigueur. Car, pour ce « méContemporain », l'un des crimes du « monde moderne », c'est précisément la confusion des ordres, des genres, des méthodes, des concepts, bref, tout ce qui brouille l'exercice de la pensée – et ruine les rapports entre les hommes.

● Gallimard, 1934. ➤ *Œuvres complètes*, Slatkine, II ; *Œuvres en prose complètes*, « Pléiade », III.

M.-A. DE BEAUMARCHAIS

VIE D'UN SIMPLE (la). Mémoires du métayer Tiennon Bertin. Roman d'Émile **Guillaumin** (1877-1951), publié à Paris chez Stock en 1905. L'auteur retouchera son texte pour l'édition Nelson en 1922. Dans « l'Autodidacte devant l'expérience », introduction à la réédition chez Stock en 1932 (Préface de Daniel Halévy), Guillaumin signale le retour au texte original sur les conseils de l'éditeur, mais il rétablit la plupart des corrections en 1943.

Dédié à la mémoire des paysans d'hier, le chef-d'œuvre d'Émile Guillaumin tranche sur la production française de romans de la campagne, dont il bouleverse la tradition. Loin des idylles sandiennes, de l'apologétique d'un René Bazin, de la noirceur zolienne ou des fictions paysannes en faux style rustique, la *Vie d'un simple* vaut comme document véridique sur la vie paysanne au XIXᵉ siècle, et plus particulièrement sur celle des métayers, ces exploités soumis à leur maître et à la dure loi des locatures. Trame des travaux et des jours, récit d'une expérience personnelle, justesse du ton, poésie du quotidien, tout milite pour sublimer ce texte en véritables « Géorgiques françaises » (J.-L. Curtis).

L'Avant-propos donne la teneur de l'ouvrage : il s'agit des récits à peine romancés d'Étienne Bertin, dit le père Tiennon, métayer du Bourbonnais. En 48 courts chapitres, il relate sa vie, de sa naissance en 1823 aux alentours de 1900. Enfant sous la Restauration, bercé par les souvenirs de l'épopée impériale et de la retraite de Russie qu'aime à lui conter son oncle Toinot, jeune homme sous la monarchie de Juillet, Tiennon ne perçoit que les échos assourdis des événements politiques. Ses parents, métayers de M. Fauconnet, se séparent de leur maître après une discussion violente portant sur les baux. Ils s'installent à Saint-Menoux et travaillent pour M. Boutry, pharmacien à Moulins. Dans leur vie de labeur, rythmée par les saisons, comptent parfois quelques rares plaisirs : l'auberge, la bourrée un soir de dépiquage, les noces... Tiennon tire un bon numéro et échappe au service militaire. Malgré quelques pauvres aventures, il arrive vierge au mariage et épouse Victoire Giraud. Ils louent à Bourbon la ferme de la Creuserie, et ont affaire au régisseur Parent qui représente M. Frédéric, le patron. Aléas du travail, naissances, et même « tentation du diable » (pendant dix-huit mois Tiennon voit sa maîtresse Marianne) : Tiennon est un métayer comme les autres, chez qui s'éveille lentement une conscience sociale ; ne veut-il pas envoyer ses enfants à l'école ? Catastrophes personnelles (une jambe cassée et la grêle en 1861) et nationales (guerre de 1870) assombrissent ces années. Il perd ses économies en les confiant à un escroc. À la mort de leur père, les filles

de M. Fauconnet lui donnent congé. Une nouvelle locature le conduit à Clermoux chez M. Noris, qui meurt, puis à Saint-Aubin chez le fils Fauconnet. Après la mort de Victoire en 1891, Tiennon se retire chez ses fils, métayers comme lui, et y attend tranquillement la mort : « Je ne demande qu'une chose, c'est de rester jusqu'au bout à peu près valide. »

Une vie fruste, les incertitudes des récoltes, la dépendance totale à l'égard des maîtres, fussent-ils bons : l'on ne peut que survivre. Si, vers la fin, Tiennon s'affiche « quasi socialiste », il retranscrit fidèlement l'aliénation du petit peuple des métayers, également soumis au curé prêchant la résignation, la morale et l'ordre (la défaite en 1871 ne punit-elle pas « l'orgueil » ?). S'en tenant toujours à l'essentiel, Guillaumin choisit le détail révélateur, l'anecdote significative, le trait de langage éclairant et évocateur, reproduisant à bon escient le patois vivant de cette terre de traditions. Sans monotonie aucune, il privilégie une certaine égalité de ton qui ordonne la sobre succession des événements. Mais, fidèle au cours même du siècle, il confère à l'Histoire de plus en plus de poids, surtout avec l'arrivée du chemin de fer, où Tiennon, mi-craintif, mi-sceptique, voit lucidement le signe de la modernité. Si, à en croire Daniel Halévy, ce roman rendit Mirbeau optimiste, le « sage d'Ygrande », cette grande figure de la paysannerie française, en exploitera la veine dans ses six autres romans, dont *Rose et sa Parisienne* (1908).

● « Le Livre de Poche », 1977 ; Stock, 1974 (préf. J.-L. Curtis).

G. GENGEMBRE

VIE DE HENRY BRULARD. Autobiographie de **Stendhal**, pseudonyme d'Henri Beyle (1783-1842), publiée à Paris chez Charpentier en 1890.

Dans une lettre à Levavasseur, l'éditeur du *Rouge et le Noir*, Stendhal annonce le 21 novembre 1835 qu'il écrit « un livre qui peut être une grande sottise » ; c'est *Mes confessions*, au style près, comme Jean-Jacques Rousseau, avec plus de franchise ». Il commence en réalité à l'écrire le surlendemain, pour s'interrompre en mars 1836. Troisième tentative d'autobiographie après le *Journal* et *Souvenirs d'égotisme*, la *Vie de Henry Brulard* remonte pour la première fois aux racines de l'enfance.

Le matin du 16 octobre 1832, sur les pentes du Janicule, à Rome, Henry Brulard (pseudonyme d'Henri Beyle) prend conscience qu'il approche de la cinquantaine. Il fait un retour sur sa vie : « Qu'ai-je donc été ? Je ne le saurais » (chap. 1). « Sur la poussière, je trace les initiales des femmes qui ont compté dans ma vie » (2). Tout premiers souvenirs d'enfance ; horreur pour la religion ; excellent grand-père, M. Henri Gagnon. Amour pour sa mère, qu'il perd à l'âge de sept ans (3). Circonstances de sa mort (4). Souvenirs antérieurs à sa mort ; la « journée des Tuiles » (5). Le modèle de Mme de Merteuil, le personnage des *Liaisons dangereuses* (6). La famille à la mort de sa mère. Antipathie pour sa tante Séraphie (7). La tante Élisabeth lui apprend que la famille est originaire d'Italie, « un pays où les orangers croissent en pleine terre ». La tyrannie de son précepteur, l'abbé Raillane (8). La maison de campagne de Claix. Découverte de *Don Quichotte* (9). Joie à l'annonce de la mort de Louis XVI (10). Son père emprisonné, aux yeux duquel il avait un caractère « atroce » (11). L'époque de la Révolution. Son oncle Romain Gagnon. Voyage aux Échelles : premier « bonheur parfait ». Le bois de Berland (12-13). Mort de Lambert, valet de chambre de son grand-père. Il connaît la douleur (14). Rapports familiaux. Horreur du sale (15). La *Nouvelle Héloïse* (16). Horreur pour son grand-père (17). Première communion ; autres souvenirs relatifs à son grand-père (18-20). L'« espagnolisme » ; son horreur pour Grenoble (21). L'École centrale (22-23). Son amour pour Virginie Kubly ; début de sa passion pour la musique (24). Les mathématiques (25). Goût pour Shakespeare (26). Sentiments pour Victorine Mounier (27). Sur l'hypocrisie, les salons et la province (28). « Les souvenirs se multiplient sous ma plume » (29-30). Un duel. Son goût pour les mathématiques devient sérieux (31). Conspiration contre l'arbre de la Fraternité (32). Il commence à soupçonner que l'enseignement des mathématiques n'exclut pas l'hypocrisie (33). Départ pour Paris et désenchantement ; l'absence de montagnes (34-35). « Je n'étais point habile aux choses de la vie. » Pierre Daru, son cousin et protecteur (36). Écrire des opéras ? des comédies ? « Métalent » des Français pour la musique. Mozart (37). Ennui et timidités chez les Daru (40-42). L'année 1800 : départ pour l'armée. Premières expériences à cheval, et sensibilité aux beaux paysages (43). « Le Saint-Bernard, n'est-ce que ça ? » Représentation du *Mariage secret*, de Cimarosa (44-45). L'entrée dans Milan : « Intervalle de bonheur fou et complet. » Amour pour Angela Pietragrua. Le récit est interrompu : « On gâte des sentiments si tendres à les raconter en détail » (46).

Parmi les quelques deux cent cinquante pseudonymes que Stendhal s'est donnés au fil de son œuvre et de sa correspondance, Henry Brulard est le plus transparent. Écrivant « Brulard », il pense « Beyle », comme l'atteste cet amusant lapsus : « Tout le mal n'est que dans ces cinq lettres : B, R, U, L, A, R, D, qui forment mon nom » (chap. 19). Mais « Brulard », nom d'un cousin du docteur Gagnon, appartient à l'ascendance maternelle. Le titre de l'œuvre, déjà, suggère son ambiguïté : Stendhal va-t-il jusqu'aux limites de la sincérité, ou modèle-t-il sur ses rêves son image de lui-même ?

Il suffit de feuilleter *Henry Brulard* pour en voir la première originalité : des schémas accompagnent les souvenirs, sans qu'on puisse toujours décider si Stendhal se contente d'illustrer son texte, où s'il visualise ainsi des scènes vécues pour mieux les rédiger ensuite. Dans la plupart des cas, le schéma spécifie la position de Henry : égotisme, si l'on veut, ou sincérité en vertu de laquelle tout objet se situe relativement à celui qui le voit. Une autre originalité vient de la crudité avec laquelle les souvenirs sont évoqués ; la haine pour le père, l'amour physique pour la mère (« Je voulais couvrir ma mère de baisers et qu'il n'y eût pas de vêtements », 3), ou comment la noirceur de l'abbé Raillane engendre chez l'enfant une haine tenace pour la religion : par sa lucidité, sa liberté vis-à-vis des sujets les plus tabous, Stendhal décourage plus qu'il n'alimente les investigations psychanalytiques. L'analyse du souvenir est moderne, dans *Henry Brulard*, en ce que l'auteur s'efforce, sans toujours y parvenir, de distinguer ce qu'il se rappelle vraiment de ce que lui a raconté ensuite l'entourage des adultes ; au moins voit-on affleurer, à l'occasion des scènes marquantes de l'enfance, des signes de son attention au langage : « Un peu plus, il se crevait l'œil », dit-on au théâtre quand l'acteur du *Cid* fait un geste maladroit ; « Un peu plus, il était mort », dit son grand-père un jour que Henry se blesse à la poitrine (5). Des images, mais aussi des phrases, anodines souvent et pourtant ineffaçables, tissent ainsi la mémoire de qui ne se soumet pas à une hiérarchie extérieure des événements. Il en va de même pour les grands faits historiques : la « journée des Tuiles » (Grenoble, 7 juin 1788) est d'abord, pour l'enfant, cette vieille femme qui traverse la place Grenette, ses souliers à la main, en criant : « Je me *révolte* ! » (5). Ces pages composeraient une étude du comportement, des gestes, du parler des Dauphinois, si le lecteur n'était en priorité sensible à la subjectivité de celui qui les découvre.

Aussi bien ne doit-on pas prendre pour argent comptant le tableau familial ou social que brosse *Henry Brulard*. Des témoignages ont établi que le père, Chérubin Beyle, n'était pas aussi monstrueux que le suggère le texte. L'ascendance italienne du grand-père maternel Gagnon est une fable, à laquelle Stendhal ne croyait peut-être guère ; mais elle lui est indispensable pour composer ce que Marthe Robert appellerait son « roman des origines ». L'impression prévaut, en fin de compte, que Stendhal a moins cherché à reconstituer son passé jusqu'à l'exactitude du détail qu'à étayer les structures de son imaginaire. Après tout, la vérité de notre moi réside d'abord dans ce que nous rêvons. La fameuse entrée dans Milan (46) semble elle-même écrite comme une scène initiatique, probablement enrichie d'expériences italiennes ultérieures. Non qu'il faille interpréter comme une pose les hésitations de Stendhal à transcrire ses souvenirs les plus tendres : il craint alors, sincèrement, de « faire du roman ». Mais deux ans plus tard, en écrivant un roman, la *Chartreuse de*

Parme, il va donner le prolongement le plus vrai au récit de son aventure. À cet endroit, le texte de l'autobiographie s'interrompt brusquement ; provoqué par un conflit entre ce que la critique moderne nomme le « signifié » et le « signifiant », cet achèvement contribue lui aussi à la modernité de la *Vie de Henry Brulard*.

Pour qui Stendhal a-t-il écrit cette œuvre ? Pour lui-même, a-t-on parfois supposé. On se fierait plutôt, aujourd'hui, à la lettre qu'il adresse le 14 mars 1836 à Mme Jules Gaulthier : « Je laisse ces *Confessions* à un ami suisse qui les vendra dix ans après moi, en 1856. » Publié en 1890 seulement, grâce aux soins de Casimir Stryienski, *Henry Brulard* est devenu le texte fétiche des « beylistes ». On y trouve un Stendhal plus tiraillé que jamais entre les exigences des sciences exactes et celles de l'émotion, affichant un dédain des effets de style que les « âmes tendres » seules sauront comprendre, poussant enfin jusqu'au silence la logique de son égotisme.

● « Folio », 1973 (p.p. B. Didier) ; Grenoble, Glénat, 1989 (p.p. V. Del Litto). ➤ *Œuvres*, Éd. Rencontre, X ; *Œuvres intimes*, « Pléiade », II.

P.-L. REY

VIE DE JÉSUS. Essai d'Ernest **Renan** (1823-1892), publié à Paris chez Michel Lévy frères en 1863.

Au séminaire de Saint-Sulpice, Renan s'était familiarisé, sous la férule du père Le Hir, avec l'hébreu et le syriaque (araméen). Retourné à la vie laïque, agrégé de philosophie, lauréat du prix Volney pour son *Essai sur les langues sémitiques* (1847), il est chargé en 1850 du classement des manuscrits syriaques de la Bibliothèque nationale. En 1852 paraît sa thèse *Averroès et l'averroïsme*. Une expédition archéologique le mène à Byblos (1860) en compagnie de sa sœur Henriette qui succombera aux fièvres. Dans ce paysage biblique, il écrit la *Vie de Jésus*, premier tome d'une *Histoire des origines du christianisme* (1863-1882) qui s'étendra jusqu'à Marc-Aurèle, et sera complétée par une *Histoire du peuple juif* (1887-1893).

Dédicace à Henriette Renan, et Introduction indiquant les sources de l'ouvrage. Dans un climat d'attente messianique (chap. 1), naissance de Jésus à Nazareth (Galilée) ; sa famille ; son dialecte (du syriaque mêlé d'hébreu) ; son éducation juive traditionnelle (2-3). Loin des zélotes de Jérusalem, le jeune charpentier attire déjà autour de lui, par son charisme, une « petite troupe » de Galiléens. Après la mort de Joseph, son père, Marie, sa mère, se retire à Cana (4-5). Visite dans le désert de Judée à l'anachorète Jean, qui connaîtra une fin tragique (6). À l'exemple de Jean, Jésus commence à croire à sa mission : à Capharnaüm, on lui donne le nom de Messie ; il recrute des disciples, parmi lesquels Pierre semble avoir la primauté. Autour de lui la légende s'amplifie (7-9). Sermon sur la montagne ; prédication en Galilée de la « bonne nouvelle » (10-11). Craignant le tétrarque Antipas, Jésus se retire au désert avec de nombreux disciples (12), puis se rend à Jérusalem où les Galiléens sont reçus avec mépris. Jésus condamne le matérialisme des Pharisiens. Épisode de la Samaritaine (13-14). Jésus s'attribue désormais une biographie, Rectifiant sa biographie, ses disciples le font naître à Bethléem et passer pour le « fils de David » (15). Miracles (16). Jésus prêche sa morale définitive ainsi qu'une Église sans temples, sans prêtres, sans articles de foi. Rite du partage du pain (17-18). Danger de la morale de Jésus pour la cohésion sociale (19). L'opposition à Jésus grandit, même en Galilée (20). À Jérusalem, il vitupère la caste sacerdotale et les Pharisiens, mais épargne les autorités romaines. Ses amis de Béthanie : Marthe et Marie, Simon le lépreux (21). Épisode de Zachée. Voyage à Jéricho. Le grand prêtre Kaïpha et son beau-père Hanan décident de le faire mourir (22). Retour de Jésus à Jérusalem six jours avant la Pâque. La Cène. Prémonition de Jésus qui se retire au mont des Oliviers (23). La Passion (24-25). La biographie s'arrête pour l'historien à la mort de Jésus. Légendes de la résurrection (26). Destin des « ennemis de Jésus », et hommage à sa « sublime personne » (27). Appendice : « De l'usage qu'il convient de faire du quatrième Évangile en écrivant la vie de Jésus. »

La rupture avec le catholicisme (voir *Souvenirs d'enfance et de jeunesse*) n'affaiblit pas chez Renan un goût très vif « pour l'idéal évangélique et pour le caractère fondateur du christianisme », dont cependant il ne se veut pas l'hagiographe mais l'historien. D'où la variété de ses sources (le Nouveau et l'Ancien Testament, les évangiles apocryphes, le Talmud, les œuvres de Philon d'Alexandrie, de Flavius Josèphe) et le rejet de la thèse de l'inspiration divine des Livres saints. Mais la *Vie de Jésus* n'en demeure pas moins une biographie orientée.

Le projet initial de l'*Histoire des origines du christianisme* se limitait à une histoire des doctrines. Cependant Renan se persuada bientôt que le rayonnement d'une religion tient pour beaucoup à la personnalité du fondateur : « La vérité ne prend quelque valeur que si elle passe à l'état de sentiment » (chap. 5), formule dont Bergson se souviendra dans *les Deux Sources de la morale et de la religion*.

C'est pourquoi, à l'inverse de son confrère allemand D. F. Strauss, dont la *Vie de Jésus* (1835) transformait le héros historique en « éon divin », Renan reste aussi proche de la réalité concrète que le permet la « différence des temps », ressuscitant la culture, le pays, l'environnement social dans lesquels s'épanouit son personnage. Non sans quelques arrière-pensées : il insiste sur la formation juive de Jésus loin de toute influence hellénique (ceci pour contredire les spéculations de la patristique grecque sur l'« essence divine » du Christ), ou sur le hiatus entre le doux peuple d'artisans et de pêcheurs galiléens et la bourgeoisie dogmatique du Sud, « orgueilleuse de son apparente moralité » (2). Autour de Jésus, il reconstitue une nature tantôt idyllique, évoquant l'Ombrie franciscaine, tantôt sévère, rocailleuse (le désert de Judée), et dramatise par un clair-obscur la trahison du jardin des Oliviers : « Une troupe armée se présenta à la lumière des torches » (24). Passablement stéréotypée, l'imagination du narrateur compose volontiers de fades tableaux vivants, proches de l'iconographie sulpicienne (Marie « l'urne sur l'épaule », etc.). Mais lorsqu'il s'agit du héros principal, il semble déchiré entre l'admiration et le souci d'affirmer la « nature humaine » du modèle : d'un côté il multiplie les adjectifs hyperboliques, de l'autre il souligne les traits qui rapprochent Jésus d'un homme ordinaire, « charmeur » certes, mais pas toujours « impeccable »...

La monumentale érudition de Renan lui permet d'aborder aussi en philologue la biographie de Jésus. Mais l'analyse stylistique n'est pas non plus innocente : les aphorismes du Galiléen, « espèces de surates » à la façon du Coran, appartiennent à la tradition hébraïque ; ses paraboles n'ont d'équivalent que dans les livres bouddhiques. Aucune trace de rhétorique grecque dans son discours, ni de doctrine constituée ; l'intuition seulement d'une relation immédiate avec un Dieu père. À Jérusalem, Renan fait parler un autre Jésus : ses conversations deviennent un « feu roulant de disputes, une suite interminable de batailles scolastiques ». Dans ces joutes oratoires, l'auteur voit poindre les germes d'un fanatisme que le « Moyen Âge devait développer de façon cruelle » (20). Ainsi se trouve fondée dans le verbe la distinction entre le « sublime » Jésus du sermon sur la montagne, et l'abrogateur forcené de la Loi – dont théologiens et docteurs annexeront l'intransigeance.

Reste l'épineuse question des miracles, unanimement rapportés par les évangélistes. Si le théoricien de l'*Avenir de la science* (écrit en 1848) les refuse, l'historien se doit d'apprécier la validité des témoignages. Sans les infirmer, l'auteur rappelle que la culture juive, ne possédant ni la notion hellénique d'ordre naturel, ni celle de médecine scientifique, accueillait volontiers le merveilleux. Mais il invoque surtout la ferveur des disciples, anxieux de prouver par la multiplication des « prodiges » entourant Jésus le pouvoir prophétique de leur maître. D'où une nouvelle distinction entre le Jésus historique, discret sur ses dons de « guérisseur » (voir chap. 26), et un Jésus dont les apôtres assureront la notoriété en répandant des légendes comme celle de la résurrection.

En 1862, après la leçon inaugurale où il avait traité Jésus d'« homme incomparable », Renan avait été démis de sa chaire au Collège de France. L'année suivante, la *Vie de Jésus* crée un nouveau scandale, rapidement couvert par le succès commercial (50 000 exemplaires vendus en six mois). Humanisé, arraché aux théologiens, aux églises et aux châteaux, le Galiléen devient un héros populaire sensible au malheur des humbles, et la « bonne nouvelle », une utopie consolante – tandis qu'à l'autre extrémité du spectre social, en esthète, Barrès trouvera bientôt dans l'*Histoire des origines du christianisme* de nouveaux motifs pour admirer les textes bibliques que Renan, en les naturalisant, a mis définitivement à l'abri de l'ironie voltairienne.

● « Folio », 1974 (p.p. J. Gaulmier). ➤ *Œuvres complètes*, Calmann-Lévy, IV.

M.-A. DE BEAUMARCHAIS

VIE DE MARIANNE (la) ou les Aventures de Mme la comtesse de***. Roman de Pierre Carlet de Chamblain de **Marivaux** (1688-1763), publié à Paris chez Prault (sept premières parties) et à La Haye chez Néaulme (quatre dernières parties) de 1731 à 1742. Une « neuvième et dernière partie », apocryphe, parut en 1739 chez Néaulme ; une douzième, apocryphe, en 1745, « aux dépens de la Compagnie », à Amsterdam ; Mme Riccoboni a également écrit une douzième partie, intitulée *Suite de la Vie de Marianne* qui commence où en était resté le récit de Marivaux : composée vers 1750, elle parut en 1760-1761.
La gestation du roman, publié sur une période de onze ans, contraste étrangement avec l'habituelle facilité marivaudienne, encore confirmée par l'éclosion chaleureuse du *Paysan parvenu (1734-1735). D'autant qu'un manuscrit de la première partie était remis à la censure dès le 16 février 1727, pour n'être publié qu'en 1731, et que le texte de la deuxième, déjà à l'imprimerie, puis retiré et remanié, parut seulement en 1734. Mais on n'en sait guère davantage, faute de manuscrits et de documents.

Prétendument rédigées « il y a quarante ans », soit vers 1690 (ce qui, Marianne ayant « cinquante ans passés », reporterait le début de son histoire vers 1640 et sa venue à Paris vers 1655), les aventures de l'héroïne sont censées être racontées par écrit à une de ses amies.
Première partie. Seule rescapée, à l'âge de deux ans, avec un chanoine, d'une attaque de voleurs, Marianne a connu son origine (noble ? légitime ?) il y a à peine « quinze ans ». Elle est recueillie et élevée tendrement par un curé et sa sœur. Vers quinze ans, accompagnant la sœur à Paris, elle perd ses deux protecteurs. Un dévot hypocrite, M. de Climal, la place en apprentissage chez une lingère, Mme Dutour, « une grosse réjouie ». Deuxième partie. À l'église, elle est distinguée et troublée par le jeune Valville, devant qui elle se blesse le pied, à qui elle n'ose dire son adresse, et chez qui elle rencontre M. de Climal, oncle du jeune homme. Mme Dutour se querelle avec le cocher qui ramène Marianne. Troisième partie. M. de Climal, qui propose à Marianne de l'entretenir, est surpris à ses genoux par Valville. Sans argent, Marianne se réfugie chez un religieux, auprès de qui M. de Climal a tenté de la calomnier, puis dans une église, où son désespoir touche une inconnue, qui la place dans un couvent. Quatrième partie. Marianne révèle sa situation à sa bienfaitrice, Mme de Miran, mère de Valville, qui accepte de les laisser s'aimer. Marianne pénètre dans le salon de Mme Dorsin, la meilleure amie de Mme de Miran. Cinquième partie. Mort et repentir de M. de Climal. La famille de Valville apprend la vérité sur Marianne. Sixième partie. Marianne, enlevée par la parentèle de Valville, à le choix entre un mariage forcé avec un autre ou le couvent, et comparaît devant « le ministre même », quand Mme de Miran et Valville font irruption. Septième partie. Après que Marianne s'est expliquée, le ministre renonce à intervenir. Mais Valville tombe amoureux d'une autre jeune fille du couvent, Mlle Varthon ! Huitième partie. Mlle Varthon vient s'expliquer avec Marianne, malade, qui rencontre aussi Valville. Neuvième, dixième et onzième parties. À Marianne, tentée de prendre le voile, une religieuse va raconter sa vie pour l'en dissuader. Ce « petit récit », inachevé, des malheurs de Mlle de Tervire occupe la totalité des trois dernières parties, sans que Marianne, qui reprend la parole dans le dernier paragraphe, amorce la suite, annoncée, de sa propre aventure.

La Vie de Marianne, exactement contemporaine des *Mémoires et Aventures d'un homme de qualité* (1728-1731) de l'abbé Prévost, ouvre l'âge d'or du roman à la première personne, authentifié sous couvert de pseudo-Mémoires qui ne trompent ici évidemment personne. Conformément à la stratégie habituelle des romanciers du XVIIIe siècle, Marivaux se démarque du roman. *Marianne* ne saurait être un roman, à tout le moins un roman conforme, car la narratrice, loin de se limiter aux faits, aux aventures, multiplie les « réflexions », c'est-à-dire le commentaire rétrospectif, « sérieux et philosophe », moral et psychologique, voire stylistique. Concentrées au début des parties, mais surtout mêlées au récit, ces réflexions entendent donner à la narration l'allure aisée d'une conversation à distance, entre la narratrice et son amie, qui actualise dans le texte la présence, fréquemment sollicitée, d'un destinataire. La livraison par parties nettement séparées, plutôt que vers un anachronique feuilleton, oriente le récit vers une structure épistolaire, autre forme canonique du roman à la première personne. L'histoire de Tervire, directement racontée à Marianne, renforce-t-elle le registre de l'oralité, ou au contraire l'estompe-t-elle, par la raréfaction des réflexions et l'accentuation romanesque des « faits » ? Au lecteur d'en juger. Il est sûr en tout cas que le changement de narratrice entraîne, dans la mise en miroir de deux destinées féminines, un changement de ton et un infléchissement du roman. Comme le dit H. Coulet, Marianne obéit à l'honneur, Tervire à la charité ; l'une affronte le monde et le séduit, l'autre y succombe et le fuit.

Redoublement des narratrices, et dédoublement de la voix autobiographique. Alors que la douleur brise encore le récit de Tervire, prise dans l'amertume d'une vie flouée, Marianne se raconte sous le signe de l'ironie, qu'autorise l'étirement de la distance, temporelle et sociale, entre le « je » narré (orpheline sans nom ni statut, au seuil de sa vie) et le « je » narrant (comtesse qui connaît son monde sur le bout des doigts). Le roman marivaudien à la première personne joue avant tout sur la distance rétrospective. Non pas pour rendre incompréhensibles les égarements du passé, comme chez Prévost, mais pour tresser le pathétique des tout premiers émois, des expériences inaugurales, avec le recul caustique et lucide d'une conscience détachée des passions. Ce que la jeune femme vivait dans l'urgence et la confusion des instincts, des instants, se prête maintenant aux brillantes et méticuleuses analyses de la conscience spectatrice. À distance d'elle-même, mais point étrangère ni hostile : mélange typiquement marivaudien de lucidité et d'ironie (qui met à jour les ruses de l'intérêt et de l'amour-propre), mais aussi d'évidente indulgence et d'adéquation à soi. Car ce qu'on dévoile est moins une psychologie individuelle, narcissiquement singulière, magnifiquement exceptionnelle, que générique, et quasiment généalogique, comme dans le théâtre marivaudien. C'est pourquoi l'analyse fouille et décompose les expériences, et les concentre sur quelques semaines (deux mois à peine pour Marianne !). De la vie de Marianne, nous ne saurons que ses premières surprises : la tendresse parentale, la douleur du deuil, la déréliction et l'humiliation du déshérité, la mascarade sociale (populaire, nobiliaire, religieuse), le désir amoureux et son inconstance, et, seul point fort, stable et rayonnant, inconnu du théâtre, l'amitié, ou plutôt l'amour de femmes entre elles (Marianne, Mme de Miran, Mme Dorsin, Tervire, la destinataire inconnue du récit). Comment ne pas le voir ? *La Vie de Marianne* est le premier grand roman de l'âme féminine, de la destinée féminine, où les hommes ne figurent, étonnante audace, que pour ce qu'ils sont sans doute sous l'œil des femmes : secondaires, charmants, dérisoires, quand ils ne sont pas odieux.

● « Classiques Garnier », 1957 (p.p. F. Deloffre) ; « GF », 1978 (p.p. H. Coulet et M. Gilot). ➤ *Romans*, « Pléiade ».

J. GOLDZINK

VIE DE MON PÈRE (la). Roman de Nicolas Edme Rétif, dit **Rétif** (ou **Restif**) **de La Bretonne** (1734-1806), publié en 1778, sous le millésime 1779.

Dans *Monsieur Nicolas*, Rétif confie que la rédaction de « ce petit ouvrage » (de trois cents pages) fut rapide, que « tout [y] est sans art, sans apprêt », et que « la mémoire y a tenu lieu d'imagination ». La modestie du propos, destinée à suggérer le caractère affectif de cette production, ne doit pas faire illusion : *la Vie de mon père* est une œuvre très élaborée.

Edme est un fils soumis et respectueux, bien que Pierre, son père, soit « un homme de plaisir », incapable de gérer correctement le domaine familial. Tandis qu'il reçoit une éducation fondée sur le « goût des vertus sublimes et patriarcales », il manifeste très tôt ses talents pour l'agriculture. Ce fils exemplaire n'en a pas moins un père d'une sévérité extrême. À vingt ans, Edme est placé à Paris, chez un procureur. Un notaire, maître Pombelins, lui offre sa fille. Mais Pierre Rétif, effrayé par une alliance avec une Parisienne, ordonne à son fils de revenir (livre 1). Edme est contraint d'épouser une fille de Sacy, Marie Dondaine, rustaude sans beauté. Il s'installe à Sacy, auprès de son beau-père, et le village, jusqu'alors pauvre, connaît bientôt, grâce à lui, la prospérité. Aussi les habitants lui confient-ils les fonctions de notaire et de juge de paix (2). Après la mort de sa femme, il est présenté à une jeune veuve, Barbe Ferlet (3). Surnommé « l'honnête homme », il est un père de famille et un juge exemplaire. Il meurt entouré de la vénération générale. Le récit s'achève sur l'évocation de ses enfants, dont le narrateur (4).

La part du romanesque, on le voit, est ici réduite. L'épisode de Rose Pombelins est à peine esquissé, et le passé rocambolesque de Barbe Ferlet n'est raconté qu'en une dizaine de pages. Les développements les plus soutenus portent sur le travail des champs, l'économie domestique, et sur des points de morale. Le public goûta ce récit, dont les principaux thèmes (bienfaisance, justice, respect filial, valeur de l'agriculture, vertu du travail) s'accordaient parfaitement avec la sensibilité et l'idéologie de l'époque. Considérée comme une hagiographie et une célébration de la vie rurale, cette œuvre a été maintes fois rééditée.

Mais *la Vie de mon père* ne peut se réduire ni à un monument de piété filiale, ni à un document sur la condition paysanne en Bourgogne au XVIIIe siècle. Le premier signe de sa complexité est dans l'ambiguïté du personnage d'Edme, à la fois paysan exemplaire (par sa compétence et son goût du travail) et paysan atypique (par ses fonctions de juge de paix et de notaire). L'idéalisation aboutit à une singularisation. D'autre part, si, dans le récit, Edme est en effet la figure centrale, une place est faite à son père (livre 1) et à ses enfants (4). Trois générations se trouvent évoquées, et sur cette durée s'esquisse la mise en cause de l'autorité paternelle. Pierre est le père despotique. Edme, par soumission, accepte d'épouser une paysanne sans grâce. Mais auprès de ses enfants, il n'est pas un autocrate : loin de leur imposer son modèle de vie, il s'efforce de les pousser dans le monde et rêve pour eux d'un établissement à Paris. Là est la rupture essentielle avec Pierre, au terme d'une histoire où Edme s'est progressivement émancipé. Et l'un de ses fils, le narrateur de *la Vie de mon père*, prolonge cette émancipation par rapport au modèle patriarcal en vivant à Paris et en étant écrivain. De Pierre à Edme, d'Edme à Nicolas, s'accomplit l'affranchissement de l'individu, livré à un destin qui ne doit plus rien aux cadres sociologiques traditionnels. La biographie du père apparaît ainsi comme le préalable narratif à l'autobiographie du fils (*Monsieur Nicolas*), entreprise cinq ans plus tard.

● « Classiques Garnier », 1970 (p.p. G. Rouger) ; Hildesheim, G. Olms, 1979 (réimp. éd. 1779) ; Genève, Slatkine, 1987 (*id.*).

P. TESTUD

VIE DE RANCÉ. Essai de François-René, vicomte de **Chateaubriand** (1768-1848), publié à Paris chez Delloye en 1844.

Ce dernier texte de Chateaubriand lui fut suggéré par son confesseur, l'abbé Séguin, au début des années 1840. La rédaction, interrompue par des voyages à l'abbaye de la Trappe, au château de Chambord et à Londres, où l'auteur rend visite à Henri V, duc de Bordeaux, se fonde sur les premières « vies » de Rancé publiées au début du XVIIIᵉ siècle, mais Chateaubriand, inspiré par le destin de l'abbé de la Trappe, est amené à teinter le texte d'éléments autobiographiques.

Armand-Jean Le Bouthillier de Rancé est né à Paris en 1626. Il entre très jeune dans l'ordre de Malte, comme son biographe Chateaubriand, et donne dès 1638 un commentaire d'Anacréon. Fréquentant la haute société de Paris, il rencontre la duchesse de Montbazon avec laquelle il entretient des relations étroites jusqu'à la mort subite de la duchesse. En décrivant cette époque de la vie de Rancé, ainsi que celle qui la suit, Chateaubriand ne néglige pas de passer en revue toutes les célébrités du temps, Mlle de Scudéry, Mme de Sévigné, Ninon de Lenclos, Scarron, Fénelon, Bossuet, Mabillon, etc. Mme de Montbazon morte, Rancé, prêtre et docteur en Sorbonne, se convertit à une vie pieuse et austère, soutenu par Bossuet qui est de ses amis. Il se dépouille de tous ses biens et se retire à l'abbaye cistercienne de la Trappe dont il effectue une réforme. Tout en maintenant certains rapports avec le monde – il écrit et publie des œuvres religieuses et entretient une correspondance importante avec ses confrères de l'Église –, Rancé s'emmure de plus en plus dans le renoncement et la contrition à cause de ses « erreurs » de jeunesse.

Chateaubriand ne saurait écrire la biographie d'un homme dont la vie fut tout aussi mouvementée que la sienne, et qui choisit délibérément la retraite et la paix tellement convoitées par le grand romantique, sans s'y refléter lui-même. Et pourtant, la *Vie de Rancé* n'est pas une réécriture de sa propre vie, ni une nouvelle mouture de ses *Mémoires d'outre-tombe qu'il venait de terminer en 1841. Mais s'il ne transpose pas dans la vie de l'abbé de la Trappe l'histoire de ses propres erreurs et de sa propre conversion, il y glisse des bribes et des détails détachés du monde de ses propres souvenirs, selon le même système associatif que dans les *Mémoires*. Il est vrai que Chateaubriand, parlant de la mort de Mme de Montbazon et de la réaction de Rancé, n'évoque pas sa propre douleur à la mort de Pauline de Beaumont, rencontrée en 1801 et aimée passionnément jusqu'à sa mort en 1803, mais il est certain que la « région du profond silence » où s'aventure Rancé après la grande rupture de sa vie, ressemble, pour Chateaubriand, à celle qui suivit sa propre retraite de la vie politique en 1830 où il « pénètr[e] dans une région de paix et de silence » (*Mémoires*, livre XXXV). Sa vieillesse, après 1841, a bien pu s'ouvrir, pour lui comme pour Rancé, comme « une voyageuse de nuit : la terre lui est cachée ; elle ne découvre plus que le ciel ». Un fragment, « Amour et Vieillesse », qu'on a l'habitude de rattacher aux *Mémoires*, est cité plusieurs fois dans la *Vie de Rancé*, et la formule « comme moi-même » revient souvent sous la plume de Chateaubriand. Rancé visite le château de Chambord, et Chateaubriand fait de même, mais le souvenir d'Henri, duc de Bordeaux et héritier du château, lui fait prolonger son *excursus* jusqu'à Londres, où il rend visite au prince en 1843 et qui lui rappelle son exil pendant la Révolution. De même, il se laisse provoquer par le silence de mort faisant suite aux amours de Rancé et de Mme de Montbazon pour se reporter au passé et constater, en vieil homme qu'il est : « Quand vous remueriez ces souvenirs qui s'en vont en poussière, qu'en retireriez-vous, sinon une nouvelle preuve du néant de l'homme ? Ce sont des jeux finis. »

La *Vie de Rancé*, sorte de « roman », selon l'aveu de son auteur, est aussi une « légende, mirage de l'Histoire », et non seulement de l'histoire du XVIIᵉ siècle. Toute remplie qu'elle soit de détails historiques minutieusement triés dans la masse de sources consultées par Chateaubriand, l'œuvre est une hagiographie où se lit en filigrane l'existence de l'auteur. Œuvre double, donc, et non pas transposition de cette existence, le texte est littéraire en ce sens

qu'il crée des images et des mythes, parmi lesquels il faut retenir celui de la conversion ou du retour à la foi. Il est particulièrement significatif que Chateaubriand, à l'incitation d'un directeur de conscience, ait consacré ses dernières forces à écrire l'histoire d'un moine trappiste qui, sans aucune concession au monde extérieur, passa les dernières décennies de sa vie selon les règles les plus strictes de la vie monastique. Autobiographie hypothétique, le texte réalise donc aussi ce que Chateaubriand avait ardemment désiré dans sa propre vie : une existence de moine qui serait le dépassement de toutes les peines et contradictions de la vie d'un romantique.

● STFM, 1955 (p.p. F. Letessier) ; Imprimerie nationale, « Lettres françaises », 1977 (p.p. P. Clarac) ; « 10/18 », 1980 (préf. R. Barthes) ; « Folio », 1986 (p.p. A. Berne-Joffroy) ; « GF », 1991 (postface G. Condominas). ➤ *Œuvres romanesques et Voyages*, « Pléiade », I.

H.P. LUND

VIE DE ROSSINI. Biographie de **Stendhal**, pseudonyme d'Henri Beyle (1783-1842), publiée à Paris chez Auguste Boulland et Cie en 1823.

Sept ans après avoir donné les *Vies de Haydn, Mozart et Métastase* (1815), Stendhal écrit une nouvelle biographie d'un compositeur. Entre-temps, il a fréquenté assidûment la Scala, où Rossini faisait recette. L'écrivain ne l'admire pas sans réserve ; il le place au-dessous de Mozart et de Cimarosa, dont *le Mariage secret* l'avait éveillé, en 1800, à la musique et à l'âme italiennes. Rentré malgré lui en France en juin 1821, il a pour l'Italie toutes les indulgences, y compris pour Rossini dont le style lui rappelle pourtant un peu « le Français de Paris, vain et vif plutôt que gai ; jamais passionné, toujours spirituel, rarement ennuyeux, plus rarement sublime » (chap. 62). Mais parler de Rossini, c'est aussi commémorer les années de bonheur vécues en Italie, à Milan surtout. Contemporaine du premier *Racine et Shakespeare, la *Vie de Rossini* est, comme lui, issue d'un article donné à la *Paris Monthly Review* (en janvier 1822 pour ce qui concerne Rossini), puis amplifié. Dans les deux cas, critiquant le chauvinisme parisien, Stendhal se pose en défenseur d'un art « moderne », conforme à nos « besoins actuels ». « Le *beau idéal* change tous les trente ans en musique », écrit-il dans l'Introduction de la *Vie de Rossini* ; il s'exprime de même pour la tragédie. Inférieur à d'autres compositeurs, Rossini a du moins le mérite d'être « éminemment romantique ».

Le titre de l'ouvrage est surprenant. Comment peut-on écrire la « vie » d'un contemporain, âgé de trente ans à peine ? Il est vrai que la liste de ses opéras, récapitulée au chapitre 62, est déjà impressionnante. *Tancrède*, un *opera seria*, et l'*Italienne à Alger*, « tout simplement la perfection du genre bouffe », sont placés au-dessus du *Barbier de Séville*, tandis que la *Cenerentola* déçoit par son manque d'idéal. Mais qui est-il pour pouvoir juger ainsi ? On est surpris de voir cet égotiste prier le lecteur « de croire que le *Je*, dans cette brochure, n'est qu'une tournure qui pourrait être remplacée par : On disait à Naples, dans la société du marquis Berio... » (2). La formation musicale de Stendhal était sommaire, et la prudence lui a commandé de prendre « de toutes mains », « dans tous les journaux allemands et italiens », des jugements sur Rossini. On en conclura que les journaux français ne méritent pas l'attention... Si Stendhal trouve dans l'*Italienne à Alger* une « élégance » qui a fait de Rossini « le musicien par excellence d'un auditoire français », il ne semble pas que ce soit là une qualité bien estimable : on la chercherait en vain chez Cimarosa. À défaut de savoir s'exprimer en musicologue, Stendhal est sensible aux conditions de représentation des opéras ; la biographie glisse alors vers l'autobiographie, les souvenirs de soirées passées dans des théâtres italiens prolongeant ceux de *Rome, Naples et Florence. On jugera par ailleurs plus suggestifs que rigoureux ses parallèles avec d'autres arts. Ainsi, à propos de *Tancrède* : l'harmonie tiendrait en musique le même rôle que la description dans les romans de Walter Scott ; à propos de *la Cenerentola* : la musique ne peut « parler vite », son empire commence où finit celui de la parole ; enfin, toujours attentif aux *libretti*, dans le chapitre 18 pourtant intitulé « Analyse musicale d'*Otello* », Stendhal s'interroge en fait sur l'expression de la jalousie au théâtre.

La *Vie de Rossini* mérite à peine son titre jusqu'à la recension du chapitre 62 ; elle ne le mérite plus du tout aux quatre derniers chapitres, en particulier au dernier où, étudiant les réactions des gens du Nord (Allemands, Anglais, Écossais) par rapport à la musique, Stendhal cède à ce démon des classifications par nations dont *De l'amour* portait déjà témoignage.

● Plan-de-la-Tour, Éd. d'Aujourd'hui, 2 vol., 1977. ➤ *Œuvres*, Éd. Rencontre, III.

P.-L. REY

VIE DE SAINT ALEXIS. Récit en vers du XIᵉ siècle, conservé par sept manuscrits complets ou fragmentaires. La version française de la *Vita* a probablement été tirée du latin vers 1040, par un clerc anonyme, pour être récitée ou chantée à l'occasion de la fête du saint (17 juillet).

Le texte est composé de 125 strophes de décasyllabes monorimes (ou monoassonancés). Embryons de ce qui sera la laisse épique, ces couplets, agencés numériquement par groupes de cinq (ou sur la base d'un multiple de cinq), rythment rigoureusement la vie du saint. Chaque strophe constitue une unité close, tissée de rappels et de parallélismes lexicaux qui enrichissent la dimension musicale du texte. Le décasyllabe, dont c'est la première attestation littéraire, moule exactement la syntaxe et renforce la clôture du couplet, tout en soulignant le soin mis à la composition de ce récit hagiographique.

Un patricien romain, Eufémien, et son épouse forment un couple stérile qui, à force de prières, obtient de Dieu la naissance d'un fils nommé Alexis. Son éducation achevée, le père, qui n'a pas d'autre héritier, le marie. Avant de consommer son mariage et avec l'accord de son épouse, Alexis s'enfuit en Syrie où il vivra dix-sept ans d'aumônes. Un voyage le ramènera à Rome, chez son père, qui ne le reconnaîtra pas à cause de sa maigreur, et où il achèvera sa vie, sous un escalier, au terme d'une nouvelle période de dix-sept ans. Avant de mourir, il raconte son histoire dans une charte, trouvée sur lui après son décès. Son identité et sa sainteté enfin reconnues, le peuple de Rome lui fait des obsèques grandioses, dignes des miracles accomplis autour de sa dépouille.

L'histoire de saint Alexis vient d'Orient. Elle trouve son origine dans la vie d'un jeune aristocrate, qui vécut à Édesse au Vᵉ siècle, histoire connue par un récit en syriaque, et fondue, à Constantinople, avec celle de Jean le Calybite, mendiant par vocation logé dans une cabane près de chez son père qui ne l'a pas reconnu. Cette synthèse gréco-syriaque (IXᵉ siècle) passa d'Orient en Occident, du grec au latin ; de la version latine émane le texte français.

La *Vie de saint Alexis* développe plusieurs thèmes propres à la littérature hagiographique. Les événements biographiques constituent autant d'*exempla*, d'illustrations par la fiction de fragments de catéchèse. Rompant avec sa famille et sa femme (str. 15), Alexis met en pratique l'enseignement du Christ invitant à renoncer aux liens familiaux pour le suivre. Sa naissance quasi miraculeuse, grâce allouée à un couple stérile (str. 5-6), n'est pas sans faire penser à celle d'Isaac. L'incompatibilité du mariage avec la sainteté, que met en scène la dérobade d'Alexis au soir de ses noces (str. 12-14), vient de la patristique, de saint Jérôme notamment. Cette visée didactique, alimentée aux deux Testaments, donne de la profondeur à l'objectif d'édification inhérent au récit hagiographique.

La *Vie* soutient une conception de la sainteté gardant le souvenir de l'exigence des premiers ascètes, animée par une soif de dénuement absolu. Le saint n'est pas de ce monde ; on ne le reconnaît d'ailleurs tel que lorsqu'il l'a quitté, lorsque Dieu invite à chercher l'« ome Deu », auprès duquel on arrive toujours trop tard, comme si sa fonction était de mettre à l'épreuve d'une perte, d'une culpabilité ou d'une interrogation, bref d'inviter à un changement de vie. Plus encore, c'est la fonction morale et sociale de la sainteté qu'illustre le texte. Alexis est un médiateur entre l'univers terrestre et le monde céleste. La *Vie de saint Alexis*, à la différence d'autres textes hagiographiques, réduit significativement les informations biographiques. La vie s'y trouve résumée à des événements essentiels et symboliques, la naissance, le mariage, deux voyages, la mort située au milieu du récit. La seconde partie livre le sens de cette vie en cherchant à cerner ce qu'elle a apporté au monde ; si elle s'attarde à évoquer, au style direct, le chagrin du père (str. 78-84), la douleur de la mère (str. 85-93), l'impossible deuil de l'épouse (str. 94-99), c'est pour leur faire découvrir que le dénuement spirituel, plus sûrement encore que la pauvreté matérielle, met sur la voie de Dieu. Le saint est l'agent de cette mue, le médiateur de l'accès au Paradis ; sa dépouille possède d'ailleurs des vertus thaumaturgiques.

Au corps, promis à la mort, est substitué le texte même de la vie tirant une traite sur l'éternité. Avant de mourir, Alexis a consigné sa vie dans une charte que seule une intervention divine permettra d'arracher au cadavre. En devenant le narrateur de sa propre histoire, le personnage confère au texte qui s'écrit une véracité et une autorité inébranlables. Le motif prend aussi une valeur réflexive et théorique ; il met en valeur (en les séparant) les moments constitutifs de l'acte littéraire : la rédaction de la *Vie* (str. 57), sa transmission à un destinataire autorisé (seul le pape parvient à arracher la charte au cadavre, str. 75) et sa réception, la révélation par la lecture de son contenu. Dans les deux strophes accordées au texte en abyme, la « vie de saint » découvre sa caractéristique générique : être un récit biographique (str. 76) d'une vie singulière (str. 77), dans le temps où elle synthétise des informations déjà données.

L'histoire d'Alexis a joui d'une grande popularité dans toute l'Europe médiévale ; il existe des versions provençale, italienne, portugaise, allemande, anglaise, russe et norroise. Au XIXᵉ siècle, on chantait encore dans la Nièvre une complainte sur saint Alexis en vers assonancés. L'histoire en a été renouvelée par Henri Ghéon dans sa pièce *le Pauvre sous l'escalier* (1920). En 1938, fut publiée, en provençal, une version burlesque de la légende.

● Champion, rééd. 1980 (p.p. G. Paris) ; Genève, Droz, 1968 (p.p. C. Storey).

J.-C. HUCHET

VIE DE SAINT GRÉGOIRE. Récit en vers dont la plus ancienne version remonte à la première moitié du XIIᵉ siècle. Il a existé plusieurs traditions françaises indépendantes de cette *Vie* dont témoignent les différences des versions en octosyllabes (six manuscrits), en alexandrins (un manuscrit) et en prose (un manuscrit).

La légende du pape Grégoire semble d'origine gréco-byzantine, née au VIᵉ siècle dans l'entourage de moines nestoriens, et n'entretient pas de rapports directs avec la vie du pape Grégoire Iᵉʳ le Grand (540-604), élu pape contre son gré en 590 lors d'une épidémie de peste.

Né des amours incestueuses d'une sœur et d'un frère tenté par le diable, Grégoire est élevé par un riche pêcheur qui l'a recueilli, après que sa mère, pour échapper au déshonneur, eut confié aux flots son berceau. Elle y a dissimulé des tablettes sur lesquelles figure le récit de sa naissance contre nature. Éduqué dans un monastère, pourvu de toutes les qualités, Grégoire apprend le secret de sa naissance en déchiffrant les tablettes et part à la recherche de son lignage. Ses pas l'amènent dans une ville gouvernée par une veuve à qui fait la guerre un duc qu'elle refuse d'épouser. Vainqueur de l'importun, Grégoire épouse la dame sur l'instigation du diable, avant que celle-ci ne découvre, grâce aux tablettes, qu'elle est sa mère. Grégoire s'inflige une terrible pénitence et se fait enchaîner sur un rocher perdu dans la mer. Après dix-sept ans d'expiation, un ange souffle au conclave des cardinaux de l'appeler sur le trône de saint Pierre alors vacant. La pêche miraculeuse du poisson qui avait avalé la clef de ses chaînes confirme que le pénitent est bien l'élu de Dieu. En exerçant son ministère, Grégoire retrouve sa mère qu'il confie à un couvent.

Cette vie de saint est un « sermon » (v. 20) à l'intérieur duquel le récit biographique sert d'*exemplum* à un Prologue mettant fortement l'accent sur l'importance de la pénitence, qui devient ainsi l'objet privilégié de l'édification. La miséricorde divine est sans bornes : il n'est pas de péché irrémissible si le pénitent sait s'amender avec une détermination à la hauteur de la faute commise ; il n'est pas de déshonneur qui ne puisse être racheté et mener au suprême honneur, qui consiste à présider aux destinées de l'Église. La miséricorde divine eût-elle été aussi entière si l'inceste avait été commis en connaissance de cause ? Car l'inceste est bien le pire des péchés, inconcevable sans l'intervention du diable ; acte contre nature, il brouille l'ordre des générations et des places dans la parenté à partir desquelles l'homme médiéval construit sa représentation du monde. Les versions en vers répètent à l'envi que Grégoire est le neveu-fils de son oncle-père, le fils-époux de sa mère-tante. Leitmotiv qui s'inscrit dans une préoccupation cléricale et aristocratique à l'intérieur de laquelle l'inceste devient une question théologique et l'interdit à partir duquel s'ordonnent les alliances matrimoniales. La fiction édifiante fait de l'inceste un destin où le fils reproduit la faute du père, où le report des générations fait glisser de l'inceste frère-sœur à l'inceste mère-fils et montre, avant Freud, qu'il n'est d'inceste véritable (de péché) qu'avec la mère. Grégoire est le double chrétien d'un Œdipe qui aurait économisé le meurtre du père, le second versant du forfait du Thébain.

La version octosyllabique de la *Vie de saint Grégoire* possède le caractère exemplaire et édifiant des récits hagiographiques, et utilise des motifs traditionnels du merveilleux judéo-chrétien : le berceau confié aux flots (qui rappelle Moïse), le poisson (symbole christique) contenant la clef délivrant des chaînes (du péché)... Au-delà, elle recourt à des thèmes romanesques. Le combat opposant Grégoire et le duc rappelle ceux qui animent les romans antiques ; la prouesse guerrière donne droit à la femme qui ne peut seule assumer la défense d'un fief, thème structurant nombre de fictions. La visée hagiographique et la prégnance de l'inceste interdisaient la description du sentiment amoureux caractéristique du roman ; on a néanmoins l'impression que la vie de saint croise ici le roman chevaleresque et invite à réduire l'écart entre les deux genres.

La légende du pseudo-pape Grégoire a donné naissance à des versions en vers et en prose dans la plupart des langues européennes, parmi lesquelles se distinguent le *Gregorius* de Hartman von Aue (ca. 1190) et la version latine fournie par les *Gesta Romanorum*. Walter Scott découvrira encore en 1806 une version anglaise de la légende.

● *La Vie du pape saint Grégoire. Huit versions françaises médiévales de la légende du bon pécheur*, Amsterdam, Rodopi, 1977 (p.p. H. B. Sol).

J.-C. HUCHET

VIE DE SAINT LÉGER. Récit en vers composé au Xe siècle dans le nord-est de la France. Formé de 240 octosyllabes

regroupés en quarante strophes de six vers assonants deux par deux, ce texte est conservé par un manuscrit du XIe siècle qui contient également un récit de la Passion du Christ (dite Passion de Clermont) et dont la langue présente un grand nombre de provençalismes.

Avec le *Saint Léger*, le caractère biographique du récit hagiographique s'affirme ; on suit le saint depuis sa naissance jusqu'à son accession à l'épiscopat, puis à son supplice ; sa vie épouse le cours de l'Histoire : il est le protégé de Clotaire et le conseiller de Chilpéric ; la mort du roi favorisera l'ascension militaire d'un moine – Ebroïn – jaloux de la force spirituelle de Léger, qu'il fera mutiler, emprisonner puis assassiner lorsqu'il constatera que Dieu a rendu la vue aux yeux crevés et la parole à la bouche privée de langue du reclus.

Bien que soumis à un moule strophique et rythmique rappelant qu'il devait être chanté, le texte voit son caractère narratif s'accentuer. Au tiers, le récit bascule ; l'ascension mondaine de Léger s'interrompt lorsqu'il se dessaisit de ses prébendes et choisit de vivre dans un monastère où il rencontrera son futur bourreau, qu'un échec politique a conduit à s'y enfermer ; le dénuement volontaire inaugure une ascension spirituelle (que n'interrompra pas le retour à l'épiscopat), passant par le tourment du corps et le sacrifice de la vie, qui entre en conflit avec celle, toute militaire, d'Ebroïn profitant de l'impuissance du pouvoir royal. Destins symétriquement inverses de la victime et du bourreau, l'un voué à Dieu l'autre au diable, conduisant une vie à en écrire une autre. Martyr et exemple de renoncement au pouvoir, saint Léger témoigne de la force du Verbe divin ; pour convertir les mécréants, Dieu lui rend la parole que le bourreau lui avait ôtée avec la langue et les lèvres. Parole dont le poème prolonge l'écho, afin d'en assumer la mission spirituelle : allumer cette lumière intérieure que les yeux ne voient pas.

● Turin, Giappichelli, 1967 (p.p. D'A.S. Avalle).

J.-C. HUCHET

VIE DE SAINT LOUIS. Récit en prose de Jean, sire de **Joinville** (vers 1224-1317), composé entre 1305 et 1306 (ou 1309), et transmis par trois manuscrits.

Cet ouvrage, entrepris à la demande de la reine de France, Jeanne de Navarre, est dédié à son fils aîné, Louis, le futur Louis X. Il se donne pour essentiellement biographique – Joinville déclarant qu'il « fai[t] escrire la vie nostre saint roy Looÿs » – et fonde sa véracité sur le témoignage de l'auteur, privilégiant ce qu'il a vu et entendu durant les années où il partagea la vie du souverain.

Joinville dédie son livre à Louis de Navarre, justifie son entreprise et annonce son plan. Il traitera d'abord des « saintes paroles » du roi, puis de ses hauts faits, et, pour finir, de sa mort.
« Saintes paroles et [...] bons enseignements » du roi : son amour pour son peuple, son respect des pauvres, ses idées sur les vêtements, les comportements sociaux, la fermeté de sa foi, sa loyauté.
Naissance et couronnement de Saint Louis. Principaux événements du début de son règne. Grave maladie du roi qui dès sa guérison se croise. Joinville prend également la croix. Départ pour la septième croisade. Séjour à Chypre. Débarquement en Égypte. Prise de Damiette par les croisés. Bataille de Mansourah. Revers des croisés. Saint Louis est fait prisonnier, Joinville également. Traité du roi avec les émirs. Départ du roi et des croisés pour la Terre sainte. Séjour à Acre, où le roi reçoit une délégation envoyée par le chef des Assassins. Séjour à Césarée, où le roi reçoit des messagers tartares. Séjour à Jaffa, à Sayette. Retour en France. Sainte vie du roi à son retour d'« Outremer ». Manifestations de sa sagesse, de sa justice, de sa générosité.
Saint Louis, très affaibli, repart en croisade. À Tunis, gravement malade, il dispense ses ultimes enseignements à son fils aîné. Mort du roi. Sa canonisation. Rêve de Joinville qui fait élever un autel dédié au roi dans sa chapelle.
Joinville rappelle les sources de son livre et garantit la véracité des faits dont il a été le témoin.

Centrée sur un personnage royal, qui est également un saint, l'œuvre de Joinville relève en partie du genre hagiographique, auquel elle emprunte la présentation exemplaire de faits et dits de Louis IX (il en subsiste jusqu'à aujourd'hui toute une imagerie autour du saint roi, rendant la justice sous un chêne ou lavant, le jeudi saint, les pieds des pauvres). Le livre s'apparente également à la chronique par le récit détaillé et circonstancié qu'il propose de la septième croisade (1248-1254), qui constitue plus des deux tiers de l'ouvrage. La grande originalité de ce témoignage, quand on le compare à ceux de Villehardouin ou Robert de Clari sur la quatrième croisade (voir la *Conquête de Constantinople*), réside dans l'emploi systématique du récit à la première personne. Bien loin d'affecter le détachement et la distance qu'impliquait chez ses prédécesseurs le recours au « il » pour parler d'eux-mêmes, Joinville fait de sa participation et présence affichées la garantie primordiale de la véracité des faits rapportés.

Mais surtout, avec ce récit, l'auteur nous livre la première autobiographie en langue française. Et cette histoire du moi est d'abord l'histoire d'une amitié, celle qui se développa entre le jeune noble champenois et le roi de France, son aîné d'une dizaine d'années, au cours des épreuves partagées de la septième croisade. L'attachement de Joinville se manifeste déjà dans sa sollicitude, lors de la bataille de Mansourah, quand il fait ôter au roi son heaume et lui donne son « chapel de fer », afin qu'il puisse respirer plus librement ; il est aussi sensible quand le sénéchal de Champagne malade recherche la présence du roi ; il culmine dans la scène où le roi et le sénéchal sont réunis pour la dernière fois : l'état de faiblesse de Saint Louis est tel qu'il accepte que Joinville le porte entre ses bras de l'hôtel du comte d'Auxerre jusqu'au couvent des Cordeliers. Mais le récit ne donne pas de cette affection une vision unilatérale : à Acre le roi demande à Joinville de prendre ses repas avec lui, le fait appeler pour lui confier son désarroi quand il apprend la mort de sa mère, Blanche de Castille, et sait aussi, par un geste (en le prenant par les épaules), lui exprimer son soutien, quand Joinville, seul contre tous, lui conseille de rester en Terre sainte.

Un autre attrait de la *Vie de Saint Louis* réside dans l'intérêt que prend l'auteur à rappeler sa rencontre avec des hommes et des civilisations autres. En première ligne, bien sûr, les Sarrasins, ennemis implacables, mais aussi capables d'égards pour leurs prisonniers ; plus épisodiquement apparaissent les Bédouins, les Tartares, les Assassins. Joinville s'attarde sur leurs mœurs, leur religion, éventuellement leur histoire, témoignant d'une curiosité et d'une ouverture d'esprit méritoires.

Grand seigneur et guerrier avant tout, Joinville se révèle aussi un excellent conteur. Il sait faire revivre les souffrances et angoisses des croisés prisonniers en Égypte, jouer de l'exotisme du monde musulman par des détails bien choisis (« nacaires » [tambours] de l'armée sarrasine, « touailles » [turbans] des Sarrasins, leurs étranges serments, etc.). Il sait aussi suggérer le courage des croisés par l'humour dont ils ne se départent jamais, même dans les situations les plus difficiles : tandis que les flèches ennemies et les feux grégeois pleuvent sur eux, le comte de Soissons dit à Joinville qu'ils reparleront de cette journée dans les « chambres des dames », et Saint Louis, quand il raconte sa capture, compare le zèle de Geoffroy de Sergines qui le défendait à celui d'un valet éloignant les mouches de la coupe de son seigneur. Surtout il sait, en usant de la prétérition, communiquer avec force une émotion présente ou passée, ou encore dire, par la médiation du rêve, l'indicible – son remords de n'avoir pas suivi le roi dans sa dernière croisade, sa peur d'une irrémédiable cassure entre eux.

Hagiographe, chroniqueur, à ses heures ethnologue, Joinville est surtout un grand mémorialiste, à qui son attachement pour son roi a permis de le faire revivre, non pas dans une sainteté stéréotypée et figée, mais comme un être de passion et de joie.

● « Pléiade », 1938 (*Historiens et Chroniqueurs du Moyen Âge*, p.p. A. Pauphilet, révisé p. E. Pognon) ; Sherbrooke (Québec), Naaman, 1977 (p.p. N. L. Corbett).

M.-T. DE MEDEIROS

VIE DE SAINT THOMAS BECKET. Récit en vers du XIIe siècle, dont trois versions sont connues. La plus importante, conservée par six manuscrits, a été composée entre 1172 et 1174 par **Guernes de Pont-Sainte-Maxence**, un clerc originaire du nord de l'Île-de-France.

Ce poème de 6 180 vers raconte la querelle qui opposa le roi d'Angleterre Henri II Plantagenêt à l'archevêque de Cantorbéry, Thomas Becket, et conduisit à l'assassinat de ce dernier, le 29 décembre 1170, et à sa canonisation, le 21 février 1173.

Le récit ne s'attarde guère à l'évocation des années de formation de Thomas Becket, fils de bourgeois londoniens. Une carrière rapide, grâce à des soutiens ecclésiastiques, le fait archidiacre, puis chancelier d'Henri II, qu'il sert fidèlement et dont il a la confiance, et enfin archevêque de Cantorbéry. Dès lors, il se voue tout entier au service de Dieu et mène une vie austère. Le conflit avec Henri II naît de la volonté de celui-ci de faire reconnaître par les prélats du royaume des coutumes soumettant l'Église d'Angleterre au pouvoir séculier. Thomas refuse. La colère du roi l'oblige à s'exiler en France, où il est bien accueilli. Le récit évoque longuement les tractations permettant à Thomas de rentrer en Angleterre. La fragile paix sera rompue lorsque l'archevêque déposera les évêques qui ont souscrit aux coutumes et adopté le parti du roi. Quatre vassaux du roi assassineront Thomas dans la cathédrale de Cantorbéry, meurtre imputé à Henri II qui fera amende honorable, quatre ans plus tard, sur le tombeau du saint.

Le récit de Guernes vaut d'abord par sa dramatisation du contraste entre deux personnalités également fortes. Le Plantagenêt, colérique, est l'incarnation du monarque absolu, n'admettant pas que sa volonté hégémonique soit contrecarrée. Thomas ne se montre pas moins entier et inflexible lorsqu'il s'agit de défendre les intérêts de l'Église dont il a la charge, n'acceptant les compromis qu'au terme d'une longue résistance qui raréfie les soutiens à sa cause. Il connaît la solitude intérieure du saint que seule conduit la certitude d'accomplir le dessein divin. Thomas Becket est un saint égaré dans la politique et l'Histoire, qui vont lui permettre de réaliser sa sainteté. Aussi le récit de Guernes n'est-il hagiographique qu'incidemment, lorsqu'il se souvient des guérisons miraculeuses accomplies par Thomas ou des mortifications terribles qu'il s'inflige, ou lorsqu'il souligne que l'activité littéraire doit se soucier d'amender l'homme. Cette vie de saint a effacé la plupart des marques biographiques ; elle ne relate pas une conversion, mais une identification tenace à une fonction supposant un changement de personnalité et de vie. À ce titre, elle est atypique. Même si le récit de Guernes présente des erreurs d'ordre historique, il n'en reste pas moins un document intéressant sur le conflit de l'Église d'Angleterre, crispée sur ses privilèges judiciaires, et de la monarchie voulant soumettre les clercs à la justice séculière. Le différend de Thomas Becket et d'Henri II emblématise le conflit de deux autonomies ; il s'inscrit dans l'histoire des monarchies absolues. En bon clerc, Guernes recourt aux ressources habituelles de la rhétorique. Il sait animer les dialogues et varier les points de vue narratifs en utilisant les lettres échangées par les protagonistes après les avoir soumises aux moules formels du vers et de la strophe ; privées de leur dimension documentaire, elles deviennent des exercices de style parfaitement intégrés au récit.

Mais l'écrivain manifeste un réel souci d'historiographe, réaffirme souvent celui de la véracité des faits rapportés, le soin pris à interroger des témoins oculaires ou des proches du saint. Soin qui l'a conduit à franchir la mer et à rédiger son texte là où l'événement eut lieu, qui l'a amené à abandonner une première version de son texte trop infidèle à la vérité parce que mal informée et composée trop loin du théâtre du drame. Ce souci apparaît encore dans la datation précise du début et de la fin du travail, dans l'insertion de documents écrits (épîtres échangées par les différents protagonistes) à l'intérieur d'un texte reposant sur des témoignages oraux. Néanmoins, la *Vie de saint Thomas Becket* est l'œuvre d'un clerc engagé qui, à travers la cause du saint qu'il ne soupçonne jamais de se tromper, défend celle de l'Église, tout en omettant de dire qu'il suit de très près la *Vita sancti Thomae* d'Édouard Grim (1172) dont il traduit souvent de larges passages.

● Champion, 1936 (p.p. E. Walberg). Traduction : Champion, 1990 (J. Gouttebroze et A. Queffélec).

J.-C. HUCHET

VIE DE SAINTE MARGUERITE. Récit en vers, dont il existe plusieurs versions françaises. La plus connue d'entre elles, composée au XIIᵉ siècle, conservée par trois manuscrits, est attribuée à un Grace, déformation du nom de Guace, dans lequel la critique reconnaît **Wace** (seconde moitié du XIIᵉ siècle), auteur d'une *Vie de saint Nicolas*, du **Roman de Brut* et du **Roman de Rou*, qui mit sa plume au service d'Henri II Plantagenêt. Écrite dans la langue littéraire du XIIᵉ siècle, la vie de la sainte adapte un original latin (dont il existe deux versions) remontant lui-même à une version grecque composée entre le VIIᵉ et le VIIIᵉ siècle.

Fille d'un dignitaire musulman, Marguerite a embrassé la foi des chrétiens que son père massacre. Sa beauté a frappé le prévôt de Rome, Olibrius, que l'amour pousse à la réclamer pour concubine. Lorsqu'il apprend qu'elle est chrétienne, la demande devient menace d'un supplice que la fermeté de la foi de Marguerite et son attachement à la chasteté rendent inévitable. Ni la flagellation, ni les flammes, ni l'incarcération, ni les visites de deux diables qu'elle terrassera ne parviendront à fléchir la martyre à qui Dieu a promis le Paradis par la voix de l'Esprit saint. Après sa décapitation, des anges chantent la louange de la sainte autour du corps supplicié mis en terre par un certain Theodimus, auteur du récit de sa vie.

La *Vie de sainte Marguerite* traduit sans doute un attachement particulier de l'auteur à la figure de la sainte qui s'inscrit dans une dévotion populaire allant croissant au XIIᵉ siècle et qui s'intensifie au siècle suivant : Marguerite avait entre autres vertus celle de protéger, ainsi que leur enfant, les femmes en couches qui la priaient. Brève (744 octosyllabes), la *Vie de sainte Marguerite* possède néanmoins les caractéristiques du récit hagiographique traditionnel : elle épouse le cours d'une vie, suivie depuis la naissance jusqu'à la mort, dont les cadres symboliques médiévaux sont soulignés (parenté, rang...). Exemplaire, la vie de la sainte invite à l'imitation, non au sacrifice mais à la chasteté, et à une constance dans la foi capable de convertir cinq mille païens. Au-delà, le texte sert à rappeler quelques évidences théologiques : l'existence du démon, incarné par deux dragons qui évoquent la chute de Satan, le sens de la présence du Christ venu au monde pour tirer l'homme de l'enfer... La vie de la sainte appartient ainsi à la tradition didactique : sa récitation participe à la catéchèse des foules médiévales. Le récit des supplices suit une progression graduée qui met en contraste l'innocence du corps de la « virge » et la perversité du bourreau maniant les « verges » qui le déchirent jusqu'à ce que les entrailles sortent par les plaies. Ces vies de saintes mettent le corps au centre du récit, en opposant deux attitudes vis-à-vis de celui-ci : à la chasteté qui vise à en maintenir l'intégrité physique et morale, en le protégeant notamment de l'effraction sexuelle (Olibrius veut faire de Mar-

guerite sa concubine), s'oppose l'entêtement farouche à l'anéantir, à le diviser par la décollation finale. Le corps saint est un corps morcelé, comme le corps du récit hagiographique qui s'ouvre aux nombreuses prières de la sainte et constitue ainsi une des particularités de la version donnée par Wace de la *Vie de sainte Marguerite*. Il est significatif que, dans le récit, Theodimus ait mis en terre le corps décapité et écrive les prières recueillies du vivant de la sainte, de manière à donner au corps saint un équivalent textuel digne d'éloge et de piété.

Wace ne se veut rien d'autre que le traducteur de Theodimus ; néanmoins, même s'il suit la version latine, il a pris quelques libertés avec le texte, ajoutant là un détail pittoresque (par exemple, la comparaison de Marguerite avec une pierre précieuse), retranchant ailleurs des événements secondaires pour donner davantage de force aux scènes exemplaires et mieux recourir aux effets rhétoriques. Même hagiographe, Wace fait œuvre d'écrivain.

Outre le texte de Wace, la légende de sainte Marguerite, qui a été également diffusée par l'iconographie, est connue par onze versions françaises en vers ; des versions en prose apparaissent au XIIIᵉ siècle. Les versions occitanes et anglaises prennent davantage de liberté avec le texte latin et paraissent indépendantes de la tradition dont se réclame Wace.

● Champion, 1932 (p.p. E.-A. Francis).

J.-C. HUCHET

VIE DE SAINTE MARIE L'ÉGYPTIENNE. Récit en vers de **Rutebeuf** (seconde moitié du XIIIᵉ siècle), composé au printemps 1262, peut-être pour la fête de la sainte (le 2 avril) à la demande de la Confrérie des drapiers de Paris placée depuis longtemps sous l'invocation de Marie l'Égyptienne.

La sainte apparaît pour la première fois dans un récit attribué à Sophronios, archevêque de Jérusalem ; traduit en latin par Paul Diacre, ce récit a donné naissance à deux poèmes de Flodoart de Reims (Xᵉ siècle) et d'Hildebert de Lavardin (XIIᵉ siècle). Rutebeuf se réclame d'une tradition française représentée par un texte anonyme du XIIᵉ siècle (de 1 550 octosyllabes), qui centre le récit sur l'Égyptienne là où les textes latins mettaient l'accent sur le moine Zozimas.

Pécheresse invétérée, Marie, dite l'Égyptienne, se livre à la prostitution avec une constance croissante, jusqu'au jour où une force mystérieuse l'empêche de pénétrer dans une église. Un retour sur soi l'amène à comprendre le sens religieux de ce phénomène et à confesser ses fautes à une statue de la Vierge. Une voix dirige ses pas dans un « désert » où elle vivra quarante ans dans la sainteté après avoir renoncé à ses péchés. Au vers 519, le récit se tourne vers le moine Zozimas qui cède à l'orgueil de se croire parfait, et se voit envoyer par Dieu dans le désert pour se mettre à l'épreuve d'une autre forme de sainteté ; il y rencontrera, par deux fois, Marie, en qui il sait découvrir l'envoyée de Dieu. Il lui appartiendra de donner à la sainte une sépulture et de rapporter à ses frères le fruit spirituel de ses rencontres avec l'Égyptienne.

Bien qu'elle soit une œuvre de commande et reprise d'un texte antérieur, la *Vie de sainte Marie l'Égyptienne* présente un caractère autobiographique indirect. Rutebeuf, qui connaît semble-t-il en 1262 une crise spirituelle aboutissant à un changement de vie et à un renouvellement d'inspiration, d'où naîtront aussi la *Vie de sainte Élysabel* et le **Miracle de Théophile*, a dû s'identifier à celle dont la conversion exemplaire lui permit de donner un sens à la sienne.

À la différence de maints récits hagiographiques, la *Vie de sainte Marie l'Égyptienne* n'épouse pas le cours d'une existence ; elle est au mieux une biographie spirituelle, réduite à l'avant et l'après d'une conversion brutale qui met en valeur la magnanimité d'un Dieu miséricordieux et l'intercession de la Vierge. Le récit de Rutebeuf est une apologie du repentir et de l'expiation redécouverts comme les voies mêmes du salut. Dieu aime le pécheur et le Christ a insisté sur le pardon qui lui est dû, car le « péché est une maladie de l'âme » dont guérit la pénitence. De l'énormité du péché dépend la qualité du repentir ; à l'excès de la débauche correspond la frénésie de l'expiation. À la différence des vierges qui peuplent les récits hagiographiques, la sainteté et le Paradis ne sont pas donnés d'entrée à Marie l'Égyptienne, mais conquis de haute lutte. L'instrument de la pénitence est le corps, dont la beauté juvénile inspira la débauche, qu'il faut symboliquement laver dans le Jourdain avant de le mettre quarante ans à l'épreuve des ronces, de la faim et des intempéries, jusqu'à ce que son éclat qui suscitait la convoitise se transforme en noirceur donnant à voir le péché, jusqu'à ce qu'il ne soit plus que cette ombre fuyant Zozimas où la femme ne se reconnaît plus. Le corps saint est un corps délivré du besoin : Marie emporte pour toute nourriture trois minuscules pains qui la soutiendront quarante ans ; trois grains de blé constitueront son ultime nourriture.

Le texte de Rutebeuf repose sur l'opposition de deux types de sainteté et de deux modes de vie religieuse. Zozimas a fondé le premier ordre monastique auquel il a imposé une règle sous laquelle vivent des moines. Même si Dieu reconnaît l'excellence de cette règle, il n'en invite pas moins Zozimas à chercher un idéal de sainteté plus élevé, incarné par Marie, qui met à l'épreuve de la solitude et renoue ainsi avec l'ascétisme des Pères du désert. Comme dans l'Église primitive, le cénobitisme se trouve ainsi opposé à l'érémitisme ; le dialogue privé et expiatoire avec Dieu au désert, privilégié au détriment de la louange collective. Il n'est pas impensable que Marie l'Égyptienne ait incarné, aux yeux du nouveau converti Rutebeuf, un retour aux origines du christianisme et un idéal de pauvreté et de retrait du monde autrement plus exigeant que celui que représentaient les ordres mendiants, avec lesquels Rutebeuf n'a cessé d'en découdre.

Indéniablement, Rutebeuf suit de près le texte anonyme dont il s'est plus qu'inspiré ; il l'a néanmoins allégé à maints endroits afin de resserrer le récit (1 306 octosyllabes) et de lui donner une exemplarité en partie liée à une série de contrastes affectant toutes les dimensions du texte : à la beauté lumineuse de la prostituée, qui dissimule une laideur intérieure, répondent la noirceur corporelle de l'ascète et la lumière intérieure qui l'habite, aux dix-sept ans de luxure correspondent les dix-sept années de tentation par le Diable dans le désert, aux trois pains inaugurant la nouvelle vie de Marie, les trois grains de blé qui la concluent. Marie la pécheresse n'est-elle pas l'envers négatif de Marie mère de Dieu ?... Ces contrastes renforcent la structure bipartite du récit et contribuent, avec les jeux de mots habituels aux clercs (sur le nom de Marie, notamment) et les effets rhétoriques (anaphores, formules...), à lui donner une force symbolique et religieuse que ne possèdent pas la plupart des récits hagiographiques habituels.

La légende de Marie l'Égyptienne demeure bien vivace durant tout le Moyen Âge. Il en existe plusieurs versions, tant en prose qu'en vers, sans compter celle qu'offre *la Légende dorée* ; elle nous conduit jusqu'à *Marie l'Égyptienne* (1983) de Jacques Lacarrière. La version de Rutebeuf semble être à l'origine du résumé figurant dans *Renart le Contrefait* (XIVe siècle).

● Genève, Droz, 1977 (p.p. P. F. Dembowski). ➤ *Œuvres complètes*, A. et J. Picard, I ; *id.*, « Classiques Garnier », I.

J.-C. HUCHET

VIE DE SAMUEL BELET (la). Roman de Charles Ferdinand **Ramuz** (Suisse, 1878-1947), publié simultanément à Paris chez Ollendorff et à Lausanne chez Payot en 1913.

Première partie. Au milieu du XIXe siècle, Samuel Belet, après avoir perdu ses parents (chap. 1-2) est placé chez un gros propriétaire terrien comme employé de ferme : il devient l'ami du vieux M. Loup, qui lui fait office de précepteur. À dix-huit ans, il tombe amoureux de Mélanie (3-4). M. Loup lui trouve une place comme commis chez un notaire. Le dimanche, il a rendez-vous avec Mélanie. Bientôt, M. Loup, qui a deviné ses projets, pense qu'il est temps pour lui d'entrer à l'École normale : il serait instituteur et pourrait épouser Mélanie, ses deux vœux les plus chers (5). Cependant Mélanie ne vient plus aux rendez-vous. Et Samuel, qui ne supporte pas les reproches du notaire, claque la porte. En quelques heures, il a balayé son rêve de devenir quelqu'un (6). Il part vers le Haut-Pays, le plus loin possible, accepte le premier travail venu, ne parle à personne et commence à boire. Une servante, Adèle, s'offre à lui, mais c'est d'une autre qu'il rêve (7). Il apprend que Mélanie s'est mariée, et il traverse le lac vers la Savoie (8).

Deuxième partie. Commencent sept années d'exil. Tonnelier, domestique, Samuel parcourt tous les villages entre Thonon et le canton de Genève. Au bout de trois ans, il arrive à Saint-Alban et fait la connaissance de Duborgel, un charpentier. Un an de chantier commun scelle leur amitié. Duborgel lui propose de l'accompagner à Paris (chap. 1). Samuel reprend ses lectures. Duborgel parle beaucoup de fraternité des peuples. L'écart se creuse entre eux (2-3). Les amis se quittent ; Samuel est plus seul que jamais. La guerre éclate, qui le chasse de Paris (4). À Vevey, il trouve du travail dans une scierie. Louise, une veuve qui tient une pension, réconforte bientôt le cœur de Samuel. Le jour de leur mariage, il avoue que sa vie commence (5). Cinq années paisibles ont passé lorsque Samuel réalise que Louise n'aime que son fils, un enfant secret qui n'accepte pas Samuel (6). Louise tombe malade (7). Pour qu'elle guérisse, il achète une maison de campagne (8). Louise meurt et son fils se laisse mourir six mois plus tard (9-11). Samuel reprend le chemin de son village natal (12).

Troisième partie. Samuel a soixante ans et s'étonne d'avoir mené à son terme le récit de sa vie. Il se retrouve à l'endroit d'où il est parti. Il est installé chez le père Pinget qui l'initie au métier de la pêche (chap. 1). Quatre ans plus tard le vieil homme meurt (2). Samuel a enfin trouvé le sens de son existence : il a appris à aimer (3).

La Vie de Samuel Belet appartient aux romans de la « première manière » de Ramuz, avec *Aline* (1905), *les Circonstances de la vie* (1907), *Jean-Luc persécuté* (1909), romans dont la simplicité de trait, le dénuement des personnages et le pathétique font toute la valeur. *La Vie de Samuel Belet*, au-delà d'événements d'une extrême banalité, est le récit d'une longue initiation à la vie et à l'amour. Samuel Belet parvient à l'accomplissement le jour où, privé par une série de malheurs de tous les êtres qu'il a aimés, il trouve le sens de son existence et aboutit à un amour suprême dans une symbiose avec son passé : « Ce passé qui n'est plus est repris jour à jour ; ce qui n'a pas été assez vécu est revécu ; les mots qui n'ont pas été dits, alors qu'ils étaient nécessaires, ils me viennent en foule à la bouche. » Au terme d'une vie faite d'échecs, de retours répétés à la solitude après le bonheur entrevu ou fugitivement possédé, Samuel Belet trouve une réconciliation avec son histoire douloureuse. Le temps n'a été qu'une suite de destructions, mais, à l'hiver de sa vie, Samuel découvre la joie et le roman s'achève sur une extase qui lui donne tout son sens. Dans *Aimé Pache, peintre vaudois* (1911), Ramuz avait fait accomplir la même découverte spirituelle à un artiste. Mais loin de réserver cette élévation d'âme à des êtres d'exception, doués d'une propension particulière à la méditation, c'est ici à un simple ouvrier de campagne, condamné à un sort tragique, qu'il attribue une force d'âme propre à développer un tel sentiment d'appartenance au grand tout.

La Vie de Samuel Belet se présente comme une autobiographie fictive ; mais dans les dernières pages du roman, c'est incontestablement l'auteur qui se substitue à son personnage pour traduire sa foi. Le changement soudain de registre l'atteste : à un style volontairement dépouillé, incolore et sans accent succède un langage imagé, aux rythmes et consonances poétiques.

C'est un an après la parution de *la Vie de Samuel Belet* que Ramuz adresse son *Adieu à beaucoup de personnages*. L'histoire de Samuel Belet peut alors apparaître comme la préfiguration de la démarche intérieure de l'auteur. De résurrections en résurrections, Ramuz est parvenu au « lieu supérieur d'où tout se découvre et où la raison de tout s'aperçoit ». Un temps s'achève et s'ouvre une œuvre nouvelle.

● « L'Imaginaire », 1978.

C. PONT-HUMBERT

VIE DE VOYAGE (la). Voir NOUVELLES ASIATIQUES, d'A. de Gobineau.

VIE DES ABEILLES (la). Essai de Maurice **Maeterlinck** (Belgique, 1862-1949), publié à Paris chez Fasquelle en 1901.

La métaphysique du premier théâtre de Maeterlinck (voir *la *Princesse Maleine*, 1889 ; *les *Aveugles*, 1890 ; **Pelléas et Mélisande*, 1892) supposait un monde hostile à l'homme. Le destin, essentiel protagoniste de ce théâtre, était le seul Dieu de l'« incroyant » Maeterlinck. Or, celui-ci, dans ses essais, s'appliquera au contraire à réduire l'empire de la fatalité, à dépister tout ce qui décourage la volonté de résistance et de lutte des hommes. Le mal qu'il situait autrefois dans l'au-delà, il le voit maintenant dans la société observée à travers un univers, certes différent de celui de l'homme, mais qui s'en approche par certains aspects. Son premier acte d'hostilité contre la religion du destin, Maeterlinck le manifeste dans *Sagesse et Destinée* en 1898 : « Nous ne voulons plus de l'étroite et basse morale des châtiments et des récompenses que nous offrent les religions positives. » Il ne cessera de les multiplier par la suite.

Pendant cette période, Maeterlinck fut essentiellement moraliste et prédicateur. Il se reprochait de s'être trop abandonné au goût du mystère qui avait jusque-là nourri son œuvre, et qui l'empêchait de se tourner entièrement et résolument vers les hommes et la société. Avec l'observation de la nature, il trouve un terrain de recherche adéquat qui lui permet d'assurer une transition. *La Vie des abeilles* et *l'Intelligence des fleurs* (1907) sont à cet égard les plus personnelles des œuvres de la seconde période. C'est là, plus que dans *Monna Vanna* (1902), qu'il redevient l'interprète du mystère comme il l'avait été dans son théâtre de 1889-1892. Mais cette fois-ci, Maeterlinck veut interroger l'inconnu « objectivement », à travers des destinées autres qu'humaines.

« Je n'ai pas l'intention d'écrire un traité d'apiculture ou de l'élevage des abeilles », annonce d'emblée Maeterlinck. De ses vingt années de fréquentation des abeilles, il entend faire un usage modeste, et « parler simplement des *blondes avettes* de Ronsard ». En rappelant leur histoire ne commence qu'au XVIIe siècle avec les découvertes du grand savant hollandais Swammerdam, que Réaumur démêla quelques énigmes, et que François Huber reste le maître et le classique de la science apicole, Maeterlinck ne fait que tracer les grandes lignes du savoir avant d'évoquer ses premières émotions face à une ruche. Être grégaire, l'abeille ne peut survivre qu'en respirant la multitude : « C'est à ce besoin qu'il faut remonter pour fixer l'esprit des lois de la ruche », société parfaite mais impitoyable où l'individu est entièrement absorbé par la collectivité (livre 1). Maeterlinck expose la dépendance de la reine à cet « esprit de la ruche » qui règle jour après jour le nombre des naissances, annonce à la reine sa déchéance, la force à mettre au monde ses rivales et protège celles-ci contre la haine de leur mère avant de fixer l'heure de l'essaimage, moment où une génération entière, au faîte de sa prospérité, abandonne courageusement à la génération suivante toutes ses richesses, la « cité opulente et magnifique » où elle est née (2). Non seulement ces émigrantes laissent aux milliers de filles qu'elles ne reverront pas, un énorme trésor de cire, de propolis et de pollen et des centaines de livres de miel, mais elles s'exilent vers un nouvel abri où tout est à reconstruire, et se remettent à la besogne. Pourtant, au milieu des prodiges de leur industrie et de leurs renoncements, une chose étonne : l'indifférence à la mort de leurs compagnes (3). Dans la cité mère, après le départ de l'essaim, la vie reprend et bientôt naissent les jeunes ouvrières. Les nymphes princières dorment encore dans leurs capsules ; lorsque s'éveille la première jeune reine, elle part immédiatement à la recherche de ses rivales pour détruire les princesses endormies. Si la ruche décide un essaimage, les reines successives partiront accompagnées d'une bande d'ouvrières former les essaims secondaires et tertiaires. La reine vierge est capable de pondre avant même d'avoir été fécondée par le mâle, mais elle n'engendrera que des mâles impropres au travail (4). Parmi les mille prétendants possibles, la reine en choisit un seul pour « un baiser unique d'une seule minute qui le mariera à la mort en même temps qu'au bonheur ». Deux jours plus tard, elle dépose ses premiers œufs et aussitôt le peuple l'entoure de soins minutieux (5). Après la fécondation, les ouvrières tolèrent quelque temps la présence oisive des mâles mais bientôt elles se transforment en justicières et bourreaux : c'est le massacre des mâles suivi de l'hivernage (6). Pour remarquables que soient ces étonnants rayons « auxquels on ne peut rien ajouter ni retrancher, où s'unit dans une perfection égale la science du chimiste à celle du géomètre, de l'architecte et de l'ingénieur », on peut objecter qu'aucun progrès n'a marqué l'histoire des ruches. Objection rejetée par Maeterlinck : « Les abeilles vivent depuis des milliers d'années et nous les observons depuis dix ou douze lustres » (7).

En optant pour les insectes et les plantes, Maeterlinck se flatte d'échapper au danger de l'anthropomorphisme. Il s'agit pour lui de surprendre le secret de la nature dans un monde différent, mais où « participe peut-être plus directement à l'énigme profonde de nos fins et de nos origines que le secret de nos passions les plus passionnées et les plus complaisamment étudiées ». Pourtant, en allant chercher dans les ruches le sens des destinées humaines, il se jette dans le péril qu'il voulait précisément éviter... Ce n'est pas en scientifique que Maeterlinck étudie la vie des abeilles et, en dépit des quelques expériences conduites dans son jardin, son regard n'est pas celui de l'observateur objectif. Seul l'intéresse le mystère de cet « esprit » qui régit une société animale extrêmement élaborée, et qui lui renvoie en miroir le mystère de l'humanité, de ses origines et de son devenir. C'est dire à quel point l'anthropocentrisme est omniprésent dans *la Vie des abeilles*.

S'interroger sur l'intelligence des abeilles, lui fournit une occasion de mettre en cause celle de l'homme : « Outre qu'il est fort admissible qu'il y ait en d'autres êtres une intelligence d'une autre nature que la nôtre, et qui produise des effets très différents sans être inférieurs, sommes-nous, tout en ne sortant pas de notre petite paroisse humaine, si bons juges des choses de l'esprit ? » L'édifice plein de certitudes et de sagesse de la ruche dont l'organisation générale, si minutieuse et si précise, échappe à notre entendement (qui en édicte les lois ?), Maeterlinck le conçoit comme dédié à ce qu'il nomme le « dieu avenir », c'est-à-dire la volonté de se perpétuer aussi longtemps que la Terre elle-même, dans un continuel effort pour « être » ; ce faisant, il projette sur la société des abeilles une force suprême qui en serait le guide et le mystérieux régisseur et que, ni chez les abeilles, ni chez les hommes, Maeterlinck l'incroyant ne nomme.

L'auteur évoque, fasciné, le gaspillage prodigieux auquel se livre la Nature : tant de mâles, à l'heure du vol nuptial, s'élevant vers la reine pour ne pas l'atteindre et mourir bientôt ; tant de milliards d'œufs qui se perdent, dont la vie ne sortira jamais ; tant d'abnégation au travail alors que deux ou trois fleurs suffiraient à nourrir les abeilles et qu'elles en visitent deux ou trois cents par heure. Pourquoi cette surabondance, cette économie du monde qui se nourrit d'elle-même ? Si Maeterlinck croit que rien dans l'univers n'est inutile, il reconnaît aussi l'éternelle propension de l'homme à l'insatisfaction et son incapacité à admettre qu'une chose puisse avoir un but en soi et se justifie par le simple fait d'exister.

Derrière le propos scientifique et l'observation prétendument « objective » de la nature, Maeterlinck dissimule ses doutes, ceux du philosophe qui se heurte sans cesse à la nature comme source éternelle de mystère. À une soif réelle d'observer et d'apprendre, s'ajoute la certitude que ses interrogations resteront à jamais sans réponse. Si l'observation de la nature ne lui inspire pas de réels travaux d'entomologiste, du moins lui fournit-elle l'occasion d'un véritable chef-d'œuvre de descriptions et d'interrogations fondamentales où il est autant question de l'observant que de l'observé. A la différence des traités d'apiculture, la *Vie des abeilles* n'a rien à craindre des progrès de la recherche scientifique : sa vérité est celle de la poésie.

● « Le Livre de Poche », 1963 ; Plon, 1968.

C. PONT-HUMBERT

VIE DEVANT SOI (la). Roman de Romain **Gary**, pseudonyme de Romain Kacew (1914-1980), publié à Paris sous le pseudonyme d'Émile **Ajar** au Mercure de France en 1975. Prix Goncourt.

Mohammed, dit Momo, raconte sa vie à Belleville chez Mme Rosa, une juive âgée et malade, rescapée d'Auschwitz, et qui, ancienne tenancière de maison close, élève des enfants abandonnés ou laissés en pension par des prostituées. Momo croit avoir dix ans, et il est le seul, avec le petit Moïse, à ne pas connaître ses parents. Il considère Mme Rosa comme sa mère. Celle-ci, de plus en plus fatiguée, ne sort presque plus, à cause des six étages sans ascenseur ; on lui donne de moins en moins d'enfants à garder. Un jour, Momo apprend que Mme Rosa est atteinte de sénilité. Elle passe par de longs moments d'absence, et croit revivre son passé, s'habillant en prostituée ou attendant, une valise à la main, les policiers français qui l'ont autrefois livrée aux Allemands, lors de la rafle du Vel'd'Hiv. Pour fuir ces moments pénibles, Momo erre dans les rues, et rencontre ainsi Nadine, une belle jeune femme qui travaille pour le cinéma. Un jour, le père de l'adolescent réapparaît, réclamant son fils. Mme Rosa, consciente ce jour-là, lui fait croire qu'elle a élevé son fils dans la religion juive, et que celui-ci est en réalité le petit Moïse. Le père de Momo meurt sous le choc. Momo apprend à cette occasion qu'il a quatorze ans : Mme Rosa le rajeunissait pour le garder plus longtemps près d'elle. Cependant son état s'aggrave, mais elle refuse d'aller à l'hôpital, car elle veut mourir sans être « prolongée ». Momo, faisant croire à tout l'immeuble que Mme Rosa part pour Israël, emmenée par sa famille, la conduit à la cave, dans le « trou juif » qu'elle s'est aménagée, dans la crainte de nouvelles persécutions. C'est là qu'elle meurt. Momo reste couché près d'elle pendant trois semaines, jusqu'à ce que les voisins les découvrent, et le confient à Nadine, à qui toute son histoire était adressée.

C'est avec la parution de *la Vie devant soi* que ce qu'on a appelé l'« affaire Ajar » a pris toute son ampleur. Déjà, pour son premier roman, la presse avait soupçonné qu'il pouvait s'agir d'une mystification, évoquant les noms de Queneau, d'Aragon... (voir **Gros-Câlin*). Cette fois cependant, l'hebdomadaire *le Point* croit tenir la clé de l'affaire en découvrant l'existence de Paul Pavlowitch, un cousin de Gary, qui lui sert de couverture lorsque « Émile Ajar » doit traiter avec son éditeur. Dès lors, les soupçons se portent sur son parent. Gary, pour sa part, nie catégoriquement être Émile Ajar, et lorsque certains critiques plus avisés remarquent les ressemblances thématiques entre les deux œuvres, il se défend malicieusement en évoquant son influence sur les jeunes auteurs. La même année, Gary faisait paraître, sous son nom, un livre qui exprimait son angoisse du déclin physique et intellectuel, *Au-delà de cette limite, votre ticket n'est plus valable* ; le contraste avec la vitalité, la jeunesse de l'œuvre d'Émile Ajar semblait trop fort. C'est dans ces conditions, et alors que *la Vie devant soi* connaissait un immense succès populaire, que le roman allait recevoir le prix Goncourt. Gary demeure donc à ce jour le seul écrivain qui ait reçu deux fois cette récompense.

Tandis que Gary et Émile Ajar poursuivaient, de manière parallèle, leur œuvre, le mystère ne cessait de piquer les journalistes. C'est seulement après la mort de Gary, qui s'était suicidé en 1980, que la vérité allait éclater. Dans *Vie et Mort d'Émile Ajar*, écrit dès 1979, Gary expliquait toute l'affaire, provoquant la stupéfaction, et même l'indignation, du monde littéraire – une journaliste du *Monde* parlant de « supercherie ». Le ton de Gary n'y

était en effet pas tendre pour la presse littéraire, plus sensible au fond, devant le style Ajar, à l'attrait de la nouveauté qu'aux tendances profondes d'une œuvre. Car le renouvellement dans *la Vie devant soi*, de même que dans *Gros-Câlin*, n'est peut-être qu'une simple « mue », comme celles du python héros de ce livre, un retour aux thèmes les plus chers à l'auteur. L'originalité du roman est d'abord dans la peinture d'un milieu, vu par les yeux d'un enfant sensible et précoce, et décrit dans son langage : dans les rues déshéritées de Belleville, au-delà desquelles commencent les « quartiers français », se côtoient Noirs, Juifs et Arabes, immigrés clandestins, drogués, « putes » et « proxynètes ». Ainsi, c'est Mme Lola, une « travestite » sénégalaise, qui soigne Mme Rosa dans ses derniers jours, donnant l'argent de ses passes à Momo. Quand Mme Rosa perd la tête, le balayeur noir du quartier tente une cérémonie d'exorcisme avec ses frères de tribu. L'un des moments les plus poignants est celui où, sentant la fin proche, Momo, élevé en musulman, mais ayant appris, par jalousie, tout ce que sait le petit Moïse, fait réciter à Mme Rosa le « shema Israël », la prière juive qui précède la mort, et allume pour elle, dans son « trou juif », un chandelier à sept branches.

Pourtant, l'univers d'Ajar est loin d'être celui des bons sentiments. Le monde de Momo est un monde dur, où il faut savoir « se défendre » : c'est l'expression qui sert à désigner l'ancienne activité de Mme Rosa et celle de sa propre mère ; Momo lui-même doit jurer à Mme Rosa qu'il ne « se défendra » jamais de cette façon. Un monde tellement dur, que Momo n'a même pas envie de se droguer, à l'exemple d'autres gamins du quartier : il refuse d'être heureux. Et lorsque les voisins poussent des cris d'horreur en le découvrant près du cadavre décomposé de Mme Rosa, il remarque qu'ils ne hurlaient pas auparavant, « parce que la vie n'a pas d'odeur ». Mais si Momo, en se couchant près de Mme Rosa pour mourir avec elle, refuse d'avoir « la vie devant soi », c'est avant tout à cause de ce lancinant besoin d'amour qui est une constante dans l'œuvre de Gary. Devant les relations qui unissent cette vieille femme devenue énorme et laide, si éprouvée par l'existence qu'elle vit depuis la guerre avec de faux papiers et sursaute à chaque coup de sonnette nocturne, et le petit Momo, l'enfant sans mère, qui tente constamment de la rassurer, lui mentant au besoin sur son état de santé, comment ne pas penser à cette absence de la mère si douloureusement exprimée dans *la *Promesse de l'aube* ? Gary, dans *Vie et Mort d'Émile Ajar*, parlait d'une « nouvelle naissance ». N'est-ce pas aussi une façon d'abolir le temps et la mort, à la manière de ces films que l'on repasse à l'envers, que Momo découvre chez Nadine ? Devant la déchéance de Mme Rosa devenue impotente, Momo se demande pourquoi on ne peut « avorter » les « vieux » comme on le fait pour les « jeunes » : on retrouve ici cette horreur de la vieillesse et des limites humaines qui semble avoir conduit Gary à choisir l'heure de sa mort.

Simone Signoret, enlaidie et vieillie pour les besoins du rôle, a interprété Mme Rosa dans le film réalisé par Moshé Mizrahi en 1977.

● « Folio », 1982.

K. HADDAD-WOTLING

VIE ET AVENTURES DE SALAVIN. Cycle romanesque en six parties de Georges **Duhamel** (1884-1966), publié à Paris au Mercure de France de 1920 à 1932.

Avant la **Chronique des Pasquier* (1933-1945), roman-fleuve épico-social, Georges Duhamel créa le personnage de Salavin, conçu dès 1914, chargé d'incarner la condition d'un homme moderne, à la fois dérisoire et souffrant, en quête d'un bonheur impossible et habité par la nostalgie d'une inaccessible grandeur.

Confession de minuit (1920). Le banal employé de bureau Salavin, congédié, recherche un nouvel emploi. Solitaire, il erre dans Paris et narre sa pauvre vie à un auditeur qui préfigure celui de la *Chute de Camus.

Nouvelle Rencontre de Salavin (1923). Ce récit à la troisième personne continue ce portrait d'un velléitaire qui vient de trouver une nouvelle place, et raconte l'un de ses rêves.

Les Deux Hommes (1924). Le héros est mis en scène dans sa tentative de vivre une amitié avec Édouard, dont l'équilibre mal assuré lui fera renoncer à la fréquentation d'un compagnon pitoyable.

Journal de Salavin (1927). Au jour le jour sont relatés les affres de Salavin, qui voudrait s'arracher à sa condition, à sa personnalité et à son milieu. Aspirant à une sainteté laïque (il n'a pas la foi), Salavin éprouve lucidement le douloureux sentiment de sa médiocrité, et enregistre ironiquement celui de son permanent échec intérieur. Aucune « cure d'âme » n'en peut venir à bout.

Le Club des Lyonnais (1929). Il se résout alors à « voir le monde » et on le retrouve fréquentant notamment le savetier Legrain, révolutionnaire romantique, chez qui se réunissent divers personnages aux mystérieuses activités. Tous seront arrêtés.

Tel qu'en lui-même (1932). À Tunis, enfin, sous une identité d'emprunt, Salavin restera « tel qu'en lui-même », et, au terme de son récit, le romancier-narrateur, après la mort de ce « frère malheureux », se résigne « avec un calme désespoir » à assumer son être, tirant ainsi la morale de son entreprise.

Fresque biographique à l'instar de *Jean-Christophe, dont elle n'atteint cependant pas l'ampleur, l'histoire de Salavin est, selon son auteur, « en gros, l'histoire d'un échec et, si l'on s'en tient aux apparences, l'histoire d'un échec obstiné, réitéré, on dira peut-être même incurable ». En effet, il s'agit d'abord d'un cycle du pessimisme. Quand le héros écrit à sa femme : « J'ai vu les hommes. Tu ne peux imaginer comme ils sont malheureux, et surtout, incompréhensibles » (*le Club des Lyonnais*), il expose le thème central de l'ouvrage. Toutes les expériences fiévreuses et incohérentes de ce petit bourgeois médiocre expriment les efforts et les sursauts dérisoires d'une âme qui veut être sauvée d'elle-même et du néant. L'échec doit donc être tempéré par ce désir du salut, qui motive sans cesse Salavin, et qui confère leur véritable mesure aux minuscules événements qui scandent sa vie. Ainsi le pessimisme de l'ouvrage trouve-t-il ici sa compensation.

« Fort maigre, à la poitrine creuse, aux longs bras ballants », Salavin est un faible, un timoré cérébral et émotif. Il ne connaît guère d'aventures qu'intérieures. « Homme de la foule », le monde lui échappe, mais il n'échappe pas à l'examen du romancier, qui, selon sa Préface intitulée « Vie et Mort d'un héros de roman », lui applique les principes de l'observation psychiatrique. L'on passe donc d'un Salavin vu du dedans à un personnage vu du dehors, pour revenir au Salavin écrivant sa vie avant d'être traité selon un « mode historique ». Il s'agit de « modifier sans cesse l'incidence de la lumière et du regard » pour parvenir à une image aussi complète que possible du sujet. L'intérêt premier de ce roman-fleuve consiste à démontrer qu'un héros de roman « nous touche non par son caractère exceptionnel, mais par son inquiétante généralité ». Si nous avons tous quelque chose de Salavin, l'œuvre trace donc une destinée humaine, pour laquelle il convient d'avoir une « indulgence infinie ». S'imposant comme l'un des types modernes de l'homme sans qualités, Salavin incarne aussi un humanisme du juste milieu.

Si Duhamel privilégie l'analyse psychologique, il varie ses procédés romanesques. Du soliloque approfondissant l'introspection à l'intrigue politique, de l'écriture diariste au point de vue d'un personnage sur un autre, l'ensemble reste cependant de facture classique, car il dépend d'une perspective morale, marquée par le primat de l'« homme éternel ». Même si telle ou telle page semble annoncer le roman de l'absurde par l'importance qu'elle accorde aux détails insignifiants, le partage demeure fort clair entre les vaticinations fantasmatiques et la description du « réel ». Parfois satirique, la tonalité générale se veut sincère, ser-

vie par un style toujours attaché à la précision. Œuvre de lucidité, le cycle de Salavin, tributaire d'un idéalisme un peu court, exprime néanmoins à sa façon le drame de la modernité, celui de l'homme soumis à la complexité du monde et à la crise des valeurs.

● *Confession de minuit* et *Tel qu'en lui-même*, « Folio », 1973.

G. GENGEMBRE

VIE ET DEMIE (la). Roman de **Sony Labou Tansi**, pseudonyme de Marcel Sony (Congo, né en 1947), publié à Paris aux Éditions du Seuil en 1979.

Après quelques poèmes publiés dans des revues et anthologies ainsi que plusieurs pièces de théâtre, parmi lesquelles *Conscience de tracteur*, également publiée en 1979, *la Vie et demie* est le deuxième roman, mais le premier publié, de Sony Labou Tansi. Par la violence de sa dénonciation des nouveaux pouvoirs issus des indépendances et par l'originalité de son écriture, ce roman est rapidement devenu un texte charnière dans l'histoire littéraire de l'Afrique noire.

Dans un pays imaginaire, la Katamalanasie, le « Guide providentiel » qui fait peser sur le pays une dictature absurde et sanglante n'arrive pas à éliminer Martial, le plus farouche opposant à son régime. Il décide alors d'en finir lui-même avec ce rebelle. Malgré l'usage de toutes les armes en sa possession, le « Guide » ne parvient pas à tuer Martial qui « ne veut pas mourir cette mort » et qui, de génération en génération, viendra hanter les jours et les nuits des « Guides providentiels » successifs. L'œuvre de Martial est poursuivie par sa fille, Chaïdana, qui se prostitue avec les dignitaires du régime et les tue les uns après les autres. Chaïdana épouse le « Guide providentiel » et souhaite ainsi enfanter « un fils de monstre » malgré l'opposition de Martial, heurté par l'attitude de sa fille, à laquelle il fait subir un viol incestueux.
Le « Guide providentiel » meurt à cent trente-trois ans et Martial vient déposer une gerbe, 72 fois retirée et 72 fois remise. Les « Guides providentiels » se succèdent (Henri-au-cœur-tendre, Jean Ventru, Jean-sans-cœur, Jean Caillou et ses mines, Jean Coriace ou Jean Calcium, etc.) et Chaïdana-aux-gros-cheveux, fille de Chaïdana, reprend à son compte l'œuvre de sa mère et rend fou le « Guide » qui l'épouse à son tour.

Si la dénonciation des régimes tyranniques n'est en rien chose nouvelle, Sony Labou Tansi l'exprime par un imaginaire délirant, une riche invention sémantique et syntaxique et avec une rare violence. Le romancier congolais intègre dans son écriture des éléments empruntés aux langues africaines – principalement au kikongo – et multiplie les néologismes et les associations de mots inhabituelles : « fatiguer le chiffre », « mourir sa mort », « gester », « pistolétographes », etc.

Dans son Avant-propos, Sony Labou Tansi prévient qu'il s'agit d'une « fable qui voit demain avec des yeux d'aujourd'hui ». Le romancier prend ainsi ses distances avec la réalité, bouleverse les données temporelles et place son roman sous le signe du burlesque et de l'absurde : « La Vie et demie, ça s'appelle écrire par étourderie. Oui. Moi qui vous parle de l'absurdité de l'absurde, moi qui inaugure l'absurdité du désespoir – d'où voulez-vous que je vous parle sinon du dehors ? » Si la démesure est une donnée essentielle de ce texte, qui choisit la caricature et le rire pour dénoncer les frasques sanglantes d'une dictature ubuesque, le contexte géopolitique de la région Congo-Zaïre n'en demeure pas moins très présent. En effet, si Chaïdana – qui, par ses charmes, parvient à « chaïdaniser », c'est-à-dire à séduire puis à faire disparaître ses ennemis – est une figure féminine, rédemptrice et vengeresse, parfaitement universelle, le personnage symbolique de Martial, présent au-delà de sa mort, n'est pas sans évoquer les figures historiques d'André Matswa au Congo et de Simon Kibangu au Zaïre, l'un et l'autre à l'origine de cultes messianiques aujourd'hui encore très répandus.
Dans ce roman, comme plus tard dans *les Sept Solitudes de Lorsa Lopez* (1985) ou bien encore *les Yeux du volcan*

(1988), le romancier congolais témoigne d'une exubérance qui n'est pas sans rappeler celle des écrivains latino-américains, et tout particulièrement *l'Automne du patriarche* et *Cent Ans de solitude* du Colombien Gabriel García Márquez.

● « Points », 1988.

B. MAGNIER

VIE IMMÉDIATE (la). Recueil poétique de Paul **Éluard**, pseudonyme d'Eugène Paul Grindel (1895-1952), publié à Paris chez Gallimard en 1932.

En 1930, Éluard publie *À toute épreuve*, recueil de courts poèmes distribués en deux sections : « l'Univers-solitude » et « Confections », auxquelles s'ajoute le poème isolé "Amoureuses". Certains de ces poèmes avaient paru dans *la Révolution surréaliste* du 15 décembre 1929. Cette plaquette, enrichie de nouveaux poèmes, constitue la deuxième partie de *la Vie immédiate*. Comme pour « Défense de savoir » dans *l'*Amour, la poésie*, la section prépubliée est placée en fin de recueil. La première partie, sans intertitre, qui compte 42 poèmes, reprend "Amoureuses" et une brève troisième partie, « Critique de la poésie », vient compléter l'ensemble, qui présente des genres variés – depuis le haïku lapidaire jusqu'au poème en prose et au poème en vers libres dépassant l'unité de la page. Toutefois, les poèmes sont en général d'une plus grande ampleur que dans les précédents recueils, *Capitale de la douleur* et l'*Amour, la poésie*. En 1951, Éluard réédite intégralement *la Vie immédiate* dans *La jarre peut-elle être plus belle que l'eau ?*, qui inclut en outre *la *Rose publique*, les *Yeux fertiles*, Cours naturel*.

Dans un article publié dans *la Nouvelle Revue française* en janvier 1932, « Dernier état de la poésie surréaliste », Rolland de Renéville voit dans *À toute épreuve* le signe patent de l'éloignement d'Éluard du surréalisme : « Le climat qu'il instaure ne s'apparente que de loin aux expériences du surréalisme proprement dit. Le grand ton oratoire, les cataractes d'images, le délire verbal sont à l'opposé de ses recherches personnelles. » Breton répond fermement à Rolland de Renéville dans une lettre ouverte de février 1932, reprise dans *Point du jour* en 1934, que le surréalisme « en finit » avec « l'obsession poétique, principale cause d'erreur », et réaffirme le rôle central de la pensée « non dirigée ». Mais, défendant ardemment René Char attaqué par Rolland de Renéville, il ne cite pas nommément Éluard, pourtant associé à l'entreprise de *l'*Immaculée Conception*. Peut-être est-ce là le signe avant-coureur d'une divergence qui sera ouvertement rappelée par les *Entretiens sur le surréalisme* (1952), où Breton reprochera à Éluard son attachement à la « poésie » comme forme littéraire, au détriment des « textes surréalistes » en écriture automatique. Toujours est-il que *la Vie immédiate* pose la question des rapports d'Éluard avec l'« automatisme psychique », alors même que le poète était pleinement engagé aux côtés de Breton dans la polémique avec Aragon. La série de poèmes dédiés à ses amis surréalistes comme "la Fin du monde" à Breton, "Récitation" à René Crevel, relèvent sans conteste de la même poétique que *Capitale de la douleur*, avec laquelle le recueil renoue grâce à la référence picturale, puisque des noms de peintres y servent de titres : Yves Tanguy, Salvador Dalí, Max Ernst. Sans doute retravaillés – comme souvent chez Breton lui-même –, ces poèmes portent la trace indélébile de l'écriture automatique. Le lecteur éprouve ainsi l'impossibilité de se représenter mentalement le sujet évoqué par un langage délibérément coupé de la « réalité », défiant même les règles de la grammaire :

La vertu ce cornet des fortunes
Auditivement les vocations estime l'ambition
Rase les têtes confrontées

Plutôt s'armer
Contre le sycomore feuilleté et le couteau.

("Récitation")

Ce type de poèmes, à la signification non référentielle, constitue assurément la dominante du recueil, en cela apparenté aux précédents. Il semble même, à certains égards, que le déni de la réalité y soit encore plus prononcé, comme par surenchère. Le dernier poème, "Critique de la poésie", récuse la poésie dans des termes violents et provocateurs, plus habituels sous la plume de Breton que d'Éluard :

C'est entendu je hais le règne des bourgeois
Le règne des flics et des prêtres
Mais je hais plus encore l'homme qui ne le hait pas
Comme moi
De toutes ses forces.

Je crache à la face de l'homme plus petit que nature
Qui à tous mes poèmes ne préfère pas cette *Critique de la poésie*.

Mais cette diatribe contre ce que Breton, répondant à Rolland de Renéville, appelle l'« arrangement en poème », s'accompagne paradoxalement d'un souci non moins important de faire œuvre de « poésie » et de littérature en tenant compte du lecteur. Nombreux sont aussi, en effet, les poèmes où Éluard se voue précisément à la « vie immédiate » – à ce qu'il nomme la « simplicité » dans « Confections ». Cette deuxième tendance, qui paraît amorcer la future poétique de *Poésie ininterrompue* et du *Livre ouvert*, est particulièrement sensible dans les poèmes en prose, que dans les précédents recueils. C'est le cas des "Nuits partagées" parues dans *le Surréalisme au service de la révolution* en décembre 1931, qui décrivent ainsi le corps de la femme aimée :

Toute nue, toute nue, tes seins sont plus fragiles que le parfum de l'herbe gelée et ils supportent tes épaules. Toute nue. Tu enlèves ta robe avec la plus grande simplicité. Et tu fermes les yeux et c'est la chute d'une ombre sur un corps, la chute de l'ombre tout entière sur les dernières flammes.

Le récit de rêve sous-jacent au poème en prose semble ici avoir été décanté, la langue de poésie simplifiée, dans une sorte de « classicisme » du surréalisme qui devait assurer le succès de la poésie d'Éluard auprès d'un large public. Le premier de ces poèmes en prose fait d'ailleurs allusion au « temps où j'étais aveugle et muet devant l'univers incompréhensible et le système d'entente incohérent que tu me proposais ». Le dernier d'entre eux, en contrepoint à "Critique de la poésie", retrouve les accents d'*Une saison en enfer* pour remettre en question une poétique qui reste encore d'actualité, comme si les poèmes en prose commentaient certains des poèmes du recueil – comme le fait Rimbaud de ses *Vers nouveaux* :

Je m'obstine à mêler des fictions aux redoutables réalités. Maisons inhabitées, je vous ai peuplées de femmes exceptionnelles, ni grasses, ni maigres, ni blondes, ni brunes, ni folles, ni sages, peu importe, de femmes plus séduisantes que possible, par un détail. Objets inutiles, même la sottise qui procéda à votre fabrication me fut une source d'enchantements [...]. J'ai pris l'habitude des images les plus inhabituelles. Je les ai vues où elles n'étaient pas. Je les ai mécanisées comme mes levers, et mes couchers.

Pareille autocritique, qui renoue avec la tradition du « poème critique », montre que l'analyse de Rolland de Renéville était fondée – sans d'ailleurs qu'il faille forcément, comme lui, s'en féliciter. Cette tension stylistique est évoquée par Éluard dans le prière d'insérer de *les Dessous d'une vie*, en 1926, qui oppose le « texte surréaliste » au « poème » : « Mais des poèmes, par lesquels l'esprit tente de sensibiliser le monde, de susciter l'aventure et de subir des enchantements, il est indispensable de savoir qu'ils sont la conséquence d'une volonté assez bien définie, l'écho d'un espoir ou d'un désespoir formulé. Inutilité de la poésie : le monde sensible est exclu des textes surréalistes et la plus sublime lumière froide éclaire les hauteurs où l'esprit jouit d'une liberté telle qu'il ne songe même pas à se vérifier. » *La Vie immédiate* apparaît bien comme le pivot de l'œuvre d'Éluard, qui regarde alors à la fois du côté de *Capitale de la douleur* et de *Poésie ininterrompue*.

La tentation serait évidemment grande de rattacher la poétique nouvelle de la « simplicité » à la figure de Nusch, rencontrée en 1930, qui est au centre des poèmes et est nommée (à la différence de Gala) dans son poème éponyme. La « confiance de cristal / Entre deux miroirs » susciterait alors en retour une confiance dans le langage et dans le monde, ainsi que le suggère Éluard dans un article de *la Révolution surréaliste* du 15 décembre 1929. Toujours est-il que la thématique du « partage », de l'« échange », qui scandera inlassablement les recueils ultérieurs, est ici largement développée, non seulement dans "Nuits partagées", mais aussi indirectement par la hantise de la solitude. C'est sans doute le motif de la main – des mains croisées ou serrées – qui exprime le mieux ce désir de partage. Présent dans *Capitale de la douleur* et dans *l'Amour, la poésie*, il revient ici avec une récurrence nouvelle : « J'ai regardé tes mains elles sont semblables / Et tu peux les croiser ! » (*À toute épreuve*, XIX), si bien que le « pays abominable » est celui dont les habitants « n'ont plus de mains » (« Confections », XVII).

La « simplicité » qui réalise l'exigence d'une « beauté facile » formulée dès *Capitale de la douleur* naît du principe de répétition qui deviendra dominant de la poésie éluardienne. Certes, Breton utilise la répétition de structures parallèles dans *l'Union libre* ; mais c'est Éluard qui popularise le style litanique qui contribuera à le détacher du surréalisme et à le rapprocher d'Aragon. *La Vie immédiate* est le premier recueil à systématiser l'usage des procédés de répétitions (répétitions internes : « Cette chambre où le désespoir et le désir d'en finir avec le désespoir m'ont attiré » ; anaphores : « Femme avec laquelle j'ai vécu / Femme avec laquelle je vis / Femme avec laquelle je vivrai » ; parallélismes syntaxiques : « J'ai battu le tambour de la bonté / J'ai modelé la tendresse / J'ai caressé ma mère / J'ai dormi toute la nuit », etc.) L'énumération participe de la même tendance stylistique. La continuité rythmique, mais aussi le retour des mêmes images, tranche ici avec le caractère abrupt et elliptique de certains haïkaï qui coexistent dans le recueil : « Par retraites il faut que le béguinage aille au feu » (« Confections », XXIII). Un tel contraste fait la « double postulation » stylistique du recueil et révèle à son insu toute l'ambiguïté de la position d'Éluard vis-à-vis du surréalisme, dès 1932.

● « Poésie/Gallimard », 1967. ➤ *Œuvres complètes*, « Pléiade », I ; *Œuvre poétique complète*, Club de l'honnête homme, II.

D. COMBE

VIE, L'AMOUR, LA MORT, LE VIDE ET LE VENT (la).
Recueil poétique de Roger **Gilbert-Lecomte**, pseudonyme de Roger Lecomte (1907-1943), publié à Paris aux Éditions des Cahiers libres en 1933.

La brève existence de Roger Gilbert-Lecomte se confond avec le destin tout aussi éphémère du *Grand Jeu*, revue qu'il créa en 1928 avec Roger Vailland, René Daumal et le peintre Joseph Sima. Pour discrète et capricieuse que fut la publication de la poésie de Gilbert-Lecomte (seul *le Miroir noir*, en 1937, fut, avec *la Vie, l'Amour, la Mort, le Vide et le Vent*, publié du vivant de l'auteur), son influence fut décisive à l'égal de l'œuvre d'un Artaud, à qui Lecomte emprunte la même réputation de « poète maudit » à l'itinéraire sombre et maléfique. Dans les trois numéros parus du *Grand Jeu* (1928-1929-1930), Gilbert-Lecomte jeta les bases d'une révolution poétique qui fera de cette revue légendaire un des carrefours marquants de

ce siècle : apologie de l'« Esprit Un et total », nouvel avatar de la « voyance » rimbaldienne, doté du « sens de l'invisible », ce projet existentiel autant que littéraire se proposait aussi de faire « tomber la fantasmagorie des apparences ». Les poèmes de la *Vie, l'Amour [...]*, rédigés après la disparition du *Grand Jeu*, correspondent à la phase dépressive de la vie de l'auteur. Expérimentation de sa métaphysique, ils représentent la « totalité de sa vie spirituelle pendant trois mois de convalescence » (Préface de Léon Pierre-Quint). Dirigés contre la société des « faces pâles », ils restituent « telles quelles les pages d'un journal poétique, engendrées par les mécanismes les plus divers de l'inspiration ». Réalisation des virtualités du *Grand Jeu*, ce recueil plaide, aux yeux de ce poète à la « conscience effroyablement claire » qu'était Gilbert-Lecomte, en faveur d'une poésie novatrice et sans entraves qui, comme le souligne encore Léon Pierre-Quint, « marqua un moment de l'évolution de la pensée jeune ».

Après que « Dieu », « Dieu-En-Soi », « Dieu-Hors-De-Soi » et « Son Absence », dans une Préface de l'auteur présentée sous forme de dialogue théâtral, ont déterminé le but de l'amour (« C'est la Mort dans la Vie et le Vent dans le Vide ! »), le poète se promet d'accomplir le « premier effort de subversion » (« la Vie »). En vers irréguliers, sous forme de chansons à boire, de poèmes en prose ("Monsieur Crabe, cet homme cadenas") ou de pastiches d'art poétique ("l'Art sauvage de la danse") le poète raille ensuite les simulacres de l'amour et les poses de tout discours amoureux, mais s'efforce de revenir aux origines de cet amour (« l'Amour »). Frappant « comme un sourd à la porte des morts », le poète n'est pas plus satisfait ; perdu qu'il est au « pays à l'envers », une fois au bord du « trou noir de la mort » (« la Mort »), il se détourne de la fatalité pour lancer un ultime défi au vent qu'il prétend « fouetter » et dont il entend bien combler le vide : « Je n'ai pas peur du vide » (« le Vide et le Vent »).

Ardente aspiration à la liberté d'expression, la poésie de Gilbert-Lecomte, ennemie de toute technique uniforme, semble créer ici son propre instrument à chaque poème. La rime cède le pas à l'assonance, la conformité aux principes de la versification française s'efface devant une poésie sans règle préétablie, et l'universalité du message poétique dont serait investi le poète se trouve subvertie par une conception iconoclaste de l'expression. Le « je » en est certes le centre absolu, mais il se nourrit de refus, qui se manifestent par le cynisme, l'hermétisme (« Le cheval volcan de tout feu / Né du frottement des trois boules ») et la dérision aux effets savamment agencés (« L'homme cherche l'amour et le pou cherche l'homme »). À quoi cet étonnant pêle-mêle, cet ensemble hétéroclite de formes fantaisistes doit-il sa singulière cohérence ? Si la nostalgie est aussitôt réfutée par la parodie, si le haïku voisine avec l'ode lyrique à la manière de Lautréamont, et l'humour cabotin avec de purs élans mystiques toujours proches de l'hallucination, c'est que la *Vie, l'Amour, la Mort, le Vide et le Vent* présente une mise à l'épreuve de la vitalité même de l'écriture. Ainsi partagé entre rire nietzschéen et douleur physique insoutenable (« Je m'écorche aux cristaux qui dansent dans mon ventre »), Gilbert-Lecomte démystifie tout idéal poétique, fracasse tout sens figé, désacralise l'ordonnancement solennel du poème pour lui préférer la syncope, le coq-à-l'âne et le calembour. Mais c'est toujours pour mieux prophétiser la « flamme noire » et le « double mystère », et préparer la résurrection de la parole poétique (voir "Formule palingénésique") par le truchement d'une mystique ouverte à toutes les expérimentations – notamment la drogue, qui permet selon lui d'atteindre à un mode d'être supérieur, affranchi de toute souffrance. Gilbert-Lecomte secoue les vieux oripeaux du langage, ridiculise en lui le possible homme de lettres, et de cette intransigeance désespérée naît une poésie précaire et asphyxiante, certes, en son rythme échevelé, mais qui, placée sous le signe de la dissonance, tire force et cohérence de l'affrontement qui la sous-tend. Préparation au suicide et jeu corrosif avec les limites de l'expression, juvénile bréviaire de libération poétique et libre jeu d'une imagination fragmentaire, ce recueil, dont la vitesse d'exécution est à rapprocher de l'écriture automatique, respecte le programme d'une pensée véhémente, insoumise et fragile.

● *Œuvres complètes*, Gallimard, II, 1977 (p.p. J. Bollery).

P. GOURVENNEC

VIE, LES AVENTURES ET LE VOYAGE AU GROENLAND DU RÉVÉREND PÈRE CORDELIER PIERRE DE MÉSANGE (la). Roman de Simon **Tyssot de Patot** (1655-1738), dont le titre complet est : *la Vie, les Aventures et le Voyage au Groenland du révérend père cordelier Pierre de Mésange, avec une relation bien circonstanciée de l'origine, de l'histoire, des mœurs et du paradis des habitants du pôle Arctique*, publié à Amsterdam chez Étienne Roger en 1720.

Ce roman, à la croisée des récits de voyage et des utopies, est le second « Voyage imaginaire » de Tyssot de Patot, dix ans après **Voyages et Aventures de Jacques Massé* (1710), tous deux composés sur le modèle de *la *Terre australe connue* (1676) de Foigny et de l'**Histoire des Sévarambes* (1677-1679) de Veiras.

Né en 1639 dans les Cévennes et fils d'un tondeur de drap, Pierre de Mésange s'est fait cordelier. Mais un crime ayant été commis au couvent, il craint d'en être accusé et s'enfuit. Passé en Hollande, il se fixe à Rotterdam comme maître de langues et rencontre Tyssot, exilé lui aussi, qui lui conseille de s'établir à Leyde ; ce qu'il fait jusqu'à ce qu'une rixe l'en chasse. En 1669, il est tenté par l'aventure et s'embarque sur un baleinier, bientôt déporté par le mauvais temps « à douze degrés du pôle » et pris par les glaces. L'équipage l'ayant abandonné avec cinq de ses compagnons, ils sont recueillis par des indigènes et conduits à Cambul, la capitale souterraine du royaume de Rufsal. Mésange y passe plusieurs années qu'il emploie à apprendre la langue, les coutumes et l'histoire de ce peuple, gagnant ainsi les faveurs du roi Bénédon qui lui offre de lui enseigner son savoir, et celles de la laide Zémire, sa parente, qu'il refuse d'épouser, prétextant son vœu de célibat et s'attirant ainsi les foudres royales. Forcé de quitter Cambul, il s'établit à Méralde, où il fait la conquête de la belle Mérolde. Mais, surpris chez elle par son mari, il subit le châtiment d'Abélard et ne pense plus alors qu'à repartir. Le « hasard » fait qu'il rencontre là Jacques Surcel, cause initiale de tous ses maux, désireux de faire sa fortune pour s'acquitter envers lui, et dont il n'accepte pourtant que le prix de son retour en Hollande. Mais un accident au cours duquel il se casse la jambe l'empêche de revenir à Leyde : il échoue dans un cabaret où, pour occuper sa longue convalescence, il écrit son histoire.

Si ce roman suit apparemment la « recette » du récit de voyage imaginaire en prenant appui sur la convention du manuscrit retrouvé racontant les pérégrinations d'un héros aventureux sur une terre inconnue, il n'en tente pas moins de renouveler un genre alors florissant, mais déjà éculé : il substitue ainsi un royaume subglaciaire à la traditionnelle Terre australe, réduit la part de l'utopie proprement dite au profit du romanesque, et fait prévaloir dans celle-ci la question religieuse sur l'organisation politique et sociale. Si le royaume de Rufsal a « un roi débonnaire, des lois fondées sur l'équité » et une organisation égalitariste sur laquelle veillent de sages vieillards, les Chioux, sa capitale où tout n'est qu'« ordre et magnificence » illustre en effet ces « chemins vastes et éclairés de la géométrie » que Tyssot opposera aux « sentiers étroits et ténébreux de la religion » (*Lettres choisies*). La religion y est ainsi bornée à l'amour de Dieu et de son prochain : déisme teinté de spinozisme, à l'aune duquel le christianisme en général et le catholicisme en particulier apparaissent ineptes et barbares. Les superstitions – et notamment les procès de sorcellerie – sont en effet violemment dénoncées, les dogmes contestés (l'histoire, enchâssée, de Raoul au « séjour des bienheureux » est une parodie de la résurrection du Christ), les prêtres dénigrés et la condition des moines cri-

tiquée lorsqu'il est question du célibat « fanatique » de Mésange, qui vaut à celui-ci de quitter Cambul « la parfaite » pour une de ses colonies et de sortir de l'utopie. La question religieuse qui est au cœur de toute cette itinérance est peut-être d'ailleurs ce qui fait glisser ce récit de l'utopie à « l'atopie », et plus encore, ce qui fait l'unité singulière d'un roman par ailleurs hybride et complexe. L'utopie y côtoie en effet le picaresque des tribulations européennes, et le récit principal est mis à l'épreuve d'envahissants micro-récits ou de digressions de toutes sortes, justifiés pourtant soit par une fonction didactique – l'énorme chronique du royaume rythme ainsi le temps « boréal » de Rufsal, en étant interrompue par le récit principal chaque fois que le soleil réapparaît et que la « vie » reprend –, soit par une fonction d'annonce.

● Genève, Slatkine, 1979 (réimp. éd. 1720, préf. R. Trousson).

J. ROUMETTE

VIE MODE D'EMPLOI (la). Roman de Georges **Perec** (1936-1982), publié à Paris chez Hachette en 1978. Prix Médicis.

Un immeuble de la rue Simon-Crubellier à Paris : ses murs ont vu se succéder propriétaires et locataires. L'un d'entre eux, le peintre Serge Valène, a conçu le projet d'une toile qui raconterait l'histoire de cet immeuble et de ses occupants. Il égrène donc ses souvenirs comme autant de pièces d'un puzzle qui se reconstitue chapitre après chapitre, dans l'espace comme dans le temps. Au cœur de l'entreprise, Bartlebooth, ancien élève du peintre, qui fit, de près ou de loin, appel à la contribution d'un grand nombre des habitants de l'immeuble pour réaliser méthodiquement le projet de son existence : peindre, dans cinq cents ports cinq cents marines, les faire transformer en puzzles de sept cent cinquante pièces, puis, les ayant reconstituées, les « retexturer » et les décoller de leur support de bois, pour récupérer finalement, après avoir « lavé » les aquarelles sur le lieu même où elles avaient été peintes, une feuille de papier vierge.

Sont ainsi évoquées les figures de Gaspard Winckler, l'artisan chargé de concevoir et de découper les puzzles, de Morellet, le chimiste chargé de coller les marines reconstituées, etc. Chaque personnage en appelle d'autres : l'occupant qui l'a précédé dans l'appartement, un ascendant, un descendant... Parcourant l'immeuble des caves aux chambres de bonne, sans oublier les escaliers ou la chaufferie, le lecteur fait ainsi la connaissance des Marquiseaux, de Rorschach, de Hutting, de Marcia, de Moreau, de Gratiolet, d'Altamont, etc., dans une succession de petits récits, d'anecdotes, de biographies, de descriptions.

Le livre se clôt sur la mort du peintre, sur la toile qu'il laisse derrière lui, une simple esquisse.

Il aura fallu dix années à Georges Perec pour écrire ce roman, ou plus exactement, ainsi qu'il le précise lui-même, « les romans » qui composent *la Vie mode d'emploi*. Œuvre clé, œuvre somme, ce livre rassemble à lui seul tous les partis pris, toutes les recherches d'un auteur passionné par l'écriture et qui n'a cessé de s'interroger sur le sens de la création littéraire, qu'il aborde toujours sous l'angle du jeu. D'emblée, en plaçant le livre sous le signe du puzzle, c'est-à-dire du jeu et de la construction, Georges Perec donne de la création littéraire une image tout à la fois ludique et virtuose.

L'immeuble de *la Vie mode d'emploi* est en effet le cadre d'un incroyable puzzle dont les quatre-vingt-dix-neuf chapitres composant le livre sont autant de pièces. L'apparent désordre qui d'abord désarçonne le lecteur prend progressivement sens, et apparaît peu à peu régi par un ordre supérieur. Du chaos qui semble régner naissent une chronologie rigoureuse, une organisation très stricte de l'espace. Comment alors ne pas évoquer, pour parler du travail de l'écrivain, celui de l'architecte, mais d'un architecte retors qui déconstruirait pour construire, d'un architecte visionnaire qui disposerait les meubles avant de dévoiler ses plans, d'un architecte du mouvement qui ne concevrait de lieux qu'en perpétuelle transformation, à l'image de la vie dont on ne saurait donner le mode d'emploi ? C'est à ce propos que l'on a pu parfois qualifier l'écriture de Georges Perec de baroque : elle ne donne des choses comme des êtres qu'une image en mouvement, foisonnante, inaboutie. Et si *la Vie mode d'emploi* s'achève sur la mort de ses deux principaux personnages, le peintre Valène et le vieil amateur de puzzles Bartlebooth, ce n'est certainement pas un hasard : plus un projet est ambitieux, plus il vise à tout régir, tout organiser, moins il a de chances d'aboutir. Perec voue ainsi son propre projet romanesque, qui intègre et dépasse tous les projets de vie de ses personnages, à l'inaboutissement le plus complet. Loin de saisir l'infinie diversité de la vie, le roman, si touffu soit-il, n'en donne jamais qu'une image à peine ébauchée.

D'où l'importance accordée au jeu : l'auteur, dans *la Vie mode d'emploi*, s'amuse à explorer systématiquement toutes les formes d'écriture, mêlant les styles, abordant tous les genres (du roman policier à la biographie en passant par la fable ou le récit historique), reproduisant les divers supports de l'écrit (ici la manchette d'un quotidien, là un faire-part, une notice pharmaceutique, ou le sommaire d'une revue de linguistique, etc.). Les deux grands principes formels, qui permettent le va-et-vient vertigineux entre la construction d'un microcosme hyperréaliste et sa déconstruction, sont sans doute la digression d'une part, qui dilate le récit et égare le lecteur, le surprend, et la juxtaposition de descriptions aussi variées que détaillées. Ces deux lignes directrices de *la Vie mode d'emploi* pourraient ne révéler qu'un souci maniaque de précision et d'exactitude ; mais, érigées en système, elles traduisent avant tout la curiosité amusée, en même temps que distante et ironique, que l'auteur porte au monde qui l'entoure.

Car si l'accumulation des récits et des descriptions hétéroclites prête à sourire, elle est aussi porteuse de sens. Loin de construire une reproduction crédible du réel, l'auteur choisit de le disloquer, de le démonter, à l'image du personnage de Gaspard Winckler qui, de la peinture du réel, fait naître l'énigme en la découpant en puzzle. Le réel n'apparaît plus dès lors que comme un tout inorganisé dont les modes d'emploi possibles se multiplient au point d'en devenir dérisoires. C'est alors toute la conception de l'écriture comme porteuse de sens qui est battue en brèche. L'écriture n'a finalement d'autre objet qu'elle-même. Des équations aux recettes de cuisine, d'un inventaire de mots oubliés au catalogue de matériel de bricolage où l'on ne saurait faire la part du vrai et celle du vraisemblable, le texte ne se réfère plus qu'à lui-même : en témoignent les « pièces annexes » que l'auteur joint au récit (système de notes, index, repères chronologiques, etc.) afin de mieux le clore sur lui-même. Le terrain de l'imaginaire que découvre l'écriture déborde le réel. On peut tout inventer, tout truquer ; c'est ce que Georges Perec démontre avec brio dans *la Vie mode d'emploi*.

● « Le Livre de Poche », 1980. *Cahier des charges de « la Vie mode d'emploi* », CNRS/Zulma/Bibliothèque nationale, 1993 (p.p. H. Hartje, B. Magné et J. Neefs).

V. STEMMER

VIE, POÉSIES ET PENSÉES DE JOSEPH DELORME. Ouvrage de Charles Augustin **Sainte-Beuve** (1804-1869), publié sans nom d'auteur à Paris chez Delangle frères en 1829.

Reprenant le principe du mélange de prose et de poésie des « romans-poèmes » du vicomte d'Arlincourt (voir *le *Solitaire*), et celui de la biographie d'écrivain suivie de ses œuvres (on édita ainsi sous la Restauration des poètes morts de misère ou de désespoir, tels Gilbert ou Malfilâtre), Sainte-Beuve se donne comme le simple éditeur d'un poète disparu. Pseudonyme doublé de la fiction d'une publication posthume rappelant le stratagème du *Théâtre

de Clara Gazul de Mérimée, l'entreprise fit scandale. Témoignant d'une polyvalence d'écriture, où coexistent un « il » fictionnel, un « je » élégiaque et un « je » critique, l'œuvre s'inscrit aussi dans le combat romantique. À la fois intervention dans le débat esthétique et expression d'une crise morale, manifeste et combinaison de thèmes d'époque, expression du moi et dédoublement, l'ouvrage sera, dans la maturité de l'écrivain, plus ou moins renié comme un péché de jeunesse.

Jeune homme timide, taciturne et tourmenté par un complexe d'infériorité, l'étudiant Joseph Delorme voudrait aimer, mais se croit incapable de plaire. Il voudrait écrire, mais se juge impuissant à créer. Il voudrait être heureux, mais se voit « lancé dans une carrière qui s'éloigne du but même de ses vœux ». Velléitaire comme le sera l'Amaury de *Volupté*, il abandonne ses études de médecine, demeure réservé par idéal devant la femme, éternise les commencements de l'amour, et meurt de phtisie, laissant des « Poésies ».

Les cinquante-cinq pièces comportent douze sonnets, de nombreuses élégies, strophées ou non, des stances, des épîtres... Variant les mètres, Sainte-Beuve renonce à la rhétorique lyrique établie, recourt volontiers à un lexique prosaïque et désarticule le vers en affaiblissant les accents métriques, sans pour autant renoncer à une facture sévère ("À la rime"). Voulant introduire dans la poésie française une certaine naïveté souffrante et douloureuse, entre "Adieu à la poésie" et "Retour à la poésie", au-delà des motifs convenus ("Premier Amour", "le Soir de la jeunesse", "Pensée d'automne"...), il illustre une thématique moderne, qu'elle soit sensuelle ("la Gronderie", "Rose"), macabre ("Ma muse", "les Rayons jaunes"), intimiste ("Bonheur champêtre", "Promenade") ou littéraire ("le Cénacle", "Mes livres").

Les dix-huit « Pensées » disposent les fragments d'un essai de définition d'une poésie moderne. Bien qu'« ineffable et insaisissable » (1), la poésie se renouvelle sous l'influence d'un Chénier (4) ou d'un Lamartine (7), prône la couleur (14), chante les « détails domestiques » (17).

Si la « Vie », transposition de circonstances biographiques, restitue assez fidèlement l'image morale de Sainte-Beuve, elle vaut avant tout comme ébauche d'un roman intime (que réalisera *Volupté*) et récit du drame d'une existence. Déjà essai de biographie psychologique, cet idéal beuvien de l'étude critique, elle restitue tant la maladie physique que les affres d'une imagination et d'une pensée excessives, tant la déréliction de l'individu affronté à la société impitoyable que les tourments de la création.

Les « Poésies » se caractérisent par leur éclectisme. Si leur thématique élégiaque s'empare des modes de l'époque (amour, mort, fuite du temps, enthousiasmes), si elles s'inspirent de Lamartine, de Ronsard ou des lakistes anglais, elles radicalisent un pessimisme fondé sur les frustrations et les désespoirs. Malgré le mélange des registres (de la langueur à la méditation, du sonnet antiquisant à la délectation macabre, de l'érotisme au « métapoème » théorique), le privilège intimiste et familier favorisé par la veine élégiaque entend fuir le convenu et exprimer l'intériorité. Baudelaire saura y reconnaître des « *Fleurs du mal* » de la veille.

« Art poétique du second romantisme » (G. Antoine), les « Pensées » entendent appliquer à la poésie lyrique toutes les recettes du vers moderne, et, à l'instar de la Préface des *Études françaises et étrangères* d'Émile Deschamps (1828), font plus que compléter les combats de la « Préface » de *Cromwell* et de la *Lettre à lord****** de Vigny. Reliant le *Tableau [...] de la poésie française [...] au XVIe siècle* (1828) et la campagne critique ouverte à la *Revue de Paris* en avril 1829, elles soulignent l'importance des questions de forme et de style chez Sainte-Beuve. Moment capital de la période climatérique du romantisme, elles délimitent les partis en présence (classiques à la Delille, école staëlienne de la prose romantique, école poétique des adeptes de Chénier) – en occultant la prose poétique de Chateaubriand et les positions stendhaliennes –, et définissent un corps de doctrine. Théorie du vers brisé appliquée à la poésie lyrique et élégiaque, couleur et pittoresque, goût et sentiment poétique : il s'agit avant tout d'analyser la mécanique du vers et de combiner peinture, harmonie et rythme. Si le « je ne sais quoi » classique reste le dernier mot qui puisse rendre compte de l'art, les « Pensées » traduisent une bonne partie de la charte poétique du Cénacle.

● Nouvelles Éditions latines, 1956 (p.p. G. Antoine) ; Plan-de-la-Tour, Éd. d'Aujourd'hui, 1985.

G. GENGEMBRE

VIE PRIVÉE (la). Voir LE PREMIER ACCROC COÛTE DEUX CENTS FRANCS, d'E. Triolet.

VIE RIPOLIN (la). Roman de Jean **Vautrin**, pseudonyme de Jean Herman (né en 1933), publié à Paris aux Éditions Mazarine en 1986.

La « maison-ventre » abrite la famille Floche : Charlie, le père, qui écrit ; la mère, qui fait la lessive ; Marie-Marie, la petite surdouée de onze ans ; le jeune Benjamin (« Bengi »), autiste ; on ne parle pas encore d'Antoine, parti en grande banlieue avec Mimi Chamallow. Charlie est né en mai 1933, l'année de l'accession de Hitler au pouvoir. Bengi imite le cri de la mouette ou bien fait le bruit de la goutte d'eau pendant des heures. C'est « la vie Ripolin ». Plus rien à faire, quoiqu'en dise cette psychanalyste « baba » d'Alice Métianu recyclée chez Lacan. Une fois par mois, les parents amènent Bengi dans un centre de rééducation infantile. Charlie rêve de la belle Justina Ostropowitch, la veuve diaboliquement pulpeuse des années trente. Peut-être qu'il tient ça de l'époque où il a été metteur en scène de cinoche. Alors, les séquences s'enchaînent sur un rythme fou, balayant l'échelle chronologique (de la Seconde Guerre mondiale au temps de l'action) et mettant en perspective le réel et l'imaginaire. Charlie fête le retour au bercail d'Antoine, qui préfère ne pas trop faire de projet ni penser à l'avenir depuis la catastrophe nucléaire de Tchernobyl. À la Libération, pour avoir trop aimé la culture allemande, le père de Charlie a été arrêté, puis il s'est assis dans son fauteuil. C'est la fin du film, Charlie s'enfonce dans la nuit, noir de colère.

Dans ce roman, Jean Vautrin transpose, de façon tout à fait transparente, certains événements marquants de son existence. Charlie Floche et lui, nés la même année, ont étudié les techniques du septième art, séjourné à Bombay et se sont lancés dans la carrière cinématographique, comme en témoignent l'épisode burlesque où le romancier met en scène un producteur ou encore la lettre de Marie-Marie qui fait allusion à l'adaptation du *Dimanche de la vie* de Queneau par Jean Herman ; ils ont « fait » la guerre d'Algérie. Mais surtout, ce roman met en récit la brisure d'une existence déchirée par la naissance d'un enfant autiste. Après Benjamin (l'enfant de Jean Vautrin s'appelle Julien), l'existence a pris de nouvelles teintes, celles d'un catalogue de peintures Ripolin. Quand le désespoir s'abat sur Charlie, un voile de couleur crue recouvre la réalité et le langage se disloque, un argot à la Queneau mime la désintégration de la conscience : « Dans ces moments de chagrin farouche, il nie l'existence de tout ce qui lui tient le plus à cœur. C'est comme s'il n'avait plus de loi, plus d'amis. Plus de culture, plus de retenue. Barbare sur toute la ligne, il s'esbigne. » Chaque roman de Jean Vautrin est une exploration du langage, sous toutes ses formes. *La Vie Ripolin* reproduit le langage parlé : la perte des repères se traduit par la dissolution de toute norme grammaticale. Le roman ne centre pas la perspective sur le handicap de l'enfant : Jean Vautrin adapte ici la technique « éclatée » de Faulkner. L'écriture est aussi fortement déterminée par le cinéma, qui apparaît comme le domaine où puise l'imaginaire de notre temps : Charlie incarne le rôle principal, tandis que le narrateur met en récit le film des événements, redoublé par le commentaire, en voix *off*, constitué par les lettres de la petite Marie-Marie – si proche de la Zazie de Queneau mais aussi d'un personnage qui porte le même prénom dans les *San-Antonio*. La progression de l'intrigue est moins événementielle

qu'intérieure ; elle rappelle les épisodes traumatisants de la petite enfance. Cependant, Jean Vautrin ne manque pas de ridiculiser les pratiques abusives des psychanalystes. Il ne supporte pas, en particulier, que le corps médical fasse endosser aux parents la responsabilité du handicap de leur enfant.

Ce roman d'un auteur au pseudonyme tellement balzacien s'inscrit dans la continuité du courant inauguré par Céline, celui d'une écriture fortement teintée d'autobiographie, trouvant sa vérité dans un langage cru et concret. L'autisme devient alors le révélateur d'une fracture plus ancienne, et collective. À travers l'histoire d'une famille représentative de notre époque, le roman évoque, comme enchâssés dans le déroulement de l'intrigue, les cruautés perpétrées par les totalitarismes, par la bonne conscience des démocraties, et l'engourdissement de nos contemporains indifférents. L'auteur renvoie aux autres le miroir de leurs indignités sans jamais prendre d'autre parti que celui de l'homme : « S'il existe un ailleurs, j'espère bien que le triste monde sera jugé par les enfants. »

● « Le Livre de Poche », 1987.

V. ANGLARD

VIE UNANIME (la). Recueil poétique de Jules **Romains**, pseudonyme de Louis Farigoule (1885-1972), publié à Créteil aux Éditions de l'Abbaye en 1908 ; rééditions à Paris au Mercure de France en 1913, et chez Gallimard en 1926, avec une Préface apportant une mise au point définitive sur les sources, la composition et l'accueil réservé à l'ouvrage.

L'auteur fait remonter l'intuition de l'unanimisme à l'illumination ressentie en octobre 1903, rue d'Amsterdam, à Paris. Sans en proposer jamais de récit direct, il fait souvent référence à ce moment de communion physique et spirituelle avec une foule. La Vie unanime, « poème de la vingtième année », composé entre 1904 et 1907, présente la marche hésitante d'un homme vers la fusion dans un groupe solidaire devenu « un unanime », c'est-à-dire une âme unique.

La première partie, « les Unanimes », caractérise la recherche par un être de l'adhésion aux groupes qui s'offrent à lui. Trois mouvements marquent une progression vers la découverte d'une communauté accueillante et unie. "Avant" (I) consacre le temps de l'errance. "Dieu le long des maisons" (II) décrit des unités (la caserne, le théâtre, l'église, le café ou la ville) réalisant diversement la promesse d'une réunion. "Dynamisme" (III) affirme la convergence de tous les passants vers un temps et un lieu où « leurs gestes font un seul / Mouvement qui se propage, qui s'amplifie, / Rien qu'un seul mouvement qui les ébranle tous, / Rien qu'une expansion de masse réjouie, / Rien qu'un fleuve de force où s'abreuvent les rythmes ».
La seconde partie, « les Individus », célèbre la disparition de la personne dans l'unanime. Le glissement vers le tout s'effectue en trois étapes : "Sans moi" (I), "Moi en révolte" (II), "Nous" (III). La peur d'être contraint et l'accoutumance paresseuse à l'identité pourraient conduire à un repli sur soi frileux et suicidaire : « Je suis le ruisseau las qui n'ira pas au fleuve. » Mais le retour à la ville où confluent les énergies provoque un sursaut physique où éclate la volonté d'un engloutissement triomphant dans la cité : « Nous avons le désir d'aimer ce qui nous brise, / Graves de quiétude et frémissants de joie, / Nous cessons d'être nous pour que la ville dise / "Moi !" »

Jules Romains dénie l'héritage de Durkheim, dont il avait suivi les cours à l'École normale supérieure. Les travaux de celui-ci sur la psychologie des foules sont sans doute, au même titre que la lecture de Baudelaire ou de Verhaeren, des sources moins déterminantes qu'une enfance à Montmartre et le goût des marches dans Paris. La rationalité a pourtant sa part dans l'unanimisme. Jules Romains a étudié la vie des cellules, qui n'existent qu'à travers le tissu où elles sont insérées. La science légitime ainsi l'élan affectif qui fait du poète le dépositaire de l'âme collective : « Je vous imiterai, neurones, je serai /

L'homme qui sait voler de l'âme aux autres hommes, / Un carrefour joyeux de rythmes unanimes, / Un condenseur de l'énergie universelle. » Cette référence à la biologie est un des traits d'une modernité qui s'exprime également dans le rejet du lyrisme traditionnel. L'amour, la solitude, la nature n'intéressent pas l'auteur : il y voit au contraire une imposture aboutissant à la sclérose et à l'enfermement. L'attrait de la nouveauté l'emporte sur le poids de l'habitude. Le goût pour la ville, la machine et la foule prend le relais de l'ancienne croyance en un dieu : « Pour nous consoler de la vie éternelle, / Nous aurons la vie unanime. » L'usine succède à l'église, le café à la famille ou à la caserne. Ils réunissent des groupes soudés par une forte conscience commune et par la volonté de se trouver ensemble. La prosodie reflète le même souci de renouvellement et d'unité : les rythmes impairs expriment le mouvement, les enjambements évitent que les vers soient clos sur eux-mêmes. Une fluidité identique enchaîne les poèmes les uns aux autres. Ils apparaissent ainsi, non comme des fragments, mais comme autant de reflets ou de parcelles du tout, comme l'expression d'une quête unique, à la fois littéraire et cosmique, qui vise à « lancer la terre unanime au front du monde ».

● « Poésie / Gallimard », 1983 (p.p. M. Décaudin).

C. CARLIER

VIEILLARD ET L'ENFANT (le). Récit de François **Augiéras** (1925-1971), publié sous le pseudonyme d'Abdallah Chaamba à Paris aux Éditions de Minuit en 1954.

Un jeune Arabe de vingt ans songe à aller visiter son oncle, vieux colonel en retraite qui vit dans l'extrême-sud saharien. Dans la solitude d'un bordj, le narrateur fait l'apprentissage de la vie quotidienne (chap. 1). Le vieux colonel s'est bâti là un univers antioccidental ; fondateur d'un musée du désert, il initie son neveu à l'astronomie et à la vie militaire (2). Le narrateur voue un culte au vieillard savant qui prend dans son cœur la place de Dieu. Il ne tarde pas à se soumettre à tous les caprices de cet homme autoritaire, qui finit par le posséder sur une terrasse, « face au ciel étoilé » (3). Cette séduction par abus d'autorité permet cependant au narrateur, brutalement initié à sa propre mort, d'écrire chaque soir à la lueur d'une petite flamme et d'esquisser ainsi la volonté de survivre à travers une œuvre d'art (4).

Le narrateur adolescent de cet étrange récit découvre le monde, l'amour, l'écriture et le désert au gré de violentes métamorphoses qui le mèneront à Dieu. C'est un attachement au passé légendaire qu'il exprime dans son admiration pour le vieillard. Le jeune héros vierge à la verdeur androgyne, dont la ferveur et la disponibilité s'apparentent à celles d'un Nathanaël (voir les *Nourritures terrestres*) ne trouve-t-il pas en son sévère protecteur le « grand ancêtre primordial dont la nostalgie sommeille » en chacun ? Désireux de capter les forces primitives de son être, l'enfant-adolescent fait ainsi du vieillard son « véritable créateur », rejouant bientôt la scène originelle du fils sacrifié par son père Abraham. Le corps à corps du Fils et du Père est pour le narrateur une expérience mystique. L'humiliation consentie, le sexe et la mort deviennent autant d'épreuves destinées à servir les progrès d'un être en perpétuelle métamorphose, à inaugurer une religion nouvelle, antichrétienne, qui lui permet de justifier sa condition d'esclave volontaire. L'investissement fantasmatique dont le vieillard fait l'objet s'accompagne d'un ressentiment à l'encontre de la civilisation : en rupture de société, les deux protagonistes fuient les institutions morales de leur pays autant qu'ils aspirent à un archaïsme sensuel où amour et haine seraient en parts égales. L'expérience de dépossession du narrateur se double d'une thématique du rachat qui le tire de son humiliation. L'espace mental et purement abstrait du bordj – dont la description est réduite à sa plus simple expression –, l'arrière-plan rassurant mais inaccessible des oasis, les

allusions constantes au « cosmos saharien », élèvent ce huis clos tragique, ce « jeu barbare sous le ciel étoilé », au niveau d'un combat de dieux joué par des hommes, ce que le narrateur nomme une « partie d'échecs parmi les ombres de la nuit ».

Prise à sa publication pour une œuvre posthume d'André Gide, cette quête spiritualiste d'inspiration érotique, mise au service d'une écriture dont l'austérité lyrique est traversée d'accents pathétiques (« Peut-on imaginer cela : la solitude extrême ? »), témoigne en effet d'une même espérance dans l'homme nouveau dégagé des servitudes de la morale et des attaches matérielles.

● Périgueux, Fanlac, 1991 (sous le nom d'Abdallah Chaamba).

P. GOURVENNEC

VIEILLE FILLE (la). Roman d'Honoré de **Balzac** (1799-1850), publié à Paris en feuilleton dans *la Presse* d'Émile de Girardin du 23 octobre au 4 novembre 1836, et en volume dans le tome VIII des *Études de mœurs au XIXe siècle*, tome III des « Scènes de la vie de province », chez Werdet en 1837. Après une réédition dans les « Scènes de la vie de province » chez Charpentier en 1839, il figure dans le tome VII de la *Comédie humaine* (Furne, Dubochet et Hetzel, 1844).

En dehors même de ses qualités d'écriture, ce roman fait date dans l'histoire littéraire française. Il s'agit du premier roman à avoir été publié en feuilleton dans un quotidien, où il fera d'ailleurs scandale, ce qui contraindra Girardin à mettre temporairement fin à cette collaboration. Appartenant avec le *Cabinet des antiques* à un groupement intitulé « les Rivalités » (modifié dans le plan de 1845), il décrit les milieux de la société provinciale en évitant les facilités de la caricature suggérées par le sujet.

À Alençon, Mlle Rose-Marie-Victoire Cormon, vieille fille dévote, s'ennuie malgré sa richesse auprès de son oncle, l'abbé de Sponde. Elle rêve d'un mari et deux rivaux sont sur les rangs : le vieux et galant chevalier de Valois, représentant l'Ancien Régime, et Du Bousquier, ancien agioteur ruiné par le Premier Consul, retiré à Alençon pour y refaire sa fortune, tous deux présentés par l'entremise de la lingère Suzanne, susceptible d'être enceinte de leurs œuvres. Un talentueux et chaste jeune homme, Athanase Granson, est par ailleurs amoureux de la vieille fille, sans oser se déclarer.
Arrive un nouveau personnage, le vicomte de Troisville, ancien émigré venu à Alençon chercher une maison. Hôte de l'abbé de Sponde, la rumeur publique a tôt fait de le marier à Rose, qui le trouve fort séduisant. Il révèle bientôt en public être marié et père de famille. Cruelle désillusion pour Rose : elle offre sa main à Du Bousquier, qui devance le chevalier. Athanase, désespéré, se tue. Mme du Bousquier, tyrannisée par un mari par ailleurs peu viril, est malheureuse en ménage et n'aura pas l'enfant désiré.
Le ménage Du Bousquier réapparaîtra dans le *Cabinet des antiques* sous le nom de Du Croisier.

D'emblée Balzac maîtrise la technique du feuilleton, en divisant ses trois chapitres en douze épisodes relativement autonomes et en démultipliant les scènes, ce qui par ailleurs étend le sujet d'une nouvelle à la taille d'un roman. Le romancier utilise une technique favorite : l'arrivée d'un élément extérieur venant perturber le routinier cours des choses provinciales. Comme Charles dans *Eugénie Grandet*, Troisville déclenche l'amour, mais sert surtout à précipiter le mariage de Rose Cormon.
Le chevalier et Du Bousquier valent pour leurs connotations et symbolisations historiques. Dans la bataille pour la conquête de la solide et opulente maison Cormon (objet, très précisément décrit, des soins et de la vénération de Rose), le spéculateur, inspiré d'Ouvrard, l'emporte par son brutal esprit de décision sur le raffiné et désuet chevalier.
Le désir de succession tourmente la vieille fille. Elle veut un enfant pour transmettre ses biens et, si ses sens sont satisfaits, l'improductivité des pratiques sexuelles de

son mari la désespère. Aliénée par la propriété, elle ne représente guère le type convenu de la vieille fille : si elle souhaite ardemment se marier, c'est d'abord pour gérer son patrimoine dans le cadre institutionnel de la famille. Son malheur redouble quand Du Bousquier lui retire cette gestion. Le destin de cette fortune sera révélé dans le *Cabinet des antiques*. Si *Ursule Mirouët* traitait la question de l'héritage en multipliant les héritiers, Balzac adopte ici le cas de figure inverse : leur absence.

● « Folio », 1978 (p.p. R. Kopp) ; « GF », 1987 (p.p. P. Berthier) ; « Le Livre de Poche », 1990 (p.p. P. Barbéris). ➤ *L'Œuvre de Balzac*, Club français du Livre, I ; *Œuvres complètes*, Club de l'honnête homme, VI ; *Œuvres complètes illustrées*, Bibliophiles de l'Originale, VII ; *la Comédie humaine*, « Pléiade », IV (p.p. N. Mozet).

G. GENGEMBRE

VIERGE INCENDIÉ (le). Recueil poétique de Paul-Marie **Lapointe** (Canada/Québec, né en 1929), publié à Montréal aux Éditions Mythra-Mythe en 1948.

Livre de violence et de révolte, de rupture et de libération, *le Vierge incendié* est également un livre de jeunesse, puisque Paul-Marie Lapointe n'a pas dix-neuf ans lorsqu'il le publie chez l'éditeur du mouvement « automatiste », dont le manifeste paraît la même année. Autant que l'influence du peintre Paul-Émile Borduas ou de Claude Gauvreau, c'est sans doute la remise en cause du « conservatisme » québécois et la contestation – dans la lignée de Lautréamont, de Dada et des surréalistes – de toutes les formes d'institutions artistiques ou sociales, qui permet l'émergence d'un recueil que l'on a souvent rapproché des *Illuminations* de Rimbaud par la vigueur de l'exigence intérieure qui s'y exprime. Il faudra au demeurant dix ans à Paul-Marie Lapointe, après cette coulée éruptive, pour retrouver le chemin de l'écriture.

Les cent textes qui forment *le Vierge incendié* se présentent tantôt sous la forme de blocs de prose, parfois ponctués par des blancs, tantôt sous la forme de poèmes en vers libres.

Frappe, dès l'abord, une manipulation jubilatoire du langage, déroutante en ce qu'elle refuse de prendre comme référent le réel pour jouer avec les mots et les sens, sans prétendre à d'autre signification qu'à manifester le pouvoir inventif d'une écriture libérée de la logique traditionnelle : « J'ai pointillé l'outarde saure où des poireaux vantaient les forfaits des bocks avalés par les cœurs. Mais le dieu regarde en blasphémant, la terre des mages. » Cependant, à travers ce miroitement verbal qui pourrait s'autogénérer à l'infini (ainsi que le démontrera plus tard le recueil *écRiturEs*), apparaît un « je » qui se structure de sa subjectivité pure, en même temps qu'il profère des invectives contre l'ordre établi et conteste l'étouffement de la vie que produit une société repliée sur des valeurs et des conventions anachroniques : « Soir de jute aux miaulements rauques ; des chatteries immenses ; point de terme, hormis le rasoir dans la gorge. Nul ne pensait à la rivière. Elle coule dans une idée bien déterminée de finir cela le plus tôt possible, de trancher la question. » En fin de compte, c'est à une (re)création du monde personnelle qu'invite le recueil : « J'ai des frères à l'infini / j'ai des sœurs à l'infini / et je suis mon père et ma mère. »

Bien plus tard, Paul-Marie Lapointe distinguera la « poésie du moi "contre" le monde, "contre" l'univers » qui s'exerce dans *le Vierge incendié*, de « la poésie d'un être qui essaie de se définir dans le monde, de s'y trouver, de vivre dans ce monde » qui lui semble caractéristique de ses recueils ultérieurs. Cette première œuvre, en effet, est marquée par le refus d'une réalité qui n'autorise aucun accomplissement, en même temps que par un désir intense de provocation distanciée, que souligne le paradoxe du titre et qui n'est guère éloigné de l'humour dévastateur dadaïste. Plus que de rechercher, à la manière surréaliste, les rapports entre les choses cachés par un regard trop convenu, Paul-Marie Lapointe tente d'emblée de manifester une pratique festive de sa liberté, laquelle passe par la dissonance des formes, l'instantanéité de l'image et l'autonomie des énoncés, remettant en cause la lecture elle-même. « La poésie, c'est le réel absolu », écrivait Novalis.

En cette affirmation, dont Lapointe fera le titre de la réédition de ses quatre premiers recueils, réside l'essentiel de sa poétique.

● *Le Réel absolu*, Montréal, Éd. de l'Hexagone, 1971.

L. PINHAS

VIERGES FOLLES (les). Voir VIERGES MARTYRES (les), d'A. Esquiros.

VIERGES MARTYRES (les). Essai d'Henri Alphonse **Esquiros** (1814-1876), publié à Paris chez Le Gallois en 1841. Il inaugure une trilogie continuée par *les Vierges folles* et *les Vierges sages*, publiées chez Delavigne en 1842.

L'auteur de l'*Évangile du peuple* s'inscrit ici dans une philosophie humanitaire où les perspectives assignées à la femme occupent une place essentielle. Alors que, dans l'*Assomption de la femme*, l'abbé Constant affirme en 1841 que lorsque « l'épouse et l'époux se donneront véritablement l'un à l'autre [...] le mariage humanitaire sera consommé », Esquiros procède à une analyse serrée de la condition féminine, qui lui attirera les foudres des bien-pensants et de l'Église. Ayant emprunté l'expression de « vierge folle » à la parabole biblique, Esquiros l'impose pour désigner les prostituées, et en 1842 *la Vierge folle*, chanson de Charles Gille, la consacrera.

Ces ouvrages « forment une série de trois études qui embrassent les trois états de la femme dans la société moderne : le prolétariat, la prostitution et le mariage » (Préface à la troisième édition des *Vierges martyres*, 1846). La condition féminine se définit comme esclavage vis-à-vis de l'homme.

Les Vierges martyres. En 5 chapitres, Esquiros parcourt l'éventail des professions tant honnêtes que douteuses (le théâtre, le modèle pour peintre...) avant de proposer l'affranchissement par le travail correctement rémunéré et la mise en place d'institutions économiques. Dans les classes oisives, la femme se voit condamnée au dérèglement des mœurs par cette oisiveté même, alors que la misère détermine le comportement des classes laborieuses. Exploitée, la prolétaire ne peut vivre seule de son travail et se retrouve contrainte à l'union libre.

Les Vierges folles (3 chap.) peignent cette « autre classe de femmes qui ont franchi la limite entre la débauche secrète et la prostitution tolérée ». Celle-ci, odieux esclavage, témoigne de la « promiscuité originelle » et non d'une nature perverse. Elle sera donc éradiquée par le progrès de la civilisation.

Quant aux **Vierges sages** (5 chap.), si elles prouvent l'évolution du rapport entre l'homme et la femme depuis les origines, si elles doivent à la société d'être les plus belles et les plus recherchées des créatures, elles devront exercer un « rôle sacerdotal » dans la « grande régénération qui se prépare par la mort du présent ».

Apparentés aux « physiologies » du temps, ces textes étonnent encore aujourd'hui par la vigueur de leurs descriptions sans complaisance. Ils proposent dans ce siècle préoccupé de la question féminine, une analyse socio-économique précise et circonstanciée de l'aliénation des femmes : « Dans notre société la femme a beaucoup plus de mal à vivre que l'homme, bien qu'elle ait des besoins moindres et des habitudes généralement plus sobres » (*les Vierges martyres*). Tableau d'une « guerre sociale », l'œuvre d'Esquiros se veut message d'espoir et annonce messianique. Sa théologie romantico-humanitaire s'oppose au fatalisme d'un Parent-Duchâtelet, qui, à la même époque, voit dans la prostitution une tare immuable, et propose de lutter d'abord contre l'ignorance et la misère, ces plaies du monde moderne. Ainsi les « vierges folles » seront-elles ramenées au mariage et à la société. Critère décisif du progrès (« C'est par le sort de la femme que la société complétera un jour son œuvre », *les Vierges sages*), la question féminine permet de relier l'harmonie, la communion, l'unité, l'utopie, la regénération. Elle noue ainsi les thèmes romantiques les plus dynamiques.

G. GENGEMBRE

VIERGES SAGES (les). Voir VIERGES MARTYRES (les), d'A. Esquiros.

VIES DES DAMES GALANTES. Voir DAMES GALANTES (Vies des), de P. de Brantôme.

VIES ENCLOSES (les). Recueil poétique de Georges **Rodenbach** (Belgique, 1855-1898), publié à Paris chez Charpentier en 1896.

Émule de Léon Dierx, « le maître, l'ami », à qui il rend hommage à maintes reprises, à qui il doit peut-être sa froideur, sa solennité et sa rigueur dans la construction du poème et du recueil, Rodenbach comme Émile Verhaeren, son condisciple chez les jésuites gantois, ou plus tard Maurice Maeterlinck, est un Flamand écrivant en langue française une poésie d'inspiration symboliste aux accents décadents. À la méditation mallarméenne, l'auteur de *Bruges-la-Morte* (1892) marie les notes brumeuses que lui inspirent les paysages de sa patrie d'origine, où les beffrois se reflètent dans les canaux, au milieu des cygnes voguant dans une lumière incertaine, où la vie demeure confinée à l'intérieur de hautes demeures, derrière des vitres aux rideaux de tulle (voir *le Miroir du ciel natal*, 1898).

Une paroi – un miroir, une vitre, l'œil... – oppose deux espaces : le dedans et le dehors de l'aquarium ("Aquarium mental"), les deux faces de la main ("les Lignes de la main"), le couchant et la chambre ("le Soir dans les vitres"), la chambre du malade alité et la ville environnante ("les Malades aux fenêtres"). Les relations entre ces deux espaces peuvent être conflictuelles ("le Soir [...]"), contradictoires ("les Lignes [...]"), sentimentales ("Aquarium mental"), harmonieuses ("les Malades [...]"). Le retour à la santé s'accompagne de l'« Émoi de peu à peu recommencer à vivre » ("les Malades"). Mais pour quelle vie ? L'amour ("le Voyage dans les yeux") et le voyage ("la Tentation des nuages") sont condamnés : la convalescence ne mène qu'à soi : la clôture est assumée, et le sujet se tourne vers les vies multiples qui sont en lui ("l'Âme sous-marine").

Rodenbach partage avec les poètes décadents le goût de la langueur et de la mélancolie. Claustration rime avec protection, maladie avec perceptions nouvelles ou accrues. Le crépuscule n'a plus rien d'angoissant : il rend le sujet conscient de l'absence de toute réalité et érige le moi en divinité. La mort, en sa lenteur, est source de jouissance : "le Soir dans les vitres" s'achève sur l'image d'une église, espace d'ombre envahi d'odeurs d'encens maladives qui mènent à la volupté.

En dépit des apparences, Rodenbach n'est pas un poète de la surface. Il redoute et désire à la fois non pas tant la vitre que l'« agonie solaire et spatiale qui s'y joue. Il se montre, en fait, singulièrement attentif aux souffles du vent, dangereux ennemi du calme nécessaire à la purification de l'"Aquarium mental". Toute surface, lisse, appelle ainsi la plaie, la blessure, la déchirure, le pli, qui ouvrira sur une profondeur trouble, insondable – l'infini sinon turbulent, du moins troublant. L'écriture restitue cet « étrange » retournement, par une métaphore géographique qui dote la main ("les Signes") ou l'œil ("le Voyage") d'une spatialité invitant au départ et au franchissement de l'horizon. Le corps est univers, ou, du fait de la contiguïté, échange avec la ville de ses qualités. La béance possède donc des vertus bénéfiques : elle libère de la finitude et du quotidien, elle ouvre sur l'atopique et l'atemporel – l'essence, le divin. Cette dialectique, qu'on a tant recherchée chez

Mallarmé, est très présente dans "les Malades aux fenêtres" : « La maladie étant un état sublimé, / Un avatar obscur où le mieux a germé. »

Tout le corps pense, tout le corps se spiritualise, tout le corps se souvient : de l'histoire d'un être, ses désirs, ses hantises, ses angoisses , rien ne meurt. Le corps, tel l'œil qui thésaurise les images du monde, a une densité qui bat en brèche l'illusion d'une mémoire blanche et vierge : l'affirmation très moderne d'un inconscient, la métaphore du somnambule, la profondeur trouble de l'âme, qui exige une grande lucidité (voir, par exemple, la fascination pour l'enfant devenant femme) sont autant d'éléments qui tirent cette œuvre vers notre siècle.

La récurrence des métaphores et des comparaisons – cygnes, cors, bijoux, palais, voyage : bref, tout le bagage symboliste – donne au recueil son équilibre. Au gré de l'écriture, un comparé devient un comparant : l'aquarium est l'âme, l'âme est aquarium. Simple jeu et pur artifice ? Il faut voir là un effet du symbolisme même, parfois si pesamment utilisé qu'il en devient accablant pour le lecteur désireux de trouver des poèmes plus suggestifs (voir les lourdes transitions : « ainsi, telle mon âme », ou les laborieuses coordinations : « or, c'est pourquoi », plus propres à la démonstration qu'à l'émotion). Tout est symbole en cet univers : la tristesse est dans l'âme, elle est dans la ville. Une mystérieuse harmonie unit l'âme, le corps, le lieu, au fil d'alexandrins rigides d'où toute effusion semble absente. À cet égard, le recueil suivant, *le Miroir du ciel natal*, en s'abandonnant au vers libre, affranchira un peu le sentiment du carcan où il est enfermé.

➤ *Œuvres*, Slatkine.

D. ALEXANDRE

VIEUX CÉLIBATAIRE (le). Comédie en cinq actes et en vers de Jean-François **Collin d'Harleville** (1755-1806), créée à Paris au théâtre de la Nation le 24 février 1792, et publiée à Paris chez Maradan en 1794.

M. Dubriage vit en célibataire, attaché à ses aises et à ses manies de vieux garçon. Il n'est pourtant pas heureux ; il s'ennuie et se sent seul, sans avenir ni descendance. Sa gouvernante, Mme Évrard, qui tient sa maison, a formé le dessein de s'emparer de sa fortune, et même de l'épouser. Pour ce faire elle a éloigné depuis dix ans Armand, le neveu de Dubriage, sans hésiter à le calomnier, à détourner les lettres qu'il écrivait à son oncle et à salir sa jeune épouse. Elle a de plus « banni tous les voisins, / Les amis, les parents, jusqu'aux derniers cousins ». Ambroise, le *factotum*, personnage brutal et grossier, a des visées semblables ; il projette en outre d'épouser Mme Évrard. Au début de la pièce, la contre-attaque se met en place. Avec la complicité de Georges, un vieux domestique qui a déjà servi son père, Armand s'est introduit chez son vieil oncle sous le nom de Charles, dans un emploi de domestique. Il réussit en outre à faire engager sa femme, Laure, comme servante. Imprudemment, Mme Évrard découvre ses desseins au jeune homme. Elle est près de parvenir à ses fins, mais Laure parvient à attendrir le vieux garçon et lui révèle son identité. Armand réussit à déjouer une dernière manœuvre, tout se découvre et Dubriage ouvre les bras à sa famille.

Cette pièce, qui offrit à son auteur son plus grand succès, vante le mariage pour ses vertus mais aussi pour ses plaisirs, et présente le célibat comme un échec personnel et social. Elle est caractéristique de l'évolution de la haute comédie au XVIIIe siècle. Le comique en est pratiquement absent (une seule scène en contient quelques éléments, au moment de la visite intéressée de quatre cousins pauvres, en mal d'héritage) et le ton sensible, un peu mièvre domine. Dubriage est moins un caractère qu'une « condition », selon le vocabulaire dramatique de Diderot. C'est dire que le héros se déduit largement de sa situation de célibataire bourgeois. Il en a les faiblesses : il est influençable, un peu maniaque. Il en a les qualités : il est aimable, sensible. Cela ne conduit cependant Collin à aucune simplification réductrice et les personnages ont une réelle épaisseur psychologique. C'est donc le réalisme sociologique qui domine dans cette pièce, malgré quelques traits de mélodrame (contraste accusé entre la noirceur du complot et la vertu immaculée de ses victimes). La pièce n'était pas non plus sans actualité historique – l'heure était à la dénonciation du célibat et à la célébration de la famille –, et son ton de moralisation discrète, dans l'esprit du drame bourgeois, rencontra un succès constant pendant la Révolution et bien au-delà : elle fut jouée très souvent à la Comédie-Française jusqu'en 1866.

● « Pléiade », 1974 (*Théâtre du XVIIIe siècle*, II, p.p. J. Truchet).

P. FRANTZ

VIEUX NÈGRE ET LA MÉDAILLE (le). Roman de Ferdinand **Oyono** (Cameroun, né en 1929), publié à Paris chez Julliard en 1956.

Paru la même année qu'*Une vie de boy*, ce deuxième roman de Ferdinand Oyono s'inspire de la même veine satirique pour décrire les heurts entre les deux communautés, noire et blanche, durant la colonisation et, tout particulièrement, dans les années qui précédèrent immédiatement les indépendances africaines.

Parce qu'il a donné ses terres à la Mission et que ses deux fils sont « morts pour la France », Meka, le « vieux Nègre », doit être décoré à l'occasion des fêtes du 14 Juillet. C'est avec fébrilité que Meka et son entourage préparent cet événement. La cérémonie a lieu. Le haut commissaire évoque l'amitié entre Blancs et Noirs mais lorsque, en réponse, Meka le convie à partager le bouc avec ses amis, il se dit fatigué et refuse l'invitation... Après avoir copieusement arrosé sa médaille, Meka se perd dans le quartier blanc et s'endort ivre. Une pluie violente le réveille et il doit affronter les policiers qui le malmènent et le conduisent en prison. Meka a perdu sa médaille. Relâché par le terrible commissaire Gosier d'oiseau, il regagne son village et conclut, désabusé et meurtri : « À présent, je ne suis plus qu'un vieil homme. »

Constat terrible de l'incompréhension mutuelle et de la domination brutale exercée par les représentants du pouvoir colonial et leurs subordonnés complaisants, ce roman est d'un pessimisme amer. Il dénonce l'hypocrisie et les abus de la colonisation dans ses aspects les plus sordides, les plus quotidiens, et décrit lucidement la brutalité de l'oppresseur et la faiblesse coupable des victimes. Avec une ironie subtile, Ferdinand Oyono saisit le décalage existant entre la fraternité affichée dans les discours et la ségrégation appliquée dans les faits. Tout le roman est articulé autour de la personnalité de Meka, victime naïve découvrant un monde qui lui est étranger et qu'il apprend à connaître à ses dépens. Adoptant le point de vue de son héros, le romancier montre ainsi l'immense amertume d'un homme floué par ceux-là mêmes auxquels il avait accordé toute sa confiance. L'humour, employé avec bonheur, ajoute à la force d'un récit dans lequel le cocasse et le burlesque côtoient le tragique. À l'inverse de son compatriote Mongo Beti, Ferdinand Oyono ne formule aucune condamnation explicite. Le vieux Nègre et ses amis pèchent par naïveté, et leur soumission ne semble pas être remise en cause. Meka, victime pitoyable, achève son parcours dans une désillusion apparemment sans remède : c'est au lecteur que le romancier laisse le devoir de réagir.

● « 10/18 », 1972.

B. MAGNIER

VIGNE ET LA MAISON (la). Psalmodies de l'âme. Poème d'Alphonse de **Lamartine** (1790-1869), publié dans le 15e entretien du *Cours familier de littérature* (en souscription par abonnement chez l'auteur) en 1857.

Dernier poème publié du vivant de Lamartine (les *Œuvres posthumes* révèleront quelques rares vestiges),

légèrement remanié en 1860-1861, il se présente sous la forme d'un « dialogue entre mon âme et moi ». Un Avertissement précise au lecteur que ce chant fut écrit à Milly, où le poète s'était rendu pour assister aux vendanges pendant les derniers jours de l'automne 1857.

Au coucher du soleil, « Moi » console son « Âme », alourdie d'un « fardeau ». Les vapeurs vespérales bercent le cœur meurtri d'une langueur sereine. La maison de pierre vêtue de lierre et de vigne offre ses doux souvenirs. L'âme s'installe dans son désespoir : devant elle, ne s'ouvrent que des cercueils. Pourtant, elle se laisse émouvoir par ce « grand cœur de pierre ». Les sœurs gazouillantes, la mère attentive reparaissent pour bientôt disparaître vers d'autres foyers ou la mort. L'hymne à la famille : « Ô mystère ! ô cœur de la nature ! » entraîne l'appel à Dieu : « Toi qui fis la mémoire, est-ce pour qu'on oublie ? » Au frémissement du deuil succède l'aspiration à la réunion des « âmes mortes ». « Moi » reprend alors la parole et exhale « l'impression funèbre et douce » : une « main d'ange » fait d'un lange de son berceau un « sacré linceul ».

« Je me couchai sur l'herbe, à l'ombre de la maison de mon père, en regardant les fenêtres fermées, et je pensai aux jours d'autrefois. Ce fut ainsi que ce chant me monta du cœur aux lèvres, et que j'en écrivis les strophes au crayon sur les marges d'un vieux Pétrarque » : l'on est tenté de lire dans cette ultime poésie un testament poétique et personnel. Évocation des épreuves subies et surmontées, des rêves avortés ou disparus, des deuils divers, le lyrisme s'y déploie, alimenté par la terre originelle. L'on pourrait même y voir un véritable florilège lamartinien : automne commençant, fin du jour, soir de la vie, sérénité du crépuscule, déploration mélancolique et nostalgie des souvenirs heureux, fuite du temps, présence de la mort, espérance en Dieu.

La forme dialoguée rend complices plus qu'il n'oppose l'âme douloureuse et le moi généreux, dans un redoublement intimiste. Dualité tonale et non déchirure, le couple poétique exprime l'ambivalence du moment et des impressions, la simplicité d'un bonheur passé et les tristesses de la déréliction. Une cohérence sentimentale unit paysage et maison à l'intériorité, selon une technique à l'efficacité éprouvée.

Le sous-titre – « Psalmodies de l'âme » – qui tire le poème vers le psaume, insiste à la fois sur l'élévation spirituelle, qui emporte toute la fin et surmonte la douleur, sur les modalités canoniques du genre et sur le chant. Dramatisé à la manière des *Nuits* de Musset, le poème mêle, dans ses 316 vers, mètres et rythmes. Il organise alexandrins et octosyllabes du quatrain au quinzain, utilisant toutes les ressources de l'iso - et de l'hétérométrie, grâce à l'hexasyllabe combiné à l'alexandrin. La fluidité musicale, parfaitement maîtrisée, retrouve, en les sublimant encore, les accents des *Méditations* et des *Harmonies*.

➤ *Œuvres poétiques complètes*, « Pléiade ».

G. GENGEMBRE

VIGNES DU SEIGNEUR (les). Comédie en trois actes et en prose de Robert Pellevé de La Motte-Ango, marquis de **Flers** (1872-1927) et de Francis de **Croisset**, pseudonyme puis patronyme de Franz Wiener (1877-1937), créée à Paris au théâtre du Gymnase le 16 janvier 1923, publiée à Paris dans l'*Illustration théâtrale* no 169 le 17 novembre 1923, et en volume chez Flammarion en 1927.

Avant de devenir, après la mort de Gaston de Caillavet (1915), le collaborateur de Robert de Flers, Francis de Croisset avait déjà donné des comédies lestes et délurées (*Qui trop embrasse*, 1899 ; *Par politesse*, 1899), qui avaient parfois connu des démêlés avec la censure (*l'Homme à l'oreille coupée*, 1900). Le succès était arrivé avec *Chérubin* (1901), *le Bonheur, mesdames* (1905) et l'adaptation, en compagnie de Maurice Leblanc, d'*Arsène Lupin* (1908).

La collaboration avec Robert de Flers commença en 1920 par le triomphe du *Retour* qui resta un an à l'affiche à l'Athénée. Dans *les Vignes du Seigneur*, qui suivirent, les auteurs souhaitèrent explorer « le milieu consécutif à la guerre » avec ses nouveaux brassages sociaux. Le canevas général, qui tend à montrer que « l'ivresse a de nobles archives » (*le Figaro*), fait songer à *la *Vérité dans le vin* (1747) de Charles Collé. La comédie garde en tout cas de l'esprit du xviiie siècle une pétulance aux confins du rire et de l'ironie douce-amère qui cherche en définitive à combattre un « des préjugés les plus stupides et d'ailleurs les plus répandus chez nous, qu'il suffit de ne pas rire pour être sérieux » (*le Figaro*).

Gisèle est depuis huit ans « mariée de la main gauche » à Hubert Martin qui se fait appeler de Kardec car il entretient des prétentions à la noblesse. La mère de Gisèle, Mme Bourjeon, qui pour tout le monde est veuve mais en réalité n'a jamais eu d'époux, veut marier honorablement et bourgeoisement Yvonne, sa deuxième fille, qu'elle a fait élever à grands frais en Angleterre. Pour réaliser cette ambition, elle a jeté son dévolu sur Henri Levrier, un ami d'Hubert, de retour d'un long voyage aux Indes, homme distingué, discret jusqu'à la manie, mais qui traîne une malheureuse réputation de pochard. Yvonne, qui a tout deviné des situations compromettantes que sa mère a mis tant de mal à lui cacher, est présentée à Henri, qu'elle a déjà inopinément rencontré dans l'avion qui, ainsi que Jack, son sigisbée anglais, la ramenait de Londres. À Gisèle, qui s'est délibérément portée volontaire pour savoir si Henri a gardé ses habitudes, ce dernier avoue qu'il ne boit plus, mais qu'il a naguère sombré dans l'alcool à cause d'elle. De son côté, Gisèle lui avoue qu'elle aussi était prête à l'aimer. Ils tombent alors dans les bras l'un de l'autre (Acte I).

Quelque temps plus tard, Gisèle se montre lasse des précautions extrêmes prises par Henri pour garder secrètes leurs rencontres amoureuses. Pendant ce temps, Mme Bourjeon poursuit son dessein de marier Yvonne qui, semble-t-il, est bel et bien amoureuse d'Henri. Ce dernier, dont les manœuvres ont été mises au jour par Mme Bourjeon, tombe malencontreusement à l'eau en allant retrouver Gisèle. Pour le remettre, on lui fait boire coup sur coup trois verres de whisky ; complètement gris, en larmes, il avoue alors à Hubert qui n'en croit rien, sa liaison avec Gisèle (Acte II).

Henri, ayant appris par Jack qu'Yvonne l'aime, se prend alors à l'aimer et veut rompre avec Gisèle. Quant à Hubert, il renonce définitivement à soumettre Henri à une seconde expérience alcoolique pour connaître l'exacte vérité. Henri, désormais, souhaite se marier avec Yvonne, comblant enfin les aspirations de Mme Bourjeon ; Gisèle, de son côté, voit son amour pour Hubert reprendre vie d'autant que ce dernier accepte enfin de l'épouser (Acte III).

La scène centrale de la comédie où l'on voit l'amant dévoiler au presque mari son infortune sans que celui-ci y croie tout à fait, est restée justement célèbre. Mais l'intrigue, avec ses chassés-croisés attendus, paraît aujourd'hui bien conventionnelle, malgré le ton badin, le rythme alerte et la « terrible indulgence de l'ensemble » (*l'Écho de Paris*). Le style, qui voulait ainsi se donner des airs d'un libertinage entre Marivaux et Crébillon, ne traduit en fait que le désarroi social et sentimental d'une bourgeoisie alors en errance et qui trouve un ersatz de sagesse dans les aphorismes boulevardiers : « Un homme qui vous aimait et qui vous le dit trop tard, pour les femmes, c'est ça l'amitié » (Gisèle, I, 10) ; « Je m'ennuie tellement qu'il y a des jours où ça m'occupe » (Gisèle, I, 3). Toutefois, la malice de l'observation et la leste fantaisie qui broche le tout ne manquent pas d'un charme indéfinissable, le même que l'on retrouvera dans les autres pièces de Croisset écrites avec Robert de Flers : *les Nouveaux Messieurs* (1925), *le Docteur Miracle* (1926), et dans les tonalités exotiques de ses impressions de voyage (*la Féerie cinghalaise*, 1926) ou des textes romanesques qui suivent (*la Dame de Malacca*, 1935).

J.-M. THOMASSEAU

VILAIN ÂNIER (le). Fabliau anonyme, probablement du xiiie siècle, connu par un seul manuscrit. Avec ses 52 vers, ce fabliau est l'un des plus courts du corpus conservé. Le texte a été rédigé dans la langue littéraire du temps et ne présente pas de traits dialectaux particuliers. Il existe plusieurs versions attestées de ce récit, tant en Orient qu'en Occident, montrant qu'il puise dans une mémoire narrative universelle.

Un paysan, chargé de transporter à dos d'âne du fumier à Montpellier, s'évanouit en traversant la rue aux épices car il ne peut supporter de si agréables odeurs auxquelles il n'est pas habitué. On le croit mort, jusqu'à ce qu'un homme propose aux bourgeois de le ressusciter, moyennant finance. Le fumet d'une pelletée de fiente passée sous le nez du vilain le rend à la vie et à ses ânes.

Exprimée dans l'Épilogue, la morale du fabliau (« Ne se doit nus desnaturer ») signifie que nul ne doit chercher à sortir de sa nature et de sa condition, sous peine de mort ; un paysan ne peut supporter les fragrances aristocratiques ou bourgeoises des épices achetées à prix d'or. Cette morale ne présente aucune originalité dans la mesure où on la retrouve dans de nombreux textes médiévaux, notamment dans *le *Roman de la Rose*. Néanmoins, elle rappelle l'étanchéité des ordres et des classes sociales dont le partage et les spécialités correspondent à l'ordre immuable de Nature. La leçon de cet *exemplum* idéologique plaide en faveur d'un déterminisme social. Même si elle ne recourt pas à des personnages appartenant à la noblesse, elle sent la morale aristocratique, la morale d'une classe qui commence à se crisper sur sa représentation du monde lorsque émergent de nouvelles forces économiques et sociales. Le mépris du vilain, identifié à la fiente qui lui rend la vie, se retrouve aussi dans les romans courtois.

L'opposition vilain/bourgeois se double ici de l'opposition ville/campagne. Opposition moins tranchée qu'on ne pourrait le supposer, puisque le fabliau insiste sur la dépendance de la cité à l'égard de la campagne qui lui fournit la fumure nécessaire à la culture *intra muros*. La ville devient le lieu où chacun est rendu à sa nature ; elle se trouve ainsi désignée comme l'espace imaginaire du genre fabliau.

Moins scatologique que *la Crote*, que *Jouglet*, voire que **Trubert*, *le Vilain ânier* participe de ce « registre du bas corporel » défini par Mikhaïl Bakhtine. Réhabilitant l'excrément, transformé en élixir de vie, il ramène sur la scène littéraire l'analité refoulée par le roman courtois. Grâce à une inversion parodique courante dans les fabliaux, il valorise le déchet et le réintroduit dans l'ordre marchand puisque l'action thérapeutique du « preudom » s'effectue contre de l'argent. La liaison secrète entre l'argent et l'excrément se trouve approchée d'une manière burlesque mais efficace. Au-delà, c'est l'odeur qui foudroie et rend à la vie, l'odeur qui constitue le propre de l'homme et de sa classe, lui circonscrit un espace de vie ou, au contraire, manifeste la présence d'une altérité dangereuse, d'un autre qu'on ne peut pas sentir. Par un jeu de mots dans la veine des fabliaux, l'« espices » n'est-ce pas aussi l'« espisse » bourgeoise face à la fiente paysanne ? L'opposition de la campagne et de la ville recoupe celle de l'identité et de l'altérité, l'opposition de deux odeurs. Univers de langage, le fabliau du *Vilain ânier* ouvre un espace littéraire où les crispations idéologiques engendrent les fixations qui scandent l'histoire du sujet.

● Genève, Droz, 1979 (*Fabliaux français du Moyen Âge*, I, p.p. P. Ménard) ; « 10/18 », 1994 (*Fabliaux*, bilingue, p. et trad. p. R. Brusegan).

J.-C. HUCHET

VILLA TRISTE. Roman de Patrick **Modiano** (né en 1945), publié à Paris chez Gallimard en 1975.

Le narrateur se rappelle le temps où, âgé de dix-huit ans, il se cachait sous le nom de Victor Chmara dans une ville de Savoie pour échapper à la mobilisation ; la proximité de la Suisse, de l'autre côté du lac, contribuait à le rassurer. C'était au début des années soixante, à l'époque de la guerre d'Algérie. Il y avait rencontré une jeune fille de vingt-deux ans, Yvonne Jacquet, qui rêvait de devenir vedette de cinéma, et René Meinthe, un homosexuel qui se faisait appeler « la reine Astrid ». Il s'apprêtait à épouser Yvonne et à s'installer avec elle en Amérique quand celle-ci le quitta pour partir avec un ancien champion de ski. Treize ans ont passé, Meinthe s'est suicidé ; la ville a changé, mais le narrateur tente d'y reconstituer les fragments de son passé.

Nommée A*** dans les dernières pages du roman, la ville passera facilement pour Annecy ; elle est pourtant une ville imaginaire puisqu'il suffit de traverser le lac pour atteindre la Suisse. Au demeurant, qu'est-ce qui est réel et imaginaire dans cette histoire racontée par un jeune homme aux origines obscures, qui montre un goût prononcé pour le cinéma et dont la mémoire connaît d'étranges lacunes ? L'époque, du moins, est datée par des refrains à la mode, des faits divers ou des marques d'automobiles. Comme dans ses précédents romans, Modiano ressuscite grâce à des allusions frivoles des pans entiers d'un passé historique. Ce passé n'est pas cette fois antérieur à la naissance de l'auteur, mais contemporain de son enfance. « Ma mémoire précédait ma naissance », écrirat-il dans *Livret de famille* (1976) ; l'occupation allemande, présente dans la plupart des autres romans de Modiano, fait place ici à une autre période troublée, qui met à nu la lâcheté du narrateur.

L'intrigue prend corps à mesure que le jeune homme ranime ses souvenirs (le nom de Jacquet, d'abord oublié, lui reviendra fortuitement à l'esprit). Elle se compose de scènes répétitives, qui évoquent les habitudes de vie oisive de Victor et d'Yvonne à l'hôtel de l'Hermitage, ou d'étranges scènes ponctuelles, comme le concours d'élégance ou le dîner chez l'oncle garagiste, qui s'étirent à partir d'observations insignifiantes (la chevelure gris-bleu du président du syndicat d'initiative, les ronds de fumée de la cigarette de l'oncle...), simplement, dirait-on, parce que ces détails fournissent de fragiles appuis à la mémoire. Une attitude (les figures de quadrille du dogue allemand d'Yvonne), une couleur (le vert d'un foulard de mousseline) dessinent cet univers transitoire dans lequel il semble impossible de percer le secret des êtres. « Au bout d'un certain temps et à partir d'une certaine distance, il ne reste plus – hélas – que des taches de couleur », écrira Modiano dans *Vestiaire de l'enfance* (1979). Mais les êtres ont-ils seulement un secret ? La comédie que se jouent d'équivoques vedettes de cinéma ou les participants du concours d'élégance en ferait douter. Se réfugier dans un univers factice, c'était autrefois, pour Victor, la meilleure façon de fuir la gravité du monde.

Comme chez Fitzgerald, la frivolité ne cesse de côtoyer, ou d'exprimer, le désespoir : en témoignent par exemple le destin tragique de Meinthe, locataire de la « Villa triste », ou le soldat de plomb qui s'éloigne sur le quai à la dernière ligne du livre, minuscule comme un jouet, lourd comme un chagrin d'amour. L'importance des parfums dans la recomposition des souvenirs fait aussi songer à Proust, mais plus que dans *À la recherche du temps perdu*, le temps et les lieux retrouvés, chez Modiano, demeurent incertains : que vient faire cette odeur de jasmin dans une réception donnée sur les bords d'un lac savoyard ? Les couleurs des objets compteront moins, pour finir, que celles du filtre au travers duquel on cherche à les revoir : « Le temps a enveloppé toutes ces choses d'une buée aux couleurs changeantes : tantôt vert pâle, tantôt bleu légèrement rosé. »

● « Folio », 1977.

P.-L. REY

VILLE (la). Drame en trois actes et en prose de Paul **Claudel** (1868-1955), publié (première version) sans nom d'auteur à Paris à la Librairie de l'Art indépendant en 1893, puis repris (seconde version) dans le recueil *l'Arbre* au Mercure de France en 1901, et créé dans une mise en scène de Jean Vilar au Festival d'Avignon en 1955.

Paul Claudel rédige la première version de *la Ville* entre 1890 et 1892, à une période charnière de son existence : « *La Ville* a été écrite, à la différence de **Tête d'or*, en plein dans mon travail de conversion, affirme Claudel, et elle fait une allusion beaucoup plus nette que *Tête d'or* à cette conversion. » Le sujet de *la Ville* témoigne de cette initiation du poète, de Cœuvre, aux mystères du surnaturel. L'action du conquérant demeurait inachevée dans *Tête d'or* ; ici Claudel donne une dimension collective à sa réflexion. Il réduit le nombre des personnages et dégage leurs figures symboliques et contrastées : l'homme de l'ordre ancien, Lambert, face à l'anarchiste, Avare ; puis le savant, Besme, et le poète, Cœuvre. Claudel achève le troisième acte à Shanghaï, en décembre 1897. Le texte définitif se présente comme une sorte d'épure, enchaînant les dialogues les uns aux autres, suivant une rigoureuse construction dramatique.

Nous nous référons ici à la seconde version.

Le soir tombe sur les jardins de Besme, dominant l'horizon où se déploie le spectacle de la Ville. Assis, Lambert de Besme philosophe, devant Avare debout, sur l'aliénation engendrée par les cités et sur la vacance du pouvoir dans la Ville. La cité s'illumine. Proche de son terme, Lambert veut épouser Lâla, sa fille adoptive. Avare le violent lance ses imprécations contre l'hypocrisie sociale. Adversaire acharné de l'hypocrisie sociale, cet « homme de l'étonnement » prédit le règne de la nuit primordiale. Il sort ; l'arrivée de Lâla provoque chez Lambert un éblouissement douloureux. Après leur mariage, leur vie s'écoulerait au centre de la Création comme celle de Ruth et Booz. Elle consent à lui apporter la joie : « Et vous ne serez point triste, car je suis avec toi pour toujours. » Puis apparaissent Isidore de Besme (désigné par son seul nom de famille), le savant, et Cœuvre, le poète. Besme cherche la justification de toutes choses et la fonction de tous les êtres : à quoi sert le poète ? demande-t-il. À rien. Cœuvre loue Dieu et rend le monde intelligible ; mais il souffre de n'être aimé de personne. Besme a conçu la Ville où s'expriment et la toute-puissance de sa pensée et la vanité de son pouvoir humain. Cœuvre salue l'apparition de la lune, « œil de la gloire », qui précède celle de Lâla. À Cœuvre qui lui demande pourquoi se marier, elle affirme : « Toi, tu n'as point un cœur qui aime. » Et certes, la solitude est nécessaire au poète. En présence de Lambert, Besme répète, comme un glas, les deux notes suivantes : « Rien n'est. » Son frère, Lambert, lui conseille de contempler la Ville pour se retrouver. Mais, comme les anciens Grecs, Besme met en balance l'univers et son doute – qui pèse plus lourd ? Entrent les délégués du peuple : ils demandent à Lambert de redresser la situation économique de la Ville. L'homme d'État a pénétré l'hypocrisie de ces démagogues, mais il consent à rétablir l'équilibre si Lâla veut bien l'épouser. Or, elle le refuse et s'offre à Cœuvre, qui l'accepte. Ils sont l'un à l'autre leur raison d'être (Acte I).

Dans un cimetière dominant la Ville, Lambert creuse une fosse. Lâla a quitté son mari et son fils ; graine de liberté portée par le vent de la joie, elle vit chez Avare. Celui-ci se présente comme l'incarnation de la nécessité nouvelle ; les hommes de la Ville doivent prendre conscience de leur esclavage et entendre la Parole enfouie au plus profond d'eux-mêmes. Sur l'injonction de Lâla, Lambert retourne dans sa tranchée pour y mourir. Si Cœuvre cherche l'accord universel, si Besme fonde les relations humaines sur le principe de l'échange, Lâla veut réaliser la communion sociale qui deviendra possible quand chaque chose reprendra son sens. Besme confie à Cœuvre son testament spirituel : « Il est une science sous la science, et nous l'appellerons Ignorance. » Et il lui donne un saphir, symbole d'une lumière aveugle, avant de se livrer à la foule en délire qui le tue (Acte II).

Le soleil couchant flamboie sur les ruines de la Ville. Un an après son incendie, il est clair que, pendant quatorze ans, les hommes ont voulu établir la cité idéale, mais, ignorant leur nature profonde, ils n'ont pas su trouver le bonheur. Entrent Avare et le fils de Cœuvre, Ivors. Avare contemple son œuvre, la Ville engloutie par le feu qu'il a fait jaillir. Il lègue son glaive à Ivors et se sépare à jamais de la communauté des vivants. Mais Cœuvre arrive, revêtu des insignes d'évêque et escorté du clergé. Le règne de l'épée est terminé et la Ville purifiée entre dans la gloire de Dieu. Ivors oppose à la foi de son père la volonté libertaire de l'athée. Pour Cœuvre, l'homme, coupable du péché d'orgueil, s'est séparé de Dieu ; la souffrance lui restituera son intégrité première et la félicité viendra de l'acceptation du Christ. Ivors se dit pitoyable au malheur des hommes : « Apprends-moi donc, ô mon père, comment je constituerai une société nouvelle entre les hommes. » Comme la parole poétique instaure une respiration entre le monde et l'intellect, comme le verbe religieux lie l'homme et son Créateur, l'action politique crée une circulation harmonieuse entre les organes et le centre vital. Survient Lâla, la mère paradoxale de cette génération. Elle demeure à jamais incomprise de ces hommes. Elle part et, en plein midi, Ivors prend possession de la Ville (Acte III).

Le sujet du drame, c'est la construction de la Ville, métaphore du moi. Le titre pose l'espace de la cité comme connu de tous. Au début, la Ville reproduit le lieu de perdition : privée de nom et donc d'être, elle est d'abord maudite, comme Sodome, Gomorrhe et Babylone (images de Paris pour l'auteur, qui, au début des années 1890, profère à son tour les imprécations de Jérémie). Puis elle s'embrase d'un feu purificateur. Quand sera édifiée l'Église sur les fondements de l'amour du prochain, la Ville, figure de la société humaine et de l'humanité tout entière, reproduira alors le modèle mystique, la Jérusalem céleste. Ce substrat biblique n'exclut pas l'allusion aux réalités historiques, à la décadence de la bourgeoisie mais aussi à la mécanisation outrancière des usines américaines. Le héros, ou plutôt les héros puisque, désormais, l'action est collective et non plus individuelle, doivent reconquérir l'espace et humaniser leur propre nécessité afin de pratiquer l'échange non plus de façon aliénante mais dans le respect de l'humain. Les démagogues ont fait croire au peuple qu'il pouvait être le principe de la Loi : « Toute autorité vient du peuple commun », dit le Délégué du peuple (I). Pour Claudel, la Loi participe de la connaissance supérieure : « Le principe sacré du Gouvernement et le premier moteur / Doit être soustrait au contrôle de ses mobiles et à la curiosité des mains ignorantes » (III). Le prince solaire claudélien figure une approche de Dieu. Il convient de trouver l'harmonieux échange qui maintiendra l'équilibre entre l'individu et la cité, image concrète de la Cité spirituelle, ouverte vers le Cosmos. « La société existe pour l'individu, et non pas l'individu pour la société, dit Claudel. C'est ça qui me sépare de toutes les idées socialistes ou communistes quelles qu'elles soient. L'individu avant tout, et la société n'existe que précisément pour tirer de l'individu tout ce qu'il veut donner. » La Ville apparaît à l'écrivain catholique comme le lieu maudit où tous demeurent soumis à la loi du marché. Ivors demande à son père : « Qui est celui dont tu parles : *Dieu* ? Je ne l'entends point ; je ne le vois point fixant sur lui les yeux » (III). Mais, par une torsion ironique du discours, chaque personnage masculin œuvre pour la progression de tous vers la vérité : le dialogue avec l'autre, son contraire et son semblable, produit un travail dialectique qui fait progresser vers le vrai ces figures à la psychologie paradoxale héritée de Dostoïevski – que Claudel admirait. En effet, tous les personnages masculins de *la Ville* prêtent leur voix à toutes les postulations simultanées de l'auteur, et leur chœur cherche en vain la note absolue. Mais seul le poète, attentif à l'accord universel, tente de fournir un équivalent verbal pour répandre la graine que la femme fera éclore. Comment construire la Ville ? Les représentants de l'ordre ancien s'effacent. Lambert et Besme incarnent deux archétypes : Lambert, l'homme d'État conservateur, ne pourra posséder le monde dont il a pénétré le néant. Sa vie n'a plus de justification, mais lui seul a l'intuition de la fonction spirituelle de Lâla. Le savant Besme, « nouveau Prométhée, profond mime » (I), incarne la maîtrise rationnelle du réel dont le fonctionnement est réglé par des lois mathématiques. Mais son nihilisme radical le désigne à une disparition prochaine ; néanmoins, il comprend que la science recouvre une ignorance secrète, celle du Sens, de l'Origine. Besme et Cœuvre incarnent les deux modes complémentaires de la connaissance. Voilà pourquoi Besme remet à Cœuvre l'anneau, le saphir, symbole auguste du néant mais aussi de la plénitude. Tout dépend de la qualité du regard : « Si tu sais placer cette pierre

sous le feu d'une lampe ou dans la lumière de la lune, / Tu la verras, bleue, flamboyer entre tes doigts de six rayons égaux » (II). Le vide éclairé par la lumière, c'est Dieu. Il faut détruire la Ville, lieu de la corruption, pour la reconstruire. En quête d'absolu, Avare, héritier de Tête d'or, incarne l'anarchisme qui séduisait alors le jeune Claudel : « Je ferai reculer du lieu la race humaine » (I). Le feu réel, l'incendie, suscite la métaphore chère à Claudel de l'opposition des ténèbres et de la lumière ; conquérant par l'épée, bras séculier de Dieu, Avare incarne l'agent de la destruction anarchique mais nécessaire qui brûle tout sur son passage et ouvre la voie à Ivors, le fils du poète et de Lâla. L'ordre pourra peut-être surgir de la révolte et de la poésie. Avare, son nom l'indique, ne se donne pas ; personnage rimbaldien, il incarne la face destructrice, négative, de la révolte et s'efface devant Cœuvre. Le poète désigne le monde et tente de faire se rejoindre le signe et le sens que Dieu seul détient. Confronté aux limites du langage, il définit la démarche poétique comme un acte d'amour avec la Création et un don à la créature : « Toute parole est une explication de l'amour. » Il porte un nom significatif ; son œuvre, toute verbale, crée une harmonie poétique, entée sur la perception aiguë de l'accord universel. Ainsi, se réalise la destinée collective et personnelle : le premier acte pose les problèmes et les oppositions ; le deuxième, situé dans un cimetière, figure le passage nécessaire par la mort ; dans le troisième acte, qui se déroule au printemps, temps de la résurrection de la nature et du Christ, le fils du poète-prêtre et de la femme-liberté, Ivors, sera sacré prince et gouvernera le corps mystique de l'État après avoir été initié par son père et inspiré par sa mère.

L'action progresse grâce à la femme, à Lâla. La femme demeure la promesse d'un royaume invisible, dont les hommes aiment l'apparence sans percer sa vérité cachée. Lâla fait pressentir la force spirituelle, l'amour au sens large du terme, cette énergie qui attire les êtres les uns vers les autres et les rapproche de Dieu. Plus encore que les autres héroïnes claudéliennes, Lâla incarne un mystère dont il serait vain de chercher le sens ici-bas. De l'acte I à l'acte III, la parole poétique s'est muée en verbe mystique. Incarnation de la Sagesse, de la Grâce, de l'Âme, mais aussi face obscure de la jeune fille Violaine, Lâla est à la fois le Tout et le Rien. Tout le sens de la pièce est comme contenu entre les annonces de la promesse incarnée par Lâla. Lambert souligne les correspondances étroites entre la nature et la fusion de l'homme et de la femme, première cellule de la communauté. Il pourrait sauver la Ville de l'anarchie si l'ordre pouvait se fonder sur la réalisation de la promesse incarnée par la femme : « Deux yeux pleins de joie et d'amour m'attirent d'une promesse que je ne puis démêler » (I).

La Ville comme communauté des hommes figure la communauté des fidèles. La Jérusalem céleste sera édifiée par l'homme conscient de la nécessité intérieure qui le définit. L'univers claudélien n'est pas tragique, soumis à une fatalité extérieure ; il est en voie de réalisation constante, dans la réaffirmation incessante de la parole divine. Le surnaturel, le divin, se trouvent dans l'homme car Dieu n'est pas caché mais contenu dans l'être humain, son image. Dans *la Ville*, la musique donne à l'ensemble l'unité formelle et charnelle. En effet, l'écriture dramatique de Claudel orchestre les grands thèmes poétiques récurrents dans l'œuvre, et mène chaque duo à la réalisation de l'accord à venir. Dépassant le sens littéral des mots, la musique permet à l'homme d'aller au cœur de la parole, au centre de la Cité céleste, et de rejoindre Dieu. L'esthétique du drame se fonde donc sur la volonté apologétique, fondée elle-même sur l'approfondissement de la psyché humaine. *La Ville* est une pièce dramatiquement jouable, et elle ne requiert d'autre notion de la vraisemblance que celle de l'initié aux mystères religieux : en cela, elle se rapproche de la messe et cette dramaturgie audacieuse ne fut pas comprise par les contemporains de l'auteur.

● « Folio », 1982 (p.p. J. Petit). ➤ *Œuvres complètes*, Gallimard, VII (p.p. R. Mallet) ; *Théâtre*, « Pléiade », I.

V. ANGLARD

VILLES TENTACULAIRES (les). Recueil poétique d'Émile **Verhaeren** (Belgique, 1855-1916), publié à Bruxelles chez Deman en 1895.

Après *les Campagnes hallucinées* (1893), nous sommes ici dans les entrailles du monstre, la ville qui ronge la plaine « avec ses suçons noirs ». Le choix de ce thème repose sur une réalité objective : la Belgique fut très tôt le lieu d'élection de gigantesques complexes industriels, comme les usines Cockerill, dont Victor Hugo, impressionné, donne déjà une description dans *le *Rhin* (1842). Mais il est surtout dicté par la métamorphose intérieure du poète qui, au sortir de la crise nihiliste marquée par la publication des *Flambeaux noirs*, retrouve une autre foi, celle en un « nouveau Christ », incarné par le socialisme que prônent alors en Belgique ses amis Destrées et Vandervelde. Devenu, grâce à eux, responsable de la Maison du peuple de Bruxelles, Verhaeren proclama que la transformation matérielle de la société devait s'accompagner d'un accès du peuple à la culture, et qu'il n'y aurait pas d'avenir sans âme. Cette conviction qui inspire son recueil en fait un grand texte de poésie sociale, même s'il n'est pas que cela.

Le recueil s'ouvre sur l'agonie de la plaine où le labeur pacifique, effectué « front debout », laisse place désormais au travail convulsif « qui bout comme un forfait » et hache les « morceaux de vie » d'une humanité réduite au néant rythmique de la matière et devenue les « yeux de la machine » ("la Plaine"). Corps usés, cœurs fendus, les ouvriers s'agitent comme des pantins dans l'immensité noire des « quartiers rouillés de pluie », où brille un soleil monstrueux, sur une flore pâle et pourrie : « Voici les travailleurs cassés de peine / Aux six coups de marteau des jours de la semaine » ("les Cathédrales", "les Usines"). Lieu de misère et de détresse, la ville est aussi celui de la dégradation, de la perte de toute dignité, avec son cortège de « femmes en deuil de leur âme », et le « blasphème en or criard » des spectacles à bon marché inspirés par un érotisme sénile et moutonnier ("les Promeneuses", "les Spectacles"). C'est que l'argent partout triomphe, aux frontons des monuments ("la Bourse"), sur les places publiques ("Une statue [Bourgeois]") et dans le décor contrasté des funérailles ("la Mort").

Mais la ville a aussi ses fulgurances, des lambeaux de beauté farouche. Malgré ses tares, elle a surtout une âme « où le passé ébauche / Avec le présent net l'avenir encore gauche ». Dans des chambres claires, armés de télescopes dont la couleur symbolique est celle de l'or, les savants, avec une lenteur méthodique, s'acharnent à tout peser pour reconstruire un monde où règnent les idées, déjà « évidentes sans qu'on les voie » ("la Recherche", "les Idées", "Vers le futur"). Mais le futur est un « oiseau de feu », et les meurtrissures du présent engendrent aussi la rage de milliers de bras armés qui peuvent, en un élan, « Tuer pour rajeunir et pour créer » ("la Révolte").

Les Villes tentaculaires connurent à leur parution un succès considérable, surtout en Allemagne et en Russie, où elles furent très tôt traduites. Il s'explique par le fait que l'œuvre répondait aux questions du moment, dans un langage âpre et sans concessions qui contrastait avec les mièvreries subtiles abondantes à l'époque. Mais le prophétisme parfois grandiloquent, la croyance naïve en un progrès universel et en un avenir paradisiaque lui ont nui et expliquent l'oubli relatif dans lequel elle est tombée, en France du moins. Il semble surtout que cet aspect social ait masqué ses qualités proprement poétiques, qui ne sont pas négligeables. Verhaeren fait entrer en poésie un pan immense de la réalité qui en était exclu, celui du paysage industriel jusqu'aux moindres recoins de sa désolation ("les Usines", strophes 1-4), mais aussi celui de ses splendeurs monstrueuses. Là réside l'originalité du poète : faire chatoyer, dans la pourriture physique et morale, les

tableaux hallucinants d'une beauté violente : les bars, îlots fragiles luisant de cuivres et de liqueurs ("les Usines", strophe 5), les ateliers crachant le rouge et l'or dans un enfer de suie (*ibid.*), les ports fourmillants, tintamarresques, énigmatiques ("le Port"). Le poème "les Spectacles", traversé d'images que les peintres de l'époque nous ont rendues familières (bataillons de chairs et de cuisses, étagements d'ors, de gorges et de hanches, etc.), révèle l'ambiguïté de la ville qui, à travers l'horreur, suscite la fascination. Mais nul halo romantique, comme chez Baudelaire que Verhaeren admirait. Il s'agit d'un lyrisme cru d'images violentes comme des coups de marteau, qui, avant Apollinaire, marque un moment de la modernité. Au demeurant la ville, dont l'essence est mouvement, convient parfaitement à la sensibilité poétique de Verhaeren qui écrivait : « Mon corps musculaire est agité d'un rythme qui soutient et souvent produit le mouvement de ma pensée. Il est certains de mes vers que je danserais. C'est avec tout mon être que je fais un poème. » Il fallait cela sans doute pour trouver, par exemple, cette image si simple et si forte : « Toute la mer va vers la ville ! »

● « Poésie/Gallimard », 1982 (p.p. M. Piron). ➤ *Œuvres*, Slatkine, I.

D. ALEXANDRE

VINGT ANS APRÈS. Voir TROIS MOUSQUETAIRES (les), d'A. Dumas.

VINGT MILLE LIEUES SOUS LES MERS. Roman de Jules **Verne** (1828-1905), publié à Paris en feuilleton dans le *Magasin d'éducation et de récréation* du 20 mars 1869 au 20 juin 1870, et en volume chez Hetzel en 1870.

Appelée à devenir l'une des plus célèbres et des plus traduites de notre littérature, cette œuvre apparaît sans conteste comme la plus puissante, la plus originale et la plus représentative de Jules Verne. Liée, par le thème de la mer, aux fondements immémoriaux de notre imaginaire poétique, incarnant dans le capitaine Nemo un idéalisme qu'aucun romantique peut-être n'aurait osé porter à cette démesure, elle demeure, parmi toutes les lectures inévitables d'une enfance, sans doute la plus durablement inquiétante : l'onirisme des abîmes, hésitant entre féerie et cauchemar, l'obsession d'une quête qui pose la profondeur comme seule dimension vraie des choses, l'ambiguïté d'un héros tantôt ange justicier, tantôt démon destructeur, ne cessent d'interroger et de remettre en cause les conventions édifiantes du roman d'aventures.

Le roman comprend deux parties ou « épisodes » divisés, le premier, en 24 chapitres, le second, en 23.
Première partie. Tout commence en 1866 : la peur règne sur les océans. Plusieurs navires prétendent avoir rencontré un monstre effrayant. Mais quand certains rentrent gravement avariés après avoir heurté la créature, la rumeur devient certitude. L'*Abraham Lincoln*, frégate américaine, se met en chasse pour débarrasser les mers de ce terrible danger. Elle emporte notamment le professeur Aronnax, fameux ichthyologue du Muséum de Paris, son domestique, le dévoué Conseil, et le Canadien Ned Land, « roi des harponneurs ». Après six mois de recherches infructueuses, le 5 novembre 1867, on repère ce que l'on croit être un « narval gigantesque ». Mais sa vitesse rend le monstre insaisissable et lorsqu'enfin on réussit à l'approcher pour le harponner, il aborde violemment le vaisseau et le laisse désemparé. Aronnax et Ned Land ont été précipités à la mer par le choc. Conseil s'est jeté à l'eau pour suivre son maître. Tous trois trouvent refuge sur le dos du narval. Ils s'aperçoivent alors qu'il s'agit d'un navire sous-marin (chap. 1-7). Faits prisonniers, les trois naufragés découvrent l'extraordinaire *Nautilus*, son mystérieux équipage au langage incompréhensible et son capitaine, Nemo, dont la nationalité et les intentions restent absolument énigmatiques. Ce dernier refuse de rendre leur liberté à Aronnax et à ses compagnons, et prétend les entraîner avec lui dans un tour du monde sous-marin. Ce misanthrope de génie a rompu tout commerce avec l'humanité. Cependant, il éprouve une certaine estime pour le savant français et veut lui faire connaître l'uni-

vers qu'il s'est approprié, dans les profondeurs océaniques, et celui qu'il s'est construit dans le *Nautilus*, véritable microcosme dont la bibliothèque et le musée renferment les plus belles créations de l'homme et de la nature (8-14). Prodigieux ingénieur, maître de la fabuleuse puissance de l'électricité, le capitaine Nemo a résolu tous les problèmes de la locomotion et de la vie subaquatiques. Il convie ses hôtes à d'extraordinaires promenades en scaphandre, dans les grands fonds. Il traverse en se jouant l'immensité du Pacifique, élucidant tous les secrets de la nature et dépassant tous les exploits des plus hardis voyageurs. Tempêtes, requins féroces, écueils ou cannibales sont bravés en toute impunité. D'abord séduit, Aronnax ne tarde pas à comprendre pourtant que le *Nautilus* ne sert pas seulement les desseins pacifiques d'un homme de science. C'est aussi une arme que Nemo utilise pour une terrible œuvre de vengeance (15-24).

Seconde partie. Profondément épris de justice, le capitaine n'hésite pas à sauver la vie d'un pauvre pêcheur de perles, au large de Ceylan. Passé en Méditerranée grâce à un étonnant tunnel creusé par la nature sous l'isthme de Suez, il prodigue aux Crétois insurgés contre les Turcs l'or qu'il puise à sa guise dans les épaves englouties. Il visite avec Aronnax les monuments submergés de l'Atlantide. Au centre d'un volcan éteint, sous un îlot perdu de l'Atlantique, il s'est aménagé une inexpugnable retraite (chap. 1-10). Après avoir atteint, dans la mer des Sargasses, les plus grandes profondeurs de l'océan, le *Nautilus* engage un combat titanesque pour sauver des baleines attaquées par des cachalots. Son voyage se poursuit jusque sous la banquise, au pôle Sud où Nemo plante son drapeau, un « pavillon noir, portant un N d'or écartelé sur son étamine ». Échappant de justesse à l'étreinte des glaces, les héros doivent même se battre à la hache et au harpon contre des calmars géants. Puis ils retrouvent les restes du *Vengeur*, vaisseau français coulé par les Anglais après une bataille héroïque en 1794 (11-20). C'est là qu'Aronnax, Conseil et Ned Land voient confirmés leurs soupçons. Le capitaine Nemo envoie par le fond un navire de guerre de nationalité inconnue, mais qu'il accuse d'appartenir à une « nation maudite » : « Je suis l'opprimé, et voilà l'oppresseur ! C'est par lui que tout ce que j'ai aimé, chéri, vénéré, patrie, femme, enfants, mon père, ma mère, j'ai vu tout périr ! Tout ce que je hais est là ! » Un climat de tristesse et de terreur s'installe à bord. Sans qu'on puisse savoir s'il s'agit d'une décision délibérée ou d'une simple négligence, le *Nautilus* se laisse entraîner, au nord de la Norvège, dans les redoutables tourbillons du Maelström. Ses trois passagers involontaires en profitent pour tenter une folle évasion. Miraculeusement sauvés, Aronnax et ses amis retrouvent leur liberté. Ils ne peuvent connaître avec certitude le sort du *Nautilus* sur lequel ils ont navigué huit mois (21-23).

Le roman va si profondément marquer ses premiers découvreurs qu'on pourra à juste titre reconnaître son inspiration dans "le Bateau ivre" de Rimbaud. Grand pourfendeur de mythes, Roland Barthes nie cette filiation en observant que « le geste profond de Jules Verne, c'est [...] l'appropriation » (*Mythologies*). Dominé par les symboles bourgeois et rassurants d'un espace privé et clos, le *Nautilus* conviendrait à la philosophie du voyage et de l'aventure. Il deviendrait un simple « habitat », générant le plaisir « de s'enfermer parfaitement, de tenir sous sa main le plus grand nombre possible d'objets » (*ibid.*).

Fondée sur le principe d'économie, une telle loi n'est pas absente du monde de Nemo. Mais la dépense, principe directement contraire, y tient une place tout aussi fondamentale. Le roman justicier son enfermement dans le *Nautilus* et les jouissances qu'il s'y réserve par ses interventions fréquentes dans la vie extérieure. On peut ainsi analyser la fonction de l'or offert par Nemo aux Crétois insurgés ou des perles données au malheureux pêcheur indien. Mais que dire, alors, de la prodigieuse énergie follement dilapidée au service d'actes gratuits ou de conquêtes inutiles ? Défis lancés à la nature, combats dantesques avec ses monstres, vengeance : qui pourrait payer aussi cher que Nemo l'attachement à de telles causes ? Si l'on considère du même point de vue la complexité des échanges entre le sous-marin et les éléments qui l'entourent, force est de constater que Nemo a refusé de concevoir son navire comme un microcosme autosuffisant. Il explique à Aronnax qu'il a renoncé à fabriquer son air ou son énergie par des procédés chimiques : « Je dois tout à l'océan ; il produit l'électricité, et l'électricité donne au *Nautilus* la chaleur, la lumière, le mouvement, la vie en un mot » (première partie, chap. 12). Plutôt que de coloniser le milieu marin, l'œuvre de Nemo l'exalte.

De fait, toute lecture restrictive de ce texte exubérant est aussi vite démentie que formulée. Enfermé par Hetzel dans le didactisme conventionnel de la littérature enfantine, Verne pourrait se complaire dans la géographie amusante, la vulgarisation scientifique, la description zoologique. Les longs exposés consacrés à l'histoire, à la classification des poissons et mollusques, à l'observation botanique frisent souvent le fastidieux. Mais ils sont rapidement entraînés au-delà par leur propre démesure. Comme dans la verve lyrique de Hugo, l'inventaire devient forme poétique incontestable. Comment mieux exprimer le sentiment d'un univers dépassant toujours les forces du langage ? Ned nommant par expérience tous les poissons que Conseil s'obstine à classer, faute de savoir les reconnaître : quel meilleur symbole du défi lancé à l'esprit par la nature ? « Décidément, à eux deux, Ned et Conseil auraient fait un naturaliste distingué » (I, 14), note avec humour le narrateur. Mais Aronnax ignore-t-il que son domestique, en le singeant, lui renvoie l'image de sa propre impuissance ?

Quand il n'est pas l'objet d'imitations prodigues, le discours scientifique a tôt fait de révéler ses limites, miné de l'intérieur par les émotions et les fantasmes. Ainsi agissent les lapsus d'Aronnax qui, tout en imposant doctement son savoir, ne peut empêcher que lui inspire l'exploration sous-marine de fissurer sa fausse assurance : « – On a même cité une huître, [...] qui ne contenait pas moins de cent cinquante requins. – Cent cinquante requins ! s'écria Ned Land. – Ai-je dit requins ? [...] Je veux dire cent cinquante perles. Requins n'aurait aucun sens » (II, 2). Et pourtant, c'est bien le mot incongru qui se révèle le plus chargé de sens. Contrairement à ce qu'affirme Barthes, celui qui jouit du *Nautilus* comme d'une demeure bourgeoise n'est pas son propriétaire, Nemo, mais bien plutôt Aronnax, son passager occasionnel, qui éprouve mille difficultés à vivre l'aventure autrement qu'en spectateur, figé derrière le hublot du salon.

Le capitaine sans nom, en masquant sa véritable identité, a renoncé quant à lui à toutes les conventions sociales. L'initiale mystérieuse, ce « N » inscrit sur tous les objets de son monde, qui peut aussi bien renvoyer à son pseudonyme qu'à son extraordinaire engin, le montre parfaitement : Nemo appartient davantage au *Nautilus*, comme tout homme possédé par son rêve, qu'il n'en est vraiment le maître. La façon dont il renonce, souvent, à le guider, pour se confier aveuglément aux courants qui l'emportent, comme achève de le montrer l'engloutissement final dans le Maelström, suffirait à nous en convaincre. Que pourrait s'approprier un être déterminé par la seule négation ? *Nemo* signifie « personne » en latin. L'individu qui se baptise ainsi rappelle souvent tous les efforts qu'il a pu faire pour effacer son existence. Relatant la construction du *Nautilus* sur une île inconnue, il affirme : « Le feu a détruit toute trace de notre passage sur cet îlot que j'aurais fait sauter si j'avais pu » (I, 13).

Quand Hetzel, par intérêt commercial, pousse Verne à intégrer son roman dans une trilogie, entre *les *Enfants du capitaine Grant* et l'*Île mystérieuse*, il affecte gravement sa cohérence. L'esprit d'une œuvre baignant dans le fantastique et la plus évidente ambiguïté morale se trouvera ainsi bafoué. Donner un nom (le prince indien Dakkar) et une histoire à Nemo ne sert qu'à l'appauvrir de toute la richesse significative de son anonymat. Héros d'une épopée scientifique dont on pourrait attendre l'hymne le plus clair et le plus inconditionnel aux valeurs du progrès, l'inventeur justicier jette un tout autre regard, plus sombre et nostalgique, sur les créations humaines. Il souligne avec force ce qu'occulte l'euphorie positiviste. La science n'a rien résolu des problèmes éthiques qui agitent le monde. L'injustice et la violence continuent d'y faire la loi, utilisant souvent des machines à peine moins formidables que le *Nautilus*. Si ce dernier est imaginaire, les vaisseaux de guerre acharnés à le poursuivre sont, dans la réalité, les symboles les plus spectaculaires des perfectionnements techniques dont s'enorgueillit le XIXᵉ siècle.

En déplaçant Aronnax, modèle de cette civilisation pétrie de certitudes et de bonne conscience, de son tranquille cabinet du Muséum jusqu'au grand hublot du *Nautilus*, Verne l'oblige à subir une expérience aussi fascinante que douloureuse : la découverte du réel, hors des livres et de l'abstraction rassurante. Il en résulte une profonde remise en cause du personnage incarné par le narrateur, sommé de s'épaissir de toute une dimension psychologique et humaine pour pouvoir faire pendant à Nemo – ou plutôt, pour admettre que le héros l'a autant séduit en partageant certaines de ses préoccupations qu'en affirmant ses différences. En Nemo, Aronnax a trouvé son Mr Hyde. Grâce à lui, il est descendu non seulement au fond des mers, mais surtout au fond de lui-même pour y remuer la boue de passions irréductibles. Il a perdu cette présomption d'innocence derrière laquelle le savant croit pouvoir abriter ses œuvres. Dernière humiliation : à l'épreuve des faits, il a dû reconnaître la supériorité, tant physique que morale, de Ned Land, le pur et simple homme d'action ; celui qui, en sauvant la vie du capitaine Nemo, donne encore ses chances au rêve, et qui, en prenant l'initiative de l'évasion finale, met fin au cauchemar.

● « GF », 1977 (p.p. S. Vierne) ; « Presses Pocket », 1991 (p.p. J. Delabroy). ➤ *Œuvres*, Éd. Rencontre, V-VI ; *id.*, « Le Livre de Poche », IV.

D. GIOVACCHINI

VINGT-NEUF DEGRÉS À L'OMBRE. Voir **29 DEGRÉS À L'OMBRE**, d'E. Labiche [classé à la fin de la liste alphabétique].

VIPÈRE AU POING. Roman d'Hervé **Bazin**, pseudonyme de Jean-Pierre Hervé-Bazin (né en 1911), publié à Paris chez Grasset en 1948.

Jean, dit Brasse-Bouillon, est élevé par sa grand-mère dans la maison familiale près d'Angers, en compagnie de son frère aîné, Frédie, et de quelques domestiques fidèles. Lorsqu'il a huit ans, sa grand-mère meurt. Ses parents, qui vivaient jusqu'alors en Chine, reviennent s'installer en France, accompagnés d'un petit frère. Aussitôt, la mère de Brasse-Bouillon impose un régime presque pénitentiaire à ses enfants. Malgré les protestations de la gouvernante, vite chassée, du père, trop faible pour imposer son autorité, des précepteurs ecclésiastiques, souvent remplacés, elle les prive systématiquement de toute joie et de tout confort. Brasse-Bouillon et Frédie la surnomment Folcoche, amalgame de « folle » et de « cochonne », et font tout pour se venger de ses vexations. Elle subit une grave opération : ses enfants goûtent les délices de la liberté retrouvée, et souhaitent sa mort. Lorsqu'elle revient, son empire est menacé. La révolte de ses fils, de Brasse-Bouillon surtout, est désormais ouverte. Ils vont jusqu'à tenter de la noyer, après qu'elle les a obligés à manger d'un plat avarié. Cet épisode provoque une fugue de Brasse-Bouillon. Lorsqu'il revient, il s'aperçoit que Folcoche médite de le faire accuser de vol. Il utilise sa découverte pour faire chanter sa mère, et obtient ainsi qu'elle envoie enfin les trois enfants au collège.

Avec ce premier roman qui l'a rendu immédiatement célèbre, Hervé Bazin s'est défendu d'avoir écrit une autobiographie, et a refusé toute assimilation avec Brasse-Bouillon, son héros. Pourtant, il souligne lui-même les ressemblances qui existent entre sa famille et celle de *Vipère au poing*, aux traits à peine forcés. Si sa mère n'était pas, à l'instar de Folcoche, une tortionnaire, son irruption tardive dans la vie du jeune Hervé Bazin a néanmoins été l'origine d'une blessure profonde. Aussi l'essentiel, avec ce livre, était-il la libération par une « jeune écriture » d'une « jeune rancune » : si l'épisode d'un humour corrosif qui ouvre le roman est fictif, qui voit Brasse-Bouillon, âgé de quatre ans, rapporter triomphalement chez lui une

vipère qu'il a lui-même étranglée, et dont le regard lui sera ensuite rappelé par celui de sa mère, tout le livre est écrit, selon l'expression du héros, par « celui qui marche, une vipère au poing ». À travers les différentes épreuves subies par un enfant désarmé, le livre décrit un véritable apprentissage de la haine, une perte progressive de toutes les illusions ; de sorte que, lorsque Brasse-Bouillon à la fin de son adolescence quitte la maison, il ne croit plus, grâce à Folcoche, « à rien, ni à personne ». Mais ce n'est pas un hasard si Folcoche, un jour, reconnaît devant Brasse-Bouillon qu'il est le fils qui lui ressemble le plus. Cette haine insufflée par la mère est aussi une force, un moyen de rejeter en bloc toutes ces « vipères » familiales – si proches du *Nœud de vipères* mauriacien – qui étouffent une existence : éducation, religion, préjugés sociaux... Si « haïr, c'est s'affirmer », le héros d'Hervé Bazin peut devenir, à l'issue de sa descente aux enfers, l'« archange qui terrasse le serpent », un archange fort et désespéré.

● « Le Livre de Poche », 1972.

K. HADDAD-WOTLING

VIRGILE TRAVESTI. Poème de Paul **Scarron** (1610-1660), publié à Paris chez Toussaint Quinet (livres I-VI), et chez Guillaume de Luyne (livre VII) de 1648 à 1653. Scarron a publié continûment son ouvrage jusqu'à la fin de la Fronde : les livres I et II paraissent en 1648, III et IV en 1649, V en 1650, VI en 1651, VII en 1653. Le livre VIII demeure inédit jusqu'en 1659, et il paraît inachevé chez de Luyne.

La connaissance de l'original latin qu'une telle œuvre suppose, situe nettement ce type de création au cœur de la poétique classique : celle-ci repose en effet sur l'imitation des Anciens, source et modèles de toute invention poétique. Les traducteurs des « belles infidèles » employaient la métaphore du changement d'« habit » pour décrire le passage du latin au français ; il était donc naturel que la parodie prît le nom de « travestissement ». La portée de l'entreprise burlesque est attachée à cette double sphère de l'imitation et de la traduction, et l'irrespect de la parodie est fondé à l'origine sur un grand respect du modèle. En fait, il s'agit moins de remettre en question l'autorité de Virgile que de jouer avec celle-ci, voire de la renforcer, pour ainsi dire, en montrant qu'elle ne craint pas un tel traitement de choc. Des modèles intermédiaires ne doivent pas être négligés non plus, telle l'*Eneide travestita* de Giambattista Lalli (1633), que Scarron avait pu découvrir à Rome en 1635. D'autre part le goût italien, que Saint-Amant avait déjà largement contribué à acclimater (*le Passage de Gibraltar* définit, dès 1640, une poétique de l'héroï-comique à partir de Berni et de Tassoni), va de pair avec l'esprit d'une époque, celle des années 1643-1648, où le langage ridicule d'un grand seigneur comme le duc de Beaufort témoigne, dans la réalité, d'une distorsion des valeurs héroïques ; c'est ce que confirmera la Fronde, à laquelle correspond exactement l'élaboration du *Virgile travesti*. L'auteur de la *Mazarinade* (1651) pressentait toute la portée que pouvait avoir le burlesque, bien au-delà de la simple gratuité littéraire, et il est notable que les tentatives burlesques de l'après-Fronde feront preuve d'une modération identique à celle des esprits (voir le *Lucain travesti* de Brébeuf, 1656). Le retour en force de l'épopée sérieuse (Scudéry, Chapelain, Desmarets) confirmera alors la fin de l'aventure burlesque.

Le poème suit le texte latin de Virgile, en s'arrêtant au livre VIII (l'*Énéide* comportant douze chants). Il est composé en octosyllabes et porte le nombre de vers à 20 916 pour 5 761 hexamètres latins. Les chants font environ 3 000 vers (I, II, IV, V, VI), sauf le chant III (2 390) et VII (2 522), et avec un net épuisement pour l'ultime chant (832) qui, resté inachevé, n'excède le chant original que de 131 vers ; il s'arrête en fait à la fin du banquet donné par Évandre à Énée (*En.*,

VIII, 189), au moment où Évandre va raconter l'histoire d'Hercule et de Cacus. Chaque épisode est amplifié, notamment au moyen d'incidents ridicules, d'interventions d'auteur, de digressions anachroniques, ou de descriptions burlesques (voir, par exemple, I, vers 52-70, qui équivaut à I, 12-14 chez Virgile, ou VIII, 1-30, qui équivaut à VIII, 1-4). Énée est particulièrement ridiculisé par sa propension à pleurer constamment, Didon rime avec « dondon » (IV, 2), les soldats sont armés de « hallebardes » et de « mousquets » (II, 2 045-2 046), la Sibylle est crue « comme Évangile » (VI, 59). L'anachronisme et l'exagération n'empêchent pas Scarron de suivre d'assez près le fil narratif de l'*Énéide*, même s'ils la rendent méconnaissable, grimée et « travestie ».

Sur le plan littéraire, J. Serroy a pu montrer combien la réflexion poétique implicite de l'entreprise burlesque était en rapport étroit avec l'invention d'un romanesque moderne : le burlesque est aussi une arme polémique contre les « héros de roman », auxquels Boileau s'attaquera plus tard, et dont la grandeur épique est constamment raillée dans le *Roman comique*. L'humanité d'Énée, ramenée à sa juste mesure, appartient alors au registre comique, qui est, selon la tradition, celui de la réalité : le burlesque serait donc le lieu obligé du passage qui mène de l'épopée au roman, dans son ambition de saisir la sphère du réel avec toute sa complexité. À ce titre, l'irruption du lexique concret, proverbial, voire archaïque, modifie l'indice de réalité que contient la fiction épique ; le pittoresque renvoie brutalement le lecteur à une réalité vécue, et non plus à une irréalité rêvée :

Cela dit, une grosse pluie,
Qu'en vain sa belle main essuie,
Couvrit de pleurs tout son rabat.
Grand vent petite pluie abat ;
Mais, au proverbe n'en déplaise,
Les soupirs causés par sa braise
Par ses pleurs largement jetés
Furent de plus belle irrités,
Et ses soupirs à la pareille,
Comme le vent le feu réveille,
Et que le feu fait en aller
Un pot, à force de brûler.

(IV, 135-146)

Le registre familier et le bon sens issu du ton proverbial sont exemplaires des procédés qui ramènent le héros (ou, comme ici, l'héroïne Didon) à taille humaine. Il n'est pas jusqu'aux divinités qui ne soient rabaissées, même si cela est fait avec bonhomie : « Il vit le bon fleuve du Tibre / Sur un poisson en équilibre / Jambe deçà, jambe delà,/Qui lui parla comme cela » (VIII, 165-168). Tous ces procédés conduisent à la dissonance, à l'écart, dont Scarron joue tout en prenant plaisir à commenter ses effets. La fantaisie verbale est ailleurs un moyen sûr de marquer la distance que le poète prend par rapport à son sujet, donnant presque au lecteur un sentiment d'improvisation :

Il tint le langage suivant,
Exposant sa perruque au vent,
C'est-à-dire ôtant sa barette
Ou son chapeau ; mais un poète
Pour exprimer l'étui du chef,
Dit, bonnet, chapeau, couvre-chef,
Toque, tapabor, bourguignotte,
Béguin, turban, cale, calotte,
Casque, salade, heaume, pot,
Capuchon, barette, en un mot
Le plus éloigné synonyme
Chez nous rimeurs passe à la rime.

(VIII, 471-482)

Le coq-à-l'âne ou la fatrasie ne sont pas loin derrière un tel jeu, et le public robin, à la culture humaniste et rabelaisienne encore très vivante, devait apprécier particulièrement cette abondance des mots et des choses dont Scarron dresse l'inventaire avec fantaisie. À ce titre, le burlesque est une « fronde » linguistique contre les tenants de la pureté et du bon usage, qui mettaient en péril la variété des saveurs de la langue et la profondeur de sa mémoire,

encore vive en ces années 1640. Preuve en est la réflexion d'un Guez de Balzac sur le burlesque et sur l'« honnête raillerie », reprise dans une savante dissertation latine par le jésuite Vavasseur (*De ludicra dictione*, 1658) : elle est un écho direct du *Virgile travesti* et des débats qu'il a suscités alors. Le goût d'une langue riche, qu'un texte fait briller sous tous ses aspects et qui semble se réjouir de sa propre abondance est un trait fondamental de ce poème. La Fontaine en héritera d'ailleurs lorsqu'il défendra le « badinage marotique » de Voiture et de ses propres *Contes* ; il sera alors le juste disciple de Saint-Amant et de Scarron. Mais il essaiera lui aussi (après Saint-Amant et Balzac) de définir une « honnête » gaieté, un sourire de bon aloi, alors que Scarron ne semble pas craindre de faire feu de tout bois. Il savait bien jusqu'où allait la licence propre au genre burlesque, et que cela ne choquait pas le public auquel il s'adressait, aussi proche fût-il du « goût de la cour » : la reine n'est-elle pas la dédicataire du premier livre, Séguier et le président de Mesmes ceux des livres II et III ? La génération suivante ne goûtera plus cette esthétique, puisque même le satirique plein de verve qu'est Boileau critiquera le « burlesque effronté » dans son *Art poétique*, lui reprochant de faire parler au Parnasse le « langage des Halles » (I, 81-84). Scarron lui-même, dans son épître dédicatoire à M. Deslandes-Payen (livre V), critiquera les excès de la mode burlesque, et en appellera aux beaux esprits pour remettre de l'ordre ; mais il aura tout de même fallu qu'il en passe par là, comme par nécessité, pour aboutir au réel fleuron du laboratoire burlesque, qui est son *Roman comique*.

● « Classiques Garnier », 1988 (p.p. J. Serroy).

E. BURY

VIRGINIE ET PAUL. Voir CONTES CRUELS et NOUVEAUX CONTES CRUELS, d'A. de Villiers de L'Isle-Adam.

VISAGE NUPTIAL (le). Voir FUREUR ET MYSTÈRE, de R. Char.

VISAGE PREMIER. Recueil poétique d'Andrée **Chedid** (née en 1920), publié à Paris chez Flammarion en 1972.

Douzième recueil d'Andrée Chedid, *Visage premier* témoigne de la maturité lucide de l'auteur en même temps qu'il inscrit dans son titre le lieu suprême des interrogations – le visage – dont elle avait déjà usé, en 1960, pour un précédent ouvrage, *Seul le visage*.

La poésie de *Visage premier* se charge d'empreintes, de cicatrices. Andrée Chedid s'y plonge dans le corps, à la recherche des creux, des plis : « Je me grave dans ce corps / jusqu'aux limites des doigts », écrit-elle dans "l'Écart", poème dont certains vers sont d'une pure sensualité : « Je savoure mon souffle. » Le corps apparaît là comme source de vie fondamentale : « Souvent d'être mon corps / J'ai vécu / Et je vis. » La jubilation de l'écriture apparaît nettement, jubilation de nommer « ce que nous sommes », titre d'un de ses poèmes où l'appel à l'autre, au « tu » répété permet de mieux le dévoiler : « Tu es radeau dans l'éclaircie / Tu es silence dans les villes / Tu es debout / Tu gravites / Tu es rapt d'infini. »
La seconde partie de *Visage premier* est entièrement consacrée à la poésie elle-même : « La poésie comme l'amour, charge de tout son contenu, force à tous ses espaces, le visage, le geste, le mot. Sans elle, à l'instant d'être, ils seraient déjà morts – ou cernés à jamais en leur étroite forme, ce qui est mourir d'une autre façon. »

Avec le visage, c'est le changement perpétuel des choses et des êtres qui se matérialise, le corps qui marque les traces du temps ; mais c'est aussi la source de vie et de lumière recherchée par le poète. À travers son propre corps, c'est celui de tous qu'Andrée Chedid appréhende dans une absolue volonté de savoir. La préoccupation charnelle de cette poésie, sa grande sensualité n'engendrent aucune provocation : le corps n'y est pas exhibé mais observé, reconnu, cerné comme terrain de connaissance indispensable à sa propre compréhension et à celle de l'autre. Le corps constitue ici un véritable langage, un moyen privilégié de communication. L'œuvre poétique d'Andrée Chedid respire la liberté, l'élan, le rêve et accueille la vie : « La poésie suggère. En cela, elle est plus proche qu'on ne pense de la vie. »

Cette poésie respecte le langage et à aucun moment ne brise la syntaxe, ne bouscule la grammaire, ne torture les mots ; limpide, elle agit plutôt par caresses que par secousses. Andrée Chedid croit à l'écriture, au lissage des mots comme acte d'amour : « L'amour est toute la vie. Il est vain de prétendre qu'il y a d'autres équilibres. »

C. PONT-HUMBERT

VISION D'HÉBAL, CHEF D'UN CLAN ÉCOSSAIS. Poème en prose de Pierre Simon **Ballanche** (1776-1847), publié à Paris chez Didot en 1831.

Souvent considéré comme le chef-d'œuvre de son auteur, ce livre, composé en 1829, expose un résumé succinct mais complet, quoique obscur si on l'isole du contexte doctrinal, de son système philosophique et historique. Initialement conçu comme le chant V de *la Ville des expiations* (1832, publiée intégralement en 1909, elle-même partie du projet inauguré par les *Essais de palingénésie sociale*, 1827-1829), il se présente comme une vision et un chant, et adopte une forme imitée de l'ode classique (strophe, antistrophe, épode), ce qui confère à cette synthèse une remarquable qualité littéraire.

Précédée d'un Avertissement, la *Vision* met d'abord en place, dans le « Récit », un « Écossais doué de la seconde vue » qui « voit » une « magnifique épopée idéale à la fois successive et spontanée ». Se déroulent ensuite neuf triades retraçant l'histoire de l'humanité depuis la Création. Parvenue à la révolution de Juillet (strophe 9), la vision devient prophétique. Si la « lutte du principe volitif et du principe fatal va recommencer entre la France et l'Europe », l'avenir se révèle émancipation générale, et « dans le point le plus reculé de l'avenir, sur la limite du dernier horizon de l'humanité, l'homme achève de compléter la création de la terre ». L'antistrophe évoque l'Apocalypse, puis l'épode la Rédemption, réintégration finale de l'« homme cosmogonique », Jésus-Christ s'avérant homme universel. Le récit reprend : la « rêverie magnétique » d'Hébal qui avait embrassé toute la durée des âges s'est accomplie dans le temps d'une sonnerie d'horloge sonnant l'*Ave Maria* : la médiation est « le mot de l'énigme de l'humanité ». Une ultime « Note » invite à pénétrer le sens intime des ouvrages de Lamennais, de Joseph de Maistre et de l'abbé Gerbet.

Saturé d'érudition, ce panorama de l'Histoire universelle est coloré par toute la pensée de Ballanche, et nous offre un véritable *compendium* de l'idéologie romantique. Référé aux circonstances et aux effets de la chute, le système ballanchien affirme que l'homme, entré dans le temps, s'élèvera peu à peu, sous l'égide de la Providence et avec l'aide du Christ, à la hauteur de la mission à laquelle il était destiné. Cause de la chute, la volonté humaine doit se redresser (l'« initiation » selon Ballanche) pour permettre la réhabilitation de la créature. Depuis Caïn et Abel, l'Histoire développe l'antagonisme de deux principes, Destin et Volonté : inégalité et division doivent conduire à l'égalité et à l'union parfaites. Œuvre de conciliation, cosmogonie profondément inscrite dans les débats de son temps, la doctrine ballanchienne propose une synthèse du christianisme, de la science et de la morale : cette perspective unitaire et harmonique s'énonce en une épopée visionnaire, emblématique de l'ambition romantique. Langue de la collectivité, retour à la parole primitive, la poésie convient à l'Histoire idéale, révélée par une inspiration spontanée. Si Hébal évoque Orphée et Ballanche lui-même, s'il entre dans une

transe magnétique, l'extase se structure dans une « forme dithyrambique » : « La strophe, comme dans la poésie primitive, représentait le ciel des fixes ; l'antistrophe, le ciel des mobiles, le temps et l'éternité, le fini et l'infini ; l'épode résumait l'harmonie des deux mouvements » (« Récit »). Les neuf parties – d'après les neuf Muses –, ne constituent cependant pas un cycle palingénésique complet.

Formule générale du développement humain, ces versets renvoient à une religion unique, fonds commun de toutes les traditions. Hymne à la synthèse, la *Vision d'Hébal* multiplie les séductions poétiques (variations de rythme, anaphores, vers blancs...) au service d'une entreprise où confluent les courants de pensée du XIXᵉ siècle et où convergent, sublimées, les vues exposées dans *le Vieillard et le Jeune Homme* (1819) ou *l'*Homme sans nom*.

● Genève, Droz, 1969 (p.p. A.-J.L. Busst). ➤ *Œuvres complètes*, Slatkine.

G. GENGEMBRE

VISIONNAIRE (le). Roman de Julien **Green** (né en 1900), publié à Paris dans les *Annales politiques et littéraires* de novembre 1933 à janvier 1934, et en volume chez Plon en 1934.

Première partie. Marie-Thérèse Plasse se remémore sa jeunesse passée aux côtés de son cousin Manuel, orphelin maladif et d'une extrême laideur, et de sa mère, une veuve austère qui l'a recueilli. Humilié par sa tante et par son patron, Manuel rêve du château sis aux alentours de la petite ville de province où se déroule l'action. Un soir, dans un lieu écarté, il caresse les jambes de la cousine qui est prise de panique. Le lendemain, il doit s'aliter et sa tante, transfigurée, le soigne avec ferveur. Marie-Thérèse se découvre une vocation pour la vie religieuse, fortement combattue par Mme Plasse. Elle confesse sa soirée avec son cousin à un prêtre, qui lui ordonne de tout avouer à sa mère.

Seconde partie. Manuel poursuit la narration. Mme Plasse refuse de croire sa fille. Mal remis, Manuel consulte un médecin, qui diagnostique la tuberculose. Travaillé par la hantise de la mort, en butte aux médisances, le jeune homme se cloître chez sa tante. Il note sur ses carnets « ce qui aurait pu être » : dans le château de Nègreterre – celui-là même qu'il a si souvent aperçu dans le lointain –, atteint par un mal fatal et héréditaire, le comte attend la mort, accablé par les soins de sa gouvernante, Mme Georges. Hanté par la perspective de sa fin inéluctable, le vicomte, son fils, sombre dans la débauche. Mal marié, sans enfant, la vicomtesse trouve en Manuel, engagé en qualité d'interlocuteur privilégié. Quand survient la fin tant espérée du vieillard, elle s'unit à Manuel dans une étreinte passionnée et meurt entre ses bras.

Marie-Thérèse, reprenant son récit, évoque le rêve de Manuel, la relation intime qui s'était nouée entre sa mère et lui dans les derniers temps de sa vie, enfin, près du château de leur enfance, son ultime tête-à-tête avec Manuel qui s'est éteint en lui avouant son amour.

L'idée primitive du *Visionnaire* fut inspirée à Green par une coupure de journal : un jeune suicidé trouva la force de se laver le visage avant d'expirer. À partir de ce fait divers succinct, le romancier transposa à la première personne les mondes imaginaires de Manuel et de sa « victime », Marie-Thérèse, dans une narration discontinue, unifiée par l'exploration des fantasmes. À la faveur de cette double focalisation interne au récit, le roman met en forme le cheminement d'une pulsion inconsciente : le besoin éperdu d'amour chez un jeune homme disgracié, maladif et humilié, tout entier tourné vers son monde intérieur. Comme un romancier, Manuel trouve dans l'imaginaire un moyen de compenser les frustrations engendrées par une vie passée chez sa tante, qui trouve une sorte de jouissance dans son rôle de garde-malade. Dès lors, le récit plonge peu à peu dans les profondeurs du subconscient du héros : il mêle la réalité, dans le cadre spatio-temporel posé par Marie-Thérèse, et le fantastique ; lié à l'éveil de la sexualité, celui-ci culmine au dénouement de l'intrigue imaginaire, lorsque la vicomtesse agonisante s'unit à Manuel dans une étreinte semblable à un affreux et mortifère sursaut de goule. Mais on ne peut pour autant affirmer que le récit second, celui de Manuel, soit mis en abyme dans le premier et en donnerait ainsi la clé : les deux journaux, celui de Marie-Thérèse et celui de Manuel, juxtaposent deux visions différentes de la même réalité et rendent visible le processus de la création littéraire dans la fusion de ce qui mime le réel et de ce qui est donné comme fictif. Mais, par un effet d'ironie tragique, l'histoire de Manuel ne constitue pour lui une compensation qu'autant qu'elle lui permet de vivre par procuration ; car, pour le contenu, elle contribue à accroître encore l'atmosphère délétère du roman. En effet, à quoi rêve ce tuberculeux qui se croit victime du destin ? Manuel transpose son obsession de la mort dans ses propres personnages. La vicomtesse croit même avoir identifié une incarnation de la Parque dans la personne de Mme Georges, cette domestique insidieuse dont l'ignorance brute incarne l'idée même que l'on peut se faire de la mort. Mais la vicomtesse, c'est aussi la femme interdite et fascinante, une figure de Marie-Thérèse telle que Manuel la rêve – alors que la jeune fille semble en réalité si raisonnable et peu passionnée. Quant au vicomte, il réalise le destin donjuanesque que Manuel ne saurait assumer. Chevalier d'un Graal noir, Manuel descend aux enfers de son moi et tente d'étreindre l'absolu dans un univers tragique, mais la rose symbolique lui demeure interdite.

Grand analyste du rêve, Green renoue avec la tradition du roman gothique dans le récit de Manuel, et l'étrangeté atteint sa perfection dans la précision du style à énumérer les moindres signes suggérant la présence inquiétante et fascinante de forces mystérieuses. Comme dans les textes médiévaux, tout signifie dans le monde enchanté défini par la topographie de Nègreterre, la bien-nommée, projection spatiale d'un enfer intérieur. Encore une fois, Green projette ses propres contradictions dans son roman : « Je n'arrivais pas, affirme-t-il, à m'installer dans le bonheur physique comme je voyais tant d'autres y réussir. » Aussi la critique catholique porta-t-elle un jugement sévère sur cette œuvre, méconnaissant son pouvoir cathartique. Plus juste apparaît le jugement enthousiaste de Gide, qui rendit également hommage à la noblesse du style : « Vos phrases sont d'une syntaxe sûre, d'une sonorité pleine, sans jamais aucune redondance et d'un nombre qui me satisfait. »

● « Points », 1986. ➤ *Œuvres complètes*, « Pléiade », II.

V. ANGLARD

VISIONNAIRES (les). Comédie en cinq actes et en vers de Jean **Desmarets** ou **Desmaretz de Saint-Sorlin** (1595-1676), créée à Paris au théâtre du Marais en 1637, et publiée à Paris chez Camusat la même année.

Venu au théâtre pour plaire à Richelieu, Desmarets, pour sa deuxième pièce, s'inscrit dans la mode du théâtre de l'extravagance qu'illustre notamment Charles Beys avec *l'Hôpital des fous* (1635) : sa comédie est une galerie de « visionnaires » atteints d'une folie spécifique qui n'éteint pas en eux toute faculté de raisonner. Écrite pour les doctes, elle n'eut qu'un succès progressif, mais extrêmement durable (jouée jusqu'au début du XVIIIe siècle, elle fut souvent représentée par Molière qu'elle influença, en particulier pour la Bélise des *Femmes savantes*). Derrière le comique suscité par les monomaniaques, on verra dans cette œuvre, dont la littérature constitue finalement l'objet principal, la satire d'un certain public et d'une écriture archaïque.

Lysandre, un parent d'Alcidon, l'invite à marier ses trois filles dans la journée. Mais celui-ci, faible, promet ces trois extravagantes (Hespérie croit faire succomber tous les hommes, Mélisse n'aime qu'Alexandre le Grand, Sestiane est « amoureuse de la comédie », c'est-à-dire du théâtre) à quiconque sait la séduire. Il s'engage ainsi auprès de quatre « visionnaires » (Artabaze, un capitan ; Amidor, « poète extravagant » ; Filidan, « amoureux en idée » ; Phalante, « riche imaginaire ») et

craint la fureur de celui qui sera rejeté. Or les jeunes filles refusent le mariage ; par bonheur, les prétendants renoncent. Lysandre conclut : « Vous n'êtes pas si fous, car fol est qui s'engage ». Chacun continuera à jouir de ses « douces folies ».

Si les unités sont strictement observées, l'intrigue relève du prétexte : elle permet, dans cette longue pièce, de jouer du comique de répétition (à chaque fin d'acte, le père promet un mariage) et justifie cet acte V où chaque visionnaire revient tour à tour en scène, défilé final qui réaffirme en l'exhibant le principe même de l'œuvre. En dehors de ce fil matrimonial, il y a moins progression qu'apparitions successives et répétées des extravagants, véritables types. Aucune évolution chez ces personnages réduits à une monomanie qui exclut tout vrai dialogue, sinon sur le mode du quiproquo (Mélisse voit en Artabaze, du fait de son nom, un fidèle lieutenant d'Alexandre...) ou de la tromperie (Amidor se moque de Filidan, qu'il a rendu amoureux en faisant le portrait parodique d'une vieille femme). À l'exception de Lysandre, seul personnage raisonnable, et de Sestiane, tout occupée à l'intrigue de tragi-comédie qu'elle invente et qu'elle soumet par deux fois à Amidor, chacun prononce symboliquement un monologue ou un long discours à peine interrompu (près de 150 vers quand Phalante décrit son prétendu château, prenant en réalité pour modèle celui de Richelieu). Aucun valet ni confident : ils se suffisent à eux-mêmes.

Enfermés dans leur monomanie à défaut de l'être dans un établissement adéquat – Desmarets le souligne dans son long « Argument », véritable préface –, ils ont cette faculté de n'être aveugles qu'à eux-mêmes et de pouvoir reconnaître, pour s'en jouer, la folie d'autrui. Leurs extravagances « se mêlent ensemble [...] pour faire mieux paraître ces folies les unes par les autres ». L'auteur souligne que de tels visionnaires se rencontrent partout ; mais certains « pensent d'aussi grandes extravagances » sans les dire. Plus tard, Mme de Sévigné verra dans la pièce la « représentation de tout le monde ; chacun a ses visions plus ou moins marquées ». Parce que chacun des visionnaires reste lucide sur les autres, parce qu'il y a Lysandre, spectateur de ces « folies » comme on l'est depuis la salle, on n'est pas tout à fait dans la perspective baroque de la folie. Mais Lysandre semble presque envier ces personnages, plus heureux selon lui que « les sages du temps, les princes ni les rois ». Fin conventionnelle peut-être, qui insiste néanmoins sur ce qu'Artabaze – premier et dernier des extravagants à paraître en scène et seul vrai type théâtral – dit à son propre endroit : « Je suis seulement amoureux de moi-même. » Tous le sont, chacun à sa manière ; c'est sans doute là qu'est la douceur de leur délire.

Ce dernier passe par le verbe : tous s'écoutent parler et chacun a son langage propre ; toutes leurs folies sont littéraires ou liées à la littérature (à l'exception d'Alcidon, qui n'est pas exactement un « visionnaire »), même celle de Phalante, tant il se plaît à ses descriptions imaginaires ; Mélisse est victime de ses lectures (elle ne se déplace qu'avec son exemplaire de Plutarque) et Hespérie, comme Filidan, d'un pétrarquisme mal compris. On ne s'étonnera donc pas qu'Amidor, le seul personnage avec Alcidon à être en scène à chaque acte, ait un rôle majeur. Il éblouit Alcidon par son emphase et sa science mythologique, met en fuite Artabaze, apeuré par sa fureur poétique et par le cri des bacchantes qu'il lance pour entrer en transe. Il se gausse de Filidan, fait figure de maître aux yeux de Sestiane. Pressé par Phalante, en quête de vers pour séduire, Amidor – entendons : ami de l'or – lui propose toute sa production disponible (une ode pindarique, un "Adieu pour Cloris", un "Retour de Sylvie"...) ; il lui vendra des stances rendues incompréhensibles par l'abus de mots savants. Ronsard et Du Bartas sont restés ses modèles. Il incarne la vieille langue poétique, celle qui règne encore en province et dont Desmarets, engagé dans la « modernisation » à l'Académie, se rit.

Il raille plus encore ce public néophyte (les femmes, mais surtout le peuple, d'autant plus content qu'il comprend moins, et violemment pris à partie dans l'« Argument ») qui se mêle de juger les écrivains et que les mauvais poètes satisfont à coups d'intrigues extravagantes, de vers enflés et de pointes ridicules. Sestiane en est l'incarnation ; c'est pourtant elle qui défend le point de vue de l'auteur : contre Amidor, opposé aux règles, elle prône les doctes et les unités au nom du plaisir et de la vraisemblance. Mais c'est sans les comprendre : elle se lance aussitôt dans l'exposé d'une intrigue touffue et invraisemblable, caricature involontaire des tragi-comédies les plus romanesques. Comment mieux dévoiler les incohérences d'un public déconcertant ?

● STFM, 1963, (p.p. H.G. Hall) ; « Pléiade », 1986 (*Théâtre du XVIIᵉ siècle*, II, p.p. J. Scherer et J. Truchet).

D. MONCOND'HUY

Vitriol de lune (le). Roman d'Henri **Béraud** (1885-1958), publié à Paris chez Albin Michel en 1921. Prix Goncourt 1922 avec *le Martyre de l'obèse*.

Première partie. Orphelin à douze ans, Blaise Cornillon entre au service d'un riche marchand de soie lyonnais. L'enfant cultive le souvenir de son oncle Giambattista, un Gênois qui l'enchantait de légendes et de mélodies tirées de sa flûte en verre. À dix-sept ans, il suit à Paris son maître, un libertin, puis le quitte pour entrer chez les jésuites.
Deuxième partie. La Compagnie veut flétrir la débauche qui souille la couche royale. Condamné à cinq ans de galères pour avoir critiqué les mœurs de Versailles, Giambattista œuvre pour la liberté. Il introduit chez les pères un certain Damiens, qui stigmatise l'arbitraire du pouvoir. Damiens frappe et blesse Louis XV. L'espoir d'installer sur le trône un monarque acquis à la Compagnie s'envole. Blaise et Giambattista se retrouvent, ils croisent un inconnu, qui connaît leur secret. Ils assistent au martyre de Damiens, bien décidés à le venger.
Troisième partie. Le 15 février 1774, dix-sept ans plus tard, ils intriguent dans la capitale. Le comte du Barry, complice du chancelier Maupeou, les introduit chez Choiseul. Le parti dévôt mène une cabale contre la favorite, ruine de la monarchie. Nommés musiciens à la cour, Giambattista et Blaise revoient l'inconnu. Au souper du roi, Blaise verse dans le verre de Louis XV la poudre de vitriol bleu qui l'empoisonne. À Lyon, l'inconnu tue Blaise. Giambattista fait justice puis, désespéré, il brise la flûte de verre.

Dans ce premier roman, Henri Béraud mêle le mystère des conspirations d'Ancien Régime et le réalisme le plus minutieux dans un récit historique. En effet, il situe la narration dans les dernières années du règne de Louis XV et suggère le travail de la corruption au sein du régime livré à la débauche. L'intrigue propose une interprétation romanesque de l'attentat de Damiens et de la mort du Bien-Aimé. Fidèle aux lois du roman historique, l'auteur se saisit de ces deux faits avérés pour imaginer les aventures de deux personnages fictifs. Le point de vue se focalise, en effet, sur Blaise, un orphelin captivé par la personnalité brillante de son oncle. Giambattista le fascine et détermine sa propension irréductible au rêve : le jeune homme vit dans une dépendance absolue, manipulé par cet oncle qui l'empêche même de se marier avec son unique passion, et donc d'entrer dans la vie réelle. Dès les premières pages, le père de Blaise considère l'oncle comme une sorte d'enchanteur qui use de poudres suspectes : Giambattista incarne une figure qui hante l'inconscient collectif, celle de l'empoisonneur, dans la tradition des Médicis. Il est aussi un représentant de la République de Gênes, issu d'une lignée illustre d'opposants à la tyrannie. La dualité du personnage, moteur de l'action, laisse planer le doute sur le sens général du roman. Béraud suggère-t-il que la monarchie était déjà travaillée par des courants libertaires ? Il ne semble pas puisque Giambattista, un étranger, semble mû par une sorte de devoir personnel, le sentiment de sa liberté individuelle. En outre, lors du supplice de Damiens, le peuple se réjouit de la santé retrouvée par le

monarque. Nulle conscience politique claire ne se fait jour, même si Damiens harangue dans un tripot des gens de maison présentés comme des brutes avinées. Nulle allusion, non plus, à des lectures de l'*Encyclopédie ou de *Du contrat social. Une simple remarque incidente donne un comparse comme un proche de Rousseau, mais sans autre précision. Béraud s'attache à mettre en récit l'histoire d'une illusion, celle de Blaise, et il évoque les cabales ourdies à la cour avec une profusion de détails historiques. De plus, l'auteur s'inspire de la mythologie née du pouvoir occulte de la Compagnie : préoccupés par le pouvoir temporel, les jésuites agissent dans l'ombre pour installer sur le trône un monarque acquis à leur cause. Trop d'appétits entrent en jeu pour qu'un idéal puisse s'affirmer dans une société déchirée par les conflits d'intérêts. Mais, au cœur du récit, dans la deuxième partie, le martyre de Damiens impose, avec une précision impitoyable, l'horreur des tortures infligées au malheureux. Le condamné ne parle pas et meurt pour rien. L'illusion gouverne le monde : Giambattista brise sa flûte, son attribut d'enchanteur.

V. ANGLARD

Vittoria Accoramboni. Voir CHRONIQUES ITALIENNES, de Stendhal.

Vivre à Madère. Roman de Jacques **Chardonne**, pseudonyme de Jacques Boutelleau (1884-1968), publié à Paris chez Grasset en 1953.

Le narrateur, écrivain peu connu, se rend à Madère, où il espère retrouver sa nièce Angèle, mariée à l'un de ses amis, Charles, qui l'a beaucoup influencé et qu'il n'a plus vu depuis quinze ans. À peine arrivé, il apprend par hasard le suicide de son ami. Il commence une enquête, qui l'amène à penser que Charles a fui l'ennui de sa vie à Madère, de sa femme Angèle, trop parfaite. Il découvre alors, par l'entremise de Vinocq, un curieux notaire, que son ami vit toujours sous une fausse identité. Mais Charles s'est métamorphosé. Écœuré, le narrateur rentre en France où, grâce à l'aide financière de Vinocq, il s'installe à la campagne. Il éprouve une brève passion pour une jeune fille, est menacé de perdre sa maison, et finalement connaît la paix grâce à Angèle, qui, rentrée en France avec ses enfants, vient vivre avec lui. À la demande d'Angèle, il projette d'écrire un livre où elle se reconnaîtra.

Le narrateur de *Vivre à Madère* définit ainsi le livre qu'il s'apprête à écrire – et qui ressemble fort à celui que le lecteur vient de lire : « Ce n'est pas une histoire exactement, que je vais écrire... C'est une route que je suivrai... » Cette « route » le conduit de Madère aux bords de la Seine, en quête d'un éden, d'un « paradis sur terre ». Madère, l'île aux magnolias, offre un instant l'illusion d'une nature primitive, où les hommes auraient conservé leur innocence native. Mais l'histoire de Charles, cet ancien intellectuel qui, après avoir vécu quinze ans à Madère pour fuir les drames de l'Histoire qu'il avait prophétisés, est devenu un homme déchu, qui a perdu le goût de la vie, lui permet de comprendre qu'il n'est rien de plus mortel pour l'esprit que la perfection. Cette fausse disparition est aussi l'occasion pour Chardonne d'une réflexion sur le suicide, réflexion traversée par le souvenir de son ami Drieu la Rochelle, et mêlée de l'amertume de l'écrivain qui, inquiété à la Libération pour une attitude ambiguë, déplore le naufrage de l'Europe et la bêtise d'un siècle à l'écart duquel il entend se tenir. Convaincu que « rien d'exquis n'est vraiment de notre monde », et détestant le romantisme sous toutes ses formes, le narrateur fait ainsi l'expérience d'une série de renoncements et de départs, goûtant dans la vie avec sa nièce Angèle – qui semble ici dépourvue de la malice de son modèle gidien (voir *Paludes) – les charmes de la sagesse. Pourtant, le roman de Chardonne est empreint d'une certaine ironie qui atteint les principes mêmes de sa création. Ainsi de la figure de Vinocq, cet étrange notaire, hommage, peut-être, à celui que Chardonne appelle l'« elfe » Giraudoux, et qui se présente surtout comme une incarnation humoristique de l'arbitraire romanesque dénoncé par Valéry : surgissant de façon magique pour tirer le narrateur d'embarras, au point que celui-ci a l'impression d'avoir signé un pacte avec le diable, il introduit presque toutes les péripéties du roman. Aussi bien l'écrivain insiste-t-il lui-même sur l'illusion du personnage, pour préférer peindre, comme l'ont remarqué certains critiques, des « reflets de la vie sur quelques êtres », à l'instar de Monet dont le souvenir imprègne le jardin du narrateur au bord de la Seine.

● « Les Cahiers rouges », 1984.

K. HADDAD-WOTLING

VOCABULAIRE. Voir POÉSIES, de J. Cocteau.

VOIE ROYALE (la). Roman d'André **Malraux** (1901-1976), publié à Paris chez Grasset en 1930.

En 1923, à court d'argent, le jeune Malraux dont l'éducation artistique s'est faite en grande partie au musée Guimet, décide de partir à la recherche de temples khmers au nord d'Angkor Vat. Cette expédition pourrait se révéler fructueuse s'il parvenait à prélever et à vendre quelques importants bas-reliefs. Mais l'affaire tourne mal : chargé d'un butin recueilli à grand peine à Banteay Srei, Malraux est arrêté à Saigon. On lui intente un procès – clos par un non-lieu – qui le retient deux ans en Indochine où il observe à loisir les rapports de force instaurés par la colonisation. De cette expérience sortiront un essai philosophique, la *Tentation de l'Occident* (1926), et ses trois romans d'Extrême-Orient, les *Conquérants* (1928), la *Voie royale* – transposition de l'aventure vécue en pays khmer –, enfin la *Condition humaine* (1933).

Première partie. À bord d'un paquebot naviguant vers l'Indochine, le jeune archéologue Claude Vannec sympathise avec Perken, un vieux routier de la brousse. L'un projette une expédition le long de l'ancienne « voie royale » khmère à la recherche de temples enfouis dans la jungle, avec l'espoir de rapporter à Paris quelques bas-reliefs négociables ; l'autre veut retrouver l'aventurier Grabot mystérieusement disparu dans le Nord. Perken offre à Claude son aide, contre le partage du butin. Passant outre les mises en garde officielles, Claude accompagné de Perken et d'une escorte affronte la forêt tropicale.

Deuxième partie. Après plusieurs déceptions, il découvre un temple richement orné dont il arrache des fragments. Les deux hommes gagnent ensuite une région insoumise où les Moïs retiennent probablement Grabot.

Troisième partie. Évitant maints pièges, ils atteignent le village où Grabot est devenu esclave. Les Moïs se préparent à incendier la case où ils se sont réfugiés. Perken tente une sortie, est blessé d'une flèche, mais les indigènes impressionnés laissent partir les deux hommes. Grabot est délivré par une colonne siamoise tandis que Perken, dont la blessure s'est infectée, va mourir dans le Nord. Claude l'accompagne.

Quatrième partie. Progression difficile à travers la forêt où s'affrontent la colonne et les insoumis, tandis qu'éclatent les mines signalant la construction de la voie ferrée par les Blancs. Méditation funèbre, agonie et mort de Perken.

La Voix royale entrecroise des récits d'aventures au rythme rapide, volontiers elliptiques, et des dialogues philosophiques parfois sentencieux (« La vie est une matière : il s'agit de savoir ce qu'on en fait », III, chap. 1). Un narrateur anonyme relie entre eux les divers épisodes, tout en éclairant la vie intérieure tourmentée des deux protagonistes. Ainsi se dégage une certaine vision du monde, illustrée notamment par la métaphore de la forêt, qui, avec ses formes instables, rappelle le royaume « farfelu » de *Lunes en papier* (1921). À l'aise dans cette moiteur, les insectes pullulent comme ces hommes qui croient « à leurs passions, à leurs douleurs, à leur existence : insectes sous les

feuilles, multitude sous la voûte de la mort » (IV, 4). À l'inverse, le héros porteur du message malrucien – Perken ou Claude, chacun à sa manière – possède une conscience aiguë de sa contingence : l'agonie de Perken est une longue méditation sur la condition de l'homme rivé à un ici-bas, sans au-delà, et où il n'a pas sa place. Une volonté commune de se tailler une part de liberté dans le champ de la nécessité (du « destin ») le pousse vers l'aventure avec une sorte d'exaltation. La sortie de Perken face aux Moïs symbolise cette reconquête enivrante, sans aucune intention pourtant d'écraser l'adversaire : il jette son revolver et négocie. C'est à la mort, suprême contrainte du destin, qu'il lance un défi, bien plus qu'aux « indigènes » : car le même homme récuse la colonisation figurée par la pénétration de la voie ferrée à travers la brousse. « Héros sans cause », dira de Perken et de Claude le Malraux des *Antimémoires* : l'humanisme, en effet, est absent de leur réflexion sur la vie, et l'engagement politique, de leur action. Si Perken veut « laisser une cicatrice sur cette carte », c'est simplement pour se convaincre qu'il a vécu.

Avec la vieillesse – une des obsessions de Malraux – s'amenuise l'espoir de dominer encore le destin : bien mourir devient l'ultime victoire. D'où la mise en place d'un système de relais : témoins (voir le narrateur des *Conquérants*) et compagnons reprendront le combat. Parlant de Malraux, Gaëtan Picon note la « singulière puissance d'admirer » qui l'habite. Ainsi de ses héros : Perken admire le courage de l'aventurier local, Mayrena, « roi des Sedang », et Claude, celui de son grand-père retrouvé en Perken auquel il survivra. La chaîne se prolonge de livre en livre : le sentiment de fraternité qui finalement jette Claude dans les bras de Perken à l'agonie explosera en Kyo et Katow *(la Condition humaine)* allant jusqu'à mourir pour que les « insectes » deviennent des hommes.

● « Le Livre de Poche », 1992 (p.p. C. Moatti). ➤ *Œuvres complètes*, « Pléiade », I.

J.-P. DE BEAUMARCHAIS

VOILE (le). Pièce en un acte et en vers de Georges **Rodenbach** (Belgique, 1855-1898), créée à Paris à la Comédie-Française le 21 mai 1894, et publiée à Paris chez Ollendorff en 1897.

Dans le premier recueil de poèmes qu'il consentit à avouer, la *Jeunesse blanche* (1886), Rodenbach gardait, dans la facture de ses vers, de fortes résonances baudelairiennes. Son expansion lyrique se découvrait aussi de secrètes correspondances avec l'âme de sa terre natale : la Flandre. Les recueils qui suivirent, en particulier le *Règne du silence* (1891) et le *Voyage dans les yeux* (1893), fragment des *Vies encloses* qui paraîtront en 1896, révélèrent ainsi cet accord entre l'inspiration d'un poète et un pays mélancolique et mystérieux. Toutefois c'est dans un roman, *Bruges-la-Morte* (1892), qui devait assurer définitivement sa notoriété, qu'il trouva les mots les plus justes pour traduire ces harmonies intimes qui lient indéfectiblement une écriture poétique à une ville et à un terroir. Dans le *Voile*, celui que son ami Mallarmé appelait un « sensationniste » chercha ainsi à rendre l'atmosphère claustrale de ces maisons flamandes dont les fenêtres ouvrent sur des ciels de cendre et dont la vie de solitude et d'ennui se rythme aux tintements des cloches qui invitent, malgré tout, à lever les regards.

Porté par Alexandre Dumas fils à la Comédie-Française, le *Voile*, qui fut joué avec le *Bandeau de Psyché* de Louis Marsolleau et les *Romanesques* d'Edmond Rostand, remporta un vif succès. Rodenbach avait méticuleusement veillé jusqu'aux plus petits détails de la mise en scène et choisi lui-même les acteurs : Marguerite Moreno et Paul Mounet, qui surent donner à cette pièce son climat d'inquiète sérénité.

La scène se passe à Bruges dans la maison d'une vieille dame à l'agonie. Depuis de longs jours et de longues nuits, une jeune béguine, du nom de sœur Gudule, veille la moribonde. Jean, le neveu de la malade, qui dans ce foyer partage quotidiennement ses repas avec sœur Gudule, sent naître pour elle une attirance confuse qu'il ne parvient à cacher ni à lui-même, ni à Barbe la servante, ni au docteur qui s'en moque gentiment. En fait, l'idée fixe de Jean est de contempler la chevelure de la religieuse, chevelure que, selon les prescriptions, elle tient précautionneusement cachée sous sa cornette. Ce soir-là, il lui demande la faveur de connaître au moins la couleur de ses cheveux. Elle refuse. La même nuit, un grand cri réveille toute la maisonnée : l'ange de la mort emporte la vieille dame. Sœur Gudule se précipite alors vers la moribonde et apparaît à Jean dans tout l'éclat de sa chevelure. Dès cet instant, son amour, qui avait été sur le point de se déclarer, meurt d'un coup puisqu'il n'est plus entouré de mystère. C'est presque sur le ton de l'indifférence polie qu'il dira alors adieu à sœur Gudule qui, après le décès, quitte définitivement la maison.

Rodenbach, qui n'en était pas tout à fait son premier essai dramatique (il avait déjà écrit des piécettes : *le Pour et le Contre*, 1876 ; et avec Max Waller, *la Petite Veuve*, 1884), excelle dans cette pièce, comme ailleurs dans son œuvre, à déceler la fêlure des âmes et à effleurer les bords douloureux. En développant avec délicatesse l'image de la chevelure cachée, il s'accorde à la vision symboliste d'un monde rêvé animé de secrètes et mystérieuses harmonies : « Je n'aimais que ce dont mon rêve la parait », dit Jean à la scène finale. La poésie, à la versification chantournée mais fluide, sert au mieux cette suite d'instants fugitifs saisis dans leur fragilité et leur ténuité, alors que le décor et les mots suggèrent une Bruges où « l'eau sans but » des canaux est parcourue d'insaisissables reflets.

On retrouve à l'identique ces impressions fugaces et cette inspiration ondoyante dans les nouvelles du *Musée des béguines* (1894) et dans les poèmes qui suivirent, en particulier ceux du *Miroir du ciel natal* (1898).

➤ *Œuvres*, Slatkine.

J.-M. THOMASSEAU

VOIR DIT (le Livre du). Dit narratif de **Guillaume de Machaut** (vers 1305-1377), composé de 1362 à 1365, et conservé par quatre manuscrits du XIVᵉ siècle, dont un, au moins, a été exécuté sous le contrôle du poète.

Dernier « dit » d'inspiration courtoise composé par Guillaume de Machaut dans la mouvance du *Roman de la Rose*, le *Voir Dit*, dans lequel s'insèrent soixante-trois pièces lyriques et quarante-six lettres en prose, est un récit à la première personne, où un vieux poète raconte ses amours avec une jeune fille éprise de poésie et joint à son histoire les poèmes et les lettres qu'il a échangés avec son « élève ».

L'amant-poète dédie son œuvre à « Tres-fine Amour » et à « Toute-Belle », sa dame, puis il commence son histoire.

Il n'y a pas un an, le poète-narrateur, à peine remis d'une grave maladie, goûtait, dans un lieu exquis, « d'arbrissiaus couvers », la fraîcheur de l'ombre et cherchait l'inspiration, mais en vain, « puis que Amours ne le voloit ». Survint alors un de ses amis, chargé de lui remettre un rondeau composé par la plus délicieuse des demoiselles. Ce poème confirmait le message de l'ami : la jeune fille offrait son cœur, sans l'avoir jamais vu, à celui qui l'avait conquise par sa renommée. Le poète accepta avec joie cette offre et répondit par un rondeau. Quelque temps après, un autre messager lui apporta un nouveau rondeau accompagné d'une lettre, que l'amant-poète reproduit dans son ouvrage, tout en se justifiant devant un éventuel censeur : s'il reproduit cette lettre et celles qui suivront, c'est pour obéir à celle qu'il aime. L'amant-poète répondit par un nouveau rondeau et une lettre dans laquelle il demandait à Toute-Belle de lui envoyer son portrait. Ainsi se mirent en place une correspondance et un échange de poèmes, la jeune fille sollicitant avis et conseils pour ses vers, le poète disant sa crainte de ne plus être aimé s'il se trouvait en sa pré-

sence, car, dit-il, « je suis petis, rudes et nices et desapris, ne en moi n'a sens, vaillance, bonté ne biauté ». Enfin le portrait arriva et l'amant, répondant à la demande de sa correspondante, lui envoya sa dernière œuvre, le *dit de la Fontaine amoureuse*.

Le poète se rendit en pèlerinage près du lieu où se trouvait alors Toute-Belle. Ils se rencontrèrent plusieurs fois et échangèrent leur premier baiser sous un cerisier « rons comme une pome » ; puis lors d'un pèlerinage à Saint-Denis partagèrent le même lit. Enfin, reçu chez sa belle avant son départ, le narrateur-poète la découvrit dans son lit sans autre atour « fors que les uevres de nature ». Il adressa alors sous forme de virelai une prière à Vénus, qui protégea les amants en les entourant d'un nuage, puis la jeune fille remit la clé de son trésor au poète.

Peu à peu l'éloignement suscita des malentendus. Le doute envahit le cœur de l'amant-poète, doute exprimé par un rêve et aggravé par les propos et moqueries de l'entourage du narrateur, bien au fait de ses amours. Convaincu de la trahison de sa dame, le poète enferma son portrait dans un coffre, dont il le sortit à la suite d'un second rêve.

La jeune fille envoya au nouveau messager, un prêtre, qui l'invita à renoncer à ses doutes et réconcilia les amants, comme en témoigne l'ultime lettre de la jeune fille. Le récit s'achève alors sur une anagramme où s'inscrivent les noms du poète et de la femme aimée.

Un poète qui n'est plus de la première jeunesse, résidant à Reims, côtoyant de grands seigneurs, ayant écrit récemment un livre « que l'on appelle *Morpheus* » ou « que l'on appelle *la Fontaine amoureuse* » : autant d'indices attachés au narrateur du *Voir Dit* mais qui renvoient aussi à Guillaume de Machaut. Il n'en fallait pas davantage pour lancer les premiers lecteurs modernes sur une piste autobiographique. L'accès en était encore facilité par le titre même de l'œuvre, pris au pied de la lettre (*Voir Dit* : dit vrai, dit véridique), par la présence de références à des événements contemporains (la peste de 1363, l'insécurité des routes où sévissent les Grandes Compagnies), mais aussi par la datation des lettres et la mention des saisons qui président aux grandes phases de cette histoire d'amour. On est toutefois vite amené à estimer que ces indications chronologiques n'ont rien de réaliste. L'histoire commence alors que l'été est bien avancé et fait écho à l'âge de l'amant ; le printemps coïncide, comme le veut la tradition courtoise, avec l'élan amoureux ou sa relance ; et c'est en novembre, lors de la morte saison, qu'advient le temps du doute. Bien plus, la datation des lettres ne commence qu'avec la vingt-septième missive, celle précisément dans laquelle le poète annonce qu'il s'est mis à la composition du *Voir Dit* : « vostres livres se fait et est bien avanciés », et recommande à son amie de dater dorénavant ses lettres. Datation donc qui marque, plus qu'une éventuelle réalité des lettres, une étape décisive dans l'écriture du livre. Au demeurant, la parfaite construction de ces missives, leur respect des règles d'un genre bien codifié à cette époque, incitent, en dépit de l'effet de réel dû à la prose, à y voir une réalisation littéraire. Enfin l'anagramme qui clôt l'ouvrage n'est-elle pas invitation à ne pas en rester au sens littéral et à entendre un autre message ?

À travers l'histoire d'amour qui unit le poète vieillissant et la jeune fille se dessine l'écart de condition sociale entre le clerc et le chevalier. Si reconnu soit-il par les plus grands seigneurs, l'écrivain demeure pour eux un serviteur. Les rapports du prince et du poète sont harmonieux aussi longtemps que celui-ci s'en tient, comme dans *le Remède de fortune*, ou *le Confort d'ami*, ou *la Fontaine amoureuse*, au rôle du sage, du conseiller. Mais il s'attire la désapprobation des grands et leurs moqueries quand il prétend assumer un rôle exclusivement réservé au chevalier, celui d'amant. Ainsi, dans son premier rêve, le « Roi qui ne ment » rappelle le poète à son rôle de clerc et considère qu'il perd son temps quand il est « enveloppé / D'amouretes et attrapé » ; plus tard, un des grands seigneurs qui le protègent tente de le ramener à la raison en lui déclarant : « Amis, vous batez les buissons / Dont autres ont les oisillons. »

Le *Voir Dit* invite aussi, déjà par son titre, mais également par les énigmes qu'il pose, les ambiguïtés qu'il

Voltaire

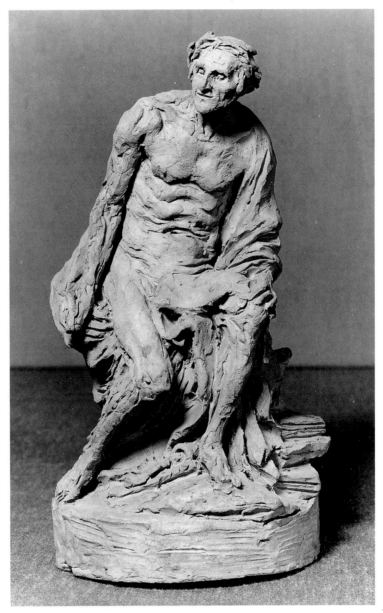

« Voltaire ». Terre cuite
par Jean-Baptiste Pigalle
(1714-1785).
Musée des Beaux-Arts, Orléans.
Ph. © Bulloz.

Avec lui l'ironie française est devenue définitivement « voltairienne ». François-Marie Arouet, dit Voltaire (1694-1778) ouvrait la voie à une longue tradition de satire anticléricale, pour le meilleur et pour le pire, jusqu'au fanatisme des Homais flaubertiens et des « bouffeurs de curés ». S'il poursuit de son sourire « l'Infâme », cette dévotion à l'idéologie qui — religieuse ou politique — produit les Séides et les Inquisiteurs, Voltaire inaugure en même temps le personnage de l'intellectuel poursuivi pour ses écrits (*Lettres philosophiques*, 1734) et capable de s'engager activement pour défendre opprimés et innocents (Affaire Calas, et tant d'autres) — tout en ayant été le conseiller des grands de ce monde. Poète et tragique — sa gloire aux yeux de ses contemporains (le fameux « Zaïre, vous pleurez ?... », *Zaïre*, 1732) —, vulgarisateur qui aspire à mettre la philosophie à la portée de tous, inventeur de la moderne « histoire des

Candide, 1803. Dessin de Jean-Michel Moreau le Jeune (1741-1814).
Bibliothèque nationale, Paris. Ph. © Bibl. nat./Archives Photeb.

« Madame Grassini interprétant le rôle de *Zaïre* », par Élisabeth Vigée-Lebrun (1755-1842).
Musée des Beaux-Arts, Rouen. Ph. Ellebé © Archives Photeb.

Candide. Dessin de Paul Klee (1879-1940), Munich, Kurt Wolff, 1920. « Ce qui advint aux deux voyageurs avec deux filles, deux singes et les sauvages nommés Oreillons ».
Bibliothèque nationale, Paris. Ph. © Bibl. nat./Archives Photeb © ADAGP, Paris, 1994.

mœurs », il reste l'auteur mal connu
d'une œuvre prolixe et multiforme
souvent réduite au célébrissime « Il faut
cultiver notre jardin » (*Candide*, 1759)
Est-ce vraiment « la faute à Voltaire »
si l'Ancien Régime est « tombé par
terre » ? Il fut, à tout le moins,
sérieusement ébranlé par celui qui
affirmait : « Qui plume a, guerre a »
et devait être, selon le mot de Barthes,
« le dernier des écrivains heureux ».

« Voltaire et les paysans »,
par Jean Huber (1721-1786).

Musée des Beaux-Arts, Nantes.
Ph. © G. Dagli Orti.

« Salon de Ferney ». Gravure anonyme du XVIIIᵉ siècle.

Collection privée. Ph. © Bibl. nat./Archives Photeb.

« Mort du comte de Lally-Tollendal ».
Gravure anonyme du XVIIIᵉ siècle.

Bibliothèque nationale, Paris. Ph. © Bibl. nat./Photeb.

Dessin pour *l'Assiette au beurre,* le 20 juin 1909,
par Jules Grandjouan (1875-1968).

A MOI SEUL

VOLTAIRE. — *J'ai démoli plus de bons dieux et de curés qu'eux avec leurs gendarmes.*

« Le Couronnement de Voltaire », 1778.
Dessin de Gabriel de Saint-Aubin (1724-1780).

« Ordre de cortège pour la translation des mânes de Voltaire
le lundi 11 juillet 1791 ». Gravure anonyme du XVIIIe siècle.

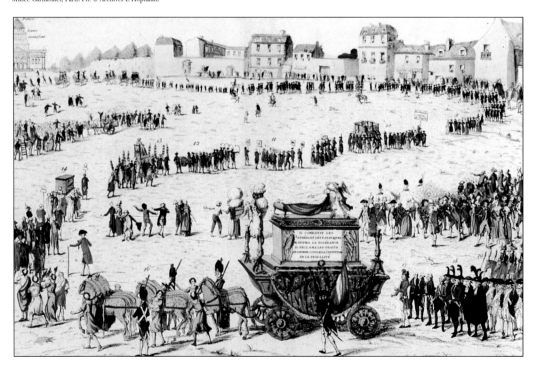

cultive (jusqu'à quel point s'est concrétisé l'amour du poète ? Y a-t-il eu ou non trahison ? Faut-il considérer le dénouement comme heureux ? etc.), à s'interroger sur la possibilité d'atteindre la vérité. La réponse semble négative, si l'on se réfère aux deux songes du poète. En effet, alors que la rime « songe / mensonge » traverse tout le Moyen Âge et que les auteurs optent pour ou contre la vérité du rêve, Machaut, lui, laisse planer le doute. Car il prend soin de nous dire à quel moment surgissent ces songes, précision qui rappelle que, selon une tradition reprise de l'Antiquité, les rêves d'avant minuit sont mensongers, ceux d'après minuit véridiques. Or le premier songe se situe avant minuit, le second s'achève au point du jour. Ainsi, à travers l'incertitude sur la vérité du rêve, s'exprime une perception de la trahison des signes et donc de l'impossibilité d'atteindre la vérité.

Enfin le *Voir Dit* s'offre à nous comme une réflexion de Machaut sur l'écriture et une tentative d'art total, combinant les ressources du lyrisme, du vers narratif et de la prose, et renvoyant à la littérature, mais aussi à la musique (la mélodie des pièces lyriques) et à la peinture (l'« image » de la dame). Bien plus, en faisant du cyclope Polyphème, monstre de laideur et de sauvagerie, dont le chant fait fuir les hommes, une des figures possibles du poète, Machaut ouvre le champ de la littérature à une esthétique où la laideur peut jouer son rôle.

● Genève, Slatkine, 1969 (réimp. éd. 1875, p.p. P. Paris). ➤ *Œuvres*, STFM, I.

F. SUARD

VOISINS (les). Comédie en trois actes et en prose de Michel **Vinaver**, pseudonyme de Michel Grinberg (né en 1920), créée à Paris au théâtre du Jardin d'Hiver le 17 octobre 1986, et publiée dans *l'Avant-scène Théâtre* la même année.

Lahen et Blason habitent deux maisons jumelles, ce dernier avec sa fille Alice, l'autre avec son fils Ulysse. Ces deux maisons ont une terrasse commune. C'est là, alors qu'ils se préparent à sabrer ensemble le champagne, qu'on apprend qu'Ulysse a le projet d'ouvrir un restaurant avec Alice qui, elle, vient de demander une augmentation à M. Jonc, directeur de l'Universelle Biscuit (Acte I). Un cambriolage, chez Blason, vient perturber cet inaltérable lien de voisinage. On vient en effet de retrouver une pièce à conviction chez Daphné, une cliente d'Ulysse : un plan de la terrasse, rédigé de la main d'Ulysse, aurait aidé au cambriolage. Ulysse est mis en cause, ainsi que son père Lahen, que Blason soupçonne d'avoir voulu « de ces deux maisons n'en faire qu'une » (Acte II). Après une brève empoignade, la cellule d'amitié se reforme cependant, car, aidés d'une vieille fourgonnette et d'un stand « francforts frites », Alice et Ulysse franchissent sans difficulté « la barre des 2 000 francs » (Acte III).

Le gain, les pourcentages et la réalité chiffrée des choses (« Ça chiffre une soupière Beauharnais à elle toute seule hors taxe ») collent à la peau des personnages de Vinaver. Aussi Lahen peut-il confesser : « Pour qu'il s'intéresse à quelque chose il faut que cette chose n'existe plus en elle-même mais qu'elle soit dissoute dans la bouillie des grands nombres. » Étonnante est en effet la précision avec laquelle sont indiqués les tractations des protagonistes, le montant des trous financiers de leur entreprise ou leurs difficultés matérielles. La première scène de ce théâtre du quotidien tourne d'ailleurs autour des conseils prodigués à Ulysse sur la bonne tenue d'une table (« Les couteaux à droite ») et sur telle bouteille de Bordeaux « de derrière les fagots ». Est-ce à dire que la pièce ne suivra que le fil des allées et venues de la cuisine au salon et de la terrasse commune à la salle à manger ? La fonction réaliste, servie par un inventaire des tâches ménagères et quotidiennes, ne vaut ici que par les écarts qu'elle s'autorise. Par la simple magie de quelques prénoms rares (Ulysse, Daphné), la pièce élève ses protagonistes à la dimension de héros mythiques. Entre tragédie et farce, Vinaver explore la communauté des voisins et le micro-

cosme homogène qu'ils forment artificiellement, mais les dialogues à double entente (« Je n'arrête pas de penser que tu es beau comme un chien », « L'oiseau n'est pas complètement sorti de l'œuf »), l'absence de correspondance entre réponse et question créent d'étranges décalages qui font la puissance et la drôlerie de ce théâtre.

➤ *Théâtre complet*, Actes Sud, II.

P. GOURVENNEC

VOIX (la). Voir JOURNAL D'UN HOMME TROMPÉ, de P. Drieu la Rochelle.

VOIX INTÉRIEURES (les). Recueil poétique de Victor **Hugo** (1802-1885), publié à Paris chez Renduel en 1837.

Plus resserrée dans le temps que celle des *Chants du crépuscule*, la composition des poèmes va d'avril 1835 à juin 1837, se concentrant surtout sur le premier semestre de 1837. Si, comme on l'a souligné, chaque œuvre successive est chez Hugo un approfondissement, ce recueil en témoigne en introduisant la figure d'Olympio ("À Ol.", "À Olympio"), à la fois double du poète, *alter ego* dominateur et destinataire subjectif.

La Préface définit ces « voix » dont les vers traduisent l'écho après que le poète les a intériorisées : celles de l'homme, de la nature et des événements. Comportant 32 pièces, le recueil est dédié au père de Victor Hugo. À l'interrogation des *Chants du crépuscule* succède, malgré "Pensar, dudar" où s'équivalent penser et douter, l'affirmation initiale : « Ce siècle est grand et fort... » L'inspiration politique distingue le peuple – réduit, alors que le premier poème célèbre le progrès industriel, à la sainte pauvreté dans sa chaumière ("Dieu est toujours là", octosyllabes) – et la foule, la révolution et l'émeute. À ces pièces s'ajoute une série de poèmes consacrés à la gloire napoléonienne ("À l'Arc de triomphe", aux strophes alternées combinant plusieurs mètres). Le respect pour le malheur de l'exil et la mort de Charles X ("Sunt lacrymae rerum", qui adopte le même principe structurel) s'accompagne d'un dédain pour la monarchie de Juillet et son égoïsme bourgeois ("Oh, vivons ! disent-ils..."), et semble même *in fine* refuser le nécessaire engagement (« Ô Muse, contiens-toi !... »). Un autre groupe de poèmes célèbre la nature, belle et généreuse. Pièce essentielle succédant au poème évoquant le double absent ("À Eugène, vicomte H."), "À Olympio", au long de ses 75 quatrains en alexandrins et hexasyllabes, développe sur quatre parties la foi du poète en son génie, l'affirmation de sa suprématie, pour évoquer ces abîmes qu'il porte en lui (*ibid.*, II). Écho sonore répercutant les voix de la nature, verbe même du monde (*ibid.*, III), il contemple, triomphant, la totalité du réel et sa loi, « Expiation » ou « Destinée ».

Plus que l'Histoire, pourtant présente et notamment par la figure du père, ce général dont le nom fut omis sur l'arc de triomphe de l'Étoile, plus que l'interrogation sur la fatalité (« Quelle est la fin de tout ?... »), la nature contemplée ou joyeusement célébrée ("Avril – À Louis B.") donne sa tonalité et son orientation au recueil. Sous les auspices de Virgile et de Dante – ces autres « voix » ("À Virgile" : « Dans Virgile parfois, dieu tout près d'être un ange... » ; « Après une lecture de Dante ») l'œil, comme celui de Dieu, voit tantôt un spectacle d'apocalypse, tantôt les beautés mystiques de la nature, et au premier chef celles de la forêt, lieu d'une vision hallucinée et cause de terreur panique ("À Albert Dürer" – encore une « voix » présente dans la culture du poète), même si "Soirée en mer" ouvre sur la nuit noire, dont "Une nuit qu'on entendait la mer sans la voir" évoque la « voix profonde ». Temple de Dieu, la nature déploie ses valeurs sacrées ("la Vache") et offre au poète tantôt « ce murmure, cette ombre, ineffable trésor » ("À un riche"), tantôt la rêverie « Dans ce jardin antique où les grandes allées » accueillent des fleurs « encensoirs » déjà baudelairiennes.

Ce thème inclut aussi la veine amoureuse. Juliette, associée aux amours passées ("Passé"), aux grands ancêtres poétiques et à son environnement naturel, suscite le désir

(« Venez que je vous parle, ô jeune enchanteresse... », « Pendant que la fenêtre était ouverte... », « Puisqu'ici bas toute âme... », en 12 quatrains 6/4/6/4). Mais, comme dans les *Chants du crépuscule*, la famille (meurtrie par la folie du frère Eugène : "À Eugène, vicomte H."), les enfants ("Regardez : les enfants se sont assis en rond", "À des oiseaux envolés" ; "À quoi je songe ? – Hélas", "Tenanda via est") attendrissent le poète.

Avant sa "Tristesse" (voir *les *Rayons et les Ombres*), Olympio laisse libre cours à ses rêves et se met à leur écoute. Après avoir déchiffré le sens de l'Histoire, le poète donne la parole à sa voix intérieure. Si le rêve peut se révéler « horrible », si le doute métaphysique demeure sans réponse, puisque les fins dernières restent énigmatiques, l'acte même de la contemplation définit celui qui « ne regarde pas le monde d'ici-bas, / Mais le monde invisible ». De là l'interrogation posée à la nature et son « bégaiement immense ». Du siècle, le poète s'est tourné vers le Tout.

● *Les Chants du crépuscule [...]*, « Poésie/Gallimard », 1983 (p.p. P. Albouy). ➤ *Œuvres poétiques*, « Pléiade », I ; *Œuvres complètes*, Club français du Livre, VI ; *Œuvres complètes*, « Bouquins », Poésie I (p.p. C. Gély).

G. GENGEMBRE

VOL DE NUIT. Roman d'Antoine Marie Roger de **Saint-Exupéry** (1900-1944), publié avec une Préface d'André Gide à Paris chez Gallimard en 1931. Prix Femina.

Venant du sud chargé du courrier de Patagonie (chap. 1), Fabien vole vers Buenos Aires où le chef d'escale, Rivière, veille à la bonne exécution des travaux confiés aux équipes de maintenance (2), écoute le récit de Pellerin qui a traversé une tempête sur la route aérienne du Chili (3), puis s'entretient avec Robineau, inspecteur de la compagnie (4-5). Aux commandes de son avion, Fabien s'enfonce à son tour dans la tempête (6-7) tandis que Rivière, seul, réfléchit à son rôle, à ses responsabilités et s'interroge sur le sens de son action (8-9). En ville, la femme d'un aviateur dit au revoir à son mari qui part en mission (10) ; Rivière songe aux obstacles qu'il a dû franchir pour imposer les liaisons aériennes de nuit (11). Cependant, Fabien lutte avec la tempête (12). On parle de cyclone (13). L'attente de Rivière, puis de l'épouse de Fabien, se transforme en angoisse (14-15). En contrepoint, Fabien, égaré dans la nuit et la tempête (16-17). Au sol, la vérité s'impose peu à peu : Fabien a dû s'écraser (18-20). Rivière poursuit malgré tout sa tâche (21) : l'ordre de départ est donné au courrier pour l'Europe (22). Les vols de nuit ne s'interrompront pas (23).

Vol de nuit est d'abord le récit d'une expérience vécue : Saint-Exupéry a été lui-même directeur de l'Aéropostale en Argentine. Quant à Rivière, personnage central du livre, sa figure idéalisée peut s'identifier au dédicataire du livre : Didier Daurat, le légendaire patron de la compagnie. Mais *Vol de nuit* n'est pas qu'un témoignage, c'est aussi, malgré la sobriété des moyens littéraires employés par Saint-Exupéry, une épopée.

Épopée de l'aviation commerciale en ses débuts héroïques où se crée le mythe du pilote, conquérant d'un royaume jusque-là interdit. Épopée des techniques de communication modernes avec les premiers instruments de navigation sans visibilité, le téléphone, et surtout la radio : l'homme, nouvel Icare, semble pouvoir désormais échapper aux contraintes séculaires, mais au prix de douloureux sacrifices. Le ciel en effet garde sa charge de mystère, la nuit reste une puissance inquiétante et bien souvent maléfique. Les éléments eux-mêmes, quelle que soit la beauté des paysages découverts d'avion, sont souvent hostiles et l'homme doit lutter corps à corps avec tous les pièges que la nature lui tend. C'est dire que le péril est omniprésent et la peur, justifiée. La mort de Fabien suffirait à le prouver. Et cependant l'homme s'entête à tout risquer pour quelques sacs de courrier. En ne tolérant aucune faiblesse, aucun retard, aucun manquement au règlement de la part de ses pilotes, Rivière, chef d'escale

redouté, les délivre de l'appréhension de la mort. Pour eux, seule l'action compte ; le sentiment du danger cède la place à l'urgence de la mission à accomplir. Le vol devient alors un défi où s'expriment le courage, la grandeur et la solidarité humaine, illustrant ainsi cette vérité paradoxale que souligne Gide dans sa Préface : « Le bonheur de l'homme n'est pas dans la liberté, mais dans l'acceptation du devoir. »

● « Folio », 1982. ➤ *Œuvres complètes*, Club de l'honnête homme, II ; *id.*, « Pléiade », I.

B. VALETTE

VOLEUR (le). Roman de Georges **Darien**, pseudonyme de Georges-Hippolyte Adrien (1862-1921), publié à Paris chez Stock en 1897.

Après *Bas les cœurs !* et *Biribi, discipline militaire*, Darien avait publié en 1891 un roman contre Drumont, *les Pharisiens*. Il se consacra ensuite au journalisme. Le vote des « lois scélérates », en 1893-1894, le poussa comme beaucoup d'anarchistes à partir s'installer à Londres. C'est là qu'il écrivit son chef-d'œuvre, *le Voleur*.

Georges Randal raconte l'histoire de sa vie. Au début, il reçoit la très ordinaire formation d'un jeune bourgeois de famille aisée. Mais la mort de ses parents change son destin : il voit comment son tuteur, l'horrible oncle Urbain, le dépouille de son héritage. Urbain est un voleur légal, qui applique les règles impitoyables de la société. Georges décide qu'il sera lui aussi voleur, mais sans hypocrisie : un vrai voleur qui brise les serrures et force les coffres – ne cachant pas ses désirs derrière la loi.

Vivant à Londres, opérant surtout en France et à Bruxelles, Randal réussit brillamment sa carrière professionnelle, qui le met en contact avec des personnages étonnants : Lamargelle, l'abbé escroc, Paternoster, le notaire de la pègre, Issacar, qui finira sous-préfet, Ida l'avorteuse ou Renée, la mondaine qui vole pour payer ses robes. Cette réussite ne se double pas d'une vie heureuse. Les deux grands amours de Randal sont gâchés : sa cousine Charlotte semble sous le coup d'une malédiction familiale (elle est la fille d'Urbain) ; la belle Hélène Canonnier, fille d'un voleur célèbre, est dévorée par le souci de se venger, ce qui l'empêche d'aimer. Le roman se dirige ainsi vers une conclusion noire. Randal constate que « les vices des canailles ne valent pas mieux que ceux des honnêtes gens » et que l'aspiration à un idéal, refusant toute hypocrisie, conduit au malheur le plus profond. La révolte est une impasse. Il s'en va, abandonnant son manuscrit dans une chambre d'hôtel.

Dans les romans précédents de Darien, le pamphlétaire et le romancier ne s'entendaient pas toujours, et l'équilibre des œuvres s'en ressentait. *Le Voleur* les rassemble parfaitement : Darien atteint une liberté complète de la forme romanesque. L'Avant-propos du livre en est la marque. L'auteur y explique comment, à la suite d'un malentendu, il a trouvé le manuscrit abandonné à l'hôtel par Randal. Darien le lit, l'apprécie et le vole, le publiant sous son nom. Ainsi, la littérature n'est pas innocente ; face à l'horreur et au désespoir du monde, l'écrivain est complice, voleur lui aussi.

Le Voleur est un roman de l'application logique. Randal adolescent est escroqué par son oncle et il en tire un principe qu'il ne cessera plus de mettre en pratique : la société a pour but de léser et d'abêtir l'individu ; l'unique chance de salut est donc d'entrer en guerre contre elle, dans toutes ses manifestations représentatives. La banque et la magistrature sont dès lors les cibles privilégiées : le banquier Delpich ou Barzot, « premier président à la Cour des complications » sont, logiquement, victimes des exploits de Randal. Mais le roman montre que le voleur n'est pas entièrement libre, que des liens l'attachent toujours à la société haïe. Et le principal de ces liens, le plus douloureux, est la famille. Le désir de vengeance lie Randal à son oncle Urbain (il réalisera *in extremis* cette vengeance), et cela contamine l'amour de Randal et Charlotte (puisqu'elle est la fille d'Urbain). Leur liaison profonde et intense est toujours traversée d'obstacles douloureux, culminant dans la mort de leur petite fille, faute d'argent pour payer le médecin un jour de Noël ! Le lien familial passe par l'argent et sa malédiction, comme la marque d'une impossible libération. Toute l'énergie de Randal et toute son intelligence, qui sont grandes, ne peuvent finalement rien contre cette emprise sur lui de la société par le biais de la famille.

La vision de Darien n'est pas totalement négative cependant. Une autre famille apparaît en contrepoint à celle de Randal, une famille heureuse et délivrée des pesanteurs : les Voisin, dont Randal fréquente surtout le fils, Roger, dit Roger-la-Honte (ils cambriolent ensemble) et la fille, Broussaille, délicieuse jeune fille, bien différente de la tragique Charlotte. Roger et sa sœur confèrent à quelques épisodes une légèreté, presque une allégresse qui tranchent sur les autres.

Non que le Voleur soit un livre absolument noir : Randal est un narrateur vif et piquant, que le sentiment tragique de la vie de voleur ne prive pas d'un ton parfois boulevardier, qui fait songer à Tristan Bernard : tel portrait de femme (« Une belle femme, un peu massive, un peu moutonne, qui pourrait faire des affaires avec Shylock ; une livre de chair en moins ne la gênerait pas »), tel aphorisme prononcé par un industriel (« On ne traite bien les affaires que devant une bonne table, c'est pourquoi, je pense, les pauvres ne réussissent jamais ; ils mangent si mal ! ») donnent la mesure d'un humour féroce et brillant qui sauve le roman du désespoir complet.

Deux chapitres (11 et 12) donnent sans doute la meilleure mesure de ce désespoir. Présentés de façon parallèle, ils montrent Randal révoquant le socialisme, d'abord, puis l'anarchisme, parce que ces doctrines prétendument libératrices recommencent en réalité à emprisonner et enrégimenter les individus, et finissent par fournir de fausses raisons de vivre. Ces deux chapitres suffisent à expliquer la solitude où se trouvait Darien : déclaration de guerre à la société bourgeoise, le Voleur s'en prenait en outre aux ennemis déclarés de cette société...

Un pareil livre ne pouvait obtenir les tirages rassurants d'un Zola. Il eut quelques défenseurs notables, en particulier Alphonse Allais, qui souhaita le voir « entre toutes les mains dignes de ce nom », et Jarry qui le rangea dans la bibliothèque de son docteur Faustroll. Totalement oublié dans la première moitié du XXᵉ siècle, le Voleur fut redécouvert en 1955, lorsque Jean-Jacques Pauvert le republia. C'est, depuis, le livre le plus réédité de Darien ; il fut adapté à l'écran par Louis Malle, avec Jean-Paul Belmondo dans le rôle de Randal (1967), alors que Darien n'avait jamais pu faire jouer sa propre adaptation théâtrale.

● J.-J. Pauvert, 1972 ; « Folio », 1987 (p.p. P. Besnier). ➤ Voleurs !, « Omnibus ».

P. BESNIER

VOLEUR D'ENFANTS (le). Roman de Jules **Supervielle** (1884-1960), publié à Paris chez Gallimard en 1926.

Trois ans après l'*Homme de la pampa*, qui tenait plus du conte philosophique et fantastique que du roman, le Voleur d'enfants est le deuxième texte en prose de Supervielle. La double appartenance uruguayenne et française de l'auteur a incontestablement nourri le roman : il y a du Supervielle dans le personnage principal, grand bourgeois sud-américain qui vit à Paris et qu'habite une nostalgie récurrente de sa pampa originelle.

En 1948, l'auteur adaptera pour la scène le Voleur d'enfants, et obtiendra un succès que ne lui avaient pas valu ses précédentes incursions dans le domaine théâtral.

Philémon Bigua, colonel sud-américain, vit à Paris où il « vole » dans une semi-légitimité les enfants que sa femme ne peut lui donner. C'est ainsi qu'au début du roman il enlève à sa bonne Antoine Charnelet, jeune garçon qui devient le « nouveau petit camarade » de Fred, Jack et Joseph. Un jour, un individu un peu ivre interpelle Philémon Bigua dans la rue : il lui demande instamment de recueillir sa fille Marcelle, une jeune enfant que sa mère destine à la prostitution. Ému par cette « jeune fille pâle et sensible », Bigua emmène Marcelle chez lui, n'imaginant guère que le trouble qu'il éprouve menace sa sérénité conjugale et familiale. Il ne parvient qu'à force de contorsions maladroites à dissimuler aux siens le sentiment que lui inspire la jeune fille. Un jour que la famille se promène au Bois, Antoine rencontre Hélène, sa mère, qui s'évanouit de surprise en le voyant. La mère reprend l'enfant, en lui laissant le droit d'aller jouer de temps à autre dans sa famille d'adoption, mais elle ne tarde pas à mourir d'un malaise cardiaque. Antoine retourne alors définitivement chez le colonel.

Le climat familial se dégrade au cours des deux années qui suivent. Joseph, adolescent brouillon et indiscipliné, éprouve un désir croissant pour Marcelle, qu'il oblige une nuit à se donner à lui. Le colonel, que son propre désir rend attentif à toutes les nuances du comportement de Marcelle, ne tarde guère à comprendre la vérité. Il chasse alors Joseph de la maison. Marcelle, qui est enceinte, fait une fausse couche peu de temps après. Le colonel, qui depuis quelque temps supportait de plus en plus difficilement l'éloignement du pays natal, embarque avec toute sa famille. Sur le bateau, il a l'extrême surprise d'apercevoir Joseph, devenu matelot. Les deux adolescents se rejoignent, sans que Bigua puisse s'y opposer. Désespéré, le colonel se jette à la mer. Mais son sort n'est scellé qu'en apparence : la suite de ses aventures sera racontée dans le *Survivant.

L'étrangeté du *Voleur d'enfants* tient pour une large part au climat de familiarité et de connivence biaisées qu'il instaure avec son lecteur. L'économie de l'œuvre renvoie en effet à des genres convenus et à des ressorts éprouvés, ceux du mélodrame et du roman familial : enfants trouvés dans une métropole à la Dickens, réapparitions surprenantes de certains personnages, perturbation de la famille par un « fils » indigne qui la mène au bord de la destruction, conflit du désir et de la loi conjugale – tels sont parmi d'autres les signes de reconnaissance que le lecteur ne peut manquer de percevoir. Mais tous ces signes baignent dans un climat où la fantaisie naïve le dispute à l'angoisse, ce qui a pour effet de brouiller ou d'entraver leur fonctionnement normal. Quelle est donc cette étrange famille dépourvue de liens du sang, et dont l'image ne se laisse pas aisément fixer ? Tantôt il semble qu'un « splendide naturel » enveloppe et recouvre le caractère exceptionnel d'une situation aux frontières de l'illégalité, tantôt au contraire une vacuité lourde de périls envahit les rapports entre ces êtres (« Le danger est dans nos meubles », dit la toujours lucide Desposoria à son époux). Le « naturel » n'est d'ailleurs possible qu'au prix d'un simulacre, d'une « tranquille imposture » qui occulte le drame de la stérilité féminine (« Te rappelles-tu, Desposoria, tes affreuses douleurs quand tu accouchas des jumeaux ? »). Double malheureux de l'écrivain, le voleur d'enfants est condamné à forger une fiction ambiguë, qui rassure et donne le sentiment irrépressible de l'évidence autant qu'elle avive une plaie impossible à cicatriser.

Curieusement, la destruction du simulacre et du « roman familial » inventé par Bigua ne viendra pas du dehors, comme le redoutait l'épouse : la loi sociale ne fait dans le roman qu'une brève apparition, aussitôt oubliée. C'est au désir et à la violence sexuelle, exprimés ou étouffés, qu'il revient de briser une fiction instable et laborieuse. Le colonel est au fond pris au piège par la logique de son propre comportement : entraîné par sa compassion pour les enfants, il reste aveugle le jour où s'y insinue un trouble érotique appelé à se transformer en passion amoureuse. La violence de l'interdit qu'il dresse devant lui révélera alors le caractère à proprement parler *exsangue* de cette « famille » : la vie domestique ne sera désormais qu'un réseau d'habitudes mécaniques (« Il rôdait de pièce en pièce, examinant l'état des commutateurs, ampoules, robinets, filtres, sonnettes, serrures, peignes et brosses à dents »). Aussi le voyage final en Amérique du Sud contient-il l'espérance ardente d'une réactivation : entre Paris et la pampa, il y a la même différence qu'entre l'ombre évanescente et la plénitude du réel ; et l'enjeu des dernières pages n'est rien de moins qu'un ressourcement familial où enfin le lien du sang ne se réduise plus à une fiction : « Se retrouver ! Au bout de trois semaines, retrouver sa mère, sa vraie mère, de vrais frères et sœurs au sortir du voyage ! » Une thématique chère à Supervielle, développée à la fois dans sa poésie antérieure (voir *Gravitations*) et sa prose des années suivantes (voir l'*Enfant de la haute mer*), installe le personnage de Philémon Bigua au cœur d'une tension entre consistance et immatérialité. Mais en définitive, l'« immatérialité » parisienne n'a-t-elle pas plus de densité passionnelle que la prétendue « consistance » de la famille uruguayenne ? C'est sur cette question en forme de suspens que se clôt le Voleur d'enfants.

● « Folio », 1976.

P. MARI

VOLUPTÉ. Roman de Charles Augustin **Sainte-Beuve** (1804-1869), publié à Paris chez Renduel en 1834.

Entrepris vers la fin de l'année 1831, *Volupté* se situe biographiquement au cœur de l'itinéraire spirituel difficile de l'écrivain (voir les *Consolations*) et du malaise de sa liaison avec Adèle Hugo. Roman du souvenir, transposition d'une enquête intérieure sur les causes d'un échec douloureusement ressenti, ce texte tient de la confidence, de la confession et, à l'instar d'*Adolphe* ou de *Valérie*, de l'analyse, tout en épousant la démarche d'un roman de formation. *Volupté*, seule grande fiction romanesque de Sainte-Beuve si l'on excepte l'embryon de roman intime présent dans *Vie, Poésies et Pensées de Joseph Delorme*, sera bien accueilli par la critique, fournira à Balzac le sujet du *Lys dans la vallée* et annonce l'*Éducation sentimentale*.

Une Préface tente de légitimer le titre en dissipant les malentendus qu'il génère. « Analyse d'un penchant, d'une passion, d'un vice même », *Volupté* se donne la caution de la vérité : l'auteur est présenté comme un « personnage non fictif », mort depuis peu en Amérique. En vingt-cinq chapitres, le roman suit les péripéties et le mouvement d'un voyage. En route pour l'Amérique, arrêté par la tempête dans un monastère portugais, l'évêque Amaury fait à un jeune ami le récit de sa jeunesse, de ses fautes et de sa conversion. Il continuera ce récit après avoir repris la mer, et l'achèvera en vue de New York, en août 182*. Noble breton, orphelin, élevé par son oncle, Amaury connaît une enfance solitaire, studieuse et inquiète au temps du Consulat et de l'Empire. Éveil de l'adolescence, troubles désirs, fraîche idylle avec Amélie de Liniers, qu'il n'épouse pas (chap. 1-2). L'entrée au château du marquis de Couaën, quartier général d'une conjuration royaliste, décide de son destin. Il y rencontre le grand amour de sa vie : la marquise. Il la suit à Paris quand son mari est arrêté (3-6). Tout en continuant d'éprouver une passion platonique pour Mme de Couaën, Amaury trouve à satisfaire ses désirs. Entre alors dans sa vie la mondaine et coquette Mme R***, qui se refuse à lui. Il s'en lasse, retrouve Mme de Couaën, pour qui la perte d'un fils semble le châtiment mystique de sa faiblesse, revoit Amélie (7-20), mais, s'avisant que son inconstance voluptueuse cause le malheur de trois femmes, dans la déréliction de son abîme moral, il revient à Dieu. Converti, il entre au séminaire. Devenu prêtre, il administre Mme de Couaën mourante, va méditer à Rome, et, comme René, part pour le Nouveau Monde (21-25).

Né d'un roman inachevé, Sainte-Beuve ayant accepté de prêter sa plume à son ami Ulric Guttinguer désireux de raconter sa jeunesse et ses amours (*Arthur*, 1834-1836), ce récit réunit un roman de l'enfance, imprégné de la fascination pour Napoléon, un roman de l'amitié (avec le marquis de Couaën), un roman d'amour (avec la marquise) qui ne se réalise que symboliquement par le contact des onctions sacramentelles ; il s'unifie autour du problème spirituel de la conversion. Au-delà des nombreuses clés, la fiction met en scène un héros dont les velléités animent une existence essentiellement passive, toute en commencements et ébauches. Tendance fondamentale, la volupté en reste pourtant aux préliminaires et à quelques attouchements. Il s'agit de préserver la pureté de l'amante, véritable figure maternelle, et de sublimer

l'amour dans la religion. Imprégnée par le désir de croire, *Volupté* se veut acte de foi : « Le souvenir... pour moi... est plutôt une persuasion, un rappel au bien, une sollicitation presque toujours salutaire dans sa vivacité » (chap. 13).

Aspirant au sentiment d'être, mais aussi absorbée par les séductions du monde, sensuelles ou intellectuelles (le jeune Amaury se passionne un temps pour les idées de Lamarck), la vie du héros-narrateur se résout en une description romanesque du mal. Si l'amour apparaît comme un possible salut, moyen d'accès à Dieu (d'où l'importance de Mme de Couaën, figure de la grâce), il ne le peut qu'en dissociant sens et sentiment. Trajet de l'âme à l'âme, le sentiment amoureux s'oppose radicalement à la volupté divertissante, au sens janséniste du terme : « J'appris, en ce temps, mon ami, que l'amour vrai n'est pas du tout dans les sens » (10). Il faut donc s'élever, ou fuir, vers un amour pur de toute souillure, donc une véritable ferveur.

Sans la volonté, la grâce ne saurait demeurer. La nature perverse ne consent guère à ses sollicitations, auxquelles Amaury tente de se soustraire en cédant à l'appel du monde, à l'esclavage des tentations. Paris, ville maléfique, assouvit ses passions. Une âme voluptueuse réduite à toutes les servitudes, vidée de sa substance, ne peut en même temps aimer. Les plaisirs de la chair, obscurs, enfouis dans d'infâmes bas-fonds, opèrent leur œuvre de décomposition. À cette destruction correspond le travail délétère de l'ambition (le marquis), autre forme d'amour dévoyé pour le monde. De là l'importance centrale du thème de l'échec. Ce cheminement douloureux dans les vices mondains, cette quête indécise de la conversion se traduisent en réseaux d'images symboliques, en une langue toute chargée d'abstractions et d'archaïsmes qui confèrent au roman sa dominante idéaliste et une certaine étrangeté, troublante et déconcertante. « Madame de Pontivy », nouvelle publiée en 1837, ajoute comme un épilogue à *Volupté*. Si, de l'aveu de Sainte-Beuve, elle « n'a été écrite qu'en vue d'une seule personne et pour la lui faire lire, et pour lui en faire agréer et partager le sentiment », elle vise à démontrer « la force de vie et d'immortalité qui convient à l'amour vrai, cette impuissance à mourir, cette faculté de renaître et cette jeunesse de la passion recommençante avec toutes ses fleurs ».

● « GF », 1969 (p.p. R. Molho) ; Imprimerie nationale, « Lettres françaises », 1984 (p.p. M. Regard) ; « Folio », 1986 (p.p. A. Guyaux).

G. GENGEMBRE

VORGE CONTRE QUINETTE. Voir HOMMES DE BONNE VOLONTÉ (les), de J. Romains.

VOUIVRE (la). Roman de Marcel **Aymé** (1902-1967), publié à Paris chez Gallimard en 1945.

Séduisante créature issue de la tradition celtique, la Vouivre est apparue à Arsène Muselier, en Franche-Comté. Qui s'emparait de son rubis inestimable succombait aux morsures des reptiles. Réprouvant son impudeur, Arsène n'en admire pas moins sa plastique et cède à ses charmes. Il est aussi attiré par Juliette Mindeur, mais une hostilité ancestrale oppose leurs familles. Il envisage d'épouser Rose Voiturier, riche fille du maire radical, tout en trouvant auprès de Belette, la servante, une douceur ineffable. Le curé refuse d'admettre qu'Arsène ait pu pécher avec une créature infernale mais envisage, non sans cynisme, de tirer parti de l'affaire pour ramener à Dieu ses ouailles trop paisibles, tandis que le maire, dévot refoulé, prétend s'opposer au cléricalisme comme à la superstition. Or, Rose est promise au fils Beuillat. Arsène suggère à celui-ci de s'emparer du rubis : les reptiles tuent l'imprudent, tandis que la Vouivre se moque d'Arsène, misérable mortel. Celui-ci découvre son frère Victor chez Belette : désespéré, il quitte la ferme familiale, renonce à Rose et demande Juliette en mariage. Alors que, Voiturier compris, la procession du curé parcourt le pays, Belette tente de s'emparer du rubis : en cherchant à la sauver, Arsène périt avec elle.

Recueilli enfant par ses grands-parents dans le Jura, Marcel Aymé développe, sous une forme allégorique, dans ce récit paysan le drame de l'initiation à une forme de l'amour sublime. En effet, Arsène Muselier incarne un héros ambigu. Tantôt arriviste au cœur sec, il se soucie d'assurer son avenir matériel en épousant Rose, une fille laide et riche qu'il n'aime pas ; tantôt sensible, il noue des relations privilégiées avec Belette, pauvre et fragile. Son évolution se traduit dans son attitude vis-à-vis des femmes qui gravitent autour de lui. Négligeant Rose pour Juliette, la femme aimée, il se sacrifie pour Belette, sans pour autant céder au désir physique. La rencontre avec la Vouivre joue le rôle d'un révélateur. Cette innocente fille de la nature, cette créature d'avant le péché, le confronte à ses propres ténèbres : même si Arsène est suffisamment désintéressé pour ne pas céder à la tentation du rubis, il forge le plan qui perd Beuillat. Bien qu'il sache, en apparence, étouffer ses scrupules, son propre crime lui remonte à la gorge lorsqu'il voit Victor avec Belette. La Vouivre introduit le doute dans son esprit réaliste mais il la trouble, lui aussi : un instant blessé par les dédains de l'immortelle, Arsène choisit l'humanité, une vie consciente de ses propres limites, et se précipite au secours de la disgraciée. Dès lors s'impose la morale de cette fable : Arsène incarne le seul personnage qui aura su faire preuve de charité dans un village en proie aux querelles de clochers. En effet, loin de catalyser les hantises ancestrales, la Vouivre sert le curé : elle donne forme aux superstitions villageoises, mais elle n'introduit pas le sentiment de la faute que le prêtre voudrait pouvoir instiller dans les esprits. Sous une forme burlesque, l'auteur s'en prend aux radicaux, les meilleurs propagateurs, selon le clergé lui-même, de la foi soupçonneuse et du rigorisme pointilleux. Ainsi, nouvelle incarnation du Ferdinand de la *Jument verte*, le maire apparaît comme un républicain en mal de religion, un radical qui n'ose se confesser de peur de susciter le sarcasme et d'encourager le cléricalisme. La satire politique se lit au travers d'une narration badine qui avalise l'intrusion de la fable dans le réel : en effet, dans le village franc-comtois, nul ne remet en doute l'existence de la créature mythique. Cette certitude, apparemment partagée par le narrateur et ses personnages, fait entrer le lecteur de plain-pied dans un monde réaliste et fabuleux : l'auteur laisse toujours entendre davantage qu'il n'explicite. Témoin le fossoyeur du village qui sombre dans une folie douce par passion pour une ivrognesse qu'il transfigure en princesse : sa mythomanie désigne le processus de l'affabulation dans un monde sevré d'amour.

● « Folio », 1972.

V. ANGLARD

VOULEZ-VOUS JOUER AVEC MOÂ ? Comédie en trois actes et en prose de Marcel **Achard**, pseudonyme de Marcel-Augustin Ferréol (1899-1974), créée à Paris au théâtre de l'Atelier le 18 décembre 1923 et publiée à Paris chez Gallimard la même année.

À la fois poète et acteur dans la troupe de Charles Dullin, Achard joue, lors de la première, le rôle de Crockson. Il goûte d'autant plus ce premier succès d'une carrière de dramaturge féconde et heureuse. De fait, cette farce poétique se fonde déjà sur les thèmes les plus familiers de l'écrivain : les variations dérisoires ou touchantes de l'amour, la tendresse séduisante des faibles, la coquetterie et l'égoïsme féminins.

Deux clowns, Crockson et Rascasse, sous le regard de Monsieur Loyal, personnage muet et immobile, accomplissent sans enthousiasme leurs pitreries ordinaires. S'ils n'ont pas le cœur à travailler, c'est qu'ils sont tous deux amoureux d'Isabelle, la plus belle fille de la troupe. Ils lui demandent de choisir entre eux. Mais la cruelle s'amuse de leur gaucherie et exige qu'ils essaient de la séduire. Au terme d'une parade grotesque où les deux compères font mine de se battre en duel, Isabelle donne sa préférence à Crockson, dont elle admire les talents d'escamoteur de cartes. C'est alors qu'une voix dans le public demande : « Voulez-vous jouer avec moâ ? » Le brave Auguste, personnage tendre et lunaire, vient lui aussi au milieu de la piste avouer son amour pour Isabelle, pendant que Rascasse et Crockson lui bottent les fesses. Mais son aimée se moque de sa poésie et de ses sentiments (Acte I).

Auguste prétend alors découvrir qu'Isabelle n'est qu'une femme ordinaire, sans rapport avec la créature idéale qu'il imaginait. Piquée au vif, elle tombe dans ses bras. Un baiser fait croire à Auguste qu'il triomphe. Mais le jeu recommence aussitôt. Isabelle revient vers Crockson et cherche à le rendre jaloux ; elle lui fixe un rendez-vous puis, sans explication, le repousse. C'est au tour de Rascasse de passer pour l'heureux élu, avant d'être rejeté encore plus vite que ses deux rivaux (Acte II).

Crockson et Rascasse reprennent de plus belle leurs disputes grotesques. Auguste devient le souffre-douleur de leurs bouffonneries. Mais c'est ainsi qu'Isabelle semble comprendre à quel point sa fragilité est touchante, par contraste avec la grossièreté des deux imbéciles. Elle semble l'aimer enfin, juste le temps pour Auguste de botter à son tour les fesses de Crockson et de Rascasse. Au moment où il se demande « Serait-ce mon heure ? », Isabelle le gifle et le détrompe : « Non, c'est la mienne » (Acte III).

La recherche d'une image de l'existence la plus symbolique qui soit, le huis clos, la schématisation des caractères, la suggestion générale d'une totale improvisation proche de la commedia dell'arte : autant d'éléments propres à rétablir la notion d'un théâtre littéraire en un temps où l'art dramatique a pu se confondre avec un divertissement mondain. Sans être d'une originalité bouleversante, la métaphore du cirque, lourde d'un certain pathos romantique, paraît servir un tel projet.

L'œuvre, pourtant, vaut surtout par le sens constant du gag qui s'y manifeste, capable de pallier l'absence de toute intrigue et la minceur du sujet. Renonçant aux thèses, oubliant les subtilités marivaudiennes de l'analyse psychologique, Achard pratique un théâtre essentiellement dominé par le souci d'une pratique de la scène aussi consommée que celle dont Scribe fit son unique talent. Les bons mots et les formules, certes, abondent : « Un Paillasse est un homme sur qui on s'essuie les pieds », répètent les personnages en se bottant l'arrière-train. Mais on suggère ainsi que le discours est là seulement pour accompagner d'un commentaire burlesque le geste déjà outrancièrement dérisoire, que le spectacle réitère mécaniquement, ritualisant le rire comme l'effet invariable de procédés identiques et simples.

On doit peut-être voir dans toute cette obsession de sobriété l'aspiration à une certaine forme de classicisme. Mais il faut alors remarquer que le dépouillement qui en résulte implique davantage un appauvrissement général, une vision restrictive, voire simpliste, du cœur humain, qu'une représentation forte et épurée. L'impression mélancolique, sinon tragique, qui en résulte concerne autant les limites d'un art que les petitesses de notre existence.

● « Le Livre de Poche », 1968. ➤ *Théâtre*, Gallimard, II.

D. GIOVACCHINI

VOX POPULI. Voir CONTES CRUELS et NOUVEAUX CONTES CRUELS, d'A. de Villiers de L'Isle-Adam.

VOYAGE À L'ÎLE DE FRANCE. Récit de Jacques-Henri **Bernardin de Saint-Pierre** (1737-1814), dont le titre complet est : *Voyage à l'île de France, l'île de Bourbon, au cap de Bonne-Espérance, etc., avec des observations nouvelles sur la nature et sur les hommes, par un officier du roi*, publié à Paris chez Merlin en 1773.

Né au Havre, le jeune Bernardin de Saint-Pierre a toujours eu devant les yeux le spectacle de la mer et des bateaux qui appareillent. La lecture de *Robinson Crusoé* n'a pu qu'exacerber en lui le goût du voyage. Aussi s'embarque-t-il pour la Martinique à l'âge de douze ans, mais l'île ne correspond pas à ses rêves et il n'y reste pas. C'est bien plus tard, après des études chez les jésuites de Caen, puis de Rouen, et à l'École des ponts et chaussées, après une expérience militaire en Allemagne et des errances en Europe, qu'il repart pour les îles lointaines. Muni d'un brevet de « capitaine ingénieur du roi », il prend la mer pour Madagascar, mais va en fait jusqu'à l'île de France (aujourd'hui île Maurice). Parti de Lorient le 3 mars 1768, il arrive à Port-Louis le 14 juillet et séjourne dans l'île jusqu'en novembre 1770. L'île de France ne comble sans doute pas mieux que la Martinique ses désirs de vie naturelle ; du moins a-t-il eu le temps, en deux ans et quatre mois, de découvrir le pays. Il y puise la matière de ce récit de voyage, puis d'une fiction, *Paul et Virginie*, ainsi que de nombreuses notations pour les *Études de la nature*.

Le *Voyage* se présente sous forme de 28 lettres écrites à des amis, accompagnées de fragments de journal, de relevés nautiques et météorologiques, et d'entretiens philosophiques. Les cinq premières lettres retracent la navigation de Lorient à Port-Louis, avec les tempêtes, les hommes emportés par les flots, les ravages du scorbut, mais aussi la révélation de paysages, d'une faune et d'une flore inconnus. Les lettres 6 à 15 décrivent les productions végétales et les ressources zoologiques de l'île de France, puis ses habitants (Européens, créoles et noirs) et son agriculture. Les lettres 16 et 17 explorent l'intérieur de l'île et son pourtour. La lettre 18 conclut sur l'intérêt colonial et militaire du pays. Puis c'est le retour en France par l'île Bourbon, actuelle île de la Réunion (lettre 20), le Cap (21-24), l'île de l'Ascension (25-27). Un lexique de termes de marine « à l'usage des lecteurs qui ne sont pas marins », trois dialogues sur les arbres, les fleurs et les fruits et une ultime méditation sur les voyages (28) complètent l'ouvrage.

Les récits de voyage s'étaient multipliés au cours du XVIIIe siècle, voyages européens ou lointains, vers des pays déjà connus ou vers des terres nouvelles. De vastes compilations rassemblaient ces récits : *Histoire générale des voyages* en vingt volumes lancée par l'abbé Prévost, le *Voyageur français* en quarante-deux volumes dirigé par l'abbé de La Porte. Que pouvait prétendre apporter de plus cet homme de trente-six ans qui publiait son premier livre ? Un triple effort de renouvellement littéraire, épistémologique et moral caractérise le *Voyage à l'île de France* et explique les contradictions et les tensions du texte : « L'art de rendre la nature est si nouveau que les termes mêmes n'en sont pas inventés. » Et « il n'est donc pas étonnant que les voyageurs rendent si mal les objets naturels », conclut Bernardin, qui revient plusieurs fois sur le manque de mots à sa disposition pour décrire les paysages. S'il recense en un lexique les termes de marine, s'il note en italique les appellations indigènes ou les formules étrangères, s'il rêve aux ressemblances entre les langues et aux étymologies possibles, c'est qu'il ne peut se contenter du français classique, épuré et abstrait. Dans les quelques lignes qui décrivent un crépuscule marin, il n'utilise pas moins de neuf termes de couleur différents : orange, vert, lilas, azur, gris de perle, cramoisi, ponceau, écarlate, or. Le lyrisme soulève la prose du récit de voyage : « Adieu, forêts du Nord, que je ne reverrai plus ! tendre amitié ! sentiment plus cher qui la surpassiez ! temps d'ivresse et de bonheur qui s'est écoulé comme un songe ! adieu... adieu... » Bernardin, quittant Lorient, a les accents de Saint-Preux se séparant de Julie et de Claire : « Adieu, charmantes cousines. Adieu, beautés incomparables. Adieu pures et célestes âmes [...]. J'entends le signal et les cris des matelots, je vois fraîchir le vent et déployer les voiles. » Le *Voyage à l'île de France* est un traité technique en même temps qu'un poème en prose.

Ce double registre marque l'ambivalence d'un livre qui prétend apporter un savoir objectif et récuse les prétentions de la science à dire la vérité du monde et des êtres. L'ambivalence est aussi celle de l'écrivain qui se présente comme un ingénieur, un savant, mais se sent exclu des institutions scientifiques et refuse de reconnaître leur légitimité. Ses descriptions de la faune, de la flore et des phénomènes naturels se veulent aussi précises qu'une communication académique. Elles participent d'un recensement encyclopédique du monde et souhaitent faire circuler le savoir. Mais trois dialogues entre le voyageur et une dame abandonnent le domaine du savoir objectif pour s'aventurer dans une explication anthropomorphique et finaliste des animaux et même des végétaux. À la fin du XVIIe siècle, Fontenelle avait composé les *Entretiens sur la pluralité des mondes* : la vulgarisation scientifique était égayée de quelques galanteries. À la fin du siècle suivant, Bernardin compose des entretiens dont le sentimentalisme exclut tout madrigal et dont les hypothèses philosophiques réfutent le mécanisme cartésien.

L'ambition du voyageur est paradoxale. Il rapporte une expérience, propose d'acclimater en Europe certaines plantes tropicales et d'adapter des plantes européennes au climat des îles, il encourage les échanges mais achève son livre par une critique de l'idée même de voyage et par un éloge du pays natal : « Je préférerais de toutes les campagnes celle de mon pays, non parce qu'elle est belle, mais parce que j'y ai été élevé. » La dix-huitième lettre propose un plan de développement colonial de l'île de France et la douzième dénonce les horreurs de l'esclavage. Entre les élans de la sensibilité et le réalisme de l'économie, le voyageur ne sait pas toujours choisir.

Les illustrations qui accompagnent le livre dans l'édition originale montrent bien son double statut. Des dessins de l'auteur sont autant de documents de naturaliste sur la morphologie des îles, aperçues du large, sur la forme de coquillages ou de madrépores, tandis que les gravures de Moreau se veulent des leçons de morale. Sur le frontispice, un Noir présente à l'écrivain philosophe ses membres mutilés et le Code noir qui autorise ces infamies ; plus loin, une vue de plantation de café avec une Négresse surchargée de chaînes et une fustigation d'esclave à l'arrière-plan, illustre la légende : « Ce qui sert à vos plaisirs est mouillé de nos larmes. » Une troisième gravure montre un couple heureux au milieu d'enfants et de fruits : « Ils n'ont pas encore mis le bonheur dans des romans et sur le théâtre. » Tel sera le programme de *Paul et Virginie*, qui transforme en fiction l'information fournie par le *Voyage à l'île de France*, mais montre le bonheur naturel ruiné par l'aliénation coloniale.

● Maspero / La Découverte, 1983 (p.p. Y. Benot). Extraits dans *Paul et Virginie*, « Folio », 1984 (p.p. J. Ehrard) et Imprimerie nationale, « Lettres françaises », 1984 (p.p. E. Guitton).

M. DELON

VOYAGE AU BOUT DE LA NUIT. Roman de Louis-Ferdinand **Céline**, pseudonyme de Louis Ferdinand Destouches (1894-1961), publié à Paris chez Denoël et Steele en 1932. Prix Théophraste-Renaudot.

À sa sortie, le roman suscita des réactions d'une violence inégalée pour le premier roman d'un auteur inconnu. Son originalité stylistique et son ambiguïté idéologique divisèrent profondément la critique, par-delà tout clivage préexistant. S'agissait-il d'une véritable « révolution littéraire » dans la tradition de la « littérature maudite », ou bien d'un livre « illisible, écœurant » écrit dans un « verbiage délirant » ? Les écrivains eux-mêmes eurent à cœur de prendre position dans le débat. Certains, aussi différents que Léon Daudet, Élie Faure, Malraux, Aragon ou Bernanos, témoignèrent bien vite qu'ils reconnaissaient Céline comme un de leurs pairs. Cependant, *Voyage au bout de la nuit*, qui faillit obtenir le prix Goncourt 1932, le manqua par suite d'un revirement de dernière minute des frères Rosny. Le scandale dura plus d'un an, se termina par deux procès, fit vaciller l'académie et mit en cause la légitimité des jurés accusés de corruption. Entre-temps le roman avait été couronné par le prix Renaudot.

Ce premier roman d'un médecin âgé de trente-huit ans n'est pas pour autant sa première tentative d'écrivain. Il s'inscrit dans la continuité d'une thèse de médecine consacrée à un médecin viennois, martyr de la science, le docteur Semmelweis, et dans le prolongement d'une première ébauche théâtrale. « *Voyage au bout de la nuit* a d'abord été une pièce de théâtre, ça s'appelait l'*Église* », confiait Céline à Paul Vialar. On retrouve en effet dans cette œuvre de jeunesse, datée de 1926 mais publiée après le roman (Denoël et Steele, 1933) le découpage en épisodes ainsi que le personnage principal qui en constituent l'amorce.

L'Église. Le docteur Bardamu, envoyé en Bragamance – région imaginaire d'Afrique noire – par la Commission des épidémies de la Société des Nations, découvre que le jeune docteur Gaige vient de mourir de la peste pneumonique. L'administration coloniale se refuse à reconnaître la cause du décès. Bardamu adopte le petit boy de Gaige, Gologolo, et annonce son départ pour l'Amérique (Acte I). À New York, au Quick Theatre, Bardamu venu annoncer à Elizabeth Gaige la mort de son mari, rencontre d'abord Flora, une Française, puis la directrice Vera Stern qui, compromise dans un trafic d'alcool en cette époque de prohibition, lui propose de l'épouser. Il accepte et rentre en Europe sans même avoir vu Elizabeth (Acte II). À la Société des Nations règne une agitation stérile et paperassière. Le directeur du Service des compromis, M. Yudenzweck (sic), reçoit Bardamu qui manifeste peu d'intérêt pour tous les travaux administratifs. Il n'a d'ailleurs remis qu'une toute petite page de rapport sur l'affaire Gaige. Lorsque Bardamu quitte Yudenzweck, celui-ci a déjà oublié son nom (Acte III). Victime d'une épidémie en Bragamance, l'administrateur adjoint Pistil a acheté un bistrot en banlieue parisienne, où Bardamu donne régulièrement ses consultations. Janine, jeune fille boiteuse et légèrement bossue, est amoureuse de lui. Vera annonce son départ pour New York : elle va retrouver son théâtre (Acte IV). Dans le bistrot transformé en clinique, Pistil est en train de mourir d'une cirrhose. Janine, que Bardamu fait soigner, lui déclare son amour. Mais celui-ci n'aime que les belles femmes. Arrive Elizabeth qui se met à danser. Janine tente de tuer Bardamu avec un revolver. Tous font cercle autour d'Elizabeth dansant (Acte V).

L'*Église* constitue un pas supplémentaire dans la constitution par Céline d'un véritable personnage romanesque. Du docteur Semmelweis, découvreur incompris des techniques modernes d'hygiène, à Bardamu, si nourri des obsessions céliniennes, il y a toute la distance qui sépare la biographie, même romancée, d'une véritable création.

Le Bardamu de l'*Église* est lui aussi médecin. Déjà anarchiste, il « n'a aucune importance collective, c'est tout juste un individu » (phrase reprise par Sartre en épigraphe à la **Nausée*). Comme dans le *Voyage*, l'errance est associée à la recherche de la vérité, et l'amour, vécu comme une sorte de morale anatomique dont le modèle est la danseuse : « Ah ! Ferdinand... tant que vous vivrez, vous irez entre les jambes des femmes demander le secret du monde ! », dit Vera. Cependant, la critique de la SDN laisse affleurer un antisémitisme qui disparaîtra dans le *Voyage*.

Le passage au roman nécessitera néanmoins plusieurs mutations considérables. Le surgissement d'une voix unique, celle du « je », s'opère par la marginalisation de Bardamu. L'accentuation de son statut de bouc émissaire à partir de l'épisode ajouté de la guerre, l'apparition du personnage de Robinson, qui reprend certains des caractères de Pistil, permettent de donner une légitimité accrue au langage nouveau du personnage-narrateur et à la noirceur du monde qu'il décrit.

Voyage au bout de la nuit. Ferdinand Bardamu, jeune révolté, s'engage sur un coup de tête dans l'armée française en route pour la Première Guerre mondiale. Mais, au front, dans l'enfer d'« un monde où tout s'est rétréci au meurtre », il découvre bien vite la vérité sur la « sale âme héroïque et fainéante des hommes » : ils sont les complices de la mort qu'ils redoutent... Au cours d'une nuit d'errance, Ferdinand rencontre Robinson, un réserviste qui cherche à déserter. De retour à l'arrière, ayant été réformé, Bardamu met à l'épreuve sa nouvelle conception des rapports humains (notamment en fréquentant une belle infirmière américaine, Lola, et une jolie musicienne nommée Musyne). Il constate que partout triomphe un égoïsme forcené derrière un patriotisme de façade.

Écœuré mais bien content d'avoir pu sauver sa peau, il s'embarque pour l'Afrique par le premier bateau, l'*Amiral Bragueton*, sur lequel il ne doit son salut – face à l'hostilité des coloniaux envers tout ce qui est étranger – qu'aux plus basses flatteries et à l'esquive. Hélas, la Bambola-Bragamance où il débarque se révèle être un monde englué dans la torpeur tropicale et où l'on ne sait à qui il faut s'en prendre des injustices : aux colons profiteurs et cruels de la Compagnie Pordurière, ou aux colonisés naïfs se prêtant au jeu. Bardamu, qui a de nouveau croisé Robinson, finit par tomber malade avant d'être vendu par ses domestiques noirs au patron d'une galère, l'*Infanta Combitta*.

Achevant le trajet triangulaire du trafic des esclaves, il parvient aux États-Unis. Mais la terre promise – la révélation annoncée par le corps de Lola – se révèle bien vite être une continuation de la guerre par d'autres moyens, un monde glacé et mercantile où l'exploitation de l'homme (usines de Detroit) s'avère aussi implacable qu'ailleurs. Après avoir retrouvé Robinson qui exerce un piteux emploi de travailleur de nuit, Bardamu refuse le bonheur avec Molly, une prostituée au grand cœur, et repart pour l'Europe.

Devenu médecin, mais toujours aussi misérable, il s'installe en banlieue parisienne, à La Garenne-Rancy, où il a tout loisir, dans l'exercice de ses fonctions, de découvrir les aspects les plus sordides et les plus désespérants de la condition humaine : scène de sadisme de ses voisins avec leur petite fille, mort d'un enfant (Bébert) que la science ne peut sauver, volonté d'un couple (les Henrouille) de se débarrasser de leur vieille mère en la faisant interner, etc. Robinson, reparu et lassé de son labeur de pauvre, accepte de tuer la vieille Henrouille pour dix mille francs. Mais, par maladresse, il s'aveugle avec la chevrotine qu'il lui destinait. Robinson s'exile à Toulouse, tandis que Bardamu quitte Rancy et se fait engager au cinéma Tarapout et comme figurant dans un ballet. Henrouille meurt dans des conditions suspectes, probablement empoisonné par sa femme. Bardamu retrouve Robinson convalescent à Toulouse où il fait la connaissance de Madelon, sa fiancée. Avec la mère Henrouille, ils font visiter un caveau plein de cadavres aux touristes. La vieille tombe dans un escalier et se tue. Bardamu s'enfuit.

À Vigny-sur-Seine, il entre comme médecin dans l'asile psychiatrique du docteur Baryton. Cette fois, c'est Robinson, lassé de sa fiancée, qui vient l'y rejoindre. Mais Madelon, amoureuse, le poursuit ; et lorsque, de retour de la fête des Batignolles où ils se sont tous rendus, Robinson finit par avouer son dégoût des grands sentiments, Madelon le tue de trois coups de revolver. Ferdinand échoue au bistrot de l'écluse. Le jour se lève.

« Le seul livre vraiment méchant de tous mes livres c'est le *Voyage*... Je me comprends... Le fonds sensible... » Plus qu'une simple volonté de faire oublier les publications antisémites qui avaient suivi, cette déclaration de Céline en 1949 dans sa Postface au *Voyage* cherche à atteindre les sources mêmes de son art. *Voyage au bout de la nuit*, c'est le miroir sans pitié de toute une époque : la guerre fratricide de 1914, les excès de la colonisation en Afrique, la froide modernité des États-Unis, la misère et la souffrance quotidiennes des banlieues sordides des grandes villes. C'est aussi le livre où les idées de Céline sur l'existence apparaissent le plus clairement. Maximes au présent gnomique, formules denses et percutantes expriment sous des formes diverses l'« abomination d'être pauvre » ou l'ignominie de l'existence, « cette farce atroce de durer ». Plus que dans tous ses autres livres, Céline veut aller par la formule au cœur de la condition des hommes : « Quand on n'a pas d'imagination, mourir c'est peu de chose, quand on en a, mourir c'est trop. » C'est pourquoi les seuls vrais héros du livre, ce sont les « pauvres de partout », ceux dont la mort n'intéresse personne et qui sont écrasés par le mercantilisme universel. Le roman se révèle ici, dans sa conception, à la fois stendhalien – miroir qu'on promène le long d'un chemin – et proustien – instrument d'optique – pour nous représenter le monde selon Ferdinand Bardamu.

Ce miroir renvoie des hommes (à quelques exceptions près : Molly ou Alcide, d'une bonté surhumaine, anomalies que l'on croise sans s'attarder) l'image la plus désespérément sombre. Si l'on rit souvent, c'est sous l'effet d'une ironie grinçante, voire grimaçante. Car c'est sous l'effet des parias de la société qui prend la parole et qui se livre avec délectation à un complet renversement des valeurs reconnues.

Le patriotisme n'est que la folie mâtinée d'hypocrisie de ceux qui n'ont pas l'« imagination de leur propre mort ». La colonisation est une exploitation pure et simple. Les institutions démocratiques ne sont que des leurres de puissants, destinés à se concilier gratuitement les faveurs du petit peuple et à en faire de la chair à canon. La science elle-même est impuissante et dérisoire (les médecins de l'institut Bioduret, parodie de l'Institut Pasteur, ne pourront sauver Bébert). Quant à l'amour, le lecteur est fixé dès le début du roman : « C'est l'infini mis à la portée des caniches... »

La démonstration est faite : tout idéalisme n'est que le camouflage d'intérêts bassement biologiques. Le monde entier apparaît par conséquent (dans une perspective qui rejoint un instant celle de Shakespeare) comme un gigantesque théâtre, une mascarade où s'agitent des hommes uniquement préoccupés de leur rôle : « Les êtres vont d'une comédie vers une autre. » « Comme le théâtre était partout, il fallait jouer » : la survie nécessite le masque, comme l'a bien compris Branledore, faux patriote de génie dont les leçons sauvent la vie de Bardamu en danger de mort sur l'*Amiral Bragueton*. La lâcheté de Ferdinand, dans la mesure où elle est avouée, revendique paradoxalement une dignité plus haute que l'hypocrisie cachée de tous les idéalismes.

Le « sujet » du roman – dans tous les sens du terme – est donc bien le personnage principal, Ferdinand Bardamu, animé par la fatalité d'errance qu'incarne son nom (celui du soldat poussé en avant par sa propre charge). La présence du voyageur et celle de son ombre, Robinson, qui le précède puis le suit, constituent en effet le seul lien entre les épisodes romanesques, qui pourraient par ailleurs sembler disparates. La profusion des événements et des personnages, associée à la misère persistante du personnage-narrateur, a pu faire évoquer à propos du *Voyage* le roman picaresque espagnol. Néanmoins, l'anti-honneur du héros n'a ici rien d'héréditaire, et sa vocation, aucune vertu moralisante, même par défaut. Au contraire, la dévalorisation lucide du héros lui permet de se démarquer d'un monde dont il ne s'exclut certes pas (cette vision de l'intérieur est même une des grandes originalités du roman), mais qu'il tient en respect – et le plus à distance possible – par sa compréhension des lois qui le régissent.

C'est la guerre qui forme la matrice d'une révélation sans cesse renouvelée au cours des pérégrinations de Bardamu : l'étrange complicité des hommes et de la mort. « C'est tuer et se tuer qu'ils voulaient. » Chacun des épisodes du roman apparaît alors constitué d'au moins trois phases (parfois précédées d'un prologue), correspondant à la situation du héros : adaptation à une situation nouvelle ; confrontation : la vie devient insoutenable ; évasion vers d'autres horizons où le cycle de l'échec peut se réitérer. Le voyage devient alors la « recherche de ce rien du tout, de ce petit vertige pour couillons » que représentent ces quelques heures d'exceptionnelle lucidité avant que les habitudes du pays nouveau ne se soient emparées de vous. C'est une maladie, une pauvre défense contre le destin, biologiquement fixé. Mais, si lointains que soient les lieux où le périple de Ferdinand le mène, tout se passe comme s'il tentait de s'éloigner sans succès de ces deux centres de gravité du roman que sont la place Clichy et le Tir des nations, symbole de la tuerie guerrière poursuivie jusque dans la paix. Ainsi se dessine une fatalité moderne du perpétuel retour (« Tout était à recommencer »), absurdité d'une vie qui refuse la mort, mais ne peut que tourner vainement autour d'elle en cercles concentriques.

Sous cette névrose d'échec du personnage, certains ont décelé l'influence sournoise de l'inconscient. De même, dans l'insistance – qui deviendra scatologique dans *Mort à crédit* – sur des fonctions corporelles habituellement passées sous silence. Il est vrai que Céline lui-même reprochait aux romanciers de son époque d'avoir ignoré

l'« énorme école freudienne ». La révélation romanesque d'une complicité des hommes avec la mort qu'ils croient redouter, représente la confirmation en quelque sorte « expérimentale » (au sens de Zola) de l'existence de cet instinct de mort qui dans *Au-delà du principe de plaisir* (1920) apparaît justement lié à la compulsion de répétition. Le statut de bouc émissaire du personnage, ses gaffes qui le conduisent à se jeter au-devant du danger (l'engagement, la rupture avec Molly, etc.), sont les révélateurs d'une angoisse et d'une culpabilité extrêmes. L'originalité de Céline est d'avoir su les transposer et d'en dégager une architecture métaphorique qui donne au livre une dimension métaphysique. La métaphore du voyage au bout de la nuit (« Notre vie est un voyage... Notre voyage à nous, c'est un roman... », dit le Prologue) est filée avec constance pendant toute l'œuvre et déploie l'éventail de ses significations ambivalentes. Le voyage, à la fois fuite et quête de la vérité ; la nuit, pauvreté, menace, mais aussi refuge ; la mort, néant redouté, mais repos souhaité. Cette dualité indissociable, c'est celle du couple des deux « voyageurs ». Robinson ira pourtant plus loin que Bardamu, laissé en route dans la nuit : jusqu'au meurtre et jusqu'à la mort. Céline lui-même analysait ainsi la structure de son œuvre gigogne : « Une autobiographie, mon livre ? C'est un récit à la troisième puissance. Céline fait délirer Bardamu qui dit ce qu'il sait de Robinson » (*Cahiers Céline*, nᵒ 1).

Mais une grande part de l'incompréhension et du scandale déclenchés par la publication de *Voyage au bout de la nuit* (beaucoup des contemporains n'y virent qu'un monceau d'ordures) tient à l'utilisation tout à fait nouvelle qui y était faite de la langue orale populaire. Et ce, non seulement dans la bouche de personnages secondaires, mais comme le mode même d'expression d'un narrateur qui parle à la première personne. L'intérêt tout à fait exceptionnel du *Voyage* vient en grande partie de ce qu'à une narration somme toute encore traditionnelle, se mêle une langue inédite visant à faire passer l'« émotion du parlé à travers l'écrit » (*Entretiens avec le professeur Y.*). Bernanos évoque la « vérité de ce langage inouï, comble du naturel et de l'artifice » où, à ces « imparfaits du subjonctif » que Céline se reprochera plus tard (comme il le fera de l'amour de la « phrase filée »), viennent se joindre de très nombreuses expressions argotiques ou tournures incorrectes à l'écrit. D'où la jubilation – qui fait pendant à la noirceur du monde décrit – de retrouver une saveur de la langue perdue, selon Céline, depuis Rabelais dont il fait son grand ancêtre.

Ainsi la technique du rappel, étudiée par Leo Spitzer, consiste-t-elle à faire suivre, au sein d'une même phrase, la partie exclamative jaillissant spontanément, d'une partie explicative visant à s'assurer de la compréhension de l'interlocuteur. L'absence de ponctuation contribue à créer une phrase unique à deux sommets d'intensité. « Elle compte sur notre héroïsme / la France ! » ou « Tu parles si ça a dû le faire jouir / la vache ». Dans chacun de ces deux exemples, le pronom (elle, le) précède le nom (la France, la vache) qui vient expliciter, renforcer avec toutes les nuances d'affectivité ou d'ironie nécessaires, la pensée du locuteur. Des effets de répétition accentuent encore cette expressivité retrouvée et organisent une syntaxe visant à l'impressionnisme, procédant par petites touches ou retouches, et qui annonce la phrase éclatée et les « trois points » des romans ultérieurs. Ainsi, à propos de la mère de Bébert à la fin du roman : « Du chagrin enfin lui était venu tout au bout des mots, elle n'avait pas l'air de savoir qu'en faire du chagrin, elle essayait de se le moucher, mais il lui revenait son chagrin, dans la gorge et des larmes avec, et elle recommençait. » Ou au début, à propos de Ferdinand : « De temps en temps, je ne savais d'où, une balle, comme ça, à travers le soleil et l'air, me cherchait, guillerette, entêtée à me tuer, dans cette solitude, moi. »

L'usage du pléonasme, de la redondance, de l'accumulation des éléments grammaticaux ayant la même fonction, les impropriétés, la désarticulation de la syntaxe, tout concourt à faire de Céline non pas un amateur du « décousu et de l'à-peu-près » comme le conclut faussement Leo Spitzer à l'issue de sa juste analyse, mais un styliste qui renouvelle les conditions mêmes de notre perception de la langue. La mise en avant du langage comme sujet du roman s'élabore dans cette parenthèse entre la prise de parole de Ferdinand (« Moi j'avais jamais rien dit, rien ») et les derniers mots du roman : « Et qu'on n'en parle plus. » Ainsi le *Voyage*, parenthèse de parole, est-il à la fois une réussite unique par l'unité de ton et l'ampleur du projet romanesque, et la voie ouverte à d'autres expériences, plus audacieuses encore.

● « Folio », 1972. ➤ *L'Œuvre*, André Balland, I ; *Romans*, « Pléiade », I ; *Œuvres*, Club de l'honnête homme, I (*l'Église*, II).

A. SCHAFFNER

VOYAGE AU CENTRE DE LA TERRE. Roman de Jules **Verne** (1828-1905), publié à Paris chez Hetzel en 1864.

Deuxième grand roman de la série des « Voyages extraordinaires », évoquant une descente au creux maternel de la Terre, l'œuvre se charge d'un imaginaire aussi délirant qu'inquiétant, dont le sens symbolique apparaît comme une invite irrésistible à l'interprétation.

Le 24 mai 1863, le professeur Lidenbrock, minéralogiste au Johannaeum de Hambourg, et son neveu, Axel, découvrent un étrange grimoire signé d'un fameux alchimiste islandais du XVIᵉ siècle : Arne Saknussemm. Ils y apprennent la possibilité d'atteindre le centre de la Terre. Ils se lancent aussitôt dans la folle entreprise, au mépris de toutes les objections scientifiques qu'elle soulève (chap. 1-8). Les voici en Islande où, en compagnie de Hans, un guide dévoué et intrépide, ils s'enfoncent dans les entrailles d'un volcan éteint, le Sneffels, sur les traces d'Arne Saknussemm. Ils pénètrent alors dans un monde aussi fascinant que dangereux. Ils manquent mourir de soif, s'égarent dans un labyrinthe de galeries. Mais contre toute attente, au lieu de s'élever, la température des profondeurs terrestres se maintient à un degré parfaitement tolérable (9-29). Ils traversent des forêts d'immenses champignons, de fougères et d'arbres primitifs, pleines d'extraordinaires fossiles. Ils naviguent même sur un océan souterrain, peuplé de monstres préhistoriques. Une affreuse tempête les jette sur un rivage, hanté par un troupeau de mastodontes gardé par un géant. La signature d'Arne Saknussemm les y attendait, gravée dans le roc. Le scepticisme d'Axel en est ébranlé, pendant que Lidenbrock se montre de plus en plus exalté (30-40). Les explorateurs doivent s'ouvrir un passage à l'explosif. Entraînés sur un radeau dans la cheminée d'un volcan, ils sont ramenés par une éruption à la surface de la Terre. Ils se retrouvent ainsi, le 28 août, aux abords de l'île Stromboli, en Méditerranée, à « plus de douze cents lieues de leur point de départ ». Lidenbrock connaît une gloire internationale, pendant qu'Axel, mûri par l'expérience, épouse Graüben, filleule du savant (41-45).

Par rapport à l'inspiration la plus fréquente dans l'univers de Jules Verne, à son didactisme habituel, le lecteur se trouve ici profondément dépaysé. De fait, *Voyage au centre de la Terre* apparaît comme un roman tournant résolument le dos à la rationalité scientifique. Malgré les thèses de Poisson et d'autres « véritables savants », évoquées par Lidenbrock pour nier l'état de fusion interne du globe terrestre, celle-ci ne fait guère de doute dès avant 1864. Axel lui-même refusera jusqu'au bout d'adhérer aux conceptions de son oncle. Tout en s'avouant étonné par ce qu'il a vu et éprouvé, il affirme encore après son aventure : « En dépit de ce que j'ai vu, je crois et je croirai toujours à la chaleur centrale. »

Le personnage du savant, tel que l'incarne Lidenbrock, ne fait rien pour lever cette ambiguïté. Son caractère est excentrique, emporté. Il manifeste dans tous ses actes et dans toutes ses convictions une évidente démesure. On est frappé par sa naïveté, quand il s'engage dans la quête la plus insensée sur la foi d'un manuscrit aux origines incertaines. Il fait rire jusqu'à ses proches par ses défauts de

langue. Suprême dérision, même la célébrité que lui vaudront ses exploits se trouvera ternie par la proposition de M. Barnum : « "L'exhiber" à un très haut prix dans les États de l'Union· » Autant de traits qui lui confèrent un aspect plus caricatural que crédible. D'ailleurs, il ne parvient ni à déchiffrer la signification du grimoire, révélée accidentellement à Axel, ni à expliquer le dérèglement de la boussole, lui aussi compris par son neveu. De plus, en voulant démentir la science moderne par l'alchimie médiévale, Lidenbrock se comporte avec une inconséquence choquante, aux yeux du scientisme positiviste du XIXᵉ siècle.

D'ailleurs, quel savoir tirer d'une telle équipée ? Aucune leçon de géographie amusante, ici. Les héros peuvent bien s'entretenir parfois de géologie ou de paléontologie, c'est toujours à la limite du rêve que leur discours les entraîne. Le monde qu'ils décrivent reste jusque dans sa substance plus imaginaire que réel. Comment analyser avec réalisme une nature surnaturelle ? « Je croyais assister, remarque Axel, dans quelque planète lointaine, Uranus ou Neptune, à des phénomènes dont ma nature "terrestrielle" n'avait pas conscience. »

En fait, s'agissant de l'exploration d'un non-lieu, on doit se demander si l'ailleurs visité ne représente pas davantage le temps qu'un espace. Toute l'errance des trois personnages paraît en effet marquée d'une sorte de rétrogradation générale. Elle leur permet ainsi de revenir aux temps préhistoriques, aux âges primitifs. Leur voyage les entraîne au plus profond des strates géologiques, aux origines obscures du Cosmos : « Les siècles s'écoulent comme des jours ! Je remonte la série des transformations terrestres. » Cette régression s'accompagne même d'un retour de l'individu sur lui-même, avant son existence, d'une redécouverte de l'état fœtal. L'immense caverne envahie par les eaux sur lesquelles ils naviguent, matrice gigantesque d'une vie toujours renouvelée depuis l'aube des temps, en est l'image la plus saisissante. En donnant leurs noms aux éléments de ce monde secret – « Port-Graüben », « îlot Axel » –, les héros semblent soucieux d'enraciner leur identité au cœur de ces ténèbres originelles. Ils gagnent ainsi le droit de renaître, comme paraît le figurer l'éruption qui les ramène au jour, accouchement symbolique par lequel ils sont rendus à la réalité.

L'aventure aura en fait correspondu à la durée d'une maturation nécessaire pour Axel, qui décrit au début du roman son « caractère un peu indécis ». L'œuvre acquiert par là une dimension initiatique que d'aucuns n'hésiteraient pas à faire valoir par rapport à l'écrivain lui-même. Pour Mireille Gouaux-Coutrix, en transposant à travers la symbolique du récit les problèmes de son vécu et de son art, le romancier fait l'expérience de soi : « Désormais Verne, comme Axel, possède l'instrument de son équilibre et de son épanouissement. Il est le détenteur d'une science secrète, non point celle de la révolution technologique, ni celle de la pierre philosophale ; mais bien plutôt celle des sources profondes où vient s'alimenter la créativité dont l'écriture jaillit : il est le maître du signifiant » (« *Voyage au centre de la Terre » comme autoanalyse*). À quoi servent les atlas et les dictionnaires pour nommer des choses qui n'existeraient pas si le poète ne les avait pas dites ? Pourtant, les dire suffit à les créer. Propriété de l'écrivain, le langage est sans doute plus vaste que l'univers connu par la science. Narrateur de l'expédition, Axel s'y affirme comme le plus grand découvreur. C'est lui, par exemple, qui trouve le poignard abandonné par Arne Saknussemm, et qui, malgré les doutes qui le tenaillent, fournit sans arrêt de nouveaux motifs pour aller plus loin : « Un feu intérieur se ranima dans ma poitrine ! J'oubliais tout, et les dangers du voyage, et les périls du retour. Ce qu'un autre avait fait, je voulais le faire aussi, et rien de ce qui était humain ne me paraissait impossible ! » Ce « feu intérieur » auquel il croit sans le rencontrer dans la nature, c'est dans son cœur qu'il en voit l'évidence.

Dès lors, la contradiction apparente entre rêve et réalité peut se résoudre : « – C'est merveilleux ! », s'exclame Axel. « – Non, c'est naturel », lui répond Lidenbrock. Leur débat n'a pas lieu d'être si l'on suppose que l'imaginaire est un détour nécessaire pour parvenir plus sûrement au réel. Nous ne pouvons prendre pied dans l'existence qu'au terme d'un chemin passant obligatoirement par le mythe et sur lequel un père charnel ou légendaire nous a forcément précédés.

● « GF », 1977 (p.p. S. Vierne) ; « Presses Pocket », 1991 (p.p. J.-P. Goldenstein). ➤ *Œuvres*, Éd. Rencontre, II ; *id.*, « Le Livre de Poche », VIII.

D. GIOVACCHINI

VOYAGE AUTOUR DE MA CHAMBRE. Récit de Xavier de **Maistre** (1763-1852), publié sans nom d'auteur et avec d'énigmatiques initiales à « Turin » [en réalité Lausanne] en 1794.

Reprenant la veine badine du célèbre *Voyage sentimental* de Sterne (1786), Xavier de Maistre, alors officier dans l'armée sarde, mit à profit les arrêts de rigueur à la suite d'un duel en 1787 pour composer ce texte qui inspirera à son tour Alphonse Karr, dont le *Voyage autour de mon jardin* (1854), simple et plaisante causerie horticole, ne lui empruntera que la légèreté, sans la mélancolie propre au thème de l'émigré.

Voyage autour de ma chambre. Organisé en 42 courts chapitres correspondant aux jours où l'auteur, qui conserve Joannetti, son domestique, est consigné dans sa chambre, le récit dispose les rêveries qui occupent les heures vides de sa détention. Après la description de la chambre, cette « contrée délicieuse », et l'apologie du voyage dans un espace confiné, érigé en « système », vient le souvenir amoureux déclenché par le portrait de Mme de Haucastel, qui mêlera aux échappées imaginaires les prestiges d'une histoire d'amour récurrente. Ainsi l'évocation de certain tertre gravi ensemble réduit-elle le chapitre 12 à ces mots : « le tertre » ; ainsi le chapitre 39 restitue-t-il un dialogue. C'est ensuite une série de méditations provoquées par la contemplation des peintures et gravures ornant les murs de la pièce. Les petits faits de la vie quotidienne rythment les chapitres ; quand arrive la libération, tout redevient normal. Le héros aura cependant appris comment s'évader, tout en comprenant que « la solitude ressemble à la mort ».

Ce voyage immobile dans vingt pieds carrés nous entraîne dans des excursions rêvées, mais où tout l'appareil du voyage est convoqué, l'auteur mimant son périple (latitude et longitude, habit de circonstance...). Meubles, bibelots, tableaux et estampes, souvenirs de lectures, de rencontres, d'événements, de paysages, moments du jour, avec une attention particulière à l'atmosphère vespérale sont autant de prétextes à la divagation. Si l'auteur s'efforce de maintenir un ton plaisant, signe de distinction, une tristesse mélancolique s'empare parfois de lui : « Je m'étais promis de ne laisser voir dans ce livre que la face riante de mon âme ; mais ce projet m'a échappé comme tant d'autres » (chap. 22). Les jouissances évoquées et les souvenirs toujours vivants dans la mémoire l'éloignent toutefois d'un trop sombre désespoir.

Sensibilité empreinte du XVIIIe siècle finissant, grâce sans coquetterie, mélancolie sans éclat et tristesse proche du romantisme à venir : une tradition critique célèbre à l'envi ces qualités évidentes. Le contexte révolutionnaire, au moment de la publication de l'ouvrage, confère cependant à la nostalgie du pays natal, à l'évasion dans l'imaginaire, à l'oscillation entre euphorie et mélancolie des résonances spécifiques. Si la chambre devient tout un univers, le divertissement prend une tonalité ambiguë par l'évocation du temps présent, comme si le rêveur, dont le « cœur éprouve une satisfaction inexprimable [lorsqu'il] pense au nombre infini de malheureux auxquels [il] offre une ressource assurée contre l'ennui, et un adoucissement aux

maux qu'ils endurent » (1), se comportait comme ces émigrés dont parlera Mme de Souza dans *Eugénie et Mathilde* (1811) : « Ne possédant rien à eux, ils apprirent comme le pauvre, à faire leur délassement d'une promenade, leur récompense d'un beau jour, enfin à jouir des biens accordés à tous. »

Teinté d'humour et d'ironie, ce *Voyage* sédentaire sollicite souvent la complicité du lecteur. Privilégiant un ton enjoué et dégagé, se donnant comme entreprise de consolation, le texte se révèle célébration de la liberté : « Ils m'ont défendu de parcourir une ville, un point ; mais ils m'ont laissé l'univers entier : l'immensité et l'éternité sont à mes ordres » (42). Il définit également une singularité, exacerbée par la solitude. Le sujet s'éprouve, s'analyse, explore les recoins de son moi, suit les méandres de sa personnalité. L'épreuve de l'enfermement ne donne pas lieu aux développements qu'un romantique n'eût pas manqué de composer, mais elle révèle la dualité de l'être, pris entre le regret des jouissances imaginaires et l'attirance pour la vie réelle. Pourtant, est-il encore du repos sur cette « triste terre » (23) ?

Xavier de Maistre écrira une suite, *Expédition nocturne autour de ma chambre*, publiée à Paris chez Dufré en 1825, rédigée rue de la Providence à Turin et à Saint-Pétersbourg.

Expédition nocturne autour de ma chambre. Nous sommes en 1798, dans une autre chambre, ermitage occupé volontairement cette fois, et les 39 chapitres du récit se peuplent d'événements ; chaque objet rappelle quelques épisodes de sa vie à l'auteur, qui, emporté par sa rêverie, manque de se rompre le cou en tombant de sa fenêtre. Alertée par le vacarme, une voisine dépêche son mari sur les lieux de l'accident, mais le narrateur, sain et sauf, déclame des vers ! Celui-ci reprend le fil de ses rêveries, sur le bord de sa fenêtre, et contemple les étoiles, quand la pantoufle d'une autre voisine, fort jolie, imprime un nouveau cours à ses pensées et à ses « dissertations ». Les douze coups de minuit sonnent et une voix virile se fait entendre ; c'est alors que la rêverie doit prendre fin.

Drôlerie, vivacité, distance encore plus affirmée : la manière de Xavier de Maistre offre ici l'une de ses meilleures productions, plus dramatisée que dans le *Voyage*.

● Plasma, 1981 ; Genève, Slatkine, 1984 ; José Corti, 1984 ; Plan-de-la-Tour, Éd. d'Aujourd'hui, 1984. *Expédition nocturne autour de ma chambre*, Le Castor astral, 1991.

G. GENGEMBRE

VOYAGE AUTOUR DU MONDE par la frégate du roi « la Boudeuse » et la flûte « l'Étoile » en 1766, 1767, 1768 et 1769. Récit de Louis Antoine de **Bougainville** (1729-1811), publié à Paris chez Saillant et Nyon en 1771. Réédition augmentée en 1772.

Chargé par Louis XV de restituer les Malouines aux Espagnols puis de traverser la mer du Sud pour établir un comptoir près de la côte de Chine, en prenant sur sa route connaissance et possession des terres inconnues du Pacifique utiles au commerce et à la navigation (avec pour mission particulière d'en ramener « matériaux riches » et « épiceries »), l'officier de marine Bougainville fit le tour du monde entre 1766 et 1769 et publia à son retour le récit de son périple. Si le bilan politique, économique et scientifique de l'expédition fut plutôt négatif, la « découverte » par ce voyageur philosophe de Tahiti (en fait, Wallis y était passé quelques mois auparavant) fut déterminante : le récit émerveillé que lui et ses compagnons firent de l'hospitalité, de la liberté sexuelle et de la félicité des Tahitiens alimenta le mythe philosophique du bon sauvage et contribua à la formation d'images fantasmatiques encore vivaces aujourd'hui.

Partie de Nantes le 15 novembre 1766, la *Boudeuse* parvient le 31 janvier suivant à Montevideo, où l'attendent les frégates espagnoles destinées à prendre possession des Malouines. Elles appareillent ensemble de Montevideo le 28 février pour ces îles, qui sont remises à l'Espagne le 1er avril. L'*Étoile*, partie de Rochefort le 1er février 1767, rejoint la *Boudeuse* en juin à Rio de Janeiro, qu'elles quittent rapidement, malgré ses richesses minières, en raison des mauvais procédés du vice-roi. Suit une digression sur les missions des jésuites en Amérique méridionale. Naviguant jusqu'au détroit de Magellan, les Français entrent le 8 décembre en contact avec les fameux géants Patagons ; ils ne sortent du détroit, le 26 janvier 1768, qu'au prix de multiples difficultés. Leur arrivée, le 6 avril, à Tahiti les dédommage de leurs efforts : « Partout nous voyions régner l'hospitalité, le repos, une joie douce et toutes les apparences du bonheur. » Huit jours plus tard, ils quittent l'île, après des adieux déchirants, en emmenant avec eux le jeune Aotourou. Vient ici une description enthousiaste de l'île et des mœurs tahitiennes. Étant passés en vue de nombreuses îles, examinées avec soin, les Français débarquent aux Grandes-Cyclades le 21 mai, en Nouvelle-Irlande le 6 juillet, aux Moluques le 2 septembre, à Batavia le 28, à l'île de France (actuelle île Maurice) le 8 novembre, non sans subir çà et là les attaques d'insulaires, une disette, une tempête, un tremblement de terre, des maladies. Ils se livrent malgré tout à des observations astronomiques, géographiques, ethnographiques, notamment au cap de Bonne-Espérance (8-17 janvier 1769). La *Boudeuse* rejoint enfin Saint-Malo le 16 mars (l'*Étoile* rentrera en France le 14 avril), après avoir longé la côté africaine.

L'extraordinaire succès du *Voyage autour du monde* s'explique sans doute par la personnalité de son auteur, que l'on peut qualifier d'homme des Lumières. Diderot dira de lui, dans le *Supplément au Voyage de Bougainville*, qu'il a « de la philosophie » et tout donne à penser que Bougainville se voulut l'un de ces voyageurs philosophes que J.-J. Rousseau appelait de ses vœux, pour l'instruction de ses contemporains, dans le *Discours sur l'origine et les fondements de l'inégalité*. Ce marin, en effet, est aussi un savant, qui a su s'entourer de compagnons éclairés, tel le naturaliste Commerson, disciple de Buffon, et manifeste dans son approche des contrées visitées un esprit positif. Rejetant violemment dans son « Discours préliminaire » les élucubrations de « cette classe d'écrivains paresseux et superbes qui, dans les ombres de leur cabinet, philosophent à perte de vue sur le monde et ses habitants et soumettent impérieusement la nature à leurs imaginations », il se propose d'observer avec le plus grande exactitude les êtres et les choses. Il décrit ainsi avec technicité les embarcations des insulaires, évite de mêler des traits moraux à la description de leur comportement et plus d'une fois substitue au merveilleux un regard scientifique, comme dans l'entrevue avec ces géants mythiques qu'étaient alors pour beaucoup les Patagons.

Toutefois, nourri de culture classique, il ne peut s'empêcher de chercher par le vaste monde cette Arcadie dont rêvent ses contemporains, en ce siècle où l'on a fait naître l'idée de bonheur. Il la trouve tout naturellement à Tahiti, qui allie les douceurs du climat et les beautés du paysage aux mœurs les plus aimables. Mais, s'il cède sur le moment, comme en témoigne son *Journal*, à l'éblouissement océanien, il prend soin dans le *Voyage* de nuancer son compte rendu, en notant par exemple ce qu'a d'illusoire l'apparente égalité des conditions dans la société tahitienne ou en signalant la pratique en son sein des sacrifices humains.

Les efforts de Bougainville furent, au moins au début, mal récompensés, au point qu'il se serait ironiquement exclamé à son retour, dans les salons parisiens : « Eh bien, je mets aussi l'espoir de ma renommée dans une fleur ! » (la bougainvillée). On lui reprocha même d'avoir arraché Aotourou à son île bienheureuse (celui-ci devait hélas mourir de la variole lors de son voyage de retour). Mais, si la société philosophique se montra, jusqu'au *Supplément* de Diderot, plutôt réticente, le grand public s'enthousiasma immédiatement pour ce récit de voyage qui rompait, par la clarté et l'aisance de son style, avec les récits des missionnaires et des marchands. Quoi qu'il en soit, le voyage de Bougainville fit des émules (tel le *Supplément au voyage de M. de Bougainville ou Journal d'un voyage fait par MM. Banks et Solender en 1768, 1769, 1770 et 1771*) et suscita, avec celui de Cook, toute une littérature

d'inspiration océanienne (La Dixmerie, Taitbout, Grasset de Saint-Sauveur...). Le Tahitien prit le relais du sauvage américain comme instrument critique de la civilisation occidentale : l'Orou de Diderot peut être considéré, par bien des côtés, comme le successeur de l'Adario de La Hontan (voir *Dialogues curieux*).

● Maspero / La Découverte, 1980 (p.p. L. Constant) ; « Folio », 1982 (p.p. J. Proust).

S. ALBERTAN-COPPOLA

VOYAGE D'URIEN (le). Roman d'André **Gide** (1869-1951), publié partiellement (« Voyage sur l'océan pathétique » et « Voyage vers une mer glaciale ») à Liège dans *la Wallonie* de mai à juin 1892, et en volume à Paris à la Librairie de l'Art indépendant en 1893.

Le Voyage d'Urien est une œuvre de jeunesse, écrite dans une période de grande tension : « Je m'exaspère sur une besogne très ardue et que je crains absurde d'avance », écrit André Gide à Paul Valéry le 25 juillet 1892. Dans sa « Préface pour une seconde édition du *Voyage d'Urien* » (qui accompagne l'édition de 1896), l'auteur éclaire en ces termes le sens de l'ouvrage : « L'émotion centrale de ce livre n'est point une émotion particulière ; c'est celle même que nous donna le rêve de la vie, depuis la naissance étonnée jusqu'à la mort non convaincue ; et mes marins sans caractère tour à tour deviennent ou l'humanité tout entière, ou se réduisent à moi-même. »

Première partie. « Prélude ». Urien, le narrateur, embarque avec ses « compagnons de pèlerinage » pour une destination inconnue. N'ayant « plus foi dans l'étude », « las de la pensée », les jeunes gens sont en quête d'action et cherchent à se forger de « glorieuses destinées ». Au fil de leur navigation ou de leurs brèves escales, ils connaissent diverses aventures mais aucune ne répond encore à leur attente. Leur navire, l'*Orion*, aborde finalement l'île de la reine Haïatalnefus, dont le palais est exclusivement peuplé de femmes ; les matelots et nombre de compagnons d'Urien cèdent à leurs charmes. La peste décime nombre des habitants de l'île. Seuls douze membres de l'expédition, parmi lesquels se trouve Urien, parviennent à se sauver.
Deuxième partie. « La Mer des Sargasses ». Les survivants voguent longtemps sur une mer désespérément étale puis sur un « fleuve d'ennui » où le vaisseau menace de « s'enliser dans la vase ». L'équipage atteint enfin « une terre boréale ».
Troisième partie. « Voyage sur une mer glaciale ». L'embarcation des jeunes gens se dirige alors vers le pôle. Elle s'enfonce de plus en plus à l'intérieur des glaces et toute possibilité de retour en arrière est désormais exclue. Épuisés, les voyageurs atteignent enfin le terme de leur voyage.
L'ouvrage se termine par un "Envoi" versifié.

Le Voyage d'Urien se présente comme un récit symbolique et comme un roman d'analyse qui, à travers la description variée et nuancée des paysages, montre et décrypte l'« émotion » humaine : « Cette émotion [...] je ne l'ai point décrite en elle-même, trop abstraite qu'elle était, [...] je ne l'ai point soumise à tels faits qui l'eussent motivée, ainsi que d'autres ont coutume de le faire dans leurs romans, [...] pour la montrer, je l'ai mise en des paysages » (« Préface pour une seconde édition du *Voyage d'Urien* »). L'écriture invite ainsi à retrouver de multiples correspondances entre le décor et l'intériorité des personnages, le paysage extérieur étant l'équivalent d'un paysage intérieur. Une description de fruits, par exemple, peut manifester le caractère violent, malfaisant, voire dégradant du plaisir sexuel : « Ils rapportaient d'admirables fruits écarlates, saignant comme des blessures, et des gâteaux de farines inconnues [...]. Nous comprîmes qu'ils avaient été auprès des femmes du rivage. » Ailleurs, le calme désespéré d'une eau glauque qui ressemble à un marécage représente l'horrible désœuvrement : « L'ennui ! pourquoi le dire ! Qui ne l'a pas connu ne le comprendra pas ; qui l'a connu demande à s'en distraire. L'ennui ! ». À travers un foisonnement d'images polymorphes, parfois précieuses, le texte s'échappe souvent vers la poésie.

Récit initiatique, *le Voyage d'Urien* n'est pas sans rappeler *les Aventures d'Arthur Gordon Pym* d'Edgar Poe. Au terme d'une série d'épreuves et grâce à la constance de leur ascèse, Urien et ses compagnons, dans un univers polaire pur et redoutable, atteignent enfin l'ultime révélation : « Nous sentions que nous étions arrivés presque à la fin de notre voyage ; pourtant nous nous sentions encore assez de force pour gravir la muraille gelée, nous doutant bien que le but était derrière, mais ne sachant pas ce qu'il était. » Or le terme de ce périple, qui fait coïncider la découverte du sens et la mort des personnages, s'avère décevant : « Si nous avions su d'abord que c'était cela que nous étions venus voir, peut-être ne serions-nous pas mis en route. »

Aporétique et pessimiste, *le Voyage d'Urien* s'achève sur l'exaltation de l'illusion, fruit de l'humaine cécité, et du rêve, plus « sûr » peut-être que la réalité et l'action : « Et nous étant encore agenouillés, nous avons cherché sur l'eau noire le reflet du ciel que Je rêve », telle est la dernière phrase du récit.

● *Romans, Récits et Soties [...]*, « Pléiade ».

A. SCHWEIGER

VOYAGE DE CHARLEMAGNE À JÉRUSALEM ET CONSTANTINOPLE. Chanson de geste anonyme formée de 870 alexandrins assonancés et à la datation incertaine (vraisemblablement entre le milieu du XIᵉ siècle et le début du XIIᵉ siècle), également intitulée *Pèlerinage de Charlemagne*.

Scène du couple impérial à Saint-Denis : « Madame, connaissez-vous quelqu'un qui porte l'épée et la couronne aussi bien que moi ? » Réponse : « J'en sais un à qui la couronne va encore mieux. » Vite consciente de ce qu'elle risque de déchaîner, l'impératrice a beau vanter la supériorité de son mari aux armes, elle est sommée de dire à qui elle pensait : c'est le roi Hugues, de Constantinople. Aussitôt, Charlemagne, ses douze pairs et un millier de chevaliers partent pour voir de près ce qu'il en est. Après un séjour de quatre mois à Jérusalem qu'ils quittent avec des reliques, les Français parviennent à Constantinople : ils y trouvent le roi Hugues sur sa charrue sertie d'or, qui, pour eux, interrompt sa journée de labour et les accueille somptueusement dans son palais aux artifices extraordinaires. Après manger et surtout boire, les Français s'adonnent tour à tour à des « gabs » [plaisanteries tenant du pari et de la vantardise] : Roland se fait fort d'ébranler tout le palais en sonnant de l'olifant et de faire choir la barbe et les moustaches du roi Hugues ; Olivier peut posséder cent fois en une nuit la fille du roi. Averti et indigné, celui-ci met ses hôtes au défi d'exécuter leurs paris. Avec l'aide de Dieu, pour la plupart, les « gabs » sont accomplis, Hugues se soumet de lui-même et, lorsqu'enfin les deux rois portent ensemble la couronne, les Français voient bien que leur reine avait parlé comme folle.

Il est exceptionnel dans la littérature épique qu'une expédition en Orient soit motivée par la légèreté d'un propos féminin et n'ait guère d'autre objet apparent que la curiosité masculine de découvrir un rival en élégance royale : ce qui a beaucoup fait parler de plagiat, de parodie, de décadence. Mais, au milieu de bouffonneries en tous genres, émergent deux figures – pour Charlemagne, celle d'un roi guerrier à la supériorité incontestable, celle d'un roi laboureur pour Hugues – qui ont autorisé une autre lecture : ce que, déjà chef militaire et religieux, Charlemagne va chercher en Orient, outre la réunion jamais négligeable (et objet de toutes les nostalgies) des deux couronnes du monde connu, ce serait la fonction incarnée par le labour, la troisième de la classification de Georges Dumézil, soit la plénitude du pouvoir humain.

Bien qu'il ne semble y avoir eu qu'un seul manuscrit pour transmettre le récit de cette expédition parfois burlesque, le souvenir semble encore gardé de nos jours, dans des spectacles populaires, de deux couronnes se promenant dans un cloître oriental à leurs hauteurs respectives.

Dans ce *Voyage*, la fille du roi Hugues préserve son honneur – comme celui d'Olivier – en mentant à son père sur les prouesses du Français ; une autre version de l'épisode sera proposée par une suite tardive : la chanson de *Galien le Restoré* (début du XIVᵉ siècle), qui donne un fils, Galien, à Olivier et à la fille du roi ; ce fils a juré très tôt de réunir ses parents, et parti à la recherche de son père, il ne le retrouvera qu'à Roncevaux, mourant ; Galien participe à la victoire avant de revenir en Orient où il reçoit la couronne impériale, restaurant ainsi (d'où son surnom) son honneur et celui de sa mère, comme celui de son lignage paternel. Cette chanson, dont une première forme, perdue depuis, a dû exister au début du XIIIᵉ siècle, a été remaniée en alexandrins au début du XIVᵉ siècle et matériellement intégrée dans une réécriture de *Girart de Vienne* (dite parfois *Girart de Vienne amplifié*, et moins justement *Garin de Monglane* ou *Geste de Monglane*). Des liens artificiels ont été ainsi créés avec la geste de Guillaume (voir cycle de **Guillaume d'Orange*), pour un texte qui, en fait, additionne les données du *Voyage de Charlemagne* et de la **Chanson de Roland*. *Galien* a vite connu un très grand succès et plusieurs versions en ont été faites, dont l'une, souvent éditée et rééditée, en prolongera la tradition jusqu'au XVIIIᵉ voire au XIXᵉ siècle.

● Genève, Droz, 1965 (p.p. P. Aebischer) ; Bologne, Biblioteca degli Studi mediolatini e volgari, 1965 (p.p. G. Favati) ; Birmingham, 1984 (p.p. J.-L. Picherit) ; Gand, Ktêmata, 1978 (trad. M. Tyssens).

N. ANDRIEUX-REIX

VOYAGE DE GÊNES (le). Poème de Jean des Mares ou Des Marets dit **Marot** (vers 1450-1526), publié à Paris chez Geoffroy Tory en 1532.

À titre de chroniqueur officiel, Jean Marot accompagna le roi Louis XII dans l'expédition qu'il mena contre les Gênois qui s'étaient rebellés contre l'autorité française, et en rapporta les épisodes marquants dans ce poème (écrit en 1507 et publié par les soins de Clément, fils du poète) de plus de 1 300 vers, alternant avec des passages en prose.

Pour « émouvoir la guerre » au territoire de Gênes, Mars envoie Ignorance régner parmi les hommes. Gênes, aveuglée, exhorte Peuple, Marchandise et Noblesse à combattre l'autorité du roi de France. La place du Castellat tombe, celle de Saint-François est menacée et attend l'aide du roi. Il vole au secours des assiégés, marchant de victoire en victoire. Les Gênois se rendent. Il ne reste qu'à chanter le triomphe royal et les cérémonies du voyage de retour. Honte, puis le vieillard Désespoir assaillent Gênes, mais Raison la rassure : Louis XII sera pour elle le meilleur des protecteurs. La ville vaincue quitte son habit de deuil et revêt les couleurs de la France, en rendant grâces à Dieu.

Le Voyage de Gênes présente toutes les caractéristiques de la poésie officielle des Grands Rhétoriqueurs. Pour faire du poème le théâtre où éclate la gloire royale, le chroniqueur recourt à tous procédés qui donneront vie et lustre à la narration : références antiquisantes, mais aussi allégorie et prosopopée, figures nobles par excellence et susceptibles de fixer dans l'esprit du lecteur la mémoire de l'événement ; descriptions minutieuses qui donnent à voir la pompe du triomphe, ou à entendre le fracas des batailles. Le roi est le héros du poème. Il intervient avec la puissance de la foudre pour rétablir l'ordre dans un univers ravagé par la guerre et la folie – dont le signe éminent est la cruauté anthropophage de ceux qui « non assouviz, comme inhumains pervers / Des corps pour lors gisant envers / Les cueurs mangerent ». Figure de lumière et de vérité qui triomphe des désastres engendrés par Ignorance, le roi est tout à la fois le bras du Souverain Monarque (c'est pourquoi « de France partiront les espées / Et les lances permises par Dieu »), et le « bon pasteur » qui, châtiant les orgueilleux, spectres de Lucifer, empêche que leur soient fermées les portes du royaume éternel. Gênes, acquise aux arguments de Raison et convaincue que « toute misere procede de péché », peut alors chanter : « Ô roy Louys, quel bruit, honneur et gloire / Te sera fait en cronique et histoire / D'avoir fait humble moy, Genes, la superbe. »

● Genève, Droz, 1974 (p.p. G. Trisolini).

M.-C. GOMEZ-GÉRAUD

VOYAGE DE MONSIEUR PERRICHON (le). Comédie en quatre actes et en prose d'Eugène **Labiche** (1815-1888) et Édouard **Martin** (1828-1866), créée à Paris au théâtre du Gymnase le 10 septembre 1860, et publiée à Paris chez Bourdilliat la même année.

La gare de Lyon, à Paris. Le riche Perrichon, carrossier retiré des affaires, a décidé d'emmener à Chamouny (l'actuel Chamonix) sa femme et sa fille Henriette. Départ laborieux sous les yeux de Daniel et d'Armand, tous deux épris d'Henriette. Assiste aussi à la scène Majorin, petit employé envieux, venu, lui, emprunter de l'argent à Perrichon. Dans le même convoi prend place le commandant Mathieu, désireux d'oublier une cocotte qui le ruine. Daniel et Armand décident de suivre la famille Perrichon et de se livrer une « lutte loyale et amicale » (Acte I).

Une auberge de montagne, près de la mer de Glace. Daniel et Armand devisent en attendant leurs compagnons de voyage. Parti en éclaireur, Armand revient avec un Perrichon décomposé qu'il a tiré d'une crevasse, mais dont la reconnaissance se mue bientôt en agacement contre son sauveur – ce que Daniel constate avec satisfaction. Perrichon et Daniel reprennent seuls l'excursion, alors qu'arrive le commandant, qui corrige ironiquement sur le « livre des voyageurs » la graphie incertaine (« Que l'homme est petit quand on le contemple du haut de la *mère* de Glace ») du carrossier. Celui-ci, tout glorieux, ramène Daniel qu'il croit avoir « sauvé » (en fait, le jeune homme s'est laissé volontairement glisser dans un trou), et qui, du coup, prend l'avantage sur Armand (Acte II).

Chez les Perrichon, à Paris. Perrichon préfère toujours Daniel, qui flatte sa vanité, au point de vouloir l'imposer à Henriette. Nouveau coup de maître : Daniel fait publier dans un journal l'« exploit » de Perrichon ! Mais ce dernier a besoin d'Armand pour éviter un procès : match nul. Survient le commandant, auquel Perrichon avait vertement répliqué sur le livre de l'auberge. Un duel est décidé, que chacun de son côté, Daniel, Perrichon lui-même et Mme Perrichon s'emploient à empêcher en prévenant la police, afin qu'elle puisse interpeller les duellistes en flagrant délit (Acte III).

Le lendemain, avant d'aller « se battre », Perrichon fanfaronne devant ses témoins, Daniel et Majorin. Erreur psychologique d'Armand : croyant lui aussi se rendre utile, il a fait arrêter le commandant pour banqueroute, et prive ainsi Perrichon du bénéfice de sa mise en scène. Coup de théâtre : le commandant apparaît ! Mais l'heure prévue pour le duel est maintenant passée, la police sera partie... et Perrichon doit se résoudre à faire des excuses. Fureur contre Armand (« Assez de services ! »), lequel est pourtant réconforté par les doux aveux d'Henriette. Daniel triomphant confie sa méthode et sa philosophie à Armand. Mais Perrichon ayant tout entendu comprend que Daniel s'est joué de lui et accorde sa fille à Armand (Acte IV).

Comme Molière, Labiche a compris qu'une vérité humaine intemporelle, *a fortiori* s'il s'agit d'un paradoxe – « Les hommes ne s'attachent point à nous en raison des services que nous leur rendons, mais en raison de ceux qu'ils nous rendent » (IV, 8) –, n'est convaincante qu'à condition de revêtir les figures et les conduites d'une époque. Pas de Tartuffe sans dévots louisquatorziens, pas de Perrichon sans bourgeois du second Empire, ces rentiers dans la force de l'âge, à la fois fiers de leur réussite, incapables d'assumer l'oisiveté qu'ils ont durement conquise, et cherchant maladroitement une image d'eux-mêmes digne de leur nouvelle fortune. Resté, dans l'âme, un producteur – non plus de biens, mais de phrases : « Adieu, France, reine des nations » (I, 8) –, le rentier, puisqu'il a renoncé à « avoir » davantage, tente par conséquent d'« être » un autre : un conquérant, voire un héros de la montagne, un duelliste... Dangereux voyage qui le met, lui et sa famille, à la merci des intrigants,

des douaniers et des commandants de zouaves, bref de tous ceux qu'il eût évités en demeurant tranquillement à sa place. Ce voyage, la langue bourgeoise qui permet de sauver la face dans des situations humiliantes (« Je n'aime pas à verser le sang », IV, 5) ou de se glorifier des comportements les plus mesquins (« Vous me devez tout, je ne l'oublierai jamais », II, 10), le maintient pourtant toujours dans le champ de la comédie.

Telle est la leçon, sans doute peu exaltante, que Labiche adresse à ses congénères saisis par la bougeotte, que celle-ci soit géographique (voir *la *Cagnotte*, 1864) ou sociale (*la *Poudre aux yeux*, 1861 ; *Un mari qui lance sa femme*, 1864, etc.). Heureusement, la maîtrise du dramaturge, la subtilité du portrait sauvent la pièce de tout moralisme simpliste à la manière de Dumas fils ou d'Augier. Car l'auteur sait, en son héros « insupportable de vanité bête » (Zola), coupler de façon inattendue deux caractères dont la mise en œuvre alternée rythme la pièce comme le va-et-vient d'une machine à vapeur, et permet de plaisantes symétries : Perrichon est en effet, à la fois, le Bienfaisant – mais pratiquée ainsi, cette vertu devient un vice, l'expression d'une insupportable volonté de puissance –, et l'Ingrat – mais ce vice est aussi le contrepoint d'une formidable énergie vitale : « Non, monsieur, on ne me domine pas, moi ! Assez de services ! » (IV, 6). Autour de ce point focal gravitent les autres personnages, actualisant diverses modalités du « perrichonisme » (Majorin, Perrichon pauvre ; le commandant, Perrichon amoureux tout surpris que ses « bontés » dispendieuses ne lui ramènent pas la volage Anita), ou se situant par rapport à lui, soit pour en profiter (Daniel) soit pour en figurer l'antithèse, bougonne (Mme Perrichon) ou naïve (Armand, Henriette). La loi de comportement incarnée par Perrichon dépasse ainsi sa seule personne, pour devenir le principe d'unité d'une pièce dont le dénouement miraculeux confirme le jugement de Zola sur un écrivain qui a « excellé dans ce tour fantaisiste donné aux réalités les plus déplaisantes ».

● Comédie-Française, 1982 ; « Le Livre de Poche », 1987 (préf. B. Dort, p.p. Y. Mancel). ➤ *Œuvres complètes*, Club de l'honnête homme, V ; *Théâtre*, « Bouquins », I ; *id.*, « Classiques Garnier », II.

J.-P. DE BEAUMARCHAIS

VOYAGE DE SAINT BRENDAN (le). Récit en vers de **Benedeit** (ou Benoît), composé au début du XIIe siècle et formé de 1834 octosyllabes.

Ce récit est présenté comme la traduction d'un texte latin, la *Navigatio sancti Brendani*, qui connut un succès considérable dès le IXe ou Xe siècle dans toute l'Europe et dont il nous reste une centaine de manuscrits et autant d'adaptations en toutes langues. La plus réussie, et la plus célèbre, est celle de Benedeit, un clerc qui vécut peut-être en Angleterre à l'époque d'Henri Ier. Six manuscrits du XIIe et du XIIIe siècle ont conservé son *Voyage*, qui compte parmi les plus anciens textes en français, ou plus exactement en anglo-normand, ce dialecte de l'ouest de la France et de l'Angleterre qui fut la langue des grands textes du XIIe siècle.

La *Navigatio sancti Brendani* fait partie des écrits hagiographiques autour de Brendan, un abbé irlandais du VIe siècle fondateur de nombreux monastères, devenu après sa mort une figure de voyageur légendaire. Sa navigation fantastique à la recherche du paradis terrestre trouve son modèle aussi bien dans l'*Odyssée* que dans les *immramas* irlandais (« navigations » vers un lieu paradisiaque, comme celles de Bran ou de Maelduin). Mais c'est dans le contexte du monachisme irlandais que la légende de Brendan, au croisement de traditions païennes et chrétiennes, put prendre forme. La vitalité et l'esprit d'aventure des moines irlandais les poussèrent, en effet, du IVe au IXe siècle, à explorer toujours de nouveaux rivages jusqu'en

Islande, voire jusqu'en Amérique, quatre siècles avant les Vikings. Certains ont voulu situer le paradis de Brendan vers Saint-Domingue ou Cuba, d'autres dans les îles Canaries ou les Açores...

Le voyage du célèbre abbé reste, cependant, avant tout, un récit merveilleux où réalités vécues et imaginaires se mêlent en un dosage subtil pour rendre compte d'une expérience mystique.

Le Voyage de saint Brendan. Brendan, abbé irlandais de noble origine, est pris du désir de voir le « séjour des justes » et l'enfer des impies. Ayant consulté un moine, Barint, qui, avec son filleul Mernoc, avait accosté sur une île proche du paradis, il choisit quatorze de ses moines et fait construire un bateau sur un promontoire isolé. Après une traversée pénible, ils atteignent une île où s'élève un palais, luxueux et désert : ils y trouvent nourriture et boisson mais un moine, tenté par Satan, vole une coupe. Brendan le confesse et le moine meurt aussitôt. Arrive alors un messager chargé de vivres qui leur dit de garder confiance. L'arrêt suivant est une île où paissent de grasses brebis. Un nouveau messager leur désigne l'île où célébrer la fête de Pâques le surlendemain. Mais cette île est en fait une baleine, qui au moment du repas s'éloigne rapidement du bateau : les moines le regagnent à la nage. La troisième île est peuplée d'oiseaux qui sont des anges déchus. Dans une autre, Brendan et les siens sont reçus dans une abbaye fondée par un ermite, Ailbe : Dieu y pourvoit au bien-être des moines qui vivent sans souci. Dans une dernière île, l'eau d'une source fait perdre connaissance aux moines pendant trois jours. Un an s'étant écoulé, nos navigateurs célèbrent à nouveau la Pâque sur la baleine puis reviennent sur l'île aux oiseaux. Ils assistent en mer au combat de plusieurs monstres, s'approchent d'un pilier de verre qui s'élève au milieu des flots. Mais le vent les pousse vers les îles de l'enfer : du feu et des diables hideux en surgissent sans les atteindre. Ils aperçoivent enfin un homme cramponné à un récif : c'est Judas qui leur dépeint les supplices qu'il endure. Une nouvelle île leur fait connaître Paul l'Ermite, revêtu de ses seuls cheveux et nourri miraculeusement par Dieu. Pendant sept ans se succèdent les mêmes étapes jusqu'au jour où le messager les guide, vers l'est, au rivage du paradis terrestre. Mais la visite est brève : Brendan doit bientôt s'en retourner et une traversée longue de trois mois le ramène en Irlande. Là, son récit et sa vie pieuse lui permettent de convertir un grand nombre de gens.

Dans sa simplicité, le récit de Benedeit est une réussite poétique. La transparence des flots, l'éclat de la glace au soleil, la mer étale ou déchaînée, les îles verdoyantes et leurs « fjords », autant d'évocations en touches brèves d'un paysage nordique, à la fois réel et rêvé. Malgré les épreuves de la traversée, tout y respire la sérénité, l'innocence, une confiance inébranlable dans la protection divine. Les monstres entraperçus se détruisent mutuellement ou sont retenus par le charme des chants religieux. Les diables se tiennent à distance et les tourments de Judas excitent la pitié et les larmes : « C'est le monde vu à travers le cristal d'une conscience sans tache » (E. Renan, *Essais de morale et de critique*, 1889). Les catégories morales y sont claires et le récit, où domine la figure du cercle, progresse en répétant les mêmes épisodes – les mêmes stations – sur la voie d'une ascèse et d'une purification toujours plus grandes. Un tel récit se fonde, en effet, sur une géographie mythique du monde où ici-bas et au-delà sont en continuité spatiale. Saint Brendan songe à atteindre le paradis terrestre – et non céleste –, celui d'où Adam fut chassé et qui est « quelque part », tout près de ces « îles fortunées » dont rêvent les Celtes. Les îles sont autant de préfigurations partielles d'un paradis conçu comme un pays de cocagne : lieux d'abondance, où le corps trouve plénitude et satisfaction, tandis que beauté et richesse appartiennent au minéral (ainsi le palais inhabité, l'« iceberg » et son autel d'émeraude, de sardoine et de calcédoine) ; car la pierre précieuse renvoie à l'essence des choses, et le voyage de Brendan le conduit à retrouver son être propre et celui de l'univers, à remonter la chaîne des temps. La Pâque, célébrée chaque année sur la baleine, « poisson créé avant tous les autres animaux marins » (v. 477-478) renoue avec l'origine du monde. La navigation apparaît ainsi comme une plongée dans l'eau originelle. Aussi le thème du temps revêt-il une grande importance : aux temps cosmique et symbolique (présence obsédante de la symbolique des nombres : 7 ans, 14 moines, 3 jours de jeûne ou de séjour...), se superpose le temps liturgique avec la célébration scrupuleuse des fêtes religieuses, moments d'alliance entre les hommes et Dieu, qui permettront l'irruption de l'événement, unique, extraordinaire : la venue de vivants au paradis, rencontre de l'humain et du surnaturel, du corporel et du spirituel. Mais cette expérience reste marquée du signe de l'incomplétude : les moines ne pourront décrire leurs « visions » ni « supporter » la douceur des chants angéliques. Seul Dante saura faire de l'expérience mystique une « traversée de l'écriture » (Ph. Sollers).

Le récit de Benedeit accorde une plus large place que son modèle latin aux tourments de Judas et à l'évocation de l'enfer. Par là, il rejoint la tradition des voyages dans l'au-delà d'un « mort-vivant » qui, de la *Vision de Drycthelm* de Bède le Vénérable (VIIIe siècle) à la *Vision de Tondale* (XIIe-XIIIe siècle) et à *l'Espurgatoire saint Patrice* (fin du XIIe-début du XIIIe siècle) a forgé l'image du purgatoire. C'est avec ce dernier texte – peut-être dû à Marie de France – que le système binaire de représentation de l'au-delà, à l'œuvre dans le *Voyage de saint Brendan*, est abandonné au profit d'un lieu de « purgation » où les peines sont strictement comptabilisées selon les fautes commises jusqu'à leur expiation. Marie (?) traduit l'œuvre latine (*Tractatus de purgatorio S. Patricii*) d'un moine cistercien anglais, Henry de Saltrey, rédigée en 1190 et encore lue au XVIIe siècle.

L'Espurgatoire saint Patrice [le Purgatoire de saint Patrick]. Saint Patrick évangélise l'Irlande au Ve siècle. Ses auditeurs lui demandent de prouver l'existence de l'enfer et du paradis. Dieu lui indique dans un lieu écarté une fosse ronde qui est l'entrée du purgatoire et devient un lieu de pèlerinage. Un chevalier, Owein, entreprend la visite en vingt-quatre heures, assiste aux différents supplices des pécheurs, s'approche de l'enfer, puis pénètre dans le paradis.

Ce purgatoire, géré par les diables, apparaît bien proche de l'enfer et les âmes qui y souffrent ne sont pas assurées de traverser victorieusement leurs épreuves. Le texte, à forte coloration didactique, se gonfle de nombreux discours sur les diverses théories de l'au-delà, les moyens du salut, les devoirs des vivants à l'égard des morts, et de récits secondaires ou *exempla* (histoires du moine ravi dans l'au-delà, du prêtre tenté, de l'ermite voyant) destinés à illustrer le propos principal et à renforcer son caractère édifiant.

Enfin Antoine de La Sale, au XVe siècle (1444), rassemblant des traditions livresques et folkloriques, écrit une dernière version, ambiguë, fantastique, de ces voyages.

Son **Paradis de la reine Sibylle**, premier volet d'un triptyque, s'inscrit dans une géographie sacrée qui se déploie entre enfer et paradis terrestre (**les Trois Parties du monde**). Trois bouches d'enfer – le lac de Pilate, la grotte de la Sibylle et les volcans des îles Lipari – s'ouvrent, en Italie, sous les pas du promeneur aventureux. De façon très moderne, le narrateur se met en scène, recueillant des témoignages contradictoires, faisant lui-même une partie du chemin (**l'Excursion aux îles Lipari**), plongeant son lecteur dans le doute. Au terme d'une exploration souterraine, un chevalier aurait atteint le domaine de la Sibylle où règnent les plaisirs des sens. Libéré au bout d'un an, bourrelé de remords, il demande au pape un pardon qui tarde trop : désespéré, il disparaît définitivement dans la grotte.

Figure mythologique de prophétesse, parfois « moralisée » (voir le **Roman d'Énéas*, le Livre de la **Cité des dames*), la Sibylle, à la fois Terre mère et amante, Cybèle et Morgue la fée, cristallise ici le rêve fou, aussitôt refoulé, d'un paradis érotique, qui se situerait au-delà du Bien et du Mal.

● « 10/18 », 1984 (bilingue, p.p. I. Short, préf. B. Merrilees). *Espurgatoire saint Patrice*, Genève, Slatkine, 1974 (p.p. T. Atkinson Jenkins). *Le Paradis de la reine Sibylle*, Stock, 1983 (trad. F. Mora-Lebrun) ; *Navigation de saint Brendan à la recherche du paradis* et le *Purgatoire de saint Patrick*, « Bouquins », 1992 (*Voyages aux pays de nulle part*, p.p. F. Lacassin).

M. GALLY

VOYAGE DE SPARTE (le). Récit de Maurice **Barrès** (1862-1923), publié à Paris chez Juven en 1906.

Relatant, en 22 chapitres et un Épilogue, un itinéraire effectué en 1900 d'Athènes à Sparte – que Barrès privilégie –, l'analyste des lieux « inspirés » (voir *Greco ou le Secret de Tolède*, la *Colline inspirée*, *Amori et dolori sacrum*) ne s'approche pas sans détours de la Grèce (chap. 1-4). C'est qu'au lieu d'y trouver un écho, le moi se voit confronté à une beauté morte, une perfection indéniable, mais désormais stérile. À l'enjeu d'un enrichissement personnel se superpose la mise en question du rôle d'emblème de la Grèce pour l'Europe, Barrès condamnant, sur le plan esthétique, l'hellénisme glacé du Parnasse – et de son maître Leconte de Lisle – et sur le plan idéologique, la référence républicaine et scolaire qui animait les débats de l'époque. Impossible dans ce cas de démêler un authentique désarroi face au paysage, d'une condamnation des valeurs dont on le recouvre : sans l'éblouissement final de Sparte, le lieu n'aurait pas « chanté ». Sous la délicatesse de l'écriture, le récit introduit ainsi directement à l'errance barrésienne, et à ses multiples enjeux affectifs, littéraires et politiques, qui interdisent de la prendre pour la sublimation de vacances mondaines.

● Trident, 1987. ➤ *Œuvres complètes*, Club de l'honnête homme, VII.

O. BARBARANT

VOYAGE DE VENISE (le). Poème de Jean des Mares ou des Marets, dit **Marot** (vers 1450-1526), publié à Paris chez Geoffroy Tory en 1532.

Dans cette œuvre, composée en 1509, éditée par les soins de Clément, le fils du poète, et comprenant plus de 4 000 vers, Jean Marot, qui, à titre de chroniqueur officiel, a accompagné le roi Louis XII dans sa campagne victorieuse contre la Sérénissime République, célèbre la gloire du monarque.

Dans les sphères célestes, Paix demande à Jupiter de rétablir son règne sur la terre. Elle survole les régions du monde et aperçoit, à Venise, les chimères qui règnent sur la ville : Rapine, Usure et Avarice. Aussi persuade-t-elle les princes chrétiens de restaurer à Venise le règne de Justice. Seul le roi de France entreprend de reconquérir les terres dont l'ont spolié les Vénitiens.
La suite du poème retrace l'itinéraire victorieux de Louis XII et culmine avec la description de la bataille d'Agnadel (1509). Le roi traverse en triomphateur les villes de Crémone, Brescia et Milan. Pour perpétuer le souvenir de la victoire, il fait édifier une chapelle à Agnadel, avant de rejoindre sa dame, dolente d'une si longue absence.

Dans le *Voyage de Gênes*, Jean Marot avait déjà bâti le poème à la gloire du roi sur le modèle de l'itinéraire victorieux. Il avait fait un large usage de la figure de l'allégorie et des rimes savantes, chères aux Grands Rhétoriqueurs. Dans le *Voyage de Venise*, la part octroyée à ces procédés diminue de façon notoire, et toute l'attention du poète se porte sur la personne du roi, héros de l'entreprise guerrière.
Pour faire œuvre d'éloge, le poète utilise un langage convenu, propre à dire la grandeur royale : « soleil des humains », « fléau de justice divine », Louis XII, libérateur des peuples, épouse les traits d'une figure christique qui met fin au servage de villes attendant sa venue « comme aux Limbes les Pères ». Au portrait officiel, rehaussé à l'occasion de comparaisons avec Hannibal ou Alexandre, Marot ajoute la description des vertus d'un roi aidé de la Providence, secondé par une noblesse fidèle, aimé du peu-

ple « en qui s'amour habite ». Mais, loin d'être figés dans le moule conventionnel, les traits du monarque prennent une certaine humanité quand le poète évoque le roi-soldat « tout fangeux et mouillé / Du mauvais temps, des armes travaillé », ou les larmes, les inquiétudes et les prières de la reine pendant le temps que dure l'expédition.

Ces concessions faites au pathétique n'altèrent en rien la vocation première du poème : glorifier le roi et le peuple qu'il gouverne. Dans le lustre du camp français marchant en si belle ordonnance que « c'estoit une plaisance », dans la splendeur des triomphes semblant « toute faerie », reluit de tous ses feux la grandeur de la France, appelée par le Ciel à rétablir la justice et à teindre la terre du sang des peuples sans noblesse. Le rappel de la fondation de Venise, peuplée par des ruraux puis envahie par des gens sans foi ni loi, consacre la nécessaire victoire du roi, champion d'une lutte où s'affrontent au-delà des peuples les principes absolus du Bien et du Mal.

● Genève, Droz, 1977 (p.p. G. Trisolini).

M.-C. GOMEZ-GÉRAUD

VOYAGE DU CONDOTTIERE (le). Récit en trois parties d'André **Suarès** (1868-1948), publié à Paris chez Cornély en 1910 (« Vers Venise ») et chez Émile-Paul en 1932 (« Fiorenza » et « Sienne la bien-aimée »).

Vers Venise. À trente-trois ans, Jan-Félix Caërdal, le Condottiere de la beauté, se passionne pour l'Italie. Son besoin d'action s'accomplit dans la contemplation esthétique. Musicien des âmes, il découvre dans l'art l'expression de sa double postulation pour l'héroïsme et la sainteté. Après Bâle, où Holbein trahit son athéisme accompli, Milan grouille d'une vie pleine d'énergie. Léonard de Vinci transfigure la réalité par le symbole : chez lui, la forme donne vie à l'être. Les villes italiennes expriment les passions de tout un peuple : berceau de Monteverdi, l'ardente Crémone s'enivre de mélancolie ; la chartreuse de Pavie dresse son décor compliqué ; Parme et son monotone Corrège, infidèles à l'esprit de Stendhal, et la sombre Mantoue déçoivent. Passé Vérone, emplie du souvenir de Juliette, c'est Padoue et saint Antoine, terrible ascète ; Venise arachnéenne, figure de son désir ! Plénitude de Saint-Marc ! Ravenne la Byzantine concentre des joyaux de lumière et ouvre les portiques des pins vers l'Adriatique. Franchir le Rubicon, posséder la terre... Le voyage est action, comme l'homme : saisi par une insatiable fureur de vivre, le Condottiere mène campagne dans le monde de la beauté.

Fiorenza. Gênes la magnifique, Pise l'irréelle incarnée, Lucques... Toutes ces villes s'ouvrent comme des livres merveilleux à qui connaît leur histoire. Florence inspire une émotion épurée. Que de génies ! Donatello féconde les formes, Fra Angelico invente une beauté surnaturelle, Vinci approche l'absolu, Botticelli crée des lignes exquises. Et Giotto, et Michel-Ange, éternel titan... Mais Machiavel et son naïf système, et son adulation aveugle de la Rome antique l'ennuient. Florence semble un musée, un roman où l'on cherche ses enfants ; adieu, donc. Quel mérite y aurait-il à tout admirer ?

Sienne la bien-aimée. Tous deux natifs d'Ombrie, le peintre Piero della Francesca incarne le Verbe et saint François d'Assise dispense un amour empreint d'une charité adorable. Enfin le voyageur atteint l'objet de son désir, Sienne, la parfaite, qui prend la forme de son attente. Plus ancienne que Florence dans la quête de la beauté, elle touche au sublime dans l'équilibre des proportions. Catherine s'y brûla dans une foi ardente. Guido Riccio enseigne au Condottiere l'« ardente sérénité » et l'accomplissement dans le silence : la suprême beauté naît de l'harmonie entre soi et le monde. C'est ici que la beauté comble l'attente de l'amour. En quittant Sienne, le Condottiere emporte avec lui une ville dont il ne sera jamais absent.

Le Voyage du Condottiere témoigne d'une immense culture artistique, héritée de nombreux voyages en Italie et mise au service de l'initiation à la beauté et, par voie de conséquence, à l'absolu. Le narrateur évoque la quête du condottiere moderne, double de lui-même : au travers de la contemplation passionnée des œuvres d'art, il épuise le patrimoine culturel du *quattrocento* et du *cinquecento* italiens pour aller vers la connaissance de soi. Reniant l'héritage de Rome, sa démesure vulgaire, il tente d'approcher le spirituel au travers de la sublimation des formes : l'art invente une harmonie suprême, miroir des âmes, accomplissement de l'idée. Aussi le voyage en Italie s'impose-t-il comme un prétexte à la quête de soi. Du multiple, il conviendra d'extraire l'essence de la beauté : le Condottiere la trouve à Sienne où l'esthétique renonce à toute emphase et exprime l'amour épuré de tout narcissisme. Florence, Venise, Sienne constituent la trinité secrète, les trois pôles de son désir ; il s'y promène comme il étreindrait un corps de femme et de cette union, de cette symbiose du corps et de l'esprit, naît la conviction d'une prédilection pour la cité ombrienne. Puisque les villes expriment l'âme d'une époque et d'un milieu, le choix de l'une d'elles révèle les déterminations inconscientes du héros : tel un nouveau Pâris, le Condottiere décerne le prix de la beauté à Sienne, sublimation du projet esthétique. Il y rencontre son maître le condottiere Guido Riccio, qui, aux armes préféra l'accomplissement de soi dans la passion.

Ce projet métaphysique ne peut se réaliser qu'au terme d'une investigation complète de toutes les formes d'art. Musique, poésie, architecture, sculpture, peinture : toutes les Muses sont convoquées pour retracer l'itinéraire d'une Italie transformée en un immense musée vivant. Dans un style classique qui ne répugne pas à l'exaltation mais qui sait frapper par ses formules, l'auteur explore avec minutie et exhaustivité tous les musées, toutes les églises, tous les hauts lieux touristiques pour les constituer en témoins d'une humanité pensante. Le passé s'impose comme la source d'une compréhension intime du présent ; il se confond avec lui et lui donne sa richesse, car Suarès mène de front les études de mœurs et les analyses esthétiques. Aussi, à chaque pas, les vieux murs évoquent-ils une figure disparue, des personnages historiques fixés dans l'imaginaire collectif par la légende comme saint Antoine de Padoue, saint François d'Assise, sainte Catherine de Sienne ; des artistes sublimes dont la science d'un auteur esthète restitue le visage, l'histoire et la technique, au travers d'évocations très fouillées de leurs créations... Ainsi, saisie entre son passé et son présent, l'Italie vit d'une existence à part entière sous la plume de Suarès, dont le héros de fiction incarne le conquérant des temps modernes, l'esprit à la recherche d'une beauté vivante. Il faut épuiser le champ de tous les possibles pour atteindre l'absolu. Certes, le lecteur éprouve souvent quelque lassitude, comme accablé par les descriptions incessantes des trésors italiens, et l'impression diffuse de compulser un guide touristique relevé par les notations très justes d'un exceptionnel amateur d'art. Mais, l'ensemble demeure un témoignage singulier d'un amour total pour une humanité en quête d'elle-même au travers d'un dépassement du réel. Décrivant l'Italie, Chateaubriand y projetait sa propre figure. Stendhal évoquait l'Italie qu'il rêvait. Suarès tente de convoquer toutes les figures du génie pour alimenter le feu de sa passion.

● Granit, 1985.

V. ANGLARD

VOYAGE DU JEUNE ANACHARSIS en Grèce, dans le milieu du IVe siècle avant l'ère vulgaire. Roman de l'abbé Jean-Jacques **Barthélemy** (1716-1795), publié à Paris chez de Bure en 1788.

L'abbé Jean-Jacques Barthélemy était fort savant. Numismate, historien, linguiste, connaissant à peu près tout ce qui se pouvait connaître en son temps sur le monde antique, il travailla durant trente ans au *Voyage du jeune Anacharsis*, qui recueillit un énorme succès, et connut maintes rééditions et traductions.

L'ouvrage est précédé d'une longue « Introduction au voyage de la Grèce », où toute l'histoire grecque, depuis l'« état sauvage et les colonies orientales » jusqu'à la prise d'Athènes, est retracée. Le jeune Scy-

the Anacharsis quitte son pays (chap. 1). Il traverse Byzance, Lesbos, l'Eubée, Thèbes, où il voit Épaminondas et Philippe de Macédoine (2-5). Il gagne Athènes (6-7), puis Corinthe (9). Athènes est longuement décrite : sa constitution, ses fêtes, l'éducation qu'y reçoivent les enfants (11-26). Puis c'est la Thessalie (35), l'Épire (36), l'Élide et la Messénie (38-40), la Laconie et Sparte (42-51), la légendaire Arcadie (52), l'Argolide (53). On revient à Athènes (55-59 et 65-67). On évoque les affaires de Sicile (60), les mystères d'Éleusis (68), le théâtre grec (69-71), Rhodes, Samos, Délos (73-79). Tout s'achève à Chéronée : la Grèce est vaincue, puis Alexandre succède à Philippe ; Anacharsis regagne sa Scythie natale (82).

Ce *Voyage* témoigne d'une extraordinaire érudition. À preuve toutes les notes accumulées à chaque page, qui indiquent les sources de chacun des détails de la narration, et les longues tables chronologiques, qui suivent et justifient l'ouvrage. Barthélemy a voulu tout dire sur le monde grec de 363 à 337 avant J.-C. Comme plus tard les auteurs du *Tour de France de deux enfants*, il a œuvré pour que ces connaissances fussent présentées de façon riante, englobées et entraînées dans une fiction comparable à un roman. La composition est d'ailleurs assez subtile, les passages didactiques (« la Bibliothèque d'un Athénien ») étant divisés en plusieurs morceaux isolés les uns des autres. L'auteur a choisi un Scythe, pareil aux Siamois de Dufresny, aux Persans de Montesquieu, à tous ces Hurons qui découvraient la France dans les contes des Philosophes. Il a tenté de conduire à une philosophie, proche de celle de Rousseau. Les Arcadiens sont purs et valeureux ; Anacharsis, à la fin, est écœuré de voir la liberté grecque expirer sous les coups des rois de Macédoine : « Je revins en Scythie, affirme-t-il, dépouillé des préjugés qui m'en avaient rendu le séjour odieux [...]. Dans ma jeunesse, je cherchai le bonheur chez les nations éclairées ; dans un âge plus avancé, j'ai trouvé le repos chez un peuple qui ne connaît que les biens de la nature. »

Avec toute cette science, avec ces habiletés et ces ambitions, Barthélemy nous a donné une œuvre un peu languissante. Son héros n'a guère de consistance ; il ne connaît aucune aventure personnelle ; il va d'un lieu à l'autre, comme un touriste qui aurait son guide à la main. Le style est euphonique, bien cadencé, mais il manque de couleur et de concret ; on accumule les adjectifs stéréotypés : les poètes sont « excellents », les villes « opulentes », et « riches » les moissons. Nous sommes bien loin, malgré les apparences, de la magie et de la profondeur du *Télémaque*. Il n'en reste pas moins que ce livre a beaucoup fait pour le « retour à l'antique » au temps de Louis XVI et de la Révolution, et a donné à une ou deux générations une image nouvelle de la Grèce, bien différente de celles que Ronsard, Racine ou Fénelon avaient proposées.

A. NIDERST

VOYAGE EN AMÉRIQUE. Récit de François-René, vicomte de **Chateaubriand** (1768-1848), publié à Paris chez Ladvocat en 1827.

Du mois de juillet au mois de décembre 1791, Chateaubriand séjourne en Amérique du Nord. On suppose qu'il rapporta de ce long voyage des notes d'où sortiront, pendant l'exil de l'auteur en Angleterre (1793-1800), un grand « manuscrit américain » qui donnera naissance à *Atala*, à *René*, aux *Natchez*, et à cet incongru *Voyage en Amérique*, composé d'un récit proprement dit et d'une longue partie descriptive, où Chateaubriand puise à de nombreuses sources (le *Précis de géographie universelle* de Malte-Brun ; la *Découverte des sources du Mississippi* de Beltrami, etc.). On peut comparer ce texte à celui des *Mémoires d'outre-tombe* (livres VI, VII et VIII), où on en retrouve de longs passages, dans une version remaniée et souvent abrégée.

Une importante Préface brosse toute une histoire des voyages depuis l'Antiquité jusqu'à l'époque moderne. Dans le récit qui s'ensuit,

Chateaubriand raconte sa traversée de l'Atlantique, ses premières stations sur la côte est du nouveau continent, puis son voyage à travers le pays indien jusqu'aux chutes du Niagara, et enfin décrit les régions situées entre le lac Érié et le fleuve Mississippi, ainsi que celles des Florides où manifestement il n'est pas allé. Dans la partie descriptive, qui forme la seconde moitié de l'ouvrage, l'auteur s'arrête en particulier sur l'histoire naturelle de l'Amérique, et donne une étude ethnographique détaillée des Indiens.

Parti de France dans l'intention de découvrir le passage du nord-ouest de l'Amérique, Chateaubriand a dû très vite se rendre compte de l'impossibilité de réaliser ce projet ambitieux. Cependant, son voyage avait aussi d'autres buts. Tout d'abord, celui de vivre la « liberté primitive » en contrepoint d'un monde révolutionnaire qu'il laisse derrière lui en proclamant : « Égorgez-vous pour un mot, pour un maître ; doutez de l'existence de Dieu, ou adorez-le sous des formes superstitieuses, moi j'irai errant dans mes solitudes. » Liberté et solitude s'enchaînent, faisant du *Voyage* un texte romantique où l'exploration du moi témoigne à la fois d'une quête du bonheur, de la conquête d'un ailleurs et de la situation de paria qui est celle de l'émigré, fût-il volontaire.

Mais Chateaubriand est aussi un homme du XVIIIᵉ siècle, et l'autre but du voyage est bien la nouvelle « terre de liberté » qui correspond à son goût d'indépendance. La jeune république américaine n'est peut-être pas la société idéale, si l'on s'en tient au rôle qu'y jouent l'intérêt individuel et l'argent ; mais la liberté sur laquelle elle est fondée peut remplacer celle que les Indiens sont en train de perdre. Il reste que Chateaubriand dégage de ses expériences de voyageur une image assez idéalisée, parfois romanesque, de la société indienne et de la nature américaine, où il cherche surtout une vie conforme à la « condition naturelle » de l'homme. Comme il enregistre et décrit ce que les autres ont vu, et qu'il n'a pas toujours vu lui-même, ce *Voyage* synthétise expérience personnelle et culture livresque, mêlant inextricablement le réel et le mythe.

● Klincksieck, STFM, 2 vol., 1955 (p.p. R. Switzer). ➤ *Œuvres romanesques et Voyages*, « Pléiade », I.

H. P. LUND

VOYAGE EN ESPAGNE. Récit de Théophile **Gautier** (1811-1872), publié à Paris en feuilleton dans *la Presse* en 1840, et en volume sous le titre *Tra los montes* chez Magen en 1843.

Hugo, Mérimée, Musset avaient fait de l'Espagne un élément obligé du paysage romantique, où se mêlaient passion et couleur locale. Gautier se lance donc sans tergiverser dans l'aventure quand Eugène Piot, voyageur, archéologue et acheteur de curiosités, lui propose de l'accompagner dans sa quête d'œuvres d'art, à l'intérieur d'une Espagne en proie depuis six ans à la guerre civile. Le profit escompté ne se réalisa pas et Gautier s'endetta même lourdement, ce qui le contraignit à des travaux de journalisme pendant presque toute sa vie.

Ce *Voyage en Espagne*, situé entre mai et octobre 1840, qui commence avant le passage de la frontière et qui conduit l'auteur de Burgos à Valence en passant par Madrid et les villes andalouses (Grenade, Séville, Jerez et Cadix), est placé sous le double signe de la déception et de l'émerveillement. Le narrateur se plaint en effet de perdre ses illusions au contact de la réalité, avec un humour constant qui corrige les faiblesses (longueurs, redites) de l'œuvre. Où se trouve donc, gémit-il, le rêve conventionnel, mais si merveilleux, construit par le romantisme des aînés ? Plus de costume national à Madrid ! plus de belles épées à Tolède ! plus de fastes religieux... Il ne reste qu'à se faire tailler un costume de *majo* pour rêver un peu. Même le type espagnol n'existe pas vraiment. Pourtant le dépaysement se produit bel et bien, mais

jamais là où on l'attend : il surgit au détour d'un paysage et dans mille particularités de la vie quotidienne (d'où un éloge amusé de la sieste). La curiosité, toujours en éveil, se fait parfois faussement ingénue, car le Parisien joue aussi à s'étonner. Si le narrateur compatit (devant de pauvres soldats, par exemple), tremble (tant de bandits sillonnent les routes !), juge (la politique a détruit l'art), il se veut essentiellement regard, attaché à l'ensemble comme aux détails (l'architecture des monuments), émerveillé devant le simple contour d'une cruche parfaite (on peut songer déjà à *Émaux et Camées*). L'œil du peintre s'allie toujours à celui du poète.

Gautier, injuste, partial, excessif, comme dans *les Grotesques*, et tout aussi brillant, tisse de superbes transpositions d'art qu'il reprendra en vers dans les meilleurs poèmes d'*España* (publiée chez Charpentier en 1845, à la fin des *Poésies complètes*) qu'il consacre à Vélasquez, à Goya, à Ribera ou à Valdés Leal, peintres qu'il ne fait pas véritablement connaître en France (des travaux ont paru quelques années auparavant, et une exposition de peinture espagnole fit grand bruit en 1838), mais qu'il sait imposer.

● « Folio », 1981 (p.p. P. Berthier, avec *España*) ; « GF », 1981 (p.p. J.-Cl. Berchet). ➤ *Œuvres complètes*, Slatkine, I ; *Poésies complètes*, Nizet, II.

F. COURT-PEREZ

VOYAGE EN GRANDE GARABAGNE. Voir AILLEURS, d'H. Michaux.

VOYAGE EN ICARIE. Ouvrage d'Étienne **Cabet** (1788-1856), publié à Paris chez Mallet en 1840.

Texte majeur de Cabet, théoricien du socialisme utopique, ce *Voyage* met en forme une doctrine communiste qui séduira de nombreux disciples. Certains fonderont une Icarie au Texas, puis, après l'échec de cette tentative, recommenceront dans l'Illinois. Lié par toutes ses fibres au rêve icarien (son dernier ouvrage s'intitule *Adresse du fondateur d'Icarie*), Cabet mourra à Saint-Louis (Missouri) au milieu d'un dernier carré de fidèles, au terme d'un processus classique : intronisation, purges, scissions et dissidences, bannissements, « décabétisation ».

Précédé d'une Préface situant l'entreprise dans la continuité de l'esprit de réforme, de progrès et dans la « doctrine de l'Égalité et de la Fraternité ou de la Démocratie », et suivi d'une très précise et remarquable Table alphabétique et analytique des matières, le *Voyage en Icarie* s'organise en trois parties. La première (« Voyage - Récit - Description ») reprend le code du récit de voyage imaginaire et, par l'entremise d'une fiction – le récit fait à l'auteur de son périple par un certain lord Carisdall –, décrit par le menu en 42 chapitres l'organisation de la société utopique, située probablement sous des cieux méditerranéens. La deuxième (« Établissement de la communauté - Régime transitoire - Discussion - Objections - Réfutation des objections - Histoire – Opinions des philosophes ») relate en 19 chapitres l'histoire de la fondation et du développement de l'Icarie, tout en exposant les principes philosophiques et politiques qui en déterminent le fonctionnement. S'y ajoute une prospective embrassant l'histoire des idées orientée selon l'axe de la notion de communauté et l'histoire de l'humanité. La dernière (« Résumé de la doctrine ou des principes de la communauté ») expose en un chapitre unique sous forme de catéchisme le socialisme utopique de Cabet.

République socialement et sexuellement égalitaire, l'Icarie n'accueille que des voyageurs résolus à adopter sans réserve les principes de la sagesse icarienne. Tout y est gratuit, la propriété privée absente, la langue parfaitement rationnelle (c'est d'abord pour elle que lord Carisdall désire se rendre en Icarie) ; l'éducation forme la base du système, la publicité des débats du gouvernement représentatif est totale, et la production – tant agricole qu'industrielle –, communautaire. Icara, la capitale, pur rêve architectural, dispose les activités économiques à la périphérie et les habitants au centre. Chaque maison, pourvue d'un jardin, est confiée à ses occupants qui la tiennent propre par devoir social. Ni adultère, ni intolérance, ni intérêt matériel : toutes les sources de conflit sont donc éliminées. « Tout le monde est ouvrier national et travaille pour la république. »

Roman philosophico-politique, le *Voyage*, censé avoir eu lieu de 1835 à 1837, n'utilise la fiction que par stratégie : « Pour faire lire ma description à toutes les classes de la société et surtout aux femmes, j'eus la hardiesse de lui donner la forme d'un roman ou d'un voyage », dira son auteur en 1845 dans *Mon credo communiste*. Cabet développe ainsi une thèse appuyée sur tous les théoriciens du progrès social, de Platon à Lamennais, en passant par Jésus-Christ, Thomas More, les Philosophes des Lumières et même... Napoléon. S'y retrouve le thème obligé de l'harmonie des bonheurs commun et individuel, idéale articulation du travail, de la famille et de la patrie, sous les auspices d'une vague religion de type saint-simonien. Terre du communisme évangélique, l'Icarie se présente à la fois comme une société étatique (prise en charge permettant la gratuité) et autogestionnaire (travail volontaire fondé sur la répartition démocratique des aptitudes et la prise en compte des exigences de la production) : elle actualise donc les principaux sujets de réflexion du socialisme en ces années décisives pour son élaboration, associant étroitement l'économie, la politique et les préoccupations sociales.

● Genève, Slatkine, 1970 (réimp. éd. 1842, préf. H. Desroche).

G. GENGEMBRE

VOYAGE EN ORIENT. Souvenirs, Impressions, Pensées et Paysages. Récit d'Alphonse de **Lamartine** (1790-1869), publié à Paris chez Gosselin en 1835.

S'inscrivant dans un genre abondamment représenté au XIXe siècle, de Chateaubriand à Loti, le texte de Lamartine relate un itinéraire spirituel entrepris après les échecs électoraux de 1831 et 1832. Ayant quitté Mâcon pour Marseille le 14 juin 1832, le poète s'embarque en juillet sur un brick nolisé avec un équipage de quinze hommes, un entourage nombreux et une abondante bibliothèque. Arrivé à Beyrouth le 6 septembre, il rend visite dans la montagne à lady Stanhope et à l'émir Béchir, part pour la Palestine le 1er octobre, ne peut rester qu'une journée (le 20) à Jérusalem en raison de la peste, revient à Beyrouth le 5 novembre. Julia, sa petite fille, dont on espérait que le climat soignerait la tuberculose, meurt le 7 décembre. En mars 1833, il se rend *via* Baalbek à Damas, et, en avril, aux Cèdres. À Jaffa, du 22 au 26 avril, alors que sa femme s'en va à Jérusalem, Lamartine écrit "Gethsémani ou la Mort de Julia", poignant poème en vingt-quatre huitains de sept alexandrins et un octosyllabe, qui figurera dans le *Voyage*. Par Rhodes et Smyrne, tous regagnent Constantinople, où l'on séjourne du 7 juin au 25 juillet, avant de revenir par Andrinople, Belgrade, Vienne et Strasbourg. Lamartine retournera en Turquie en juin 1850 pour tenter l'exploitation d'un domaine agricole dans la région de Smyrne, mais ne pourra jamais réunir les fonds nécessaires. Un *Nouveau Voyage en Orient* en résultera (en feuilleton dans *les Foyers du peuple*, puis en volume en 1851-1853).

Le séjour levantin tient une place capitale dans la vie de Lamartine. Il le ruine, mais le confirme dans l'idée qu'il se fait de sa mission spirituelle. Enfin élu à son retour, il développe ses idées politiques et sociales, orientées par ses conceptions messianiques. Il se fera même l'avocat du soutien français aux maronites et d'une politique antianglaise en Syrie, exposant ses vues dans le « Résumé politique » qui clôt le livre. À Lamartine revient sans doute le mérite d'avoir « lancé » le Grand Liban, pour en faire l'un des grands mythes français aux conséquences toujours actuelles.

Publié sous la contrainte financière, l'ouvrage se conforme aux lois du genre – descriptions, impressions, réflexions... (le sous-titre l'indique d'ailleurs clairement) –, mais témoigne aussi d'une attention constante aux autres, aux spécificités culturelles, aux formes de la sociabilité. Ouvrage humaniste autant que pittoresque ou spirituel, le *Voyage* se distingue de ses prédécesseurs (en particulier l'**Itinéraire de Paris à Jérusalem* de Chateaubriand) en ce qu'il met en forme une authentique découverte d'un Orient enfin vu au-delà des références culturelles obligées. Là réside le principal intérêt de ce texte trop ignoré. Malgré son ampleur (plus de mille pages), nonobstant l'inévitable pose du poète romantique voyageur contemplant la mer, le désert ("le Désert ou l'Immatérialité de Dieu", publié dans le *Cours familier de littérature* en 1856, fut sans doute composé à cette époque), la Terre sainte..., et déployant méditations ou vues cosmiques, le *Voyage* combine, avec bonheur souvent, vision poétique et observation.

Quoique présenté comme un simple ensemble de notes (dans l'Avertissement), le livre apparaît à la fois comme journal d'une traversée, relation de la vie de voyage, récit de rencontres, album de panoramas, pèlerinage au berceau du christianisme – rendu tragique par la mort de la petite Julia –, tableau ethnographique, historique, politique et culturel des contrées visitées : tous tableaux représentés selon les codes d'une imagerie romantique et composant une esthétique où ruines, exotisme, couleurs et lumière se trouvent naturellement réunis. La description prend en charge lieux, gens et coutumes, rendant compte des « images enchantées » qu'ils suscitent.

Quête de l'origine, où thèmes familiaux et affectifs se mêlent aux effluves spirituels, le voyage aboutit au silence devant le mystère divin : « Le silence est une belle poésie dans certains moments. L'esprit l'entend et Dieu la comprend : c'est assez » (« Gethsémani »), après avoir permis d'accéder à une compréhension intime et ineffable de Dieu : « Une grande lumière de raison et de conviction se répandit dans mon intelligence, et sépara plus clairement le jour des ténèbres, les erreurs des vérités » (« le Saint Sépulcre »).

Le poète est chez lui en Orient, non seulement parce que ses familiers l'accompagnent, mais surtout grâce à l'harmonie, propice au recueillement, instaurée entre sa sensibilité, son imaginaire et la réalité contemplée. De plus, ces terres restées proches des origines mythiques de la civilisation flattent son goût pour l'ordre naturel de la société et son idéologie patriarcale. Sa mission s'en trouve encore mieux définie : « Tant qu'un nouveau rayon ne descendra pas sur la ténébreuse humanité de nos temps, les lyres resteront muettes, et l'homme passera en silence entre deux abîmes de doute, sans avoir ni aimé, ni prié, ni chanté ! » (« Jérusalem »).

● Plan-de-la-Tour, Éd. d'Aujourd'hui, 1978 (réimp. éd. 1855) ; « Bouquins », 1985 (*le Voyage en Orient*, anthologie p.p. J.-Cl. Berchet ; larges extraits).

G. GENGEMBRE

VOYAGE EN ORIENT. Récit de Gérard de **Nerval**, pseudonyme de Gérard Labrunie (1808-1855), publié à Paris chez Charpentier en 1851. De nombreuses prépublications de fragments avaient vu le jour dans diverses revues depuis 1844.

La genèse du texte remonte à 1840, année où Nerval donne, dans *la Presse*, des « Lettres de voyage » racontant son trajet de Paris à Vienne (1839-1840). Le périple oriental proprement dit n'aura lieu qu'en 1843 – et ne passera pas par Vienne, mais par Marseille. Les textes se rapportant à ce voyage paraissent à partir de 1844 dans *l'Artiste*, commençant par la visite fictive à l'île grecque de Cythère-Cérigo, et se poursuivent jusqu'en 1847 dans la *Revue des Deux Mondes* avec le séjour en Égypte et au Liban. En 1847 et 1848 paraissent deux volumes de *Scènes de la vie orientale* (à Paris chez Sartorius). D'autres publications, dans *la Silhouette* et *le National* (1849-1850) établissent la structure fondamentale du *Voyage en Orient* en intégrant les deux voyages, de Vienne et d'Orient, dans un seul récit qui, avec les *Scènes* de 1847-1848, aboutira au texte définitif de 1851.

Le genre du récit pose problème : sont racontés les séjours réels de Nerval en Autriche (le texte se rattache ici à l'épisode de **Pandora*), en Égypte, au Liban et à Constantinople, mais l'itinéraire Paris-Vienne-Le Caire est une fiction, comme le sont la descente à Cythère ou les excursions en Syrie. Non seulement Nerval « construit » ainsi un voyage, mais encore il remplit le texte d'informations tirées de ses lectures, et joint, au récit « réel », des histoires « fictives » ouvrant, à côté de la dimension spatiale du voyage, une dimension temporelle qui plonge narrateur et lecteur dans le passé.

L'idée de la dernière de ces histoires, celle de « la Reine du Matin et de Soliman, prince des Génies », remonte à la jeunesse de Gérard (voir **Petits Châteaux de Bohême*). Jules Barbier s'inspira plus tard du texte de Nerval pour son livret d'opéra *la Reine de Saba* (musique de Gounod, 1862).

« Introduction. Vers l'Orient ». Prenant la route de Genève et de Munich, le voyageur arrive dans la capitale autrichienne, où il vit ses « Amours de Vienne » avec Katty et Vhahby (voir aussi *Pandora*). Son voyage continue par Trieste, la mer Adriatique et l'archipel grec, où il s'arrête à l'île de Cythère et nous rappelle l'histoire des amours de Polyphile et de Polia.
« Les Femmes du Caire ». Le séjour en Égypte permet au voyageur de découvrir la vie des musulmans, notamment celle des femmes, initiation doublée par une visite aux pyramides. Il s'achète une esclave, la Javanaise Zeynab, qui l'accompagne jusqu'au Liban.
« Druses et maronites ». Installé, à Beyrouth, chez les maronites chrétiens, le voyageur tombe amoureux d'une jeune fille druse, Salèma, dont le père, un cheik emprisonné, lui raconte les origines de la religion des Druses et l'« Histoire du calife Hakem » qui s'éprit de sa sœur Sétalmulc et fut enfermé comme fou avant d'être tué par son double Youssouf.
« Les Nuits du ramazan ». La quatrième halte du voyageur est Constantinople, qui l'enthousiasme avec ses théâtres et ses fêtes. Pendant le ramadan, il écoute un conteur narrer l'« Histoire de la reine du Matin et de Soliman, prince des Génies », qui est en fait celle d'Adoniram, l'architecte du temple de Jérusalem, des amours de ce génie avec Balkis, reine du Matin, et de sa descente au « sanctuaire du feu » chez les Caïnites. Après ce récit impressionnant, le voyageur, retournant en France par Malte, abrège son texte dont il excuse le « désordre ».

Cette disparate n'est qu'apparente. À travers les histoires insérées, auxquelles il faut ajouter celle de la descente dans la pyramide – en vérité une initiation tout orphique –, se manifeste une expérience intérieure, ordonnant, en fin de compte, tout le sens du voyage. Il est important de dégager cet ordre, car, à l'époque de la composition du *Voyage*, Gérard était sans doute soucieux de prouver qu'il avait surmonté la crise mentale qu'il traversait en 1841 et la mort de Jenny Colon (1842), actrice que, selon ses biographes, il adorait d'un amour désespéré. Quoi qu'il en soit, la femme occupe une place importante dans le *Voyage*, tant au niveau superficiel – descriptions des mœurs et des traditions orientales – qu'au niveau profond, celui des histoires mythiques. Dès lors, le texte devient la manifestation d'une quête de soi et de la femme, et l'union avec celle-ci le signe d'une harmonie originelle retrouvée.

Au premier abord, le voyage implique la découverte du réel, puisqu'on perd, « ville à ville et pays à pays, tout ce bel univers qu'on s'est créé jeune, par la lecture, par les tableaux et par les rêves ». Mais, à la place de cet univers, Nerval crée une géographie symbolique dans laquelle il retrouve ses aspirations personnelles. Déjà, l'imagination

semble exercer une influence déterminante dans les « aventures romanesques » que sont ses « Amours de Vienne » ; plus tard, c'est sous le signe du rêve que l'auteur entrevoit l'amour, dans le *Songe de Polyphile* de Francesco Colonna qui « a connu la vraie Cythère [l'île de Vénus] pour ne l'avoir point visitée et le véritable amour pour en avoir repoussé l'image mortelle ». Nerval emprunte la voie de Francesco (Polyphile) et de Polia qui choisirent de vivre séparés pour être unis après la mort, sublimant ainsi leur amour. Quant à ses fantasmes personnels, il les projette dans les différentes déesses, et souvent, par syncrétisme religieux, Vénus apparaît sous les traits d'Isis (voir « Isis », dans *les *Filles du Feu*). C'est de cette façon que, dans l'histoire racontée par le guide de la pyramide, la « froide statue » s'anime pour l'initié-Orphée et prend les traits de la femme qu'il aime...

Le passage décisif dans l'univers imaginaire et mythique se fait par l'histoire de Balkis et d'Adoniram, racontée à Constantinople et résumant l'expérience du voyageur-rêveur, de sorte que l'imaginaire finit par prendre la place du réel, la profondeur celle de la surface. Car Adoniram, cet enfant du feu, est de la lignée des Caïnites et des persécutés, génies souterrains et maîtres du feu ; sa descente aux Enfers est bien la descente de Nerval lui-même qui, lors de son périple en Méditerranée, se prend pour Ulysse et Énée, autres explorateurs du monde des Ombres. Son union avec Balkis pourrait sembler assurée, s'il n'était pas trahi par ses compagnons, enfants du limon, persécuteurs du génie. Aux deux élus, Adoniram et Balkis, ne restent que la mort et l'errance sur la terre.

La place de cette histoire mythique à la fin du *Voyage* révèle tout le sens de l'exploration de Nerval : le voyage en Orient est une initiation à ses propres secrets, en même temps que la douloureuse découverte de sa déchirure intérieure. C'est ainsi que la femme imaginaire peut prendre la forme des « chimères de marbre » du château de Schönbrunn à Vienne, et que la « figure céleste » de Sétalmulc, aimée par Youssouf et par le calife Hakem, son propre frère, finit par provoquer la mort de celui-ci. Partout la réalité s'oppose au rêve, et l'histoire de sa rencontre avec Salèma est exemplaire à cet égard : le mariage avec cette femme druse d'une caste sacerdotale signifierait l'union même avec la « terre maternelle » de l'Orient et les « sources vivantes de l'humanité ». Rêve voué à l'échec...

C'est pourquoi le voyage dans le monde réel – objet du récit de voyage proprement dit – est une errance : dans aucun lieu, dans aucune ville, le voyageur ne réussit à s'établir, ni à vivre heureux. On sait que l'épisode de son installation avec une femme au Caire est un détail emprunté à l'histoire d'un ami. De l'aventure avec Salèma on ne sait rien – il faut croire qu'il s'agit d'une fiction. De cette façon, le *Voyage en Orient* apparaît plutôt comme le roman d'un voyage, encadrant quelques histoires mythiques qui enchaînent le narrateur à ses rêves.

● « GF », 2 vol., 1980 (p.p. M. Jeanneret). ➤ *Œuvres complètes*, « Pléiade », II.

H. P. LUND

VOYAGES DANS LES ALPES, précédés d'un **Essai sur l'histoire naturelle des environs de Genève.** Récit d'Horace Bénédict de **Saussure** (Suisse, 1740-1799), publié à Neuchâtel chez Fauche de 1779 à 1796.

Ce neveu de Charles Bonnet fut le compagnon d'excursion du savant bernois Albrecht de Haller (1708-1778), dont les *Poésies suisses* (1732) contiennent notamment "les Alpes" (traduites en français en 1750), description des beautés de la nature montagnarde, et exaltation des vertus de l'innocence agreste. Saussure relate ici une partie de ses explorations, s'imposant comme l'un des maîtres de la littérature alpestre en ce siècle rousseauiste.

Les chapitres techniques développent de minutieuses observations informées par le savoir d'un géologue renommé, qui est à l'origine de la connaissance scientifique de la haute montagne, et dont trente années d'excursions et d'ascensions se retrouvent ici. D'un point de vue littéraire, l'ouvrage, précédé d'un « Discours préliminaire », vaut par ses parties descriptives et narratives. Après un panorama des environs de Genève (qui occupe 20 chapitres), l'essentiel du récit relate des voyages à Chamonix et des excursions au glacier du Buet.

Outre l'intérêt géographique et historique que présente ce volumineux ouvrage, le « Discours préliminaire » pose le double problème du savant philosophe. Sitôt arrivé au faîte de son ascension, « ses yeux éblouis et attirés également de tous côtés, ne savent d'abord où se fixer » : c'est dire à la fois l'émerveillement devant l'abondance des richesses de la nature, ici saisie dans sa beauté la plus sauvage, et l'angoisse devant la difficulté de la comprendre, et, plus encore, de la décrire. En effet, l'auteur doit faire un choix « des objets qui doivent principalement l'occuper ». Mais « quelle expression pourrait exciter les sensations, et peindre les idées, dont les grands spectacles emplissent l'âme du philosophe ? ».

Saussure, en bon disciple de Rousseau, fait des Alpes la terre d'élection de l'homme et de la nature : « Si l'on peut espérer de trouver quelque part en Europe, des hommes assez civilisés pour n'être pas féroces, et assez naturels pour n'être pas corrompus, c'est dans les Alpes qu'il faut les chercher. » L'égalité et une authentique sociabilité y règnent. C'est dire que ces *Voyages dans les Alpes* sont aussi une dénonciation implicite de la dénaturation urbaine.

● Genève, Slatkine, 4 vol., 1978 (préf. Y. Ballu).

G. GENGEMBRE

VOYAGES DE CYRUS (les), avec un discours sur la mythologie et une lettre de Nicolas Fréret. Roman d'Andrew Michael Ramsay, dit le chevalier de **Ramsay** (1686-1743), publié à Paris chez Quillau fils en 1727.

De même que Fénelon écrivit son *Télémaque* pour combler en quelque sorte les lacunes de l'*Odyssée*, Ramsay conçut son ouvrage comme un complément de la *Cyropédie*. Xénophon, dit-il, « ne parle point [...] de tout ce qui est arrivé à Cyrus depuis sa seizième jusqu'à sa quarantième année ».

L'ouvrage commence par une description de la cour de Cyrus. Sa mère Mandane lui conte l'« Histoire de Logis et de Seges ». Il gagne la cour d'Hystage, qui lui narre les « Amours de Stryangée et de Zarine ». Il s'y marie, après maintes traverses, avec Cassandane (livre 1). Il part ensuite pour l'école des Mages, près du golfe Persique, et y apprend l'« Histoire de Zoroastre et de Zélime, reine de Lycie ». Il s'y instruit dans la science de Zoroastre et la doctrine des gymnosophistes. Son épouse meurt, lui laissant deux fils et deux filles (2). Partant pour l'Égypte, il rencontre en Arabie Aménophis : il écoute son histoire. L'auteur décrit l'Égypte et explique la mythologie. Cyrus gagne ensuite la Grèce : Chilon lui enseigne les mœurs et les lois de Lacédémone. Il part pour Corinthe et écoute l'« Histoire du roi Periandre, de la reine Melisse et de son fils Lycophron » (4). Puis il séjourne à Athènes : Solon lui apprend la constitution de la ville, Pisistrate lui raconte son histoire ; ensuite en Crète, il s'initie aux lois de Minos et à la science de Pythagore (5). À Cnossos, capitale de la Crète, il rencontre Pythagore lui-même, qui lui explique la doctrine d'Orphée, et il discute longuement avec Araspe du génie des Grecs et des Égyptiens (6). Arrivé à Tyr, il écoute Aménophis lui narrer l'« Histoire d'Arobal ». Il revient en Perse, où meurt sa mère Mandane, y retrouve Cambyse et son autoritaire ministre Sorane ; une sédition éclate, qui est matée (7). Suit la description magnifique de Babylone, où Cyrus est parvenu. Eleazar lui explique la démence de Nabuchodonosor. Il s'instruit de la doctrine des Hébreux, il voit le prophète Daniel ; devenu maître de tout l'Orient, il rétablit les Juifs (8).

Ramsay se targuait de rigueur scientifique et de méticulosité historique. Il cite ses sources. Il joint à son ouvrage une lettre du savant Fréret qui le félicite de son exactitude chronologique et de sa fidélité à Hérodote, à Ctésias, à Xénophon. L'auteur prétend écrire « en style d'historien plutôt que de poète » et proposer, dans une trame romanesque, de savantes leçons sur la religion, les mœurs, la politique des Égyptiens, des Grecs, des Phéniciens, des Babyloniens. Ce qui annoncerait l'entreprise de l'abbé Barthélemy dans le *Voyage du jeune Anacharsis*.

En fait, bien plus que son successeur, Ramsay demeure fidèle aux *topoi* des grands romans. Madeleine de Scudéry (qu'il ne cite pas dans sa Préface) n'avait-elle pas écrit le *Grand Cyrus* ? comme elle, comme Gomberville, comme Héliodore, il accumule les descriptions « pompeuses », les narrations « rapides », et les épisodes intercalés. Ces trois éléments se retrouvent dans chaque livre, et de façon assez monotone. La comparaison avec le *Télémaque*, que Ramsay admirait, lui est fort cruelle : il n'a su retrouver ni la complexe architecture des grandes gestes baroques, ni la magie de Fénelon ; Cyrus n'est ni un héros précieux ni le protagoniste d'un voyage initiatique, mais un prétexte à des leçons d'Histoire et de géographie.

La curiosité pour les mœurs et les croyances antiques suggère souvent une sorte de syncrétisme religieux et moral. Sans doute faut-il se souvenir que Ramsay fut un adepte de la franc-maçonnerie, et son roman prend plus d'intérêt, si l'on y reconnaît le truchement d'un message ésotérique (un peu comme dans le *Sethos* de l'abbé Terrasson).

A. NIDERST

VOYAGES DE FLANDRES, Hollande, Laponie, Suède, Danemark, Pologne et Allemagne. Voyages de Normandie et de Chaumont. Récits de Jean-François **Regnard** (1655-1709), publiés dans l'édition posthume de ses *Œuvres*, à Paris chez la Veuve Pierre Ribou en 1731.

Après son séjour en Italie et à Alger (d'où il tire *la Provençale*, 1731), Regnard décide de partir pour un grand voyage vers l'Europe du Nord, d'où il revient par la Pologne et l'Allemagne. Il a deux compagnons, Charles Auxcouteaux de Fercourt et Nicolas de Corberon. Il quitte Paris le 26 avril 1681 et y revient le 4 décembre 1682. Il renonce dès lors à ses aventures, car on ne peut considérer comme telles son court voyage en Normandie de septembre 1689, ni sa brève expédition à Chaumont (faite, sans précision d'année, au « mois de mai »).

En 1681, Regnard et ses amis partent par Gournay, Péronne, Cambrai, Valenciennes, jusque dans les Pays-Bas espagnols (Bruxelles, Malines, Anvers), et dans les Provinces-Unies, puis, par Hambourg, se rendent au Danemark et en Suède (Stockholm, Upsal). Sur une suggestion du roi Charles XII de Suède, ils décident d'aller visiter la Laponie, qui était alors une terre à peu près inconnue. Ils reviennent par Stockholm, passent par Dantzig, Varsovie, Cracovie, puis Vienne, avant de rejoindre la France.

Les récits de ces voyages furent sans doute composés par Regnard dès son retour en France. Ils témoignent d'une grande fraîcheur de sensations, et l'on peut d'abord les regarder comme une sorte de guide fort clair et souvent intéressant. L'auteur parle peu de la nature ; il donne des indications précises, mais assez succinctes, sur les villes qu'il traverse ; il évoque le gouvernement de chacun des États qu'il visite, leur souverain (qu'il s'efforce d'approcher), leur organisation politique (royauté élective et diètes de Pologne, par exemple). Il évite les « fables » que l'on rencontre trop souvent aux XVIIᵉ et XVIIIᵉ siècles dans les récits de voyages ; il est assez circonspect, apparemment objectif ; il s'efforce d'instruire ses lecteurs, et son œuvre peut sembler plus didactique que lyrique.

Deux passages sont particulièrement intéressants : la longue méditation qui clôt le voyage en Pologne, et évidemment l'expédition en Laponie. Nous voyons d'une part Regnard, assis sur les rochers qui dominent les gouffres de la mer, examiner son cœur, essayer de comprendre sa fatale inconstance et l'inquiétude qui semble attachée à la nature humaine. Nous rencontrons d'autre part une description à la fois amusée et compréhensive de ces étranges Lapons, si petits, si laids, si bizarres à certains égards, mêlant souvent l'antique idolâtrie et les pratiques magiques au christianisme qu'on leur a inculqué, vivant dans une sérénité digne des utopies, témoignant par leur robustesse et leur légèreté des bienfaits d'une existence naturelle que n'ont troublée ni les médecins ni les philosophes. Sans affadir le tableau, Regnard suggère discrètement la sagesse de ces sauvages, et peut-être leur supériorité sur notre civilisation si orgueilleuse et si fertile en poisons.

Le voyage en Normandie n'est qu'une plaisanterie mêlée de prose et de vers, présentée comme une « Lettre à Artémise ». La forme est celle de la *Relation d'un voyage de Paris en Limousin de La Fontaine et du Voyage curieux, historique et galant de Chapelle et Bachaumont (1680). Mais Regnard est encore plus léger que ses prédécesseurs : allusions grivoises, bachiques ou anticléricales se succèdent, dans le style à la fois burlesque et mondain qui caractérise les grandes pièces de l'auteur. Le Voyage de Chaumont n'est finalement qu'une chanson à boire, fort alerte d'ailleurs et digne d'être reprise à la fin d'une de ses comédies.

● « 10/18 », 1963 (p.p. J.-C. Lambert).

A. NIDERST

VOYAGES DE MARCO POLO (les). Récit d'Alain Grandbois (Canada/Québec, 1900-1975), publié à Montréal chez Bernard Valiquette en 1941.

En Alain Grandbois, le prosateur a trop souvent été ignoré, voire dédaigné, au profit du poète dont les *Îles de la nuit ont exercé, il est vrai, une influence considérable sur la jeune poésie québécoise d'après-guerre. Il est exact, également, que les Voyages de Marco Polo lui vaudront à leur parution quelques critiques acerbes, voire injurieuses, et ne se verront guère pris au sérieux, comme s'il n'appartenait pas à un Canadien de se pencher sur les voyages orientaux du Vénitien. Pourtant, ce livre – rédigé alors que le poète, rentré sur sa terre natale après des années d'errance de par le monde, s'est retiré à Deschambault – ne saurait sérieusement être réduit à un simple récit d'aventures, pas plus d'ailleurs qu'à un ouvrage d'érudition, tant le souffle qui le porte conduit vers la plus haute des méditations.

Originaire de Senebico, en Dalmatie, Andrea Polo s'installe à Venise alors que le doge Dandolo assure à sa ville une place prééminente en Méditerranée (chap. 1). Ses fils, Nicolò et Matteo, qui commercent dans l'empire latin d'Orient, entreprennent en 1260 d'explorer des « régions mystérieuses et lointaines » en un voyage qui les conduira jusqu'à la cour du descendant de Gengis Khan, Koubilaï (2). Celui-ci les charge d'une ambassade auprès du Souverain pontife, qu'ils ne pourront mener à bien du fait du décès de Clément IV et des intrigues qui président à l'élection de son successeur (3). Les frères Polo, amenant avec eux Marco, le fils de Nicolò, repartent cependant vers Koubilaï (4). Leur itinéraire les mène de Bagdad en Perse où ils se font attaquer, puis vers la mythique Balkh (5), vers le Pamir, le « toit du monde » (6), jusqu'à la prestigieuse Samarkand et encore vers Karakoroum, l'ancienne capitale de Gengis Khan (7), prétexte à l'évocation de sa vie (8). Les Polo, cependant, atteignent Chang-tou où séjourne Koubilaï qui les mène ensuite à Khanbalik [Pékin], sa capitale (9-11) et qui, satisfait de leurs conseils (12), confie de multiples missions à Marco, mais échoue à conquérir Zipangu, c'est-à-dire le Japon (13-15). Sonne l'heure du retour qui, par Ceylan, Madagascar, Zanzibar et Aden ramène les Polo à Constantinople, où ils apprennent la mort du chef mongol, puis à Venise (16-18). Capturé lors de la guerre qui oppose leur cité à Gênes, Marco Polo entreprend alors de rédiger le Livre des merveilles du monde qui fera sa renommée (19).

Pour écrire les Voyages de Marco Polo, Alain Grandbois s'est appuyé sur une documentation extrêmement

scrupuleuse, qui lui permet de restituer les mœurs et les coutumes des peuples visités, de préciser les descriptions des lieux traversés et de livrer de nombreuses anecdotes, sans jamais chercher explicitement à commenter : la narration se donne comme distanciée et impartiale, telle celle de l'historien ou du chroniqueur. Est-ce de cette apparence qu'est né, à l'époque de la publication, le malentendu ?

Pourtant, si Marco Polo en tant que personnage occupe si peu de place dans le récit, si celui-ci se met en abyme pour céder la place aux légendes ou aux mythes, ou se tend parfois dans un frémissement existentiel, c'est que le véritable propos de Grandbois se situe ailleurs : dans une fascination de l'espace et du voyage, qui est le propre de l'être hanté par la liberté, et d'abord par la liberté de l'esprit. « Tout cet intérêt suscité jadis par le livre de Marco Polo peut aujourd'hui nous sembler désuet. Les distances ne comptent plus. L'espace est aboli [...]. Mais la nature de l'homme demeure immuable et secrète », écrit Alain Grandbois en un Avant-propos qui livre le sens de sa démarche. Dans la confrontation à la vastitude d'un monde tour à tour rude, hostile, fantastique, ou tellement grandiose que les mots, impuissants, s'effacent devant le silence de l'éternel qui manifeste la finitude humaine, se dessine alors la voie d'une sagesse et d'une présence au monde que l'on peut nommer proprement poétique. Le prestige d'Alain Grandbois auprès des « poètes beatniks » des années soixante-dix ne tient pas à autre chose.

● Montréal, Fides, 1969.

L. PINHAS

VOYAGES DE M. LE CHEVALIER CHARDIN EN PERSE ET AUTRES LIEUX DE L'ORIENT. Récit de Jean Chardin (1643-1713), publié (première partie) sous le titre Journal du voyage du chevalier Chardin en Perse et aux Indes orientales à Londres chez Pitt en 1686, et dans son intégralité à Amsterdam chez De Lorme en 1711.

Fils d'un joaillier protestant, né à Paris, Jean Chardin est un voyageur intrépide et un commerçant hors pair. Il part à vingt et un ans pour la Perse comme marchand. Il y reste pendant treize années au cours desquelles il apprend le turc, le persan et l'arabe. La révocation de l'édit de Nantes en 1685 le contraint à l'exil définitif hors de France. Il se met alors au service du roi d'Angleterre, et s'installe à Londres, où il se marie. Sa carrière le conduit jusqu'au poste d'agent général de la Compagnie des Indes orientales. Dès leur parution, ses récits de voyage connurent un grand succès, et furent traduits en plusieurs langues, dont l'anglais, l'allemand et le hollandais.

Le récit du chevalier Chardin commence par la narration, sous forme de journal, des différentes étapes du voyage qu'il entreprit en 1671 de Paris à Ispahan. Embarqué à Livorne avec un convoi, il arrive à Smyrne après trois mois de navigation difficile. De là, sur des caïques, il gagne Constantinople, puis, par la mer Noire, la Mingrélie et la Géorgie (livre 1). Après avoir décrit les Mingréliens et donné un aperçu de leur religion, Chardin raconte sa traversée du Caucase et les grandes difficultés qu'il y rencontre, devant parfois, pour échapper aux voleurs, s'enfuir à pied, seul, dans la neige. Son itinéraire le conduit ainsi de Tiflis [aujourd'hui Tbilissi] en Géorgie, et d'Erevan en Arménie, à Tauris [Tabriz] en Perse, puis à Qom et enfin à Ispahan, où il arrive près de huit mois après avoir quitté Livorne (2-3). Le récit de voyage proprement dit cède alors la place à une description générale des mœurs et des coutumes des Persans (4), puis à deux exposés, un premier sur les arts et les sciences (5), un second sur le système politique et la manière dont le gouvernement est conduit (6). Chardin donne ensuite un aperçu de la religion du pays, en prenant soin de citer des extraits de ses textes sacrés (7). Enfin, il complète son tableau par la description de la ville d'Ispahan (8). Les deux dernières parties (9 et 10) sont consacrées à deux voyages à Bander Abassi [Bandar Abbas, sur le détroit d'Ormuz], qui donnent l'occasion à l'auteur de visiter les ruines de Persépolis.

VOYAGES ET AVENTURES DE JACQUES MASSÉ

Le chevalier Chardin est l'initiateur d'un regard nouveau sur l'Orient. S'inscrivant en faux contre la tradition des récits de voyages qui se veulent avant tout littéraires, comme par exemple *les Six Voyages de Jean-Baptiste Tavernier en Turquie, en Perse et aux Indes, pendant l'espace de quarante ans* (publiés en 1678), ou, plus tard, les *Voyages* de Jean-François Regnard (1731), Chardin se veut objectif, et s'excuse par avance dans sa Préface de la « simplicité » d'un style volontairement dépouillé. Il est « plus conforme à la raison et à l'équité de rapporter simplement et naturellement les choses, telles qu'elles [sont], écrit-il, que d'en imposer à la bonne foi du lecteur, en lui faisant des descriptions agréables, mais chimériques ». Derrière la modestie du ton, nous pouvons lire l'ambition d'un témoin attentif et scrupuleux : donner une image aussi véritable que possible de la Perse afin de la rapprocher de ses lecteurs. Au moment même où s'élabore dans l'imaginaire occidental une vision féerique et fabuleuse de l'Orient, marquée par la traduction des *Mille et Une Nuits* par Antoine Galland (publiée de 1704 à 1717), Chardin s'attache à décrire avec précision tout ce qu'il voit, à analyser et à rendre avec le plus de clarté possible tout ce qu'il parvient à saisir de cette société, essayant de ne rien concéder au mythe qui se construit. Si Galland fait rêver tout le XVIIIᵉ siècle à l'Orient, le chevalier Chardin, lui, nourrit les réflexions des Philosophes des Lumières. Son œuvre est une des principales sources de Montesquieu lorsque ce dernier écrit les *Lettres persanes* (1721), et ses *Voyages* seront, au XVIIIᵉ siècle, au centre de tous les débats sur la relativité des civilisations et des mœurs.

● *Voyage de Paris à Ispahan*, Maspero/La Découverte, 2 vol., 1983 (p.p. S. Yerasimos).

J. ROUMETTE

VOYAGES ET AVENTURES DE JACQUES MASSÉ. Roman de Simon **Tyssot de Patot** (1655-1738), publié sans nom d'auteur à La Haye entre 1714 et 1717 (l'indication « Bordeaux, 1710 » figurant sur la première édition est fictive).

D'origine protestante, né à Londres, Tyssot de Patot a passé la majeure partie de son existence en Hollande, comme professeur de mathématiques. À la suite de la publication de *Lettres choisies* (1726), il est accusé de spinozisme, et révoqué. Esprit violemment antichrétien, il est l'auteur de deux utopies : celle-ci, et *la *Vie, les Aventures et le Voyage au Groenland du révérend père cordelier Pierre de Mésange* (1720).

Le roman, écrit à la première personne, est le récit des voyages de Jacques Massé, racontés par lui-même. Jeune et brillant étudiant de dix-huit ans, il connaît le grec, le latin, la philosophie et passablement les mathématiques. Mais la mort de son père, en 1639, le contraint à interrompre ses études. Il choisit alors de devenir médecin, et se rend à Paris chez M. Rousseau, chirurgien, pour y apprendre son métier, tout en continuant à s'appliquer aux langues et aux sciences. Il a ses entrées chez le père Mersenne, lié à Descartes. Après avoir refusé de se marier, il part pour Dieppe chez un autre chirurgien, ce qui le décide à voyager. Il quitte Dieppe en mai 1643 sur un vaisseau huguenot, à bord duquel il discute longuement avec un étudiant en théologie. Mais le navire fait naufrage. Récupéré par un bateau anglais, il débarque à Lisbonne, se rend chez un troisième chirurgien, M. Du Pré, avec lequel il débat sur la véracité de la Bible et dissèque le cadavre d'un Noir qui vient de se suicider. À nouveau en mer, il fait naufrage une seconde fois sur une côte inconnue, et se joint à deux compagnons d'infortune (chap. 1-3). Ils partent à la découverte du pays, tout en s'entretenant d'astronomie, jusqu'à trouver enfin une contrée habitée (4-5). Le pays est très beau. Des bergers les introduisent auprès de sages vénérables qui leur expliquent les mœurs, les coutumes et la langue de leur peuple (6). Les chapitres suivants sont occupés par la description du royaume de Butrol, qui est gouverné avec équité et obéit aux lois de la raison, de l'ordre et de la symétrie. Les trois voyageurs rencontrent un juge, un prêtre (7), puis sont reçus à la cour où ils s'entretiennent avec le monarque (8-11). En quittant le pays, Jacques retrouve l'équipage du navire avec lequel il avait échoué sur ce continent (12). De retour à Goa, il est interrogé par l'Inquisition, réussit à lui échapper, et s'embar-

que pour Lisbonne (13-14). Pendant le voyage, son bateau est pris par les corsaires, et Jacques est vendu comme esclave (15) avant de se libérer et de rentrer à Londres (16).

« Tout ce qui ne se démontre pas m'est suspect » : ces mots, placés sous la plume du narrateur par Tyssot de Patot, résument assez le ton de l'utopie rationaliste qu'il entend développer dans les *Voyages et Aventures de Jacques Massé*. Son personnage est un libertin au sens du XVIIᵉ siècle : quelqu'un qui ne s'en laisse pas conter et demande à voir. D'ailleurs, les femmes ne l'intéressent pas, et c'est même une des causes invoquées pour justifier son départ. Tyssot de Patot conduit son personnage d'un bout à l'autre de la terre sans jamais le départir du même flegme, et du même besoin de raisonner. À Paris, il lui fait fréquenter le père Mersenne, correspondant de Descartes, pour critiquer la métaphysique de ce dernier, et reprendre les objections de Hobbes, Gassendi et Arnauld. À Lisbonne, Jacques Massé critique la Bible, ce « roman assez mal concerté » propre à impressionner les « esprits du commun ». Puis, en disséquant le cadavre d'un Noir, il constate qu'il est exactement semblable à celui d'un Blanc, sauf une membrane placée sous l'épiderme qui est cause de la noirceur de la peau. Perdu sur un continent inconnu, il disserte, tout en marchant, sur la rotation de la Terre et sur les différents modes de calcul de la parallaxe du Soleil. Le royaume utopique du Butrol est imaginé à la mesure de cet esprit fort. Le monarque se distingue des autres habitants par ses vertus et sa sagesse. Si les crimes y sont sévèrement punis, la peine de mort, toutefois, n'y existe pas, car il appartient à l'Esprit universel seul de donner et de reprendre la vie. La justice de ce pays est équitable, raisonnable, et sa religion également, fortement inspirée par les thèses de Spinoza. Dans la longue discussion avec le prêtre (chap. 7), ce dernier lui expose l'absurdité d'une religion révélée : « Comment l'Esprit universel s'abaisserait-il jusqu'au particulier ? » Tout est rationnel dans l'utopie de Tyssot de Patot, jusqu'à la langue, dont il fait un exposé détaillé au chapitre 6. Les *Voyages et Aventures de Jacques Massé* sont un modèle des systèmes que la pensée libertine est capable de développer au début du XVIIIᵉ siècle.

● Genève, Slatkine, 1979 (réimp. éd. 1710, préf. R. Trousson) ; Oxford, Voltaire Foundation, 1993 (p.p. A. Rosenberg).

J. ROUMETTE

VOYAGES ET AVENTURES DU CAPITAINE HATTERAS. Roman de Jules **Verne** (1828-1905), publié à Paris en feuilleton dans le *Magasin d'éducation et de récréation* du 20 mars 1864 au 5 décembre 1865, et en volume chez Hetzel en 1866.

Le monde des glaces et l'aventure polaire ont largement inspiré l'auteur, depuis *Un hivernage dans les glaces* (1855) jusqu'au *Pays des fourrures* (1872) et au *Sphinx des glaces* (1897). Ils constituent, il est vrai, à l'époque où ces textes sont écrits, le dernier horizon offert aux grands rêves d'exploration, dans un univers de plus en plus familier et banalisé. Mais Verne y trouve aussi matière à projeter tout un imaginaire poétique dans l'évocation d'un lieu représentant un véritable au-delà, pays interdit de la mort, de l'inhumain et de la démesure.

Première partie. « Les Anglais au pôle Nord ». Pendant l'été 1859, un étrange bateau, le *Forward*, se prépare à quitter Liverpool pour le pôle Nord. Il est commandé par Richard Shandon, secondé par James Wall et maître Johnson, deux vaillants marins, et accompagné du bon docteur Clawbonny. Ils prennent la mer le 5 avril 1860 et commencent une périlleuse navigation au milieu des glaces. Tous obéissent, en fait, aux ordres écrits d'un mystérieux personnage. On s'aperçoit qu'il s'agit du fameux et intrépide capitaine Hatteras. Embarqué sous l'apparence d'un simple matelot, il a voulu dissimuler le plus longtemps possible son identité à son équipage, de crainte de l'effrayer à cause de sa trop célèbre témérité. Il a décidé d'atteindre le pôle (chap. 1-13). Au prix d'exploits sans nombre, le *Forward* taille sa route, sur les traces des innombrables martyrs de la conquête arctique. À tout moment, la peur et l'influence néfaste de Shandon risquent de provoquer une mutinerie. Le navire est bientôt prisonnier de la banquise, forcé d'hiverner (14-24). Les privations et le froid entraînent mille maux. Seul Hatteras semble résister à tout. Faute de charbon, il faut se résoudre à brûler une partie des superstructures du brick, entraîné loin de toute base d'approvisionnement par la dérive des champs de glace. Le 6 janvier 1861, le capitaine laisse le commandement du *Forward* à Johnson et forme une expédition pour essayer de ramener du combustible. Tentative vaine : un homme meurt ; on découvre un explorateur américain, Altamont, agonisant dans les solitudes gelées ; toutes les provisions sont dévorées par les ours et les renards. Il faut donc revenir bredouille. Au retour, le navire est en flammes, incendié et déserté par les mutins. Hatteras, désormais, est sans ressources avec ses trois derniers compagnons, le docteur Clawbonny, le charpentier Bell et le fidèle Johnson, plus Altamont, presque mourant (25-32).

Deuxième partie. « Le Désert de glace ». On récupère les maigres vestiges épargnés par la destruction du *Forward*, et on rejoint plus au nord le *Porpoise*, navire d'Altamont, dont l'épave contient tout ce dont on a besoin pour survivre. Les cinq hommes se retrouvent ainsi parfaitement pourvus pour affronter les rigueurs de l'hivernage. Mais ils doivent encore combattre les ours féroces et les affres d'un climat effroyable (chap. 1-14). Seule la rivalité entre l'Américain Altamont et l'Anglais Hatteras trouble l'union de la petite communauté. Une chaloupe est construite avec les débris du *Porpoise*. Au cours d'une chasse, Altamont sauve la vie d'Hatteras. Les deux hommes deviennent les meilleurs amis du monde. Le 24 juin, tous partent en direction du nord. Ils retrouvent enfin la mer libre. Après quelques jours de navigation paisible, ils sont emportés par une tempête au cœur d'un épouvantable tourbillon. Hatteras disparaît. On le retrouve le 11 juillet, à moitié mort sur une île volcanique, marquant exactement l'emplacement du pôle. Pourtant, le hardi voyageur n'est pas encore satisfait : il veut atteindre le point mathématique où se croisent les méridiens, au sommet même du volcan. Altamont le sauve de justesse au moment où il devrait être englouti dans le cratère. Mais on s'aperçoit qu'il a perdu la raison (15-25).

Le retour est difficile. On retrouve les cadavres des mutins du *Forward*, victimes à la fois d'une nature hostile et de leurs propres errements. Le 10 septembre, un baleinier recueille les découvreurs du pôle. Dans la maison de santé où Hatteras est soigné, on remarque une curieuse manie du héros : comme mu par une force magnétique, il continue sans cesse à marcher vers le nord (26-32).

En apparence au moins, les aventures d'Hatteras ont pour cadre le monde réel, la nature, même si elles se déroulent dans les dernières *terrae incognitae* offertes aux entreprises humaines. Mais de ce fait, elles dérivent rapidement dans un univers où les symboles prennent plus d'importance que les lieux traversés. Ceux-ci, d'ailleurs, restent purement imaginaires, prétextes à une géographie subjective dans laquelle les individus projettent toutes leurs valeurs intimes sur les choses, nommant un « Altamont Harbour » ou un « mont Hatteras ». Il s'agit bien davantage, en fin de compte, d'une sorte de voyage au bout des éléments. Tout s'organise, en réalité, selon un itinéraire conduisant de la glace au feu, et à travers les péripéties qui opposent sans cesse ces deux principes conflictuels. L'incendie du *Forward* au milieu des solitudes gelées de la banquise en traduit un aspect. La traversée des pays du froid aboutissant à la découverte du volcan en éruption en révèle la signification générale. Comme dans d'autres romans de Verne, et notamment *Voyage au centre de la Terre*, il faut aller vers la vie par les chemins de la mort, glaciation et pétrification suggérant en fait les mêmes métaphores funèbres.

Tous les efforts des personnages semblent tendus vers cette alchimie salutaire, capable de substituer aux éléments mortifères ceux porteurs de chaleur et de vie. L'opération étrange du docteur Clawbonny, faisant geler du mercure, substance ambiguë entre toutes, à la fois vif-argent et mesure du froid meurtrier, pour fabriquer une balle afin de tuer un ours, en montre l'importance. De même que la fabrication d'une lentille de glace pour allumer le feu (II, 4-5). Ce feu apparaît bien comme l'acquis le plus indispensable et le plus précaire de la civilisation, transformant le héros en éternel Prométhée toujours

condamné à le reconquérir. En accentuant cette nécessité, l'aventure polaire devient sans doute la plus emblématique des quêtes verniennes.

Par rapport aux enjeux qui la sous-tendent, cependant, elle peut revêtir des apparences moins exaltantes. Aucune prouesse n'est en effet plus tributaire des chiffres et des mesures de toutes sortes. Que d'exploits pour gagner un degré de latitude vers le nord ! que de débats pour établir les températures les plus basses relevées sur Terre ! Quant aux projets de l'explorateur, ils ne se soucient guère de contrées à découvrir, de régions à connaître ni de cartes à tracer. L'espace, d'ailleurs, est vide ; il n'est qu'obstacle, distance à franchir pour atteindre non pas une terre, une étendue, mais un point parfaitement abstrait : celui où se croisent les méridiens, et qui, aux yeux d'Hatteras, a plus d'importance en lui-même que le lieu réel où il se situe. On assiste ainsi à une démarche où l'excès de logique conduit à l'absurde. Le héros méprise la nature vraie, il la parcourt en l'ignorant, seulement obsédé par le désir d'y retrouver les repères mathématiques que la science utilise pour la représenter. Son rêve prend la même raideur géométrique que sa vision des choses.

Cela n'ôte rien, il est vrai, à la dimension morale de la quête. Elle reste une épreuve initiatique dont l'évidence n'est pas contestable. D'abord en faisant apparaître une hiérarchie simple et claire entre les êtres : même les purs ne sont pas égaux. Ainsi Altamont a beau démontrer le plus indéniable courage, il doit reconnaître cependant son infériorité vis-à-vis d'Hatteras, puiqu'il n'a pas songé comme lui à atteindre « ce point inaccessible » : « je n'ai pas eu cette grande pensée qui vous a entraîné jusqu'ici. » Quant aux autres, la dureté des faits va vite faire le tri dans la médiocrité générale qui les confondait. Avant le départ, Shandon passe pour « énergique et brave », quoique d'un « caractère jaloux et difficile ». Dès que les difficultés commencent, il devient l'agent sournois et sans scrupules de la mutinerie. À l'inverse, l'obscur charpentier Bell rejoint, par sa fidélité, le panthéon des héros et mérite, à ce titre, de donner lui aussi son nom à une montagne. Comme si c'était en et sur lui-même que l'homme faisait ses principales découvertes.

La clé de cette osmose, qui parcourt tout le roman, entre le monde extérieur et le monde intérieur des personnages, se trouve sans doute ici, à l'origine de l'atmosphère fantastique qui baigne le récit. Nature et conscience semblent toujours prêtes à surenchérir sur la démesure de l'autre. Dans ce combat, l'homme n'est pas seul obligé de se surpasser. La nature elle-même paraît violer ses propres lois en les outrant sans cesse. Les phénomènes extraordinaires se multiplient, pour étonner toujours davantage les explorateurs : mirages provoqués par la réfraction des glaces, aurores boréales, feu de Saint-Elme, monstres. « Le spectacle n'était pas moins surnaturel de cet élément sillonné par des milliers de poissons [...]. Les monstres marins ne paraissaient aucunement effrayés [...] ; quelques-uns de ces habitants de la mer atteignaient de formidables proportions. » Autant de manifestations échappant aux normes mesurées et comprises par la science rassurante dont le docteur Clawbonny est le sage dépositaire. La folie devient alors la seule issue prévisible, pour le héros qui veut relever le défi d'un tel univers : en aspirant à la même démesure, il accepte par avance de renoncer aux cadres étroits de la pauvre raison.

➤ *Œuvres*, Éd. Rencontre, IV ; *id.*, « Le Livre de Poche », XIV.

D. GIOVACCHINI

VOYAGEURS DE L'IMPÉRIALE (les). Roman de Louis **Aragon** (1897-1982), publié à Paris par extraits dans *la Nouvelle Revue française* de janvier à juin 1940 (parution interrompue par l'arrivée de Drieu la Rochelle à la direction de la revue), et en volume avec d'importantes modifications de l'éditeur pour cause de censure chez Gallimard en 1942. « Première qui ait été revue par l'auteur », l'édition de 1947 (Gallimard) rétablit le manuscrit original, avant qu'Aragon ne remanie lui-même son texte pour l'édition des *Œuvres romanesques croisées* à celles d'Elsa Triolet chez Robert Laffont en 1965.

Troisième volume du cycle du « Monde réel » (voir les *Cloches de Bâle*, les *Beaux Quartiers*, *Aurélien*, les *Communistes*), ce roman connut un destin particulier : rédigés d'août 1938 à septembre 1939, les *Voyageurs de l'impériale* ont été achevés au pas de course par leur auteur, alors réfugié à l'ambassade du Chili en raison d'un éditorial dans le journal *Ce soir* prenant la défense du pacte germano-soviétique. À l'histoire mouvementée d'une rédaction (terminée, aux dires d'Aragon, à l'exacte veille de sa mobilisation...) répond celle de la publication : souhaitant continuer à faire tourner sa maison durant l'Occupation, mais refusant de « perdre du papier, en un moment où cette denrée est si précieuse » pour cause de saisie allemande, Gaston Gallimard proposa à l'auteur, dans une lettre datée du 16 avril 1941, de faire revoir son manuscrit par Jean Paulhan, en qui Aragon avait entière confiance. Mais les modifications « de contrebande » sont peu à peu devenues une véritable perversion du texte, toutes les allusions à l'affaire Dreyfus étant ou supprimées ou altérées au point qu'on pouvait imaginer Dreyfus coupable. Après avoir été soupçonné d'une attitude bien ambiguë pour qui allait devenir le poète de la Résistance (voir le *Crève-cœur*), Aragon se révèle en fait irresponsable de cette trahison du manuscrit, ses propos contradictoires à ce sujet visant bien plutôt à « couvrir » Gaston Gallimard et Jean Paulhan qu'à se justifier d'une « adaptation » dont il ne pouvait connaître l'étendue.

Première partie. Bourgeois assez fortuné par ses origines, professeur d'Histoire par sécurité, Pierre Mercadier mène une existence qu'il juge mesquine entre la médiocrité de sa femme Paulette, les « corvées » du lycée, la rancœur provinciale et un projet d'étude jamais achevée concernant John Law, l'inventeur du papier-monnaie. Sa seule aventure réside dans le jeu boursier, qui lui fait perdre une grosse somme avec Panamá (chap. 6), et il se ruinera progressivement durant toute cette première partie qui s'étend de l'Exposition universelle de 1889 à l'été de 1897. S'aigrissant peu à peu malgré son intelligence et le secours schopenhauerien de la musique que lui joue son collègue juif Meyer, Pierre croit cependant redécouvrir la vie au château délabré de la famille de sa femme (15-53), lors de vacances durant lesquelles il connaît une liaison avec Blanche Pailleron ; mais celle-ci n'avait qu'« un besoin de romance... un besoin de quelque chose en soi qui chante... » et, culpabilisée par le presque suicide de son enfant, lui prétendra qu'elle ne l'aime pas. Devenu profondément amer, et se croyant un individualiste farouche, Pierre renouera quelques semaines avec son ancienne existence, puis décidera de s'enfuir, en emportant l'argent restant de ses jeux boursiers. Alors que son lycée est à feu et à sang en raison de l'affaire Dreyfus, Pierre croise Blanche, venue lui avouer son mensonge, mais pour « être libre », il ne veut pas « retomber d'une femme à l'autre » et la repousse grossièrement. Il disparaît donc pour Venise, ayant « commis un crime » : « Il avait tué le professeur Mercadier » (54-61).

Deuxième partie. Elle rend compte de l'existence « libérée » de Mercadier : déambulations dans Venise, « grande aventure négative », assorties d'une rêverie sur l'énergie de la vraie vie devant la statue du Colleone et d'une amourette dangereuse avec une très jeune fille, Francesca Bianchi (chap. 1-7). À Monte-Carlo, il se lance dans le jeu dont il pense avoir découvert à Venise le pouvoir de dérision du réel, puis entretient une amitié virant à l'amour avec Reine Brécy, dont il croit découvrir la duplicité. À la fin de 1899, il embarque précipitamment pour l'Égypte (8-15).

Troisième partie. S'ouvrant à l'« aube du XXe siècle », elle relate la vie de Meyer, devenu père de famille et professeur à Paris. Mercadier est maintenant, pour Meyer comme pour l'intelligentsia parisienne, un personnage de légende : « Il fallait à la religion de l'individu toujours de nouvelles icônes ». Ayant ouvert en 1908 une « boîte à bachot » privée, Meyer, croisant au printemps de 1910 un Pierre Mercadier revenu ruiné de ses voyages, l'invite à enseigner et à vivre chez lui (chap. 1-4). Retour à une existence encore plus médiocre entre les discussions idéalistes des professeurs « modérés » et la seule évasion au bordel des Hirondelles, dont la vieille maquerelle, Dora, s'éprend peu à peu

d'un client si singulier (5-17). Cédant à l'insistante suggestion de Mme Meyer, Mercadier décide finalement de voir son petit-fils, en cachette de sa famille (18-19). Par l'intermédiaire de Jeannot, retour sur l'existence de la famille Mercadier depuis la fuite de Pierre (20-25) : le fils, Pascal, a épousé une amie des vacances enfantines au château, et a ouvert peu avant la mort de celle-ci une pension appelée Étoile-Famille, où vivent aussi sa mère et sa sœur. L'univers d'Étoile-Famille et celui des Hirondelles travaillent alors le récit en contrepoint : tandis que Reine Brécy entretient une liaison avec Pascal Mercadier où elle entrevoit l'image lointaine de Pierre, le vieil homme maladif qu'il est devenu s'attendrissant avec son petit-fils, confiant ses doutes à Dora. Alors que la menace de guerre commence à gronder, Pierre finit par accepter dans le désœuvrement de l'été (Jeannot est parti en vacances) une invitation de Dora pour son « secret », une maison où elle rassemble ses rêves dans la banlieue ouest (26-40). Victime d'une attaque, il finit ses jours gâteux, couvert de l'affection écœurante et tragique de la vieille maquerelle, « extraordinaire fée Carabosse de banlieue », mais à qui la démence fait reprendre le « visage céleste d'Isolde auprès de Tristan qui va mourir ». Alors que Reine s'est suicidée, Pascal, mobilisé, ne reçoit pas l'avis de décès envoyé par Dora (41-50) ; au front, « de temps en temps l'image de son père lui revenait et il haussait les épaules ». Le « temps de tous les Pierre Mercadier était définitivement révolu ».

« Pierre pensait : "Qu'ils me fichent la paix ! Je suis un individu. Tout cela ne me concerne pas. Moi d'abord. Que chacun s'aide !" » : roman d'une époque chronologiquement antérieure à celle des deux volumes précédents du « Monde réel », les *Voyageurs de l'impériale* se veulent surtout la description d'une véritable ère : l'ère des individus. À travers le personnage de Pierre Mercadier se dessinent en effet les leurres de l'égotisme fin de siècle, et par là le procès de ce qu'il faudrait appeler les « fausses stratégies de la libération ». Si Pierre échoue à réaliser une identité dont le romancier a pris soin de nous montrer cependant la richesse, c'est qu'il conçoit la personne indépendamment de toute altérité, que ce soit celle de l'amour ou celle des peuples. Dans son refus, maintes fois proclamé, de la politique, il soutient les forces qui l'oppressent : faisant de l'argent le moteur du monde, des « sentiments les billets de banque des rapports humains », il ne peut que verser au compte du monde un répugnant recroquevillement dont il est seul coupable. Ainsi l'idéologie de l'autonomie empêche-t-elle le déploiement de la spécificité ; la mauvaise foi de la notion de « personne » interdit le véritable accès au sujet. Sur ce point, l'un des sommets du roman est sans doute le chapitre 55 de la première partie, quand Pierre confronte sa rêverie du « partir pour partir » aux idées du peintre Blaise Ambérieux, frère de son épouse, qui a quitté son aristocratie natale : « Est-ce qu'on part ? On se déplace, voilà tout. » Celui dont il avait fait un mythe individualiste témoigne en fait d'un réalisme modeste (« Je crois à l'art, si bête que ça sonne [...]. Je crois que les hommes un jour seront meilleurs [...]. Je ne le verrai pas »), Blaise servant indubitablement – comme au chapitre 47, où il défend le réalisme comme un souci de l'humain : « Ils peignent la chair, des vêtements, pas des gens. J'aurais voulu peindre des gens » – de porte-parole à l'auteur. Par sa morale du mépris, le barrésisme de Mercadier ne peut que virer à l'anarchisme de droite, et ne lui offrir pour toute aventure d'une prétendue différence qu'un retour du même, mais dégradé, et qu'emblématise la vie chez les Meyer, puis, dans un effet de *crescendo*, les Hirondelles, enfin l'agonie sous l'œil fou de Dora, laquelle constitue au moins, contre l'aridité de Mercadier, le personnage tragi-comique de l'amour.

La thématique de l'individu ainsi comprise ne pouvait qu'intéresser l'ancien dandy surréaliste devenu militant communiste. À bien des égards, les *Voyageurs de l'impériale* constituent alors une nouvelle réflexion d'Aragon sur des problèmes chers à sa jeunesse : on peut y lire une sorte de second « procès Barrès » – dix-huit ans après celui que Breton lui avait intenté, où Aragon jouait le rôle de défenseur... –, enrichi du matérialisme, mais aussi une critique ironique du rimbaldisme de bazar qui régnait en 1920 comme au début du siècle. Sur ce point, la description du mythe Mercadier et de son chantre à l'ouverture de la troisième partie constitue un chef-d'œuvre d'affleurante polémique : « Un texte inachevé par-dessus le marché. Le génie de Pierre Mercadier ne fut contesté par personne »... La défense de l'amour, jusque dans le sordide de Dora, celle de la « belle ouvrage » littéraire d'un roman réaliste – et bien fini –, celle de l'engagement de l'individu dans l'histoire politique alors se rejoignent et se confondent, constituant assurément pour l'auteur un autoportrait en creux justificateur de sa propre biographie. Mais la délicatesse des moyens, la multiplicité des personnages, l'échappée du texte vers la rêverie enfantine – qui y tient une grande place par l'intermédiaire de Pascal, puis de Jeannot –, ou bien dans une description jubilatoire (telle la célèbre ouverture, fleuve ironico-lyrique peignant l'Exposition universelle) interdisent de faire des *Voyageurs de l'impériale* un roman naïvement didactique.

Qui plus est, le problème de l'individu ne représente qu'une des agrafes du texte à la biographie de son auteur, qui y a versé l'intégralité de son roman familial. Le personnage de Pierre est en effet construit en grande partie sur celui du grand-père d'Aragon, qui a lui-même abandonné les siens ; de la même manière, la pension Étoile-Famille renvoie directement à celle tenue par Marguerite Toucas-Massillon, la mère d'Aragon, tandis que les enfances de Pascal comme de Jean diffractent ce qui pourrait être, sans cet éparpillement, de très proustiennes confessions. Jouant de complexes reflets, saturés d'enjeux personnels, *les Voyageurs de l'impériale* font aussi miroir à l'époque de leur rédaction, la question de l'antisémitisme sonnant autrement au moment de l'Allemagne hitlérienne, de même que la butée finale du texte sur la guerre de 1914 (« Oui, mais Jeannot, lui, eh bien, Jeannot, il ne connaîtra pas la guerre ! [...] Pascal pendant quatre ans et trois mois a fait pour cela son devoir »), prenant une tonalité plus amère dans le contexte de 1940. Un tel système de facettes joue, non sans duplicité, jusque dans l'écriture elle-même, puisque le manuscrit de Pierre Mercadier constitue aussi l'antithèse du roman se construisant. Ainsi faut-il lire à rebours le préambule sur John Law : « Les biographies jouent pour l'esprit humain un rôle qui s'oppose à celui des romans ; et pour peu qu'on me suive, on conviendra que l'existence des biographies ressemble à une condamnation formelle de tout roman. » Bien avant le théorisation du *Mentir-vrai* ou la savante déconstruction de la *Mise à mort*, les *Voyageurs de l'impériale* tressaient le roman aragonien de façon plus discrète, et peut-être faut-il en conclure que le « réalisme » aujourd'hui allègrement désavoué requiert non des critiques un peu rapides, mais des lecteurs un peu plus vigilants.

● « Folio », 1975. ➤ *Œuvres romanesques croisées*, Laffont, XV-XVI.

O. BARBARANT

VOYEUR (le). Roman d'Alain **Robbe-Grillet** (né en 1922), publié à Paris aux Éditions de Minuit en 1955.

Deuxième roman publié par Alain Robbe-Grillet après les *Gommes*, le *Voyeur* divisa la critique. Maurice Blanchot, Roland Barthes ou Gaëtan Picon saluèrent sa nouveauté, Émile Henriot le dénonça comme une œuvre incohérente et immorale. La querelle va s'amplifier, dans les années suivantes, autour de ce qu'on appelle désormais le « Nouveau Roman ».

Première partie. Mathias, voyageur de commerce, part sur une île pour y vendre des bracelets-montres. Il loue une bicyclette et commence sa tournée. Quand une femme lui parle de sa petite fille, Jacqueline, qui garde des moutons près d'une falaise, cette allusion croise dans son esprit des images surgies depuis le départ du bateau (petite fille hypothétiquement nommée Violette dont les mains semblent attachées dans le dos, violée, puis menacée d'être brûlée vive). Changeant d'itinéraire, Mathias prend le sentier de la falaise.

Deuxième partie. On retrouve Mathias, au croisement qui mène vers le sentier, en contemplation devant une grenouille écrasée. Des consommateurs évoquent, au bistro, la disparition de Jacqueline ; on apprend le lendemain qu'on a retrouvé son corps au pied de la falaise.

Troisième partie. Mathias, qui a manqué le bateau du retour et doit s'attarder dans l'île, manifeste un sentiment grandissant de culpabilité ; il finit par brûler une coupure de presse ancienne où était relaté le meurtre d'une petite fille violée. Les images se succèdent et s'accélèrent dans l'esprit de Mathias (fantasmes ou souvenirs ?) jusqu'au moment où le bateau revient à quai.

Une page blanche sépare les deux premières parties du roman. Dans ce vide s'inscrit le meurtre (ou l'accident ?) qui a coûté la vie à Jacqueline. La littérature ne manque pas de romans policiers où une ellipse dissimule au lecteur l'événement principal, mais la singularité du *Voyeur* tient à ce que ce vide n'y sera jamais comblé. Mathias, désigné par la troisième personne, mais grâce aux yeux de qui il semble que nous voyions les choses (un peu comme dans l'*Éducation sentimentale* de Flaubert, avec Frédéric Moreau), s'emploie lui-même à combler ce vide, c'est-à-dire à reconstruire son emploi du temps de manière à établir son innocence, ou sa culpabilité. Telle est en effet l'ambiguïté principale de l'intrigue : en termes de psychologie, on postulera que l'ellipse correspond soit à une amnésie, volontaire ou non, chez un coupable qui occulte son crime ; soit à un moment creux de son emploi du temps, qu'il met à profit pour l'investir de son désir de culpabilité. Coupable, Mathias l'est au moins en pensée : dès le voyage en bateau, il était obsédé par des images sadiques. Prend-il ses fantasmes pour la réalité au point de croire qu'il a vraiment commis ce qu'il a seulement rêvé ? Le lecteur de romans ordinaires s'impatiente : y a-t-il ou non eu crime ? Qu'importe, lui répond le critique averti : nous ne sommes pas dans la réalité, mais dans un texte ; or l'écriture use des mêmes signes pour évoquer un acte rêvé ou supposé réel. Le sujet du roman est à chercher dans l'enchaînement des images qui se présentent à l'esprit de Mathias, non dans l'hypothétique histoire à laquelle renvoient ces images.

L'ambiguïté du *Voyeur* se nourrit d'une autre incertitude : il semblerait que Mathias soit né dans cette île. Ainsi les confusions présent/passé (Jacqueline/Violette, crime récent/coupure de journal ancienne, etc.) font-elles naître le soupçon qu'il revit ici une aventure d'enfance. Peut-être le « voyeur » (terme désignant une perversion sexuelle qui ne connaît guère de passages à l'acte) vient-il d'abord contempler le spectacle de son propre passé ? Les chiffres « huit » indiqués ou suggérés (forme de la cordelette qui lie les mains de la petite fille, dessin du bois sur une porte, bicyclette, double circuit sur une affiche de cinéma, etc.) symbolisent, en imitant une paire de lunettes, l'obsession majeure de Mathias. La « montre » dont il fait commerce (avec un succès limité, il est vrai) symboliserait plutôt la perversion opposée, quoique souvent complémentaire ; elle matérialise surtout la préoccupation non moins obsessionnelle du temps qui hante Mathias : combien de temps lui faudra-t-il pour vendre chaque montre et amortir le prix du voyage sans manquer le bateau du retour ? Mathias le manquera, finalement. On doute même qu'il prenne le bateau suivant quand celui-ci revient à quai. Sur le débarcadère, un voyageur (ainsi Mathias est-il désormais désigné) dévisage les arrivants. On peut l'imaginer définitivement englué dans cette île où il croyait mesurer son séjour en y recherchant imprudemment son passé.

Encore influencé dans les *Gommes* par les habitudes du roman policier, le style de Robbe-Grillet s'épure ici : les descriptions, envahissantes, signifient que Mathias est avant tout un regard (une fois passé le coup de sirène déchirant qui inaugure le texte, véritable viol initial puisqu'il est de nature à crever les tympans) ; les images récurrentes signifieront son obsession. Les séries narratives s'organisent indépendamment des exigences du récit traditionnel ; outre leur intérêt formel (elles fonctionnent à la manière de séquences musicales), elles correspondent au rythme des fantasmes du personnage. Est-ce même encore un « personnage » ? Robbe-Grillet récuse ce terme, qui suppose une identité (« Mathias » est-il un nom ou un prénom ?), une raison sociale (celle de vendeur de montres est trop évidemment symbolique), un passé (celui de Mathias s'inscrit de manière ambiguë dans sa découverte du présent). Mais, loin du roman psychologique, Robbe-Grillet ne s'adonne pas à un jeu gratuit : avec ses incertitudes et les aléas de son déroulement, le texte simule la complexité d'une conscience.

P.-L. REY

VOYOUS DE VELOURS ou l'Autre Vue. Roman de Georges **Eekhoud** (Belgique, 1854-1927), publié sous le titre *l'Autre Vue* à Paris au Mercure de France en 1904.

Les personnages de *Voyous de velours* sont déjà apparus dans *la Nouvelle Carthage*, roman naturaliste publié en 1888 qu'Eekhoud avait consacré à sa ville natale, Anvers. À la fin du récit, Laurent Paridael s'enfonçait dans l'incendie de la cartoucherie avec la plupart des ouvriers. On assiste donc à une résurrection du héros qui permet, rétrospectivement, de donner à sa mort une autre signification. « Notre parent Laurent Paridael fut aussi relevé pour mort sur le terrain de la catastrophe. Plût à Dieu qu'il n'en eût réchappé. Il n'aurait plus traîné alors une vie déclassée, il se serait épargné de mourir plus piteusement encore par un suicide, après force excentricités. »

C'est l'honorable député Bergmans qui présente Laurent Paridael, en racontant ses souvenirs et en donnant à lire son journal. Orphelin, Laurent est placé chez de grands industriels, les Dobouziez. Malgré l'affection que lui portent ses tuteurs, le jeune homme ne leur témoigne aucune marque de tendresse ; il fait aussi le désespoir de ses maîtres par ses nombreuses incartades. Mais Bergmans parvient à l'apprivoiser. Laurent exprime dans son journal toute la sympathie qu'il éprouve envers les ouvriers. En outre, il fréquente deux artistes en vue : le peintre Marbol et le musicien Vyvéloy (chap. 1). Il aime aussi les « voyous de velours » qui hantent le quartier des Marolles, à Bruxelles : le brave et beau Bugutte, le chanteur ambulant Palul, le lutteur Campernouillie. Ils se retrouvent aux « Arènes athlétiques ». Bugutte meurt ; des voyous de velours jettent de l'ombre ; Paridael quitte Bruxelles pour des excursions à la campagne, à Trémeloo (2). Mais ses obsessions s'enflamment pour des couleurs de velours plus corrosives encore : « Les beaux petits gars ! Deux brunets et un blondin culottés de mon velours favori, du velours de mes aimés de Bruxelles. » Il poursuit sa « descente aux enfers sociaux ». À Merxplas, il se fâche contre Marbol, peintre par trop bourgeois, parce qu'il ne trouve pas l'art vrai dans les bas-fonds (3). Employé au pénitencier de Poulderbauge, Paridael se console en devenant « socialement utile », grâce à Bergmans qui lui a obtenu ce travail. Il s'efforce d'inculquer à ses jeunes élèves des « préceptes conformes aux intentions du législateur », mais il cède à sa bonne nature avec le jeune Warré qu'il libère d'une cruelle punition. Il est révoqué. Les enfants prisonniers lui manifestent bruyamment leur attachement. Les soldats fusillent les mutins, dont Warré (4). Trois mois plus tard, Paridael se choisit un « enterreur gai et mutin ». Il se suicide. Le fossoyeur est condamné pour violation de sépulture, parce qu'il a été surpris près du cercueil ouvert. Pour sa défense, il a prétendu qu'une voix l'avait appelé. Bergmans achève son récit en interrogeant le lecteur sur toute l'affaire (5).

Structuré à partir de deux voix, de deux points de vue : le journal de Laurent Paridael – Eekhoud pensait soustitrer *Voyous de velours* : « Journal d'un déclassé » – et le récit de Bergmans, *Voyous de velours* participe de l'esthétique naturaliste. Laurent Paridael porte un regard admiratif et fétichiste sur toutes les culottes de velours, sur leurs différents coloris et sur les ouvriers qui les portent. De l'« Antinoüs charretier » aux « Arènes athlétiques », c'est sa fascination pour la Grèce hellénistique qui guide les envolées lyriques du héros. Les discussions animées qui opposent Laurent à ses amis peintres précisent les dif-

férents points de vue artistiques : la conception de l'esthétique du peuple soutenue par Laurent Paridael et la conception bourgeoise qu'incarne le peintre Marbol – déjà présent dans *la Nouvelle Carthage*.

Cette dichotomie théorique est sans doute une transposition des oppositions qui stimulent l'art en Belgique à la fin du XIXe siècle. À ses débuts littéraires, Eekhoud participe activement à *la Jeune Belgique* et soutient les principes de l'art pour l'art. Mais il s'écarte de cette école à dominante bourgeoise pour se rapprocher des théories de l'« art social » : il fonde en 1892 *l'Art social* aux côtés de Lemonnier, de Verhaeren et d'hommes politiques socialistes comme Émile Vandervelde, et *le Coq rouge* en 1895 avec Verhaeren et Maeterlinck.

Le personnage du tribun populaire, incarné par Bergmans, est aussi une figure emblématique d'une littérature engagée de l'époque. Cette peinture du sous-prolétariat ne va peut-être pas sans quelques connotations homosexuelles – celles-là même qui, en 1900, avaient valu à Eekhoud d'être poursuivi après *Escal-Vigor*. Il fut acquitté, merveilleusement défendu par la plaidoirie d'Edmond Picard. Cependant Eekhoud n'est pas (et il s'en défendait lui-même) le romancier de l'homosexualité.

● Bruxelles, Labor, 1991.

L. HÉLIOT

VRAI SYSTÈME (le) ou le Mot de l'énigme métaphysique et morale. Essai philosophique de Léger-Marie, dom **Deschamps** (1716-1774), publié à Genève chez Droz en 1963. Cet ensemble de textes a été édité sous ce titre par Jean Thomas et Franco Venturi à partir de deux recueils manuscrits découverts à la bibliothèque de Poitiers et intitulés respectivement *Observations métaphysiques* et *Observations morales*.

Première partie. « La Vérité métaphysique ». Le « tout » universel est un être métaphysique d'une autre nature que celle de ses parties, qui tombent sous nos sens, alors que le « tout », qui est un rapport, ne peut tomber que sous l'entendement. Nous ne différons pas au métaphysique, qui est commun à tous les êtres, mais seulement au physique, qui nous est personnel. L'égalité, principe métaphysique, doit être aussi principe moral.
Seconde partie. « La Vérité morale ». Une fois l'« énigme métaphysique » résolue, la vérité morale s'impose facilement. Si notre état social est entièrement vicieux, c'est qu'il repose sur l'inégalité morale entre les hommes et sur la propriété, qui sont en contradiction avec le principe métaphysique de l'égalité des parties dans le tout. Il faut qu'à l'« état de lois », où domine le plus fort, succède l'« état de mœurs », où régnera l'égalité entre les individus, entre les hommes et les femmes, où la famille et l'État n'existeront plus, où disparaîtront les notions de bien et de mal, et où chacun suivra ses penchants, dans la mesure où ils sont conformes à l'harmonie de la société.

« Un moine, appelé dom Deschamps, m'a fait lire un des ouvrages les plus violents et les plus originaux que je connaisse [...]. Jugez combien cet ouvrage, tout mal écrit qu'il est, a dû me faire plaisir, puisque je me suis retrouvé tout à coup dans le monde pour lequel j'étais né. » Si le bénédictin dom Deschamps plaisait tant à Diderot, qui l'écrit à Sophie Volland, c'est parce qu'il pensait que « l'espèce humaine sera malheureuse tant qu'il y aura des rois, des prêtres, des magistrats, des lois, un tien, un mien, les mots de vices et de vertus ». Mais les Philosophes appréciaient moins la métaphysique jugée « scolastique » sur laquelle Deschamps avait cru bon d'asseoir ses considérations sociales et morales. C'est pourtant cette métaphysique, avec l'emploi dialectique qu'elle fait de la notion de négativité (au point qu'on a pu y voir une préfiguration des idées de Hegel), qui nous intéresse aujourd'hui autant, pour ne pas dire plus, que l'évocation d'une société où inégalité et propriété auraient disparu. La pensée sociale et morale de dom Deschamps a cependant l'intérêt de pousser jusqu'à ses plus extrêmes conséquences le naturalisme libertaire sous-jacent à beaucoup d'utopies. Dans l'« état de mœurs » appelé à remplacer l'« état de lois » qui, lui-même, avait succédé à l'« état sauvage », les hommes ne connaîtront « ni culte, ni subordination, ni guerre, ni politique, ni jurisprudence, ni finance, ni maltôte, ni commerce, ni fraude, ni banqueroute, ni jeu d'aucune espèce, ni vol, ni meurtre, ni mal moral, ni lois pénales ». Il n'y aura plus de différence entre les hommes, qui se ressembleront tous, même physiquement, parleront la même langue, n'apprendront ni à lire ni à écrire, puisque leur curiosité scientifique sera satisfaite par la connaissance du « vrai système », et que les différents arts « n'existent qu'au défaut de la vérité ». Ils vivront dans un éternel présent, l'Histoire n'existera plus pour eux. Rien ne leur sera travail, tout leur sera plaisir, ils passeront d'une occupation à l'autre, et ils se coucheront dans la paille fraîche, « les femmes entremêlées avec les hommes ». La mort des autres ne leur causera pas de peine, puisqu'il n'y aura plus d'amitiés ou de liaison particulière, mais seulement le sentiment d'une union générale des êtres, et ils mourront comme on passe de la veille au sommeil, sans y penser. Tels étaient les rêves du bénédictin dom Deschamps, qui mourut religieusement, dans son couvent de Montreuil-Bellay, le 19 avril 1774.

● *Œuvres philosophiques*, Vrin, 1994 (p.p. B. Delhaume).

A. PONS

VRAIE HISTOIRE COMIQUE DE FRANCION (la). Voir FRANCION, de Ch. Sorel.

VRILLES DE LA VIGNE (les). Recueil de textes de Sidonie-Gabrielle Colette, dite **Colette** (1873-1954), publiés en revue pour la plupart, et recueillis en volume sous ce titre à Paris aux Éditions de la Vie parisienne en 1908 ; réédition définitive chez Ferenczi en 1934.

Entre contes métaphoriques et poèmes en prose, les pièces qui composent *les Vrilles de la vigne* inaugurent cette veine du texte bref, si foisonnante et originale dans l'œuvre de Colette. Comme dans nombre de ses ouvrages, l'écriture se nourrit de l'expérience vécue – Colette s'est séparée de Willy et vit, à partir de janvier 1907, avec Missy, la fille du duc de Morny –, que l'imaginaire et la poésie viennent transformer et transcender.

Les Vrilles de la vigne comprennent vingt textes dont la disposition n'obéit pas à un ordre chronologique. L'organisation du recueil participe donc d'une architecture concertée. Les trois premiers textes (« les Vrilles de la vigne », « Rêverie de Nouvel An » et « Chanson de la danseuse ») sont des sortes de contes métaphoriques dans lesquels Colette évoque sa destinée, douloureuse et exaltante à la fois, de femme libre et solitaire. Les trois pièces suivantes (« Nuit blanche »,

« Jour gris » et « le Dernier Feu »), adressées à Missy, célèbrent la douceur du lien avec la compagne et rappellent, sur un ton empreint de nostalgie, les souvenirs d'une enfance aux allures de paradis perdu. D'autres pièces s'apparentent à des fables : la description du comportement des animaux familiers, chers à Colette et souvent présents dans son œuvre, invite à une méditation sur les relations humaines (« Amours », « Nonoche », « Toby-Chien parle », « Dialogue de bêtes »). Le personnage de Valentine, dont Colette brosse le portrait à travers dialogues et anecdotes (« Belles-de-jour », « De quoi est-ce qu'on a l'air », « la Guérison »), fournit matière à diverses réflexions sur les amours et la destinée des femmes. Les trois dernières pièces apparaissent comme des croquis pris sur le vif de paysages marins (« En baie de Somme », « Partie de pêche ») ou de l'univers du spectacle (« Music-halls »).

Au-delà d'une grande variété apparente, le recueil trouve son unité dans une quête de l'identité qui est au cœur de presque tous les textes. Après la désillusion du premier amour et du mariage, Colette, tout comme le rossignol emprisonné dans les vrilles de la vigne, a su s'affranchir de ses liens : « Cassantes, tenaces, les vrilles d'une vigne amère m'avaient liée, tandis que dans mon printemps je dormais d'un somme heureux et sans défiance. Mais j'ai rompu, d'un sursaut effrayé, tous ces tors qui déjà tenaient à ma chair, et j'ai fui... » (« les Vrilles de la vigne »). L'écrivain cherche aussi à se libérer de sa première expérience littéraire, c'est-à-dire du personnage de Claudine (voir *Claudine à l'école*), ce double mythique d'elle-même avec qui elle ne veut plus être confondue. Ce renoncement, pour être revendiqué, n'en est pas moins douloureux et nostalgique : entre l'idéale Claudine et la superficielle Valentine, que la narratrice traite avec une affectueuse condescendance, Colette cherche son identité de simple femme.

L'écriture relate et nourrit tout à la fois cet apprentissage de soi. Relevant aussi bien de la confidence intime que de l'essai moral, le texte est médiateur d'une conquête apaisante de la sagesse : « Il faut vieillir. Ne pleure pas, ne joue pas des doigts suppliants, ne te révolte pas : il faut vieillir. Répète-toi cette parole, non comme un cri de désespoir, mais comme le rappel d'un départ nécessaire... » (« Rêverie de Nouvel An »). Le propos, toutefois, demeure simple et modeste. Cette œuvre, dans laquelle l'écrivain sait mêler la mélancolie et l'humour, l'anecdote et la méditation, est riche de cette verve pittoresque et attachante dont Colette a déjà le secret.

● « Le Livre de Poche », 1961. ➤ *Œuvres complètes*, Flammarion, III ; *Œuvres*, « Pléiade », II ; *Romans, Récits, Souvenirs*, « Bouquins », I.

A. SCHWEIGER

VUE DE LA TERRE PROMISE. Voir CHRONIQUE DES PASQUIER, de G. Duhamel.

W ou le Souvenir d'enfance. Récit de Georges **Perec** (1936-1982), publié à Paris chez Denoël en 1975.

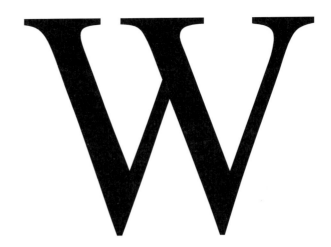

Ce récit autobiographique se présente comme un va-et-vient entre deux textes : une autobiographie proprement dite, qui alterne avec un récit d'aventures. L'auteur, pour se raconter, choisit de sonder précisément son absence de souvenirs d'enfance, la période de sa vie antérieure à sa treizième année. Reviennent ainsi à la surface, hésitants, décousus, les fragments de la vie d'un enfant, né juste avant la guerre, de parents juifs polonais réfugiés en France. S'appuyant sur les quelques photographies qu'il possède, sur les dires des parents proches qui l'ont adopté après la mort de son père au front et de sa mère en déportation, l'auteur tente de retrouver le fil de son histoire, remonte aux origines de sa famille, de son nom, évoque les années de guerre, l'exode, les lieux et les visages de son enfance.

En italiques se glisse entre les chapitres le second texte, un curieux récit imaginaire réinventé par l'auteur à partir d'une histoire qu'il avait conçue et dessinée à treize ans, puis oubliée. Ce récit imaginaire se compose de deux parties que rien apparemment ne relie. Dans la première partie, le narrateur, déserteur caché sous une fausse identité, se voit confier par le responsable d'une société de secours aux naufragés la mission de retrouver un enfant sourd-muet (celui-là même qui lui a prêté sa fausse identité) disparu dans un naufrage, et supposé être toujours vivant dans les parages de la Terre de Feu. Dans la seconde partie, le narrateur (mais est-ce le même que précédemment ?) décrit l'organisation d'une cité olympique installée dans l'île W, une île proche de la Terre de Feu. Les règles qui fondent la vie de cette société, dictées par l'idéal de la conquête sportive, se présentent comme un mélange subtil de la loi du plus fort et de celle du hasard. Tant et si bien que l'ordre effrayant et inhumain qui y règne s'identifie peu à peu à celui des camps de concentration nazis.

Il pourrait sembler que rien, hormis le fait que *W* soit « d'une certaine façon, sinon l'histoire, du moins une histoire » de l'enfance de l'auteur (I, chap. 2), ne rapproche les deux textes de cette autobiographie non moins singulière. Pourtant c'est à la lumière de l'un qu'il faut lire l'autre, « comme si de leur rencontre seule [...] pouvait se révéler ce qui n'est jamais tout à fait dit dans l'autre, mais seulement dans leur fragile intersection » (G. Perec).

Ce qui caractérise avant tout la part proprement autobiographique du récit, c'est son aspect lacunaire, imprécis, en même temps que la scrupuleuse minutie d'un auteur apparemment soucieux de vérité. Malgré l'attention constante portée aux repères, aux dates, Perec abandonne la linéarité chronologique pour tenter de capter au vol telle image, telle scène, pour revenir sur tel détail retrouvé et soudain suspect. Si bien que, plutôt que de souvenirs précis, le récit se compose de doutes, d'hypothèses sans cesse revues, annotées, corrigées. L'auteur ne cesse de traquer les failles de sa mémoire, de se prendre en flagrant délit d'affabulation, accumulant les démentis, les corrections, allant par exemple jusqu'à vérifier dans les journaux d'époque le contexte historique, non sans ironie d'ailleurs (voir l'inventaire des titres, y compris les plus anodins, dans le chapitre 6 de la première partie). Et cette ironie lui permet de se démarquer tout à la fois de l'autobiographie classique et de l'autobiographie moderne hantée par l'incertitude de la notion de sujet. Perec imagine autant qu'il retrace, accordant ainsi, dans sa démarche autobiographique, la plus grande importance, non aux faits eux-mêmes et à leur réalité, mais à la réalité du travail de l'écriture.

Il choisit alors de donner, au sein du livre autobiographique, le même espace – sinon le même statut (le choix de deux typographies différentes souligne cette différence de nature) – à la reconstitution d'un récit imaginé dans l'enfance qu'à celle de l'enfance elle-même : « cheminement d'une histoire », « histoire d'un cheminement », les termes et l'étroite relation qu'ils entretiennent sont de l'auteur lui-même (I, 2). À l'hésitation du récit autobiographique répond la linéarité, la rigueur quasi mathématique de la fiction. *W* en effet se caractérise par une logique explicative très serrée, comme si le récit imaginaire seul pouvait ne rien laisser dans l'ombre, ne rien laisser échapper. Dans la première comme dans la seconde partie, l'ordre chronologique est strictement respecté. Mais demeure la cassure entre les deux parties, qui contredit le principe de la chronologie : les points de suspension qui font éclater le récit d'aventures laissent le champ libre à l'imagination du lecteur ; aucune des questions qu'il se pose à ce propos ne trouvera de réponse.

Qu'est devenu cet autre lui-même, à la recherche duquel allait se mettre le narrateur de la première partie ? En quoi la découverte de W répond-elle à sa quête ? Tout se passe comme si le fossé était infranchissable entre le but présupposé de la quête de l'identité, et son aboutissement. Tout comme les points de suspension opèrent finalement la même cassure dans l'autobiographie entreprise par Perec : rien ne le rattache plus à ses racines après la perte de ses repères due à l'exode. Ces points de suspension symbolisent peut-être une rupture définitive : le voyage du narrateur dans le récit d'aventures, l'exode que connut l'auteur de l'autobiographie à six ans, ne font rien d'autre que marquer la fracture inguérissable que quelques années creusèrent dans notre XXe siècle.

● « L'Imaginaire », 1993.

V. STEMMER

WAGON À VACHES (le). Roman de Georges **Hyvernaud** (1902-1983), publié à Paris chez Denoël en 1953.

Le Wagon à vaches revendique, au moyen d'un humour volontiers sardonique, une liberté qui se refuse aux trucages et aux impostures de l'existence. Aussi le roman s'inscrit-il parmi les œuvres les plus roboratives de cette « littérature des marges » (Guérin, Perros, Calet, Bove...) redécouverte naguère.

« Un type quelconque », dans une petite ville de province, au lendemain de la Libération. Célibataire, il travaille chez « Busson frères, eaux gazeuses » et le reste du temps « rêvoche la vie des autres » : Iseut, la grainetière randonneuse, son collègue Porcher, qui « cultive son jardin, ses gosses et ses rancœurs », Bourdalou et Madame, engoncés dans leur prospérité satisfaite, et bien d'autres « boîteux et tousseux »... Existences microscopiques, dont il retranscrit les préoccupations infimes et les simulacres dans un carnet. Lui, il a connu le « wagon à vaches » des trains de prisonniers de guerre, les stalags et pas l'épopée. Sa génération n'a pas vécu d'aventures spirituelles, tout juste des peines communes et l'expérience d'une vérité nue qui accuse le « mensonge des murs et des mots ». Or, autour de lui, la géographie morale de la ville libérée s'est recomposée : certains sont devenus des salauds, d'autres des martyrs ou des héros. Dans son « irréprochable conscience », la population s'est inventé une solidarité héroïque rétrospective, représentée par le député Flouche à l'« invulnérable glacis de majesté historique ». Pour concrétiser toute cette gloire et toute cette douleur, un monument aux morts va être érigé. Un « Comité d'érection » est désigné, qui va opérer dans la liste des morts une bien curieuse hiérarchie des mérites, au gré des règlements de comptes personnels et des rancœurs crapuleuses.

Alors qu'il pullule de personnages dont le seul patronyme grotesque (Rudognon, Crochetuile, Croquedale...) suffit à définir la personnalité, le roman est porté par un narrateur dont on ne saura pas même le nom. Tout juste apprend-on qu'il a quarante-deux ans, occupe un emploi médiocre et mène une existence aux marges de la vie sociale. Degré zéro de l'existence narrative, il n'est pas même Bardamu (voir *Voyage au bout de la nuit*) ou Roquentin (voir la *Nausée*), comme si Hyvernaud avait voulu prendre au pied de la lettre l'épigraphe de la *Nausée* précisément empruntée au *Voyage* : « C'est un garçon sans importance collective, c'est tout juste un individu. » Le narrateur du *Wagon à vaches* n'interpose donc entre son existence et celles des autres personnages qu'une transparence floue. Mais celle-ci n'est pas sans consistance. Elle a pour fonction de définir une zone d'existence minimale, celle des êtres à qui il n'arrive rien, la « masse, dont les faibles particularités vont se perdre dans une immensité sans contours ». C'est la voix de cette matière homogène qu'Hyvernaud veut faire entendre ; c'est du fond même de son existence indifférenciée qu'une *doxa* élémentaire interroge la substance humaine et démonte « par l'aveu et le scandale » les règles du jeu communautaire. Au regard de cet anonymat scrutateur, les impostures des habitants de la ville, saisis dans la double boursouflure de leurs noms et de leurs activités mesquines, sont en effet impitoyablement dénudées. Le roman se présente comme un « vrai conseil de révision », où défilent toutes les postures frauduleuses de la vie sociale (le politicien, le *self-made-man*, le mari trompé, etc.) dans des lieux de convivialité figée (le café des Trois Colonnes, le salon de Mme Bourdalou, le square, etc.), culminant avec ce moment d'intensité collective : l'inauguration du monument aux morts, apothéose de l'hypocrisie généralisée drapée dans la vertu, qu'Hyvernaud traite avec une ironie ravageuse. Parallèlement, la culture est aussi dénoncée lorsqu'elle n'est qu'une autre forme de maquillage du réel, quand « au-delà des apparences gluantes » elle prétend faire surgir « quelque image cohérente, sensée, lourde de sens tragique ». Sont ainsi renvoyés dos à dos les synthèses brillantes de Jules Romains et le populisme, qui « feint de croire que les pauvres bougres disposent eux aussi d'une vie profonde ». À la double imposture de la culture et des rites sociaux, Hyvernaud oppose la nudité originelle de l'être et son éparpillement, sur le mode de l'humour (« Ils vont se coucher les gens. Et les dentiers vont se coucher dans les verres d'eau, les lunettes dans les petits étuis noirs, les montres sur les tables de nuit »), ou de la compassion pour les humbles, qui constitue le contrepoint d'un mode d'énonciation essentiellement sarcastique : « À poil, messieurs, qu'on voie un peu ce qui se cache sous vos défroques de gens de bien. » Cette exclamation du « collabo » méprisé indique le sens même de l'entreprise d'Hyvernaud : montrer comment, quand elle a fini de jouer à l'ange, l'humanité retrouve la bête. Toute une thématique de l'organique sous-tend cette vision. C'est Bourdalou en caleçon comme un « énorme poulet », la description du grouillement souterrain des ventres, la dissolution des « existences molles, spongieuses où l'événement s'enfonce et pourrit ». Il s'agit hémorragie sournoise de l'être, qui tente de s'en prémunir par l'enveloppement dans des vêtements, est le signe amorphe par quoi la débâcle fondamentale de la vie intime se révèle. Dès lors le titre prend tout son sens : le « wagon à vaches » est tout à la fois le lieu où, dans la promiscuité de l'espace et l'inconnu de la destination, s'est nouée, avec tous ceux « qui n'ont pas eu de pot », l'expérience cruciale du narrateur durant la guerre (et d'Hyvernaud lui-même à en croire ses *Carnets d'Oflag*), mais aussi la métaphore de la condition des hommes « entassés et perdus dans l'inintelligible, dans le noir ».

« Je dirai tout un jour. [...] Je vous l'assure et vous vous replierez comme des chenilles baveuses et je vous rendrai

plus subtilement lâches et plus immondes encore » : à l'invective lancée par Bardamu dans le *Voyage*, Hyvernaud semble bien avoir donné un écho dans *le Wagon à vaches* ; à cette différence près que, si la dérision est la même, Hyvernaud se refuse à la théâtralité apocalyptique comme il se refuse à la désespérance par le moyen le plus simple : le rire.

● *Œuvres complètes*, Ramsay, II, 1985 (préf. R. Étiemble).

J.-M. RODRIGUES

WALLSTEIN, précédé de **Quelques réflexions sur le théâtre allemand** et suivi de **Notes historiques**. Tragédie en cinq actes et en vers de Benjamin **Constant** de Rebecque (1767-1830), publiée à Paris et Genève chez Paschoud en 1809.

Adaptant la trilogie dramatique de Schiller (*le Camp de Wallenstein*, 1 acte, *les Piccolomini*, 5 actes, et *la Mort de Wallenstein*, 5 actes, 1794-1799), Benjamin Constant, qui admire le théâtre des Allemands, confronte les deux systèmes dramatiques, français et germanique, pour en mesurer les divergences et les incompatibilités. Son projet s'inscrit donc parfaitement dans les préoccupations du groupe de Coppet. Ayant tracé le plan de son *Wallstein* en 1807, il le lit à Lausanne, et le remanie en 1808. Il ne pourra le faire représenter, Talma s'étant récusé, mais les 2 000 exemplaires de la première édition partent en deux mois. Véritable événement littéraire, l'œuvre vaut autant par les *Réflexions* (reprises dans les *Mélanges de littérature et de politique*, Paris, Pichon et Didier, 1829), qui tentent de définir un théâtre moderne pour la scène française, que par l'adaptation elle-même, qui élague considérablement l'original (2 712 vers au lieu de 7 625, 12 personnages au lieu de 48), et en propose une intéressante « francisation ».

À Egra, en Bohême, dans le palais occupé par Wallstein, le 25 février 1634, dix-huitième année de la guerre de Trente ans, l'ambitieux et victorieux généralissime de l'empereur Ferdinand II, accompagné de son fidèle beau-frère Terski, reçoit Géraldin, envoyé de son maître, et conteste sa politique (Acte I). Mis au fait des négociations menées par l'Empereur, il se rebelle publiquement. Il gagne le vieux Gallus à son plan, et unit sa fille Thecla à Alfred, fils de Gallus (Acte II). Contacté par Harald, l'envoyé des Suédois ennemis, il ruse et refuse de rendre les places conquises en Bohême. Ses troupes se mutinent (Acte III). Wallstein rétablit l'ordre avec l'aide d'Alfred, et, confiant dans les astres, se présente ouvertement comme un chef de parti, se donnant pour le champion de la liberté d'une Bohême réformée contre l'absolutisme des Habsbourg : « Le destin des héros qui m'ont donné leur foi / Ne dépend désormais que du ciel et de moi. » Seul Alfred lui rappelle la pérennité des valeurs morales. Ulcéré, Wallstein lui ordonne de rejoindre l'Empereur dont il a choisi le camp (Acte IV). Alfred meurt au combat : un officier apprend la tragique nouvelle à Thecla bouleversée. Gallus trahit Wallstein, qui déplore sa solitude en un long monologue : « Impérieux destin, ton ordre est satisfait ! » Il meurt assassiné par Buttler, l'un de ses généraux, et Thecla, renonçant au suicide, se soumet et se voue à Dieu : « Je vais d'un Dieu sévère apaiser le courroux, / Et pleurer sur Alfred, sur mon père et sur vous », déclare-t-elle à Gallus (Acte V).

Il s'agit ici pour Benjamin Constant, de respecter les préceptes classiques tout en manifestant sa prédilection pour le drame étranger. Justifiant les coupes drastiques (« Il serait impossible de transporter sur notre théâtre cette singulière production du génie, de l'exactitude, et je dirai même de l'érudition allemande », écrit-il à propos du *Camp de Wallenstein*), assumant cette adaptation qui n'est en rien une traduction, exposant les différences entre le vers iambique de Schiller (dont il ne cite d'ailleurs jamais le nom) et l'alexandrin, il salue dans la règle des unités une « loi sage » au nom du style tragique, de « la dignité de la tragédie » et de la continuité de l'impression, mais entend peindre, à l'instar des Allemands, « une vie entière, un caractère entier », et non un fait ou une passion. S'il lui faut faire agir et parler un héros ambitieux, superstitieux, inquiet et incertain, il se doit à la vérité, car « il y a bien moins de variété dans les passions propres à la tragédie que dans les caractères individuels tels que les crée la nature ».

Si *Wallstein* privilégie le débat héroïque d'un personnage pénétré de sa mission historique, Benjamin Constant y traite également de l'amour. L'aérienne Thecla diffère des héroïnes classiques, car son amour, « rayon de lumière divine », s'oppose à la passion française. « J'ai donc rapproché Thecla des proportions françaises en m'efforçant de lui conserver quelque chose du coloris allemand » : ainsi Thecla ne meurt-elle pas comme la Thekla de Schiller expirant sur la tombe de Max Piccolomini [l'Alfred de Constant]. Fidèle à son principe fondateur (« L'imitation des tragiques allemands me semblerait très dangereuse pour les tragiques français »), Benjamin Constant propose une métamorphose du drame et une nouvelle combinatoire : celle de la contrainte et des nuances de la vie, de l'intensité et de la diversité. Contre l'exclusivité de la passion et la brièveté de la crise, il prône l'élargissement et le remplacement du récit par l'action elle-même, et devance ainsi les théoriciens du drame romantique français, même si son *Wallstein* reste en-deçà de ses préceptes : « En me condamnant à respecter toutes les règles de notre théâtre, j'avais détruit, de plusieurs manières, l'effet dramatique », avouera-t-il. Il complètera sa Préface par les « Réflexions sur la tragédie » (*Revue de Paris*, 1829).

● Les Belles Lettres, 1965 (p.p. J.-R. Derré). ➤ *Œuvres*, « Pléiade » (seulement la Préface de 1809 et les *Réflexions* de 1829).

G. GENGEMBRE

WANN CHLORE. Voir ANNETTE ET LE CRIMINEL, d'H. de Balzac.

WILLIAM SHAKESPEARE. Manifeste de Victor **Hugo** (1802-1885), publié simultanément à Bruxelles chez Lacroix, Verboeckhoven et Cie et à Paris à la Librairie internationale en 1864.

Livre insolite, considéré par son auteur comme faisant partie intégrante de sa « philosophie » (*Œuvres*, 1882), cet ouvrage amplifie considérablement ce qui aurait dû initialement être une préface à la traduction des œuvres de Shakespeare par François-Victor Hugo, le fils du poète (réduite à quelques pages, elle paraîtra en 1865). « Manifeste littéraire du XIXᵉ siècle » destiné à « continuer l'ébranlement philosophique et social causé par les **Misérables* », *William Shakespeare* mêle poétique et politique, et développe la théorie hugolienne du génie.

Première partie. Après une évocation de la vie de Shakespeare, cet « homme océan » (livre 1), Hugo énumère les « Égaux », génies scandant l'histoire de l'humanité : Homère, Job, Eschyle, Isaïe, Ézéchiel, Lucrèce, Juvénal, Tacite, saint Jean, saint Paul, Dante, Rabelais, Cervantès, Shakespeare (2), puis compare l'art, éternel et non perfectible, et la science, « asymptote de la vérité ». On peut donc égaler les génies, en « étant autre » (3). Hugo traite ensuite de Shakespeare l'ancien, c'est-à-dire Eschyle, « l'aïeul du théâtre » (4), pour méditer ensuite sur la « production des âmes », ce « secret de l'abîme » (5).

Deuxième partie. Après la définition du « génie » de Shakespeare (livre 1) et l'examen des points culminants de son « œuvre » (2), Hugo expose au nom d'une vraie critique admirative opposée à celle des censeurs pointilleux, la mission du poète : mettre la canaille, « commencement douloureux du peuple », « à l'école de l'honnête » (3-4). Il s'agit de construire le peuple dans le progrès et par la lumière, le beau étant serviteur du vrai, et de « montrer aux hommes l'idéal, ce miroir où est la face de Dieu » (5-6).

Troisième partie. « Conclusion ». Après avoir situé Shakespeare comme gloire de l'Angleterre (livre 1), Hugo embrasse le XIXᵉ siècle, « fils d'une idée », la révolution. Le génie moderne n'a pas de modèle, il

il joint le beau à l'utile et guide l'humanité en la libérant. « L'épopée suprême s'accomplit », sublime spectacle, « le prophète anéantissant le héros, le balayage de la force par l'idée » (2-3).

Immense rêverie, ce livre inclassable entend fonder « le droit de la Révolution française à être représentée dans l'art ». Affirmant de nouveau l'unité moderne du « triple mouvement littéraire, philosophique et social », Hugo complète *les Misérables*, défendus et illustrés par cette réflexion sur la nature du génie poétique. Rejetant les critiques adressées à Shakespeare, étrangement semblables à celles décochées contre le grand roman écrit pour le peuple, Hugo établit la nécessaire appartenance du génie au peuple, dont il est à la fois le fils et le père, comme le XIXᵉ siècle est fils et père de lui-même.

L'art n'a pas d'histoire : perpétuelle réitération et complet renouvellement, domaine des « Égaux », il s'avère pure discontinuité de génie en génie, d'abîme en abîme. Le génie se génère, mais ne se dépasse pas, et prouve la « puissance continuante de Dieu ». Le progrès postrévolutionnaire réside dès lors en une pénétration de l'idéal, « type immobile du progrès marchant », et une construction du peuple par le travail du poète, ce phare, cette avant-garde de l'humanité. La litanie des génies de l'Histoire vaut alors comme série emblématique.

Suivant apparemment un ordre chronologique et géographique, sont cités génies antiques et modernes, « sol sacré de l'Asie » et Europe. Mais un prophète hébreu répond chaque fois à Homère et Eschyle, les Romains représentent autant de faces du talent hugolien, du voyant Lucrèce au satirique Juvénal en passant par Tacite l'« historien punissant », les Apôtres renouent avec la tradition hébraïque ; Dante, repris par Rabelais et Cervantès, et Shakespeare sont frères, mêlant drame et roman, genre moderne par excellence. Poètes de la démesure, ils ouvrent sur le génie hugolien.

« Moi », « moi et la Révolution » : voilà le sujet principal du livre. Non pas délire mégalomane ni orgueil incommensurable, mais conscience d'être l'homme-siècle. Ce moi définit superbement la cléricature des écrivains, établit la nécessité d'une mission inscrite dans l'Histoire, à la fois réelle et prophétique. Préfigurant une nouvelle harmonie, concrétisant de nouvelles relations sociétaires entre les hommes, proclamant la nouvelle Alliance, il fonde une nouvelle religion, celle du progrès. Événement créateur de la modernité, la Révolution, ce « nom de la civilisation », crée la rupture fondamentale. L'individu génial, homologue du siècle, le contient, tel un microcosme spirituel. Sommet de l'Histoire, le XIXᵉ siècle impose à l'écrivain de devenir pleinement un révolutionnaire. Irruption d'une évidence, éruption du sens : l'écrivain quitte les ténèbres de l'erreur et, à la lumière de la vérité, doit tout recréer, imitant Dieu. Ouvrier du progrès, dévoué à son sacerdoce, il transcrit l'infini dans une littérature authentiquement démocratique, et fait « respirer le genre humain ». Son messianisme adjure le siècle de se réaliser et sa parole le constitue en sujet de sa propre histoire. La somme des livres et des discours totalise le XIXᵉ siècle, littéraire par essence, qui s'écrit lui-même par le truchement d'un médium. La poésie devient véritable *poiesis* : écrire le siècle, c'est le faire.

Transparence de Dieu, le XIXᵉ siècle fait donc du poète un prêtre, « serviteur de Dieu dans le progrès et apôtre de Dieu dans le peuple ». La révolution apparaît alors comme l'un des avatars de la Providence et la parole poétique, parole divine. L'« être universel » s'incarne dans le poète. L'écriture ne peut être qu'écriture sainte, Verbe, souffle de l'Esprit. Homme et Dieu à la fois, le poète accomplit un trajet christique. Le XIXᵉ siècle se définit ultimement comme siècle des vraies Lumières, épopée suprême où chacun sera mis à sa juste place. Le temps historique enfin assumé deviendra lisible comme un texte : « La civilisation a des phrases. Ces phrases sont les siècles », et toutes ces phrases, exprimant l'idée divine, « écrivent hautement le mot Fraternité ». Le XIXᵉ siècle inscrit la fin de l'Histoire et abolit l'altérité maléfique. Siècle de la finalité, il met fin aux siècles. Adviendra le temps de Dieu et des hommes.

L'ouvrage reçut les injures de la critique, qui n'y voulut voir que galimatias et amphigouri. Somme philosophique hugolienne, proclamation la plus décisive d'une différence de l'écrivain moderne, vision de l'Histoire, *William Shakespeare* formule la conception la plus élaborée du romantisme prophétique. Prose d'idées où se filent les métaphores, se combinent les anaphores et alternent les formes du récit, de l'essai ou du discours, il offre l'une des plus grandioses productions du génie hugolien.

● Flammarion, 1973 (p.p. B. Leuilliot). ➤ *Œuvres complètes*, Club français du Livre, XII ; *id.*, « Bouquins », Critique.

G. GENGEMBRE

XALA. Roman d'Ousmane **Sembene** (Sénégal, né en 1923), publié à Paris aux Éditions Présence Africaine en 1973.

Ce court roman survient dans l'œuvre d'Ousmane Sembene après une période de silence littéraire de près de dix ans, durant laquelle le romancier s'est consacré au cinéma et en particulier à l'adaptation de deux de ses titres, *la Noire de...* (d'après une nouvelle de *Voltaïque*, 1962) et *le *Mandat* (1965). *Xala* sera porté à l'écran par ses soins en 1974.

El Hadji Abdou Kader Bèye, « ancien instituteur rayé du corps enseignant à cause de son action syndicale », est devenu un homme d'affaires douteux, spécialisé dans l'import-export. Confortablement installé dans la bourgeoisie dakaroise et préoccupé de son image, il décide, à cinquante ans, d'épouser en troisièmes noces une jeune fille de plus de trente ans sa cadette. Victime du « xala », il ne peut consommer ce mariage. Afin d'être délivré de ce sortilège, El Hadji consulte plusieurs marabouts. L'un d'eux, Sérigne Mada, parvient à le guérir. Mais, tandis qu'il se préoccupait de sa santé sexuelle, El Hadji a délaissé ses affaires ; ses anciens amis l'ont abandonné et ses anciens partenaires commerciaux l'ont exclu de leur groupe. Ruiné, il ne peut honorer sa dette envers Sérigne Mada et le chèque remis à ce dernier reste impayé. Mécontent, le marabout rétablit le « xala ». Les créanciers se manifestent et font saisir ses biens. Une ancienne victime d'El Hadji se révèle être à l'origine du mal et afin de parfaire sa vengeance, entreprend avec d'autres laissés-pour-compte dakarois de piller la villa d'El Hadji et de l'humilier. Ils le contraignent à se déshabiller devant eux et le couvrent de crachats.

Alors que dans ses œuvres précédentes, Ousmane Sembene prenait pour personnages principaux ceux dont il souhaitait défendre la cause – les cheminots en grève dans *les *Bouts de bois de Dieu* (1960), les émigrés africains dans *le Docker noir* (1956) et *la Noire de...*, un chômeur miséreux dans *le Mandat* –, le romancier illustre, ici, la revanche des faibles et des opprimés en montrant la déchéance sociale, financière et physique d'un nanti qu'il choisit comme personnage central de son intrigue. Le symbolisme du dénouement est évident : mis à nu par ceux-là mêmes qu'il avait préalablement dépouillés, El Hadji n'obtiendra son salut qu'après avoir expié ses fautes. Au-delà de ses propres méfaits, l'homme d'affaires failli devient une victime expiatoire et « paye » pour tous ceux qu'il représente aux yeux des opprimés. En ce sens, *Xala* est une fable morale qui s'inscrit dans la lignée du militantisme social des précédentes œuvres d'Ousmane Sembene. Le choix du titre ainsi que l'emploi de nombreux autres termes wolof dans le cours du récit marquent la volonté du romancier sénégalais d'africaniser une écriture qu'il veut accessible au plus grand nombre et tout particulièrement à ses compatriotes. Cette volonté est plus manifeste encore dans le travail du cinéaste, qui a tenu à ce que le film qu'il tira du roman fût réalisé en deux versions, wolof et française.

B. MAGNIER

XIPÉHUZ (les). Nouvelle de Joseph Henri Boex, dit **Rosny Aîné** (1856-1940), publiée à Paris à la Nouvelle Librairie parisienne-Albert Savine en 1887. Rosny ajoutera, pour la réédition de 1896 au Mercure de France, un sous-titre : *Merveilleux préhistorique*, ce qui permet de distinguer la nouvelle de *la *Guerre du feu*, roman préhistorique.

Après *Nell Horn de l'Armée du salut, roman de mœurs londoniennes* (1886), son premier ouvrage, remarqué par Edmond de Goncourt, Rosny Aîné donne ici un texte d'anticipation, veine qu'il exploitera ensuite depuis *Un autre monde* (1898) jusqu'aux *Navigateurs de l'infini* (1927). L'on a pu dire que *les Xipéhuz* constituaient la première œuvre de science-fiction véritable de la littérature française.

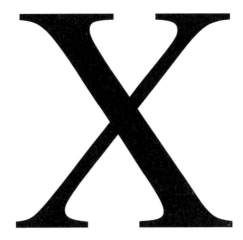

Organisé en 2 livres (chap. 1 à 6, puis 7 et 8, de longueur fort inégale), le récit nous transporte aux temps antébabyloniens, quelque part en Mésopotamie, vers le IVe ou Ve millénaire avant J.-C. Une tribu barbare rencontre de mystérieuses formes vivantes, les Xipéhuz. Malgré leur enfermement dans un enclos sacré organisé par les prêtres, ces créatures menacent d'anéantissement les humains. Bakhoûn, ermite savant et non-conformiste, géomètre monothéiste, entreprend de les étudier, les baptise, et la nouvelle se donne comme la transcription par l'archéologue Dessault de ses écrits, récemment retrouvés. Sous forme d'étude scientifique et d'épopée, Bakhoûn expose le résultat de ses observations et narre la « guerre sacrée » contre les Xipéhuz. À l'issue de ces deux jours de combat, les créatures sont anéanties et « la terre appartient aux Hommes », mais Bakhoûn regrette que le Meurtre ait souillé la splendeur de la Vie.

Rétrospection mythologique, sorte de mythe rationaliste qui fonde l'espèce humaine dans une lutte à mort avec des extra-terrestres radicalement autres, *les Xipéhuz* prétendent constituer le premier livre de l'humanité, déchiffré et restitué. Histoire des origines, il est origine de l'Histoire. Bakhoûn inaugure la filiation des siècles et notre mémoire.

Fantasmagoriques entités électro-cristallines versicolores, les formes semblent d'abord défier l'intelligence et la raison. Mais leur géométrisme (cônes, strates et cylindres), leur rayonnement mortel, qui leur permet également de communiquer, leurs pratiques sociales, leurs passions combinent au merveilleux et au fantastique, rationalité et science. Dès lors, à la sorcellerie impuissante, la réflexion humaine pourra suppléer. Leur supériorité recèle heureusement un talon d'Achille : les Xipéhuz sont vulnérables aux armes humaines. Atteints par des flèches, ils se condensent et se pétrifient en cristaux jaunâtres striés de filets bleus (ces fossiles seraient conservés au British Museum). De plus, leur capacité énergétique n'est pas illimitée. Au nombre de 4 000, ils seront terrassés par 140 000 guerriers, qui paieront un très lourd tribut pour cette reconquête de la Terre.

« Je suis le seul en France qui ait donné avec *les Xipéhuz* un fantastique nouveau, c'est-à-dire en dehors de l'humanité », déclarait Rosny Aîné à Jules Renard. Mêlant l'inspiration préhistorique, qu'il portera à la perfection dans *la Guerre du feu*, et la science-fiction, Rosny Aîné, en imaginant qu'à l'aube de l'Histoire des cristaux intelligents ont failli prendre possession du monde, écrit un remarquable poème en prose épique. Dans *la Mort de la Terre* (1912), il imaginera des ferromagnétaux, autre forme de vie extra-terrestre.

● *Romans préhistoriques*, « Bouquins », 1985 (p.p. J.-B. Baronian).

G. GENGEMBRE

YAHIA, PAS DE CHANCE. Roman de Nabile **Farès** (Algérie, né en 1941), publié à Paris aux Éditions du Seuil en 1970.

Après un court séjour à Akbou, dans la campagne de Kabylie, où il apprend l'arrestation de son oncle Si Saddek impliqué dans un attentat, Yahia se rend d'Alger à Paris pour poursuivre ses études au lycée de Versailles, où il se lie d'amitié avec Jean-Paul, un interne, et fait la rencontre de Claudine. Trois ans plus tard, Yahia s'installe à Paris et entre dans un réseau du FLN. En apprenant l'arrestation de son père, il décide de rentrer en Algérie et de prendre le maquis.

Le récit est structuré par quatre voyages : « Alger-Paris », « Paris-Versailles », « Versailles-Paris », « Paris-Akbou ». Yahia, le narrateur, se souvient de son séjour à Akbou, de sa traversée jusqu'à Marseille, puis de son arrivée à Paris, mêlant le passé au présent de la narration et à l'évocation de sa vie de lycée à Versailles, puis de sa décision de rentrer à Akbou, selon une composition circulaire. C'est donc dans le jeu sur la chronologie que réside l'intérêt de ce roman de formation, manifestement autobiographique. C'est avec pour mentor son cousin Mokrane, étudiant en médecine à Paris, que Yahia fait l'apprentissage de la vie en France – et de la vie tout court –, scandé par l'initiation amoureuse, intellectuelle et politique.

Jouant à la fois sur la chronologie et sur le tempo, la durée des épisodes relatés (les quatre jours passés à Akbou occupent un tiers du roman, tandis que deux années à Paris sont résumées en quelques lignes), Nabile Farès affiche clairement ses affinités avec le Nouveau Roman. Comme chez Claude Simon, l'Histoire, représentée par la guerre d'Algérie et l'engagement de Yahia dans le combat, est intimement mêlée à la vie individuelle – érotique, en particulier. À cet entrelacement contribuent largement la temporalité narrative et l'importance dévolue au souvenir. De manière toute proustienne, les événements sont racontés à partir d'impressions affectives fortes, comme le souvenir de l'« Amandier » d'Akbou, symbole de la pérennité de la vie naturelle dans la tourmente de l'Histoire : « Et il y eut ce dîner où s'échangeaient les mondes. Oncle Saddek était assis sur une chaise en osier clair, au pied de l'ancien arbre, l'Amandier, autour duquel la maison s'était construite, comme s'il pouvait être le garant coutumier et fondamental d'un ordre de vie fraîche, continuellement alimenté au printemps des années par la légère cueillette d'amandes qu'oncle Saddek pouvait faire envoyer à Yahia... » La syntaxe, marquée par ses phrases nominales, son ampleur, son rythme périodique ralenti par de nombreuses parenthèses, rappelle irrésistiblement le style de Claude Simon. Les chapitres s'ouvrent fréquemment sur des points de suspension qui suggèrent que le narrateur a isolé un épisode dans un récit indéfini et continu, comme la mémoire elle-même : « ... le soleil disparu, lentement la pénombre avait couru sur les chemins de terre battue du village où Yahia, depuis maintenant trois jours, à ce moment de lumière bleue, tous les soirs venait s'asseoir... » Et il paraît significatif que, souvent, comme chez Kateb Yacine, le récit s'infléchisse vers la poésie, par l'introduction de poèmes versifiés dans la trame romanesque, en référence notamment à Si Mohand, figure emblématique de la poésie orale kabyle. Devant la magnificence du paysage, entre les montagnes de la vallée de la Soummam, l'oncle Saddek lui-même parle en poète : « Perpétuellement / le poème tourne / dans la tête », citant encore un poème kabyle qu'on retrouve en exergue au roman. La prose elle-même est poétisée par la récurrence de comparaisons, en particulier de comparaisons conditionnelles sur le mode du « comme si ». Ce privilège accordé à l'analogie, aux associations et aux réminiscences affectives permet au roman d'échapper aux stéréotypes, à la fois du roman de formation et du roman « engagé ».

D. COMBE

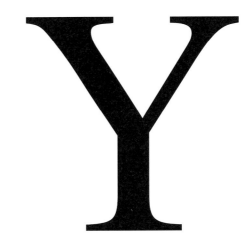

YEUX D'ELSA (les). Voir CRÈVE-CŒUR (le), de L. Aragon.

YEUX FERTILES (les). Recueil poétique de Paul **Éluard**, pseudonyme d'Eugène Paul Grindel (1895-1952), publié à Paris chez Guy Lévis-Mano en 1936. Les plaquettes reprises dans ce recueil, assorti d'un portrait et de quatre illustrations de Picasso, ont été publiées pour la plupart en 1936, quelques mois avant leur parution en volume : *Grand Air* et *la Barre d'appui* en juin, illustrés d'eaux-fortes de Picasso ; seul *Facile* était paru chez Guy Lévis-Mano, un an auparavant, en octobre 1935, accompagné de douze photographies de Nusch par Man Ray. C'est dire, par conséquent, l'unité chronologique du recueil. Francis Poulenc composa des mélodies sur ces poèmes en 1936, sous le titre *Tel jour, telle nuit*, dont la première audition, salle Gaveau, eut lieu en février 1937.

L'année 1936 est particulièrement importante dans l'œuvre d'Éluard puisqu'il prononce l'importante conférence, publiée en 1937, l'*Évidence poétique*, pendant l'Exposition internationale du surréalisme à Londres, à l'invitation du peintre britannique Roland Penrose. Précédant la rupture définitive avec Breton en 1938, *les Yeux fertiles* sont le dernier grand recueil de la période proprement surréaliste. Mais 1936 est d'abord une année vouée à l'Espagne, avec le début de la guerre civile et l'exécution de Federico García Lorca, à qui Éluard rendra hommage en 1938 en traduisant avec Louis Parrot l'"Ode à Salvador Dalí". Et, surtout, Éluard prononce à l'Institut français de Madrid une conférence sur *Picasso, peintre et poète*, qui complète l'exposition itinérante présentée à travers toute l'Espagne. *Les Yeux fertiles* sont placés sous le signe, précisément, de la peinture de Picasso, dont la personnalité paraît d'autant plus fascinante à Éluard que celle de Breton pâlit d'une brouille. Le célèbre portrait d'Éluard par Picasso en témoigne, qui sert de frontispice au recueil.

À travers Picasso, c'est à la peinture qu'Éluard rend hommage, retrouvant une thématique présente dans les premiers recueils jusqu'à *la *Vie immédiate*, et que *la *Rose publique* avait un peu effacée. Même lorsqu'Éluard ne fait pas explicitement référence à la peinture, le sujet des poèmes apparaît très nettement pictural, comme l'"Entente" qui, dans *Facile*, campe un décor inspiré des tableaux métaphysiques de Chirico : « Au centre de la ville la tête prise dans le vide d'une place... » Les images de couleur y contribuent à suggérer un « paysage » : « Le vert et le bleu ont perdu la tête / Tout le paysage est éblouissant... » ("Ma vivante"). Le titre *les Yeux fertiles*, qui désigne en premier lieu les yeux de Picasso, a été repris pour le premier volume de l'*Anthologie des écrits sur l'art* (1952), faisant de Picasso la figure universelle et archétypique du peintre. L'admiration et l'amitié d'Éluard pour Picasso – qui n'a jamais véritablement fait partie du groupe surréaliste – ne se démentiront jamais par la suite, et rejoignent celle que Breton exprimait avec lyrisme dès *le Surréalisme et la Peinture*, en 1925, où était célébré celui qui a « porté à son suprême degré l'esprit non plus de contradiction, mais d'évasion ». Le très beau poème dédié "À Pablo Picasso" de *Grand Air* témoigne de cette admiration (et renoue avec deux des « Nouveaux Poèmes » de **Capitale de la douleur*) :

Montrez-moi cet homme de toujours si doux
Qui disait les doigts font monter la terre
L'arc-en-ciel qui se noue le serpent qui roule
Le miroir de chair où perle un enfant
Et ces mains tranquilles qui vont leur chemin
Nues obéissantes réduisant l'espace
Chargées de désirs et d'images
L'une suivant l'autre aiguilles de la même horloge.

L'œil du peintre est inséparable de sa main : le poème "René Magritte" associe ainsi les « Marches de l'œil » au « tapis / Sans gestes ». Si le geste est intimement lié au regard du peintre, il est aussi, par la « caresse », l'équivalent du regard amoureux. D'où la deuxième séquence de "l'Entente" consacrée aux mains « petites et douces » de « toutes les femmes ». Dans "Ma vivante", l'union amoureuse est scellée par les « mains courageuses ».

Le propre des *Yeux fertiles* est donc d'entrelacer, ou plutôt de superposer, les thématiques picturale et amoureuse grâce à la double acception des mots « yeux » et « regard ». Car ces « yeux fertiles » du peintre Picasso sont aussi, et simultanément, ceux des « femmes fugaces » qui, dans le même poème, « faisaient une haie d'honneur » et, surtout ceux de Nusch, dédicataire du recueil, auxquels le poète est suspendu :

Pour ne plus rien voir dans tes yeux
Que ce que je pense de toi
Et d'un monde à ton image
Et des jours et des nuits réglés par tes paupières.

("Intimes", V)

Plus que la traditionnelle métaphore pétrarquiste de l'« œillade assassine », le regard prend alors une valeur régénératrice, voire créatrice. C'est encore le poème "l'Entente" qui explicite cette signification du titre « yeux fertiles ». La métonymie de « fertiles » s'y trouve en effet remotivée par le verbe « fleurir » et l'imaginaire végétal :

Multiples tes yeux divers et confondus
Font fleurir les miroirs
Les couvrent de rosée de givre de pollen.

Ces vers unissent étroitement le motif amoureux du regard, porteur de vie, à la croissance organique du monde végétal ; la thématique du miroir, qui évoque certains portraits célèbres de Picasso, instaure alors un échange entre le pictural et l'érotique, qui tendent à se confondre dans le regard. Si l'on considère en outre que l'image littéraire est souvent définie par Éluard à travers des métaphores végétales, la mise en abyme semble parfaite, reflétant la poésie dans le miroir de la peinture comme de l'amour. *Les Yeux fertiles*, mieux encore que *l'*Amour, la poésie*, condensent le rapprochement de la poésie et, plus généralement de l'art, avec l'amour.

● *La Vie immédiate [...]*, « Poésie/Gallimard », 1973. ➤ *Œuvres complètes*, « Pléiade », I ; *Œuvre poétique complète*, Club de l'honnête homme, II.

D. COMBE

YON ou **la Vengeance Fromondin.** Voir LORRAINS (cycle des).

YONEC. Voir LAIS, de Marie de France.

YSAÏE LE TRISTE. Roman anonyme en prose à insertions lyriques, composé probablement au début du XVe siècle, et conservé par deux manuscrits de ce siècle. Il a dû connaître un certain succès au siècle suivant, qui en offre quatre éditions.

Le **Tristan en prose* ayant saturé en amont l'histoire du lignage de Tristan, c'est vers l'aval que choisit de se placer l'auteur d'*Ysaïe le Triste*, qui retrace la vie de l'enfant des amants de Cornouailles (dont le nom rappelle ceux de ses parents : Ysaïe [Y/seut] le Triste [Trist/an]) ainsi que celle de son fils, Marc l'Essilié.

Né dans la forêt du Morois peu avant la mort de ses parents, Ysaïe est élevé dans la Verde Forest par un ermite et un nain hideux, Tronc, à qui des fées l'ont confié. Merlin, du fond de sa tombe, lui révèle ses origines. Armé chevalier, Ysaïe part avec Tronc, à la mort de l'ermite, en quête d'aventures. Il livre de multiples combats et élimine les mauvaises coutumes qui prolifèrent depuis la mort d'Arthur. Marthe, nièce du roi de Blamir, apprend ses exploits et s'éprend de lui sans l'avoir vu, puis se donne à lui quand il arrive sur ses terres. De cette union naîtra Marc. Mais Ysaïe doit repartir afin d'abolir d'autres coutumes iniques, et en premier lieu affronter le géant Miroul du Hault Hurt, qui déshonore dames et demoiselles en les livrant à ses valets avant de les faire périr. Séparé de Tronc dont ses ennemis s'emparent par traîtrise, Ysaïe perd la raison. Il ne sera guéri, grâce au nain, que lorsque ce dernier échappera à ses geôliers.

Marc grandit à la cour du roi Yrion de Blamir. Il devient un chevalier remarquable et ses prouesses lui gagnent le cœur d'Orimonde, fille du chef sarrasin qui est venu attaquer les chrétiens. Ysaïe vient à la rescousse et joute avec son fils sans le reconnaître. Des trêves sont conclues pour un an entre chrétiens et Sarrasins. Marc part alors, accompagné de Tronc, combattre les quatre géants du château des Hauts Murs, et mettre fin à d'injustes coutumes. Dans un lieu enchanteur, il rencontre la fée Oriande (l'une des « dames » qui veillèrent sur l'enfance d'Ysaïe) : elle lui révèle que Tronc est le fils de Jules César et de la fée Morgue, et que sa laideur tient à un sort qui lui a été jeté à sa naissance. Elle lui apprend aussi que Tronc, tout en gardant sa taille, peut devenir la plus belle créature du monde, si un chevalier passe le pont de Douleur, conquiert le château Envieux et se marie le jour où son père épousera sa mère. Marc vient à bout des deux premières épreuves et, chemin faisant, délivre une malheureuse femme promise au bûcher, qui n'est autre que sa mère. Ils vont rejoindre Ysaïe et Orimonde. Mais les trêves sont arrivées à expiration. Au terme d'une difficile bataille, la victoire revient à Ysaïe, Marc et leurs compagnons.

Ysaïe épouse Marthe et, le même jour, Marc prend pour femme Orimonde, qui entre-temps s'est convertie. Tronc échappe alors à son sort et se métamorphose en un beau jeune homme. Il se fait baptiser sous le nom d'Aubéron, puis disparaît, non sans avoir laissé un cor à Ysaïe, pour qu'il l'appelle en cas de besoin. Ysaïe et Marc font régner la paix sur leur royaume.

Cette continuation du *Tristan en prose* insère avec un soin méticuleux son histoire dans les dernières années du règne d'Arthur : enfant, Ysaïe trouve sur son chemin Agravain et Mordret ; six mois plus tard, environ, il apprend de Merlin, qui se lamente sous sa « lame », la fin du roi et de ses compagnons à Salesbières, et quand, à quinze ans, il demande à être armé chevalier par Lancelot, il doit se contenter, pour recevoir la colée, de l'os du bras droit du fils de Ban de Benoïc. Il ne reste plus alors à Ysaïe, sous le double patronage de son père et de Lancelot, qu'à reprendre le flambeau de la prouesse et à ajouter son nom au palmarès dressé par les quatre « dames » (fées) qui veillent sur son enfance et par Merlin. Ce sera chose faite quand Marc découvrira au « vergier des Fées » les armes de son père, à côté de celles d'Arthur, des chevaliers de la Table ronde, de Perceval, de Tristan, de Jules César, d'Alexandre et d'Hector. On aura noté l'absence de deux des « Neuf Preux », Charlemagne et Godefroi de Bouillon, peut-être par souci de vraisemblance chronologique. Et Marc lui-même, lors de son retour au « vergier », après avoir accompli les plus hauts exploits, y verra figurer ses armes parmi celles des Preux.

Dignes descendants de Tristan dans leur itinéraire chevaleresque, Ysaïe et Marc s'en écartent radicalement dans leur destin amoureux. Aucune barrière ne se dresse entre Ysaïe et Marthe, et Marc ne connaît pas des amours plus difficiles, une fois surmonté l'obstacle religieux qui s'élevait entre lui et sa « belle Sarrasine ». Mais Marc se distingue encore de son illustre aïeul par une fidélité très approximative aux engagements qui le lient à Orimonde. Sensible aux charmes de la fée Oriande, il ne reste pas de glace devant Gencienne de Vertonne et ne résiste sans doute pas aux avances de la femme de Piralius quand elle vient le retrouver dans sa chambre, bien que le narrateur se défende de savoir ce qui s'est passé entre eux. Quant à son aventure avec Orphée, filleule d'Oriande, qu'il a arrachée au terrible nain Driadet, elle n'engage pas sa responsabilité, puisqu'Orphée ne parvient à le séduire qu'en usant d'un breuvage magique (ultime avatar du philtre tristanien, qui ne résiste pas aux vertus d'une ceinture dissipant les sortilèges). Marc sera puni de son inconstance, mais son châtiment, une sévère correction que lui infligent des nains, paraît bien dérisoire quand on le compare au traitement des « faux amants » du Val sans Retour dans le *Lancelot en prose. Apparemment l'auteur se soucie peu de défendre un idéal d'amour parfait, de fin'amor.

Le service de Dieu n'apparaît pas non plus dans ce roman comme la plus noble des aspirations. Les rites de la religion chrétienne sont bien respectés (messes, baptêmes, fondations pieuses), mais le frère de lait d'Ysaïe, le couard Oriant, qui n'a pu devenir chevalier et fait un ermite très présentable, illustre une hiérarchie des valeurs où le guerrier l'emporte sur le prêtre. Et l'engagement d'Ysaïe et Marc dans la lutte contre les Sarrasins n'est qu'un aspect de leur vaillance, toujours mise au service des bonnes causes (la plus récurrente étant l'abolition des mauvaises coutumes).

Mais l'un des traits les plus originaux de ce roman tient à la présence de Tronc aux côtés d'Ysaïe, puis de Marc. Facteur d'unité narrative – il apparaît peu après la naissance d'Ysaïe et le roman s'achève peu après son départ –, le nain difforme rattache aussi la « matière de Bretagne » au cycle d'Aubéron, témoignant d'un goût pour la fusion des grands cycles légendaires dont *Perceforest fournit un autre exemple. En aidant ses maîtres par ses conseils, ses ruses, ses soins, Tronc démontre que l'intelligence est un indispensable complément de la bravoure chevaleresque. Ysaïe du reste l'a bien compris et déclare pour défendre son compagnon que « force vault pau [peu] sans sens [intelligence], mes sens est bon sans force ». Marc, lui, restera longtemps défiant à l'égard du nain et son histoire est peut-être en partie l'apprentissage de cette vérité.

Ainsi *Ysaïe le Triste* qui, comme les grands cycles en prose du XIIIᵉ siècle, entrelace les aventures, se sépare-t-il de ces récits par le rôle qu'il attribue à Tronc, tandis que s'estompe l'importance de l'amour ou de l'élection divine dans la prouesse chevaleresque. Il se fait aussi l'écho, à travers la fréquence des éléments comiques, d'une forme de désenchantement propre à la fin du Moyen Âge, temps où l'on découvre que les beaux coups d'épée sont souvent moins efficaces que la tactique ou la ruse, temps où se brouille la correspondance entre l'être et les apparences.

● Rouen, Publications de l'Univ. de Rouen, 1989 (p.p. A. Giachetti).

M.-T. DE MEDEIROS

YVAIN. Voir CHEVALIER AU LION (le), de Chrétien de Troyes.

YVETTE. Nouvelle de Guy de **Maupassant** (1850-1893), publiée à Paris dans *le Figaro* du 29 août au 9 septembre 1884, et en volume dans un recueil de huit nouvelles auquel elle donne son titre chez Havard en 1884.

Pendant l'année 1884, tout en composant *Bel-Ami, Maupassant écrit trois longues nouvelles, ou romans courts : *Miss Harriet, les *Sœurs Rondoli, Yvette. L'auteur n'accordait pas grande importance à cette dernière, « faite uniquement pour le public niais du *Figaro* », « pastiche de la manière élégante de Feuillet et Cie ». Il la jugea en ces termes : « C'est une bluette, mais ce n'est point une étude. C'est adroit, mais ce n'est pas fort. » Telle n'est plus notre opinion : on y voit aujourd'hui une rare analyse du moment où la jeune fille devient femme (ou fille...).

Jean de Servigny, viveur « indifférent et passionné », présente son ami Léon Saval, « un de ces superbes colosses qui font se retourner les femmes dans les rues », chez la marquise Obardi – de son vrai nom Octavie Bardin –, demi-mondaine qui règne sur un salon équivoque. Servigny est obsédé par la fille de la marquise, Yvette, qui lui paraît un « être anormal », incompréhensible : il ne sait si son audace tranquille cache de l'innocence ou de la perversité. La marquise, séduite par le physique avantageux de Saval, invite les deux hommes à Bougival : Servigny, malgré les prétendants qui courtisent Yvette, espère bien devenir là-bas son « premier amant » (chap. 1). Pendant que la marquise se donne à Saval, Servigny se déclare à Yvette, mais avec une restriction qui la trouble : « Vous savez bien qu'il ne peut s'agir de mariage entre nous... mais d'amour » (2). Accablée par ce mot qui lui fait entrevoir sa condition, Yvette fait une autre horrible découverte : elle surprend Saval dans les bras de sa mère qui lui avoue, ou plutôt qui revendique avec fierté, son statut de courtisane (3). Yvette décide de mourir, « pour ne point devenir une fille entretenue », mais le chloroforme la grise au lieu de la tuer, et provoque en elle « une envie forte, impérieuse de vivre, d'être heureuse, n'importe comment, d'être aimée, oui, aimée » : elle enlace Servigny (4).

Dans des lieux que l'auteur connaît bien (les « temples de la chair » des salons interlopes, Bougival, le café flottant de la Grenouillère), il nous fait assister à l'éveil douloureux d'une conscience de jeune fille, restée pure et naïve malgré le milieu corrompu dans lequel elle a grandi. Elle apparaît d'abord au viveur Servigny comme une enfant « irritante et inexplicable » ; il ne sait comment la classer : gamine ou coquine, courtisane ou vierge ? L'être humain est inconnaissable, la femme encore plus et la jeune fille représente le mystère absolu : « Que c'est drôle, une fillette. Ça a l'air simple comme tout et on ne sait rien d'elle. »

Yvette est brutalement tirée de sa « jeunesse heureuse » par une double révélation : le désir de l'homme, la condition de sa mère. À la révolte, à l'envie de mourir, succèdent la résignation, l'acceptation d'un destin social héréditaire que le cynique Servigny a d'emblée fixé : « Elle appartient à sa mère, [...] à la prostitution dorée. [...] Elle n'a donc qu'une profession possible : l'amour. [...] Elle ne saurait fuir sa destinée. De jeune fille elle deviendra fille, tout simplement. Et je voudrais bien être le pivot de cette transformation. »

Maupassant reprend et développe dans *Yvette* un thème déjà abordé dans la nouvelle « Yveline Samoris » (*le Gaulois*, 20 décembre 1882) : la fille très ignorante d'une courtisane se suicide après avoir surpris une conversation entre les invités de sa mère. Que le « désir de mourir » cède la place, chez Yvette, au désir de vivre ne prouve pas une conversion à l'optimisme ; tout au contraire, l'honnête fille s'abandonne à un destin que seule la drogue lui présente comme enviable.

● *La Maison Tellier [...]*, « GF », 1980 (p.p. P. Cogny). ➤ *Œuvres complètes*, Albin Michel, II ; *id.*, Éd. Rencontre, V ; *Contes et Nouvelles*, « Pléiade », II ; *Contes et Nouvelles. Romans*, « Bouquins », II ; *Œuvres*, Club de l'honnête homme, VIII.

Y. LECLERC

ZADIG ou la Destinée. « Histoire orientale » de François Marie Arouet, dit **Voltaire** (1694-1778), publiée sous le titre *Memnon, histoire orientale* à Amsterdam en 1747 et à Paris chez Prault et Machuel en 1748.

Zadig s'appela d'abord *Memnon*, qui ne comportait que quinze chapitres. Selon Longchamp, secrétaire de Voltaire, ce conte aurait été composé chez la duchesse du Maine, à Sceaux où le philosophe s'était réfugié à la suite d'un incident au jeu de la reine à l'automne 1747. Longchamp a sans doute confondu ce séjour à Sceaux avec celui de l'année précédente. Mais il n'a aucune raison de se tromper lorsqu'il raconte que Voltaire lisait à la duchesse des chapitres de ses contes, en particulier de *Zadig*. Encouragé par les applaudissements, Voltaire décide de le publier en limitant l'impression à mille exemplaires. Il recourt à une ruse étonnante, donne la première moitié de son manuscrit à Prault et la seconde à Machuel. Chaque libraire doit lui abandonner sa moitié d'ouvrage. Il fait brocher les deux parties ensemble, qui paraissent en septembre 1748. Il révise le texte en 1752 et en 1756. Il garde en portefeuille deux chapitres, « la Danse » et « les Yeux bleus », qui paraîtront dans l'édition de Kehl (1784).

Jeune, aimable, riche, « né avec un beau naturel fortifié par l'éducation », le Babylonien Zadig « crut qu'il pouvait être heureux ». Sémire l'abandonne quand il est menacé de devenir borgne, Azora qu'il épouse est infidèle. Il se voue à l'étude de la nature, se fait accuser d'avoir volé le cheval du roi, la chienne de la reine, réussit à se disculper ; mais qu'il parle ou qu'il se taise, il est toujours sous le coup d'une condamnation. Malgré la haine de « l'envieux », il devient le favori du roi et de la reine. Les aléas de son sort dépendent du hasard. Il remporte le prix de la générosité, est nommé Premier ministre, met en œuvre une politique éclairée. Son malheur vient de son bonheur même. Il tombe amoureux de la reine Astarté qui répond à ses sentiments. Menacé de mort, il doit s'enfuir. Sur le chemin de l'Égypte, il vole au secours d'une femme battue par un Égyptien, tue celui-ci, est invectivé par la dame, arrêté comme meurtrier et vendu comme esclave. Son maître, Sétoc, admire sa science et sa sagesse. Il devient son ami. Zadig réussit à faire abolir la coutume barbare du bûcher des veuves, et s'attire ainsi la haine des prêtres. Au cours d'un souper à Bassora qui réunit des négociants venus de diverses contrées, Zadig prouve aux convives qui se querellaient pour d'obscures questions de rites qu'ils sont tous du même avis et qu'ils adorent un même dieu. Condamné par les prêtres, il échappe au supplice grâce à Almona, une veuve qu'il avait sauvée du bûcher. Sétoc épouse Almona et Zadig prend le chemin de Babylone. En route, il est capturé par le brigand Arbogad ; il apprend que des troubles ont éclaté à Babylone et que le roi est devenu fou. Il obtient la permission de partir, rencontre un pêcheur qui maudit sa destinée, et lui fait rendre justice. Il trouve des femmes à la recherche d'un basilic destiné à guérir le seigneur Ogul, découvre la reine Astarté parmi elles. Grâce à Zadig, Ogul guérit et en récompense, Astarté est libérée. Elle est reçue triomphalement à Babylone. Des combats doivent désigner celui qui l'épousera. Zadig est déclaré vainqueur, mais l'un des prétendants, le lâche Itobad, réussit à s'emparer de son armure et à se faire désigner à sa place. Sur les bords de l'Euphrate, Zadig rencontre l'ange Jesrad déguisé en ermite qui lui explique, à partir d'aventures étonnantes, le sens des choses. Zadig n'est pas convaincu, l'ange s'envole vers le ciel. Zadig, de retour à Babylone, résout des énigmes. Il est rétabli dans ses droits, épouse Astarté, devient roi : « On bénissait Zadig, et Zadig bénissait le ciel. »

Précédé d'une « Approbation » déclarant que ce manuscrit est « digne de plaire à ceux même qui haïssent les romans » et d'une « Épître dédicatoire de Zadig à la sultane Sheraa », ennemie des « contes sans raison », cette histoire orientale affiche un dessein philosophique inscrit dans son titre : *Zadig ou la Destinée*. Voltaire avait été séduit très tôt par le conte oriental. *Le Crocheteur borgne*, publié seulement en 1774, date de 1715. Après *Zadig*, il exploitera cette veine dans le second *Memnon* (1749), *le Blanc et le Noir*, *la *Princesse de Babylone*. S'il goûte le charme des *Mille et Une Nuits*, s'il leur emprunte un cadre et des anecdotes, s'il garde une couleur orientale, il ne cède pas aux illusions de la fable. Il transpose le merveilleux, injecte un sens rationnel aux histoires extraordinaires. À titre d'exemple, la guérison du seigneur Ogul illustre cette « dialectique du rationnel et de l'imagi-

naire ». Le médecin Douban des *Mille et Une Nuits* guérissait un roi malade de la lèpre grâce à un remède enfermé dans le manche d'un mail. Zadig, lui, fait croire au seigneur Ogul qu'un basilic est enfermé dans une outre qu'il doit pousser de toutes ses forces. Mais il détruit tout mystère sur ce remède, révèle qu'il n'y a point de basilic, que son patient a joué au ballon et que l'exercice l'a guéri. Même confiscation du merveilleux à propos du thème des caprices de la destinée. Les bizarreries du sort de Zadig trouvent un sens lorsque l'ermite dévoile l'ordre de la Providence. La révélation finale a été précédée par les interrogations du héros : « Tout ce que j'ai fait de bien a toujours été pour moi une source de malédictions. » Elle est suivie par ses doutes, exprimés dans ce « mais » auquel l'ange Jesrad ne répond point. Le dénouement romanesque prouve le bien-fondé des affirmations leibniziennes de l'ange, mais l'incertitude philosophique demeure, même si Zadig tombe à genoux et adore la Providence. Car l'histoire de Zadig s'est déroulée sur un fond d'erreurs et d'horreurs : intrigues de cour, triomphe des méchants, hasards heureux ou malheureux, coutumes barbares, folies humaines. Apôtre de la tolérance, ce héros exemplaire devient roi de Babylone, réservant la part du rêve dans les dernières lignes du conte. Optimisme relatif qui sera de courte durée : deux ans plus tard, le second *Memnon* saccagera toutes ces illusions.

● Genève, Droz, 1956 (p.p. V.-L. Saulnier) ; STFM, 1962 (p.p. G. Ascoli et J. Fabre) ; « Le Livre de Poche », 1984 (p.p. J. Van den Heuvel) ; « Presses Pocket », 1990 (p.p. J. Goldzink) ; *Micromégas [...]*, « GF », 1994 (p.p. R. Pomeau). ➤ *Romans et Contes*, « GF » ; *id.*, « Pléiade » ; *id.*, « Folio », I ; *Contes en vers et en prose*, « Classiques Garnier », I.

C. MERVAUD

ZAÏDE. Roman de Marie-Madeleine Pioche de La Vergne, comtesse de, dite Mme de **La Fayette** (1634-1693), publié sous le nom de Segrais à Paris chez Claude Barbin en 1670-1671.

Après *la *Princesse de Montpensier*, Mme de La Fayette fait éditer cette « histoire espagnole » écrite en collaboration avec Segrais, La Rochefoucauld et Huet, dont le *Traité de l'origine des romans*, texte théorique tardif sur le grand roman des décennies précédentes, figure en tête de l'ouvrage. *Zaïde* marque un retour à des structures vieillies, mais investies pour imposer, à travers des personnages qui sont autant de « cas », une vision sombre de l'amour.

L'intrigue centrale se déroule en Espagne au IXᵉ siècle. Cinq fois interrompu par des « histoires » narrées à la première ou à la troisième personne (celles de Consalve, d'Alphonse et de Bélasire, de don Garcie et d'Hermenesilde, de Zaïde et de Félime, d'Alamir) et qui occupent près de la moitié du texte, le récit commence *in medias res* : Consalve, fils d'un noble castillan, et Zaïde, princesse maure convertie au christianisme, se rencontrent dans un lieu retiré où vit Alphonse, un prince affligé (par peur de la jalousie, il s'était promis d'épouser une femme laide. Il connut la belle Bélasire, réputée insensible. Passion réciproque. La jalousie délirante d'Alphonse la conduisit pourtant à rompre. À la suite d'une méprise, il tua son meilleur ami. Bélasire se retira dans un couvent pour trouver le repos). Consalve s'est exilé pour avoir été trahi par tous ceux qu'il aimait (don Garcie, le fils du roi de Léon, et don Ramire, ses amis ; Nugna Bella, sa « maîtresse », et même Hermenesilde, sa sœur) ; Zaïde a fait naufrage avec son amie Félime. Ils conçoivent une passion mutuelle et, après avoir surmonté divers obstacles (langue différente ; présence d'un rival, Alamir, qui poursuit en vain Zaïde de ses assiduités et qu'aime Félime ; prédiction liée au portrait d'un Arabe que Zaïde doit épouser et qui n'est autre que Consalve), ils se marient.

La problématique amoureuse fait parfois oublier la dimension politique de *Zaïde*. Don Garcie, mû par l'ambition, destitue le roi son père avec l'appui de hauts personnages comme le père de Consalve ; alors que ce dernier, au contraire, refuse de s'en prendre à un souverain pourtant injuste à son égard et qui l'amène à conclure que la « gloire ne donne pas même éclat que la faveur ». L'usurpateur provoque l'éclatement d'un royaume encore fragile qu'il faudra reconstituer – élément d'autant moins anodin qu'il n'est pas indispensable à l'intrigue, et que le roman est postérieur à la Fronde. Durant tout le récit s'impose le poids de l'ambition ; se distinguent pourtant une Zaïde, étrangère à ces préoccupations, un Consalve, tout de générosité – il sauve plusieurs fois Alamir, son rival – et fidèle soutien d'un pouvoir pour qui il gagne des batailles parfois imaginées à partir de la stratégie militaire de Condé... Il est le général victorieux, attentif à sa gloire mais toujours loyal (le vieux roi de Léon est destitué en son absence).

Dans le domaine des sentiments, cette loyauté fait d'abord son malheur : elle le porte à s'en tenir aux apparences alors qu'on le trompe. Il prônait l'amour-estime fondé sur la connaissance de l'autre, s'opposant en cela à don Garcie, tenant de l'amour-passion suscité par la surprise de la seule beauté, et à don Ramire, qui ne pensait qu'en termes de conquête face à un rival. Ces différentes conceptions sont mises à l'épreuve : don Ramire conquiert Nugna Bella, mais l'ambition de la jeune femme l'a aidé – il allait supplanter son rival auprès du prince ; don Garcie connaît la surprise de l'amour avec Hermenesilde ; Consalve, trahi par Nugna Bella, conclura qu'on ne peut connaître les femmes. Il lui faut encore rencontrer Zaïde pour admettre que don Garcie avait raison : l'homme est soumis à ses passions, la volonté est sans pouvoir. Même leçon pour Alphonse, incapable de réfréner une jalousie maladive, victime lucide et impuissante de son obsession ; et pour Alamir, séducteur vaincu par l'amour, qui découvre qu'il ne peut aimer qu'une femme qui lui résiste. La seconde partie le redira, conjuguant des variations sur le sort de personnages livrés à la passion, soulignant le sort tragique d'Alamir et de Félime, qui croyaient à la raison et à la volonté. Ainsi le roman pose et prétend résoudre de véritables questions de casuistique amoureuse, de celles dont on débattait dans les salons et qu'on retrouvait dans les romans précieux : peut-on aimer sans connaître ? Peut-on aimer sans être jaloux ?...

La composition archaïque du livre (récits intercalés qui constituent autant de retours en arrière), comme ces débats sur l'amour intégrés à l'intrigue, font de *Zaïde* une réécriture critique – et relativement brève – des grands romans antérieurs. L'ouvrage trouve son unité dans la convergence des regards portés sur l'amour à travers le prisme de différents personnages et dans le jeu de miroir instauré entre le fil narratif et les récits enchâssés (la couleur locale est parfois mise à profit, mais tous les personnages s'expriment de la même façon, semblent se référer aux même valeurs, aux mêmes conceptions). Tout le début du roman joue symboliquement de l'impossible communication entre Zaïde et Consalve : ils ne parlent pas la même langue, l'échange reste ambigu, même quand le jeune homme cherche une médiation dans la peinture ; lorsque, à la fin, les récits insérés rejoignent les premiers moments de l'intrigue, on revit, du point de vue de Zaïde, les événements racontés au début par un narrateur attentif aux interprétations pessimistes que Consalve donnait aux attitudes de la jeune femme. La fin heureuse, unique dans l'œuvre de l'auteur, paraît n'être qu'une concession au genre tant elle contraste avec les récits enchâssés (dont Consalve est toujours le destinataire direct ou indirect quand il n'est pas narrateur) et tant s'impose une noire image de l'amour : il rend le « repos » impossible (voir Bélasire), la jalousie quasiment inévitable (voir Alphonse, qui disparaît dans la seconde partie mais dont l'histoire ne laisse pas d'être significative). On quitte Zaïde et Consalve dans l'illusion du romanesque (Zaïde n'a-t-elle pas été d'abord amoureuse d'une image, portrait de Consalve qui fut longtemps son vrai rival puisqu'elle ne pouvait y reconnaître, sous les habits d'un prince arabe – selon le goût du peintre –, le jeune Espagnol ?). Ainsi, leur couple lui-même paraît en sursis.

● *La Princesse de Clèves [...]*, « Folio », 1978 (extraits, p.p. B. Pingaud) ; Nizet, 1982 (p.p. J. Anseaume Kreiter). ➤ *Romans et Nouvelles*, « Classiques Garnier » ; *Œuvres complètes*, François Bourin.

D. MONCOND'HUY

ZAÏRE. Tragédie en cinq actes et en vers de François Marie Arouet, dit **Voltaire** (1694-1778), créée à Paris à la Comédie-Française le 13 août 1732, et publiée à Paris chez Bauche et à Rouen chez Jore en 1733. Dans un troisième tirage, la même année, l'œuvre est précédée d'une « Épître dédicatoire à M. Falkener ».

Le 29 mai 1732, Voltaire annonce à son ami Cideville qu'il travaille à une tragédie entre « Turcs et chrétiens » où l'on verra « tout ce que la religion chrétienne semble avoir de plus pathétique » et tout ce que « l'amour a de plus tendre et de plus cruel ». Elle est terminée en vingt-deux jours. Succès mitigé lors de la première : les acteurs jouaient mal. Bientôt « on s'y étouffe » et Voltaire attribue ce triomphe aux « grands yeux noirs » de Mlle Gaussin. Des parodies sont jouées par les Italiens, *Arlequin au Parnasse ou la Folie de Melpomène* de l'abbé Nadal, *les Enfants trouvés ou le Sultan poli par l'amour* de Dominique et Romagnesi. *Zaïre* fait pleurer, elle est traduite, jouée sur les grandes scènes européennes, et 488 fois à la Comédie-Française entre 1732 et 1936.

La scène est à Jérusalem au temps de la croisade de Saint Louis. Zaïre, jeune esclave qui ignore tout de sa naissance, aime Orosmane, un « soudan », fils de Saladin. Elle en est aimée et Orosmane veut la prendre comme unique épouse malgré la coutume musulmane. Arrive Nérestan, un chevalier chrétien, naguère captif avec Zaïre, qui apporte la rançon de dix prisonniers. Orosmane accorde la grâce de cent captifs, mais en excepte Zaïre et le vieux Lusignan, dernier des souverains chrétiens de Jérusalem (Acte I). Zaïre a sollicité et obtenu la grâce de Lusignan. Le vieillard reconnaît en Zaïre et Nérestan ses enfants : la croix que porte Zaïre, la cicatrice d'une blessure reçue par Nérestan le prouvent. Lusignan presse sa fille de devenir chrétienne et fait jurer de garder le silence sur ses origines (Acte II). Nérestan obtient de s'entretenir avec Zaïre. Lusignan se meurt. Zaïre promet à son frère de recevoir le baptême et de différer jusque-là son mariage. Alors que la cérémonie nuptiale est prête, le désespoir de Zaïre, ses larmes, ses réticences éveillent la jalousie d'Orosmane (Acte III). Orosmane et Zaïre se revoient, partagés entre des sentiments contraires. Orosmane essaie en vain d'arracher à Zaïre son secret. Elle demande un jour de délai. Mais voici qu'on remet au soudan un billet de Nérestan, destiné à Zaïre, mais rédigé de telle façon qu'Orosmane se croit trahi, et décide de soumettre la jeune fille à une épreuve en lui faisant remettre ce billet qui lui fixe un rendez-vous (Acte IV). Orosmane erre dans les ténèbres. Zaïre avance « le cœur éperdu ». En l'entendant appeler Nérestan, Orosmane se jette sur elle et la poignarde. Nérestan survient enfin. Orosmane découvre l'affreux malentendu ; il se tue après avoir accordé la liberté à tous les esclaves chrétiens (Acte V).

Dans « l'Épître dédicatoire » de *Zaïre*, Voltaire reconnaît qu'il doit au théâtre anglais la hardiesse d'avoir mis sur scène les noms des anciennes familles françaises. Les croisades servent de toile de fond à cette tragédie dans laquelle Voltaire mêle les allusions à des événements réels (l'appareillage de la flotte française pour l'Égypte date du 30 mai 1249) et des détails inventés. L'accent est mis sur l'ardeur religieuse des croisés, Nérestan et Lusignan sont des soldats du Christ ; le monde musulman se réduit à des stéréotypes, Orosmane est un Oriental aux passions violentes. Le Moyen Âge accède à la dignité tragique.

La dette anglaise de Voltaire ne se limite pas à cette inspiration nationale. *Zaïre* évoque *Othello* : Voltaire n'en dit mot, mais dès 1738 l'abbé Leblanc l'accuse de plagiat. Le meurtre d'une femme aimée par un amant jaloux et mal conseillé est le thème commun aux deux pièces. Mais tandis que la jalousie est au cœur de l'œuvre de Shakespeare, le conflit entre le devoir filial et la passion l'est dans celle de Voltaire où le christianisme s'oppose à l'amour. L'Avertissement de l'édition de 1738 précise : « On l'appelle tragédie chrétienne, et on l'a jouée fort souvent à la place de *Polyeucte*. » La grâce triomphe dans *Polyeucte. Femme victime, Zaïre ne meurt pas convertie, et les deux amants, le musulman et la jeune fille d'origine chrétienne, sont réunis dans la mort. Voltaire, dont le rôle préféré était celui du vieux Lusignan, avait beau déclamer avec conviction la grande tirade : « Mon Dieu, j'ai combattu soixante ans pour ta gloire », sa tragédie est « philosophique ». Elle proclame la contingence des religions, les vertus d'un païen. « S'il était né chrétien, que serait-il de plus ? » interroge Zaïre. Même le dur Nérestan l'entrevoit au dénouement. Des péripéties – billet intercepté et de rédaction ambiguë –, des reconnaissances interviennent pour conduire les héros au double sacrifice final. Mais c'est la foi sans faille des croisés, leur prosélytisme religieux, la loi du sang, le « sang de vingt rois », le « sang des martyrs », le « sang des héros » que Zaïre trahit dans des lieux sacrés, qui sont à l'origine d'un drame purement humain. Cette pièce où Voltaire s'est abandonné à la « sensibilité » de son cœur se développe sous le signe du pathétique. Le choix de la pitié est aussi celui de l'humain contre le transcendant.

● Londres, Hodder et Stoughton, 1975 (p.p. E. Jacobs) ; « Pléiade », 1972 (*Théâtre du XVIIIe siècle*, I, p.p. J. Truchet). ➤ *Œuvres complètes*, Voltaire Foundation, VIII (p.p. E. Jacobs).

C. MERVAUD

ZAMORE ET MIRZA. Voir ESCLAVAGE DES NOIRS (l') OU L'HEUREUX NAUFRAGE, d'O. de Gouges.

ZAZIE DANS LE MÉTRO. Roman de Raymond **Queneau** (1903-1976), publié à Paris chez Gallimard en 1959.

Malgré les quatorze romans et les quatre recueils poétiques qu'il a déjà écrits, malgré sa participation à de nombreux jurys, Raymond Queneau est encore peu connu du grand public lorsque paraît *Zazie dans le métro*. Mais le succès immédiat et considérable que remporte le roman (prix de l'Humour noir, adaptation théâtrale d'Olivier Hussenot en 1959, puis cinématographique de Louis Malle en 1960), en révélant son auteur à un public très divers, contribuera aussi à fonder la légende de « Queneau le rigolo ». Bref, le « père de Zazie » devient immédiatement et durablement un écrivain célèbre et... méconnu, car si la dimension comique de Zazie, sa gaieté désabusée, ses mots « hénaurmes », son humour tendre et son aspect provocateur, sont indéniables, il ne faudrait pas pour autant perdre de vue que cette déclinaison euphorique du roman populaire, ou, pourquoi pas, du « roman parisien », est aussi, sinon d'abord, un face-à-face tendu avec une

rhétorique, une entreprise de dérèglement systématique des formes éculées du réalisme, sinon du discours. D'ailleurs Queneau, par l'entremise de Gabriel, l'oncle de Zazie, avait prévenu le lecteur : « N'oubliez pas l'art tout de même. Y a pas que la rigolade, y a aussi l'art. »

Débarquant gare d'Austerlitz, Zazie, que sa mère tout occupée par un « jules » a confiée pour deux jours à son frère Gabriel, n'a qu'une idée en tête : voir le métro. Comme il est en grève, c'est à pied ou dans le taxi minable de Charles, un ami de l'oncle Gabriel, que Zazie découvre Paris. Itinéraire d'ailleurs imprécis puisque les deux compères sont incapables de s'accorder sur le nom des monuments. De toute manière, chacune des propositions touristiques de tonton Gabriel est accueillie par un péremptoire et vibrant « mon cul » zazique. Gamine délurée, Zazie a tôt fait de bousculer les petites habitudes de Gabriel, qui le soir est danseuse comique dans une boîte pour « hormosessuels », mais aussi celles de ses amis : Gridoux le cordonnier, Turandot le bistrot flanqué de son perroquet Laverdure qui va répétant à toute occasion : « Tu causes, tu causes, c'est tout ce que tu sais faire », et Mado Ptits-pieds, la serveuse amoureuse de Charles le taxi. Au gré de ses pérégrinations dans « l'urbe inclite », Zazie aura également l'occasion non seulement de faire preuve de ses talents de dialecticienne sauvage, de monter à la tour Eiffel, mais aussi de rencontrer un (faux) satyre qui lui paiera des « bloudjinnzes », la vieille Mouaque, une veuve au regard « thermogène » en mal d'amour, un groupe de touristes qui « guidenappe » Gabriel, et encore d'assister, épatée quand même, aux exploits glossolaliques puis chorégraphiques de son oncle, enfin de participer à une bagarre dans un bistrot, interrompue par le diabolique Trouscaillon, alias Pédrosurplus, alias Bertin Poirée, alias Aroun Arachide. Quant à la douce Marceline, la tendre épouse de Gabriel, on apprendra incidemment qu'elle s'appelle Marcel... Finalement Zazie n'aura pas vu le métro mais, comme elle le dira à sa mère venue la récupérer gare d'Austerlitz : « J'ai vieilli. »

Si certains romans de Queneau ont pu apparaître déconcertants du fait de leur structure complexe (le *Chiendent* ou les *Fleurs bleues*), en revanche, le succès de *Zazie dans le métro* s'explique en partie par l'économie réaliste du récit, classiquement ordonné selon les modalités reconnues : une temporalité circonscrite (la grève du métro, les deux journées accordées à Zazie du fait des frasques de sa mère), un espace surdéterminé (le Paris à la fois touristique et populaire), un point de vue narratif sans surprise (« focalisation zéro »), une distribution des rôles narratifs en héros (Zazie, Gabriel, Trouscaillon), personnages secondaires (Charles, Turandot, Marceline) et comparses (Laverdure, la veuve Mouaque, Boris). En somme, *Zazie dans le métro* a toutes les apparences d'un roman traditionnel, à mi-chemin du récit balzacien et du réalisme poétique des années trente, le comique en plus. De fait, le lecteur adhère d'autant plus aux aventures de Zazie qu'y est évident le plaisir de raconter, dans un registre familier, mais surtout de faire dire, avec quelle verve : ainsi la part dévolue aux dialogues, sur fond de « néofrançais » (par combinaisons antithétiques de poussées lyriques et de reflux argotiques), mais aussi de calembours (Zazie ne se reconnaît qu'une autorité, le général Vermot) et de calembredaines (les échanges farfelus entre Gabriel et Charles), est de loin plus importante que celle accordée au récit. Quant aux « effets de réel », ils sont significativement assurés par la saturation des odeurs (elles surgissent d'emblée avec la célèbre formule d'ouverture « Doukipudonktan »). Leur persistance tout au long du roman vaut comme sens emblématique de l'appréhension du réel dans ce qu'il a de trivial : Rabelais n'est pas loin.

Enfin, il y a Zazie elle-même. Certes, Queneau avait déjà campé dans quelques romans ce type de fillette à la fois candide et avertie (Fabie dans les *Derniers Jours*, Pierrette dans *Loin de Rueil*), mais la consistance de Zazie s'affirme ici par une série de contrastes : seul personnage véritablement dévorateur (elle mange des moules avec une « férocité mérovingienne ») d'un roman qui campe surtout des êtres de repli ou de lenteur, exception faite du diabolique Trouscaillon, elle est encore seule à avoir des désirs (elle veut voir le métro, elle veut des « bloudjinnzes ») alors que Charles vit par procuration dans la lecture de la presse du cœur, que Gabriel s'enveloppe d'une indolence de bon géant traversée de brèves fulgurations lyriques. Zazie n'est pas pour autant un avatar de Gavroche ou de Lolita (le roman a beau explorer le thème de la sexualité, Zazie est absente des conflits du désir) ; son innocence retorse n'est que la conséquence indirecte de sa fonction accusatrice qui est de tyranniser le langage des adultes dans de qu'il a de dérisoire et de sentencieux. « Vous savez jamais trop ce que vous pensez, dit-elle à Charles, ça doit être épuisant. C'est pour ça que vous prenez si souvent l'air sérieux » : dialecticienne sauvage, Zazie se meut avec aisance dans les conflits que les adultes ne parviennent pas à élucider franchement. Sa parole sans détour dévoile les discours biaisés, perturbe les attitudes codées, qu'elles soient plaintives, sentimentales ou autoritaires. Non que « la vérité sorte de la bouche des enfants » : Zazie n'a aucune vérité à dire sinon qu'il faut sans cesse rappeler à l'ordre un discours, celui des adultes, qui se mystifie lui-même par glissement dans la théâtralité ou la mauvaise foi. Ainsi, « la conversation, mon cul » sera l'ellipse détonante par laquelle elle dépouille le langage de sa bonne conscience (dans un autre registre, c'est aussi le rôle de l'aphorisme de Laverdure : « Tu causes, tu causes [...] »). La jeunesse turbulente de Zazie n'est peut-être donc que la forme incarnée d'une fonction du langage qui vise à se perturber lui-même.

Parallèlement le roman apparaît lui aussi comme un objet qui se conteste lui-même, par une mise à mal des conditions de l'exercice de la parole mais aussi des codes expressifs et narratifs. Car ce qu'à première vue on pourrait prendre pour la verve de Queneau correspond sans doute davantage à une forme de subversion sournoise. Sournoise parce que la dérision de l'esprit de sérieux opère le plus souvent de l'intérieur même du récit, qui joue continuellement sur l'incertitude et le dédoublement : par confusion des rôles (Trouscaillon est à la fois satyre et policier), des lieux (s'agit-il du Panthéon ou de la gare de Lyon ?), des sexes (Gabriel devient Gabriella le soir, Marceline s'appelle Marcel), des situations (« Zazie dans le métro » comme titre antiphrastique). La sécurité du rendement romanesque est également fragilisée par toute une série d'« exercices de style » parodiques : parodies d'œuvres célèbres (le monologue d'Hamlet dans la bouche de Gabriel, la fuite dans les égouts qui rappelle celle des *Misérables, le "Bateau ivre" de Rimbaud avec « Gibraltar aux anciens parapets ») ou de formes littéraires (médiévisante avec « à l'étage second parvenue, sonne à la porte la neuve fiancée », macaronique avec « nous ne comprenons pas le hic de ce nunc, ni le quid de ce quod »). Enfin, et de manière spectaculaire, mais familière aux lecteurs de Queneau, l'altération des temps verbaux dérange la durée narrative tandis que les transcriptions phonétiques rappelant les procédés joyciens (« ltipstu », « lagoçamilébou », « gzaktement ») corrodent l'attente d'une littérature respectueuse de ses outils. Finalement Gabriel avait raison : « Y a pas que la rigolade, y a aussi l'art », art d'épurer le comique de son agressivité tout en se jouant du confort littéraire. Car il ne s'agit pas pour Queneau d'instruire le procès de la littérature – la démystification n'est pas ici l'autre versant d'une vérité –, mais de circonscrire l'« aire du soupçon », de provoquer cette hésitation et cette insécurité dont procède une bonne part du plaisir de la lecture.

● « Folio », 1972.

J.-M. RODRIGUES

ZÉLIE DANS LE DÉSERT. Récit de Marcel **Arland** (1899-1986), publié à Paris chez Gallimard en 1944.

Ce texte assez bref rassemble deux des thèmes privilégiés de l'œuvre de Marcel Arland : l'enfance et ses territoires, et plus précisément ce village de Varennes déjà évoqué dans *Antarès (1932), les Vivants (1934), la Vigie (1935) ou encore Terre natale (1938). Comme Nerval interrogeant inlassablement les lieux de son enfance, Arland cherche une fois encore, à travers un paysage « d'innocence du premier monde », la clé d'un enchantement qui est aussi une malédiction. Car plus qu'un livre de souvenirs, même si son contenu est fortement autobiographique, Zélie dans le désert suggère une secrète opacité, sinon une tragédie, au cœur d'un monde limpide et familier.

Zélie dans le désert est le titre d'un ouvrage édifiant découvert dans le placard d'une chambre par le narrateur jeune, qui se prend, avec son ami le Basco, à rechercher dans la campagne de Varennes un « désert » qui ne soit qu'à eux. Le clos qu'ils découvrent bientôt dans une clairière n'est pourtant pas si isolé : une jeune bergère, Jeannie, vient y faire paître son troupeau. Peu à peu les enfants vont découvrir le drame de la jeune fille : retrouvant au « désert » un étudiant parisien en vacances, dont elle est amoureuse, Jeannie lui avoue qu'elle a été violée par un braconnier. L'étudiant dès lors ne se rend plus aux rendez-vous du « désert » et abandonne la jeune fille à une détresse dont les enfants sont les témoins. À la suite d'un bal auquel l'étudiant ne viendra pas non plus, Jeannie trouvera la mort. Et c'est de la pièce où il avait trouvé Zélie dans le désert que le narrateur verra passer sur un chariot le corps de la jeune fille, mais qu'il persistera à n'évoquer que dans la lumière de leur première rencontre.

Ce qui frappe tout d'abord dans ce récit, c'est précisément sa lumière de rayonnant printemps de l'enfance telle que le souvenir la reconstitue. Le temps dans Zélie semble suspendu dans une matinée de mois de mai où le narrateur et le Basco n'ont nul autre but que de marcher dans la campagne pour y « surprendre le bel instant » : la forêt est une présence enveloppante, les aubes une promesse tendre. Non qu'Arland cède à une rhétorique bucolique ou à un romantisme lamartinien : tout l'art du récit consiste en fait dans la coïncidence entre l'appropriation d'un paysage solaire et la progression d'un drame d'autant plus poignant qu'il est observé par le regard oblique de l'enfance. Douceur et malaise sont ici indissolublement liés pour créer une transparence énigmatique où l'on voit passer un prestidigitateur, des conscrits donnant des aubades à des vaches, et une jeune fille mourir. Car ce monde qui pourrait n'être que légèreté est lourd d'une malédiction qui semble peser sur tous les adultes. C'est qu'aucun espace n'est protecteur et surtout pas celui que l'enfance s'est choisi : à peine découvert, le « désert » est investi par Jeannie et son amoureux, et le narrateur s'aperçoit bientôt qu'« [il était] entré dans un monde qu'[il ignorait] jusqu'alors, monde où la joie et l'angoisse se rejoignent au point d'offrir la même figure, monde violent et brûlé ». La structure même du récit, en cinq chapitres, aurait dû d'ailleurs nous en avertir : même à demi voilée par la distance qu'impose le souvenir, c'est une tragédie qui se joue. Comme dans nombre d'œuvres d'Arland (la Vigie ; la Grâce, 1941), la femme, d'avance condamnée, est ici encore la victime de la double persécution de son amour exclusif et d'un monde hostile, représenté par le braconnier violeur, les villageois ironiques et un séducteur inconséquent. De fait, pour ce personnage démuni mais lumineux, qui n'est pas sans faire songer à la Mouchette de Bernanos, le monde qui pourrait être si simple devient insupportable et finit par le briser. Toutefois, s'il révèle la part de fatalité inscrite dans les êtres les plus simples, le récit ne s'enferme pas pour autant dans cette seule dimension tragique : le monde de Zélie est celui d'une attente blessée mais fervente qui se mesure à la présence vivifiante de la nature.

● « Folio », 1974.

J.-M. RODRIGUES

ZIAUX (les). Voir SI TU T'IMAGINES, de R. Queneau.

Zola

« Émile Zola », 1868, par Édouard Manet (1832-1885).

Musée d'Orsay, Paris. Ph. Hubert Josse © Archives Photeb.

Il s'est d'abord voulu le « médecin » de son temps, adepte enthousiaste de la méthode expérimentale, décrivant la curée et la débâcle, l'aliénation et la décomposition d'un monde à la fois exaltant — l'âge industriel naissant, le Paris d'Haussmann qui sort de terre — et condamné à mort, la bourgeoisie grasse et satisfaite, les masses abruties par tous les « assommoirs » qui transforment l'homme en bête. Les vingt volumes des *Rougon-Macquart* (1870-1893), pan principal d'une œuvre immense, font défiler la société française à travers l'histoire de cette famille racontée selon « le jeu de la race modifiée par les milieux ». Non content de scandaliser comme chef de file

« Repasseuse à contre-jour », 1876-1887, par Edgar Degas (1834-1917).

National Gallery of Art, Washington, Mr et Mrs Paul Mellon Collection. Ph. © Archives L'Hopitault.

« Âge du papier ».
Gravure de Félix Vallotton (1865-1925) pour
le Cri de Paris, 1898. Ph. © G. Namur/Lalance.

« La Buveuse ou Gueule de bois », 1889.
Dessin d'Henri de Toulouse-Lautrec (1864-1901).

Musée Toulouse-Lautrec, Albi. Ph. © Lauros-Giraudon.

La gare Saint-Lazare photographiée par Émile Zola.

Collection Dr. François Émile Zola, Paris. Ph. © Émile Zola.

« La Maison de la rue de la Goutte d'Or ».
Gravure pour *l'Assommoir*, Paris,
Marpon et Flammarion, 1878.

Bibliothèque nationale, Paris. Ph. M. Didier.

« Plan du pays de Montsou ». Dessin d'Émile Zola,
extrait du dossier documentaire pour *Germinal*.

Bibliothèque nationale, Paris. Ph. © Bibl. nat./Archives Photeb.

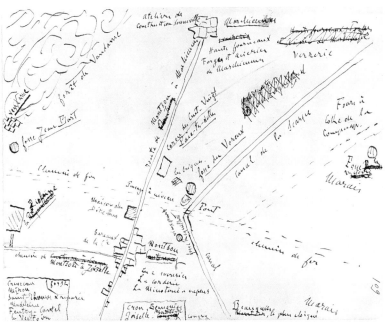

La Bête humaine, 1938. Film de Jean Renoir (1894-1979)
avec Jean Gabin (Lantier) et Julien Carette (Pecqueux).
Ph. © Archives Photeb.

de l'école naturaliste, il devient la conscience des intellectuels et l'écrivain honni des bien-pensants en lançant à la face du pouvoir un « J'accuse » (1898) qui va faire basculer l'Affaire Dreyfus, dessiner la ligne de fracture qui partage la France — et le conduire aux Assises pour défendre la liberté d'expression. Gloire double qui donne à Émile Zola (1840-1902) son statut d'auteur réellement populaire — tirages énormes dès son époque, et plus encore aujourd'hui — dont on redécouvre l'écriture de poète visionnaire, attendant en vain la « germination » d'un autre monde.

Nana, 1926. Film de Jean Renoir (1894-1979)
avec Catherine Hessling (Nana).
Ph. © Archives Photeb.

ε [signe mathématique signifiant **Appartient à**]. Ouvrage poétique « avec un dépliant » de Jacques **Roubaud** (né en 1932), publié à Paris chez Gallimard en 1967.

Malgré une précédente publication quinze ans auparavant chez Seghers (*Voyage du soir*, 1952), Jacques Roubaud a déclaré faire d'**ε** la véritable ouverture de son œuvre. Aussi l'insistance – dès le titre – sur le « formalisme » logique du livre, caractéristique en effet des travaux à venir du poète-mathématicien, compagnon de Perec et de Queneau dans l'aventure de l'Ouvroir de Littérature Potentielle (OuLiPo) – voir *Trente et Un au cube, *Quelque chose noir* –, prend-elle ici un caractère de manifeste esthétique pour une écriture qui s'appuiera toujours sur la tension entre un lyrisme hérité de toute la tradition et le cadre d'une mathématique qui en comprime la coulée (il s'en explique dans *le Grand Incendie de Londres*, 1989, et dans *la Boucle*, 1993). Crispation délicate de l'arc et de la lyre chers à Octavio Paz, avec lequel Jacques Roubaud traduira *les Renga* en 1971, mais qui ne peut s'entendre qu'avec la prise en compte d'un double registre permanent, puisque, à l'exhibition d'un « structuralisme » peut-être piégé s'ajoute dans **ε** le renvoi à la tradition des sonnets, une dizaine d'années environ après la fameuse polémique opposant Aragon aux tenants d'une « modernité » hostile à toute forme ancienne.

Précédés d'un « Mode d'emploi » proposant quatre modalités de lecture du livre, puis d'une série de définitions des différents signes mathématiques employés, suivis d"une série d'« Appendices » (« Indications pour le jeu de go », « Représentation de la partie », « Bibliographie » où les ouvrages scientifiques alternent avec ceux des poètes cités au cours du livre, deux Tables enfin, en miroir, constituant le sommaire et renvoyant aux numéros des « coups » successifs de la partie de go que le texte est censé reconstituer), les 361 textes d'**ε** – qui figurent les 180 pions blancs et les 181 pions noirs du jeu de go – sont d'emblée saisis dans une architecture livresque qui brise toutes les habitudes de discursivité. Si le livre s'étend sur le parallélisme avec la logique du go, en revanche, la signification de cette structuration n'est jamais explicitée : il semble alors qu'un arbitraire préside à tout ordre, jouant pour rien telle ou telle disposition, arbitraire mis en relief précisément pour désamorcer la substance lyrique des poèmes.

Mais le cryptage de la lisibilité (textes explosés, numérotés doublement, ponctués de points blancs ou noirs, hachurés de symboles mathématiques) fait également écrin à un autre ordonnancement : en cinq sections inégales (baptisées « Paragraphes »), le livre présente en son ensemble une permanente réinvention de la forme du sonnet. En usant de la notion de « mise au carré », le paragraphe 1 comprendra ainsi « vingt-neuf sonnets en prose », qui composent « deux sonnets de sonnets » (chaque texte formant un vers, il en faut 14 pour le « sonnet au carré ») suivi d'un « pion isolé ». Passant de la prose rythmée (où le nombre de lignes figure celui des anciens mètres : ainsi le sonnet en prose sera composé sur l'ancienne structure, 4 lignes pour un quatrain, 3 lignes pour un tercet) au vers assonancé, de la décomposition du sonnet au plus fidèle respect des règles, de l'alexandrin à l'octosyllabe, le livre met en « pièces » la linéarité comme les frontières traditionnelles du texte, clos sur son sens, pour livrer à la fois une poéticité de la combinatoire et la fuite d'un sens autre, toujours en avant de son rythme. Si la liaison thématique est bousculée par la mêlée des références en un apparent vrac (de Rilke à Anderson, du groupe de mathématiciens Bourbaki aux champions de go), c'est qu'**ε** donne à percevoir une « méta-signification » qui se joue entre clôture (celle de la forme rigide du sonnet) et ouverture, une signification pour laquelle la poésie s'effectue dans un délectable glissement de son sens.

Parmi les quatre modalités de lecture proposées par l'auteur (attention aux groupements des textes-pions, ou à la répartition des paragraphes, reconstitution narrative de la partie de go, ou à l'inverse lecture fragmentaire des textes pris isolément), il est clair qu'aucune ne saurait constituer « la » solution, ni donner accès à une compréhension traditionnelle qui s'acharnerait – un peu naïvement – à « décoder » une improbable symbolique du jeu de go. Aussi la référence ludique est-elle d'abord une façon d'indiquer que tout ordonnancement relève de la convention : la poésie est alors entendue comme un jeu, mais un jeu grave, un jeu de « stratégie ». Le damier blanc peu à peu couvert de pions métaphorise dans ce cas bien évidemment la page. A cet égard, sans doute n'est-il pas

indifférent que les pions du jeu de go doivent être posés sur des intersections : les mots seraient alors eux-mêmes « entre » – entre le monde et le moi, entre la présence et l'absence, etc. Mais c'est un principe de l'« œuvre ouverte » que les significations s'y superposent sans nécessairement s'ajointer ni se renier. De la même manière, le signe ε renvoie d'abord à l'univers des ensembles mathématiques, mais le poète prend soin de préciser qu'il veut également dire, par sa signification d'« appartenance à », l'être-au-monde de la phénoménologie. La grille des possibilités ainsi se sature, semble se multiplier pour se défaire, et laisser par là le lecteur face à la seule contemplation de la substance sonore des textes. Proche du « trobar » crypté des poètes médiévaux (que Jacques Roubaud traduira et commentera dans *la Fleur inverse, Graal Fiction* ou son *Anthologie*), le livre biaise toute approche directe, faisant parade (à la fois spectacle et esquive) pour ne plus figurer que le déroulement de son jeu. Mais à piéger de l'intérieur sa propre architecture, ε délivre sa leçon : « Je ne dis pas voici des yeux et des merveilles je suis noir et neutre. » Sous les références brille alors un projet plus évident : « arracher les peaux mortes du présent » ; mais, trop sensibles à la nouveauté ostentatoire du livre, il se peut que les lecteurs de 1967 aient favorisé le versant mathématique, aux dépens d'une chanson que le formalisme n'a sans doute pour fonction que de comprimer, et de faire resplendir. Ce n'est pas alors la moindre subtilité d'un livre passant pour un manifeste « hypermoderne » que de laisser résonner en son sein la romance rimée d'un Apollinaire : « Sœur la mort ô sœur difficile / Tu m'attends couche de la mer / oubliez-les ainsi soit-il / j'étais un rire du désert / j'étais une bouche inutile. »

● « Poésie/Gallimard », 1988.

O. BARBARANT

120, RUE DE LA GARE. Roman de Léo **Malet** (né en 1909), publié à Paris aux Éditions SEPE.

Prisonnier en Allemagne, Nestor Burma est fasciné par un détenu amnésique : le matricule 60202. Dans un souffle d'agonie, ce dernier lui murmure « Dites à Hélène... 120, rue de la Gare ». Peu après, le détective regagne la France. Lors d'un arrêt en gare de Lyon-Perrache, il reconnaît son ancien collaborateur, Colomer, qui lui dit : « 120, rue de la Gare », avant de s'écrouler, mitraillé. Burma mène l'enquête à Lyon jusqu'au jour où il est agressé par un certain Carhaix. Pour le commissaire Bernier, en charge du meurtre, l'affaire est claire : l'agresseur de Burma était le meurtrier de Colomer (I). Burma, sceptique, retourne à Paris et découvre, grâce à l'aide de son ami, l'inspecteur Florimond, que le 60202 n'était autre que Jo Tour Eiffel, célèbre voleur de perles. Il localise le 120, rue de la Gare, à Montrouge et y trouve une jeune femme blessée. Il découvre qu'il s'agit d'Hélène, la fille de Jo, que le « 120 » est le lieu de la cachette du butin de son père, et que Colomer, ami d'Hélène, a été tué car il avait découvert la vérité. Burma est maintenant sûr de l'identité du coupable : il s'agit de Me Montbrison, avocat du défunt truand, avec pour complice le commissaire Bernier. Dans leurs poches, on découvre des pilules, mais sous « la carapace de plâtre » se dissimulent des perles d'Orient (II).

Ce qui séduit dans cette histoire, confuse quoique judicieuse, c'est la figure de Nestor Burma qui fait là sa première apparition, entrée fracassante et réussie dans l'univers, presque exclusivement américain jusqu'alors, du roman policier. *120, rue de la Gare* est la première « detective story » cent pour cent à la française qui refuse, obstinément, le plagiat, la représentation d'une Amérique de carte postale. Mais l'intérêt provient surtout de la description de la France sous l'Occupation à laquelle règnent le silence, la compromission et l'oppression. Le récit s'ancre farouchement dans cette France occupée, celle des combines, où il faut se débrouiller à tout prix, où les relations bien placées valent autant que des lingots d'or, où le marché noir triomphe, où le cinéma parvient encore à faire rêver – mal – une population désabusée qui se pâme devant les beaux yeux bleus de « Michèle Hogan », où la mort et les blessures de guerre font partie du train-train quotidien, où l'alcool est un luxe, où le café est un ersatz à l'arôme peu savoureux et où le tabac est rare et cher. C'est, d'ailleurs, dans la connaissance même de la France sous l'Occupation et des règles strictes qui régissent l'existence au jour le jour que se trouve la clé de l'énigme. En effet, ce qui trahit Me Montbrison, homme fortuné, c'est d'avoir oublié les difficultés d'approvisionnement et que la vie, en 1942, ne ressemble en rien à celle d'avant-guerre. Dans une période où les cigarettes deviennent un article de luxe, l'odeur particulière du tabac blond « made in USA » ne passe pas inaperçue et identifie immédiatement leur propriétaire. Haut placé et puissant, grâce à ses relations, éviter les désagréments d'une existence rythmée par la difficulté d'obtenir des laisser-passer, Montbrison commet l'erreur fatale d'oublier, qu'en temps de guerre, la moindre manie peut vous dénoncer.

Le charme du récit vient du fait que cet univers est perçu à travers le regard de Nestor Burma, véritable poète des bas-fonds, au discours haut en couleur et au comportement peu orthodoxe. Figure excentrique et goguenarde, il l'est avant tout en raison de sa personnalité bariolée, de ses phrases tonitruantes, de ses mensonges rondement menés et de sa joie de vivre. On est bien loin de l'atmosphère de certains romans noirs américains, où le détective ressemble à un spectre tragique et le plus souvent alcoolique. Ici, rien de tel ; au contraire, une sorte d'optimisme forcené et un amour profond de la vie.

Nestor Burma emprunte beaucoup au caractère de Léo Malet : la géographie fictive se superpose à la topographie réelle, l'auteur ayant, comme son personnage, sillonné les ruelles de Lyon et parcouru Montrouge.

● *Œuvres*, « Bouquins », I, 1985 (p.p. F. Lacassin) ; « 10/18 », 1987.

B. GUILLOT

813. Roman de Maurice **Leblanc** (1864-1941), publié à Paris en feuilleton dans *le Journal* du 5 mars au 24 mai 1910, et en volume chez Lafitte la même année ; réédition en 1917 avec des variantes qui en accentuent l'aspect antigermanique.

Est-ce Arsène Lupin qui a tué Rudolph Kesselbach ? Pourquoi ce riche diamantaire gardait-il jalousement le secret, que lui confia le vieux Steinweg, sur l'identité réelle d'un certain Pierre Leduc ? Le chef de la Sûreté, Lenormand, découvre sur les lieux du crime un porte-cigarettes aux initiales « LM ». Il disculpe rapidement Lupin, mais l'assassin le neutralise. De son côté, le prince Sernine recherche Steinweg, détenu par le baron Altenheim, et, à toutes fins utiles, fait endosser à une de ses créatures le nom et l'apparence de Leduc. Pris au piège parce qu'Altenheim a enlevé une jeune fille qu'il protège, Lupin, *alias* Sernine

et Lenormand, se rend à la police. Mais Steinweg, qui lui doit la vie, lui révèle que Leduc est le descendant d'un prince allemand protégé de Bismarck, et que son père dissimula des papiers qui sont aujourd'hui de la plus haute importance pour Guillaume II. Lupin prétendant connaître leur cachette, le Kaiser le fait sortir de prison... et consent en outre à laisser la France conquérir le Maroc ! Après une brillante enquête, Lupin découvre la cachette – vide de tout document. Il parvient pourtant à identifier les initiales de l'assassin : Louis de Malreich, et fait arrêter un suspect qui est condamné à mort. Mais, ultime retournement : le vrai coupable n'était autre que l'épouse de Kesselbach, née *Laetitia (alias* Dolorès) de *M*alreich, qui avait tout manigancé dans l'espoir d'épouser Leduc, de le rétablir sur son trône et de régner à ses côtés. Amoureux fou de Dolorès, Lupin la tue et sombre dans le désespoir.

La réversibilité des rôles et des fonctions constitue le principe dominant du roman. Lupin et le chef de la Sûreté ne font qu'un, et, de fait, le bandit joue ici bien souvent au détective ; il croyait pouvoir manipuler tous les protagonistes de l'intrigue, faire de sa protégée (en réalité sa fille) l'épouse d'un pseudo-Pierre Leduc (le « vrai » étant mort) propulsé par ses soins à la tête d'une principauté allemande, et c'est lui qui se fait manœuvrer, par une femme de surcroît – et dont il est amoureux ! Cette femme, Dolorès Kesselbach, fait figure de victime, alors qu'elle est l'assassin ; au mystère de son nom et des initiales « LM » répondent les fausses identités de Lupin (Lenormand, Sernine) ; la même police qui arrête cet ennemi public le libère presque aussitôt pour raison d'État. Dans ce jeu de bascule ironique, et conduit de main de maître, le lecteur se prend à douter de la toute-puissance du héros, humilié par son adversaire et brisé par sa victoire : c'est un Lupin sensible, voire fragile qui apparaît dans *813*. Surtout, ce brouillage provoque un certain flottement dans la perception des frontières de la légalité. Car le formidable choc d'ambitions politiques entre Lupin et Dolorès peut difficilement se lire comme l'affrontement du bien et du mal ; de ce combat, les autorités officielles, à commencer par la police, sont simplement spectatrices, voire absentes : le sort du monde se règle entre hors-la-loi. Pourtant, face à des monstres froids comme Dolorès (ou le Vernocq des *Dents du tigre* et le Vorski de *l'*Île aux trente cercueils*), Lupin représente sinon le droit, du moins la norme, presque un certain ordre moral : ce marginal est un patriote (grâce à lui le Maroc sera français) ; épouvanté par une erreur judiciaire (qui conduit, à son instigation, un prétendu « Louis de Malreich » à la guillotine), ce cœur tendre ne sait pas résister à l'appel de la veuve et de l'orphelin – ni au charme d'une jolie femme. Sur tous les plans, le stéréotype est donc subverti : avec *813*, Maurice Leblanc a inventé le « roman cambrioleur », double inversé du roman policier.

● « Le Livre de Poche », 1966. ➤ *Œuvres*, « Bouquins », II.

V. ANGLARD

7 OCTOBRE (le). Voir HOMMES DE BONNE VOLONTÉ (les), de J. Romains.

6 810 000 LITRES D'EAU PAR SECONDE. « Étude stéréophonique » de Michel **Butor** (né en 1926), publiée à Paris chez Gallimard en 1965.

L'utilisation de différents caratères typographiques, la polyphonie et les itinéraires variés qui permettent au lecteur-auditeur de circuler dans ce volume ne doivent pas faire oublier l'existence d'une structure forte, rythmée par le chiffre 12. À chaque mois de l'année correspond une division du texte. Chaque chapitre comprend lui-même un titre qui limite la polysémie de l'ouvrage en l'inscrivant dans la thématique classique du Niagara, paysage hanté par les couples et culturellement associé au mythe de la nature virginale : I. « Présentation ». AVRIL. II. « Les Couples ». MAI. III. « Les Noirs ». JUIN. IV. « Le Voile de la mariée ». JUILLET. V. « Les Illuminations ».

AOÛT. VI. «Les Chambres». SEPTEMBRE. VII. «Les Réveils». OCTOBRE. VIII. «Les Brouillards». NOVEMBRE. IX. «Les Fantômes». DÉCEMBRE. X. «Le Styx». JANVIER. XI. «Le Froid». FÉVRIER. XII. » Coda». MARS. Seuls les premier et dernier chapitres font appel à un référent textuel et non réel : «Présentation» et «Coda». Dans le chapitre X («Le Styx»), s'opère un détournement mythologique au profit des Enfers grecs.

« J'ai de plus en plus envie d'organiser des images, des sons, avec les mots. À cet égard, d'ailleurs, on peut considérer le livre comme un petit "théâtre". La difficulté, l'intérêt aussi, c'est qu'on est obligatoirement amené alors à l'œuvre collective. » Cette réponse à un questionnaire de la revue *Tel Quel*, reproduite dans *Répertoires II*, définit assez bien le projet mis en œuvre dans *6 810 000 Litres d'eau*. Spectacle total, cet ouvrage ambitieux réutilise, sur le plan graphique, toutes les techniques du futurisme et rappelle aussi bien la *Prose du Transsibérien* de Cendrars ou les *Calligrammes* d'Apollinaire, que les tentatives formelles de la poésie lettriste. Cependant, Butor n'oublie ni Mallarmé, ni Claudel (sa « Philosophie du livre » est citée dans « Sur la page », *Répertoires II*), ni surtout les recherches typographiques du XVIe siècle.

Le royaume des chutes est fortement marqué, sur le plan des stéréotypes touristiques comme sur celui de l'intertextualité : pour les Français tout au moins, le mythe originel est celui qu'a créé Chateaubriand. Désarticulant la prose de l'« enchanteur », Michel Butor invente un autre espace mimétique, non linéaire, beaucoup plus proche de la peinture ou de la partition musicale que de la prose classique. *6 810 000 Litres d'eau* se termine ainsi en forme d'hommage, ou de chute, sur une citation : « Et des caracajous se suspendent par leurs queues flexibles au bout d'une branche abaissée pour saisir dans l'abîme les cadavres brisés des élans et des ours ». Telle est la description des chutes que François-René de Chateaubriand publia le 2 avril 1801 dans son roman *Atala ou les Amours de deux sauvages dans le désert*.

Est-ce à dire que le Nouveau Monde n'existe que par rapport à l'Ancien, à l'Europe colonialiste qui a su imposer son mode de vie, sa religion et ses institutions aux pays conquis ? L'entreprise de l'écrivain est alors double : stylistique d'abord, mais aussi idéologique. En proposant un nouveau système de représentation, elle tente une approche en quelque sorte phénoménologique de l'Amérique, débarrassée des conventions de l'illusion figurative. Son écriture brise les cadres des genres établis, roman, théâtre et poésie, et devient ici une sorte d'orchestration visuelle qui use de toutes les ressources liées au progrès technique : radio (présence d'un speaker), balance (amuïssement des paroles), bruitages, montages itératifs. La modernité s'inscrit dans le souci d'une renaissance de l'imprimé, du livre objet comme de la réalité qu'il suscite. Aussi est-il possible de se demander si les nouvelles voies que Michel Butor offre au destinataire ne sont pas en même temps une invitation à écouter une voix nouvelle : celle du lecteur-auteur recréant l'espace sonore de la page. Il nous en avertit d'emblée : « Les lecteurs pressés prendront la voie courte en sautant toutes les parenthèses et tous les préludes. » Restent huit voies intermédiaires jusqu'à la plus longue. Elles feront apparaître changements d'éclairage, formes et aspects nouveaux. Écriture et voyage sont dès lors comme les deux pôles d'une même métaphore.

B. VALETTE

6 OCTOBRE (le). Voir HOMMES DE BONNE VOLONTÉ (les), de J. Romains.

37°2 LE MATIN. Roman de Philippe **Djian** (né en 1949), publié à Paris chez Bernard Barrault en 1985.

Le héros est chargé de l'entretien de bungalows de vacances. Il vient de rencontrer Betty, jeune femme heureuse en apparence, qui s'installe chez lui (chap. 1). Un bonheur simple, pense-t-il, l'attend. Il a oublié depuis longtemps certains « carnets » écrits « par hasard » et rangés dans un carton. Betty s'en empare, et, pour donner un sens à sa vie, n'a plus alors qu'un objectif : les faire publier. Elle n'hésite pas, pour « tirer un trait » sur un présent médiocre, à mettre le feu à leur bungalow. Ne reste désormais, pour tout bagage et tout espoir, qu'un manuscrit. Pour le héros, l'écriture fut accidentelle ; pour Betty, elle devient obsession. Mais les éditeurs refusent le manuscrit. L'espoir s'estompe pour laisser place à la folie qui peu à peu s'empare de Betty. Son horizon s'éclaire quand elle se croit enceinte ; mais, pas plus que la création, la procréation ne lui est destinée. Que lui reste-t-il ? Au paroxysme de sa folie, elle s'arrache un œil. Le diagnostic tombe : « irrécupérable ». Arrive une réponse d'un éditeur, favorable, ce qui rend, lui, « récupérable » ; mais pour Betty, il est déjà trop tard. Une nuit, le héros met fin aux souffrances de celle pour qui désormais il écrira.

Roman de tous les excès, *37°2 le matin* relate une histoire douloureuse, et présentée comme telle dès les premiers chapitres : « De trop beaux instants de bonheur » précèdent l'incendie de la baraque évoqué par le héros-narrateur comme un avant-goût de l'enfer (chap. 5). « C'est à cause de ce bouquin si la vie prend ce goût un peu bizarre ». « Bouquin » prétexte à une interrogation sur l'écriture, selon deux points de vue différents : celui de l'héroïne et celui du « je » narrateur derrière lequel se profile quelquefois l'auteur déjà accompli, « Bien qu'on dût m'appeler plus tard le maltraité du style. » Ces points de vue répondent à deux approches de la vie radicalement différentes : Betty appartient à « cette pauvre génération qui n'a encore accouché de rien », elle étouffe dans « un monde trop petit pour elle ». La création littéraire, même si c'est celle de l'autre, de son « héros », lui apparaît comme salvatrice. Mais elle s'est trompée de personnage : le narrateur, lui, a écrit fortuitement, il n'attend rien de la vie, encore moins de la littérature. Son unique création, c'est Betty : « La regarder, c'était déjà la créer. » Paradoxalement, c'est à la mort de Betty que l'« écrivain » renaît pour mieux rester auprès d'elle : car l'écriture, « C'était son truc à elle ».

Le narrateur annonce le style de *37°2* : « J'écrivais pas comme il y a cinquante ans et contrairement à ce qu'on pourrait penser, c'était plutôt un handicap. » Les nombreux dialogues sont rapportés dans un langage familier, qui traduit le désir de l'auteur de « faire vrai plutôt que faire beau ». Plus qu'à un roman, *37°2 le matin* ressemble à un film. L'auteur peint autant qu'il écrit : les images défilent, violentes, et les demi-teintes n'existent pas. L'histoire commence avec un bungalow en flammes et se termine dans le rouge-sang. C'est l'espoir, puis le désespoir de Betty, un « rêve coloré » dans lequel les héros « flottent ».

Les situations paroxystiques de ce roman ont inspiré en 1986 le cinéaste Jean-Jacques Beneix, qui confia à Béatrice Dalle le rôle de Betty.

● « J'ai lu », 1987.

S. HUET

325 000 FRANCS. Roman de Roger **Vailland** (1907-1965), publié à Paris en feuilleton dans *l'Humanité*, puis en volume chez Buchet-Chastel en 1955.

La saison communiste de l'auteur se poursuit, sûre d'elle, active, féconde. Parmi les multiples observations de cette période, un incident dramatique (les mains coupées des ouvriers de la matière plastique à Oyonnax), fournit à Vailland l'image déclencheuse de *325 000 Francs*. Dernier roman de cette période heureuse, plus élaboré que les précédents, il est, selon le regard rétrospectif de l'écrivain huit ans plus tard, « le meilleur de [s]es romans ».

1954. Le narrateur et sa femme s'intéressent à la vie de la cité ouvrière de Bionnas, capitale de la matière plastique, notamment à un couple d'amoureux énigmatique, Marie-Jeanne et Busard, coursier, passionné de cyclisme. Il est engagé précisément dans une course autour de la ville ; en forme, héroïque, il est vaincu néanmoins par suite d'une chute. L'action alors se noue et se précipite. La gloire et la fortune viendraient peut-être du cyclisme, mais Marie-Jeanne n'acceptera le mariage dont Busard, fort de sa quasi-victoire, la presse, que s'il possède une maison et un vrai métier : Busard, coup sur coup, trouve un snack sur la nationale 7 et imagine, 325 000 francs manquant pour son acquisition, une course d'un autre genre : travailler six mois à deux sur une presse de l'usine ; il s'adjoint un compagnon, élimine les obstacles patronaux et syndicaux. La péripétie de la rétractation de Marie-Jeanne ne fait que l'engager davantage, toute la ville se mobilisant pour la réconciliation des jeunes gens. Busard prend conscience de l'exploitation capitaliste, et remet en cause son entreprise, voire son amour pour Marie-Jeanne ; une grève aussi risque de compromettre le projet. Mais le travail reprend, c'est le sprint final, Marie-Jeanne s'implique enfin, quand Busard, épuisé, laisse la machine lui broyer la main. Quelque temps plus tard, Busard devenu alcoolique, et marié à Marie-Jeanne résignée, est incapable de gérer longtemps le bistrot de Bionnas, acquis en succédané du snack refusé à un manchot : il retournera à l'usine où Marie-Jeanne se résoudra à entrer, elle aussi. Piégés.

Le roman invite à une lecture marxiste. Il propose, en contrepoint de la fiction, de nombreux aperçus socio-économiques (relations de domination, passage de « l'homme aux écus » au capitaliste, élévation de la voix de l'ouvrier) ; il dessine les perspectives d'une transformation communiste de la société, montrant l'échec de celui qui, sourd à la solidarité ouvrière, veut s'affranchir seul de sa condition. Bref, le titre le dit en clin d'œil, *325 000 Francs* est un petit... *Capital*. Pourtant, l'auteur semble également mettre en doute l'avènement d'une société sans classes. Car si Busard échoue, ce n'est pas le socialisme qui gagne mais le patron, favorisé par le syndicaliste même qui a débloqué le conflit ; un patron trop ambivalent pour être exclusivement antipathique : ayant gardé le cœur à gauche, appelé « révolutionnaire » dans son itinéraire même de capitaliste, il suscite sympathie et admiration des ouvriers. Le représentant syndical le dit : « Ce n'est pas si simple. » Bref, depuis *Un jeune homme seul*, Vailland approche sans cesse, élude toujours, le « grand sujet » du révolutionnaire professionnel, et le roman suivant, annoncé en février 1956 comme devant le traiter, ne verra jamais le jour.

Du reste, le roman permet d'autres lectures étrangères à la perspective marxiste : une lecture philosophique, en termes de réalisation de soi, sur filigrane cornélien ; une lecture mythique, éventuellement à orientation psychanalytique ; à la jonction de l'idéologie et du genre littéraire, une lecture policière, une lecture mélodramatique, une lecture tragique. Mais, sous cette diversité, l'écriture est tout entière tendue vers un souci de cohésion. À preuve la structure unitaire de tragédie qui organise le récit, les multiples échos que se renvoient les divers chapitres toujours plus brefs : expression à la fois de la dégradation des personnages, et, du point de vue de l'écriture, d'une tension vers l'épure.

L'écriture cependant n'est pas seulement ce qui assure l'unité de l'œuvre, elle en est aussi le sujet même sous la forme des rapports entre le narrateur-auteur et son sujet, de la bonne distance du premier au second pour que chacun garde son existence. Car on remarquera l'importance, à l'intérieur même du roman, du phénomène de narration (double niveau de personnages – narrateur et narrés –, continuité et multiplication du phénomène par la présence, en la femme du narrateur, d'un narrateur intermé-

diaire). Dès lors, l'histoire ne se lit plus seulement comme celle de deux groupes de protagonistes dont l'un, intrigué par l'autre, le suit pas à pas, mais comme celle d'un narrateur-auteur à la fois dominé en ce qu'il respecte les caractères posés au départ, qui ne lui permettent pas de bifurquer ensuite là où éventuellement il le souhaiterait, et dominant en ce que, même si ses personnages s'imposent une fois posés ou s'ils le débordent parce qu'ils sont puisés dans le réel, il les crée et les complète par les explications qu'il se donne quand ils lui restent opaques : de ce fait, il transforme une humanité imposée et incomprise en une humanité comprise et maîtrisée, ce qui est le propre de l'artiste. La réponse à la question de la bonne distance à trouver est apportée dans ce jeu de virtuose, cet équilibre subtil entre la soumission et la domination qui permet à chacun d'exister.

● « Le Livre de Poche », 1963 ; Buchet-Chastel, 1977.

D. MALÉZIEUX-PASTOL

29 DEGRÉS À L'OMBRE. Comédie en un acte et en prose d'Eugène **Labiche** (1815-1888), créée à Paris au théâtre du Palais-Royal le 9 avril 1873, et publiée chez Dentu la même année.

Un après-midi d'été (« Ce n'est pas pour me vanter, mais il fait joliment chaud aujourd'hui ») à la campagne, chez les Pomadour. Ennui et chablis. Le bel Adolphe, invité de dernière heure, est surpris en train d'embrasser de force son hôtesse. Pomadour, convaincu par les autres convives que son adversaire n'opposera aucune résistance, le provoque en duel ; mais Adolphe, fine lame, refuse de se laisser embrocher pour si peu, et la détermination du mari fléchit – bien que Mme Pomadour ait obtenu du galant, en échange de nouveaux baisers, qu'il n'infligerait à son époux qu'une simple « égratignure ». C'est encore trop pour le couard Pomadour, qui, au grand désappointement de sa femme, flattée d'être devenue l'enjeu d'un combat, se contentera d'infliger une amende au coupable. Celui-ci ayant péché par deux fois offre noblement le double de la somme demandée, et Mme Pomadour le contemple « rêveusement » qui s'en va... jouer au tonneau avec le mari.

Les « mots » qui émaillent cette comédie, l'une des rares que Labiche écrivit sans collaborateur, couvrent tout l'éventail du comique labichien, de l'absurde au truisme, du télescopage des contraires (« Il veut se défendre, c'est un lâche ») à celui du concret et de l'abstrait : « Plus un peuple a de lumières et plus il est éclairé... C'est comme les salles de bal. » Pourtant, cette euphorie verbale ne doit pas faire illusion : car le duel qui n'a pas eu lieu se transforme ici, pour les personnages, en véritable jeu de massacre. L'honorable partie de campagne recouvre une pièce grinçante, sans héros positif (le *credo* d'Adolphe : « Les femmes, les truffes et la musique »), dont le dénouement n'est pas une fin (Mme Pomadour, au nom prédestiné, s'apprête à tomber dans les bras d'un Bien-aimé dérisoire), et où, sous des postures valorisantes complaisamment affichées (la dignité de Pomadour, l'abnégation de son épouse, la générosité d'Adolphe), affleurent à peine masqués les désirs, les peurs et la médiocrité de chacun.

➤ *Œuvres complètes*, Club de l'honnête homme, VIII ; *Théâtre*, « Bouquins », II ; *id.*, « Classiques Garnier », III.

J.-P. DE BEAUMARCHAIS

Annexes

Index

L'index recense, classées par ordre alphabétique d'auteur, les quelque 3 700 œuvres traitées dans le *Dictionnaire*. On trouvera ainsi :

— les textes faisant l'objet d'une entrée, recensés sous leur titre propre et/ou leur titre usuel ;

— les textes ne faisant pas l'objet d'une entrée mais analysés dans le cadre d'un article répertoriant les œuvres appartenant à un cycle (cas des gestes médiévales, par exemple) ou apparentées thématiquement (cas des contes fantastiques de Gautier regroupés à *Arria Marcella*) ; ces titres sont suivis de la mention entre crochets [voir...] qui renvoie à l'entrée où l'on trouvera l'étude du titre recherché ;

— les textes (nouvelles, contes, récits, etc.) inclus dans des recueils (*Contes* de Perrault, *Filles du Feu*, *Lettres de mon moulin*, par exemple) ; là encore, ces titres sont suivis de la mention entre crochets [voir...] qui renvoie à l'entrée du recueil-titre où les divers textes sont traités.

À la suite de la liste des œuvres traitées dans le *Dictionnaire* figure, lorsqu'il y a lieu, une rubrique ÉDITION(S) COMPLÈTE(S) qui recense, classées par ordre chronologique de publication, les œuvres complètes (ou faisant fonction : œuvres choisies, regroupements génériques, etc., rassemblant une partie importante des publications de l'auteur). Ce sont ces éditions auxquelles renvoient, avec éventuellement la précision des tomaisons, les titres inscrits sous la flèche [➤] dans les bibliographies spécifiques de chaque entrée du présent *Dictionnaire*.

A

ABELLIO Raymond, pseudonyme de Georges Soulès (1907-1986)
Les yeux d'Ézéchiel sont ouverts

ABOUT Edmond (1828-1884)
Homme à l'oreille cassée (l')
Roi des montagnes (le)

ACHARD Marcel, pseudonyme de Marcel-Augustin Ferréol (1899-1974)
Jean de la Lune
Voulez-vous jouer avec moâ ?
ÉDITION COMPLÈTE*
➤ *Théâtre*, Gallimard, 4 vol., 1953-1968.

ADAM DE LA HALLE ou Adam le Bossu (seconde moitié du XIIIe siècle)
Chansons monodiques [voir *Poésies*]
Congé [voir *Poésies*]
Jeu de la feuillée (le)
Jeu de Robin et Marion (le)
Poésies
Rondeaux [voir *Poésies*]

ADAM Paul (1862-1920)
Mystère des foules (le)

ADAMOV Arthur (1908-1970)
Ping-Pong (le)
Professeur Taranne (le)
ÉDITION COMPLÈTE
➤ *Théâtre*, Gallimard, 4 vol., 1953-1968.

ADENET ou ADAM, surnommé LE ROI (vers 1240-vers 1300/1310)
Berthe aux grands pieds

AGOULT Marie d' [voir STERN Daniel]

AICARD Jean (1848-1921)
Maurin des Maures

AIMARD Gustave, pseudonyme d'Olivier Gloux (1818-1883)
Trappeurs de l'Arkansas (les)

AJAR Émile [voir GARY Romain]

ALAIN, pseudonyme d'Émile Chartier (1868-1951)
Propos sur le bonheur

ALAIN CHARTIER (vers 1385-vers 1433)
Belle Dame sans merci (la)
Livre des Quatre Dames (le) [voir *Belle Dame sans merci (la)*]
Quadrilogue invectif

ALAIN-FOURNIER, pseudonyme d'Henri Alban Fournier (1886-1914)
Corps de la femme (le) [voir *Miracles*]
Grand Meaulnes (le)

Miracle de la fermière (le) [voir *Miracles*]
Miracle des trois dames de village (le) [voir *Miracles*]
Miracles
Portrait [voir *Miracles*]
ÉDITION COMPLÈTE
➤ *Le Grand Meaulnes, Miracles*, Bordas, « Classiques Garnier », 1980 (p.p. A. Rivière et D. Leuwers).

ALBÉRIC DE PISANÇON (début du XIIe siècle)
Roman d'Alexandre (le)

ALBERT-BIROT Pierre (1876-1967)
Grabinoulor
Rémy Floche, employé

ALEXANDRE DE PARIS (fin du XIIe siècle)
Roman d'Alexandre (le)

ALEXIS Jacques Stephen (Haïti, 1922-1961)
Compère général Soleil
Espace d'un cillement (l')

ALEXIS Paul (1847-1901)
Après la bataille [voir *Soirées de Médan (les)*]
Collage (le)
Femmes du père Lefèvre (les) [voir *Fin de Lucie Pellegrin (la)*]
Fin de Lucie Pellegrin (la)
Infortune de M. Fraque (l') [voir *Fin de Lucie Pellegrin (la)*]
Journal de M. Mure (le) [voir *Collage (le)* et *Fin de Lucie Pellegrin (la)*]
Retour de Jacques Clouard (le) [voir *Collage (le)*]

ALLAIN Marcel (1885-1969)
Fantômas [en collab. avec SOUVESTRE]

ALLAINVAL Léonor Jean Christine Soulas d' (1695 ?-1753)
École des bourgeois (l')

ALLAIS Alphonse (1854-1905)
Captain Cap (le)

AMETTE Jacques-Pierre (né en 1943)
Bermuda

AMIEL Henri Frédéric (Suisse, 1821-1881)
Journal intime

ANEAU Barthélemy (vers 1505-1561)
Alector

ANICET-BOURGEOIS Auguste Anicet Bourgeois, dit (1806-1871)
Nonne sanglante (la) [en collab. avec MALLIAN]

---

* Rappelons que cette rubrique réunit des éditions effectivement intégrales, et d'autres qui ne constituent qu'un choix, plus ou moins étendu, des œuvres de l'auteur considéré.

ANONYMES

ANONYMES

Aiol
Aliscans [voir *Guillaume d'Orange (cycle de)*]
Ami et Amile
Anséis de Metz [voir *Lorrains (cycle des)*]
Apollonius de Tyr
Aspremont
Âtre périlleux (l')
Aubérée
Aucassin et Nicolette
Aye d'Avignon
Aymeri de Narbonne [voir *Guillaume d'Orange (cycle de)*]
Bataille Loquifer (la) [voir *Guillaume d'Orange (cycle de)*]
Beuve d'Aigremont [voir *Renaut de Montauban*]
Cantilène de sainte Eulalie (la) [voir *Séquence de sainte Eulalie (la)*]
Caquets de l'accouchée (les)
Cent Nouvelles nouvelles (les)
Chanson d'Antioche (la) [voir *Croisade (cycles de la)*]
Chanson de Guillaume (la)
Chanson de Jérusalem (la) [voir *Croisade (cycles de la)*]
Chanson de Rainouart (la) [voir *Chanson de Guillaume (la)*]
Chanson de Roland (la)
Chanson de sainte Foi d'Agen (la)
Chanson des Chétifs (la) [voir *Croisade (cycles de la)*]
Charroi de Nîmes (le)
Châtelaine de Vergi (la)
Chevalerie Vivien (la) [voir *Guillaume d'Orange (cycle de)*]
Chevalier au barisel (le)
Chevalier au Cygne (le) [voir *Croisade (cycles de la)*]
Conquête de Jérusalem (la) [voir *Croisade (cycles de la)*]
Contes du monde aventureux (les)
Continuation-Gauvain [voir *Continuations du Conte du Graal*]
Continuation-Perceval [voir *Continuations du Conte du Graal*]
Continuations du Conte du Graal
Couronnement de Louis (le)
Courtois d'Arras
Covenant Vivien (le) [voir *Guillaume d'Orange (cycle de)*]
Croisade (cycles de la)
Désiré [voir *Lais anonymes bretons*]
Deuxième Continuation ou *Continuation-Perceval* [voir *Continuations du Conte du Graal*]
Dit de la Panthère d'amour [voir *Bestiaire d'amour*]
Doon de Nanteuil [voir *Aye d'Avignon*]
Élie de Saint-Gilles [voir *Aiol*]
Enfances Godefroi (les) [voir *Croisade (cycles de la)*]
Enfances Guillaume (les) [voir *Guillaume d'Orange (cycle de)*]
Enfances Vivien (les) [voir *Guillaume d'Orange (cycle de)*]
Enfants-Cygnes (les) [voir *Croisade (cycles de la)*]
Épine (l') [voir *Lais anonymes bretons*]
Farce de Maître Pierre Pathelin (la)
Fille du comte de Ponthieu (la)
Fin d'Élyas (la) [voir *Croisade (cycles de la)*]
Folies Tristan
Foucon de Candie [voir *Guillaume d'Orange (cycle de)*]
Galien le Restoré [voir *Voyage de Charlemagne à Jérusalem et Constantinople*]
Garçon et l'Aveugle (le)
Garin de Monglane [voir *Guillaume d'Orange (cycle de)*]
Garin le Loherain [voir *Lorrains (cycle des)*]
Gaufrey [voir *Chevalerie Ogier (la)*, de RAIMBERT DE PARIS]
Gerbert de Metz [voir *Lorrains (cycle des)*]
Geste de Nanteuil [voir *Aye d'Avignon*]
Girart de Roussillon
Girart de Vienne [voir *Guillaume d'Orange (cycle de)*]
Gormont et Isembart
Graelent [voir *Lais anonymes bretons*]
Grandes et Inestimables Chroniques du grand et énorme Gargantua
Gui de Nanteuil [voir *Aye d'Avignon*]
Guibert d'Andrenas [voir *Guillaume d'Orange (cycle de)*]
Guillaume d'Orange (cycle de)
Guingamor [voir *Lais anonymes bretons*]
Hervis de Metz [voir *Lorrains (cycle des)*]
Huon de Bordeaux
Ignauré [voir *Lais anonymes bretons*]
Jeu d'Adam (le) ou *Ordo representacionis Ade*
Jourdain de Blaye [voir *Ami et Amile*]
Journal d'un bourgeois de Paris (le)
Lais anonymes bretons
Lancelot en prose
Lorrains (cycle des)

Mélion [voir *Lais anonymes bretons*]
Moniage Guillaume (le) [voir *Guillaume d'Orange (cycle de)*]
Moniage Rainouart (le) [voir *Guillaume d'Orange (cycle de)*]
Mort Aymeri (la) [voir *Guillaume d'Orange (cycle de)*]
Mort le roi Artu (la)
Naissance du Chevalier au Cygne (la) [voir *Croisade (cycles de la)*]
Narbonnais (les) [voir *Guillaume d'Orange (cycle de)*]
Parise la Duchesse [voir *Aye d'Avignon*]
Partonopeus de Blois
Pèlerinage de Charlemagne [voir *Voyage de Charlemagne à Jérusalem et Constantinople*]
Perceforest
Première Continuation ou *Continuation-Gauvain* [voir *Continuations du Conte du Graal*]
Prise d'Orange (la)
Quatre Fils Aymon (les) [voir *Renaut de Montauban*]
Quête du saint Graal (la)
Quinze Joies de mariage (les)
Raoul de Cambrai
Renaut de Montauban
Retour de Cornumaran (le) [voir *Croisade (cycles de la)*]
Richeut
Roman d'Énéas (le)
Roman de Renart (le)
Roman de Thèbes (le)
Séquence de sainte Eulalie (la)
Songe du verger (le)
Tristan de Nanteuil [voir *Aye d'Avignon*]
Trois Aveugles de Compiègne (les)
Trot (le) [voir *Lais anonymes bretons*]
Trubert
Tydorel [voir *Lais anonymes bretons*]
Tyolet [voir *Lais anonymes bretons*]
Vie de saint Alexis
Vie de saint Grégoire
Vie de saint Léger
Vilain ânier (le)
Voyage de Charlemagne à Jérusalem et Constantinople
Yon ou *la Vengeance Fromondin* [voir *Lorrains (cycle des)*]
Ysaïe le Triste

ANOUILH Jean (1910-1987)

Alouette (l')
Antigone
Léocadia
Pauvre Bitos ou le Dîner de têtes
Répétition (la) ou *l'Amour puni*

ANTIER Benjamin, pseudonyme de Benjamin Chevrillon (1787-1870)

Auberge des Adrets (l') [en collab. avec PAULYANTHE et SAINT-AMANT]
Robert Macaire [en collab. avec LEMAÎTRE et SAINT-AMANT] [voir *Auberge des Adrets (l')*]

APOLLINAIRE Guillaume, pseudonyme de Wilhelm Apollinaris de Kostrowitzky (1880-1918)

Alcools
Bestiaire (le) ou *Cortège d'Orphée*
Calligrammes
Enchanteur pourrissant (l')
Guetteur mélancolique (le)
Hérésiarque et Cie (l')
Lettres à Lou [voir *Poèmes à Lou*]
Mamelles de Tirésias (les)
Onze Mille Verges (les) ou les *Amours d'un hospodar*
Poèmes à Lou
Poète assassiné (le)

ÉDITIONS COMPLÈTES

➤ *Œuvres poétiques complètes*, Gallimard, « Pléiade », 1956 (p.p. M. Adéma et M. Décaudin) ;
➤ *Œuvres complètes*, Balland et Lecat, 4 vol., 1965-1966 (préf. M.-P. Fouchet, dir. M. Décaudin) ;
➤ *Œuvres en prose complètes*, Gallimard, « Pléiade », 3 vol. prévus, 1977 → (p.p. M. Décaudin et P. Caizergues).

AQUIN Hubert (Canada/Québec, 1929-1977)

Prochain Épisode
Trou de mémoire

ARAGON Louis (1897-1982)

Anicet ou le Panorama, roman
Aurélien
Beaux Quartiers (les)
Blanche ou l'Oubli
Cloches de Bâle (les)
Communistes (les)
Con d'Irène (le)
Crève-cœur (le)
Défense de l'infini (la) [voir *Con d'Irène (le)*]
Diane française (la) [voir *Crève-coeur (le)*]
Elsa
Fou d'Elsa (le)
Henri Matisse, roman
Hourrah l'Oural
Je n'ai jamais appris à écrire ou les Incipit [voir *Henri Matisse, roman*]
Mentir-vrai (le)
Mise à mort (la)
Monde réel (le) [voir *Beaux Quartiers (les), Cloches de Bâle (les), et Communistes (les)*]
Paysan de Paris (le)
Roman inachevé (le)
Semaine sainte (la)
Vingt Ans après [voir *Crève-cœur (le)*]
Voyageurs de l'impériale (les)
Yeux d'Elsa (les) [voir *Crève-cœur (le)*]

ÉDITIONS COMPLÈTES
➢ *Œuvres romanesques croisées* [d'Aragon et d'Elsa Triolet], Robert Laffont, 38 vol., 1964-1971 ;
➢ *Œuvre poétique*, Messidor, 1989.

ARÈNE Emmanuel (1858-1908)

Roi (le) [en collab. avec CAILLAVET et FLERS]

ARGENS Jean-Baptiste de Boyer, marquis d' (1704-1771)

Lettres juives
Thérèse philosophe [attribution incertaine]

ARLAND Marcel (1899-1986)

Antarès
Ordre (l')
Zélie dans le désert

ARLINCOURT Charles Victor Prévot, vicomte d' (1789-1856)

Solitaire (le)

ARNAUD Georges, pseudonyme d'Henri Girard (1918-1987)

Salaire de la peur (le)

ARNAULD Antoine (1612-1694)

Grammaire générale et raisonnée [en collab. avec LANCELOT]
Logique (la) ou l'Art de penser [en collab. avec NICOLE]

ARNOTHY Christine (née en 1930)

J'ai quinze ans et je ne veux pas mourir

ARNOUL GRÉBAN [avant 1429-après 1492)

Mystère de la Passion (le)

ARRABAL Fernando (Espagne, né en 1932)

Architecte et l'Empereur d'Assyrie (l')
Grand Cérémonial (le)

ÉDITION COMPLÈTE
➢ *Théâtre*, Christian Bourgois, 14 vol., 1967-1982.

ARRAS Gautier d' [voir GAUTIER D'ARRAS]

ARRAS Jean d' [voir JEAN D'ARRAS]

ARSAN Emmanuelle (née en 1938)

Emmanuelle

ARTAUD Antonin (1896-1948)

Héliogabale ou l'Anarchiste couronné
Ombilic des limbes (l')
Théâtre de la cruauté (le) [voir *Théâtre et son double (le)*]
Théâtre et son double (le)

ÉDITION COMPLÈTE
➢ *Œuvres complètes*, Gallimard, 26 vol., 1974-1994.

ASSOUCY Charles Coypeau ou Coupeau, sieur d'~ ou d'Assouci (1605-1677)

Aventures [burlesques] du sieur d'Assoucy (les)
Aventures d'Italie de M. d'Assoucy (les) [voir *Aventures [burlesques] du sieur d'Assoucy (les)*]

AUBERT DE GASPÉ Philippe (Canada/Québec, 1786-1871)

Anciens Canadiens (les)

AUBIGNAC François Hédelin, abbé d' (1604-1676)

Pratique du théâtre (la)

AUBIGNÉ Agrippa d' (1552-1630)

Aventures du baron de Fœneste (les)
Confession catholique du sieur de Sancy (la)
Histoire universelle
Méditations sur les Psaumes
Printemps (le)
Sa vie à ses enfants
Tragiques (les)

ÉDITIONS COMPLÈTES
➢ *Œuvres complètes*, Genève, Slatkine, 6 vol., 1967 (réimp. éd. 1873-1892) ;
➢ *Œuvres*, Gallimard, « Pléiade », 1969 (p.p. H. Weber avec J. Bailbé et M. Soulié).

AUDE Joseph (1755-1841)

Madame Angot au sérail de Constantinople

AUDIBERTI Jacques (1899-1965)

Abraxas
Ampelour (l')
Cavalier seul (le)
Effet Glapion (l')
Le mal court
Maître de Milan (le)
Opéra parlé
Quoat-Quoat

ÉDITION COMPLÈTE
➢ *Théâtre*, Gallimard, 5 vol., 1948-1962.

AUDOUX Marguerite, pseudonyme de Marguerite Donquichotte (1863-1937)

Atelier de Marie-Claire (l') [voir *Marie-Claire*]
Marie-Claire

AUGIER Émile (1820-1889)

Fils de Giboyer (le)
Gendre de Monsieur Poirier (le) [en collab. avec SANDEAU]

AUGIÉRAS François (1925-1971)

Vieillard et l'Enfant (le) [sous le pseudonyme d'Abdallah Chaamba]

AULNOY Marie-Catherine Le Jumel de Barneville, baronne d'~, dite Mme d' (1650 ou 1651-1705)

Contes de fées

AUTREAU Jacques (1657-1745)

Naufrage au Port-à-l'Anglais (le)

AYMÉ Marcel (1902-1967)

Bœuf clandestin (le)
Bottes de sept lieues (les) [voir *Passe-muraille (le)*]
Carte (la) [voir *Passe-muraille (le)*]
Clérambard
Contes du chat perché (les)
Décret (le) [voir *Passe-muraille (le)*]
En attendant [voir *Passe-muraille (le)*]
Huissier (l') [voir *Passe-muraille (le)*]
Jument verte (la)
Légende poldève [voir *Passe-muraille (le)*]
Lucienne et le Boucher
Passe-muraille (le)
Percepteur d'épouses (le) [voir *Passe-muraille (le)*]
Proverbe (le) [voir *Passe-muraille (le)*]
Sabines (les) [voir *Passe-muraille (le)*]
Table-aux-Crevés (la)
Tête des autres (la)
Uranus
Vouivre (la)

ÉDITION COMPLÈTE

➢ *Œuvres romanesques complètes*, Gallimard, « Pléiade », 3 vol. prévus, 1988 → (p.p. Y.-A. Favre).

B

BÂ Amadou Hampaté (Mali, 1901-1991)

Étrange Destin de Wangrin (l')

BÂ Mariama (Sénégal, 1929-1981)

Une si longue lettre

BACULARD D'ARNAUD François Thomas Marie de (1718-1805)

Amants malheureux (les) ou le Comte de Comminge
Époux malheureux (les)
Épreuves du sentiment (les)

ÉDITION COMPLÈTE

➢ *Œuvres*, Genève, Slatkine, 6 vol., 1972 (réimp. éd. 1803).

BADIAN Kouyaté Seydou (Mali, né en 1928)

Sous l'orage

BAÏF Jean Antoine de (1532-1589)

Amour de Francine (l') [voir *Amours (les)*]
Amours (les)
Amours de Méline (les) [voir *Amours (les)*]
Brave (le)

BALLANCHE Pierre Simon (1776-1847)

Antigone
Homme sans nom (l')
Orphée [voir *Antigone*]
Vision d'Hébal, chef d'un clan écossais

ÉDITION COMPLÈTE

➢ *Œuvres complètes*, Genève, Slatkine, 6 vol., 1967 (réimp. éd. 1833).

BALZAC Honoré de (1799-1850)

Adieu [voir *Étude de femme*]
Albert Savarus
Annette et le Criminel
Autre Étude de femme [voir *Étude de femme*]
Bal de Sceaux (le)
Béatrix
Cabinet des antiques (le)
Cent Contes drolatiques (les)
César Birotteau [voir *Histoire de la grandeur et de la décadence de César Birotteau*]
Chef-d'œuvre inconnu (le) [voir *Recherche de l'absolu (la)*]
Chouans (les) ou la Bretagne en 1799
Colonel Chabert (le)
Comédie humaine (la)
Contes drolatiques [voir *Cent Contes drolatiques (les)*]
Contrat de mariage (le) [voir *Étude de femme*]
Cousin Pons (le) [voir *Parents pauvres (les)*]
Cousine Bette (la) [voir *Parents pauvres (les)*]
Curé de Tours (le)
Curé de village (le)
Député d'Arcis (le) [voir *Chouans (les)*]
Duchesse de Langeais (la) [voir *Histoire des Treize*]
El Verdugo [voir *Étude de femme*]
Élixir de longue vie (l') [voir *Peau de chagrin (la)*]
Employés (les) [voir *Étude de femme*]
Envers de l'histoire contemporaine (l')
Étude de femme
Eugénie Grandet
Facino Cane [voir *Recherche de l'absolu (la)*]
Faiseur (le)
Fausse Maîtresse (la)
Femme abandonnée (la) [voir *Étude de femme*]
Femme de trente ans (la)
Ferragus [voir *Histoire des Treize*]
Fille aux yeux d'or (la) [voir *Histoire des Treize*]
Gambara [voir *Recherche de l'absolu (la)*]
Gaudissart II [voir *Illustre Gaudissart (l')*]
Gobseck
Grenadière (la) [voir *Étude de femme*]
Histoire de la grandeur et de la décadence de César Birotteau
Histoire des Treize
Honorine [voir *Étude de femme*]
Illusions perdues
Illustre Gaudissart (l')
Interdiction (l') [voir *Étude de femme*]
Jésus-Christ en Flandre [voir *Peau de chagrin (la)*]
Louis Lambert
Lys dans la vallée (le)
Madame Firmiani [voir *Étude de femme*]
Maison du Chat-qui-pelote (la)
Maison Nucingen (la)
Marana (les) [voir *Étude de femme*]
Massimilla Doni [voir *Recherche de l'absolu (la)*]
Médecin de campagne (le)
Melmoth réconcilié [voir *Peau de chagrin (la)*]
Mémoires de deux jeunes mariées
Mercadet [voir *Faiseur (le)*]
Message (le) [voir *Étude de femme*]
Modeste Mignon
Muse du département (la)
Paix du ménage (la) [voir *Étude de femme*]
Parents pauvres (les)
Paysans (les)
Peau de chagrin (la)
Père Goriot (le)
Petites misères de la vie conjugale [voir *Physiologie du mariage*]
Petits Bourgeois (les) [voir *Étude de femme*]
Physiologie du mariage
Pierre Grassou [voir *Recherche de l'absolu (la)*]
Proscrits (les) [voir *Séraphîta*]
Rabouilleuse (la)
Recherche de l'absolu (la)
Ressources de Quinola (les) [voir *Faiseur (le)*]
Sarrasine
Secrets de la princesse de Cadignan (les) [voir *Étude de femme*]
Séraphîta
Splendeurs et Misères des courtisanes
Théorie de la démarche [voir *Physiologie du mariage*]
Un début dans la vie
Un drame au bord de la mer [voir *Louis Lambert*]

Un épisode sous la Terreur [voir *Chouans (les)*]
Un prince de la bohème [voir *Muse du département (la)*]
Une double famille [voir *Étude de femme*]
Une fille d'Ève
Une ténébreuse affaire [voir *Chouans (les)*]
Ursule Mirouët
Vendetta (la) [voir *Étude de femme*]
Vieille Fille (la)
Wann Chlore [voir *Annette et le Criminel*]

ÉDITIONS COMPLÈTES
➤ *L'Œuvre de Balzac*, Club français du Livre, 16 vol., 1950-1953 (dir. A. Béguin et J.-A. Ducourneau [publication qui suit l'ordre chronologique des intrigues]) ;
➤ *Œuvres complètes*, Club de l'honnête homme, 28 vol., 1958-1963, rééd. 24 vol., 1968-1971 (dir. M. Bardèche) ;
➤ *Œuvres complètes illustrées*, Bibliophiles de l'Originale, 26 vol., 1965-1976 (dir. J.-A. Ducourneau [reproduction en fac-similé de l'édition Furne]) ;
➤ *La Comédie humaine*, Gallimard, « Pléiade », 12 vol., 1976-1981 (dir. P.-G. Castex) ;
➤ *Œuvres diverses*, Gallimard, « Pléiade », 3 vol. prévus, 1991 → (dir. P.-G. Castex).

BALZAC Jean-Louis Guez de (1597 ?-1654)

Entretiens (les)
Lettres
Prince (le)
Socrate chrétien (le)

ÉDITION COMPLÈTE
➤ *Œuvres*, Genève, Slatkine, 2 vol., 1971 (réimp. éd. 1665).

BANVILLE Théodore de (1823-1891)

Cariatides (les)
Odes funambulesques

ÉDITION COMPLÈTE
➤ *Œuvres complètes*, Genève, Slatkine, 5 vol., 1972, (réimp. éd. 1890-1909).

BARBEY D'AUREVILLY Jules (1808-1889)

À un dîner d'athées [voir *Diaboliques (les)*]
Bague d'Annibal (la)
Bonheur dans le crime (le) [voir *Diaboliques (les)*]
Chevalier des Touches (le)
Dessous de cartes d'une partie de whist (le) [voir *Diaboliques (les)*]
Diaboliques (les)
Du dandysme et de George Brummell
Ensorcelée (l')
Léa
Plus Bel Amour de Don Juan (le) [voir *Diaboliques (les)*]
Rideau cramoisi (le) [voir *Diaboliques (les)*]
Un prêtre marié
Une histoire sans nom
Une page d'histoire
Une vieille maîtresse
Vengeance d'une femme (la) [voir *Diaboliques (les)*]

ÉDITIONS COMPLÈTES
➤ *Œuvres romanesques complètes*, Gallimard, « Pléiade », 2 vol., 1964-1966 (p.p. J. Petit) ;
➤ *Œuvres complètes*, Genève, Slatkine, 26 vol., 1979 (réimp. éd. 1926-1927).

BARBIER Henri-Auguste (1805-1882)

Iambes et Poèmes
Lazare [voir *Iambes et Poèmes*]

BARBUSSE Henri (1873-1953)

Feu (le)

BARILIER Étienne (Suisse, né en 1947)

Chien Tristan (le)
Duel (le)

BARILLET Pierre (né en 1923)

Fleur de cactus [en collab. avec GRÉDY]

BARJAVEL René (1911-1985)

Nuit des temps (la)
Ravage

BARO Balthazar (1590-1650)

Astrée (l') [pour les parties IV et V]

BARRÈS Maurice (1862-1923)

Appel au soldat (l')
Au service de l'Allemagne [voir *Bastions de l'Est (les)*]
Bastions de l'Est (les)
Colette Baudoche [voir *Bastions de l'Est (les)*]
Colline inspirée (la)
Culte du moi (le)
Déracinés (les)
Du sang, de la volupté et de la mort
Génie du Rhin (le) [voir *Bastions de l'Est (les)*]
Greco ou le Secret de Tolède
Huit Jours chez M. Renan
Jardin de Bérénice (le) [voir *Culte du moi (le)*]
Mes cahiers
Sous l'œil des barbares [voir *Culte du moi (le)*]
Un homme libre [voir *Culte du moi (le)*]
Un jardin sur l'Oronte
Voyage de Sparte (le)

ÉDITION COMPLÈTE
➤ *Œuvres complètes*, Club de l'honnête homme, 20 vol., 1965-1969 (p.p. Ph. Barrès).

BARTHÉLEMY abbé Jean-Jacques (1716-1795)

Voyage du jeune Anacharsis (le)

BARTHES Roland (1915-1980)

Fragments d'un discours amoureux

BATAILLE Georges (1897-1962)

Abbé C. (l')
Bleu du ciel (le)
Histoire de l'œil
Ma mère
Madame Edwarda

ÉDITION COMPLÈTE
➤ *Œuvres complètes*, Gallimard, 9 vol., 1970-1979 (dir. D. Hollier).

BATAILLE Henry (1872-1922)

Scandale (le)

BATTEUX abbé Charles (1713-1780)

Beaux-Arts réduits à un même principe (les)

BAUCHAU Henry (Belgique, né en 1913)

Œdipe sur la route

BAUDELAIRE Charles (1821-1867)

Fanfarlo (la)
Fleurs du mal (les)
Mon cœur mis à nu
Paradis artificiels (les)
Peintre de la vie moderne (le)
Petits Poèmes en prose [voir *Spleen de Paris (le)*]
Richard Wagner et « Tannhäuser » à Paris
Spleen de Paris (le)

ÉDITIONS COMPLÈTES
➤ *Œuvres complètes*, Club français du Livre, 3 vol., 1966 (p.p. Y. Florenne) ;
➤ *Œuvres complètes*, Gallimard, « Pléiade », 2 vol., 1975-1976 (p.p. C. Pichois) ;
➤ *Œuvres complètes*, Robert Laffont, « Bouquins », 1980 (préf. C. Roy, p.p. M. Jamet).

BAUDOUIN D'AUBIGNY

BAUDOUIN D'AUBIGNY Théodore (fin XVIIIᵉ-début XIXᵉ)

Pie voleuse (la) ou la Servante de Palaiseau [en collab. avec CAI-GNIEZ]

BAUDOIN DE CONDÉ

Songe de Paradis [voir *Songe d'Enfer* de RAOUL DE HOUDENC]

BAYLE Pierre (1647-1706)

Continuation des Pensées diverses ou Réponse à plusieurs diffi-cultés que Monsieur *** a proposées à l'auteur
Dictionnaire historique et critique
Pensées diverses écrites à un docteur de Sorbonne, à l'occasion de la comète qui parut au mois de décembre 1680
Pensées sur la comète [voir *Pensées diverses écrites à un docteur de Sorbonne, à l'occasion de la comète qui parut au mois de décembre 1680*]

ÉDITION COMPLÈTE
➤ *Œuvres diverses*, Éditions sociales, 1971 (p.p. A. Niderst).

BAZIN Hervé, pseudonyme de Jean-Pierre Hervé-Bazin (né en 1911)

Madame Ex
Matrimoine (le)
Tête contre les murs (la)
Vipère au poing

BAZIN René (1853-1932)

La terre qui meurt
Oberlé (les)

BEAUCLAIR Henri (1860-1919)

Déliquescences (les), poèmes décadents d'Adoré Floupette [en col-lab. avec VICAIRE]

BEAUJEU Renaut de [voir RENAUT DE BEAUJEU]

BEAUMANOIR Philippe de Remi, sire de (vers 1205-1262)

Jehan et Blonde
Manekine (la)

BEAUMARCHAIS Pierre-Augustin Caron de (1732-1799)

Autre Tartuffe (l') ou la Mère coupable [voir *Mère coupable (la)*]
Barbier de Séville (le) ou la Précaution inutile
Eugénie
Folle Journée (la) ou le Mariage de Figaro [voir *Mariage de Figaro (le)*]
Jean-Bête à la foire
Mariage de Figaro (le)
Mémoires contre Goëzman
Mère coupable (la)
Sacristain (le) [voir *Barbier de Séville (le)*]

ÉDITIONS COMPLÈTES
➤ *Théâtre*, Flammarion, « GF », 1965 (p.p. R. Pomeau) ;
➤ *Théâtre*, Bordas, « Classiques Garnier », 1980 (p.p. J.-P. de Beaumarchais) ;
➤ *Œuvres*, Gallimard, « Pléiade », 1988 (p.p. P. Larthomas).

BEAUNOIR Alexandre, pseudonyme d'Alexandre Robineau (1746-1823)

Jérôme Pointu

BEAUVOIR Simone de (1908-1986)

Cérémonie des adieux (la)
Deuxième Sexe (le)
Force de l'âge (la)
Force des choses (la)
Invitée (l')
Mandarins (les)

Mémoires d'une jeune fille rangée
Tout compte fait

ÉDITION COMPLÈTE
➤ *Œuvres romanesques*, Club de l'honnête homme, 6 vol., 1980.

BEBEY Francis (Cameroun, né en 1929)

Fils d'Agatha Moudio (le)

BECK Béatrix (Belgique, née en 1914)

Léon Morin, prêtre

BECKETT Samuel (Irlande, 1906-1989)

Assez [voir *Têtes-mortes*]
Bing [voir *Têtes-mortes*]
Calmant (le) [voir *Nouvelles et Textes pour rien*]
Comment c'est
D'un ouvrage abandonné [voir *Têtes-mortes*]
Dépeupleur (le)
En attendant Godot
Expulsé (l') [voir *Nouvelles et Textes pour rien*]
Fin (la) [voir *Nouvelles et Textes pour rien*]
Fin de partie
Imagination morte imaginez [voir *Têtes-mortes*]
Innommable (l')
Malone meurt
Molloy
Nouvelles et Textes pour rien
Oh les beaux jours
Sans [voir *Têtes-mortes*]
Têtes-mortes

BECKFORD William (Angleterre, 1760-1844)

Vathek, conte arabe

BECQUE Henry (1837-1899)

Corbeaux (les)
Parisienne (la)

ÉDITION COMPLÈTE
➤ *Œuvres complètes*, Genève, Slatkine, 3 vol., 1979 (réimp. éd. 1924-1926).

BEFFROY DE REIGNY [voir COUSIN JACQUES (le)]

BELAMRI Rabah (Algérie, né en 1946)

Regard blessé

BELLEAU Rémy (1528 ?-1577)

Amours et Nouveaux Échanges des pierres précieuses (les)
Bergerie (la)
Reconnue (la)

ÉDITION COMPLÈTE
➤ *Œuvres poétiques*, Genève, Slatkine, 2 vol., 1966 (réimp. éd. 1878).

BELLEFOREST François de (1530-1583)

Pastorale amoureuse (la)

BELLETTO René (né en 1945)

Enfer (l')

BELLOY Dormont de, pseudonyme de Pierre Laurent Buirette (1727-1775)

Siège de Calais (le)

BEN JELLOUN Tahar (Maroc, né en 1944)

Enfant de sable (l')
Moha le fou, Moha le sage
Nuit sacrée (la)

BENDA Julien (1867-1956)
Trahison des clercs (la)

BENEDEIT ou BENOÎT (XIIe siècle)
Voyage de saint Brendan (le)

BENOÎT [voir BENEDEIT]

BENOIT Pierre (1886-1962)
Atlantide (l')
Kœnigsmark

ÉDITIONS COMPLÈTES
➢ *Œuvres romanesques illustrées*, Albin Michel, 7 vol., 1966-1970 ;
➢ *Romans*, Robert Laffont, « Bouquins », 2 vol., 1994-1995 (préf. H. Juin, p.p. F. Lacassin)

BENOÎT DE SAINTE-MAURE (XIIe siècle)
Roman de Troie (le)

BENOZIGLIO Jean-Luc (Suisse, né en 1941)
Cabinet portrait

BÉRANGER Pierre-Jean de (1780-1857)
Chansons

BÉRAUD Henri (1885-1958)
Vitriol de lune (le)

BERGER Yves (né en 1931)
Fou d'Amérique (le)

BERGSON Henri (1859-1941)
Rire (le). Essai sur la signification du comique

BERL Emmanuel (1892-1976)
Sylvia

BERNANOS Georges (1888-1948)
Dialogues des Carmélites
Grande Peur des bien-pensants (la)
Grands Cimetières sous la lune (les)
Imposture (l')
Joie (la)
Journal d'un curé de campagne
Monsieur Ouine
Nouvelle Histoire de Mouchette
Sous le soleil de Satan
Un crime
Un mauvais rêve

ÉDITIONS COMPLÈTES
➢ *Œuvres romanesques* suivies de *Dialogues des Carmélites*, Gallimard, « Pléiade », 1962 (préf. G. Picon, p.p. A. Béguin et M. Estève) ;
➢ *Essais et Écrits de combat*, Gallimard, « Pléiade », 1972 (p.p. M. Estève).

BERNARD Catherine (1662-1712)
Comte d'Amboise (le)
Éléonor d'Ivrée
Malheurs de l'amour (les). Première Nouvelle : Éléonor d'Ivrée [voir *Éléonor d'Ivrée*]

BERNARD Claude (1813-1878)
Introduction à l'étude de la médecine expérimentale

BERNARD Tristan, pseudonyme de Paul Bernard (1866-1947)
L'anglais tel qu'on le parle

BERNARDIN DE SAINT-PIERRE Jacques-Henri (1737-1814)
Chaumière indienne (la)
Études de la nature
Harmonies de la nature
Paul et Virginie
Voyage à l'île de France

BERNIS François Joachim de Pierres, cardinal de (1715-1794)
Mémoires
Quatre Saisons (les) ou les Géorgiques françaises

BERNSTEIN Henry (1876-1953)
Mélo
Secret (le)

BÉROUL (seconde moitié du XIIe siècle)
Tristan

BERTIN Antoine, chevalier de (1752-1790)
Amours (les)

BERTRAND Aloysius (1807-1841)
Gaspard de la nuit

BESSON Patrick (né en 1956)
Dara

BÉTHUNE Conon de [voir CONON DE BÉTHUNE]

BETI Mongo, pseudonyme d'Alexandre Biyidi (Cameroun, né en 1932)
Pauvre Christ de Bomba (le)
Remember Ruben

BÈZE Théodore de (1519-1605)
Abraham sacrifiant
Chrétiennes Méditations

BHÊLY-QUÉNUM Olympe (Bénin, né en 1928)
Un piège sans fin

BIANCIOTTI Hector (Argentine, né en 1930)
Sans la miséricorde du Christ

BIÈVRE François-Georges Mareschal, marquis de (1747-1789)
Vercingétorixe

BILLETDOUX François (1927-1991)
Il faut passer par les nuages
Tchin-Tchin
Va donc chez Törpe

BLAIS Marie-Claire (Canada/Québec, née en 1939)
Ange de la solitude (l')
Belle Bête (la)
Une saison dans la vie d'Emmanuel

BLANCHOT Maurice (né en 1907)
Arrêt de mort (l')
Attente, l'Oubli (l')
Thomas l'obscur

BLOCH Jean-Richard (1884-1947)
... Et Cie

BLONDIN Antoine (1922-1991)
Enfants du Bon Dieu (les)
Europe buissonnière (l')
Un singe en hiver
ÉDITION COMPLÈTE
➢ *Œuvres*, Robert Laffont, « Bouquins », 1991 (p.p. J. Bens).

BLOY Léon (1846-1917)
Belluaires et Porchers
Désespéré (le)
Exégèse des lieux communs
Femme pauvre (la)
ÉDITION COMPLÈTE
➢ *Œuvres complètes*, Mercure de France, 15 vol., 1956-1968.

BOAISTUAU Pierre (1517-1566)
Histoires prodigieuses
Histoires tragiques
Théâtre du monde (le)

BOCAGE, pseudonyme de Pierre François Touzé (1797-1863)
Mohicans de Paris (les) [en collab. avec A. DUMAS]

BODARD Lucien (né en 1914)
Monsieur le consul

BODEL Jean [voir JEAN BODEL]

BODIN Jean (1529-1576)
République (la)

BOILEAU Nicolas, dit Boileau-Despréaux (1636-1711)
Art poétique
Épîtres
Lutrin (le)
Satires
ÉDITIONS COMPLÈTES
➢ *Œuvres complètes*, Gallimard, « Pléiade », 1966 (préf. A. Adam, p.p. F. Escal) ;
➢ *Œuvres*, Flammarion, « GF », 2 vol., 1969 (p.p. J. Vercruysse et S. Menant).

BOILEAU Pierre-Louis (1906-1989)
Celle qui n'était plus [en collaboration avec NARCEJAC]
...Et mon tout est un homme [en collaboration avec NARCEJAC]
ÉDITION COMPLÈTE
➢ *Quarante Ans de suspense*, Robert Laffont, « Bouquins », 5 vol., 1988-1990 (p.p. F. Lacassin).

BOISROBERT François Le Metel, seigneur de (1589-1662)
Comédie des Tuileries (la) [sous le pseudonyme collectif des CINQ AUTEURS]

BOKOUM Saïdou (Guinée, né en 1945)
Chaîne

BONAPARTE Napoléon (1769-1821)
Clisson et Eugénie
Souper de Beaucaire (le)

BONNEFOY Yves (né en 1923)
Dans le leurre du seuil
Du mouvement et de l'immobilité de Douve
Hier régnant désert
Improbable (l')
ÉDITION COMPLÈTE
➢ *Poèmes*, Gallimard, « Poésie/Gallimard », 1982 (préf. J. Starobinski).

BONNET Charles (Suisse, 1720-1794)
Contemplation de la nature (la)

BONNETAIN Paul (1858-1899)
Charlot s'amuse
Opium (l')

BOREL Pétrus, pseudonyme de Joseph Pierre Borel d'Hauterive (1809-1859)
Champavert. Contes immoraux
Madame Putiphar
Rhapsodies
ÉDITION COMPLÈTE
➢ *Œuvres complètes*, Genève, Slatkine, 5 vol., 1967 (réimp. éd. 1877 et 1922).

BORON Hélie de [voir HÉLIE DE BORON]

BORON Robert de [voir ROBERT DE BORON]

BORY Jean-Louis (1919-1979)
Mon village à l'heure allemande
Pied (le)

BOSCO Henri (1888-1976)
Âne Culotte (l')
Mas Théotime (le)

BOSQUET Alain, pseudonyme d'Anatol Bisk (né en 1919)
Poèmes, un (1945-1967)

BOSSUET Jacques Bénigne (1627-1704)
De la connaissance de Dieu et de soi-même
Discours sur l'Histoire universelle
Maximes et Réflexions sur la comédie
Oraison funèbre d'Anne de Gonzague [voir *Oraisons funèbres*]
Oraison funèbre d'Henri de Gornay [voir *Oraisons funèbres*]
Oraison funèbre d'Henriette d'Angleterre [voir *Oraisons funèbres*]
Oraison funèbre d'Henriette de France [voir *Oraisons funèbres*]
Oraison funèbre d'Yolande de Monterby [voir *Oraisons funèbres*]
Oraison funèbre de Marie-Thérèse d'Autriche [voir *Oraisons funèbres*]
Oraison funèbre de Michel Le Tellier [voir *Oraisons funèbres*]
Oraison funèbre de Nicolas Cornet [voir *Oraisons funèbres*]
Oraison funèbre du père Bourgoing [voir *Oraisons funèbres*]
Oraison funèbre du prince de Condé [voir *Oraisons funèbres*]
Oraisons funèbres
Politique tirée des propres paroles de l'Écriture sainte
Sermons
Traité de la concupiscence
ÉDITION COMPLÈTE
➢ *Œuvres*, Gallimard, « Pléiade », 1936 (p.p. B. Velat et Y. Champailler).

BOUDARD Alphonse (né en 1925)
Corbillard de Jules (le)

BOUDJEDRA Rachid (Algérie, né en 1941)
Insolation (l')
Répudiation (la)

BOUFFLERS Jean-Stanislas, chevalier de (1738-1815)
Aline, reine de Golconde

BOUGAINVILLE Louis-Antoine de (1729-1811)
Voyage autour du monde, par la frégate du Roi « la Boudeuse » et la flûte « l'Étoile », en 1766, 1767, 1768 et 1769

BOUHOURS Dominique (1628-1702)
Entretiens d'Ariste et d'Eugène (les)

BOULANGER Daniel (né en 1922)
Rose et le Reflet (la)

BOULANGER Nicolas-Antoine (1722-1759)
Antiquité dévoilée par ses usages (l')

BOULLE Pierre (1912-1994)
Planète des singes (la)
Pont de la rivière Kwaï (le)

BOUNIN Gabriel (1535-1604)
Sultane (la)

BOURDALOUE Louis (1632-1704)
Sermons

BOURDET Édouard (1887-1945)
Sexe faible (le)
Temps difficiles (les)

BOURGEADE Pierre (né en 1927)
Immortelles (les)
Palazzo Mentale

BOURGES Élémir (1852-1925)
Crépuscule des dieux (le)
Sous la hache

BOURGET Paul (1852-1935)
Démon de midi (le)
Disciple (le)
Étape (l')

BOURNIQUEL Camille (né en 1918)
Sélinonte ou la Chambre impériale

BOURSAULT Edme (1638-1701)
Ésope à la Cour
Mots à la mode (les)
Portrait du peintre (le) ou la Contre-critique de « l'École des femmes »
ÉDITION COMPLÈTE
➢ *Théâtre*, Genève, Slatkine, 1970 (réimp. éd. 1725).

BOUSQUET Joë (1897-1950)
Connaissance du soir (la)

BOVE Emmanuel (1898-1945)
Mes amis
Piège (le)

BRANTÔME Pierre de Bourdeilles, seigneur et abbé de (1540-1614)
Dames galantes (Vies des)

BRASILLACH Robert (1909-1945)
Bérénice
Sept Couleurs (les)

BRAUDEAU Michel (né en 1946)
Naissance d'une passion
Passage de la Main-d'Or

BRAULT Jacques (Canada/Québec, né en 1933)
En dessous l'admirable (l')
Mémoire

BRÉBEUF Georges de (1616-1661)
Entretiens solitaires ou Prières et Méditations pieuses

BRETON André (1896-1966)
Air de l'eau (l')
Amour fou (l')
Anthologie de l'humour noir
Arcane 17
Champs magnétiques (les) [en collab. avec SOUPAULT]
Clair de terre
Immaculée Conception (l') [en collab. avec ÉLUARD]
Manifestes du surréalisme
Mont de piété
Nadja
Ralentir travaux [en collab. avec CHAR et ÉLUARD]
Revolver à cheveux blancs (le)
Second Manifeste du surréalisme [voir *Manifestes du surréalisme*]
Vases communicants (les)
ÉDITION COMPLÈTE
➢ *Œuvres complètes*, Gallimard, « Pléiade », 4 vol. prévus, 1988 → (dir. M. Bonnet).

BRILLAT-SAVARIN Jean Anthelme (1755-1826)

Physiologie du goût ou Méditations de gastronomie transcendante

BRION Marcel (1895-1984)
Folie Céladon (la)

BROSSE (?-1651)
Songes des hommes éveillés (les)

BROSSES Charles, dit le Président de (1709-1777)
Lettres familières écrites d'Italie en 1739 et 1740

BUEIL Jean de [voir JEAN DE BUEIL]

BUFFON Georges Louis Leclerc, comte de (1707-1788)

Art d'écrire (l') [voir *Discours sur le style*]
Discours sur le style
Époques de la nature (les) [voir *Histoire naturelle, générale et particulière*]
Essai d'arithmétique morale
Essai sur la formation des planètes [voir *Histoire naturelle, générale et particulière*]
Histoire des quadrupèdes [voir *Histoire naturelle, générale et particulière*]
Histoire générale des animaux [voir *Histoire naturelle, générale et particulière*]
Histoire naturelle de l'homme [voir *Histoire naturelle, générale et particulière*]
Histoire naturelle des minéraux [voir *Histoire naturelle, générale et particulière*]
Histoire naturelle des oiseaux [voir *Histoire naturelle, générale et particulière*]
Histoire naturelle, générale et particulière
Théorie de la Terre [voir *Histoire naturelle, générale et particulière*]

BUSSY-RABUTIN Roger de Rabutin, comte de Bussy, dit (1618-1693)

Histoire amoureuse des Gaules

BUTOR Michel (né en 1926)

Emploi du temps (l')
Modification (la)
Passage de Milan
6 810 000 litres d'eau par seconde

C

CABANIS José (né en 1922)

Une femme dans la ville

CABET Étienne (1788-1856)

Voyage en Icarie

CADOU René-Guy (1920-1951)

Hélène ou le Règne végétal

CAIGNIEZ Louis-Charles (1762-1842)

Jugement de Salomon (le)
Pie voleuse (la) ou la Servante de Palaiseau [en collab. avec BAUDOUIN D'AUBIGNY]

CAILLAVET Gaston Arman de (1869-1915)

Roi (le) [en collab. avec E. ARÈNE et FLERS]

CAILLOIS Roger (1913-1978)

Fleuve Alphée (le)

CALAFERTE Louis (1928-1994)

Septentrion

CALET Henri (1904-1956)

Belle Lurette (la)
Tout sur le tout (le)

CALVIN Jean (1509-1564)

Avertissement très utile du grand profit qui reviendrait à la Chrétienté, s'il se faisait inventaire de tous les corps saints, et reliques, qui sont tant en Italie, qu'en France, Allemagne, Espagne et autres Royaumes et pays [voir *Traité des reliques*]
Institution de la religion chrétienne
Traité des reliques

CAMI Pierre (1884-1958)

Famille Rikiki (la)

CAMUS Albert (1913-1960)

Amandiers (les) [voir *Été (l')*]
Caligula
Chute (la)
Désert (le) [voir *Noces*]
Énigme (l') [voir *Été (l')*]
Été (l')
Été à Alger (l') [voir *Noces*]
Étranger (l')
Exil d'Hélène (l') [voir *Été (l')*]
Exil et le Royaume (l')
Homme révolté (l')
Justes (les)
Malentendu (le)
Mer au plus près (la) [voir *Été (l')*]
Minotaure (le) [voir *Été (l')*]
Mythe de Sisyphe (le)
Noces
Noces à Tipasa [voir *Noces*]
Peste (la)
Petit Guide des villes sans passé [voir *Été (l')*]
Prométhée aux enfers [voir *Été (l')*]
Retour à Tipasa [voir *Été (l')*]
Vent à Djemila (le) [voir *Noces*]

ÉDITIONS COMPLÈTES

➤ *Théâtre, Récits et Nouvelles*, Gallimard, « Pléiade », 1962 (préf. J. Grenier, p.p. R. Quilliot) ;
➤ *Essais*, Gallimard, « Pléiade », 1965 (p.p. R. Quilliot et L. Faucon) ;
➤ *Œuvres complètes*, Club de l'honnête homme, 9 vol., 1983-1984 (p.p. J. Grenier).

CAMUS Jean-Pierre (1584-1652)

Agathonphile ou les Martyrs siciliens
L'amphithéâtre sanglant où sont représentées plusieurs actions tragiques de notre temps

CAMUS Renaud (né en 1946)

Tricks

CARCO Francis, pseudonyme de François Carcopino-Tusoli (1886-1958)

Jésus-la-Caille

CARDINAL Marie (née en 1929)

Mots pour le dire (les)

CARMONTELLE, pseudonyme de Louis Carrogis (1717-1806)

Proverbes dramatiques
Théâtre de campagne

CARRIÈRE Jean (né en 1932)

Épervier de Maheux (l')

CARTIER Jacques (1491-1557)

Bref Récit et Succincte Narration de la navigation aux îles de Canada, Hochelaga et autres

CASANOVA Jacques ~ de Seingalt, pseudonyme de Giacomo Casanova (Venise, 1725-1798)

Histoire de ma vie
Icosaméron (l')

CASSOU Jean (1897-1986)

Trente-trois Sonnets composés au secret

CASTER Sylvie (née en 1952)

Chênes verts (les)

CAU Jean (1925-1993)

Pitié de Dieu (la)

CAUVIN Patrick, pseudonyme de Claude Klotz (né en 1932)

Huit Jours en été

CAVANNA François (né en 1926)

Ritals (les)

CAYROL Jean (né en 1911)

Histoire du ciel
Je vivrai l'amour des autres
Œuvre poétique
On vous parle [voir *Je vivrai l'amour des autres*]
Premiers jours (les) [voir *Je vivrai l'amour des autres*]

CAZOTTE Jacques (1719-1792)

Diable amoureux (le)
Ollivier

CÉARD Henry (1851-1924)

Saignée (la) [voir *Soirées de Médan (les)*]
Une belle journée

CECIL SAINT-LAURENT [voir LAURENT Jacques]

CÉLINE Louis-Ferdinand, pseudonyme de Louis Ferdinand Destouches (1894-1961)

Bagatelles pour un massacre
D'un château l'autre
Église (l') [voir *Voyage au bout de la nuit*]
Féerie pour une autre fois
Guignol's band
Maudits Soupirs pour une autre fois [voir *Féerie pour une autre fois*]
Mort à crédit
Nord
Normance [voir *Féerie pour une autre fois*]
Rigodon
Voyage au bout de la nuit

ÉDITIONS COMPLÈTES

➢ *L'Œuvre*, André Balland, 5 vol., 1966-1969 (préf. M. Aymé, p.p. J.-A. Ducourneau) ;
➢ *Romans*, Gallimard, « Pléiade », 4 vol., 1981-1993 (p.p. H. Godard) ;
➢ *Œuvres*, Club de l'honnête homme, 9 vol., 1982 (p.p. F. Vitoux).

CENDRARS Blaise, pseudonyme de Frédéric Louis Sauser (1887-1961)

Bourlinguer
Moravagine
Or (l'). *La Merveilleuse Histoire du général Johann August Suter*
Prose du Transsibérien et de la petite Jehanne de France (la)
Rhum. L'Aventure de Jean Galmot

ÉDITION COMPLÈTE

➢ *Œuvres*, Denoël, 5 vol., 1960-1965.

CÉSAIRE Aimé (né en 1913)

Armes miraculeuses (les)
Cahier d'un retour au pays natal
Et les chiens se taisaient
Moi, laminaire
Tragédie du roi Christophe (la)
Une saison au Congo

ÉDITION COMPLÈTE

➢ *Œuvres complètes*, Fort-de-France, Désormeaux, 3 vol., 1976 (dir. J.-P. Césaire).

CESBRON Gilbert (1913-1979)

Chiens perdus sans collier

CHABRILLAT Henri (1842-1893)

Cinq Sous de Lavarède (les) [en collab. avec D'IVOI]

CHABROL Jean-Pierre (né en 1925)

Rebelles (les)

CHAILLOU Michel (né en 1930)

Rêve de Saxe (le)

CHALLE Robert (1659-1721)

Difficultés sur la religion proposées au père Malebranche
Illustres Françaises (les)
Journal d'un voyage fait aux Indes orientales
Militaire philosophe (le) [voir *Difficultés sur la religion proposées au père Malebranche*]

CHAMBERLAND Paul (Canada/Québec, né en 1939)

Terre Québec

CHAMFORT Nicolas de, pseudonyme de Sébastien-Roch Nicolas (1740-1794)

Maximes, Pensées, Caractères et Anecdotes

CHAMOISEAU Patrick (né en 1953)

Texaco

CHAMPFLEURY, pseudonyme de Jules François Félix Husson (1821-1889)

Bourgeois de Molinchart (les)
Chien-Caillou. Fantaisies d'hiver

CHAPELAIN Jean (1595-1674)

Pucelle (la) ou la France délivrée

CHAPSAL Madeleine (née en 1925)

Maison de jade (la)

CHAPPAZ Maurice (Suisse, né en 1916)

Match Valais-Judée (le)
Testament du Haut-Rhône

CHAR René (1907-1988)

Abondance viendra [voir *Marteau sans maître (le)*, suivi de *Moulin premier*]
Arsenal [voir *Marteau sans maître (le)*, suivi de *Moulin premier*]
Feuillets d'Hypnos [voir *Fureur et Mystère*]
Fontaine narrative (la) [voir *Fureur et Mystère*]
Fureur et Mystère
L'action de la justice est éteinte [voir *Marteau sans maître (le)*, suivi de *Moulin premier*]
Loyaux Adversaires (les) [voir *Fureur et Mystère*]
Marteau sans maître (le), suivi de *Moulin premier*
Matinaux (les)
Moulin premier [voir *Marteau sans maître (le)*, suivi de *Moulin premier*]
Parole en archipel (la)
Partage formel [voir *Fureur et Mystère*]
Poèmes militants [voir *Marteau sans maître (le)*, suivi de *Moulin premier*]
Ralentir travaux [en collab. avec BRETON et ÉLUARD]
Seuls demeurent [voir *Fureur et Mystère*]
Visage nuptial (le) [voir *Fureur et Mystère*]

ÉDITION COMPLÈTE

➢ *Œuvres complètes*, Gallimard, « Pléiade », 1983 (introd. J. Roudaut, collaboration de L. et A. Jamme, T. Jolas et A. Reinbold).

CHARDIN Jean (1643-1713)

Voyages de M.le chevalier Chardin en Perse et autres lieux de l'Orient

CHARDONNE Jacques, pseudonyme de Jacques Boutelleau (1884-1968)

Claire
Destinées sentimentales (les)
Épithalame (l')
Éva ou le Journal interrompu
Vivre à Madère

CHARLES D'ORLÉANS (1394-1465)

Ballades [voir *Poésies*]
Chansons [voir *Poésies*]
Poésies
Retenue d'amour (la) [voir *Poésies*]
Rondeaux [voir *Poésies*]

CHARLES-ROUX Edmonde (née en 1922)

Oublier Palerme

CHARRIÈRE Mme de ~, née Isabelle Agnès Élizabeth Van Tuyll Van Serooskerken Van Zuylen (Suisse, 1740-1805)

Caliste ou la Continuation des Lettres écrites de Lausanne
Émigré (l')
Lettres écrites de Lausanne [voir *Caliste*]
Lettres neuchâteloises

ÉDITION COMPLÈTE
➢ *Œuvres complètes*, Amsterdam, Van Oorschot, 10 vol., 1979-1983 (p.p. J. D. Candaux, C. P. Courtney *et al.*).

CHARRON Pierre (1541-1603)

De la sagesse

CHARTIER Alain [voir ALAIN CHARTIER]

CHASSAIGNON Jean-Marie (1737-1795)

Cataractes de l'imagination
Nudités (les) ou les Crimes du peuple

CHASSIGNET Jean-Baptiste (1571 ?-1635 ?)

Mépris de la vie et Consolation contre la mort (le)

CHASTELLAIN Georges [voir GEORGES CHASTELLAIN]

CHATEAUBRIAND François-René, vicomte de (1768-1848)

Atala ou les Amours de deux sauvages dans le désert
Aventures du dernier Abencérage (les)
Essai historique, politique et moral sur les révolutions anciennes considérées dans leurs rapports avec la Révolution française [voir *Essai sur les Révolutions*]
Essai sur les Révolutions
Génie du christianisme ou Beautés de la religion chrétienne
Itinéraire de Paris à Jérusalem
Martyrs (les) ou le Triomphe de la religion chrétienne
Mémoires d'outre-tombe
Mémoires de ma vie [voir *Mémoires d'outre-tombe*]
Natchez (les)
René
Vie de Rancé
Voyage en Amérique

ÉDITION COMPLÈTE
➢ *Œuvres romanesques et Voyages*, Gallimard, « Pléiade », 2 vol., 1969 (p.p. M. Regard).

CHÂTEAUBRIANT Alphonse de Brédenbec de (1877-1951)

Monsieur des Lourdines. Histoire d'un gentilhomme campagnard

CHÂTEAUREYNAUD Georges-Olivier (né en 1947)

Faculté des Songes (la)

CHATRIAN Alexandre (1826-1899)

Ami Fritz (l') [en collab. avec ERCKMANN]
Conscrit de 1813 (le) [en collab. avec ERCKMANN]

ÉDITIONS COMPLÈTES
➢ *Œuvres complètes*, Tallandier, 13 vol., 1987 ;
➢ *Gens d'Alsace et de Lorraine*, Presses de la Cité, « Omnibus », 1993 (préf. J.-P. Rioux).

CHAVÉE Achille (Belgique, 1906-1969)

De vie et mort naturelles

CHAZAL Malcolm de (Île Maurice, 1902-1981)

Sens plastique

CHEDID Andrée (née en 1920)

Néfertiti ou le Rêve d'Akhnaton
Sixième Jour (le)
Visage premier

CHÊNEDOLLÉ Charles-Julien Lioult de (1769-1833)

Génie de l'homme (le)

CHÉNIER André (1762-1794)

Amérique (l') [voir *Poèmes*]
Art d'aimer (l') [voir *Poèmes*]
Bucoliques (les)
Élégies et Épîtres
Épîtres [voir *Élégies et Épîtres*]
Hermès [voir *Poèmes*]
Iambes [voir *Odes et Iambes*]
Invention (l') [voir *Poèmes*]
Odes et Iambes
Poèmes
Suzanne [voir *Poèmes*]

ÉDITIONS COMPLÈTES
➢ *Œuvres poétiques*, Delagrave, 3 vol., 1908-1919 (p.p. P. Dimoff) ;
➢ *Œuvres complètes*, Gallimard, « Pléiade », 1940 (p.p. G. Walter) ;
➢ *Poésies*, Gallimard, « Poésie/Gallimard », 1994 (rééd. éd. 1872, p.p. L. Becq de Fouquières).

CHÉNIER Marie-Joseph (1764-1811)

Charles IX ou la Saint-Barthélemy
Jean Calas ou l'École des juges
Timoléon

CHERBULIEZ Victor (Suisse, 1829-1899)

Bête (la)
Comte Kostia (le)

CHESSEX Jacques (Suisse, né en 1934)

Ogre (l')
Portrait des Vaudois

CHEVALLIER Gabriel (1895-1969)

Clochemerle

CHOISY François-Timoléon, abbé de (1644-1724)

Mémoires de l'abbé de Choisy habillé en femme [voir *Mémoires pour servir à l'histoire de Louis XIV*]
Mémoires pour servir à l'histoire de Louis XIV

CHOLODENKO Marc (né en 1950)

États du désert (les)

CHRAÏBI Driss (Maroc, né en 1926)

Boucs (les)
Civilisation, ma mère ! (la)
Passé simple (le)

CHRÉTIEN DE TROYES (seconde moitié du XIIᵉ siècle)

Chevalier au lion (le) ou *Yvain*
Chevalier de la charrette (le) ou *Lancelot*
Cligès
Conte du Graal (le) ou *Perceval*
Érec et Énide
Guillaume d'Angleterre [attribution incertaine à un CRESTIENS]
Lancelot [voir *Chevalier de la charrette (le)*]
Perceval [voir *Conte du Graal (le)*]
Yvain [voir *Chevalier au lion (le)*]

ÉDITIONS COMPLÈTES

➤ *Sämtliche erhaltene Werke*, Halle, Max Niemeyer, 5 vol., 1884-1899 et 1932 (p.p. W. Foerster, et A. Hilka pour le vol. V) ;
➤ *Les Romans de Chrétien de Troyes édités d'après la copie de Guiot*, Champion, 6 vol., 1952-1975 (p.p. M. Roques [vol. I, II, IV et V], A. Micha [vol. III] et F. Lecoy [vol. VI]) ;
➤ *Œuvres complètes*, Gallimard, « Pléiade », 1994 (bilingue, dir. D. Poirion) ;
➤ *Romans*, Le Livre de Poche, « Pochothèque », 1994 (bilingue, dir. M. Zink).

CHRISTINE DE PISAN ou PIZAN (vers 1364-vers 1431)

Ballades
Cent Ballades [voir *Ballades*]
Cent Ballades d'Amant et de Dame [voir *Ballades*]
Cité des dames (le Livre de la))
Ditié de Jeanne d'Arc (le)

CHRISTOPHE, pseudonyme de Georges Colomb (1856-1945)

Facéties du sapeur Camember (les)
Famille Fenouillard (la)

CINGRIA Charles-Albert (Suisse, 1883-1954)

Bois sec Bois vert
Brumaire savoisien [voir *Fourmi rouge (la)* et *Autres Textes*]
Camp de César (le) [voir *Bois sec Bois vert*]
Canal exutoire [voir *Fourmi rouge (la)* et *Autres Textes*]
Ce pays qui est une vallée [voir *Florides Helvètes et Autres Textes*]
Comte des formes (le) [voir *Bois sec Bois vert*]
Couleuvre (la) [voir *Bois sec Bois vert*]
Eau de la dixième milliaire (l') [voir *Fourmi rouge (la)* et *Autres Textes*]
Florides Helvètes et Autres Textes
Fourmi rouge (la) et *Autres Textes*
Graffiti [voir *Fourmi rouge (la)* et *Autres Textes*]
Grand Questionnaire [voir *Fourmi rouge (la)* et *Autres Textes*]
Hippolyte Hippocampe [voir *Bois sec Bois vert*]
Impressions d'un passant à Lausanne [voir *Florides Helvètes et Autres Textes*]
Lou Sordel [voir *Bois sec Bois vert*]
Musique et Langue romane en pays romand [voir *Fourmi rouge (la) et Autres Textes*]
Musiques de Fribourg [voir *Florides Helvètes et Autres Textes*]
Parcours du Haut-Rhône (le) [voir *Florides Helvètes et Autres Textes*]
Petit Labyrinthe harmonique (le) [voir *Bois sec Bois vert*]
Recensement [voir *Bois sec Bois vert*]
Seize juillet (le) [voir *Fourmi rouge (la)* et *Autres Textes*]
Vair et Foudres [voir *Bois sec Bois vert*]
Xénia et le Diamant [voir *Bois sec Bois vert*]

ÉDITION COMPLÈTE

➤ *Œuvres complètes*, Lausanne, L'Âge d'homme, 17 vol., 1969-1975 (p. p. P.-O. Walzer).

CINQ AUTEURS [pseudonyme collectif de BOISROBERT, COLLETET, P. CORNEILLE, L'ESTOILE et ROTROU] (XVIIᵉ siècle)

Comédie des Tuileries (la)

CIORAN Emil Michel (Roumanie, né en 1911)

Histoire et Utopie
Précis de décomposition

CLANCIER Georges Emmanuel (né en 1914)

Pain noir (le)

CLARI Robert de [voir ROBERT DE CLARI]

CLAUDEL Paul (1868-1955)

Annonce faite à Marie (l')
Cinq Grandes Odes
Connaissance de l'Est
Conversations dans le Loir-et-Cher
Échange (l')
Jeune Fille Violaine (la)
Otage (l')
Pain dur (le)
Partage de midi
Père humilié (le)
Repos du septième jour (le)
Soulier de satin (le)
Tête d'or
Ville (la)

ÉDITIONS COMPLÈTES

➤ *Théâtre*, Gallimard, « Pléiade », 2 vol., 1947 (p.p. J. Madaule et J. Petit) ;
➤ *Œuvres complètes*, Gallimard, 29 vol., 1950-1986 ;
➤ *Œuvre poétique*, Gallimard, « Pléiade », 1957 (préf. S. Fumet, p.p. J. Petit).

CLAVEL Bernard (né en 1923)

Celui qui voulait voir la mer [voir *Grande Patience (la)*]
Cœur des vivants (le) [voir *Grande Patience (la)*]
Fruits de l'hiver (les) [voir *Grande Patience (la)*]
Grande Patience (la)
Maison des autres (la) [voir *Grande Patience (la)*]

CLAVEL Maurice (1920-1979)

Une fille pour l'été

COCTEAU Jean (1889-1963)

Aigle à deux têtes (l')
Ange Heurtebise (l') [voir *Poésies (1916-1955)*]
Bel Indifférent (le)
Crucifixion (la) [voir *Poésies (1916-1955)*]
Enfants terribles (les)
Fin du Potomak (la) [voir *Potomak (le)*]
Léone [voir *Poésies (1916-1955)*]
Machine infernale (la)
Orphée
Parents terribles (les)
Plain-chant [voir *Poésies (1916-1955)*]
Poésies (1916-1955)
Potomak (le)
Thomas l'imposteur
Vocabulaire [voir *Poésies (1916-1955)*]

COHEN Albert (Suisse, 1895-1981)

Belle du Seigneur
Livre de ma mère (le)
Mangeclous
Solal
Valeureux (les)

ÉDITION COMPLÈTE

➤ *Œuvres*, Gallimard, « Pléiade », 2 vol., 1986-1993 (p.p. C. Peyrefitte et B. Cohen).

COINCI Gautier de [voir GAUTIER DE COINCI]

COLET Louise, née Revoil (1810-1876)

Lui, roman contemporain

COLETTE Sidonie-Gabrielle Colette, dite (1873-1954)

Armande [voir *Képi (le)*]
Blé en herbe (le)
Chatte (la)
Chéri
Cire verte (la) [voir *Képi (le)*]
Claudine à l'école
Claudine à Paris [voir *Claudine à l'école*]
Claudine en ménage [voir *Claudine à l'école*]
Claudine s'en va [voir *Claudine à l'école*]
Dame du photographe (la) [voir *Gigi*]
Douze Dialogues de bêtes
Enfant malade (l') [voir *Gigi*]
Étoile Vesper (l')
Femme cachée (la)
Fin de Chéri (la) [voir *Chéri*]
Flore et Pomone [voir *Gigi*]
Gigi
Ingénue libertine (l')
Julie de Carneilhan
Képi (le)
Maison de Claudine (la)
Naissance du jour (la)
Noces [voir *Gigi*]
Paix chez les bêtes (la) [voir *Douze Dialogues de bêtes*]
Pur et l'Impur (le)
Retraite sentimentale (la)
Sido
Tendron (le) [voir *Képi (le)*]
Vagabonde (la)
Vrilles de la vigne (les)

ÉDITIONS COMPLÈTES
➢ *Œuvres complètes*, Flammarion, « Le Fleuron », 15 vol., 1948-1950 ;
➢ *Œuvres*, Gallimard, « Pléiade », 4 vol. prévus, 1984 → (p.p. C. Pichois) ;
➢ *Romans, Récits, Souvenirs*, Robert Laffont, « Bouquins », 3 vol., 1989 (p.p. F. Burgaud).

COLIN MUSET (début du XIIIᵉ siècle-vers 1260)

Chansons

COLLÉ Charles (1709-1783)

Galant Escroc (le)
Partie de chasse de Henri IV (la)
Vérité dans le vin (la)

COLLECTIFS

Blasons et *Contre-blasons*
Comédie des Tuileries (la) [voir CINQ AUTEURS]
Encyclopédie ou Dictionnaire raisonné des Sciences, des Arts et des Métiers
Guirlande de Julie (la)
Satyre Ménippée
Soirées de Médan (les)

COLLETET Guillaume (1598-1659)

Art poétique (l')
Comédie des Tuileries (la) [sous le pseudonyme collectif des CINQ AUTEURS]

COLLIN D'HARLEVILLE Jean-François (1755-1806)

Monsieur de Crac dans son petit castel ou les Gascons
Vieux Célibataire (le)

COMBESCOT Pierre (né en 1940)

Filles du Calvaire (les)

COMMYNES Philippe de (1447-1511)

Mémoires

COMPÈRE Gaston (Belgique, né en 1924)

Portrait d'un roi dépossédé

COMTE Auguste (1798-1857)

Cathéchisme positiviste

CONAN Laure, pseudonyme de Félicité Angers (Canada/Québec, 1845-1924)

Angéline de Montbrun

CONCHON Georges (1925-1990)

État sauvage (l')

CONDÉ Baudoin de [voir BAUDOIN DE CONDÉ]

CONDÉ Maryse (née en 1937)

Traversée de la mangrove
Une saison à Rihata

CONDILLAC Étienne Bonnot de (1714-1780)

Essai sur l'origine des connaissances humaines
Traité des sensations
Traité des systèmes

ÉDITION COMPLÈTE
➢ *Œuvres complètes*, Genève, Slatkine, 8 vol., 1970 (réimp. éd. 1821-1822).

CONDORCET Marie Jean Antoine Nicolas de Caritat, marquis de (1743-1794)

Esquisse d'un tableau historique des progrès de l'esprit humain

CONFIANT Raphaël (né en 1951)

Nègre et l'Amiral (le)

CONON DE BÉTHUNE (milieu du XIIᵉ siècle-1219)

Chansons

CONSTANT Benjamin ~ de Rebecque (1767-1830)

Adolphe
Cahier rouge (le)
Cécile
Journaux intimes
Wallstein

ÉDITION COMPLÈTE
➢ *Œuvres*, Gallimard, « Pléiade », 1957 (p.p. A. Roulin).

COPI, pseudonyme de Raul Damonte (Argentine, 1939-1987)

Eva Perón
Une visite inopportune

COPPÉE François (1842-1908)

Intimités (les)

CORBIÈRE Édouard Joachim, dit Tristan (1845-1875)

Amours jaunes (les)

CORM Charles (Liban, 1894-1963)

Montagne inspirée (la)

CORMON Eugène (1811-1903)

Deux Orphelines (les) [en collab. avec DENNERY]

CORNEILLE Pierre (1606-1684)

Andromède
Cid (le)
Cinna ou la Clémence d'Auguste
Comédie des Tuileries (la) [sous le pseudonyme collectif des CINQ AUTEURS]
Discours de l'utilité et des parties du poème dramatique [voir *Trois Discours (les)*]
Discours de la tragédie [voir *Trois Discours (les)*]
Discours des trois unités [voir *Trois Discours (les)*]
Galerie du Palais (la)
Horace
Illusion comique (l')
Médée
Mélite ou les Fausses Lettres
Menteur (le)
Mort de Pompée (la)
Nicomède
Œdipe
Othon
Pertharite
Place royale (la)
Polyeucte
Pompée [voir *Mort de Pompée (la)*]
Psyché [en collab. avec MOLIÈRE et QUINAULT]
Rodogune
Sertorius
Sophonisbe
Suréna
Théodore, vierge et martyre
Tite et Bérénice
Toison d'or (la)
Trois Discours (les)
Veuve (la)

ÉDITIONS COMPLÈTES
➤ *Théâtre*, Flammarion, « GF », 2 vol., 1968-1980 (p.p. J. Maurens) ;
➤ *Œuvres complètes*, Gallimard, « Pléiade », 3 vol., 1980-1987 (p.p. G. Couton).

CORNEILLE Thomas (1625-1709)

Ariane
Comte d'Essex (le)
Timocrate

ÉDITION COMPLÈTE
➤ *Œuvres*, Genève, Slatkine, 1970 (réimp. éd. 1758).

COSSERY Albert (Égypte, né en 1913)

Hommes oubliés de Dieu (les)
Mendiants et Orgueilleux

COTTIN Sophie, née Risteau (1770-1807)

Claire d'Albe
Malvina

COUDRETTE (fin XIVe-début XVe)

Roman de Parthenay (le) [voir *Mélusine* de JEAN D'ARRAS]

COURCY Frédéric de (1795-1862)

Kean ou Désordre et Génie [en collab. avec A. DUMAS et THÉAULON DE LAMBERT]

COURTELINE Georges, pseudonyme de Georges Moinaux (1858-1929)

Article 330 (l') [voir *Un client sérieux*]
Balances (les) [voir *Un client sérieux*]
Boubouroche
Boulingrin (les)
Gaîtés de l'escadron (les)
Le commissaire est bon enfant [en collab. avec J. LÉVY]
Le gendarme est sans pitié [voir *Le commissaire est bon enfant*]
Messieurs les ronds-de-cuir
Train de 8h47 (le)
Un client sérieux

ÉDITIONS COMPLÈTES
➤ *Théâtre*, Flammarion, « GF », 1965 (p.p. F. Pruner) ;
➤ *Théâtre, Contes, Romans et Nouvelles. Philosophie. Écrits divers et Fragments retrouvés*, Robert Laffont, « Bouquins », 1990 (p.p. E. Haymann).

COURTILZ DE SANDRAS Gatien de (1644-1712)

Mémoires de M. d'Artagnan

COUSIN JACQUES (le), pseudonyme de Louis Abel Beffroy de Reigny (1757-1811)

Nicodème dans la lune ou la Révolution pacifique

CRÉBILLON fils, Claude Prosper Jolyot de Crébillon, dit (1707-1777)

Ah quel conte !
Écumoire (l') ou Tanzaï et Néadarné, histoire japonaise
Égarements du coeur et de l'esprit (les) ou Mémoires de M. de Meilcour
Hasard au coin du feu (le)
Lettres athéniennes
*Lettres de la duchesse de *** au duc de ****
*Lettres de la marquise de M*** au comte de R****
Nuit et le Moment (la)
Sopha (le)
Sylphe (le)

ÉDITIONS COMPLÈTES
➤ *Œuvres complètes*, Genève, Slatkine, 2 vol., 1968 (réimp. éd. 1777) ;
➤ *Œuvres*, François Bourin, 1992 (p.p. E. Sturm et S. Pujol).

CRÉBILLON père, Prosper Jolyot de Crébillon, dit (1684-1762)

Atrée et Thyeste

CRENNE Hélisenne de, pseudonyme de Marguerite Briet (vers 1510-après août 1552)

Les angoisses douloureuses qui procèdent d'amours

CRESTIENS [voir CHRÉTIEN DE TROYES]

Guillaume d'Angleterre

CRÈVECŒUR Michel Guillaume Jean de, dit aussi Saint-John de (1735-1813)

Lettres d'un cultivateur américain

CREVEL René (1900-1935)

Babylone
Êtes-vous fous ?

CRICKILLON Jacques (Belgique, né en 1940)

Supra-Coronada

CROISSET Francis de, pseudonyme puis patronyme de Franz Wiener (1877-1937)

Vignes du Seigneur (les) [en collab. avec FLERS]

CROMMELYNCK Fernand (Belgique, 1886-1970)

Amants puérils (les)
Cocu magnifique (le)
Tripes d'or

ÉDITION COMPLÈTE
➤ *Théâtre*, Gallimard, 3 vol., 1967-1969.

CROS Charles (1842-1888)

Coffret de santal (le)
Collier de griffes (le)

ÉDITIONS COMPLÈTES
➤ *Œuvres complètes*, Gallimard, « Pléiade », 1970 (p.p. L. Forestier et P.-O. Walzer) ;
➤ *Œuvres poétiques complètes*, Robert Laffont, « Bouquins », 1991 (p.p.P. Pia).

CUREL François de (1854-1928)
Repas du lion (le)

CURTIS Jean-Louis, pseudonyme de Louis Laffitte (né en 1917)
Forêts de la nuit (les)

CURVERS Alexis (né en 1906)
Tempo di Roma

CUSTINE Astolphe Louis Léonor, marquis de (1790-1857)
Aloys ou le Religieux du mont Saint-Bernard
Lettres de Russie [voir *Russie en 1839 (la)*]
Russie en 1839 (la)

CYRANO DE BERGERAC Savinien de (1619-1655)
Histoire comique contenant les États et Empires de la Lune
Histoire comique des États et Empires du Soleil
Mort d'Agrippine (la)
Pédant joué (le)
ÉDITION COMPLÈTE
➤ *Œuvres complètes*, Belin, 1977 (p.p. J. Prévot).

D

DABIT Eugène (1888-1936)
Hôtel du Nord (l')

DADIÉ Bernard (Côte-d'Ivoire, né en 1916)
Climbié
Monsieur Thôgô-Gnini
Pagne noir (le)

DAMAS Léon-Gontran (1912-1978)
Black-Label
Pigments

DANCOURT Florent Carton, sieur d'Ancourt, dit (1661-1725)
Agioteurs (les)
Chevalier à la mode (le)
Eaux de Bourbon (les)
Parisienne (la)
ÉDITIONS COMPLÈTES
➤ *Œuvres de théâtre*, Genève, Slatkine, 3 vol., 1968 (réimp. éd. 1760) ;
➤ *Comédies*, STFM, 2 vol., 1985-1989 (p.p. A. Blanc).

DANINOS Pierre (né en 1913)
Carnets du major Thompson (les)

DARIEN Georges, pseudonyme de Georges-Hippolyte Adrien (1862-1921)
Bas les cœurs !
Biribi, discipline militaire
Voleur (le)
ÉDITION COMPLÈTE
➤ *Voleurs !*, Presses de la Cité, « Omnibus », 1994 (préf. J.-J. Pauvert).

DAUDET Alphonse (1840-1897)
Arlésienne (l')
Arlésienne (l') [voir *Lettres de mon moulin*]
Aventures prodigieuses de Tartarin de Tarascon (les)
Chèvre de M. Seguin (la) [voir *Lettres de mon moulin*]
Dernière Classe (la) [voir *Contes du lundi*]
Contes du lundi
Élixir du révérend père Gaucher (l') [voir *Lettres de mon moulin*]
Fromont jeune et Risler aîné
Homme à la cervelle d'or (l') [voir *Lettres de mon moulin*]
Jack
Lettres de mon moulin
Mule du pape (la) [voir *Lettres de mon moulin*]
Nabab (le)
Numa Roumestan
Petit Chose (le)
Sapho
Secret de Maître Cornille (le) [voir *Lettres de mon moulin*]
Sous-préfet aux champs (le) [voir *Lettres de mon moulin*]
Tartarin de Tarascon [voir *Aventures prodigieuses de Tartarin de Tarascon (les)*]
Trois Messes basses (les) [voir *Lettres de mon moulin*]
ÉDITION COMPLÈTE
➤ *Œuvres*, Gallimard, « Pléiade », 3 vol. prévus, 1986 → (p.p. R. Ripoll).

DAUDET Léon (1867-1942)
Morticoles (les)

DAUMAL René (1908-1944)
Contre-Ciel (le)
Mont Analogue (le)

DE COSTER Charles (Belgique, 1827-1879)
Légende d'Ulenspiegel (la)

DE GAULLE Charles (1890-1970)
Appel (l') [voir *Mémoires de guerre*]
Mémoires de guerre
Salut (le) [voir *Mémoires de guerre*]
Unité (l') [voir *Mémoires de guerre*]

DECOIN Didier (né en 1945)
John l'Enfer

DEFORGES Régine (née en 1935)
Bicyclette bleue (la)

DEGUY Michel (né en 1930)
Actes [voir *Poèmes (1960-1970)*]
Poèmes (1960-1970)
Poèmes de la presqu'île [voir *Poèmes (1960-1970)*]
Poèmes II (1970-1980) [voir *Poèmes (1960-1970)*]

DEKOBRA Maurice, pseudonyme de Maurice Tessier (1885-1973)
Madone des sleepings (la)

DEL CASTILLO Michel (né en 1933)
Nuit du décret (la)

DELACOUR Alfred (1817-1883)
Cagnotte (la) [en collab. avec LABICHE]

DELACROIX Eugène (1798-1863)
Journal

DELAVIGNE Casimir (1793-1843)
École des vieillards (l')
Enfants d'Édouard (les)
Marino Faliero
Messéniennes (les)
Vêpres siciliennes (les)

DELAY Florence (née en 1941)
Riche et Légère

DELILLE Jacques, dit l'abbé (1738-1813)
Jardins (les)

DELISLE DE LA DREVETIÈRE Louis-François (1682-1756)
Arlequin sauvage

DELISLE DE SALES, pseudonyme de Jean-Baptiste Claude Izouard (1741-1816)
De la philosophie de la nature

DELLY, pseudonyme de Marie (1875-1947) et Frédéric (1876-1949) Petitjean de La Rosière
Infidèle (l')

DELTEIL Joseph (1894-1978)
Jeanne d'Arc
Sur le fleuve Amour
ÉDITION COMPLÈTE
➢ *Œuvres complètes*, Grasset, 1961

DENNERY Adolphe, pseudonyme d'Adolphe-Philippe d'Ennery (1811-1899)
Deux Orphelines (les) [en collab. avec CORMON]

DENON Dominique Vivant, baron de Non, dit Denon ou Vivant-Denon (1747-1825)
Point de lendemain

DÉON Michel (né en 1919)
Poneys sauvages (les)
Un taxi mauve

DEPESTRE René (Haïti, né en 1926)
Alléluia pour une femme-jardin
Gerbe de sang
Hadriana dans tous mes rêves

DES CARS Guy (1911-1993)
Brute (la)

DES FORÊTS Louis-René (né en 1918)
Bavard (le)
Chambre des enfants (la)
Dans un miroir [voir *Chambre des enfants (la)*]
Grands Moments d'un chanteur (les) [voir *Chambre des enfants (la)*]
Une mémoire démentielle [voir *Chambre des enfants (la)*]

DES MASURES Louis (vers 1515-1574)
Bergerie spirituelle

DES PÉRIERS Bonaventure (1510-1543 ?)
Cymbalum mundi
Nouvelles Récréations et Joyeux Devis

DESBORDES-VALMORE Marceline (1786-1859)
Poésies inédites

DESCARTES René (1596-1650)
Discours de la méthode
Passions de l'âme (les)

ÉDITIONS COMPLÈTES
➢ *Œuvres complètes*, Vrin-CNRS, 11 vol., rééd. 1975 (p.p. C. Adam, P. Tannery) ;
➢ *Œuvres philosophiques*, Bordas, « Classiques Garnier », 2 vol., 1963-1967 (p.p. F. Alquié).

DESCAVES Lucien (1861-1949)
Sous-offs, roman militaire

DESCHAMPS Eustache [voir EUSTACHE DESCHAMPS]

DESCHAMPS Léger Marie, dom (1716-1774)
Vrai Système (le) ou le Mot de l'énigme métaphysique et morale

DESMARETS ou DESMARETZ DE SAINT-SORLIN Jean (1595-1676)
Mirame
Visionnaires (les)

DESNOS Robert (1900-1945)
Bain avec Andromède (le) [voir *Destinée arbitraire*]
C'est les bottes de sept lieues cette phrase « Je me vois » [voir *Destinée arbitraire*]
Corps et Biens
Destinée arbitraire
État de veille [voir *Destinée arbitraire*]
Fortunes
Mines de rien [voir *Destinée arbitraire*]

DESPORTES Philippe (1546-1606)
Amours d'Hippolyte [voir *Amours de Diane (les)*]
Amours de Diane (les)
Élégies

DESTOUCHES Philippe, pseudonyme de Philippe Néricault (1680-1754)
Glorieux (le)
Philosophe marié (le)
ÉDITION COMPLÈTE
➢ *Œuvres dramatiques*, Genève, Slatkine, 6 vol., 1971 (réimp. éd. 1822).

DESVALLIÈRES Maurice (1857-1926)
Hôtel du Libre-échange (l') [en collab. avec FEYDEAU]

DETREZ Conrad (1937-1985)
Herbe à brûler (l')
Ludo

DEVAL Jacques, pseudonyme de Jacques Boularan (1899-1972)
Ce soir à Samarcande
Tovaritch

DHÔTEL André (1900-1991)
Le pays où l'on n'arrive jamais

DIABATÉ Massa Makan (Mali, 1938-1988)
Boucher de Kouta (le) [voir *Lieutenant de Kouta (le)*]
Coiffeur de Kouta (le) [voir *Lieutenant de Kouta (le)*]
Lieutenant de Kouta (le)

DIB Mohammed (Algérie, né en 1920)
Grande Maison (la)
Incendie (l')
Ombre gardienne

DIDEROT Denis (1713-1784)

Bijoux indiscrets (les)
Ceci n'est pas un conte
Deux Amis de Bourbonne (les)
Entretien d'un père avec ses enfants ou Du danger de se mettre au-dessus des lois
*Entretien d'un Philosophe avec la Maréchale de ****
Entretiens sur « le Fils naturel » [voir *Fils naturel (le)*]
Essai sur les règnes de Claude et de Néron
Est-il bon ? Est-il méchant ? ou Celui qui les sert tous et qui n'en contente aucun
Fils naturel (le) ou les Épreuves de la vertu
Jacques le Fataliste et son maître
Lettre sur les aveugles à l'usage de ceux qui voient
Lettre sur les sourds et muets à l'usage de ceux qui entendent et qui parlent
Lettres à Sophie Volland
Madame de La Carlière
Mémoires pour Catherine II
Neveu de Rameau (le)
Paradoxe sur le comédien
Pensées philosophiques
Pensées sur l'interprétation de la nature
Père de famille (le)
Religieuse (la)
Rêve de d'Alembert (le)
Salons
Supplément au Voyage de Bougainville

ÉDITIONS COMPLÈTES
➢ *Œuvres philosophiques*, Bordas, « Classiques Garnier », 1956 (p.p. P. Vernière) ;
➢ *Œuvres esthétiques*, Bordas, « Classiques Garnier », 1959 (p.p. P. Vernière) ;
➢ *Œuvres politiques*, Bordas, « Classiques Garnier », 1963 (p.p. P. Vernière) ;
➢ *Œuvres romanesques*, Bordas, « Classiques Garnier », rééd. 1981 (p.p. H. Bénac, L. Pérol) ;
➢ *Œuvres complètes*, Club français du Livre, 15 vol., 1969-1973 (dir. R. Lewinter) ;
➢ *Œuvres complètes*, Hermann, 33 vol. prévus, 1975 → (dir. M. Delon, G. Dulac, R. Mauzi, R. Mortier et J. Varloot) ;
➢ *Œuvres*, Laffont, « Bouquins », 5 vol. prévus, 1994 → (p.p. L. Versini).

DIERX Léon (1838-1912)

Lèvres closes (les)

DIETRICH Luc (1913-1944)

Apprentissage de la ville (l')

DINAUX, pseudonyme de J.-F. Beudin (1796-1880) et P.-P. Goubaux (1795-1859)

Trente Ans ou la Vie d'un joueur [en collab. avec DUCANGE]

DIOP Birago (Sénégal, né en 1906)

Contes d'Amadou Koumba (les)

DJEBAR Assia, pseudonyme de Fatima Zohra Imalayen (Algérie, née en 1936)

Alouettes naïves (les)
Amour, la fantasia (l')

DJIAN Philippe (né en 1949)

37°2 le matin

DOLET Étienne (1509-1546)

Second Enfer (le)

DONNAY Maurice (1859-1945)

Torrent (le)

DORAT Claude-Joseph (1734-1780)

Malheurs de l'inconstance (les)
Sacrifices de l'amour (les)

DORGELÈS Roland, pseudonyme de Roland Lécavelé (1885-1975)

Croix de bois (les)
Marquis de la Dèche (le)

DORIN Françoise (née en 1928)

Étiquette (l')

DORMANN Geneviève (née en 1933)

Fanfaronne (la)

DORMONT DE BELLOY [voir BELLOY]

DORVIGNY, pseudonyme de Louis François Archambault (vers 1740-1812)

Les battus paient l'amende
Parfaite égalité (la) [voir *Tu et Toi (les)*]
Tu et Toi (les) ou la Parfaite égalité

DOTREMONT Christian (Belgique, 1922-1979)

Commencements lapons
Pierre et l'Oreiller (la)

DRIEU LA ROCHELLE Pierre (1893-1945)

Bon Ménage (le) [voir *Journal d'un homme trompé*]
Chiens de paille (les)
Comédie de Charleroi (la)
Défense de sortir [voir *Journal d'un homme trompé*]
Feu Follet (le)
Gilles
Homme couvert de femmes (l')
Journal d'un homme trompé
Mannequin (le) [voir *Journal d'un homme trompé*]
Rêveuse Bourgeoisie
Voix (la) [voir *Journal d'un homme trompé*]

DROUINEAU Pierre Gustave (1798-1878)

Résignée

DRUON Maurice (né en 1918)

Chute des corps (la) [voir *Fin des hommes (la)*]
Fin des hommes (la)
Grandes Familles (les) [voir *Fin des hommes (la)*]
Rendez-vous aux Enfers [voir *Fin des hommes (la)*]
Rois maudits (les)
Volupté d'être (la) [voir *Fin des hommes (la)*]

DU BARTAS Guillaume de Salluste, seigneur (1544-1590)

Judith (la)
Seconde Semaine (la)
Semaine (la) ou Création du monde

ÉDITION COMPLÈTE
➢ *The Works*, Chapel Hill, University of Carolina Press, 3 vol., 1935-1940 (p.p. U.T. Holmes, J.C. Lyons et R. W. Linker).

DU BELLAY Joachim (1522-1560)

Antiquités de Rome (les)
Défense et Illustration de la langue française
Divers Jeux rustiques
Olive (l')
Poète courtisan (le)
Regrets (les)

ÉDITIONS COMPLÈTES
➢ *Œuvres poétiques*, STFM, 6 vol., 1908-1931 (p.p. H. Chamard) ; rééd. Nizet, 1982-1983 (éd. revue p. Y. Bellenger et H. Weber) ;
➢ *Œuvres poétiques*, Bordas, « Classiques Garnier », 2 vol., 1993 (p.p. D. Aris et F. Joukovsky).

DU BOUCHET André (né en 1924)

Rapides

DU CHÂTELET Émilie Le Tonnelier de Breteuil, marquise (1706-1749)

Discours sur le bonheur

DU DEFFAND Marie-Anne de Vichy-Chamrond, marquise (1697-1780)

Lettres

DU FAIL Noël, seigneur de La Hérissaye (vers 1520-1591)

Baliverneries d'Eutrapel (les)
Contes et Discours d'Eutrapel
Propos rustiques de maître Léon Ladulfi

DU GUILLET Pernette (vers 1520-1545)

Rimes de gentille et vertueuse dame Pernette du Guillet

DU LAURENS, pseudonyme d'Henri-Joseph Laurens (1719-1793)

Compère Mathieu (le) ou les Bigarrures de l'esprit humain

DU MARSAIS César Chesneau, sieur ~, dit Dumarsais à la Révolution (1676-1756)

Traité des tropes

DU PONT Gratien, seigneur de Drusac (première moitié du XVIe siècle)

Controverses des sexes masculin et féminin

DU RYER Pierre (vers 1600-1658)

Alcionée
Scévole
Vendanges de Suresnes (les)

DU VAIR Guillaume (1566-1621)

De la constance et consolation ès calamités publiques

DUBILLARD Roland (né en 1923)

Naïves Hirondelles

DUBOS Jean-Baptiste, dit l' abbé (1670-1742)

Réflexions critiques sur la poésie et sur la peinture

DUCANGE Victor-Henri-Joseph Brahain, dit (1783-1833)

Trente Ans ou la Vie d'un joueur [en collab. avec DINAUX]

DUCHARME Réjean (Canada/Québec, né en 1942)

Avalée des avalés (l')
Le nez qui voque

DUCLOS Charles Pinot (1704-1772)

Confessions du comte de *** (les)
Histoire de Madame de Luz
Mémoires pour servir à l'histoire des mœurs du XVIIIe siècle

ÉDITION COMPLÈTE

➤ *Œuvres complètes*, Genève, Slatkine, 8 vol., 1968 (réimp. éd. 1820-1821).

DUCRAY-DUMINIL François-Guillaume (1761-1819)

Victor ou l'Enfant de la forêt

DUFRESNY Charles, sieur de la Rivière (1657-1724)

Amusements sérieux et comiques
Coquette de village (la) ou le Lot supposé

DUHAMEL Georges (1884-1966)

Cécile parmi nous [voir *Chronique des Pasquier*]
Chronique des Pasquier
Club des Lyonnais (le) [voir *Vie et Aventures de Salavin*]
Combat contre les ombres (le) [voir *Chronique des Pasquier*]
Confession de minuit [voir *Vie et Aventures de Salavin*]
Désert de Bièvres (le) [voir *Chronique des Pasquier*]
Deux Hommes (les) [voir *Vie et Aventures de Salavin*]
Jardin des bêtes sauvages (le) [voir *Chronique des Pasquier*]
Journal de Salavin [voir *Vie et Aventures de Salavin*]
Maîtres (les) [voir *Chronique des Pasquier*]
Notaire du Havre (le) [voir *Chronique des Pasquier*]
Nouvelle Rencontre de Salavin [voir *Vie et Aventures de Salavin*]
Nuit de la Saint-Jean (la) [voir *Chronique des Pasquier*]
Passion de Joseph Pasquier (la) [voir *Chronique des Pasquier*]
Suzanne et les Jeunes Hommes [voir *Chronique des Pasquier*]
Tel qu'en lui-même [voir *Vie et Aventures de Salavin*]
Vie et Aventures de Salavin
Vue de la Terre promise [voir *Chronique des Pasquier*]

DUJARDIN Édouard (1861-1949)

Les lauriers sont coupés

DUMAS Alexandre (1802-1870)

Acté
Ange Pitou [voir *Mémoires d'un médecin*]
Antony
Chevalier de Maison-Rouge (le)
Collier de la reine (le) [voir *Mémoires d'un médecin*]
Comte de Monte-Cristo (le)
Comtesse de Charny (la) [voir *Mémoires d'un médecin*]
Création et Rédemption
Dame de Montsoreau (la) [voir *Reine Margot (la)*]
Docteur mystérieux (le) [voir *Création et Rédemption*]
Don Juan de Maraña ou la Chute d'un ange
Fille du Marquis (la) [voir *Création et Rédemption*]
Georges
Henri III et sa cour
Joseph Balsamo [voir *Mémoires d'un médecin*]
Kean ou Désordre et Génie [en collab. avec DE COURCY et THÉAULON DE LAMBERT] ;
Mémoires d'un médecin
Mohicans de Paris (les) [en collab. avec BOCAGE]
Quarante-cinq (les) [voir *Reine Margot (la)*]
Reine Margot (la)
Tour de Nesle (la) [en collab. avec GAILLARDET]
Trois Mousquetaires (les)
Vicomte de Bragelonne (le) [voir *Trois Mousquetaires (les)*]
Vingt Ans après [voir *Trois Mousquetaires (les)*]

ÉDITIONS COMPLÈTES

➤ *Théâtre complet*, Minard, Lettres Modernes, 8 vol. parus, 1974 → (p.p. F. Bassan) ;
➤ *Les Grands Romans d'Alexandre Dumas*, Robert Laffont, « Bouquins », 10 vol., 1990-1993 (p.p. C. Schopp, avec pour les divers romans un « Dictionnaire des personnages »).

DUMAS fils, Alexandre Dumas, dit (1824-1895)

Dame aux camélias (la)
Demi-monde (le)
Fils naturel (le)
Idées de Madame Aubray (les)
Question d'argent (la)

DUPIN Jacques (né en 1927)

Embrasure (l')

DURANTY Louis Edmond (1833-1880)

Malheur d'Henriette Gérard (le)

DURAS Marguerite (née en 1914)

Amant (l')
Amant de la Chine du Nord (l') [voir *Amant (l')*]
Hiroshima mon amour
India Song
Moderato cantabile
Petits Chevaux de Tarquinia (les)
Ravissement de Lol V. Stein (le)
Savannah Bay
Un barrage contre le Pacifique
Vice-consul (le)

DURAS Claire de Kersaint, duchesse de (1778-1828)

Olivier ou le Secret
Ourika

DUTOURD Jean (né en 1920)

Au Bon Beurre
Taxis de la Marne (les)

ÉDITION COMPLÈTE
➢ *Œuvres romanesques*, Flammarion, 2 vol., 1979-1984.

DUVAL Alexandre, pseudonyme d'Alexandre-Vincent Pineu (1767-1842)

Édouard en Écosse ou la Nuit d'un proscrit

DUVERT Tony (né en 1945)

Paysage de fantaisie

E

ÉCHENOZ Jean (né en 1946)

Lac

ÉCOUCHARD-LEBRUN [voir LEBRUN-PINDARE]

EEKHOUD Georges (Belgique, 1854-1927)

Voyous de velours ou l'Autre Vue

ELSKAMP Max (Belgique, 1862-1931)

Chanson de la rue Saint-Paul (la)

ÉLUARD Paul, pseudonyme d'Eugène Paul Grindel (1895-1952)

À toute épreuve [voir *Vie immédiate (la)*]
Amour, la poésie (l')
Au défaut du silence [voir *Capitale de la douleur*]
Au rendez-vous allemand
Capitale de la douleur
Corps mémorable [voir *Derniers Poèmes d'amour*]
Défense de savoir [voir *Amour, la poésie (l')*]
Derniers Poèmes d'amour
Dur Désir de durer (le) [voir *Derniers Poèmes d'amour*]
Immaculée conception (l') [en collab. avec BRETON]
Le temps déborde [voir *Derniers Poèmes d'amour*]
Mourir de ne pas mourir [voir *Capitale de la douleur*]
Phénix (le) [voir *Derniers Poèmes d'amour*]
Poésie ininterrompue
Ralentir travaux [en collab. avec BRETON et CHAR]
Rose publique (la)
Vie immédiate (la)
Yeux fertiles (les)

ÉDITIONS COMPLÈTES
➢ *Œuvres complètes*, Gallimard, « Pléiade », 2 vol., 1968 (p.p. M. Dumas et L. Scheler) ;
➢ *Œuvre poétique complète*, Club de l'honnête homme, 6 vol., 1986-1987 (p.p. H. Juin).

EMMANUEL Pierre, pseudonyme de Noël Matthieu (1916-1984)

Babel

ENGUERRAND DE MONSTRELET (vers 1390-vers 1453)

Chronique

ÉPINAY Louise Tardieu d'Esclavelles, dame de la Live, marquise d' (1726-1783)

Histoire de Madame de Montbrillant

ERCKMANN Émile (1822-1899)

Ami Fritz (l') [en collab. avec CHATRIAN]
Conscrit de 1813 (le) [en collab. avec CHATRIAN]

ÉDITIONS COMPLÈTES
➢ *Œuvres complètes*, Tallandier, 13 vol., 1987.
➢ *Gens d'Alsace et de Lorraine*, Presses de la Cité, « Omnibus », 1993 (préf. J.-P. Rioux).

ERLÉE Jean d' [voir JEAN D'ERLÉE]

ERNAUX Annie (née en 1940)

Place (la)

ESCOUCHY Mathieu d' [voir MATHIEU D'ESCOUCHY]

ESQUIROS Alphonse (1814-1876)

Évangile du peuple (l')
Vierges folles (les) [voir *Vierges martyres (les)*]
Vierges martyres (les)
Vierges sages (les) [voir *Vierges martyres (les)*]

ETCHERELLI Claire (née en 1934)

Élise ou la Vraie Vie

ÉTIEMBLE René (né en 1909)

Enfant de chœur (l')
Peaux de couleuvre [voir *Enfant de chœur (l')*]

ÉTIENNE DE FOUGÈRES (?-1178)

Livre des manières

EUSTACHE DESCHAMPS (vers 1346-1407)

Art de dictier et de faire chansons [voir *Ballades*]
Ballades
Trubert et Antrognart

F

FALL [voir SOW-FALL]

FALLET René (1927-1983)

Paris au mois d'août

FANON Frantz (1925-1961)

Damnés de la terre (les)
Peau noire, Masques blancs

FANTOURÉ Alioum (Guinée, né en 1938)

Cercle des tropiques (le)

FARÈS Nabile (Algérie, né en 1941)

Champ des oliviers (le)
Yahia pas de chance

FARET Nicolas (1596 ?-1646)

Honnête Homme (l') ou l'Art de plaire à la cour

FARGUE Léon-Paul (1876-1947)

Piéton de Paris (le)

FAVART Charles Simon (1710-1792)

Fée Urgèle (la) ou Ce qui plaît aux dames

FÉNELON François de Salignac de La Mothe (1651-1715)

Aventures de Télémaque (les) [voir *Télémaque*]
Fables
Lettre à l'Académie française
Lettre à Louis XIV
Télémaque
Traité de l'existence de Dieu

ÉDITION COMPLÈTE
➢ *Œuvres*, Gallimard, « Pléiade », 2 vol. prévus, 1983 → (p.p. J. Le Brun).

FERAOUN Mouloud (Algérie, 1913-1962)

Fils du pauvre (le)

FERNANDEZ Dominique (né en 1929)

Amour (l')
Porporino ou les Mystères de Naples

FERRAND Anne Bellinzani, dite la présidente (1657-1740)

Histoire des amours de Cléante et de Bélise

FERRON Jacques (Canada/Québec, 1921-1985)

Amélanchier (l')
Ciel de Québec (le)
Nuit (la)
Vache morte du canyon (la)

FEUILLET Octave (1821-1890)

Roman d'un jeune homme pauvre (le)

FÉVAL Paul (1816-1887)

Arme invisible (l') [voir *Habits noirs (les)*]
Avaleur de sabres (l') [voir *Habits noirs (les)*]
Bande Cadet (la) [voir *Habits noirs (les)*]
Bossu (le), aventures de cape et d'épée
Cœur d'acier [voir *Habits noirs (les)*]
Compagnons du trésor (les) [voir *Habits noirs (les)*]
Habits noirs (les)
Maman Léo [voir *Habits noirs (les)*]
Mystères de Londres (les)
Rue de Jérusalem (la) [voir *Habits noirs (les)*]

FEYDEAU Ernest (1821-1873)

Fanny

FEYDEAU Georges (1862-1921)

Chat en poche
Dame de chez Maxim (la)
Dindon (le)
Feu la mère de Madame
Hortense a dit : « J'm'en fous » [voir *Mais n'te promène donc pas toute nue !*]
Hôtel du Libre-échange (l') [en collab. avec DESVALLIÈRES]

Léonie est en avance ou le Mal joli [voir *Mais n'te promène donc pas toute nue !*]
Mais n'te promène donc pas toute nue !
Monsieur chasse !
Occupe-toi d'Amélie
On purge Bébé !
Puce à l'oreille (la)
Tailleur pour dames
Un fil à la patte

ÉDITIONS COMPLÈTES
➢ *Théâtre complet*, Bordas, « Classiques Garnier », 4 vol., 1988-1989 (p.p. H. Gidel) ;
➢ *Théâtre*, Presses de la Cité, « Omnibus », 1994 (préf. B. Murat).

FIÉVÉE Joseph (1767-1839)

Dot de Suzette (la) ou Histoire de Madame de Senneterre racontée par elle-même

FILLEUL DE LA CHESNAYE Nicolas (1537-vers 1590)

Théâtres de Gaillon (les)

FLAUBERT Gustave (1821-1880)

Bouvard et Pécuchet
Candidat (le)
Dictionnaire des idées reçues
Éducation sentimentale (l')
Éducation sentimentale (l') [version de 1845]
Hérodias [voir *Trois Contes*]
Légende de saint Julien l'Hospitalier (la) [voir *Trois Contes*]
Madame Bovary
Mémoires d'un fou
Novembre
Salammbô
Tentation de saint Antoine (la)
Trois Contes
Un coeur simple [voir *Trois Contes*]

ÉDITIONS COMPLÈTES
➢ *Œuvres*, Gallimard, « Pléiade », 2 vol., 1936 (p.p. A. Thibaudet et R. Dumesnil) ;
➢ *Œuvres*, Lausanne, Éditions Rencontre, 18 vol., 1964-1965 (p.p. M. Nadeau) ;
➢ *Œuvres complètes*, Club de l'honnête homme, 16 vol., 1971-1976 (dir. M. Bardèche).

FLÉCHIER Esprit (1632-1710)

Mémoires sur les Grands Jours d'Auvergne en 1665
Oraisons funèbres

FLERS Robert Pellevé de La Mothe-Ango, marquis de (1872-1927)

Roi (le) [en collab. avec E. ARÈNE et CAILLAVET]
Vignes du Seigneur (les) [en collab. avec CROISSET]

FLORE Jeanne (première moitié du XVIᵉ siècle)

Contes amoureux

FLORIAN Jean-Pierre Claris de (1755-1794)

Fables
Galatée

FOIGNY Gabriel de (vers 1630-1692)

Terre australe connue (la)

FOLLAIN Jean (1903-1971)

Exister
Territoires [voir *Exister*]

FOMBEURE Maurice (1906-1981)

À dos d'oiseau

FONTENELLE Bernard Le Bovier de (1657-1757)

Entretiens sur la pluralité des mondes
Histoire des oracles
Lettres diverses de M. le chevalier d'Her***
Nouveaux Dialogues des morts

ÉDITION COMPLÈTE
➤ *Œuvres complètes*, Fayard, 8 vol. prévus, 1989 → (p.p. A. Niderst).

FORNERET Xavier (1809-1884)

Encore un an de sans titre par un homme noir blanc de visage [voir
  Sans titre]
Sans titre
Vapeurs, ni vers, ni prose

FORT Paul (1872-1960)

Ballades françaises

FOUCAULT Michel (1926-1984)

Histoire de la folie à l'âge classique

FOUCHET Max-Pol (1913-1980)

Demeure le secret

FOUGÈRES Étienne de [voir ÉTIENNE DE FOUGÈRES]

FOUGERET DE MONBRON Louis-Charles (1706-1760)

Capitale des Gaules (la) ou la Nouvelle Babylone
Cosmopolite (le) ou le Citoyen du monde
Margot la ravaudeuse

FOURIER Charles (1772-1837)

Nouveau Monde amoureux (le)

FOURNIVAL Richard de [voir RICHARD DE FOURNIVAL]

FRANCE Anatole, pseudonyme d'Anatole François Thibault
(1844-1924)

Anneau d'améthyste (l') [voir *Histoire contemporaine (l')*]
Crainquebille
Crime de Sylvestre Bonnard (le)
Histoire contemporaine (l')
Île des pingouins (l')
Les dieux ont soif
Livre de mon ami (le)
Mannequin d'osier (le) [voir *Histoire contemporaine (l')*]
Monsieur Bergeret à Paris [voir *Histoire contemporaine (l')*]
Orme du mail (l') [voir *Histoire contemporaine (l')*]
Révolte des anges (la)
Rôtisserie de la Reine Pédauque (la)
Thaïs

ÉDITION COMPLÈTE
➤ *Œuvres*, Gallimard, « Pléiade », 4 vol., 1984-1994 (p.p. M.-Cl. Bancquart).

FRANK Bernard (né en 1929)

Géographie universelle
Rats (les)

FRAPIÉ Léon (1863-1949)

Maternelle (la)

FRÉNAUD André (1907-1993)

Haeres. Poèmes 1968-1981
Il n'y a pas de paradis
Sainte Face (la)

FRISON-ROCHE Roger (né en 1906)

Premier de cordée

FROIDMONT Hélinand de [voir HÉLINAND DE FROIDMONT]

FROISSART Jean (vers 1337-vers 1410)

Bleu Chevalier (le) [voir *Dit du Bleu Chevalier (le)*]
Chroniques
Dit du Bleu Chevalier (le)
Joli Buisson de Jeunesse (le)
Meliador
Prison amoureuse (la)
Temple d'honneur (le)

FROMENTIN Eugène (1820-1876)

Dominique
Un été dans le Sahara
Une année dans le Sahel [voir *Un été dans le Sahara*]

ÉDITION COMPLÈTE
➤ *Œuvres complètes*, Gallimard, « Pléiade », 1984 (p.p. G. Sagnes).

FURETIÈRE Antoine (1619-1688)

Dictionnaire universel contenant généralement tous les mots fran-
  çais tant vieux que modernes et les termes de toutes les sciences
  et des arts
Nouvelle allégorique
Roman bourgeois (le), ouvrage comique

FUSTEL DE COULANGES Numa Denis (1830-1889)

Cité antique (la). Étude sur le culte, le droit, les institutions de la
  Grèce et de Rome

G

GABORIAU Émile (1832-1873)

Affaire Lerouge (l')
Enquête (l') [voir *Monsieur Lecoq*]
Honneur du nom (l') [voir *Monsieur Lecoq*]
Monsieur Lecoq

GADENNE Paul (1907-1956)

Hauts Quartiers (les)

GAILLARDET Félix (1808-1882)

Tour de Nesle (la) [en collab. avec A. DUMAS]

GANEM Chékri (Liban, 1861-1929)

Antar

GARNIER Robert (1545-1590)

Antigone ou la Piété
Bradamante
Hippolyte
Juives (les)
Troade (la)

ÉDITIONS COMPLÈTES
➤ *Œuvres complètes*, Les Belles Lettres, 4 vol., 1949-1972 (p. p. R. Lebègue) ;
➤ *Les Tragédies*, Genève, Slatkine, 1970 (réimp. éd. 1882-1883).

GARY Romain, pseudonyme de Romain Kacew (1914-1980)

Éducation européenne
Gros-Câlin [sous le pseudonyme d'AJAR]
Lady L
Promesse de l'aube (la)
Racines du ciel (les)
Vie devant soi (la) [sous le pseudonyme d'AJAR]

GASPAR Lorand (né en 1925)

Sol absolu

GATTI Armand (né en 1924)

Chant public devant deux chaises électriques

GAULLE [voir DE GAULLE]

GAUTIER Théophile (1811-1872)

Albertus ou l'Âme et le Péché, légende théologique
Arria Marcella
Avatar [voir *Arria Marcella*]
Bol de punch (le) [voir *Jeunes-France (les)*]
Capitaine Fracasse (le)
Celle-ci et Celle-là, ou la Jeune-France passionnée [voir *Jeunes-France (les)*]
Chevalier double (le) [voir *Arria Marcella*]
Comédie de la mort (la)
Daniel Bovard [voir *Jeunes-France (les)*]
Elias Wildmandstadius ou l'Homme Moyen Âge [voir *Jeunes-France (les)*]
Émaux et Camées
España [voir *Voyage en Espagne*]
Jettatura [voir *Arria Marcella*]
Jeunes-France (les), romans goguenards
Mademoiselle de Maupin
Morte amoureuse (la) [voir *Arria Marcella*]
Onuphrius ou les Vexations fantastiques d'un admirateur d'Hoffmann [voir *Jeunes-France (les)*]
Pied de momie (le) [voir *Arria Marcella*]
Poésies
Poésies nouvelles [voir *Poésies*]
Roman de la momie (le)
Sous la table [voir *Jeunes-France (les)*]
Spirite
Tra los montes [voir *Voyage en Espagne*]
Voyage en Espagne

ÉDITIONS COMPLÈTES
➤ *Poésies complètes*, Nizet, 3 vol., 1970 (p.p. R. Jasinski) ;
➤ *Œuvres complètes*, Genève, Slatkine, 11 vol., 1979 (réimp. éd. 1853-1891) ;
➤ *L'Œuvre fantastique*, Bordas, « Classiques Garnier », 2 vol., 1992 (p.p. M. Crouzet).

GAUTIER D'ARRAS (XIIᵉ siècle)

Eracle

GAUTIER DE COINCI (1177 ou 1178-1236)

Chansons à la Vierge
Miracles de Notre-Dame (les)

GÉLINAS Gratien (Canada/Québec, né en 1909)

Tit-Coq

GENET Jean (1910-1986)

Balcon (le)
Bonnes (les)
Journal du voleur
Miracle de la rose
Nègres (les)
Notre-Dame-des-Fleurs
Paravents (les)
Querelle de Brest
Un captif amoureux

ÉDITION COMPLÈTE
➤ *Œuvres complètes*, Gallimard, 5 vol., 1951-1979 (t. I : J.-P. Sartre, « Saint Genet, comédien et martyr »).

GENEVOIX Maurice (1890-1980)

Boue (la) [voir *Ceux de 14*]
Ceux de 14
Éparges (les) [voir *Ceux de 14*]

Lorelei
Nuit de guerre [voir *Ceux de 14*]
Raboliot
Sous Verdun [voir *Ceux de 14*]

GENLIS Caroline Stéphanie Félicité du Crest de Saint-Aubin, comtesse de (1746-1830)

Inès de Castro
Mademoiselle de Clermont

GEORGES CHASTELLAIN (1405-1475)

Chronique

GÉRALDY Paul, pseudonyme de Paul Le Fèvre (1885-1983)

Toi et Moi

GERBERT DE MONTREUIL

Continuation [voir *Continuations du Conte du Graal*]

GEVERS Marie (Belgique, 1883-1975)

Comtesse des digues (la)

GHELDERODE Michel de, pseudonyme puis patronyme d'Adémar Adolphe Louis Martens (Belgique, 1898-1962)

Balade du Grand Macabre (la)
Escurial
Hop Signor !
Mademoiselle Jaïre

ÉDITION COMPLÈTE
➤ *Théâtre*, Gallimard, 6 vol., 1950-1982.

GIDE André (1869-1951)

Cahiers d'André Walter (les)
Caves du Vatican (les)
Corydon
École des femmes (l')
Faux-Monnayeurs (les)
Geneviève ou la Confidence inachevée [voir *École des femmes (l')*, de GIDE]
Immoraliste (l')
Journal
Nourritures terrestres (les)
Œdipe
Paludes
Porte étroite (la)
Prométhée mal enchaîné (le)
Robert [voir *École des femmes (l')*, de GIDE]
Si le grain ne meurt
Symphonie pastorale (la)
Thésée
Voyage d'Urien (le)

ÉDITIONS COMPLÈTES
➤ *Journal (1939-1949). Souvenirs*, Gallimard, « Pléiade », 1954 ;
➤ *Romans, Récits et Soties. Œuvres lyriques*, Gallimard, « Pléiade », 1958 (introd. M. Nadeau, p.p. Y. Davet et J.-J. Thierry).

GILBERT Claude (1652-1720)

Histoire de Calejava ou De l'île des hommes raisonnables

GILBERT-LECOMTE Roger, pseudonyme de Roger Lecomte (1907-1943)

Vie, l'Amour, la Mort, le Vide et le Vent (la)

GIONO Jean (1895-1970)

Âmes fortes (les)
Angelo
Annette ou Une affaire de famille [voir *Solitude de la pitié*]
Au bord des routes [voir *Solitude de la pitié*]

Au pays des coupeurs d'arbres [voir *Solitude de la pitié*]
Babeau [voir *Solitude de la pitié*]
Bal (le) [voir *Récits de la demi-brigade (les)*]
Batailles dans la montagne
Belle Hôtesse (la) [voir *Récits de la demi-brigade (les)*]
Bonheur fou (le)
Champs [voir *Solitude de la pitié*]
Chant du monde (le)
Chant du monde (le) [voir *Solitude de la pitié*]
Colline
Destruction de Paris [voir *Solitude de la pitié*]
Deux cavaliers de l'orage
Eau vive (l')
Écossaise ou la Fin des héros (l') [voir *Récits de la demi-brigade (les)*]
Grand Troupeau (le)
Grande Barrière (la) [voir *Solitude de la pitié*]
Hussard sur le toit (le)
Iris de Suse (l')
Ivan Ivanovitch Kossiakoff [voir *Solitude de la pitié*]
Jean le Bleu
Jofroi de la Maussan [voir *Solitude de la pitié*]
Joselet [voir *Solitude de la pitié*]
Magnétisme [voir *Solitude de la pitié*]
Main (la) [voir *Solitude de la pitié*]
Mort d'un personnage
Moulin de Pologne (le)
Mouton (le) [voir *Solitude de la pitié*]
Noé
Peur de la terre [voir *Solitude de la pitié*]
Philémon [voir *Solitude de la pitié*]
Prélude de Pan [voir *Solitude de la pitié*]
Que ma joie demeure
Radeaux perdus [voir *Solitude de la pitié*]
Récits de la demi-brigade (les)
Regain
Solitude de la pitié
Sylvie [voir *Solitude de la pitié*]
Un de Baumugnes
Un roi sans divertissement
Une histoire d'amour [voir *Récits de la demi-brigade (les)*]

ÉDITIONS COMPLÈTES

➤ *Œuvres romanesques complètes*, Gallimard, « Pléiade », 6 vol., 1971-1983 (dir. R. Ricatte) ;
➤ *Romans et Essais (1928-1941)*, Le Livre de Poche, « Pochothèque », 1992 (p.p. H. Godard).

GIRAUDOUX Jean (1882-1944)

Amphitryon 38
Apollon de Bellac (l')
Aventures de Jérôme Bardini
Bella
Électre
Folle de Chaillot (la)
Intermezzo
Juliette au pays des hommes
La guerre de Troie n'aura pas lieu
Ondine
Pour Lucrèce
Siegfried
Siegfried et le Limousin
Simon le pathétique
Sodome et Gomorrhe
Supplément au voyage de Cook
Suzanne et le Pacifique

ÉDITIONS COMPLÈTES

➤ *Théâtre complet*, Gallimard, « Pléiade », 1982 (préf. J.-P. Giraudoux, p.p. J. Body) ;
➤ *Œuvres romanesques complètes*, Gallimard, « Pléiade », 2 vol., 1990-1994 (p.p. J. Body) ;
➤ *Théâtre complet*, Le Livre de Poche, « Pochothèque », 1991 (préf. J.-P. Giraudoux, p.p. G. Teissier).

GLISSANT Édouard (né en 1928)

Case du commandeur (la)
Lézarde (la)
Malemort

GOBINEAU Joseph Arthur, comte de (1816-1882)

Abbaye de Typhaines (l')
Adélaïde
Akrivie Phrangopoulo [voir *Souvenirs de voyage*]
Amants de Kandahar (les) [voir *Nouvelles asiatiques*]
Chasse au caribou (la) [voir *Souvenirs de voyage*]
Danseuse de Shamakha (la) [voir *Nouvelles asiatiques*]
Essai sur l'inégalité des races humaines
Guerre des Turcomans (la) [voir *Nouvelles asiatiques*]
Histoire de Gambèr-Aly [voir *Nouvelles asiatiques*]
Illustre Magicien (l') [voir *Nouvelles asiatiques*]
Mademoiselle Irnois
Mouchoir rouge (le) [voir *Souvenirs de voyage*]
Nouvelles asiatiques
Pléiades (les)
Religions et les Philosophies dans l'Asie centrale (les)
Renaissance (la). Scènes historiques
Souvenirs de voyage
Trois Ans en Asie (1855-1858)
Vie de voyage (la) [voir *Nouvelles asiatiques*]

ÉDITION COMPLÈTE

➤ *Œuvres*, Gallimard, « Pléiade », 3 vol., 1982-1987 (dir. J. Gaulmier).

GODBOUT Jacques (Canada/Québec, né en 1933)

Salut Galarneau !

GOLL Yvan, pseudonyme d'Isaac Lang (1891-1950)

Mathusalem

GOMBERVILLE Marin Le Roy de (1599-1674)

Polexandre

GONCOURT Edmond de (1822-1896)

Fille Élisa (la)
Frères Zemganno (les)
Germinie Lacerteux [en collab. avec J. de GONCOURT]
Journal, Mémoires de la vie littéraire [en collab. avec J. de GONCOURT]
Madame Gervaisais [en collab. avec J. de GONCOURT]
Manette Salomon [en collab. avec J. de GONCOURT]
Renée Mauperin [en collab. avec J. de GONCOURT]

ÉDITION COMPLÈTE

➤ *Œuvres complètes*, Genève, Slatkine, 21 vol., 1985 (réimp. éd. 1854-1934).

GONCOURT Jules de (1830-1870)

Germinie Lacerteux [en collab. avec E. de GONCOURT]
Journal, Mémoires de la vie littéraire [en collab. avec E. de GONCOURT]
Madame Gervaisais [en collab. avec E. de GONCOURT]
Manette Salomon [en collab. avec E. de GONCOURT]
Renée Mauperin [en collab. avec E. de GONCOURT]

ÉDITION COMPLÈTE

➤ *Œuvres complètes*, Genève, Slatkine, 21 vol., 1985 (réimp. éd. 1854-1934).

GOUGENOT (début du XVIIe siècle)

Comédie des comédiens (la)

GOUGES Olympe de, pseudonyme de Marie Olympe Aubry, née Gouze (1748-1793)

Esclavage des Noirs (l') ou l'Heureux Naufrage
Zamore et Mirza [voir *Esclavage des Noirs (l')*]

GOURMONT Remy de (1858-1915)

Latin mystique (le)
Sixtine

GRACQ Julien, pseudonyme de Louis Poirier (né en 1910)

Au Château d'Argol
Rivage des Syrtes (le)
Roi Pêcheur (le)
Un balcon en forêt
Un beau ténébreux

ÉDITION COMPLÈTE
➢ *Œuvres complètes*, Gallimard, « Pléiade », 2 vol. prévus, 1989 → (p.p. B. Boie).

GRAFIGNY ou **GRAFFIGNY** Mme de, née Françoise d'Happoncourt (1695-1758)
Lettres d'une Péruvienne

GRAINVILLE Patrick (né en 1947)
Flamboyants (les)
Paradis des orages (le)

GRANDBOIS Alain (Canada/Québec, 1900-1975)
Îles de la nuit (les)
Voyages de Marco Polo (les)

GRÉBAN Arnoul [voir ARNOUL GRÉBAN]

GRÉDY Jean-Pierre (né en 1920)
Fleur de cactus [en collab. avec BARILLET]

GREEN Julien (né en 1900)
Adrienne Mesurat
Autobiographie
Journal
Léviathan
Moïra
Mont-Cinère
Sud
Varouna
Visionnaire (le)

ÉDITION COMPLÈTE
➢ *Œuvres complètes*, Gallimard, « Pléiade », 6 vol. parus, 1972 → (dir. J. Petit).

GRESSET Jean-Baptiste (1709-1777)
Méchant (le)
Vair-Vert ou les Voyages du perroquet de la Visitation de Nevers
Ver-Vert [voir *Vair-Vert*]

GRÉVIN Jacques (1538-1570)
César
Olympe (l')
Trésorière (la)

GRIGNON Claude Henri (Canada/Québec, 1894-1976)
Un homme et son péché

GRIMM Friedrich Melchior, baron de (1723-1807)
Petit Prophète de Boehmischbroda (le)

GRIMOD DE LA REYNIÈRE Alexandre Balthasar Laurent (1758-1838)
Manuel des amphitryons

GRINGORE Pierre (vers 1475-1538)
Blason des hérétiques (le)
Fantaisies de Mère Sotte (les)
Jeu du Prince des Sots (le)

GROSJEAN Jean (né en 1912)
Apocalypse [voir *Gloire (la)*]
Élégies [voir *Gloire (la)*]
Gloire (la)
Hiver [voir *Gloire (la)*]

GRUMBERG Jean-Claude (né en 1939)
Amorphe d'Ottenburg
Atelier (l')

GUÉHENNO Jean (1890-1978)
Changer la vie

GUÉRIN Maurice de (1810-1839)
Bacchante (la)
Cahier vert (le)
Centaure (le)

ÉDITIONS COMPLÈTES
➢ *Œuvres complètes*, Les Belles Lettres, 2 vol., 1947 (p.p. B. d'Harcourt) ;
➢ *Poésie*, Gallimard, « Poésie/Gallimard », 1984 (p.p. M. Fumaroli).

GUÉRIN Raymond (1905-1957)
Quand vient la fin

GUERNES DE PONT-SAINTE-MAXENCE (XIIᵉ siècle)
Vie de saint Thomas Becket

GUEULLETTE Thomas Simon (1683-1766)
Théâtre des boulevards

GUEZ DE BALZAC [voir BALZAC Guez de]

GUILLAUME DE LORRIS (XIIIᵉ siècle)
Roman de la Rose (le)

GUILLAUME DE MACHAUT (1300 ?-1377)
Dit de la Fontaine amoureuse (le)
Livre du Voir Dit (le) [voir *Voir Dit (le Livre du)*]
Œuvres lyriques
Voir Dit (le Livre du)

ÉDITION COMPLÈTE
➢ *Œuvres*, STFM, Champion, 3 vol., 1908-1922 (p.p. E.Hoepffner).

GUILLAUMIN Émile (1877-1951)
Vie d'un simple (la). Mémoires du métayer Tiennon Bertin

GUILLERAGUES Gabriel-Joseph de La Vergne, comte de (1628-1685)
Lettres portugaises

GUILLEVIC Eugène (né en 1907)
Exécutoire [voir *Terraqué*]
Terraqué

GUILLOUX Louis (1899-1980)
Maison du peuple (la)
Pain des rêves (le)
Sang noir (le)

GUIMARD Paul (né en 1921)
Choses de la vie (les)

GUIRAUD Alexandre, baron (1788-1847)
Macchabées (les) ou le Martyre

GUITRY Alexandre Georges, dit Sacha (1885-1957)
Faisons un rêve
N'écoutez pas, mesdames !

ÉDITIONS COMPLÈTES
➢ *Théâtre complet*, Club de l'honnête homme, 12 vol., 1973-1975 ;
➢ *Théâtre*, Presses de la Cité, « Omnibus », 1993.

GUTTINGUER Ulrich (1785-1866)
Arthur

GUYOTAT Pierre (né en 1940)
Éden, Éden, Éden
Livre (le)
Tombeau pour cinq cent mille soldats

H

HABERT François (vers 1508-vers 1561)
Philosophe parfait (le)
Temple de vertu (le)

HADDAD Malek (Algérie, 1927-1978)
Je t'offrirai une gazelle

HAEDENS Kléber (1913-1976)
Adios

HALDAS Georges (Suisse, né en 1917)
Boulevard des Philosophes

HALLIER Jean-Edern (né en 1936)
Le premier qui dort réveille l'autre

HAMILTON Antoine (Écosse, vers 1646-1720)
Bélier (le)
Fleur d'Épine
Mémoires de la vie du comte de Gramont
Quatre Facardins (les) [voir *Fleur d'Épine*]

HARDELLET André (1911-1974)
Lady Long Solo
Lourdes, lentes...
Seuil du jardin (le)
ÉDITION COMPLÈTE
➤ *Œuvre*, Gallimard, « L'Arpenteur », 3 vol., 1990-1993 (précédé d'une lettre d'A. Breton).

HARDY Alexandre (1572 ?-1632 ?)
Force du sang (la)
Lucrèce ou l'Adultère puni
Mariamne
Scédase ou l'Hospitalité violée

HAZOUMÉ Paul (Bénin, 1890-1980)
Doguicimi

HÉBERT Anne (Canada/Québec, née en 1916)
Chambres de bois (les)
Fous de Bassan (les)
Kamouraska
Tombeau des rois (le)
Torrent (le)

HÉLIAS Pierre-Jakez (né en 1914)
Cheval d'orgueil (le). Mémoires d'un Breton du pays bigouden

HÉLIE DE BORON
Tristan en prose [achevé par LUCE DEL GAST]

HÉLINAND DE FROIDMONT (1160-1220)
Vers de la Mort

HELLENS Franz, pseudonyme de Frédéric Van Ermenghem (Belgique, 1881-1972)
Moreldieu

HELVÉTIUS Claude Adrien (1715-1771)
De l'esprit

HÉMON Louis (1880-1913)
Battling Malone, pugiliste
Maria Chapdelaine
Monsieur Ripois et la Némésis

HENEIN Georges (Égypte, 1914-1973)
Seuil interdit (le)

HENNIQUE Léon (1851-1935)
Affaire du Grand 7 (l') [voir *Soirées de Médan (les)*]
Benjamin Rozès
Funérailles de Francine Cloarec (les) [voir *Benjamin Rozès*]
Minnie Brandon

HERBART Pierre (1904-1974)
Rôdeur (le)

HEREDIA José Maria de (1842-1905)
Trophées (les)

HÉRIAT Philippe, pseudonyme de Raymond Gérard Payelle (1898-1971)
Boussardel (les)
Enfants gâtés (les) [voir *Boussardel (les)*]
Famille Boussardel (la) [voir *Boussardel (les)*]
Grilles d'or (les) [voir *Boussardel (les)*]
Temps d'aimer (le) [voir *Boussardel (les)*]

HERMANT Abel (1862-1950)
Carrière (la)

HÉROËT Antoine ~ de la Maisonneuve (1492-1568)
Androgyne de Platon (l')
Parfaite Amie (la)

HERVIEU Paul (1857-1915)
Tenailles (les)

HOLBACH Paul Henry Dietrich Thiry, baron d' (1723-1789)
Christianisme dévoilé (le)
Militaire philosophe (le) [en collab. avec NAIGEON][voir *Difficultés sur la religion proposées au père Malebranche*, de CHALLE]
Système de la Nature

HOUDAR DE LA MOTTE Antoine (1672-1731)
Inès de Castro

HOUDENC Raoul de [voir RAOUL DE HOUDENC]

HOUGRON Jean (né en 1923)

Asiates (les) [voir *Nuit indochinoise (la)*]
Mort en fraude [voir *Nuit indochinoise (la)*]
Nuit indochinoise (la)
Portes de l'aventure (les) [voir *Nuit indochinoise (la)*]
Rage blanche [voir *Nuit indochinoise (la)*]
Soleil au ventre [voir *Nuit indochinoise (la)*]
Terre du barbare (la) [voir *Nuit indochinoise (la)*]
Tu récolteras la tempête [voir *Nuit indochinoise (la)*]

HUE DE ROTELANDE (seconde moitié du XIIᵉ siècle)

Ipomedon
Protheselaus [voir *Ipomedon*]

HUGO Victor (1802-1885)

Angelo, tyran de Padoue
Année terrible (l')
Art d'être grand-père (l')
Bug-Jargal
Burgraves (les)
Chansons des rues et des bois (les)
Chants du crépuscule (les)
Châtiments
Claude Gueux
Contemplations (les)
Cromwell
Dernier Jour d'un condamné (le)
Dieu
Feuilles d'automne (les)
Fin de Satan (la)
Han d'Islande
Hernani ou l'Honneur castillan
L'homme qui rit
Le roi s'amuse
Légende des siècles (la)
Lucrèce Borgia
Mangeront-ils ? [voir *Théâtre en liberté*]
Marie Tudor
Marion Delorme
Mille Francs de récompense [voir *Théâtre en liberté*]
Misérables (les)
Notre-Dame de Paris
Odes et Ballades
Orientales (les)
Quatre Vents de l'esprit (les)
Quatrevingt-treize
Rayons et les Ombres (les)
Rhin (le)
Ruy Blas
Théâtre en liberté
Travailleurs de la mer (les)
Voix intérieures (les)
William Shakespeare

ÉDITIONS COMPLÈTES
➤ *La Légende des siècles. La Fin de Satan. Dieu*, Gallimard, « Pléiade », 1950 (p.p. J. Truchet) ;
➤ *Théâtre complet*, Gallimard, « Pléiade », 2 vol., 1964 (préf. R. Purnal, p.p. J.-J. Thierry et J. Mélèze) ;
➤ *Œuvres poétiques*, Gallimard, « Pléiade », 3 vol., 1964-1974 (préf. G. Picon, p.p. P. Albouy) ;
➤ *Œuvres complètes*, Club français du Livre, 18 vol., 1967-1970 (dir. J. Massin) ;
➤ *Théâtre*, Flammarion, « GF », 2 vol., 1979 (p.p. R. Pouillart) ;
➤ *Œuvres complètes*, Robert Laffont, « Bouquins », 18 vol., 1985-1993 (dir. J. Seebacher).

HUGUENIN Jean-René (1936-1962)

Côte sauvage (la)

HUON DE MÉRY (fin XIIᵉ-milieu XIIIᵉ siècle)

Tournoiement Antéchrist (le) [voir *Songe d'enfer* de RAOUL DE HOUDENC]

HUON LE ROI (seconde moitié du XIIIᵉ siècle)

Vair Palefroi (le)

HUYSMANS Charles Marie Georges, dit Joris-Karl (1848-1907)

À rebours
À vau-l'eau
Cathédrale (la)
Drageoir aux épices (le)
En ménage
En rade
En route
Là-bas
Marthe, histoire d'une fille
Oblat (l')
Sac au dos [voir *Soirées de Médan (les)*]
Soeurs Vatard (les)

ÉDITION COMPLÈTE
➤ *Œuvres complètes*, Genève, Slatkine, 9 vol., 1972 (réimp. éd. 1928-1934).

HYVERNAUD Georges (1902-1983)

Wagon à vaches (le)

I

IKOR Roger (1912-1986)

Eaux mêlées (les) [voir *Fils d'Avrom (les)*]
Fils d'Avrom (les)
Greffe de printemps (la) [voir *Fils d'Avrom (les)*]

IONESCO Eugène (1909-1994)

Amédée ou Comment s'en débarrasser
Cantatrice chauve (la)
Chaises (les)
Le roi se meurt
Leçon (la)
Macbett
Rhinocéros
Soif et la Faim (la)
Tueur sans gages

ÉDITION COMPLÈTE
➤ *Théâtre complet*, Gallimard, « Pléiade », 1990 (p.p. E. Jacquart).

ISTRATI Panaït (Roumanie, 1884-1935)

Chardons du Baragan (les)

IVOI Paul d', pseudonyme de Paul Charles Deleutre (1856-1915)

Cinq Sous de Lavarède (les) [en collab. avec CHABRILLAT]

IZOARD Jacques (Belgique, né en 1936)

Patrie empaillée (la)

J

JABÈS Edmond (1912-1991)

Livre de l'hospitalité (le)
Livre des questions (le)

JACCOTTET Philippe (Suisse, né en 1925)

Airs [voir *Poésie (1946-1967)*]
Effraie (l') [voir *Poésie (1946-1967)*]
Ignorant (l') [voir *Poésie (1946-1967)*]
Leçons [voir *Poésie (1946-1967)*]
Poésie (1946-1967)
Semaison (la)

JACOB

JACOB Max (1876-1944)
Cornet à dés (le)
Laboratoire central (le)

JAKEMES (fin du XIIIe siècle)
Roman du châtelain de Coucy et de la dame de Fayel (le)

JAMMES Francis (1868-1938)
De l'Angélus de l'aube à l'Angélus du soir

JAMYN Amadis (1541 ?-1593)
Premier Livre des œuvres poétiques
Second Volume des œuvres poétiques [voir *Premier Livre des œuvres poétiques*]

JANIN Jules (1804-1874)
Âne mort et la Femme guillotinée (l')
Confession (la)

JAPRISOT Sébastien, pseudonyme de Jean-Baptiste Rossi (né en 1931)
Piège pour Cendrillon

JARDIN Alexandre (né en 1965)
Fanfan

JARDIN Pascal (1934-1980)
Guerre à neuf ans (la)

JARRY Alfred (1873-1907)
Amour absolu (l')
Chandelle verte (la)
Dragonne (la)
Gestes et Opinions du docteur Faustroll, pataphysicien
Messaline. Roman de l'ancienne Rome
Minutes de sable mémorial (les)
Surmâle (le)
Ubu roi
ÉDITION COMPLÈTE
➢ *Œuvres complètes*, Gallimard, « Pléiade », 3 vol., 1972-1988 (p.p. M. Arrivé pour le t. I ; dir. H. Bordillon pour les t. II et III).

JEAN Raymond (né en 1925)
Lectrice (la)

JEAN BODEL (?-1210)
Jeu de Saint-Nicolas (le)
Saisnes (les)

JEAN D'ARRAS (seconde moitié du XIVe siècle)
Mélusine

JEAN DE BUEIL (1405-1478)
Jouvencel (le)

JEAN DE MEUNG, pseudonyme de Jean Clopinel ou Chopinel (vers 1240-avant 1305)
Roman de la Rose (le)

JEAN D'ERLÉE (fin XIe-début XIIe siècle)
Guillaume le Maréchal (Histoire de)

JEAN LE BEL (vers 1290-vers 1370)
Chronique

JEAN RENART (fin du XIIe - début du XIIIe siècle)
Escoufle (l')
Guillaume de Dole [voir *Roman de la Rose (le) ou de Guillaume de Dole*]
Lai de l'Ombre (le)
Roman de la Rose (le) ou de Guillaume de Dole

JEHAN (XIIIe siècle)
Merveilles Rigomer

JODELLE Étienne (1532 ?-1573)
Cléopâtre captive
Didon se sacrifiant
Eugène (l')
Recueil des inscriptions
ÉDITION COMPLÈTE
➢ *Œuvres complètes*, Gallimard, 2 vol., 1965-1968 (p.p. E. Balmas).

JOINVILLE Jacques, sire de (vers 1224-1317)
Vie de saint Louis

JOSSELIN Jean-François (né en 1939)
Quelques Jours avec moi

JOUBERT Joseph (1754-1824)
Pensées

JOUHANDEAU Marcel (1888-1979)
Chaminadour
Chroniques maritales
Essai sur moi-même
Nouvelles Chroniques maritales [voir *Chroniques maritales*]
Pincengrain (les)

JOUVE Pierre-Jean (1887-1976)
Aventure de Catherine Crachat [voir *Hécate* et *Vagadu*]
Hécate
Matière céleste
Paulina 1880
Sueur de sang
Vagadu
ÉDITION COMPLÈTE
➢ *Poésie*, Mercure de France, 4 vol., 1964-1967.

JOUY Victor Joseph Étienne de (1764-1846)
Hermite de la Chaussée d'Antin (l')

JURIEU Pierre (1637-1713)
Les soupirs de la France esclave qui aspire après la liberté [attribution incertaine]

K

KAHN Gustave (1859-1936)
Palais nomades (les)

KALISKY René (Belgique, 1936-1981)
Dave au bord de mer

KANE Cheikh Hamidou (Sénégal, né en 1928)
Aventure ambiguë (l')

KARR Alphonse (1808-1890)
Sous les tilleuls

KATEB Yacine (Algérie, 1929-1989)
Cadavre encerclé (le)
Les ancêtres redoublent de férocité
Nedjma
Polygone étoilé (le)

KESSEL Joseph (1898-1979)
Armée des ombres (l')
Lion (le)

KHAÏR-EDDINE Mohammed (Maroc, né en 1942)
Agadir
Déterreur (le)

KHATIBI Abdelkébir (Maroc, né en 1938)
Mémoire tatouée (la)

KHOURY-GHATA Vénus (Liban, née en 1937)
Terres stagnantes

KLOSSOWSKI Pierre (né en 1905)
Lois de l'hospitalité (les)
Révocation de l'édit de Nantes (la) [voir *Lois de l'hospitalité (les)*]
Roberte ce soir [voir *Lois de l'hospitalité (les)*]
Souffleur (le) [voir *Lois de l'hospitalité (les)*]

KOLTÈS Bernard-Marie (1948-1989)
Combat de nègre et de chiens
Dans la solitude des champs de coton

KOUROUMA Ahmadou (Côte d'Ivoire, né en 1927)
Soleils des indépendances (les)

KRÜDENER Barbara Juliane de Vietinghoff, baronne de (1764-1824)
*Valérie ou Lettres de Gustave de Linar à Ernest de G****

L

L'ESTOILE Claude de (1597-1652)
Comédie des Tuileries (la) [sous le pseudonyme collectif des CINQ AUTEURS]
Intrigue des filous (l')

LA BOÉTIE Étienne de (1530-1563)
Contr' un [voir *Discours de la servitude volontaire*]
Discours de la servitude volontaire

LA BRUYÈRE Jean de (1645-1696)
Caractères (les)

LA CALPRENÈDE Gautier de Costes, sieur de (1610 ?-1663)
Cassandre
Comte d'Essex (le)

Faramond ou l'Histoire de France
Mort de Mithridate (la)

LA CEPPÈDE Jean de (1550 ?-1622 ?)
Imitation des psaumes de la pénitence de David
Théorèmes sur le sacré mystère de notre rédemption

LA CHAUSSÉE [voir NIVELLE DE LA CHAUSSÉE]

LA FAYETTE Marie-Madeleine Pioche de la Vergne, comtesse de ~, dite Mme de (1634-1693)
Comtesse de Tende (la)
Histoire de Madame Henriette d'Angleterre
Princesse de Clèves (la)
Princesse de Montpensier (la)
Zaïde
ÉDITION COMPLÈTE
➢ *Romans et Nouvelles*, Bordas, « Classiques Garnier », 1989 (p.p. A. Niderst) ;
➢ *Œuvres complètes*, Éd. François Bourin, 1990.

LA FÈRE Anne-Marie (Belgique, née en 1940)
Semainier (le)

LA FONTAINE Jean de (1621-1695)
Adonis
Amours de Psyché et de Cupidon (les)
Contes et Nouvelles en vers
Fables choisies mises en vers
Poème de la captivité de saint Malc
Poème du quinquina
Relation d'un voyage de Paris en Limousin
Songe de Vaux (le)
ÉDITION COMPLÈTE
➢ *Œuvres complètes*, Gallimard, « Pléiade », 2 vol. (t. I : *Fables. Contes et Nouvelles*, 1991 [p.p. J.-P. Collinet] ; t. II : *Œuvres diverses*, 1944, éd. revue 1991 [p.p. P. Clarac]).

LA HARPE Jean-François Delharpe ou Delaharpe, dit (1739-1803)
Mélanie

LA HONTAN Louis Armand de Lom d'Arce, baron de (1666-1716)
Dialogues curieux entre l'auteur et un sauvage

LA METTRIE Julien Offray de (1709-1751)
Histoire naturelle de l'âme
Homme-Machine (l')
ÉDITION COMPLÈTE
➢ *Œuvres philosophiques*, Fayard, 2 vol., 1987.

LA MORLIÈRE Jacques Rochette, chevalier de (1719-1785)
Angola

LA PÉRUSE Jean Bastier de (1529-1554)
Médée

LA ROCHEFOUCAULD François VI, duc de (1613-1680)
Maximes [voir *Réflexions ou Sentences et Maximes morales*]
Mémoires
Réflexions ou Sentences et Maximes morales
ÉDITION COMPLÈTE
➢ *Œuvres complètes*, Gallimard, « Pléiade », 1935 (p.p. L. Martin-Chauffier).

LA SALE Antoine de (1385-1460?)

Excursion aux îles Lipari [voir *Voyage de saint Brendan (le)*, de BENEDEIT]
Jehan de Saintré
Paradis de la reine Sybille (le) [voir *Voyage de saint Brendan (le)*, de BENEDEIT)]
Trois Parties du monde (les) [voir *Voyage de saint Brendan (le)*, de BENEDEIT]

LA TAILLE Jean de (vers 1535-1611 ?)

Corrivaus (les)
Famine (la) ou les Gabéonites
Saül le furieux

ÉDITIONS COMPLÈTES
➢ *Œuvres*, Genève, Slatkine, 2 vol., 1968 (réimp. éd. 1878-1882, p.p. R. de Maulde) ;
➢ *Dramatic Works*, Londres, Athlone Press, 1972 (p.p. K. M. Hall et C. N. Smith).

LA TOUR DU PIN Patrice de (1911-1975)

Quête de joie (la)

LA VARENDE Jean Mallard, comte de (1887-1959)

Nez-de-Cuir, gentilhomme d'amour

LAÂBI Abdellatif (Maroc, né en 1942)

Chemin des ordalies (le)
Règne de barbarie (le)

LABÉ Louise (1522-1566)

Débat de Folie et d'Amour
Sonnets et Élégies

ÉDITIONS COMPLÈTES
➢ *Œuvres complètes*, Genève, Droz, « Textes littéraires français », 1981 (p.p. E. Giudici) ;
➢ *Œuvres complètes*, Flammarion, « GF », 1986 (p.p. F. Rigolot).

LABICHE Eugène (1815-1888)

Affaire de la rue de Lourcine (l') [en collab. avec MARTIN et A. MONNIER]
Cagnotte (la) [en collab. avec DELACOUR]
Mon Isménie ! [en collab. avec MARC-MICHEL]
Poudre aux yeux (la) [en collab. avec MARTIN]
Station Champbaudet (la) [en collab. avec MARC-MICHEL]
Suites d'un premier lit (les) [en collab. avec MARC-MICHEL]
Un chapeau de paille d'Italie [en collab. avec MARC-MICHEL]
Voyage de Monsieur Perrichon (le) [en collab. avec MARTIN]
29 Degrés à l'ombre

ÉDITIONS COMPLÈTES
➢ *Œuvres complètes*, Club de l'honnête homme, 8 vol., 1966-1968 (dir. G. Sigaux) ;
➢ *Théâtre*, Robert Laffont, « Bouquins », 2 vol., 1991 (p.p. J. Robichez) ;
➢ *Théâtre*, Bordas, « Classiques Garnier », 3 vol., 1991-1992 (p.p. H. Gidel).

LABRO Philippe (né en 1936)

Étudiant étranger (l')

LACARRIÈRE Jacques (né en 1925)

Pays sous l'écorce (le)

LACLOS Pierre Ambroise Choderlos de (1741-1803)

De l'éducation des femmes [voir *Essais sur les femmes*]
Essais sur les femmes
Liaisons dangereuses (les)

ÉDITION COMPLÈTE
➢ *Œuvres complètes*, Gallimard, « Pléiade », 1979 (p.p. L. Versini).

LACRETELLE Jacques de (1888-1985)

Amour nuptial
Bonifas (la)
Retour de Silbermann (le) [voir *Silbermann*]
Silbermann

LAFITAU Joseph François (1681-1746)

Mœurs des sauvages américains comparées aux mœurs des premiers temps

LAFORGUE Jules (1860-1887)

Complaintes (les)
Des fleurs de bonne volonté
Hamlet ou les Suites de la piété filiale [voir *Moralités légendaires*]
Imitation de Notre-Dame la Lune (l')
Lohengrin, fils de Parsifal [voir *Moralités légendaires*]
Miracle des roses (le) [voir *Moralités légendaires*]
Moralités légendaires
Pan et la Syrinx ou l'Invention de la flûte à sept tuyaux [voir *Moralités légendaires*]
Persée et Andromède ou le Plus Heureux des trois [voir *Moralités légendaires*]
Salomé [voir *Moralités légendaires*]

ÉDITIONS COMPLÈTES
➢ *Œuvres complètes*, édition chronologique intégrale, Lausanne, l'Âge d'homme, 1 vol. paru, 1966 → ;
➢ *Poesie complete*, Roma, Edizione dell'Ateneo, 2 vol., 1966 (intr. S. Solmi, p.p. S. Cigada) ;
➢ *Œuvres complètes*, Genève, Slatkine, 3 vol., 1976 (réimp. éd. 1922-1930) ;
➢ *Poésies complètes*, Gallimard, « Poésie/Gallimard », 2 vol., 1979 (p.p. P. Pia).

LAINÉ Pascal (né en 1942)

Dentellière (la)

LAMARTINE Alphonse de (1790-1869)

Chute d'un ange (la)
Geneviève, histoire d'une servante
Graziella
Harmonies poétiques et religieuses
Histoire des Girondins
Jocelyn
Méditations poétiques
Nouvelles Méditations poétiques [voir *Méditations poétiques*]
Raphaël
Recueillements poétiques
Toussaint Louverture
Vigne et la Maison (la)
Voyage en Orient (le)

ÉDITION COMPLÈTE
➢ *Œuvres poétiques complètes*, Gallimard, « Pléiade », 1963 (p.p. M.-F. Guyard).

LAMBERSY Werner (Belgique, né en 1941)

Maîtres et Maisons de thé

LAMENNAIS Félicité Robert de (1782-1854)

Essai sur l'indifférence en matière de religion
Paroles d'un croyant

ÉDITION COMPLÈTE
➢ *Œuvres complètes*, Genève, Slatkine, 11 vol., 1980-1981 (réimp. éd. 1836-1856, p.p. L. Le Guillou).

LANCELOT Claude (1616-1695)

Grammaire générale et raisonnée [en collab. avec ARNAULD]

LANGEVIN André (Canada/Québec, né en 1927)

Poussière sur la ville

LANOUX Armand (1913-1983)

Quand la mer se retire

LANZA DEL VASTO, pseudonyme de Jean Lanza di Trabia-Branciforte (1901-1981)

Pèlerinage aux sources (le)

LANZMANN Jacques (né en 1927)

Têtard (le)

LAPOINTE Paul-Marie (Canada/Québec, né en 1929)

Arbres
Vierge incendié (le)

LARBAUD Valery (1881-1957)

A.O. Barnabooth. Ses œuvres complètes, c'est-à-dire un conte, ses poésies et son journal intime
Amants, heureux amants...
Beauté, mon beau souci [voir *Amants, heureux amants...*]
Enfantines
Fermina Márquez
Mon plus secret conseil [voir *Amants, heureux amants...*]

ÉDITION COMPLÈTE

➤ *Œuvres*, Gallimard, « Pléiade », 1957 (préf. M. Arland, p.p. R. Mallet et G. Jean-Aubry).

LARIVEY Pierre de (vers 1540-1619)

Esprits (les)
Laquais (le)

LAS CASES Emmanuel, comte de (1766-1842)

Mémorial de Sainte-Hélène

LASNIER Rina (Canada/Québec, née en 1915)

Chant de la montée (le) [voir *Poèmes I*]
Escales [voir *Poèmes I*]
Images et Proses [voir *Poèmes I*]
Poèmes I

LASSAILLY Charles (1806-1843)

Roueries de Trialph notre contemporain avant son suicide (les)

LATOUCHE Hyacinthe Thabaud de ~, dit Henri de (1785-1851)

Fragoletta ou Naples et Paris en 1799
Olivier [voir *Olivier ou le Secret* de MME DE DURAS]
Vallée aux loups (la).

LAURENT Jacques (né en 1919)

Bêtises (les)
Caroline chérie [sous le pseudonyme de CECIL SAINT-LAURENT]
Corps tranquilles (les)

LAUTRÉAMONT Isidore Ducasse, dit le comte de (1846-1870)

Chants de Maldoror (les)
Poésies

ÉDITIONS COMPLÈTES

➤ *Œuvres complètes*, José Corti, 1953 (préf. L. Genonceaux, R. de Gourmont, E. Jaloux, A. Breton, Ph. Soupault, J. Gracq, R. Caillois et M. Blanchot) ;
➤ *Œuvres complètes*, Gallimard, « Pléiade », 1970 (p.p. P.-O. Walzer) ;
➤ *Œuvres complètes*, Éric Losfeld, 1971 (p.p. M. Jean et A. Mézei) ;
➤ *Œuvres complètes*, Gallimard, « Poésie/Gallimard », 1973 (préf. J.-M.G. Le Clézio, p.p. H. Juin) ;
➤ *Œuvres poétiques complètes*, Robert Laffont, « Bouquins », 1991 (p.p. J. Brancilhon).

LAYA Jean-Louis (1761-1833)

Ami des lois (l')

LAYE Camara (Guinée, 1928-1980)

Enfant noir (l')

LE BLANC DE GUILLET, pseudonyme d'Antoine Blanc (1730-1799)

Manco Capac, premier Inca du Pérou

LE CLÉZIO Jean-Marie Gustave (né en 1940)

Chercheur d'or (le)
Désert
Géants (les)
Mondo et Autres Histoires
Procès-verbal (le)

LE FÈVRE DE LA BODERIE Guy (1541-1615)

Galliade (la)

LE MOYNE Pierre (1602-1671)

Saint Louis ou le Héros chrétien

LE ROY Eugène (1836-1907)

Jacquou le Croquant
Moulin du Frau (le)

LE VASSEUR Michel (1648-1718)

Les soupirs de la France esclave qui aspire après la liberté [attribution incertaine]

LÉAUTAUD Paul (1872-1956)

Journal littéraire
Petit Ami (le)

LEBLANC Maurice (1864-1941)

Aiguille creuse (l')
Île aux trente cercueils (l')
813

ÉDITION COMPLÈTE

➤ *Œuvres*, Robert Laffont, « Bouquins », 5 vol., 1986-1987 (p.p. F. Lacassin).

LEBRUN Pierre Antoine (1785-1873)

Marie Stuart

LEBRUN-PINDARE, surnom de Ponce Denis Écouchard-Lebrun (1729-1807)

Odes

LECLERCQ Théodore (1777-1855)

Proverbes dramatiques

LECONTE DE LISLE Charles Leconte, dit (1818-1894)

Poèmes antiques
Poèmes barbares

ÉDITIONS COMPLÈTES

➤ *Poésies complètes*, Genève, Slatkine, 2 vol., 1974 (réimp. éd. 1927-1928) ;
➤ *Œuvres*, Les Belles Lettres, 4 vol., 1977-1978 (p.p. E. Pich).

LEDUC Violette (1907-1972)

Bâtarde (la)
Ravages

LEIRIS Michel (1901-1990)

À cor et à cri
Âge d'homme (l')
Autres Lancers [voir *Haut-Mal*]
Biffures [voir *Règle du jeu (la)*]
Fibrilles [voir *Règle du jeu (la)*]
Fourbis [voir *Règle du jeu (la)*]
Frêle Bruit [voir *Règle du jeu (la)*]
Haut-Mal suivi d'*Autres Lancers*
Mots sans mémoire
Règle du jeu (la)
Ruban au cou d'Olympia (le)

LEMAIRE DE BELGES Jean (1473 ?-après 1515)

Concorde des deux langages (la)
Concorde du genre humain (la)
Couronne margaritique (la)
Temple d'honneur et de vertus (le)

ÉDITION COMPLÈTE

➤ *Œuvres*, Genève, Slatkine, 4 vol., 1969 (réimp. éd. 1882-1885).

LEMAÎTRE Frédérick (1800-1876)

Robert Macaire [en collab. avec ANTIER et SAINT-AMANT] [voir *Auberge des Adrets (l')*]

LEMELIN Roger (Canada/Québec, né en 1919)

Plouffe (les)

LEMERCIER Népomucène (1771-1840)

Pinto ou la Journée d'une conspiration

LEMIERRE Antoine Marin (1723-1793)

Fastes (les)
Guillaume Tell
Veuve du Malabar (la) ou l'Empire des coutumes

LEMONNIER Camille (Belgique, 1844-1913)

Fin des Bourgeois (la)

LEPRINCE DE BEAUMONT Marie Leprince, dite Mme (1711-1780)

Belle et la Bête (la) [voir *Contes*]
Contes
Contes moraux [voir *Contes*]
Magasin des enfants (le) [voir *Contes*]
Nouveaux Contes moraux [voir *Contes*]
Prince chéri (le) [voir *Contes*]
Princes Fatal et Fortuné (les) [voir *Contes*]

LEROUX Gaston (1868-1927)

Cages flottantes (les)
Fantôme de l'Opéra (le)
Mystère de la chambre jaune (le)
Parfum de la dame en noir (le)

ÉDITION COMPLÈTE

➤ *Les Aventures extraordinaires de Rouletabille*, Robert Laffont, « Bouquins », 2 vol., 1987 (p.p. F. Lacassin).

LÉRY Jean de (1534-1613)

Histoire d'un voyage fait en la terre du Brésil

LESAGE Alain René (1668-1747)

Bachelier de Salamanque (le) ou les Mémoires de D. Chérubin de la Ronda, tirés d'un manuscrit espagnol
Crispin rival de son maître
Diable boiteux (le)
Gil Blas de Santillane (Histoire de)
Turcaret

LESPINASSE Julie Jeanne Éléonore de (1732-1776)

Lettres

LÉVI-STRAUSS Claude (né en 1908)

Tristes Tropiques

LÉVY Bernard-Henri (né en 1948)

Derniers Jours de Charles Baudelaire (les)

LÉVY Jules (1857-1900)

Le commissaire est bon enfant (le) [en collab. avec COURTELINE]

LIGNE Charles Joseph, prince de (1735-1814)

Mélanges militaires, littéraires et sentimentaires

LILAR Suzanne (Belgique, née en 1901)

Confession anonyme (la)

LIMBOUR Georges (1900-1970)

Enfant polaire (l')
Poèmes [voir *Soleils bas*]
Soleils bas

LINZE Jacques Gérard (Belgique, né en 1925)

Conquête de Prague (la)

LOAISEL DE TRÉOGATE Joseph-Marie (1752-1812)

Château du diable (le)
Comtesse d'Alibre (la) ou le Cri du sentiment
Dolbreuse ou l'Homme du siècle ramené à la vérité par le sentiment et par la raison
Soirées de mélancolie

LOBA Aké (Côte-d'Ivoire, né en 1927)

Kocumbo, l'étudiant noir

LOPÈS Henri (Congo, né en 1937)

Chercheur d'Afriques (le)
Pleurer-rire (le)
Tribaliques

LORRAIN Jean, pseudonyme de Paul Duval (1855-1906)

Monsieur de Phocas
Noronsoff (les) [voir *Vice errant (le)*]
Vice errant (le)

LORRIS Guillaume de [voir GUILLAUME DE LORRIS]

LOTI Pierre, pseudonyme de Julien Viaud (1850-1923)

Aziyadé
Madame Chrysanthème
Mariage de Loti (le)
Mon frère Yves
Pêcheur d'Islande
Ramuntcho
Roman d'un enfant (le)
Roman d'un spahi (le)
Un pèlerin d'Angkor

ÉDITION COMPLÈTE

➤ *Romans*, Presses de la Cité, « Omnibus », 1993 (préf. C. Gagnière).

LOUVET DE COUVRAY Jean-Baptiste (1760-1797)

Émilie de Varmont ou le Divorce nécessaire
Faublas
Fin des amours du chevalier de Faublas (la) [voir *Faublas*]
Six Semaines de la vie du chevalier de Faublas [voir *Faublas*]
Une année de la vie du chevalier de Faublas [voir *Faublas*]

LOUŸS Pierre, pseudonyme de Pierre Félix Louis (1870-1925)

Aphrodite
Chansons de Bilitis (les)
Femme et le Pantin (la)

ÉDITION COMPLÈTE

➤ *Œuvres complètes*, Slatkine, 6 vol., 1973 (réimp. éd. 1929-1931).

LUBICZ-MILOSCZ [voir MILOSCZ]

LUCE DEL GAST

Tristan en prose [commencé par HÉLIE DE BORON]

LUCINGE René de, sieur des Allymes (vers 1553-vers 1615)

De la naissance, durée et chute des États
Dialogue du Français et du Savoisien

LUNEL Armand (1892-1977)

Nicolo-Peccavi ou l'Affaire Dreyfus à Carpentras

M

MABLY Gabriel Bonnot de (1709-1785)

Des droits et des devoirs du citoyen
Entretiens de Phocion sur le rapport de la morale avec la politique

MAC ORLAN Pierre, pseudonyme de Pierre Dumarchey (1882-1970)

Bandera (la)
Quai des brumes (le)

MACHAUT Guillaume de [voir GUILLAUME DE MACHAUT]

MAETERLINCK Maurice (Belgique, 1862-1949)

Aveugles (les)
Oiseau bleu (l')
Pelléas et Mélisande
Princesse Maleine (la)
Serres chaudes
Vie des abeilles (la)

ÉDITION COMPLÈTE

➤ *Théâtre complet*, Genève, Slatkine, 1979 (préf. M. de Rougemont ; réimp. éd. 1901-1902).

MAGNON Jean (1620-1662)

Tite

MAGNY Olivier de (1527-1561)

Amours (les)
Gaietés (les)
Soupirs (les)

ÉDITION COMPLÈTE

➤ *Œuvres*, Genève, Slatkine, 1969 (réimp. éd. 1871-1880).

MAILLET Antonine (Canada/Acadie, née en 1929)

Pélagie-la-Charrette
Sagouine (la)

MAILLET Benoît de (1656-1738)

Telliamed

MAINE DE BIRAN Marie François Pierre Gonthier de Biran, dit (1766-1824)

Journal

MAIRET Jean (1604-1686)

Galanteries du duc d'Ossone (les)
Silvanire (la) ou la Morte vive
Sophonisbe (la)
Sylvie (la)

MAISTRE Joseph de (1753-1821)

Considérations sur la France
Soirées de Saint-Pétersbourg (les) ou Entretiens sur le gouverne-ment temporel de la Providence

ÉDITION COMPLÈTE

➤ *Œuvres complètes*, Genève, Slatkine, 7 vol., 1979 (réimp. éd. 1884-1886).

MAISTRE Xavier de (1763-1852)

Expédition nocturne autour de ma chambre [voir *Voyage autour de ma chambre*]
Jeune Sibérienne (la)
Lépreux de la cité d'Aoste (le)
Prisonniers du Caucase (les)
Voyage autour de ma chambre

MALEBRANCHE Nicolas de (1638-1715)

De la recherche de la vérité

MALET Léon, dit Léo (né en 1909)

120, rue de la Gare

MALHERBE François de (vers 1555-1628)

Œuvres poétiques

MALLARMÉ Stéphane (1842-1898)

Après-midi d'un faune (l')
Cantique de saint Jean [voir *Hérodiade*]
Divagations
Hérodiade
Igitur ou la Folie d'Elbehnon
Ouverture ancienne [voir *Hérodiade*]
Poésies
Scène [voir *Hérodiade*]
Un coup de dés jamais n'abolira le hasard

ÉDITIONS COMPLÈTES

➤ *Poésies, Anecdotes ou Poèmes. Pages diverses*, « Le Livre de Poche », 1977 (p.p. D. Leuwers) ;
➤ *Œuvres complètes*, Flammarion, 1 vol. paru, 1983 → (p.p. C.P. Barbier et C.G. Milan) ;
➤ *Œuvres*, Bordas, « Classiques Garnier », 1985 (p.p. Y.-A. Favre) ;
➤ *Poésies*, Imprimerie nationale, « Lettres françaises », 1987 (p.p. P. Citron) ;
➤ *Poésies*, Flammarion, « GF », 1989 (p.p. L. J. Austin) ;
➤ *Poésies*, Gallimard, « Poésie/Gallimard », 1992 (préf. Y. Bonnefoy, p.p. B. Marchal).

MALLET-JORIS Françoise (née en 1930)

Maison de papier (la)
Rempart des Béguines (le)

MALLIAN Julien (1805-1851)

Nonne sanglante (la) [en collab. avec ANICET-BOURGEOIS]

MALOT Hector (1830-1907)
>   *En famille* [voir *Sans famille*]
>   *Sans famille*

MALRAUX André (1901-1976)
>   *Antimémoires*
>   *Condition humaine (la)*
>   *Conquérants (les)*
>   *Espoir (l')*
>   *Intemporel (l')* [voir *Métamorphose des dieux (la)*]
>   *Irréel (l')* [voir *Métamorphose des dieux (la)*]
>   *Les chênes qu'on abat...*
>   *Métamorphose des dieux (la)*
>   *Noyers de l'Altenburg (les)*
>   *Surnaturel (le)* [voir *Métamorphose des dieux (la)*]
>   *Tentation de l'Occident (la)*
>   *Voie royale (la)*

ÉDITIONS COMPLÈTES
➤ *Œuvres complètes*, Gallimard, « Pléiade », 1 vol. paru, 1989 → (dir. P. Brunel) ;
➤ *Le Miroir des Limbes*, Gallimard, « Pléiade », 1976.

MALVA Constant, pseudonyme d'Alphonse Bourlard (Belgique, 1903-1969)
>   *Ma nuit au jour le jour*

MAMMERI Mouloud (Algérie, 1917-1989)
>   *Colline oubliée (la)*
>   *Opium et le Bâton (l')*

MANCHETTE Jean-Patrick (né en 1942)
>   *Ô dingos, ô châteaux !*

MANESSIER (première moitié du XIIIᵉ siècle)
>   *Continuation* [voir *Continuations du Conte du Graal*]

MANSOUR Joyce (Égypte, 1928-1986)
>   *Cris*

MARAN René (1887-1960)
>   *Batouala, véritable roman nègre*

MARANA Gian-Paolo (Gênes, XVIIᵉ siècle)
>   *Espion du Grand Seigneur (l')*

MARC-MICHEL (1812-1868)
>   *Mon Isménie !* [en collab. avec LABICHE]
>   *Station Champbaudet (la)* [en collab. avec LABICHE]
>   *Suites d'un premier lit (les)* [en collab. avec LABICHE]
>   *Un chapeau de paille d'Italie* [en collab. avec LABICHE]

MARCEAU Félicien, pseudonyme de Louis Carette (né en 1913)
>   *Creezy*
>   *Œuf (l')*

MARCHANGY Louis Antoine de (1782-1826)
>   *Gaule poétique (la)*

MARÉCHAL Pierre Sylvain (1750-1803)
>   *Jugement dernier des rois (le)*

MARESCHAL André (? – après 1646)
>   *Chrysolite (la) ou le Secret des romans*
>   *Généreuse Allemande (la) ou le Triomphe d'Amour*

MARGIVAL Nicole de [voir NICOLE DE MARGIVAL]

MARGUERITE DE NAVARRE, dite aussi de Valois, ou d'Angoulême, reine de Navarre (1492-1549)
>   *Chansons spirituelles*
>   *Coche (la)*
>   *Comédie de l'Adoration des Trois Rois* [voir *Comédies*]
>   *Comédie de la Nativité* [voir *Comédies*]
>   *Comédie de Mont-de-Marsan*
>   *Comédie des Innocents* [voir *Comédies*]
>   *Comédie du Désert* [voir *Comédies*]
>   *Comédies ou Mystères de la Nativité, de l'Adoration des Trois Rois, des Innocents et du Désert*
>   *Dialogue en forme de vision nocturne*
>   *Heptaméron (l')*
>   *Miroir de l'âme pécheresse*
>   *Navire (la)*
>   *Prisons (les)*

MARGUERITTE Paul (1860-1936)
>   *Braves Gens (les)* [voir *Une époque*]
>   *Commune (la)* [voir *Une époque*]
>   *Désastre (le)* [voir *Une époque*]
>   *Tronçons du glaive (les)* [voir *Une époque*]
>   *Une époque* [en collab. avec V. MARGUERITTE]

MARGUERITTE Victor (1866-1942)
>   *Braves Gens (les)* [voir *Une époque*]
>   *Commune (la)* [voir *Une époque*]
>   *Désastre (le)* [voir *Une époque*]
>   *Garçonne (la)*
>   *Tronçons du glaive (les)* [voir *Une époque*]
>   *Une époque* [en collab. avec P. MARGUERITTE]

MARIE DE FRANCE (seconde moitié du XIIᵉ siècle)
>   *Bisclavret* [voir *Lais*]
>   *Chaitivel (le)* [voir *Lais*]
>   *Chèvrefeuille (le)* [voir *Lais*]
>   *Deux Amants (les)* [voir *Lais*]
>   *Éliduc* [voir *Lais*]
>   *Équitan* [voir *Lais*]
>   *Espurgatoire saint Patrice (l')* [attribution incertaine] [voir *Voyage de saint Brendan (le)*, de BENEDEIT]
>   *Fables*
>   *Frêne (le)* [voir *Lais*]
>   *Guigemar* [voir *Lais*]
>   *Lais*
>   *Lanval* [voir *Lais*]
>   *Laostic (le)* [voir *Lais*]
>   *Milon* [voir *Lais*]
>   *Yonec* [voir *Lais*]

MARIVAUX Pierre Carlet de Chamblain de (1688-1763)
>   *Acteurs de bonne foi (les)*
>   *Arlequin poli par l'amour*
>   *Aventures de *** (les) ou les Effets surprenants de la sympathie*
>   *Cabinet du philosophe (le)* [voir *Journaux*]
>   *Dispute (la)*
>   *Double Inconstance (la)*
>   *École des mères (l')*
>   *Effets surprenants de la sympathie (les)* [voir *Aventures de *** (les) ou les Effets surprenants de la sympathie*]
>   *Épreuve (l')*
>   *Fausse Suivante (la) ou le Fourbe puni*
>   *Fausses Confidences (les)*
>   *Île de la raison (l'), ou les Petits Hommes*
>   *Île des esclaves (l')*
>   *Indigent philosophe (l')* [voir *Journaux*]
>   *Jeu de l'amour et du hasard (le)*
>   *Journaux*
>   *Legs (le)*
>   *Paysan parvenu (le) ou les Mémoires de M****
>   *Pharsamon ou les Nouvelles Folies romanesques*
>   *Prince travesti (le) ou l'Illustre Aventurier*
>   *Seconde Surprise de l'amour (la)*

Serments indiscrets (les)
Sincères (les)
Spectateur français (le) [voir *Journaux*]
Surprise de l'amour (la)
Triomphe de l'amour (le)
*Vie de Marianne (la) ou les Aventures de Madame la Comtesse de ****

ÉDITIONS COMPLÈTES

➢ *Œuvres de jeunesse*, Gallimard, « Pléiade », (p.p. F. Deloffre et C. Rigault) ;
➢ *Théâtre complet*, Bordas, « Classiques Garnier », 2 vol., 1988-1989 (p.p. F. Deloffre et F. Rubellin) ;
➢ *Théâtre complet*, Gallimard, « Pléiade », 2 vol., 1993-1994 (p.p. H. Coulet et M. Gilot).

MARMONTEL Jean-François (1723-1799)

Bélisaire
Contes moraux
Incas (les) ou la Destruction de l'empire du Pérou
Mémoires d'un père pour servir à l'instruction de ses enfants

ÉDITION COMPLÈTE

➢ *Œuvres*, Genève, Slatkine, 7 vol., 1968 (réimp. éd. 1819-1820).

MAROT Clément (1496-1544)

Adolescence Clémentine (l')
Élégies
Enfer (l')
Épigrammes
Épîtres
Temple de Cupido (le)

ÉDITIONS COMPLÈTES

➢ *Œuvres*, Genève, Slatkine, 5 vol., 1969 (réimp. éd. 1911) ;
➢ *Œuvres complètes*, Londres, Athlone Press, 5 vol., 1958-1970 (p.p. C.A. Mayer) ;
➢ *Œuvres poétiques*, Flammarion, « GF », 1973 (p.p. Y. Giraud) ;
➢ *Œuvres poétiques*, Bordas, « Classiques Garnier », 2 vol., 1992-1994 (p.p. G. Defaux).

MAROT Jean des Mares ou Des Marets, dit (vers 1450-1526)

Voyage de Gênes (le)
Voyage de Venise (le)

MARTIN Édouard (1828-1866)

Affaire de la rue de Lourcine (l') [en collab. avec LABICHE et A. MONNIER]
Poudre aux yeux (la) [en collab. avec LABICHE]
Voyage de Monsieur Perrichon (le) [en collab. avec LABICHE]

MARTIN DU GARD Roger (1881-1958)

Belle Saison (la) [voir *Thibault (les)*]
Cahier gris (le) [voir *Thibault (les)*]
Consultation (la) [voir *Thibault (les)*]
Épilogue [voir *Thibault (les)*]
Été 14 (l') [voir *Thibault (les)*]
Jean Barois
Lieutenant-colonel de Maumort (le)
Maumort [voir *Lieutenant-colonel de Maumort (le)*]
Mort du père (la) [voir *Thibault (les)*]
Pénitencier (le) [voir *Thibault (les)*]
Sorellina (la) [voir *Thibault (les)*]
Testament du Père Leleu (le)
Thibault (les)

ÉDITION COMPLÈTE

➢ *Œuvres complètes*, Gallimard, « Pléiade », 2 vol., 1955 (préf. A. Camus).

MASSILLON Jean-Baptiste (1663-1742)

Sermons

MATHIEU D'ESCOUCHY (1420-1482)

Chronique

MATTHIEU Pierre (1563-1621)

Aman
Clytemnestre ou l'Adultère
Guisiade (la) ou Massacre du duc de Guise
Vasthi

MAUBERT DE GOUVEST Jean Henri (1721-1767)

Lettres iroquoises

MAUNICK Édouard (Île Maurice, né en 1931)

Anthologie personnelle

MAUPASSANT Guy de (1850-1893)

Bel-Ami
Boule de suif
Contes de la bécasse
Farce normande [voir *Contes de la bécasse*]
Folle (la) [voir *Contes de la bécasse*]
Fort comme la mort
Horla (le)
Lettre d'un fou [voir *Horla (le)*]
Mademoiselle Fifi
Main d'écorché (la)
Maison Tellier (la)
Miss Harriet
Monsieur Parent
Mont-Oriol
Notre cœur
Petite Roque (la)
Pierre et Jean
Rosier de Madame Husson (le)
Sœurs Rondoli (les)
Sur l'eau
Toine
Un coq chanta [voir *Contes de la bécasse*]
Une vie
Yvette

ÉDITIONS COMPLÈTES

➢ *Œuvres complètes*, Albin Michel, 3 vol., 1956-1959 (p.p. A.-M. Schmidt et G. Delaisement) ;
➢ *Œuvres complètes*, Lausanne, Éditions Rencontre, 16 vol., 1961-1962 (p.p. G. Sigaux) ;
➢ *Contes et Nouvelles*, Gallimard, « Pléiade », 2 vol., 1974-1979 (p.p. L. Forestier) ;
➢ *Romans*, Gallimard, « Pléiade », 1987 (p.p. L.Forestier) ;
➢ *Contes et Nouvelles. Romans*, Robert Laffont, « Bouquins », 2 vol., 1988 (p.p. B. Monglond).
➢ *Œuvres*, Club de l'honnête homme, 8 vol., 1989.

MAUPERTUIS Pierre Louis Moreau de (1698-1759)

Essai de philosophie morale

MAURIAC Claude (né en 1914)

Temps immobile (le)

MAURIAC François (1885-1970)

Asmodée
Baiser au lépreux (le)
Bloc-notes. 1952-1957
Désert de l'amour (le)
Fin de la nuit (la)
Galigaï
Genitrix
Mémoires intérieurs
Mystère Frontenac (le)
Nœud de vipères (le)

MAUROIS

Nouveaux Mémoires intérieurs
Pharisienne (la)
Robe prétexte (la)
Sagouin (le)
Thérèse Desqueyroux

ÉDITIONS COMPLÈTES
➤ *Œuvres romanesques et théâtrales complètes*, Gallimard, « Pléiade », 4 vol., 1978-1985 (p.p. J. Petit) ;
➤ *Romans, Œuvres diverses*, Le Livre de Poche, « Pochothèque », 1992 (p.p. J. Touzot).

MAUROIS André, pseudonyme puis patronyme d'Émile Herzog (1885-1967)

Climats
Silences du colonel Bramble (les)

MAURRAS Charles (1868-1952)

Amants de Venise (les) [voir *Œuvres capitales*]
Anthinéa d'Athènes à Florence [voir *Œuvres capitales*]
Bons et Mauvais Maîtres [voir *Œuvres capitales*]
Œuvres capitales
Romantisme et Révolution [voir *Œuvres capitales*]

MEMMI Albert (Tunisie, né en 1920)

Agar
Statue de sel (la)

MENDÈS Catulle (1841-1909)

Maison de la Vieille (la)

MERCANTON Jacques (Suisse, né en 1910)

Été des Sept-Dormants (l')

MERCIER Louis-Sébastien (1740-1814)

An 2440 (l'), rêve s'il en fut jamais
Brouette du vinaigrier (la)
Déserteur (le)
Du théâtre ou Nouvel Essai sur l'art dramatique
Néologie ou Vocabulaire des mots nouveaux
Tableau de Paris

ÉDITION COMPLÈTE
➤ *Théâtre complet*, Genève, Slatkine, 1970 (réimp. éd. 1778-1784).

MÉRÉ Antoine Gombaud, chevalier de (1607-1684)

Conversations D[u] M[aréchal] D[e] C[lérembault] E[t] D[u] C[hevalier] D[e] M[éré]

MÉRIMÉE Prosper (1803-1870)

Amour africain (l') [voir *Théâtre de Clara Gazul*]
Arsène Guillot
Carmen
Carrosse du saint sacrement (le) [voir *Théâtre de Clara Gazul*]
Chronique du règne de Charles IX
Ciel et l'Enfer (le) [voir *Théâtre de Clara Gazul*]
Colomba
Double Méprise (la)
Espagnols en Danemark (les) [voir *Théâtre de Clara Gazul*]
Inès Mendo ou le Préjugé vaincu [voir *Théâtre de Clara Gazul*]
Inès Mendo ou le Triomphe du préjugé [voir *Théâtre de Clara Gazul*]
Jacquerie (la)
Lokis
Mateo Falcone
Occasion (l') [voir *Théâtre de Clara Gazul*]
Théâtre de Clara Gazul
Une Femme est un diable ou la Tentation de saint Antoine [voir *Théâtre de Clara Gazul*]
Vénus d'Ille (la)

ÉDITIONS COMPLÈTES
➤ *Théâtre*, Club français du Livre, 1963 (p.p. G. Sigaux) ;

➤ *Romans et Nouvelles*, Bordas, « Classiques Garnier », 2 vol., 1967-1969 (p.p. M. Parturier) ;
➤ *Nouvelles complètes*, Gallimard, « Folio », 2 vol., 1974-1976 (p.p. P. Josserand) ;
➤ *Théâtre, Romans et Nouvelles*, Gallimard, « Pléiade », 1979 (p.p. J. Mallion et P. Salomon) ;
➤ *Nouvelles*, Imprimerie nationale, « Lettres françaises », 2 vol., 1988 (p.p. M. Crouzet).

MERLE Robert (né en 1908)

Île (l')

MERRILL Stuart (États-Unis, 1863-1915)

Fastes (les)

MERTENS Pierre (Belgique, né en 1939)

Éblouissements (les)
Terre d'asile

MÉRY Huon de [voir HUON DE MÉRY]

MESCHINOT Jean (1402-1491)

Lunettes des princes (les)

MESLIER Jean, dit le Curé (1664-1729)

Mémoire des pensées et des sentiments de Jean Meslier
Testament du curé Meslier (le) [voir *Mémoire des pensées et des sentiments de Jean Meslier*]

MÉTELLUS Jean (Haïti, né en 1937)

Au pipirite chantant
Jacmel au crépuscule

MEURICE Paul (1820-1905)

Fanfan la Tulipe

MEUNG Jean de [voir JEAN DE MEUNG]

MÉZIÈRES Philippe de [voir PHILIPPE DE MÉZIÈRES]

MICHAUX Henri (1899-1984)

Ailleurs
Au pays de la magie [voir *Ailleurs*]
Ici, Poddema [voir *Ailleurs*]
La nuit remue
Lointain intérieur [voir *Un certain Plume*]
Mes propriétés [voir *La nuit remue*]
Mescaline (la) [voir *Misérable Miracle*]
Misérable Miracle. La Mescaline
Saisir
Un certain Plume
Voyage en Grande Garabagne [voir *Ailleurs*]

MICHELET Jules (1798-1874)

Bible de l'humanité (la)
Femme (la)
Histoire de France
Histoire de la Réforme [voir *Histoire de France*]
Histoire de la Renaissance [voir *Histoire de France*]
Histoire de la Révolution française
Histoire du XIXᵉ siècle
Jeanne d'Arc [voir *Histoire de France*]
Journal
Mer (la)
Oiseau (l')
Peuple (le)
Sorcière (la)
Tableau de la France [voir *Histoire de France*]

ÉDITION COMPLÈTE
➤ *Œuvres complètes*, Flammarion, 21 vol. prévus, 1971 → (p.p. P. Viallaneix).

MILLEVOYE Charles-Hubert (1782-1816)

Élégies

MILOSZ Oscar Vladislas de Lubicz-Milosz, dit O.V. de L. (1877-1939)

Amoureuse Initiation (l')
Miguel Mañara
Symphonies

ÉDITION COMPLÈTE
➢ *Œuvres complètes*, André Silvaire, 13 vol., 1956-1990.

MIMOUNI Rachid (Algérie, né en 1945)

Tombéza

MIRABEAU Honoré Gabriel de Riqueti, comte de (1749-1791)

Lettres à Sophie

MIRBEAU Octave (1848-1917)

Abbé Jules (l')
Calvaire (le)
Foyer (le)
Jardin des supplices (le)
Journal d'une femme de chambre (le)
Les affaires sont les affaires
Sébastien Roch

MIRON Gaston (Canada/Québec, né en 1928)

Homme rapaillé (l')

MISTRAL Frédéric (1830-1914)

Calendal
Mireille, poème provençal

ÉDITION COMPLÈTE
➢ *Œuvres poétiques complètes*, Aix-en-Provence, M. Petit, 2 vol., 1966 (bilingue, p.p. P. Rollet).

MODIANO Patrick (né en 1945)

Place de l'Étoile (la)
Ronde de nuit (la)
Rue des boutiques obscures
Villa triste

MOHRT Michel (né en 1914)

Campagne d'Italie (la)

MOLIÈRE, pseudonyme de Jean-Baptiste Poquelin (1622-1673)

Amants magnifiques (les)
Amour médecin (l')
Amphitryon
Avare (l')
Bourgeois gentilhomme (le)
Comtesse d'Escarbagnas (la) [voir *Monsieur de Pourceaugnac*]
Critique de « l'École des femmes » (la) [voir *École des femmes (l')*]
Dépit amoureux (le)
Dom Garcie de Navarre ou le Prince jaloux
Dom Juan ou le Festin de Pierre
École des femmes (l')
École des maris (l')
Étourdi (l') ou les Contretemps
Fâcheux (les)
Femmes savantes (les)
Fourberies de Scapin (les)
George Dandin ou le Mari confondu
Impromptu de Versailles (l')
Malade imaginaire (le)
Mariage forcé (le)
Médecin malgré lui (le)
Misanthrope (le)
Monsieur de Pourceaugnac

Précieuses ridicules (les)
Princesse d'Élide (la) [voir *Amants magnifiques (les)*]
Psyché [en collab. avec P. CORNEILLE et QUINAULT]
Sganarelle ou le Cocu imaginaire
Sicilien (le) ou l'Amour peintre
Tartuffe (le) ou l'Imposteur

ÉDITIONS COMPLÈTES
➢ *Théâtre complet*, Les Belles Lettres, 8 vol., 1939-1952 (p.p. R. Bray) ;
➢ *Œuvres complètes*, Flammarion, « GF », 4 vol., 1964-1965 (p.p. G. Mongrédien) ;
➢ *Œuvres complètes*, Gallimard, « Pléiade », 2 vol., 1972-1988 (p.p. G. Couton).

MOLINET Jean (1435-1507)

Ressource du petit peuple (la)

MONCRIF François Augustin Paradis de (1687-1770)

Histoire des chats

MONENEMBO Tierno (Guinée, né en 1947)

Crapauds-brousse (les)

MONLUC Blaise de Lasseran-Massencome, seigneur de (1502-1577)

Commentaires

MONNIER Albert (XIXe siècle)

Affaire de la rue de Lourcine (l') [en collab. avec LABICHE et MARTIN]

MONNIER Henry (1779-1877)

Grandeur et Décadence de M. Joseph Prudhomme [en collab. avec VAEZ]
Mémoires de M. Joseph Prudhomme (les) [voir *Grandeur et Décadence de Joseph Prudhomme*]

MONSTRELET Enguerrand de [voir ENGUERRAND DE MONSTRELET]

MONTAIGNE Michel Eyquem , seigneur de (1533-1592)

Essais (les)
Journal de voyage en Italie

ÉDITION COMPLÈTE
➢ *Œuvres complètes*, Gallimard, « Pléiade », 1962 (p.p. A. Thibaudet et M. Rat).

MONTAUSIER Charles de Sainte-Maure, marquis, puis duc de (1610-1690)

Guirlande de Julie (la) [ouvrage collectif]

MONTCHRESTIEN Antoine de (vers 1575-1621)

Écossaise (l') ou le Désastre [voir *Reine d'Écosse (la)*]
Hector
Reine d'Écosse (la)

MONTÉPIN Xavier, comte de (1823-1902)

Porteuse de pain (la)

MONTESQUIEU Charles-Louis de Secondat, baron de (1689-1755)

Arsace et Isménie
Considérations sur les causes de la grandeur des Romains et de leur décadence
De l'esprit des lois
Dialogue de Sylla et d'Eucrate
Esprit des lois (l') [voir *De l'esprit des lois*]
Histoire véritable

MONTESQUIOU-FEZENSAC

Lettres persanes
Mes Pensées
Spicilège
Temple de Gnide (le)

ÉDITION COMPLÈTE
➢ *Œuvres complètes*, Gallimard, « Pléiade », 2 vol., 1949-1951 (p.p. R. Caillois).

MONTESQUIOU-FEZENSAC Robert, comte de (1855-1921)

Hortensias bleus (les)

MONTHERLANT Henry Marie-Joseph Millon de (1896-1972)

Cardinal d'Espagne (le)
Célibataires (les)
Chaos et la Nuit (le)
Démon du bien (le) [voir *Jeunes Filles (les)*]
Jeunes Filles (les)
La ville dont le prince est un enfant
Lépreuses (les) [voir *Jeunes Filles (les)*]
Maître de Santiago (le)
Malatesta
Olympiques (les)
Onze devant la Porte Dorée (les) [voir *Olympiques (les)*]
Paradis à l'ombre des épées (le) [voir *Olympiques (les)*]
Pitié pour les femmes [voir *Jeunes Filles (les)*]
Port-Royal
Reine morte (la)
Rose de sable (la)

ÉDITIONS COMPLÈTES
➢ *Théâtre*, Gallimard, « Pléiade », 1955, nouv. éd., 1972 (p.p. J. de Laprade, préf. complémentaire P. de Saint-Robert) ;
➢ *Romans*, Gallimard, « Pléiade », 2 vol., 1959-1982 (t. I : préf. R. Secrétain, t. II : p.p. M. Raimond).

MONTREUIL Gerbert de [voir GERBERT DE MONTREUIL]

MONTREUX Nicolas de (1561-vers 1610)

Sophonisbe

MORAND Paul (1888-1976)

Fermé la nuit [voir *Ouvert la nuit*]
Flagellant de Séville (le)
Hécate et ses chiens
Homme pressé (l')
Lewis et Irène
Milady
Ouvert la nuit
Venises

ÉDITIONS COMPLÈTES
➢ *Œuvres*, Flammarion, 1981 ;
➢ *Nouvelles complètes*, Gallimard, « Pléiade », 2 vol., 1992 (p.p. M. Collomb).

MORÉAS Jean, pseudonyme de Ioannis Papadiamantopoulos (1856-1910)

Cantilènes (les)
Stances (les)

MOREAU Émile (1852-1922)

Madame Sans-Gêne [en collab. avec SARDOU]

MOREAU Hégésippe, pseudonyme de Pierre-Jacques Roulliot (1810-1838)

Diogène, fantaisie poétique [voir *Myosotis (le)*]
Myosotis (le), petits contes et petits vers

MORELLY (XVIIIᵉ siècle)

Basiliade (la)
Code de la nature
Naufrage des îles flottantes (le) [voir *Basiliade (la)*]

MUDIMBÉ Yves (Zaïre, né en 1941)

Bel Immonde (le)

MURALT Béat-Louis de (Suisse, 1665-1749)

Lettres sur les Anglais et les Français et sur les voyages

MURGER Henry (1822-1861)

Scènes de la vie de bohème

MUSET Colin [voir COLIN MUSET]

MUSSET Alfred de (1810-1857)

À quoi rêvent les jeunes filles
André del Sarto
Caprices de Marianne (les)
Chandelier (le)
Confession d'un enfant du siècle (la)
Contes d'Espagne et d'Italie
Contes et Nouvelles
Coupe et les Lèvres (la)
Fantasio
Histoire d'un merle blanc
Il faut qu'une porte soit ouverte ou fermée
Il ne faut jurer de rien
Lettres de Dupuis et Cotonet
Lorenzaccio
Mimi Pinson. Profil de grisette
Nuits (les)
On ne badine pas avec l'amour
Poésies complètes
Poésies nouvelles [voir *Poésies complètes*]
Premières poésies [voir *Poésies complètes*]
Rolla
Un caprice
Un spectacle dans un fauteuil [voir *À quoi rêvent les jeunes filles* et *Coupe et les Lèvres (la)*]

ÉDITIONS COMPLÈTES
➢ *Comédies et Proverbes*, Les Belles Lettres, « Les Textes français », 4 vol., 1934-1957 (p.p. P. et F. Gastinel) ;
➢ *Œuvres complètes*, Éditions du Seuil, « L'Intégrale », 1963 (p.p. P. Van Tieghem) ;
➢ *Théâtre complet*, Gallimard, « Pléiade », 1990 (p.p. S. Jeune).

MUSSET Paul de (1804-1880)

Lui et Elle [voir *Lui, roman contemporain*, de L. COLET]

N

NAIGEON Jacques-André (1738-1810)

Militaire philosophe (le) [en collab. avec D'HOLBACH][voir *Difficultés sur la religion proposées au père Malebranche* de CHALLE]

NAPOLÉON [voir BONAPARTE]

NARCEJAC Thomas (né en 1908)

Celle qui n'était plus [en collab. avec P.-L. BOILEAU]
...Et mon tout est un homme [en collab. avec P.-L. BOILEAU]

ÉDITION COMPLÈTE
➢ *Quarante Ans de suspense*, Robert Laffont, « Bouquins », 5 vol., 1988-1990 (p.p. F. Lacassin).

NAU John Antoine, pseudonyme d'Eugène Torquet (1860-1918)

Force ennemie

NAVARRE Yves (1940-1994)

Jardin d'Acclimatation (le)

NAVEL Georges (1904-1993)

Travaux

NDIAYE Marie (née en 1967)

En famille

NELLIGAN Émile (Canada/Québec, 1879-1941)

Romance du vin (la)

NÉMIROVSKY Irène (1903-1942)

Bal (le)
David Golder

NERCIAT André-Robert Andréa, chevalier de (1739-1800)

Aphrodites (les) ou Fragments thali-priapiques pour servir à l'histoire du plaisir
Félicia ou Mes fredaines

NERVAL Gérard de, pseudonyme de Gérard Labrunie (1808-1855)

Angélique [voir *Filles du Feu (les)*]
Aurélia ou le Rêve et la Vie
Cagliostro [voir *Illuminés (les)*]
Chansons et Légendes du Valois [voir *Filles du Feu (les)*]
Chimères (les)
Confidences de Nicolas (les) [voir *Illuminés (les)*]
Corilla [voir *Filles du Feu (les)*]
Émilie [voir *Filles du Feu (les)*]
Faux Saulniers (les)
Filles du Feu (les)
Illuminés (les) ou les Précurseurs du socialisme
Isis [voir *Filles du Feu (les)*]
Jacques Cazotte [voir *Illuminés (les)*]
Jemmy [voir *Filles du Feu (les)*]
Léo Burckart
Marquis de Fayolle (le)
Nuits d'octobre (les)
Octavie [voir *Filles du Feu (les)*]
Pandora
Petits Châteaux de Bohême
Promenades et Souvenirs
Quintus Aucler [voir *Illuminés (les)*]
Roi de Bicêtre (le) [voir *Illuminés (les)*]
Sylvie [voir *Filles du Feu (les)*]
Voyage en Orient

ÉDITION COMPLÈTE

➤ *Œuvres complètes*, Gallimard, « Pléiade », 3 vol., 1984-1993 (p.p. J. Guillaume et C. Pichois).

NEVEUX Georges (1900-1983)

Juliette ou la Clé des songes

NICOLAS DE TROYES (première moitié du XVIᵉ siècle)

Grand Parangon des nouvelles nouvelles (le)

NICOLE Pierre (1625-1695)

Logique (la) ou l'Art de penser [en collab. avec ARNAULD]
Traité de la comédie

NICOLE DE MARGIVAL (fin XIIIᵉ-début XIVᵉ)

Dit de la Panthère d'amour [voir *Bestiaire d'amour* de RICHARD DE FOURNIVAL]

NIMIER Roger, pseudonyme de Roger de la Perrière (1925-1962)

Enfants tristes (les)
Hussard bleu (le)

NIVELLE DE LA CHAUSSÉE Pierre Claude (1692-1754)

École des mères (l')
Mélanide
Préjugé à la mode (le)

ÉDITION COMPLÈTE

➤ *Œuvres*, Genève, Slatkine, 1970 (réimp. éd. 1777).

NIZAN Paul (1905-1940)

Aden Arabie
Antoine Bloyé
Conspiration (la)

NOAILLES Anna Bibesco-Brancovan, comtesse de (1876-1933)

Cœur innombrable (le)

NODIER Charles (1780-1844)

Chien de Brisquet (le) [voir *Histoire du roi de Bohême et de ses sept châteaux*]
Fée aux Miettes (la)
Franciscus Columna
Histoire du roi de Bohême et de ses sept châteaux
Inès de las Sierras
Jean Sbogar
Jean-François les Bas bleus
Lydie ou la Résurrection
Mademoiselle de Marsan
Paul ou la Ressemblance
Peintre de Salzbourg (le)
Smarra ou les Démons de la nuit
Stella ou les Proscrits
Trilby ou le Lutin d'Argail

ÉDITION COMPLÈTE

➤ *Œuvres complètes*, Genève, Slatkine, 12 vol., 1968 (réimp. éd. 1832-1837).

NOËL Bernard (né en 1930)

Château de Cène (le)

NORGE Géo, pseudonyme de Georges Mogin (Belgique, 1898-1990)

Râpes (les)

NOUGÉ Paul (Belgique, 1895-1967)

Expérience continue (l')
Fragments

NOURISSIER François (né en 1927)

Bleu comme la nuit
Eau grise (l')
Empire des nuages (l')
Un malaise général [voir *Bleu comme la nuit, Une histoire française* et *Un petit bourgeois*]
Un petit bourgeois
Une histoire française

NOUVEAU Germain (1851-1920)

Doctrine de l'amour (la)
Valentines

ÉDITIONS COMPLÈTES

➤ *Œuvres poétiques*, Gallimard, 2 vol., 1953-1955 (p.p. J. Mouquet et J. Brenner) ;
➤ *Œuvres complètes*, Gallimard, « Pléiade », 1970 (p.p. P.-O. Walzer).

NOVARINA Valère (né en 1942)

Atelier volant (l')
Lettre aux acteurs

O

O'NEDDY Philothée, pseudonyme anagrammatique de Théophile
Dondey (1811-1875)
Feu et Flamme

OBALDIA René de (né en 1918)
Du vent dans les branches de sassafras
Genousie
ÉDITION COMPLÈTE
➢ *Théâtre*, Grasset, 7 vol., 1966-1981.

OHNET Georges (1848-1918)
Maître de forges (le)

OLLIER Claude (né en 1922)
Mise en scène (la)

ORMESSON Jean d' (né en 1925)
Au revoir et merci
Gloire de l'Empire (la)

ORSENNA Erik, pseudonyme d'Éric Arnoult (né en 1947)
Exposition coloniale (l')

ORVILLE Xavier (né en 1932)
Homme aux sept noms et des poussières (l') [voir *Marchand de
larmes (le)*]
Marchand de larmes (le)

OSTER Pierre (né en 1933)
Dieux (les)

OTTE Jean-Pierre (Belgique, né en 1949)
Celui qui oublie où conduit le chemin

OUELLETTE Fernand (Canada/Québec, né en 1930)
Ces anges de sang [voir *Poésies (1953-1971)*]
Dans le sombre [voir *Poésies (1953-1971)*]
Poésies (1953-1971)
Radiographies [voir *Poésies (1953-1971)*]
Séquences de l'aile [voir *Poésies (1953-1971)*]

OUOLOGUEM Yambo (Mali, né en 1940)
Devoir de violence (le)

OWEN Thomas, pseudonyme de Gérald Bertot (Belgique, né en
1910)
Père et Fille

OYONO Ferdinand (Cameroun, né en 1929)
Une vie de boy
Vieux Nègre et la Médaille (le)

P

PAGNOL Marcel (1895-1974)
César [voir *Marius*]
Château de ma mère (le) [voir *Souvenirs d'enfance*]
Eau des collines (l')

Fanny [voir *Marius*]
Gloire de mon père (la) [voir *Souvenirs d'enfance*]
Jean de Florette [voir *Eau des collines (l')*]
Manon des sources [voir *Eau des collines (l')*]
Marius
Souvenirs d'enfance
Temps des amours (le) [voir *Souvenirs d'enfance*]
Temps des secrets (le) [voir *Souvenirs d'enfance*]
Topaze
ÉDITION COMPLÈTE
➢ *Œuvres complètes*, Club de l'honnête homme, 12 vol., 1970-1971 (préf. de
l'auteur).

PAILLERON Édouard (1834-1899)
Le monde où l'on s'ennuie

PALISSOT DE MONTENOY Charles (1730-1814)
Philosophes (les)

PAPILLON DE LASPHRISE Marc de (1555-1599)
Amour passionnée de Noémie (l') [voir *Amours de Théophile (les)*]
Amours de Théophile (les)

PARNY Évariste Désiré de Forges de (1753-1814)
Guerre des dieux anciens et modernes (la)
Poésies érotiques

PASCAL Blaise (1623-1662)
De l'esprit géométrique
Discours sur la possibilité des commandements [voir *Écrits sur la
grâce*]
Écrit sur la conversion du pécheur
Écrits sur la grâce
Entretien avec M. de Sacy
Lettre sur la possibilité des commandements [voir *Écrits sur la
grâce*]
Lettres à Mademoiselle de Roannez
Pensées
Prière pour demander à Dieu le bon usage des maladies
Provinciales (les)
Traité de la prédestination [voir *Écrits sur la grâce*]
Trois Discours sur la condition des Grands
ÉDITION COMPLÈTE
➢ *Œuvres complètes*, Desclée de Brouwer, 4 vol. parus, 1964 → (p.p. J. Mes-
nard).

PASQUIER Etienne (1529-1615)
Recherches de la France

PASSEUR Stève, pseudonyme d'Étienne Morin (1899-1966)
Je vivrai un grand amour

PAULHAN Jean (1884-1968)
Fleurs de Tarbes (les) ou la Terreur dans les lettres
Guerrier appliqué (le)
Progrès en amour assez lents

PAULYANTHE, pseudonyme d'Alexis Chaponnier (XIXᵉ siècle)
Auberge des Adrets (l') [en collab. avec ANTIER et SAINT-AMANT]

PAUWELS Louis (né en 1920)
Amour monstre (l')

PÉGUY Charles (1873-1914)
À Domrémy [voir *Jeanne d'Arc*]
Batailles (les) [voir *Jeanne d'Arc*]
Cahiers de la Quinzaine

Ève
Jeanne d'Arc
Mystère de la charité de Jeanne d'Arc (le)
Notre Jeunesse [voir *Victor-Marie, comte Hugo*]
Notre patrie
Rouen [voir *Jeanne d'Arc*]
Solvuntur objecta [voir *Victor-Marie, comte Hugo*]
Tapisseries (les)
Victor-Marie, comte Hugo

ÉDITIONS COMPLÈTES
➢ *Œuvres poétiques complètes*, Gallimard, « Pléiade », 1967 (p.p. F. Porché, M. et P. Péguy) ;
➢ *Œuvres complètes*, Genève, Slatkine, 10 vol., 1974 (préf. J. Bastaire ; réimp. éd. 1917-1955) ;
➢ *Œuvres en prose complètes*, Gallimard, « Pléiade », 3 vol., 1987-1992 (p.p. R. Burac).

PÉLADAN Joseph, dit Joséphin (1859-1918)
Décadence latine (la), éthopée
Vice suprême (le) [voir *Décadence latine (la)*]

PELETIER DU MANS Jacques (1517-1582)
Amour des amours (l')
Art poétique

PENNAC Daniel (né en 1944)
Fée Carabine (la)

PEREC Georges (1936-1982)
Choses (les). Une histoire des années soixante
Disparition (la)
Je me souviens (les Choses communes I)
Revenentes (les) [voir *Disparition (la)*]
Vie mode d'emploi (la)
W ou le Souvenir d'enfance

PÉRET Benjamin (1899-1959)
À tâtons [voir *Feu central*]
Déshonneur des poètes (le)
Dormir, dormir dans les pierres [voir *Feu central*]
Feu central
Grand Jeu (le)
Immortelle Maladie [voir *Feu central*]
Je sublime [voir *Feu central*]
Un point c'est tout [voir *Feu central*]

ÉDITION COMPLÈTE
➢ *Œuvres complètes*, Losfeld puis J. Corti, 5 vol., 1969-1989.

PERGAUD Louis (1882-1915)
De Goupil à Margot
Guerre des boutons (la)

ÉDITIONS COMPLÈTES
➢ *Œuvres complètes*, Club de l'honnête homme, 5 vol., 1975-1976 ;
➢ *Œuvres complètes*, Mercure de France, 1987.

PERRAULT Charles (1628-1703)
Barbe-Bleue (la) [voir *Contes*]
Belle au bois dormant (la) [voir *Contes*]
Cendrillon ou la Petite Pantoufle de verre [voir *Contes*]
Chat botté (le) [voir *Contes*]
Contes
Contes de ma mère l'Oye [voir *Contes*]
Contes en vers [voir *Contes*]
Fées (les) [voir *Contes*]
Griselidis [voir *Contes*]
Histoires ou Contes du temps passé [voir *Contes*]
Maître Chat ou le Chat botté (le) [voir *Contes*]
Peau-d'Âne [voir *Contes*]
Petit Chaperon rouge (le) [voir *Contes*]
Petit Poucet (le) [voir *Contes*]
Riquet à la houppe [voir *Contes*]
Souhaits ridicules (les) [voir *Contes*]

PERRET Jacques (1901-1992)
Bande à part
Caporal épinglé (le)

PERROS Georges (1923-1978)
Papiers collés
Poèmes bleus

PEYRÉ Joseph (1895-1968)
Escadron blanc (l')
Sang et Lumières

PEYREFITTE Roger (né en 1907)
Ambassades (les)
Amitiés particulières (les)

PHILIPPE Charles-Louis (1874-1909)
Bubu de Montparnasse

PHILIPPE DE COMMYNES [voir COMMYNES]

PHILIPPE DE MÉZIÈRES (1459-1458)
Songe du Vieux Pèlerin (le) [voir *Songe du verger (le)*]

PHILIPPE DE REMI [voir BEAUMANOIR]

PHILIPPE DE VIGNEULLES (1471-1528)
Cent Nouvelles nouvelles (les)

PICARD Louis Benoît (1769-1828)
Deux Philibert (les)

PICHETTE Henri (né en 1924)
Épiphanies (les)

PIEYRE DE MANDIARGUES André (1909-1991)
Le point où j'en suis
Marge (la)
Motocyclette (la)

PIGAULT-LEBRUN Charles Antoine Guillaume Pigault de l'Épinoy, dit (1753-1835)
Charles et Caroline ou les Abus de l'Ancien Régime
Enfant du carnaval (l')
Rivaux d'eux-mêmes (les)

PILHES René Victor (né en 1934)
Imprécateur (l')

PILON Jean-Guy (Canada/Québec, né en 1930)
Comme eau retenue

PINGET Robert (né en 1919)
Hypothèse (l')
Inquisitoire (l')
Libera (le)
Mahu ou le Matériau
Passacaille

PIRON Alexis (1689-1773)
Arlequin Deucalion
Métromanie (la) ou le Poète

PISAN ou PIZAN

PISAN ou PIZAN [voir CHRISTINE DE PISAN ou PIZAN]

PIXERÉCOURT René Charles Guilbert de (1773-1844)
Chien de Montargis (le) ou la Forêt de Bondy
Cœlina ou l'Enfant du mystère
Femme à deux maris (la)
Ruines de Babylone (les) ou le Massacre des Barmécides
ÉDITION COMPLÈTE
➤ *Théâtre choisi*, Genève, Slatkine, 4 vol., 1971 (réimp. éd. 1841-1843, introd. C. Nodier).

PLISNIER Charles (Belgique, 1896-1952)
Meurtres
Mort d'Isabelle [voir *Meurtres*]

PLUCHE Noël Antoine, dit l'abbé (1688-1761)
Spectacle de la nature (le)

POIROT-DELPECH Bertrand (né en 1929)
Été 36 (l')
Grand Dadais (le)

POISSENOT Bénigne (vers 1558- ?)
Été (l')

POLO Marco (Venise, 1254-1324)
Devisement du monde (le)

PONGE Francis (1899-1988)
Fabrique du pré (la)
Grand Recueil (le)
Lyres [voir *Grand Recueil (le)*]
Méthodes [voir *Grand Recueil (le)*]
Parti pris des choses (le)
Pièces [voir *Grand Recueil (le)*]
Pour un Malherbe

PONSARD François (1814-1867)
Lucrèce

PONSON DU TERRAIL Pierre Alexis, vicomte (1829-1871)
Chevaliers du clair de lune (les) [voir *Rocambole*]
Dernier Mot de Rocambole (le) [voir *Rocambole*]
Drames de Paris (les) [voir *Rocambole*]
Exploits de Rocambole (les) [voir *Rocambole*]
Héritage mystérieux (l') [voir *Rocambole*]
Misères de Londres (les) [voir *Rocambole*]
Nouveaux Drames de Paris (les) [voir *Rocambole*]
Résurrection de Rocambole (la) [voir *Rocambole*]
Revanche de Baccarat (la) [voir *Rocambole*]
Rocambole

PORTO-RICHE Georges de (1849-1930)
Amoureuse

POSTEL Guillaume (vers 1510-1581)
République des Turcs (la)

POTOCKI Jean (Pologne, 1761-1815)
Manuscrit trouvé à Saragosse

POULAILLE Henry (1896-1980)
Pain quotidien (le)

POURRAT Henri (1887-1959)
Gaspard des montagnes

POURTALÈS Guy de (1881-1941)
Pêche miraculeuse (la)

PRÉVERT Jacques (1900-1977)
Histoires
Paroles
ÉDITION COMPLÈTE
➤ *Œuvres complètes*, Gallimard, « Pléiade », 2 vol. prévus, 1993 → (p.p. A. Laster et D. Gasiglia-Laster).

PRÉVOST Antoine-François Prévost d'Exiles, dit l'abbé (1697-1763)
Campagnes philosophiques ou Mémoires de M. de Montcal
Cleveland
Doyen de Killerine (le)
Histoire d'une Grecque moderne
Histoire du chevalier Des Grieux et de Manon Lescaut [voir *Manon Lescaut*]
Histoire générale des voyages
Manon Lescaut
Mémoires et Aventures d'un homme de qualité qui s'est retiré du monde
Mémoires pour servir à l'histoire de Malte ou Histoire de la jeunesse du commandeur de ***
Philosophe anglais (le) ou Histoire de Monsieur Cleveland, fils naturel de Cromwell [voir *Cleveland*]
Pour et Contre (le)
ÉDITION COMPLÈTE
➤ *Œuvres*, Presses Univ. Grenoble, 7 vol. (p.p. J.Sgard).

PRÉVOST Jean (1901-1944)
Frères Bouquinquant (les)

PRÉVOST Marcel (1862-1941)
Demi-vierges (les)

PROU Suzanne (née en 1920)
Terrasse des Bernardini (la)

PROUST Marcel (1871-1922)
À l'ombre des jeunes filles en fleurs [voir *À la recherche du temps perdu*]
À la recherche du temps perdu
Albertine disparue [voir *À la recherche du temps perdu*]
Contre Sainte-Beuve
Côté de Guermantes (le) [voir *À la recherche du temps perdu*]
Du côté de chez Swann [voir *À la recherche du temps perdu*]
Fugitive (la) [voir *À la recherche du temps perdu*]
Jean Santeuil
Pastiches et Mélanges
Plaisirs et les Jours (les)
Prisonnière (la) [voir *À la recherche du temps perdu*]
Sodome et Gomorrhe [voir *À la recherche du temps perdu*]
Temps retrouvé (le) [voir *À la recherche du temps perdu*]

PUGET DE LA SERRE Jean (1594-1665)
Pandoste ou la Princesse malheureuse
Thomas Morus ou le Triomphe de la foi et de la constance

PURE Michel, abbé de (1620-1680)
Précieuse (la) [voir *Prétieuse (la)*]
Prétieuse (la) ou le Mystère des ruelles

Q

QUEFFÉLEC Henri (1910-1992)

Un recteur de l'île de Sein

QUEFFÉLEC Yann (né en 1949)

Noces barbares (les)

QUENEAU Raymond (1903-1976)

Cent Mille Milliards de poèmes
Chêne et Chien [voir *Si tu t'imagines*]
Chien à la mandoline (le)
Chiendent (le)
Courir les rues
Exercices de style
Fendre les flots
Fleurs bleues (les)
Instant fatal (l') [voir *Si tu t'imagines*]
Journal intime [voir *Œuvres complètes de Sally Mara (les)*]
Loin de Rueil
Œuvres complètes de Sally Mara (les)
On est toujours trop bon avec les femmes [voir *Œuvres complètes de Sally Mara (les)*]
Petite Cosmogonie portative
Pierrot mon ami
Saint-Glinglin
Si tu t'imagines
Zazie dans le métro
Ziaux (les) [voir *Si tu t'imagines*]

ÉDITION COMPLÈTE

➤ *Œuvres complètes*, Gallimard, « Pléiade », 3 vol. prévus, 1989 → (p.p. C. Debon).

QUIGNARD Pascal (né en 1948)

Escaliers de Chambord (les)
Salon du Wurtemberg (le)

QUINAULT Philippe (1635-1688)

Alceste
Astrate, roi de Tyr
Atys
Comédie sans comédie (la)
Psyché [en collab. avec P. CORNEILLE et MOLIÈRE]

ÉDITION COMPLÈTE

➤ *Théâtre*, Genève, Slatkine, 1970 (réimp. éd. 1778).

QUINET Edgar (1803-1875)

Ahasvérus
Des Jésuites
Histoire de mes idées
Napoléon
Prométhée
Révolution (la)
Tablettes du Juif errant (les) [voir *Ahasvérus*]

ÉDITION COMPLÈTE

➤ *Œuvres complètes*, Genève, Slatkine, 30 vol., 1989 (réimp. éd. 1895-1910).

R

RABBE Alphonse (1786-1829)

Album d'un pessimiste, variétés littéraires, politiques, morales et philosophiques

RABEARIVELO Jean-Joseph (1903-1937)

Traduit de la nuit

RABELAIS François (vers 1483-1553)

Cinquième Livre des faits et dits héroïques du bon Pantagruel (le) [attribution incertaine]
Gargantua
Pantagruel
Pantagruéline Prognostication
Quart Livre des faits et dits héroïques du bon Pantagruel
Tiers Livre des faits et dits héroïques du bon Pantagruel

ÉDITIONS COMPLÈTES

➤ *Œuvres complètes*, Gallimard, « Pléiade », 1934, rééd. 1955 (p.p. J. Boulenger, revue p. L. Scheler) ; nouvelle édition, 1994 (dir. M. Huchon) ;
➤ *Œuvres*, les Belles Lettres, « Les Textes français », 5 vol., 1948-1961 (dir. J. Plattard) ;
➤ *Œuvres complètes*, Imprimerie Nationale/Nouvelle Librairie de France, 5 vol., 1957 (p.p. M. Guilbaud) ;
➤ *Œuvres complètes*, Bordas, « Classiques Garnier », 2 vol., 1962 (p.p. P. Jourda) ;
➤ *Œuvres complètes*, Éditions du Seuil, « L'Intégrale », 1973 (texte original et translation en français moderne, p.p. G. Demerson).

RABEMANANJARA Jacques (Madagascar, né en 1913)

Ordalies (les), sonnets d'outre-temps

RACAN Honorat de Bueil, seigneur de (1589-1670)

Bergeries (les)

RACHILDE, pseudonyme de Mme Alfred Valette, née Marguerite Eymery (1860-1953)

Monsieur Vénus

RACINE Jean (1639-1699)

Alexandre le Grand
Andromaque
Athalie
Bajazet
Bérénice
Britannicus
Esther
Iphigénie
Mithridate
Phèdre
Plaideurs (les)
Thébaïde (la) ou les Frères ennemis

ÉDITIONS COMPLÈTES

➤ *Théâtre*, Les Belles Lettres, « Les Textes français », 4 vol., 1946-1953 (p.p. G. Truc) ;
➤ *Œuvres complètes*, Gallimard, « Pléiade », 2 vol., 1951-1952 (p.p. R. Picard) ;
➤ *Théâtre complet*, Flammarion, « GF », 2 vol., 1964-1965 (p.p. A. Stegmann) ;
➤ *Théâtre complet*, Gallimard, « Folio », 2 vol., 1982-1983 (p.p. J.-P. Collinet) ;
➤ *Théâtre complet*, Bordas, « Classiques Garnier », 1983 (p.p. J. Morel et A. Viala).

RADIGUET Raymond (1903-1923)

Bal du comte d'Orgel (le)
Diable au corps (le)

ÉDITIONS COMPLÈTES

➤ *Œuvres complètes*, Genève, Slatkine, 1978 (réimp. éd. 1952) ;
➤ *Œuvres complètes*, Stock, 1993 (p.p. C. Radiguet et J. Cendres).

RAIMBERT DE PARIS (fin XIIe-début XIIIe siècle)

Chevalerie Ogier (la)

RAMSAY André Michel, chevalier de (1686-1743)

Voyages de Cyrus (les)

RAMUZ Charles Ferdinand (Suisse, 1878-1947)

Aline
Derborence
Grande Peur dans la montagne (la)
Vie de Samuel Belet (la)

RAOUL DE HOUDENC (fin XIIᵉ-milieu XIIIᵉ siècle)
Songe d'enfer

RAPIN René (1621-1687)
Réflexions sur la « Poétique » d'Aristote

RAY Jean, pseudonyme de Raymond De Kremer (Belgique, 1887-1964)
Malpertuis

RAYNAL Guillaume Thomas, abbé (1713-1796)
Histoire des deux Indes

RAYNOUARD François (1761-1836)
Templiers (les)

RÉAGE Pauline
Histoire d'O

REBATET Lucien (1903-1972)
Deux Étendards (les)

REBELL Hugues, pseudonyme de Georges Grassal (1867-1905)
Câlineuse (la)
Nuits chaudes du Cap-Français (les)

RÉDA Jacques (né en 1929)
Amen

REGNARD Jean-François (1655-1709)
Folies amoureuses (les)
Joueur (le)
Légataire universel (le)
Voyages de Flandres, Hollande, Suède, Danemark, Laponie, Pologne et Allemagne. Voyages de Normandie et de Chaumont

RÉGNIER Henri de (1864-1936)
Altana (l') ou la Vie vénitienne
Jeux rustiques et divins
Pécheresse (la)
ÉDITION COMPLÈTE
➤ *Œuvres*, Genève, Slatkine, 3 vol., 1978 (réimp. éd. 1913-1931).

RÉGNIER Mathurin (1573-1613)
Satires (les)

REIGNY [voir COUSIN JACQUES (le)]

RÉMI Philippe de [voir BEAUMANOIR]

RÉMY Pierre-Jean, pseudonyme de Jean-Pierre Angremy (né en 1937)
Annette ou l'Éducation des filles
Sac du Palais d'été (le)

RENAN Ernest (1823-1892)
Abbesse de Jouarre (l')
Avenir de la science (l')
Réforme intellectuelle et morale de la France (la)
Souvenirs d'enfance et de jeunesse
Vie de Jésus

ÉDITIONS COMPLÈTES
➤ *Œuvres complètes*, Calmann-Lévy, 10 vol., 1947-1962 (dir. H. Psichari) ;
➤ *Œuvres diverses*, Robert Laffont, « Bouquins », 1984 (p.p. L. Rétat).

RENART Jean [voir JEAN RENART]

RENARD Jean-Claude (né en 1922)
Choix de poèmes

RENARD Jules (1864-1910)
Écornifleur (l')
Histoires naturelles
Journal
Pain de ménage (le)
Plaisir de rompre (le)
Poil de Carotte
ÉDITIONS COMPLÈTES
➤ *Théâtre complet* suivi de *Propos de théâtre* et de *la Semaine théâtrale*, Gallimard, 1959 (p.p. G. Sigaux) ;
➤ *Œuvres*, Gallimard, « Pléiade », 2 vol., 1970-1971 (p.p. L. Guichard).

RENAUT DE BEAUJEU (vers 1165-1230)
Bel inconnu (le)

RENÉ Iᵉʳ D'ANJOU, dit le Bon (1409-1480)
Livre du Cœur d'Amour épris (le)

RÉTIF (ou RESTIF) DE LA BRETONNE Nicolas Edme Rétif, dit (1734-1806)
Année des dames nationales (l')
Anti-Justine (l') ou les Délices de l'amour
Contemporaines (les) ou Aventures des plus jolies femmes de l'âge présent
Découverte australe par un homme volant (la) ou le Dédale français
Dernière Aventure d'un homme de quarante-cinq ans (la)
Ingénue Saxancour ou la Femme séparée
Monsieur Nicolas ou le Cœur humain dévoilé
Nuits de Paris (les)
Paysan perverti (le) ou les Dangers de la ville
Paysanne pervertie (la) ou les Dangers de la ville
Pornographe (le)
Sara [voir *Dernière Aventure d'un homme de quarante-cinq ans (la)*]
Vie de mon père (la)

RETZ Jean-François Paul de Gondi, cardinal de (1613-1679)
Conjuration du comte Jean-Louis de Fiesque (la)
Mémoires
ÉDITION COMPLÈTE
➤ *Œuvres*, Gallimard, « Pléiade », 1983 (p.p. M.-T. Hipp et M. Pernot).

REVERDY Pierre (1889-1960)
Flaques de verre
Main d'oeuvre. Poèmes 1939-1949
Plupart du temps

RÉVÉRONI SAINT-CYR Jacques Antoine (1767-1829)
Pauliska ou la Perversité moderne
Sabina d'Herfeld ou les Dangers de l'imagination
Taméha, reine des îles Sandwick

REZVANI Serge (né en 1928)
Années-lumière (les)
Testament amoureux (le)

RIBEMONT-DESSAIGNES Georges (1884-1974)
Ecce Homo

RICARDOU Jean (né en 1932)

Observatoire de Cannes (l')

RICCOBONI Mme, née Marie-Jeanne de Laboras de Mézières (1713-1792)

Histoire d'Ernestine
Histoire du marquis de Cressy
Lettres de mistriss Fanni Butlerd

RICHARD DE FOURNIVAL (1201-avant 1260)

Bestiaire d'amour

RICHAUD André de (1909-1968)

Douleur (la)

RICHEPIN Jean (1849-1926)

Chanson des gueux (la)

RICTUS Jehan, pseudonyme de Gabriel Randon de Saint-Amand (1867-1933)

Soliloques du pauvre (les)

RILKE Rainer Maria (Autriche, 1875-1926)

Quatrains valaisans (les) [voir *Vergers*]
Vergers

RIMBAUD Arthur (1854-1891)

Cahier de Douai [voir *Poésies*]
Illuminations
Lettres
Poésies
Un cœur sous une soutane
Une saison en enfer

ÉDITIONS COMPLÈTES
➢ *Œuvres complètes*, Gallimard, « Pléiade », 1972 (p.p. A. Adam) ;
➢ *Poésies, Derniers vers, Une saison en enfer, Illuminations*, « Le Livre de Poche », 1972 (p.p. D. Leuwers) ;
➢ *Poésies, Une saison en enfer, Illuminations*, Gallimard, « Poésie/Gallimard », 1973 (préf. R. Char, p.p. L. Forestier) ;
➢ *Œuvres*, Bordas, « Classiques Garnier », 1981 (p.p. S. Bernard et A. Guyaux) ;
➢ *Œuvres poétiques*, Imprimerie nationale, « Lettres françaises », 1986 (p.p. A. Hackett) ;
➢ *Œuvres*, Flammarion, « GF », 3 vol., 1989 (p.p. J.-L. Steinmetz) ;
➢ *Œuvre-Vie*, Arléa, 1991 (dir. A. Borer) ;
➢ *Œuvres complètes*, Robert Laffont, « Bouquins », 1993 (p.p. L. Forestier).

RINALDI Angelo (né en 1940)

Éducation de l'oubli (l')
Jardins du consulat (les)
Maison des Atlantes (la)

RINGUET Louis, pseudonyme de Philippe Panneton (Canada, 1895-1960)

Trente Arpents

RIVAROL Antoine Rivaroli, dit le Comte de (1753-1801)

Discours sur l'universalité de la langue française

RIVAUDEAU André de (vers 1540-vers 1580)

Aman
Complaintes de quelques personnages désespérés

ROBBE-GRILLET Alain (né en 1922)

Dans le labyrinthe
Gommes (les)
Jalousie (la)
Voyeur (le)

ROBERT DE BORON (fin du XIIᵉ-début du XIIIᵉ siècle)

Merlin [attribution incertaine]
Roman de l'histoire du Graal (le)

ROBERT DE CLARI (fin du XIIᵉ-début du XIIIᵉ siècle)

Conquête de Constantinople (la)

ROBERTS Jean-Marc (né en 1954)

Ami de Vincent (l')

ROBIN Armand (1912-1961)

Ma vie sans moi
Monde d'une voix (le) [voir *Ma vie sans moi*]

ROBINET Jean-Baptiste (1735-1820)

De la nature

ROBLÈS Emmanuel (né en 1914)

Hauteurs de la ville (les)
Montserrat

ROCHE Denis (né en 1937)

Louve basse

ROCHE Maurice (né en 1925)

Maladie mélodie

ROCHÉ Henri-Pierre (1879-1959)

Deux Anglaises et le Continent
Jules et Jim

ROCHEFORT Christiane (née en 1917)

Petits Enfants du siècle (les)
Repos du guerrier (le)

ROCHON DE CHABANNES Marc-Antoine Jacques (1730-1800)

Heureusement

ROD Édouard (Suisse, 1857-1910)

Palmyre Veulard
Sens de la vie (le)

RODENBACH Georges (Belgique, 1855-1898)

Bruges-la-Morte
Vies encloses (les)
Voile (le)

ÉDITION COMPLÈTE
➢ *Œuvres*, Genève, Slatkine, 1978 (réimp. éd. 1923-1925).

ROLAND Jeanne-Marie Phlipon, dame Roland de La Platière, dite Mme (1754-1793)

Mémoires

ROLIN Dominique (Belgique, née en 1913)

Infini chez soi (l')
Lit (le)

ROLLAND Romain (1866-1944)

Adolescence (l') [voir *Jean-Christophe*]
Âme enchantée (l')
Amies (les) [voir *Jean-Christophe*]
Annette et Sylvie [voir *Âme enchantée (l')*]
Annonciation (l') [voir *Âme enchantée (l')*]
Antoinette [voir *Jean-Christophe*]
Au-dessus de la mêlée
Aube (l') [voir *Jean-Christophe*]
Buisson ardent (le) [voir *Jean-Christophe*]
Colas Breugnon
Dans la maison [voir *Jean-Christophe*]
Enlisement (l') [voir *Jean-Christophe*]
Été (l') [voir *Âme enchantée (l')*]
Foire sur la place (la) [voir *Jean-Christophe*]
Jean-Christophe
Matin (le) [voir *Jean-Christophe*]
Mère et Fils [voir *Âme enchantée (l')*]
Nouvelle Journée (la) [voir *Jean-Christophe*]
Quatorze Juillet (le)
Révolte (la) [voir *Jean-Christophe*]
Robespierre
Sables mouvants [voir *Jean-Christophe*]
Triomphe de la raison (le)

ROLLIN Charles (1661-1741)

De la manière d'enseigner et d'étudier les belles-lettres par rapport à l'esprit et au coeur
Traité des études [voir *De la manière d'enseigner (...)*]

ROLLINAT Maurice (1846-1903)

Névroses (les)

ROMAINS Jules, pseudonyme de Louis Farigoule (1885-1972)

Amours enfantines (les) [voir *Hommes de bonne volonté (les)*]
Cette grande lueur à l'Est [voir *Hommes de bonne volonté (les)*]
Comparutions [voir *Hommes de bonne volonté (les)*]
Copains (les)
Créateurs (les) [voir *Hommes de bonne volonté (les)*]
Crime de Quinette [voir *Hommes de bonne volonté (les)*]
Donogoo-Tonka
Douceur de la vie (la) [voir *Hommes de bonne volonté (les)*]
Drapeau noir (le) [voir *Hommes de bonne volonté (les)*]
Éros de Paris [voir *Hommes de bonne volonté (les)*]
Françoise [voir *Hommes de bonne volonté (les)*]
Hommes de bonne volonté (les)
Humbles (les) [voir *Hommes de bonne volonté (les)*]
Journées dans la montagne [voir *Hommes de bonne volonté (les)*]
Knock ou le Triomphe de la médecine
Le monde est ton aventure [voir *Hommes de bonne volonté (les)*]
Mission à Rome [voir *Hommes de bonne volonté (les)*]
Monsieur Le Trouhadec saisi par la débauche
Montée des périls [voir *Hommes de bonne volonté (les)*]
Naissance de la bande [voir *Hommes de bonne volonté (les)*]
Pouvoirs (les) [voir *Hommes de bonne volonté (les)*]
Prélude à Verdun [voir *Hommes de bonne volonté (les)*]
Province [voir *Hommes de bonne volonté (les)*]
Recherche d'une Église [voir *Hommes de bonne volonté (les)*]
Recours à l'abîme [voir *Hommes de bonne volonté (les)*]
Superbes (les) [voir *Hommes de bonne volonté (les)*]
Tapis magique (le) [voir *Hommes de bonne volonté (les)*]
Travaux et les Joies (les) [voir *Hommes de bonne volonté (les)*]
Verdun [voir *Hommes de bonne volonté (les)*]
Vie unanime (la)
Vorge contre Quinette [voir *Hommes de bonne volonté (les)*]
6 octobre (le) [voir *Hommes de bonne volonté (les)*]
7 octobre (le) [voir *Hommes de bonne volonté (les)*]

ÉDITION COMPLÈTE
➢ *Théâtre*, Gallimard, 6 vol., 1924-1935.

RONSARD Pierre de (1524-1585)

Amours (les)
Amours de Cassandre (les) [voir *Amours (les)*]
Bocage (le)
Bocage royal (le)
Continuation des Amours [voir *Amours (les)*]
Derniers Vers (les)
Discours des misères de ce temps
Franciade (la)
Hymnes
Livret de folastries
Mélanges
Nouvelle Continuation des Amours [voir *Amours (les)*]
Odes (les)
Sonnets et Madrigals pour Astrée [voir *Amours (les)*]
Sonnets pour Hélène [voir *Amours (les)*]
Vers d'Eurymédon et de Callirée [voir *Amours (les)*]

ÉDITIONS COMPLÈTES
➢ *Œuvres complètes*, STFM, 20 vol., 1914-1984 (p.p. P. Laumonier, complétée et revue p. R. Lebègue *et al.*) ;
➢ *Œuvres complètes*, Gallimard, « Pléiade », 2 vol., 1993-1994 (p.p. J. Céard, D. Ménager et M. Simonin).

ROSNY Aîné, Joseph Henri Boex, dit (1856-1940)

Guerre du feu (la)
Xipéhuz (les)

ROSSET François de (vers 1570-1619)

Histoires tragiques de notre temps

ROSTAND Edmond (1868-1918)

Aiglon (l')
Chantecler
Cyrano de Bergerac
Romanesques (les)

ROTROU Jean (1609-1650)

Bague de l'oubli (la)
Belle Alphrède (la)
Comédie des Tuileries (la) [sous le pseudonyme collectif des CINQ AUTEURS]
Cosroès
Hypocondriaque (l') ou le Mort amoureux
Laure persécutée
Venceslas
Véritable saint Genest (le)

ÉDITION COMPLÈTE
➢ *Œuvres*, Genève, Slatkine, 5 vol., 1967 (réimp. éd. 1820).

ROUART Jean-Marie (né en 1943)

Feux du pouvoir (les)

ROUAUD Jean (né en 1952)

Champs d'honneur (les)

ROUBAUD Jacques (né en 1932)

Autobiographie, chapitre dix
Quelque chose noir
Trente et Un au cube
∈ [signe mathématique signifiant *Appartient à*]

ROUCHER Jean Antoine (1745-1794)

Mois (les)

ROUD Gustave (Suisse, 1897-1976)

Air de la solitude [voir *Écrits*]
Aveuglement (l') [voir *Écrits*]
Campagne perdue [voir *Écrits*]
Écrits
Essai pour un paradis [voir *Écrits*]
Feuillets [voir *Écrits*]
Petit Traité de la marche en plaine [voir *Écrits*]
Pour un moissonneur [voir *Écrits*]
Repos du cavalier (le) [voir *Écrits*]
Requiem [voir *Écrits*]
Scène [voir *Écrits*]

ROUGEMONT Denis de (Suisse, 1906-1985)

Amour et l'Occident (l')

ROUMAIN Jacques (Haïti, 1907-1944)

Gouverneurs de la rosée

ROUSSEAU Jean-Baptiste (1671-1741)

Odes

ROUSSEAU Jean-Jacques (1712-1778)

Confessions (les)
Considérations sur le gouvernement de Pologne et sur sa réforma-
*   tion projetée*
Contrat social (le) [voir *Du contrat social*]
Dialogues [voir *Rousseau juge de Jean-Jacques*]
Discours sur l'origine et les fondements de l'inégalité parmi les
*   hommes*
Discours sur les sciences et les arts
Du contrat social ou Principes du droit politique
Émile ou De l'éducation
Essai sur l'origine des langues où il est traité de la Mélodie et de
*   l'Imitation musicale*
Julie ou la Nouvelle Héloïse [voir *Nouvelle Héloïse (la)*]
Lettre à d'Alembert sur les spectacles
Lettres à M. le Président de Malesherbes contenant le vrai tableau
*   de ma conduite et de mon caractère*
Lettres écrites de la montagne
Nouvelle Héloïse (la)
Projet de Constitution pour la Corse
Rêveries du promeneur solitaire (les)
Rousseau juge de Jean-Jacques. Dialogues

ÉDITION COMPLÈTE

➢ *Œuvres complètes*, Gallimard, « Pléiade », 4 vol. parus, 1959-1969 (dir. B.
   Gagnebin et M. Raymond).

ROUSSEL Raymond (1877-1933)

Comment j'ai écrit certains de mes livres
Impressions d'Afrique
Locus Solus
Nouvelles Impressions d'Afrique

ROUSSIN André (1911-1987)

Petite Hutte (la)

ROY Claude (né en 1915)

Moi je

ROY Gabrielle (Canada/Manitoba, 1909-1983)

Alexandre Chênevert, caissier
Bonheur d'occasion
Montagne secrète (la)

RUTEBEUF († vers 1285)

Dit d'Hypocrisie (le) [voir *Dits satiriques*]
Dit de Guillaume de Saint-Amour (le) [voir *Dits satiriques*]
Dit de l'Herberie (le)
Dit de l'Université de Paris (le) [voir *Dits satiriques*]
Dits satiriques
Miracle de Théophile
Poèmes de l'infortune
Poèmes de la croisade
Vie de sainte Marie l'Égyptienne
Voie d'humilité (la) [voir *Songe d'enfer*, de RAOUL DE HOUDENC]

ÉDITIONS COMPLÈTES

➢ *Œuvres complètes*, A. et J. Picard, 2 vol., 1959-1960 (p.p. E. Faral et J. Bas-
   tin) ;
➢ *Œuvres complètes*, Bordas, « Classiques Garnier », 2 vol., 1989-1991 (bilingue, p. et trad. p. M. Zink).

S

SABATIER Robert (né en 1923)

Allumettes suédoises (les)

SACHS Maurice, pseudonyme de Jean-Maurice Ettinghausen (1906-
1944 ou 1945)

Chasse à courre (la)
Sabbat (le)

SADE Donatien Alphonse François, marquis de (1740-1814)

Aline et Valcour ou le Roman philosophique
Cent Vingt Journées de Sodome (les) ou l'École du libertinage
Crimes de l'amour (les)
Dialogue entre un prêtre et un moribond
Ernestine, nouvelle suédoise [voir *Crimes de l'amour (les)*]
Eugénie de Franval [voir *Crimes de l'amour (les)*]
Histoire de Juliette ou les Prospérités du vice
Idée sur les romans
Infortunes de la vertu (les) [voir *Justine*]
Journées de Florbelle (les) ou la Nature dévoilée
Justine
Justine ou les Malheurs de la vertu [voir *Justine*]
Marquise de Gange (la)
Nouvelle Justine (la) ou les Malheurs de la vertu [voir *Justine*]
Oxtiern ou les Malheurs du libertinage
Philosophie dans le boudoir (la)

ÉDITIONS COMPLÈTES

➢ *Œuvres complètes*, Cercle du Livre précieux, 16 vol., 1966-1967 (dir. G.
   Lély) ;
➢ *Œuvres complètes*, J.-J. Pauvert, 12 vol., 1986-1990 (p.p. A. Le Brun) ;
➢ *Œuvres*, Gallimard, « Pléiade », 3 vol. prévus, 1990 → (p.p. M.Delon).

SAGAN Françoise, pseudonyme de Françoise Quoirez (née en 1935)

Aimez-vous Brahms ?
Bonjour tristesse
Chamade (la)
Château en Suède

ÉDITION COMPLÈTE

➢ *Œuvres*, Robert Laffont, « Bouquins », 1993 (p.p. P. Barthelet).

SAINT-AMANT Marc Antoine Girard, sieur de (1594-1661)

Moïse sauvé
Œuvres poétiques

ÉDITION COMPLÈTE

➢ *Œuvres*, STFM, 5 vol., 1971-1979 (p.p. J. Bailbé et J. Lagny).

SAINT-AMANT, pseudonyme de Jean-Amand Lacoste (XIXe siècle)

Auberge des Adrets (l') [en collab. avec ANTIER et PAULYANTHE]
Robert Macaire [en collab. avec ANTIER et LEMAÎTRE] [voir
*   Auberge des Adrets (l')*]

SAINT-DENYS GARNEAU Hector (Canada/Québec, 1912-1943)

Regards et Jeux dans l'espace

SAINT-ÉVREMOND Charles de Marguetel de Saint-Denis, seigneur de (vers 1614-1703)

Comédie des académistes (la)

SAINT-EXUPÉRY Antoine de (1900-1944)

Courrier Sud
Petit Prince (le)
Pilote de guerre
Terre des hommes
Vol de nuit

ÉDITIONS COMPLÈTES

➢ *Œuvres complètes*, Club de l'honnête homme, 7 vol., 1985-1987 ;
➢ *Œuvres complètes*, Gallimard, « Pléiade », 2 vol. prévus, 1994 → (p.p. M.
   Autrand et M. Quesnel).

SAINT-GEORGES DE BOUHÉLIER

SAINT-GEORGES DE BOUHÉLIER, Stéphane Georges de Bouhélier-Lepelletier, dit (1876-1947)

Carnaval des enfants (le)

SAINT-JOHN PERSE, pseudonyme d'Alexis Saint-Leger Leger, dit aussi Alexis Leger (1887-1975)

Amers
Anabase
Chronique
Éloges
Exil
Gloire des Rois (la) [voir *Éloges*]
Vents

ÉDITION COMPLÈTE

➤ *Œuvres complètes*, Gallimard, « Pléiade », 1972, éd. revue et augmentée, 1982.

SAINT-JUST Louis-Antoine (1767-1794)

Fragments d'institutions républicaines

SAINT-LAMBERT Jean-François, chevalier, puis marquis de (1716-1803)

Saisons (les)

SAINT-MARTIN Louis Claude de (1743-1803)

Crocodile (le)
Homme de désir (l')

SAINT-PIERRE Charles Irénée Castel, abbé de (1658-1743)

Projet pour rendre la paix perpétuelle en Europe

SAINT-PIERRE Michel de (1916-1987)

Aristocrates (les)

SAINT-POL ROUX, pseudonyme de Paul Pierre Roux (1861-1940)

Reposoirs de la procession (les)

SAINT-RÉAL César Vichard, abbé de (1639-1692)

Conjuration des Espagnols contre la république de Venise en l'année M.DC.XVIII
Dom Carlos

SAINT-SIMON Louis, duc de (1675-1755)

Mémoires

SAINTE-BEUVE Charles Augustin (1804-1869)

Causeries du lundi
Consolations (les)
Nouveaux lundis [voir *Causeries du lundi*]
Pensées d'août
Port-Royal
Vie, Poésies et Pensées de Joseph Delorme
Volupté

SAINTE-MAURE Benoît de [voir BENOÎT DE SAINTE-MAURE]

SALACROU Armand (1899-1989)

Inconnue d'Arras (l')

SALES François de (1567-1622)

Introduction à la vie dévote
Traité de l'amour de Dieu

ÉDITION COMPLÈTE

➤ *Œuvres*, Gallimard, « Pléiade », 1969 (p.p. A. Ravier, avec la collab. de R. Devos).

SALLENAVE Danièle (née en 1940)

Portes de Gubbio (les)

SAN ANTONIO, pseudonyme de Frédéric Dard (né en 1921)

Du plomb dans les tripes

SAND George, pseudonyme d'Aurore Dupin, baronne Dudevant (1804-1876)

Compagnon du tour de France (le)
Comtesse de Rudolstadt (la) [voir *Consuelo*]
Consuelo
Elle et Lui [voir *Lui* de COLET]
François le Champi
Histoire de ma vie
Indiana
Lélia
Maîtres Sonneurs (les)
Mare au diable (la)
Marquis de Villemer (le)
Mauprat
Meunier d'Angibault (le)
Petite Fadette (la)
Spiridion

ÉDITIONS COMPLÈTES

➤ *Œuvres complètes*, Genève, Slatkine, 32 vol., 1979 (réimp. éd. 1857-1905) ;
➤ *Romans 1830*, Presses de la Cité, « Omnibus », 1991 (préf. M.-M. Fragonard).

SANDEAU Jules (1811-1883)

Gendre de Monsieur Poirier (le) [en collab. avec AUGIER]
Mademoiselle de La Seiglière

SARDOU Victorien (1831-1908)

Ganaches (les)
Madame Sans-Gêne [en collab. avec É. MOREAU]
Rabagas
Thermidor
Tosca (la)

SARMENT Jean, pseudonyme de Jean Bellemère (1897-1976)

Léopold le bien-aimé

SARRAUTE Nathalie (née en 1902)

« Disent les imbéciles »
Enfance
Fruits d'Or (les)
Martereau
Planétarium (le)
Portrait d'un inconnu
Pour un oui ou pour un non
Tropismes

SARRAZIN Albertine (1937-1967)

Astragale (l')
Cavale (la)

SARTRE Jean-Paul (1905-1980)

Âge de raison (l') [voir *Chemins de la liberté (les)*]
Baudelaire [voir *Idiot de la famille (l')*]
Chambre (la) [voir *Mur (le)*]
Chemins de la liberté (les)
Diable et le Bon Dieu (le)
Drôle d'amitié [voir *Chemins de la liberté (les)*]
Enfance d'un chef (l') [voir *Mur (le)*]
Érostrate [voir *Mur (le)*]
Huis clos

Idiot de la famille (l')
Intimité [voir *Mur (le)*]
Mains sales (les)
Mallarmé, la lucidité et sa face d'ombre [voir *Idiot de la famille (l')*]
Mort dans l'âme (la) [voir *Chemins de la liberté (les)*]
Mots (les)
Mouches (les)
Mur (le)
Nausée (la)
Nekrassov
Putain respectueuse (la)
Qu'est-ce que la littérature ? [voir *Idiot de la famille (l')*]
Saint Genet, comédien et martyr [voir *Idiot de la famille (l')*]
Séquestrés d'Altona (les)
Sursis (le) [voir *Chemins de la liberté (les)*]

ÉDITIONS COMPLÈTES
➢ *Œuvres romanesques*, Club de l'honnête homme, 4 vol., 1980 ;
➢ *Œuvres romanesques*, Gallimard, « Pléiade », 1982 (p.p. M. Contat et M. Rybalka, collab. G. H. Bauer et G. Idt).

SASSINE Williams (Guinée, né en 1944)

Jeune Homme de sable (le)

SAURIN Joseph (1706-1781)

Beverlei
Mœurs du temps (les)

SAUSSURE Horace Bénédict de (Suisse, 1740-1799)

Voyages dans les Alpes

SAVARD Félix Antoine (Canada/Québec, 1894-1982)

Menaud maître draveur

SAVITZKAYA Eugène (Belgique, né en 1955)

Traversée de l'Afrique (la)

SCARRON Paul (1610-1660)

Dom Japhet d'Arménie
Jodelet ou le Maître valet
Nouvelles tragi-comiques
Roman comique (le)
Virgile travesti (le)

ÉDITION COMPLÈTE
➢ *Œuvres*, Genève, Slatkine, 7 vol., 1970 (réimp. éd. 1786).

SCÈVE Maurice (1500 ?-1560 ?)

Délie, objet de plus haute vertu
Microcosme
Saulsaye. Églogue de la vie solitaire

ÉDITIONS COMPLÈTES
➢ *Œuvres poétiques complètes*, Genève, Slatkine, 1967 (réimp. éd. 1927, p.p. B. Guégan) ;
➢ *Œuvres complètes*, Mercure de France, 1974 (p.p. P. Quignard).

SCHEHADÉ Georges (Liban, 1907-1989)

Émigré de Brisbane (l')
Histoire de Vasco
Monsieur Bob'le
Poésies (les)

SCHÉLANDRE Jean de (1584 ?-1635)

Tyr et Sidon

SCHLUMBERGER Jean (1877-1968)

Saint-Saturnin

SCHWARZ-BART André (né en 1928)

Dernier des Justes (le)
Un plat de porc aux bananes vertes [en collab. avec Simone SCHWARZ-BART]

SCHWARZ-BART Simone (née en 1938)

Pluie et Vent sur Télumée Miracle
Un plat de porc aux bananes vertes [en collab. avec André SCHWARZ-BART]

SCHWOB Marcel (1867-1905)

Livre de Monelle (le)

SCRIBE Eugène (1791-1861)

Mariage d'argent (le)
Ours et le Pacha (l')
Puff (le) ou Mensonge et Vérité

SCUDÉRY Georges de (1601-1667)

Amour tyrannique (l')
Cabinet de M. de Scudéry (le)
Comédie des comédiens (la)
Mort de César (la)

SCUDÉRY Madeleine de (1607-1701)

Artamène ou le Grand Cyrus
Célinte, nouvelle première
Clélie. Histoire romaine
Conversations morales (les) ou la Morale du monde
Grand Cyrus (le) [voir *Artamène ou le Grand Cyrus*]

SCUTENAIRE Louis (Belgique, 1905-1987)

Vacances d'un enfant (les)

SÉBILLET Thomas (1512-1589)

Art poétique français

SEDAINE Michel Jean (1719-1797)

Déserteur (le)
Gageure imprévue (la)
Philosophe sans le savoir (le)
Richard Coeur de Lion

ÉDITION COMPLÈTE
➢ *Théâtre*, Genève, Slatkine, 1970 (réimp. éd. 1877).

SEGALEN Victor (1878-1919)

Équipée. Voyage au pays du Réel
Immémoriaux (les)
René Leys
Stèles

SEGRAIS Jean Regnauld, sieur de (1624-1701)

Nouvelles françaises

SÉGUR comtesse de, née Sophie Rostopchine (1799-1874)

Malheurs de Sophie (les)

SEMBENE Ousmane (Sénégal, né en 1923)

Bouts de bois de Dieu (les)
Mandat (le)
Xala

SEMPRUN Jorge (Espagne, né en 1923)

Deuxième Mort de Ramón Mercader (la)

SÉNAC

SÉNAC Jean (Algérie, 1927-1973)
Avant-corps
Diwan du Noûn [voir *Avant-corps*]
Poèmes
Poèmes iliaques [voir *Avant-corps*]

SÉNAC DE MEILHAN Gabriel (1736-1803)
Émigré (l')

SENANCOUR Étienne Pivert de (1770-1846)
Aldomen ou le Bonheur dans l'obscurité
Oberman

SENGHOR Léopold Sédar (Sénégal, né en 1906)
Chants d'ombre
Éthiopiques
Hosties noires
ÉDITION COMPLÈTE
➤ *Œuvre poétique*, Seuil, « Points », 1990.

SÉVIGNÉ Marie de Rabutin-Chantal, marquise de (1626-1696)
Lettres

SIMENON Georges (Belgique, 1903-1989)
Chien jaune (le)
La neige était sale
Mort de Belle (la)
Pedigree
ÉDITION COMPLÈTE
➤ *Tout Simenon*, Presses de la Cité, « Omnibus », 25 vol., 1988-1993.

SIMON Claude (né en 1913)
Bataille de Pharsale (la)
Corps conducteurs (les)
Géorgiques (les)
Herbe (l')
Histoire
Leçon de choses
Palace (le)
Route des Flandres (la)
Triptyque

SIMONIN Albert (1905-1980)
Touchez pas au grisbi !

SOCÉ Ousmane Socé Diop, dit Ousmane (Sénégal, 1911-1973)
Karim

SOLLERS Philippe, pseudonyme de Philippe Joyaux (né en 1936)
Femmes
H
Une curieuse solitude

SONY LABOU TANSI, pseudonyme de Marcel Sony (Congo, né en 1947)
Je soussigné cardiaque [voir *Parenthèse de sang (la)*]
Parenthèse de sang (la)
Vie et demie (la)

SOREL Charles (1599 ?-1674)
Berger extravagant (le)
Francion
Vraie Histoire comique de Francion [voir *Francion*]

SOUMET Alexandre (1788-1845)
Norma

SOUPAULT Philippe (1897-1990)
Bon Apôtre (le)
Champs magnétiques (les) [en collab. avec BRETON]
Chansons [voir *Poèmes et Poésies (1917-1973)*]
En joue !
Grand Homme (le)
Nègre (le)
Poèmes et Poésies (1917-1973)

SOUVESTRE Pierre (1874-1914)
Fantômas [en collab. avec M. ALLAIN]

SOUZA Adélaïde Marie Émilie Filleul, comtesse de Flahaut, puis marquise de (1761-1836)
Adèle de Sénange ou Lettres de lord Sydenham

SOW-FALL Aminata (Sénégal, née en 1941)
Grève des báttu (la)

SPONDE Jean de (1557-1595)
Amours (les)
Essai de quelques poèmes chrétiens
Méditations sur les Psaumes (les)
ÉDITION COMPLÈTE
➤ *Œuvres littéraires*, Genève, Droz, « Textes littéraires français », 1978 (préf. M. Raymond, p.p. A. Boase).

STAËL Germaine Necker, baronne de Staël-Holstein, dite Mme de (1766-1817)
Corinne ou l'Italie
De l'Allemagne
De la littérature considérée dans ses rapports avec les institutions sociales
Delphine
ÉDITION COMPLÈTE
➤ *Œuvres complètes*, Genève, Slatkine, 3 vol., 1967 (réimp. éd. 1861).

STEEMAN Stanislas André (Belgique, 1908-1970)
L'assassin habite au 21

STENDHAL, pseudonyme d'Henri Beyle (1783-1842)
Abbesse de Castro (l') [voir *Chroniques italiennes*]
Armance
Cenci (les) [voir *Chroniques italiennes*]
Chartreuse de Parme (la)
Chroniques italiennes
De l'amour
Duchesse de Palliano (la) [voir *Chroniques italiennes*]
Italie en 1818 (l') [voir *Rome, Naples et Florence*]
Journal
Lamiel
Lucien Leuwen
Mémoires d'un touriste
Mina de Vanghel
Promenades dans Rome
Racine et Shakespeare
Rome, Naples et Florence
Rouge et le Noir (le)
San Francesco a Ripa [voir *Chroniques italiennes*]
Souvenirs d'égotisme
Suora Scolastica [voir *Chroniques italiennes*]
Trop de faveur tue [voir *Chroniques italiennes*]
Vanina Vanini [voir *Chroniques italiennes*]
Vie de Henry Brulard (la)
Vie de Rossini
Vittoria Accoramboni [voir *Chroniques italiennes*]

2152

ÉDITIONS COMPLÈTES
- ➤ *Romans et Nouvelles*, Gallimard, « Pléiade », 2 vol., 1947-1948 (p.p. H. Martineau) ;
- ➤ *Œuvres*, Lausanne, Éditions Rencontre, 18 vol., 1960-1962 (dir. V. Del Litto) ;
- ➤ *Le Rouge et le Noir. La Chartreuse de Parme. Lamiel. Armance*, Robert Laffont, « Bouquins », 1980 (préf. J. Laurent, p.p. M. Crouzet) ;
- ➤ *Œuvres intimes*, Gallimard, « Pléiade », 2 vol., 1981-1982 (p.p. V. Del Litto).

STERN Daniel, pseudonyme de Marie Catherine Sophie de Flavigny, comtesse d'Agoult (1805-1876)

Nélida

STÉTIÉ Salah (Liban, né en 1929)

Fragments : poème

STIL André (né en 1921)

Beau comme un homme

STRINBERG August (Suède, 1849-1912)

Inferno

SUARÈS André (1868-1948)

Voyage du condottiere (le)

SUE Eugène (1804-1857)

Arthur, le journal d'un inconnu
Juif errant (le)
Latréaumont
Mathilde. Mémoires d'une jeune femme
Mystères de Paris (les)

SULLY PRUDHOMME René François Prudhomme, dit (1839-1907)

Solitudes (les)

SUPERVIELLE Jules (1884-1960)

Amis inconnus (les)
Enfant de la haute mer (l')
Fable du monde (la)
Forçat innocent (le)
Gravitations
Homme de la pampa (l')
Oublieuse Mémoire
Survivant (le)
Voleur d'enfants (le)

T

TABARIN Jean Salomon (?), dit (1584 ?-1633)

Deux Pourceaux (les)

TABOUROT DES ACCORDS Étienne (1549-1590)

Apophtegmes du sieur Gaulard
Bigarrures du seigneur des Accords (les)
Escraignes dijonnaises (les)

TAHUREAU Jacques (1527-1555)

Dialogues

TAILHADE Laurent (1854-1919)

Au pays du mufle

TAILLEMONT Claude de (vers 1526-après 1557)

Tricarite (la)

TALLEMANT DES RÉAUX Gédéon (1619-1692)

Historiettes

TARDIEU Jean (né en 1903)

ABC de notre vie (l') [voir *Poèmes à jouer*]
Amants du métro (les) [voir *Poèmes à jouer*]
Ce que parler veut dire [voir *Théâtre de chambre*]
Conversation-sinfonietta [voir *Théâtre de chambre*]
Des arbres et des hommes [voir *Poèmes à jouer*]
Eux seuls le savent [voir *Théâtre de chambre*]
Faust et Yorrick [voir *Théâtre de chambre*]
Guichet (le) [voir *Théâtre de chambre*]
Il y avait foule au manoir [voir *Théâtre de chambre*]
Malédictions d'une furie [voir *Poèmes à jouer*]
Meuble (le) [voir *Théâtre de chambre*]
Monsieur Moi [voir *Théâtre de chambre*]
Oswald et Zénaïde [voir *Théâtre de chambre*]
Poèmes à jouer
Politesse inutile (la) [voir *Théâtre de chambre*]
Qui est là ? [voir *Théâtre de chambre*]
Rythme à trois temps ou le Temple de Ségeste [voir *Poèmes à jouer*]
Sacre de la nuit (le) [voir *Théâtre de chambre*]
Serrure (la) [voir *Théâtre de chambre*]
Société Apollon (la) [voir *Théâtre de chambre*]
Sonate et les Trois Messieurs (la) [voir *Théâtre de chambre*]
Temps du verbe (les) ou les Pouvoirs de la parole [voir *Poèmes à jouer*]
Théâtre de chambre
Tonnerre sans orage ou les Dieux inutiles [voir *Poèmes à jouer*]
Trois Personnes entrées dans des tableaux [voir *Poèmes à jouer*]
Un geste pour un autre [voir *Théâtre de chambre*]
Un mot pour un autre [voir *Théâtre de chambre*]
Une voix sans personne [voir *Poèmes à jouer*]

ÉDITION COMPLÈTE
- ➤ *Théâtre*, Gallimard, 4 vol., 1955-1984.

TCHICAYA U TAM'SI Gérald Félix (Congo, 1931-1988)

Bal de Ndinga (le)
Cancrelats (les)
Épitomé
Méduses (les) ou les Orties de mer [voir *Cancrelats (les)*]
Phalènes (les) [voir *Cancrelats (les)*]

TENCIN Claudine Alexandrine Guérin de ~, dite Mme de (1682-1749)

Mémoires du comte de Comminge
Siège de Calais (le)

TERRASSON abbé Jean (1670-1750)

Sethos

THARAUD Jérôme (1874-1953) et Jean (1877-1952)

Dingley, l'illustre écrivain
Ombre de la Croix (l')
Rose de Sâron (la) [voir *Ombre de la croix (l')*]

THÉAULON DE LAMBERT Marie-Emmanuel (1787-1841)

Kean ou Désordre et Génie [en collab. avec DE COURCY et A. DUMAS]

THÉRIAULT Yves (Canada/Québec, 1915-1983)

Agaguk

THEVET André (vers 1516-1592)

Singularités de la France antarctique (les)

THIBAUT DE CHAMPAGNE Thibaut IV le Chansonnier, comte de Troyes et de Meaux, dit (1201-1253)
Chansons

THIERRY Augustin (1795-1856)
Récits des temps mérovingiens

THIRY Marcel (Belgique, 1897-1977)
Toi qui pâlis au nom de Vancouver

THOMAS [d'Angleterre] (seconde moitié du XIIe siècle)
Tristan

TILLIER Claude (1801-1844)
Mon oncle Benjamin

TINAN Jean Le Barbier de ~, dit Jean de (1874-1898)
Aimienne ou le Détournement de mineure

TIROLIEN Guy (né en 1917)
Feuilles vivantes au matin

TOCQUEVILLE Charles Alexis Clérel de (1805-1859)
Ancien Régime et la Révolution (l')
De la démocratie en Amérique
Souvenirs
ÉDITIONS COMPLÈTES
➤ *Œuvres complètes*, Gallimard, 23 vol. parus, 1951 → ;
➤ *Œuvres*, Gallimard, « Pléiade », 3 vol. prévus, 1992 → (dir. A. Jardin).

TÖPFFER Rodolphe (Suisse, 1799-1846)
Bibliothèque de mon oncle (la)

TOULET Paul-Jean (1867-1920)
Contrerimes (les)
Mon amie Nane
Monsieur du Paur, homme public
ÉDITION COMPLÈTE
➤ *Œuvres complètes*, Robert Laffont, « Bouquins », 1986 (p.p. B. Delvaille).

TOURNIER Michel (né en 1924)
Aire du muguet (l') [voir *Coq de bruyère (le)*]
Amandine ou les Deux Jardins [voir *Coq de bruyère (le)*]
Coq de bruyère (le)
Famille Adam (la) [voir *Coq de bruyère (le)*]
Fétichiste (le) [voir *Coq de bruyère (le)*]
Fin de Robinson Crusoé (la) [voir *Coq de bruyère (le)*]
Fugue du Petit Poucet (la) [voir *Coq de bruyère (le)*]
Jeune Fille et la Mort (la) [voir *Coq de bruyère (le)*]
Mère Noël (la) [voir *Coq de bruyère (le)*]
Météores (les)
Nain rouge (le) [voir *Coq de bruyère (le)*]
Que ma joie demeure [voir *Coq de bruyère (le)*]
Roi des Aulnes (le)
Suaires de Véronique (les) [voir *Coq de bruyère (le)*]
Tristan Vox [voir *Coq de bruyère (le)*]
Tupik [voir *Coq de bruyère (le)*]
Vendredi ou la Vie sauvage [voir *Vendredi ou les Limbes du Pacifique*]
Vendredi ou les Limbes du Pacifique

TOUSSAINT François Vincent (1715-1772)
Mœurs (les)

TRASSARD Jean-Loup (né en 1933)
Amitié des abeilles (l')

TREMBLAY Michel (Canada/Québec, né en 1942)
Belles-Sœurs (les)
Thérèse et Pierrette à l'école des Saints-Anges

TRIOLET Elsa (1896-1970)
Amants d'Avignon (les) [voir *Le premier accroc coûte deux cents francs*]
Cahiers enterrés sous un pêcher [voir *Le premier accroc coûte deux cents francs*]
Cheval blanc (le)
Le premier accroc coûte deux cents francs
Vie privée (la) [voir *Le premier accroc coûte deux cents francs*]
ÉDITION COMPLÈTE
➤ *Œuvres romanesques croisées* [d'Aragon et d'Elsa Triolet], Robert Laffont, 38 vol., 1964-1971.

TRISTAN Frédérick, pseudonyme de Frédérick Tristan Baron (né en 1931)
Égarés (les)

TRISTAN L'HERMITE François L'Hermite, seigneur du Solier, dit (1601-1655)
Amours (les)
Folie du sage (la)
Lyre (la)
Marianne (la)
Mort de Sénèque (la)
Page disgracié (le)
Vers héroïques (les)
ÉDITION COMPLÈTE
➤ *Théâtre complet*, Montgomery, Univ. Alabama Press (USA), 1975 (dir. C. K. Abraham).

TROYES Nicolas de (première moitié du XVIe siècle)
Grand Parangon des nouvelles nouvelles (le)

TROYAT Henri, pseudonyme de Lev Tarassov (né en 1911)
Araigne (l')

TURNÈBE Odet de (1552-1581)
Contens (les)

TYARD Pontus de (1521-1605)
Erreurs amoureuses (les)
Solitaire premier
Solitaire second [voir *Solitaire premier*]

TYSSOT DE PATOT Simon (1655-1738)
Vie, les Aventures et le Voyage au Groenland du révérend père cordelier Pierre de Mésange (la)
Voyages et Aventures de Jacques Massé

TZARA Tristan, pseudonyme de Samuel Rosenstock (1896-1963)
Antitête (l')
Deuxième Aventure céleste de M. Antipyrine (la)
Fuite (la)
Homme approximatif (l')
ÉDITION COMPLÈTE
➤ *Œuvres complètes*, Flammarion, 6 vol., 1975-1991 (p.p. H. Béhar).

U

URFÉ Honoré d' (1567-1625)

Astrée (l') [pour les quatre premières parties]

V

VADÉ Jean-Joseph (1719-1757)

Lettres de la Grenouillère
Pipe cassée (la)
Quatre Bouquets poissards (les) [voir *Pipe cassée (la)*]
Racoleurs (les)

VAEZ Gustave (1812-1862)

Grandeur et Décadence de M. Joseph Prudhomme [en collab. avec H. MONNIER]

VAILLAND Roger (1907-1965)

Beau Masque
Drôle de jeu
Fête (la)
Loi (la)
Truite (la)
325 000 Francs

VAIRAS[SE] [voir VEIRAS]

VALÉRY Paul (1871-1945)

Album de vers anciens
Cahiers
Charmes
Cimetière marin (le) [voir *Charmes*]
Degas Danse Dessin
Eupalinos ou l'Architecte
Homme et la Coquille (l')
Idée fixe (l') ou Deux Hommes à la mer
Jeune Parque (la)
Lust [voir « *Mon Faust* »]
« Mon Faust »
Monsieur Teste
Solitaire (le) [voir « *Mon Faust* »]

ÉDITION COMPLÈTE
➤ *Œuvres*, Gallimard, « Pléiade », 2 vol., 1957-1960 (p.p. J. Hytier).

VALLÈS Jules (1832-1885)

Bachelier (le)
Enfant (l')
Insurgé (l')
Jacques Vingtras [voir *Bachelier (le)*, *Enfant (l')* et *Insurgé (l')*]
Réfractaires (les)

ÉDITIONS COMPLÈTES
➤ *Œuvres complètes*, Messidor/Temps actuels, 4 vol., 1950-1959 (p.p. L. Scheler) ;
➤ *Œuvres*, Gallimard, « Pléiade », 2 vol., 1975-1989 (p.p. R. Bellet).

VAN LERBERGHE Charles (Belgique, 1861-1907)

Entrevisions

VAUMORIÈRE Pierre d'Ortigue de (1611-1693)

Faramond ou l'Histoire de France [en collab. avec LA CALPRENÈDE]

VAUQUELIN DE LA FRESNAYE Jean (1535 ou 1536-1607)

Art poétique
Foresteries (les)

VAUTHIER Jean (1910-1992)

Capitaine Bada
Personnage combattant (le)

VAUTRIN Jean, pseudonyme de Jean Herman (né en 1933)

Billy-ze-Kick
Vie Ripolin (la)

VAUVENARGUES Luc de Clapiers, marquis de (1715-1747)

Introduction à la connaissance de l'esprit humain

VEIRAS (ou VAIRAS, ou VAYRASSE, ou VAIRASSE) Denis (1635-1685 ?)

Histoire des Sévarambes

VELAN Yves (Suisse, né en 1925)

Je

VERCORS, pseudonyme de Jean Bruller (1902-1991)

Animaux dénaturés (les)
Silence de la mer (le)

VERHAEREN Émile (Belgique, 1855-1916)

Flambeaux noirs (les)
Heures du soir (les)
Toute la Flandre
Villes tentaculaires (les)

ÉDITION COMPLÈTE
➤ *Œuvres*, Genève, Slatkine, 3 vol., 1977 (réimp. éd. 1912-1930).

VERHEGGEN Jean-Pierre (Belgique, né en 1942)

Grande Mitraque (la)

VERLAINE Paul (1844-1896)

Bonne Chanson (la)
Fêtes galantes
Invectives
Jadis et Naguère
Mémoires d'un veuf (les)
Parallèlement
Poèmes saturniens
Poètes maudits (les)
Romances sans paroles
Sagesse

ÉDITIONS COMPLÈTES
➤ *Œuvres poétiques complètes*, Gallimard, « Pléiade », 1938 (p.p. Y.-G. Le Dantec), révisée 1962 (p.p. J. Borel) ;
➤ *Œuvres poétiques complètes*, Vialetay, 5 vol., 1955-1956 (p.p. Y.-G. Le Dantec) ;
➤ *Œuvres complètes*, le Club du meilleur Livre, 2 vol., 1959-1960 (intr. O. Nadal, p.p. H. de Bouillane de Lacoste et J. Borel) ;
➤ *Œuvres en prose complètes*, Gallimard, « Pléiade », 1972 (p.p. J. Borel) ;
➤ *Poésies 1866-1880*, Imprimerie nationale, « Lettres françaises », 1981 (p.p. M. Décaudin) ;
➤ *Œuvres poétiques*, Bordas, « Classiques Garnier », 1987 (p.p. J. Robichez) ;
➤ *Œuvres poétiques complètes*, Robert Laffont, « Bouquins », 1992, (p.p. Y.-A. Favre).

VERNE Jules (1828-1905)

Autour de la Lune [voir *De la Terre à la Lune*]
Château des Carpathes (le)
Cinq Cents Millions de la bégum (les)
Cinq Semaines en ballon
De la Terre à la Lune
Enfants du Capitaine Grant (les)
Île mystérieuse (l')
Maître du monde [voir *Robur le conquérant*]
Michel Strogoff
Robur le conquérant
Tour du monde en quatre-vingts jours (le)

VIALAR

Tribulations d'un Chinois en Chine (les)
Un capitaine de quinze ans
Vingt Mille Lieues sous les mers
Voyage au centre de la Terre
Voyages et Aventures du capitaine Hatteras

ÉDITIONS COMPLÈTES
➢ *Œuvres*, Lausanne, Éditions Rencontre, 32 vol., s. d. (p.p. G. Sigaux) ;
➢ *Œuvres*, Le Livre de Poche, 36 vol., 1966-1968 (reproduit les illustrations de l'éd. Hetzel).

VIALAR Paul (né en 1898)

Chronique française du XXᵉ siècle

VIALATTE Alexandre (1901-1971)

Battling le ténébreux ou la Mue périlleuse
Dame du Job (la) [voir *Fruits du Congo (les)*]
Fidèle Berger (le)
Fruits du Congo (les)

VIAN Boris (1920-1959)

Arrache-cœur (l')
Automne à Pékin (l')
Bâtisseurs d'Empire (les)
Écume des jours (l')
Goûter des généraux (le)
Herbe rouge (l')
J'irai cracher sur vos tombes [sous le pseudonyme de VERNON SULLIVAN]
Vercoquin et le Plancton

ÉDITION COMPLÈTE
➢ *Théâtre*, « 10/18 », 2 vol., 1971 ;
➢ *Théâtre*, J.-J. Pauvert, 1972 ;
➢ *Romans, Nouvelles, Œuvres diverses*, Le Livre de Poche, « Pochothèque », 1991 (p.p. G. Pestureau).

VIAU Théophile de (1590-1626)

Amours tragiques de Pyrame et Thisbé (les)
Œuvres poétiques
Pyrame et Thisbé [voir *Amours tragiques de Pyrame et Thisbé (les)*]

VICAIRE Gabriel (1848-1900)

Déliquescences (les), poèmes décadents d'Adoré Floupette [en collab. avec BEAUCLAIR]

VIELÉ-GRIFFIN Francis (1864-1937)

Chevauchée d'Yeldis (la)

VIGNEULLES Philippe [voir PHILIPPE DE VIGNEULLES]

VIGNY Alfred de (1797-1863)

Chatterton
Cinq-Mars
Daphné, deuxième consultation du docteur Noir
Destinées (les), poèmes philosophiques
Maréchale d'Ancre (la)
Poèmes antiques et modernes
Quitte pour la peur
Servitude et Grandeur militaires
Stello ou les Diables bleus

ÉDITIONS COMPLÈTES
➢ *Œuvres poétiques*, Flammarion, « GF », 1978 (p.p. J.-P. Saint-Gérand) ;
➢ *Œuvres complètes*, Gallimard, « Pléiade », 2 vol. prévus, 1986 → (p.p. F. Germain et A. Jarry).

VILDRAC Charles, pseudonyme de Charles Messager (1882-1971)

Paquebot « Tenacity » (le)

VILLEDIEU Mme de, pseudonyme de Marie Catherine Desjardins (1640-1683)

Désordres de l'amour (les)
Mémoires de la vie d'Henriette Sylvie de Molière
Qu'il n'y a point de désespoir où l'amour ne soit capable de jeter un homme bien amoureux [voir *Désordres de l'amour (les)*]
Qu'on ne peut donner si peu de puissance à l'amour qu'il n'en abuse [voir *Désordres de l'amour (les)*]
Que l'amour est le ressort de toutes les autres passions de l'âme [voir *Désordres de l'amour (les)*]

ÉDITION COMPLÈTE
➢ *Œuvres*, Genève, Slatkine, 3 vol., 1971 (réimp. éd. 1702-1720).

VILLEHARDOUIN Geoffroi de (vers 1150-vers 1213)

Conquête de Constantinople (la)

VILLIERS DE L'ISLE-ADAM Auguste de (1838-1889)

À s'y méprendre [voir *Contes cruels* et *Nouveaux Contes cruels*]
Affichage céleste (l') [voir *Contes cruels* et *Nouveaux Contes cruels*]
Akëdysséryl [voir *Amour suprême (l')*]
Amies de pension (les) [voir *Contes cruels* et *Nouveaux Contes cruels*]
Amour suprême (l')
Annonciateur (l') [voir *Contes cruels* et *Nouveaux Contes cruels*]
Antonie [voir *Contes cruels* et *Nouveaux Contes cruels*]
Axël
Brigands (les) [voir *Contes cruels* et *Nouveaux Contes cruels*]
Claire Lenoir
Contes cruels et *Nouveaux Contes cruels*
Convive des dernières fêtes (le) [voir *Contes cruels* et *Nouveaux Contes cruels*]
Demoiselles de Bienfilâtre (les) [voir *Contes cruels* et *Nouveaux Contes cruels*]
Deux Augures [voir *Contes cruels* et *Nouveaux Contes cruels*]
Elën
Enjeu (l') [voir *Contes cruels* et *Nouveaux Contes cruels*]
Ève future (l')
Histoires insolites
Impatience de la foule [voir *Contes cruels* et *Nouveaux Contes cruels*]
Inconnue (l') [voir *Contes cruels* et *Nouveaux Contes cruels*]
Intersigne (l') [voir *Contes cruels* et *Nouveaux Contes cruels*]
Isis
Machine à gloire (la) [voir *Contes cruels* et *Nouveaux Contes cruels*]
Maryelle [voir *Contes cruels* et *Nouveaux Contes cruels*]
Morgane [voir *Prétendant (le)*]
Nouveaux Contes cruels [voir *Contes cruels*]
Plus Beau Dîner du monde (le) [voir *Contes cruels* et *Nouveaux Contes cruels*]
Prétendant (le)
Reine Isabeau (la) [voir *Contes cruels* et *Nouveaux Contes cruels*]
Secret de l'échafaud (le) [voir *Amour suprême (l')*]
Sentimentalisme [voir *Contes cruels* et *Nouveaux Contes cruels*]
Sœur Natalia [voir *Contes cruels* et *Nouveaux Contes cruels*]
Sylvabel [voir *Contes cruels* et *Nouveaux Contes cruels*]
Torture par l'espérance (la) [voir *Contes cruels* et *Nouveaux Contes cruels*]
Traitement du docteur Tristan (le) [voir *Contes cruels* et *Nouveaux Contes cruels*]
Tribulat Bonhomet [voir *Claire Lenoir*]
Véra [voir *Contes cruels* et *Nouveaux Contes cruels*]
Virginie et Paul [voir *Contes cruels* et *Nouveaux Contes cruels*]
Vox populi [voir *Contes cruels* et *Nouveaux Contes cruels*]

ÉDITION COMPLÈTE
➢ *Œuvres complètes*, Gallimard, « Pléiade », 2 vol., 1986 (p.p. P.-G. Castex et A. Haitt, collab. J.-M. Bellefroid).

Y

YOURCENAR Marguerite, pseudonyme de Marguerite de Crayencour (1903-1987)

Alexis ou le Traité du vain combat
Anna, soror...
Archives du Nord [voir *Labyrinthe du monde (le)*]
Électre ou la Chute des masques
Feux
Labyrinthe du monde (le)
Mémoires d'Hadrien
Œuvre au noir (l')
Quoi ? l'Éternité [voir *Labyrinthe du monde (le)*]
Souvenirs pieux [voir *Labyrinthe du monde (le)*]

ÉDITION COMPLÈTE

➢ *Œuvres romanesques*, Gallimard, « Pléiade », 1982 (avant-propos de l'auteur).

YVER Jacques (vers 1548 -1571 ou 1572)

Printemps (le)

Z

ZÉVACO Michel (1860-1918)

Amours du Chico (les) [voir *Pardaillan (les)*]
Fausta (la) [voir *Pardaillan (les)*]
Fausta vaincue [voir *Pardaillan (les)*]
Fils de Pardaillan (le) [voir *Pardaillan (les)*]
Fin de Fausta (la) [voir *Pardaillan (les)*]
Fin de Pardaillan (la) [voir *Pardaillan (les)*]
Pardaillan (les)
Pardaillan et Fausta [voir *Pardaillan (les)*]
Trésor de Fausta (le) [voir *Pardaillan (les)*]

ZOBEL Joseph (né en 1915)

Rue Cases-Nègres (la)

ZOLA Émile (1840-1902)

Argent (l')
Assommoir (l')
Attaque du moulin (l') [voir *Soirées de Médan (les)*]
Au Bonheur des Dames
Bête humaine (la)
Conquête de Plassans (la)
Contes à Ninon (les)
Curée (la)
Débâcle (la)
Docteur Pascal (le)
Faute de l'abbé Mouret (la)
Fécondité
Fortune des Rougon (la)
Germinal
J'accuse
Joie de vivre (la)
Lourdes
Nana
Œuvre (l')
Paris
Pot-Bouille
Quatre Évangiles (les) [voir *Fécondité, Travail, Vérité*]
Rêve (le)
Roman expérimental (le)
Rome
Rougon-Macquart (les)
Son Excellence Eugène Rougon
Terre (la)
Thérèse Raquin
Travail
Trois Villes (les) [voir *Lourdes, Rome* et *Paris*]
Une page d'amour
Ventre de Paris (le)
Vérité

ÉDITIONS COMPLÈTES

➢ *Les Rougon-Macquart*, Gallimard, « Pléiade », 5 vol., 1960-1967 (p.p. A. Lanoux et H. Mitterand) ;
➢ *Œuvres complètes*, Cercle du Livre précieux, 15 vol., 1966-1969 (dir. H. Mitterand) ;
➢ *Les Rougon-Macquart*, « Le Livre de Poche », 20 vol., 1953-1962 (p.p. A. Dezalay) ;
➢ *Les Rougon-Macquart*, Gallimard, « Folio », 20 vol., 1977-1993 (p.p. H. Mitterand) ;
➢ *Les Rougon-Macquart*, Robert Laffont, « Bouquins », 5 vol., 1992-1993 (dir. C. Becker).

Table des hors-texte